ACCESO GRATIS *a la Lectura en la Nube*

Para visualizar el libro electrónico en la nube de lectura envíe junto a su nombre y apellidos una fotografía del código de barras situado en la contraportada del libro y otra del ticket de compra a la dirección:

ebooktirant@tirant.com

En un máximo de 72 horas laborales le enviaremos el código de acceso con sus instrucciones.

RESERVA LA NUEVA EDICIÓN DEL
GPS NOTARIAL

5% DE DESCUENTO
GASTOS DE ENVÍO GRATUITOS*(1)

Si quieres recibir la próxima edición del GPS automáticamente en cuanto aparezca

	Precio*(2)	Unidades
GPS NOTARIAL	143,26	

Si quieres suscribirte al GPS NOTARIAL y recibir automáticamente las futuras ediciones

	Precio*(3)	Unidades
GPS NOTARIAL	143,26	

Nombre:	
Apellidos:	
Dirección:	Código postal:
Población:	N.I.F. / C.I.F.:
Teléfono:	Correo electrónico:
Datos bancarios: CCC:	

Haznos llegar este boletín mediante:

Fax:963694151
Correo electrónico: Suscripciones@tirant.com
Teléfono: 963699153
Correos: Editorial Tirant lo Blanch
C/ Artes Gráficas, 14-2
46010 Valencia

*(1) Solo para España peninsular y Baleares
*(2) IVA no incluido (4%)
*(3) IVA no incluido (4%). Precio de cada edición

COLECCIÓN GPS

Boletín De Pedido

5% DE DESCUENTO
GASTOS DE ENVÍO GRATUITOS*(1)

	Precio*(2)	Unidades
GPS CONSUMO 2ª ED.	72,16	
GPS CONTABILIDAD FINANCIERA Y COSTES 3ª ED.	72,16	
GPS DERECHO DE SOCIEDADES 4ª ED.	81,29	
GPS FISCAL 5ª ED.	90,43	
GPS LABORAL 5ª ED.	90,43	
GPS PROCESAL CIVIL 3ª ED.	95,19	
GPS PROPIEDAD HORIZONTAL 5ª ED.	72,16	
GPS SUCESIONES 3ª ED.	72,16	
GPS DERECHO DE LA CIRCULACIÓN 2ª ED.	90,43	
GPS CONCURSAL	95,19	
GPS NOTARIAL	143,26	
GPS CONTRATOS CIVILES 2ª ED.	72.16	

Nombre:	
Apellidos:	
Dirección:	Código postal:
Población:	N.I.F. / C.I.F.:
Teléfono:	Correo electrónico:

Datos bancarios:

CCC: ☐☐☐☐ ☐☐☐☐ ☐☐ ☐☐☐☐☐☐☐☐☐☐

Haznos llegar este boletín mediante:
Fax:963694151
Correo electrónico: Suscripciones@tirant.com
Teléfono: 963699153
Correos: Editorial Tirant lo Blanch
C/ Artes Gráficas, 14-2
46010 Valencia

*(1) Solo para España peninsular y Baleares
*(2) IVA no incluido (4%)

GPS Notarial

GPS Notarial

UBALDO NIETO CAROL
Director

tirant lo blanch

Valencia, 2019

© Ubaldo Nieto Carol (Dir.)

© TIRANT LO BLANCH
EDITA: TIRANT LO BLANCH
C/ Artes Gráficas, 14 - 46010 - Valencia
TELFS.: 96/361 00 48 - 50
FAX: 96/369 41 51
Email:tlb@tirant.com
www.tirant.com
Librería virtual: www.tirant.es
DEPÓSITO LEGAL: V-189-2019
ISBN: 978-84-9190-483-0
IMPRIME: RODONA Industria Gráfica, S.L.
MAQUETA: Tink Factoría de Color

Si tiene alguna queja o sugerencia, envíenos un mail a: *atencioncliente@tirant.com*. En caso de no ser atendida su sugerencia, por favor, lea en *www.tirant.net/index.php/empresa/politicas-de-empresa* nuestro procedimiento de quejas.

Responsabilidad Social Corporativa: http://www.tirant.net/Docs/RSCTirant.pdf

Salvador Alborch De La Fuente

Salvador Alborch Domínguez

Henar Alonso Pascual

José Barrera Blázquez

César Belda Casanova

Joaquín Borrell García

Gonzalo Cano Mora

Francisco Cantos Viñals

Alejandro Cervera Taulet

José Mª Cid Fernández

Jaime Cuesta López

Tomás Dacal Vidal

Luis Fernández Santana

Eduardo García Parra

Antonio Jiménez Clar

Javier M. Juárez González

José Vicente Malo Concepción

Carlos Marín Calero

Delfín Martínez Pérez

Ana María Mas Mayor

Rafael Francisco Mestre Gómez

Antonio Luis Mira Canto

Ubaldo Nieto Carol

José Nieto Sánchez

Francisco P. Peral Ribelles

Miguel Vicente-Almazán Pérez De Petinto

Alejandro Constantino Pérez Martínez

Miguel Prieto Escudero

Juan Montero-Ríos Gil

Simeón Ribelles Durá

Ernesto Ríos Segarra

Enrique Sacristán Crisanti

María Reyes Sánchez Moreno

María José Serrano Cantín

Ernesto Tarragón Albella

Notarios

Salvador Alborch De La Fuente
(Apartado 4.7 del Capítulo 4)

Salvador Alborch Domínguez
(Apartado 4.1 a 4.4 del Capítulo 4 y Capítulo 18)

Henar Alonso Pascual
(Apartado 15.5 del Capítulo 15)

José Barrera Blázquez
(Apartado 3.7 del Capítulo 3)

César Belda Casanova
(Apartado 4.29 del Capítulo 4 y Capítulo 16)

Joaquín Borrell García
(Capítulo 3)

Gonzalo Cano Mora
(Apartado 4.8.1 al 4.8.5.1 del Capítulo 4)

Francisco Cantos Viñals
(Apartado 4.28.1 del Capítulo 4)

Alejandro Cervera Taulet
(Apartado 3.8 del Capítulo 3)

José Mª Cid Fernández
(Apartado 4.6, 4.16 al 4.18 del Capítulo 4)

Jaime Cuesta López
(Capítulo 7)

Tomás Dacal Vidal
(Capítulo 5)

Luis Fernández Santana
(Apartado 4.15 del Capítulo 4)

Eduardo García Parra
(Apartado 4.24 del Capítulo 4)

Antonio Jiménez Clar
(Apartado 15.1 y 15.3 del Capítulo 15)

Javier M. Juárez González
(Capítulo 6)

José Vicente Malo Concepción
(Capítulo 13)

Carlos Marín Calero
(Capítulo 17)

Delfín Martínez Pérez
(Apartado 2.2.12 del Capítulo 2 y Apartado 4.5.4 del Capítulo 4)

Ana María Mas Mayor
(Apartado 4.8.6 y 4.9 del Capítulo 4)

Rafael Francisco Mestre Gómez
(Apartado 4.8.5.2.2 del Capítulo 4)

Antonio Luis Mira Canto
(Apartado 15.4 del Capítulo 15)

Ubaldo Nieto Carol
(Apartado 2.2.12.2.4 y 2.2.12.2.5 del Capítulo 2 y 4.8.5.2.1, 4.23, 4.25, 4.28.2 y 4.28.3 del Capítulo 4 y Capítulo 9 al 12)

José Nieto Sánchez
(Apartado 3.9, 3.10 y 3.11 del Capítulo 3 y Apartado 4.5.1 al 4.5.3 y 4.5.5 a 4.5.9 del Capítulo 4)

Francisco P. Peral Ribelles
(Capítulo 8)

Miguel Vicente-Almazán Pérez De Petinto
(Capítulo 14)

Alejandro Constantino Pérez Martínez
(Capítulo 2)

Miguel Prieto Escudero
(Apartado 15.2 del Capítulo 15)

Juan Montero-Ríos Gil
(Apartado 4.10 al 4.14 del Capítulo 4)

Simeón Ribelles Durá
(Apartado 2.3 del Capítulo 2)

Ernesto Ríos Segarra
(Apartado 4.19, 4.20 y 4.22 del Capítulo 4)

Enrique Sacristán Crisanti
(Apartado 4.26 y 4.27 del Capítulo 4)

María Reyes Sánchez Moreno
(Apartado 4.21 del Capítulo 4)

María José Serrano Cantín
(Apartado 4.28.1.8 del Capítulo 4)

Ernesto Tarragón Albella
(Capítulo 1)

Nota de los editores

El lector se preguntará qué valor añadido tiene esta obra respecto de las que existen en el mercado; por qué elegir precisamente ésta y no otra obra que parezca similar. Los editores de Tirant les vamos a dar nuestra visión de esta obra. El motivo de su gestación.

Comencemos por el principio. **El equipo de autores**. Como apreciará el lector, los autores de este libro son profesionales del ámbito. No cualquier profesional, sino juristas, académicos y prácticos, profesionales libres y funcionarios de las instituciones competentes, con años de experiencia y de un singular know-how que raramente se encuentra de forma tan completa. Se utiliza con demasiada frecuencia la frase de "hecho por profesionales para profesionales", tanto que a veces pierde su sentido. Y es en esta obra precisamente donde encuentra su sentido, donde se aúnan rigor y practicidad; justificaciones normativas y soluciones.

Porque ante todo, esta obra que el lector tiene entre sus manos es una herramienta jurídica de uso diario para quienes operan en cualquier ámbito profesional relacionado con la Justicia. Es una herramienta hecha a conciencia y con conciencia, es decir, pensando en construirla para dar respuesta a una necesidad.

En cuanto a la **estructura y contenido de la obra**. Se trata de una obra organizada de forma singular, no con una exposición de temas teóricos sino con el mismo *íter* con en el que se encontrará el asesor, el abogado de muy fácil manejo. Se van planteando problemas, se van ofreciendo soluciones. Cada capítulo contiene definiciones, resúmenes técnicos, ejemplos, jurisprudencia, normativa, cuestiones útiles... y todo ello expuesto con un uso del lenguaje que sin quitar ni pizca de rigor facilita la comprensión y es un regalo para quien quiere encontrar una solución jurídica. Porque de soluciones jurídicas y de clarificar conceptos, contenidos y maneras de operar es de lo que trata el libro. Asimismo, el índice onomástico final ofrece un sencillo sistema de búsqueda para localizar en el libro el tema que se necesita.

En fin, como decía un escritor: "Es un buen libro aquel que se abre con expectación y se cierra con provecho". Lo primero le compete a usted, querido lector. De lo segundo estamos seguros.

Índice

PARTE 1ª
LA FUNCIÓN NOTARIAL Y LOS NOTARIOS

1. LA FUNCIÓN NOTARIAL

2. LOS NOTARIOS

3. PRESTACIÓN DE LA FUNCIÓN NOTARIAL

PARTE 2ª
EL INSTRUMENTO PÚBLICO

4. EL INSTRUMENTO PÚBLICO

PARTE 3ª
ACTUACIONES NOTARIALES

5. ACTUACIÓN NOTARIAL EN MATERIA MATRIMONIAL

6. ACTUACIÓN NOTARIAL EN MATERIA DE SUCESIONES

8. ACTUACIÓN NOTARIAL EN MATERIA DE MOVIMIENTOS DE CAPITAL E INVERSIONES EXTERIORES

9. ACTUACIÓN NOTARIAL EN MATERIA DE CONDICIONES GENERALES Y CONTRATOS CON CONSUMIDORES Y USUARIOS

10. ACTUACIÓN DEL NOTARIO EN MATERIA DE PRÉSTAMOS Y CRÉDITOS HIPOTECARIOS

13. EXPEDIENTES NOTARIALES EN MATERIA MERCANTIL

14. ACTUACIONES NOTARIALES EN MATERIA DE NAVEGACIÓN MARÍTIMA

15. ACTUACIONES NOTARIALES EN MATERIA CATASTRAL

16. ACTUACIÓN NOTARIAL Y SOCIEDAD DE LA INFORMACIÓN

17. ACTUACIONES NOTARIALES EN MATERIA DE PROTECCIÓN DE LA DISCAPACIDAD

18. ACTUACIÓN NOTARIAL EN MATERIA DE MEDIACIÓN

Presentación

No puedo ocultar que cuando recibí el encargo de esta obra por la Editorial Tirant lo Blanch mi primera reacción fue que era imposible. En efecto, intentar recoger en forma abreviada la actividad notarial era y es inviable. De hecho, creo recordar, que la frase que utilicé fue la siguiente: «¿quieren que escribamos una enciclopedia?».

Sin embargo, la insistencia de la editorial y, sobre todo, dos razones muy importantes, me impulsaron abordar esta ardua y difícil labor. La primera, fue que no existía ninguna obra similar; intentar elaborar una, era, desde luego, un reto francamente atractivo. La segunda razón, fue de índole «institucional»; el resultado de la obra sería, en todo caso, útil tanto para los propios Notarios y sus empleados, como, probablemente, para muchos de los profesionales del Derecho que tienen que documentar algún negocio jurídico en un instrumento público.

La primera labor fue delimitar el contenido de la obra ya que la actuación notarial se extiende a muchos campos del Derecho que van desde el Derecho Civil (familia y sucesiones, obligaciones y contratos, derechos reales e hipotecario...); el Derecho Mercantil con todos sus negocios jurídicos en todos los ámbitos contractuales, especialmente en el Derecho Bancario y, muy especialmente, en toda la vida societaria desde su constitución hasta su disolución y extinción, pasando por las modificaciones estructurales. También en el ámbito del Derecho administrativo y concretamente el Derecho urbanístico.

Por ello, ante la imposibilidad de incluir todo, esta obra se ha centrado en dos de los aspectos «clásicos» básicos: uno, la función notarial y sus sujetos, los Notarios; y otro, el resultado documental de esta función, el instrumento público. Después de ello y, como tercera parte, dentro de las innumerables actuaciones notariales, nos hemos centrando sólo en algunas de las más habituales, otras que lo son menos y en las más recientes, estas últimas, fruto, en gran medida, de la nueva legislación sobre jurisdicción voluntaria.

En efecto, la primera parte, referente a los propios Notarios, será de gran utilidad para nosotros. Habitualmente estamos tan centrados en los instrumentos públicos que nos encargan nuestros clientes, que cuando hay algo que nos afecta directamente o a nuestra organización corporativa tenemos que ir a repasarnos nuestra legislación propia. Por ello, aquí, se estudia tanto el ingreso en el Notariado con las condiciones que se exigen y la regulación de las oposiciones libres, como los concursos de traslado, pasando por las oposiciones restringidas. También se analiza el régimen de incompatibilidades, las ausencias, licencias, sustituciones y el cese, así como la organización interna del Notariado.

Interesa destacar a este respecto el esfuerzo hecho en lo referente al estudio de la regulación del arancel notarial por las complicaciones que ello comporta derivadas de su antigüedad, de la dispersión de las normas aplicables y de la existencia de numerosas resoluciones de la DGRN.

También hay que hacer especial referencia a las obligaciones del Notario y, especialmente, a las más recientes y exigentes en materia de prevención del blanqueo de capitales. Finaliza esta primera parte con el régimen disciplinario del Notario.

La segunda parte, mucho más extensa que la primera, se centra en el instrumento público. Se analizan sus requisitos, su especial valor jurídico, su nulidad, incluso, su falsedad.

Como no podía ser de otra forma, también se estudian los sujetos del mismo y las partes en que se divide el instrumento público: la comparecencia, el juicio de capacidad, la calificación del acto o contrato, la exposición de hechos o antecedentes, la parte dispositiva, las reservas y advertencias legales, el otorgamiento, la firma de los comparecientes y la autorización notarial.

Destaca aquí el extenso estudio que se ha hecho sobre la capacidad y representación tanto de las personas físicas como de las personas jurídicas, las de derecho público y las de derecho privado y, dentro de estas, las personas jurídicas mercantiles y las no mercantiles. Este análisis, creo, será de gran utilidad para los propios Notarios que, a veces, tenemos que hacer un juicio de capacidad en breve espacio de tiempo, de forma que tendremos una ayuda, al menos, una primera guía sobre la regulación aplicable que nos permita estudiar con más detalle la capacidad y representación de los comparecientes. Y, por supuesto, también lo será para el resto de juristas.

Igualmente, se analiza en profundidad las pólizas intervenidas por Notario, sus requisitos formales y materiales y la forma de su intervención; las actas, sus peculiaridades formales y sus distintas clases; el documento fehaciente de liquidación, los supuestos en los que se exige, el alcance y naturaleza de la actuación notarial y su forma y contenido; las copias de las escrituras, autorizadas y simples, su regulación, quienes están legitimados para pedirlas y los recursos contra la negativa a expedirlas; y, por último, los testimonios notariales y sus distintos tipos.

Y consecuencia lógica de la autorización e intervención de los instrumentos públicos es su conservación. Así, se estudia el Protocolo, como colección ordenada de las escrituras matrices; el Libro-Registro de operaciones mercantiles, suya sección A hace lo mismo respecto a los ejemplares únicos de las pólizas mercantiles y la B, respecto a las copias de los documentos mercantiles cuyos originales circulan; y el Libro indicador, en cuya sección primera se anotan los traslados a papel de las copias electrónicas, los testimonios en soporte papel de las comunicaciones o notificaciones electrónicas recibidas o efectuadas por los Notarios que se relacionen directamente con un determinado documento autorizado o intervenido (exceptuados los acuses de recibo digitales que consten por nota en una escritura o acta matriz) y las legitimaciones de firmas electrónicas reconocidas en los documentos en formato electrónico; y la sección segunda en la que se incorporan los testimonios que se realicen en soporte papel.

Esta segunda parte acaba con el estudio del índice informatizado único que es el instrumento informático que se elabora en cada notaría, cada quince días, y que se remite dentro de los 7 días siguientes al fin de cada quincena y en el que se comunican las escrituras públicas y las pólizas intervenidas (no los asientos del Libro Indicador).

La tercera y última parte de este GPS Notarial que siendo de por sí extensa podría serlo mucho más, aborda algunas de las muchas posibles actuaciones notariales concretas. Así, en materia MATRIMONIAL, tras la reforma del Código Civil y de la Ley del Notariado por la Ley 15/2015, de 2 de julio, de la Jurisdicción Voluntaria, el acta matrimonial, la escritura pública de celebración de matrimonio, el acta de notoriedad para la constancia del régimen económico matrimonial legal y las escrituras públicas de separación y de divorcio.

En materia de SUCESIONES, el testamento abierto notarial, el testamento cerrado, la protocolización del testamento ológrafo, los testamentos otorgados en forma oral, la declaración de herederos *ab intestato*, las referentes a albaceas y contadores partidores dativos y las actuaciones respecto a aceptación de herencia, beneficio de inventario y derecho a deliberar.

En materia de OBLIGACIONES, el ofrecimiento de pago, la consignación y la reclamación de deudas dinerarias no contradichas, actuaciones introducidas por la Ley de Jurisdicción voluntaria en la Ley del Notariado en su capítulo IV (arts. 69 a 71).

Tras estudiarse en profundidad los temas de movimientos de capitales, cobros y pagos exteriores y las inversiones extranjeras en España, se abordan temas ya clásicos en materia CONTRACTUAL como son el papel de los Notarios en materia de condiciones generales de contratación con consumidores y usuarios y cláusulas abusivas.

Y dentro de esta actuación notarial en materia contractual se analiza, como no podía ser menos, todo lo referente al papel del Notario en materia de transparencia de préstamos y créditos hipotecarios que aunque se centra en la fase del otorgamiento, hay que tener a la vista la información precontractual y comprobar su coincidencia con la contractual.

En materia hipotecaria también es relevante la venta extrajudicial notarial de bienes hipotecados que aunque estaba ya y sigue aún regulada en el Reglamento Hipotecario (ejecución extrajudicial), ha sido objeto de modificaciones acordes con la realidad jurídica del momento mediante la nueva redacción del art. 129 de la Ley Hipotecaria (e indirectamente, de la Ley de Enjuiciamiento Civil). Precisamente, una de esas modificaciones ha sido la de aplicar a este tipo de venta el sistema de subasta electrónica; por ello estudiamos con carácter previo el llamado «expediente de subasta notarial» regulado en el capítulo V (arts. 72 a 77) de la Ley del Notariado, introducido, una vez más, por la Ley de Jurisdicción Voluntaria.

Fruto, también, de las reformas introducidas por esta Ley son determinados expedientes notariales en materia MERCANTIL recogidos en el capítulo VI del Título VII de la Ley del Notariado (arts. 78 a 80) como son el robo, hurto, extravío o destrucción de título-valor, los depósitos en materia mercantil y la venta de los bienes depositados, así como el nombramiento de peritos en los contratos de seguros.

La Ley 14/2014, de 24 de julio, de Navegación Marítima, dedica su Título X a las actuaciones notariales en materia de navegación marítima bajo la rúbrica de «Certificación pública de determinados expedientes de derecho marítimo» (arts. 501 al 524): protesta de mar por incidencias de viaje, tasación pericial de daños, liquidación de avería gruesa, depósito y venta de mercancías y equipajes en el transporte marítimo, extravío, sustracción o destrucción del conocimiento de embarque y enajenación de efectos mercantiles alterados o averiados

Otras normas como son la Ley 13/2015, de 24 de junio, de Reforma de la Ley Hipotecaria y del texto refundido de la Ley de Catastro Inmobiliario han establecido nuevas obligaciones y actuaciones de los Notarios como la incorporación de la información gráfica a determinadas escrituras que tienen por objeto bienes inmuebles, las actuaciones a través del Servicio de Tramitación Inmobiliaria (que es el conducto que nos permite a los notarios efectuar las alteraciones catastrales, que son de comunicación obligatoria y las modificaciones físicas que, por el momento, no lo son), las notificaciones a los titulares catastrales, el expediente de dominio, el deslinde del art. 200 de la Ley Hipotecaria o la inmatriculación de fincas por doble título de adquisición.

También parecía necesario analizar la aplicación de la nuevas tecnologías a la actividad notarial, fundamentalmente a través de la Firma Electrónica Reconocida Notarial (FEREN) y su utilización para la remisión de copias auténticas y de copias simples, así como la legitimación notarial electrónica. Para todo ello hay que destacar el papel que juegan la Red Notarial (RENO) y el Sistema Integrado de Gestión Notarial (SIGNO).

En materia de PROTECCIÓN DE LA DISCAPACIDAD, se estudia el testamento para estos casos con las distintas posibilidades y la regulación que del patrimonio protegido hace la Ley 41/2003, de 18 de noviembre.

Y la obra finaliza con la actuación notarial en materia de MEDIACIÓN que se centra en la elevación a público del acuerdo de mediación, la designación notarial de mediador concursal y la regulación del Notario como mediador concursal. Por otra parte, se analiza la actuación del propio Notario como mediador, al margen de su condición de fedatario público, así como el papel de las Fundaciones Notariales de Mediación.

En fin, una obra extensa y creo que intensa y profunda. No compete a sus autores un juicio de valor sobre la misma sino a sus destinatarios; en la medida en que les sea útil para sus quehaceres profesionales habremos cumplido nuestro fin. En todo caso, aquí están a disposición del lector las muchas horas dedicadas por treinta y cinco Notarios. A él le corresponde el juicio final ya que es el destinatario final de esta obra.

Ubaldo Nieto Carol
Notario

Abreviaturas

A

A. (AA.)	Auto (s)
AAMN	Anales de la Academia Matritense del Notariado
AA VV	Autores varios
ADC	Anuario de Derecho Civil
ADGRN	Anuario de la Dirección General de los Registros y del Notariado
Admón.	Administración
AEAT	Agencia Estatal de la Administración Tributaria
AEIE	Agrupación Europea de Interés Económico
AIE	Agrupación de Interés Económico
AJD	Actos Jurídicos Documentados
AN	Audiencia Nacional
AP	Audiencia Provincial
ap. (aps.)	apartado (s)
APD	Agencia de Protección de Datos
art. (arts.)	artículo (artículos)
As.	Asunto

B

BCE	Banco Central Europeo
BI	Base Imponible
BIMJ	Boletín de Información del Ministerio de Justicia
BOE	Boletín Oficial del Estado
BOP	Boletín Oficial Provincial
BORME	Boletín Oficial del Registro Mercantil

C

CA (CC AA)	Comunidad (es) Autónoma (s)
Cap. (Caps.)	Capítulo (Capítulos)
CC	Código Civil
CC.EE	Comunidades Europeas
CCom	Código de Comercio

CDC	Cuadernos de Derecho y Comercio
cdo. (s)	considerando (s)
CE	Constitución Española
CENDOJ	Centro de Documentación Judicial
CEE	Comunidad Económica Europea
cfr	*confer*, consulte
CGPJ	Consejo General del Poder Judicial
Circ.	Circular
CNMV	Comisión Nacional del Mercado de Valores
Conv.	Convenio
Coop.	Cooperativa (s)
CP	Código Penal

D

D. (DD.)	Decreto (Decretos)
Decl.	Declaración
DGRN	Dirección General de los Registros y del Notariado
DGS	Dirección General de Seguros
DGT	Dirección General de Tributos
DGTE	Dirección General de Transacciones Exteriores
Dict.	Dictamen
Dir.	Directiva
Dir.Gral. (Dirs.Grals.)	Dirección General (Direcciones Generales)
disp.	Disposición
disp. adic.	Disposición adicional
disp. derog.	Disposición derogatoria
disp. final	Disposición final
disp. supl.	Disposición supletoria
disp. transit.	Disposición transitoria
DLeg	Decreto Legislativo
Dley	Decreto-ley
DOCE	Diario Oficial de las Comunidades Europeas, serie «Comunicaciones e Informaciones»

E

Exp. Motivos	Exposición de Motivos

F

F.J	Fundamento Jurídico o de Derecho
FII	Fondos de Inversión Inmobiliaria
FIM	Fondos de Inversión Mobiliaria

I

IAE	Impuesto sobre Actividades Económicas
IBI	Impuesto sobre Bienes Inmuebles
ICAC	Instituto de Contabilidad y Auditoría de Cuentas
IIVTNU	Impuesto sobre el Incremento del Valor de los Terrenos de Naturaleza Urbana
IPC	Índice de Precios al Consumo
IRPF	Impuesto sobre la Renta de las Personas Físicas
IS	Impuesto sobre Sociedades
ISFAS	Instituto social de las fuerzas armadas
ISyD	Impuesto sobre Sucesiones y Donaciones
IT	Incapacidad Temporal
ITPyAJD	Impuesto sobre Transmisiones Patrimoniales y Actos Jurídicos Documentados
IVA	Impuesto sobre el Valor Añadido

J

JCA	Jurisdicción Contencioso-Administrativa
JCA	Juzgado de lo Contencioso-Administrativo
JCCA	Juzgado Central de lo Contencioso-Administrativo

L

LAC	Ley de Auditoría de Cuentas
LAIE	Ley de Agrupaciones de Interés Económico
LARH	Ley de Arrendamientos Rústicos Históricos
LAU/1994	Ley de Arrendamientos Urbanos (de 1994)
LC	Ley Concursal
LCAP	Ley de Contratos de las Administraciones Públicas
LCCH	Ley Cambiaria y del Cheque
LCD	Ley de Competencia Desleal
LCE	Ley de Contratos del Estado
LCGC	Ley de Condiciones Generales de Contratación
LCJI	Ley 29/2015, de 30 de Julio, de Cooperación Jurídica Internacional en materia civil.
LCoop	Ley de Cooperativas

LCoopCr	Ley de Cooperativas de Crédito
LCost	Ley de Costas
LCP	Ley de Colegios Profesionales
LCS	Ley del Contrato de Seguro
LDIEC	Ley de Disciplina e Intervención de Entidades de Crédito (derogada)
LEC	Ley de Enjuiciamiento Civil
LECrim	Ley de Enjuiciamiento Criminal
LEEA	Ley de Régimen Jurídico de las Entidades Estatales Autónomas
LGT	Ley General Tributaria
LH	Ley Hipotecaria
LHL	Ley de Haciendas Locales
LHMPSD	Ley de Hipoteca Mobiliaria y Prenda sin desplazamiento
LHN	Ley de Hipoteca Naval
LIRPF	Ley del Impuesto sobre la Renta de las Personas Físicas
LIS	Ley del Impuesto sobre Sociedades
LISyD	Ley del Impuesto sobre Sucesiones y Donaciones
LITPyAJD	Ley del Impuesto sobre Transmisiones Patrimoniales y Actos Jurídicos Documentados
LIVA	Ley del Impuesto sobre el Valor Añadido
LJCA	Ley de la Jurisdicción Contencioso-Administrativa
LJV	Ley 2/2015, de 2 de Julio, de la Jurisdicción Voluntaria
LMH	Ley del Mercado Hipotecario
LMV	Ley del Mercado de Valores
LN	Ley Orgánica del Notariado
LNM	Ley de Navegación Marítima
LO	Ley Orgánica
LOPD	Ley Orgánica del Protección de Datos de Carácter Personal.
LOPJ	Ley Orgánica del Poder Judicial
LOSSEC	Ley 10/2014, de 26 de junio, de ordenación, supervisión y solvencia de entidades de crédito
LPA	Ley de Procedimiento Administrativo
LPH	Ley de Propiedad Horizontal
LRHC	Ley de Reforma del Registro y del Catastro sobre la información gráfica
LSC	Ley de Sociedades de Capital

M

MUNPAL	Mutualidad nacional de previsión de la administración local

O

O. (OO.)	Orden (Ordenes)
OEPM	Oficina Española de Patentes y Marcas
OM (OO MM)	Orden Ministerial (Ordenes Ministeriales)

P

párr.	Párrafo
p. ej.	Por ejemplo
pg. (pgs.)	página (páginas)
PGC	Plan General de Contabilidad
PYME	Pequeña y mediana empresa

R

RCDI	Revista Crítica de Derecho Inmobiliario
RCorr	Reglamento Corredores de Comercio (derogado)
RD (RR DD)	Real Decreto (Reales Decretos)
RDBB	Revista de Derecho Bancario y Bursátil
RDGRN	Resolución de la Dirección General de los Registros y del Notariado
RDLeg	Real Decreto Legislativo
RDley	Real Decreto-ley
RDN	Revista de Derecho Notarial
RDP	Revista de Derecho Privado
RdS	Revista de Derecho de Sociedades
Rec.	Recurso
Reg. Civ.	Registro Civil
Reg. Prop.	Registro de la Propiedad
Reg. Prop. Ind.	Registro de la Propiedad Industrial
Regl.	Reglamento
Res.	Resolución
RGD	Revista General de Derecho
RH	Reglamento Hipotecario
RHMPSD	Reglamento de Hipoteca Mobiliaria y Prenda sin Desplazamiento
RIRPF	Reglamento del Impuesto sobre la Renta de las Personas Físicas
RIS	Reglamento del Impuesto sobre Sociedades
RISyD	Reglamento del Impuesto sobre Sucesiones y Donaciones

RITPyAJD	Reglamento del Impuesto sobre Transmisiones Patrimoniales y Actos Jurídicos Documentados
RIVA	Reglamento del Impuesto sobre el Valor Añadido
RJN	Revista Jurídica del Notariado
RN	Reglamento Notarial
Roj	Repertorio ordenado de jurisprudencia del CENDOJ
RRC	Reglamento del Registro Civil
RRM	Reglamento del Registro Mercantil

S

S. (SS.)	Sentencia (Sentencias)
SA	Sociedad Anónima
SAD	Sociedad Anónima Deportiva
SAL	Sociedad Anónima Laboral
SAN	Sentencia de la Audiencia Nacional
SAP	Sentencia de la Audiencia Provincial
SAT	Sociedad Agraria de Transformación
SC	Sociedad Colectiva
SCLV	Servicio de Compensación y Liquidación de Valores
SCom	Sociedad Comanditaria
ScompA	Sociedad Comanditaria por Acciones
SCoop	Sociedad Cooperativa
SCP	Sociedad Civil Particular
SCR	Sociedad de Capital Riesgo
s. e.	salvo error
Secc.	Sección
s. e. u. o.	salvo error u omisión
SGC	Sociedades Gestoras de Cartera
SGFP	Sociedades Gestoras de Fondos de Pensiones
SGR	Sociedades de Garantía Recíproca
SIMCAV	Sociedad (es) de Inversión Mobiliaria de Capital Variable
SL	Sociedad Limitada
SLL	Sociedad de Responsabilidad Limitada Laboral
ss.	siguientes
STC (SSTC)	Sentencia (s) del Tribunal Constitucional
STJCE	Sentencia del Tribunal de Justicia de las Comunidades Europeas

STS (SSTS)	Sentencia (s) del Tribunal Supremo
STSJ (SSTSJ)	Sentencia (s) del Tribunal Superior de Justicia
Subsecc.	Subsección
Supl.	Suplemento

T

TC	Tribunal Constitucional
TFUE	Tratado Fundacional de la UE
Tít.	Título
TJCE	Tribunal de Justicia de las Comunidades Europeas
TR	Texto Refundido
Trat.	Tratado
TRLAU	Texto Refundido de la Ley de Arrendamientos Urbanos
TRLGDCU	Texto Refundido de la Ley General para la Defensa de los Consumidores y Usuarios
TUE	Tratado de la Unión Europea
TUE/1992	Tratado de la Unión Europea, versión original de 1992
TUE/1999	Tratado de la Unión Europea, versión consolidada por el Tratado de Amsterdam en vigor desde el 1 de mayo de 1999

U

Ud. (Uds.)	Usted (Ustedes)
UE	Unión Europea

V

vid.	Véase
vol. (vols.)	Volumen (volúmenes)
VPO	Viviendas de Protección Oficial

PARTE 1ª
LA FUNCIÓN NOTARIAL Y LOS NOTARIOS

1. LA FUNCIÓN NOTARIAL

INTRODUCCIÓN. CONCEPTOS. A modo de definición y por ir fijando los términos:

- Por Notario entendemos: El profesional del Derecho que ejerce simultáneamente una función pública para proporcionar a los ciudadanos la seguridad jurídica en el ámbito del tráfico jurídico extrajudicial. Un poco más descriptivamente, el Notario es el profesional del Derecho encargado de una función pública consistente en recibir, interpretar y dar forma legal a la voluntad de las partes, redactando los instrumentos adecuados a este fin y confiriéndoles autenticidad; conservar los originales de éstos y expedir copias que den fe de su contenido y puedan tener fuerza ejecutiva. En su función está comprendida la autenticación de hechos.

- Por función notarial entendemos la tarea que realiza el Notario y sus efectos.

- La labor notarial puede parecer muy simple, como si el notario se limitara a plasmar en un documento lo que otros manifiestan y a dar fe de sus firmas, pero que, en rigor, como pone de manifiesto la Doctrina (BOLÁS), es una labor compleja que abarca en esencia las siguientes fases:

- En primer lugar el notario está obligado a escuchar a las partes y aconsejarlas acerca de la posibilidad y de los medios de lograr los fines lícitos que aquellas se proponen alcanzar en cada caso.

- Obtenida la conformidad de las partes, el notario debe redactar o controlar la redacción del contrato y su ajuste a la legalidad, exigiendo, en su caso, la acreditación de las autorizaciones pertinentes y justificación de los medios de pago.

- Redactado el documento, el notario debe autorizarlo, es decir, asumir su autoría, garantizando la fecha y lugar de celebración del negocio jurídico, la autenticidad formal de su contenido, además de la identidad, la capacidad y legitimación de los otorgantes, y, en su caso, la suficiencia de sus poderes.

- Autorizado el documento, el notario lo conserva y expide copias, con una fuerza probatoria y fuerza ejecutiva.

A todo ello debe añadirse la obligación del notario, como funcionario, de colaborar con al Administración remitiendo la información fiscal y administrativa prevista por la Ley, información que cada vez es más numerosa y completa.

La escritura pública es, además en nuestra legislación (artículo 1462-2 CC), una forma de *traditio* o entrega de la posesión de la cosa vendida y título idóneo para la inscripción en los Registros de la Propiedad y Mercantil, pues la importancia y efectos de la inscripción requiere la máxima calidad de los documentos inscribibles.

Es evidente, por tanto, que en nuestro modelo de notariado la actuación del notario no se limita a la formalización de negocios jurídicos para facilitar su prueba posterior, sino que tiene otros importantes aspectos que esencialmente se condensan en su obligación de dar fe de la identidad de los otorgantes, de que a su juicio tienen capacidad y legitimación, de que el consentimiento ha sido libremente prestado y de que el otorgamiento se adecua a la legalidad y a la voluntad debidamente informada de los otorgantes o intervinientes.

El Notario no es un simple testigo. Al contrario, interviene activamente en la elaboración documental desarrollando una amplia labor de calificación jurídica que compromete su responsabilidad y que tiene su culminación en el control de legalidad que realiza sobre el contenido del negocio al que el documento se refiere.

La actividad redactora, la adecuación de voluntades, la de consejo y asesoramiento están en función de una posterior actividad de autenticación y control y solamente se pueden entender en cuanto antecedentes de la misma y para su correcto ejercicio. De ahí que podría pensarse que las actividades de consejo, adecuación de la voluntad y redacción sean inseparables de la actividad formalizadora y controladora del notario. Sin embargo, como expresa la doctrina, la actividad notarial que tiene una clara tendencia hacía el documento, no se confunde con él y podemos separar la función asesora de la función formalizadora, pues hay actividad notarial, y de la buena, cuando la intervención del notario no se culmina con la autorización del documento, bien porque el Notario descubre que lo inicialmente solicitado no es lo realmente pretendido; bien porque un proyecto de escritura o no reúne los requisitos legales para su validez o no se acreditan determinadas circunstancias en las que el Notario debe basar su juicio para dar la seguridad de que el negocio que se pretenda formalizar se ajusta a la ley; o bien o por el desistimiento de los propios otorgantes, ante el asesoramiento notarial que pone de manifiesto dificultades o efectos indeseados del negocio.

Por lo que, realmente, la función asesora notarial de lo que es inseparable es del control de legalidad: hay actividad notarial sin documento, pero no puede haberla sin control de legalidad.

Para explicar de forma breve y precisa que es un documento notarial, la propia Unión Internacional del Notariado parte de un principio didáctico, y realiza una definición descriptiva atendiendo a su autor, contenido y efectos:

> «*los documentos notariales, que pueden tener por objeto la formalización de actos y negocios de todo tipo, son los autorizados por el Notario. Su autenticidad comprende autoría, firmas, fecha y contenido. Son conservados por el Notario y clasificados por orden cronológico. En la*

redacción de los documentos notariales, el Notario, que debe actuar en todo momento confor-me a la Ley, interpreta la voluntad de las partes y adecua las mismas a las exigencias legales, da fe de la identidad y califica la capacidad y legitimación de los otorgantes en relación con el acto o negocio jurídico concreto que pretenden realizar. Controla la legalidad y debe asegurarse de que la voluntad de las partes, que se expresa en su presencia, haya sido libremente declarada. Todo ello se entiende con independencia del soporte en el que conste el documento notarial».

Sigue poniendo de manifiesto la Unión Internacional del Notariado (UINL) como características que «Los documentos notariales gozan de una doble presunción de le-galidad y de exactitud de su contenido y no pueden ser contradichos más que por vía judicial. Están revestidos de fuerza probatoria y ejecutiva.

Los documentos notariales, con la debida legalización, deberán ser reconocidos en todos los Estados y producir en ellos los mismos efectos probatorios, ejecutivos y cons-titutivos de derechos y obligaciones que en su país de origen.

Recordemos que el artículo 1218 del Código Civil establece que: «Los documentos públicos harán prueba, aun contra tercero, del hecho que motiva su otorgamiento y de la fecha de éste».

«También harán prueba contra los contratantes y sus causahabientes, en cuanto a las declara-ciones que en ellos hubiesen hecho los primeros».

Por su parte, el artículo 319.1 Ley Enjuiciamiento Civil dice así: «Con los requisi-tos y en los casos de los artículos siguientes, los documentos públicos (...) harán prueba plena del hecho, acto o estado de cosas que documenten, de la fecha en que se produce esa documentación y de la identidad de los fedatarios y demás personas que, en su caso, intervengan en ella».

En la LEC, «prueba plena» significa la que por sí sola determina la fijación de un hecho como cierto a los efectos de un proceso.

La presunción legal de veracidad, integridad y legalidad del documento notarial se basa en la obligación que artículo 24 de la Ley del Notariado impone a los notarios, en su consideración de funcionarios públicos, de velar por la regularidad no sólo formal sino material de los actos o negocios jurídicos que autorice o intervenga, siendo así que la consecuencia es que el notario debe denegar su ministerio, esto es, debe negarse a autorizar o intervenir el acto o negocio jurídico cuando el mismo sea contrario a la legalidad vigente.

La obligación de velar por la regularidad, no sólo formal, sino material del acto o negocio jurídico que el notario autoriza o interviene, le exige una serie de actuaciones positivas previas al mismo hecho de la autorización o intervención; así, en este sentido, la DGRN destaca: asegurarse acerca de cuál sea la identidad de los otorgantes, indagar su verdadera voluntad y controlar la legalidad del acto o negocio jurídico que se pretende realizar desde las perspectivas formal y material (elementos esenciales, naturales y accidentales) a los efectos de su documentación pública.

Veracidad implica que desde la perspectiva de la narración de los hechos y del contenido del acto o negocio documentado el mismo se corresponde con la realidad extradocumental; por ejemplo, que los otorgantes son quienes se dice en el instrumento y que cuentan con capacidad natural y jurídica para la conclusión de lo documentado; que el acto o negocio jurídico concluido es el que es y no otro; que sus elementos esenciales, naturales y accidentales son los reflejados en su clausulado y que, en suma, la realidad extradocumental ha sucedido como se narra y refleja en el instrumento. Por ello, hasta el mismo Código Penal prevé un tipo de falsedad específico (artículos 390 y siguientes).

Integridad supone que el documento no carece de ninguna de sus partes en el sentido de que narra toda la verdad. Por ello, un documento no sería veraz si recogiera una parte de la realidad y diera o elevara ésta a rango de totalidad de lo ocurrido.

La consecuencia de las dos presunciones expuestas es la de legalidad. Que una realidad jurídica se presuma conforme a la legalidad implica que su contenido y efectos están ajustados al ordenamiento jurídico. Dicho de otra forma, que el acto o negocio jurídico documentado y por extensión el mismo documento es conforme a la legislación que rige aquél, desplegando por ellos unos efectos privilegiados respecto de otros tipos documentales.

1.1. FUNDAMENTO FUNCIÓN NOTARIAL

La razón de ser de la función notarial es proporcionar seguridad jurídica a los ciudadanos en sus relaciones jurídicas, tanto personales como familiares o económicas. Claridad y certidumbre de las relaciones jurídicas suponen la facilitación del tráfico, garantía para terceros y reducción de los costes del sistema judicial.

En la moderna doctrina se viene identificando la actividad notarial con la jurisprudencia cautelar, y el concepto de «seguridad jurídica preventiva» ha alcanzado un consolidado arraigo en nuestra realidad jurídica

Dicho servicio preventivo o antilitigioso, como señala TORRES ESCAMEZ (2002), lo presta el notario, principal, aunque no únicamente, mediante una actividad documentadora. Es confirmando, redactando y autorizando el documento (o negándose a hacerlo) como el notario desempeña su misión cautelar. Por eso cabe encuadrar la función notarial dentro del sistema cautelar que el Estado organiza para desarrollar y actuar el valor o principio fundamental de la seguridad jurídica.; en la medida que el notario con su actuación fomenta la seguridad jurídica contribuye a la evitación de los conflictos de un modo más eficaz. A mayor seguridad, menos conflicto.

La idea de seguridad equivale a certeza o certidumbre. Calificada de jurídica, supone la certeza o certidumbre que el hombre requiere en sus relaciones jurídicas, bien sean éstas las de Derecho Público, las que le afectan como ciudadano en su relación con el poder, bien sean las de Derecho Privado, es decir, las que tienen que ver con los demás ciudadanos particulares.

La seguridad jurídica, en el ámbito del Derecho Privado, conlleva la confianza y certidumbre en las relaciones de esta índole. Se implica en ella la función notarial que tiende a conseguir, señala RODRÍGUEZ ADRADOS, «la certeza de su aplicación (del Derecho Objetivo) a las relaciones y situaciones jurídicas y a los derechos subjetivos, en su estática y en la dinámica del tráfico, en una actuación preventiva o sin contienda» Por ello se considera tan acertada la opinión de este autor, al decir que «el único medio que se ha ideado y que con mayor o menor intensidad se ha llevado a la práctica para evitar todas estas cosas (la conflictividad), para conseguir el «negocio perfecto» que conduzca a la seguridad jurídica sustancial, consiste en no dejar solas a las partes con sus egoísmos —una frente a la otra—, con sus confabulaciones —ambas contra terceros— y en todo caso con sus ignorancias; en colocar junta a las partes, y entre las partes, a un tercero imparcial».

La denominada función antilitigiosa del Notario, como apunta PAZ-ARES (1995), no representa, en rigor, una función notarial autónoma, es decir, no puede desgajarse conceptualmente de otras cumplidas por el Notario, sino que, más bien, es la expresión gráfica que sirve para abreviar el conjunto de efectos socialmente significativos que producen los servicios notariales, incluido, como es natural, el relativo al control de legalidad.

Muchos estudiosos, desde CARNELUTTI (1954), consideran que la función antilitigiosa del Notario, destinada a prevenir litigios, es la clave de su función. Pero el sistema notarial no interviene sólo reduciendo el nivel de litigiosidad, sino también facilitando el desarrollo del proceso cuando el litigio se ha hecho inevitable. El Notario, en su condición de autentificador y conservador del documento, produce información jurídicamente relevante, y en la medida que su actuación está investida de la fe pública, y somete la operación a un escrupuloso control de legalidad, los documentos notariales adquieren una especial eficacia probatoria, solo vencible con la querella de falsedad, y facilitan la ejecución de lo pactado.

La prueba es esencial en el desenvolvimiento del proceso, tanto que la dificultad fundamental, aunque no exclusiva, para predecir los decisiones judiciales no se centra en las normas que han de ser aplicadas en primera o sucesivas instancias, sino en los hechos que han de ser declarados probados y que servirán de presupuesto para la aplicación de aquellas normas.

DELIMITACIÓN FORMAL DE LA FUNCIÓN NOTARIAL. La función notarial viene formalmente delimitada por los requisitos intradocumentales, es decir, por las solemnidades que el documento debe contener y que representan exteriorizaciones que el Notario desarrolla en su función documentadora. En este sentido el artículo 17 bis de la ley del Notariado, dispone que:

> *«Con independencia del soporte electrónico, informático o digital en que se contenga el documento público notarial, el notario deberá dar fe de la identidad de los otorgantes, de que a su juicio tienen capacidad y legitimación, de que el consentimiento ha sido libremente prestado y de que el otorgamiento se adecua a la legalidad y a la voluntad debidamente informada de los otorgantes o intervinientes».*

El precepto fue redactado por la reforma llevada a cabo por la Ley 24/2001, de 27 de diciembre, de Medidas Fiscales, Administrativas y del Orden Social, impone la exigencia de la constancia expresa de una serie de menciones, pero no supone una alteración, ni siquiera una novedad esencial, del concepto de fe pública notarial. Siendo menciones documentales, quizá hubiese sido conveniente, disponer simplemente que tales menciones deben constar en el documento, sin necesidad de utilizar la expresión dar fe de tales extremos, que no son hechos sino juicios y calificaciones del notario. Ello motivó una polémica con un amplio sector registral español para el que la dación de fe sólo tiene como objeto hechos perceptibles por los sentidos del notario y que la exhibición de copia auténtica del documento en que interviene un fedatario público produce seguridad en el tráfico respecto de la certeza de los hechos objeto de dación de fe; y si los hechos objeto de dación de fe son declaraciones de conocimiento, la dación de fe prueba la realidad de las declaraciones, pero no la realidad de lo declarado.

Frente a tales posturas conviene recordar con RODRÍGUEZ ADRADOS que, en cualquier caso, no se trata de hechos de la naturaleza, sino de negocios jurídicos, por lo que la dimensión jurídica del documento resulta siempre insoslayable. Y si bien la fe que el notario da al final del documento se extiende sintéticamente a su totalidad, la fe pública como eficacia máxima del documento no puede extenderse a todo lo que en el mismo se contiene, de ahí que cuando es preciso aplicar la fe publica analíticamente (mención tras mención) hay que entenderla en relación con la diversa naturaleza de cada uno de los extremos que comprende y con la misión que respecto de cada uno ha encomendado la ley al Notario. Por ello, repasemos con este autor maestro de Notarios, brevemente las menciones instrumentales que bajo la forma «dar fe» exige la ley:

1. **La identidad de los otorgantes**. No se trata de dar fe de la identidad, sino de identificarles, de verificar su individualidad.

2. **La capacidad de los otorgantes**. Tradicionalmente el juicio de capacidad comprende la capacidad natural, la capacidad jurídica y de obrar, la ausencia de prohibiciones objetivas o subjetivas. Tal juicio lo venía realizando el notario dentro del mandato general del artículo 1 de la Ley de actuar «conforme las leyes», ahora la obligación

legal de emitir tal juicio de capacidad se realiza de forma explicita, dando rango de ley a una exigencia igualmente exigida a nivel reglamentario (art. 145 y 156 RN)

3. **La legitimación de los otorgantes**. La doctrina clásica (Ferrera) distinguía la capacidad, como una aptitud intrínseca del sujeto, de la legitimación, como una particular relación del sujeto con el objeto del negocio o acto jurídico. La capacidad es, como señalaba Betti, un requisito subjetivo, mientras que la legitimación es un requisito subjetivo-objetivo del negocio. Ambos juicios de capacidad y legitimación, aun antes de su formulación legal explícita, ya los realizaba el notario al juzgar la capacidad no con carácter abstracto, sino por imposición reglamentaria en relación con el otorgamiento que pretendan.

4. **La libertad de prestación del consentimiento**. En el documento público sus otorgantes prestan su consentimiento en el acto del otorgamiento, mediante su firma. La imprescindible presencia del notario en ese momento, impide por si sola que pudiera haber violencia o intimidación sobre algunos de los otorgantes, ni por la otra parte, ni por terceros, a menos, claro, que la misma violencia o intimidación se ejerciera sobre el mismo notario, pues en otro caso, éste denegaría inmediatamente su actuación.

La obviedad del anterior planteamiento hace que la mención expresa de tal requisito de libertad de consentimiento no esté generalizada en la legislación notarial comparada; más bien es propia del derecho anglosajón, donde no hay control de legalidad alguno por parte del llamado Notary, y en ese mundo de documentos privados se exige como fórmula la expresión de otorgados libre y voluntariamente («freely and voluntarily»), como si con ello se evitara una causa de nulidad, olvidando que quien no es libre para otorgar un documento, tampoco lo es para omitir tal cláusula formal.

Por ello, cabe entender que la expresión de la libertad de prestación de consentimiento, recogida como formalidad en un precepto estrictamente notarial, no sólo puede estar pensada en los vicios de violencia o intimidación, sino también, y sobre todo, el los demás condicionantes que permiten la libre actuación de las personas. Somos libres, si podemos elegir, lo que supone conocer la existencia de distintas posibilidades de actuación y sus respectivos efectos, lo que, a su vez, precisa la previa información. Y en ese proceso mental de información, comprensión o formación de juicio y decisión o consentimiento, interviene decididamente la función notarial de asesoramiento y control de legalidad. Ello nos conduce al quinto requisito formal exigido por la ley.

5. **La adecuación a la legalidad y a la voluntad debidamente informada de los otorgantes o intervinientes**. Con esta formalidad la Ley recoge al decir de RODRÍGUEZ ADRADOS, la teoría de la adecuación, formulada por D' ORAZI FLAVIONI, según la cual la esencia del la función notarial es la adecuación del supuesto de hecho concreto al supuesto de hecho abstracto, en adecuar lo querido por las partes a uno de los posibles paradigmas abstractos previstos en las normas positivas.

El nuevo artículo 17 bis de la ley del Notariado no hace, en este aspecto, sino explicitar el principio general de legalidad de la actuación notarial y del documento público en que ella se materializa.

6. **Suficiencia de la representación acreditada.** Por último, si en el documento hay una intervención en nombre ajeno se precisa un juicio notarial explícito sobre la suficiencia de tal representación, que debe ser acreditada al notario con la correspondiente documentación auténtica. Como tiene declarado la Dirección General de Registros y Notariado (DGRN), entre otras, vale por todas, la resolución 14 de febrero 2007, el notario debe hacer constar en la escritura su juicio acerca de si las facultades representativas son suficientes, siendo así que no se cumpliría tal precepto si el notario se limita a transcribir una o más facultades de la escritura de poder sin incorporar su juicio acerca de las mismas, pues lo que la ley taxativamente le exige y demanda es que juzgue, esto es, que califique jurídicamente si las facultades representativas conferidas permiten al representante concluir el acto o negocio de que se trate por cuenta de su apoderado, lo que no es sino una muestra más de la atribución al notario del control o juicio de legalidad que su función le demanda respecto de la autorización o intervención de un instrumento público.

Según la Ley (artículo 98-2º de la Ley 24/2001, de 27 de diciembre, de Medidas Fiscales, Administrativas y del Orden Social) la reseña que de los datos identificativos del documento auténtico aportado para acreditar la representación inserte el Notario y su valoración de la suficiencia de las facultades representativas «harán fe suficiente, por sí solas, de la representación acreditada, bajo la responsabilidad del Notario». Y, como se ha detallado mediante la modificación de este precepto legal (por el artículo 34 de la Ley 24/2005, de 18 de noviembre, de reformas para el impulso a la productividad) «El registrador limitará su calificación a la existencia de la reseña identificativa del documento, del juicio notarial de suficiencia y a la congruencia de éste con el contenido del título presentado, sin que el registrador pueda solicitar que se le transcriba o acompañe el documento del que nace la representación».

El juicio notarial de suficiencia de la representación, expresado en legal forma (lo que supone la reseña del poder, el juicio expreso de facultades y su congruencia con el acto o negocio jurídico documentado) tienen su fundamento en las presunciones de integridad, veracidad y de legalidad de que goza el documento público notarial.

El documento notarial supone la expresión de sus principios rectores.

A tal efecto RODRÍGUEZ ADRADOS expone que: «El criterio fundamental de ordenación de los principios notariales tiene que basarse, en el elemento en que incida cada principio.

Los principios relativos a la función notarial y al notario que la ejerce son fundamentalmente tres: verdad, legalidad y profesionalidad. Para alcanzar la verdad, inmediación, y en inferior plano, notoriedad y comprobación; y para llevar esa verdad al documento, dación de fe. La profesionalidad exige, por su parte, independencia, imparcialidad y libre elección.

Los principios atinentes al instrumento público pueden referirse a su estructura y a sus efectos. Por la estructura se habla de los principios de autoría, consentimiento, forma escrita, unidad de acto formal y matricidad y protocolo. Y por los efectos, la eficacia sintética, del documento en bloque, con sus excepciones, y la eficacia analítica, en su impugnación judicial.

Y para coronar, el principio superior de inescindibilidad entre los elementos públicos prevalentes y los elementos privados, que aparecen siempre en la función notarial, en el notario, en el instrumento público y en el Notariado todo.

Este doble carácter se anuncia ya desde el artículo 1 del reglamento notarial, al establecer que «Los notarios son a la vez funcionarios públicos y profesionales del Derecho, correspondiendo a este doble carácter la organización del Notariado», que pasamos a estudiar

1.2. CONCEPTO DE NOTARIO. EXAMEN DEL ARTÍCULO 1 DEL REGLAMENTO NOTARIAL

Literalmente tal precepto reglamentario dice:

«ARTÍCULO 1. Los notarios son a la vez funcionarios públicos y profesionales del Derecho, correspondiendo a este doble carácter la organización del Notariado. Como funcionarios ejercen la fe pública notarial, que tiene y ampara un doble contenido:
a) En la esfera de los hechos, la exactitud de los que el notario ve, oye o percibe por sus sentidos.
b) Y en la esfera del Derecho, la autenticidad y fuerza probatoria de las declaraciones de voluntad de las partes en el instrumento público redactado conforme a las leyes.
Como profesionales del Derecho tienen la misión de asesorar a quienes reclaman su ministerio y aconsejarles los medios jurídicos más adecuados para el logro de los fines lícitos que aquéllos se proponen alcanzar.
El Notariado disfrutará de plena autonomía e independencia en su función, y en su organización jerárquica depende directamente del Ministerio de Justicia y de la Dirección General de los Registros y del Notariado. Sin perjuicio de esta dependencia, el régimen del Notariado se estimará descentralizado a base de Colegios Notariales, regidos por Juntas Directivas con jurisdicción sobre los notarios de su respectivo territorio.
En ningún caso el notario, ni en el ejercicio de su función pública, ni como profesional del derecho, podrá estar sujeto a dependencia jerárquica o económica de otro notario.
El ámbito territorial de los Colegios Notariales deberá corresponderse con el de las Comunidades Autónomas, de conformidad con lo previsto en el anexo V de este Reglamento.
Las provincias integradas en cada Colegio Notarial se dividirán en Distritos, cuya extensión y límites determinará la Demarcación Notarial».

(Según redacción dada por el Real Decreto 45/2007, de 19 de enero, por el que se modifica el Reglamento de la organización y régimen del Notariado, aprobado por Decreto de 2 de junio de 1944)

La Ley del Notariado (28 de mayo de1.862) en su artículo 1º define al Notario diciendo que: «*El Notario es el funcionario público autorizado para dar fe, conforme a las leyes, de los contratos y demás actos extrajudiciales*»

Así, como analiza PEDRO AVILA la Ley atiende a tres aspectos para definir al Notario:

1º. *El carácter del cargo:*. «funcionario público», pero como veremos a continuación es un funcionario especial.

2º. *El contenido de su función*: «dar fe conforme a la Leyes», dar fe consiste en dar certeza y una eficacia especial a los actos en que intervienen los Notarios. La función notarial proporciona:

a)   Autenticidad a la narración de un hecho, o impone la obligación general de creer en la celebración de un contrato en los términos en que se narra.

b)   Y por otro lado, la dación de fe consiste en crear formas documentales que tienen fehaciencia por si mismas. Supone convertir un documento privado en público, con el efecto que a los documentos públicos otorgan las Leyes: fecha cierta, ejecutividad, seguridad del tráfico, y acceso a Registros públicos.

3º. *El ámbito de la actuación*: los contratos y demás actos extrajudiciales, quedan fuera las actuaciones judiciales y administrativas.

El Reglamento Notarial, como hemos visto dice que el Notario es a la vez profesional del derecho y funcionario público

Como PROFESIONAL DEL DERECHO Tiene la misión de asesorar a quienes reclaman su Ministerio y aconsejarles los medios jurídicos más adecuados para el logro de los fines lícitos que aquellos se proponen alcanzar.

Como FUNCIONARIO ejerce la fe pública notarial, que tiene y ampara el indicado doble contenido:

a)   En la esfera de los hechos, la exactitud de los que el Notario ve, oye o percibe por sus sentidos.

b)   Y en la esfera del Derecho, la autenticidad y fuerza probatoria a las declaraciones de voluntad de las partes en el instrumento público redactado conforme a las leyes.

Se trata de un FUNCIONARIO ESPECIAL pues presenta las siguientes características que lo distinguen del resto de funcionarios,

1. **Complejidad**: Ejerce un a función pública a la que se une inescindiblemente una función privada.

2. **Autonomía e independencia**, esenciales en el Notario que ejerce su función bajo su responsabilidad sin sujeción a jerarquías, sometido únicamente al imperio de la Ley, por tanto a los Tribunales de Justicia, sin perjuicio de su dependencia administrativa del Ministerio de Justicia y su adscripción corporativa a su Colegio Notarial

3. **Libre elección,** que es un derecho fundamental de quien solicite la intervención notarial, reconocido en el artículo 126 del reglamento Notarial, por el que todo aquél que solicite el ejercicio de la función pública notarial tiene derecho a elegir al notario que se la preste

Este derecho de elección corresponde al consumidor, pues para garantizar la máxima independencia notarial el reglamento establece que en las transmisiones onerosas de bienes o derechos realizadas por personas, físicas o jurídicas, que se dediquen a ello habitualmente, o bajo condiciones generales de contratación, así como en los supuestos de contratación bancaria, el derecho de elección corresponderá al adquirente o cliente de aquellas, quien sin embargo, no podrá imponer notario que carezca de conexión razonable con algunos de los elementos personales o reales del negocio.

Cuando no concurren esta circunstancia de intervención de consumidores la elección del notario se decide de mutuo acuerdo entre las partes y a falta del mismo el derecho de elección corresponderá al obligado al pago de la mayor parte de los aranceles.

A los notarios se les impone el deber de respetar la libre elección de notario que hagan los interesados y se abstendrán de toda práctica que limite la libertad de elección de una de las partes con abuso derecho o infringiendo las exigencias de la buena fe contractual.

4. **Retribución por arancel**. Regulado en el artículo 63 del R.N., según el cual, la retribución de los Notarios estará a cargo de quienes requieran sus servicios y se regulará por el Arancel notarial, fijado por Real Decreto, igual y vinculante para todos los Notarios.

El Notario podrá dispensar totalmente los derechos devengados en cualquier documento, pero no tendrá la facultad de hacer dispensa parcial que se reputará ilícita, no obstante se puede practicar discrecionalmente rebajas máximas de hasta el 10%. Por excepción tratándose de negocios formalizados en póliza el arancel notarial es de máximo por lo que los honorarios serán discrecionalmente establecidos dentro del máximo legal.

El doble carácter privado público del notario exige un equilibrio en esa mezcla pública-privada de la función notarial, porque, si le falta el elemento público, estaríamos ante un abogado que asesora pero no crea documentos públicos y, si le falta el privado, ante un funcionario que dota de fe al documento, pero sin asesoramiento.

El notario confiere a los instrumentos que autoriza el carácter propio de los actos de la autoridad pública. Y esta autenticidad solamente puede ser establecida por personas delegatarias de la autoridad pública. Tal figura es completamente extraña en el derecho anglosajón

Existe una vinculación entre NOTARIADO (latino) y SEGURIDAD. Y el punto donde se encuentra el origen de la seguridad que pretendemos ofrecer, y no es otro que la intima relación entre los conceptos de NOTARIADO y CONFIANZA.

En todo el Notariado Latino, y en especial en nuestro entorno europeo, nuestra función encuentra su auténtica razón de ser en la aceptación social por la confianza que inspira nuestra actuación.

Tal confianza a su vez se fundamenta en dos pilares:

– La preparación técnica del Notario, y su necesario presupuesto de formación permanente.

– La deontología notarial, que asegura un comportamiento ético.

La formación permanente como jurista es sin duda unos de los principales retos de nuestro notariado, que debe su prestigio colectivo a la suma de los esfuerzos individuales de cada uno de sus miembros por estar y permanecer a la altura técnica que sus clientes, expresión de la sociedad, le reclaman. Un notariado sin la suficiente calidad profesional seria una institución inútil, peligrosa socialmente que degeneraría a su propia desaparición.

Respecto de la deontología, si bien en otras profesiones la deontología puede ser considerada como un elemento natural de las mismas, otro más de los que la configuran, en el caso de la profesión notarial la deontología es un elemento esencial, sin cuyo conocimiento es imposible el correcto ejercicio de la función.

1.3. EVOLUCIÓN HISTÓRICA DEL NOTARIADO EN ESPAÑA

La figura del Notario no es una invención legal sino es producto de una evolución social. El Notario fue creado por la sociedad y solo se justifica porque la sociedad lo necesita para el desempeño de alguna de sus funciones.

En una natural evolución hacía sistemas sociales seguros, el notariado nació, como expresaba Giuliani, biológicamente de la misma realidad social y sus necesidades. El notariado no es un producto inventado artificialmente, como dice RODRÍGUEZ ADRADOS no ha sido trazado «geometrico more» por un legislador cartesiano, es el fruto espontáneo de un sociedad civil que ha ido generando un sistema de seguridad contractual destinado a evitar, en la medida de lo posible, la existencia y eventual eficacia de negocios ilegales, fraudulentos, realizados en perjuicio de terceros, injustos o simplemente defectuosos

La figura más antigua y similar al notario probablemente fue el escriba egipcio, que redactaba los documentos del Estado y en ocasiones también los de particulares. Estos escritos sólo tenían validez si llevaban el sello de un sacerdote o de un magistrado de jerarquía similar. Los escribanos hebreos del pueblo preparaban diversas transacciones y documentos privados como certificados de divorcio.

Pero sin duda los antecedentes directos del notario fueron el «singrapho» griego y el «tabulario» romano. A partir de estas figuras comenzó a esbozarse una profesión que nace como tal en el siglo XII, en la Universidad de Bolonia. Las bases del Notariado científico se sintetizaron y difundieron por toda Europa a través de la «Summa artis notariae» de ROLANDINO, famoso profesor y notario de la ciudad italiana.

En España, el Fuero General de Jaca y el Fuero Real de Castilla (1255) otorgaron a la carta sellada por notario la máxima autoridad. Las partidas del rey Alfonso X el Sabio consideraban al Notariado como una función pública y regularon su actuación con bases que se mantuvieron vigentes hasta la ley de unificación de 1862, todavía en vigor.

Los protocolos notariales contienen la historia cotidiana de la sociedad española, e historiadores e investigadores acuden hoy en día a los archivos notariales para profundizar sobre multitud de hechos históricos. En ellos se encuentran valiosísimos documentos, como el testamento de Isabel la Católica, que quiso tener tres hijos para que uno de ellos fuera heredero de las Españas, otro arzobispo de Toledo y el tercero, notario de Medina del Campo, que demuestra la consideración que la reina Católica tenía hacia el notario, que queda patente con la Pragmática de Alcalá promulgada por la Reina Isabel en 1503, inicialmente para Castilla y posteriormente extendida a otros reinos de España, que regula la autorización del instrumento público.

PEDRO ÁVILA resume que la intervención de un tercero en la redacción de un documento puede ser:

- *Amanuense*, que se limita a escribir lo que otros dicen. Que corresponde a la figura histórica de los escribas griegos y hebreos.
- *Redactor*, que trascribe la idea de otros, figura en la que encaja un antecedente notarial como son los Tabelliones romanos, figura de la época postclásica o justineanea, pues en la época clásica los actos jurídicos estaban sujetos a un rígido formalismo o eran verbales, siendo el documento excepcional y posterior al acto. Pero el documento del tabellion nunca tuvo autenticidad y su eficacia probatoria dependía de su depósito en la Curia o por los testigos.

– *Redactor testimoniante*, que añade al documento que redacta una credibilidad dependiente de las cualidades del redactor. Figura que aparece con el Notario medieval. La pujanza económica de las ciudades, en especial del Norte de Italia, exigía pruebas preconstituidas que garantizasen las transacciones jurídicas. El documento cobra certeza que era un privilegio que en siglos anteriores solo tenían los jueces.

En las Partidas de rey Alfonso X el Sabio (S. XIII), que concibe al Notario o Escribano como: «*Hombre sabedor de escribir y entendido en el arte de la escribanía, que escribe las cartas de las vendidas y de las compras, y de las posturas que los hombres ponen entre sí ante ellos, en las ciudades y las villas, y las otras cosas que pertenecen a este oficio, quedando recuerdo de las cosas pasadas en sus registros, en las notas que guardan y en las cartas que hacen, y de cuyas cartas nace averiguamiento de prueba y deben ser creídas por todo el Reino*»

– *Redactor fideidante*, con cuya intervención el documento goza de crédito por imposición del poder público independientemente de las cualidades personales del redactor.

Supone la delegación de una función pública en un profesional, cuyas cualidades personales no importan porque se acredita una suficiente preparación técnica. En ese sentido de preparación, es de señalar que en el sistema español de elección del Notario, desde 1.480 se exige que el aspirante a Notario sea examinado y declarado apto.

La época moderna acentúa el carácter del notario como oficial público y perito en derecho, y el modelo castellano se aplicó por las Leyes de Indias a los territorios americanos. Aunque avanza su preparación técnica con doctrina propia, como la famosa Librería de Escribanos, de José Febrero, de 1796, la organización del notariado parece caótica, las necesidades fiscales dieron lugar a un excesivo número de notarios por los beneficios que suponía la enajenación de oficios, no había competencias uniformes en los distintos territorios y los notarios documentaban actuaciones judiciales. Hacía falta una reforma que tuvo que esperar al siglo XIX.

La Ley Orgánica del Notariado y el Reglamento Notarial. Con la Ley del Notariado de 28 de mayo de 1862, se otorgó carta de naturaleza al notariado, tal como lo entendemos hoy en día. Se unificó la función notarial separando la fe pública judicial y extrajudicial, revertieron en el estado los oficios enajenados; se estableció una demarcación y prevalece el concepto de función pública desempeñada por Licenciados en Derechos tras un riguroso sistema de acceso a la función notarial, que queda organizada en Colegios dependientes del Ministerio de Justicia. Esta ley nació en el período en el que tras el fracaso de los primeros intentos de codificación del Derecho Civil se promulgaron leyes especiales, como la Hipotecaria, nunca se ha derogado y que se ha adaptado a las necesidades de los tiempos sin dejar de cumplir las funciones esenciales para las que fue concebida en 1862.

La ley del notariado ha sido modificada diez veces: en 1939 (se suprimen los testigos en actos intervivos) en 1983 (fija la jubilación forzosa a los 70 años), en 1985 (se suprime el requisito de legalización de firma del notario dentro de España), en 1990 (se suprime el protocolo especial de reconocimiento de hijos), en 1991 (suprime los testigos en los testamentos y el protocolo especial de testamentos cerrados), en 1999 (con la unificación del cuerpo de Corredores Colegios de Comercio con los Notarios, que puso fin al riesgo de escindir la fe pública en civil y mercantil, consolidando un solo tipo de notario que autorice tanto escrituras, actas testimonios como pólizas), en 2000 (se da rango legal a los principios básicos de la función notarial y regula el régimen disciplinario de los notarios), en 2001 (documento y firma electrónica) y en 2006 (sobre la conservación y circulación de las pólizas) y en 2015 (para adaptar las actuaciones con las nuevas competencias del notario en materia de Jurisdicción Voluntaria).

Si alguna crítica pudiéramos hacer a esta innovadora Ley del Notariado de 1862 es que no regula, paradójicamente, el documento notarial en que consiste la actividad de los notarios. Tal regulación se deja al Reglamento Notarial en sus distintas redacciones, la vigente de 1944 ha sido reformada en 1967, 1984 y en 2007, para regular el documento electrónico notarial e incorporar al reglamento notarial la regulación de la pólizas y documentos intervenidos por los antiguos Corredores Colegiados de Comercio).

El reglamento notarial destaca el doble carácter del notario de profesional del derecho a quien el Estado le delega una función pública, como pieza clave de un sistema de seguridad jurídica preventiva.

1.4. SISTEMAS DE SEGURIDAD JURÍDICA

La evolución histórica demuestra que el notariado no es una función no exista para sí misma. Responde a unas necesidades económicas, políticas o jurídicas, es decir, a unas necesidades sociales que varían según la época, pero fue precisamente una necesidad social la que llevó a la aparición de nuestros lejanos antepasados, los escribas, en Egipto, hace 40 siglos, como a la de los notarios en China hace 15 años.

Y la necesidad social a la que responde el notariado, y que es fundamento de su función, como antes hemos reseñado, no es otra que la necesidad de seguridad jurídica, porque sin ella no hay confianza y sin confianza no hay desarrollo económico; sin seguridad jurídica el comercio no puede desarrollarse ya que sin garantías, sin seguridad, no hay financiación que permita afrontar nuevas inversiones.

La seguridad jurídica es un derecho constitucional, recogido en el art. 9 de la Constitución Española, pero, por su carácter abstracto, no siempre se comprende su significado y valor.

La noción de seguridad jurídica supone la ausencia de riesgos y la previsibilidad de resultados, tiene un doble aspecto:

a) En sentido OBJETIVO, la seguridad jurídica supone la existencia de leyes claras y suficientes, sin lagunas y su aplicación efectiva de los Tribunales.

b) En sentido SUBJETIVO, la seguridad jurídica consiste, de una parte, la posibilidad de todo ciudadano de conocer la ley, su significado y alcance, y de otra parte, en la libertad de actuar con arreglo a aquella confiando en la eficacia de lo actuado. Es decir, saber a qué atenerse.

Si la seguridad es lo contrario del riesgo, de la incertidumbre, podemos entender que hay dos grandes grupos de instrumentos para combatir el riesgo: los instrumentos que lo compensan económicamente y los instrumentos que lo evitan, por ello para satisfacer esta exigencia de seguridad, caben distintas respuestas o soluciones:

1) **Seguridad preventiva**. Una de las opciones es establecer unos mecanismos técnicos y jurídicos que garanticen la validez y eficacia de los contratos; mecanismos destinados a promover la seguridad en las relaciones jurídicas antes de que éstas hayan entrado en conflicto y, precisamente, como intento de evitar que el conflicto se produzca. Son los mecanismos de «seguridad jurídica preventiva», entre los cuales se encuentran el notariado, propio de la cultura jurídica de los países del sistema del «civil law».

En este sistema nuestro, además de proporcionar a las partes seguridad jurídica, se les proporciona también un importante margen de seguridad económica en virtud del seguro de responsabilidad civil notarial que deja indemne a las partes del perjuicio económico que hayan podido sufrir por la actuación negligente del Notario.

2) **Seguridad económica**. Otra posible solución es establecer solamente un sistema de seguridad económica, de manera que no se garantiza la validez y eficacia del documento pero, si el contrato no es válido y no produce sus efectos naturales, hay un sujeto o una entidad que responde de ello, indemnizando a los perjudicados del daño. Es el sistema de títulos, o de seguro, tradicional en USA y países del *common law*.

Los dos proporcionan seguridad, pero hay que concluir, lógicamente, que su naturaleza es muy diferente: no es lo mismo evitar que compensar. No es lo mismo garantizar el fin pretendido con el negocio que garantizar una compensación económica en caso de frustración (que es el riesgo) de la finalidad negocial.

Por tanto, con este segundo sistema se combaten ciertas consecuencias negativas del riesgo —cifradas en una determinada pérdida económica que, además, está limitada— pero no el riesgo en su totalidad, puesto que no lo evita. De ahí que VALLET («Seguridad jurídica estática y seguridad jurídica dinámica») denomine a estos mecanismos instrumentos de seguridad económica, pero no jurídica.

3) **Sistemas registrales.** En el sistema del seguro del título la posición del comprador es insegura desde el punto de vista jurídico, pero la del verdadero titular no, puesto que siempre puede reivindicar, por ello hay sistemas, que pretender el efecto contrario, potenciar al máximo la posición jurídica del adquirente, que queda seguro de su adquisición, pero, a cota de dejar al verdadero titular en situación de gran incertidumbre. Por eso VALLET también incluye entre los sistemas de seguridad económica el del acta Torrens, respecto de los propietarios que resulten privados de su derecho por una adquisición registral a non domino. En este caso el Estado es el que indemniza, pero el sistema es igual que el del seguro americano del título, salvo que al revés.

Por eso, en el caso español, como apunta TENA ARREGUI (2006), es un verdadero disparate decir que la clave del sistema de nuestra seguridad en el tráfico jurídico está en el artículo 34 de la LH., porque una de dos: o no juega prácticamente nunca, y entonces es absurdo decir que es la clave del sistema, o juega a menudo, en cuyo casi el sistema español es una auténtica birria: un sistema que expropia continuamente al verdadero titular sin garantizarle ninguna indemnización. Imaginemos en esta línea qué ocurriría si el sistema español fuese de documento privado en combinación con el artículo 34 de la LH. Pienso que podemos afirmar sin ninguna duda que se trataría del peor sistema del mundo.

De estos posibles sistemas, la fijación formal de la relación jurídica y su control de legalidad por medio de la actuación notarial y registral, en perfecta simbiosis, generan un grado de certeza y confianza difícilmente superables. El que a través de un negocio válidamente celebrado (control de legalidad notarial) adquiere un derecho inscribible en el Registro de la Propiedad y obtiene la cualidad de tercero protegido por la fe pública registral, tiene la seguridad suficiente y razonable (necesaria para que su vida social se desarrolle con tranquilidad) de que nadie podrá privarle del mismo, salvo el propio Estado por vía de expropiación, incautación o confiscación, lo que plantea una cuestión de seguridad jurídica a otro nivel: el público.

Por tanto, si de sistemas de seguridad hablamos, habrá que concluir con José MARTÍNEZ SANCHIZ (2000) afirmando que la íntima combinación entre documento público y registro público es la clave de la seguridad jurídica. Cuando al Notario se le encomiendo una transmisión o la constitución de un derecho real, asesora a los contratantes sobre la forma jurídica adecuada, diseña el negocio jurídico en función de la voluntad de los interesados previamente informada, controla su legalidad en todos sus aspectos (capacidad, legitimación y contenido negocial), solicita información al registro para comprobar titularidad y cargas y presenta la escritura para ganar la correspondiente prioridad. La publicidad registral así obtenida es trasunto del propio documento notarial, que proyecta su eficacia frente a todos. El documento se apoya en el registro, porque el registro, gracias al documento es digno de confianza.

Por ello, la autenticidad derivada del documento público será la única y mejor base para atribuir, si se quiere, efectos especiales a la inscripción. Pero no olvidemos que un deterioro de la calidad del documento público llevaría consigo un deterioro de la calidad del contenido del registro público y ello con independencia del tipo de registro y de los efectos que produjera.

CARACTERÍSTICAS del NOTARIADO LATINO y del llamado «NOTARIA-DO ANGLOSAJÓN»

Los diferentes sistemas de seguridad jurídica determinan las características de sus respectivos notariados, dando lugar a la diferenciación entre los llamados notariados latino y anglosajón.

– El Notariado latino o Germánico Latino, recibido por la Escuela de Bolonia, se caracteriza, a modo de resumen, por:

1º. Ser un profesional liberal con formación jurídica, con libertad de elección por los clientes y, por lo general, directamente retribuido por éstos.

2º. Ejercer una función de eminente interés público, lo que los califica como funcionarios públicos, pero con plena autonomía e independencia de la Administración.

3º. Ser el autor del documento notarial, de fuerte eficacia jurídica, que lleva inherente en su función de asesoramiento y consejo.

Es el notariado del sistema de seguridad jurídica preventiva y es el que responde la existencia misma del notariado que representa la Unión Internacional del Notariado, que anteriormente añadía el calificativo de Latino, que conserva la «L» en su anagrana UINL, pero se suprimió ese calificativo de latino por dos motivos, uno para evitar la confusión geográfica, pues como después veremos la Unión Internacional del Notariado se extiende por todo el planeta a países que nada tienen que ver con la vieja Roma, y también por un motivo conceptual ante la convicción de que notariado es por definición latino como heredero de la tradición jurídica del sistema latino-germánico, tanto que o es latino o no es notario.

– El notariado del sistema COMMON LAW o ANGLOSAJÓN. Se llama así porque en idioma ingles existe el término de Notario, pero su concepto no corresponde a las características antes vistas, más bien todo lo contrario. Se desconoce la institución secular del documento auténtico y su eficacia, por entender que con él se rebajaría la libertad judicial en orden a la libre apreciación de las pruebas. Si se desconoce el concepto de documento público, difícilmente se puede reconocer al autor de tales documentos.

Los llamados «Public Notary» tienen limitada su función a la legitimación de firmas pero no redactan el documento ni controlan su legalidad.

Si bien un notario, en cuanto da fe, es un fedatario, no todo fedatario es un notario, pues algunos como, los anglosajones se limitan a dar fe solamente de las firmas de los contratantes, de su identidad y de su fecha, sin entrar en el contenido del contrato, lo que explica que para ser simple un fedatario anglosajón no sea necesario ser jurista, conocedor del Derecho.

Esta diferenciación entre notario y fedatario es básica, no obstante a veces se confunde entre documentos públicos notariales y documentos privados con firmas legitimadas por fedatario. Y así, se cree equivocadamente que un documento cuya firma esté autenticada por notario es, sin más, documento público.

Para evitar este error conviene analizar para diferenciar los dos conceptos: el documento público es el autorizado por el notario, u otro funcionario público, conforme a las leyes y reglamentos (art. 1216 CC) es decir, con la elaboración del documento con las distintas fases antes vistas, mientras que en la elaboración del documento privado no intervienen ningún funcionario dotado de fe pública. Por ello, un documento privado que tenga las firmas legitimadas notarialmente no se convierte en un documento público. Por la misma razón, el hecho de que determinados documentos tengan fuerza ejecutiva (letra de cambio p.ej) no quiere decir que sean documentos públicos, porque una cosa es la naturaleza y otra sus efectos. La producción de efectos similares en algunos casos no transforma la naturaleza sustantiva de un documento privado ni lo equipara al autorizado notarialmente.

El Premio Nobel de economía DOUGLASS NORTH nos advierte de la dificultad de trasladar instituciones jurídicas a otras sociedades con tradiciones diferentes. Este influyente economista demostró cómo los cambios institucionales son más relevantes que los tecnológicos para explicar el desarrollo económico. Factores políticos, económicos y sociales inciden sobre las instituciones y los grupos sociales, y son aquellos grupos que ocupan posiciones sociales dominantes los que, si detectan que las instituciones no responden a sus intereses, fuerzan los cambios.

El notariado se integra en una cultura jurídica determinada, la de la seguridad jurídica preventiva, que, en términos generales, es propia de los sistemas jurídicos de *civil law*. No obstante, en un mundo globalizado las reciprocas influencias son inevitables, incluso pudieran ser beneficiosas si no fuese porque un sistema, el anglosajón, tratara de imponerse al otro, el nuestro, de modo que no se trate de mejorar la función tradicional del notario, sino de aniquilar un sistema de seguridad jurídica, que garantiza la producción de los efectos materiales concretamente previstos por las partes, para introducir otro sistema distinto, de seguridad económica, ajeno a nuestra tradición, que únicamente asegura la debida reparación indemnizatoria en caso de incumplimiento o ineficacia del contrato, sin que con el cambio se obtengan claras ventajas sociales.

Las tensiones entre los diferentes sistemas de seguridad jurídica se ponen de manifiesto cuando en una misma estructura política, como es la Unión Europea, concurren países que responden a sistemas distintos, lo que da lugar a la necesidad de que el notariado se organice en instituciones que pasamos a comentar.

1.5. EL NOTARIADO EN EUROPA. EL CONSEJO DE LOS NOTARIADOS DE LA UNIÓN EUROPEA (CNUE)

El Consejo de los Notariados de la Unión Europea (CNUE) es el organismo oficial que representa al notariado ante las instituciones europeas.

Cuenta con veintidós miembros, que son los notariados de países de la Unión europea que tienen un notariado de nuestro sistema latino-germánico (Alemania, Austria, Bélgica, Bulgaria, Croacia, Eslovaquia, Eslovenia, España, Estonia, Francia, Grecia, Hungría, Italia, Letonia, Lituania, el Gran Ducado de Luxemburgo, Malta, los Países Bajos, Polonia, Portugal, la República Checa y Rumania) tienen el estatus de observador cuatro notariados (Macedonia, Montenegro, Serbia y Turquía)

Quien ha sido el presidente del CNUE durante 2017, el notario de Madrid Jose Manuel GARCÍA COLLANTES, nos cuenta en la revista El Notario del Siglo XXI (nº 78, marzo-abril 2018) los orígenes y actualidad de esta institución notarial, recordando que a finales de la década de los setenta cuando, a iniciativa francesa, comenzaron unas tímidas reuniones entre representantes de los notariados romano-germánicos cuyos Estados eran miembros del entonces llamado Mercando Común Europeo. De unas reuniones informales carentes de periodicidad, con la profundización de la integración europea producida a finales de los ochenta (tras el Consejo Europeo de Tampere) se puso de manifiesto la necesidad de una mayor integración notarial, para la creación del llamado «espacio único» de Justicia en Europa.

Como dice GARCÍA COLLANTES: «el reto era doble. Por un lado era necesario crear un "espacio único notarial" capaz de atender la creciente demanda de servicios notariales por parte de ciudadanos extranjeros que se instalaban o trabajaban en país distinto al suyo de origen como consecuencia de la libertad de circulación. Por otro lado era imprescindible emprender una cierta armonización de la función notarial partiendo de lo que es esencial en la misma: La autenticidad que el documento notarial lleva consigo y que lo dota de una eficacia especial probatoria, ejecutiva y legitimadora. Lo que a su vez implicaba también una cierta armonización del estatuto personal del notario autor del documento».

Y así surgió CNUE en 1993: Con puesta en funcionamiento del Mercado único y la aprobación del tratado de Maastricht lo que antes era una «Conferencia de Presidentes» pasó a ser la «Conferencia de los Notariados de la Unión Europea» (cambiada posteriormente su denominación por la de «Consejo»). Dotada de personalidad jurídica conforme al derecho belga, es una ASBL (Asociación sin ánimo de lucro), con sede en Bruselas y personal y recursos propios.

El CNUE tiene el siguiente organigrama:

– El *Presidente*, que va rotando cada año entre los distintos notariados miembros, tiene las misiones de representación, de organización y de iniciativa del propio organismo.

– La *Asamblea General*, que está compuesta presidentes de los notariados miembros. Es el Órgano político decisorio del CNUE, adopta posiciones políticas y jurídicas ante las instituciones europeas

– El *Consejo de Administración*, está compuesto del Presidente del CNUE, por un Vicepresidente y cinco consejeros. Marca las líneas políticas a seguir, propone decisiones a la Asamblea y actúa en casos de urgencia.

– El *Bureau* u Oficina permanente, se encarga de la gestión administrativa, bajo la dirección de un Secretario general.

– Los *Grupos de trabajo,* formados por expertos se encargan de realizar estudios técnicos y estudiar en profundidad los proyectos y las iniciativas europeas que tengan un interés particular para la profesión notarial. Sus resultados y conclusiones se pueden consultar en la web http://www.notaries-of-europe.eu.

Actualmente existen los siguientes grupos de Trabajo:

Sobre Acto auténtico o circulación de las documentos notariales en Europa; Derecho de Familia; Derecho de los Consumidores; Derechos de Sociedades; Derecho de Contratos; Derecho de Sucesiones; Derecho Inmobiliario; Mediación; y el grupo de Trabajo de E-justicia

1.6. INTERCONEXIÓN DE LOS NOTARIOS EUROPEOS

La movilidad de las personas de un país a otro es una de las consecuencias de la llamada globalización de nuestro planeta. La mejora de las comunicaciones facilita tales desplazamientos. Según fuentes de la Comunidad Europea más de doce millones de personas estudian, trabajan o viven en un Estado miembro del que no son nacionales, pero la movilidad no se limita a ciudadanos europeos sino que también es muy intensa referida a otros nacionales extracomunitarios, especial los países con atractivo turístico son los que más visitas reciben de los extranjeros.

Ser extranjero no debe suponer ninguna merma en los derechos del ciudadano o dificultar su ejercicio, sin embargo, en la práctica, los ciudadanos siguen encontrado numerosos obstáculos en su vida cotidiana al ejercer estos derechos.

Una de las dificultades reside en la obligación que existe para los ciudadanos extranjeros de presentar documentos que aporten la prueba requerida para gozar de un derecho o quedar sujeto a una obligación.

El problema fundamental en esta materia es, como dice Rafael RIVAS, Notario de Alcalá de Xivert (2012, págs. 285 a 482) que a nivel nacional y supranacional se ha avanzado mucho en la coordinación de legislaciones sobre la validez y eficacia de los «negocios», mientras que respecto de la de los «documentos notariales» los avances son muy escasos y respecto de los sistemas de transmisión de la propiedad y derechos reales no se ha avanzado absolutamente nada: cada país tiene el suyo. Los códigos civiles, por ejemplo Art. 11 del CC español, y el tratado ROMA I sólo se refieren a la «validez del negocio» (en ambos se repite hasta tres veces) pero en ningún momento se están refiriendo a los documentos, y no se pueden resolver problemas documentales con normas negociales.

El aumento de las relaciones jurídicas en las que haya elementos de distintos países supone una realidad de nuestro tiempo, los notarios se encuentran cada vez más con cuestiones de derecho comparado y de Derecho internacional privado, que exigen conocer la legislación de otros países, ello obliga a reforzar la cooperación internacional entre notarios y especialmente cuando se actúa dentro de un mismo ámbito europeo. A esa finalidad responde la llamada RED NOTARIAL EUROPEA, creada en el seno de la CNUE, cubre los 22 países de la Unión Europea y aporta informaciones prácticas sobre los asuntos transfronterizos entre los notarios inscritos. Los intercambios de información se hacen por vía electrónica en forma segura en la propia plataforma en línea de la RNE.

La inscripción en tal plataforma es gruita y sencilla para todos los notarios que figuran en el Anuario europeo de los Notarios (www.annuaire-des-notaires.eu).

Otra manifestación de la interconexión notarial europea es la propuesta de iniciativa para la creación de un **Registro Central europeo de ultimas voluntades** (http://www.arert.eu/) Se trata de satisfacer una necesidad absolutamente real, pues es obvio que la construcción de un espacio jurídico europeo implica que todos los ciudadanos de Europa vean inscritos sus testamentos —con la excepción de los ológrafos— y que, aun permaneciendo secretos durante su vida, sea posible disponer de un instrumento que permita conocer la existencia de una disposición testamentaria correspondiente a una persona fallecida, una vez que este hecho se produce. Con tal finalidad se suscribió en su día la Convención de Basilea de 16 de mayo de 1972, ratificada por España pero todavía no por todos los estados miembros de la UE.

El problema pasa, naturalmente por la previa existencia de un Registro Nacional de Ultimas Voluntades en el ámbito de los diversos Estados que integran la Unión Europea y proceder a su intercomunicación de los diversos Registros Nacionales, vía informática. No obstante, la creación de un Registro Central Europeo de Ultimas Voluntades no debe esperar a que absolutamente todos los países posean un Registro Nacional de Ultimas Voluntades, sino que debe iniciarse el camino sobre la base de los Registros Nacionales actualmente existentes, sin perjuicio de que se señalen obligaciones en esta materia a los Estados vía Reglamento o vía Directiva.

Otra manifestación de la interconexión entre notarios europeos la representa el Proyecto EUFIDES, objeto de análisis en otro apartado de esta obra.

1.7. LA UNIÓN INTERNACIONAL DEL NOTARIADO LATINO (UINL)

La del notario es una función individual, la independencia de sus individuos transciende a la organización en la que se integran. Y del mismo modo que el Notario actúa solo, aunque esté asociado con otros compañeros, actúa de forma independiente bajo su exclusiva responsabilidad, y a su vez el notariado que forma el conjunto de notarios de un país presenta una peculiaridad esencial, reconocida en el artículo 1 del RN español, al disponer que el «*Notariado disfrutará de plena autonomía e independencia en su función*». Como organismo público su organización la determina el respectivo Estado del que forma parte. En España el notariado depende directamente del Ministerio de Justicia y de la Dirección General de los Registros y del Notariado. Pero, sin perjuicio de esa dependencia, el régimen del Notariado está descentralizado a base de Colegios Notariales, regidos por Juntas Directivas con jurisdicción sobre los notarios de su respectivo territorio.

Independencia individual y autonomía corporativa son antecedentes necesarios de asociación internacional, imprescindible para alcanzar objetivos que superan las fuerzas individuales. Surgió así la UNIÓN INTERNACIONAL DEL NOTARIADO (UINL en anagrama) como una Organización no gubernamental constituida para promover, coordinar y desarrollar la función y la actividad notarial en el mundo entero, asegurando mediante la más estrecha colaboración entre los Notariados, su dignidad e independencia a fin de un mejor servicio a la persona y a la sociedad.

Integrada inicialmente por 19 países al tiempo de su fundación en 1948, actualmente tras la incorporación del Libano en octubre de 2018 cuenta con 88 países, que representan, aproximadamente, a 300.000 notarios, dos millones de colaboradores y más o menos 400 millones de escrituras cada año. Reúne a 22 de los 28 de la Unión Europea, y 15 del G20, los notariados miembros de la Unión representan 2/3 de la población mundial y más del 60% del Producto Interno Bruto mundial.

Dirigida por un Consejo de Dirección de 28 consejeros, su órgano de decisión es la Asamblea de Notariados miembros donde cada país dispone de un sólo voto cualquiera que sea su importancia. Un Consejo General de 172 miembros que es un órgano deliberante; la UINL se organiza en Comisiones continentales (una por continente) y Comisiones Intercontinentales que se agrupan por temas de trabajo, proponen líneas de actuación y actúan a nivel científico (formación, investigación), estratégico (organización, desarrollo), económico (red, actividades) y sociológico (derechos humanos, protección social).

Las finalidades que la Unión declara perseguir, y son:

1. La promoción y la aplicación de los principios fundamentales del sistema de notariado de tipo latino y de los principios de deontología notarial.

Los distintos notariados que forman la Unión aun teniendo características esenciales comunes, presentan una gran variedad en sus formas de organización interna. Ante tal variedad, la UINL debe concentrarse en lo fundamental y, siempre que sea posible, conservar las particularidades nacionales de los Estados miembros.

La extraordinarias expansión del la UINL puede considerarse sin duda un éxito, pero encierra el riesgo de perder la propia identidad pues no cabe aceptar o mantener miembros cuyo notariado no responda a unos mínimos inexcusables para poder ser equiparado a los otros miembros, procurando lo que en el mercado sería una homogeneidad del producto. Se debe respetar la diversidad en lo anecdótico, pero es irrenunciable mantener la esencia. Formar parte de la UINL supone acceder a una marca de calidad, reconocible por usuarios y operadores, y como tal marca sirve como verdadero título de tráfico, interno y externo, homologándose además dentro de un sistema internacional como el que representa la UINL, con todas las ventajas que ello implica.

2. La representación del Notariado ante las organizaciones internacionales. Esta es sin duda una de las principales finalidades y cualidades de la UINL: servir de «marca» identificadota del notariado mundial y su interlocutor válido.

3. La colaboración con las organizaciones internacionales y la participación en sus actividades; por ejemplo la UINL está presente:

– En las organizaciones mundiales, como la ONU, cuyo Consejo Económico y Social confirió a la UINL el estatuto consultivo categoría «especial». Este estatuto, definido por el artículo 71 de la Carta de las Naciones Unidas y por su Resolución 1996/31, habilita la UINL a contribuir a los programas de trabajo y a los objetivos de las Naciones Unidas, sirviendo como expertos técnicos, consejeros y asesores para los Gobiernos, ante la Secretaría General, ante el Alto Comisionado para los Derechos humanos, así como en sus múltiples agencias especializadas. Por lo que se refiere a la Organización Mundial de Comercio (OMC), la Unión sigue su actividad en la medida en que esté involucrada.

- En las organizaciones internacionales intergubernamentales, tales como el Consejo de Europa, el Instituto Internacional para la Unificación del Derecho Privado (UNIDROIT) y la Conferencia de La Haya de Derecho Internacional Privado (HCCH);

- En las organizaciones supranacionales y regionales, en particular: la Organización de Estados Americanos (OEA), el Mercado Común del Sur (MERCOSUR), Tratado de libre Comercio de América del Norte (TLCAN), la Comisión Económica para América Latina y el Caribe (CEPAL), la Comunidad Andina;

- En las distintas organizaciones internacionales no gubernamentales tales como la Unión Internacional de Abogados (UIA), la Unión Internacional de Magistrados (UIM), la International Law Association (ILA), la International Bar Association (IBA).

4. La colaboración con organismos nacionales y las autoridades institucionales de cada país. En este sentido la UINL establece relaciones privilegiadas con los juristas profesionales que ejercen funciones «notariales» en distintos países o Estados federados, o incluso con el organismo que los representa, de estos algunos han solicitado ya su adhesión a la Unión, y se les presta la colaboración indicando cuales son las reformas legislativas a emprender para obtener un notariado con la calidad necesaria para su homologación.

5. El estudio del derecho en el ámbito de la actividad notarial y la colaboración para la armonización de las legislaciones nacionales en el plano internacional.

6. El estudio y la compilación sistemática de la legislación relativa a la institución del notariado de tipo latino. Esta es una actividad especialmente útil en la práctica profesional, pues proporciona cuerpos jurídicos de derecho comparado cada vez más necesarios habida cuenta de la internacionalización de nuestra clientela.

7. La promoción de los congresos internacionales, conferencias y encuentros internacionales.

8. La promoción y establecimiento de relaciones: con los Notariados en vía de desarrollo

9. Contribuir a la evolución del derecho en los Estados. A tal efecto, la Unión, inspirándose en sus propios Principios fundamentales, elabora y transmite propuestas concretas tanto a los Notariados nacionales como a los legisladores nacionales y a las Organizaciones internacionales y supranacionales.

La UINL encaja en ese tipo de institución que permite a la humanidad crear orden y reducir la incertidumbre. Su dirección se inspira en un ejercicio de auténtica responsabilidad social, que no consiste en mera filantropía, no se trata de realizar acciones en beneficencia, desinteresadas, sino de diseñar las actuaciones de la institución de forma que tengan en cuenta los intereses de todos los afectados por ella. La idea del beneficio se amplia a lo económico, social, incluso medio ambiental, y la del beneficiario, a cuantos son afectados por la actividad de la institución, de igual manera que el beneficio de una empresa no es sólo de sus accionistas.

2. LOS NOTARIOS

Examinado en el capítulo anterior el concepto de Notario, corresponde al presente el desarrollo de su Estatuto personal, así como los requisitos de ingreso en el cuerpo Notarial.

2.1. EL INGRESO EN EL NOTARIADO

En España hay una sola clase de Notarios, todos con idénticas funciones. La única forma de acceso al Notariado es a través de la correspondiente oposición (art. 12 LN y art. 5 RN). La LN regula en su Título II los «Requisitos para obtener y ejercer la Fé Pública» y el RN, en su Título I dedicado a «Los Notarios», regula en el Capítulo I «del ingreso en el Notariado», dividido en tres secciones, la primera de las cuales titula «Condiciones personales de los aspirantes», que agrupa los artículos 5, 6 y 7.

Art. 5:
El ingreso en el Notariado tendrá lugar mediante oposición para obtener el Título de Notario. La convocatoria de la oposición se publicará en el «Boletín Oficial del Estado» y deberá expresar:
a) El número de plazas que se convocan.
b) El lugar donde vaya a celebrarse la oposición.
c) Las condiciones o requisitos que deben reunir los aspirantes, la composición del tribunal o tribunales, en su caso, los ejercicios que han de celebrarse y el sistema o forma de la calificación, todo lo cual podrá expresarse por referencia a este reglamento.
d) Una referencia al programa que ha de regir los dos primeros ejercicios de la oposición.
e) La cuantía de los derechos de examen.
f) La posibilidad de que en la misma oposición se constituyan simultáneamente varios tribunales distintos, identificados bajo números correlativos si lo considera conveniente la Dirección General a la vista del número de aspirantes admitidos, y de que alguno o algunos de dichos tribunales actúen en lugares distintos.
g) El número de plazas que se reservan para personas que tengan la condición legal de personas con discapacidad con arreglo a lo dispuesto en la Ley 53/2003, de 10 de diciembre, sobre Empleo Público de Discapacitados y según el Real Decreto 1557/1995, de 21 de septiembre, sobre Acceso de Minusválidos a las oposiciones al título de notario.

Art. 6.
Los que aspiren a realizar las pruebas selectivas para el ingreso en el Notariado deben reunir, en la fecha que termine el plazo de presentación de las instancias, las condiciones siguientes:
a) Ser español u ostentar la nacionalidad de cualquier país miembro de la Unión Europea, o estar incurso en las situaciones previstas en el artículo 1 de la Ley 17/1993, de 23 de diciembre,

de acceso a determinados sectores de la función pública de los nacionales de los Estados miembros de la Unión Europea.
b) Ser mayor de edad.
c) No encontrarse comprendido en ninguno de los casos que incapacitan o imposibilitan para el ejercicio del cargo de notario.
d) Ser Doctor o Licenciado en Derecho o haber concluido los estudios de esta licenciatura, en los términos previstos en el segundo párrafo del apartado 2 del artículo 21 de este reglamento. Si el título procediera de un Estado miembro de la Unión Europea, deberá acreditar el reconocimiento u homologación del título equivalente, conforme a la Directiva 89/48/CEE, de 21 de diciembre de 1988, al Real Decreto 1665/1991, de 24 de octubre, y demás normas de transposición y desarrollo.

Art. 7:
Carecen de aptitud para ingresar en el Notariado:
1. Los impedidos física o psíquicamente para desempeñar el cargo.
2. Los que estuvieren inhabilitados para el ejercicio de funciones públicas, como consecuencia de sentencia firme.
3. Los que se hallaren declarados en situación de prodigalidad, los quebrados no rehabilitados y los concursados no declarados inculpables.
4. Los que como consecuencia de expediente disciplinario hubieran sido separados del servicio de cualquiera de las Administraciones Públicas, por resolución firme.

2.1.1. Condiciones personales

Especial comentario merecen algunos aspectos de los artículos 6 y 7 y así:

2.1.1.1. La Nacionalidad

Tradicionalmente y como consecuencia de la consideración del notario como funcionario público, se había venido exigiendo el requisito de **la nacionalidad española, para el ingreso en el Notariado**; si bien, como consecuencia de la integración de España en la hoy Unión Europea, y en aplicación del principio de no discriminación por razón de la nacionalidad, se procedió a suprimir tal exigencia primero en la LN, en la reforma llevada a cabo por ley 24/2001 de 27 de diciembre y con posterioridad en el RN por RD 862/2003 de 4 de julio, a diferencia de otros Estados miembros, que han venido exigiendo tal requisito, basándose principalmente en el ejercicio de funciones de poder público atribuidas al Notariado. En la actualidad, a nivel comunitario, son de destacar las sentencias dictadas por el TJUE de fechas 24 de mayo de 2011 en los Asuntos C-47/08, C-50/08, C-51/08, C-53/08, C-54/08, C-61/08, Comisión Europea contra Bélgica, Francia, Luxemburgo, Austria, Alemania y Grecia y más recientemente la de fecha 10 de septiembre de 2015, en el Asunto C-151/14 de la Comisión Europea contra Letonia, en todas ellas los países son condenados por exigir la respectiva nacionalidad para el acceso a la función notarial. El argumento que esgrime el Alto Tribunal y que sirve de base a todas ellas es el mismo, las funciones atribuidas a los notarios, aunque llamadas a un objetivo de interés general, el de garantizar la legalidad y la seguridad jurídica de los actos celebrados entre particulares, no basta por sí mismo para considerar que esta actividad concreta esté directa y específicamente relacionada con el ejercicio del poder público.

Sin perjuicio de un estudio más detenido en el epígrafe correspondiente, basta aquí apuntar la contradicción entre la posición del Tribunal de Justicia y las Conclusiones mantenidas en los mismos Asuntos por el Abogado General del citado Tribunal. El Abogado General, Cruz Villalón, en las Conclusiones presentadas el 14 de septiembre de 2010, *reconoce de forma explícita que «la actividad notarial, similar en todos los países implicados, por participar del modelo de Notariado Latino, participa en el ejercicio del poder público, excluyéndola por tanto de la libertad de establecimiento, si bien no autoriza por desproporcionada la cláusula de la nacionalidad por no venir exigido por el grado de intensidad en que dicha actividad participa en el ejercicio del poder público».*

Lo que parece claro es que participe o no en el ejercicio del poder público la actividad notarial está excepcionada de la llamada libertad de establecimiento, pero no justifica la llamada cláusula de la nacionalidad.

Por tanto, todo ciudadano comunitario pueda, al igual que un español, presentarse a las pruebas de acceso a Notario, y una vez aprobadas desempeñará su función exactamente igual y con sujeción a las mismas normas que un nacional.

La referencia del artículo 6, en el último inciso de la letra a) a la ley 17/1993 de 23 de diciembre, debe hoy entenderse al Real Decreto Legislativo 5/2015 de 30 de octubre por el que se aprueba el texto refundido de la Ley del Estatuto Básico del Empleado Público.

2.1.1.2. La Mayoría de Edad

Ser mayor de edad, es decir, tener los dieciocho años de edad cumplidos, de acuerdo a los arts. 12 CE y 315 del Código Civil, es la segunda de las condiciones que enumera la LN artículo 10 y el RN artículo 6 RN.

> **Artículo 10 LN**
> *«Los que aspiren a realizar las pruebas selectivas para el ingreso en el Notariado. Deberán reunir, en la fecha en que termine el plazo de presentación de las instancias, las condiciones siguientes: 1. (…) 2 Ser Mayor de edad…».*

Aunque el RN en su art. 21 párrafo 1º, en relación a los documentos que se han de presentar aprobadas las oposiciones exige un certificado de nacimiento acreditativo de que el opositor tenía cumplida la edad de veintitrés años el día de terminación del plazo de presentación de las instancias. Existe, por tanto, una contradicción entre ambos textos que, con toda lógica, se resolverá a favor de lo dispuesto por el texto legal, si bien, desde un punto de vista práctico, resultará bastante difícil encontrar, quien, con 18 años, haya completado los estudios universitarios de Derecho.

2.1.1.3. Estudios de Derecho

El siguiente de los requisitos, el relativo a los **estudios,** se pone en relación con el art. 1 del RN que define al Notario como profesional del Derecho, por eso se exige ser Doctor o licenciado en Derecho o haber concluido los estudios de esta Licenciatura. Hoy habrá que incluir la tenencia del Grado de Derecho o similar.

Si el título procediere de un Estado miembro de la Unión Europea, deberá presentarse el certificado acreditativo del reconocimiento u homologación del título equivalente.

2.1.1.4. Ausencia de incapacidades e imposibilidades

La letra c) del artículo 6 RN «*No encontrarse comprendido en ninguno de los casos que incapacitan o imposibilitan para el ejercicio del cargo de notario*».

De acuerdo al art. 16 LN y los arts. 7 y 141 RN podemos agrupar en tres grandes bloques las causas que incapacitan o imposibilitan para el ejercicio de la función Notarial:

1. Las causas que incapacitan física y psíquicamente el desarrollo de la función notarial, de las que nos ocuparemos más adelante;

2. Aquellas que imposibilitan para el ejercicio de cualquier función pública, aludidas en los tres últimos números del art. 7 RN;

3. Aquellas otras que imposibilitan específicamente para el cargo de Notario, aludidas en el art. 16 LN y 141 RN. El análisis de estas últimas lo dejamos para el **punto 2.2.8** de esta obra.

Por lo que en esta sede vamos a centrar nuestra consideración en el acceso a la función notarial de personas con discapacidad

El art. 7 RN en su número 1 establece que «*carecen de aptitud para ingresar en el Notariado: Los impedidos física o psíquicamente para desempeñar el cargo*».

En la actualidad el precepto en cuestión debe interpretarse conforme al mandato constitucional de igualdad y no discriminación, art. 9 y 14 CE y art. 49 CE de integración de los discapacitados; que se ha configurado como un auténtico principio básico de nuestro ordenamiento jurídico.

La plasmación legislativa del mismo la encontramos, entre otros, en el Real Decreto Legislativo 1/2013 de 29 de noviembre, por el que se aprueba el Texto Refundido de la Ley General de derechos de las personas con discapacidad y de su inclusión social; y el Real Decreto Legislativo 5/2015 de 30 de octubre, por el que se aprueba el Texto Refundido de la ley del Estatuto Básico del Empleado público, que en su artículo 59.1 (Personas con discapacidad) dispone: «*1. En las ofertas de empleo público se reservará un cupo no inferior al siete por ciento de las vacantes para ser cubiertas entre **personas con discapacidad**, considerando como tales las definidas en el apartado 2 del artículo 4 del texto refundido de la Ley General de derechos de las personas con discapacidad y de su inclusión social, aprobado por el Real Decreto Legislativo 1/2013, de 29 de noviembre, siempre que superen los procesos selectivos y acrediten su discapacidad y **la compatibilidad con el desempeño de las tareas**, de modo que progresivamente se alcance el dos por ciento de los efectivos totales en cada Administración Pública.*

La reserva del mínimo del siete por ciento se realizará de manera que, al menos, el dos por ciento de las plazas ofertadas lo sea para ser cubiertas por personas que acrediten discapacidad intelectual y el resto de las plazas ofertadas lo sea para personas que acrediten cualquier otro tipo de discapacidad.

Por su parte el citado artículo 4 dispone que «tendrán la consideración de personas con discapacidad aquellas a quienes se les haya reconocido un grado de discapacidad igual o superior al 33 por ciento».

Y así, en el ámbito que nos ocupa, se ha dictado el RD 863/2006 de 14 de julio, por el que se regula el acceso de las personas con discapacidad a las oposiciones al título de Notario y al Cuerpo de Aspirantes a Registradores de la Propiedad, Mercantiles y de Bienes Muebles, así como la provisión de plazas a su favor, en cuyo art. 1º señala que

1. *«Las personas con discapacidad tendrán derecho al acceso a las oposiciones al título de Notario y al Cuerpo de Registradores de la Propiedad, Mercantiles y de Bienes Muebles, con estricto respeto a los principios de igualdad de oportunidades y no discriminación [...] 2. A los efectos de esta norma, se entiende por persona con discapacidad, la definida en el artículo 1.2 de la ley 51/2003 de 2 de diciembre, de igualdad de oportunidades, no discriminación y accesibilidad universal de las personas con discapacidad».*

Referencia esta última que debe entenderse al citado artículo 4 del *RD Legislativo 1/2013 de 29 de noviembre.*

De ahí que hoy el principio general deba ser el de igualdad de acceso, y por tanto quien supere la oposición se le ha de presumir la capacidad para el desempeño de la función.

Naturalmente este mandato de accesibilidad debe coligarse a la propia naturaleza del cargo notarial, de ahí la doble exigencia de superación de las pruebas de acceso y de **compatibilidad** con el desempeno de las tareas y funciones correspondientes; y es que

el Notario, según el art. 1º RN «Como funcionario público ejercen la fe pública notarial, que tiene y ampara un doble contenido: a) En la Esfera de los hechos, la exactitud
de los que el Notario ve, oye o percibe por sus sentidos. [...]» Por tanto de entre las
discapacidades físicas, psíquicas, intelectuales o sensoriales, en puridad sólo éstas últimas incapacitarían para el ejercicio del cargo de Notario, pues aquellas enfermedades o
circunstancias personales que impidan una percepción sensorial igual al común de las
personas, imposibilitarían por definición el acceso a la función notarial y no se conside-
rarían una discriminación, pues el afectado por las mismas no podría, en definitiva percibir por los sentidos. Claro está, rigiendo siempre en esta materia el principio general
de no discriminación e igualdad de acceso.

De ahí también el procedimiento previsto en los artículos 7 y 8 del RD 863/2006, el
primero dedicado a las dudas del tribunal sobre la capacidad del opositor.

> *1. En cualquier caso de discapacidad, aunque no esté legalmente declarada, si se suscitasen
> dudas al tribunal, durante la realización del primer ejercicio, de la capacidad del opositor para
> desempeñar las funciones notariales o registrales, el tribunal deberá elevar inmediatamente un
> informe razonado a la Dirección General de los Registros y del Notariado.*
> *2. La Dirección General, tras la audiencia del interesado, los dictámenes que crea oportunos y
> siempre el del órgano competente en materia de valoración de situaciones de minusvalía y ca-
> lificación de su grado, dictará resolución motivada, apreciando o no la capacidad del opositor
> para desarrollar las tareas del Cuerpo al que aspire.*

Artículo 8. Declaración previa de la capacidad para el ejercicio de la función.

> *1. Cualquier licenciado en Derecho afectado por cualquier grado de minusvalía, declarada o
> no legalmente, podrá solicitar de la Dirección General de los Registros y del Notariado, acom-
> pañando los certificados médicos oportunos, que se declare su capacidad para desempeñar las
> funciones de Notario o de Registrador. La Dirección General de los Registros y del Notariado
> dictará resolución después de recabar los dictámenes previstos en el artículo anterior.*
> *2. La resolución favorable no impedirá que en el momento de la oposición el tribunal solicite
> el informe regulado en dicho artículo, si hubieran variado las circunstancias o el grado de
> minusvalía.*

Por último prevé el citado RD 863/2006, en su artículo 2.3 que las plazas reservadas
para personas con discapacidad puedan incluirse dentro de las convocatorias ordinarias
o proveerse en turno independiente, en el que sólo podrán participar personas con discapacidad. (Artículo 4).

2.1.2. *Requisitos de ingreso*

La Sección segunda del Capítulo I del Título I del RN se titula «requisitos para el
ingreso» y comprende los **artículos 8 y 9.**

Artículo 8.

Las solicitudes para tomar parte en las oposiciones libres de ingreso en el Notariado deberán dirigirse a la Dirección General de los Registros y del Notariado. El plazo para presentar aquéllas será el de treinta días hábiles, contados desde el día siguiente al de la inserción de la convocatoria en el «Boletín Oficial del Estado».

Para ser admitidos y, en su caso, tomar parte en la práctica de los ejercicios correspondientes, bastará con que los aspirantes manifiesten en sus instancias que reúnen todas y cada una de las condiciones exigidas y que se comprometen a prestar acatamiento a la Constitución Española. Con la instancia podrán los aspirantes presentar los documentos que acrediten títulos o servicios académicos, científicos, culturales o administrativos.

Al presentar la instancia, los solicitantes entregarán en la Dirección General de los Registros y del Notariado, en concepto de derechos de examen, la cantidad que en cada convocatoria se señale, de conformidad con la legislación vigente, al tiempo de su publicación. Si el solicitante desistiese de tomar parte en los ejercicios de oposición, no por ello tendrá derecho alguno a que le sea devuelta la cantidad ingresada.

La presentación de instancias y el pago de derechos de examen podrán realizarse en la forma prevista en la Ley de Procedimiento Administrativo.

Si alguna de las instancias adoleciese de algún defecto, se requerirá al interesado para que, en un plazo de diez días, subsane la falta, con apercibimiento de que si así no lo hiciere se le relacionará entre los excluidos.

Expirado el plazo de presentación de instancias, la Dirección General aprobará con carácter provisional la lista de admitidos y excluidos, la cual se hará pública en el «Boletín Oficial del Estado», concediéndose un plazo de quince días para formular reclamaciones. Estas serán aceptadas o rechazadas en la resolución por la que se apruebe la lista definitiva, que, asimismo, se publicará en el «Boletín Oficial del Estado», fijándose, además, en lugar visible de la Dirección General.

Artículo 9.

Publicada la lista definitiva de aspirantes admitidos y excluidos, se hará el nombramiento del Tribunal o Tribunales por Orden Ministerial, dictada a propuesta de la Dirección General, que se hará pública en el «Boletín Oficial del Estado».

2.1.3. Las oposiciones libres

Sección tercera del tribunal de las oposiciones libres y celebración de las mismas

2.1.3.1. Composición del Tribunal

Artículo 10

El tribunal o cada uno de los tribunales calificadores de la oposición estará compuesto por un presidente y seis vocales.

Será presidente el Director General de los Registros y del Notariado o la persona en quien delegue, que podrá ser: uno de los subdirectores generales, si reúne la condición de notario o registrador; un notario o registrador de la propiedad o mercantil adscrito a la Dirección General de los Registros y del Notariado; el decano u otro miembro de la Junta Directiva del colegio notarial donde se celebren las oposiciones, o un notario con más de 10 años de antigüedad en la carrera.

Los vocales serán: dos notarios, uno de ellos perteneciente necesariamente al colegio donde se celebren las oposiciones; un catedrático o profesor titular de universidad, en activo o excedente, de Derecho Civil, Mercantil, Financiero y Tributario, Romano, Internacional Privado, Procesal o Administrativo; un miembro de la carrera judicial con categoría de magistrado; un registrador de la propiedad o mercantil y un abogado del Estado, o un abogado ejerciente, con más de 15 años de ejercicio profesional especializado en asuntos civiles o mercantiles.

Si presidiera el decano, otro miembro de la Junta Directiva o un notario, podrá ser vocal, en lugar de uno de los vocales notarios, un abogado del Estado o un registrador de la propiedad o mercantil.

Ejercerá de secretario el vocal notario más moderno.

En ausencia del presidente o del secretario, hará sus veces el vocal notario. Si el tribunal se hubiera constituido con varios notarios, la ausencia del presidente se cubrirá por el secretario, y la de éste, por un vocal registrador.

El cargo de vocal es irrenunciable, salvo justa causa debidamente acreditada.

La designación de los miembros de tribunales suplentes se realizará, en su caso, conforme a los mismos criterios señalados en los párrafos anteriores para el nombramiento de presidente, secretario y vocales de los tribunales titulares.

2.1.3.2. Incompatibilidades

Artículo 11
No podrán ser miembros del Tribunal quienes sean, entre sí o respecto de alguno de los opositores, cónyuges o parientes dentro del cuarto grado de consanguinidad o segundo de afinidad. Si, no obstante, fueren nombrados, incurrirán en causa de incompatibilidad, y se nombrará a los que hayan de sustituirles.

En cuanto a las incompatibilidades, destacar que las mismas se contemplan no sólo respecto de los miembros del Tribunal y los opositores, sino entre los miembros del propio Tribunal entre sí.

Nada dice de la posible relación de convivencia semejante a la marital, aunque en atención a la necesaria imparcialidad en tan importante función debería tenerse en cuenta.

Tampoco parecen configurarse como causas que impidan de un modo absoluto la actuación, pues se prevé el nombramiento de sustitutos. Y tampoco habla de si la causa de incompatibilidad acaece de forma sobrevenida, tal vez, en este caso surgiría un deber de abstención y la actuación del Tribunal con restantes miembros no afectados por la incompatibilidad, si ésto, por su número fuere posible.

Artículo 13
Al tiempo de constituirse el Tribunal, todos sus miembros deberán prestar declaración de no estar comprendidos en ninguna de las causas de incompatibilidad previstas en el artículo 11. El cumplimiento de este requisito se hará constar en el acta correspondiente.

Constituido el Tribunal, le serán remitidos por la Junta directiva del Colegio Notarial la lista de opositores admitidos y excluidos y sus expedientes personales.

Parece una obviedad pero tal vez para la declaración a que alude el párrafo primero del artículo, los miembros del tribunal deberían haber tenido en su poder la lista a que alude el párrafo 2º y no a la inversa.

2.1.3.3. En caso de pluralidad de Tribunales

Artículo 12, párrafos 1º y 2º
En caso de pluralidad de tribunales, cada uno de ellos proveerá el mismo número de plazas convocadas; si hubiera exceso, la plaza o plazas en exceso se asignarán sucesivamente a los diversos tribunales.
En el caso anterior, actuarán ante cada tribunal un número de opositores proporcional al número de plazas que deba proveer, haciéndose, en su caso, el redondeo oportuno.

2.1.3.4. Constitución del Tribunal, lugar de actuación, sorteo, lista de opositores y comienzo de los ejercicios, publicidad

Artículo 12, párrafos 3º y ss.
Publicado el nombramiento del tribunal o tribunales, la Dirección General citará a los nombrados para su constitución y, simultáneamente, señalará el local, día y hora en el que se celebrará, en su caso, el sorteo para determinar el tribunal ante el que ha de actuar cada opositor y su orden respectivo de actuación, así como el local o locales, en su caso, donde se celebrará la oposición, con expresión del día y hora de comienzo de los ejercicios, y hará públicos estos acuerdos en el «Boletín Oficial del Estado".
El acto del sorteo será presidido por el Director General, o quien reglamentariamente le sustituya, y por dos miembros del tribunal o tribunales actuantes.
Entre el sorteo y el comienzo del primer ejercicio deberá mediar, al menos, un plazo de 30 días; y no podrá exceder de ocho meses el tiempo comprendido entre la publicación de la convocatoria y el comienzo de los ejercicios.

Artículo 14
En la fecha señalada por la Dirección General, conforme a lo previsto en el artículo 12 para la realización del sorteo, se celebrará sesión pública y, en ella, el Director general o quien reglamentariamente le sustituya, ordenará a quien desempeñe las funciones de Secretario del Tribunal o Tribunales actuantes, que dé lectura de la convocatoria y de la Orden nombrando los miembros del Tribunal o Tribunales y, en su caso, las delegaciones y designaciones reglamentarias.
Realizado el sorteo se formará, por el número correlativo obtenido, la lista o listas de opositores que, autorizadas por el Presidente, se publicarán en el tablón de anuncios de la Dirección General y en el del local o locales de celebración de las oposiciones.

2.1.3.5. De las sucesivas convocatorias

Artículo 15

El Tribunal designará, con veinticuatro horas de antelación, por lo menos, y por orden riguroso de la lista de sorteo, los opositores, que podrán ser llamados para actuar en cada día.

2.1.3.6. Del número de ejercicios, el programa y el desarrollo de los ejercicios

Artículo 16

Los ejercicios de la oposición serán cuatro: los dos primeros, orales, y el tercero y el cuarto, escritos. Tanto los dos primeros como la lectura del tercero y de la primera parte del cuarto serán públicos.

El primer ejercicio consistirá en contestar verbalmente, en el plazo máximo de 60 minutos, a cuatro temas, los tres primeros, de Derecho Civil Español, Común y Foral, y el cuarto, de legislación fiscal. Los temas de Derecho Civil corresponderán, respectivamente, uno a las materias de parte general o introducción, propiedad y derechos reales; otro, a obligaciones y contratos, y otro, a Derecho de Familia y sucesiones.

El segundo ejercicio consistirá, a su vez, en contestar asimismo verbalmente, en el tiempo máximo de 60 minutos, y por el siguiente orden, a seis temas: dos de Derecho Mercantil, dos de Derecho Hipotecario, uno de Derecho Notarial y otro de Derecho Procesal o Administrativo. Los dos temas de Derecho Mercantil y de Derecho Hipotecario serán uno de cada parte en que se hallen divididas estas materias.

En ambos ejercicios orales los temas serán sacados a la suerte de los comprendidos en el programa que deberá estar publicado en el «Boletín Oficial del Estado" un año antes de la convocatoria de la oposición. El opositor dispondrá de cinco minutos, como máximo, antes de comenzar la exposición, para reflexionar y tomar notas por escrito, si lo desea.

El programa comprenderá una exposición del derecho positivo vigente en España en cada una de las materias que en él se incluyen, destacando, tanto en el Derecho Común como en el Foral, aquellas que el notario debe profesionalmente conocer y aplicar y cuyo conocimiento le dote de una auténtica especialización en aquéllas.

En la parte del Derecho Civil se incluirán los principios fundamentales de Derecho Internacional Privado.

La legislación fiscal comprenderá aquellos impuestos que más puedan interesar al notario como asesor de los particulares.

El indicado programa se revisará por la Dirección General cuando lo estime necesario, o a propuesta del Consejo General del Notariado, y siempre con informe preceptivo de éste.

El tribunal no hará advertencia ni pregunta alguna a los opositores sobre las materias del ejercicio. Al presidente corresponde fijar la hora del comienzo y fin del ejercicio y advertirá al opositor, por una sola vez, con diez minutos de antelación, la hora en que debe acabar. Podrá también exigir que los opositores se atengan a la cuestión y eviten divagaciones inoportunas, y dar cumplimiento a las prescripciones de este reglamento relacionadas con la práctica de estos ejercicios.

En el primer ejercicio se podrá excluir al opositor, al concluir su exposición del segundo tema de Derecho Civil, si el tribunal, por unanimidad, acuerda que los ha desarrollado con manifiesta insuficiencia para obtener la aprobación. Igual medida podrá ser aplicada en el segundo ejercicio al término de la exposición del primer tema de Derecho Hipotecario.

El tercer ejercicio consistirá en redactar, en el tiempo máximo de seis horas, un dictamen sobre un tema de Derecho Civil Español, Común y Foral, Derecho Mercantil, Derecho Hipotecario o Notarial, de entre los formulados por el tribunal reservadamente. Las cuestiones que se propongan en este ejercicio versarán sobre casos de derecho positivo.

El cuarto ejercicio, que tendrá una duración máxima de seis horas, se dividirá en dos partes, cada una de ellas con la duración que fije el tribunal:

Primera: redactar una escritura o documento notarial, debiendo el opositor justificar en pliego aparte los problemas jurídicos que plantee o resuelva en su trabajo, realizando la liquidación del impuesto que en su caso corresponda a la escritura redactada.

Segunda: resolver un supuesto de contabilidad y matemática financiera que recaerá sobre las materias contenidas en el anexo del programa de la oposición.

Los ejercicios escritos se realizarán el día que fije el tribunal respectivo sobre cuestiones que serán secretas y se redactará en el mismo día designado para la realización del respectivo ejercicio por el tribunal, o, en su caso, tribunales conjunta o separadamente.

Los opositores estarán totalmente aislados, y no podrán consultar sino los textos legales que el tribunal les permita, y que por sí mismos se proporcionen, sin notas de jurisprudencia ni comentarios. Así mismo podrán utilizar calculadora.

Concluidos los ejercicios, los opositores los firmarán y entregarán al miembro del tribunal que estuviera presente, quien los cerrará en sobre firmado por el opositor.

Los opositores deberán leer personalmente el tercer ejercicio y la primera parte del cuarto. La incomparecencia del opositor determinará el decaimiento de sus derechos y su consideración como retirado, salvo que concurran causas de fuerza mayor, debidamente justificadas y libremente apreciadas por el tribunal; en estos casos, el tribunal podrá optar por fijar otra fecha para la lectura o, con el consentimiento del opositor, permitir la lectura del ejercicio por un miembro del propio tribunal.

Artículo 17

En los dos primeros ejercicios, los opositores que no concurrieren a practicarlos en primer llamamiento, actuarán después de terminado éste, en un segundo turno y con el mismo número que les hubiere correspondido en el sorteo. Si llamados en el segundo turno no comparecieren, se les tendrá por desistidos de la oposición, sin admitirse excusa alguna.

En los ejercicios tercero y cuarto sólo habrá un llamamiento.

2.1.3.7. Calificación de los ejercicios

Artículo 18

Todos los ejercicios de la oposición son eliminatorios.

La calificación de los opositores tendrá lugar en la forma siguiente:

Para obtener la declaración de aptitud en cada ejercicio se requiere alcanzar mayoría de votos del Tribunal en sentido favorable. En caso de empate, decidirá el Presidente.

Obtenida la mayoría, se fijará la calificación dividiendo el total de puntos que alcance el opositor por el número de miembros del Tribunal.

En los dos primeros ejercicios, cada uno de los miembros del Tribunal podrá conceder de uno a diez puntos, y de uno a veinte en el tercero y en el cuarto. En ningún caso al opositor que haya obtenido la declaración de aptitud en un ejercicio podrá asignársele una calificación inferior a cinco puntos.

Las calificaciones se harán, en los dos primeros ejercicios, al término de cada sesión, y en el tercero y cuarto ejercicios, el mismo día o el siguiente en que concluya la lectura por el último opositor. Las calificaciones se expondrán seguidamente al público, expresándose el número de puntos alcanzados por cada opositor, sin hacer mención de los opositores que no hubiesen sido declarados aptos en los ejercicios.

2.1.3.8. Quorum del Tribunal. Suspensión de los ejercicios. Plazos entre ejercicios. Impugnaciones

Artículo 19

El tribunal no podrá constituirse ni actuar sin la asistencia de cinco de sus miembros.

Los ejercicios no podrán suspenderse, una vez comenzados, por un plazo mayor de 15 días naturales sino por causa justificada, aprobada por la Dirección General.

Entre la conclusión del primer ejercicio y el comienzo del segundo deberá mediar un plazo mínimo de 30 días naturales. Entre la conclusión del segundo y el comienzo del tercero y entre la conclusión del tercero y el comienzo del cuarto, deberá mediar un plazo mínimo de 20 días naturales.

Todas las dudas y cuestiones que se presenten durante la práctica de los ejercicios de oposición serán resueltas por el tribunal. Si no hubiera unanimidad, prevalecerá el criterio de la mayoría, y, en caso de empate, decidirá el voto del presidente.

Los actos del tribunal podrán ser impugnados por los interesados en los casos y en la forma previstos en la Ley de Régimen Jurídico de las Administraciones Públicas y del Procedimiento Administrativo Común.

2.1.3.9. La lista de opositores aprobados

Artículo 20

Concluido el último ejercicio, el tribunal o, en su caso, cada tribunal formará, en el mismo día o en el siguiente, la lista de opositores aprobados por orden de calificación, teniendo en cuenta el número de puntos obtenidos por cada opositor en los cuatro ejercicios. Si la calificación fuera idéntica, el empate se resolverá por votación del tribunal, con el voto decisorio del presidente, en su caso, en consideración al juicio total que de los opositores hayan formado por la actuación de aquéllos.

Un ejemplar de dicha lista autorizado por el secretario del tribunal o, en su caso, de los respectivos tribunales, y con el visto bueno de su presidente, expresiva de la suma total de puntos de cada opositor aprobado, se expondrá al público en el local o locales donde se celebren las oposiciones, remitiéndose otro idéntico a la Dirección General dentro del plazo de tres días, en unión de los ejercicios y expedientes de los opositores que hayan obtenido la aprobación.

El número de opositores aprobados no podrá exceder, en ningún caso, del de plazas convocadas. Por tanto, solamente se incluirán en la lista de aprobados los que de acuerdo con las reglas anteriores resulten mejor clasificados y estén dentro del límite de plazas expresado. Si fueren varios los tribunales calificadores, el número de opositores aprobados por cada uno de ellos no podrá exceder del número de plazas a cada uno asignadas.

Igualmente, en caso de pluralidad de tribunales, una vez recibida por la Dirección General la documentación a que se refiere el párrafo segundo de este artículo, procederá a ordenar a los opositores en función de las puntuaciones obtenidas. En caso de igualdad de puntuaciones, se establecerá el orden según la puntuación obtenida en el primer ejercicio o siguientes si persistiera la igualdad. En caso de igualdad en todos los ejercicios, se dará prioridad al opositor de mayor edad.

La relación de opositores aprobados, ordenada conforme a los criterios recogidos en este artículo, se publicará de acuerdo con lo dispuesto en el último párrafo del artículo 21 de este reglamento.

2.1.3.10. Documentación a aportar por los opositores aprobados

Artículo 21

Dentro de los treinta días siguientes a la terminación del último ejercicio los opositores aprobados deberán presentar en la Dirección General de los Registros y del Notariado, si no los tuvieren ya presentados, los siguientes documentos:

Primero. Certificación de nacimiento acreditativa de que el opositor tenía cumplida la edad de veintitrés años el día de terminación del plazo de presentación de instancias.

Segundo. Título de Licenciado o Doctor en Derecho, o bien certificación académica que acredite la terminación de los estudios de la licenciatura en Derecho, acompañada de certificación de haber hecho el depósito para obtener alguno de dichos títulos. Todos estos documentos podrán presentarse originales o por testimonio notarial.

Cuando el opositor ejerza o haya ejercido algún cargo público que exija título de Licenciado en Derecho será suficiente que presente el título o nombramiento para dicho cargo, original o mediante testimonio notarial.

Tercero. Certificación del Registro Central de Penados y Rebeldes que acredite no estar condenado a pena que inhabilite para el ejercicio de funciones públicas.

Cuarto. Certificación médica de no tener impedimento físico o psíquico habitual para ejercer el cargo de Notario.

Quinto. Declaración de no hallarse comprendido en los números tercero y cuarto del artículo 7. La inexactitud en esta declaración dará lugar a la exclusión de las oposiciones, en cualquier momento que se descubra, o a la expulsión del Cuerpo si se tuviere conocimiento de ello después de haber terminado los ejercicios.

Los documentos que acrediten los extremos comprendidos bajo los números tercero, cuarto y quinto no surtirán efecto si su fecha es anterior en más de tres meses en relación a la de la publicación de la convocatoria.

Los opositores que dejaren de presentar dentro de plazo los documentos antes reseñados, quedarán decaídos de todos los derechos que hubiesen adquirido por virtud de la oposición.

Si después de practicada la oposición resultare que alguno de los opositores carecía de la aptitud necesaria para el ingreso en el Notariado perderá los derechos adquiridos en aquélla.

La Dirección General examinará a la mayor brevedad la documentación presentada y publicará en el Boletín Oficial del Estado la lista de opositores aprobados que habiendo completado la documentación requerida tienen derecho a la expedición del título y la de aquellos otros que, no habiéndola completado, han decaído en sus derechos y comunicará estos hechos a los respectivos interesados.

2.2. LA INVESTIDURA NOTARIAL

El Capítulo II, del Título I del RN, bajo la rúbrica «de la investidura notarial» engloba 6 Secciones.

INVESTIR, según el Diccionario de la Real Academia española de la Lengua es conferir, conceder a alguien dignidad, empleo o cargo importante.

La investidura notarial, en esencia, es el acto que tiene lugar cuando el Decano del respectivo Colegio Notarial da posesión, al notario nombrado, de la Notaria obtenida por medio de Concurso.

Distinguiendo entre la investidura inicial o primera investidura, que tiene lugar una vez aprobada la oposición y verificados los requisitos previstos en la legislación notarial, de aquellas otras que tienen lugar como consecuencia de los cambios de destino. Ciertamente, en ambas hay toma de posesión de la notaria respectiva. Si bien el RN ordena que la primera investidura sea *pública, solemne y conjunta. Conjunta* para el caso de que sean varios los aprobados en la misma oposición que hayan sido nombrados para desempeñar su cargo en el mismo Colegio Notarial. *Pública*, pues suelen acudir además de familiares de los aprobados y compañeros del mismo Colegio, representantes de las diversas instancias sociales, convirtiéndose la toma de posesión en acto de gran relevancia. Y *solemne*, teniendo como momento esencial, que no el único, **el juramento o promesa del nuevo Notario.**

La importancia del juramento o promesa

La LN en su art. 15, dice que *los Notarios para entrar en el ejercicio de su cargo, **jurarán** ante la Audiencia del territorio obediencia y fidelidad al Rey, guardar la Constitución y las leyes, y cumplir bien y lealmente su cargo.*

Por su parte el RN en su art. 36 señala que el nuevo Notario **prometerá** fidelidad a la Constitución y cumplir todas las obligaciones que las leyes y demás disposiciones emanadas del Poder público le impongan.

Sea juramento o promesa, la doctrina ha subrayado la importancia que se ha dado tradicionalmente al juramento. Así Rodríguez Adrados lo sitúa como señal inequívoca de los comienzos del Notariado, como institución, consistente en la sustitución del juramento asertorio, individual para cada documento, del documentador, como si de un testigo más se tratara, por el juramento promisorio para todos los documentos futuros.

En palabras de Aristónico García nunca el apelativo de público del Notario, su obra o la función por él desarrollada significó subordinación al poder, pues el notario no tenía más limitación que su vinculación a un juramento de «fidelitas» de veracidad y legalidad; como ya aparece en nuestro Fuero Real cuando obliga a los escribanos a realizar la carta «leal y derechamente» juramento que ha sido reconocido como el verdadero requisito legitimador del oficio notarial, de ahí su importancia. Una vez hecho el juramento el escribano o notario pasaba a prestar su función con plena e indiscutida autonomía.

Hoy podemos decir que el vínculo de lealtad que se exterioriza a través del juramento en el proceso de integración que representa la Unión europea no sólo es predicable del Estado y sus nacionales sino también entre estos y la Unión. El notario se inserta así en un marco en el que la lealtad se proyecta tanto sobre el Estado que confiere la autoridad como con la Unión que la sume, al igual que sobre los demás estados miembros, convirtiéndose el notario no sólo en agente público del Estado, sino también de la Unión. Tal y como resultan de las Conclusiones del Abogado General *del Tribunal de Justicia Europeo Cruz Villalón* presentadas el 14 de septiembre de 2010 en los Asuntos C-47/08, C-50/08, C-51/08, C-53/08, C-54/08, C-61/08, Comisión Europea contra Bélgica, Francia, Luxemburgo, Austria, Alemania y Grecia.

2.2.1. Título

Artículo 22
El título de Notario se expide, al ingresar en el Cuerpo, por el Ministro de Justicia en nombre del Rey, y habilita para ejercer la función notarial en cualquiera de las Notarías demarcadas en el territorio español para las que el titular reciba el adecuado nombramiento. Dicho título no necesitará ser renovado cualquiera que sea la clase o sección de las Notarías para cuyo desempeño sea nombrado ulteriormente el Notario.
Los sucesivos cambios de Notaría se harán constar al tiempo de la toma de posesión en el propio título por medio de diligencia extendida por el Decano del Colegio con referencia expresa a la orden de nombramiento.
El nombre y el título de Notario solo podrá usarse por los que integran el Cuerpo notarial, sin que pueda ser utilizado por otras personas, aunque la legislación vigente dé a su actuación carácter notarial.
Publicada la lista a que se refiere el párrafo último del artículo anterior, se expedirá el título de Notario a favor de cada uno de los opositores aprobados, quienes tendrán la obligación de participar en todos los concursos convocados desde aquella publicación y solicitar todas las vacantes hasta obtener una. Quien incumpliera dicha obligación será considerado como renunciante al título y dado de baja en el escalafón.

El art. 22 RN precepto de gran importancia dispone que

«el título de Notario se expide, al ingresar en el cuerpo por el Ministro de Justicia en nombre del Rey, y habilita para ejercer la función notarial en cualquiera de las notarias demarcadas en el territorio español para las que el titular reciba el adecuado nombramiento. [...]»

La expedición del **título**, al que tiene derecho el opositor aprobado que cumple con los requisitos del art. 21, determina el Ingreso en el Cuerpo Notarial, de hecho el RN abandona la expresión «opositor aprobado» de los artículos anteriores, ej. el art. 21, habla hasta seis veces de opositor aprobado o sólo opositor; por la de Notario electo, ej art. 24, art. 35. Con el título ya podemos afirmar que se es Notario. El título no necesita ser renovado cualquiera que sea la clase de las Notarias para cuyo desempeño sea nombrado ulteriormente el Notario. Dichos cambios se harán constar al tiempo de la toma de posesión en el propio título por medio de diligencia.

La expedición del título habilita al ejercicio de la función, pero en la medida en que ésta se presta en un ámbito territorial determinado aún queda pendiente de recibir «el adecuado **nombramiento**» para la correspondiente Notaria demarcada. Por eso el último párrafo del art. 21 ordena que

> *«Publicada la lista a que se refiere el párrafo último del artículo anterior, se expedirá el título de Notario a favor de cada uno de los opositores aprobados, quienes tendrán la obligación de participar en todos los concursos convocados desde aquella publicación y solicitar todas las vacantes hasta obtener una. Quien incumpliera dicha obligación será considerado como renunciante al título y dado de baja en el escalafón».*

La regulación de los **Concursos,** única forma de cubrir las Notarías vacantes, está recogida en los artículos 88 y siguientes del RN. La competencia en esta materia corresponde a la DGRN, salvo en el caso de la Comunidad Autónoma de Cataluña, atribuida a la Dirección General de Derecho y de Entidades jurídicas, del Departamento de Justicia de la Generalitat, en ejecución de lo previsto en el art. 147 del Estatuto de Autonomía Catalán, tras su reforma operada por Ley Orgánica 6/2009 de 19 de julio. Ningún otro texto estatutario, incluye esta competencia. Por lo que hecha la salvedad catalana centraremos nuestra consideración exclusivamente en la DGRN.

2.2.2. Nombramiento

Artículo 23
Salvo en los casos a que se refiere el párrafo siguiente, el nombramiento de los Notarios se hará por Orden ministerial, de la que se dará traslado al interesado y al Decano del Colegio Notarial al que pertenezca la Notaría. Si el nombrado desempeñare otra de distinto Colegio se dará también traslado al Decano de éste.
Cuando el nombramiento de los Notarios del territorio de una Comunidad Autónoma esté atribuido a ésta, la Dirección General le remitirá la resolución recaída en relación con el concurso y, recibida ésta, el órgano competente de la Comunidad efectuará los nombramientos correspondientes y, además de practicar los traslados previstos en el párrafo anterior, comunicará los nombramientos, a la mayor brevedad posible, a la propia Dirección General, la cual proveerá a la necesaria coordinación entre los distintos Colegios notariales y a su adecuado reflejo en los escalafones del Cuerpo notarial. A tales efectos y, además, al objeto de respetar el orden de la lista definitiva de opositores aprobados en cada oposición de ingreso, para el cómputo de la antigüedad en dichos escalafones, se tomará como fecha inicial la de la citada resolución de la Dirección General.
Los nombramientos se publicarán, según corresponda, en el Boletín Oficial del Estado o en el periódico oficial de las respectivas Comunidades Autónomas, sin orden de preferencia entre unos u otros.

Tras la resolución del Concurso por la DGRN, ésta remitirá la resolución recaída al órgano de la Comunidad Autónoma encargado del nombramiento. Hoy la totalidad de las Comunidades Autónomas tienen atribuida esta competencia. Los límites de la misma se habían fijado por el Tribunal Constitucional en Sentencia de 24 de julio de

1984, que diferenciaba entre el proceso de selección, de competencia estatal, y el nombramiento que equivaldría al mero acto de designación para la ocupación y desempeño de una plaza concreta de notario; si bien en la actualidad y de nuevo con la excepción de Cataluña deberemos esperar al desarrollo de la previsión estatutaria del art. 147 que prevé «*la convocatoria, administración y resolución de las oposiciones libres y restringidas y de los concursos, que debe convocar y llevar a cabo hasta la formalización de los nombramientos*» *como* competencia ejecutiva que corresponde a la Generalitat de Cataluña, en materia de notarías y registros públicos de la propiedad, mercantiles y de bienes muebles. Hasta la fecha la Comunidad Autónoma de Cataluña, no ha convocado oposición alguna en ejercicio de la citada competencia.

En la práctica, sin embargo, los Concursos Notariales se van coordinando por ambas instituciones, la DGRN y la DG de Derecho y Entidades jurídicas, de forma que su publicación y resolución, son competencia de cada una de las citadas entidades en el ámbito territorial respectivo, ahora bien se toman medidas como la convocatoria simultánea y el análisis conjunto de las solicitudes presentadas.

Efectuado el nombramiento sobre el resultado del Concurso, el órgano competente de la CCAA dará **traslado**: al interesado, al decano del respectivo Colegio y a la DGRN del mismo. Y se procederá a su **publicación** en el BOE, y en el Diario correspondiente de cada Comunidad Autónoma.

Cuando se trata de opositores aprobados, para respetar el orden de la lista definitiva de aprobados en cada oposición de ingreso, para el cómputo de la antigüedad en dichos escalafones se tomará como fecha inicial la de la resolución del Concurso de la DGRN y la DG de Derecho y Entidades jurídicas.

Tras el nombramiento, el notario, al que el Reglamento llama Notario electo (art. 24), deberá obligatoriamente acreditar la contratación de un seguro de responsabilidad civil y constituir la fianza, en un plazo de 30 días desde la publicación del nombramiento para una Notaría determinada.

Fianza y seguro de responsabilidad civil, se configuran como dos garantías diversas, tendentes a asegurar las obligaciones que puedan derivarse de la actuación notarial en dos planos diferenciados, el corporativo, la fianza, el de la responsabilidad civil, el seguro.

2.2.3. Fianzas

En cuanto a **las fianzas** su cuantía varía entre 1500 euros como regla general o 3000 euros, para las poblaciones de más de un millón de habitantes.

Pueden consistir en títulos de Deuda pública en depósito a disposición de la DGRN en establecimiento autorizado al efecto o en la Caja General de depósitos; en garantía hipotecaria, sobre fincas rústicas o urbanas del Notario o un tercero, en metálico, en valores representados por anotaciones en cuenta o en participaciones en fondos de inversión representadas por certificados nominativos. (Estas tres últimas modalidades previstas en la OM JUS de 20 de marzo de 1997). En cualquiera de sus modalidades la fianza debe ser aprobada por la DGRN según dispone el RN en su art. 27.

El objeto de la fianza es garantizar el ejercicio de su cargo, y en particular las cantidades que dejare de abonar el Notario en concepto de multas, encuadernación de protocolo, desorganización y deterioro de éstos por su negligencia, primas del seguro de responsabilidad civil y de las aportaciones, cotizaciones y en general cualquier pago, que deba realizar al Colegio Notarial o que tenga su origen en causa corporativa. Son por tanto responsabilidades de marcado carácter corporativo.

El RN contempla un mecanismo de traba y ejecución de la fianza y ante la insuficiencia de la misma ordena la **suspensión** del Notario en el ejercicio de sus funciones, hasta que la deuda reclamada haya sido satisfecha y la fianza repuesta. Pero además los artículos 29, párrafo 3º y 80.2º RN consideran **renunciante** de su cargo al Notario que dentro de los plazos legales no constituya la fianza o no la reponga, cuando resulte insuficiente. Siendo que el Notario renunciante será dado de baja en el Escalafón del Cuerpo.

Una vez constituidas las citadas garantías, la DGRN remitirá el título a la Junta Directiva del Colegio al que corresponda la primera Notaría para la que haya sido nombrado el Notario electo.

2.2.3.1. Plazo

Artículo 24
*El notario electo deberá obligatoriamente acreditar la contratación de un seguro de responsabilidad civil a que se refiere el artículo siguiente y constituir la fianza, en cumplimiento de lo preceptuado por el artículo 14 de la Ley Orgánica del Notariado, presentando en la Dirección General de los Registros y del Notariado los documentos justificativos de todo ello. Dicha obligación deberá cumplirse dentro del plazo de **treinta días naturales**, contados desde la publicación del nombramiento para una Notaría determinada en virtud de concurso ordinario en el Boletín Oficial del Estado o, en su caso, en el Boletín o Diario oficial de la Comunidad Autónoma correspondiente.*

2.2.3.2. Cuantía. Modalidades (OM/JUS de 20 de marzo de 1997)

Artículo 26
La fianza que deberá prestar el notario tendrá una cuantía de 1.500 euros, salvo que se trate de poblaciones de más de un millón de habitantes, en cuyo caso se elevará a 3.000 euros, cuya cuantía podrá ser actualizada por la Dirección General de los Registros y del Notariado previa audiencia del Consejo General del Notariado.

La fianza podrá constituirse en títulos de la Deuda pública o con garantía de fincas rústicas o urbanas por el propio Notario o por un tercero, pero en este caso no podrá retirarse sino avisando al Notario con seis meses de anticipación, por medio de requerimiento en forma legal, para que durante este término la reponga, entendiéndose que si no lo hiciese así, se entregará la fianza a su dueño, previa liquidación de responsabilidad y en la forma determinada en este Reglamento, quedando en suspenso el Notario mientras no la complete en el plazo reglamentario.

Por OM (JUS) de 20 de marzo de 1997, publicada en el BOE de 3 de abril, se contempla la posibilidad de que la fianza también pueda prestarse en metálico, en valores representados por anotaciones en cuenta o en participaciones en fondos de inversión representadas por certificados nominativos. Los depósitos de estas fianzas se constituirán en cualquier entidad de crédito colaboradora de las Administraciones Públicas, designada al efecto por el Consejo General del Notariado, designación que deberá ser comunicada a la Dirección General de los Registros y del Notariado.

Artículo 27
La fianza en títulos o efectos públicos se constituirá en la Caja General de Depósitos o en establecimientos legalmente autorizados al efecto, en calidad de depósito necesario, a disposición de la Dirección General de los Registros y del Notariado.
El Notario presentará en este Centro el resguardo original definitivo del depósito y copia simple del mismo; ambos documentos con instancia solicitando la aprobación de la fianza.
Dicho resguardo, después de cotejado y conforme con la copia presentada, será devuelto, bajo recibo, al interesado o su legal representante.
Iguales formalidades se cumplirán en el caso de renovación del resguardo.
La fianza con garantía de fincas se constituirá en escritura pública de hipoteca que otorgará el que fuere dueño del inmueble, por cantidad bastante a producir la renta señalada para cada caso, capitalizada ésta al cinco por ciento, expresándose que queda a disposición de la Dirección General para responder del desempeño del cargo por el Notario.
Otorgada la escritura se inscribirá en el Registro de la Propiedad correspondiente.
El Notario solicitará de la Dirección General la aprobación de la fianza por medio de instancia, a la que acompañará: 1.º La escritura de constitución de hipoteca, debidamente inscrita; 2.º Certificación, en relación, de cargas de las fincas hipotecadas, librada con fecha posterior a la de la inscripción de la escritura de la hipoteca; y 3.º Otra certificación expedida por la Oficina catastral, por la del Registro Fiscal de Edificios y Solares o por la Secretaría municipal correspondiente, a falta de algunas de las expresadas, haciendo constar el líquido imponible con que en el último quinquenio aparezcan los inmuebles hipotecados.
Si dicho líquido imponible no fuese igual o superior a la renta expresada en el párrafo primero de este artículo, no podrá aprobarse la fianza, salvo que la diferencia se haya constituido en títulos de la Deuda pública.
Iguales formalidades se cumplirán en el caso de renovación o modificación de la fianza.

2.2.3.3. Notario en suspenso por falta de fianza

Artículo 28
El notario suspenso en el ejercicio de su cargo por falta de fianza, según lo prevenido en el artículo 14 de la Ley del Notariado, estará obligado a reponerla en el término de un mes, a contar

desde el día en que se le hubiere notificado haber sido declarado suspenso, sin perjuicio de sus responsabilidades disciplinarias.

2.2.3.4. Prórrogas para la constitución de la fianza

Artículo 29

El plazo señalado para constitución de la fianza sólo podrá prorrogarse por otro que no exceda de un mes. Si se tratara de Notarios nombrados para Baleares o Canarias, la prórroga podrá ser de dos meses.

Dicha prórroga se concederá por la Dirección General de los Registros y del Notariado.

Los Notarios electos que no constituyan o amplíen su fianza en los plazos legales sin acreditar justa causa o haber obtenido prórroga serán considerados como **renunciantes***, anunciándose nuevamente la vacante de la Notaría para su provisión en el turno que corresponda.*

El interesado podrá recurrir en alzada el acuerdo de la Dirección General ante el Ministro de Justicia.

2.2.3.5. Funciones de la fianza. Ejecución de la fianza. Insuficiencia de la fianza. Suspensión de la ejecución

Artículo 30

La fianza que están obligados a constituir los Notarios como garantía para el ejercicio de su cargo, así como los intereses o productos de la misma, estarán afectos a las responsabilidades contraídas en el desempeño de aquél y preferentemente a las cantidades que dejare de abonar el notario en concepto de multas, encuadernación de protocolos, desorganización y deterioro de éstos por su negligencia, primas del seguro de responsabilidad civil y de las aportaciones, cotizaciones y, en general cualquier pago, que deba realizar al Colegio Notarial, o que tenga su origen en causa corporativa.

Para hacer efectivas estas obligaciones, la Dirección General de los Registros y del Notariado ordenará al notario deudor el pago de lo adeudado, apercibiéndole de la ejecución forzosa de la fianza. Notificada la orden de pago, el deudor dispondrá de un plazo de un mes para abonar su importe.

Transcurrido el plazo a que se refiere el párrafo anterior, sin que el deudor hubiese satisfecho la deuda reclamada, la Dirección General de los Registros y del Notariado ordenará la traba y ejecución de la fianza. Si la misma fuese suficiente para solventar con cargo a ella la cantidad total reclamada por principal, recargos e intereses, la Dirección General dispondrá lo necesario para ejecutarla, comunicándolo al notario deudor a fin de que reponga la fianza con apercibimiento de que, de no hacerlo, quedará suspendido en sus funciones conforme al artículo 14 de la Ley del Notariado. Si la fianza fuere insuficiente para satisfacer todo lo adeudado, la Dirección General declarará la falta de fianza y la suspensión del notario en su cargo, con nota en el protocolo. Dicha suspensión no se alzará hasta que haya sido íntegramente satisfecha la deuda reclamada y haya sido repuesta la fianza.

En lo relativo a la suspensión de la ejecución de la fianza se estará a lo dispuesto en el artículo 111 de la Ley 30/1992, de 26 de noviembre, de Régimen Jurídico de las Administraciones Públicas y del Procedimiento Administrativo Común».

La referencia a la ley 30/92, hoy debe entenderse a la ley 39/2015 de 1 de octubre, del procedimiento administrativo Común de las Administraciones públicas, a su artículo 117.

El procedimiento de ejecución de la fianza regulado en el artículo que precede, goza de singularidad respecto a los procedimientos disciplinarios que puedan seguirse contra los Notarios con ocasión del ejercicio de sus funciones. De forma que una vez se ha seguido el correspondiente procedimiento disciplinario contra el Notario, la DGRN ordenará el pago de lo adeudado al Notario, con apercibimiento de ejecución de la fianza. El pago deberá verificarse en el plazo de un mes, transcurrido el cuál la DG ordenará la traba y ejecución de la fianza. Cuando ésta resulte insuficiente se declarará por la DG la suspensión del Notario, hasta el completo pago de la deuda y la reposición de la fianza.

Las dudas se pueden suscitar en el tránsito de la situación de suspenso a la de renunciante, que recogen los citados artículos 29 y 83.2º RN. De forma que pasado el mes a que alude el artículo 28 RN, «*a contar desde el día en que se le hubiere notificado haber sido declarado suspenso*» se le tenga por renunciante a su cargo de no mediar justa causa o haber obtenido prórroga, sin perjuicio del eventual recurso de alzada ante el Ministro de Justicia a que alude el último párrafo del artículo 29 RN. En parecidos términos el artículo 84 RN, como vemos en el epígrafe 2.2.10.2.1 de esta obra.

2.2.3.6. Sustitución de la Fianza

Artículo 31
Las fianzas podrán ser sustituidas en todo tiempo, solicitándolo al efecto de la Dirección General, quien no expedirá la orden de devolución o de cancelación, en su caso, sin que previamente haya aprobado la constitución de la nueva fianza, con arreglo a lo prevenido en este Reglamento.

2.2.3.7. Subsistencia de la Fianza

Artículo 32
La fianza constituida para una Notaria servirá por todo el valor reconocido al prestarla para cualquiera otra que obtenga el interesado, sin perjuicio del necesario aumento si la Notaría que pasara a desempeñar tuviese asignada mayor fianza, quedando afecta la totalidad de la garantía a las responsabilidades contraídas desde su ingreso en el Notariado.

2.2.3.8. Devolución de la Fianza

Artículo 33
Para la devolución o cancelación de una fianza deberá el Notario interesado o quien la haya constituido, sus herederos o la Autoridad judicial, en su caso, a instancia de parte interesada, dirigirse al Decano del Colegio a que pertenezca la última Notaría servida, para que se anuncie

en el Boletín Oficial del Estado y en el de la provincia donde se halle enclavada aquella en que ha cesado dicho Notario en el ejercicio de su cargo. En el anuncio se harán constar las Notarías que aquél hubiera anteriormente desempeñado y se fijará el plazo de un mes, contado desde el día de dichas publicaciones oficiales, para que se puedan formular las oportunas reclamaciones ante la Junta directiva del Colegio. Los gastos de los anuncios correrán a cargo de quien solicite la devolución o cancelación de la fianza.

La misma Junta directiva unirá al expediente una certificación negativa o afirmativa, según proceda, de las infracciones reglamentarias, faltas o defectos que se observen en los protocolos del Notario de que se trate y de hallarse o no comprendido en alguno de los casos determinados en el artículo 30, a los efectos de la responsabilidad de la fianza.

La propia Junta, cuando se trate de Notarías pertenecientes a otro Colegio, recabará de las Juntas respectivas las certificaciones a que se refiere el párrafo anterior, que unirá también al expediente.

Este será elevado, con informe de la Junta, a la Dirección General, una vez transcurrido el plazo fijado en el párrafo primero, para que dicho Centro, en virtud de orden motivada, resuelva lo que fuese procedente.

El mismo procedimiento se seguirá cuando, por haber pasado el interesado de Notaría de mayor fianza a otra que la tuviese asignada menor, se pretendiese la devolución o cancelación de la diferencia resultante entre ambas fianzas.

En todo caso, procederá la devolución de la fianza notarial una vez transcurrido el plazo de quince años, a contar del cese del Notario en el ejercicio del cargo, sin que contra ella se haya formulado reclamación. En la hipótesis de que se formulare reclamación, dicho plazo se contará desde la última reclamación formulada contra la fianza.

Artículo 34

Acordada la devolución de la fianza, la Dirección General de los Registros y del Notariado entregará al interesado escrito justificativo de tal acuerdo para su presentación en las Entidades en que hubiera quedado depositada o constituida.

2.2.4. Seguro de responsabilidad civil

Artículo 25

El seguro de responsabilidad civil tendrá por objeto cubrir las responsabilidades de dicha índole en que pudiera incurrir el notario en el ejercicio de su cargo.

La Dirección General de los Registros y del Notariado previa audiencia del Consejo General del Notariado fijará las condiciones mínimas del seguro de responsabilidad civil. No obstante, el Consejo General del Notariado podrá solicitar justificadamente a la Dirección General de los Registros y del Notariado que se modifiquen dichas condiciones. El centro directivo deberá pronunciarse expresamente en el plazo máximo de un mes sobre tal solicitud de modificación.

El **seguro de responsabilidad civil** tiene por objeto cubrir las responsabilidades de dicha índole en que pudiera incurrir el notario en el ejercicio de su cargo, correspondiendo al Consejo General del Notariado su suscripción bajo las condiciones que marca la DGRN, cada Notario particular se adscribe al citado seguro.

Sin perjuicio de su estudio en otra parte de esta obra baste aquí adelantar lo dispuesto en el párrafo 1º del artículo 146 RN, *«El Notario responderá civilmente de los daños y perjuicios ocasionados con su actuación cuando sean debidos a dolo, culpa o ignorancia inexcusable».*

2.2.5. Toma de posesión

Dentro de los quince días siguientes al último día de plazo para constituir la fianza, tendrá lugar **la toma de posesión** en sesión pública procurando que sea solemne y además conjunta para todos los que hayan sido aprobados en la misma oposición si son varios.

En caso de nombramientos ulteriores el plazo de quince días se contará desde el siguiente a la publicación del nuevo nombramiento o si ha de ampliarse la fianza desde que se apruebe.

El plazo señalado para tomar posesión de las Notarías no podrá prorrogarse por más de un mes, y hasta dos meses si se tratase de Notarías en Baleares o Canarias.

El Notario que no se posesionare de su cargo en plazo, salvo justa causa debidamente acreditada o sin haber obtenida prórroga, será considerado como **renunciante**, y la Notaría será anunciada y provista en el turno que corresponda (artículos 35 párrafo 4º y 83.3ºRN).

La siguiente etapa a tener en cuenta es la que propiamente podemos llamar de *investidura,* en ella en sesión pública, conjunta y solemne y tras la **presentación** del Notario electo a la Junta Directiva por uno de los Notarios colegiados elegido por aquél, el nuevo Notario efectuará **el juramento o promesa** de fidelidad a la Constitución y cumplir todas las obligaciones que las leyes y demás disposiciones emanadas del poder público le impongan.

El decano que habrá recibido la previa **declaración firmada** por el Notario electo asegurando bajo su responsabilidad, que no desempeña cargos incompatibles del art. 16 LN, impondrá **la medalla y placa** (descritas en el art. 65 RN) que pueden usar los Notarios como distintivo oficial, dando por terminado el acto, consignándose la toma de posesión del nuevo Notario, mediante diligencia tanto en el título que entregará al nuevo notario, como en el testimonio del mismo que previamente habrá expedido.

Los secretarios de las Juntas directivas llevarán un libro de actas en que consten las posesiones, y otro libro en el que los Notarios estamparán el signo, firma y rúbrica que adopten. También se procederá a la entrega de las claves privadas de su firma electrónica.

En las ulteriores tomas de posesión, el Notario aunque lo fuere ya del mismo Colegio, deberá presentar su título al decano y éste expedirá el testimonio antes mencionado con inclusión de cuantas diligencias figuren en aquél, extendiendo en los dos diligencia de la nueva posesión. En el mismo art. 37 se prevé un procedimiento para el caso de deterioro, pérdida o extravío del título.

Por último el decano **comunicará** a la DGRN y a los órganos competentes de la Comunidad autónoma, así como al Delegado de la Junta la posesión del nuevo notario.

Pero no basta con la toma de posesión formal, para el ejercicio de la función notarial, pues, en conexión con el que luego veremos **deber de residencia (2.2.6.)** el Notario debe tomar **posesión de hecho** de su Notaría y del protocolo que en lo sucesivo pasará a custodiar y deberá hacerlo en el plazo de tres días siguientes a la toma de posesión formal, poniendo nota de la posesión a continuación de la última escritura y así lo comunicará a la Junta Directiva del Colegio Notarial (art. 39 RN). La sanción que el propio Reglamento recoge para este caso está prevista en el art. 83 párrafo 3º, considerando renunciante al Notario que no se posesionare de la Notaría en plazo.

Dirigirá oficios a los alcaldes, jueces de 1ª instancia y demás autoridades de los pueblos comprendidos en el Distrito Notarial, notificándoles para su conocimiento y el del público hallarse en disposición de ejercer el cargo.

Dará conocimiento a los demás notarios del distrito del signo, firma y rúbrica que haya adoptado.

Y por último según el art. 40 dentro de los treinta días siguientes a la fecha de la posesión el notario informará a la Junta Directiva del estado general en que se encuentran el Protocolo y el Libro Registro de la Notaría de que se ha posesionado, haciendo constar si los instrumentos que los forman reúnen los requisitos externos prevenidos por las disposiciones vigentes. Será personalmente responsable de las deficiencias que en su día pudieran aparecer, de no haberlas hecho constar en su informe. En dicho informe hará constar también que ha recibido y en qué condiciones, el Libro Indicador y los soportes informáticos a que se refiere la Orden del Ministerio de Justicia 484/2003 de 19 de febrero. La recepción se formalizará en acta de entrega de protocolos, firmada entre el Notario sustituto hasta la fecha y el nuevo titular.

Mientras no cumplan la expresada obligación, los notarios no podrán ausentarse de sus Notarías ni pedir licencia.

Por último y aunque sólo lo contemple expresamente el RN para los casos de reincorporación tras una situación de incapacidad permanente, el Notario tras la toma de posesión, debe darse de alta en el Régimen Especial de los Trabajadores por Cuenta Propia o Autónomos, con indicación de la base de cotización por la que opta, en los términos y condiciones establecidos en la regulación de dicho Régimen, de conformidad con lo previsto en el artículo 2 del Real Decreto 1505/2003, de 28 de noviembre, por el que se establece la inclusión de los miembros del Cuerpo Único de Notarios en ese Régimen Especial de la Seguridad Social (párrafo 3º artículo 57 RN).

Sección cuarta de la toma de posesión

2.2.5.1. Plazos. Prórroga. Incumplimiento. Incompatibilidades

Artículo 35

El título de Notario, cuya expedición se comunicará al interesado, será remitido por la Dirección General a la Junta Directiva del Colegio al que corresponda la primera Notaría para la que haya sido nombrado el Notario electo, la cual, dentro de los quince días siguientes al último día del plazo para constituir la fianza según lo previsto en el artículo 24, le dará posesión en sesión pública, procurando que ésta sea solemne y además conjunta para todos los que hayan sido aprobados en la misma oposición si son varios.

En los nombramientos ulteriores el expresado término posesorio de quince días empezará a contarse desde el siguiente a la publicación del nuevo nombramiento en el Boletín Oficial del Estado o, en su caso, en el periódico oficial de la Comunidad Autónoma, o desde que se apruebe la fianza, en el supuesto de que haya de aumentarse la constituida.

El plazo señalado a los Notarios para tomar posesión de las Notarías no podrá prorrogarse por más de un mes. Este plazo podrá ser de dos meses si se tratase de Notarías en Baleares o Canarias.

El Notario que no se posesionare de su cargo en los plazos legales, sin mediar justa causa debidamente acreditada o sin haber obtenido prórroga, será considerado como renunciante, y la Notaría será anunciada y provista en el turno que corresponda.

No podrán obtener la posesión los notarios electos que desempeñen los cargos incompatibles determinados en el artículo 16 de la Ley del Notariado, sin haber acreditado previamente la cesación en aquéllos. En caso de ejercer cargo incompatible en la Administración Pública deberán acreditar la excedencia en el Cuerpo de origen, con carácter previo. Si, esto no obstante, se posesionaren de la Notaría, serán declarados renunciantes y dados de baja en el escalafón del Cuerpo tan pronto como se tenga noticia de que existe dicha incompatibilidad.

El Decano exigirá al Notario electo una declaración firmada, asegurando, bajo su responsabilidad, que no desempeña dichos cargos incompatibles.

No obstante lo dispuesto en los dos párrafos anteriores, los Notarios que se hallen en la situación de suspensos en el ejercicio del cargo por desempeñar alguno de los incompatibles determinados en el artículo 115, podrán posesionarse de la Notaría que hubiesen obtenido por concurso u oposición, pero no desempeñar las funciones notariales. Esta misma disposición se aplicará a quienes hallándose en el desempeño de dichos cargos incompatibles, hubiesen de tomar posesión de su primera Notaría.

En cuanto a las incompatibilidades nos remitimos a lo dispuesto en el apartado 2.2.8. que, en esencia, distingue entre las incompatibilidades absolutas y las relativas para las cuáles cabe el recurso a la suspensión incluso en el caso de tratarse de la toma de posesión de la primera notaria.

2.2.5.2. De la primera Toma de Posesión

Artículo 36

La presentación del Notario electo a la Junta directiva el día de la posesión la hará uno de los Notarios colegiados a quien aquél elija.

El nuevo Notario prometerá fidelidad a la Constitución y cumplir todas las obligaciones que las leyes y demás disposiciones emanadas del Poder público le impongan.

El Decano le impondrá la medalla y placa que pueden usar los Notarios como distintivo oficial. Se dará por terminado el acto, consignándose la toma de posesión del nuevo Notario.

Los Secretarios de las Juntas directivas llevarán un libro de actas en que consten las posesiones, y otro libro en el que los Notarios estamparán el signo, firma y rúbrica que adopten.

2.2.5.3. Entrega del Título. Testimonio del Título. Deterioro o pérdida. Comunicación de la Toma de Posesión

Artículo 37

Al tomar posesión de su primera Notaría, los Notarios electos recibirán su título que les entregará el Decano, quien expedirá un testimonio literal e íntegro de aquél. En ambos se extenderá la diligencia de toma de posesión, quedando así colegiado el nuevo Notario.

En las ulteriores tomas de posesión, el Notario, aunque lo fuere ya del mismo Colegio, deberá presentar su título al Decano y esté expedirá el testimonio antes mencionado con inclusión de cuantas diligencias figuren en aquél, extendiendo en los dos diligencia de la nueva posesión.

El testimonio del título a que se refieren los dos párrafos anteriores se unirá al expediente que para cada Notario se formará en el Colegio.

Si el título hubiera sufrido deterioro, pérdida o extravío, deberá el Notario solicitar y obtener de la Dirección General, a modo de duplicado, una certificación literal de la copia obrante en su expediente personal y, asimismo, deberá solicitar y obtener de los distintos Colegios Notariales donde hubiese ejercido la reproducción en dicha certificación, por orden cronológico, de las sucesivas diligencias de posesión. No obstante, para la toma de posesión, bastará acreditar documentalmente haber solicitado de la Dirección General la certificación antedicha y presentar un testimonio del que, a su vez, obra en el Colegio donde hubiera tomado la posesión precedente.

El Decano del Colegio comunicará a la Dirección General y, en su caso, a los órganos competentes de la Comunidad Autónoma, así como al Delegado de la Junta, la posesión del nuevo Notario.

2.2.5.4. Oficios. Toma de posesión efectiva. Comunicación a los demás Notarios del Distrito

Artículo 38

Conferida la posesión, el notario, desde su residencia, dirigirá oficios a los Alcaldes, Jueces de Primera Instancia y demás autoridades de los pueblos comprendidos en el Distrito notarial, notificándoles, para su conocimiento y el del público, hallarse en disposición de ejercer el cargo.

Artículo 39

El nuevo Notario comunicará a la Junta directiva del Colegio Notarial la fecha de la nota que al comenzar a ejercer su cargo, y dentro de los tres días siguientes al de la posesión, deberá consignar en el protocolo a continuación de la última escritura.

También dará conocimiento a los demás Notarios del mismo distrito del signo firma y rúbrica que haya adoptado.

2.2.5.5. Del estado del protocolo

Artículo 40

Dentro de los treinta días siguientes a la fecha de la posesión, el notario informará a la Junta del Colegio Notarial a que pertenezca del estado general en que se encuentran el protocolo y el Libro-Registro de la Notaría de que se ha posesionado, haciendo constar si los instrumentos que los forman reúnen los requisitos externos prevenidos por las disposiciones vigentes. Será personalmente responsable de las deficiencias que en su día pudieran aparecer, de no haberlas hecho constar en su informe.

Mientras no cumplan la expresada obligación, los notarios no podrán ausentarse de sus Notarías ni pedir licencia.

El notario deberá entregar a su sucesor en el protocolo el Libro Indicador y los soportes informáticos en los que se encuentren los ficheros de titularidad pública a que se refiere la Orden JUS/484/2003, de 19 de febrero y los que, con idéntico carácter sustituyan o se añadan a éstos. En el informe a que se refiere el párrafo primero deberá hacerse constar el cumplimiento de esta obligación, incluyendo la relación de los ficheros informáticos recibidos.

2.2.6. *Deber de residencia*

Hasta el momento hemos descrito determinados aspectos de la función notarial, pero la efectividad de la misma, el que se halle al alcance de todos los ciudadanos y pueda ser accesible a los mismos descansa en tres mecanismos fundamentales:

a) la demarcación (artículos 72 a 76 RN);

b) la adscripción de la competencia funcional de los notarios a un área geográfica determinada, y

c) el deber de residencia.

Respecto de la Demarcación, el Estado determina la población que albergará Notaria y el número de estas, para lo cuál tendrá en cuenta el número de habitantes las transacciones y la decorosa subsistencia de los notarios; por tanto y en consonancia con el control de acceso al cuerpo, también el número de las notarias está tasado.

En segundo lugar y de acuerdo con los art. 116 y ss. del RN, tal y como se estudia en el capítulo correspondiente, los notarios carecen de fe pública fuera de su respectivo distrito notarial; sin perjuicio de que el instrumento público por él autorizado, en su residencia, pueda circular por cualquier punto del territorio nacional sin necesidad de legalización alguna. En su localidad pueden ejercer su ministerio indistintamente en cualquier lugar del mismo; en el mismo distrito en cualquier localidad que no tenga notaria demarcada y en ningún caso en población de su distrito perteneciente a otro notario, salvo los supuestos de sustitución o habilitaciones especiales o en circunstancias que imposibiliten la actuación del notario titular.

En tercer lugar **el deber de residencia**, establece el art. 7 LN, «la residencia habitual de los notarios ha de ser el punto designado en la creación de su respectivo oficio»; el art. 42 RN «*el notario deberá residir en el lugar en que esté demarcada su notaria*», en su redacción originaria para que el deber de residencia se entendiera cumplido era necesario que el notario tuviera en la población de demarcación de su notaria, casa abierta en la que habitualmente viva y pernocte en unión de su familia o de las personas de su servicio.

Sin embargo desde 1967 desaparece la exigencia de tener casa abierta, y pese a que siempre se ha mantenido que lo mejor para el notario y para el notariado, es que aquél viva efectivamente en la localidad en que esté demarcada la notaria, la realidad se va imponiendo y las mejoras de las vías de comunicación, van imponiendo una nueva realidad. Hoy el deber de residencia no implica el tener casa abierta sino atención efectiva al despacho y en lo posible arraigo en la población.

Lo que parece claro es que el deber de residencia, sí obliga a una atención permanente y una disponibilidad constante; por eso tal vez se requiera que la oficina esté efectivamente abierta y bien dotada de personal competente y suficientes medios técnicos, como exigencia a la visión del Notario titular de una empresa; en cuanto a la presencia del notario, se exigiría que se prestara de forma suficiente, de acuerdo a las exigencias normales del tráfico, en un horario suficiente de atención al público.

En cualquier caso la legislación notarial tutela el deber de residencia y lo sigue amparando desde una doble perspectiva:

a) prohibiendo al Notario el ejercicio de cargos incompatibles con el deber de residencia, art. 16 LN; si bien late en el fondo el deseo de garantizar la independencia e imparcialidad del Notario;

b) configurando el incumplimiento del deber de residencia como infracción disciplinaria, en concreto el art. 349 RN como infracción grave la ausencia injustificada por más de dos días del lugar de residencia, siempre que cause daño a terceros, y como falta leve, del art. 350 por incumplimiento de los deberes y obligaciones impuestos por la legislación notarial.

2.2.7. Derechos de los Notarios

El deber de residencia no debe entenderse en un sentido absoluto, como ya hemos apuntado. La prestación de la función notarial lógicamente debe conciliarse con derechos del Notario como el descanso, la conciliación de su vida laboral con la vida familiar, los casos de maternidad y paternidad, y por supuesto, los imprevistos que el discurrir de la vida pueda acarrear.

La legislación notarial contempla determinadas situaciones en las que la prestación de la función por un Notario determinado no puede llevarse a cabo, ya por razones dependientes de su voluntad, ya por causas ajenas a la misma, y así contempla un sistema de sustituciones para garantizar la continuidad de la función. Esta materia aparece regulada en el Capítulo III «de los derechos de los Notarios» en sus dos primeras secciones, la primera «de las ausencias y de las licencias» y la segunda sección «de las sustituciones»

En esta materia confluyen, por tanto, dos aspectos importantes, la necesidad de garantizar la prestación de la función notarial en cualquier supuesto, y, en segundo lugar, los derechos de los notarios. Siendo criticable la regulación de la misma por falta de sistematicidad y ello a pesar de la reforma de 2007.

Las situaciones a que aludíamos podemos sistematizarlas en:

2.2.7.1. Ausencias

Conviene precisar que el RN emplea la expresión ausencia o Notario ausente, en varios sentidos, uno para referirse al derecho de ausencia que se regula en el art. 44, otro para hablar de supuestos de ausencia impropia o imposibilidad accidental, y en último término en un sentido amplio, entendido como no presencia de Notario, por cualquier motivo, que puede considerarse como evidencia de abandono del cargo. (art. 83).

Distinguiendo en esta sede entre:

2.2.7.1.1. Ausencia en sentido impropio o Imposibilidad accidental

1. La imposibilidad accidental, o ausencia impropia, no aparece regulada de forma sistemática y sólo parece referirse a ella en sede del artículo 49 RN al hablar de las sustituciones cuando dice:

> «Los notarios, en los casos de ausencia, [...] enfermedad temporal o cualquier otro supuesto similar, serán sustituidos por...»; por su parte la DGRN en su RON 17 de mayo de 1990, habla de «la imposibilidad accidental para el desempeño de la función notarial que debe entenderse como aquella situación en la que puede encontrarse un notario por causa o causas sobrevenidas de una forma imprevista u ocasional y, en todo caso, de máxima transitoriedad. Esta causa o causas, continúa la DG, entre las cuales se encuentra la enfermedad, no pueden servir de justificación, aunque se prueben, a una ausencia prolongada del lugar de residencia sin regularizar esta situación conforme a las notificaciones del art. 44 (ausencias), que exige para poder ausentarse reglamentariamente el no tener reclamado su ministerio.

En estos casos y siempre que se insista en el otorgamiento en la residencia del Notario «ausente»; suele acudirse, en función de la urgencia, al sistema de sustitución previsto en el art. 49 RN, que determina que sea sustituido por el que designe el titular **de**

entre los del distrito, pues la inmediatez que suele acompañar estas situaciones parece excluir el pronunciamiento de las Juntas Directivas, previsto en este artículo cuando la designación recae en Notario de otro distrito; bien, en defecto de designación al que figure en el cuadro de sustituciones, e incluso a Notario de otro distrito en los casos del art. 118 RN. Pero en la actualidad convendrá matizar que ante esta imposibilidad transitoria, si se persiste en la necesidad de otorgar el instrumento el expediente más rápido y menos molesto sea simplemente desplazarse a la localidad más próxima en la que se encuentre otro Notario.

2.2.7.1.2. La Ausencia en sentido propio, regulada en el art. 44 RN

La Ausencia, situación que contempla el art. 44 RN como un derecho que asiste a todo Notario que no tenga reclamado su ministerio y siempre que no se encuentre en periodo electoral, tal y como prevé el art. 4 del Anexo IV al RN sobre el ejercicio de la Fe Pública en Materia electoral.

Según el citado art. 44 RN, basta ponerlo en conocimiento de la Junta Directiva y de la DGRN, señalando la fecha en que se ausente y la fecha en que vuelva a hacerse cargo de su Notaría. Es potestativo la designación del Notario sustituto y en defecto de designación se aplicará el cuadro de sustituciones. En la práctica la comunicación prevista se realiza por medio de correo electrónico corporativo.

La duración de los periodos de ausencia varían según el número de Notarías demarcadas en la población y así, establece el art. 44 RN:

> *a. Por cinco días si la Notaría está demarcada en población donde haya un solo Notario.*
> *b. Por diez días si en la residencia hubiere dos Notarios en servicio efectivo.*
> *c. Y por quince días en las Notarías donde residan y presten servicio efectivo más de dos Notarios.*

En cuanto a los plazos deben entenderse días naturales. Y la expresión utilizada «servicio efectivo» parece excluir del cómputo las Notarías vacantes de la localidad y aquellos supuestos en que alguno de los Notarios de la misma se encuentren en situación de licencia o excedencia.

Por lo demás limita el número de las ausencias, pues establece que no pueden usarse por cada Notario más de seis veces al año, ni las ausencias podrán ser sucesivas debiendo mediar entre una y otra un mes por lo menos de intervalo.

2.2.7.1.3. Las Salidas del Art. 43 RN

Art. 43
«No se considerarán como casos de ausencia notarial los siguientes:
1. Las salidas que, por razón de su cargo, hagan los notarios a otros pueblos de su distrito.

2. Las que realicen en casos de habilitación reglamentaria mientras dure la habilitación.

3. Las de asistencia a sesiones de órganos y actos de carácter corporativo.

4. Las que efectúen para tomar parte en oposiciones entre notarios.

En este caso, deberán ponerlo en conocimiento del Decano respectivo, contándose el término desde cuatro días antes del señalado para el sorteo de los opositores y expirando al cuarto día siguiente al de la última actuación del opositor.

5. Las que impliquen asistencia a Cámaras legislativas.

6. Las de asistencia a sesiones de organismos jurídicos o comisiones asesoras dependientes o relacionadas con cualquier Administración, siempre que previamente la Dirección General de los Registros y del Notariado lo haya así declarado al tiempo de su aceptación».

Agrupa el citado artículo un variado elenco de supuestos, **de salidas**, en la terminología del propio precepto. Todas ellos tienen en común excluir la noción de ausencia, en sentido técnico. El notario que se encuentra en alguno de ellos, no agotará los días que disponga de ausencia, ni incurrirá en responsabilidad alguna y evitará la presunción de abandono de que trata el artículo 84 RN.

En definitiva recoge el derecho de todo Notario a ausentarse de su Notaría en diversos casos, pero no parece tasarlos, pues la enumeración no parece cerrada, ni acotar su duración, aunque implícitamente parece lo será por un corto período de tiempo, el necesario para desempeñar la función a que esté llamado el Notario «ausente».

En efecto:

El número 1 se refiere a las muy frecuentes salidas que, con carácter tradicional, se organizan para acercar el servicio notarial a pequeños núcleos de población sin Notaria demarcada; también tienen cabida en él los casos de prestación de la función a personas impedidas dentro del lugar de residencia, pero fuera del despacho notarial. Por tanto no incurre en responsabilidad el notario que está desarrollando su función en otro lugar, cuando tiene competencia territorial para ello.

El nº 2 hace referencia al notario habilitado, bien reglamentariamente, como es el caso del artículo 51 RN, bien por la Junta directiva (art. 120-121) por exigencias del servicio público; no se considera en situación de ausencia en su propia notaria, e incluso se prevé que automáticamente o previa petición, en atención a las necesidades de su despacho, solicite u obtenga la llamada «licencia por ausencia».

En el nº 3 tienen cabida las salidas motivadas por cualesquiera reuniones relacionados con la funciones corporativas, pensemos en asistencia a juntas directivas, reuniones de delegados de distrito, reuniones de distrito, asistencia a reuniones del Consejo General del Notariado, Juntas Generales de los Colegios y asambleas o congresos notariales.

El número 4 recoge las salidas que se efectúen para tomar parte en oposiciones entre notarios. Sin duda, por la finalidad perseguida y en el deseo de facilitar la participación del notario en estas oposiciones y de flexibilizar la actuación en la propia notaria, se le permite ausentarse siempre que lo comunique al Decano con la debida antelación, pero, y aunque fija un determinado límite temporal, parece excluir la ausencia prolongada, para, por ejemplo, estudiar la citada oposición y sí sólo para participar en los diferentes exámenes.

El número 5 que habla de la asistencia a Cámaras Legislativas, sin especificar su ámbito, nacional, autonómico, por qué no europeo (el Parlamento Europeo como Asamblea legislativa a nivel supranacional) lo que es acorde con la compatibilidad de esta actividad que resulta de la propia legislación notarial y la legislación especial, tal y como estudiamos en el **epígrafe 2.2.8.1**, sobre la ley de incompatibilidades 53/84 de 26 de diciembre, a salvo, naturalmente, lo dispuesto en la normativa que regula las incompatibilidades de los miembros de las mismas; y la participación en las corporaciones locales, que aunque obviamente no son asambleas de este carácter, sí pueden entenderse incluidas en el apartado que nos ocupa.

Y el último número del artículo 43, donde tendrían cabida no sólo los supuestos expresamente contemplados: participación del Notario en organismos jurídicos o comisiones asesoras de que forme parte, con la autorización ministerial correspondiente, con arreglo a la legislación notarial y especial en la materia (véase artículo 6 de la ley 53/84 de 26 de diciembre) sino también los casos del artículo 51 RN, autorizados por la propia DGRN, cuando por las características de la actividad a desempeñar no se requiera acudir al expediente previsto en el artículo en cuestión que analizaremos más adelante.

2.2.7.2. Licencias

2.2.7.2.1. Licencias ordinarias y extraordinarias (artículos 45 a 48 RN)

Las licencias a diferencia de las ausencias se caracterizan, tanto por su mayor duración como por el mayor control ejercido por la Junta Directiva y la Dirección General. Y así el art. 45 «*Independientemente del derecho anterior (ausencias), los Notarios podrán obtener licencias ordinarias o extraordinarias, que serán concedidas por las Juntas directivas de los respectivos Colegios y por la Dirección General*».

En relación a su causa, nada dispone el Reglamento por lo que ha de interpretarse de una forma flexible, y aunque parecen configurarse como una prerrogativa de las Juntas o la DGRN su concesión se basa en un derecho de todo notario, como destaca el párrafo 1º del art. 45 y del art. 49.

En la actualidad tanto la duración como la causa de su concesión deben modalizarse en las situaciones de maternidad y paternidad, riesgo durante el embarazo, riesgo durante la lactancia y adopción o acogimiento de acuerdo a normativa de rango superior véase el art. 48 RD legislativo 2/2015, de 23 de octubre por el que se aprueba el Texto Refundido de la ley del Estatuto de los Trabajadores, aplicable a los trabajadores autónomos según el artículo 4º de la Ley 20/2007, de 11 de julio, del Estatuto del trabajo autónomo. Que contempla en el caso concreto de la licencia de maternidad una duración de dieciséis semanas ininterrumpidas, ampliables en el supuesto de parto múltiple en dos semanas más por cada hijo a partir del segundo y también aplicable en los casos de adopción, guarda con fines de adopción y acogimiento. Y por tanto aunque, por razón de la duración prevista sea competente la Junta Directiva o la Dirección General, ésta última, cuando supere el plazo de dos meses habrá de prescindir del requisito de la excepcionalidad y conceder sin más y por el tiempo que corresponda la correspondiente licencia.

En ningún caso la licencia se puede conceder de forma simultánea ni por las juntas directivas ni por la DGRN a todos los notarios de un mismo distrito, salvo en casos de Notaría única.

El RN distingue entre la **licencia ordinaria y extraordinaria.**

La primera que no excederá del plazo de un mes en cada año, se puede conceder por la Junta Directiva; también la DGRN puede conceder una licencia ordinaria que no excederá del plazo de dos meses en cada año.

La extraordinaria sólo se podrá conceder por la Dirección General en casos excepcionales, mediante justa causa y por plazo máximo de un año.

Las licencias se concederán en virtud de solicitud del Notario interesado dirigida al Decano de la Junta directiva, y por conducto de ésta y con su informe, a la Dirección General, cuando a ella corresponda su concesión.

Pasados quince días desde su concesión sin que el notario haya procedido a disfrutarla se entenderá caducada.

El Notario podrá interrumpir el uso de licencia, reintegrándose al ejercicio del cargo, y proseguir después el disfrute de aquélla por el tiempo que restare, con tal que la interrupción no exceda de la mitad del plazo concedido.

En cualquier caso el notario debe siempre notificar tanto el comienzo, como la interrupción, la reanudación y la finalización de la misma, recordando que si concluido el término de la licencia concedida no se hubiere presentado el Notario a desempeñar de nuevo su cargo, ni alegare justa causa que lo haya impedido, se procederá en la forma prevenida en el art. 84 RN relativo al abandono de Notaria.

Todos los plazos señalados parecen ser acumulables.

Agotado, el plazo de un mes en la licencia ordinaria concedida por la Junta, ya no se podrá solicitar otra hasta pasado otro año; lo mismo en el caso de la ordinaria concedida por la DGRN, por plazo máximo de dos meses; pero cuando se agota la excepcional de un año de la DG, debe volverse a la Notaría y reanudar la actividad, pero, nada dice de si pasado un tiempo se pueda volver a solicitar y agotar de nuevo otras licencias. La prudencia en este caso aconseja comenzar el procedimiento contemplado en los párrafos 2º y 3º del artículo 49 RN.

En todos los casos anteriores el RN en su art. 49 prevé el mecanismo de la **sustitución**, en los términos estudiados en el apartado **2.2.7.3.**

2.2.7.2.2. Las licencias por ausencia

Los artículos 51 y 52 RN, que regulan los supuestos del notario en comisión de servicio, los notarios que desempeñan determinados cargos corporativos (miembros del Consejo General, Decanos, Vicedecanos, etc.), Notario adscrito a la DGRN y los notarios que aceptan cargos tanto compatibles como incompatibles de los enunciados en el artículo 115 RN; contemplan la figura de un sustituto «permanente» dice el art. 51, señalando que en el caso de que no perteneciese al mismo Colegio Notarial del sustituido, o lo solicitase a la vista de las características de su despacho (art. 51) o si perteneciere a distinto distrito notarial que el sustituido, art. 52; se estimará a los efectos reglamentarios que se halla en uso de **licencia por ausencia** mientras desempeña la sustitución, y su situación se regulará por lo establecido en los párrafos primeros de los art. 49 y 54 RN. Por tanto y de momento baste aquí señalar que hay un tipo de licencia distinta de la regulada en los artículos 45 y ss. del RN. De ella nos ocuparemos al hablar de las sustituciones en general. Basta, por lo demás, denunciar la falta de sistematicidad presente en el RN y ello pese a la reforma de 2007 que oscurece, de nuevo, el perfil de determinadas instituciones.

Siguiendo con la sistemática de esta obra y del RN, nos corresponde tratar ahora las Sustituciones.

2.2.7.3. Sustituciones

El RN en los artículos 49 y ss. agrupados bajo la Sección 2ª «de las sustituciones» regula una serie de supuestos con falta de sistematicidad y gran confusión, pues nada tiene que ver la sustitución que pueda producirse por enfermedad temporal, o por ausencia o licencia; con la sustitución producto de Notaria vacante; o los casos en que el Notario quede en suspenso por ejercer cargo incompatible o desempeñe otros cargos con la autorización de la DGRN.

En aras de lograr una cierta sistematicidad y siguiendo el orden de los artículos del RN distinguimos:

2.2.7.3.1. Sustitución en los casos de ausencia, licencia y enfermedad temporal

Párrafo 1° del artículo 49 RN:

> *«Los notarios, en los casos de ausencia, licencia, incluidas las de maternidad o paternidad, durante el tiempo en que hagan uso de este derecho y por el plazo máximo previsto por la normativa aplicable para la baja por tal concepto, enfermedad temporal o cualquier otro supuesto similar, **serán sustituidos** por el que designe el titular entre los del mismo distrito o de otro colindante, previo acuerdo en este último supuesto de la Junta Directiva. No mediando estas designaciones, por el que corresponda según el cuadro de sustituciones del Colegio, y, en su defecto, por el que designe la Junta Directiva del Colegio Notarial. No obstante, la Junta Directiva podrá encomendar la sustitución a varios notarios, de forma alternativa o sucesiva, en ningún caso simultánea, fijando su régimen de actuación».*

a) Sustituido, queda claro que lo es el Notario que disfruta la ausencia, la licencia, quien padece una enfermedad temporal «o cualquier otro supuesto similar». Sobre esta última expresión surgen las dudas a la hora de concretar su significado. Queda claro que el redactor del RN no ha querido hacer una lista cerrada. Pero tampoco deja abierta una puerta a cualquier situación, pues ésta debe ser, al menos, similar a las enunciadas, esto es, los casos en que el Notario disfruta de un derecho reglamentario (ausencia y licencia) y por tanto una situación voluntariamente buscada, o casos en que al mismo sobreviene una imposibilidad como es el caso de la enfermedad temporal. Algunos quieren ver el reconocimiento por parte del RN de los casos de sustitución por incompatibilidad del artículo 139. Otros simplemente consideran que el RN estaría refiriéndose a cualquier supuesto que impide al Notario prestar su función ajeno a su voluntad.

b) ¿Quién sustituye? Deja libertad el RN para la designación de sustituto en estos casos, es decir, el titular de la Notaría, el sustituido, puede designar de entre los del Distrito a quien considere más adecuado. Si designara a algún Notario de Distrito colindante será preciso acuerdo previo de la Junta Directiva, que conforme al artículo 116 RN debe habilitar al sustituto. Parece que no podrá designar a Notario de otro Distrito que no sea colindante. Cuando no haya designación por parte del sustituido se aplicará el que corresponda según el Cuadro de sustituciones; y en defecto del mismo el que designe la Junta Directiva. Como señala el mismo artículo, sólo la Junta podrá encomendar la sustitución a varios Notarios, que nunca podrán actuar de forma simultánea, pero sí de forma sucesiva o alternativa. Podemos citar como ejemplo lo dispuesto en el RRI del Colegio Notarial de Valencia, en su artículo 86 contempla la posibilidad de un sistema de sustitución rotatoria, en los supuestos de enfermedad duradera, que imposibilite para el ejercicio de la función dentro del plazo máximo previsto en el artículo 49 RN, siempre que no medie el acuerdo entre los interesados y a solicitud bien del Notario imposibilitado, bien de su sustituto, conforme al cual transcurridos dos meses desde el inicio de la sustitución ésta se trasladará al Notario al que corresponda en segundo lugar, conforme al cuadro de sustituciones, y transcurridos otros dos meses pasará al Notario a que corresponda en tercer lugar con arreglo a dicho cuadro. Completados otros dos meses para este último, la sustitución se trasladará al sustituto en primer lugar, comenzando nuevamente el ciclo.

c) Sobre la duración, lo será por todo el tiempo que dure la ausencia, licencia o la enfermedad temporal o supuesto similar. En el caso de la enfermedad sólo habla de su carácter temporal, pero no acota su duración. Lo que sí dice es que si excediere de un año, previo agotamiento de los plazos de ausencias y licencias, se instruirá expediente de incapacidad permanente, si el Notario o quien le represente no pidiere la excedencia voluntaria.

d) Documentos autorizados y Protocolo. Según el artículo 53 RN «Los documentos autorizados por el Notario sustituto se incorporarán al Protocolo o Libro-Registro del Notario sustituido (...) El protocolo y el Libro-Registro del Notario sustituido no se trasladarán a la Notaría del sustituto, salvo que éste residiere en distinta población, en cuyo supuesto podrá trasladarlos al domicilio de su Notaría, para su mejor custodia, previa autorización de la Junta Directiva del respectivo Colegio».

e) Nota en el Protocolo: el artículo 54 RN «Cuando un sustituto deba encargarse de un protocolo por causa de licencia o de incompatibilidad para desempeñar el cargo mencionado, el sustituido pondrá, a continuación o al margen de la última escritura matriz de su protocolo de instrumentos públicos, nota fechada y firmada del día en que ausente, haciendo mención de la causa de la sustitución. A su regreso pondrá nota en el último instrumento del mismo protocolo de haber vuelto a encargarse de la Notaría. En el caso de enfermedad temporal, la primera nota será puesta por el sustituto y la segunda por el sustituido».

f) Honorarios: artículo 55 RN «El Notario sustituto tendrá derecho en todo caso a percibir íntegramente los honorarios que devengue en los documentos que autorice por el sustituido. Las Juntas directivas, en los casos de sustitución por enfermedad temporal u otros similares, podrán determinar la parte de honorarios que el Notario sustituido podrá percibir del sustituto».

2.2.7.3.2. Sustitución en los casos de Notaría vacante

Lo contempla el artículo 50 RN «Cuando una Notaría esté vacante (...), se encargará de la misma, en concepto de sustituto, aquel a quien corresponda conforme al Cuadro de sustituciones del respectivo Colegio Notarial, y si no lo hubiere, el que designe la Junta directiva, dando cuenta a la Dirección General».

Sobre los casos y régimen de Notaría vacante nos remitimos a lo dispuesto en el **apartado 2.2.10.2**.

a) ¿A quién se sustituye? En rigor a nadie. El sustituto de una Notaria vacante, suple la falta de Notario titular y provee la continuidad de la función notarial.

b) ¿Quién sustituye? El determinado por el respectivo cuadro de sustituciones, en su defecto el que designe la Junta directiva. Sobre el citado Cuadro de sustituciones reproducimos aquí el artículo 56 RN:

> «Cada cuatro años, en la primera quincena del mes de diciembre, o cuando las necesidades del servicio lo aconsejen, las Juntas Directivas de los Colegios Notariales formarán el cuadro de sustituciones, que remitirán a la Dirección para su aprobación. El cuadro de sustituciones, una vez aprobado, se remitirá a todos los notarios del Colegio».

c) Duración, durante todo el tiempo que dure la situación de Notaria vacante.

d) Documentos autorizados y Protocolo. En estos casos de Notaría vacante y de acuerdo al artículo 53 RN los documentos autorizados por el sustituto se integrarán en su propio protocolo. El último párrafo del artículo 53 señala que:

> «Tratándose de sustitución por Notaría vacante, si el sustituto residiere en la misma población, deberá conservar el Protocolo y el Libro-Registro del sustituido, en su propia Notaría o en otro lugar adecuado, cuando así lo autorice con carácter previo la Junta Directiva. Si residiere en población distinta, el Protocolo y el Libro Registro deberán permanecer en lugar adecuado de la población en que estuviere demarcada, sin perjuicio de poder trasladarlos a su Notaría o a otro lugar adecuado, con la finalidad y previa la autorización a que se refiere el párrafo anterior».

Del citado precepto se desprende que cuando el Notario sustituto lo es de la misma población la reglar general debe ser el cierre de la oficina notarial que ha quedado vacante y el traslado del Protocolo, al despacho del sustituto, salvo que la Junta autorice «otro lugar adecuado» que puede ser el antiguo despacho Notarial. De residir en distinta localidad, la regla es la inversa, la permanencia del Protocolo en «lugar adecuado» de la población en que la Notaría estuviera demarcada; y la excepción el traslado al despacho o a otro lugar adecuado de la población del sustituto, en aras de la mejor custodia y con la previa autorización de la Junta Directiva.

e) Notas en el Protocolo. el artículo 277 RN dispone:

> «Vacante una Notaría, el Delegado o Subdelegado de las Juntas en el distrito correspondiente, y donde no le hubiera, el Juez de primera instancia o el municipal, en su caso, pondrán a continuación de la última escritura del protocolo corriente de instrumentos públicos la siguiente nota: «Queda vacante esta Notaría de…, por (fallecimiento, renuncia o lo que sea), resultando en este protocolo autorizados hasta hoy (tantos) instrumentos públicos y (tantos) folios». Fecha en letra y firma del Delegado o Subdelegado, o del Juez, con la de su respectivo Secretario. El funcionario que haya autorizado esta diligencia dará cuenta inmediatamente a las Juntas de haberse cumplido el servicio». Esta nota, por aplicación del artículo 41 RN párrafo 3º se extenderá en todo caso dentro del plazo que marca el citado artículo, quince días, se entienden hábiles, desde el siguiente a la publicación en el Boletín Oficial correspondiente.

f) Los honorarios serán íntegramente para el sustituto.

2.2.7.3.3. *Sustitución en los casos del artículo 51 RN*

En el citado artículo 51 el Reglamento no se limita a regular un supuesto muy especial de sustitución sino que de paso regula el régimen de los Notarios nombrados en Comisión de servicio, a los que asimila los Notarios que ejercen determinados cargos corporativos notariales, cargos compatibles con el ejercicio de la función notarial y los Notarios adscritos a la DGRN.

Por esta razón y siguiendo el citado precepto distinguimos:

a) Sustituidos:

a.1. Los Notarios designados por la DGRN en **Comisión de servicios**, tal y como concreta el propio artículo, lo serán para desempeñar las comisiones que se les encomienden en relación con los servicios propios de dicho Centro Directivo; para prestar algún trabajo determinado en algún Ministerio u Organismo Público; para realizar estudios o proyectos de especialización a instancia del Consejo General del Notariado.

a.2. Los miembros del Consejo General del Notariado, los Decanos y Vicedecanos de los colegios Notariales, los Secretarios, Vicesecretarios y los encargados de Sección del Consejo General, que se consideran también en Comisión de Servicios.

a.3. Los Notarios que ocupen cargo público compatible con su condición de tales; en este punto conviene remitir a lo señalado en el **apartado 2.2.8 de Incompatibilidades.**

a.4. Es aplicable lo dispuesto en este artículo a los **Notarios adscritos** a la DGRN, en lo que no se halle regulado en su normativa específica, véase RD 1786/1997 de 1 de diciembre, sobre el régimen jurídico de los Notarios y Registradores adscritos a la DGRN.

b) Sustitutos. En el caso de los Notarios adscritos a la DGRN el citado RD 1786/1997, en su artículo 9 prevé que el Notario sea sustituido en su Notaría por un Notario en activo, nombrado por la DGRN a propuesta del sustituido y de conformidad con el sustituto. Por lo que no restringe el Distrito, ni siquiera el Colegio Notarial a que pudiera pertenecer el sustituto. Parece excluir el caso de nombramiento de varios Notarios sustitutos. En el caso de los otros tres supuestos, los mismos sustituidos tienen la facultad de designar para que les sustituyan en todas sus funciones notariales, durante el desempeño de sus citados cargos o comisión, a otro notario en activo, bien con carácter ocasional o permanente, con su conformidad y poniéndolo en conocimiento del Colegio Notarial a que corresponda a la mayor brevedad. De no mediar esta designación, deberá hacerlo en todo caso la Junta Directiva del Colegio Notarial a que pertenezca el sustituido, según el cuadro de sustituciones o fuera del mismo según determine la propia Junta. Se prevé además que *«la designación puede recaer en uno o en varios notarios siempre que, en este último caso, el ejercicio de las funciones notariales por parte de los nombrados sea alternativo o sucesivo, no simultáneo».*

c) En cuanto al estatuto del sustituto. Si el sustituto no perteneciese al mismo Colegio Notarial que el sustituido o lo solicitare a la vista de las características de su despacho, se estimará a los efectos reglamentarios que se halla en uso de **licencia por ausencia** mientras desempeña la sustitución y su situación se regulará por lo establecido en los párrafos 1º de los artículos 49 y 54 RN.; según los cuáles puede a su vez proceder a designar sustituto para su Notaría, de entre los del Distrito, o de otro colindante con el acuerdo de la Junta Directiva. Y poniendo, a su vez, en su protocolo nota fechada y firmada del día en que se ausente, haciendo mención a la causa de la sustitución y del día de su regreso. Además se entenderá que el sustituto está investido de la **habilitación especial** a los efectos del artículo 116 RN.

d) Duración, se entiende que el régimen lo es por todo el tiempo que se desempeñe el cargo

e) Documentos autorizados y Protocolo. El sustituto autorizará para el protocolo del sustituido, y los Libros permanecerán en el despacho notarial de éste. La particularidad más notable, es que el sustituido pueda, si las funciones que tiene encomendadas lo permiten y siempre con subordinación al trabajo que pueda tener encomendado, actuar y autorizar documentos en su Notaría en cualquier momento, sin necesidad de poner nota alguna en el Protocolo, ni de comunicarlo al Colegio.

f) Notas en el Protocolo. El sustituto permanente, antes de comenzar su sustitución y al finalizarla, pondrá nota en la última matriz del protocolo del sustituido, comunicándoselo seguidamente al Colegio Notarial. Sin perjuicio de la actuación del Notario sustituido, en los términos antes visto.

g) Honorarios. La especialidad de la figura que nos ocupa, en la medida en que pueden existir dos tipos de sustituciones, una entre el Notario en Comisión de servicio o asimilado y su sustituto, y otra entre éste y el que sea sustituto en su protocolo, parece imponer que en ambas sea aplicable lo señalado en el artículo 51

«Las condiciones económicas de la sustitución serán libremente convenidas entre los interesados. A falta de convenio, se aplicará lo que dispone el párrafo segundo del artículo 55 de este Reglamento», esto es, resolverá la Junta Directiva, qué parte de honorarios pueda recibir el sustituido del sustituto.

2.2.7.3.4. Sustitución en los casos del artículo 52 RN

«*Los notarios que acepten los cargos a que se refiere el artículo 115 de este Reglamento pueden designar para que les sustituyan en todas sus funciones notariales, mientras desempeñen aquéllos, a cualquier notario en activo.*

Si el sustituto perteneciese a distinto distrito notarial que el sustituido, se estimará, a los efectos reglamentarios, que se halla en uso de licencia por ausencia mientras desempeña la sustitución, y su situación se regulará por lo establecido en el párrafo primero del artículo 49 y en el párrafo primero del artículo 54 de este Reglamento.

El sustituido, a la mayor brevedad posible, deberá poner en conocimiento de la Dirección General de los Registros y del Notariado, del Decano del Colegio Notarial de su residencia y del de la residencia del sustituto, si éste pertenece a distinto Colegio, la circunstancia de haber hecho uso de este derecho, y la Dirección General de los Registros y del Notariado autorizará al sustituto para que ejerza sus funciones como tal, poniéndolo en conocimiento del Decano o Decanos correspondientes».

Artículo 115
Los Notarios que acepten los cargos de Ministro, Subsecretario, Director general y otros que lleven aneja la categoría de Jefe Superior de Administración civil; los de Gobernador civil, Presidente de Diputación Provincial, Consejero de Estado, del Consejo Superior del Ejército, Magistrado del Tribunal Supremo, los de miembro de Cámaras Legislativas; Altos organismos o Tribunales de Justicia o de la Administración Central, cuando estos cargos o representaciones sean incompatibles, quedarán en suspenso mientras desempeñen aquel cargo y serán sustituidos conforme a lo determinado en el artículo 52 de este Reglamento. Dentro de los treinta días siguientes al cese en los cargos mencionados deberán posesionarse de la Notaría. Cuando no lo hicieren, quedarán en situación de excedencia voluntaria por el plazo de un año, si al incurrir en la incompatibilidad tuvieren, por lo menos, otro de servicio en el Cuerpo. Si no lo llevaren, se les considerará como renunciantes y causarán baja definitiva en el Escalafón. Terminado el año de excedencia podrán solicitar Notarías por los turnos ordinarios en igual forma y con idénticos requisitos que los excedentes voluntarios, o reingresar en su residencia conforme a lo establecido en el artículo 109.

a) Sustituidos. Se refiere el precepto a todos aquellos notarios que acepten cargos a que se refiere el artículo 115 RN, que por oposición a lo contemplado en el artículo 51 RN, deben entenderse **cargos incompatibles** con la función notarial. Notarios que se considerarán **en suspenso (2.2.7.4.3).** Sin perjuicio de su estudio en el apartado correspondiente **2.2.8.1.** señalar que como regla general existe incompatibilidad entre el desempeño de la función notarial y cualquier otro cargo en la función pública, salvo muy contadas excepciones. Por lo que la lista de cargos del citado artículo no debe tomarse como una lista cerrada.

b) Sustitutos. Puede ser designado cualquier Notario en activo. Y lo será por el Notario que acepte el cargo incompatible. El sustituido, a la mayor brevedad posible, deberá poner en conocimiento de la DGRN, del Decano del Colegio Notarial de su residencia y del de la residencia del sustituto, si éste pertenece a distinto Colegio, la circunstancia de haber hecho uso de este derecho, y la DGRN autorizará al sustituto para que ejerza sus funciones como tal, poniéndolo en conocimiento del Decano o Decanos correspondientes. En el caso que no mediara esta designación, entendemos aplicable lo dispuesto en el artículo 50 RN «Cuando una Notaría esté vacante **o en suspenso su titular**, se encargará de la misma, en concepto de sustituto, aquel a quien corresponda conforme al Cuadro de sustituciones del respectivo Colegio Notarial, y si no lo hubiere, el que designe la Junta directiva, dando cuenta a la Dirección General». Esto es, en defecto de designación habrá un sustituto, pero será el correspondiente al Cuadro de sustituciones o el que designe la correspondiente Junta Directiva.

c) Estatuto del sustituto. Si perteneciera a distinto Distrito notarial que el sustituido, se estimará que se halla en uso de **licencia por ausencia** mientras desempeña la sustitución. Por lo que su situación se regulará por lo establecido en los párrafos 1º de los artículos 49 y 54 RN.; según los cuáles puede a su vez proceder a designar sustituto para su Notaría, de entre los del Distrito, o de otro colindante con el acuerdo de la Junta Directiva. Y poniendo, a su vez, en su protocolo nota fechada y firmada del día en que se ausente, haciendo mención a la causa de la sustitución y del día de su regreso. Omite el precepto que nos ocupa toda referencia a la habilitación especial del artículo 116 RN, que consideramos resulta plenamente aplicable y debemos achacar a una omisión involuntaria del legislador, que en cualquier caso podría suplirse con la autorización de la respectiva Junta Directiva.

d) Duración. La duración se entiende por todo el tiempo de ejercicio del cargo incompatible. Destacar que dentro de los treinta días siguientes al cese en los citados cargos deberá posesionarse, el Notario sustituido, en su Notaría. Si no lo hicieren quedará en situación de excedencia voluntaria por el plazo de un año, si al incurrir en la incompatibilidad tuvieren, por lo menos, otro de servicio en el Cuerpo. Por tanto la duración de esta sustitución puede prolongarse por treinta días más, contados desde el cese. Transcurridos los cuáles y al considerarse en situación de excedencia voluntaria, se aplicarán las reglas generales, quedando **vacante** la Notaria (artículo 80RN) y aplicando una sustitución en los términos del artículo 50RN.

e) Documentos autorizados y Protocolo. El sustituto autorizará para el protocolo del sustituido. Y el Protocolo no se trasladará de la Notaría del sustituido, salvo en el caso de que esta situación mute a un caso de excedencia y por tanto pase a ser una Notaria vacante. (art. 53 RN). Nótese que en este supuesto y al considerar al Notario sustituido en suspenso, no podrá éste autorizar para «su protocolo», a diferencia de lo dispuesto en la sustitución anterior.

f) Notas de Protocolo. Entendemos aplicable lo dispuesto en el artículo 54 RN párrafo 1º «Cuando un sustituto deba encargarse de un protocolo por causa de licencia o de *incompatibilidad para desempeñar el cargo* mencionado, el sustituido pondrá, a continuación o al margen de la última escritura matriz de su protocolo de instrumentos públicos, nota fechada y firmada del día en que se ausente, haciendo mención de la causa de la sustitución. A su regreso pondrá nota en el último instrumento del mismo protocolo de haber vuelto a encargarse de la Notaría». Por lo que en realidad son aplicables tanto desde la óptica del Notario sustituido por ejercer cargo incompatible, como respecto el sustituto y para su protocolo.

g) Honorarios. En aplicación de la regla general contemplada en el artículo 55 RN los honorarios serán para el Notario sustituto. Pues no hay norma parecida a la recogida en el artículo 51, respecto de los notarios que ejerzan cargo compatible.

2.2.7.3.5. Sustitución en los casos del artículo 139 RN

Dejamos aquí apuntado un supuesto de sustitución habitual en la práctica y que tratamos en el epígrafe dedicado a las incompatibilidades al cuál nos remitimos.

2.2.7.4. Cese

La Sección 5ª del Capítulo II, se dedica al Cese, y dice así su único artículo:

Artículo 41
Los Notarios cesarán en el cargo dentro de los quince días siguientes a la publicación de la orden de jubilación, de excedencia o de nombramiento para otra Notaría en el Boletín Oficial del Estado o, en este último caso, si correspondiere a determinada Comunidad Autónoma, en el periódico oficial de ésta.
En los casos de traslado a otra Notaría para la que se requiera ampliación de fianza, el plazo anteriormente indicado comenzará a contarse desde la fecha de la aprobación de la fianza.
La nota a que se refiere el artículo 277 de este Reglamento se extenderá en todo caso dentro del plazo señalado en este precepto.
La concesión de prórroga de plazo posesorio no implicará prórroga del plazo para cesar establecido en este artículo.

Contempla el primer párrafo del artículo los casos de jubilación, excedencia y nombramiento para otra Notaría, como consecuencia de haber participado en Concurso Notarial; tres casos de consecuencias diferentes desde la óptica del Notario afectado, no así desde la perspectiva de la Notaría que servía, que queda vacante con los efectos que estudiamos en el epígrafe 2.2.10.2.

Plazo de quince días que se viene interpretando como plazo administrativo y por tanto de días hábiles, contados desde el siguiente a aquél en que tenga lugar la publicación. Plazo que recuerda el precepto es improrrogable y nada tiene que ver con la prórroga que se pueda conceder para la nueva toma de posesión en el caso de nombramiento para nueva Notaría, contemplado en el párrafo 3º del artículo 35 RN «*El plazo señalado a los Notarios para tomar posesión de las Notarías no podrá prorrogarse por más de un mes. Este plazo podrá ser de dos meses si se tratase de Notarías en Baleares o Canarias*».

Siguiendo al precepto veamos a continuación los casos de Jubilación y Excedencia.-

2.2.7.4.1. Jubilación

Se ocupa de ella la Sección tercera del Capítulo III, que en **el párrafo primero del artículo 57** dispone «*Los notarios se jubilarán forzosamente al cumplir la edad de 70 años o voluntariamente a partir de los 65, sin perjuicio de lo que establezca en su momento la legislación aplicable*».

> **Artículo 58**
> *La jubilación implica el cese de la relación funcionarial y la pérdida de la condición de funcionario a los efectos del ejercicio de la función pública notarial y de la posibilidad de ser elector o elegible para órganos colegiados de la organización corporativa notarial.*

> **Artículo 59**
> *El Notario jubilado forzosamente por edad cesará en el ejercicio del cargo dentro del plazo señalado en el párrafo primero del artículo 41 de este Reglamento.*

Jubilado el Notario, la Notaría queda vacante, artículo 80 RN. La fecha de la vacante será la del día en que el Notario cumpla la edad reglamentaria para la jubilación forzosa o la del día en que se acuerde la jubilación voluntaria, artículo 87 RN. En uno y otro caso habrá sustitución en los términos vistos en el epígrafe **2.2.7.3.2.**

2.2.7.4.2. Excedencia

Con relación a la Excedencia podemos distinguir dos situaciones que podemos denominar: Excedencia Voluntaria y Forzosa, la primera regulada en los artículos 109 y ss RN, la segunda con base en lo dispuesto en el artículo 49 y 57 RN.

2.2.7.4.2.1. La Excedencia Voluntaria de los arts. 109 y ss.

a) ¿Quién tiene derecho a esta situación? Sobre este particular debemos distinguir varios supuestos, así del párrafo 1º del artículo 109 RN el Notario con más de un año de servicio efectivo en su carrera, siempre que no se halle sometido a expediente de corrección disciplinaria (artículo 111 RN). Y halla pasado un año de su vuelta al servicio activo de haber disfrutado otra excedencia con anterioridad (artículo 113RN). Además, según el artículo 115 RN, serán considerados en situación de excedencia voluntaria por el plazo de un año, los Notarios que habiendo ejercido cargos incompatibles con el Notariado, cesen en los mismos y no tomen posesión de sus Notarías, para cuyo ejercicio quedaron **en suspenso**, en el plazo de treinta días. Siempre que al incurrir en la incompatibilidad tuvieren, por lo menos un año de servicio en el Cuerpo. Si no lo llevaren, se les considerará como renunciantes y causarán baja definitiva en el Escalafón. Terminado el año de excedencia podrán solicitar Notarías por los turnos ordinarios en igual forma y con idénticos requisitos que los excedentes voluntarios, o reingresar en su residencia conforme a lo establecido en el artículo 109. También el artículo 142 RN en los casos de *incompatibilidad, que no dan derecho a suspensión* del artículo 115 RN, prevé la situación de excedencia voluntaria, para los Notarios que acepten el cargo incompatible y lleven más de un año de servicio activo, en caso contrario, se les considerará renunciantes y baja en el Escalafón.

b) Duración. En principio del párrafo 2º art. 110 RN «*La situación de excedencia voluntaria y sus prórrogas serán por anualidades completas*». Y párrafo 3º del artículo 109 RN «*Pasado el plazo de un año, el Notario podrá reingresar en el Servicio activo...*» La duración mínima parece será de un año. Decimos que parece pues en el caso que el Notario excedente se haya reservado el derecho a reingresar en el Servicio activo por la misma población donde residiera al serle concedida la excedencia pudiera haber solicitado un plazo mayor que además le obligará. (párrafo 4º artículo 109 RN «*después de terminar el plazo por el que fuese concedida, y no antes*» y párrafo 1º artículo 110 RN «*Si se reserva el reingreso por la misma población, con sujeción a lo dispuesto en el artículo anterior, **la excedencia será obligatoria durante el plazo porque fuese concedid**a, pudiendo prorrogarse siempre que se solicite antes de extinguirse éste*».)

Por tanto, podemos distinguir un plazo de duración obligatorio y mínimo el de un año, para todos los casos. Un plazo inicial mayor, que será el determinado al solicitar la excedencia con reserva de plaza. Y en el caso de las prórrogas considerar que el plazo de las mismas sea renunciable, salvo que se mantenga el derecho de reingreso, derecho que es renunciable en todo tiempo. Además el artículo 112 RN prevé una prórroga especial para el caso del Notario que habiendo completado la excedencia, no obtiene plaza, dice «*continuarán en situación de excedencia hasta que obtengan Notaría, considerándose prorrogado indefinidamente el plazo de excedencia mientras esto no suceda*».

c) Requisitos. La solicitud de excedencia irá dirigida a la DGRN, única competente para su concesión. En ella se expresará un domicilio para la práctica de notificaciones. También, como hemos apuntado, podrá reservarse el derecho a reingresar por la misma población donde residiera.

d) Efectos. El efecto principal es que la Notaria queda vacante, artículo 80.6 RN y será sustituida en los términos vistos en el apartado **2.2.7.3.2.** El Notario por su parte queda en situación de excedencia y hasta pasado un año no podrá reingresar en el Servicio activo. Podrá solicitar sucesivas prórrogas siempre que las solicite antes de extinguirse el plazo inicial o de cada una de ellas. Una vez transcurridos los plazos podrá concursar por los turnos ordinarios. Y hasta que consiga la

Notaria solicitada, se le considerará en situación de prórroga indefinida. Ahora bien, de no haber obtenido prórroga, salvo que concurra motivo justificado, se le puede tener por **renunciante** en los términos del artículo 83.3º, en conexión con el procedimiento regulado en el artículo 84 RN, tal y como estudiamos en el epígrafe 2.2.10.2.1 de esta obra.

e) La Reserva de plaza. Ya lo hemos apuntado el Notario que al solicitar la excedencia se reserva el derecho a reingresar en el servicio por la misma población donde residiera al serle concedida aquélla, después de terminar el plazo por el que fue concedida y no antes, será nombrado para servir la primera vacante que se produzca en dicha población. Lo que constituye una excepción al mecanismo del Concurso como única forma de cubrir las Notarías vacantes (artículo 88 párrafo 1º) Este derecho se podrá renunciar en todo tiempo mediante escrito que el Notario excedente elevará a la DGRN, y una vez hecha la expresada renuncia, podrá solicitar vacantes en los turnos ordinarios, al tiempo y en la forma dichos. Si hubiere más de un Notario que tenga reservado el derecho de reingreso por la misma población, será nombrado preferentemente aquel con relación al cual haga más tiempo que terminó el plazo de excedencia, y si en la misma población ocurrieren en el mismo día dos o más vacantes a que tengan derecho más de un Notario excedente, podrán elegir los Notarios por orden de antigüedad en el escalafón. Además el artículo 89 párrafo 1º: «*No consumirán turno las vacantes que correspondan a excedentes voluntarios al volver al servicio activo después de terminada la excedencia si tuvieran reservado el derecho a ser nombrados para vacantes de la misma población. Ninguno de ellos podrá ser nombrado para las vacantes que hayan de amortizarse por efecto de la demarcación notarial*».

Artículo 109
El Notario que lleve un año de servicios efectivos en su carrera podrá ser declarado, a su instancia, en situación de excedencia voluntaria. Y el que sin llevar un año de servicios efectivos tome posesión, en virtud de oposición o concurso, de otro cargo investido de funciones públicas, será considerado como renunciante y dado de baja en el escalafón del Cuerpo de Notarios.
Las solicitudes de excedencia se presentarán a la Dirección General, expresando en ellas el domicilio que el interesado fije para las notificaciones que hayan de dirigírsele.
Pasado el plazo de un año, el Notario podrá reingresar en el servicio activo por los turnos ordinarios y sin preferencia alguna por su carácter de excedente. Esta limitación no afectará a quien hallándose en la situación de excedencia apruebe una oposición entre Notarios.
Excepcionalmente, el Notario que solicite la excedencia tendrá derecho, si se lo reserva al pedirla, a reingresar en el servicio por la misma población donde residiera al serle concedida aquélla, en cuyo caso, después de terminar el plazo por el que fuese concedida, y no antes, será nombrado para servir la primera vacante que se produzca en dicha población.
Este derecho se podrá renunciar en todo tiempo mediante escrito que el Notario excedente elevará a la Dirección General de los Registros y del Notariado, y una vez hecha la expresada renuncia, podrá solicitar vacantes en los turnos ordinarios, al tiempo y en la forma dichos.
Si hubiere más de un Notario que tenga reservado el derecho de reingreso por la misma población, será nombrado preferentemente aquel con relación al cual haga más tiempo que terminó

el plazo de excedencia, y si en la misma población ocurrieren en el mismo día dos o más vacantes a que tengan derecho más de un Notario excedente, podrán elegir los Notarios por orden de antigüedad en el escalafón.

El tiempo de excedencia voluntaria, sea anterior o posterior a este Reglamento, no será deducible para la determinación de la antigüedad de los Notarios en ninguno de los turnos de provisión de vacantes.

Artículo 110

Si se reserva el reingreso por la misma población, con sujeción a lo dispuesto en el artículo anterior, la excedencia será obligatoria durante el plazo por que fuese concedida, pudiendo prorrogarse siempre que se solicite antes de extinguirse éste.

La situación de excedencia voluntaria y sus prórrogas serán por anualidades completas.

Artículo 111

La situación de excedencia voluntaria no podrá solicitarse por notarios que se hallen sometidos a expediente de corrección disciplinaria.

Artículo 112

Los excedentes que deban reingresar solicitando las vacantes en concurso, lo harán llenando idénticos requisitos que los funcionarios en activo, y continuarán en situación de excedencia hasta que obtengan Notaría, considerándose prorrogado indefinidamente el plazo de excedencia mientras esto no suceda.

Artículo 113

Los Notarios que hubieren disfrutado de excedencia no podrán obtenerla de nuevo hasta transcurrido un año de su vuelta al servicio activo.

Artículo 114

La situación especial de los excedentes por demarcación será regulada en el Decreto en que aquélla se ordene, sin que en ningún caso puedan ascender de clase, estimándose como tal para estos efectos la que el Reglamento establece en el artículo 77.

2.2.7.4.2.2. La Excedencia Forzosa

Esta situación parece deducirse del art. 49 párrafos 2º y 3º, del art. 57 RN y del artículo 91 RN, en este último se emplea la expresión «excedencia forzosa» para señalar que «*la antigüedad* (en la carrera*) se determinará por el número que tenga el Notario en el Escalafón, sin deducción por el tiempo de excedencia voluntaria o forzosa*». Para determinar cuál sea ésta acudimos a lo dispuesto en el citado artículo 49 RN: «*Si la duración de la enfermedad que motivase la sustitución excediere de un año y el notario o en su nombre quien le represente no pidiere la excedencia voluntaria, la Dirección General instruirá expediente de incapacidad permanente, previo agotamiento de los plazos de ausencias y licencias reglamentarias.*

No obstante lo anterior, si la enfermedad no fuese irreversible, el notario podrá optar por la situación de excedencia en cualquier momento de la instrucción del expediente de incapacidad permanente».

Es decir, en atención al Servicio público, si el Notario, cuya enfermedad se prolonga por más de un año, no solicita, por sí o por medio de su representante, la situación de excedencia voluntaria, en los términos vistos, será la DGRN la que instruirá un expediente especial de incapacidad permanente, antes de la reforma de 2007 «expediente de jubilación **forzosa**».

La consecuencia del mismo será la declaración del Notario como «incapaz» para el ejercicio del cargo de Notario, sin prejuzgar, naturalmente, la capacidad del Notario, para la vida civil, lo cuál, como sabemos queda exclusivamente reservado a la esfera judicial (artículo 199 CC).

La Notaría que hubiera venido sirviendo quedará vacante, artículo 80. 7ºRN, y será sustituida en los términos vistos en el apartado **2.2.7.3.2.**

Además se prevé que el Notario declarado en situación de incapacidad permanente, pueda instar un procedimiento para «reincorporarse al Cuerpo» por la misma plaza donde residiera, siempre que demuestre haber desaparecido la causa que la motivó, considerándose hasta entonces en situación de excedencia, de ahí el título del epígrafe, **la Excedencia Forzosa**; y así el artículo 57, párrafo segundo RN: *«Los notarios que hubiesen sido declarados en situación de incapacidad permanente conforme a lo previsto en el segundo párrafo del artículo 49, podrán obtener, previo expediente análogo al previsto en el citado artículo, su reincorporación al Cuerpo, si acreditasen haber desaparecido la causa que motivó la incapacidad, considerándose que hasta la fecha han estado en situación de excedencia. Estos notarios tendrán derecho a reingresar en el servicio por la misma población donde residieran en la fecha en que se declare su incapacidad. No será precisa la reserva expresa de este derecho al tiempo de la declaración de su incapacidad, pudiendo renunciar en cualquier momento mediante escrito elevado a la Dirección General de los Registros y del Notariado, y cuyo ejercicio se regirá por lo dispuesto en el artículo 109 de este Reglamento.*

Tomada posesión de su plaza por el notario que se hubiera reincorporado, solicitará su alta en el Régimen Especial de los Trabajadores por Cuenta Propia o Autónomos, con indicación de la base de cotización por la que opta, en los términos y condiciones establecidos en la regulación de dicho Régimen, de conformidad con lo previsto en el artículo 2 del Real Decreto 1505/2003, de 28 de noviembre, por el que se establece la inclusión de los miembros del Cuerpo Único de Notarios en ese Régimen Especial de la Seguridad Social».

Además el párrafo 3º artículo 88 RN «Si en virtud del artículo 57 de este Reglamento existiera algún notario con derecho de reingreso preferente a la plaza que ocupara al tiempo de la declaración de su incapacidad permanente, dicho notario antes de la asignación de turnos para cada plaza deberá comunicar el ejercicio de su derecho a la Dirección General de los Registros y del Notariado. Ejercido su derecho esta plaza se excluirá del concurso atribuyéndosele en la resolución de dicho concurso».

Por tanto tras la reforma operada por RD 45/2007 podemos señalar la existencia de un **cauce específico** para declarar, tal vez en expresión poco afortunada, «la incapacidad permanente» del Notario afectado por una enfermedad de especial duración, cualquiera que sea su naturaleza, que le inhabilite para el servicio público; y en aras de garantizar la efectiva función notarial se contempla este expediente dirigido a evitar abusos en situaciones prolongadas de sustitución, que siempre son poco eficientes. Garantizando siempre el derecho del Notario al reingreso a la función, una vez se acredite la desaparición de la causa que lo motivó, volviendo incluso al servicio por la misma Notaría que sirvió, tan pronto se produzca la primera vacante en la misma.

2.2.7.4.3. La suspensión

Aludiremos en estas líneas, brevemente, a otra situación en que puede encontrarse un Notario, que por diversa es objeto de estudio en otros epígrafes de esta obra. Tal vez en común sólo tenga la terminología, pues habla de Notario «suspenso», para referirse a un tiempo al Notario al que tras el correspondiente expediente disciplinario se le ejecuta la fianza y ésta resulta insuficiente, hasta que la complete. Tal y como estudiamos en el epígrafe 2.2.3.

Pero también hablamos del Notario «suspenso» para referirnos a aquellos que desempeñen Altos cargos o Magistraturas del Estado, a que aluden los artículos 52 y 115 del RN. Estudiado en el epígrafe **2.2.7.3.3.**

Sin olvidar que también es suspenso el Notario contra el que se tramite un sumario, siempre que lo ordene la autoridad judicial. A él se refiere los artículos 62, 82 y 91 párrafo 3º. Y así artículo 82 RN:

> «*Los Jueces de instrucción, al dictar auto de procesamiento contra un Notario, cuando el procesamiento lleva consigo la suspensión del cargo, por haberse dictado auto de prisión consentido o firme, deberán ponerlo en conocimiento de la Dirección General de los Registros y del Notariado y del Decano del Colegio Notarial del territorio donde sirva el Notario, a los efectos procedentes*».

Sin perjuicio de su estudio en otros epígrafes del programa, a los que nos remitimos, respecto de este último supuesto de suspensión como medida cautelar impuesta por un Juez, como consecuencia del ingreso en prisión del Notario contra el que se tramita un sumario, sus efectos serán los que determina el artículo 50 RN «Cuando una Notaría esté vacante **o en suspenso su titular**, se encargará de la misma, en concepto de sustituto, aquel a quien corresponda conforme al Cuadro de sustituciones del respectivo

Colegio Notarial, y si no lo hubiere, el que designe la Junta directiva, dando cuenta a la Dirección General», trasladando aquí todo lo visto en el epígrafe **2.2.7.3.2.**

2.2.7.5. Prerrogativas y honores de los Notarios

Recogidos en la Sección 4ª del Capítulo III de los derechos de los Notarios, abarca los artículos 60 a 71, que se refieren a:

2.2.7.5.1. Sobre el carácter de funcionario y autoridad

Artículo 60.
«El Notario, una vez que obtenga el título y tome posesión de su Notaría, tendrá en el distrito a que corresponda la demarcación de la misma el carácter de funcionario público y autoridad en todo cuanto afecte al servicio de la función notarial, con los derechos y prerrogativas que conceden a tales efectos las leyes fundamentales tanto de carácter civil como administrativo y penal. La presentación de la medalla o de la tarjeta de identidad será bastante para el efecto de acreditar al Notario en el ejercicio de las funciones notariales, y asimismo para que las autoridades y sus delegados o dependientes le auxilien cuando lo solicitare en el cumplimiento de las obligaciones de su cargo.
El Notario que haya de ejercer su ministerio en actos presididos por Autoridad, ocupará lugar preferente en la presidencia».

Que debemos poner en conexión con lo dispuesto en el artículo 1º de la LN y el artículo 1º del RN, entre otros, que confieren al Notario la condición de funcionario público autorizado para dar fe, conforme a las leyes, de los contratos y demás actos extrajudiciales. Hoy el carácter funcionarial del Notario, tal y como tratamos en otros epígrafes de esta obra, se ve acentuado tras la aprobación de las Leyes 13/2015 de 24 de junio de reforma de la ley hipotecaria y del catastro inmobiliario y de Jurisdicción Voluntaria 15/2015 de 2 de julio.

2.2.7.5.2. De la remisión al Código Penal, en su Capítulo dedicado a los atentados contra la autoridad, sus agentes y los funcionarios públicos, y de la resistencia y desobediencia

Artículo 61
«El notario requerido para ejercer su ministerio, a quien se impida o dificulte el libre ejercicio de sus funciones con injurias, amenazas o cualquier forma de coacción, lo hará constar, a los efectos de lo dispuesto en los artículos 550, 551.1, 552, 553, 555 y 556 del Código Penal, por medio de acta, que firmarán él mismo y los testigos concurrentes y, en su caso, la persona o personas que se presten a suscribirla, de cuyo documento se sacarán tres copias que, dentro de las veinticuatro horas siguientes, serán remitidas al Juez de Instrucción, al Presidente del Tribunal Superior de Justicia y a la Junta Directiva del Colegio Notarial. Esta tendrá legitimación para

ejercitar las acciones civiles y criminales que estime convenientes, incluso para interponer la querella en nombre propio y en el del notario.

De igual modo se procederá, a tenor de lo dispuesto en el artículo 634 del Código Penal, cuando, sin incurrir en delito, se faltare al respeto y consideración debida al notario. Además, el notario podrá reclamar directamente, y bajo su responsabilidad, la asistencia de agentes de la autoridad, los cuales vendrán obligados a prestarla, con arreglo a sus respectivos reglamentos».

Los artículos 552, 555 y 634 han sido suprimidos por ley Orgánica 1/2015 de 30 de marzo.

2.2.7.5.3. De la suspensión del Notario contra quien se tramite un Sumario

Artículo 62

El Notario contra quien se tramite un sumario, solo quedará en suspenso para el ejercicio del cargo por resolución judicial que lleve consigo auto de prisión consentido o firme.

La Junta directiva del Colegio Notarial tendrá derecho a mostrarse parte en la causa, en cualquier momento procesal de la misma.

2.2.7.5.4. De la Retribución del Notario

Del que se ocupa el artículo 63 RN y estudiamos en el epígrafe 2.2.12.-

2.2.7.5.5. De la consideración y tratamiento de los Notarios

Artículo 64

Los Decanos de los Colegios Notariales tendrán tratamiento y consideraciones de Jefes Superiores de Administración; los Notarios de capital de Colegio, los de Jefe de Administración de primera clase; los de capital de provincia y los que desempeñen Notarías de primera clase no comprendidas en las anteriores, los de Jefe de Administración de segunda; los Notarios de segunda, los de Jefes de Administración de tercera clase, y los Notarios de tercera, los de Jefes de Negociado de primera, segunda y tercera clase según que lleven más de treinta años de antigüedad en el escalafón, de veinte a treinta años, o menos de veinte.

2.2.7.5.6. De los distintivos

Artículo 65

Todos los Notarios colegiados estarán autorizados para usar, como distintivo oficial de su cargo, una medalla de oro ovalada, de diecinueve milímetros de diámetro en su mayor extensión, y quince de anchura, con un filete blanco en su contorno, conteniendo en el anverso un libro protocolo cerrado y orlado con dos ramas de olivo, con la inscripción alrededor «Nihil prius fide», y en el reverso la fecha de la Ley del Notariado. Esta medalla se usará pendiente, en el lado izquierdo del pecho, de cinta blanca en el centro y encarnada en los costados ajustándose en todo al modelo oficial.

Los individuos de las Juntas directivas, en los actos de oficio a que concurran como tales, podrán usar dicho distintivo, pero de dimensiones proporcionalmente aumentadas, pendiente al cuello con una cinta de iguales colores.

Los Notarios usarán, además, una placa de plata rafagada en oro, de setenta y ocho milímetros de diámetro, en forma de estrella de ocho puntas, con una corona en la parte superior y en el centro un escudo esmaltado en oro con las armas de España, partiendo de la parte inferior del escudo dos cintas con la inscripción «Fe pública notarial», debajo del enlace de las mismas un libro en forma de protocolo, con el lema «Nihil prius fide».

Los Decanos podrán usar la placa de plata dorada o de oro.

2.2.7.5.7. El sello notarial

Artículo 66
El sello notarial tendrá en lo sucesivo carácter obligatorio y llevará en el centro un libro en forma de protocolo con el lema «Nihil prius fide», orlado con el nombre y apellido del Notario y la designación de su residencia.

2.2.7.5.8. De los Congresos y asambleas notariales

Artículo 67
Los notarios podrán celebrar congresos, asambleas o reuniones generales.

El Consejo General del Notariado, y las Juntas Directivas de los Colegios Notariales, en sus respectivos ámbitos, promoverán y organizarán la celebración de los que estimen convenientes para el cumplimiento de los fines corporativos.

2.2.7.5.9. De los Notarios Honorarios

Artículo 68
La Junta Directiva, respecto del notario que se inutilizare en el ejercicio del cargo para el desempeño de la función, o que se jubilare o renunciare al mismo, llevando, en estos dos últimos casos, treinta y cinco años de servicios efectivos, podrá solicitar y obtener de la Dirección General, el título de notario honorario, pudiendo asistir con voz pero sin voto a las Juntas Generales.

2.2.7.5.10. De la Oficina Notarial y su publicidad

A la que se dedican los artículos 69 y 70 que estudiamos en el epígrafe 2.2.9.

2.2.7.5.11. De las Consultas a la DGRN

Artículo 70
Las Juntas Directivas por propia iniciativa o a solicitud fundada de un notario podrán consultar a la Dirección General las dudas que tengan sobre la aplicación de la Ley del Notariado y el Reglamento Notarial o sus disposiciones complementarias. En las consultas se consignará, razonándola, la opinión del consultante.

Precepto modificado por el RD 45/2007 de 19 de enero, que en su redacción anterior establecía: «Las Juntas Directivas y los Notarios podrán consultar a la Dirección General (...)» De donde resultaba una doble legitimación para realizar la consulta, si bien la realizada por los Notarios a título individual, se dirigiría «*por conducto de las Juntas Directivas, que expondrán también razonadamente su opinión sobre ellas y las remitirán con la posible brevedad*».

En el texto actual sólo aparecen legitimadas las Juntas Directivas y sólo indirectamente los Notarios; pues la decisión última sobre la solicitud del Notario consultante, correspondería a aquéllas. Que podrían no darle curso, motivando la falta de fundamentación.

El texto actual aparece en contradicción con lo dispuesto en el artículo 313.3 RN «*Corresponderá a la Dirección General de los Registros y del Notariado:*

3. Resolver en consulta las dudas que se ofrezcan a las Juntas directivas de los Colegios Notariales o a los Notarios sobre la aplicación, inteligencia y ejecución de la Ley del Notariado, de su Reglamento y disposiciones complementarias, en cuanto no exijan disposiciones de carácter general que deban adoptarse por el Ministro de Justicia».

Contradicción que puede salvarse entendiendo que a diferencia de la posibilidad regulada antes de 2007, ahora esta iniciativa individual sólo es posible tras la decisión de la propia Junta Directiva.

2.2.8. Incompatibilidades de los Notarios

Artículo 16 de la LN

«El ejercicio del notario es incompatible con todo cargo que lleve aneja jurisdicción, con cualquier empleo público que devengue sueldo o gratificación de los presupuestos generales, provinciales o municipales, y con los cargos que le obliguen a residir fuera de su domicilio.
Sin embargo, en los pueblos que pasen de 20.000 almas podrán admitir aún fuera de su domicilio los cargos de diputados a Cortes o diputados provinciales»

Artículo 141 RN

«El cargo de notario es incompatible con los que determina el artículo 16 de la Ley del Notariado, especialmente con los de Juez y Fiscal, y aquellos otros que determine el ordenamiento jurídico. A los efectos del citado artículo, las poblaciones en que haya demarcadas dos o más Notarías, se equiparan a las que tengan más de veinte mil habitantes.
La incompatibilidad de los notarios que acepten los cargos de Ministro, Subsecretario, Director General y el resto de los citados en el artículo 115 de este Reglamento, se regularán por lo dispuesto en los artículos 52 y 115 de este Reglamento».

El estudio de las incompatibilidades de los Notarios, nos lleva a preguntarnos en primer lugar, si el Notario puede además de la función Notarial desarrollar alguna otra, no sólo en el ámbito público sino también en el sector privado. A ello nos ocuparemos en las líneas que siguen.

Pero además el RN en el Título III «de la Función Notarial», Capítulo III «de las incompatibilidades» regula con una mejorable técnica, una serie de supuestos que tradicionalmente se han agrupado en incompatibilidades por razón del territorio y parentesco; por razón del contenido de los documentos autorizados y para el ejercicio de otros cargos.

Precisamente la remisión que el artículo 141 RN hace al ordenamiento jurídico en general, nos lleva a abordar el epígrafe siguiente.

2.2.8.1. La Ley de Incompatibilidades del Personal al Servicio de las Administraciones Públicas (Ley 53/1984, de 26 de diciembre)

No es el propósito de esta obra llevar a cabo un estudio pormenorizado de la ley citada, pero sí estudiar su incidencia en la función notarial.

Su exposición de motivos recoge el principio fundamental que luego desarrolla en su articulado: «la dedicación del personal al servicio de las Administraciones Públicas a un sólo puesto de trabajo, sin más excepciones que las que demande el propio servicio público, respetando el ejercicio de las actividades privadas que no puedan impedir o menoscabar el estricto cumplimiento de sus deberes o comprometer su imparcialidad o independencia».

A la pregunta de si es aplicable la ley a la función notarial, la respuesta debe ser afirmativa, en atención a lo dispuesto en su artículo 2 número 1 letra e.

La presente ley será de aplicación a: [...]

e) El personal que desempeñe funciones públicas y perciba sus retribuciones mediante arancel.

Resulta por tanto plenamente aplicable a los Notarios pero también al cuerpo de Registradores de la Propiedad, Mercantiles y de Bienes Muebles.

La regla general de que parte la ley es la recogida en su artículo 1, que por su interés transcribimos íntegramente:

> «*1. El personal comprendido en el ámbito de aplicación de esta Ley **no podrá compatibilizar** sus actividades con el desempeño, por sí o mediante sustitución, de un segundo puesto de trabajo, cargo o actividad en el sector público, **salvo** en los supuestos previstos en la misma.*
> *A los solos efectos de esta Ley se considerará actividad en el sector público la desarrollada por los miembros electivos de las Asambleas Legislativas de las Comunidades Autónomas y de las Corporaciones Locales, por los altos cargos y restante personal de los órganos constitucionales y de todas las Administraciones Públicas, incluida la Administración de Justicia, y de los Entes,*

Organismos y Empresas de ellas dependientes, entendiéndose comprendidas las Entidades co-
laboradoras y las concertadas de la Seguridad Social en la prestación sanitaria.
2. Además, no se podrá percibir, salvo en los supuestos previstos en esta Ley, más de una re-
muneración con cargo a los presupuestos de las Administraciones Públicas y de los Entes, Or-
ganismos y Empresas de ellas dependientes o con cargo a los de los órganos constitucionales,
o que resulte de la aplicación de arancel ni ejercer opción por percepciones correspondiente a
puestos incompatibles.
A los efectos del párrafo anterior, se entenderá por remuneración cualquier derecho de conte-
nido económico derivado, directa o indirectamente, de una prestación o servicio personal, sea
su cuantía fija o variable y su devengo periódico u ocasional.
3. En cualquier caso, el desempeño de un puesto de trabajo por el personal incluido en el ám-
bito de aplicación de esta Ley será incompatible con el ejercicio de cualquier cargo, profesión o
actividad, público o privado, que pueda impedir o menoscabar el estricto cumplimiento de sus
deberes o comprometer su imparcialidad o independencia».

Parte por tanto de un **criterio restrictivo**, el personal comprendido en su ámbito de
aplicación no puede compatibilizar un segundo puesto de trabajo, cargo o actividad en
el sector público, salvo las excepciones contempladas en la propia ley. Pero no se limita
exclusivamente al sector público sino que también contempla la actividad en la esfera
privada. Por lo que es preciso distinguir entre sector público y privado.

2.2.8.1.1.   La ley de incompatibilidades 53/84 en el sector público

En el mismo y partiendo siempre de la amplitud con que la propia ley define al propio sector público, ¿qué otra actividad podría desarrollar un notario, en realidad, cualquier otro empleado público?, y así podemos distinguir, siguiendo el tenor del artículo
3 de la ley, entre las actividades que, como regla general, precisan de una autorización y
aquellas otras que no la precisan.

Entre las primeras, en cualquier caso, la autorización será siempre previa, ex-
presa y por razón de interés público, que la propia autorización deberá especificar.

Los ámbitos permitidos aparecen en tres grandes bloques, y así por un lado, estarían
el docente y el sanitario. Por razones obvias nos centramos en el primero, el artículo 4
señala que: «Podrá autorizarse la compatibilidad, cumplidas las restantes exigencias de
esta Ley, para el desempeño de un puesto de trabajo en la esfera docente como Profesor
universitario asociado en régimen de dedicación no superior a la de tiempo parcial y
con duración determinada».

Por su parte el artículo 6 también permite, previa la correspondiente autorización,
la compatibilidad para el ejercicio de actividades de investigación de carácter no permanente, o de asesoramiento científico o técnico.

Por último y a modo de cierre el artículo 3 señala que *por razón de interés público*, el
Consejo de Ministros, mediante Real decreto, u órgano de gobierno de la Comunidad

Autónoma, en el ámbito de sus respectivas competencias; podrían autorizar la compatibilidad de un segundo puesto de trabajo o actividad en el sector público, si bien la actividad sólo podrá prestarse en régimen laboral, a tiempo parcial y con duración determinada, en las condiciones establecidas por la legislación laboral.

Por tanto, un Notario, podrá compatibilizar su actuación como tal, siempre previa la autorización del Ministerio de Hacienda y Función Pública, como profesor universitario asociado; desarrollando actividades de investigación o asesoramiento, y por razones de interés público cualquier otra actividad previa autorización del Consejo de Ministros (a nivel estatal) u órgano de gobierno de las CCAA, pero siempre a tiempo parcial y por una duración determinada.

Por su parte el artículo 5 y como excepción a la exigencia de autorización previa permite al personal incluido en el ámbito de aplicación de la ley compatibilizar sus actividades con el desempeño de cargos electivos como miembros de Asambleas legislativas de las Comunidades Autónomas, salvo que perciban retribuciones periódicas por el desempeño de la función o que por las mismas se establezca la incompatibilidad; y como miembros de las Corporaciones locales, salvo que los cargos sean retribuidos en régimen de dedicación exclusiva. En ambos supuestos, cuando la compatibilidad está permitida matiza que sólo podrá percibirse la retribución correspondiente a una de las dos actividades, sin perjuicio de las dietas, indemnizaciones o asistencias que correspondan por la otra.

Ahora bien la posibilidad regulada en el citado artículo debe tener en cuenta lo dispuesto en la normativa reguladora de estas Instituciones. Y así respecto a los cargos de Diputados y Senadores, la Ley Orgánica 5/1985, de 19 de junio de Régimen Electoral General, en su artículo 157, establece: «*1. El mandato de los Diputados y Senadores se ejercerá en régimen de dedicación absoluta en los términos previstos en la Constitución y en la presente Ley. 2. En virtud de lo establecido en el apartado anterior, el mandato de los Diputados y Senadores será incompatible con el desempeño, por sí o mediante sustitución, de cualquier otro puesto, profesión o actividad, públicos o privados, por cuenta propia o ajena, retribuidos mediante sueldo, salario, arancel, honorarios, o cualquier otra forma*».

Por su parte la misma Ley y respecto de los Diputados del Parlamento Europeo, se expresa en idénticos términos en su artículo 212.

Por lo que respecta a los distintos Parlamentos autonómicos, habrá de estar a su norma reguladora, así por ejemplo y respecto a la Comunidad Valenciana, en el Reglamento de les Corts, de 18 de diciembre de 2006, simplemente señala en su artículo 22 «Los diputados y diputadas deberán observar en todo momento las normas sobre incompatibilidades establecidas por el ordenamiento vigente». Por lo que no parece señalar al ejercicio de la función notarial, como actividad incompatible. Por su parte los cargos electos en las Corporaciones locales (Ayuntamientos y Diputaciones) también podrían desempeñar la actividad notarial.

2.2.8.1.2. *La ley de incompatibilidades 53/84 en el sector privado*

En la esfera privada, la regla básica la encontramos en la ley en el párrafo primero del artículo 14 «El ejercicio de actividades profesionales, laborales, mercantiles o industriales fuera de las Administraciones Públicas requerirá el previo reconocimiento de compatibilidad». **Que en el ámbito notarial corresponde al Ministerio De Hacienda Y Función pública.**

El criterio que debe guiar al órgano ministerial se desarrolla en los artículos 11 a 13 de la ley, y así el primero de ellos señala que el personal comprendido en el ámbito de aplicación de esta ley *no podrá ejercer actividades privadas*, incluidas las de carácter profesional, sean por cuenta propia o bajo la dependencia o al servicio de Entidades o particulares que se relacionen directamente con las que desarrolle el departamento, Organismo o Entidad donde estuviere destinado; el artículo 12 señala los asuntos en los que esté interviniendo, haya intervenido en los dos últimos años o tenga que intervenir por razón del puesto público.

Se incluyen en especial en esta incompatibilidad las actividades profesionales prestadas a personas a quienes se esté obligado a atender en el desempeño del puesto público.

Tampoco formando parte de Consejos de administración u órganos rectores de Empresas o Entidades privadas, siempre que la actividad de las mismas esté directamente relacionada con las que gestione el Departamento, Organismo o Entidad en que preste sus servicios el personal afectado.

Ni siquiera la participación del más del 10% del capital de Empresas concesionarias, contratistas de obras, servicios o suministros con participación del sector público.

Ciertamente el desempeño de la función notarial es compatible como regla general con cualquier otra actividad privada, a salvo siempre el previo reconocimiento de compatibilidad.

Pero teniendo siempre presente los postulados de la ley cuando señalan que no puede comprometer su imparcialidad ni su independencia.

A lo que habría que añadir la doble condición del Notario como funcionario público y profesional del Derecho, inescindible doble condición que determina su función y como veremos su régimen retributivo, pues si como profesional del derecho le corresponde la misión de asesorar a quienes reclaman su ministerio y aconsejarles los medios jurídicos más adecuados para el logro de los fines lícitos que aquéllos se proponen alcanzar, no cabe percibir por este asesoramiento retribución distinta de la que nace del Arancel.

Por lo demás el artículo 15 de la ley nos dice: «*El personal a que se refiere esta Ley no podrá invocar o hacer uso de su condición pública para el ejercicio de actividad mercantil, industrial o profesional*».

Por último y por su interés el artículo 19 de la ley señala una serie de actividades que quedan **exceptuadas** del régimen de incompatibilidades y son:

a. Las derivadas de la Administración del patrimonio personal o familiar.

b. La dirección de seminarios o el dictado de cursos o conferencias en Centros oficiales destinados a la formación de funcionarios o profesorado, cuando no tenga carácter permanente o habitual ni supongan más de setenta y cinco horas al año, así como la preparación para el acceso a la función pública en los casos y forma que reglamentariamente se determine.

c. La participación en Tribunales calificadores de pruebas selectivas para ingreso en las Administraciones Públicas.

d. La participación del personal docente en exámenes, pruebas o evaluaciones distintas de las que habitualmente les correspondan, en la forma reglamentariamente establecida.

e. El ejercicio del cargo de Presidente, Vocal o miembro de Juntas rectoras de Mutualidades o Patronatos de Funcionarios, siempre que no sea retribuido.

f. La producción y creación literaria, artística, científica y técnica, así como las publicaciones derivadas de aquéllas, siempre que no se originen como consecuencia de una relación de empleo o de prestación de servicios.

g. La participación ocasional en coloquios y programas en cualquier medio de comunicación social; y

h. La colaboración y la asistencia ocasional a Congresos, seminarios, conferencias o cursos de carácter profesional.

2.2.8.2. De las Incompatibilidades

Como hemos apuntado con anterioridad, el RN regula en el Título III «de la función notarial», en su Capítulo III «de las incompatibilidades», con una mejorable técnica legislativa, las que podríamos dar en llamar:

2.2.8.2.1. Incompatibilidades por razón del territorio y parentesco

Artículo 138
En una misma localidad *no podrá haber a la vez dos notarios unidos en matrimonio o en situación de convivencia análoga o parientes dentro del cuarto grado civil de consanguinidad o*

segundo de afinidad a no ser que en la misma haya, al menos, una notaría servida por notarios no parientes de aquellos.

*Tampoco será compatible **en un mismo distrito notarial** el cargo de Notario con el de Juez de primera instancia o Registrador de la Propiedad, cuando sean desempeñados por parientes de aquél dentro del segundo grado de consanguinidad o afinidad, a no ser que concurra la excepción mencionada en el párrafo anterior.*

Cuando la incompatibilidad por parentesco sea sobrevenida por causa de una nueva demarcación no será de aplicación lo establecido en los párrafos anteriores.

En caso de que sea sobrevenida por cualquier otra causa, la Junta Directiva, previo expediente en que se dará audiencia a los notarios afectados y al resto de los de la plaza, resolverá atendiendo a las circunstancias de la misma.

Regula el artículo 138 una incompatibilidad en la que se aúnan a un tiempo el parentesco con un elemento territorial. Incompatibilidad que sólo nacerá de forma sobrevenida, pues de existir al tiempo del concurso notarial, el Notario que debe, según el artículo 94 RN regla 5ª consignar bajo su responsabilidad que no incurre en la incompatibilidad comentada, verá su instancia por no presentada, sin perjuicio de la responsabilidad disciplinaria en que puede incurrir.

En el primer párrafo del citado artículo 138 RN contempla, como ámbito territorial, sólo la localidad. En el segundo el Distrito notarial.

En el primero habla, en cuanto al parentesco, de cónyuges, situación análoga a la conyugal, parientes dentro del cuarto grado de consanguinidad o segundo de afinidad. En el segundo omite referencia alguna al cónyuge o conviviente y sólo limita la incompatibilidad al segundo grado de consanguinidad y afinidad.

En el primer párrafo sólo contempla la incompatibilidad entre Notarios. En el segundo de éstos con Jueces de primera instancia o Registradores de la propiedad. Omite toda referencia a Registradores mercantiles.

En el primer párrafo llama la atención que sólo a partir de la reforma del RN de 2007 se contempla la incompatibilidad entre cónyuges o convivientes. Antes sólo entre parientes por consanguinidad o afinidad. El fundamento de la norma debemos buscarlo en evitar situaciones de monopolio notarial, que vulneren el derecho de libre elección de Notario.

Ahora bien la norma puede ser de muy escasa aplicación en la práctica, por un lado, porque el propio artículo 138 excluye la incompatibilidad cuando exista otra Notaria en la misma localidad servida por notario no pariente de aquellos; y por otro lado, tampoco será de aplicación cuando la incompatibilidad por parentesco sea consecuencia de una nueva demarcación.

Esta misma excepción se recoge para el supuesto del párrafo segundo, como también el caso de existir otra Notaria servida por notario no pariente, esta vez no en la localidad sino en el Distrito en general, por lo que debería tratarse de Distrito con Notaria única, en la que concurra la causa de parentesco, para que la incompatibilidad surtiera efecto. Ciertamente en el caso de concurrir en una misma localidad, no ya en el Distrito, el cargo de Notario único y pariente Juez o Registrador, dentro del segundo grado de consanguinidad o afinidad, también nos encontraremos, en rigor en la causa de incompatibilidad. Es decir la causa de incompatibilidad, sólo surtirá efectos, cuando se trate de localidad o Distrito con un único Notario que concurra con un Registrador o Juez parientes.

Por lo demás y a diferencia de lo que ocurría en la regulación anterior a 2007, que preveía el traslado del «funcionario cuyo nombramiento fuere más reciente», en la actualidad cuando la incompatibilidad se deba a una causa distinta a una nueva demarcación (pensemos en matrimonio o relación análoga sobrevenida, parentesco sobrevenido, concurso posterior, no sólo notarial, etc,) la Junta Directiva previa audiencia de todos los notarios resolverá atendiendo a las circunstancias del caso y esta resolución, a diferencia de la legislación anterior, no parece deba imponer el traslado forzoso. Aunque el mismo parece necesario toda vez la dicción empleada («En una misma localidad no podrá haber a la vez dos notarios...») Tal vez la solución sea el traslado forzoso pero no necesariamente del notario con nombramiento más reciente.

Por lo demás, nótese, como ya hemos apuntado, lo dispuesto en el art. 94.5 RN que al tratar del contenido de las instancias a presentar en caso de Concurso notarial señala que el Notario consignará, bajo su responsabilidad, que por el hecho de obtener la Notaría que pretende no incurre en la incompatibilidad a que se refiere el artículo 138 de este Reglamento. Y sigue «La instancia que no contenga los requisitos exigidos en las reglas cuarta y quinta, o los exprese inexactamente, se tendrá por no presentada, sin perjuicio de las facultades disciplinarias concedidas a la Dirección en este Reglamento, si ésta estimase que se había cometido la inexactitud deliberadamente».

En base a este precepto, cuando la incompatibilidad ya existía al tiempo de concursar, las instancias, se tendrán por no presentada y por tanto, además de la responsabilidad disciplinaria que se deduzca, el Concurso como tal y en lo que se refiere al Notario incompatible devendría ineficaz, conservando la plaza que le correspondiera ab initio. Por lo que el propio artículo 138 RN sólo tendría razón de ser en los supuestos de incompatibilidad sobrevenida.

2.2.8.2.2. *Incompatibilidades por razón del contenido de los documentos autorizados o intervenidos*

Artículo 22 LN

«Ningún notario podrá autorizar contratos que contengan disposición en su favor, o en que alguno de los otorgantes sea pariente suyo dentro del cuarto grado civil o segundo de afinidad»

Artículo 139 y 140 RN

Los notarios no podrán autorizar escrituras en que se consignen derechos a su favor, pero sí las que en sólo contraigan obligaciones o extingan o pospongan aquellos derechos, con la antefirma «por mí y ante mí».

En tal sentido, los Notarios podrán autorizar su propio testamento, poderes de todas clases, cancelación y extinción de obligaciones. De igual modo podrán autorizar o intervenir en los actos o contratos en que sea parte su cónyuge o persona con análoga relación de afectividad o parientes hasta el cuarto grado de consanguinidad y segundo de afinidad, siempre que reúnan idénticas circunstancias.

No podrán, en cambio, autorizar actos jurídicos de ninguna clase que contengan disposiciones a su favor o de su cónyuge o persona con análoga relación de afectividad o parientes de los grados mencionados, aun cuando tales parientes o el propio Notario intervengan en el concepto de representantes legales o voluntarios de un tercero.

Exceptúase el caso de autorización de testamentos en que se les nombre albaceas o contadores-partidores y los poderes para pleitos a favor de los mencionados parientes.

El notario no podrá autorizar o intervenir instrumentos públicos respecto de personas físicas o jurídicas con las que mantenga una relación de servicios profesionales.

Artículo 140 RN

Los Notarios no podrán tampoco constituirse en fiadores de los contratos que autoricen, ni tomar parte en aquellos en que intervenga por razón de su cargo, ni intervenir en empresas de arriendo de rentas públicas. Por el contrario podrán formar parte de toda clase de Sociedades, incluso como Consejeros, que no tengan por objeto el arriendo de rentas publicas, siempre que no autoricen las escrituras que a las mismas afecten a partir del ingreso como socio o de la designación como Consejero.

Actos prohibidos

El RN no recoge un catálogo de actos vetados a la intervención notarial. El presente trabajo tampoco pretende enumerar los mismos. Es una materia abierta a la interpretación y en consecuencia, la primera consideración, al abordar estos artículos, debe ser, la relativa al alcance de la interpretación de las incompatibilidades, esto es, si las mismas deben interpretarse de una forma extensiva o restrictiva. La técnica jurídica impone esta última, por tratarse de normas prohibitivas. Si bien, el criterio que parece asentado en la doctrina de la DGRN es el contrario, «la interpretación de las normas sobre incompatibilidades ha de ser extensiva para alejar de la actuación notarial todo lo que pueda ponerle tacha de parcialidad o interés» (ron 24 de mayo 1950).

En la materia que nos ocupa, la piedra angular, la recogen los artículos 22 LN y 139 RN que expresa: «***Los notarios no podrán autorizar escrituras en que se consignen derechos a su favor***» y continúa en su párrafo 3º «*No podrán (...) autorizar actos jurídicos de ninguna clase que contengan disposiciones a su favor o de su cónyuge o persona con análoga relación de afectividad o parientes hasta el cuarto grado de consanguinidad y segundo de afinidad, aun cuando tales parientes o el propio Notario intervengan en el concepto de representantes legales o voluntarios de un tercero*».

Nótese que la prohibición recae también en los casos en que el Notario o los parientes intervienen en el acto como representantes, legales o voluntarios, de la persona cuya esfera patrimonial pueda resultar favorecida, lo que incluiría también los casos de representación orgánica.

Por tanto, jamás un instrumento autorizado por Notario (escritura, acta, póliza) contendrá disposición alguna a su favor o de sus parientes o allegados o representados. Sancionando la LN en su artículo 27 con la nulidad TOTAL del instrumento público que contenga alguna disposición a favor del notario que los autorice; y el artículo 28 *«No producirán efecto las disposiciones a favor de parientes».*, esto es, limita la nulidad a sólo la cláusula en cuestión y no a todo el instrumento. Sobre los efectos y alcance del instrumento nulo nos remitimos al epígrafe correspondiente de esta obra.

Entre la enumeración de actos prohibidos, introdujo la reforma de 2007, el último párrafo del artículo 139 *«El notario no podrá autorizar o intervenir instrumentos públicos respecto de personas físicas o jurídicas con las que mantenga una relación de servicios profesionales»*. Precepto tildado de oscuro, de difícil interpretación, pues no queda claro qué ha querido el legislador al hablar de «servicios profesionales».

Algunos han querido incluir en esta expresión al personal empleado por el notario; interpretación que nos parece incorrecta, la relación del notario con sus empleados no es estrictamente profesional, sino de índole laboral.

Tampoco parece que el precepto se refiera, sin más, a cualquier relación profesional que el notario pueda entablar con cualquier persona física o jurídica, sino más bien y dentro de la finalidad perseguida por la norma, cualquier situación que pueda comprometer la imparcialidad del mismo, muy relacionado con lo visto más arriba en el estudio de la ley de incompatibilidades 53/1984 en la esfera privada, cuando caracteriza la actuación a desarrollar con un elemento de dependencia, subordinación, estabilidad o permanencia o como por ejemplo recoge el art. 12.1 letra a) de la citada ley cuando señala que: *«Se incluyen en especial en esta incompatibilidad las actividades profesionales prestadas a personas a quienes se esté obligado a atender en el desempeño del puesto público»*.

En todos estos casos el Notario deberá abstenerse de intervenir.

Tampoco el notario puede ser fiador de los contratos que autorice.

Ni tomar parte en aquéllos en que intervenga por razón de su cargo.

Ni intervenir en empresas de arriendo de rentas públicas, que lo fueron las encargadas de recaudar impuestos de toda índole, en una redacción que denota reminiscencias de un pasado no querido por el notariado moderno español.

El Notario puede formar parte de toda clase de sociedades, incluso como consejero, siempre que no tengan por objeto el arriendo de rentas públicas.

En relación a esto último el Notario puede formar parte de todo tipo de personas jurídicas y participar en sus órganos de dirección, en sus más variadas modalidades. Lo que no puede, según el RN, es autorizar las escrituras que a las mismas afecten a partir del ingreso como socio o de la designación como Consejero. Es en este punto donde, de nuevo la DGRN, ha tenido ocasión de pronunciarse y ha distinguido entre la participación sin más en cualquier clase de sociedad, que por sí no debe ser considerada un riesgo para la imparcialidad del notario, pensemos en las sociedades cotizadas, o en general, aquellas sociedades en las que el notario no posea una participación significativa que le permita un control efectivo o una influencia determinante en la mismas. En estos casos el Notario puede autorizar los instrumentos que a las mismas afecten. De aquellos supuestos en los que, bien por ostentar una participación significativa en el capital o de los derechos de voto o por tratarse de sociedades de naturaleza personalista, el Notario debe abstenerse de actuar.

También deberá el Notario abstenerse de actuar en general, cuando forme parte del órgano de gobierno de cualquier persona jurídica que le reclame su ministerio, cualquiera que sea su estructura o composición. Y ello debido no sólo a la interpretación del último inciso del citado artículo 140, sino además por la prohibición que el mismo artículo recoge de «tomar parte en aquellos en que intervenga por razón de su cargo»; de lo dispuesto en el párrafo tercero del artículo 139, cuando habla «el propio Notario intervenga en concepto de representantes legales o voluntarios de un tercero» e incluso, y en atención a su participación en la estructura de gobierno de la indicada entidad por lo dispuesto en el último párrafo del artículo 139 «el notario no podrá autorizar o intervenir instrumentos públicos respecto de personas físicas o jurídicas con las que mantenga una relación de servicios profesionales».

Y en todos estos casos presumiendo que el Notario goza de la autorización concedida por el Ministerio de Hacienda y Función pública, para salvar la incompatibilidad en el ejercicio de una actividad privada, que por sí sola, sin embargo, no dispensa de la prohibición citada.

Actos permitidos

En lo que a los actos permitidos se refiere, y de acuerdo al artículo 139 párrafo 1º, los notarios podrán autorizar escrituras en las que sólo contraigan obligaciones o extingan o pospongan derechos, con la antefirma «por mí y ante mí». Y sigue en su párrafo 2º señalando que

> *«podrán autorizar su propio testamento, poderes de todas clases, cancelación y extinción de obligaciones. De igual modo podrán autorizar o intervenir en los actos o contratos en que sea parte su cónyuge o persona con análoga relación de afectividad o parientes hasta el cuarto grado de consanguinidad y segundo de afinidad, siempre que reúnan idénticas circunstancias».*

De nuevo, el tenor empleado por el legislador, no es todo lo claro que en la materia que nos ocupa se precisaría. Por tanto, debemos sistematizar o al menos plasmar las líneas generales de la actuación notarial, distinguiendo entre los actos autorizados por el Notario en los que intervengan familiares, y aquellos otros en los que sólo intervenga el Notario.

Entre estos últimos, sabemos que el Notario puede autorizar su propio testamento, poderes de todas clases, en los que él sea el poderdante, quienquiera que sea el apoderado; escrituras por las que extinga derechos a su favor, es decir, cartas de pago, con cancelación, en su caso, de garantías accesorias, en los que el Notario sea el acreedor. Escrituras en las que posponga o altere derechos de su titularidad, incluida la alteración del rango hipotecario. Y escrituras en las que sólo contraigan obligaciones, como por ejemplo, un reconocimiento de deuda por parte del Notario, a favor de cualquiera.

Vemos por tanto que el Notario puede, bajo la antefirma «Por mí y ante mí» autorizar una serie de actos caracterizados por la unilateralidad, es decir el Notario es a un tiempo autorizante y otorgante y en los que la única esfera patrimonial afectada sea la propia del Notario.

Sobre si el Notario puede autorizar un instrumento que recoja un negocio jurídico bilateral en el que él sea parte, siquiera representada, la respuesta debe ser negativa, dice el RN «no puede tomar parte en aquellos en que intervenga por razón de su cargo». La doctrina ha estudiado la admisibilidad de las donaciones o préstamos otorgados por el Notario en su condición de donante o prestatario y en ambos casos las ha rechazado. En el primer caso por la posibilidad de revocación; si bien es cierto que algunos autores apuntan la posibilidad de autorizar escrituras de donación, en las que el mismo Notario o sus parientes sean donantes, toda vez que la donación, por su naturaleza jurídica, no es propiamente un contrato. En el segundo por la consideración del préstamo como auténtico negocio jurídico bilateral y en otro orden de cosas por considerar que el Notario que contrae la obligación de devolver lo prestado custodia la documentación auténtica que prueba la obligación contraída.

De la misma forma puede autorizar un testamento, quienquiera que lo otorgue, en que se le nombre albacea o contador partidor.

Respecto de los actos que el Notario autoriza y son parte su cónyuge, conviviente more uxorio, parientes dentro del cuarto grado de consanguinidad o segundo de afinidad, el criterio del que partimos es si cabe más restrictivo que el visto para los actos anteriores. Pues pese al tenor del párrafo 2º del artículo 139 «De igual modo podrá autorizar o intervenir en los actos o contratos en que» éstos sean parte. El Notario no puede autorizar el testamento de los mismos, no ya porque del mismo puedan resultar derechos a su favor, sino además derechos a favor de los citados parientes, salvo legados de cosa mueble o cantidad de poca importancia con relación al caudal hereditario (artículos 754 y 682 CC).

Parece claro que puede autorizar poderes para pleitos en que los apoderados sean los citados parientes.

De la misma forma, puede autorizar, cualquier clase de poder, en que el poderdante sea el pariente o allegado, pero excluyendo los casos en que el apoderado sea el mismo Notario y ello pese a que la actuación de éste puede limitarse a ser la de un mero nuntio.

Y en relación a los actos en que contraigan obligaciones o extingan derechos a su favor, los favorecidos por los mismos no podrán ser ni el Notario, ni los parientes y allegados del mismo dentro de los límites señalados.

Con mayor razón y respecto de los negocios jurídicos bilaterales en que intervengan sus parientes, también aparece prohibida la intervención del Notario.

En todos estos caso en que media una auténtica prohibición al Notario para prestar su función, ¿qué debe hacerse?

La respuesta es clara, hay un deber de abstención.

Los actos realizados en contra de estas prohibiciones pueden ser nulos en su totalidad, si contienen disposiciones a favor del Notario; o ineficaces, en lo que a las cláusulas a favor de los parientes del mismo se refiere (artículo 27 y 28 LN)

En estos casos la práctica notarial, viene siendo la de aplicar **una especie de sustitución por incompatibilidad**, que tendría su fundamento parcial en lo dispuesto en el artículo 117 RN. Si bien, a diferencia de una sustitución propia, en la que el instrumento sería autorizado para el protocolo del sustituto, se viene imponiendo la costumbre de autorizarlo para el protocolo del sustituido.

No faltan sin embargo autores, contrarios a la misma, llegando afirmar que no hay apoyo legal para sostener tal sustitución, ya que ésta no resulta de los casos enunciados en el artículo 49 del RN. Nuestra opinión es contraria a esta práctica. Si existe una prohibición para autorizar el instrumento público, que es lo más, debe existir idéntica prohibición para su custodia, la expedición de copias y el tratamiento de la información que del protocolo resulta. Ante todo la imparcialidad del Notario en el ejercicio de su función y la apariencia de imparcialidad.

2.2.8.2.3. Incompatibilidades para el ejercicio de otros cargos

Artículo 16. LN.

El ejercicio del Notario es incompatible con todo cargo que lleve aneja jurisdicción, con cualquier empleo público que devengue sueldo o gratificación de los presupuestos generales, provinciales o municipales, y con los cargos que le obliguen a residir fuera de su domicilio.
Sin embargo, en los pueblos que pasen de 20.000 almas podrán admitir, aun fuera de su domicilio, los cargos de Diputados a Cortes o Diputados provinciales.

Artículo 141 RN

El cargo de notario es incompatible con los que determina el artículo 16 de la Ley del Nota-
riado, especialmente con los de Juez y Fiscal, y aquellos otros que determine el ordenamiento
jurídico. A los efectos del citado artículo, las poblaciones en que haya demarcadas dos o más
Notarías, se equiparan a las que tengan más de veinte mil habitantes.
La incompatibilidad de los notarios que acepten los cargos de Ministro, Subsecretario, Director
General y el resto de los citados en el artículo 115 de este Reglamento, se regularán por lo dis-
puesto en los artículos 52 y 115 de este Reglamento.

Artículo 142

El notario que admita cualquiera de los cargos a que se refiere el párrafo primero del artículo
anterior, lo pondrá en conocimiento, por escrito e inmediatamente, de la Dirección General
de los Registros y del Notariado, y cesará en el ejercicio de las funciones notariales mientras
desempeñe aquellos.
La omisión del escrito equivaldrá a opción por el cargo incompatible.
Si habiendo dado el conocimiento, la cesación pasara de tres meses, deberá optar, igualmente,
por uno u otro cargo.
Si no lo hiciese, se entenderá que acepta el cargo incompatible, la vacante se proveerá también
en el turno que proceda y el notario será declarado en situación de excedencia voluntaria si
llevare un año, por lo menos, de servicios en el Cuerpo o la incompatibilidad fuese por nombra-
miento definitivo en cargo activo y permanente, no accidental o de suplencia; y renunciante y
baja en el Escalafón, si el cargo incompatible fuese de otra clase y no llevase el año de servicios
efectivos.

A la luz de estos artículos podemos aprovechando la deficiente terminología empleada por el legislador englobar las incompatibilidades en dos grandes grupos, las
absolutas y las relativas. Las primeras estarían contempladas en el párrafo primero del
artículo 141, básicamente el ejercicio de la función jurisdiccional, el Ministerio Fiscal y
aquellos otros que determine el ordenamiento jurídico.

Y el segundo grupo integrado por las que podríamos dar en llamar incompatibilidades relativas, que serían las recogidas en el artículo 115 RN y cualesquiera equivalentes,
relacionadas todas ellas con Altas Instituciones del Estado, Autonómicas y también, entendemos relacionadas con Organismos internacionales, entre ellos la Unión Europea,
pues la terminología empleada no se ha actualizado a la diversidad legislativa vigente y
a los ordenamientos autonómicos e internacionales.

En este punto conviene recordar brevemente lo estudiado en sede del número
2.2.8.1, sobre la ley de incompatibilidades 53/84. **La función notarial**, como cualquier
otra función pública **es incompatible con un segundo cargo o actividad en el sec-**
tor público. Que excepcionalmente y sin necesidad de autorización alguna, el Notario
puede desempeñar un cargo electo en cualquier Asamblea legislativa a nivel nacional,
europeo o autonómico y en cualquier corporación local; a salvo, como hemos visto,
lo dispuesto en las normas que regulan la función en las mismas. Viniendo obligado a
recabar la correspondiente autorización ministerial, cuando pretenda desarrollar una
función docente, o actividades de investigación y asesoramiento y sólo por razones de

interés público cualquier otra actividad autorizado por Real Decreto del Gobierno Central o disposición equivalente del órgano de gobierno de la correspondiente Comunidad Autónoma.

Las consecuencias de unas y otras son, sin embargo, diferentes. Distinguiendo dos momentos. El inicial, referido a la toma de posesión del Notario que acaba de aprobar la oposición, el llamado «notario electo»; para el que tratándose de las llamadas **incompatibilidades absolutas** dispone el artículo 35 RN párrafo 5: «*No podrán obtener la posesión los notarios electos que desempeñen los cargos incompatibles determinados en el artículo 16 de la Ley del Notariado, sin haber acreditado previamente la cesación en aquéllos. En caso de ejercer cargo incompatible en la Administración Pública deberán acreditar la excedencia en el Cuerpo de origen, con carácter previo. Si, esto no obstante, se posesionaren de la Notaría, serán declarados renunciantes y dados de baja en el escalafón del Cuerpo tan pronto como se tenga noticia de que existe dicha incompatibilidad.*

El Decano exigirá al Notario electo una declaración firmada, asegurando, bajo su responsabilidad, que no desempeña dichos cargos incompatibles».

Y para las llamadas **incompatibilidades relativas** lo dispuesto en el último párrafo del mismo artículo:

> «*No obstante lo dispuesto en los dos párrafos anteriores, los Notarios que se hallen en la situación de suspensos en el ejercicio del cargo por desempeñar alguno de los incompatibles determinados en el artículo 115, podrán posesionarse de la Notaría que hubiesen obtenido por concurso u oposición, pero no desempeñar las funciones notariales. Esta misma disposición se aplicará a quienes hallándose en el desempeño de dichos cargos incompatibles, hubiesen de tomar posesión de su primera Notaría*».

Y en cuanto al segundo momento, esto es, después de tomada posesión del cargo, donde regirían lo dispuesto en el visto artículo 142 RN para las incompatibilidades absolutas, que ordenan la excedencia del Notario si lleva más de un año de servicio en el Cuerpo; o la presunción de renuncia y consiguiente baja en el Escalafón, si lleva menos de año de servicios efectivos.

Para el caso de las incompatibilidades relativas, se estará a la situación de **suspensión** regulada en los artículos 52 y 115 RN, que estudiamos en el epígrafe **2.2.7.3.4.**

2.2.9. El despacho notarial

El artículo 42 RN dispone que

> «*El notario deberá residir en el lugar en que esté demarcada su Notaría. Los Notarios deberán tener su despacho u oficina en el punto de su residencia en condiciones adecuadas y decorosas para el ejercicio de su Ministerio, teniendo allí centralizada la documentación general y particular que se le confíe*».

Al hablar de la oficina o despacho notarial o simplemente Notaría, pueden entenderse varias acepciones, así la Notaría como domicilio, como oficina, como Empresa.

La notaria como domicilio, es una consecuencia del **deber de residencia** que establece el art. 42 RN, que estudiamos en el epígrafe 2.2.6, al que nos remitimos, que determinan lo que a los efectos de la legislación se denomina un domicilio legal del artículo 40 del CC, es decir el que la ley presume con independencia de que efectivamente se resida en él.

La notaría como oficina

En palabras de G. Palomino, la Notaría no es una oficina que tiene a su frente un Notario sino la que éste organiza para el adecuado ejercicio de su profesión.

Se puede definir la Oficina Notarial o simplemente la Notaria como el lugar donde bajo la dirección del Notario se presta de forma estable la función pública a él encomendada, que participa del carácter complejo de aquél toda vez que tiene la consideración de oficina pública, si bien la titularidad de la misma es del mismo Notario. En efecto, el Notario organiza bajo su responsabilidad y a su costa los elementos personales y materiales que constituyen su despacho.

La notaría como empresa

En nuestro Derecho no resulta difícil encontrar referencias a algo tan patente: y así el Tribunal Supremo en sentencia de 10 de mayo de 1988 (en el mismo sentido que las SSTS de 11 de mayo y 21 de diciembre de 1987) afirmaba que *el notario, respecto de los empleados que tiene a su servicio, ostenta, sin género alguno de dudas, el carácter de empresario, a tenor de lo dispuesto en el artículo 1.2 del Estatuto de los Trabajadores, como parte en la relación jurídica bilateral y sinalagmática que constituye el contrato de trabajo, en cuanto para ella presta sus servicios la otra parte, el empleado. No cabe negar, pues, que el notario, titular de ese «ámbito de organización y dirección» a que se refiere el número 1 del mismo precepto (prescindiendo de otros conceptos económicos o jurídico-mercantiles, igualmente válidos) constituye la empresa para el Derecho del Trabajo.*

En palabras del Notario Armando Mazaira el notario es el titular de la explotación empresarial «Notaría». El notario ejerce en forma privada una función pública y para su ejercicio dispone de una organización empresarial de naturaleza privada, de la cual es único titular, ordenando por cuenta propia todos los medios materiales y humanos que considere necesarios para el ejercicio de su empresa. Como empresario privado, el notario compra o alquila un local, compra ordenadores y sistemas informáticos y contrata trabajadores, y los da de alta en la Seguridad Social en el régimen de trabajadores por cuenta ajena. Los servicios documentales que presta el notario resultan gravados por el Impuesto del Valor Añadido, siendo que tal impuesto sólo se devenga respecto a prestaciones de servicios prestados por empresarios o profesionales (artículo 1 de la Ley del Impuesto). En el Impuesto de la Renta de las Personas Físicas sus rendimientos se consideran actividades económicas. En la Clasificación Nacional de Actividades Económicas, la notaría es la actividad 74112, perteneciente al grupo 74 «Otras Actividades Empresariales».

Para una mejor comprensión de esta materia vamos a distinguir entre *los elementos personales, materiales, la publicidad, su consideración como oficina pública.*

2.2.9.1. Los elementos personales

El RN es parco en referencias a los empleados del Notario. Al Notario corresponde en exclusiva y con carácter indelegable el ejercicio de la Fe pública Notarial, pero desarrolla su función auxiliado por sus empleados, con los que mantiene una relación laboral que tiene perfecta cabida en el ámbito del Estatuto de los trabajadores, como ya hemos señalado.

La importancia de los empleados del Notario es fundamental para un óptimo ejercicio de la labor notarial. Los empleados del Notario desarrollan una suerte de primer y fundamental filtro a la hora de asesorar a los clientes, que lo son del Notario, indagar su voluntad, exigir la documentación precisa, elaborar los instrumentos, y cumplir la infinidad de exigencias post documentales que van proliferando en los últimos tiempos.

Naturalmente todo ello se realiza bajo la **supervisión y responsabilidad** del Notario, quien además debe instruir permanentemente a sus empleados. De ahí la importancia del capital humano en las Notarias, que se asienta sobre unos pilares maestros:

– la confidencialidad, cuya infracción supone falta muy grave y causa de despido disciplinario,

– la cercanía con el cliente, en especial del más necesitado de protección, por su desconocimiento a la hora de acercarse al mundo jurídico

– la constante formación

– y la prohibición de competencia desleal e ilícita.

El primer Convenio Colectivo estatal de notarios y personal empleado es de 12 de agosto de 2010, el vigente, el segundo, aprobado por resolución de 21 de septiembre de 2017 de la Dirección General de empleo, publicado en el BOE de 6 de octubre de 2017.

2.2.9.2. Elementos materiales

Sin perjuicio de lo que luego diremos sobre el emplazamiento físico del estudio notarial, el RN tanto en su art. 42 como en el art. 69 habla de condiciones adecuadas y decorosas del mismo para el ejercicio de su función.

El notario no ha sido ajeno al salto vertiginoso que ha supuesto las innovaciones de la técnica ligada a la Sociedad de la Información, dejando atrás los tiempos ruidosos de las máquinas de escribir y el papel calco o las xerocopias. Impresoras, ordenadores, programas informáticos, internet, y alguno que otro «invento» lejano a la comprensión del común de los mortales se han abierto paso con fuerza en la totalidad de los estudios notariales. Sin duda no han logrado desplazar al papel y a la firma presencial, pero han supuesto importantes cambios en la forma de trabajo diario, y en la misma percepción que tanto la Sociedad como los mismos poderes públicos han tenido de la Institución Notarial.

2.2.9.3. La notaria como oficina pública

Según el art. 69 del RN *«El estudio del notario tendrá la categoría y consideración de "oficina pública". En consecuencia, la oficina pública notarial deberá reunir las condiciones adecuadas para la debida prestación de la función pública notarial, debiendo estar constituida por un conjunto de medios personales y materiales ordenados para el cumplimiento de dicha finalidad».*

Ya hemos visto que esta calificación en absoluto prejuzga la titularidad del inmueble en sí, que permanecerá invariable. La atribución del carácter público resulta tanto del desempeño en el mismo de una función pública, como de la custodia del protocolo como bien de titularidad estatal.

Pero la consideración de la Notaria como Oficina pública lleva hoy consigo, otras consecuencias sobre su emplazamiento y características y entre ellas destacamos:

– el necesario cumplimiento de unas mínimas condiciones de **accesibilidad** de acuerdo al art. 23 del Real Decreto Legislativo 1/2013 de 29 de noviembre por el que se aprueba el Texto Refundido de la ley General de derechos de las personas con discapacidad y de su inclusión social, en lo que a la eliminación de barreras arquitectónicas se refiere;

– el que como señala el art. 63 del RRICV, «la oficina notarial no podrá emplazarse de tal modo que comprometa; si quiera en apariencia, la **independencia** del Notario o induzca a error sobre la **imparcialidad** que debe presidir la función notarial», por tanto debe rechazarse su emplazamiento dentro de o de forma que parezca pertenecer por ejemplo a una oficina bancaria, o a una inmobiliaria y la inversa;

– y en lo que se refiere a **evitar la competencia desleal** y garantizar el principio de **libre elección de notario**, sin perjuicio de lo que luego se dirá sobre las limitaciones a la hora de establecer la Oficina Notarial, adquieren una especial importancia las normas relativas a la publicidad de ésta, que analizamos como último apartado de este epígrafe.

2.2.9.4. La publicidad de la Oficina Notarial

A ella se refiere el RN artículo 71 «*Como consecuencia del carácter de funcionario público del notario y de la naturaleza de la función pública notarial, la publicidad de la oficina pública notarial y de su titular deberá realizarse preferentemente a través de los sitios web de los Colegios Notariales y del Consejo General del Notariado.*

A tal fin, los Colegios Notariales mantendrán una lista actualizada de los notarios que estuvieran colegiados en su ámbito territorial accesible al público en su sitio web. En dichos sitios web, y a los efectos de la identificación del notario y localización de la oficina pública notarial, se incluirá el nombre y apellidos del notario, su fotografía si éste lo solicitara, y la dirección, correo electrónico y números de teléfono y fax de la oficina pública notarial.

En modo alguno los notarios podrán anunciarse directa o indirectamente a título de sucesores de un titular de la misma Notaría.

Igualmente, el local de la oficina pública notarial podrá anunciarse mediante una placa, respecto de las que las Juntas Directivas podrán adoptar medidas sobre la forma y dimensiones».

La publicidad de la oficina pública notarial y de su titular deberá realizarse preferentemente a través de los sitios web de los Colegios Notariales y del Consejo General del Notariado; sin que en modo alguno los notarios puedan anunciarse directa ni indirectamente como sucesores de otro titular. Pero la trascendencia de las tecnologías de la información ha llevado a precisar esta publicidad y así el art. 67 RRICV Cuando la publicidad se realicen a través de los sitios webs se aplicarán los siguientes principios: 1. no se podrá incluir dato alguno que perjudique la independencia o imparcialidad del notario, introduzca confusión sobre su carácter de funcionario público y la naturaleza de la función publica notarial o menoscabe su prestación personalizada, quedando prohibidos en consecuencia el asesoramiento on line mediante la utilización de formularios genéricos y procedimientos similares que no resulten congruentes con el carácter personalísimo de la función notarial o con los principios rectores de éste, y 2.con arreglo a la finalidad informativa y en pro de la recta concurrencia notarial la página deberá contener la remisión a las webs institucionales de la organización notarial para la información general acerca de la profesión notarial de todos los notarios ejercientes. La página web no podrá referirse a actividades privadas, mediante la inclusión de publicidad de terceros o enlaces con éstos.

Art. 71 RN «*el local de la oficina pública notarial podrá anunciarse mediante una placa, respecto de las que las Juntas Directivas podrán adoptar medidas sobre la forma y dimensiones*».

Además el RRICV prohíbe el empleo de placas en las que figure la palabra «Notaria» sin que vaya seguida del nombre y apellidos del Notario, a menos que se trate de localidad o conurbación en la que sólo haya una notaria demarcada o que la placa se encuentre en el interior del edificio donde radique la oficina notarial, correspondiendo a las Juntas directivas el control de toda esta materia.

Además se establecen restricciones en los saludas, según el art. 65 RRICV los oficios que se redacten y envíen con ocasión de la toma de posesión o del cambio del domicilio del Notario comprenderán la comunicación de estar en el ejercicio del cargo y el domicilio, número de teléfono y dirección electrónica del despacho notarial, sin perjuicio de las fórmulas de cortesía usuales.

También ha tenido la DGRN ocasión de pronunciarse acerca la contratación del número de teléfono de un Notario anterior, citemos como ejemplo la Resolución de 29 de octubre de 1992, «el art. 42 RN adopta una serie de medidas respecto de la ubicación de los despachos u oficinas notariales que pretenden de un lado evitar la competencia desleal entre Notarios, y de otro amparar debidamente el derecho de su libre elección por las personas que reclamen su ministerio. Falta en dicho precepto una mención expresa a los elementos individualizadores de la Oficina Notarial, si bien la correcta aplicación de la norma de acuerdo con su finalidad obliga a extender sus previsiones a todos sus elementos que como el teléfono pueden conllevar traspasos de clientela bajo la creencia general de continuidad del Notario anterior. [...] si bien tratándose de notario único en la localidad y también en el caso de las notarías únicas de barrio desaparecen estos impedimentos para que el nuevo titular pueda continuar en las mismas condiciones en las que estaba el notario antecesor».

Y en esta misma línea el RRICV establece en su art. 66. a efectos de garantizar la correcta identificación del servicio público notarial por los usuarios, el Notario al tomar posesión de su Notaria, podrá contratar el mismo número de teléfono que tenía otro anterior siempre que éste sea su antecesor en el protocolo; además deberán observarse las limitaciones legales y reglamentarias inherentes a la función notarial.

2.2.9.5. Limitaciones a la libertad de establecimiento

Por el art. 42 del RN sabemos que el Notario debe tener su despacho u oficina en el punto de su residencia, y que se prohíbe, tener más de un despacho u oficina en dicha población de residencia ni en otra de su distrito; no obstante la Junta Directiva podrá autorizar algún despacho auxiliar en población distinta de aquella en que estuviere demarcada la Notaria, si lo aconsejan las necesidades del servicio.

Sentada esta premisa, de que el Notario sólo puede tener una única oficina, distinguiremos los dos supuestos que pueden darse en la práctica; según haya una o más notarias demarcadas en la población.

En el caso de que se trate de *población de una sola Notaria*, el Notario es absolutamente libre de establecerla en cualquier punto de ella, incluyendo el local donde con anterioridad hubiera ejercido su antecesor.

En el caso de que se trate de *población con dos o más Notarias demarcadas*, las restricciones aumentan, así no podrá instalarse el nuevo Notario en el mismo edificio en que haya otra Notaria o la haya habido hasta tres años antes; salvo autorización de la Junta Directiva en ambos casos, oídos los Notarios que tengan establecido su despacho en él, pero en ningún caso podrá autorizarse cuando lo pretendan todos los notarios de la población.

Por lo que se refiere a la Unión de despachos, corresponde a la Junta Directiva su autorización. Si bien no podrá concederla cuando, indistintamente:

– lo pretendan todos los Notarios de la población

– se trate de Distritos que cuente con menos de cinco plazas de Notarios

– y cuando se trate de Distritos con cinco o más de cinco plazas de Notarios, el número de notarias abiertas sea inferior a los dos tercios de las plazas demarcadas.

Será preciso solicitarlo a las Juntas Directivas indicando tal y como prevé el art. 74 del RRICV, el lugar en que se va a establecer el despacho, la relación de trabajadores que va a quedar adscrito a cada Notario, si bien la unión no afectará a los contratos de trabajo anteriores, la manifestación expresa y formal de que la unión no va a encubrir situaciones de ausencia rotatoria ni convenios contrarios a la obligatoria prestación de servicios, determinación del destino que ha de tener el despacho común en caso de disolución de la unión y expresará potestativamente los motivos que aconsejan la unión.

Pero lo que parece claro es que con la Unión de despachos debe perseguirse una mejor prestación de la función, y en ningún caso pretender:

– situaciones de ausencia rotatoria,

– supuestos de dependencia de un notario sobre otro incluido el aspecto económico, como recoge el art. 1 RN,

– incumplimiento del deber de residencia,

– el incumplimiento del deber de prestar la función de forma personalísima

– la exclusión de alguna modalidad documental o materia jurídica,

– el menoscabo del principio de libre elección del notario.

Corresponde a las Juntas Directivas el control de las Uniones, pudiendo modificar e incluso revocar las autorizaciones concedidas en los casos de alteración de las circunstancias tenidas en cuenta al concederlas y en los de incumplimiento de las condiciones establecidas así como dirimir las cuestiones que se susciten entre los notarios interesados. Las decisiones de las Juntas Directivas concediendo, denegando, modificando o revocando las autorizaciones y resolviendo las dudas o quejas que en esta materia se produzcan serán inmediatamente ejecutivas, sin perjuicio de los recursos que se puedan interponer a la DGRN.

2.2.10. Clasificación de las Notarias

El Título II del RN bajo la denominación de las Notarías abarca tres Capítulos, dedicados a la Demarcación notarial, la Clasificación Notarial y de las vacantes de Notarías.

El **Capítulo I. De la demarcación notarial**

La demarcación actualmente vigente resulta del RD 140/2015 de 6 de marzo.

Artículo 72
La revisión de la demarcación notarial en todos los supuestos del artículo 4. de este Reglamento se llevará a efecto por el Ministro de Justicia, a propuesta de la Dirección General, y se aprobará por Real Decreto.
A tal fin, se recabarán informes a la Junta de Decanos, a las Juntas directivas de los Colegios Notariales, que oirán a las generales, Registradores de la Propiedad y Salas de Gobierno de las Audiencias afectadas y cuantos otros se consideren oportunos, todos los cuales se solicitarán dentro de los quince días siguientes al inicio del expediente y deberán ser remitidos en el plazo máximo de tres meses, contados desde la remisión de la solicitud.
El Ministro de Justicia, oída la Comisión Permanente del Consejo de Estado, resolverá lo que proceda.
En las Comunidades Autónomas, además de lo dispuesto en los párrafos anteriores, se tendrá en cuenta lo que, en su caso, dispongan sus respectivos Estatutos.

Como complemento de la demarcación notarial, la Dirección General, previa audiencia de los Colegios y de acuerdo con la Mutualidad Notarial, hará una relación revisable cada dos años de las Notarías enclavadas en zonas rurales que, aun sin producir lo necesario para la decorosa subsistencia de un Notario, se consideran imprescindibles para el buen servicio público. Estas Notarías independientemente de la congrua normal que les corresponda por razón de folios, disfrutarán por razón de residencia de una subvención anual cuyo percibo estará condicionado a que el Notario atienda con notorio celo a su Notaría, y visite periódicamente los pueblos de su distrito que determina la Junta directiva.

La revisión no perjudicará los derechos adquiridos por los titulares de Notarías que pierdan la consideración de subvencionadas en virtud de dicha revisión.

Artículo 73

La demarcación notarial tendrá en cuenta lo preceptuado por el artículo 3 de la Ley y se adaptará a la delimitación territorial de las provincias o los entes territoriales previstos en la legislación aplicable y municipios con arreglo a los planos del Instituto Geográfico Catastral y de Estadística, sin que las alteraciones en la demarcación judicial puedan influir en la notarial, salvo en el caso de que, como consecuencia de aquélla, se modifique también la demarcación notarial.

El Real Decreto en que se apruebe la demarcación deberá hacer constar los distritos notariales, indicando los términos municipales comprendidos dentro de los mismos, todo ello sin perjuicio de las competencias asumidas por las Comunidades Autónomas en sus respectivos Estatutos.

Artículo 74

El Real Decreto ordenando la demarcación expresará los turnos o forma en que deban proveerse las Notarías de nueva creación, y en su caso, aquellas en que los Notarios a quienes correspondan hayan de instalar su despacho u oficina en barrios o distritos concretos de la población. También establecerá la manera de amortizar las que se supriman.

En todo caso, las vacantes que fueren suprimidas por una demarcación y no hubieren sido anunciadas para su provisión en el Boletín Oficial del Estado, quedarán amortizadas, cualquiera que sea el turno a que hubieren correspondido.

*Las que estuvieren servidas y deban suprimirse serán amortizadas cuando reglamentariamente vaquen, y sus titulares continuarán desempeñándolas, siendo considerados como **Notarios excedentes de demarcación** para todos los efectos legales mientras no dejen de servir la Notaría suprimida o no transcurra el plazo reglamentario para ejercitar los derechos de excedencia.*

Artículo 75

Las suprimidas en demarcaciones anteriores que no hayan sido amortizadas y que se restablezcan por nueva demarcación continuarán desempeñadas por los Notarios que las sirvan, quienes ya no tendrán el carácter y derechos del excedente de demarcación.

Artículo 76

Cuando en una localidad deba suprimirse en virtud de demarcación más de una Notaría, la amortización se hará paulatinamente suprimiéndose la primera vacante que ocurra y proveyéndose la segunda en el turno que corresponda. La declaración de Notaría amortizada se hará por la Dirección General, y mientras no lo verifique ésta, el archivo de la vacante estará a cargo del Notario sustituto a quien corresponda encargarse de la mencionada Notaría.

2.2.10.1. Clasificación

La LN establece en el párrafo 2º del artículo 1º: «Habrá en todo el Reino una sola clase de estos funcionarios»; y todos ellos tienen idénticas funciones, como recoge el artículo 1º RN. Esto es plenamente compatible con una clasificación de las Notarías a efectos orgánicos y corporativos. En efecto el artículo 77 RN establece una Clasificación de las mismas en tres secciones (primeras, segundas y terceras). Correspondiendo al Notario la categoría de la plaza que estuviere desempeñando, con las excepciones que recoge el artículo 79 RN.

Por lo demás la clasificación de las Notarías ha quedado limitada en su función a los casos de Concursos notariales para proveer vacantes, como veremos.

Artículo 77
Todos los Notarios de España tienen idénticas funciones. No obstante, a los meros efectos orgánicos y corporativos y en atención a criterios básicamente demográficos, las Notarías se agrupan en las siguientes clases o secciones:
*De capitales de provincia, sean o no capitales de Colegio Notarial, Ceuta, Melilla, y todas las poblaciones mayores de setenta y cinco mil habitantes en su término municipal, según el último censo de población publicado por el Instituto Nacional de Estadística (**sección primera**).*
*De poblaciones que, no estando comprendidas en el párrafo anterior, excedan de dieciocho mil habitantes según dicho Censo (**sección segunda**).*
*Y de todas las demás poblaciones (**sección tercera**).*
Para fijar la población de los términos municipales a efecto de los párrafos precedentes, se tendrá en cuenta la de hecho que resulte en el último Censo publicado por el mencionado Instituto.

Artículo 78
*La clasificación de Notarías con las rectificaciones que imponga el Censo de población, se expresará de un modo concreto en la **demarcación notarial**.*

La demarcación actualmente vigente resulta del RD 140/2015 de 6 de marzo.

Artículo 79
*Los notarios tendrán, para todos los efectos legales, la categoría que se fije en la clasificación a la Notaría que estuvieren desempeñando, con las siguientes **excepciones**:*
a) El notario que desempeñe Notaría que en virtud de nueva clasificación aumente o disminuya de clase o sección, conservará, mientras la sirva, la que hubiere tenido hasta entonces.
b) Para que el notario pueda obtener la clase de la notaría que haya obtenido por concurso será preciso que tenga una antigüedad en la carrera de cinco años, si la notaría es de plaza clasificada de segunda, y de nueve si es de plaza clasificada de primera. Si tuviera menos antigüedad en la carrera, adquirirá la clase correspondiente a su notaría cuando haya transcurrido el plazo indicado, sumando a tal efecto la antigüedad en carrera que tuviere a la que pueda obtener en la plaza obtenida por concurso.

En cuanto a las excepciones, señalar que en relación a la contenida en la letra a), el artículo 96 RN permite en este sólo caso al Notario concursar solicitando las vacantes que se produzcan en su localidad, para ganar la clase correspondiente.

Respecto a la segunda excepción, ha querido el legislador en la reforma de 2007, evitar una práctica relativamente usual, por la que notarios de reciente ingreso lo hacían en notarias de segunda o primera, ganando sin más una categoría que luego podrían hacer valer en sucesivos concursos. Para ello impone una antigüedad mínima de cinco o nueve años en la carrera para obtener la clase de la Notaría que se sirve.

2.2.10.2. Vacantes

2.2.10.2.1. Causas y efectos

Recoge el artículo 80 RN las causas por las que una Notaría queda vacante y sin titular. En consecuencia podrá anunciarse en el próximo Concurso hasta resultar cubierta; quedando entretanto a cargo del Notario sustituto determinado por el cuadro de sustituciones del respectivo Colegio Notarial, y si no lo hubiere, el que designe la Junta Directiva, dando cuenta a la DG (artículo 50 RN). El epígrafe **2.2.7.3.2.** regula la Sustitución en los casos de Notaría vacante, conviene aquí recordar el párrafo 3º del artículo 53 RN por su parte señala: « *Tratándose de sustitución por Notaría vacante, si el sustituto residiere en la misma población, deberá conservar el Protocolo y el Libro-Registro del sustituido, en su propia Notaría o en otro lugar adecuado, cuando así lo autorice con carácter previo la Junta Directiva. Si residiere en población distinta, el Protocolo y el Libro Registro deberán permanecer en lugar adecuado de la población en que estuviere demarcada, sin perjuicio de poder trasladarlos a su Notaría o a otro lugar adecuado, con la finalidad y previa la autorización de la Junta Directiva* »

> **Artículo 80**
> *Las Notarías quedan vacantes:*
> *1.º Por muerte.*
> *2.º Por sentencia firme que condene a la inhabilitación absoluta, o especial para el cargo de notario.*
> *3.º Por renuncia.*
> *4.º Por abandono del cargo.*
> *5.º Por traslación.*
> *6.º Por excedencia, salvo lo prevenido en el artículo 109 de este Reglamento.*
> *7.º Por jubilación o incapacidad permanente.*
> *8.º Cuando por sentencia firme en que no medie inhabilitación, la pena impuesta impida al notario durante más de un año el ejercicio de su cargo.*

Las distintas causas y sus particularidades son reguladas en artículos dispersos del RN. En relación a las mismas el **artículo 87** señala:

> «*Se tendrá por fecha de la vacante para todos los efectos reglamentarios, la del nombramiento para otra Notaría del titular que la servía, la de su fallecimiento, la del día en que cumpla la edad reglamentaria para su jubilación forzosa y la del en que se acuerde su jubilación por imposibilidad física o voluntaria, excedencia, renuncia o traslación forzosa, o se declare desierta una Notaría*».

Ningún comentario merece la primera de las causas contempladas en el artículo 80.

A) Vacantes por decisión judicial

En relación a las demás señalemos que en ocasiones las vacantes se producirán por sentencia firme, bien que condene a la inhabilitación absoluta, o especial para el cargo de notario; o sin mediar inhabilitación, la pena impuesta impida al notario durante más de un año el ejercicio de su cargo (reglas 2ª y 8ª, del artículo 80 RN) Según el artículo 81 RN Los Tribunales en estos casos lo comunicarán a la Dirección General, remitiéndole copia de la sentencia una vez que ésta sea firme. En todos ellos, cumplida la pena de inhabilitación o la de prisión, el Notario que no habrá perdido la condición de tal, podrá volver a concursar y obtener Notaría entre las vacantes.

Artículo 82

Los Jueces de instrucción, al dictar auto de procesamiento contra un Notario, cuando el procesamiento lleva consigo la suspensión del cargo, por haberse dictado auto de prisión consentido o firme, deberán ponerlo en conocimiento de la Dirección General de los Registros y del Notariado y del Decano del Colegio Notarial del territorio donde sirva el Notario, a los efectos procedentes.

Precepto que aunque en sede de Vacantes no habla de Notaria vacante, sino de Notario suspenso. Al igual que el artículo 62 RN. Ambos preceptos hay que ponerlos en relación con la regulación relativa a la prisión provisional, de la Ley de enjuiciamiento Criminal (artículos 502 y ss.). Llegado el caso de ingreso en prisión como medida cautelar durante la fase de Instrucción de un sumario, el Juez decretará la suspensión y ésta se pondrá en conocimiento de la DGRN y el Decano del respectivo Colegio Notarial. Aplicándose lo dispuesto en el artículo 50 RN «*Cuando una Notaría esté vacante o en suspenso su titular, se encargará de la misma, en concepto de sustituto, aquel a quien corresponda conforme al Cuadro de sustituciones del respectivo Colegio Notarial, y si no lo hubiere, el que designe la Junta directiva, dando cuenta a la Dirección General*».

B) Vacantes por renuncia o abandono del cargo

Las notarías también quedarán vacantes, **por renuncia o por abandono del cargo**. El artículo 83 pasa a enumerar una serie de supuestos heterogéneos, que pueden englobarse en dos grandes grupos: aquéllos hechos de los que la legislación notarial infiere la voluntad de abandono, por ser especialmente cualificados, y el caso en que esta voluntad es explícita, la recogida en el número 1º del citado artículo.

En ambos casos, nos dice el penúltimo párrafo del artículo 83, «*Los derechos y obligaciones del Notario renunciante no cesarán mientras no le haya sido admitida o declarada la renuncia, según los casos*». Precepto que da por hecho la existencia de un procedimiento, que aún en los casos de renuncia formalmente expresada, debe iniciarse y resolverse por la DGRN, en primera instancia y en última por el Ministro; donde tal y como resulta del artículo 84 RN al Notario citado se le dará audiencia, como veremos a continuación. **En todo caso el Notario declarado renunciante será dado de baja en el Escalafón del Cuerpo.**

Fuera del caso contemplado en el número 1º del artículo 83, en el que la voluntad de renunciar se manifiesta de manera expresa. Los restantes números, hacen suponer la voluntad de abandono de una serie de actos cualificados.

Así en el número 2º: «*Cuando dentro de los plazos legales no constituyere fianza para desempeñar el cargo, o no la repusiere cuando proceda, en los términos prevenidos en este Reglamento, en cuyo caso se estará a lo previsto en el artículo 28 del mismo*». El RN en los artículos 26, 28 y 30 hablan de suspensión en el ejercicio del cargo declarada por la DG. Por su parte el párrafo 3º del artículo 29 «*Los Notarios electos que no constituyan o amplíen su fianza en los plazos legales sin acreditar justa causa o haber obtenido prórroga serán considerados como renunciantes, anunciándose nuevamente la vacante de la Notaría para su provisión en el turno que corresponda*». Aparente contradicción entre simple suspensión y renuncia, que puede salvarse con la dicción del artículo 28, «*el Notario está obligado a reponer la fianza en el plazo de un mes a contar desde el día en que se le hubiere notificado haber sido declarado suspenso, sin perjuicio de sus responsabilidades disciplinarias*». Entre ellas darle por renunciante, lo que parece que requerirá de la decisión de la propia DGRN que será siempre recurrible ante el Ministerio de Justicia, como señala el último párrafo del artículo 29. Tal y como hemos tratado en el epígrafe 2.2.3.5 de esta obra.

El número 3º que distingue: «*Cuando no se posesionare de la Notaría en el plazo reglamentario*», lo que debemos poner en conexión con lo señalado en el artículo 35 párrafo 4º «*El Notario que no se posesionare de su cargo en los plazos legales, sin mediar justa causa debidamente acreditada o sin haber obtenido prórroga, será considerado como renunciante, y la Notaría será anunciada y provista en el turno que corresponda*».

o al concluir **la licencia** que se le hubiere concedido, en conexión con el artículo 47 párrafo 2º, no se hubiese presentado a desempeñar de nuevo su cargo, ni alegare justa causa que se lo haya impedido, se procederá en la forma prevenida en el artículo 84 que ahora veremos. De igual forma que aquél que hallándose en situación de excedencia, no hubiere obtenido prorroga, a no ser por motivo justificado, supuesto que también en caso de no ser hallado, deberá ponerse en conexión con el procedimiento del artículo 84 o se ausentare del distrito notarial sin estar autorizado para ello.

Para todos estos casos resulta aplicable el procedimiento regulado en el citado artículo 84 RN

> «*Comprobado el hecho de la ausencia, el Notario ausente será llamado por edicto publicado en el Boletín Oficial del Estado, y si dentro del plazo de veinte días a contar desde el de la publicación no compareciese, se declarará la vacante de la Notaría y el Notario será dado de baja en el Escalafón.*
> *Cuando comparezca dentro del plazo señalado en el párrafo anterior, se seguirá el expediente con audiencia del interesado y se resolverá lo que proceda.*
> *Este expediente será resuelto en primera instancia por la Dirección General, y en última por el Ministro.*

No obstante, el Notario separado podrá solicitar la revisión del expediente si justificare que la ausencia o abandono obedecieron a causas no imputables a su voluntad».

El número 4 del artículo 83 señala: «**Cuando expresamente se declare en este Reglamento**». Casos ya vistos como el del párrafo 5º del artículo 35 RN respecto de los Notarios electos que desempeñen cargos incompatibles del artículo 16 LN, o el artículo 115RN respecto de los Notarios que aún desempeñando cargos incompatibles los sean de forma relativa, si bien transcurridos treinta días a contar del cese no se posesionaren de su Notaria llevando menos de un año de servicio en el Cuerpo, se les considerará renunciantes y causarán baja definitiva en el Escalafón; o el contemplado en el artículo 142 RN.

C) Vacante por traslación

El traslado voluntario y el traslado forzoso, son causas determinantes de la Notaria vacante. El estudio de las mismas corresponde en el primer caso, al epígrafe siguiente, a que nos remitimos, en el segundo al tema dedicado a la responsabilidad disciplinaria, recordando que la traslación forzosa, como sanción sólo puede imponerse por la DGRN, previo el expediente correspondiente y que la misma puede constituir una excepción al Concurso como único medio de cubrir las Notarías vacantes, tal y como resulta del párrafo 2º del artículo 362 RN

«Así, en el supuesto concreto de traslación forzosa el Órgano sancionador, esto es, la DGRN, ponderará si el sancionado debe ser nombrado directamente por la Dirección para servir una Notaría de sección o clase inmediatamente inferior a la que tuviera el interesado, siendo esto último posible, o si es suficiente obligarle a pedir traslado en el siguiente concurso, pudiendo optar en el mismo a una plaza de idéntica categoría».

D Vacante por excedencia. En los términos estudiados en el epígrafe 2.2.7.4, a los que nos remitimos.

E) Vacante por jubilación. Estudiada en el epígrafe 2.2.7.4.1.

F) Vacante por incapacidad permanente. Estudiada en el epígrafe 2.2.7.4.2.2.

Para concluir con esta Sección 1ª los artículos 85 y 86 que respectivamente establecen:

Artículo 85
Los Decanos de los Colegios Notariales, los Delegados y Subdelegados de las Juntas Directivas y los Jueces de primera instancia, manifestarán a la Dirección General la fecha en que ocurriere una vacante, dentro de los tres días siguientes a la misma. Dicha Dirección general lo comunicará a la respectiva Comunidad Autónoma para el ejercicio de las competencias que tuviera asumidas estatutariamente.

Artículo 86

La Dirección General de los Registros y del Notariado llevará los libros necesarios para deter-minar con toda exactitud el turno a que corresponda cada vacante y la turnará por el orden riguroso en el artículo 88 y con estricta sujeción a la fecha en que ocurra o sea declarada la vacante, y de no ser esto posible, por la en que se haya dado conocimiento de ella.

La Dirección podrá fijar libremente el turno cuando, por simultaneidad de las vacantes, sea imposible determinarlo según las anteriores reglas.

Por excepción, las vacantes producidas por jubilación se turnarán automáticamente, antes que toda otra vacante de las que se produzcan en el mismo día por cualquier otra causa.

2.2.10.2.2. *Turnos para la provisión de vacantes*

Regulados en la **Sección segunda, del Capítulo III,** de las vacantes de Notarías.

Regula el Concurso, como único medio de cubrir las Notarías vacantes, con sólo dos excepciones, la sanción de traslación forzosa, en la que la DGRN, tras el correspondien-te expediente disciplinario, impone al Notario sancionado el cambio de Notaria, fuera del Concurso, por una determinada de clase inferior a la que venía sirviendo en aten-ción a la gravedad de los hechos sancionados; y los casos de reingreso al servicio activo del excedente con reserva de plaza, o del que fue objeto de expediente de incapacidad permanente.

Por lo demás el Concurso organiza las vacantes dentro de una misma población en dos grupos o turnos, el de antigüedad en la carrera, donde irán las dos primeras vacan-tes, y la tercera vacante que se produzca o se llegue a producirse que irá al turno segundo de antigüedad en la clase. Una vez publicado el concurso la vacante que no se cubra por el turno de la clase se podrá cubrir por el turno de antigüedad en la carrera.

Si una vacante no se cubriera en un concurso se anunciará en los siguientes hasta que sea cubierta.

Artículo 88

El concurso constituye el único modo de cubrir las Notarías vacantes, sin otras excepciones que la traslación forzosa y la vuelta al servicio activo del excedente con reserva de vacante para la misma población.

Las vacantes que se produzcan relativas a notarías de la misma población, se asignarán, las dos primeras al turno primero y la tercera al turno segundo y así sucesivamente. El orden de los turnos especificados será rotatorio, teniendo en cuenta los turnos que hubiesen correspondido en notarías vacantes de la misma población en los anteriores concursos. La vacante que en el concurso no resulte cubierta por el turno de clase según lo establecido en el artículo 92, se adjudicará en el mismo concurso por el turno de antigüedad en la carrera.

Si en virtud del artículo 57 de este Reglamento existiera algún notario con derecho de reingreso preferente a la plaza que ocupara al tiempo de la declaración de su incapacidad permanente, dicho notario antes de la asignación de turnos para cada plaza deberá comunicar el ejercicio de su derecho a la Dirección General de los Registros y del Notariado. Ejercido su derecho esta plaza se excluirá del concurso atribuyéndosele en la resolución de dicho concurso.

Artículo 89

No consumirán turno las vacantes que correspondan a excedentes voluntarios al volver al servicio activo después de terminada la excedencia si tuvieran reservado el derecho a ser nombrados para vacantes de la misma población. Ninguno de ellos podrá ser nombrado para las vacantes que hayan de amortizarse por efecto de la demarcación notarial.

Tampoco consumirán turno las que se destinen a los Notarios a quienes se impusiere la corrección disciplinaria de traslación forzosa.

Artículo 90

Si una vacante no fuese cubierta en un concurso se anunciará en los siguientes hasta que sea cubierta.

a) Concurso de antigüedad

Artículo 91

En el turno primero, de antigüedad en la carrera, será nombrado el Notario solicitante de mayor antigüedad en el Cuerpo.

La antigüedad se determinará por el número que tenga el Notario en el Escalafón, sin deducción alguna por el tiempo de excedencia voluntaria o forzosa, anterior o posterior a este Reglamento.

En el caso de suspensión en el cargo decretada por los Tribunales de Justicia, se deducirá la mitad del tiempo de aquélla, salvo el caso de que el Notario sometido al procedimiento fuese absuelto.

No se descontará el tiempo de las licencias.

b) Concurso de clase

Artículo 92

En el turno segundo de antigüedad en la clase o sección será nombrado el notario solicitante más antiguo en la clase igual a la de la vacante, cuando se trate de notarios de primera o segunda clase; en defecto de solicitantes de la misma clase, el más antiguo en la inmediatamente inferior, y en defecto de éstos, el más antiguo de la restante clase.

La antigüedad en este turno se contará desde la fecha de la adquisición de la clase o sección conforme a lo previsto en el artículo 23 de este Reglamento, teniéndose en cuenta además las siguientes reglas:

a) Se computará todo el tiempo servido en Notarías de igual clase, así como, en su caso, el tiempo de antigüedad en clase abonado por la oposición entre notarios, conforme al sistema vigente al tiempo de la celebración de ésta.

b) En los casos previstos en el artículo 79 se computará, además, todo el tiempo servido por el notario con su categoría personal en la Notaría de clase diferente a que dicho artículo se refiere en cada uno de sus dos supuestos.

Si aplicando las reglas anteriores la antigüedad en la clase fuere igual, será nombrado el notario que tenga el número más bajo en el Escalafón del Cuerpo.

Para las vacantes de tercera clase anunciadas en este turno será nombrado el notario de dicha categoría que tenga el número más bajo en el escalafón y, en su defecto, el más antiguo en la carrera.

Reglas Generales

Artículo 93

La provisión de Notarías en los turnos precedentes se verificará por concurso, incluyéndose en cada uno de ellos las vacantes que resulten del anterior y las que hayan ocurrido hasta el día precedente a la fecha del anuncio del concurso de que se trate, siempre que de ella se tenga conocimiento en la Dirección General.

Artículo 94

El anuncio del concurso se publicará en el Boletín Oficial del Estado y en él se convocará a los Notarios que quisieren aspirar a las vacantes incluidas en el mismo, para que las soliciten con sujeción a las reglas siguientes:

1. Presentar en la Dirección General una instancia firmada de su puño y letra, dentro de los quince días naturales siguientes a la publicación del anuncio, debiendo ingresar las instancias en el referido Centro directivo antes de las dos de la tarde del día en que finalice el plazo, quedando sin efecto las que ingresen después de dicha hora, cualquiera que sea la causa.

Si el último día del plazo fuera inhábil, se entenderá automáticamente prorrogado hasta el primero hábil, a la hora indicada.

El Registro de entrada expedirá recibo de las instancias presentadas a los interesados que lo reclamen, siendo este recibo el único documento admisible para formular y reconocer reclamación alguna sobre tal hecho.

2. Solicitar en una sola instancia todas las Notarías que se pretendan, aunque correspondan a turno diferente.

3. Expresar sin salvedad ni condición alguna la Notaría o Notarías que se piden, indicando en la instancia, si fueran varias las Notarías pedidas, el orden en que se prefieran.

4. Indicar la fecha de su ingreso en la carrera, si es o no excedente de demarcación la Notaría que el solicitante sirve y su categoría, expresando el tiempo de servicios en ésta si entre las vacantes que solicita hay alguna del turno segundo o de antigüedad en la clase.

5. Consignar, bajo su responsabilidad en la solicitud, que por el hecho de obtener la Notaría que pretende no incurre en la incompatibilidad a que se refiere el artículo 138 de este Reglamento.

La instancia que no contenga los requisitos exigidos en las reglas cuarta y quinta, o los exprese inexactamente, se tendrá por no presentada, sin perjuicio de las facultades disciplinarias concedidas a la Dirección en este Reglamento, si ésta estimase que se había cometido la inexactitud deliberadamente.

Los titulares de Notarías que radiquen fuera de la Península podrán tomar parte en los concursos mediante telegrama, que tendrá el mismo valor y habrá de contener las mismas indicaciones que una instancia, y deberá ingresar en la Dirección General dentro del plazo señalado para las solicitudes, sometiéndose los pretendientes a la interpretación que el Centro directivo dé a posibles errores de los telegramas.

El mismo día en que se remita al Boletín Oficial del Estado el anuncio de las Notarías vacantes, será telegrafiado a los Decanos de Baleares y Las Palmas, a fin de que éstos lo hagan llegar a conocimiento de todos los Notarios de su territorio por el medio más rápido posible.

Ningún concursante podrá anular, ampliar, disminuir o modificar su solicitud después de presentada ésta.

Dos particulares sobre este precepto, por un lado, que en la actualidad, los Concursos Notariales respecto de las Notarías vacantes situadas en la Comunidad Autónoma catalana son competencia de la propia Comunidad autónoma que la viene ejerciendo coordinadamente con la propia DGRN, a través de la Dirección General de Derecho y Entidades Jurídicas; y por otro la existencia de la Instrucción de 25 de octubre de 2016 de la DGRN sobre utilización de medios electrónicos en las comunicaciones de notarios y registradores con la DGRN; que permite el envío telemático a ésta de las instancias para participar en los citados concursos.

Artículo 95
Para concursar Notarías en los turnos establecidos, excepto el destinado a excedentes de demarcación, será necesario que haya transcurrido el plazo de un año a contar desde la fecha de la posesión de la Notaría que sirva el solicitante.

Artículo 96
Los Notarios residentes en una localidad no podrán solicitar las vacantes que en ella se produzcan, salvo en el caso de cambio de su clasificación notarial. Podrán concursar dentro de la población el Notario obligado a tener su despacho u oficina en distrito urbano o barrio, conforme al artículo 4, siempre que hayan transcurrido tres años desde la fecha de posesión.
No podrán concursar los Notarios que tengan suspendido este derecho mientras dure la sanción y durante dos años los que hubiesen sido trasladados forzosamente, no pudiendo estos últimos volver a Notarías del mismo distrito notarial ni de los colindantes, a no ser que hayan transcurrido diez años y durante este tiempo no hayan vuelto a ser corregidos con igual sanción.

Sección tercera de la oposición entre notarios

2.2.10.2.3. Oposición entre Notarios

La oposición entre Notarios es un mecanismo único del Notariado, no presente en otros cuerpos de funcionarios del Estado, de gran relevancia para la promoción interna de aquellos aspirantes que entre sus inquietudes encuentran el estudio de materias muy específicas y relevantes en el ejercicio de la función notarial. Desde la reforma del RN el premio al aprobado ya no consiste en el abono de una antigüedad en las clases segunda o primera y sí sólo en el abono de una determinada antigüedad en la carrera (de hasta 20 años), que una vez ejercitado en el concurso correspondiente decae.

2.2.10.2.3.1. Finalidad

Artículo 97
*La promoción en el Notariado, además de la que puede obtenerse por la antigüedad efectiva de cada notario, en la carrera o en la clase, tiene lugar por la oposición entre notarios, que mediante la selección de los concurrentes más aptos, confiere un abono de **antigüedad en la carrera** en los términos que se prevén en esta sección.*

2.2.10.2.3.2. Periodicidad

Artículo 98

Las oposiciones entre Notarios serán convocadas por la Dirección General cuando lo aconsejen las necesidades del servicio y, en todo caso, antes de que transcurran dos años desde el término de los ejercicios de las oposiciones últimamente celebradas, anunciándose la convocatoria en el Boletín Oficial del Estado.

2.2.10.2.3.3. Número de plazas y aprobados

Artículo 99

La convocatoria comprenderá un número de plazas que represente el 1,5% de todas las Notarías demarcadas en España, con desprecio de los decimales.
En ningún caso podrán resultar aprobados más opositores que el número de plazas convocadas.

2.2.10.2.3.4. Abono de antigüedad en la carrera. Caducidad

Artículo 100

El abono de la antigüedad en la carrera se realizará en los siguientes términos:
a) A los tres primeros de la lista de aprobados que hayan obtenido un mínimo de 60 puntos, veinte años.
b) A quienes hayan obtenido un mínimo de 50 puntos y no rebasen un sexto, calculado por defecto, de las plazas convocadas, quince años.
c) A quienes hayan obtenido un mínimo de 45 puntos y no rebasen un tercio, calculado por defecto, de las plazas convocadas, diez años.
d) A quienes hayan obtenido un mínimo de 40 puntos y no rebasen dos tercios, calculados por defecto, de las plazas convocadas, cinco años.
*El abono de antigüedad obtenido se adicionará a la que a cada opositor ya le corresponda a los efectos de poder aplicarla en cualquier concurso que se convoque en los cinco años siguientes a la publicación en el Boletín Oficial Estado de la lista de aprobados. Transcurrido el término de cinco años, quedará sin efecto el abono obtenido, salvo que no se haya publicado ningún concurso durante tal plazo, en cuyo caso el abono se prorrogará hasta que éste se produzca. Ejercitado el abono y obtenida la plaza, el notario figurará en el escalafón exclusivamente con la antigüedad que originariamente le corresponda, **quedando consumido** el abonado por la oposición regulada en esta Sección.*

2.2.10.2.3.5. Composición del Tribunal

Artículo 101

El Tribunal estará compuesto por un Presidente y seis Vocales.
Será Presidente el Director General de los Registros y del Notariado o uno de los Subdirectores del mismo Centro. En su defecto, el Presidente del Consejo General del Notariado o su Vicepresidente y, a falta de ambos, el Decano que el propio Consejo General designe.
Serán Vocales: el Decano que designe el Consejo General del Notariado, en el caso de que presida el Director general o uno de los Subdirectores generales del Centro directivo, y, en otro caso, un Abogado del Estado o Letrado Adscrito a la Dirección General; dos notarios con más de

veinte años de antigüedad en la carrera o que hubieran aprobado anteriores oposiciones entre notarios; un Registrador de la Propiedad o Mercantil, con más de veinte años de antigüedad en la carrera; un Catedrático de Universidad, en activo o excedente, de alguna de las siguientes áreas de conocimiento: Derecho Romano, Civil, Mercantil, Internacional Privado, Procesal o Financiero y Tributario, y un Abogado del Estado.

Hará las veces de Secretario el Vocal notario más moderno.

En ausencia del Presidente hará sus veces el primero de los Vocales; si el ausente fuere el Secretario, le sustituirá en sus funciones el otro Vocal notario.

El nombramiento del Tribunal se hará, después de publicada la lista definitiva de aspirantes admitidos y excluidos, por Orden, a propuesta de la Dirección General de los Registros y del Notariado, que se insertará en el Boletín Oficial del Estado.

Dentro de los ocho días siguientes a la publicación del nombramiento del Tribunal, la Dirección General citará a éste para su constitución, que deberá tener lugar en el plazo máximo de quince días, contados desde la citación.

2.2.10.2.3.6. Opositores. Presentación de instancias. Lista de admitidos

Artículo 102

Podrán tomar parte en estas oposiciones los notarios en activo que cuenten con más de un año de servicios efectivos, debiendo solicitarlo a la Dirección General mediante instancia presentada dentro del plazo de treinta días hábiles, contados desde el siguiente al de la publicación de la convocatoria en el Boletín Oficial del Estado.

Con la instancia no será necesario que se acompañe documento alguno, pero sí se podrán presentar los que acrediten la publicación de estudios sobre cualquier disciplina jurídica, a cuyo fin deberán acompañar original o testimonio notarial de su trabajo.

Al presentar la instancia los solicitantes entregarán, o acreditarán haber entregado, en el lugar que fije la convocatoria, la cantidad establecida en concepto de derechos de examen, que se señale conforme a las disposiciones vigentes al tiempo de publicarse aquélla.

Si alguna de las instancias adoleciese de algún defecto se procederá en la forma prevista en el artículo 8, párrafo sexto, de este Reglamento.

Artículo 103

Dentro de los ocho días hábiles siguientes al de conclusión del plazo de presentación de instancias, la Dirección General resolverá sobre la admisión de los opositores, formará la lista de los admitidos y excluidos y remitirá un ejemplar para su publicación en el Boletín Oficial del Estado, concediéndose un plazo de quince días para formular reclamaciones.

Estas serán aceptadas o rechazadas en la resolución por la que se apruebe la lista definitiva, que, asimismo, se publicará en el Boletín Oficial del Estado y se fijará en el tablón de anuncios del Centro directivo.

2.2.10.2.3.7. Sorteo

Artículo 104

Publicada la lista definitiva, así como el nombramiento del Tribunal, la Dirección General señalará, en la forma y plazos previstos en el artículo 12, las circunstancias del sorteo y del comienzo de los ejercicios.

En la fecha prevista para la celebración del sorteo, el Tribunal se reunirá y dará cumplimiento a lo que, respecto a las oposiciones libres, ordena el artículo 14.

2.2.10.2.3.8. Número de exámenes, formato y puntuación

Artículo 105

Los ejercicios serán tres: uno oral, y dos escritos; todos públicos.

El primero consistirá en redactar por escrito un dictamen sobre una consulta de trascendencia jurídica, de entre los casos formulados reservadamente por el Tribunal, que versarán sobre Derecho civil español, común y foral, Derecho mercantil y Legislación Hipotecaria.

El segundo consistirá en el desarrollo oral de tres temas, que versarán: uno, sobre Derecho civil, común y foral; otro, sobre Derecho mercantil; y el tercero, sobre Legislación Hipotecaria o Notarial, sacados a la suerte de los contenidos en el Cuestionario que redactará la Dirección General de los Registros y del Notariado y publicará oportunamente en el Boletín Oficial del Estado. En este ejercicio podrá invertir el opositor hora y media como máximo.

El tercero consistirá en la redacción de un instrumento público de reconocida dificultad, debiendo el opositor razonar en pliego aparte la aplicación de los principios legales que se hayan tenido en cuenta para su redacción y resolución de los problemas planteados.

*Los ejercicios primero y tercero se podrán practicar **en grupos**, compuesto cada uno de ellos, si fueren varios, del número de opositores que determine el Tribunal. Cada grupo actuará el día que se le designe.*

Uno de los opositores del grupo sacará a la suerte el tema sobre el cual haya de versar el ejercicio correspondiente, el mismo para todos los individuos que lo formen, y durante ocho horas, como máximo, habrá de escribir cada opositor su trabajo.

Una vez terminado, lo autorizará y encerrará en un sobre, del modo prevenido en el artículo 16.

En estos ejercicios sólo podrá el opositor consultar textos legales.

Los temas sacados a la suerte en los ejercicios primero y tercero no volverán a ser insaculados.

Artículo 106

En los ejercicios primero y tercero, cada uno de los miembros del Tribunal podrá conceder 20 puntos como máximo a cada opositor.

En el segundo ejercicio, cada uno de los miembros del Tribunal podrá conceder de uno a diez puntos como máximo por cada uno de los temas a que el opositor hubiere contestado.

No podrá votarse en blanco, y el escrutinio se verificará en la forma prevenida en los párrafos segundo y tercero del artículo 18 de este Reglamento.

2.2.10.2.3.9. Normativa supletoria

Artículo 107

Serán aplicables a las oposiciones entre Notarios, en todo lo que no esté previsto para las mismas, lo dispuesto en este Reglamento para la oposición libre.

2.2.10.2.3.10. Cuestionario segundo examen

Artículo 108

El cuestionario del segundo ejercicio será el que haya redactado la Dirección General de los Registros y del Notariado en el momento de publicar la convocatoria y deberá constar, al menos, con un año de antelación al día en que se inicie el citado ejercicio. Dicho cuestionario no podrá contener más de veinticinco temas de Derecho Civil, quince de Derecho Mercantil, diez de Derecho Notarial y diez de Derecho Hipotecario.

2.2.11. *El carácter de autoridad del Notario en sus funciones*

En nuestro Ordenamiento jurídico hablar del Notario como funcionario, o autoridad pública, resulta de los mismos textos legales que lo definen, léase el art. 1 LN, o el art. 1º del RN. Pero esto no es predicable de las legislaciones de nuestro entorno.

Según Bolás, la cualidad de autoridad pública del Estado español, se le atribuye al notario por dos vías, en un aspecto orgánico y en un aspecto funcional.

En su aspecto orgánico, pues ya hemos visto que tanto el acceso como el desarrollo de la función notarial está reglado, además de su dependencia jerárquica del Ministerio de Justicia y de la DGRN, compatible con el ejercicio de la función con carácter autónomo e independiente. A ello hay que añadir múltiples aspectos que se estudian en otros epígrafes de esta obra como el régimen de incompatibilidades, la retribución por medio de un arancel de obligado cumplimiento, el régimen de ausencias y licencias, o la consideración del estudio notarial como Oficina Pública.

En relación al segundo aspecto, el funcional, el Notario español es el sujeto en quien el Estado ha delegado el ejercicio de la Fe Pública extrajudicial, entendida como la función pública estatal que consiste en dar fe y controlar la legalidad de los contratos y demás actos extrajudiciales.

Como delegado de la Fe pública, inviste al documento, que él mismo confecciona, de autenticidad y fehaciencia, dotándole de los efectos sustantivos, probatorios y ejecutivos previstos por la ley para el documento público; y conserva en sus archivos el protocolo o colección de escrituras que autoriza, cuyos originales son propiedad del Estado. Esta actuación del Notario, se convierte en un mecanismo fundamental para la seguridad jurídica de todo ciudadano, auténtica razón de ser del notariado español en el SXXI; seguridad jurídica que en la esfera de la contratación privada consiste en la veracidad de los contratos, en la conformidad de estos con el ordenamiento jurídico y necesariamente en el asesoramiento de sus consecuencias.

En cuanto sujetos investidos de esa delegación son partícipes de la Autoridad pública; se habla de funcionarios pero de una forma sui generis, el notario español, ya sabemos es funcionario y profesional del derecho a un tiempo, pero NO es empleado de la administración pese a depender orgánicamente de la misma, pues no presenta relación de subordinación y retribución salarial. Su forma de integración en la Administración estatal es precisamente su estatuto de autoridad pública, que le viene por la delegación de la fe pública, con plena independencia en el ejercicio de sus funciones que ha de ser respetada por todos. Precisamente cuando esa independencia se ponga en peligro podrá el Notario reclamar el auxilio de otras autoridades.

El carácter de funcionario público se ha venido acentuando en nuestro ordenamiento jurídico merced a las competencias atribuidas en la ley de Jurisdicción Voluntaria, en materia sucesoria, de derecho de familia o en el ámbito mercantil, hasta ahora reservada a otros cuerpos de funcionarios del Estado; sin olvidar las competencias que resultan de la ley 13/2015 de 24 de junio de reforma de la ley hipotecaria y de la ley del Catastro Inmobiliario.

La función notarial en el ámbito de la Unión Europea

Bajo este epígrafe haremos una especial consideración al tratamiento de la actividad notarial en la legislación y jurisprudencia comunitaria. Para ello nos detendremos en las sentencias del Tribunal de Justicia de la Unión de fecha 24 de mayo de 2011 recaídas en los asuntos C-47/08, C-50/08, C-51/08, *C52/08,* C-53/08, C-54/08, C-61/08, de la Comisión Europea contra Bélgica, Francia, Luxemburgo, Portugal, Austria, Alemania y Grecia, y la más reciente de 10 de septiembre de 2015, recaída en el Asunto C-151/14 contra Letonia. Todas ellas relativas a si el requisito de la nacionalidad para acceder a la función notarial de un Estado constituye una discriminación contraria a las normas comunitarias que garantizan la libertad de establecimiento.

Distinguiendo de un lado las Conclusiones presentadas ante el Tribunal de Justicia por su Abogado General; y por otro los pronunciamientos contenidos en las sentencias, que no son del todo coincidentes. Para el primero la actividad notarial sí participa en la noción de poder público, no así para el Tribunal de Justicia.

Recordemos, en primer lugar, que todos los países mencionados comparten en mayor o menor medida con España el modelo de Notariado latino, caracterizado, en la labor de **autenticación** llevada a cabo por el Notario, en la terminología empleada en las citadas Conclusiones, en el examen de legalidad del acto de que da fe, previa apreciación de la capacidad jurídica y de obrar de las partes intervinientes; y los efectos que se anudan a esta actuación de fuerza probatoria plena y ejecutividad, dotando a los actos de los particulares de certeza y seguridad, pacificando el tráfico jurídico, en lo que se ha dado en llamar «justicia preventiva».

Las Conclusiones del Abogado General en todos los asuntos citados giran en torno a si la actividad notarial está o no relacionada con el ejercicio del poder público, y si lo estuviera en qué medida participa del mismo. Pues es una obligación de todos los Estados miembros el hacer efectiva la libertad de establecimiento respecto de las actividades económicas que no tengan relación, aunque sea ocasional, con el ejercicio del poder público (artículos 49 y 51 del TFUE).

Parte del concepto de **poder público**, entendido como poder o capacidad de imposición de una conducta conforme a una voluntad irresistible. En el Estado moderno no hay más **fuerza legítima** que la administrada por el poder público, obviamente no hablamos de un poder omnímodo, dado que el mismo se administra por unos cauces preestablecidos susceptibles siempre de revisión.

Siguiendo esta línea el criterio determinante para calificar un acto como derivado del poder público sería el de su inserción, su pertenencia al ordenamiento jurídico entendido éste como el cauce que un Estado de Derecho adopta para la ordenación del ejercicio de la fuerza legítima. En este sentido los actos de los órganos jurisdiccionales son la expresión más característica del poder público, pero también lo son la ley, los actos administrativos o la orden de la fuerza pública, todos ellos susceptibles de revisión judicial, pero no necesitados de autorización u homologación por otra instancia para desplegar inmediatamente sus efectos.

A partir de lo anterior, es claro que ningún particular puede producir actos jurídicos capaces de imponerse a un tercero si no es mediante la intervención del poder público. El poder público no se limita en tales casos a *revisar* un acto, sino que interviene siempre como autoridad *constitutiva* respecto de la obligación que el particular pretende hacer valer ante un tercero. Se tratará entonces de obligaciones que pueden haber nacido de un concurso de voluntades, pero la exigencia del cumplimiento de las mismas no está al alcance del particular si no media la intervención pública.

El siguiente punto es el de afirmar si la actividad notarial participa o no de ésa noción de poder público. Es obvio que el notario no ejerce coacción, ni impone unilateralmente obligación alguna. Pero no es éste el único criterio determinante de la cualidad de poder público. La autenticación, como dicen las citadas conclusiones —desde la perspectiva de nuestro Derecho el ejercicio de la Fe pública— confiere carácter público a actos de particulares, en el sentido de que les confiere anticipadamente un valor jurídico que, de no mediar su intervención, los particulares necesariamente habrían de solicitar de (otro) poder público para hacerlos efectivos con arreglo a Derecho. Su dimensión pública es incontestable si se atiende a su capacidad para convertir en público lo meramente privado y dotarlo, así, de la fuerza inherente al poder público. Además siendo la autenticación el **núcleo indisociable** de la función notarial en todos los Estados demandados, ha de afirmarse que la profesión notarial, en general y comprendida en su conjunto, participa directa y específicamente en el ejercicio del poder público, y como conclusión está **excepcionada del principio de libertad de establecimiento** que proclama el TFUE.

Ahora bien ésto no deja resuelto el fondo de las Cuestiones, es decir, si es lícita la inclusión de una cláusula que restrinja el acceso a la profesión de Notario sólo a los nacionales de cada Estado miembro. Y es que el hecho de que una actividad se encuentre relacionada con el ejercicio del poder público no exime a los Estados miembros de cumplir el Derecho de la Unión, que de forma expresa (art. 18 TFUE) prohíbe toda discriminación por razón de la nacionalidad.

Es en este punto donde se enfrentan las tesis de los Estados miembros demandados con los de la Comisión. Los primeros afirman que una vez determinada la participación de la actividad notarial en el ejercicio del poder público la interpretación de los artículos 49 y 51 del TFUE no admite corrección a la luz del principio de proporcionalidad, se participa o no en el ejercicio del poder público; además el juramento exigido a los notarios antes de la asunción de sus funciones es manifestación del estrecho vínculo que existe entre el Notario y Estado que le atribuye la potestad pública, vínculo que exterioriza la lealtad del individuo con una comunidad política.

Frente a esta tesis, la Comisión y también las conclusiones del Abogado General, esgrimen que sí cabe un control de proporcionalidad a la regla que resulta de los art. 49 y 51, atendiendo al grado de participación en el ejercicio del poder público de la actividad que se trate; y señalan que la notarial en cuanto actividad económica ejercida en el marco de una profesión liberal, participa en el ejercicio de ese poder de una forma menos intensa que otras actividades, lo que no justifica la inclusión de semejantes discriminaciones, añadiendo que el vínculo de lealtad que se exterioriza a través del juramento hoy en el proceso de integración que representa la Unión europea no sólo es predicable del Estado y sus nacionales sino también entre estos y la Unión. El notario se inserta así en un marco en el que la lealtad se proyecta tanto sobre el Estado que confiere la autoridad como con la Unión que la sume, al igual que sobre los demás Estados miembros, convirtiéndose el notario no sólo en agente público del Estado, sino también de la Unión. Concluyendo que si bien la actividad notarial queda comprendida dentro del ámbito negativo de la aplicación de la libertad de establecimiento, resultante de los art. 49 y 51 TFUE, no autoriza por desproporcionada la previsión de una cláusula de nacionalidad por no venir exigida por el grado de intensidad en que dicha actividad participa en el ejercicio del poder público.

Hasta aquí las Conclusiones del Abogado General. El fallo, sin embargo del Tribunal, es más estricto pues viene a afirmar que el hecho de actuar en aras de un objetivo de interés general (cual es garantizar la legalidad y la seguridad jurídica de los actos celebrados entre particulares) no basta por sí mismo para considerar que una actividad concreta está directa y específicamente relacionada con el ejercicio del poder público. Así y por lo que se refiere al valor probatorio y a la fuerza ejecutiva de que goza el documento notarial, no puede negarse que éstos atribuyen a tales documentos importantes efectos jurídicos. No obstante, la circunstancia de que una actividad determinada implique la formalización de documentos dotados de tales efectos no basta para que se considere que dicha actividad está directa y específicamente relacionada con el ejercicio del poder público en el sentido del artículo 45 CE, párrafo primero (hoy art. 51 TFUE). Otra cosa es que la circunstancia de que las actividades notariales persigan fines de interés general entre particulares, sirva de justificación a posibles restricciones del artículo 49 TFUE derivadas de las particularidades que caracterizan la actividad notarial, tales como la organización de los notarios a través de los procedimientos de selección que les resultan aplicables, la limitación de su número o de sus competencias territoriales, o incluso su régimen de remuneración, de independencia, de incompatibilidad o de inamovilidad, siempre que estas restricciones sean adecuadas para la consecución de dichos objetivos y necesarias para ello.

Vemos pues enfrentadas en el seno de la Unión Europea dos concepciones diferentes del Notariado. Por un lado las Conclusiones del Abogado General, que afirma que la profesión notarial, en general y comprendida en su conjunto, participa directa y específicamente en el ejercicio del poder público; otra cosa es que sea lícita la llamada cláusula de la nacionalidad; frente a las tesis del propio Tribunal que niega la participación en el ejercicio del poder público aunque reconoce que en aras de la defensa del interés general caben determinadas restricciones.

Por consiguiente, lo que no cabe es el libre establecimiento de notarios extranjeros en territorio español. Ni siquiera invocando la legislación comunitaria, en particular la Directiva de servicios 2006/123, que excluye expresamente de su ámbito de aplicación el art. 2 letra l) a los servicios prestados por notarios; ni la Directiva 2005/36 de reconocimiento de cualificaciones profesionales, que en su considerando 41 parece eludir la cuestión remitiendo a la interpretación del citado art. 45 TCE, aunque sin resolver expresamente, de forma que en la medida en que la actividad notarial del país de acogida participe en el ejercicio del poder público quedará excluida la función notarial. Extremo éste confirmado por su parte en las conclusiones presentadas por el Abogado General del TJCE en el Asunto C52/08 de la Comisión contra Portugal.

2.2.12. La retribución de la función notarial

2.2.12.1. Sistemas

Existen diversos sistemas de retribuir al Notario, dependiendo del modo como se configure legalmente su función.

Si se configura como la de un funcionario público, corresponde al Estado retribuirla por medio de un sueldo.

*Este sistema hace **inviable el derecho a la libre elección** del Notario (Artículos 3 y 142 RN), cuando la prestación de su servicio se basa en una relación de confianza, provoca la **estan-***

darización en su actuación y asesoramiento, *elimina la libre concurrencia y, con ello, la* **calidad de la función**. *Su retribución sería a cargo de los Presupuestos Generales del Estado al igual que el mantenimiento de los* **medios materiales y humanos** *(local, instalaciones, equipamiento, suministros, sueldos y seguros...) que integran la oficina del Notario, así como toda la* **estructura corporativa**, *disciplinaria y de formación continua del Notariado, y alteraría sustancialmente el régimen de su* **responsabilidad civil**.

Si se configura como la de un profesional libre, su retribución debe ser igualmente libre, negociada con el cliente.

Este sistema **hace inviable la obligatoriedad de la prestación de la función** *(Artículos 3 y 145 RN) y provoca* **un sustancial encarecimiento de la misma** *o bien la* **negativa a otorgar** *documentos que hoy son* **gratuitos o menos rentables** *(poderes, testamentos...),* **incómodos** *(actas) o que presentan un mayor* **riesgo de asumir responsabilidades**. *En este sistema resulta inevitable* **la concentración de despachos en las ciudades y áreas con mayor actividad económica**. *Y, sobre todo, la calidad de la función y el asesoramiento* **perderían objetividad e imparcialidad**, *pues estarían en función de la retribución pactada (Artículo 147 RN).*

En nuestro ordenamiento jurídico se ha adoptado el sistema de retribuir la función notarial por **Arancel**.

Este sistema permite establecer **límites a la retribución** llegando a ser fija o incluso gratuita en algunos supuestos y, al mismo tiempo, la obtención de **resultados desiguales en la concurrencia**. Establece el derecho a **libre elección** al mismo tiempo que la **obligatoriedad de prestar la función**. Incentiva la **calidad e imparcialidad** en el ejercicio de la función asesora y el control de legalidad.

RDGRN 20 Diciembre 2013:

«...el arancel... no tiene naturaleza de prestación patrimonial de carácter público, como se deduce: a) Del **doble carácter** *profesional y funcionarial... b) De la* **no consideración como tasa ni como precio público** *de los aranceles... c) ... no son ingresos públicos,* **no se integran en los presupuestos del Estado...** *se determinan a un nivel que permita la cobertura de los gastos... El Notario, como funcionario...* **está obligado al cobro de los aranceles** *que fija el Estado...* **adquiere los medios materiales...** *y contrata, en régimen de contrato laboral... a su personal. Todo ello es... gasto e inversión... del Notario... en ningún caso gasto del Estado. También... los supuestos de responsabilidad civil por su actuación y... es sujeto pasivo del IVA...».*

2.2.12.2. El Arancel Notarial

Dispone el **artículo 63 RN** que «... *la retribución de los Notarios se regula por el Arancel Notarial...»*, y tiene su cobertura legal en la DA Tercera de la **Ley 8/1989, de Tasas y Precios Públicos** al establecer que «... *se aprobarán por el Gobierno mediante Real Decreto propuesto conjuntamente por el Ministro de Economía y Hacienda y, en su caso, por el Ministro del que dependan los funcionarios retribuidos mediante el mismo...».*

La retribución de los Notarios está regulada en la actualidad por el **Arancel** apro-bado por el **RD 1426/1989, de 17 de Noviembre**, salvo la intervención en contratos mercantiles y certificaciones de asientos que lo está por el **Decreto de 15 de Diciembre de 1950,** modificado por el Real Decreto 1251/1997, de 24 de julio.

Uno de los criterios básicos que presidió la confección del Arancel, según su preám-bulo y cumpliendo la DA Tercera de la Ley 8/1989, de Tasas y Precios Públicos, fue que *«... permita la cobertura de los gastos de funcionamiento y conservación de las oficinas en que se realicen las actividades o servicios de los funcionarios, incluida su retribución profesional...»*.

El RD 1426/1989 **estructura el Arancel en dos anexos**. En el primero regula los diferentes **conceptos minutables,** y en el segundo contiene las **normas generales para su aplicación**.

En el análisis de los aspectos más relevantes del Arancel vamos a ajustarnos, siempre que sea posible y como criterio más transparente, **a la interpretación que la DGRN ha ido realizando de los mismos en sus resoluciones** dictadas en recursos sobre impug-nación de honorarios y, por razones sistemáticas, comenzaremos por dos principios que el Centro Directivo ha asumido como criterios básicos en la interpretación y aplicación del Arancel.

LA INTERPRETACIÓN RESTRICTIVA DE LAS EXENCIONES, RE-DUCCIONES O BONIFICACIONES ARANCELARIAS

RRDGRN 16 Noviembre 2016, 9 Junio 2014, 21 Diciembre 2013 y 20 Diciembre 2013:

> *La DGRN ha resuelto reiteradamente que «**... las exenciones, reducciones o bonificacio-nes en materia arancelaria son siempre de interpretación restrictiva o rigurosa**, habida cuenta de que excepcionan las disposiciones generales en materia arancelaria y... **sólo cabe admitirlas cuando se encuentren clara y expresamente consignadas** en las disposiciones, sin que puedan en ningún caso interpretarse ni aplicarse de manera extensiva, deductiva o analógica...»*
>
> *«... Este criterio se manifiesta en **dos aspectos**: en el **carácter no acumulativo** de una eventual pluralidad de reducciones **salvo que la propia norma** que las establece **lo disponga expre-samente...**; y en la **aplicación... exclusivamente sobre... el número 2 del Arancel**, criterio manifestado reiteradamente por este Centro Directivo, por la Resolución de 21 de septiembre de 1999 y reiterado recientemente por la Ley 8/2012 de 30 de octubre que se ocupa de recalcar que los honorarios que indica se devengaran «por todos los conceptos»... La aplicación de reducciones arancelarias sobre otros números del Arancel, solo tiene lugar, dado su carácter de honorarios fijos, en casos especialmente previstos...»*

LA PROHIBICIÓN DE «REFORMATIO IN PEIUS».

RDGRN 22 Febrero 2018, 16 Noviembre 2016, 19 Diciembre y 20 Octubre 2014:

> *«... En cuanto a la **posible percepción de honorarios por conceptos... que, por error no se minutaron**, debe este Centro Directivo **rechazar tal posibilidad por aplicación del principio**

*procesal de la **reformatio in peius** (artículos 89.2 y 113.3 de la Ley 30/1992 de 26 de noviembre...), que en materia de impugnación de honorarios debe traducirse en que **como consecuencia de un recurso no puede el particular ser compelido a abonar mayor cantidad de honorarios que los satisfechos antes de entablarse aquél**, de manera que aquellas cantidades que no hayan sido giradas por el Notario en el momento de confeccionar la minuta impugnada no pueden ser minutadas después con ocasión del recurso...»*

*«... **No se aprecia reformatio in peius,** puesto que el **total** de la nueva minuta es inferior a la inicial, **los conceptos** individuales minutados (3 diligencias, folios de matriz y copia) **son los mismos** que ya figuraban en la inicial, **y sus respectivos importes** tampoco son superiores, sino **iguales o inferiores** a los de la primera minuta...»*

2.2.12.2.1. Disposiciones generales

El Anexo II del Real Decreto 1426/1989, de 17 de Noviembre, por el que se aprueba el Arancel de los Notarios **contiene trece normas generales para la aplicación del Arancel.**

Dejaremos para su estudio en epígrafes posteriores las normas generales primera y cuarta sobre documentos de cuantía, la tercera sobre documentos sin cuantía, la novena sobre la minuta y la décima y undécima sobre procedimiento de impugnación, recursos y publicidad del arancel.

Dada la escasa relevancia que tienen en la actualidad omitiremos en este epígrafe el análisis de la norma general quinta y el número 3 del Arancel referidos a las actas de protesto, y la norma general duodécima sobre determinadas aportaciones del Notario a la extinta mutualidad notarial.

Norma General Segunda

Supuestos de gratuidad por la prestación de la función

Asesoramiento autónomo y Función Notarial.

La norma general segunda dispone que *«... **El Notario no podrá percibir cantidad alguna por asesoramiento o configuración del acto o negocio, cuya documentación autorice ...».***

RDGRN 10 de Junio 2014 y 17 Octubre 2003:

*«... se hace necesario distinguir, dentro de la actividad que el Notario... entre: 1) **las actividades de asesoramiento previo...**, 2) **las actividades de redacción y dación de fe** de la escritura pública, **y** 3) **la posible gestión o tramitación del documento...** encajan, según los casos, dentro de la **doble faceta en que queda configurada la figura del Notario, es decir, funcionario público y profesional del Derecho.** El requerimiento de prestación de funciones marca el momento inicial de la actuación notarial respecto de un documento concreto y determinado, pero ese requerimiento puede a su vez venir determinado, en su configuración, e incluso en su misma existencia, por la **previa labor asesora** del Notario, que **no necesita para iniciarse la previsión de una ulterior actuación documental...».*

*«… Así, puede desenvolverse **el llamado asesoramiento autónomo… en que las partes no pretendan**, al menos de manera inmediata, **ningún otorgamiento**, sino que simplemente soliciten la opinión, el dictamen del Notario… **En esta esfera, opera el Notario exclusivamente como profesional del Derecho…** porque estas actuaciones… pueden ser realizadas tanto por el Notario como por cualquier otro profesional del Derecho. **Los honorarios que perciba el Notario en tales supuestos, han de considerarse partidas extraarancelarias** cuya calificación y enjuiciamiento corresponde a los Tribunales Ordinarios de Justicia…».*

*«… Frente a tales supuestos, hay que situar **el asesoramiento o configuración del acto o negocio documentado** cuya retribución se encuentra ínsita en el documento público en el que aquél se formaliza… **debe deslindarse… aquellos supuestos en que el asesoramiento** está implícito en la autorización del instrumento público, en cuyo caso no procederá cobrar por este concepto, de aquellos otros supuestos en que… **es ajeno al propio de la autorización…**»*

Asistencia Jurídica Gratuita.

El **artículo 130 RN** dispone que *«… Serán … **de carácter gratuito** para el interesado: **a)** Los **poderes** para pleitos, **copias y testimonios** otorgados o instados por **personas físicas que hayan obtenido el beneficio de pobreza o, al menos, solicitado su concesión**, conforme a las leyes procesales, **siempre que tengan relación directa** con el procedimiento a que tal beneficio se refiera. **b)** Los poderes para pleitos cuyo exclusivo objeto sea solicitar el referido beneficio de pobreza. **c)** Los **instrumentos, copias y testimonios relativos al estado civil** de las personas cuando los interesados aleguen, bajo sanción de falsedad, carecer de medios económicos. **d)** Las actas y sus copias, autorizadas a requerimiento de Asociaciones de Beneficiencia Pública o de la Cruz Roja…».*

RDGRN 18 Enero 1993:

> *Son susceptibles de ser autorizadas con carácter gratuito las actas de notoriedad para la declaración de herederos ab intestato, si cumplen los requisitos previstos en el artículo 130.c RN, al tener un contenido relacionado con el estado civil del heredero con el causante.*

La Ley 1/1996, de 10 de Enero, de Asistencia Jurídica Gratuita, en su artículo 6 **añade** que *«… El derecho a la asistencia jurídica gratuita **comprende… 8. Reducción del 80 por 100** de los derechos arancelarios que correspondan por el **otorgamiento de escrituras públicas** y por la **obtención de copias y testimonios** notariales no contemplados en el número anterior, cuando **tengan relación directa con el proceso y sean requeridos por el órgano judicial** en el curso del mismo, o sirvan para la fundamentación de la pretensión del beneficiario de la justicia gratuita…».* Y en su artículo 17 atribuye a la Comisión de Asistencia Jurídica Gratuita de cada provincia la competencia exclusiva para reconocer o denegar el derecho a la asistencia jurídica gratuita, **sin que la pérdida del derecho pueda ser apreciada directamente por el Notario autorizante**, ya que habría de ser apreciada por dicha comisión a efectos de la eventual revocación de tal derecho.

RDGRN 13 Octubre 2004:

> «...*protocolización de un cuaderno particional, derivado de un Auto judicial...* la escritura se otorga por las dos interesadas en la herencia, *sin intervención judicial... no cabe* al amparo del artículo 6 punto 8º de la Ley 1/1996... *aplicar a la escritura autorizada, protocolizando las partes voluntariamente las operaciones particionales aprobadas por el órgano judicial, la reducción del 80%* de los derechos arancelarios correspondientes al otorgamiento de escrituras públicas, en los términos previstos por dicha norma...».

RDGRN 14 Octubre 2013

> «... *concedido el derecho de asistencia gratuita... se extiende a todos los trámites e incidencias* de la misma instancia, incluida la ejecución, como es el caso *dado que la protocolización es ordenada por la Autoridad judicial*, sin que el artículo 130 RN tenga por objeto definir el alcance del derecho de asistencia gratuita, sino la sumisión a un turno... *Resulta procedente, por tanto, la aplicación de las reducciones arancelarias* previstas en el artículo 6.8 de la Ley 1/1996...».

A mi juicio esta aparente contradicción debe resolverse teniendo en cuenta lo dispuesto en el **artículo 1.064 CC,** es decir, partiendo de la base de que «... ***Los gastos de partición, hechos en interés común de todos los coherederos, se deducirán de la herencia...***". Siendo los gastos de la partición a cargo de la herencia y no del heredero, **no parece que pueda invocarse la gratuidad de gastos que procede deducir del caudal hereditario.**

Escrituras autorizadas para reparar daños y perjuicios.

El **artículo 146 RN** dispone que «... El Notario responderá civilmente de los daños y perjuicios ocasionados con su actuación cuando sean debidos a dolo, culpa o ignorancia inexcusable. *Si pudieren repararse, en todo o en parte, autorizando una nueva escritura el Notario lo hará a su costa...».*

RDGRN 27 Febrero 2018, 24 Mayo 2017 y 13 Abril 2015:

> «... tanto **la determinación** como **la prueba del daño**... como **la responsabilidad** en que el Notario haya podido incurrir, son **competencia exclusiva de los Tribunales de Justicia,** únicos dotados de los instrumentos procesales aptos para recibir cumplida prueba de los hechos alegados, efectos producidos y sus relaciones de causalidad; y para la defensa, en forma contradictoria, de los intereses de una y otra parte. En consecuencia, tanto esta Dirección General como las Juntas Directivas de los Colegios Notariales **carecen de competencia para juzgar cuestiones de tal naturaleza...».**
>
> «... La aplicación de la **formula arbitral** prevista en este precepto **está supeditada a «... dos circunstancias: a) Que la acepten todos** los posibles afectados, incluido el Notario..., y **b)** Que... la propia Junta Directiva **considere evidentes los daños y perjuicios** causados...».

Actuaciones relativas a procedimientos electorales.

El **artículo 118 de la Ley Orgánica 5/1985**, de 19 de junio, del Régimen Electoral General dispone que «... *1. Tienen carácter gratuito... y se extienden en papel común:...*

*b) Todas **las actuaciones y los documentos** en que se materializan, **relativos al procedimiento electoral**, incluidos los de carácter notarial...».*

Norma General Sexta

Sujetos obligados al pago y procedimiento de apremio

La norma general sexta dispone que *«... **La obligación de pago** de los derechos corresponderá **a los que hubieren requerido** la prestación de funciones o los servicios del Notario y, en su caso, a **los interesados según las normas sustantivas y fiscales**, y si fueren varios, a todos ellos **solidariamente**...».*

El artículo 63 RN dispone que *«... **Los honorarios** y derechos y las cantidades suplidas por el Notario... **podrán hacerse efectivas por el procedimiento de apremio** que la legislación hipotecaria establece o establezca...».*

Los artículos 615 y 617 RH disponen que *«... **se podrá proceder a la exacción de dichos honorarios y suplidos por la vía de apremio**... formará la oportuna cuenta con expresión del nombre y apellidos del deudor, clase y fecha de las operaciones... por las que se hubiesen devengado los honorarios, importe de éstos y números y reglas del Arancel aplicados y nota detallada de los gastos o cantidades suplidas... **presentará escrito al Juez del lugar... que sea competente por razón de la cuantía de la reclamación, acompañando la cuenta expresada en el párrafo anterior, y el Juez respectivo despachará el mandamiento de ejecución**, procediéndose en seguida a la exacción por la vía de apremio en la forma prevenida en la Ley de Enjuiciamiento civil...».*

RDGRN 16 Noviembre 2016 y 11 Octubre 2013:

> *«... **El Notario tiene derecho**, según la normativa vigente, **a reclamar la totalidad de sus honorarios a cualquiera de los otorgantes, dada la solidaridad establecida**, si bien es práctica habitual no realizar tal reclamación... el Notario habría tenido perfecto derecho a pretender el cobro del señor recurrente, y pese a ello... **desistió de hacer uso de tal derecho** y simplemente cobró la parte proporcional... con el porcentaje que les correspondía en la sucesión, por lo que nada cabe reprochar en su actuación...»*
>
> *«... **La obligación de pago pesa sobre los interesados... y, si fueren varios sobre todos ellos solidariamente...**, en las relaciones obligacionales entre los intervinientes cabe cualquier pacto en orden al abono de los derechos u honorarios notariales... contenido en la misma escritura o en un documento distinto. **Al tratarse de un pacto entre los otorgantes al que el Notario es ajeno no puede considerarse vinculante para éste** que podrá exigir el pago de sus derechos... a quien resulta obligado por la misma o a todos solidariamente...».*

RDGRN 23 Febrero 2006:

> *«... Al **impago de los honorarios notariales** no se les aplica recargos de apremio, ni su reclamación se realiza de conformidad con las normas del reglamento general de recaudación, sino que **debe acudir el Notario al correspondiente procedimiento judicial...**, estando sujeta su reclamación al **plazo de prescripción trienal que fija el artículo 1967 del CC**, y no a las normas contenidas en la Ley General Tributaria...».*

Norma General Séptima – Primer Párrafo

Cobro de honorarios por desistimiento

El párrafo primero de la norma general séptima dispone que «*...Cuando, de conformidad con los interesados, se hubiere redactado un documento y no llegare a autorizarse por desistimiento de alguno o de todos, el Notario percibirá la mitad de los derechos correspondientes a la matriz, con arreglo al Arancel, los cuales serán satisfechos por el que haya desistido...*».

RDGRN 14 Abril 2016, 10 Junio 2014, 31 Enero 2014, 9 Febrero 2010 y 30 Mayo 2006:

> *"...la posibilidad de la percepción arancelaria... **queda subordinada a...** que **la escritura haya sido efectivamente redactada...**, y que la falta de otorgamiento obedezca al **desistimiento de alguno de los otorgantes... se ha producido... amparado en el derecho de libre elección** que reconoce el artículo 127 del Reglamento Notarial... el derecho de libre elección... **debería haberse ejercitado en tiempo razonable** (y un plazo de más de dos años desde la designación de Notario por turno, no lo es) ya que el no hacerlo así ha determinado, sin duda, algún tipo de actividad por parte del Notario...".*
>
> *«... **dado el grado de concreción del borrador...** cabe entender cumplido el requisito de redacción... por mucho que para su redacción definitiva precisara la aportación de algún dato complementario...»*
>
> *«... El recurrente alega haber **condicionado la firma a la existencia de un presupuesto previo...** es lo cierto que **el recurrente entregó... los antecedentes precisos** y que... **redactó la escritura** en términos que encajan con lo que al respecto establece la norma general 7ª del Arancel...».*

Normas Generales Octava y Séptima – Segundo Párrafo

Provisión de fondos y gastos suplidos

El párrafo segundo de la norma general séptima dispone que «... *El Notario tendrá derecho a percibir íntegramente **los gastos anticipados...**»*, y la norma general octava que «...*no está obligado a pagar por cuenta del cliente cantidad alguna, y si voluntariamente lo hiciere **deberá ser reembolsado de su importe** desde el momento en que hubiere anticipado el pago... **El Notario no podrá exigir anticipadamente provisión de fondos, salvo para** los pagos a terceros que deba hacer en nombre del cliente y que sean presupuesto necesario para otorgar el documento...»*.

El artículo 63 RN dispone que «... *las cantidades suplidas por el Notario con relación a los impuestos generales sobre las sucesiones y sobre Transmisiones Patrimoniales y Actos Jurídicos Documentados, plusvalía o inscripciones y certificaciones del Registro de la Propiedad, **podrán hacerse efectivas por el procedimiento de apremio que la legislación hipotecaria establece...**»*.

Y el artículo 248 RN dispone que «... ***Los notarios están obligados a expedir las copias** que soliciten los que sean parte legítima para ello, **aun cuando no les hayan sido*** *satisfechos los honorarios devengados por la matriz, sin perjuicio de que para hacer efectivos estos honorarios utilicen la acción que les corresponda con arreglo a las leyes...».*

LA PROVISIÓN DE FONDOS.

RDGRN 11 Diciembre 2012, 9 Febrero 2010 y 30 Mayo 2006:

> «... la provisión de fondos **tiene claramente acotada su finalidad...** de **atender los pagos a tercero** que deba hacer el Notario en nombre del cliente y **que sean presupuesto necesario para otorgar el documento...** otros pagos que, no siendo presupuesto necesario, **garanticen**, también en interés de tercero, **la plena eficacia de lo otorgado.** Lo que la norma **excluye,** sin matices ni excepciones, es **la petición de provisión** de fondos realizada en interés del propio Notario, **para garantizar la percepción de sus honorarios arancelarios...».**

RDGRN 17 Octubre 2013:

> «... El artículo 36 de la Ley del Notariado, establece que los protocolos pertenecen al Estado y los Notarios los conservarán, con arreglo a las Leyes, **sin que quepa, un derecho de retención de un instrumento público, hasta el abono de los honorarios notariales...** para hacer efectivos sus honorarios, el Notario... tendrá que ejercitar las acciones legales correspondientes...».

LA GESTIÓN DE TRÁMITES.

RDGRN 17 Enero 2017, 24 Mayo 2016, 7 de Mayo de 2010 y 17 de Enero de 2005:

> «... **el Notario puede desarrollar actuaciones... en el ámbito... de gestión del documento...** trámites formales, fiscales o registrales **anteriores, posteriores o complementarios al otorgamiento** de la escritura pública... **En el desempeño de tales actividades concurre con otros profesionales** y es evidente que... no puede constituir función pública. Por eso no aparece regulada en el Reglamento Notarial... **La relación se regirá por las normas civiles que regulan el contrato celebrado** (depósito, mandato, arrendamiento de servicios, etc.) ... y la declaración sobre la eventual responsabilidad en que pudiera incurrir el Notario, corresponden en exclusiva a los Tribunales de Justicia...»
>
> "... la tramitación de documentos... no aparece regulada ni por el Reglamento ni por el Arancel Notariales; ... la actuación del Notario en materia de tramitación... se rige, también en cuanto a los honorarios, **por lo libremente acordado** por las partes... **las relaciones entre el Notario y el cliente escapan del ámbito funcionarial** y, por tanto, de las competencias de supervisión propias de las Juntas Directivas de los Colegios Notariales y de esta Dirección General, correspondiendo, en su caso, a los Tribunales de Justicia ordinarios...»
>
> «... **el Notario puede percibir honorarios por la redacción de un documento privado** o por la realización de trámites o gestiones...»
>
> «... **Dentro de estos trámites se encuentran los supuestos de:** obtención de certificados del Registro General de Actos de última Voluntad... sobre denominaciones... en el Registro Mercantil Central, presentación de las escrituras en el Libro Diario del Registro de la Propiedad, presentación para el pago del Impuesto del incremento del valor de bienes inmuebles, presentación al pago en las oficinas liquidadoras del impuesto que corresponda, seguimiento de la vigencia del asiento de presentación, adopción de cautelas jurídicas necesarias para la prórroga de dicho asiento, recogida de las escrituras en el Registro de la Propiedad y obtención de certificaciones de sus asientos, tramitación de instancias para la obtención de autorizaciones o verificaciones administrativas   »

RDGRN 27 Febrero 2018, 22 Septiembre 2017, 19 Diciembre y 12 Febrero 2014:

> «… *el Notario procedió correctamente cuando unió el certificado catastral descriptivo y gráfico de la finca afectada por la* **escritura de herencia** *autorizada, por* **exigencia del artículo 47 del RDL 1/2004, de 5 de marzo,** *por el que se aprueba el texto refundido de la Ley del Catastro Inmobiliario…».*
>
> **«… la obtención de certificaciones catastrales… es una actuación que pertenece al género de la gestión…»**
>
> **«… no existe precepto alguno que imponga al Notario la obligación de obtenerlas… por lo que su actuación gestora resulta evidente…»**
>
> **«… resulta incorrecto que el Notario incluya la remuneración profesional** *que hubiere acordado por obtención de certificaciones catastrales* **dentro de su minuta de honorarios notariales,** *creando la apariencia de estar amparada por el Arancel notarial… la corrección o no de tales honorarios profesionales… se regirá por las normas civiles… el enjuiciamiento de su … adecuación corresponde a los Tribunales Ordinarios …».*

RDGRN 21 Diciembre 2013:

> **«… Las peticiones de información registral** *(al igual que la consiguiente* **comunicación al Registro de la Propiedad)** *… se incardinan dentro de la función pública notarial y por tanto* **su cobro no pasa a regularse por un criterio extraarancelario…** *debido a que* **es un servicio obligatorio y que realiza sin concurrencia alguna con cualquier otro profesional…».*

RDGRN 9 Junio 2014:

> «… *la expedición de copia electrónica es inseparable de su remisión al Registro de la Propiedad, por lo que* **resulta improcedente la pretensión de cobro de cantidad alguna por tal presentación telemática…».*

LOS GASTOS SUPLIDOS POR EL NOTARIO.

Es tradicional la definición que de los **suplidos** recoge **la RDGRN 30 Septiembre 1988** como «**… *anticipos hechos por cuenta y cargo de otra persona con ocasión de mandato o trabajos profesionales, y aunque no se trate de un concepto arancelario, sin duda el Notario/Registrador puede resarcirse de los anticipos que haga por cuenta del interesado, ya por ser necesarios ya por haberle sido encargados, siempre que sean de cargo de éste y se encuentren debidamente justificados…».***

RDGRN 7 Diciembre 2017, 17 Enero 2005 y 24 Noviembre 2004:

> «… *el recurrente tiene derecho a conocer* **que los conceptos bajo el epígrafe suplidos… hayan supuesto para el Notario un coste efectivo, y que éste conserve factura** *emitida a nombre del cliente por tales servicios. Por tanto, por exclusión, debe considerarse* **un derecho extraarancelario que debería haberse minutado de manera independiente,** *expresando el motivo a que responde, quedando al margen de la legislación notarial, y… de la competencia de esta Dirección General…».*

Si la factura del gasto suplido ha sido expedida a cargo del cliente el Notario debe limitarse a repercutir su importe con el IVA satisfecho, pero sin volver a gravar con dicho impuesto ya que el cliente lo satisface directamente. **Si la factura ha sido expedida a cargo del Notario** éste la repercutirá al cliente sujetándola de nuevo al IVA.

RDGRN 12 Mayo 2015:

> «... permite reembolsar **el importe de gastos que corresponden al cliente, sin IVA,** al no ser derechos arancelarios o extra-arancelarios... **la minuta del Notario debe incluir el IVA correspondiente, sobre los honorarios devengados al tipo general...**».

RDGRN 16 Diciembre 2011:

> «... la Dirección General de Tributos, en contestación de 5 de octubre de 1995... para que dichas cantidades no se incluyeran en la base imponible de IVA...: 1.- Tratarse de sumas pagadas en nombre y por cuenta del cliente, debiéndose acreditar ordinariamente mediante la correspondiente factura expedida a cargo del destinatario. 2.- El pago de las referidas sumas debe efectuarse en virtud de mandato expreso verbal o escrito del propio cliente por cuya cuenta se actúe. En consecuencia, **si el notario suple a su cliente en el pago de una factura emitida a nombre de éste, en virtud de mandato expreso del mismo,** es el cliente el verdadero destinatario de la operación y, por ello, es este último quien soporta y se deduce el IVA correspondiente y computa el gasto en su imposición personal. Este importe no formará parte de la contraprestación obtenida por el notario, y en consecuencia **debe hacerse constar en la factura su concepto de suplido y no incluirse en la base imponible del IVA** (a diferencia de lo que ocurre con los honorarios de gestión) ...».

GASTOS SUPLIDOS MÁS FRECUENTES.

1) El papel timbrado o cuota del Impuesto de Actos Jurídicos Documentados en el que se extienden las escrituras, actas, testimonios y copias autorizadas (0,15 € por folio), sobre el que no cabe repercutir el IVA.

Si hubiera que rectificar y volver a imprimir una matriz por causa no imputable al Notario, es razonable que éste pueda cobrar como suplido el importe del timbre del papel inutilizado. En cualquier caso el timbre del papel inutilizado puede servir para reintegrar los documentos incorporados en papel común.

RDGRN 25 Junio 2015, 12 Mayo 2015 y 21 Diciembre 2013:

> «... el Notario... deberá ser reembolsado... siempre y cuando se encuentre debidamente justificado con la correspondiente factura, **a excepción de lo relativo al timbre...** que **resulta justificado por el propio empleo de los folios especiales de papel notarial...**»
> «... De conformidad con el artículo 71 del RITPAJD se repercute el importe correspondiente al **papel timbrado del Estado en el que obligatoriamente deben extenderse las escrituras matrices y sus copias autorizadas expedidas en papel**. Es el timbre a través del cual se instrumenta el cobro por el Estado de la cuota fija del Impuesto de AJD, de la cual es sujeto pasivo el otorgante del instrumento público notarial (arts. 29 y 31.1 del Real Decreto Ley 1/1993) ... 0,15 Euros por folio...».
> «... **sumar los folios de la matriz y los de las copias autorizadas,** teniendo en cuenta... que **los folios anexos** a la matriz... deben estar reintegrados con el oportuno timbre; y... que **la copia autorizada librada en soporte electrónico...** no está extendida en folios timbrados...,».

2) No son suplidos ni se puede repercutir el costo del papel de los Colegios Notariales de España en el que deben extenderse las copias simples y los sellos de seguridad o de legitimaciones.

RDGRN 12 Junio 2017:

> «... los suplidos del sello de legitimaciones y el sello de seguridad... **son improcedentes;** la primera porque (... igual... que con el papel habilitado por el Consejo General del Notariado para la expedición de copias simples), se trata de una **obligación corporativa... no repercutible en el cliente;** y la segunda, porque no hay norma ni resolución administrativa que permita la repercusión de su coste...»

> «... la Orden de 12 de enero de 1990... preveía la existencia de un papel especial a utilizar por los Notarios para la expedición de copias simples y otros documentos... Añadía dicha Orden que **el importe del papel no podía ser objeto de repercusión alguna** (como... la Orden de 12 de enero de 1984). En el mismo sentido, la Orden de 21 de diciembre de 2000...».

3) Las notas informativas, continuadas o no, de Registros de la Propiedad o Mercantiles que el Notario **debe testimoniar por fotocopia en la escritura matriz** (Artículo 175.3 RN).

RDGRN 21 Junio 2001:

> «... el arancel de los Registradores... establece que los derechos correspondientes a las manifestaciones **(notas simples)** serán de cargo de quienes las soliciten... por tanto... **tiene derecho a reclamar el pago... del Notario que la solicita...** dada la posibilidad que tiene (el Notario) de repercutir... y... exigir anticipadamente provisión de fondos ...».

4) Las certificaciones obtenidas por el Notario para otorgar una escritura (certificaciones de denominación social, del Registro General de Actos de Ultima Voluntad, del Registro General de Seguros de vida, consultas de deudas por IBI o de gastos de Comunidad de Propietarios...).

RDGRN 19 Diciembre 2014:

> «... **Certificado del Registro de Contratos de Seguro de Cobertura de fallecimiento...** si el interesado no lo aporta, el Notario, no es que pueda, sino que debe solicitarlo del Registro pudiendo repercutir las tasas conforme al artículo 4º.e) del Real Decreto 398/2007..., **constituyendo dicha tasa, así como el coste de tramitación electrónica** a través del Sistema de Información Corporativo del Consejo General del Notariado **un suplido** a cargo del interesado...».

5) Los servicios de la plataforma telemática del Notariado.

RDGRN 12 Mayo 2015:

> «... a la vista del artículo 249 RN... **la presentación telemática de la escritura...** no es voluntaria o potestativa para el Notario autorizante. Se configura como una **obligación reglamentaria,** de la que sólo cabe dispensa por petición expresa de los otorgantes... **sin que el Notario esté obligado a recabar en cada caso** concreto si la voluntad del interesado es la contraria a lo establecido con carácter general...».

RDGRN 21 Diciembre 2013:

> «... *el único concepto* que cabría considerar como **suplido** en esta materia sería **el coste de la prestación del servicio por la plataforma telemática del Notariado...".

6) La Locomoción.

RDGRN 21 Diciembre 2013:

> «... *La calificación como suplido del coste del transporte* empleado por el Notario con ocasión de la autorización de una escritura **está fuera de toda duda**, al tratarse de un pago a terceros por cuenta del cliente que es quien debería proveer de ello al Notario...».

2.2.12.2.2. Documentos sin cuantía

La **norma general tercera** para la aplicación del Arancel dispone que «*... Se considerarán instrumentos públicos sin cuantía aquéllos en que ésta no se determine ni fuere determinable*, y aquéllos otros en que, aun expresándose, ésta no constituya el objeto inmediato del acto jurídico contenido en el instrumento. *Se incluyen* dentro de este grupo: *a) Las actas notariales* en que concurran las circunstancias expresadas; *las de fijación de saldo* en operaciones crediticias [hoy sustituidas por el documento fehaciente de liquidación que se analizan en otro epígrafe] y las de **cumplimiento de condición suspensiva de préstamos**, aunque medie entrega de cantidad. *b) Las escrituras de modificación, aclaración, subsanación y rectificación que* no produzcan un concepto fiscal imponible y *los instrumentos complementarios* de otro anterior que hayan devengado derechos por el número 2. *c) Las escrituras de fijación definitiva del préstamo* en cuantía igual o inferior al máximo previsto, incluso en caso de préstamo hipotecario...».

Los honorarios que devengan estos instrumentos públicos son fijos y vienen establecidos en el **número 1 del Arancel** en el que se citan **los poderes, las actas, los testamentos, las capitulaciones matrimoniales y otros relativos al estado civil como la emancipación o el reconocimiento de filiación.**

El importe fijo de tales honorarios asciende a 30,050605 €, salvo en los **poderes para pleitos (15,025303 €),** las **actas (36,060726 €),** determinadas constituciones de sociedades de responsabilidad limitada por vía telemática (150 € o 60 €, según los casos).

En los poderes, si hubiere más de dos poderdantes, se percibirán 6,010121 euros por cada uno de exceso, y por cada apoderado que exceda de seis, 0,601012 euros.

Respecto a las escrituras de subrogación, novación y cancelación de créditos o préstamos hipotecarios debemos remitirnos a la doctrina del Centro Directivo citada en el epígrafe siguiente a propósito de los documentos de cuantía.

Pero a ese importe fijo que corresponde a los honorarios de los documentos sin cuantía **hay que añadirle, según los casos, el de otros conceptos minutables recogidos en los números 4 a 7 del Arancel,** de los que comentaremos a continuación algunos de los aspectos más relevantes.

RDGRN 10 Agosto 2012:

«... sin perjuicio de los derechos devengados por un documento sin cuantía... el notario puede y debe incluir en su minuta el resto de los conceptos contemplados en el Arancel, como puede ser el relativo a las copias expedidas (núm. 4) o... el exceso de caras (núm. 7) ..." **El número 4 del Arancel** *dispone que "...Las **copias y cédulas autorizadas y su nota** de expedición, en su caso, devengarán 3,005061 euros por cada folio o parte de él. A partir del duodécimo folio inclusive, se percibirá la mitad de la cantidad anterior. 2. Las **copias simples** devengarán a razón de 0,601012 euros por folio. 3. En las copias de instrumentos públicos que estén en el Archivo Histórico, o en los generales de Distrito o en los de Notarías, **cuando tengan más de cinco años de antigüedad, se percibirán derechos dobles y, además, por derechos de custodia, 0,601012 euros por cada año o fracción** de antigüedad del documento...»*

RDGRN 22 Febrero 2018 y 16 Mayo 2002:

«... además de las dos copias simples emitidas para el comprador, se expidió otra para su presentación a efectos de la Plusvalía municipal... y otra en interés del vendedor, que también necesita dicha copia a fin de completar sus obligaciones fiscales y de otro tipo previstas en la Ley, copia ésta última que, aunque se expide en su interés, es cierto que la escritura establece que todos los costes y gastos corresponden al comprador...»
*«... Entiende este Centro Directivo, que el cliente debe soportar el coste de aquellas copias simples que son necesarias... **dos en la escritura de compraventa,** una para la liquidación del ITP y otra para la liquidación del IIVTNU, **y dos en la escritura de préstamo hipotecario,** una para la liquidación del Impuesto de Actos Jurídicos Documentados y otra para que sirva de título al prestatario, dado que el destinatario de la copia autorizada es la entidad acreedora...»*

RDGRN 12 Mayo 2015 y 9 Junio 2014:

*«...**No existe diferencia alguna entre la naturaleza y efectos de las copias autorizadas por razón de su soporte (electrónico o en papel),** de forma que el régimen arancelario es igual a unas y otras...»*

RDGRN 22 Febrero 2018:

*«... dicha escritura **necesitó una ratificación posterior...** para lo cual el Notario... **remitió una copia autorizada electrónica...** dicha actuación fue correcta, y el **concepto minutable...** procede minutar... la **nota** de expedición de la copia electrónica autorizada para su remisión al Notario ante el que se ratifica dicha escritura y la nota para hacer constar la expedición de la copia autorizada final...»*
El número 5 del Arancel *dispone que "...1. **Los testimonios en general se regirán por lo dispuesto en el número 4. 2. Por la legitimación de firma** se percibirán **6,010121 €;** por cada firma más contenida en el mismo documento, se devengarán 3,005061 €. 3. En las **legitimaciones contempladas por el artículo 262 RN** (el contenido de dicho precepto en la reforma del RD 45/2007 se trasladó al párrafo 2º del artículo 259), se devengarán los derechos que resulten de aplicar **el número 2 con una reducción del 85 por 100. 4. Los testimonios de autenticidad***

de la fotocopia *de un documento integrado por varios folios en los que sea posible extender un único testimonio comprensivo de todo él, por remisión a datos identificadores, devengarán 3,005061 € por la diligencia de cotejo y 0,601012 € por cada folio más…".*

*Este número del arancel resulta aplicable **bien porque el Notario reproduzca en la matriz** por medio de fotocopia documentos **y/o legitime las firmas** que en ellos hay estampados, **bien porque testimonie en relación** transcribiendo de los documentos aportados por el cliente los datos necesarios para solicitar una certificación, una información o una copia autorizada o simple de otro Notario.*

RDGRN 27 Febrero 2018, 13 Febrero 2014, 21 Diciembre 2013 29 Enero 2008:

*«… **la petición por el Notario de la información registral… la posterior comunicación…** para la práctica del asiento de presentación… **deben considerarse como testimonios** y, consecuentemente, minutarse en la forma determinada por el número 5 del arancel, es decir, a razón de 3,005061 euros (Instrucción de 22 de mayo de 2002) por cada folio o parte de él… **otros testimonios (medios de pago empleados, licencias de primera ocupación) que deberían haberse minutado…»***

*«…el artículo 175 RN no impone al Notario obligación… de obtenerla cuando se trata… de una **escritura de carta de pago y cancelación de hipoteca**; pero… no excluye que… **resulte aconsejable…** Su obtención o no queda al prudente arbitrio del Notario en el ejercicio de la autonomía funcional que preside su actuación…»*

*El **número 6 del Arancel** dispone que «… Por las **diligencias de adhesión, ratificación u otras cualesquiera** puestas en un documento se percibirán **3,005061 €.** 3. **Por la salida de la Notaría,** el Notario devengará… por cada hora o fracción: a) Si es dentro del término municipal de su residencia: **18,030363 €.** b) Si es fuera de él o en días festivos, o de guardia, o fuera del horario de trabajo del despacho: **24,040484 €…».***

RDGRN 13 Febrero 2014, 21 Diciembre 2013 y 29 Enero 2008:

*«… **la presentación telemática presupone…** la **diligencia** expresiva de la fecha y hora del **acuse de recibo digital** del registro correspondiente (artículo 240 LH) y en su caso la **diligencia** consignando la notificación telemática del Registrador de **haber extendido o denegado el asiento** de presentación conforme (artículo 248 LH) … deben minutarse por lo determinado en el número 6 del arancel, devengando 3,005061 euros (Instrucción de 22 de mayo de 2002) cada una de ellas…»*

*El **número 7 del Arancel** dispone que «… Los **folios de matriz, a partir del quinto folio inclusive,** devengarán 3,005061 € por cara escrita. En los casos de **subrogación y novación modificativa de préstamos hipotecarios acogidas a la Ley 2/1994, de 30 de marzo…,** los folios de la matriz no devengarán cantidad alguna hasta el décimo folio inclusive…».*

RDGRN 22 Septiembre 2017:

*«… resulta **discrecional para el Notario** la inclusión de documentos o no en una escritura matriz, **salvo que la Ley obligue a su incorporación…».***

RDGRN 11 Agosto 2014, 21 Marzo 2006, 23 Diciembre 2002:

*«… el Notario, como redactor del documento, **puede y debe decidir qué contenido ha de tener la escritura** con el fin de asegurar que la misma produzca todos los efectos que le son propio… sin que pueda limitarse esa **facultad y obligación** del Notario por consideraciones*

*arancelarias... **distintas normas... exigen del notario que deje unidos a la... matriz, original o por testimonio**, determinados documentos... artículos 38 y 41 del RDL 1/2004... sobre la **referencia catastral**; artículo 4 del RD 398/2007... (sobre el certificado del Registro de **seguros de cobertura de fallecimiento**); artículo 24 de la LON y 177 del RN sobre... **medios de pago...** el artículo 166.in fine del RN, referente a los **documentos complementarios de la representación...**».*

RDGRN 20 Diciembre 2013:

*«... con carácter especial para **escrituras de novación, subrogación o cancelación** de préstamos y créditos hipotecarios... sólo devengaran honorarios a partir del folio quincuagésimo primero inclusive, en virtud de lo dispuesto por la Ley 8/2012 de 30 de octubre...».*

APODERAMIENTOS EN LA MATRIZ.

RDGRN 22 Febrero 2018, 9 Junio 2014 y 3 Junio 2002:

*«... un verdadero... **poder, para... trámites posteriores** necesarios y/o habituales tras la autorización de una escritura pública de transmisión inmobiliaria, **estando el cobro... expresamente previsto y autorizado en el Arancel... Numero 1...** se podría haber cobrado otro concepto idéntico... de ser un mandato diferente y separado al anterior...»*

*«... **Hasta seis... poderes se incluyen...** percibir el importe de las indemnizaciones... en caso de expropiación forzosa... contratar seguros en caso de no hacerlo el prestatario... ejercitar la administración y posesión de la finca... representarle en las escrituras de venta en caso de ejecución judicial... en caso de ejecución extrajudicial... subsanar o aclarar... Resulta difícil discernir cuales... tienen entidad suficiente para poder considerarse autónomos del contexto general del préstamo hipotecario... identifica como **autónomos** el poder **para percibir indemnizaciones** en caso de expropiación y... para aclarar o subsanar...».*

TRASLADOS DE COPIAS ELECTRÓNICAS A LA MATRIZ.

RDGRN 14 Enero 2013:

*«... **El traslado al acta** de la copia electrónica recibida o **requerimiento propiamente dicho** debe entenderse que conlleva una retribución por arancel con carácter de única, sin que pueda añadirse el concepto de testimonio...»*

RDGRN 22 Febrero 2018:

*«... se entiende **válido y correcto** el importe del **traslado** a papel de la escritura de ratificación enviada por el Notario... a fin de **incorporarla** a la escritura de compra del garaje y para su plena eficacia...»*

REQUERIMIENTO PARA EVITAR EL CIERRE REGISTRAL DEL ARTICULO 254-5 LH

RDGRN 22 FEBRERO 2018 y 15 Abril 2015:

«… *El artículo 254 LH establece un cierre registral si no se acredita haber presentado la comunicación a que se refiere el artículo 110.6.b del Texto Refundido de la Ley Reguladora de las Haciendas Locales. En cumplimiento de lo previsto por el artículo 110.7 de dicha norma **el Notario debe advertir de ello a los intervinientes.** Resulta perfectamente **acorde con la función notarial de asesoramiento proponer a los otorgantes el envío directo de copia telemática de la escritura al Ayuntamiento** para dar por cumplida aquella obligación y permitir el acceso inmediato al Registro del título de propiedad…»*

«… *requerimiento al Notario para presentar copia de la escritura al Ayuntamiento… **se realiza siempre en interés del comprador.** Dicha **notificación rogada** al Notario se realiza por éste bajo la fe pública notarial… por lo que sería procedente… el cobro de los 36,06€… que se corresponde al concepto de "**Acta**"… Número 1 del vigente Arancel…»*.

REQUERIMIENTO PARA LA DESIGNACIÓN DE MEDIADOR CONCURSAL.

RDGRN 16 Noviembre 2016:

«… *El artículo 242 bis de La Ley concursal dispone en su apartado 1.4º que "**Las actuaciones notariales o registrales descritas en el artículo 233 no devengarán retribución arancelaria alguna**"… Por tanto, **únicamente** no devengarán retribución arancelaria la documentación de actuaciones **expresamente previstas** en el artículo 233, **y no otras, aunque sean conexas o consecuencia de aquellas,** incluso aunque se documenten el mismo instrumento… la diligencia… de aceptación de cargo de mediador… no devengará retribución arancelaria alguna ni… la parte proporcional… por folios y copias… Las diligencias que recogen la **comunicación del mediador de la imposibilidad de llegar a un acuerdo… y la de cierre…** no están entre las actuaciones previstas en el artículo 233, por lo que… **devengan la retribución arancelaria… al igual que…** la parte proporcional… por folios y copias…»*.

2.2.12.2.3. Documentos de cuantía

La norma general cuarta dispone que «… *Se considerarán instrumentos públicos de cuantía aquellos en que ésta se determine o sea determinable, o estén sujetos por su contenido a los Impuestos* sobre Sucesiones y Donaciones, Transmisiones Patrimoniales y Actos Jurídicos Documentados, sobre el Valor Añadido o cualquier otro que determine la legislación fiscal…».

La **norma general primera,** reproduciendo el tenor literal de la **DA Tercera de la Ley 8/1989,** establece la **base o valor** sobre la que se debe aplicar, cuando proceda, el número 2 del Arancel, al disponer que «… se aplicará sobre la base del valor comprobado fiscalmente de los hechos, actos o negocios jurídicos, y, **a falta de aquéllos, sobre los consignados por las partes** en el correspondiente documento…».

Parece razonable que el Notario pueda aplicar el Arancel sobre **el valor catastral si es superior al declarado,** e incluso emitir una minuta complementaria si tiene constancia de la valoración que la Administración Tributaria haya revisado.

RDGRN 27 Agosto 2015:

«… No resultando del Arancel notarial norma que disponga la total equiparación entre el importe del caudal relicto cifrado a efectos de determinar la base imponible sujeta al Impuesto de Sucesiones… con las adiciones resultantes de la aplicación de las… presunciones legales y la base minutable a efectos arancelarios… la base minutable debe estar constituida por el valor… de los bienes y derechos objeto de efectiva y directa adjudicación por causa del título sucesorio…"

La norma general cuarta, en su aparado 2 dispone que «… Para la determinación de los conceptos que contengan los documentos autorizados se atenderá a las normas sustantivas y a las fiscales…», con lo que el Notario está legitimado para aplicar el arancel siguiendo los criterios de la legislación fiscal en la determinación de los conceptos minutables.

RDGRN 27 Agosto 2015:

«… La Norma General Cuarta.2 del Arancel… para determinar los conceptos minutables, que no la cuantía del concepto, no sólo a las normas fiscales sino también a las sustantivas…».

Los honorarios que devengan estos instrumentos públicos son variables, con arreglo a una escala regresiva en función de la cuantía, de modo que cuanto mayor es la cuantía el porcentaje es menor, y vienen establecidos en el número 2 del Arancel.

A continuación dispone que «… En todos los supuestos de este apartado se aplicará una rebaja del 5 por 100 del importe del arancel a percibir por el notario… con carácter adicional a los demás descuentos y rebajas previstos en la normativa vigente».

Establece también una reducción «… en un 25 por 100 en los préstamos y créditos personales o con garantía hipotecaria…», y una reducción en un 50 por 100 cuando el obligado al pago sea el Estado, las Comunidades Autónomas, Provincias, Municipios o sus organismos autónomos, partidos políticos, organizaciones sindicales, y algunos otros supuestos relativos a la financiación, rehabilitación y transmisión de actuaciones protegibles en viviendas.

El apartado 2.f del número 2 del Arancel dispone que «… La subrogación, con o sin simultánea novación, y la novación modificativa de los préstamos hipotecarios acogidos a la Ley 2/1994, de 30 de marzo, entendiéndose que el instrumento comprende un único concepto. Para el cálculo de los honorarios se tomará como base la cifra del capital pendiente de amortizar en el momento de la subrogación, y en las novaciones modificativas la que resulte de aplicar al importe de la responsabilidad hipotecaria vigente el diferencial entre el interés del préstamo que se modifica y el interés nuevo…».

RDGRN 15 Septiembre 2017, 8 Junio 2017, 30 Mayo 2017 e Instrucción DGRN del 31 de mayo de 2012:

«… Los párrafos tercero y cuarto de la DA 2ª del RD-Ley 18/2012, estableció que: … Para determinar los honorarios notariales de las escrituras de novación, subrogación o cancelación de préstamos y créditos hipotecarios se aplicará, por todos los conceptos, el número 2.2.f. del arancel de los Notarios, tomando como base el capital inscrito o garantizado, reducido en todo caso al 70 por ciento y con un mínimo de 90 euros. No obstante lo anterior, se aplicará el número 7 del arancel a partir del folio quincuagésimo primero inclusive. Esta disposición se aplicará respecto de todas las inscripciones practicadas y escrituras autorizadas a partir de la entrada en vigor de este real decreto-ley…».

«… Los criterios interpretativos señalados por la DGRN en la Instrucción emitida el 31 de mayo de 2012 son los siguientes: Es aplicable a todas las escrituras de novación, subrogación o cancelación de hipotecas. La base es el 70% del capital inscrito o garantizado. Por capital

inscrito debe entenderse el capital garantizado por la hipoteca, en el momento de la cancelación. Quedan excluidos otros conceptos garantizados por la hipoteca, tales como intereses ordinarios, demora, costas, gastos u otros conceptos distintos del principal. Procede aplicar la rebaja adicional del 5% prevista en la Disposición adicional 8ª del RD-Ley 8/2012. El número a aplicar es el 2.2. f) del Arancel de los Notarios, siendo el mínimo minutable el de 90 euros…»

*«… **La supuesta contradicción** entre la citada DA 2ª del RD-Ley 18/2012, la redacción del artículo 8 de la Ley 2/1994, en virtud de la modificación de la Ley 41/2007 y lo dispuesto en el Real Decreto 1426/1989… tras su modificación por Real Decreto 1612/2011… debe resolverse en favor del criterio de que **la ley o regulación anterior, debe entenderse modificada por la posterior, siempre que sea de igual o superior rango…**»*

*«… la alusión… a la **Sentencia del Tribunal Superior de Justicia de Madrid, 307/2016, de 13 de mayo**, de la Sección Séptima de la Sala de lo Contencioso-Administrativo… parece contundente en cuanto a su discrepancia con el criterio mantenido por este Centro Directivo… **el referido pronunciamiento judicial no se refiere a la aplicación de los aranceles notariales,** sino a los registrales… Por tal razón, **a falta de pronunciamientos jurisprudenciales expresos en contra… no cabe sino mantener la posición adoptada…**»*

La Norma General Cuarta establece en su apartado 3 algunas **reglas sobre el número de bases al que aplicar el arancel:**

– *«… **En la constitución de sociedades** se aplicará **un solo concepto** sobre la base del capital social, cualquiera que sea la naturaleza y número de las aportaciones…».*

– *«… En las **herencias, disoluciones de comunidades y liquidación de sociedades, con adjudicaciones de bienes**, se aplicará **una base a cada interesado por el total** de bienes que se le adjudiquen por un mismo concepto. Las adjudicaciones a un mismo interesado como heredero, legatario o partícipe en la sociedad conyugal, se considerarán en general como un solo concepto…».*

– *«… **Si un instrumento comprendiere varias transmisiones** hereditarias se cobrarán cada una de ellas…».*

– *«… Cuando **en las particiones de herencia se liquide la sociedad conyugal, se considerará concepto independiente** en cuanto al cónyuge superviviente…».*

RDGRN 19 Julio 2017:

*«… la **reducción de capital social** constituye un documento de cuantía… la base… **es la cifra total de la reducción…** en ningún caso el total de la nueva cifra del capital social, una vez efectuada la reducción… Solamente **cuando exista devolución de aportaciones a los socios o condonación de dividendos pasivos, o constitución o incremento de reservas voluntarias, habrá además** tantas otras bases como socios y por el valor de lo restituido o condonado a cada uno, o una base por la cifra de la dotación a reservas voluntarias… **cuando hablamos de restitución de aportaciones a los socios, nos referimos únicamente a las transmisiones de bienes distintas de las adjudicaciones dinerarias… la renumeración** de participaciones sociales una vez practicada la reducción… tampoco debe minutarse como concepto de cuantía independiente. No existe propiamente una redenominación de capital o conversión de acciones… **una mera modificación estatutaria que…no puede considerarse de cuantía…».*

RDGRN 6 Septiembre 2016:

*"…el párrafo 3º del artículo 14 LH… **heredero único**, y no exista ningún interesado con derecho a legítima, ni… Comisario o persona autorizada para adjudicar la herencia, el título de la sucesión, acompañado de los documentos a que se refiere el artículo 16 de esta Ley, bastará*

*para inscribir directamente a favor del heredero los bines y derechos de que en el Registro era titular el causante»... **la función notarial tiene carácter rogado...** la inscripción en el Registro de la Propiedad, salvo casos excepcionales, es voluntaria... **la escritura pública tiene unos efectos jurídicos de los que carece el documento privado,** derivados de la **legitimación, valor probatorio, fuerza ejecutiva...** Baste citar como ejemplo el cambio de titularidad catastral, los derivados de las obligaciones de comunicación a la Administración tributaria y la conservación del documento en el protocolo notarial, que no se obtienen con el documento o instancia privada por sí mismos... **resulta adecuada y correcta la actuación del Notario...".***

RDGRN 17 Enero 2017:

*«... **herencia,** en la que... cada uno de los cuatro hijos se adjudica una quinta parte del bien inventariado y los nietos la quinta parte restante por mitades indivisas... son seis las bases que conforme al arancel podía haber incluido el Notario en su minuta, pues seis son los adjudicatarios... y seis son los sujetos pasivos del Impuesto... constituye un ideal de la actuación notarial en materia de honorarios el **no encarecimiento innecesario de dicha actuación,** y es en esta línea donde se ubica la actuación del Notario al **agrupar en su minuta las bases de los nietos, de forma que, en lugar de seis, son cinco** las tenidas en cuenta finalmente...».*

RDGRN 27 Agosto 2015:

*«... el acta de **protocolización de operaciones particionales...** constituye un **documento de cuantía...** por contener operaciones sujetas al Impuesto de Sucesiones y... por ser instrumento público susceptible por sí de producir consecuencias jurídicas determinadas o determinables y valuables. Y... al protocolizar **dos trasmisiones hereditarias...** habrán de percibirse los derechos arancelarios correspondientes **a cada una de ellas...** en cada una de las herencias... **a cada interesado,** por el total de los bienes que se le adjudiquen...».*

RDGRN 22 Enero 2016:

*«... Sin que sea impedimento para ello que la forma elegida para tal disolución sea la adjudicación a uno de los interesados y la compensación económica a favor del otro... la norma arancelaria aplicable a **la liquidación de la sociedad de gananciales es la del número 2 del vigente Arancel,** con la aclaración que resulta de la Norma General 4ª.3... en la escritura se realizan dos atribuciones de idéntico valor, equivalentes cada una a la mitad del valor de los inmuebles inventariados...».*

RDGRN 22 Enero 2015:

*«... se trata, en la voluntad de los interesados, de **una disolución de comunidad** en su totalidad, **sin que sea impedimento para ello que la forma elegida para tal disolución sea la adjudicación a uno de los comuneros y la compensación económica a favor del otro,** y sin entrar a valorar el alcance de la aplicación del importe económico de tal compensación a la cancelación de un préstamo personal preexistente concedido por el adjudicatario único del inmueble a la otra comunera... La norma arancelaria aplicable a la disolución es la contemplada en el número 2 del vigente Arancel, con la aclaración que resulta de la Norma General 4ª.3 y lo cierto que **en la escritura se realizan dos adjudicaciones de idéntico valor equivalentes cada una a la mitad del valor del inmueble...».***

RDGRN 12 Noviembre 2014:

*«... en multitud de ocasiones, que **un mismo instrumento público puede contener una plu-**
ralidad de conceptos susceptibles de minutación... **además de la compra-venta** en sentido*
*estricto se produce **la subrogación del comprador en el préstamo hipotecario** que grava la*
*vivienda, **préstamo que es objeto de novación** una vez adquirida la cualidad de deudor del*
*mismo... **Existiendo tres conceptos arancelarios, la base para el cálculo de... la novación...***
*el 70% del capital pendiente... **la subrogación... el importe... en el que se ha subrogado** el*
*comprador, aplicando **a esta última base la misma reducción... que se aplica a la compra-**
venta...".*

RDGRN 20 Septiembre 2016:

*«... Es doctrina reiterada que **el tratamiento arancelario de una escritura de elevación a***
***público de un documento privado resulta determinado por el contenido** del acto o negocio*
*jurídico que se formaliza... hay que concluir que el **tratamiento arancelario de la escritura***
***de divorcio viene condicionado por el contenido del convenio regulador incorporado** a la*
misma... Si no contiene acto alguno de contenido patrimonial... es un instrumento público sin
*cuantía... Si contiene pactos de carácter patrimonial... **se debe minutar como documento sin***
cuantía... y que es un documento relativo al estado civil y, además, como documento de
***cuantía** aplicando el arancel a los actos de contenido patrimonial contenidos en el convenio*
regulador, ya que estos surten los efectos fiscales y sustantivos que les son propios... los actos de
subrogación en la deuda hipotecaria y extinción de condominio incluidos en el convenio
constituyen conceptos arancelarios independientes...».

RDGRN 9 Junio 2014 y 29 Abril 2004:

«... La fianza, contrato típico regulado por nuestro Código Civil, genera obligaciones autónomas
*y accesorias respecto de la obligación principal... la **consideración de la fianza como concepto***
***minutable** al amparo de la norma cuarta del anexo segundo de los Aranceles Notariales...».*

RDGRN 16 Diciembre 2003:

*«... **siendo dos las hipotecas** que afectaban a la finca... aún cuando dichas cancelaciones hu-*
*bieran tenido lugar en un mismo instrumento **dos serían las bases a efectos de minutación...***
el Notario debe y puede tener en cuenta para el cobro de sus derechos arancelarios la diversidad
de actos y contratos contenidos en el documento autorizado que den derecho a ellos y estén
*sujetos al Impuesto, ya que **no obsta su reunión en un solo instrumento** pues la labor técnica*
y la responsabilidad del Notario no son menores que de autorizarlos por separados. No hay
*que olvidar, por otra parte, que **las hipotecas derivan de préstamos distintos constituidos en***
distintas fechas y...escrituras...».

2.2.12.2.4. Arancel aplicable al Documento Fehaciente de Liquidación

La forma de realizar su liquidación arancelaria se encuentra recogida el disp. adic.
única del RD 1251/1997, de 24 de julio y ello tras la integración de los Cuerpo de Corredores de Comercio Colegiados y Notarios operada por la Disposición Adicional 24ª

de la Ley de Medidas Fiscales, Administrativas y de Orden Social, de 28 de diciembre de 1999 tal como se estableció por el RD 1643/2000, de 22 de septiembre.

Según el número *1.5° de la citada disp. adic. única: Por la expedición del documento fehaciente del artículo 1.435 de la Ley de Enjuiciamiento Civil u otros análogos a que se refiere el último párrafo del artículo 147 del Reglamento de Corredores, relativos a la comprobación de la liquidación de cuentas, se podrán cobrar 10.000 pesetas. Además, se podrán cobrar hasta 500 pesetas por cada una de las hojas o documentos contables comprobados.*

Pero dado que, como se verá más adelante, este documento se encuentra regulado en el art. 218 RN y de dicho artículo y del siguiente se deduce que adopta la forma de acta, habrá que liquidar los derechos arancelarios de la siguiente forma:

1°. *Por su elaboración* (juicio del Notario respecto a la coincidencia del importe reclamado con la forma de cálculo establecida en el título ejecutivo):

60,10 euros y, además, 30,05 euros por cada hoja o documento contable examinado.

2°. *Por los testimonios* tanto el de legitimación de firmas de los apoderados que suscriben la solicitud como los testimonios de los títulos ejecutivos que deben incorporarse al acta.

De acuerdo con el Anexo I del Real Decreto 1426/1989, de 17 de noviembre, por el que se aprueba el Arancel de los Notarios y. en concreto, su número 5. *Testimonios y legalizaciones..*

1. Los testimonios en general se regirán por lo dispuesto en el número 4 que veremos seguidamente (es el referente a las copias autorizadas)

2. Por la legitimación de firma se percibirán 6,010121 euros; por cada firma más contenida en el mismo documento, se devengarán 3,005061 euros

3. Los testimonios de autenticidad de la fotocopia de un documento integrado por varios folios en los que sea posible extender un único testimonio comprensivo de todo él, por remisión a datos identificadores, devengarán 3,005061 euros por la diligencia de cotejo y 0,601012 euros por cada folio más.

3°.- *Por la/s copia/s* autorizada/s (al menos una) y la/s copia/s simple/s que se soliciten se aplicará el epígrafe número 4. *Copias.*

1. Las copias y cédulas autorizadas y su nota de expedición, en su caso, devengarán 3,005061 euros por cada folio o parte de él. A partir del duodécimo folio inclusive, se percibirá la mitad de la cantidad anterior.

2. Las copias simples devengarán a razón de 0,601012 euros por folio.

2.2.12.2.5. Arancel aplicable a la intervención de pólizas

2.2.12.2.5.1. Normativa aplicable

El arancel aplicable a la intervención de pólizas es el recogido en el Decreto de 15 de marzo de 1950, por el que se aprueba el arancel de los Agentes de Cambio y Bolsa y Corredores de Comercio con las modificaciones realizadas por la disp. adic. única del RD 1251/1997, de 24 de julio, así como el Decreto-ley 6/1999 de Medidas Urgentes de Liberalización e Incremento de la Competencia.

Y ello tras la integración operada por la Disposición Adicional 24ª de la Ley de Medidas Fiscales, Administrativas y de Orden Social, de 28 de diciembre de 1999 tal como se estableció por el RD 1643/2000, de 22 de septiembre y la instrucción de la DGRN de 29 de septiembre de 2000.

Con carácter general, también hay que tener en cuenta lo dispuesto en la disp. adic. tercera (aranceles de funcionarios públicos) de la Ley 8/1989, de 13 de abril, de Tasas y Precios Públicos y, en especial, lo dispuesto en el párr. 3º del núm. 2: *la liquidación del Arancel quedará incorporada al documento público correspondiente. La base de aplicación de los Aranceles, con mención del número del Arancel y honorarios que correspondan a cada acto se reflejarán por el funcionario al pie de la escritura o documento matriz y de todas sus copias y del asiento, certificación o nota extendidas y, en su caso, del documento entregado al interesado.*

2.2.12.2.5.2. Epígrafes arancelarios aplicables

A fecha de hoy, desde el punto de vista práctico, son aplicables los siguientes epígrafes:

II) Intervenciones en contratos mercantiles.

Epígrafe 15. Créditos o préstamos personales o con garantía de fondos públicos, o de valores industriales o mercantiles, tanto de renta fija como variable, siempre que el plazo de la operación no exceda de seis meses.- 1 por 1.000 sobre el importe de la operación, a cobrar de cada parte contratante.

Epígrafe 16. Operaciones de descuento, préstamos, créditos u otras, respaldadas o garantizadas por letras y otros documentos mercantiles.- 0,25 por 1.000 sobre el importe de la operación, a cobrar de cada parte contratante cuando el vencimiento sea inferior a treinta días 0,50 por 1.000, a cobrar de cada parte contratante, cuando el vencimiento sea superior a treinta días e inferior a cuarenta y cinco. 0,75 por 1.000, a cobrar de cada parte contratante, cuando el vencimiento exceda de cuarenta y cinco días y no de sesenta.

1 por 1.000, a cobrar de cada parte contratante, cuando el vencimiento exceda de sesenta días y no de seis meses.

Epígrafe 17. Créditos, préstamos y descuentos con vencimiento superior a seis meses.- 1,50 por 1.000 sobre el importe de la operación, a cobrar de cada parte contratante.

Las operaciones a que se refieren los tres epígrafes anteriores no devengarán corretaje alguno por encima del límite de 300.506,05 euros:

a) Cuando el prestatario sea un Organismo estatal autónomo, una Corporación administrativa de derecho público o una Empresa concesionaria de monopolios o servicios públicos.

b) Cuando los préstamos o créditos estén garantizados o respaldados por fondos públicos exclusivamente, y los prestatarios no sean Bancos, Banqueros ni Cajas generales de Ahorro Benéficas

Las operaciones a que se refieren los epígrafes 15, 16 y 17 devengarán el 50 por 100 del corretaje cuando en ellas se estipule como obligatorio el aval de una

Sociedad de Garantía Recíproca inscrita en el Registro Especial del Ministerio de Economía y Comercio.

Epígrafe 18. Intervenciones en contratos de aval o afianzamiento por documento separado.- Satisfarán los siguientes corretajes según los casos:

a) En general, los mismos que se fijan en los tres epígrafes anteriores.

b) Cuando el aval o afianzamiento se presente por Sociedad de Garantía Recíproca registrada como tal, el 50 por 100 de los corretajes que correspondan según el apartado a) anterior.

c) La intervención en el segundo aval a las operaciones primeramente avaladas por Sociedades de Garantía Recíproca, debidamente registradas, tanto si es otorgado directamente por el Estado, como si lo es por el Instituto de Crédito Oficial o por la Sociedad Mixta de Segundo Aval a que se refiere el Real Decreto 874/1981, de 10 de abril, devengarán la cuarta parte del corretaje correspondiente, según el apartado a) anterior.

III) Otras intervenciones o servicios.

Epígrafe 19. Contratos de compraventa mercantil que no sean los típicos de Bolsa, 4 por 1.000 sobre el efectivo, a cobrar de cada parte contratante. [...]

Epígrafe 21. Intervención en endosos de certificaciones de obras.- 1,25 por 1.000 a cobrar de cada parte contratante. [...]

Epígrafe 23. Intervención en contratos de transporte terrestre, marítimo, fluvial o aéreo.- 4 por 1.000 sobre el efectivo, a cobrar de cada parte contratante.

Epígrafe 24. Intervención en pólizas de contratos de seguros, cualquiera que sea su clase.-1 por 100 sobre el importe de la prima.

Epígrafe 37. Intervención, como fedatarios públicos, en toda clase de actos de comercio, contratos, operaciones o documentos, no especificados en los epígrafes anteriores.- 4,50 por 1.000 sobre el importe total, a percibir de cada parte contratante.

Mínimo, en todos los casos 12,02 euros (en virtud disp. adic. única 1.1º del RD 1251/1997, de 24 de julio).

Habida cuenta de la antigüedad de este arancel y que como consecuencia de su «carácter lineal» las cantidades a percibir parecían excesivas, el Consejo General de los Colegios Oficiales de Corredores de Comercio emitió una Circular el 14 de abril de 1987 estableciendo unos «límites» a los aranceles anteriores; lo transformó así en «regresivo». El Consejo General, obviamente, carecía de competencias legales para ello pero, no obstante, habida cuenta que el resultado de su aplicación era beneficioso para quien tenía que pagarlos, nadie se quejó.

Los límites establecidos en aquella Circular eran los siguientes:

- Hasta 15 millones de pesetas (90.151,82 euros): 1,5 por mil de cada parte contratante.

- Exceso hasta 25 millones de pesetas (150.253,03 euros): 1 por mil de cada parte contratante.

- Exceso hasta 50 millones de pesetas (300.506,05 euros): 0,50 por mil de cada parte contratante.

- Más de 50 millones de pesetas (300.506,05 euros): 0,25 por mil de cada parte contratante.

Hoy podemos concluir que esta disposición carece de la más mínima virtualidad jurídica. Como señala la RDGRN de 3 de mayo de 2016 (resolución de alzada) en su fundamento jurídico cuarto: «En cuando a la pretendida vigencia del Acuerdo del Consejo General de Corredores de Comercio, de 7 de abril de 1987 en relación a cierto escalado en la aplicación del corretaje, lleva nuevamente razón el Notario recurrente al señalar que estamos ante un "acuerdo" de un órgano corporativo, legalmente incompetente para modificar una norma de rango superior razón por la que este Centro Directivo, ha desconocido sistemáticamente en sus resoluciones la existencia de tal "Acuerdo" y desde luego no puede sino confirmar su falta de eficacia normativa. Resulta obvio que un acuerdo de un órgano corporativo no es competente en un Estado de Derecho para modificar una norma de rango superior como es el Decreto de 15 de diciembre de 1950 por el que se aprueban los aranceles de los Agentes de Cambio y Bolsa y de los Corredores de Comercio».

Por otra parte, la disp. adic. única del RD 1251/1997, de 24 de julio también estableció:

2º Por la intervención de operaciones que, a solicitud de la parte que deba satisfacer el Arancel, requieran que el corredor de comercio se desplace fuera de su despacho, se podrán cobrar, en concepto de gastos de desplazamiento, 24,040484 euros además del Arancel.

3º Por la expedición de certificaciones de asientos de los Libros-Registro se podrán cobrar 18,030363 euros. Además se podrán cobrar 3,005061 euros por cada página del Libro-Registro a partir de la cuarta, inclusive.

4º Por la certificación de conformidad a que se refiere el apartado 6 del artículo 1429 de la Ley de Enjuiciamiento Civil se podrán cobrar 30,050605 euros.

Nos referiremos más adelante a la aplicación concreta de alguno de estos conceptos.

Como se observa, en el arancel aplicable a las pólizas, hay una diferencia muy importante respecto al Arancel Notarial aprobado por Real Decreto 1426/1989, de 17 de noviembre, que, además de distinguir entre documentos «de cuantía» y «sin cuantía», respecto a los primeros «los derechos» se aplican «al valor de los bienes objeto del negocio documentado» según una determinada escala.

En el caso de la intervención de pólizas, los tipos aplicables sobre la cuantía son a percibir de cada parte contratante. Por tal hay que entender «posición contractual». Si en una póliza contratante de préstamo, p.e., entre una entidad de crédito y una sociedad, actúa de fiador el administrador de ésta hay tres «partes».

En este sentido es muy clara la RDGRN de 22 de mayo de 2014 (resolución alzada-honorarios) que en su fundamento jurídico tercero señala: «En la póliza objeto de este recurso concurren tres partes: el deudor, el banco acreedor y los fiadores, los cuales además constituyen prenda sobre determinados activos».

También ha quedado señalado en otras resoluciones. Así en RDGRN de 3 de mayo de 2016 (resolución de alzada) en su fundamento jurídico séptimo: «Tampoco existe base alguna en los Aranceles de los Corredores de Comercio para entender que los honorarios resultantes del escalado *(sic)* hayan de cobrarse al interviniente pero "como si hubiera habido dos, es decir, que el Notario deba reducir a la mitad sus honorarios". De ninguna manera el Decreto de 15 de diciembre de 1950 o sus posteriores modificaciones aluden a tal división de honorarios. La Norma 37 señala literalmente "... 4,5 por mil sobre el importe toral a percibir de cada parte contratante"».

Igualmente, la RDGRN de 21 de octubre de 2016 (resolución alzada), señala en los párrs. 3º y 4º del Fundamento jurídico segundo: «En las pólizas objeto de este recurso concurren dos partes: la entidad pignorante, y diversas entidades de crédito representadas por un agente de garantías, constituyendo la primera prenda sin desplazamiento sobre determinados activos. En consecuencia, el Arancel permite al Notario, siempre con el carácter de máximos, percibir de cada una de las partes intervinientes, una cantidad que excede notablemente de la minutada.

Y por otra parte, tratándose de pólizas, no resulta de precepto alguno el que dicha cantidad haya de ser negociada con los interesados, por lo que las pretensiones de la recurrente relativas a la apertura de tal negociación no han de prosperar».

2.2.12.2.5.3. Criterios generales para la aplicación del arancel de la intervención notarial de pólizas

El anexo II del RD 1426/1989, de 17 de noviembre establece una serie de «normas generales de aplicación», algunas de las cuales, nos parecen igualmente aplicables a la intervención de pólizas. Y ello porque, en definitiva, una y otra regulación se refiere a aranceles percibidos hoy por Notarios.

Primera. El Arancel se aplicará sobre la base del valor comprobado fiscalmente de los hechos, actos o negocios jurídicos, y, a falta de aquéllos, sobre los consignados por las partes en el correspondiente documento.

Segunda. El Notario no podrá percibir cantidad alguna por asesoramiento o configuración del acto o negocio, cuya documentación autorice.

Tercera. Se considerarán instrumentos públicos sin cuantía aquéllos en que ésta no se determine ni fuere determinable, y aquéllos otros en que, aun expresándose, ésta no constituya el objeto inmediato del acto jurídico contenido en el instrumento. Se incluyen dentro de este grupo:

[...]

b) Las escrituras de modificación, aclaración, subsanación y rectificación que no produzcan un concepto fiscal imponible y los instrumentos complementarios de otro anterior que hayan devengado derechos por el número 2.

Cuarta.– 1. Se considerarán instrumentos públicos de cuantía aquellos en que ésta se determine o sea determinable, o estén sujetos por su contenido a los Impuestos sobre Sucesiones y Donaciones, Transmisiones Patrimoniales y Actos Jurídicos Documentados, sobre el Valor Añadido o cualquier otro que determine la legislación fiscal.

2. Para la determinación de los conceptos que contengan los documentos autorizados se atenderá a las normas sustantivas y a las fiscales.

2.2.12.2.5.4. Aplicación del arancel de la intervención notarial de pólizas. Casos particulares

1º. INTERVENCIÓN DE AVALES

Los avales bancarios son objeto de intervención notarial y, en ningún caso, de legitimación de firmas. Es un negocio jurídico unilateral de carácter mercantil y financiero propio de tráfico habitual del otorgante (art. 17 LN). Y se incorpora a la sección B del Libro-Registro (283 RN).

Son *documentos de cuantía* por naturaleza, si bien, al haber una única parte otorgante el arancel aplicable sería el del epígrafe 18 que se remite a los anteriores. Así, dependiendo del plazo, 0,25 por mil sobre el importe de la operación cuando el vencimiento sea inferior a treinta días; 0,50 por mil cuando el vencimiento sea superior a treinta días e inferior a cuarenta y cinco; 0,75 por mil cuando el vencimiento exceda de cuarenta y cinco días y no de sesenta; 1 por mil cuando el vencimiento exceda de sesenta días y no de seis meses y 1,50 por mil cuando exceda de seis meses.

2º. PIGNORACIONES

Las pignoraciones de bienes y derechos que no sean valores (p.e. imposiciones a plazo fijo —IPFs—, Planes y Fondos de Pensiones, rentas de arrendamientos...) otorgadas de forma simultánea con la obligación garantizada devengan un arancel adicional al de la operación principal. Y, por supuesto, también, si se hace en documento posterior.

Y, además, debe entenderse que en el negocio intervienen dos partes. Así, la RD-GRN de 21 de octubre de 2016 (resolución alzada), señala en el párr. 3º de su fundamento jurídico segundo: «En las pólizas objeto de este recurso concurren dos partes: la entidad pignorante, y diversas entidades de crédito representadas por un agente de garantías, constituyendo la primera prenda sin desplazamiento sobre determinados activos. En consecuencia el Arancel permite al Notario, siempre con el carácter de máximos, percibir de cada una de las partes intervinientes, una cantidad que excede notablemente de la minutada».

Cuando se dice que sustituyen otra pignoración anterior (p.e. se pignoró una IPF y ahora se ha reembolsado y se pignoran participaciones un FIM) es una nueva pignoración. No existe una suerte de «subrogación real» automática. De hecho, los Notarios lo incluimos en el índice como pignoración, lo que significa que devengaría el consiguiente impuesto (no lo hace por estar sujeto pero exento) que, obviamente, tendría una base imponible que es la cuantía de lo pignorado; y la base imponible del impuesto es la base arancelaria.

A este respecto de sustitución de garantías conviene recordar la RDGRN de 11 de junio de 2008 que establece en sus consideraciones: «SEGUNDA. Tenemos en el caso presente una escritura titulada como escritura de sustitución de aval de fecha de 22 de enero de 2008, número 49 de Protocolo, autorizada por la citada Notario Doña M.R.M. conforme a minuta que le fue presentada, en la que las entidades Guimez 4, S.L. y Euro Dépot España, S.A. acordaron permutar un aval prestado por la primera a favor de la segunda en garantía de una condición resolutoria estipulada en escritura de compraventa de 24 de Octubre de 2.007 autorizada por la Notario de... Doña L.F.M., en la que Guimez 4, S.L. transmitió a Euro Dépot España, S.A. dos fincas; sustituyendo el aval ya prestado por el Banco de Santander por tres avales prestados por Banco de Santander, Banco Bilbao Vizcaya Argentaria y Caja de Ahorros de Galicia, con igual vigencia que el anterior, sumando los tres igual importe al sustituido.

En la parte dispositiva de la escritura se dice literalmente: "Que sustituyen el AVAL prestado en la escritura pública de compraventa otorgada ante la Notario de..., Doña L.F.M., con el número de protocolo 4.458, a que se ha hecho referencia en el Expositivo II, por los tres AVALES mencionados en el Expositivo III de la presente escritura".

Dicha cláusula supone entender que al realizar tal sustitución de avales, en realidad se produce una extinción del primitivo aval, colocándose en su lugar tres avales que pasan a constituir la nueva garantía; puede considerarse, pues, como una constitución y aceptación de una nueva y distinta garantía, que sustituye a la anterior.

TERCERA: Como regla general, se aplica el criterio de considerar concepto arancelario la "constitución de un aval" en garantía de cualquier obligación. La Dirección General de los Registros y del Notariado en muchas resoluciones (29 de septiembre de 1995; 27 y 30 de noviembre de 1999; 9 de diciembre de 1999; 26 y 30 de enero de 2001; 8 de marzo de 2001; 30 de mayo de 2003 y 29 de abril de 2004), con relación a la fianza, tiene establecida la doctrina de que es siempre minutable, y siéndolo la constitución de aval, también debe serlo la sustitución del mismo, en cuanto implica la extinción de la garantía que presta un determinado avalista y la constitución de una nueva prestada por nuevos avalistas.

CUARTA: En el caso presente no cabe duda de que se produce una extinción del primitivo aval y a cambio de tal extinción, se produce la entrada en el lugar del aval extinguido tres avales nuevos que en junto alcanzan o cubren la misma cifra de garantía que tenía el aval extinguido, cuantía por la cual se minuta la escritura, teniendo en cuenta un único concepto arancelario por la suma global los tres avales».

3º. CONTRATO DE ARRENDAMIENTO FINANCIERO (LEASING)

El contrato de arrendamiento financiero (leasing) es un contrato complejo que incluye tanto la cesión de uso como una opción de compra sobre el objeto arrendado. Por ello, la base sobre la que giran los derechos arancelarios es el importe total del contrato (que figura como «importe del arrendamiento») que es la cantidad total que el arrendatario reconoce adeudar aunque haya una entrega a cuenta.

Por su parte, la opción de compra también está recogida en el contrato y es un acto jurídico más objeto de minutación arancelaria independiente. Esta cantidad junto con las cantidades adeudadas por el arrendatario financiero son las que puede reclamar vía ejecutiva la entidad acreedora (incluido el IVA).

Respecto al epígrafe arancelario, habida cuenta de que los aranceles aplicables están aprobados por Decreto de 15 de diciembre de 1950, difícilmente podría recogerse un tipo de contrato posterior como es el leasing. Sería así de aplicación el epígrafe 37 («contratos no especificados en los epígrafes anteriores») que establece la percepción de un 4,50 por mil de cada parte contratante.

En la práctica suele aplicarse el epígrafe 17 referido a «créditos, préstamos y descuentos con vencimiento superior a seis meses» que establece un 1,5 por mil de cada parte contratante, aunque tendría perfecto amparo legal aplicar el epígrafe 37.

4º. COMPRAVENTA DE BUQUE

Entiendo que sería de aplicación el *epígrafe 19. Contratos de compraventa mercantil que no sean los típicos de Bolsa, 4 por 1.000 sobre el efectivo, a cobrar de cada parte contratante.*

5º. HIPOTECA NAVAL

A falta de epígrafe específico sería de aplicación el 37. *Intervención, como fedatarios públicos, en toda clase de actos de comercio, contratos, operaciones o documentos, no especificados en los epígrafes anteriores.- 4,50 por 1.000 sobre el importe total, a percibir de cada parte contratante.*

6º. AFIANZAMIENTOS

En los afianzamientos ya hemos señalado el epígrafe arancelario que se aplica. En cuanto a la base arancelaria será el importe garantizado, por lo que cabría entender que en los contratos de leasing es el importe del arrendamiento (que incluye intereses e IVA).

7º. PÓLIZAS EN LAS QUE NO SE HACE CONSTAR CANTIDAD

En el Decreto de 15 de marzo de 1950 no se contempla epígrafe arancelario para documentos sin cuantía. Esto parece obvio dado que estamos en el ámbito de la contratación mercantil. Por eso, se aplicó siempre como criterio que o fijaban las partes un importe «a efectos arancelarios» o se tomaba la cuantía máxima en el ámbito de las facultades de los apoderados bancarios (ya que en este ámbito era el único donde se planteaba alguna duda).

En aquellas cuestiones no recogidas en este arancel ahora podría aplicarse supletoriamente el arancel notarial aprobado por RD 1426/1989, de 17 de noviembre habida cuenta que la intervención de pólizas mercantiles se hace por el Cuerpo único de Notarios. En él se considerarán instrumentos públicos *de cuantía* aquellos en que ésta se determine o sea determinable, o estén sujetos por su contenido a los *Impuestos sobre*

Sucesiones y Donaciones, Transmisiones Patrimoniales y Actos Jurídicos Documentados, sobre el Valor Añadido o cualquier otro que determine la legislación fiscal.

Excepcionalmente, determinados contratos como el *confirming* se presentan sin determinar su cuantía. En el contrato de *confirming* se alega que es un contrato de servicios y que no tiene cuantía. Esto se hace con un doble fin: primero modificar la cuantía del contrato sin intervención notarial y, segundo, evitar la aplicación arancelaria.

En primer lugar, es inverosímil que una entidad bancaria concierte una operación de riesgo sin establecer un límite máximo. La segunda reflexión que habría que hacer es que si es un contrato de servicios para qué se presenta a su intervención notarial. La única razón por la que se hace esto es para tener un título ejecutivo con el que poder reclamar los impagos al cliente por cuenta del cual se hacen los pagos; de hecho se incluye una disposición por la que se crea una «cuenta especial» en la que se cargarán tales impagos, incluso se pacta un interés de demora. Y lo que es obvio es que un título ejecutivo es por definición un «documento de cuantía».

Cabía así aplicar un doble criterio a la hora de calcular el importe del arancel: por un lado la cuantía máxima a que esté autorizado el/los apoderado/s del Banco. Por otra la cantidad manifestada o recogida en algún documento interno (cuando se les escapa) adjuntándolo a la póliza.

Esto ha sido así hasta que, a mi juicio incomprensiblemente, la Resolución de la Dirección General de los Registros y del Notariado de 13 de julio de 2016 (N° Expedte 362/16 N) por la que se contesta la Consulta del Ilustre Colegio Notarial de Andalucía ha considerado lo contrario. De acuerdo con la misma:

1ª. «De las características expuestas se desprende que los convenios así conformados no generan directamente obligaciones para las partes, sino que se limitan a establecer las regias a las que se someterán las operaciones futuras comprendidas en su objeto».

«Su contenido negocial es el propio de la figura jurídica conocida en la doctrina con los nombres de «contrato normativo» o «contrato marco», cuya misión consiste en fijar el régimen común a que se encontrarán sometidas les operaciones comprendidas en su objeto que eventualmente concierten las partes que lo suscriben».

«Sentado lo anterior, y en función de las consideraciones expuestas, puede darse respuesta a las cuestionas planteadas en la consulta». [...]

«d) Los contratos a los que se refiere la consulta, esto es, aquellos en los que no figura la cuantía, tendrán la consideración arancelaria de documentos sin cuantía».

8º. INTERVENCIÓN DE LOS LLAMADOS «ANEXOS DE PÓLIZAS».

Por inercia del régimen anterior de circulación de las pólizas en original se siguen denominando así lo que realmente son modificaciones de su contenido. Éstas pueden ser modificaciones de tipos de interés, domicilios, cambio de números de cuenta...

Al igual que si ocurriera con una escritura, en los casos anteriores estaríamos ante una modificación a la que se aplicaría el arancel correspondiente a los «documentos sin cuantía» recogido en el RD 1426/1989, de 17 de noviembre (el arancel de 1959 no recoge ninguna regulación para los documentos sin cuantía).

A este respecto hay que recordar la norma interpretativa tercera de dicho RD: *Se considerarán instrumentos públicos sin cuantía aquéllos en que ésta no se determine ni fuere determinable, y aquéllos otros en que, aun expresándose, ésta no constituya el objeto inmediato del acto jurídico contenido en el instrumento. Se incluyen dentro de este grupo:*

[...]

b) Las escrituras de modificación, aclaración, subsanación y rectificación que no produzcan un concepto fiscal imponible y los instrumentos complementarios de otro anterior que hayan devengado derechos por el número 2.

En otros denominados «anexos» se procede a liberar o añadir fiadores, pignorar un bien o derecho (algunos lo denominan «sustitución de prenda») o renovar o prorrogar el contrato recogido en la póliza. Estamos ante afianzamientos, pignoraciones, renovaciones. Estos son documentos de cuantía y como tales deben ser tratados arancelariamente.

La norma interpretativa cuarta establece: *Se considerarán instrumentos públicos de cuantía aquellos en que ésta se determine o sea determinable, o estén sujetos por su contenido a los Impuestos sobre Sucesiones y Donaciones, Transmisiones Patrimoniales y Actos Jurídicos Documentados, sobre el Valor Añadido o cualquier otro que determine la legislación fiscal.*

A veces se presenta como «anexo» lo que es un contrato nuevo, dando nueva redacción a todas las cláusulas del contrato inicial, en cuyo caso estamos ante una novación, por tanto, documento de cuantía.

Otras se «sobrescribe» el término «anexo» a una póliza de pignoración en la que las obligaciones garantizadas son sólo las de la póliza que se suscribe en el mismo momento o se le añade «cualesquiera otras obligaciones» que puedan nacer en el futuro. Obviamente estamos ante un nuevo contrato que será de cuantía y que devengará un arancel independiente del correspondiente a la póliza que se suscribe simultáneamente.

En definitiva, el criterio arancelario debe ser el mismo que si se instrumentara en forma de escritura pública: determinar la naturaleza del acto o contrato que se recoge en ese denominado «anexo» y aplicarle la consiguiente calificación arancelaria de documento con o sin cuantía.

9º. PÓLIZAS DESDOBLADAS

Con fecha 8 de octubre de 2014 la Dirección General de los Registros y del Notariado (nº de Expte. 20812 N) dio respuesta a la consulta presentada por el Ilustre Colegio de Notarios de Madrid con fecha 20 de febrero de 2012 en los siguientes términos:

«[...] atendida la analogía que, tratándose de pólizas desdobladas, guarda la prestación del consentimiento de la entidad bancaria con la adhesión a un contrato, el tratamiento arancelario debería ser equivalente al que el ordenamiento dispensa a las adhesiones efectuadas en escrituras, como es el de documento sin cuantía.

En consecuencia, y atendido lo expuesto, esta Dirección General entiende que, el arancel notarial devengado por la intervención mediante el sistema de póliza desdoblada de una póliza mercantil cuando su uso obedezca a causa distinta de la de existir impedimentos geográficos que permitan la concurrencia de todas las partes ante el mismo notario, debe ser repartido entre los distintos notarios intervinientes, de manera que el notario ante quien presta su consentimiento la entidad bancaria, perciba el importe señalado por la letra h) del número 1 del Real Decreto 1426/1989, de 17 de noviembre, por, el que se aprueba el arancel de los Notarios, sin incremento, lógicamente, por razón del número de folios que compongan la póliza. Los restantes derechos devengados (esto es, el arancel que correspondería a la intervención de la póliza por un solo notario, descontado el importe anterior), corresponderá al otro notario interviniente y, de ser varios, el importe a descontar se distribuirá de manera igualitaria entre los mismos».

Ahora bien, esta resolución contestaba una consulta referente a personas físicas-consumidores. Por eso algunos interpretaron que sólo se aplicaba a estos casos y no cuando la otra parte es una sociedad mercantil.

Sin embargo, no hay razón para que no se aplique en todo caso. Dos son, a nuestro juicio, las razones fundamentales en las que la Dirección General apoya su contestación: el principio de libre elección del Notario de acuerdo con el art. 126 RN y la equiparación del otorgamiento de la entidad financiera con una ratificación. Ambas razones se dan aunque el otorgamiento lo realice un empresario o una persona jurídica.

De acuerdo con el art. 126 RN, todo aquél que solicite el ejercicio de la función pública notarial tiene derecho a elegir al notario que se la preste, sin más limitaciones que las previstas en el ordenamiento jurídico, constituyéndose dicho derecho en elemento esencial de una adecuada concurrencia entre aquellos.

En las transmisiones onerosas de bienes o derechos realizadas por personas, físicas o jurídicas, que se dediquen a ello habitualmente, o bajo condiciones generales de contratación, así como en los supuestos de contratación bancaria, el derecho de elección corresponderá al adquirente o cliente de aquellas, quien sin embargo, no podrá imponer notario que carezca de conexión razonable con algunos de los elementos personales o reales del negocio.

A salvo de lo dispuesto en el párrafo anterior, se estará a lo dispuesto en la normativa específica. En defecto de tal, a lo que las partes hubieran pactado y, en último caso, el derecho de elección corresponderá al obligado al pago de la mayor parte de los aranceles.

De este precepto se deduce que en la contratación bancaria el derecho a elegir Notario lo tiene el «cliente» porque se dice expresamente.

Como señala la DGRN en la contestación reseñada, la utilización del «sistema de póliza desdoblada antes visto, supone que la elección del notario que interviene el contrato no quede a expensas de la voluntad del cliente de la entidad, como el citado precepto establece para los casos de contratación bancaria, o al menos no totalmente. Así, dicho cliente tendrá la posibilidad de elegir al notario que intervenga su consentimiento, pero no así el que intervenga el consentimiento de la entidad bancaria, y ello sin que lleguen a existir verdaderos impedimentos geográficos que lo justifiquen».

«Cabría pensar que, permitiendo al cliente elegir al notario que interviene su prestación de consentimiento, queda cumplida la finalidad perseguida por el precepto, como es la de que el consumidor tenga la posibilidad de elegir un notario de su confianza para que le preste la labor de asesoramiento y el control de legalidad que precisa, siéndole ajeno e indiferente que sea otro fedatario el que intervenga el consentimiento de su entidad acreedora». Nosotros aquí entendemos que el art. 126 RN no distingue entre consumidor y no consumidor a efectos del principio de libre elección de Notario.

Y como continúa la respuesta de la DGRN «el hecho de que el abono de los gastos notariales en la contratación bancaria suela imponerse al consumidor, lleva a la conclusión de que la utilización del sistema de póliza desdoblada por la entidad bancaria sí afecta a su cliente, quien no podrá beneficiarse del tratamiento arancelario que le pueda proporcionar el notario elegido por él en cuanto al coste total de la intervención de la póliza, haciéndolo injustificadamente sólo en cuanto a la mitad del mismo». Añadimos, nosotros, que este criterio es el mismo para «todo otorgante», sea o no consumidor, que es quien paga los honorarios del Notario.

Obsérvese que el art. 126 RN entre los supuestos en los que el derecho de libre elección corresponde al cliente se refiere a los contratos con condiciones generales, así como a la contratación bancaria.

Pues bien, sin perjuicio que dado que los contratos bancarios son contratos de adhesión y, por tanto, basados en condiciones generales de la contratación, éstos están sujetos a la LCGC. En todos ellos el sujeto objeto de protección es el «adherente», con independencia de su condición o no de consumidor (art. 2 LCGC).

Por su parte, la RDGRN de 31 de marzo de 2015 resuelve una queja de un Notario en un supuesto de póliza desdoblada en el que el adherente era una sociedad limitada. Y lo hace en lo que a nosotros afecta, en los siguientes términos:

«Segundo. La Resolución de este Centro Directivo de 8 de octubre de 2014 resolvió en consulta la forma de minutar la intervención de las pólizas desdobladas, cuando su uso viene impuesto unilateralmente por la entidad financiera sin que llegue a existir un impedimento cierto que justifique su utilización; sin embargo la redacción de la Resolución ha dado pie a interpretaciones como la del denunciante de considerar que lo en ella dispuesto sólo es de aplicación cuando "su uso — la de la póliza desdoblada obedezca a causa distinta de la de existir impedimentos geográficos" lo que pudiera entenderse que es aplicable en el supuesto de que la Entidad financiera careciese de apoderados en el lugar de otorgamiento de la póliza por el cliente.

Tercero. La simple lectura de la Resolución citada pone de relieve que los honorarios a percibir por la intervención del consentimiento de la Entidad de crédito son única y exclusivamente los derivados de la letra h) del número 1 del Real Decreto 1426/1989, de 17 de noviembre, con independencia de que dicho consentimiento se preste en la misma localidad o en otra, ya que los impedimentos geográficos aludidos están referidos a los otros intervinientes.

Quedaría desnaturalizado el expresado criterio si no fuera de aplicación a aquellos casos en que la Entidad no dispusiere o no conviniere a sus intereses disponer de apoderados en la localidad en que ha prestado su consentimiento el cliente.

Sólo con la interpretación anterior puede compatibilizarse el derecho de libre elección de Notario [...] con el correlativo derecho de la entidad financiera a no ser obligada por ello a efectuar un desplazamiento geográfico para la formalización de la operación, cuando existen otros procedimientos legalmente establecidos para evitarlo.

Cuarto.- Efectuada la aclaración interpretativa anterior, procede analizar la posible comisión de algún tipo de infracción por el Notario denunciado. Éste advirtió a su cliente sobre el contenido de la resolución de este Centro Directivo de 8 de octubre de 2014, y de que la concreta manera de minutar las pólizas desdobladas que la misma impone era aplicable, a su juicio, a la póliza por él intervenida, pudiendo recurrir la factura que le hubiese sido expedida.

El artículo 1 del Reglamento Notarial, al referirse a la función del Notario señala que "(...) como profesionales del Derecho tienen la misión de asesorar a quienes reclaman su ministerio y aconsejarles los medios jurídicos más adecuados para el logro de los fines lícitos que aquéllos se proponen alcanzar". No cabe duda que dicho asesoramiento comprende los aspectos sustantivos y fiscales que rodean al negocio o acto objeto de autorización o intervención, incluso las obligaciones administrativas que el mismo conlleva. Pero también debe entenderse amparado por dicha obligación el asesoramiento de tipo arancelario, debiendo explicar al usuario los extremos relativos al arancel aplicable a la concreta actuación notarial de que se trate, su susceptibilidad de recurso, y empleando, en la medida de lo posible, las actuaciones notariales que impliquen un menor coste para el usuario.

Es cierto, a la vista de los antecedentes expuestos en el presente caso, que el supuesto de hecho al que la resolución de este Centro Directivo impone la minutación especial presentaba dudas en cuanto a su interpretación. Ante ello, el Notario denunciado se limitó a manifestar al cliente cuál era su criterio interpretativo al respecto, pues como profesional del derecho, está llamado a suplir las posibles lagunas de derecho que encuentre en su quehacer diario, a salvo el criterio impuesto por un órgano superior. Al volver el cliente manifestando que la intervención del otro Notario había sido facturada bajo un criterio interpretativo distinto y pidiendo asesoramiento al respecto, el Notario intentó ponerse en contacto con el denunciante para unificar criterios, optando finalmente por modificar su factura adecuándola al criterio seguido por su compañero, evitando así al usuario un coste final superior al señalado por el arancel.

Pues bien, lejos de condenar dicha actuación, este Centro Directivo no puede hacer otra cosa que considerarla plenamente ajustada a derecho y calificarla de sumamente prudente, al prestar su autor la labor de asesoramiento a que está llamado, y, pese a conservar dudas interpretativas al respecto, optar por aplicar la opción que más beneficiaba al usuario del servicio notarial, aun siendo la que más perjudicaba a los intereses del propio Notario».

La RDGRN de 3 de mayo de 2016, tras reiterar la aplicabilidad a toda persona física y jurídica de las RRDGRN de 8 de octubre de 2014 y 31 de marzo de 2015, lo hace extensivo a todo «predisponente» aunque no sea entidad de crédito. Y así establece en su F.J. quinto: «Ha de abordarse también la alegación referente a la improcedencia de aplicar la doctrina mantenida en las resoluciones de este Centro Directivo de 8 de octubre de 2014 y 31 de marzo de 2015 al concreto supuesto de hecho que origina la controversia.

En primer lugar, el recurrente [Notario] defiende que la no condición de entidad bancaria de la entidad que concedió la financiación en la póliza por él intervenida [se trataba de un arrendamiento financiero suscrito por la compañía denunciante Transportes Fernández y Belmonte, S.L. con Paccar Financial España, S.L.] impide la aplicación de las resoluciones anteriores, las cuales se refieren en todo momento a la intervención del consentimiento de entidades bancarias.

A tal efecto, atendido el contenido de la Resolución de 8 de octubre de 2014, uno de los pilares fundamentales que motivan su contenido consiste en tratar de conciliar el principio de libre elección de Notario consagrado en el artículo 126 del Reglamento Notarial con el denominado sistema de pólizas desdobladas. Dicho artículo señala: "En las transmisiones onerosas de bienes o derechos realizadas por personas, físicas o jurídicas, que se dediquen a ello habitualmente, o bajo condiciones generales de contratación, así como en los supuestos de contratación bancaria, el derecho de elección corresponderá al adquirente o cliente de aquellas, quien sin embargo, no podrá imponer Notario que carezca de conexión razonable con algunos de los elementos personales o reales del negocio".

En consecuencia, aun refiriéndose la citada Resolución tan solo a las entidades bancarias, en atención al artículo 4.1 del Código Civil procede su aplicación analógica a todos los demás supuestos comprendidos en el artículo 126 del Reglamento Notarial (como es el que nos ocupa), y no sólo a los supuestos de contratación bancaria, al compartir idéntico fundamento, consistente, como ha quedado dicho, en la protección del principio de libre elección de Notario».

Y como continúa el fundamento jurídico cuarto de la contestación de la DGRN ya varias veces referida de 8 de octubre de 2014, lo hasta ahora dicho obliga a encontrar una interpretación del arancel aplicable a la utilización de la póliza desdoblada, que permita conciliar los derechos encontrados que el ordenamiento jurídico reconoce a las dos partes contratantes; esto es, el derecho de la entidad bancaria a utilizar un sistema amparado legalmente, y el del otorgante a que ello no le suponga un incremento en el arancel que acabará satisfaciendo y, añadimos nosotros, no vea mermado su derecho a la libre elección de Notario.

«La solución compatible con ambos intereses, pasa necesariamente por que la mayor parte de los honorarios devengados por la intervención de la póliza, deban ser satisfechos al notario elegido por el cliente de la entidad, por ser derecho reconocido de éste último el de su elección, así como por ser la parte contratante más necesitada de asistencia y protección, implicando la intervención de su consentimiento, en consecuencia, una mayor responsabilidad».

«Y atendida la analogía que, tratándose de pólizas desdobladas, guarda la prestación del consentimiento de la entidad bancaria con la adhesión a un contrato, el tratamiento arancelario debería ser equivalente al que el ordenamiento dispensa a las adhesiones efectuadas en escrituras, como es el de documento sin cuantía». Esta analogía es igualmente aplicable sea quien sea el otorgante: consumidor o no.

Queda por resolver la cuestión que se plantea cuando el pequeño importe del contrato haga que los derechos arancelarios devengados sean insuficientes para satisfacer el importe a pagar al Notario que interviene la parte acreedora (los mencionados 30,05 euros más su consiguiente IVA).

A este respecto la solución debe venir inspirada por los siguientes principios que se deducen de la contestación de la DGRN de 8 de octubre de 2014 a la consulta vista:

1. No puede resultar perjudicado el "cliente bancario" por el hecho de la utilización de la póliza desdoblada.

2. El Notario que interviene la declaración de voluntad de las parte deudora (y, en su caso, la parte fiadora), debe percibir un mayor importe arancelario que quien interviene el otorgamiento de la entidad financiera.

Para resolver con arreglo a estos dos principios la solución podría ser la siguiente:

1. Si el total arancel resultante fuera inferior o igual al 30,05 euros (antes del IVA), ambos Notarios percibirían el importe mínimo de 12,02 euros (fijado por la disp. adic. única 1.1° del RD 125/1997, de 24 de julio).

2. Si restando del total arancel devengado los 30,05 euros correspondientes a la «ratificación» por la entidad financiera, la cantidad resultante fuera igual o inferior a 30,05 euros, significaría que el Notario que interviene el otorgamiento del cliente bancario percibiría el mismo importe arancelario o incluso menor que el Notario elegido por la entidad acreedora. En este caso, la percepción arancelaria de este último debería quedar reducida a 12,02 euros y la diferencia sería para el Notario que interviene el otorgamiento del deudor.

3. En los supuestos en los que restando del total arancel devengado los 30,05 euros correspondientes a la «ratificación» por la entidad financiera la cantidad resultante fuera superior a 30,05 euros, el Notario elegido por el deudor percibiría esta cantidad y el otro Notario el importe visto de la ratificación.

2.2.12.2.5.5. Traslados simplemente informativos y Testimonios de pólizas

Desde la modificación del Reglamento Notarial de 2007 las pólizas se instrumentan en un único ejemplar que conserva el Notario que expide «traslados simplemente informativos» y «testimonios».

Habida cuenta que unos y otros están regulados en dicho Reglamento y que los «traslados» se equiparan a las copias simples y los testimonios de pólizas al resto de los testimonios, como ya se verá más adelante, unos y otros devengan el consiguiente arancel recogido en el RD 1426/1989, de 17 de noviembre.

Por tanto, a los «traslados simplemente informativos» se les aplica el epígrafe *número 4. 2: Las copias simples devengarán a razón de 0,601012 euros por folio.*

Y a los «testimonios de pólizas» el epígrafe *número 5. Testimonios y legalizaciones.- 1. Los testimonios en general se regirán por lo dispuesto en el número 4. Y ese número 4. Copias establece: 1. Las copias y cédulas autorizadas y su nota de expedición, en su caso, devengarán 3,005061 euros por cada folio o parte de él. A partir del duodécimo folio inclusive, se percibirá la mitad de la cantidad anterior.*

2.2.12.2.6. Obligación de expedir minuta

En la **DA 8ª del RD-ley 8/2010**, se establece que: «... *1. Las minutas, además de cumplir la normativa aplicable, expresarán separadamente, y con la debida claridad: a) Cada uno de los **conceptos** por los que se hayan devengado derechos arancelarios, con expresión individualizada del **número y apartado de arancel** aplicado. b) El **concepto minu-**

***table**. c) La aplicación o no, de **rebajas** de acuerdo con las normas aplicables al caso. d) En el caso de los notarios la aplicación de **descuentos** de acuerdo con la normativa aplicable. e) La aplicación o no, de **bonificaciones o reducciones** de cualquier clase. 2. Las minutas también expresarán **la base aplicada o expresión de que es sin cuantía**, honorarios que comporta cada concepto, y total de honorarios, sin que por ninguna razón se puedan agrupar globalmente los números y cantidades correspondientes a distintos conceptos. También expresarán la **forma en la que se han obtenido los valores** para la aplicación del arancel **y los suplidos si los hubiere**».*

La Norma General Novena establece que: «... *1. El importe de los derechos devengados, la base tenida en cuenta para su cálculo y los números del Arancel aplicados, se harán constar por el Notario, con su firma, al pie de la escritura o documento matriz y de todas sus copias. 2. Los derechos que los Notarios devenguen con arreglo a estos aranceles se consignarán en la oportuna minuta en la que se expresarán los suplidos, conceptos, bases y números del arancel aplicados que deberá firmar el Notario... La minuta deberá contener expresa mención del recurso que contra ella cabe y el plazo para su impugnación...*».

RDGRN 10 Mayo 2016, 24 Abril 2015 y 30 mayo 2006:

> «... *en su aspecto formal, la Norma General 9ª del Real Decreto 1426/1989... en consonancia con... la DA 8ª del RD-Ley 8/2010, establece ciertos requisitos que han de contener las minutas notariales de honorarios... **la omisión de tales indicaciones en las minutas notariales, es, en todo caso, una cuestión formal**, emparentada con la exigencia legal de motivación de los actos o resoluciones administrativas... **no supone, por sí misma, la incorrecta aplicación del arancel...**»*
>
> «... *tienen como finalidad la de facilitar... la máxima información y claridad en cuanto a la procedencia de los honorarios devengados... **especialmente... en los llamados documentos de cuantía**... en que la precisión de las distintas bases o conceptos arancelarios... a la vista de los diferentes negocios o conceptos jurídicos documentados resulta esencial para la adecuada valoración de la minuta... la Norma General 1ª... se refiere a los **diferentes hechos, actos o negocios jurídicos** y... la DA 8ª del RD-L 8/2010... hace especial referencia a **conceptos, bases, rebajas o descuentos, bonificaciones y reducciones...**».*

RDGRN 21 Diciembre 2013:

> «... *La consideración del Notario como funcionario público y... como profesional del Derecho... implica su sujeción... a una **doble regulación**, la... notarial... y la fiscal contenida en el RD 1619/2012... que regula las obligaciones de facturación... Sin embargo un principio de eficacia y racionalización de la prestación del servicio notarial aconseja no sobrecargar su labor con obligaciones administrativas fuera de las estrictamente necesarias. Por ello, **es costumbre asumida la incorporación de ambos aspectos (fiscal y notarial) en un solo documento... Minuta-Factura...**».*

A modo de conclusión, recogiendo la doctrina del Centro Directivo que se expone a lo largo de este epígrafe, **al confeccionar la minuta, que deberá firmar el Notario y contener expresa mención del recurso que contra ella cabe y el plazo para su impugnación**, deberá distinguirse:

– Los gastos suplidos satisfechos por el Notario por cuenta de su cliente, que deben estar debidamente justificados y consignarse en la minuta pero sobre los que debe limitarse a repercutir su importe con el IVA satisfecho, sin volver a gravar con dicho impuesto ya que el cliente lo satisface directamente.

En ocasiones habrá que distinguir las tasas satisfechas por la obtención de certificaciones, que no llevan IVA, de los honorarios pagados a terceros que hayan hecho la gestión (gestorías o la plataforma tecnológica del Notariado), que sí lo llevan.

– Los honorarios devengados por la aplicación del Arancel con expresión individualizada del número de arancel aplicado, el concepto minutable, la aplicación de descuentos, bonificaciones o reducciones, la base aplicada o la expresión de que es sin cuantía.

– Los honorarios del Notario por la redacción de un documento privado o por la realización de trámites o gestiones extraarancelarios, que deben facturarse de manera independiente de la minuta expresando el motivo a que responde, sobre los que deberá repercutir el IVA.

2.2.12.2.7. Recursos

La impugnación de las minutas notariales de honorarios se rige por la Norma General Décima de aplicación del Arancel Notarial que dispone lo siguiente:

> «… 1. Los **interesados** podrán impugnar la minuta formulada por el Notario dentro del **plazo de quince días hábiles siguientes al de su notificación o entrega**. 2. La impugnación **deberá presentarse ante el Notario** que la hubiere formulado, quien, con su informe, la elevará, en el plazo de diez días hábiles, ante la Junta directiva del Colegio Notarial para su resolución. Asimismo, la impugnación **podrá presentarse directamente** ante la Junta directiva del Colegio Notarial correspondiente. En este caso, la Junta recabará inmediatamente informe del Notario, que habrá de emitirlo en el plazo máximo de diez días. 3. **Las resoluciones de la Junta directiva podrán apelarse en el plazo de diez días hábiles ante la Dirección General de los Registros y del Notariado**…».

RDGRN 3 Septiembre 2017, 30 de Mayo y 10 de Marzo 2006

> «… **la reclamación de… honorarios exigirá**… presentar al cliente una **minuta acorde con las exigencias de la norma novena** del anexo II del arancel notarial, extremo sobre el cual, no puede el Notario alegar prescripción pues, no sólo **el plazo para impugnar la minuta no ha prescrito sino que ni siquiera ha empezado a correr**, ya que el plazo empezará a contarse desde que el Notario presente al cliente una minuta que contenga todos los requisitos legales…»
> «… Frente a… la RS de 15 de enero de 2002 conforme a la cual una minuta no firmada, pero reconocida como propia por el Notario que la expidió, no tiene obstáculo para surtir todos sus efectos tanto en al ámbito administrativo como el civil… un criterio más reciente (… RS de 10 de marzo de 2006) establece que… es necesario que tal presentación se haya realizado

con arreglo a las prescripciones formales establecidas… entre otros requisitos, con la firma del Notario…»

RRDGRN 22 Febrero 2018, 26 Marzo 2015, 15 Abril 2015 y 13 Septiembre 2013

*«… La Administración **debe vigilar y exigir a los interesados el cumplimiento de los plazos** marcados por las normas, **sin que** esta obligación **pueda atemperarse** de forma opcional o graciable por la Administración, y el artículo 29 la vigente LPACAP 39/2015… (47 de la anterior ley 30/1992)… Esta obligatoriedad es especialmente predicable respecto de **los plazos de impugnación… tienen carácter preclusivo; son plazos de caducidad no susceptibles de interrupción, como ocurre con los de prescripción**, transcurrido el cual no se puede entrar a valorar la corrección o incorrección de la minuta impugnada, pues **la manifiesta extemporaneidad de su impugnación exige que se proceda sin más trámite a su inadmisión.** Tal caducidad **es independiente de la interpretación que ha dado el Tribunal Supremo** al artículo 8 de la Ley 2/1994… en la redacción dada por la Ley 41/2007… **en Sentencia de 10 de octubre de 2012, y no altera el régimen de impugnación en vía administrativa de las minutas de honorarios notariales** tal como dicha impugnación se establece en Real Decreto 1426/1989 de 17 de noviembre y en la reiterada doctrina de este Centro Directivo…».*

RDGRN 21 Diciembre 2013.

*«… No existiendo en la normativa notarial disposición alguna que permita al Notario sustituir la obligación de notificación o entrega de la minuta por su **remisión por correo electrónico y no existiendo consentimiento expreso** en ese sentido por la recurrente, **no debe entenderse notificada** a efectos de inicio del cómputo para impugnar… debe considerarse como fecha de notificación la… fecha de **entrega de las copias de las escrituras y de los originales de las facturas-minutas…»***

RDGRN 4 Marzo 2013

*«… aunque este hecho se contradice por la recurrente en su escrito de alzada (alegando haberlo recibido el día 15 de marzo), debe prevalecer la afirmación que resulta del **documento oficial (burofax) que expide el funcionario de Correos**, y es que la entrega se hizo por este organismo a su destinataria, la aquí recurrente, el día 14 de marzo, como **resulta de copia de dicho documento fehaciente** que aporta la Notaria…»*

RDGRN 31 Enero 2013

*«… no figura en el expediente acreditación alguna de la constancia de la entrega o recepción de la minuta de aranceles al interesado… no puede sino considerarse como **dies a quo… la fecha en que el interesado realice actuaciones que supongan el conocimiento del contenido y alcance** de la resolución o acto objeto de la notificación o resolución, **o interponga cualquier recurso que proceda…»***

RDGRN 31 Mayo 2013, 21 Septiembre 2013, 17 Septiembre 2013

*«… El artículo 58 de dicho RN dispone que la jubilación implica el cese de la relación funcionaria… Por tanto, **al haberse jubilado como Notario** el funcionario que emitió la minuta de honorarios objeto de este recurso, ha quedado definitivamente extinguida su vinculación jerárquica, no sólo con el último Colegio Notarial al que perteneció, sino también con esta*

Dirección General, razón por la cual ésta **es incompetente para declarar la procedencia o improcedencia de la minuta de honorarios impugnada...**»

2.3. ORGANIZACIÓN DEL NOTARIADO

En el Código de Justiniano (CJ. X, 4044) y en el Digesto (D., Lib 50, tit. 4) entre los cargos personales civiles de larga tradición y de utilidad pública incluye el de «escribano-notario», formando parte del estado, como depositario de la fe pública documental, ya que a ellos correspondía al menos desde la época del emperador Constantino (s. IV) y quizás antes, en tiempos de Caracalla (s. III), la facultad de autorizar y elaborar expedientes «*cum publica fide*» aún tratándose de asuntos particulares de carácter privado.

Esta inescindibilidad de lo público y lo privado en la función notarial, mantenida en el tiempo, determina la organización del Notariado.

Como parte del Estado, el notariado depende del Ministerio de Justicia, a través de la Dirección General de los Registros y del Notariado; como corporaciones profesionales, no meras asociaciones espontáneas, creadas, reguladas y controladas por el poder público, se organiza el Notariado, en Colegios Notariales, con base territorial; el Consejo General del Notariado sirve de enlace entre estas dos estructuras organizativas del Notariado.

2.3.1. El Ministerio de Justicia

El Ministerio de Justicia es el departamento de la Administración General del Estado al que corresponde [...] la preparación y ejecución de la política del Gobierno para el desarrollo del ordenamiento jurídico, especialmente en materia de derecho penal, civil, mercantil y procesal (artículo 1 del Real Decreto 725/2017, de 21 de julio, por el que se desarrolla la estructura orgánica básica del Ministerio de Justicia).

El titular del Ministerio de Justicia es, por serlo, Notario Mayor del Reino (artículo 1 del Real Decreto 725/2017 citado).

Como **Notario Mayor del Reino**, el Ministro de Justicia forma parte del Notariado, como órgano supremo, con la significación y atribuciones tradicionales (art. 308 del Reglamento Notarial), que son las que hasta hoy ha ejercido (artículo 9 de la Ley del Notariado).

Sus funciones como notario son:

1º. Autorizar, con las solemnidades de la legislación notarial, pero sin signo, los instrumentos públicos que otorguen los Reyes o sus ascendientes o descendientes.

2º. Consignar en acta las declaraciones solemnes o juramentos del Rey, del Presidente del Gobierno y sus Ministros; esta atribución está circunscrita en la práctica a la toma de posesión de Presidente del Gobierno y sus Ministros y el juramento y proclamación reales.

3º. Y Tener a su cargo el Registro de la Familia Real, asistido por el Director general de los Registros y del Notariado (artículo segundo del Real Decreto 2917/1981, de 27 de noviembre, sobre Registro Civil de la Familia Real).

Como Notario Mayor del Reino, el Ministro de Justicia puede ser sustituido por el Director General de los Registros y del Notariado.

Como **titular del Ministerio de Justicia**, está situado jerárquicamente por encima de los Notarios (arts. 1 y 307 del RN), ya que si bien el Notariado disfruta de plena autonomía e independencia en su función (art. 1 del RN), los notarios, en su organización jerárquica, dependen del Ministro de Justicia (art. 307 del RN). En las funciones notariales del Ministro de Justicia, se puede distinguir entre funciones ejecutivas y organizativas.

A) Sus **funciones ejecutivas** son:

1ª. El nombramiento del Tribunal o Tribunales calificadores de las oposiciones libres de ingreso en el Notariado (art. 9 del RN) y entre Notarios (art. 101 del RN).

2ª. Expedir, en nombre del Rey, el título de Notario (art. 22 del RN).

3ª. El nombramiento a los Notarios para una plaza determinada, salvo que dicha plaza este situada en una Comunidad Autónoma que tenga atribuida esta facultad (art. 23 de RN).

4ª. El Nombramiento de los Archiveros del Protocolos (arts. 293 y 294 del RN).

5ª. Resolver en alzada en los recursos que se interpongan: 1) contra los acuerdos del Consejo General del Notariado que se refieran a la interpretación y aplicación de la regulación notarial (art. 343 del RN), 2) contra resoluciones de la Dirección General en materia disciplinaria, poniendo fin a la vía administrativa (art. 363 del RN) y 3) sobre bajas en el Cuerpo por defecto o ausencia de la fianza (art. 29 del RN).

6ª. E imponer la sanción más grave a los Notarios, la de separación del servicio (artículo 354 del RN).

B) Las **facultades organizativas** son:

1ª. Llevar a efecto la revisión de la demarcación notarial (art. 72 del RN).

2ª. Proponer conjuntamente con el Ministro de Economía y Hacienda la aprobación del Arancel notarial (Disposición Adicional Tercera, 5. de la Ley 8/1989, de 13 de abril, de Tasas y Precios Públicos); previo informe, de la Junta de Decanos de los Colegios Notariales (hoy Consejo General del Notariado) y con audiencia de la Comisión permanente del Consejo de Estado (art. 63 del RN).

3ª. Adoptar las disposiciones necesarias para la observancia de la Ley del Notariado y de los Reglamentos y Órdenes para su ejecución, a propuesta de la Dirección General de los Registros y del Notariado (artículo 313 RN).

4ª. Ejercer la potestad reglamentaria en las materias propias de su Departamento; nombrar y separar a los titulares de los órganos directivos del Ministerio, dirigir la actuación de los titulares de los órganos superiores y directivos del Ministerio, impartirles instrucciones concretas y delegarles competencias propias (artículo 61 del Ley 40/2015, de 1 de octubre, de Régimen Jurídico del Sector Público).

El Ministerio de Justicia ejerce las atribuciones que legalmente le corresponden a través de tres órganos directivos (artículo 2 Real Decreto 424/2016, de 11 de noviembre, por el que se establece la estructura orgánica básica de los departamentos ministeriales): 1) La Secretaría de Estado de Justicia, 2) La Abogacía General del Estado-Dirección del Servicio Jurídico del Estado y 3) La Subsecretaría de Justicia, de la que dependen 1. La Secretaría General Técnica y 2. La Dirección General de los Registros y del Notariado, que es el órgano específico de la administración en materia notarial.

2.3.1.1. La Dirección General de los Registros y del Notariado

La Dirección General de los Registros y del Notariado tiene una naturaleza especial respecto otros órganos administrativos del Estado, pues su fin último es asegurar preventivamente las relaciones entre los particulares, por lo que su existencia no ha estado sujeta a los vaivenes de las necesidades administrativas, de hecho fue creada, no por una norma administrativa sino por la Ley Hipotecaria.

Su regulación está contenida, fundamentalmente, en:

1. El Real Decreto 725/2017, de 21 de julio, por el que se desarrolla la estructura orgánica básica del Ministerio de Justicia.

2. El Título X de la Ley Hipotecaria, Texto Refundido según Decreto de 8 de febrero de 1946.

3. La sección 1ª del Título Décimo de Reglamento Hipotecario.

4. Y el capítulo II del Título Quinto del Reglamento Notarial.

La Dirección General está formada, según el artículo 439 de RH por un Director general, un Cuerpo Especial Facultativo, compuesto de Subdirector y Oficiales y Auxiliares Letrados, personal administrativo, auxiliares mecanógrafos y subalternos.

El Director conforme al artículo 311 del RN dependerá inmediatamente del Ministro de Justicia, someterá directamente a su resolución todos los asuntos que deban decidirse con su acuerdo, y dictará por sí, o a propuesta del Servicio correspondiente, las resoluciones que sean de su competencia.

El cuerpo facultativo lo regula los artículos 261 a 266 de la Ley Hipotecaria.

2.3.1.1.1. Competencias

De la Dirección General de los Registros y del Notariado dependen, dos órganos: la Subdirección General de Nacionalidad y Estado Civil y la Subdirección General del Notariado y de los Registros (artículo 10.2., del citado R.D. 725/2017).

Las competencias de la Dirección General de los Registros y del Notariado, las determina el artículo 10 del Real Decreto 725/2017.

A la **Subdirección General de Nacionalidad y Estado Civil**, le corresponde, fundamentalmente:

a) La elaboración de los proyectos legislativos sobre las materias de nacionalidad, estado civil y ordenación y funcionamiento del Registro Civil.

b) La tramitación y, en su caso, resolución de los expedientes de nacionalidad y los de reconocimiento o denegación de las situaciones que afectan al estado civil de los ciudadanos y su inscripción en el Registro Civil.

c) La planificación de los Registros Civiles, la programación y distribución de los medios materiales y personales precisos para su funcionamiento.

d) Y la planificación estratégica, la dirección y la ejecución de la modernización tecnológica de los Registros Civiles.

La **Subdirección General del Notariado y de los Registros**, tiene las siguientes competencias:

e) La elaboración de los proyectos legislativos sobre las materias relativas al derecho notarial y registral en coordinación con la Secretaría General Técnica y el conocimiento e informe de cuantos proyectos normativos pudieran afectar a dichas materias.

f) La organización, dirección, inspección y vigilancia de las funciones de la fe pública notarial y las de naturaleza registral en las materias de la propiedad, bienes muebles y mercantiles, la evacuación de cuantas consultas le sean efectuadas sobre aquéllas, así como la tramitación y resolución de los recursos gubernativos contra los actos de los titulares del ejercicio de las citadas funciones.

g) La ordenación del gobierno y régimen de los Cuerpos de Notarios y de Registradores, la organización de sus procesos de selección y de provisión de puestos, así como las relaciones ordinarias con sus respectivos organismos profesionales.

h) La gestión del Registro de contratos de seguro de cobertura de fallecimiento y del Registro de Actas de Notoriedad de Herederos ab intestato bajo la dependencia del Registro General de Actos de Última Voluntad.

i) La llevanza del Registro de Fundaciones de Competencia Estatal, del Registro de Mediadores e instituciones de mediación y del Registro Central de contratos de préstamos declarados nulos.

j) En coordinación con la Secretaría General Técnica, el conocimiento, seguimiento e informe de los proyectos normativos en la Unión Europea y en otros organismos internacionales, en cuanto afecten a materias de su competencia.

k) La Asistencia al Ministro en su condición de Notario Mayor del Reino, así como la custodia de su protocolo y la llevanza del Libro Registro Civil de la Familia Real.

A la Dirección General de los Registros y del Notariado competen, como Centro superior directivo y consultivo, todos los asuntos referentes al Notariado (art. 309 del RN); sus funciones en orden al notariado son, aparte de las anteriormente señaladas, en lo que afecta al Notariado, las que señala en artículo 313 del RN:

1. Proponer al Ministro de Justicia, o adoptar por sí en los casos que sean de su competencia, las disposiciones necesarias para la observancia de la Ley del Notariado y de los Reglamentos y Órdenes para su ejecución.

2. Instruir los expedientes que se formen para la provisión de las Notarías vacantes y para celebrar las oposiciones en los casos en que fueren necesarias, proponiendo la resolución definitiva que en cada caso proceda con arreglo a las Leyes.

3. Resolver en consulta las dudas que se ofrezcan a las Juntas directivas de los Colegios Notariales o a los Notarios sobre la aplicación, inteligencia y ejecución de la Ley del Notariado, de su Reglamento y disposiciones complementarias, en cuanto no exijan disposiciones de carácter general que deban adoptarse por el Ministro de Justicia.

4. Dictar, conforme a las Leyes y Reglamentos, las Resoluciones que estime procedentes en los asuntos de su competencia.

5. Resolver las alzadas contra los acuerdos de las Juntas directivas en materia de impugnación de las cuentas o minutas notariales por aplicación del Arancel, y sin que contra sus resoluciones se dé recurso alguno, en vía administrativa.

6. Resolver igualmente con el mismo alcance y en última instancia los recursos gubernativos contra las calificaciones que de los títulos inscribibles hagan los Registradores.

7. Ejercer la alta inspección y vigilancia en todas las Notarías, Colegios Notariales, Consejo General del Notariado y Archivos generales de protocolos.

8. Comunicar las órdenes que dicte en cualquier forma el Ministro de Justicia relativas al Notariado.

9. Tramitar e informar las resoluciones que estime procedentes en las alzadas o recursos de apelación interpuestos contra resoluciones de la Dirección General en los asuntos del Notariado.

10. Proponer asimismo al Ministro de Justicia todas las reformas y alteraciones que sean necesarias en la organización de la Dirección.

11. Convocar y celebrar las oposiciones para ingreso en el Cuerpo Facultativo e instruir los expedientes para el nombramiento, ascenso, suspensión y separación de los funcionarios de la Dirección.

12. Formar y publicar los estados de la contratación notarial con arreglo a los datos que suministren los Notarios.

También, resuelve la Dirección General los recursos gubernativos que se interponen contra las calificaciones que de los títulos hagan los Registradores (arts. 313 del RN y 260 de la LH); sus resoluciones tienen gran importancia en la interpretación del Derecho Civil y, por su calidad, han otorgado a la Dirección General un gran prestigio y autoridad.

2.3.2. El Consejo General del Notariado

El Consejo General del Notariado se regula en los artículo 336 a 345 del RN.

Son sus fines esenciales: colaborar con la Administración, mantener la organización colegial, coordinar las funciones de los Colegios Notariales, asumiéndolas en los casos legalmente establecidos, dictar Circulares de orden interno de obligado cumplimiento para los Colegios y los notarios en las materias a que se refiere el artículo 344 del Reglamento notarial, y ostentar la representación unitaria del Notariado español.

Se relacionará con el Ministerio de Justicia por medio de la Dirección General de los Registros y del Notariado. El Consejo General tiene su sede en Madrid.

2.3.2.1. Naturaleza

El Consejo General del Notariado (art. 336 del RN) es una Corporación de Derecho público, con personalidad jurídica propia y plena capacidad. En el ejercicio de las funciones públicas atribuidas, respecto de la prestación de la función pública notarial, queda subordinado jerárquicamente al Ministro de Justicia y a la Dirección General de los Registros y del Notariado.

2.3.2.2. Composición

Forman parte del Consejo General todos los Decanos de los Colegios Notariales de España. En caso de vacante del cargo de Decano de algún Colegio Notarial será miembro del Consejo General quien haga sus veces.

El Consejo General, según el art. 337 del RN funciona en Pleno, en Comisión Permanente y por medio de la actuación de su Presidente, que ostenta la representación legal del mismo.

2.3.2.2.1. Pleno

Los Decanos se reúnen en pleno, para el ejercicio de las competencias del Consejo.

Las deliberaciones del Pleno, artículo 341 del RN, serán secretas. Sus acuerdos sólo podrán hacerse públicos cuando esté legalmente previsto o lo decida el Pleno que, asimismo, determinará el medio y ámbito de dicha publicidad

Todas las sesiones del Pleno se celebrarán en el lugar en que por mayoría simple acuerden sus miembros.

2.3.2.2.2. Comisión permanente

La Comisión Permanente, conforme el artículo 339 del RN, está integrada por el Presidente, el Vicepresidente y tres Decanos designados por el Pleno. Se reunirá cuantas veces fuere necesario, previa convocatoria por el Presidente, por propia iniciativa o a petición fundada de cualquiera de sus miembros. Quedará válidamente constituida para su actuación en cada caso con la asistencia de la mayoría absoluta de sus componentes. De sus acuerdos se dará cuenta inmediata a todos los Decanos.

No es delegable la condición de miembro de la Comisión Permanente, que se ostentará con carácter personal por todo el tiempo que el designado desempeñe el cargo de Decano.

Todas las sesiones de la Comisión Permanente se celebrarán en el lugar en que por mayoría simple acuerden sus miembros.

2.3.2.2.3. Presidente

El Presidente y el Vicepresidente serán designados por el Pleno del Consejo General mediante elección entre sus miembros. El Pleno podrá también acordar su remoción y aceptar su renuncia.

El tiempo de duración de los cargos de Presidente y de Vicepresidente coincidirá con el de su mandato como Decano.

2.3.2.2.4. Secretario

El Consejo General, según el art. 340 del RN, elegirá un Secretario, a propuesta del Presidente. El Secretario deberá ser notario.

A propuesta conjunta del Presidente y del Secretario, el Consejo designará uno o varios Vicesecretarios y los removerá, en su caso. Cualquiera de las funciones del Secretario puede ser delegada por éste en un Vicesecretario, siempre en cuestiones determinadas. El Vicesecretario, o uno de los Vicesecretarios, actuará como Tesorero.

2.3.2.3. Adopción de acuerdos

Para la válida adopción de acuerdos del pleno (artículo 341 del RN) y de la Comisión Permanente (artículo 339 del RN), se exige la presencia de la mitad más uno de los Decanos debiendo asistir el Presidente o Vicepresidente en su sustitución y el Secretario o Vicesecretario que le sustituya.

Los acuerdos del Pleno (y de la Comisión Permanente) deberán ser adoptados con el voto favorable de la mayoría de los asistentes, resolviendo en caso de empate el voto de calidad del Presidente.

2.3.2.4. Funciones

Del pleno:

Todas las funciones del Consejo General que luego se enumeran corresponde al Pleno del Consejo General (artículo 344 del RN), si bien:

1. Sus funciones pueden ser ejercidas, por delegación del pleno, de forma general o específica, por la Comisión Permanente, a excepción de la aprobación de Circulares de orden interno que sólo compete al Pleno (artículo 338 del RN).

2. Por acuerdo de dos terceras partes de sus miembros, el Pleno puede delegar la ejecución de alguna de sus competencias en uno o varios de sus integrantes.

3. El Consejo podrá encomendar servicios determinados a Secciones Delegadas del mismo, integradas por notarios o personal especializado.

4. Y puede crear la unidad especializada prevista en el artículo 17.3 de la Ley del Notariado a los efectos de colaborar eficazmente con las Administraciones Públicas, y especialmente, con las autoridades judiciales, administrativas y policiales competentes en lo relativo a la lucha contra el fraude tributario pudiendo a estos efectos recabar del notario la información y datos precisos

Según el artículo 342 del RN., los acuerdos adoptados por el Consejo General son **inmediatamente ejecutivos**; por el art. 343 del RN., los acuerdos o del Consejo General, serán impugnables ante el Ministro de Justicia, cuando se refieran a la interpretación y aplicación de la regulación notarial en los plazos y forma previstos para el de alzada.

Las funciones del Consejo General, las enumera el art. 344 del RN:

A) 1. Facilitar y organizar la comunicación entre Colegios Notariales; coordinar sus actuaciones y dirimir, dentro de sus facultades, proponiendo en otro caso su resolución, los conflictos que puedan surgir entre ellos.

2. Adoptar las medidas necesarias para que los Colegios cumplan las resoluciones del Consejo General dictadas en materia de su competencia.

3. Completar provisionalmente con los colegiados más antiguos las Juntas Directivas de los Colegios cuando se produzcan las vacantes de más de la mitad de los cargos de aquéllas. La Junta provisional, así constituida, ejercerá sus funciones hasta que tomen posesión los designados en virtud de elección.

Igualmente, el Consejo podrá designar una Junta Gestora para aquellos Colegios en los que no se presentara candidatura válida para cubrir todos los puestos de la Junta Directiva. Dicha Junta estará integrada por tres notarios del ámbito territorial del Colegio respectivo y sus cargos serán obligatorios para los notarios designados. Constituida esa Junta el Consejo comunicará a la Dirección General la identidad de sus integrantes y cargos. En todo caso, dicha Junta deberá convocar elecciones tan pronto sea posible.

4. Velar por el exacto cumplimiento de las disposiciones vigentes por parte de los Colegios y de los notarios. A estos efectos, y en el ámbito de las disposiciones que rigen la función pública notarial podrá dictar circulares de orden interno de obligado cumplimiento para los Colegios y notarios. El Proyecto de circular deberá ser sometido a consulta previa de la Dirección General de los Registros y del Notariado. Transcurridos diez días hábiles desde su remisión sin que dicha Dirección General practique objeción se entenderá aprobada la misma. Este plazo podrá reducirse a dos días hábiles por razones de urgencia que motivará el Consejo en su comunicación a la Dirección General y apreciará ésta. En todo caso, las circulares deberán publicarse en la página web del Consejo.

5. Aprobar los Reglamentos de régimen interior de los Colegios.

6. Organizar actividades y servicios comunes de interés para los notarios, y entre ellos los culturales, asistenciales, de previsión y otros análogos, y proveer, en su caso, a su sostenimiento económico. En este sentido, regulará todos los aspectos relativos a la «Revista de Derecho Notarial», organizará el servicio de pago de indemnizaciones por las responsabilidades civiles contraídas por los notarios en el ejercicio de su cargo y el denominado Servicio Quirúrgico, y llevará a cabo de modo continuado estudios sociológicos sobre la implantación del servicio notarial en la sociedad nacional y, en función de sus resultados, propondrá o adoptará, según los casos, las medidas conducentes a procurar el grado óptimo de aquélla en cada circunstancia.

7. Estimular, proteger y vigilar, conforme a las competencias atribuidas por las leyes, la mejor organización y conservación de los archivos.

8. Procurar la armonía y colaboración entre todos los notarios a fin de evitar conflictos entre notarios de Colegios diferentes.

9. Ejercitar el derecho a mostrarse parte en la causa contra cualquier notario que el artículo 62 del Reglamento Notarial concede a la Junta Directiva, si la Junta correspondiente no lo ejercitase y siempre previo informe de la misma.

10. Organizar cursos para la formación de posgraduados o de práctica notarial, primando especialmente la formación continua y sistemática de los empleados de notarías.

11. Determinar su régimen económico-financiero mediante la aprobación de sus propios presupuestos y la fijación equitativa de las aportaciones de todos los Colegios Notariales.

12. Establecer sistemas unificados de consignaciones, depósitos, cobros y pagos relativos a cualquier actuación o expediente notarial cuya existencia esté prevista por alguna disposición normativa.

B) 1. Ostentar la representación y defensa de la profesión notarial ante la Administración, Instituciones, Tribunales, Entidades y particulares, con legitimación para ser parte en cuantos litigios afecten a los intereses profesionales, y ejercitar el derecho de petición conforme a la Ley.

2. Asumir la representación del Notariado español ante las Entidades similares en otras naciones, designando asimismo las personas y Delegaciones que corresponda.

3. Informar en todos aquellos casos en que el Ministerio de Justicia lo estime conveniente y en especial en las reformas que afecten al ingreso en el Notariado y al régimen de las oposiciones y, en particular, al programa o temario de las oposiciones libres.

4. Designar o proponer, en su caso, los Decanos y notarios que hayan de figurar como vocales de la Junta de Patronato de la Mutualidad Notarial y de los órganos rectores de otras Entidades en los supuestos legalmente establecidos.

5. Participar en los Consejos u Organismos consultivos de la Administración en las materias de competencia de la profesión notarial.

C) 1. Informar preceptivamente todo proyecto de modificación de la legislación sobre Colegios Profesionales, así como los proyectos de Ley o de disposiciones de cualquier rango que se refieran a las condiciones generales de la función notarial.

2. Informar los proyectos de disposiciones generales de carácter fiscal que afecten directa y concretamente a la profesión notarial en los términos previstos en la legislación estatal o autonómica correspondiente.

3. Informar en los recursos gubernativos contra calificaciones de los Registradores de la Propiedad o Mercantiles, siempre que la Dirección General lo solicite y se trate de materias que afecten al Notariado o a la función notarial.

4. Informar, a petición de las Juntas Directivas de los Colegios Notariales o de la Dirección General de los Registros y del Notariado, en las impugnaciones de honorarios hechas con arreglo a los Aranceles Notariales y en los supuestos de consultas a los que se refiere el artículo 70 del Reglamento Notarial.

5. Ejercer cuantas funciones le sean encomendadas por la Administración y colaborar con ésta mediante la realización de estudios, emisión de informes, elaboración de estadísticas y otras actividades relacionadas con sus fines que puedan serle solicitadas o acuerde formular por propia iniciativa, y especialmente colaborar con el Ministerio de Justicia y con la Dirección General de los Registros y del Notariado en todo lo que se refiera a la función notarial.

6. Proponer a la Administración, y en especial a la Dirección General de los Registros y del Notariado, la adopción de medidas o las resoluciones y disposiciones de carácter general que estime convenientes para el Notariado.

7. Colaborar con la Administración para que se cumplan las condiciones exigidas en orden a la presentación y proclamación de candidatos para los cargos de las Juntas Directivas de los Colegios Notariales.

8. Consultar a la Dirección General las dudas que tenga sobre la aplicación de las disposiciones de carácter notarial, y elevar consultas a los Organismos competentes sobre la aplicación de las Leyes cuando se relacionen directamente con la actuación notarial, verificándolo por mediación del Ministerio de Justicia si se refieren a la función.

9. Elevar consulta vinculante a la Dirección General de los Registros y del Notariado, respecto de aquellos actos o negocios susceptibles de inscripción en los Registros de la Propiedad, Mercantil y de Bienes Muebles, de conformidad con el artículo 103 de la Ley 24/2001, de 27 de diciembre.

10. Evacuar las consultas que los Colegios o los notarios le formulen sobre asuntos técnicos de la profesión. La resolución de las consultas deberá ser objeto de publicación en el sitio web del Consejo.

D) 1. Velar por la ética y dignidad profesional en la práctica de la función notarial y por el respeto debido a los derechos de los particulares, promoviendo la corrección de cuanto pueda atentar a tales principios, a cuyos fines estará facultado para girar visitas de inspección a los Colegios Notariales y para proponer a la Dirección General de los registros y del Notariado, si procediere, la apertura de expedientes disciplinarios.

2. Instruir los expedientes de corrección disciplinaria promovidos contra las Juntas Directivas por causa de infracciones mutualistas.

3. Adoptar las medidas conducentes a evitar el intrusismo profesional.

E) Colaborar con las Administraciones tributarias de acuerdo con lo dispuesto en el artículo 17.3 de la Ley del Notariado y con las autoridades responsables de la prevención del blanqueo de capitales en los términos establecidos en la Ley 19/1993, de 28 de diciembre, sobre determinadas medidas de prevención del blanqueo de capitales.

F) Cualquier otra establecida en las Leyes y Reglamentos.

De la Comisión permanente.

La comisión permanente tiene las siguientes funciones, según el artículo 339 del RN:

1. Las que le delegue el pleno.

2. Y las propias del pleno en caso de urgencia.

Los acuerdos adoptados por la Comisión Permanente en virtud de delegación del Consejo deberán expresar tal carácter y se entenderán adoptados por el órgano delegante, pudiendo ser objeto de recurso. Del resto de sus acuerdos dará cuenta a todos los Decanos.

Del Secretario.

Las funciones del Secretario (art. 340 del RN), son: levantar acta de las sesiones del Pleno y de la Comisión Permanente, expedir certificaciones con el visto bueno del Presidente, custodiar la documentación de la Junta, auxiliar al Presidente en la ejecución de los acuerdos y en la preparación del orden del día de las sesiones y dirigir la labor del personal del Consejo, tanto de secciones técnicas como de la oficina administrativa.

De las secciones delegadas.

Sus funciones serán cumplir los determinados servicios encomendados por el Consejo, por su importancia destaca la sección delegada del Consejo General del Notariado para Asuntos Europeos.

Del Presidente del Consejo.

Son funciones del Presidente del Consejo General del Notariado, ex art. 345 del RN ostentar la representación legal de éste; convocar, preparar el orden del día en el que se incluirán obligatoriamente las materias solicitadas por cualquiera de los miembros del Consejo, y presidir las sesiones del Pleno y de la Comisión Permanente; ejecutar los acuerdos adoptados; llevar a cabo los actos de administración del patrimonio de la Junta, entre ellos los de abrir, seguir y extinguir cuentas bancarias, efectuar cobros y pagos y comprar y vender valores mobiliarios; comparecer en juicio por sí o por medio de Procuradores; resolver los asuntos de tramitación ordinaria y cuantas atribuciones le sean encomendadas por el Pleno o la Comisión Permanente. En relación con ésta, apreciará, en su caso, la urgencia de los asuntos que motive la convocatoria de la misma.

2.3.3. Los Colegios Notariales

La Ley del Notariado organizó el Notariado en Colegios territoriales, dirigidos por Juntas (arts. 41 y 42 de la LN).

El Colegio Notarial es el núcleo fundamental organizativo de los Notarios como profesionales del Derecho; en la actualidad hay 17 Colegios Notariales, cuya demarcación territorial coincide con la de las Comunidades Autónomas

Sus fines esenciales son, conforme al artículo 314 del RN, la ordenación del ejercicio de la profesión, sin perjuicio de las atribuciones del Gobierno, del Ministro de Justicia, de la Dirección General de los Registros y del Notariado y del Consejo General del Notariado, la representación exclusiva de aquélla, la defensa de los intereses profesionales de los colegiados y el cumplimiento de la función social que al notario corresponde.

2.3.3.1. Naturaleza

Los Colegios Notariales, dice el artículo 314 del RN; son Corporaciones de Derecho público, amparadas por la Ley y reconocidas por el Estado, con personalidad jurídica propia y plena capacidad para el cumplimiento de sus fines, subordinados jerárquicamente al Ministro de Justicia y a la Dirección General de los Registros y del Notariado (art. 314. 1 del RN).

Su naturaleza es distinta de la de los Colegios Profesionales que agrupan a los ejercientes de profesiones tituladas, ya que la naturaleza de los Colegios notariales, según la Sentencia del TC de 11 de mayo de 1989 «viene impuesta principalmente por las dos circunstancias siguientes: en primer lugar, por el carácter de **funcionarios públicos** del Estado que tienen los Notarios y que constituyen un solo Cuerpo de ámbito nacional (art. 1 Ley de 1862 y art. 1 Rgto. Notarial), aunque descentralizado por su integración en los diferentes Colegios territoriales (art. 41 Ley y art. 1 Rgto. Notarial en sus dos últimos apartados); y en segundo término, porque estos Colegios **forman parte del sistema organizativo y jerarquizado de la función pública estatal** que desempeñan sus componentes y, por tanto, del régimen jurídico del Notariado...» muy diferente de la de los Colegios profesionales, ya que, dice el TC «los Colegios Profesionales responden a una finalidad que sólo parcialmente puede calificarse de pública, los intereses públicos que predominan en los Colegios Notariales y la regulación de una profesión de naturaleza funcionarial que en ellos se incardina, invierten los términos de aquel planteamiento, no sólo en el sentido de robustecer la competencia estatal, sino en el de que ésta no viene limitada por el art. 149.1.18 CE a las bases de su organización y competencia, sino que se extiende también a la regulación de la función pública estatal que, en su mayor parte y sin duda la más importante y característica de su profesión, corresponde desempeñar a los Notarios».

En este sentido la Sentencia de la Sala III del TS de 14 de octubre de 2008, considera que «el inciso final del Art. 307 RN no es sino manifestación de la integración de la organización colegial del Notariado en la estructura jerárquica de la administración establecida para el ejercicio de la función pública notarial, que se ordena y desarrolla mediante distintos eslabones de dicha cadena jerárquica: Ministerio de Justicia, Dirección General de Registros y Notariado, Junta Directiva de los Colegios Notariales y Consejo General del Notariado».

Ley 2/1974, de 13 de febrero, sobre Colegios Profesionales, congruente con la especial naturaleza de los Colegios notariales, en la disposición adicional segunda establece que «Los Estatutos, generales o particulares, los reglamentos de régimen interior y demás normas de los Colegios de Notarios [...] se adaptarán a lo establecido en la presente Ley, **en cuanto no se oponga a las peculiaridades exigidas por la función pública que ejerzan sus miembros**»

2.3.3.2. Composición

Cada Colegio comprende las provincias asignadas al mismo, dividiéndose su territorio en Distritos; cada uno de los notarios de España habrá de estar integrado, con carácter exclusivo, en el Colegio a cuyo territorio pertenezca la población donde tenga su residencia reglamentaria (arts. 41 de la LN y 1 y 314 del RN.).

Cada colegio se compone de los siguientes órganos: la Junta General, la Junta Directiva, y el Decano (art. 314 del RN).

2.3.3.2.1. Junta General

La Junta general (art. 315 del RN) se reunirá en la capital del Colegio cuando la convoque la Junta directiva, que deberá hacerlo, por lo menos, una vez al año para aprobar las cuentas del año anterior y el presupuesto del corriente. También deberá convocarla, siempre que lo solicite más de la décima parte de los colegiados, expresando en la solicitud los asuntos a tratar y la información que sobre tales asuntos haya de dar la Junta directiva. En este último caso la Junta general deberá ser convocada para celebrarse dentro del plazo máximo de un mes, contado desde la solicitud.

El anuncio de la convocatoria, con expresión del orden del día, deberá hacerse por escrito con quince días, al menos, de antelación, salvo casos de urgencia en que se hará por telegrama remitido cuarenta y ocho horas antes. Igualmente, dicha remisión podrá hacerse por medios telemáticos en cuyo caso deberá ser firmada electrónicamente y remitida a las direcciones de correo corporativo de los miembros del Colegio. En dicho anuncio podrá indicarse que, a falta de quórum, se celebrará la Junta en segunda convocatoria, una hora después, como mínimo, de la fijada para la primera.

Presidirá la Junta general el Decano y, con él, constituirán la Mesa los miembros de la Junta directiva, la cual podrá designar escrutadores, si lo estima procedente, en cualquier momento de la sesión. Actuará de Secretario el que lo sea de la Junta directiva, que levantará acta de la sesión y la firmará con el Presidente.

Todos los Notarios del Colegio tendrán derecho de asistir, con voz y voto, procurando que no quede desatendido el servicio público. También tendrán el derecho de conferir su representación por escrito a otro colegiado.

Para que se considere legalmente constituida la Junta general hará falta la concurrencia, en primera convocatoria, de la mitad, al menos, de los colegiados en ejercicio. En segunda convocatoria, quedará constituida la Junta cualquiera que sea el número de Notarios concurrentes

2.3.3.2.1.1. Competencias

Compete a la Junta general (Artículo 315 del RN:

1º. La aprobación de cuentas y presupuestos.

2º. La aprobación de los actos de adquisición, enajenación y cuantos signifiquen constitución, modificación o extinción de derechos reales sobre bienes inmuebles.

3º. Apreciar la justificación de las causas invocadas por los miembros de la Junta directiva para admitir su renuncia al desempeño del cargo.

4º. Adoptar acuerdos sobre censura de la gestión de la Junta Directiva. La censura podrá ser simple o cualificada, llevando esta última aparejada el cese de la Junta. Tratándose de censura simple se exigirá para su inclusión en el orden del día la firma de, al menos, el cinco por Ciento de los notarios con derecho a voto. Si fuera cualificada ese porcentaje será, al menos, del diez por Ciento.

La petición de la convocatoria se hará por escrito firmado por los solicitantes que en el caso de censura simple deberá ser el cinco por Ciento de los colegiados y en el de cualificada el diez por Ciento, expresando la causa de la moción. La Junta deberá ser convocada a este solo efecto y en ella se podrán consumir los turnos en pro y en contra que se consideren necesarios.

5º. Adoptar acuerdos sobre mociones de confianza que les someta la Junta directiva sobre aprobación o rechazo de actuaciones específicas ya realizadas en curso o meramente proyectadas, que no hubieren sido votadas anteriormente por la Junta general. La no aprobación tendrá el carácter de censura simple.

6º. Proponer a la Junta de Decanos la adopción de acuerdos sobre materias de interés general para el Notariado en cuanto sean de su competencia, o proponer su elevación a la Dirección General, o al Ministro de Justicia cuando sean de la competencia de éstos.

7º. Elaborar los Reglamentos o Estatutos de régimen interior del Colegio.

8º. Acordar el aumento o reducción del número de Censores de la Junta Directiva en los términos previstos por el artículo 318.

9º. Adoptar los acuerdos sobre asuntos que someta a su consideración la Junta directiva y cualesquiera otros previstos en las Leyes y Reglamentos.

Los acuerdos se adoptarán por mayoría simple de votos, salvo los de los números 4.º y 5.º de este artículo, para los que se requerirá el voto favorable de un tercio, al menos, de los colegiados.

2.3.3.2.2. Junta Directiva

La Junta Directiva en el órgano de gobierno y ejecución (Artículo 327 del RN) del Colegio Notarial

2.3.3.2.2.1. Composición

La Junta Directiva (arts. 318 del RN) de cada Colegio estará integrada por un mínimo de tres y un máximo de nueve miembros. Estará compuesta necesariamente de un Decano-Presidente, un Censor y un Secretario. La Junta General del Colegio determinará el número de miembros de la Junta Directiva, así como la existencia de un Vicedecano, número de Censores, Tesorero y Vicesecretarios, dando cuenta de ello a la Dirección General.

Todos los cargos de la Junta serán gratuitos, honoríficos y voluntarios.

2.3.3.2.2.2. Elecciones

Los miembros de la Junta Directiva cesarán en el ejercicio de su cargo por el transcurso de su mandato, por renuncia aceptada por la Junta General, por pérdida de la cualidad de colegiado, por elección para otro cargo de la misma Junta, por imposición de una sanción por infracción grave o muy grave y las que lo sean de suspensión en el ejercicio del cargo de notario.

El mandato de la Junta Directiva es de cuatro años, pudiendo ser reelegidos sus miembros por iguales períodos, sea para el mismo o para distinto cargo. La renovación de la Junta será total o parcial (art. 319 del RN).

2.3.3.2.2.3. Competencias

Corresponde a la Junta Directiva, como órgano de gobierno y ejecución, artículo 327 del RN, el ejercicio de todas las funciones atribuidas al Colegio para el cumplimiento de sus fines, salvo las que están reservadas a la Junta General.

Especialmente son obligaciones de la Junta Directiva:

1ª. Velar por la más estricta disciplina de los notarios en el cumplimiento de sus deberes funcionales, colegiales y corporativos, corrigiendo sus infracciones, de conformidad con lo dispuesto en el régimen disciplinario.

2ª. Ordenar en su respectivo ámbito territorial la actividad profesional de los notarios en las siguientes materias: correcta atención al público, tiempo y lugar de su prestación, concurrencia leal y publicidad, continuidad de la prestación de funciones, incluso en días festivos y períodos de vacaciones. No obstante, en el ejercicio de esta competencia la Junta Directiva deberá cumplir con los acuerdos y circulares del Consejo General del Notariado, así como con lo que disponga éste cuando la materia objeto de dicha ordenación por su trascendencia o interés afecte a un ámbito territorial superior al del Colegio respectivo.

3ª. Organizar los servicios necesarios para la ejecución de los fines del Colegio e impulsar y vigilar su actividad.

4ª. Gestionar, administrar y disponer de los bienes del Colegio en general y proponer a la Junta General la inversión y disposición sobre inmuebles.

5ª. Representar los derechos y administrar los intereses del Colegio. A este fin, antes del 31 de marzo de cada año, formalizará y someterá a la aprobación de la Junta General el presupuesto ordinario de ingresos y gastos del Colegio para el ejercicio corriente y las cuentas del anterior. El ejercicio económico coincidirá con el año natural.

En el presupuesto ordinario se consignarán en partidas separadas las diferentes clases de ingresos, y serán expresadas, también separadas unas de otras, las partidas de gastos que se autoricen, con la cantidad asignada para cada una de ellas. Entre las partidas de gastos se consignarán necesariamente cantidades para bibliotecas y organización de archivos, sin que el concepto de «Imprevistos» pueda exceder del 15 por 100 del total de aquél.

La Junta Directiva podrá hacer transferencias de unas a otras partidas cuando lo considere conveniente a las necesidades del Colegio.

6ª. Informar a los colegiados que lo soliciten acerca de las cuestiones en que tengan interés legítimo y, asimismo, informar a todos los colegiados asistentes, en Junta General, por lo menos una vez al año, de cuantas cuestiones de interés colectivo puedan afectarles a ellos o al Colegio en el orden corporativo, colegial, profesional o cultural y de las que la Junta tenga conocimiento.

7ª. Suministrar al público, incluso a través de los medios de comunicación social, información general sobre materias directamente relacionadas con la actividad notarial y, en particular, aquella información que, según las circunstancias, resulte adecuada para el mejor conocimiento y salvaguarda de los derechos de los particulares.

8ª. Cumplir y ejecutar los acuerdos de la Junta General.

Y según el artículo 328 del RN., las Juntas Directivas, además de las facultades contenidas en otras disposiciones, tendrán las siguientes:

1. Acordar la comparecencia en juicio del Colegio y el otorgamiento de poderes.

2. Formalizar y someter a la aprobación de la Junta General presupuesto extraordinario para atender gastos colegiales excepcionales, fijando con precisión la forma en que hayan de financiarse y el plazo previsto para su amortización, así como la justa aportación de los colegiados para satisfacer aquéllos.

3. Determinar el sistema contable del Colegio.

4. Organizar, dirigir y administrar el servicio de legalizaciones y apostillas.

5. Adoptar las medidas que estime necesarias y de carácter urgente para asegurar la prestación de las funciones notariales cuando circunstancias excepcionales de la localidad así lo exijan, pudiendo el Decano, en iguales casos, disponer lo conveniente para garantizar la normalidad en el reparto de letras, pagarés y demás documentos de crédito, y sin perjuicio de dar cuenta de ello a la Dirección General.

6. Acordar el pago en todo o en parte, según los fondos de que disponga el Colegio, de las expensas que hubiere hecho un notario para salvar su protocolo, o el de otro notario, de inundación, incendio u otra fuerza mayor. Si se hubiere producido muerte, inutilidad o lesión, se podrá acordar, además, la concesión a aquél

o a sus familiares, por una sola vez, de auxilios extraordinarios complementarios en la cuantía que determine la Junta atendidas las circunstancias.

Conforme al artículo 331 del RN: Las Juntas Directivas y el Decano tendrán también la facultad de acordar inspecciones a las Notarías siempre que lo consideren conveniente a los fines prevenidos en este Reglamento, debiendo practicarlas de inmediato cuando existan indicios racionales de anomalías que deban ser corregidas. Las Juntas Directivas elaborarán cada año un Plan de inspección de notarías del territorio, que deberá ser aprobado por la Dirección General.

2.3.3.2.3. Decano

El Decano preside la Junta Directiva y ostenta la representación del Colegio (art. 314 del RN).

2.3.3.2.4. Delegados de Distrito

En cada distrito notarial (artículo 332 del RN.,) y para facilitar el cumplimiento de sus funciones, las Juntas Directivas designarán un Notario con el carácter de Delegado y otro como Subdelegado, y podrán nombrar varios Subdelegados cuando lo estimen necesario para el servicio. De estos nombramientos las Juntas darán cuenta a la Dirección General.

Los cargos de Delegado y Subdelegado durarán cuatro años, pero la Junta podrá reelegir a los mismos notarios.

Estos cargos son honoríficos, gratuitos y obligatorios para los notarios menores de sesenta años de edad y también para los mayores cuando no haya más que uno en el distrito.

2.3.3.3. Ingresos de los Colegios

Constituyen ingresos de los Colegios Notariales, art. 316 del RN:

1º. Los derivados de sus patrimonios respectivos, y las donaciones, subvenciones y legados que se les hicieren.

2º. La participación en el importe íntegro de los sellos de legitimaciones y legalizaciones, conforme establezca la legislación vigente, y el total importe de las legalizaciones y apostillas que efectúen los miembros de la Junta Directiva con este carácter.

3º. La cuota fija anual que deba aportar cada colegiado, pudiendo las Juntas Directivas fraccionar su pago. No obstante, y respecto de notarías de entrada esta cuota podrá bonificarse previo acuerdo de la Junta Directiva en un porcentaje no superior al 50%. Excepcionalmente y previa solicitud fundada del interesado, podrá la Junta Directiva mediante acuerdo motivado eximir del pago de la cuota fija.

En todo caso, la Junta Directiva podrá acordar la modificación de la cuota fija anual atendiendo a la evolución de los costes a los que va destinada. Si se pretendiera una elevación superior a estos, la Junta Directiva deberá someterlo a aprobación de la Junta General del Colegio Notarial.

4º. Una cantidad mensual que en ningún caso podrá tener carácter progresivo, ni podrá determinarse con arreglo al volumen de ingresos de los notarios. En la determinación de esta cuota será preciso que la Junta Directiva del Colegio identifique el servicio y financiación que el mismo exija.

5º. Las cuotas suplementarias precisas para costear el sostenimiento de servicios específicos.

Cuando estos servicios, por su naturaleza o por la población en que se presten, beneficien solamente a parte de los colegiados, las cuotas serán de cargo exclusivo de éstos.

6º. Las cantidades que las Juntas Generales determinen al aprobar un presupuesto extraordinario conforme a la facultad segunda del artículo 328.

7º. Cualquier otro ingreso reconocido por la legislación en vigor o la que la sustituya, sin perjuicio de su adscripción a fines determinados legalmente.

2.3.3.4. Funciones

Los Colegios Notariales, para el ejercicio de sus fines, tienen atribuidas con carácter general en su ámbito territorial, las funciones de colaborar con la Administración, a solicitud de la misma o por propia iniciativa; estar representados en sus Consejos u Organismos consultivos cuando proceda; organizar actividades y servicios comunes de interés para los colegiados en el orden formativo, cultural, asistencial, de previsión y otros análogos. Especialmente les corresponde, según el artículo 314 del RN:

1. Ostentar en su ámbito la representación y defensa de la profesión notarial ante la Administración, Instituciones, Tribunales, Entidades y particulares, con legitimación para ser parte en cuantos litigios afecten a los intereses profesionales y ejercitar el derecho de petición conforme a la Ley.

2. Ordenar en su respectivo ámbito territorial la actividad profesional de los notarios en las siguientes materias: correcta atención al público, tiempo y lugar de su prestación, concurrencia leal y publicidad, continuidad de la prestación de

funciones, incluso en días festivos y períodos de vacaciones. No obstante, en el ejercicio de esta competencia la Junta Directiva deberá cumplir con los acuerdos y circulares del Consejo General del Notariado, así como con lo que disponga éste cuando la materia objeto de dicha ordenación por su trascendencia o interés afecte a un ámbito territorial superior al del Colegio respectivo. Asimismo, y en los términos legalmente previstos corregirán las infracciones disciplinarias de sus colegiados, dejando a salvo las facultades del Ministro de Justicia y de la Dirección General de los Registros y del Notariado.

3. Adoptar las medidas conducentes a evitar el intrusismo profesional.

4. Conciliar las posturas de los colegiados. Igualmente y, en su caso, dirimir las cuestiones que por motivos profesionales se susciten entre los colegiados cuando así se lo soliciten. No obstante, se excluye de ambas actuaciones aquellas cuestiones que por afectar a la función pública notarial deba decidir los Colegios Notariales en el ejercicio de las competencias que la legislación notarial les atribuye.

5. Cumplir y hacer cumplir a los colegiados las Leyes generales y especiales, el Reglamento Notarial, los Reglamentos de régimen interior, así como las normas y decisiones adoptadas por los Órganos jerárquicos competentes, incluidas las Circulares de orden interno del Consejo General del Notariado que se refieran a aspectos de ordenación de la función pública notarial.

3. PRESTACIÓN DE LA FUNCIÓN NOTARIAL

3.1. CARÁCTER ROGADO DE LA FUNCIÓN

Siendo un concepto básico de la actuación notarial, su formulación con rango legal sólo se halla contenida de forma un tanto oblicua en el artículo 2 de la Ley del Notariado, con arreglo al cual «*El notario que, requerido para dar fe de cualquier acto público o particular extrajudicial, negare sin justa causa la intervención de su oficio, incurrirá en la responsabilidad a que hubiere lugar con arreglo a las leyes*».

El Reglamento sí que lo formula explícitamente en el primer párrafo del artículo 3: «*El Notariado, como órgano de jurisdicción voluntaria, no podrá actuar nunca sin previa rogación de sujeto interesado, excepto en casos especiales legalmente fijados*».

El texto deriva del Reglamento de 1935; por lo que su mención de la jurisdicción voluntaria no debe inducir al error de relacionarlo con la Ley 15/2015. El artículo 1811 de la L.E.C. entonces vigente la refería a los actos en que fuera necesaria o se solicitara la intervención del juez sin estar empeñada ni promoverse cuestión alguna entre partes conocidas y determinadas. La aplicación del principio de rogación no era ni es más que una consecuencia de la inclusión de dicha actividad en el ámbito del Derecho Privado, similar a la que resulta del principio de justicia rogada contenido en el artículo 216 de la L.E.C. «*Los tribunales civiles decidirán los asuntos en virtud de las aportaciones de hechos, pruebas y pretensiones de las partes, excepto cuando la ley disponga otra cosa en casos especiales*», o del mismo principio de rogación tradicionalmente derivado del artículo 6 de la Ley Hipotecaria para el procedimiento registral, no siempre bien entendido por algunas tendencias recientes —es decir, las que apuntan hacia la imperatividad en dicho sector y lo alejan cada vez más de los principios iusprivatistas—.

Volviendo al terreno notarial, tal vez como introducción al principio de rogación resulte útil reflexionar sobre la fórmula tradicional que se inserta en las diligencias para narrar que el notario actúa en un lugar exterior a su despacho: «me constituyo yo el notario». Dado que, evidentemente, entre sus competencias no se halla la de teletransportarse, resalta que el notario, dicho sea en términos nada técnicos, no lleva puesta su función. Se inviste de ella cuando «se constituye», es decir, empieza a actuar con arreglo a la rogación que previamente ha recibido. Para los hechos que perciba fuera de este ámbito será un testigo ordinario, cuyo testimonio no valdrá más que el de cualquier otra persona. La fe pública y con ella la presunción de autenticidad nace para cada caso de la rogación, equivalente a un mandato desde que expresa o tácitamente es aceptada.

Es de observar que en materia de escrituras la expresión suele usarse únicamente cuando el notario actúa fuera de su oficina. No implica que en ésta se halle permanentemente constituido. Tan sólo la presunción de que las rogaciones efectuadas en el interior de ésta activan directamente la fe pública sin necesidad de la antes citada investidura expresa.

Analizando la rogación desde dicha perspectiva contractual hallamos que sus elementos son:

A) El notario competente por razón del territorio en el que deba actuar, a salvo los supuestos de habilitación.

B) El «sujeto interesado» según la dicción del artículo 3 RN; como tal sujeto, dotado de los requisitos sobre capacidad impuestos por el acto concreto. En cuanto al interés, parece obvio que deberá cumplir estas exigencias:

a) ser directo, bien se formule en nombre propio o en representación. En Derecho Notarial no existe una iniciativa equivalente a la acción pública. No quiere decir que haya de tener un contenido patrimonial. Tan sólo que en ausencia de éste el notario debe realizar un análisis ponderado del bien jurídico que se quiere defender al rogar su actuación y de su relación con la persona que la insta.

b) ser legítimo; lo cual implica forzosamente el ejercicio de un control de legalidad, por imperativo de la norma, y remite a los supuestos de denegación de la función que serán examinados en breve.

c) en determinados casos que a continuación veremos, emanar de todas las partes del negocio jurídico; sin perjuicio de los efectos que puedan producir los actos unilaterales.

C) *El objeto:* la actuación del notario mediante alguna de las formas previstas en el artículo 17 L.N.: escrituras, pólizas, actas, copias, testimonios, legitimaciones y legalizaciones. Estamos haciendo referencia a una rogación reglada, dirigida a una actuación obligatoriamente ajustada a las normas imperativas propias de una función pública. Dichas normas dejan un amplio margen de libertad para adaptar al caso concreto las formalidades obligatorias, al tiempo que impiden apartarse de ellas.

Resulta aquí obligada la mención del doble carácter del Notariado, explicitado por el artículo 1 RN: tanto el requisito de la rogación como la imposición de una forma son predicables para la fe pública notarial, es decir, para la actuación de los notarios como funcionarios públicos. El asesoramiento y el consejo derivados de su consideración de profesionales del Derecho carece de forma; y en él la rogación, sin dejar de existir —otra cosa es que alguno se ponga a dar consejos sin que se los pidan—, se reduce a la mera interlocución entre el notario y quien la recaba.

D) *La forma:* obviamente forma de la rogación, no del instrumento público que de ella deriva. Sin embargo aquí se impone diferenciar con arreglo a la clase del instrumento (art. 17 LN):

a) en las escrituras: que tienen por objeto, según dicho precepto, «las declaraciones de voluntad, los actos jurídicos que impliquen prestación de consentimiento, los contratos y los negocios jurídicos de todas clases». Aunque la norma lo refiera explícitamente a un solo componente, todos estos supuestos tienen como denominador común la prestación de un consentimiento con efectos jurídicos; que en este ámbito requiere (art. 25 LN, desarrollado en el 193 RN) la lectura del instrumento, mediante alguna de las formas previstas en dichos preceptos, previa a dicha prestación y a la suscripción del documento.

Supone que en las escrituras la suscripción confirma la rogación, implícita de forma condicional en la comparecencia. No hay un acto formal previo en el que los otorgantes, potenciales hasta que consienten, recaban la actuación notarial. Fuera del supuesto, afortunadamente improbable, en el que uno de ellos sucumba entre la prestación de consentimiento y la suscripción —entiendo que en tal caso mediaría otorgamiento—, implica que en la escritura frustrada, en la que tras la lectura una parte niega el consentimiento, ha quedado desmentida la rogación; y que por tanto los acontecimientos intermedios no se hallan cubiertos por la fe pública. El notario será respecto de éstos un mero testigo, constreñido además por las normas sobre el secreto profesional.

Mención especial requieren las actuaciones previas al otorgamiento, a título de ejemplo la comprobación de la titularidad y estado de cargas, la que se refiere a los datos catastrales o a posibles deudas preferentes. También se precisa rogación para activar la actuación notarial en tales casos; pero, en el estadio actual de la normativa, ésta se produce de forma extradocumental, bastando que proceda de una de las partes e incluso de un factor de hecho, a título de ejemplo su abogado o su agente. Al fin y al cabo su único efecto es la acumulación de datos informativos, amparados por el secreto profesional en cuanto no resulten de obtención pública.

b) en las pólizas: el ámbito asignado por el art. 17 LN, «actos y contratos de carácter mercantil y financiero...», y la aprobación y firma exigidas por el 197 RN. permiten dar por reproducidas las consideraciones sobre las escrituras, de suerte que la rogación para que sean intervenidas nace de la propia suscripción.

Media sin embargo una diferencia importante: al margen del efecto de las declaraciones unilaterales de voluntad y del posible otorgamiento de una parte condicionado a la ratificación por la otra —sin la cual no habrá negocio jurídico—, las escrituras relativas a negocios plurilaterales requieren necesariamente la concurrencia de consentimientos. Para las pólizas, en cambio, se halla plenamente aceptada la intervención parcial, en la que por definición ha mediado la rogación de una sola parte. En ellas no es intervenido por tanto el negocio jurídico, sino revestida de forma pública la declaración de voluntad de dicha parte; sin perjuicio del efecto integrador de la suma de intervenciones, o de la posible aplicación del artículo 1259 del Código Civil en cuanto a la revocación del consentimiento prestado.

c) en las actas: relativas (art. 17 LN) a la constatación de hechos o a la percepción que de éstos tenga el notario, siempre que por su índole no puedan calificarse de actos o contratos, así como sus juicios y calificaciones.

A diferencia de las pólizas y escrituras, en ellas no media por tanto más consentimiento que la mera rogación, sujeta a las exigencias antes mencionadas de capacidad e interés legítimo. Al no quedar amparado su contenido por la suscripción del texto completo, cabe añadir el requisito de la concreción. Es decir, la rogación debe especificar claramente qué hechos deben ser constatados o percibidos mediante su formulación previa, que como mucho podrá reservar la posibilidad de ser ampliada mediante nueva rogación sobre el terreno, siquiera verbal, que amplíe en meros detalles la petición inicial. En línea sobre la exigencia, antes apuntada, de que el notario «se constituya», no cabe, dicho de nuevo en términos no técnicos, «llevar consigo a un notario constituido» para todo lo que pueda acontecer.

El art. 198 RN declara incluso innecesaria la firma del requirente en los supuestos de urgencia libremente apreciada por el notario. En estos casos cabe por tanto la rogación en cualquier forma, lo que cabe extender a cierta flexibilización a la hora de apreciar, aunque sea bajo condición, el interés legítimo. Sin embargo la rogación sigue siendo igualmente necesaria. Volviendo a los términos coloquiales antes empleados, la fe pública sólo entra en funcionamiento cuando alguien legitimado solicita «notario, actúe como tal».

d) en las copias: la expedición de éstas se halla sujeta a su propia regulación atinente al interés legítimo, que será examinada en otro apartado de esta obra.

En cuanto a la rogación para que sean expedidas por primera vez, lo que no hay que confundir con el concepto legal de primera copia, resulta obvio que, fuera de los excepcionalísimos supuestos legalmente previstos para la actuación directa sobre la matriz, las copias son el único vehículo apto para conocer un documento incorporado al protocolo o, en su forma de testimonio de la póliza, al Libro Registro. Al margen de los términos imperativos y plazos igualmente obligatorios incluidos en el RN, de las normas sobre remisión a entidades públicas y del carácter inexcusable de la información contenida en los Índices, en el ámbito privado cabe por tanto que los interesados desistan de la expedición de copia; lo que implica que incluso para la primera se requiere rogación.

El hecho evidente de que ésta no se realice en la práctica obliga a entender que se presume implícita en la rogación para el otorgamiento, salvo desistimiento expreso. El peso indudable de dicha práctica impone también invertir la regla para los testamentos, para los que cabe copia auténtica en vida del testador sólo a instancia de éste o de su apoderado especial —art. 226 RN—, pero en los que dicha exigencia, de nuevo sujeta a posible desistimiento, se presume limitada a la copia simple.

e) en los testimonios: si bien les resultan de aplicación las normas generales, hay que observar que en ellos la rogación tiene un carácter meramente fáctico, por cuanto ninguna norma exige la identificación de quien los insta. Otra cosa es que les resulten aplicables las reglas sobre capacidad e interés legítimo, cuyo cumplimiento deberá ser ponderado por el notario, lo que en ciertos supuestos puede hacer aconsejable la constancia expresa de la rogación.

– Revocabilidad de la rogación: ha quedado dicho que de la rogación resulta el instrumento público; de titularidad estatal y por tanto excluido del poder de disposición de los sujetos, que no pueden vetar el tratamiento de sus datos para todas las finalidades de interés público que imponga la normativa: inclusión en los Índices oficiales, comunicaciones a los Registros que no tengan carácter potestativo, como el de Actos de Última Voluntad, notas en el propio protocolo o derivadas de comunicaciones a otros notarios.

Fuera de estos supuestos, la unidad de acto entre rogación y autorización o intervención antes apuntada para las escrituras y pólizas vuelve inviable la revocación. Ésta resulta sin embargo posible en las actas antes de que sean cumplimentadas, sin perjuicio del efecto probatorio que pueda predicarse del requerimiento, así como en las copias y testimonios mientras no sean expedidos.

– La autorrogación: el término hace referencia a los supuestos excepcionales en los que el notario puede ejercer la función pública por propia iniciativa, sin que medie rogación de ningún otro sujeto. Cabe relacionar los siguientes supuestos:

  a) los casos en los que el notario sea el propio otorgante, limitados por el art. 139 RN a las escrituras en las que sólo contraigan obligaciones o extingan o pospongan derechos propios, sin adquirir ninguno; incluidos el propio testamento, poderes de todas clases y cancelación o extinción de obligaciones, todo ello con la antefirma «por mí y ante mí».

  b) el acta prevista en el art. 61 RN para el notario a quien se impida o dificulte el libre ejercicio de sus funciones con injurias, amenazas o cualquier forma de coacción. Precepto que, recordemos, incardina dichas conductas entre los atentados contra la autoridad, sus agentes y los funcionarios públicos, lo que no acaba de encajar con algunas decisiones judiciales sobre la materia, y obliga a los agentes de la autoridad a prestar al notario la asistencia que éste les reclame.

  c) los actos subsanatorios previstos en el art. 153 RN, que atribuye la iniciativa para enmendar errores materiales, omisiones y defectos de forma, entre otros, al notario, su sustituto o sucesor en el protocolo. Implica que la rogación inicial comprende los actos necesarios para la eficacia del instrumento; y que la posible responsabilidad del notario le ampara para actuar por sí solo en el ámbito de dicho artículo, lo que no puede ser evitado por ninguna de las partes.

– Concurso de rogaciones: desde la perspectiva temporal, cabe recordar que en materia notarial no existe más principio de prioridad que el que se deriva de la propia fuerza de los hechos. Como recuerda la D.G.R.N. en su Resolución de 31 de diciembre de 1999, la prelación en la práctica de las actuaciones notariales queda sometida al juicio de valoración que en cada caso efectúe el notario. El sentido común impone dar preferencia a las actuaciones que no puedan repetirse en otro tiempo —testamentos urgentes, actas cuya realidad puede variar a corto plazo— y a los negocios jurídicos afectados por plazos perentorios, siempre que la inminencia entre la rogación y su vencimiento no derive de la voluntad expresa o tácita de los interesados.

En cuanto a la concurrencia entre los interesados, en las escrituras y pólizas no cabe contradicción, por cuanto o todas las partes concurren al otorgamiento o de la propia autorización o intervención deben resultar los efectos parciales. En materia de actas cabe citar la Resolución de 26 de enero de 2010: «*El notario, aunque actúe en todo caso con carácter rogado, no actúa nunca como notario de parte sino con la autonomía e inde-*

pendencia que señala el artículo 1º del RN. y por tanto obligado a reflejar cuanto percibe, sea beneficioso o perjudicial al interés del requirente que reclamó su intervención. No cabe entender que la contradicción entre dos requerimientos constituye obstáculo para que un mismo notario los cumplimente».

Respecto del concurso entre dos notarios, cabe remitirse al apartado que sigue relativo a la libre elección.

3.2. DEBER DE PRESTACIÓN DE LA FUNCIÓN NOTARIAL EXCUSAS

Con independencia de los aspectos profesionales de su actuación, el notario ejerce una función pública; como tal puesta a disposición de los usuarios de su servicio —con una finalidad constitucional, la seguridad jurídica impuesta por el artículo 9º de la Constitución— y sustraída a su poder de disposición en cuanto al régimen de actuación, sus aspectos retributivos e incluso a su voluntad de servirla. Es la consecuencia de que el Notariado se halla integrado en el Ministerio de Justicia, cuyo titular y órganos directivos actúan como superiores jerárquicos, y de que, para garantizar el acceso de todos los ciudadanos a dicho servicio, la Demarcación Notarial compartimente el territorio en distritos asignados para la actuación notarial, sin perjuicio del régimen de concurrencia dentro del distrito.

Implica que el notario no elige ni a los otorgantes ni los asuntos. Fuera de los casos que veremos, tampoco le cabe alegar incomodidad o dificultad; como tampoco insuficiencia retributiva. Valga por todos los ejemplos la sentencia del T.S. de 27 de marzo de 1998, relativa a la factura del taxi en el desplazamiento para un poder electoral: el arancel, fijado normativamente, puede ser negativo, de modo que el notario, además de no cobrar por su actuación, deba correr con los gastos.

El deber se halla proclamado en el art. 2 LN, *«El notario que requerido para dar fe de cualquier acto público o particular extrajudicial negare sin justa causa la intervención de su oficio incurrirá en la responsabilidad a que hubiere lugar con arreglo a las leyes».*

Insisten en él el segundo párrafo del art. 3 RN, *«La prestación del ministerio notarial tiene carácter obligatorio siempre que no exista causa legal o imposibilidad física que lo impida»* y el segundo párrafo del art. 145 RN, *«La autorización o intervención tiene carácter obligatorio para el notario con competencia territorial a quien se sometan las partes o corresponda en virtud de los preceptos de la legislación notarial, una vez que los interesados le hayan proporcionado los antecedentes, datos, documentos, certificaciones, autorizaciones y títulos necesarios para ello».*

La sentencia del T.S. de 20 de mayo de 2008, que será examinada a continuación, obliga a modalizar la aplicación de este último artículo, por otro lado superfluo, por cuanto su mandato reproduce el de los antes citados y sin los requisitos necesarios no hay forma de cumplir ninguna función.

No se trata de una formulación gratuita. Su incumplimiento puede generar responsabilidad civil, si media perjuicio y se prueba su relación causa-efecto con la denegación de la función; pero además genera responsabilidad disciplinaria —art. 43.Dos 2.B de la Ley 14/2000, incorporado al 349 RN— al tipificarse como infracción grave la negativa injustificada a la prestación de funciones requeridas siempre que se cause daño a terceros, considerándose como tal la denegación injustificada por parte del notario a autorizar un instrumento público. El tipo adquiere la consideración de infracción muy grave si la negativa implica discriminación por razón de raza, sexo, religión, lengua, opinión, lugar de nacimiento, vecindad o cualquier otra condición o circunstancia personal o social.

Cabe reseñar la excepción contenida en el art. 216 RN: La admisión de un depósito no exigido por ley es voluntaria por parte del notario, que podrá imponer condiciones al depositante. Se entiende que en este caso a la actuación notarial propiamente dicha se superpone un contrato meramente civil, que necesita la prestación de un consentimiento autónomo para quedar perfeccionado.

Quedan excluidos del deber de prestación de la función los siguientes supuestos:

A) *Los de incompatibilidad.* No se alude aquí a las que pueden mediar para la toma de posesión o para el ejercicio del cargo, sino a las relativas al concreto instrumento público. A salvo los supuestos de autootorgamiento permitidos por el art. 139 RN, recordemos que éste excluye:

   a)   las escrituras en las que se consignen derechos a favor del notario. El precepto cita expresamente a las escrituras; pero —la salvedad vale para los apartados siguientes— la prohibición parece extensible a las pólizas y a las actas de las que se derive un efecto probatorio favorable. Entiendo que no a los testimonios. Las normas sobre incompatibilidades no previenen la falsedad sino la parcialidad, y la dación de fe en éstos, puramente objetiva, no deja margen para que concurra.

   Hay que excluir los supuestos en los que el propio ordenamiento prevé el otorgamiento de poderes al notario; por ejemplo en determinados supuestos societarios para acomodar el texto a una supuesta calificación registral negativa. El propio art. 139 excluye también la designación de albacea o contador partidor a favor del propio notario o sus parientes.

   b)   los actos jurídicos de cualquier clase que contengan disposiciones a favor de su cónyuge o persona con análoga relación de afectividad o parientes hasta el cuarto grado de consanguinidad o segundo de afinidad, aun cuando tales parientes o el propio notario intervengan en concepto de representantes legales o voluntarios de un tercero. Nótese que el art. 139 permite el otorgamiento de poderes para pleitos a favor de los indicados parientes.

c) los instrumentos en los que intervengan personas físicas o jurídicas con las que el notario mantenga una relación de servicios profesionales.

La inclusión de este último supuesto en la reforma de 2007 ha generado más de un malentendido. Advirtiendo del riesgo de interpretación contradictoria, entiendo que no comprende a quienes presten servicios al notario —los profesionales o empresarios a quienes se los contrate, menos aún a los empleados relacionados mediante vínculo laboral—. La finalidad del precepto apunta a la dependencia del notario respecto de tales personas, susceptible de poner en peligro su imparcialidad, y por tanto que él sea el prestador de dicho servicio distinto del mero ejercicio de su función pública.

Con la misma advertencia, entiendo también que la incompatibilidad no se aplica a la expedición de copias. El fundamento es el mismo apuntado para los testimonios: su índole de mera reproducción del original, que prácticamente excluye cualquier margen interpretativo.

B) *Los de imposibilidad física:* no hacen referencia a la particular del notario, por razón de impedimento físico compatible con el ejercicio del cargo, sea permanente o transitorio —en tal caso la prestación continúa siendo obligatoria, a cargo del notario a quien corresponda reglamentariamente la sustitución—, sino a la objetiva derivada del carácter de la rogación. Aunque no se halle previsto en la normativa, resulta obvio que ésta no puede requerir la asunción de situaciones de riesgo (imagínese la solicitud de un acta submarina), que se dilaten en el tiempo de una forma exagerada o que requieran habilidades inusuales en una persona común. Todo ello, entiendo, con interpretación restrictiva (el deber comprende afrontar situaciones desagradables, a título de ejemplo real la exhumación de un cadáver con los requisitos legales cumplidos) y sin perjuicio del carácter revisable de la negativa, susceptible de ser enmendada mediante el recurso a la superioridad.

C) *Los relativos a la legalidad del acto:* es decir, aquellos supuestos en los que sobre el negocio que recoge el documento recaigan defectos incompatibles con su eficacia. Dichos supuestos se hallaban recogidos en el art. 145 RN, que imponía negar la autorización notarial en los siguientes supuestos:

– falta en algún otorgante de la capacidad legal necesaria

– falta de acreditación de la representación o no corresponder ésta

– defecto en la contratación administrativa

– resultar el acto contrario a las leyes, a la moral o a las buenas costumbres

–   falta de algún requisito necesario para su validez.

El precepto estuvo vigente durante varias décadas sin que a nadie se le ocurriese discutir su procedencia, aunque sí se echaba en falta un corolario: la regulación detallada del procedimiento para revocar el juicio del notario negatorio de su actuación. Al amparo de las competencias atribuidas a la Dirección General por el art. 313 RN y concordantes se había institucionalizado el llamado recurso de queja, suerte de apelación por el que el Centro Directivo podía acordar dicha revocación, haciendo constar en tal caso el notario que autorizaba por orden superior.

La reforma del año 2007 repitió prácticamente el listado, comprendiendo:

a) la infracción de una norma legal, o la falta de acreditación del cumplimiento de los requisitos legalmente exigidos como previos

b) falta de capacidad legal de alguno o de todos los otorgantes

c) falta de acreditación o inexistencia de la representación en nombre de tercera persona, salvo que el acto sea susceptible de sanación y ratificación y se advierta la necesidad de ésta; si bien en este caso se requiere, a su vez, que la falta de acreditación sea expresamente asumida por la parte a la que pueda perjudicar y que todos los comparecientes soliciten el otorgamiento

d) el supuesto de que en los contratos públicos las resoluciones y expedientes base del contrato no se hubiesen dictado o tramitado con arreglo a las leyes, reglamentos u ordenanzas; supuesto modalizado en el propio artículo al excluirse que el notario entre en el fondo de la resolución. Análogamente se ordena la previa comunicación al Juzgado o Tribunal de cuyo acto resulta un otorgamiento del posible defecto atinente a la competencia, procedimiento, documentación o trámites necesarios y la firma en los términos finalmente acordados por el órgano judicial, con las salvedades que procedan para excluir la responsabilidad del notario; sistema, por cierto, bastante más respetuoso con la función judicial que la nota de calificación denegatoria simple y llana estilada en algún otro ámbito.

e) que el acto o contrato sea en todo o parte contrario a las leyes o al orden público o se prescinda por los interesados de los requisitos necesarios para su plena validez o su eficacia

f) que la forma documental no se corresponda con el contenido del acto.

Parecen supuestos elementales sin los cuales un instrumento no sería digno de tal nombre y desdiría del nivel jurídico exigible al autorizante. Ahora bien, la reforma de 2007 quiso suplir la omisión antes apuntada en un inciso final, según cuyo texto la negativa a intervenir o a autorizar podría ser revocada por la D.G.R.N. en virtud de recurso de cualquier interesado, previo informe del notario y de la Junta Directiva del Colegio Notarial. Si la resolución ordenara la redacción y autorización, el notario podría consignar al principio del instrumento que lo efectuaba como consecuencia de aquélla a fin de salvar su responsabilidad.

Como viene a decir la sentencia de la Sala 3ª del T.S. de 20 de mayo de 2008, si esta regulación hubiese quedado incluida en un artículo con número diferente y no se hubiese modificado el anterior listado de causas de denegación éste no habría podido ser impugnado y por tanto conservaría todo su vigor. Ahora bien, la doctrina jurisprudencial citada por la Sala —que no se discute, aunque deja bastante en entredicho el entero sistema español de control de legalidad de los Reglamentos, valga el uso de la expresión— indica que cualquier modificación de un precepto brinda una nueva ocasión de pronunciarse sobre su contenido íntegro. Por lo cual, dado principalmente que el nuevo recurso no se halla amparado según la sentencia por ninguna norma con rango de ley, procede la anulación del precepto entero.

A los diez años de la sentencia la perplejidad causada por esta anulación se halla estimablemente superada; sobre todo por la evidencia de que en todos o casi todos los supuestos citados un tribunal civil apreciaría, como lo han hecho, responsabilidad del notario con la consiguiente secuela patrimonial. No es cierto por tanto que anulado el art. 145 puedan autorizarse ventas nulas por razón de sujetos, objeto o forma, ni contratos sobre materias prohibidas, ni instrumentos aquejados de defectos formales obstativos de su eficacia. Dicho en otros términos, incluso puede entenderse que el listado de supuestos impeditivos sigue vigente, aunque sea por su carácter obvio, y que el notario que ante su concurrencia niegue la autorización evitará la responsabilidad más bien que incurrir en ella.

3.3. CONTROL DE LEGALIDAD

Como delegado del poder estatal y por tanto de su soberanía en el ámbito de la seguridad jurídica preventiva, parece difícil negar que el notario ejerce el control de legalidad. Al contrario, resulta tan obvio que la doctrina de los siglos XIX y XX ni siquiera planteó el tema. Los singulares efectos del instrumento público, tanto sustantivos como probatorios, resultarían una burla legal al usuario del sistema si quien lo autoriza no ejerciese dicho control., precisamente en beneficio del mencionado usuario.

La cuestión empezó a dar lugar a pronunciamientos, todos ellos positivos, en la proximidad del último cambio de siglo. En su sentencia de 11 de noviembre de 1999 el Tribunal Constitucional afirmó que «*a los notarios, en cuanto fedatarios públicos, les incumbe en el desempeño de la función notarial el juicio de legalidad*»; y, con base en el art. 1 LN, que define al notario como funcionario público autorizado para dar fe conforme a las leyes de los contratos y demás actos extrajudiciales, declaró que «*la función pública notarial incorpora pues un juicio de legalidad sobre la forma y el fondo del negocio jurídico que es objeto del instrumento público y cabe afirmar por ello que el deber del notario de velar por la legalidad forma parte de su función como fedatario público».* Ni siquiera necesitó referirse al art. 2 LN, antes transcrito, y su mención de la justa causa que ampara negar la autorización.

Por esas fechas el art. 43.dos de la Ley 14/2000, relativa al régimen disciplinario de los notarios, incluyó entre los supuestos de infracción grave las conductas que impidan prestar con imparcialidad, dedicación y objetividad las obligaciones de control de legalidad que la vigente legislación atribuye a los notarios.

Un año más tarde el nuevo artículo 17 bis LN, introducido por la Ley 24/2001, extiende al documento público electrónico las garantías y requisitos de los restantes e impone por ello la necesaria dación de fe de que el otorgamiento se adecua a la legalidad.

Por su parte la Ley 24/2006 modificó el art. 24 LN imponiendo a los notarios, en su consideración de funcionarios públicos, el deber de velar por la legalidad no sólo formal sino material de los actos o negocios jurídicos que autorice o intervenga. Sobre esta base la reforma reglamentaria de 2007 se limitó a precisar en diversos artículos determinados matices del control de legalidad, así como, según ha quedado dicho, a regular en el último párrafo del art. 145 el recurso contra el ejercicio negativo de dicho control.

Los nuevos preceptos y alguno de los antiguos —véase lo dicho sobre el listado de motivos denegatorios del art. 145— recibieron, en forma de diversos recursos, la contestación del Cuerpo de Registradores; cuya dirección letrada argumentó con tal pericia que, de manera sorprendente, la Sala Tercera del T.S. quedó persuadida en la forma que resulta de la sentencia de 20 de mayo de 2008. En ella descarta como argumentos en pro de la existencia del control notarial de legalidad el art. 2 LN —por cuanto basar la negativa a autorizar en un juicio desfavorable incidiría en la reserva de ley constitucional para la regulación de la propiedad privada (¿) —, el art. 17 LN, entendiendo que la dación de fe mencionada remite al cumplimiento de los preceptos reglamentarios sobre lectura y firma del instrumento y advertencias legales (¿) y el 24 LN, que al contenerse en la ley titulada como de Prevención del Fraude Fiscal, limita su ámbito a este efecto, sin comprender el resto de la actuación notarial (¿¿). El efecto de la Ley 14/2000 no es refutado porque simplemente se la ignora; es más, afirma la sentencia que la terminología «control de legalidad» no se utiliza en la legislación notarial.

Sobre esta base la sentencia no halla fundamento legal para entender que el notario pueda negar la autorización, salvo cuando la ley expresamente lo imponga —a título de ejemplos cita supuestos de cláusulas abusivas, relativos a derechos de aprovechamiento de inmuebles por turno. Ley de Montes y la de Ordenación de la Edificación; lo que con este criterio no impediría otorgar a menores de edad, o documentar delitos explícitos—; declara que en otros casos al notario sólo le cabe hacer advertencias; y exige rango de ley a la norma que permita recurrir contra la negativa. En resumen, centra el deber de los notarios en lo que llama «examen de la adecuada legalidad», materializado en las reservas y advertencias previstas en las leyes y reglamentos y en la adecuada información de la voluntad de los intervinientes.

Al margen de las opiniones técnicas no cabe, por supuesto, achacar intereses corporativos al alto Tribunal, aunque resulta inevitable atribuírselos al órgano recurrente; que en la demanda entrecomilló la expresión «control de legalidad» y le antepuso el adjetivo «pretendido». En efecto éste parece partir de una realidad reiteradamente autoafirmada, según la cual todo el control de legalidad se concentra, como lo hizo la materia del universo antes del bing bang, en el artículo 18 de la Ley Hipotecaria; el cual, por cierto, no utiliza el término «control».

Obviamente se trata de una falacia desmentida por la naturaleza de los hechos. No ignora sólo que de toda la actividad notarial únicamente una quinta parte, en términos aproximados, accede a un Registro y por tanto es objeto de calificación por su encargado —es lo que queda excluidos los poderes, los testamentos, las actas, las ventas de acciones y participaciones y la práctica totalidad de las pólizas. También omite que entre los efectos del instrumento notarial, probatorios y sustantivos —siguiendo el ejemplar trabajo de José Nieto que se cita en nota al pie de página, presunciones de veracidad, integridad y legalidad, efectos probatorios, efectos traditorios coincidentes con el pago de la contraprestación, que en nuestra sociedad no aguarda a la inscripción en el Registro—, oponibilidad y utilizabilidad, la posibilidad de ser inscrito no es más que uno de posible concurrencia, a menudo ni siquiera entre los más importantes. También prescinde por último de que el efecto de la calificación registral negativa se limita a vedar el acceso del negocio jurídico al Registro, sin poder incidir en los restantes efectos del instrumento notarial.

No es éste el sitio para enumerar los diversos efectos nocivos de la sentencia sobre otros sectores de la reglamentación, pues serán estudiados en los apartados correspondientes. Sí el de recordar que a su publicación siguió una polémica intranotarial sobre sus efectos. Una parte de la opinión la calificó de inane; y, por inoportuno que resultase a efectos de instar de los poderes normativos una reacción contundente, el transcurso del tiempo le ha dado la razón, por cuanto la actividad notarial ha seguido produciendo sus efectos al margen de ella.

La Sala Tercera ha mantenido su criterio en la sentencia de 7 de marzo de 2016, relativa a la anulación parcial, de nuevo a instancia del Colegio de Registradores, de la Orden 2899/2011 del Ministerio de Economía que imponía a los notarios denegar la autorización de préstamos hipotecarios por la ilegalidad de algunas de sus cláusulas, firme en su criterio de exigir rango de ley para amparar dichas negativas.

Bien distinto es el criterio de la Sala Primera del mismo Tribunal Supremo, convencida de la existencia del control notarial de legalidad, en particular si la cuestión hace referencia a la responsabilidad civil de los notarios. Véase por todas el siguiente párrafo de la sentencia de 9 de marzo de 2012, relativa a la enajenación de una prenda sobre contenedores: «*Los notarios son a la vez funcionarios públicos y profesionales del Derecho. La naturaleza pública de sus funciones se manifiesta de manera plena en el ejercicio de la fe pública notarial en la esfera de los hechos y en la esfera del Derecho mediante la extensión o autorización de instrumentos públicos. La autorización de la subasta a que se refiere el art. 1872 del Código Civil se encuadra en esta función pública, por lo que es exigible a los notarios la función del control de legalidad que impone el art. 147 RN*».

Precisemos que dicho precepto, bien traído a colación, impone al notario interpretar la voluntad de los otorgantes «y adecuarla al ordenamiento jurídico».

Agrega la sentencia que «*el acta de subasta no es una mera acta de presencia, dado que concluye con la enajenación de los bienes, por lo que el notario, iniciada su actuación por la rogación del acreedor, ha de controlar la legalidad del proceso. Como declaraba la STS de 3 de julio de 1965, el notario debe controlar la forma exterior del acto que autoriza para procurar que en él concurran todas las precauciones necesarias a fin de que se considere* «*digno de fe*».

¿Cuál puede ser la conclusión? A mi juicio que por supuesto que media el control notarial de legalidad —lo verificará, contra su seguro y su patrimonio, el notario que no la controle—; que lo que está realmente en juego mediante las impugnaciones no es su ejercicio, sino una pretendida exclusiva sobre la expresión, desmentida por la normativa, por la percepción social y por la práctica; y que las doctrinas de la Sala Tercera deben ser tenidas en cuenta principalmente por el legislador, para dotar a las sucesivas normas que intenten hacer uso de dicho control en beneficio de los usuarios del servicio del rango procedente.

3.4. DEBER DE IMPARCIALIDAD Y ASESORAMIENTO

En la teoría notarial suelen ser objeto de examen conjunto, pero en realidad hacen referencia a dos aspectos diferentes de la función. La imparcialidad, reforzada por las normas sobre incompatibilidades antes mencionadas, hace referencia a su necesaria posición neutral entre las partes de un negocio jurídico; sin más excepción que la del trato desigual que el propio ordenamiento le impone en ocasiones, precisamente para asegurar la igualdad.

El núcleo del deber de imparcialidad se halla contenido en el primer párrafo del art. 147 RN, que, según examinamos, ha sido juzgado determinante por la Sala Primera del T.S. para afirmar el control de legalidad por parte de los notarios: «*El notario redactará el instrumento público conforme a la voluntad común de los otorgantes, la cual deberá indagar, interpretar y adecuar al ordenamiento jurídico, e informará a aquéllos del valor y alcance de su redacción».*

El precepto continúa extendiendo este deber a los supuestos en los que se pretenda un otorgamiento según minuta —en cuyo caso habrá que hacer constar de quien procede y si obedece a condiciones generales de contratación, lo que tiende a presumirse cuando una de las partes es un Banco—. También especifica que las pólizas pueden ser presentadas —lo que supone que quedan excluidas del deber de redacción— por las entidades que se dedican habitualmente a la contratación en masa, siempre que su contenido no vulnere el ordenamiento jurídico y sean conformes a la voluntad de las partes.

Implica que en los negocios jurídicos bilaterales el notario no puede limitarse a recoger la voluntad de una parte. Es cometido primordial de su función integrar la de todas ellas sobre los elementos del negocio jurídico, en principio tanto esenciales como accidentales; lo que recalca la definición de la lectura del instrumento contenida en el art. 193 RN, que sólo la considera íntegra, es decir, susceptible de haber cumplido el requisito del art. 25 LN, cuando el notario *«haya comunicado el contenido del instrumento con la extensión necesaria para el cabal conocimiento de su alcance y efectos, atendidas las circunstancias de los comparecientes».*

Si no media dicha concordancia de voluntades no hay en principio negocio jurídico instrumentado. Otra cosa es que recayendo el consentimiento sobre los elementos esenciales medien discrepancias sobre algunos aspectos secundarios, o diversa interpretación de determinados antecedentes. El notario debe en tal caso hacer constar que el negocio se ha perfeccionado válidamente y recoger de forma exacta los criterios discrepantes, de suerte que cada parte pueda hacerlos valer en la instancia correspondiente. Las escrituras previenen los pleitos, pero no contra la voluntad de las partes.

Lo dicho hasta el momento no es más que una manifestación de un principio básico de la función notarial: garantizar el consentimiento informado. La autorización notarial implica necesariamente —y por eso le es imprescindible la comunicación física— que el consentimiento negocial se presta de forma libre y consciente —en cuanto al primer adjetivo, al menos sin que una coacción ilegítima resulte perceptible—, con el debido conocimiento sobre las consecuencias de prestarlo. Conviene matizar aquí que lo que controla el notario no es si dicho conocimiento ha sido recibido —lo que requeriría una suerte de examen posterior incompatible con la dignidad del otorgante—, sino que éste, atendidas sus circunstancias particulares de edad, salud y formación que se manifiestan mediante el trato directo, no siendo en absoluto desdeñable la concurrencia de asesoramientos externos, ha recibido la información necesaria para adquirirlo. Si durante la lectura y explicación ha decidido libremente pensar en otra cosa y otorgar cuando todo acabe —un adagio notarial dice que hay que desconfiar de los firmantes demasiado sonrientes—, el respeto a los propios actos le impedirá después alegar que no consintió.

El antes aludido trato desigual, del que paradójicamente deriva la auténtica igualdad, viene contenido en el último párrafo del art. 147 RN; en cuya transcripción se obvia para mayor claridad, por no corresponder a este apartado, la necesaria comprobación de que el instrumento no contiene condiciones generales declaradas nulas por sentencia firme e inscritas en el Registro de Condiciones generales: «*Sin mengua de su imparcialidad, el notario insistirá en informar a una de las partes respecto de las cláusulas de las escrituras y las pólizas propuestas por la otra... y prestará asistencia especial al otorgante necesitado de ella*».

La doctrina notarial llama a esta importantísima exigencia la corrección de la asimetría informativa. Obedece al principio de que la función notarial implica en el fondo una socialización de la asistencia jurídica. En los países que no la conocen cada una de las partes debe buscar y costear su propia asistencia, con el obvio desnivel de posibilidades según su poder adquisitivo y los precios que le resulten asequibles. En el sistema tradicional del Notariado europeo incumbe al notario, cuya actuación es retribuida mediante un precio fijado por norma estatal, no sólo dar el mismo servicio a todas ellas, sino igualar la asistencia ofrecida. Nótese que el precepto no habla de informar, sino de «insistir en informar»; mientras no aprecie que lo ha hecho suficientemente incluso, valga la licencia, a costa de ponerse pesado.

Diversos aspectos del deber de asesoramiento ya han sido examinados en los párrafos anteriores. Hay que recordar el último inciso del art. 147 RN, «*También asesorará con imparcialidad a las partes y velará por el respeto de los derechos básicos de los consumidores y usuarios*». Lo cual remite a los artículos 81 y 84 del Texto Refundido de la Ley para la defensa de los consumidores y usuarios y al 23 de la Ley sobre condiciones generales de contratación, que serán tratados en otros epígrafes de esta obra. En su momento fue citado el art. 43.dos de la Ley 14/2000, relativa al régimen disciplinario de los notarios, que incluye entre los supuestos de infracción grave las conductas que impidan prestar con imparcialidad, dedicación y objetividad las obligaciones de control de legalidad.

Sin embargo el deber de asesoramiento tiene en nuestro sistema una manifestación independiente del otorgamiento, que es la recogida en el art. 1 RN; según el cual incumbe al notario asesorar a quienes reclaman su ministerio y aconsejarles los medios jurídicos más adecuados para el logro de los fines lícitos que pretenden alcanzar. Cabe, por supuesto, que este asesoramiento sea solicitado por ambas partes conjuntamente. Sin embargo es también posible que en los negocios jurídicos plurilaterales sea una de las partes quien lo solicita; en cuyo caso su atención queda excluida, no del control de legalidad que el propio art. 1 recalca, pero sí del deber de imparcialidad.

Y es que en dicho terreno los intereses de una parte suelen resultar contradictorios de la otra y el asesoramiento solicitado al notario no tiene por objeto alcanzar el equilibrio contractual, sino la prevalencia de los de quien la insta. Huelga decir que cuando de esta fase se pasa a la del otorgamiento incumbe al notario escindir netamente el concepto de su actuación. El deber de imparcialidad vuelve a prevalecer sin excepción posible, con independencia de los consejos previos que hayan mediado; y si de éstos deriva cierta implicación emocional —no es extraño que los dramas personales que se trasladan a la Notaría la produzcan— puede ser conveniente recomendar la concurrencia a otro notario.

3.5. DERECHO A LA LIBRE ELECCIÓN DE NOTARIO

No hay duda de que constituye uno de los principios básicos del sistema notarial. Introduce desde luego un beneficioso efecto de competencia entre los notarios que mejora el servicio, compatible con los estrictos aspectos reguladores impuestos por el carácter público de la función. Durante varios siglos de vigencia se ha estimado compatible con el control de legalidad y en particular así lo ha entendido la sociedad, que en estos tiempos de recelos generalizados sigue entendiendo la palabra de notario como arquetipo de veracidad; y una encuesta somera entre operadores jurídicos daría resultados significativos sobre si dicho régimen es entendido preferible a otros ejercidos en estricto régimen de exclusividad.

Su formulación esencial se halla contenida en el art. 3 RN: «*Los particulares tienen el derecho de elección de notario sin más limitaciones que las previstas en el ordenamiento jurídico*».

El primer párrafo del art. 126 recalca: «*Todo aquél que solicite el ejercicio de la función pública notarial tiene derecho a elegir el notario que se la preste, sin más limitaciones que las previstas en el ordenamiento jurídico, constituyéndose dicho derecho en elemento esencial de una adecuada concurrencia entre aquellos*».

Salvedad hecha de dichas limitaciones, que serán examinadas acto seguido, conviene recalcar que la competencia territorial de los notarios únicamente hace referencia al espacio geográfico en el que pueden actuar, delimitado por la Demarcación Notarial para asegurar la estrecha relación entre el notario y los elementos físicos y personales del territorio, al tiempo que para garantizar el acceso cercano de todos los españoles al servicio notarial.

No hay en cambio límite geográfico, por razón de domicilio de los otorgantes, ubicación de los bienes ni de otra especie, para que los negocios jurídicos sean llevados ante el notario que los otorgantes decidan. Este régimen de libre elección puede producir, como es obvio, contradicción entre la voluntad de las partes de un negocio jurídico bilateral. La cuestión viene resuelta por el art. 126 RN, con los siguientes criterios:

a) «*En las transmisiones onerosas de bienes o derechos realizadas por personas, físicas o jurídicas, que se dediquen a ello habitualmente, o bajo condiciones generales de contra-*

tación, así como en los supuestos de contratación bancaria, el derecho de elección correspon-
derá al adquirente o cliente de aquellas, quien sin embargo no podrá imponer notario que
carezca de conexión razonable con alguno de los elementos personales o reales del negocio».

La regla guarda conexión evidente con el deber antes apuntado de corrección de la
asimetría informativa. También, atendida la importancia cuantitativa de dicha contratación, con la independencia del notario, imprescindible para garantizar su neutralidad.
Incluso debería quedar reforzada dentro de la normativa de disciplina de las entidades
de crédito, tipificando con rigor las conductas que vulneren esta norma imperativa.

En cuanto a los puntos de conexión, los personales remiten al domicilio de los comparecientes —que no de los otorgantes; el del representado parece ajeno a la finalidad
del precepto, que es evitar que se fuercen desplazamientos no consentidos—. Los reales
hacen referencia, lógicamente, a la situación de los bienes raíces y si son varios de los que
tengan importancia verdadera en relación con el conjunto.

b) *«A salvo lo dispuesto en el párrafo anterior, se estará a lo dispuesto en la normativa*
específica. En defecto de tal, a lo que las partes hubieren pactado». *Recordemos que, al*
margen de la incidencia del anterior apartado a), el art. 89.8 de la Ley general para la de-
fensa de los consumidores y usuarios declara nula de pleno derecho y tenida por no puesta la
previsión de pactos de renuncia o transacción respecto al derecho del consumidor y usuario
a la elección de fedatario competente según la ley.

c) *«Y en último caso el derecho de elección corresponderá al obligado al pago de la*
mayor parte de los aranceles». *Que en las compraventas será el vendedor, salvo que medie*
pacto en contrario o concurra como supletoria una normativa foral, como la catalana, con
criterios diferentes de los del Código Civil.

Tal vez el precepto debería completarse previniendo el supuesto de otorgamientos
necesariamente enlazados, como en el caso frecuente de la compraventa seguida del
préstamo hipotecario que lo financia. Con arreglo a los criterios expuestos, para la primera elegiría en principio el vendedor y para el segundo el comprador. Quien no elige
en ningún caso —primer párrafo del art. 126 RN y el citado de la legislación de consumidores—, es el Banco.

Como norma de cierre del sistema establece el último párrafo del art. 126 RN que
«Los notarios tienen el deber de respetar la libre elección de notario que hagan los intere-
sados y se abstendrán de toda práctica que limite la libertad de elección de una de las partes
con abuso de derecho o infringiendo las exigencias de la buena fe contractual». *Queda decir*
que la mayoría de los Colegios Notariales disponen de servicios de atención al usuario entre
cuyos principales cometidos se encuentra precisamente velar por el respeto a dicho derecho.

En cuanto a las excepciones, y al margen de los sistemas de turno que a continuación
se examinan, cabe incluirlas en los siguientes apartados:

A) *Los que impliquen actuación del notario fuera de su ámbito territorial:* que, como se verá en su momento, es el distrito para la validez de dicha actuación, si bien la actuación será válida pero indebida en los términos de dicho distrito dotados de notario.

Quedó dicho que en dichos términos pueden instrumentarse actos sin limitación por razón de los domicilios de los otorgantes o del emplazamiento de los bienes. En cambio cuando se requiere actuación física del notario —actas de notificación, requerimiento o presencia— sólo el notario con competencia territorial puede realizar la actuación sobre el terreno que su cumplimentación requiera. Así y todo, y al margen de la concurrencia de distintos notarios dotados de dicha competencia, también en esta materia rige el principio general de libre elección. El interesado puede acudir al notario que elija para que redacte el acta y suscribirla ante él; y competerá a dicho notario remitir la rogación a otro dotado de competencia territorial para que la diligencie y devuelva.

B) *Supuestos en los que la rogación a un notario excluye la de otro:* No se hace aquí referencia a la posibilidad de que un mismo negocio jurídico sea otorgado ante dos notarios diferentes —e incluso ante el mismo, que, a salvo las indicaciones de su equipo informático y de lo que resulte de los antecedentes, no tiene obligación de recordar todo lo que autorizó—. Tales casos se resolverán conforme a las reglas generales del Derecho. Hablamos de los supuestos en los que dirigida la rogación a un notario otro deba abstenerse de actuar. Cabe citar los siguientes:

a) El supuesto del art. 209-bis: si comunicado por un notario el inicio de un acta para la declaración de herederos abintestato otro dirige la misma comunicación, los servicios colegiales lo comunicarán a éste para que suspenda la tramitación.

b) El caso del art. 105-2 del Reglamento del Registro Mercantil: requerida por el órgano de administración de una sociedad mercantil la presencia de notario para levantar acta de la Junta de socios, ningún otro notario, requerido por un socio u otro interesado, puede concurrir a dicha Junta a los mismos efectos.

C) *Supuestos de competencia territorial por razón de la materia:* obviamente distintos de los de turno oficial que se examinan a continuación. Se corresponden con aquéllos em los que media el ejercicio por el notario de una actividad específica de la jurisdicción voluntaria, en los que el legislador ha estimado conveniente restringir la libertad de elección del notario imponiendo la concurrencia de determinados puntos de conexión.

Se entendió que concurría tal carácter en los supuestos de ejecución extrajudicial de la hipoteca, si bien en este caso se optó por suprimir la libertad de elección mediante la sujeción a turno. Con arreglo al art. 236 del Reglamento Hipotecario dicha realización extrajudicial debe ser llevada a cabo ante el notario hábil para actuar en el lugar donde radique la finca hipotecada, pudiendo establecerse en la escritura de constitución, de ser varias, cuál determinará la competencia notarial., lo que en su defecto corresponderá a la tasada con mayor valor a efectos de subasta; remitiendo al turno si hubiere más de uno.

El criterio indicado, libre elección entre los notarios comprendidos en un determinado ámbito territorial, fue introducido al establecerse la competencia notarial para las actas de notoriedad dirigidas a la declaración de herederos abintestato, antes mencionadas, en las que se declaró hábil para autorizarlas (art-209-bis RN) a cualquiera competente para actuar en la población donde el causante hubiera tenido su último domicilio en España, en su defecto el correspondiente al lugar del fallecimiento y en otro caso al lugar donde estuviere parte considerable de los bienes y de las cuentas bancarias; criterios que, como se verá acto seguido, se hallan actualmente previstos no con carácter subsidiario sino alternativo.

Como es propio de su contenido, la Ley de Jurisdicción Voluntaria 15/2015 ha extendido este criterio, al tiempo que ha ampliado la libertad de elección ampliando los puntos de conexión y comprendiendo en bastantes casos no sólo a la totalidad de los notarios del distrito sino también a los de los colindantes. Cabe citar los siguientes nuevos artículos de la Ley del Notariado, introducidos por la norma mencionada:

a) art. 51: para contraer matrimonio

b) art. 53: para hacer constar en el Registro Civil el régimen económico matrimonial

c) art. 54: para separación matrimonial y divorcio

d) art. 55: para la declaración de herederos abintestato

e) art. 57: actuaciones sobre testamentos cerrados

f) art. 61: actuaciones sobre testamentos ológrafos

g) art. 64: actuaciones sobre testamentos orales

h) art. 66: designación de contador-partidor dativo y aprobación de su partición, así como la prórroga del cargo de albacea o contador partidor. El precepto incluye también las renuncias de éstos, pero, tratándose de un otorgamiento unilateral, donde no median los caracteres propios de la jurisdicción voluntaria, no parece haber motivo para excluir la libre elección de notario sin restricciones.

i) art. 67: formación de inventario, según la norma a efectos de repudiar o aceptar la herencia, aunque el ámbito no parece circunscrito, como pudiera entenderse del tenor literal, al derecho a deliberar

j) art. 70: requerimiento para pago de deuda líquida del que resulte ejecución

k) art. 78: actuaciones en caso de robo, hurto, extravío o destrucción de títulos valores

En cuanto a los puntos de conexión previstos, cabe sistematizarlos de la siguiente forma:

a) Domicilio vigente del otorgante o de unos de ellos, de la parte deudora o de la sociedad emisora de un título-valor: artículos 51, 53, 54, 70 y 78. El art. 70 lo considera alternativo al lugar de residencia habitual, en caso de que no coincida con el domicilio contractualmente consignado

b) Cualquier domicilio que los cónyuges hubiese tenido con anterioridad: art. 53

c) Último domicilio que se tuvo: artículos 54, 55, 57, 61, 64, 66 y 67

d) Donde se encuentre la mayor parte de los bienes: artículos 53, 55, 57, 61, 64, 66 y 67

e) Lugar del fallecimiento: artículos 54, 55, 57, 61, 64, 66 y 67

f) Lugar de pago: art. 78

g) Lugar del depósito: art. 78

Salvo en los supuestos del art. 51 (matrimonio) y 54 (separación y divorcio), 70 (deuda ejecutiva) y 78 (títulos-valores) la competencia se extiende a todos los notarios del distrito y de los colindantes

La propia Ley de Jurisdicción Voluntaria ha modificado además el art. 87 de la Ley de Hipoteca Mobiliaria, atribuyendo competencia para el procedimiento extrajudicial al notario competente para actuar en el lugar en el que radiquen los bienes hipotecados o de un distrito colindante.

Conviene observar que la extensión de la competencia a los notarios de distritos colindantes ha suscitado algunas dudas sobre si comprende los supuestos en los que la plaza dotada del punto de conexión corresponde al propio distrito del notario elegido pero cuenta con Notaría demarcada y vigente. Atendida la finalidad de la norma parece obligado entenderlo así, como está ocurriendo en la práctica, pues la interpretación contraria implicaría una frustración injustificada de la extensión del ámbito competencial.

3.5.1. El turno de reparto

Se trata de la excepción más evidente al principio de libre elección de notario, que como tal excepción debe ser objeto de interpretación restrictiva. Las diferentes manifestaciones que serán examinadas en este apartado no obedecen al mismo fundamento, aunque éste es coincidente para las principales: como ha puesto de manifiesto la D.G.R.N. en numerosas resoluciones —véase por todas la de 29 de abril de 2002—, la circunstancia de que todos los notarios se encuentran en situación de plena igualdad y competencia en sus relaciones con la Administración y sus organismos, para los que todos tienen la misma consideración y aptitud.

Conviene recordar la importancia histórica que hasta dos reformas sustanciales llevadas a efecto en los años 80, la Ley Cambiaria de 1985 y la Disposición Adicional décima de la Ley 33/1987, revistió el turno de reparto, capaz por sí solo de condicionar la importancia de las Notarías en atención a su volumen en la plaza. La primera ley citada implicó la reducción sustancial del número de protestos cambiarios hasta su pronta desaparición práctica, la segunda excluyó del turno al Banco Hipotecario y a las Cajas de Ahorro, que en ese momento ejercían un predominio absoluto en el mercado de las hipotecas. Para paliar los efectos de dicha desaparición la misma norma previno la formación de mecanismos de compensación, que tras ser una importante fuente de problemas pueden considerarse extinguidos.

Con este punto de partida las normas de los artículos 127 y siguientes RN pueden sintetizarse así:

a) Sujeción a turno por razón del otorgante: quedan comprendidos los supuestos en los que éste, sea transmitente o adquirente, fuere el Estado, las Comunidades Autónomas, Diputaciones o Ayuntamientos, o los organismos o entidades dependientes de ellos, participados en más de un cincuenta por ciento, o en los que las Administraciones públicas ostentes facultades de decisión. Sin perjuicio de la interpretación restrictiva antes apuntada sobre las restricciones al derecho de libre elección, la D.G.R.N. tiene especificado que la relación no debe entenderse exhaustiva, asimilando todos los supuestos que compartan tales criterios con independencia de la denominación.

Participarán en el turno todos los notarios con competencia en el lugar de otorgamiento, que deberá coincidir con la población en la que la entidad, organismo o empresa tenga su domicilio social o delegación u oficina o en su caso donde radique el inmueble objeto del contrato.

El mismo precepto establece dos excepciones a las reglas anteriores:

a1) En los documentos cuya cuantía permita acuerdo libre sobre la retribución entre el notario y las partes, la entidad podrá elegir notario sin sujeción al turno, atendiendo a los principios de concurrencia y eficiencia en el uso de recursos públicos.

a2) Cuando el adquirente de la entidad sujeta a turno sea un particular, éste podrá solicitar del Colegio Notarial la intervención del notario de libre elección, que deberá ser atendida.

Nótese que las dos excepciones tienen un alcance distinto: la que deriva de la petición del particular predetermina la asignación por turno; la que se basa en la cuantía de la operación lo excluye.

b) Sujeción a turno por razón del procedimiento: es el caso del art. 128RN, relativo a las escrituras y actas que resulten de actos, diligencias o procedimientos judiciales o resoluciones administrativas, para las que será competente el notario único de la plaza en la que radique la sede del órgano correspondiente. Si fueren varios los interesados podrán elegir por unanimidad el notario y de no mediar dicho acuerdo —lo que el art. 129 extiende a los casos de rebeldía u otra causa que impida la compareciencia— procederá la designación por turno. Las mismas reglas resultan aplicables a las particiones aprobadas judicialmente y a las actuaciones o diligencias judiciales que no den lugar al otorgamiento de escritura matriz; debiendo entenderse que en tal caso procede su protocolización mediante acta.

El segundo párrafo del 129 insta a remitir al notario los autos originales, testimonios y antecedentes necesarios para el desempeño de su cometido y faculta a éste para solicitarlos. No prevé un procedimiento supletorio para el caso de que falten o bien obren en poder de quien no desea remitidos, diferente del mero desistimiento de la rogación o su aplazamiento indefinido.

c) Sujeción a turno por razón de la materia –arts. 130 a 132RN:

c1) Poderes para pleitos, copias y testimonios de personas que hayan obtenido o solicitado el beneficio de pobreza, siempre que tengan relación directa con el procedimiento al que el beneficio se refiere, así como los poderes para pleitos dirigidos a la obtención de dicho beneficio.

c2) Instrumentos, copias y testimonios relativos al estado civil de las personas cuando los interesados aleguen bajo pena de falsedad carecer de medios económicos. Cabe observar que tras la despenalización de la falsedad ideológica la garantía de veracidad sólo es relativa; aunque también que, tratándose ordinariamente de instrumentos sin cuantía, tampoco es fácil que su coste justifique la ficción.

c3) Actas o sus copias a requrrimiento de asociaciones de beneficencia pública o de la Cruz Roja.

c4) Protesto de letras de cambio y documentos mercantiles, salvo que los notarios de la localidad determinen la libre elección por las mayorías reforzadas previstas en el art. 131RN.

Con carácter general establece el RN la renunciabilidad del turno (art. 133) si bien queda prohibida la cesión de los derechos derivados —al igual que el art. 137 prohíbe convenios sobre reparto de documentos—, salvo la cesión individual de un asunto determinado mediando justa causa, así como el carácter forzoso de la prestación del ministerio derivado (art. 134). Dicho precepto remite a las Juntas Directivas la fijación de reglas para el turno; agregando el 135 una sanción particular, consistente en la privación del turno hasta seis meses, para los casos de incumplimiento o de falta de diligencia en la autorización.

Particular interés reviste el caso del segundo párrafo del art. 134, que permite a la Junta Directiva establecer turnos desiguales entre los notarios de una plaza así como excluir del turno a los notarios cuyo volumen de trabajo no les permita atenderlo debidamente. No se resalta por su importancia —ya ha quedado dicho la muy escasa que tiene el turno desde el punto de vista cuantitativo— sino por las justificaciones que contiene el precepto: el mantenimiento de la imparcialidad del notario y de la libre concurrencia entre éstos, la efectiva elección del particular y la mejor prestación del servicio público. Evidencian que a estos efectos no resulta relevante la situación retributiva del notario así mejorado, sino las cuestiones afectantes al desempeño de la función.

Por último el art. 136RN remite a todos los notarios del distrito el turno cuando la localidad que sirve de punto de conexión carezca de notario.

3.6. COMPETENCIA DEL NOTARIO

3.6.1. *Competencia funcional del notario*

Viene determinada por la naturaleza de la función notarial, cuyo análisis excede del ámbito de este apartado. Valga a estos efectos prácticos la expresión de Alejandro Fliquete («Competencia del notario por razón de la materia», Derecho Notarial, Editorial Tirant lo Blanch 2011): «el notario es un funcionario público que ejerce una función pública y de interés social, que por su valor jurídico pertenece al poder legitimador del Estado y se organiza jerárquincamente a través del Ministerio de Justicia».

Sobre este punto de partida debe ser fijada la competencia funcional, en la que la dación de fe, no obstante los importantes efectos jurídicos que produce, no es más que el corolario —Rodríguez Adrados denostaba el término fedatario como sinónimo de notario, pr cuanto empequeñecía la función—. Ello explica que, a diferencia de lo que ocurre con otros funcionarios facultados para dar fe, esto es, cuya intervención atribuye un efecto probatorio privilegiado a un documento, incluidos los Letrados de la Administración de Justicia, con las comperencias limitadas a su específica área administrativa o procesal, la competencia del notario se extienda en los términos legales y reglamentarios que acto seguido examinamos, siendo su delimitación meramente negativa por definición de los actos excluidos.

Según el art. 1LN, «*El notario es el funcionario público autorizado para dar fe confor-me a las leyes de los contratos y demás actos extrajudiciales*»; precepto desarrollado por el art. 2R, según el cual «*Al Notariado corresponde íntegra y plenamente el ejercicio de la fe pública en cuantas relaciones de Derecho Privado traten de establecerse o declararse sin contienda judicial*». Como es sabido hasta la Ley 55/1999 y el Real Decreto de 22 de septiembre de 2000 dicho ejercicio de la fe pública era compartido en materia mercantil con el cuerpo de Corredores de Comercio colegiados, hoy integrado en el Notariado en virtud de dichas normas.

La competencia funcional parece por tanto definida con carácter negativo: comprende todos los actos del Derecho Privado que no se hallen judicializados. Siendo la libertad de forma la regla general en el Derecho español, implica que el instrumento público concurre en principio con el documento privado e incluso con la expresión oral del consentimiento. Corresponde al apartado 4.5.1 de esta obra examinar cuáles son los efectos derivados del instrumento público, sustancialmente diferentes, por las garantías de las que está dotado y las presunciones que de ellas se derivan, de los resultantes de otra forma documental.

Por otro lado en los capítulos correspondientes a las distintas categorías jurídicas objeto de las escrituras y las pólizas se analizarán en detalle los casos en los que la normativa impone la escritura pública con un carácter más decisivo que el que resulta de atribuirle los efectos a los que se refiere el párrafo anterior, el cual alcanza en ocasiones a revestir el carácter de requisito ad solemnitatem, sin el cual no alcanza a tener existencia el negocio jurídico; a título de mero listado ejemplificativo de los supuestos principales:

- donación de bienes inmuebles (art. 633 C.C.)
- capitulaciones matrimoniales (art. 1327 C.C.)
- censo enfitéutico (art. 1628 C.C.)
- sociedad civil con aportación de bienes inmuebles (art. 1667 C.C., entendido como requisito para el nacimiento de la personalidad jurídica)
- hipotecas voluntarias (art. 1875 C.C. y 145 L.H.)
- derecho de superficie (art. 288.2 de la Ley del Suelo, excluido del alcance derogatorio de la sentencia del Tribunal constitucional de 22 de marzo de 1997
- sociedades mercantiles (art. 119 del Código de Comercio y concordantes para los distintos tipos societarios en su correspondiente legislación; en particular el at. 20 del T.R. de la Ley de Sociedades de Capital)

    Obviamente hay que incluir aquí el testamento abierto (art. 684 C.C.), al margen de los casos excepcionales previstos en el Código para los casos de epidemia o peligro de muerte, o las especialidades en tiempo de guerra, en viaje marítimo o en el extranjero, y el cerrado mediante las actuaciones previstas en el art. 707

C.C.). Como se ha apuntado al principio, tan sólo se ha efectuado un breve sumario de los casos principales, que, al igual que las exigencias del art. 1280 C.C., serán examinadas en los apartados correspondientes.

A partir de dicha extensión competencial procede analizar las exclusiones:

a) con arreglo a la Ley del Mercado de Valores (art. 11 de su Texto Refundido), la tramsmisión de valores representados por medio de anotaciones en cuenta tendrá lugar por transferencia contable. Nótese que el concepto «transmisión» resulta mucho más amplio que el de compraventa; con la consiguiente posibilidad de que dichos valores queden comprendidos en la misma operación —a título de ejemplo permuta— que otros bienes cuya transmisión corresponde a la competencia notarial. Puede entenderse que en tal concepto sí procederá el otorgamiento —dado que la transferencia contable no es título adecuado para transmitir esos otros bienes— y la presentación de copia al registro contable; tal y como ocurre en las adjudicaciones por herencia o legado, caso prototípico en el que los valores se alternan con activos de otra especie. En cuanto a las donaciones, que en principio quedarían englobadas en el término «transmisión», su propia especidad, en la que concurren decisiones sobre colación hereditaria o pactos específicos sobre reversión o revocación, parece abonar una interpretación semejante. En todo caso habrá que tener muy en cuenta las presunciones de legitimidad anejas a la inscripción en el registro contable para que dicho extremo no quede desatendido.

b) en cuanto a la concurrencia en la esfera administrativa, resulta obvio que ésta se rige por sus propias normas procedimentales y por reglas diferentes de las del Derecho Privado al que remite el art. 2RN. El art. 206RN contiene una previsión específica sobre la materia: «*Los notarios, salvo en los casos taxativamente previstos en la ley, no aceptarán requerimientos dirigidos a Administraciones públicas, judiciales, administrativas y funcionarios, sin perjuicio de que puedan dejar constancia en acta notarial de presencia de la realización por los particulares de acciones o actuaciones que les competan conforme a las normas administrativas*».

Es ésta una materia que se presta a numerosos equívocos. La función notarial, dirigida al Derecho Privado, no puede interferir de ninguna forma en los procedimientos regulados por normas administrativas. Otra cosa es que en la esfera de éstas también se producen hechos, susceptibles de ser percibidos por los sentidos y por tanto incorporables a una dación de fe, con el consiguiente efecto probatorio. Desarrollando los conceptos del citado art. 206, un acta notarial de notificación o requerimiento en los términos del RN resulta improcedente. Sí cabe, por el contrario, dejar constancia pública de una actuación privada incardinada en el procedimiento. Sobre la misma base, nada parece obstar a que la rogación del particular encomiende dicha actuación al notario, siempre a través del Registro de Entrada —la encomienda no sirve para saltarse pasos del procedimiento— y dejando constancia clara del carácter de la actuación, que, a título de ejemplo, no comporta plazo ni posibilidad de contestación distintos ni por cauces diferentes de los previstos en la norma procedimental.

c) respecto de la esfera judicial, como resulta de la propia formulación del art. 1LN constituye la frontera más evidente de la competencia notarial; lo que de todas formas debe dar lugar al examen de muchos matices.

Un aspecto importante hace referencia a la sede judicial, entendida en el aspecto físico del término. Se trata evidentemente de un establecimiento en el sentido del art. 198-7 RN y por tanto cualquier acta que deba ser diligenciada en su interior requiere la previa comunicación al órgano responsable, que a mi juicio, tratándose de juzgados, será el juez titular o el juez decano si la actuación afecta a una zona común a varios de ellos, debiendo el notario abstenerse de actuar si le es negada la autorizaciom. Lo que no cabe es descartar de entrada cualquier rogación dirigida a la actuación en tal sede —por ejemplo relativa a hechos que acaezcan en los pasillos o escaleras; con más razón sobre obras o desperfectos en el interior— siempre que la cuestión no entre en la competencia de los fedatarios judiciales; pues en otro caso se produciría la indefensión del usuario.

Fuera de estos supuestos concretos y a partir de la exclusión del notario de cualquier actividad contenciosa, resulta obvio que las relaciones de vecindad, bien de colindancia o de superposición, entre la función notarial y la judicial hacen referencia a la jurisdicción voluntaria. Dada la vigencia relativamente reciente de la Ley 15/2015 no parece útil remontarse a cuestiones doctrinales, en su mayor parte pretéritas, sobre la inclusión de la función notarial en este servicio del Estado y a la oscilación que en otros momentos históricos experimentó dicha función entre el carácter jurisdiccional y el administrativo y ceñirse a la realidad normativa.

Si partimos de la distinción entre los otorgamientos relativos a negocios jurídicos contenidos en el propio acto notarial y los casos en los que a partir de una rogación inicial y en pos de una determinada finalidad se suceden las fases regladas de un procedimiento, el segundo caso no sólo no resulta extraño a la práctica notarial, sino que forma parte de algunas de sus manifestaciones habituales; por ejemplo las que preveía la normativa hipotecaria para la inmatriculación de fincas o reanudación del tracto, o las actas de notoriedad en sus distintas manifestaciones legales, que han sido históricamente diversas con arreglo a las exigencias probatorias de cada momento; véanse, a título de ejemplo, las actas de notoriedad para la prueba de hechos acaecidos durante la Guerra Civil, a efectos del reconocimiento de derechos para los combatientes del bando republicano.

En tal sentido hay que hacer constar que dichas actas han ejercido un papel fundamental en los procedimientos para la inmatriculación, excesos de cabida, reanudación del tracto y otros relativos a la concordancia entre el Registro de la Propiedad y la realidad; si bien en estos casos, actualmente refundidos en el nuevo expediente introducido por la reforma de la Ley Hipotecaria, no cabe hablar de ejercicio jurisdiccional propiamente dicho, por cuanto, a diferencia de lo que ocurre con el resto de la actuación notarial, el efecto no es sustantivo por sí mismo, sino que se dirige a la obtención de un acto ajeno. aprobación judicial antes o la inscripción antes y después.

El artículo 129 de la Ley Hipotecaria, relativo al procedimiento de ejecución extrajudicial de la hipoteca, y su correspondiente desarrollo en el Reglamento, fueron estimados durante mucho tiempo un supuesto plenamente consolidado de un ejercicio funcional compartido, el de la realización de los bienes hipotecados, entre la vía judicial y la notarial, ambas a disposición del acreedor si la segunda había sido expresamente pactada. En el temario de esta obra hay ocasiones más adecuadas para detallar la repentina enemiga de la Sala 1ª del T.S., que declaró su inconstitucionalidad sobrevenida —como adverso a la reserva a favor de jueces y tribunales para juzgar y hacer ejecutar lo juzgado—; las críticas a tal interpretación, para las que, coherentemente con el criterio de la Sala 3ª del mismo Tribunal, no mediaba juicio alguno sino compraventa realizada conforme a un procedimiento en virtud del poder recibido por el acreedor; y la disposición final novena de la vigente L.E.C., que saldó la cuestión restableciendo la plena vigencia del procedimiento.

Otro supuesto de concurrencia fueron durante varias décadas las actas de notoriedad para la declaración de herederos, basadas en el art. 209 RN y eficaces hasta ser prohibidas por la Circular de 9 de marzo de 1970 de la Fiscalía General del Estado, en una suerte de irrupción inesperada de ésta en un ámbito documental que las había admitido. Como se detalla en el apartado correspondiente de esta obra la Ley 10/1992 de Medidas urgentes de reforma procesa las reintrodujo con rango legal, dando lugar al art. 209bis RN, si bien limitadas a determinados grados de parentesco.

No se ha pretendido hacer una historia ni siquiera somera de las oscilaciones en la competencia funcional de los notarios en el ámbito indicado, sino destacar unos cuantos ejemplos particularmente significativos. Como es sabido la cuestión ha tomado una dirección muy clara mediante la Ley 15/2015 de Jurisdicción Voluntaria. Su aplicación sobre las distintas categorías jurídicas será objeto de estudio en los correspondientes apartados de la obra. Cabe reseñar, sin embargo, los siguientes párrafos de su Exposición de Motivos, apartados IV, V y VI:

> «... resulta constitucionalmente admisible que, en virtud de razones de oportunidad política o de utilidad práctica, la ley encomiende a otros órganos públicos, diferentes de los órganos jurisdiccionales, la tutela de determinados derechos que hasta el momento actual estaban incardinados en la esfera de la jurisdicción voluntaria y que no afectan directamente a derechos fundamentales o suponen afectación de intereses de menores o personas que deban ser especialmente protegidas, y así se ha hecho en la presente Ley».

El párrafo delimita así, excluyendo los derechos fundamentales o la relación con personas tuteladas por el ordenamiento, el ámbito de la extrajudicialidad en la materia. Resulta obvio que, con arreglo al principio de autonomía de la voluntad, a la referencia a tales derechos cabe agregarle «en cuanto no resulten libremente disponibles por sus titulares».

> «*Precisamente sobre la base de la experiencia aplicativa de nuestro sistema de jurisdicción voluntaria, y desde la ponderación de la realidad de nuestra sociedad y de los diferentes instrumentos en ella existentes para la actuación de los derechos, no es nuevo el debate sobre si sería pertinente mantener en este campo la exclusividad de los tribunales de justicia —y dentro de ellos del personal jurisdicente— o si sería preferible encomendar su conocimiento a otros órganos y funcionarios públicos… La L.J.V., conforme con la experiencia de otros países, pero también atendiendo a nuestras concretas necesidades y en la búsqueda de la optimización de los recursos disponibles, opta por atribuir el conocimiento de un número significativo de los asuntos que tradicionalmente se incluían bajo la rúbrica de la jurisdicción voluntaria a operadores jurídicos no investidos de potestad jurisdiccional, tales como Secretarios judiciales, notarios y Registradores de la Propiedad y Mercantiles, compartiendo con carácter general la competencia para su conocimiento. Estos profesionales, que aúnan la condición de juristas y de titulares de la fe pública, reúnen sobrada capacidad para actuar, con plena efectividad y sin merma de garantías, en algunos de los actos de la jurisdicción voluntaria que hasta ahora se encomendaban a los jueces*».

El preámbulo cita a continuación el prestigio adquirido a lo largo de los años por dichos Cuerpos de funcionarios entre los ciudadanos y los califica como protagonistas principales de nuestro sistema de fe pública y garantes de la seguridad jurídica; alude a su inmejorable condición para apreciar la certeza o modo de ser de determinados negocios, situaciones o relaciones jurídicas; considera los recursos organizativos personales y medios materiales puestos en la actualidad a su disposición; y concluye que de la separación de determinados asuntos del ámbito competencial de los Jueces y Magistrados sólo cabe esperar beneficios para todos los sujetos implicados en la jurisdicción voluntaria.

Acto seguido alude a que la distribución de asuntos se ha realizado siguiendo criterios de racionalidad, optando por la alternatividad, mediante competencias compartidas, en determinadas materias; de suerte que el ciudadano pueda valorar las distintas posibilidades para elegir la más acorde con sus intereses; pudiendo acudir o al Secretario judicial, haciendo uso de los medios que la Administración de Justicia pone a su disposición, o al notario o Registrador, en cuyo caso deberá abonar los aranceles correspondientes.

Por su conexión con la materia que tratamos merece especial relieve el último párrafo del apartado VI: «*La reforma contempla, con un criterio de prudencia dada la procedencia de estos expedientes del ámbito judicial, ciertos límites al principio de libre elección del notario por el requirente, al establecer criterios de competencia territorial que tienen una conexión razonable con los elementos personales o reales del expediente. No obstante se avanza hacia una mayor flexibilización de las reglas competenciales respecto de las vigentes actualmente en el ámbito judicial».*

En el apartado anterior relativo a las excepciones de dicho principio de libre elección se han listado alguna de las novedades introducidas por la citada Ley, que como es sabido ha adicionado a la LN un título VII, con los artículos 49 a 83. Se reitera la remisión a los apartados correspondientes a las materias modificadas, aunque es inevitable incluir una estimación muy favorable a la reforma y en especial a los principios que la inspiran; por más que, como es natural, todavía se hallen en rodaje buena parte de sus aplicaciones.

3.6.2. Por razón del territorio

Según ha quedado dicho, dejando a salvo los supuestos expuestos en los que se excepciona el principio de libre elección, designando al notario por turno o limitando dicho derecho a aquéllos con los que coincida un determinado punto de conexión, la competencia funcional del notario no conoce restricción por razón de la materia; o, dicho en otros términos, las autorizaciones o intervenciones carecen de límites por razones subjetivas de los otorgantes —su residencia o domicilio social— ni objetivas, como serían las relacionadas con el emplazamiento de los inmuebles o el domicilio de las sociedades cuyas participaciones son objeto del negocio jurídico.

Por el contrario la actuación física del notario, es decir, el ámbito geográfico en el que puede autorizar o intervenir instrumentos o realizar las actividades que son materia de las actas, se halla circunscrita a un territorio determinado. El último párrafo del art. 8 LN lo establece mediante una locución positiva: *«Los notarios podrán ejercer indistintamente dentro del partido judicial en que se halle su Notaría»,* el art. 3 RN en forma de delimitación: *«La jurisdicción notarial, fuera de los casos de habilitación, se extiende exclusivamente al Distrito Notarial en que está demarcada la Notaría».* El art. 116 RN remacha el concepto en formulación negativa: *«Los notarios carecen de fe pública fuera de su respectivo distrito notarial, salvo en los casos de habilitación especial. Tendrá su residencia en la población designada en su nombramiento».*

3.6.2.1. Distrito notarial

Cabe observar el diferente término utilizado en la formulación legal, alusiva al partido judicial —art. 3 LN, *«Cada partido judicial constituye distrito del Notariado»*—, y el de distrito del RN, dotado de cierta autonomía respecto del anterior. El primero se corresponde con la dependencia de la organización judicial vigente en 1862, al tiempo de promulgarse la Ley del Notariado, presente en diversos artículos de ésta dejados posteriormente sin efecto al consolidarse la dependencia directa del Ministerio de Justicia y la delegación de éste en los Colegios Notariales. Coherentemente con esta evolución establece el art. 73 RN que *«La demarcación notarial tendrá en cuenta lo preceptuado por el artículo 3 de la Ley y se adaptará a la delimitación territorial de las provincias o los entes territoriales previstos en la legislación aplicable y municipios con arreglo a los planos del Instituto Geográfico Catastral y de Estadística, sin que las alteraciones en la demarcación judicial puedan influir en la notarial salvo en el caso de que, como consecuencia de aquélla, se modifique también la demarcación notarial. El Real Decreto en que se apruebe la demarcación deberá hacer constar los distritos notariales, indicando los términos municipales comprendidos dentro de los mismos, todo ello sin perjuicio de las competencias asumidas por las Comunidades Autónomas en sus respectivos Estatutos».*

Al margen de los casos de habilitación que a continuación se examinan, el distrito marca por tanto —so pena de nulidad, «los notarios carecerán de fe pública fuera de su distrito»— el límite territorial de la función. Cabe, sin embargo, que la actuación dentro de su ámbito sea válida pero no lícita. Es la consecuencia de la adscripción de cada notario a una plaza, coincidente con un término municipal. Según el art. 4 LN, *«Al tiempo de la creación de las Notarías marcará el Gobierno el punto de residencia de cada uno de los notarios».* Dicha adscripción a la plaza constituye una de las claves del régimen. Fijadas para cada plaza las notarías que procedan con arreglo a su población y necesidades mediante la demarcación notarial, en nuestro sistema nunca se es «notario» a secas, salvo que se añadan los adjetivos excedente o jubilado o se pertenezca todavía al Cuerpo de aspirantes. Se es «notario de...». El genitivo viene completado por la población en la que su nombramiento (segundo párrafo del art. 116 RN) ha fijado la residencia.

Resulta indudable que el concepto de residencia ha evolucionado con el tiempo. Tradicionalmente se identificó no sólo con el lugar en el que debía quedar emplazado el despacho notarial sino con aquél en el que el notario fijaba su domicilio particular, como medio para asegurar el servicio inmediato e incluso permanente según las necesidades de los usuarios. En la actualidad la mejora de las comunicaciones ha atemperado la segunda exigencia; pero indudablemente, con independencia de dónde pernocte el notario e incluso de cuál sea el centro de su vida familiar, el arraigo en la plaza, que excluye a los notarios meramente transeúntes, continúa siendo exigible.

El régimen de actuación lícita viene determinado por el art. 117 RN: *«Los notarios residentes en una misma localidad podrán ejercer su ministerio, indistintamente, dentro de su término municipal. También podrán ejercerlo en los términos municipales de los demás pueblos del distrito notarial con arreglo al artículo 8 de la Ley en los que no exista notaría demarcada».*

El precepto continúa indicando que, salvo los casos de sustitución y habilitación, sólo podrán autorizar instrumentos en el término municipal correspondiente al domicilio de otro u otros notarios cuando concurran cumulativamente los siguientes supuestos:

A) que dichos notarios sean incompatibles o haya otra causa que imposibilite su intervención; en el segundo supuesto pueden quedar comprendidos los casos meramente fácticos, a salvo las reglas sobre su prueba, valorados en la forma que a continuación se indica.

B) que concurra una de estas tres circunstancias:

    a)   imposibilidad física permanente de alguno de los otorgantes o requirentes

    b)   imposibilidad accidental de los otorgantes, cuando se trate de escrituras de testamento, reconocimiento de hijos no matrimoniales, capitulaciones matrimoniales o actas notariales

    c)   cuando exista un caso de verdadera importancia por vencimiento del plazo legal o contractual.

Nótese que de no darse dicha concurrencia de supuestos el instrumento será válido, pues el notario se halla dotado de fe pública dentro de su distrito, pero se habrá incurrido en infracción; previniendo el art. 125 RN para tal caso la pérdida total de honorarios además de la corrección disciplinaria que proceda.

Lógicamente la combinación entre los anteriores supuestos A) y B) debe ser ponderada con arreglo a un criterio lógico. Se trata de remover el obstáculo a un otorgamiento, permanente —alguien impedido para desplazarse resulta incompatible con el o los notarios de su plaza— o transitorio mediando circunstancias que vuelven urgente la actuación notarial. Las dudas sobre la materia deben resolverse siempre en beneficio del usuario y del servicio público, respecto de los que los intereses particulares de los notarios no tienen por qué ser tenidos en cuenta, sin perjuicio del rigor que para éstos debe mediar siempre en el cumplimiento de cualquier normativa.

El art. 121 permite a la Junta Directiva conceder habilitaciones que exceptúen la regla que comentamos «cuando la atención al servicio público lo requiera», previo informe de los notarios afectados y con posible recurso ante la DGRN.

Hasta la reforma de 2007 cabía que la Junta Directiva del Colegio Notarial fijase zonas, integradas por términos municipales inmediatos y equivalentes a una subdivisión del distrito. Tal posibilidad, que se hallaba en franco desuso, ha quedado en la actualidad sin efecto.

En las anteriores menciones a la Demarcación Notarial conviene añadir una referencia, aunque sea somera, a las llamadas notarías de barrio. Constituyen una excepción a la libertad que tienen los notarios de fijar su oficina en cualquier punto del término municipal de su plaza, producida cuando la Demarcación la limita a un barrio o distrito concreto. Se trata de una novedad introducida por la reforma de 1984 para asegurar la prestación del servicio público y afecta únicamente a la instalación de la oficina, sin establecer ningún límite territorial a la actuación notarial. A efectos de ésta el titular de la notaría de barrio queda totalmente equiparado a los demás de la plaza, al igual que no adquiere ninguna exclusiva que impida la actuación de éstos en el barrio o distrito asignado. Con arreglo al criterio de la DGRN, consolidado en la práctica, dicha asignación ni siquiera impide a los otros notarios de la plaza instalar su oficina en ese barrio.

3.6.2.2. Actuaciones fuera del distrito notarial

Procede examinar aquí los supuestos en los que la jurisdicción de un notario, constreñida en principio a los límites de su distrito, se amplía más allá del territorio de éste. La cuestión reviste importancia, por cuanto, según se ha indicado —art. 116 RN— se halla en juego la prestación válida de fe pública. Cabe sistematizar los siguientes supuestos:

A) Habilitación de un notario de un distrito colindante, a cargo del Decano del Colegio Notarial —que la DGRN podrá modificar en pro del servicio público—, cuando un distrito quede sin notario en servicio activo y el caso no esté previsto en el cuadro de sustituciones. Cabe destacar que junto a los casos de muerte, jubilación, traslado del titular o ausencia el precepto agrega «o cualquier otra causa que lo haga necesario para la mejor prestación del servicio público». Parece que el supuesto comprende, por evidente, la situación en la que el número de notarios que continúan en servicio en el distrito resulte insuficiente para cubrir la totalidad de las plazas comprendidas en éste; si bien también cabe entender que el caso quedaría resuelto aplicando el art. 121 RN, antes citado, que no requiere la coincidencia de distrito entre la plaza y el notario habilitado y ni siquiera incorpora la exigencia de colindancia.

B) Aplicación de las normas del Anexo IV del RN, sobre ejercicio de la fe pública en materia electoral. Comprenden:

a) posible habilitación por los Decanos en cualquier momento del periodo electoral para asegurar la prestación de la función en dicha materia, siguiendo criterios de proximidad territorial y facilidad de comunicaciones (art. 6 Anexo)

b) habilitación especial para el día de la votación de todos los notarios con residencia demarcada en la circunscripción electoral, para que actúen en ésta sin necesidad de habilitación (art. 10 Anexo). Recordemos que en las elecciones al Senado y al Congreso, así como en las autonómicas, el ámbito de la circunscripción es la provincia y que en las elecciones al Parlamento Europeo lo es el íntegro territorio nacional. Para ámbitos menores, por ejemplo el municipal en las elecciones a los Ayuntamientos, prevé el artículo que todos los notarios del distrito podrán actuar en todos sus términos municipales.

C) Sustitución del notario ausente, en licencia, incluidas las de maternidad y paternidad, enfermedad temporal u otro supuesto similar, por el de un distrito colindante designado por dicho notario —si no opta por uno de su propio disrrito—, mediando en tal caso acuerdo de la Junta Directiva.

D) Los casos de sustitución, sin límite territorial, previstos en el art. 51 RN para los notarios que tengan encomendada comisión de servicios por la DGRN o, con autorización de ésta, acepten cargo público compatible, los miembros del Consejo General del Notariado, Secretarios, Vicesecretarios y encargados de sección de éste, Decanos y Vicedecanos de los Colegios Notariales.

3.6.2.3. La función notarial de los cónsules. Normas por las que se rige

Es necesario que la función notarial comprenda la totalidad del territorio, lo que de fronteras adentro se halla posibilitado por la demarcación notarial. No existe previsión normativa sobre las actuaciones en el mar territorial; a cuyo efecto parece que deberá extenderse la jurisdicción de los notarios del distrito al que corresponda la línea de costa. Sin embargo la presencia de españoles en el exterior también requiere la prestación del servicio notarial y no existen plazas de notario demarcadas fuera de las fronteras.

Por ello ha resultado tradicional encomendar dicha función en los términos del actual Anexo III del RN, según cuyo art. 1 «*Los jefes de las Misiones diplomáticas y los Cónsules de España de carrera tendrán a su cargo el ejercicio de la fe pública en el extranjero con arreglo a lo dispuesto en los artículos 11 y 734 del Código Civil y a las estipulaciones de los Tratados internacionales*».

Entre éstos cabe destacar el Convenio de Relaciones Consulares, suscrito en Viena el 24 de abril de 1963, y el Convenio Europeo sobre Funciones Consulares de 11 de diciembre de 1967, suscrito en París. En caso de concurrencia de Misión y Consulado de carrera, el segundo párrafo del artículo citado da preferencia a éste. También especifica que los jefes de Misión podrán delegar en el Secretario de Embajada de mayor categoría y los Cónsules en los Vicecónsules.

La regulación del Anexo parte de la distinción entre los Cónsules de carrera —es decir, integrantes del Cuerpo Diplomático, en el que se ingresa por oposición, y los Cónsules honorarios, agentes del Estado español para cuyo nombramiento bastan los requisitos de mayoría de edad, residencia y honorabilidad, sin que se les exija la nacionalidad española. En cuanto a su competencia en materia de fe pública los arts. 2 a 4 del Anexo:

a) permiten la delegación en ellos teniendo en cuenta sus condiciones personales de aptitud; pero imponen en tales casos la calificación de las copias, mediante una fórmula predeterminada.

b) les facultan en todo caso para legalizar firmas, dar certificados de existencia, de consentimiento para contraer matrimonio, extender y autorizar protestas de averías y naufragios y expedir certificados no notariales comprendidos en las atribuciones ordinarias de los Cónsules, salvo que les sean limitadas tales facultades.

El ámbito competencial es, con arreglo al artículo citado, «el ejercicio de la fe pública en el extranjero»; obviamente con arreglo a la ley española, de lo que se deriva la necesidad de un punto de conexión que remita a dicha ley con arreglo a las normas del Derecho Internacional Privado. El agente consular no es un fedatario concurrente con los del país en el que actúa, sino, a estos efectos, un notario español actuando en territorio extranjero.

Partiendo de la existencia de dicho punto de conexión, no parece mediar límite normativo por razón de la materia. Las propias normas del Anexo IV dan por sobreentendida la extensión a los documentos de cuantía. Algún autor —véase Alejandro Fliquete Cervera, obra citada— entiende que la ausencia de una regulación específica sobre las pólizas excluye éstas pero no su objeto, por cuanto éste puede ser materia de escritura, que deberá ser la forma utilizada.

No obstante debe entenderse que cuando la conexión derive del carácter de meros transeúntes de los otorgantes debe mediar calificación sobre las circunstancias del acto concreto. La atribución de funciones notariales a los cónsules no puede servir para la elusión de normas fiscales siquiera sea de forma indirecta, evitando, mediante un simple viaje voluntario, la aplicación rigurosa de los sistemas de información a las Administraciones previstos por vía telemática para los notarios.

Sobre esta base las normas del Anexo IV adaptan las reglas generales del instrumento notarial a las especialidades de la función consular. Con carácter de mero resumen cabe indicar:

a) Las matrices y copias (art. 12 Anexo) no se extienden en papel sellado sino en papel común de tamaño aproximado al sellado (45,5 por 31,5 cm). La remisión al art. 154 RN parece exigir que, cuando el papel carezca de alguna señal o numeración que lo identifique suficientemente, los otorgantes y testigos firmen en todas las hojas o pliegos.

b) La encuadernación de los protocolos no es anual, sino con arreglo a los números que comprendan (art. 6 Anexo); previniendo dicho Anexo la continuidad en la conservación de dichos protocolos en los supuestos de cese del Agente o de supresión de los Consulados. Según su art. 27 los Agentes remitirán, por mediación del Ministerio de Asuntos Exteriores y para cu conservación en el Archivo de protocolos de Madrid, los protocolos de más de veinte años de fecha y los de las Agencias suprimidas.

c) No se aplican las normas del RN sobre remisión de índices, sustituidos (art. 10 Anexo) por índices anuales remitidos a la D.G.R.N. y conservados en el Archivo de protocolos de Madrid

d) Para los españoles residentes en el extranjero resulta preceptiva la exhibición del certificado de nacionalidad (art. 14 Anexo)

e) Corresponde al Agente la apreciación de la capacidad de los nacionales del país en el que actúe (art. 15 Anexo). De corresponder a otro país se requiere certificación de Agente del país al que pertenezcan. La remisión al art. 168 RN permite dar a entender que salvo que el Agente conozca suficientemente las reglas sobre dicha capacidad.

f) No resultan aplicables (art. 15) las normas sobre obtención de información previa relativa a cargas y responsabilidades de los bienes, sustituidas por la declaración de la parte transmitente, lo que resulte de los títulos o la mera remisión a la información registral.

g) Se suprime (art. 16) la condición de domicilio en España para los testigos, aunque deberán tenerlo en el país de otorgamiento cuando no sean nacionales d éste.

h) Se previene la intermediación del Ministerio de Asuntos Exteriores para determinadas actuaciones: la remisión de actos relativos al estado civil (art. 18), copia de los testamentos abiertos y del acta de los cerrados (art. 19), así como los testamentos ológrafos y cerrados depositados (art. 20). También para los llamados recursos de queja de los arts. 145 RN (sobre denegación de la autorización, hoy vaciado de contenido por la aludida sentencia del T.S.) y 231 RN (sobre denegación de copia) –art. 22 del Anexo), las comunicaciones a efectos de notas en las escrituras matrices ajenas (art. 23), ordenación del libro de testimonios (art. 25) y regulación de los depósitos (art. 26).

i) Para la expedición de segundas copias (art. 21 Anexo) se remite la competencia judicial a la del domicilio de quien la solicita o al Juez que conozca de los autos de los que derive la petición.

3.7. OBLIGACIONES DEL NOTARIO EN MATERIA DE BLANQUEO DE CAPITALES

Trataremos en este apartado todo lo relativo a las obligaciones impuestas al notario por la legislación de Blanqueo de capitales completada con las circulares del Consejo General del Notariado.

3.7.1. Normativa en materia de PBC

3.7.1.1. Marco normativo internacional

I. Normativa Internacional

- Documento del Consejo de Europa de 8 de noviembre de 1988, sobre blanqueo, descubrimiento, secuestro y confiscación de los capitales procedentes del delito.

- Declaración de Principios de Basilea de 12 de diciembre de 1988, sobre prevención de la utilización del sistema bancario para el blanqueo de fondos de origen criminal.

- Convención de Viena de Naciones Unidas contra el tráfico ilícito de estupefacientes y sustancias psicotrópicas, aprobada el 20 de diciembre de 1988; ratificada por España por Instrumento de 30 de julio de 1990.

- Convenio de Estrasburgo del Consejo de Europa sobre el blanqueo, identificación, embargo y decomiso de los productos del delito, de 8 de noviembre de 1990; ratificado por España por Instrumento de 20 de octubre de 1998.

II. Normativa europea

- Directiva 2006/70/CE, de la Comisión de 1 de agosto de 2006, por la que se establecen disposiciones de aplicación de la Directiva 2005/60/CE del Parlamento Europeo y del Consejo en lo relativo a la definición de «personas del medio político» y los criterios técnicos aplicables en los procedimientos simplificados de diligencia debida con respecto al cliente así como en lo que atañe a la exención por razones de actividad financiera ocasional o muy limitada. Esta directiva fue incorporada al ordenamiento jurídico interno español por la Ley 10/2010 de 28 de abril, de prevención del blanqueo de capitales y de la financiación del terrorismo (Disp. Final Sexta).

- Directiva 2005/60/CE del Parlamento Europeo y del Consejo de 26 de octubre de 2005, relativa a la prevención de la utilización del sistema financiero para el blanqueo de capitales y para la financiación del terrorismo.

III. Recomendaciones internacionales

- Recomendaciones del «Grupo de Acción Financiera Internacional» (GAFI), de febrero de 1990, revisadas en junio de 1996 y en junio de 2003, relativas a la lucha contra el blanqueo de capitales.

- Recomendaciones especiales del GAFI sobre financiación del terrorismo, de 31 de octubre de 2001 (8 Recomendaciones) y 22 de octubre de 2004 (9ª Recomendación).3.7.1.2. Normativa interna.

3.7.1.2. Normativa interna

- Ley 10/2010 de 28 de abril, de prevención del blanqueo de capitales y de la financiación del terrorismo (BOE 29/04/10).

- Real Decreto 304/2014 de 5 de mayo por el que se aprueba el Reglamento de la Ley 10/2010, de 28 de abril, de prevención del blanqueo de capitales y la financiación del terrorismo (BOE 5/5/14).

- Resolución de 10 de agosto de 2012, de la Secretaría General del Tesoro y Política Financiera, por la que se publica el Acuerdo de 17 de julio de 2012, de la Comisión de Prevención del Blanqueo de Capitales e Infracciones Monetarias, por el que se determinan las jurisdicciones que establecen requisitos equivalentes a los de la legislación española de prevención del blanqueo de capitales y de la financiación del terrorismo (BOE 23/08/12).

- Orden EHA/114/2008, de 29 de enero, reguladora del cumplimiento de determinadas obligaciones de los notarios en el ámbito de la prevención del blanqueo de capitales.

- Orden EHA/2444/2007, de 31 de julio, por la que se desarrolla el Reglamento de la Ley 19/1993, de 28 de diciembre, sobre determinadas medidas de prevención del blanqueo de capitales, aprobado por Real Decreto 925/1995, de 9 de junio, en relación con el informe externo sobre los procedimientos y órganos de control interno y comunicación establecidos para prevenir el blanqueo de capitales.

- Orden EHA/2619/2006, de 28 de julio, por la que se desarrollan determinadas obligaciones de prevención del blanqueo de capitales de los sujetos obligados que realicen actividad de cambio de moneda o gestión de transferencias con el exterior.

- Orden EHA/2963/2005, de 20 de septiembre, reguladora del Órgano Centralizado de Prevención en materia de blanqueo de capitales en el Consejo General del Notariado.

- Real Decreto 54/2005, de 21 de enero, por el que se modifican el Reglamento de la Ley 19/1993, de 28 de diciembre, sobre determinadas medidas de prevención del blanqueo de capitales, aprobado por el Real Decreto 925/1995, de 9 de junio, y otras normas de regulación del sistema bancario, financiero y asegurador (BOE 22/01/05).

- Ley 19/2003, de 4 de julio, sobre régimen jurídico de los movimientos de capitales y de las transacciones económicas con el exterior.

- Orden ECO/2652/2002, de 24 de octubre, por la que se desarrollan las obliga-ciones de comunicación de operaciones en relación con determinados países al Servicio Ejecutivo de la Comisión de Prevención del Blanqueo de Capitales e Infracciones Monetarias.

- Real Decreto 925/1995, de 9 de junio, por el que se aprueba el Reglamento de la Ley 19/1993 sobre determinadas medidas de prevención del blanqueo de capi-tales (BOE 06/07/95).

- Ley 19/1993, de 28 de diciembre, sobre determinadas medidas de prevención del blanqueo de capitales (BOE 29/12/93).

- Real Decreto-ley 11/2018, de 31 de agosto, de transposición de directivas en materia de protección de los compromisos por pensiones con los trabajadores, prevención del blanqueo de capitales y requisitos de entrada y residencia de na-cionales de países terceros.

3.7.2. Conceptos previos

I. Blanqueo de capitales:

Dice el **Art. 1.2.** de la Ley 10/2010: *A los efectos de la presente Ley, se **considerarán blanqueo de capitales** las siguientes actividades:*

*a) **La conversión o la transferencia de bienes**, a sabiendas de que dichos bienes pro-ceden de una actividad delictiva o de la participación en una actividad delictiva, con el propósito de ocultar o encubrir el origen ilícito de los bienes o de ayudar a personas que estén implicadas a eludir las consecuencias jurídicas de sus actos.*

*b) **La ocultación o el encubrimiento** de la naturaleza, el origen, la localización, la disposición, el movimiento o la propiedad real de bienes o derechos sobre bienes, a sabien-das de que dichos bienes proceden de una actividad delictiva o de la participación en una actividad delictiva.*

*c) **La adquisición, posesión o utilización** de bienes, a sabiendas, en el momento de la recepción de los mismos, de que proceden de una actividad delictiva o de la participación en una actividad delictiva.*

*d) **La participación** en alguna de las **actividades** mencionadas en las letras anterio-res, la asociación para cometer este tipo de actos, las tentativas de perpetrarlas y el hecho de ayudar, instigar o aconsejar a alguien para realizarlas o facilitar su ejecución.*

*A los efectos de esta Ley se **entenderá por bienes procedentes de una actividad de-lictiva** todo tipo de activos cuya adquisición o posesión tenga su origen en un delito, tanto materiales como inmateriales, muebles o inmuebles, tangibles o intangibles, **así como los documentos o instrumentos jurídicos** con independencia de su forma, incluidas la elec-*

trónica o la digital, que acrediten la propiedad de dichos activos o un derecho sobre los mismos, con inclusión de la cuota defraudada en el caso de los delitos contra la Hacienda Pública.

Se considerará que hay blanqueo de capitales aun cuando las actividades que hayan generado los bienes se hubieran desarrollado en el territorio de otro Estado.

II. Sujetos obligados:

No establece la Ley una definición de los sujetos obligados, pero de su contenido puede deducirse que **son sujetos obligados** todas aquellas personas físicas y entidades a las que la legislación impone obligaciones en materia de prevención del blanqueo de capitales y que están sometidas a su régimen sancionador en caso de incumplimiento de dichas obligaciones.

III. Diligencia Debida:

Aunque la Ley 10/2010 dedica todo su capítulo segundo a la diligencia debida no la define expresamente. En general puede considerarse que la diligencia debida en el marco de la prevención del blanqueo de capitales es el conjunto de obligaciones (medidas en la terminología de la Ley) que la legislación impone a los sujetos obligados en el marco de la prevención del blanqueo de capitales.

Las medidas de diligencia debida pueden ser:

Medidas normales de diligencia debida. Estas son:

• Identificación Formal.

• Identificación del Titular Real.

• Propósito e índole de la relación de negocios.

• Seguimiento continuo de la relación de negocios.

Medidas simplificadas de diligencia debida. Estas son según el artículo 9 de la Ley las que se pueden adoptar *respecto de aquellos clientes, productos u operaciones que comporten un **riesgo reducido** de blanqueo de capitales o de financiación del terrorismo.* La Ley se remite al Reglamento que las regula en los artículos 15 respecto a los clientes a que pueden aplicarse, 16 respecto de las operaciones y 17 respecto de su contenido.

Medidas reforzadas de diligencia debida: Vienen reguladas en los artículos 11 y siguientes de la Ley y 19 y siguientes del Reglamento.

Entre los supuestos que llevan a reforzar las medidas de diligencia se destacan por su relación con el notariado:

– Relaciones de negocios y operaciones con sociedades con acciones al portador.

- Relaciones de negocio y operaciones con clientes de países, territorios o jurisdicciones de riesgo, o que supongan transferencia de fondos de o hacia tales países, territorios o jurisdicciones.

- Transmisión de acciones o participaciones de sociedades preconstituidas. A estos efectos, se entenderá por sociedades preconstituidas aquellas constituidas sin actividad económica real para su posterior transmisión a terceros.

- Relaciones de negocio u operaciones de personas con responsabilidad pública.

3.7.3. Ámbito objetivo de aplicación de la normativa PBC a los Notarios

Tanto en su actividad como **funcionario** como en su actividad como **profesional del derecho**, aconsejando a los particulares los medios para la obtención de los fines lícitos que se propongan obtener, el notario es sujeto obligado en relación con la prevención del blanqueo de capitales.

No solo en los **documentos protocolares** debe el notario aplicar las medidas de diligencia debida, también en los **documentos extra-protocolares**. Entre estos últimos podemos destacar os testimonios, legitimaciones, legalizaciones, traducciones, certificados de existencia o vigencia de leyes y pólizas no incorporadas al protocolo.

Finalmente el artículo 3.2 del Reglamento dice que **quedarán excluidos** *los actos notariales y registrales que carezcan de contenido económico o patrimonial o no sean relevantes a efectos de prevención del blanqueo de capitales y de la financiación del terrorismo. A tal efecto, mediante Orden del Ministro de Economía y Competitividad, previo informe del Ministerio de Justicia, se establecerá la relación de tales actos.*

3.7.4. OCP

Ya la **Orden EHA/2963/2005**, estableció la creación de este órgano y en base a ella el Consejo General del Notariado instituyó el Órgano Centralizado de Prevención (OCP).

Posteriormente el artículo **27 de La Ley 10/2010**, regula la constitución de órganos centralizados de prevención de las profesiones colegiadas sujetas a la misma, entre ellas la de notario. El párrafo 3 del mismo artículo establece **la obligación de todos los notarios de incorporarse al Órgano Centralizado de Prevención**.

3.7.4.1. Estructura

La estructura del OCP se basa en los siguientes órganos:

- El Director del OCP.
- La Unidad de Análisis y Comunicación (UAC).
- La Unidad de Procedimientos, Cumplimiento y Formación (UPCF).

3.7.4.2. Funciones

Según el artículo 27.1 de la Ley 10/2010 son funciones de los órganos centralizados:

La colaboración de las profesiones colegiadas con las autoridades judiciales, policiales y administrativas responsables de la prevención y represión del blanqueo de capitales y de la financiación del terrorismo.

- El Director del OCP tiene encomendadas funciones ejecutivas, de dirección y representación.
- La Unidad de Análisis y Comunicación (UAC) tiene las funciones de recibir, procesar y notificar al SEPBLAC toda la información relativa a las operaciones o hechos susceptibles de estar relacionados con el blanqueo de capitales que a su vez le remitan los notarios. También atenderá los requerimientos de las autoridades responsables de la lucha contra el blanqueo de capitales.
- La Unidad de Procedimientos, Cumplimiento y Formación (UPCF) se encargará de todo lo relativo a fijar los procedimientos que deben seguir los notarios en esta materia, comprobar su cumplimiento y gestionar la formación de los notarios y empleados de las notarias en la prevención de blanqueo de capitales.

3.7.5. Diligencia Debida

De acuerdo con la Ley y su Reglamento las obligaciones que impone la diligencia debida son las siguientes:

3.7.5.1. Identificación formal

Según el **artículo 6 del Reglamento** (R.D. 304/2014) son documentos fehacientes de identificación formal **que deben estar vigentes**:

I. Personas Físicas:

a) Personas físicas de nacionalidad española:

El Documento Nacional de Identidad.

El conocimiento directo por el Notario del otorgante que prevé la Ley del Notariado en su artículo 23 podrá utilizarse, sin perjuicio de conservar al menos la primera vez copia de su documento de identidad (Orden EHA/114/2008).

b) Personas físicas de nacionalidad extranjera:

La Tarjeta de Residencia, la Tarjeta de Identidad de Extranjero, el Pasaporte o, en el caso de ciudadanos de la Unión Europea o del Espacio Económico Europeo, el documento, carta o tarjeta oficial de identidad personal expedido por las autoridades de origen. Será asimismo documento válido para la identificación de extranjeros el documento de identidad expedido por el Ministerio de Asuntos Exteriores y de Cooperación para el personal de las representaciones diplomáticas y consulares de terceros países en España.

c) Excepcionalmente para todo tipo de personas físicas:

Excepcionalmente, los sujetos obligados podrán aceptar otros documentos de identidad personal expedidos por una autoridad gubernamental siempre que gocen de las adecuadas garantías de autenticidad e incorporen fotografía del titular.

II. Personas Jurídicas:

Los documentos públicos que acrediten su existencia y contengan su denominación social, forma jurídica, domicilio, la identidad de sus administradores, estatutos y número de identificación fiscal.

En el caso de personas jurídicas de nacionalidad española, será admisible, a efectos de identificación formal, certificación del Registro Mercantil provincial, aportada por el cliente u obtenida mediante consulta telemática.

A sensu contrario, **tratándose de personas jurídicas de nacionalidad extranjera** no bastará un certificado del Registro Mercantil correspondiente y deberán presentarse al notario los documentos fehacientes.

Por último, de acuerdo con el artículo 3 de la Orden EHA/114/2008:

***En todo caso, el Notario insertará en el instrumento público la manifestación del otorgante** consistente en que los datos de identificación de la persona jurídica y, especialmente, el objeto social y domicilio, no han variado respecto de los consignados en el documento fehaciente presentado y sin perjuicio de las comprobaciones que el Notario estime necesario realizar.*

III. Representación legal o voluntaria de personas físicas y jurídicas:

El número 2 del artículo 6 dice:

*En los casos de representación legal o voluntaria, **la identidad del representante y de la persona o entidad representada, será comprobada documentalmente**. A estos efectos, deberá obtenerse copia del documento fehaciente a que se refiere el apartado precedente* *correspondiente tanto al representante como a la persona o entidad representada, así como el documento público acreditativo de los poderes conferidos. Será admisible la comprobación mediante certificación del Registro Mercantil provincial, aportada por el cliente, u obtenida mediante consulta telemática*

IV. Entidades sin personalidad jurídica:

*Los sujetos obligados identificarán y comprobarán **mediante documentos fehacientes** la identidad de todos los partícipes de las entidades sin personalidad jurídica. No obstante, en el supuesto de entidades sin personalidad jurídica que no ejerzan actividades económicas bastará, con carácter general, con la identificación y comprobación mediante documentos fehacientes de la identidad de la persona que actúe por cuenta de la entidad. (Art. 6.3).*

V. Fondos de inversión:

En el supuesto de fondos de inversión, la obligación de identificación y comprobación de la identidad de los partícipes se realizará conforme a lo dispuesto en el artículo 40.3 de la Ley 35/2003, de 4 de noviembre, de Instituciones de Inversión Colectiva. (Art. 6.3).

VI. Trusts e instrumentos jurídicos análogos:

En los fideicomisos anglosajones («trusts») u otros instrumentos jurídicos análogos que, no obstante carecer de personalidad jurídica, puedan actuar en el tráfico económico, los sujetos obligados requerirán el documento constitutivo, sin perjuicio de proceder a la identificación y comprobación de la identidad de la persona que actúe por cuenta de los beneficiarios o de acuerdo con los términos del fideicomiso, o instrumento jurídico. A estos efectos, los fiduciarios comunicarán su condición a los sujetos obligados cuando, como tales, pretendan establecer relaciones de negocio o intervenir en cualesquiera operaciones. En aquellos supuestos en que un fiduciario no declare su condición de tal y se determine esta circunstancia por el sujeto obligado, se pondrá fin a la relación de negocios, procediendo a realizar el examen especial a que se refiere el artículo 17 de la Ley 10/2010, de 28 de abril. (Art. 6.3).

3.7.5.2. Identificación del titular real

El artículo 4.1 de la Ley 10/2010 establece que:

> **Los sujetos obligados identificarán al titular real** *y adoptarán medidas adecuadas a fin de comprobar su identidad* **con carácter previo** *al establecimiento de relaciones de negocio o a la ejecución de cualesquiera operaciones.*

I. Concepto de Titular Real

La titularidad real como contrapuesta a la formal es un concepto que puede referirse tanto a personas físicas como jurídicas.

Personas Físicas:

Según el artículo 4.2 de la Ley se define el titular real en el ámbito de las personas físicas como: *La persona o personas físicas por cuya cuenta se pretenda establecer una relación de negocios o intervenir en cualesquiera operaciones.*

Especial atención debe el notario prestar en este caso a los negocios **fiduciarios** y a aquellos **supuestos de extinción de obligaciones**, daciones en pago, consignación, cesión de bienes, para el caso de que en los mismos intervenga total o parcialmente un tercero ajeno al deudor que ejecute actos o negocios jurídicos extintivos de la obligación.

Personas Jurídicas:

Según el artículo 4.2 de la Ley se define el titular real en el ámbito de las personas jurídicas como:

a) La persona o personas físicas que en último término posean o controlen, directa o indirectamente, un porcentaje superior al 25 por ciento del capital o de los derechos de voto de una persona jurídica, o que por otros medios ejerzan el control, directo o indirecto, de una persona jurídica. A efectos de la determinación del control serán de aplicación, entre otros, los criterios establecidos en el artículo 42 del Código de Comercio.

Serán indicadores de control por otros medios, entre otros, los previstos en el artículo 22 (1) a (5) de la Directiva 2013/34/UE del Parlamento Europeo y el Consejo, de 26 de junio de 2013 sobre los estados financieros anuales, los estados financieros consolidados y otros informes afines de ciertos tipos de empresas, por la que se modifica la Directiva 2006/43/CE del Parlamento Europeo y del Consejo y se derogan las Directivas 78/660/CEE y 83/349/CEE del Consejo.

Se exceptúan las sociedades que coticen en un mercado regulado y que estén sujetas a requisitos de información acordes con el Derecho de la Unión o a normas internacionales equivalentes que garanticen la adecuada transparencia de la información sobre la propiedad.

a) La persona o personas físicas que en último término posean o controlen, directa o indirectamente, un **porcentaje superior al 25 por ciento del capital** o de los derechos de voto de una persona jurídica, **o que por otros medios ejerzan el control, directo o indirecto**, de una persona jurídica. A efectos de la determinación del control serán de aplicación, entre otros, los criterios establecidos en el artículo 42 del Código de Comercio.

Serán indicadores de control por otros medios, entre otros, los previstos en el artículo 22 (1) a (5) de la Directiva 2013/34/UE del Parlamento Europeo y el Consejo, de 26 de junio de 2013 sobre los estados financieros anuales, los estados financieros consolidados y otros informes afines de ciertos tipos de empresas, por la que se modifica la Directiva 2006/43/CE del Parlamento Europeo y del Consejo y se derogan las Directivas 78/660/CEE y 83/349/CEE del Consejo.

Se exceptúan las sociedades que coticen en un mercado regulado y que estén sujetas a requisitos de información acordes con el Derecho de la Unión o a normas internacionales equivalentes que garanticen la adecuada transparencia de la información sobre la propiedad.

b) En el caso de **los fideicomisos, como el trust anglosajón**, tendrán la consideración de titulares reales todas las personas siguientes:

1.º el fideicomitente,

2.º el fiduciario o fiduciarios,

3.º el protector, si lo hubiera,

4.º los beneficiarios o, cuando aún estén por designar, la categoría de personas en beneficio de la cual se ha creado o actúa la estructura jurídica; y

5.º cualquier otra persona física que ejerza en último término el control del fideicomiso a través de la propiedad directa o indirecta o a través de otros medios.

c) En el supuesto **de instrumentos jurídicos análogos al trust, como las fiducias o el treuhand** de la legislación alemana, los sujetos obligados identificarán y adoptarán medidas adecuadas a fin de comprobar la identidad de las personas que ocupen posiciones equivalentes o similares a las relacionadas en los números 1.º a 5.º del apartado anterior.

Los titulares reales pues siempre personas físicas y en ningún caso personas jurídicas. Si una persona jurídica participa del capital de otra deberá investigarse a su vez la titularidad real de aquella.

II. Actividades a Desarrollar

A) Solicitud de Información sobre el titular Real.

El notario deberá recabar información del representante de la persona jurídica, y/o deberá consultar la BDTR y después solicitar, al representante, confirmación de la información que aparece en dicha Base de Datos.

La información que debe aportar el representante consiste en:

– Nombre y apellidos.

– Nacionalidad

– Tipo de documento de identificación.

– Número de documento de identificación del titular o titulares reales.

Además en aquellas operaciones que reúnan dos características:

Que se trate de constitución de una persona jurídica o supongan la adquisición de valores de una persona jurídica y en las que el notario pueda verificar la veracidad de los datos porque disponga de copia del documento de identificación de la persona física deberá también aportar:

- La fecha de nacimiento.
- El país de residencia.

El Notario **deberá dejar constancia** en el instrumento público autorizado o intervenido y, en su caso, en la actuación extra-protocolar **de que ha cumplido con dicha obligación**.

Si el representante manifiesta específicamente que **NO existe titular real** por propiedad o por control, el notario habrá de dejar constancia de tal manifestación y considerará como titular real al administrador o administradores.

El notario deberá denegar la autorización del documento en base al artículo 4.4 de la Ley 10/2010 en los siguientes casos:

- Si el representante manifiesta **que desconoce** si existe o no titular real **y** tiene dudas de que el que controla realmente la sociedad sea el administrador o el apoderado general.
- Si sabiendo que existe titular real **no lo identifica**.

B) Forma de constancia documental de las manifestaciones

El OCP en su manual de procedimientos de prevención del blanqueo de capitales y de la financiación del terrorismo **recomienda** con carácter general, deberá dejarse constancia de las manifestaciones del representante sobre la existencia de titular real **en instrumento público protocolar distinto (Acta de Titularidad Real)** de aquel que provoca la obligación de identificar al titular real.

No obstante en determinados documentos (pólizas en las que no haya ningún indicador de riesgo) la identificación del Titular Real se podrá hacer, no solo en un documento público, sino también en documento distinto anexado al cuerpo de la póliza.

C) Actividad a desarrollar y BDTR

EL OCP en ejercicio de las facultades que tiene conferidas hace las siguientes recomendaciones y procedimiento sobre la forma de cumplimiento de esta obligación por parte de los notarios.

1º) En operaciones sin cuantía sin ningún indicador de riesgo o en operaciones con cuantía inferior a 15.000 € sin ningún indicador de riesgo (salvo en las indicadas en el punto 2º):

La diligencia que debe desplegar el notario es simplificada y en consecuencia **no se le exige identificar al titular real** ni, por tanto, hacer uso de la BDTR.

2º) En operaciones de cuantía superior a 15.000 € sin ningún indicador de riesgo; o en las operaciones sin cuantía o menores de 15.000 euros sin indicador de riesgo de los siguientes códigos:

- 1635 Acta de Manifestaciones de Titularidad Real,
- 1603 Acta de exhibición
- 1620 Acta de depósito
- 1621 Acta de legitimación de firmas para efectos en el país extranjero
- 1405 Otros apoderamientos
- 0516 Compraventa de valores
- 1710 Compraventa de valores
- 1912 Constitución de sociedad limitada
- 1913 Constitución de sociedad limitada laboral
- 1914 Constitución de sociedad anónima
- 1915 Constitución de sociedad anónima laboral
- 1916 Constitución de sociedad anónima deportiva
- 1917 Constitución de sociedad limitada nueva empresa
- 1918 constitución de sociedad anónima nueva empresa
- 1950 Constitución de sociedad por fusión
- 1955 Constitución de sociedad por escisión total o parcial
- 1951 Aumento de capital por fusión
- 1956 Aumento de capital por escisión con suscripción
- 1981 Aumento de capital sin suscripción
- 1982 Aumento de capital por escisión sin suscripción
- 1990 Aumento de capital de rama de actividad
- 1988 Ampliación de capital de sociedades cotizadas sin identificación de los socios
- 1936 Ampliación de capital con suscripción
- 1986 Aportación a patrimonio social
- 1940 Reducción de capital con amortización de acciones o participaciones
- 1954 Reducción de capital por escisión parcial con amortización de acciones o participaciones

- 1983 Reducción de capital sin amortización de acciones o participaciones
- 1984 Reducción de capital por escisión parcial sin amortización de participaciones.

El notario cumplirá con **solicitar al representante de la persona jurídica otorgante que le manifieste** (exhibición del acta de titular real, o de la documentación de donde resulte acreditada la titularidad real de la persona jurídica) quién sea titular real, **o** que a su elección cumpla con su diligencia **consultando la BDTR. En ambos casos** deberá dejar constancia en el documento público de que ha cumplido con la obligación de identificar al titular real así como la manifestación del compareciente de que sigue vigente la información contenida, bien en la documentación aportada por el cliente, o bien en la consultada en la BDTR. **El notario deberá conservar** copia del acta de titular real, consulta de BDTR o del documento donde aparecen los datos de los titulares reales, o en su caso la información sobre el nombre, apellidos, nacionalidad, tipo de documento de identificación y número de documento de identificación del titular o titulares reales que se hayan manifestado.

Si se opta por la consulta a la BDTR y el compareciente manifiesta que no es coherente con el verdadero titular real, el notario deberá **informar de la discrepancia** en los términos previstos en el Manual de Uso de la BDTR elaborado por ANCERT. Con esta información de discrepancia irá actualizándose la BDTR.

3º) **Tratándose de operaciones con uno o más indicadores de riesgo** la diligencia reforzada a practicar se graduará en atención a su existencia (uno o más) del modo siguiente:

a) **Operaciones con un solo indicador de riesgo.**

Primero. El notario **solicitará siempre al otorgante que le exhiba documento público donde previamente se haya manifestado quién (es) sea (n) titulares reales.** Podremos encontrar dos supuestos: (i) que manifiesten que sí existen titulares reales por propiedad o control y (ii) que manifiesten que no hay titular real por propiedad o control y por tanto tengamos que considerar a los administradores como titulares reales.

El segundo paso será diferente en ambos casos:

Si se ha manifestado que sí existen titulares reales por propiedad o control

Segundo. Obtenida la información, **consultará la BDTR** pudiéndose dar las siguientes circunstancias:

- **Existe coherencia entre la información** aportada por el otorgante **y** quien, conforme a **la BDTR**, figure como **titular real acreditado**.

El notario dejará constancia por escrito, en el instrumento público o en la diligencia de intervención.

- **Existe coherencia entre la información** aportada por el otorgante sobre la titularidad real **y** la información existente en **la BDTR** sobre la persona que figure como **titular real manifestado.**

El notario deberá solicitar copia del documento de identificación de los titulares reales manifestados. Deberá tratarse de copia testimoniada por autoridad pública competente o simple copia del documento identificativo del titular o titulares reales y manifestación del compareciente, en este último caso, de que coinciden con el original.

El notario dejará constancia por escrito, en el instrumento público que autoriza o en la diligencia de intervención.

- **No existe coherencia entre la información** proporcionada por el otorgante **y** quien conforme a **la BDTR** figure como **titular real acreditado.**

El notario solicitará (i) **fotocopia del documento de identificación** de los titulares reales (ii) **manifestación sobre la estructura accionarial** completa que permita verificar que el titular real por propiedad o control es quien manifiesta el representante de la sociedad y (iii) **datos de los documentos públicos** de los que se infiera (tracto de las participaciones o acciones) la condición de titular real por propiedad o por control, directa o indirecta (a través de otras personas jurídicas) de las personas físicas señaladas como tales **y sus respectivos porcentajes.**

El notario dejará constancia de todo ello por escrito, en el instrumento público que autoriza o en la diligencia de intervención.

El notario deberá comunicar la discrepancia obligatoriamente en los términos previstos en el Manual de Uso de la BDTR elaborado por ANCERT.

Por último, y dada la presencia de un indicador de riesgo previo, si (i) se detectase que la incoherencia en la información pudiera no estar motivada por un error de grabación previo, o por un retraso en la misma o (ii) la actitud del representante frente a la solicitud de información por el notario pusiera de manifiesto la posibilidad de que exista un testaferro, o (iii) que la estructura accionarial sea inusual o excesivamente compleja, o (iv) si alguna de las sociedades interpuestas en la estructura accionarial está ubicada en territorio de riesgo, o (v) si en la cadena de propiedad aparece un trust o entidad jurídica similar con una participación significativa, **dicha operación será comunicada a OCP.**

- **No existe coherencia entre la información** proporcionada por el otorgante **y** quien conforme a **la BDTR** figure como **titular real manifestado o o No existe en la BDTR información sobre la titularidad real.**

El notario deberá solicitar copia del documento de identificación de los titulares reales manifestados. Deberá tratarse de copia testimoniada por autoridad pública competente o simple copia del documento identificativo del titular o titulares reales y manifestación del compareciente, en este último caso, de que coinciden con el original.

El notario dejará constancia por escrito, en el instrumento público que autoriza o en la diligencia de intervención.

El notario deberá comunicar la discrepancia obligatoriamente en los términos previstos en el Manual de Uso de la BDTR elaborado por ANCERT.

Se ha manifestado que no hay titular real por propiedad o control y por tanto hay que considerar a los administradores como titulares reales.

Segundo. Obtenida la información, **consultará la BDTR** pudiéndose dar las siguientes circunstancias:

– **Existe coherencia entre la información** aportada por el otorgante **y** la información que aparece **acreditada en la BDTR**. En la BDTR figura en el apartado acreditado que no hay ninguna persona física con más del 25% de control o propiedad, y por tanto no existe Titular Real por propiedad o control, y habrá que acudir al concepto de titular real por administración.

El notario dejará constancia por escrito, en el instrumento público que autoriza o en la diligencia de intervención

– **Existe coherencia entre la información** aportada por el otorgante sobre la titularidad real **y** la información existente en **la BDTR como manifestada.** En la BDTR figura en el apartado manifestado que no hay ninguna persona física con más del 25% de control o propiedad, y por tanto no existe Titular Real por propiedad o control, y habrá que acudir al concepto de titular real por administración.

El notario deberá solicitar copia del documento de identificación de los titulares reales manifestados por administración, **o datos del documento público** de nombramiento del administrador/es, **o certificación** del Registro Mercantil respecto del administrador/es.

El notario dejará constancia por escrito, en el instrumento público que autoriza o en la diligencia de intervención.

– **No existe coherencia entre la información** proporcionada por el otorgante **y** la información existente en **la BDTR** en el apartado **acreditado.** En la BDTR figura en el apartado acreditado que sí hay alguna persona física con más del 25% de control o propiedad, y por tanto existe Titular Real por propiedad o control, y no habría que acudir al concepto de titular real por administración.

El notario solicitará (i) **fotocopia del documento de identificación** de los titulares reales por administración (ii) **manifestación sobre la estructura accionarial** completa en la que efectivamente no hay titular real por propiedad o control y (iii) **Datos de**

los documentos públicos de los que se infiera (tracto de las participaciones o acciones) que no existe Titular Real por propiedad o por control.

El notario dejará constancia por escrito, en el instrumento público que autoriza o en la diligencia de intervención.

El notario deberá comunicar la discrepancia obligatoriamente en los términos previstos en el Manual de Uso de la BDTR elaborado por ANCERT.

Por último, y dada la presencia de un indicador de riesgo previo, si (i) se detectase que la incoherencia en la información pudiera no estar motivada por un error de grabación previo, o por un retraso en la misma o (ii) la actitud del representante frente a la solicitud de información por el notario pusiera de manifiesto la posibilidad de que exista un testaferro, o (iii) que la estructura accionarial sea inusual o excesivamente compleja, o (iv) si alguna de las sociedades interpuestas en la estructura accionarial está ubicada en territorio de riesgo, o (v) si en la cadena de propiedad aparece un trust o entidad jurídica similar con una participación significativa, **dicha operación será comunicada a OCP**.

– **No existe coherencia entre la información proporcionada** por el otorgante y la información existente en **la BDTR en el apartado manifestado**. En la BDTR figura en el apartado manifestado que sí hay alguna persona física con más del 25% de control o propiedad o que el titular real por administración es otro distinto del que manifiesta el representante de la sociedad.

El notario solicitará copia del documento de identificación de los titulares reales por administración.

El notario dejará constancia por escrito, en el instrumento público que autoriza o en la diligencia de intervención.

El notario deberá comunicar la discrepancia obligatoriamente en los términos previstos en el Manual de Uso de la BDTR elaborado por ANCERT.

– No existe en la BDTR información sobre la titularidad real por administración.

El **notario solicitará (i) fotocopia del documento de identificación** de los titulares reales por administración, y **(ii) datos del documento público** de nombramiento del administrador/es o certificación del Registro Mercantil respecto del administrador/es.

El notario dejará constancia por escrito, en el instrumento público que autoriza o en la diligencia de intervención.

El notario deberá grabar la información manifestada en la declaración responsable en los términos previstos en el Manual de Uso de la BDTR elaborado por ANCERT.

b) Operaciones con dos o más indicadores de riesgo.

Sin perjuicio del cumplimiento de la diligencia debida relativa a titular real, en los términos que se indiquen, **se recuerda que la presencia de dos o más indicadores de riesgo obliga a comunicar en todo caso la operación al OCP.**

Primero. El notario solicitará siempre al otorgante que le exhiba documento público donde previamente se haya manifestado o acreditado quién (es) sea (n) titulares reales. Podremos encontrar dos supuestos: (i) que manifiesten que sí existen titulares reales por propiedad o control y (ii) que manifiesten que no hay titular real por propiedad o control y por tanto tengamos que considerar a los administradores como titulares reales.

El segundo paso será diferente en ambos casos:

Se ha manifestado que sí existen titulares reales por propiedad o control

Segundo. Obtenida la información, **consultará la BDTR** pudiéndose dar las siguientes circunstancias:

– **Existe coherencia entre la información** aportada por el otorgante **y** quien, conforme a **la BDTR**, figure como **titular real acreditado**.

El notario dejará constancia por escrito, en el instrumento público o en la diligencia de intervención.

– **Existe coherencia entre la información** aportada por el otorgante sobre la titularidad real **y** la información existente en **la BDTR** sobre la persona que figure como **titular real manifestado**.

El notario deberá solicitar copia del documento de identificación de los titulares reales manifestados. Deberá tratarse de copia testimoniada por autoridad pública competente o simple copia del documento identificativo del titular o titulares reales y manifestación del compareciente, en este último caso, de que coinciden con el original.

El notario dejará constancia por escrito, en el instrumento público que autoriza o en la diligencia de intervención.

– **No existe coherencia entre la información** proporcionada por el otorgante **y** la información existente en **la BDTR** en el apartado **acreditado**.

El notario solicitará (i) copia del documento de identificación de los titulares reales manifestados **y (ii) manifestación sobre la estructura accionarial completa y (iii) acreditación documental** de los títulos de los que deriva la condición de titular real por propiedad o por control, directa o indirecta (a través de otras personas jurídicas) de las personas físicas señaladas como tales y sus respectivos porcentajes.

El notario dejará constancia por escrito de todo ello, en el instrumento público que autoriza o en la diligencia de intervención.

El notario deberá comunicar la discrepancia obligatoriamente en los términos previstos en el Manual de Uso de la BDTR elaborado por ANCERT.

– **No existe coherencia entre la información proporcionada** por el otorgante **y** la información existente en **la BDTR en el apartado manifestado**.

El notario solicitará (i) copia del documento de identificación de los titulares reales manifestados **y (ii) manifestación sobre el porcentaje de propiedad** de aquella/s persona (s) que tengan la condición de titular (es) real (es) por control o propiedad **y (iii) datos de los documentos públicos de los que deriva la condición de titular real** por propiedad o por control, directa o indirecta (a través de otras personas jurídicas) de las personas físicas señaladas como tales y sus respectivos porcentajes.

El notario dejará constancia por escrito, en el instrumento público que autoriza o en la diligencia de intervención.

El notario deberá comunicar la discrepancia obligatoriamente en los términos previstos en el Manual de Uso de la BDTR elaborado por ANCERT.

– No existe en la BDTR información sobre la titularidad real.

El notario solicitará (i) fotocopia del documento de identificación de los titulares reales manifestados **y (ii) manifestación sobre el porcentaje** de propiedad de aquella/s persona (s) que tengan la condición de titular (es) real (es).

El notario dejará constancia por escrito, en el instrumento público que autoriza o en la diligencia de intervención.

El notario deberá grabar la información manifestada en la declaración responsable en los términos previstos en el Manual de Uso de la BDTR elaborado por AN-CERT.

Se ha manifestado que no hay titular real por propiedad o control y por tanto hay que considerar a los administradores como titulares reales.

Segundo. Obtenida la información, **consultará la BDTR** pudiéndose dar las siguientes circunstancias:

– **Existe coherencia entre la información** aportada por el otorgante **y** la información que aparece **acreditada en la BDTR**. En la BDTR figura en el apartado acreditado que no hay ninguna persona física con más del 25% de control o propiedad, y por tanto no existe Titular Real por propiedad o control, y habrá que acudir al concepto de titular real por administración.

El notario dejará constancia por escrito, en el instrumento público que autoriza o en la diligencia de intervención

– **Existe coherencia entre la información** aportada por el otorgante sobre la titularidad real **y** la información existente en **la BDTR como manifestada**. En la BDTR figura en el apartado manifestado que no hay ninguna persona física con más del 25% de control o propiedad, y por tanto no existe Titular Real por propiedad o control, y habrá que acudir al concepto de titular real por administración.

El notario deberá solicitar copia del documento de identificación de los titulares reales manifestados por administración, **o datos del documento público** de nombramiento del administrador/es, **o certificación** del Registro Mercantil respecto del administrador/es.

El notario dejará constancia por escrito, en el instrumento público que autoriza o en la diligencia de intervención.

– **No existe coherencia entre la información proporcionada** por el otorgante **y** la información existente **en la BDTR en el apartado acreditado**.

El notario solicitará (i) fotocopia del documento de identificación de los titulares reales por administración (ii) manifestación sobre la estructura accionarial completa en la que efectivamente no hay titular real por propiedad o control (iii) Acreditación documental sobre el primer nivel de propiedad completa de la sociedad española.

El notario dejará constancia por escrito, en el instrumento público que autoriza o en la diligencia de intervención de todo ello.

El notario deberá comunicar la discrepancia obligatoriamente en los términos previstos en el Manual de Uso de la BDTR elaborado por ANCERT.

– **No existe coherencia entre la información proporcionada** por el otorgante y la información existente **en la BDTR en el apartado manifestado**.

El notario solicitará (i) fotocopia del documento de identificación de los titulares reales por administración **y (ii) manifestación sobre la estructura accionarial** completa en la que efectivamente no hay titular real por propiedad o control.

El notario dejará constancia por escrito, en el instrumento público que autoriza o en la diligencia de intervención de todo ello.

El notario deberá comunicar la discrepancia obligatoriamente en los términos previstos en el Manual de Uso de la BDTR elaborado por ANCERT.

– **No hay datos en la BDTR respecto de la titularidad real.**

El notario solicitará (i) fotocopia del documento de identificación de los titulares reales por administración **(ii) manifestación sobre la estructura accionarial completa**, y **(iii) documento de nombramiento del administrador/es o certificación** del Registro Mercantil respecto del administrador.

El notario dejará constancia por escrito, en el instrumento público que autoriza o en la diligencia de intervención de todo ello.

3.7.5.3. Conocimiento de la actividad

Establece el artículo **156.10 del Reglamento Notarial** que:

> *La comparecencia de toda escritura indicará:*
> *10.º **La profesión o cualquier otro dato personal,** cuando lo solicite el otorgante, el Notario lo juzgue conveniente por resultar significativa su constancia para una adecuada identificación, o su inclusión sea exigida por leyes o reglamentos.*

El artículo **5 de la Ley 10/2010** dice:

> *Propósito e índole de la relación de negocios.*
> *Los sujetos obligados obtendrán información sobre el propósito e índole prevista de la relación de negocios. En particular, los sujetos obligados recabarán de sus clientes información a fin de **conocer la naturaleza de su actividad profesional o empresarial** y adoptarán medidas dirigidas a comprobar razonablemente la veracidad de dicha información.*

La actividad profesional del cliente es la profesión o empleo a que se dedique.

La actividad empresarial es el ramo o sector de actividad a la que se dedica habitualmente el cliente.

Conforme al desarrollo de este punto que el Reglamento de la Ley 10/2010 hace en los artículos 10 y 11 el notario tendrá las siguientes obligaciones:

- Hará constar **en el instrumento público** la actividad del otorgante pues tiene la obligación de registrar esa actividad.

- En principio bastará a este efecto relacionar **lo que manifieste el otorgante** o su representante.

- **Excepcionalmente el notario deberá comprobar** la actividad declarada por el cliente conforme a las manifestaciones de éste o de su representante cuando existan riesgos superiores al promedio, la relación de negocios no se corresponda con la actividad declarada o con los antecedentes operativos. La comprobación la hará por sí el sujeto obligado o a través de terceros.

- El notario deberá también proceder al s**eguimiento continuado de la relación de negocios** a fin de garantizar que coincidan con la actividad profesional o empresarial del cliente y con sus antecedentes operativos.

En el cumplimiento de las dos últimas obligaciones el notario contará con la actividad desarrollada por la Unidad de Análisis del OCP que contará con la información proporcionada por la totalidad del notariado y con medios para la comprobación de la información facilitada por el cliente.

3.7.5.4. Comprobación de listas

Son dos los tipos de listas que debe comprobar el notario:

3.7.5.4.1. Bloqueo de fondos

Las **resoluciones de organismos internacionales** y los **Reglamentos de la Unión Europea**, pueden imponer **sanciones u otras medidas restrictivas** específicas dirigidas contra determinadas personas y entidades.

La disposición adicional primera de la Orden EHA/114/2008, de 29 de enero **obliga a los Notarios** a **comprobar** la eventual coincidencia de los otorgantes con las de los destinatarios de aquéllas que figuran incluidos en **listas públicas oficiales**, informando de forma inmediata a través del OCP a la autoridad competente.

Existen dos tipos de sanciones financieras internacionales:

1. Sanciones financieras internacionales respecto de un país o jurisdicción.

Cuando deben comprobarse las listas: Siempre que se trate de actos o negocios de carácter patrimonial o de disposición de fondos en los que aparezcan **personas físicas o jurídicas no nacionales**, o en los que **los fondos provengan o se dirijan a otro país** el notario **deberá comprobar** si hay alguna limitación impuesta a los movimientos financieros internacionales con ese país.

Donde: En el apartado «Consolidated list of sanctions» de la web: https://eeas.europa.eu/topics/sanctions-policy/8442/consolidatedlist-of-sanctions_en

Para el acceso a las listas actualizadas debe crearse una cuenta y para ello basta el nombre apellidos y correo electrónico.

Si existen limitaciones con ese país el notario deberá comprobar si la operación cumple con los requisitos establecidos en la normativa para poder autorizar la operación y en su caso los requisitos para autorizarla.

Si no se cumplieran los requisitos para autorizar la operación el notario deberá detener la operación y enviar de inmediato un correo electrónico al OCP (ocp@notariado.org) con la descripción de la operación que se intentaba realizar y la documentación completa de que disponga.

2. Sanciones financieras internacionales a personas concretas.

Cuando deben comprobarse las listas: Siempre que se trate de actos o negocios de carácter patrimonial o de disposición de fondos **en los que los medios de pago no estén totalmente bancarizados** a través de, al menos, **una entidad financiera de la Unión Europea** el **notario deberá comprobar la eventual coincidencia** de algún interviniente con un nombre de la lista consolidada.

Donde: A través de la plataforma SIGNO - Trámites - OCP - Herramientas - Listas.

Si hubiera alguna coincidencia el Notario deberá verificar si, con los datos de que dispone (nacionalidad, fecha de nacimiento, segundo nombre,...), puede o no confirmar si se trata de la misma persona y si se trata de la misma persona el notario deberá detener la operación y enviar de inmediato un correo electrónico al OCP (ocp@notariado.org) con la descripción de la operación que se intentaba realizar y la copia del documento identificativo que coincide con la persona de la lista.

3.7.5.4.2. Existencia de PRPs

Antes de la **reforma operada por el Real Decreto-ley 11/2018,** de 31 de agosto, las personas con responsabilidad pública extranjeras eran siempre objeto de la aplicación de las medidas de diligencia reforzada previstas por la ley por su falta de vinculación con nuestro país y las dificultades de acceso a información sobre las mismas. Por otro lado, las personas con responsabilidad pública nacionales eran objeto de un enfoque adaptado caso por caso, dependiendo de la persona concreta y sus funciones, y del producto que contratara, la aplicación o no de estas medidas o el grado de las mismas.

Con la Directiva (UE) 2015/849, de 20 de mayo, este régimen se unifica, considerando a todas las personas con responsabilidad pública, tanto nacionales como extranjeras, merecedoras de la aplicación de las medidas de diligencia reforzada en cualquier caso

El párrafo primero **artículo 14.1 de la Ley 10/2010** dice: *Los sujetos obligados aplicarán las **medidas reforzadas de diligencia** debida previstas en este artículo en las relaciones de negocio u operaciones de **personas con responsabilidad pública**.*

I. Concepto:

Según el mismo precepto legal son PRPs:

– Aquellas que **desempeñen o hayan desempeñado funciones públicas importantes**, tales como los jefes de Estado, jefes de Gobierno, ministros u otros miembros de Gobierno, secretarios de Estado o subsecretarios; los parlamentarios; los magistrados de tribunales supremos, tribunales constitucionales u otras altas instancias judiciales cuyas decisiones no admitan normalmente recurso, salvo en circunstancias excepcionales, con inclusión de los miembros equivalentes del Ministerio Fiscal; los miembros de tribunales de cuentas o de consejos de bancos centrales; los embajadores y encargados de negocios; el alto personal militar de las Fuerzas Armadas; los miembros de los órganos de administración, de gestión o de supervisión de empresas de titularidad pública; los directores, directores adjuntos y miembros del consejo de administración, o función equivalente, de una organización internacional; y los cargos de alta dirección de partidos políticos con representación parlamentaria.

– Las personas, distintas de las enumeradas en el apartado anterior, que tengan **la consideración de alto cargo** de conformidad con lo previsto en el **artículo 1 de la Ley 3/2015, de 30 de marzo**, reguladora del ejercicio de altos cargos de la Administración General del Estado.

– Las personas que desempeñen o hayan desempeñado funciones públicas importantes en el **ámbito autonómico español**, como los Presidentes y los Consejeros y demás miembros de los Consejos de Gobierno, así como las personas que desempeñen cargos equivalentes a las relacionadas en la letra a) y los diputados autonómicos.

– En el **ámbito local español,** los alcaldes, concejales y las personas que desempeñen cargos equivalentes a las relacionadas en la letra a) de los municipios capitales de provincia, o de Comunidad Autónoma y de las Entidades Locales de más de 50.000 habitantes.

– Los cargos de alta dirección en **organizaciones sindicales o empresariales** españolas.

La Comisión de Prevención del Blanqueo de Capitales e Infracciones Monetarias elaborará y publicará una lista en la que se detallará qué tipo de funciones y puestos determinan la consideración de persona con responsabilidad pública española.

II. Medidas a aplicar:

Aunque como hemos dicho tras la reforma por **el Real Decreto-ley 11/2018**, de 31 de agosto ya **NO SE DISTINGUE ENTRE NACIONALES Y EXTRANJEROS Y TODOS ESTÁN SOMETIDOS LAS MEDIDAS DE DILIGENCIA REFORZADA**, el manual de la OCP sigue hasta el momento distinguiendo entre unos y otros. **DEBERÍA ENTENDERSE EN TODO CASO QUE LAS MEDIDAS QUE PREVÉ DICHO MANUAL PARA LOS EXTRANJEROS SE APLICARÁN TAMBIÉN A LOS NACIONALES**. Estas medidas son:

Las operaciones se dividen en cuatro categorías: de riesgo muy bajo; de riesgo bajo; de riesgo medio y de riesgo alto.

A) Operaciones de riesgo muy bajo. Son operaciones sin cuantía o con cuantía inferior a 100.000 euros en las que no aparezca ningún indicador de riesgo adicional.

Se trate de nacionales españoles o extranjeros no es necesario realizar **ningún tipo de actuación** a fin de comprobar si alguna de ellas es o no una PRP.

B) Operaciones de riesgo bajo. Serán aquellas que tengan una cuantía igual o superior a 100.000 euros en las que no aparezca ningún indicador de riesgo adicional.

Respecto de PRP españolas no es necesario realizar ninguna comprobación.

Respecto de las posibles **PRP extranjeras** se deberá **comprobar** si alguno de los otorgantes extranjeros aparece en la **lista**, a través del procedimiento en la plataforma SIGNO.

Si hay coincidencia con una persona de la lista cotejando nacionalidad, lugar y fecha de nacimiento etc. deberá requerirse del otorgante o su representante **una declaración firmada en la que manifieste si se trata o no de la persona que aparece en la lista**.

- **Si el representante no pudiese ni confirmar ni desmentir** esa posible coincidencia, no se deberá intervenir o autorizar la operación.

- **Si el otorgante o su representante manifestase que sí se trata de la persona que aparece en la lista** y la PRP realiza una entrega fondos o bienes el notario solicitará una declaración manifestando el origen físico de los fondos empleados.

C) Operaciones de Riesgo Medio. Son aquellas en las que aparezca **un indicador de riesgo adicional.**

Respecto de PRP españolas se consultará la lista de PRP nacionales en la plataforma SIGNO. Si aparece esa persona en la lista se valorará si la operación tiene o no elementos adicionales de riesgo y si existieran esos elementos adicionales de riesgo se deberá comunicar al OCP.

Respecto de las posibles PRP extranjeras se deberá comprobar si alguno de los otorgantes extranjeros aparece en la lista, a través del procedimiento en la plataforma SIGNO.

Si hay coincidencia con una persona de la lista cotejando nacionalidad, lugar y fecha de nacimiento etc. deberá requerirse del otorgante o su representante **una declaración firmada en la que manifieste si se trata o no de la persona que aparece en la lista**.

- **Si el representante no pudiese ni confirmar ni desmentir** esa posible coincidencia, no se deberá intervenir o autorizar la operación.

- **Si el otorgante o su representante manifestase que sí se trata de la persona que aparece en la lista** y la PRP realiza una entrega fondos o bienes el notario solicitará una declaración manifestando el origen jurídico de los fondos empleados. Además, si la operación tuviera elementos adicionales de riesgo, se deberá comunicar al OCP, a través de la plataforma SIGNO.

D) Operaciones de Riesgo Alto. Serán aquellas en las que aparezcan dos o más indicadores de riesgo adicionales.

Respecto de PRP españolas no será necesario se consultar la lista de PRP nacionales pero se deberá comunicar al OCP.

Respecto de las posibles PRP extranjeras se deberá comprobar si alguno de los otorgantes extranjeros aparece en la lista, a través del procedimiento en la plataforma SIGNO.

Si hay coincidencia con una persona de la lista cotejando nacionalidad, lugar y fecha de nacimiento etc. deberá requerirse del otorgante o su representante **una declaración firmada en la que manifieste si se trata o no de la persona que aparece en la lista**.

- **Si el representante no pudiese ni confirmar ni desmentir** esa posible coincidencia, no se deberá intervenir o autorizar la operación.

- **Si el otorgante o su representante manifestase que sí se trata de la persona que aparece en la lista** y la PRP realiza una entrega fondos o bienes el notario solicitará una declaración detallada sobre su actividad profesional incluyendo en la misma el origen físico y jurídico de los fondos empleados. En todo caso se deberá comunicar al OCP, a través de la plataforma SIGNO.

3.7.5.5. Procedimiento de conservación de documentos relacionados con las medidas de diligencia debida

El notario tiene **obligación de conservar los documentos** de identificación de las personas físicas y jurídicas que deba solicitar por aplicación de las obligaciones que impone la diligencia debida.

Plazo:

El **plazo** de conservación será de **diez años**. Transcurridos cinco años desde la terminación de la relación de negocios o la ejecución de la operación ocasional, la documentación conservada únicamente será accesible por los órganos de control interno del sujeto obligado, con inclusión de las unidades técnicas de prevención, y, en su caso, aquellos encargados de su defensa legal.

Forma de conservación:

La conservación se realizará a través de **soportes ópticos, magnéticos o electrónicos** que garanticen su integridad, la correcta lectura de los datos, la imposibilidad de manipulación y su adecuada conservación y localización.

Lugar:

- La copia de los documentos identificativos de las **personas físicas** se conservará en **archivos distintos del protocolo notarial**.

- Los documentos identificativos de **personas jurídicas**, se conservarán en **el protocolo notarial**, bien mediante el archivo de copia del documento auténtico exhibido o bien mediante la referencia notarial del documento autorizado por otro notario.

– La conservación de **los restantes documentos** que acrediten adecuadamente la realización de las operaciones será realizada a través del **protocolo notarial.**

3.7.6. Medios de pago

3.7.6.1. Constancia en el instrumento público

Establece el **párrafo cuarto del artículo 24** de la Ley del Notariado de 28 de mayo de 1862:

En las escrituras relativas a actos o contratos por los que se declaren, transmitan, graven, modifiquen o extingan a título oneroso el dominio y los demás derechos reales sobre bienes inmuebles se identificarán, cuando la contraprestación consistiere en todo o en parte en dinero o signo que lo represente, los medios de pago empleados por las partes. A tal fin, y sin perjuicio de su ulterior desarrollo reglamentario, deberá identificarse si el precio se recibió con anterioridad o en el momento del otorgamiento de la escritura, su cuantía, así como si se efectuó en metálico, cheque, bancario o no, y, en su caso, nominativo o al portador, otro instrumento de giro o bien mediante transferencia bancaria.

Este precepto es desarrollado por **el artículo 177 del Reglamento Notarial** que en relación con esta materia establece:

En las escrituras públicas relativas a actos o contratos por los que se declaren, constituyan, transmitan, graven, modifiquen o extingan a título oneroso el dominio y los demás derechos reales sobre bienes inmuebles, se identificarán, cuando la contraprestación consistiera, en todo o en parte, en dinero o signo que lo represente, los medios de pago empleados por las partes, en los términos previstos en el artículo 24 de la Ley del Notariado, de acuerdo con las siguientes reglas:

*1.ª **Se expresarán** por los comparecientes los importes satisfechos **en metálico**, quedando constancia en la escritura de dichas manifestaciones.*

*2.ª El Notario incorporará testimonio de los **cheques y demás instrumentos de giro que se entreguen en el momento** del otorgamiento de la escritura. Los comparecientes deberán, asimismo, manifestar los datos a que se refiere el artículo 24 de la Ley del Notariado, correspondientes a los cheques y demás instrumentos de giro **que hubieran sido entregados con anterioridad al momento** del otorgamiento, expresando además su numeración y el código de la cuenta de cargo. **En caso de cheques bancarios** u otros instrumentos de giro librados por una entidad de crédito, entregados con anterioridad o en el momento del otorgamiento de la escritura, el compareciente que efectúe el pago deberá manifestar el código de la cuenta con cargo a la cual se aportaron los fondos para el libramiento o, en su caso, la circunstancia de que se libraron contra la entrega del importe en metálico. De todas estas manifestaciones quedará constancia en la escritura.*

*3.ª En caso de pago por **transferencia o domiciliación**, los comparecientes deberán manifestar los datos correspondientes a los códigos de las cuentas de cargo y abono, quedando constancia en la escritura de dichas manifestaciones.*

En el marco del artículo 17.3 de la Ley de 28 de mayo de 1862, del Notariado, el Consejo General del Notariado proporcionará a la Agencia Estatal de la Administración Tributaria información, en particular, en el caso de pagos por transferencia o domiciliación, cuando no se hubieran comunicado al Notario las cuentas de cargo y abono.

*En el caso de que los comparecientes **se negasen a identificar** los medios de pago empleados, el Notario advertirá verbalmente a aquellos de lo dispuesto en el apartado 3 del artículo 254 de la Ley Hipotecaria, de 8 de febrero de 1946, dejando constancia, asimismo, de dicha advertencia en la escritura.*

*A los efectos previstos en el párrafo anterior, se entenderán identificados los medios de pago si constan en la escritura, **por soporte documental o manifestación**, los elementos esenciales de los mismos. A estos efectos, si el medio de pago fuera cheque será suficiente que conste librador y librado, beneficiario, si es nominativo, fecha e importe; si se tratara de transferencia se entenderá suficientemente identificada, aunque no se aporten los códigos de las cuentas de cargo y abono, siempre que conste el ordenante, beneficiario, fecha, importe, entidad emisora y ordenante y receptora o beneficiaria.*

3.7.6.2. Comunicación de operaciones relativas a medios de pago

La comunicación de los medios de pago se verificará grabando los datos correspondientes a cada operación en el índice único.

Respecto del metálico y cheques al portador, debe recordarse que existe obligación de aportar **el modelo S-1** en determinados casos.

Cualquier persona, residente o no residente, estará obligada a presentar, con carácter previo, en las entidades de crédito o en la AEAT la declaración de movimientos de medios de pago (**modelo S-1**) únicamente en el caso de **aportación de metálico y/o cheques bancarios al portador en el mismo instrumento público** *en la misma fecha* **por cuantía total o igual o superior a 100.000 €.**

El artículo **5 de la Orden EHA/114/2008**, de 29 de enero y la Comunicación 2/2008, de 18 de julio del OCP, imponen a **los notarios la obligación de solicitar que les sea exhibida, para su incorporación al protocolo**, la declaración de movimientos de medios de pago materializada en el modelo de declaración S-1.

Deben destacarse las siguientes reglas:

– **Se deben acumular** todas las cantidades entregadas **en la misma fecha** en metálico y mediante cheques al portador. A este respecto debe destacarse que **en el caso de cheques bancarios al portador** la fecha del movimiento no es la fecha del cheque sino la fecha en que se entrega.

– **Si se trata de una compraventa de varios inmuebles en la misma escritura** se considerará un único movimiento el precio total pagado por los tres inmuebles en la fecha de la autorización. Si la totalidad del precio se recibió con anterioridad en la misma fecha, estaremos también ante un único movimiento. Si el precio se recibió con anterioridad en fechas distintas (varios pagos parciales), estaremos ante varios movimientos.

– **Si, por el contrario, se trata de varias escrituras de compraventa de inmuebles por el mismo comprador**, se considerarán movimientos distintos, considerándose autónomamente el precio satisfecho por cada uno de ellos, a efectos de determinar la procedencia o no de S-1.

– **No existe obligación de aportar el modelo S-1** cuando los pagos en efectivo o con cheque bancario al portador realizados fuera del territorio nacional.

3.7.7. Examen especial de operaciones de riesgo

Nos ocuparemos en este apartado del estudio de las operaciones de riesgo que son las que presentan indicadores de riesgo. Estos indicadores tienen una gran trascendencia tanto en lo que se refiere a titularidad real como a comunicaciones al OCP.

3.7.7.1. Indicadores de riego

Los indicadores de riesgo son elementos o patrones de conducta, que pueden aparecer de forma conjunta o individual, potencialmente asociados a esquemas de blanqueo de capitales.

No tienen que coincidir de forma simultánea en una operación y, además, pueden tener distintos grados de intensidad.

En **SIGNO está disponible la tabla actualizada** de posibles indicadores de riesgo asociados a tipos de operaciones. Esta tabla tiene un **carácter ejemplificativo**, por lo que no enumera todos los posibles casos de operaciones vinculadas con el blanqueo de capitales.

El OCP recomienda a los notarios deberán **extremar la atención** en clientes no habituales y desconocidos, así como en las operaciones de cuantía económica muy relevante.

3.7.7.2. Clasificación de los indicadores de riesgo

En la **tabla publicada por el OCP** se clasifican los indicadores de riesgo en **cuatro grupos** y se relaciona cada uno de ellos con las operaciones en que su aparición puede o no ser relevante.

Los cuatro grupos son:

Indicadores Subjetivos:

Vienen encabezados por la letra «**S**» seguida del numeral correspondiente. Hacen referencia a elementos o patrones relacionados con los intervinientes, sus representantes o titulares reales.

Indicadores relacionados con los Medios de Pago:

Vienen encabezados por la letra «**M**» seguida del numeral correspondiente. Hacen referencia a elementos o patrones relacionados con los medios de pago utilizados en la operación.

Indicadores relativos a Operaciones con aspectos Ilógicos, Inusuales, Sin Sentido, Etc:

Vienen encabezados por la letra «**O**» seguida del numeral correspondiente. Hacen referencia a elementos o patrones relacionados con operaciones extrañas en si mismas consideradas.

Indicadores relativos a una Pluralidad de Operaciones Ilógicas:

Vienen encabezados por la letra «**P**» seguida del numeral correspondiente. Hacen referencia a elementos o patrones relacionados con varias operaciones que relacionadas entre si carecen de lógica económica.

3.7.7.3. Traslado de operaciones con indicadores de riesgo al OCP para su examen

Como hemos visto l**os notarios remitirán al OCP** aquellos hechos u operaciones **en las que concurran varios «indicadores de riesgo» o un solo indicador muy cualificado.**

I. Contenido de las comunicaciones:

Las comunicaciones **deberán contener**, por este orden, la siguiente información:

a) Identificación de los intervinientes en las operaciones: tipo y NIF.

b) Descripción de las operaciones comunicadas.

c) Relación de los indicios de blanqueo de capitales.

d) Copias simples de los documentos

e) En su caso, el documento o documentos que guarden relación con la operación u operaciones objeto de la comunicación.

En el caso de tratarse de operaciones que finalmente **no hayan sido autorizadas** por el notario se remitirá toda la documentación suministrada por el cliente de la que se disponga y las circunstancias de riesgo que se hallen presentes.

II. Forma de realizar las comunicaciones

El notario debe remitir las operaciones para su análisis por el OCP **necesariamente** a través de la **aplicación telemática** «Envío de comunicaciones al OCP» de la plataforma SIGNO. **Deberá completarse un formulario en formato electrónico.**

El OCP informará en todo caso **al notario** que ha realizado la comunicación:

– Del hecho de que dicha operación ha sido objeto de comunicación al SEPBLAC.

– Cuando el notario lo requiera del curso dado a la operación u operaciones por él remitidas al OCP cuando no hubiesen sido objeto de comunicación al SEPBLAC.

Debemos también recordar que el OCP puede solicitar del notario aquella información que sea necesaria para el análisis de operaciones, o que sea solicitada por el SEPBLAC o por otras autoridades judiciales o administrativas competentes.

Tanto la solicitud por el OCP como la respuesta por el notario, se realizarán **a través de la plataforma corporativa SIGNO.**

3.7.7.4. Contenido del examen especial

La UAC es la encargada del examen especial tanto de las operaciones comunicadas directamente por los notarios, del capítulo IV de este Manual, como aquellas operaciones, procedentes del índice único informatizado sobre las que existan indicios o certeza de estar relacionadas con el blanqueo de capitales o con la financiación del terrorismo.

La UAC dará preferencia en el análisis a las operaciones comunicadas por los notarios respecto de las que se deriven del IUI. Dentro de cada grupo dará preferencia el análisis de las que presenten mayor número de indicadores de riesgo.

En esta labor de análisis la UAC podrá contactar con el notario o notarios autorizantes para obtener información complementaria sobre las características o datos concurrentes con anterioridad o en el momento de la autorización de las operaciones analizadas.

El análisis de las operaciones **puede concluir** en el Archivo de la operativa de riesgo analizada, en su comunicación al SEPBLAC o en el seguimiento de la misma.

3.7.8. Obligaciones de abstención de ejecución de operaciones

El principio general en esta materia es el de que **la denegación de la función pública notarial sólo puede producirse en presencia cierta de justa causa** (artículo 2 de la Ley del Notariado).

En el ámbito específico del blanqueo de capitales esta materia se regula en el art. 19.2 que afirma que: «*A efectos de esta Ley se entenderá por* **justa causa que motive la negativa a la autorización** *del notario o su deber de abstención la presencia en la operación bien de* **varios indicadores de riesgo** *de los señalados por el órgano centralizado de prevención* **o bien de indicio manifiesto de simulación o fraude de ley**. *Para ello, y sin perjuicio de lo dispuesto en el artículo 24, el notario recabará del cliente los datos precisos para valorar la concurrencia de tales indicadores o circunstancias en la operación*».

La interpretación de este precepto como excepción a la regla general **debe ser restrictiva**.

Existen pues **dos tipos de causas** para denegar la intervención.

A) Concurrencia de indicio manifiesto de simulación o fraude ley.

Este hecho debe ser apreciado por el notario y tras abstenerse de ejecutar la operación, comunicará a OCP inmediatamente dicha operación meramente intentada (artículo 18.1 de la LPBC).

B) la presencia en la operación bien de varios indicadores de riesgo de los señalados por el órgano centralizado de prevención.

Deben pues concurrir **dos o más indicadores**.

No basta el mero indicio de que existen tales indicadores, **sino la certeza de que los mismos** se dan en la concreta operación.

Es el notario quien de apreciar dicha certeza, para lo que puede recabar de los otorgantes datos adicionales (artículo 19.2 in fine de la LPBC).

El OCP ha seleccionado una serie de indicadores de riesgo que integran el concepto de justa causa que funda la abstención de ejecución de operaciones:

– La edad de los otorgantes es incoherente con el volumen o características de la operación, especialmente cuando se trata de menores de edad.

– Personas con dificultades para entender lo que firman o de edad extraordinariamente avanzada, no encontrándose una explicación lógica que motive su intervención.

– Vinculación entre las partes de índole familiar, laboral, societaria o cualquier otra que haga dudar sobre la naturaleza o la causa del negocio jurídico.

– El precio o la provisión de fondos para el pago del arancel o los tributos provienen de un tercero ajeno a la operación, sin explicación lógica.

– Excesiva urgencia para realizar la operación; negativa o recelo a la aportación de datos solicitados por el Notario (documentos de identificación, manifestaciones sobre titular real o medios de pago, etc.) o a dar publicidad registral al negocio jurídico; así como cualquier otra conducta que muestre falta de transparencia.

- Cambios de última hora, sin razón que los justifique, en alguno de los elementos esenciales de la operación (excepto los medios de pago) que impliquen una ausencia de información o transparencia en la misma.

- La persona física que actúa como administrador o representante no parece apropiada para ejercer dicha representación (riesgo de testaferro o persona interpuesta).

- La persona que realmente dirige la operación no es ninguno de los otorgantes ni sus representantes.

- Medios de pago en los que se observe una voluntad de ocultar la verdadera forma de pago o la realidad misma del negocio jurídico, tales como el aplazamiento del pago a fecha muy cercana o lejana del momento de la autorización o con ausencia de intereses, garantías que lo aseguren, o bien la compensación de deudas, sin explicación lógica.

- Establecimiento de condiciones o cláusulas poco habituales en el tráfico (o mercado) crediticio (un plazo de amortización inusualmente corto o largo, un tipo de interés muy por encima o por debajo de lo normal, reembolso mediante un solo pago al vencimiento o la ausencia de garantía para el acreedor), sin que haya una explicación lógica que lo justifique.

- Cambios de última hora, sin razón que los justifique, en los medios de pago empleados que impliquen una ausencia de información o de transparencia en la operación.

- Compraventas sucesivas del mismo inmueble en un periodo corto de tiempo, con diferencias relevantes en el precio, sin explicación lógica (una recalificación, por ejemplo, entre las compraventas).

- Operativa por la que se pagan más tributos de los aparentemente necesarios.

- Diferencias extraordinarias y muy relevantes (precio ostensiblemente mucho más alto o mucho más bajo) entre el precio declarado y el valor real aproximado, conforme a cualquier referencia que pudiera dar una idea aproximada de este valor (valor de tasación en el caso de hipoteca o valor catastral, por ejemplo) o de la propia apreciación del Notario.

- Aportaciones a sociedades creadas o que amplían su capital con una valoración irreal u ostensiblemente altas en relación con el giro o tamaño de la empresa, sin explicación lógica.

- Precio excesivamente alto o bajo de los valores transmitidos, frente a algún hecho que denote tal exceso (p.e.: volumen de ingresos, giro o negocio, instalaciones, tamaño, conocimiento de declaración de pérdidas o ganancias sistemáticas), o frente a la cuantía declarada en otra operación.

Por último, el hecho de que puedan existir en una operación otros indicadores de riesgo distintos de los señalados por OCP como integrantes del concepto «justa causa» a que se refiere el artículo 19.2 de la LPBC, no significa que la operación deba sin más concluirse y comunicarse a OCP, sino que el notario deberá apreciar si la acumulación de tales indicadores de riesgo es de tal intensidad que, aunque no sean de los señalados por OCP, justificarían la abstención.

El notario tras abstenerse de ejecutar la operación, comunicará a OCP inmediatamente dicha operación meramente intentada (artículo 18.1 de la LPBC).

Debemos recordar que existen otros casos relacionados con el blanqueo de capitales en los que el notario debe abstenerse de autorizar la operación:

a) En relación con la titularidad real el notario deberá denegar la autorización del documento en base al artículo 4.4 de la Ley 10/2010 en los siguientes casos:

– Si el representante manifiesta **que desconoce** si existe o no titular real **y** tiene dudas de que el que controla realmente la sociedad sea el administrador o el apoderado general.

– Si sabiendo que existe titular real **no lo identifica**.

b) En relación con la obligación del notario de comprobar listas existen también supuestos en los que debe detenerse la operación de acuerdo con lo que estudiamos en el epígrafe correspondiente.

3.7.9. Comunicación de operaciones sospechosas al SEPBLAC

Será el OCP quien comunicará de manera inmediata al SEPBLAC los hechos u operaciones, incluso la mera tentativa, que puedan estar particularmente vinculados al blanqueo de capitales o a la financiación del terrorismo siempre que, como resultado del examen especial, se confirme la existencia de indicio o certeza de estar la operación relacionada con el blanqueo

La UAC efectuará esta comunicación en nombre y por cuenta del notario o notarios intervinientes o autorizantes o que hubiera sometido la operación a examen del OCP con carácter previo a su autorización o intervención.

La UAC informará al notario o notarios intervinientes o autorizantes de la comunicación realizada al SEPBLAC a través del correo corporativo.

También será el OCP quien atienda las solicitudes y requerimientos formulados por el SEPBLANC u otros organismos o autoridades encargados de la prevención del blanqueo de capitales solicitando al efecto la información correspondiente al notario.

3.7.10. Deber de colaboración con las autoridades responsables de la PBC

Los notarios como sujetos obligados deben prestar su colaboración a las autoridades encargadas de la prevención del Blanqueo de capitales.

La Ley 10/2010, de 28 de abril, de prevención del blanqueo de capitales y de la financiación del terrorismo en su artículo 27 y el artículo 1 de la Orden EHA/2963/2005, disponen que el Consejo General del Notariado establecerá un Órgano Centralizado de Prevención (OCP) **para el reforzamiento, intensificación y canalización en la colaboración del notariado con las autoridades judiciales, policiales y administrativas responsables de la lucha contra el blanqueo de capitales.**

3.7.11. Prohibición de revelación al cliente

Establece el artículo **24.1 de la Ley 10/2010** que:

> *Los sujetos obligados y sus directivos o empleados no revelarán al cliente ni a terceros que se ha comunicado información al Servicio Ejecutivo de la Comisión, o que se está examinando o puede examinarse alguna operación por si pudiera estar relacionada con el blanqueo de capitales o con la financiación del terrorismo.*
> *Esta prohibición no incluirá la revelación a las autoridades competentes, incluidos los órganos centralizados de prevención, o la revelación por motivos policiales en el marco de una investigación penal.*

El **artículo 8 de la Orden EHA/114/2008**, de 29 de enero, dice que: *El notario no revelará ni al otorgante ni a terceros que se han transmitido informaciones al Servicio Ejecutivo o que se examinan operaciones en el marco de la normativa de prevención del blanqueo de capitales así como la razón por la que se recaban datos o se incluyen, en su caso, en el instrumento público.*

Así pues ni los notarios ni el personal de sus notarías revelarán a los otorgantes ni a terceros, salvo al OCP y, en su caso, a las autoridades competentes, las actuaciones que se estén realizando, ya sea por propia iniciativa o bien a instancias del OCP, en relación con los hechos u operaciones respecto de los que se haya detectado indicio o certeza de estar relacionados con el blanqueo de capitales.

De acuerdo con la Comunicación 1/2008, de 18 de julio de 2008 del OCP **es sin embargo compatible con el deber de confidencialidad** que los otorgantes pudieran apreciar que algunas de **las preguntas, indagaciones** o inclusión de manifestaciones en el instrumento público **por parte del Notario** obedezcan al cumplimiento de sus obligaciones en el ámbito de la prevención del blanqueo.

En el caso de que el notario, de acuerdo con lo que se expone en el apartado correspondiente, deba denegar la autorización es también de aplicación la prohibición de revelación prevista en su artículo 24 por lo que no deberá ser trasladado al cliente de la notaría la razón que justifica dicha abstención.

3.7.12. Deber de Formación

El artículo 29 de la Ley 10/2010, establece que:

> *Los sujetos obligados adoptarán las medidas oportunas para que sus empleados tengan conocimiento de las exigencias derivadas de esta Ley.*
>
> *Estas medidas incluirán la participación debidamente acreditada de los empleados en cursos específicos de formación permanente orientados a detectar las operaciones que puedan estar relacionadas con el blanqueo de capitales o la financiación del terrorismo e instruirles sobre la forma de proceder en tales casos. Las acciones formativas serán objeto de un plan anual que, diseñado en función de los riesgos del sector de negocio del sujeto obligado, será aprobado por el órgano de control interno..*

El OCP, a través de la UPCF, es el órgano encargado de organizar y vigilar las **acciones formativas** en prevención del blanqueo de capitales de los notarios y su personal.

En el **Portal de Formación** del Consejo General del Notariado, en SIC, para su realización on-line, actualmente están disponibles **cinco cursos** de prevención del blanqueo de capitales: un curso básico, un curso ampliado, un curso específico de indicadores de riesgo y también dos cursos específicos en materia de listas de congelación de fondos y consulta de listas de PRP españolas y extranjeras y del nuevo indicador de riesgo O-8 sobre financiación de terrorismo.

- **Será obligatorio** que, durante el plazo de dos años desde la última modificación normativa, al menos **el 50% del personal** de la notaría haya finalizado el **curso básico** de PBC y FT y el curso específico **de indicadores de riesgo**.

Entre ese 50% deberá estar incluido el notario o el oficial de la notaría.

- **Será recomendable** que, durante el plazo de dos años desde la última modificación normativa importante **al menos el 20%** del personal de la notaría haya finalizado **el curso ampliado** de PBC y FT.

Entre ese 20% deberá estar incluido el notario o el oficial de la notaría.

Asimismo, la UPCF organizará cursos presenciales en los Colegios Notariales. Los diferentes cursos presenciales se configuran con carácter sustitutivo de los cursos on-line.

El OCP, a propuesta de la UPCF, podrá aprobar la realización de otro tipo de acciones formativas, por ejemplo, la realización de cursos más específicos en determinadas materias.

Además de la realización de los mencionados cursos, se elaborarán otros documentos que puedan ser útiles para las notarías a la hora de aplicar los preceptos de la normativa de PBC. Entre esos documentos, que se encuentran a disposición de los notarios en el SIC, destacamos:

- **Documentos de Buenas Prácticas**.

- **Documentos de Preguntas más Frecuentes** respecto de temas específicos que hayan sido demandados por los notarios.

- **Documento de Ejemplos de Operaciones Comunicados por el OCP al SEP-BLANC.**

3.7.13. Régimen Sancionador

Podemos distinguir entre:

A) Responsabilidad Administrativa:

La Ley 10/2010 prevé un régimen sancionador para la infracción de las obligaciones que impone dedicando al mismo todo su capítulo octavo.

Dice el artículo 51:

*1. Constituirán **infracciones muy graves** las siguientes:*

a) El incumplimiento del deber de comunicación previsto en el artículo 18, cuando algún directivo o empleado del sujeto obligado hubiera puesto de manifiesto internamente la existencia de indicios o la certeza de que un hecho u operación estaba relacionado con el blanqueo de capitales o la financiación del terrorismo.

b) El incumplimiento de la obligación de colaboración establecida en el artículo 21 cuando medie requerimiento escrito de la Comisión de Prevención del Blanqueo de Capitales e Infracciones Monetarias.

c) El incumplimiento de la prohibición de revelación establecida en el artículo 24 o del deber de reserva previsto en los artículos 46.2 y 49.2.e).

d) La resistencia u obstrucción a la labor inspectora, siempre que medie requerimiento del personal actuante expreso y por escrito al respecto.

e) El incumplimiento de la obligación de adoptar las medidas correctoras comunicadas por requerimiento del Comité Permanente a las que se alude en los artículos 26.5, 31.2, 44.2 y 47.5 cuando concurra una voluntad deliberadamente rebelde al cumplimiento.

f) La comisión de una infracción grave cuando durante los cinco años anteriores hubiera sido impuesta al sujeto obligado sanción firme en vía administrativa por el mismo tipo de infracción.

g) El incumplimiento de las medidas de suspensión acordadas por el Servicio Ejecutivo de la Comisión de conformidad con el artículo 48 bis.6.

2. En los términos previstos por los Reglamentos comunitarios que establezcan medidas restrictivas específicas de conformidad con los artículos 60, 301 o 308 del Tratado Constitutivo de la Comunidad Europea, constituirán infracciones muy graves de la presente Ley las siguientes:
a) El incumplimiento doloso de la obligación de congelar o bloquear los fondos, activos financieros o recursos económicos de personas físicas o jurídicas, entidades o grupos designados.
b) El incumplimiento doloso de la prohibición de poner fondos, activos financieros o recursos económicos a disposición de personas físicas o jurídicas, entidades o grupos designados.

Dice el artículo 52:

*1. **Constituirán infracciones graves** las siguientes:*
a) El incumplimiento de obligaciones de identificación formal, en los términos del artículo 3.
b) El incumplimiento de obligaciones de identificación del titular real, en los términos del artículo 4.
c) El incumplimiento de la obligación de obtener información sobre el propósito e índole de la relación de negocios, en los términos del artículo 5.
d) El incumplimiento de la obligación de aplicar medidas de seguimiento continuo a la relación de negocios, en los términos del artículo 6.
e) El incumplimiento de la obligación de aplicar medidas de diligencia debida a los clientes existentes, en los términos del artículo 7.2 y de la Disposición transitoria séptima.
f) El incumplimiento de la obligación de aplicar medidas reforzadas de diligencia debida, en los términos de los artículos 11 a 16.
g) El incumplimiento de la obligación de examen especial, en los términos del artículo 17.
h) El incumplimiento de la obligación de comunicación por indicio, en los términos del artículo 18, cuando no deba calificarse como infracción muy grave.
i) El incumplimiento de la obligación de abstención de ejecución, en los términos del artículo 19.
j) El incumplimiento de la obligación de comunicación sistemática, en los términos del artículo 20.
k) El incumplimiento de la obligación de colaboración establecida en el artículo 21 cuando medie requerimiento escrito de uno de los órganos de apoyo de la Comisión de Prevención del Blanqueo de Capitales e Infracciones Monetarias.
l) El incumplimiento de la obligación de conservación de documentos, en los términos del artículo 25.
m) El incumplimiento de la obligación de aprobar por escrito y aplicar políticas y procedimientos adecuados de control interno, en los términos del artículo 26, incluida la aprobación por escrito y aplicación de una política expresa de admisión de clientes.
n) El incumplimiento de la obligación de comunicar al Servicio Ejecutivo de la Comisión la propuesta de nombramiento del representante del sujeto obligado, o la negativa a atender los reparos u observaciones formulados, en los términos del artículo 26 ter.
ñ) El incumplimiento de la obligación de establecer órganos adecuados de control interno, con inclusión, en su caso, de las unidades técnicas, que operen en los términos previstos en el artículo 26 ter.
o) El incumplimiento de la obligación de dotar al representante ante el Servicio Ejecutivo de la Comisión y al órgano de control interno de los recursos materiales, humanos y técnicos necesarios para el ejercicio de sus funciones.
p) El incumplimiento de la obligación de aprobar y mantener a disposición del Servicio Ejecutivo de la Comisión un manual adecuado y actualizado de prevención del blanqueo de capitales y de la financiación del terrorismo, en los términos del artículo 26.5.

q) El incumplimiento de la obligación de examen externo, en los términos del artículo 28.

r) El incumplimiento de la obligación de formación de empleados, en los términos del artículo 29.

s) El incumplimiento de la obligación de adoptar por parte del sujeto obligado las medidas adecuadas para mantener la confidencialidad sobre la identidad de los empleados, directivos o agentes que hayan realizado una comunicación a los órganos de control interno, en los términos del artículo 30.1.

t) El incumplimiento de la obligación de aplicar respecto de las sucursales y filiales con participación mayoritaria situadas en terceros países las medidas previstas en el artículo 31.

u) El incumplimiento de la obligación de aplicar sanciones o contramedidas financieras internacionales, en los términos del artículo 42.

v) El incumplimiento de la obligación establecida en el artículo 43 de declarar la apertura o cancelación de cuentas corrientes, cuentas de ahorro, cuentas de valores y depósitos a plazo.

w) El incumplimiento de la obligación de adoptar las medidas correctoras comunicadas por requerimiento del Comité Permanente a las que se alude en los artículos 26.5, 31.2, 44.2 y 47.5 cuando no concurra una voluntad deliberadamente rebelde al cumplimiento.

x) El establecimiento o mantenimiento de relaciones de negocio o la ejecución de operaciones prohibidas.

y) La resistencia u obstrucción a la labor inspectora cuando no haya mediado requerimiento del personal actuante expreso y por escrito al respecto.

2. Salvo que concurran indicios o certeza de blanqueo de capitales o de financiación del terrorismo, las infracciones tipificadas en las letras a), b), c), d), e), f) y l) del apartado anterior podrán ser calificadas como leves cuando el incumplimiento del sujeto obligado deba considerarse como meramente ocasional o aislado a la vista del porcentaje de incidencias de la muestra de cumplimiento.

3. Constituirán infracciones graves de la presente Ley:

a) El incumplimiento de la obligación de declaración de movimientos de medios de pago, en los términos del artículo 34.

b) El incumplimiento por fundaciones o asociaciones de las obligaciones establecidas en el artículo 39.

c) El incumplimiento de las obligaciones establecidas en el artículo 41, salvo que deba calificarse como muy grave de conformidad con el artículo 51.1.b).

4. En los términos previstos por los Reglamentos comunitarios que establezcan medidas restrictivas específicas de conformidad con los artículos 60, 301 o 308 del Tratado Constitutivo de la Comunidad Europea, constituirán infracciones graves de la presente Ley:

a) El incumplimiento de la obligación de congelar o bloquear los fondos, activos financieros o recursos económicos de personas físicas o jurídicas, entidades o grupos designados, cuando no deba calificarse como infracción muy grave.

b) El incumplimiento de la prohibición de poner fondos, activos financieros o recursos económicos a disposición de personas físicas o jurídicas, entidades o grupos designados, cuando no deba calificarse como infracción muy grave.

c) El incumplimiento de las obligaciones de comunicación e información a las autoridades competentes establecidas específicamente en los Reglamentos comunitarios.

5. Constituirán infracciones graves de la presente ley el incumplimiento de las obligaciones establecidas en los artículos 4 a 14 y 16 del Reglamento (UE) 2015/847 del Parlamento Europeo y del Consejo, de 20 de mayo de 2015, relativo a la información que acompaña a las transferencias de fondos y por el que se deroga el Reglamento (CE) n.º 1781/2006.

Dice el artículo 53:

*Sin perjuicio de lo dispuesto en el artículo 52.2, **constituirán infracciones leves** aquellos incumplimientos de obligaciones establecidas específicamente en la presente Ley que no constituyan infracción muy grave o grave conforme a lo previsto en los dos artículos precedentes.*

Las sanciones vienen recogidas en los artículos 56, 57 y 58 de la Ley y oscilan entre la amonestación privada hasta multas de la mayor de las siguientes cifras: hasta la mayor de las siguientes cifras: el 10 por ciento del volumen de negocios anual total del sujeto obligado, el duplo del contenido económico de la operación, el quíntuplo del importe de los beneficios derivados de la infracción, cuando dichos beneficios puedan determinarse o 10.000.000 euros.

La Prescripción de las infracciones y de las sanciones viene regulada en el artículo 60 que viene a establecer que *las infracciones muy graves y graves prescribirán a los cinco años, y las leves a los dos años, contados desde la fecha en que la infracción hubiera sido cometida.*

B) Responsabilidad disciplinaria:

Debemos recordar que:

El artículo 348.b del Reglamento Notarial establece que son infracciones muy graves:

b) Las conductas que hayan acarreado sanción administrativa, en resolución firme, por infracción grave de disposiciones en materia de prevención de blanqueo de capitales, tributaria, de mercado de valores u otras previstas en la legislación especial que resulte aplicable, siempre que dicha infracción esté directamente relacionada con el ejercicio de su profesión.

El artículo 349.a del Reglamento Notarial establece que son infracciones graves:

a) Las conductas que hayan acarreado sanción administrativa, en resolución firme, por infracción de disposiciones en materia de prevención de blanqueo de capitales, tributaria, de mercado de valores, u otras previstas en la legislación especial que resulte aplicable, siempre que dicha infracción esté directamente relacionada con el ejercicio de su profesión y no constituyan falta muy grave.

3.8. OBLIGACIONES DEL NOTARIO EN MATERIA DE PROTECCIÓN DE DATOS

3.8.1. Normativa

El Reglamento (UE) 2016/679, del Parlamento Europeo y del Consejo, de 27 de abril de 2016, relativo a la protección de las personas físicas en lo que respecta al tratamiento de datos personales y a la libre circulación de estos (en adelante el RGPD), establece el régimen jurídico aplicable en esta materia en toda la Unión Europea, compartiendo espacio con la normativa Española vigente (en lo no regulado por este), a saber:

– Ley Orgánica 15/1999, de 13 de diciembre, de Protección de Datos de Carácter Personal.

– Real Decreto 1720/2007, de 21 de diciembre, por el que se aprueba el Reglamento de desarrollo de la Ley Orgánica 15/1999, de 13 de diciembre, de protección de datos de carácter personal.

No obstante debe de tenerse en cuenta que se encuentra tramitando en el Congreso de los diputados una nueva Ley Orgánica cuya entrada en vigor no debería retrasarse.

Así las cosas la denominada "protección de datos" se entiende como la protección jurídica de las personas en lo que a sus datos de carácter personal se refiere, convirtiéndose en un tema de gran actualidad debido, en gran medida, a la proliferación del uso de las nuevas tecnologías de la información.

Esta nueva realidad ha provocado la necesidad de crear un marco jurídico que proteja el derecho de cada individuo de decidir sobre "el quien, el cómo, el cuándo y el donde" del uso por terceras personas de su datos personales, configurándose éste en un derecho fundamental de gran importancia y, por tanto, de gran protección, viniendo ya reflejado en el artículo 18.4 de la Constitución Española, referente al honor y la intimidad personal.

Es conveniente, en todo caso, tener claras una serie de definiciones que recogen el propio RGPD:

– Datos de carácter personal: toda información sobre una persona física identificada o identificable («el interesado»); se considerará persona física identificable toda persona cuya identidad pueda determinarse, directa o indirectamente, en particular mediante un identificador, como por ejemplo un nombre, un número de identificación, datos de localización, un identificador en línea o uno o varios elementos propios de la identidad física, fisiológica, genética, psíquica, económica, cultural o social de dicha persona.

– Tratamiento: cualquier operación o conjunto de operaciones realizadas sobre datos personales o conjuntos de datos personales, ya sea por procedimientos automatizados o no, como la recogida, registro, organización, estructuración, conservación, adaptación o modificación, extracción, consulta, utilización, comunicación por transmisión, difusión o cualquier otra forma de habilitación de acceso, cotejo o interconexión, limitación, supresión o destrucción.

– Limitación del tratamiento: el marcado de los datos de carácter personal conservados con el fin de limitar su tratamiento en el futuro.

– Elaboración de perfiles: toda forma de tratamiento automatizado de datos personales consistente en utilizar datos personales para evaluar determinados aspectos personales de una persona física, en particular para analizar o predecir aspectos relativos al rendimiento profesional, situación económica, salud, preferencias personales, intereses, fiabilidad, comportamiento, ubicación o movimientos de dicha persona física.

– Seudonimización: el tratamiento de datos personales de manera tal que ya no puedan atribuirse a un interesado sin utilizar información adicional, siempre que dicha información adicional figure por separado y esté sujeta a medidas técnicas y organizativas destinadas a garantizar que los datos personales no se atribuyan a una persona física identificada o identificable.

– Fichero: todo conjunto estructurado de datos personales, accesibles con arreglo a criterios determinados, ya sea centralizado, descentralizado o repartido de forma funcional o geográfica.

– Responsable del tratamiento» o «responsable: la persona física o jurídica, autoridad pública, servicio u otro organismo que, solo o junto con otros, determine los fines y medios del tratamiento; si el Derecho de la Unión o de los Estados miembros determina los fines y medios del tratamiento, el responsable del tratamiento o los criterios específicos para su nombramiento podrá establecerlos el Derecho de la Unión o de los Estados miembros.

– Encargado del tratamiento o encargado: la persona física o jurídica, autoridad pública, servicio u otro organismo que trate datos personales por cuenta del responsable del tratamiento.

– Destinatario: la persona física o jurídica, autoridad pública, servicio u otro organismo al que se comuniquen datos personales, se trate o no de un tercero. No obstante, no se considerarán destinatarios las autoridades públicas que puedan recibir datos personales en el marco de una investigación concreta de conformidad con el Derecho de la Unión o de los Estados miembros.

– Tercero: persona física o jurídica, autoridad pública, servicio u organismo distinto del interesado, del responsable del tratamiento, del encargado del tratamiento y de las personas autorizadas para tratar los datos personales bajo la autoridad directa del responsable o del encargado.

– Consentimiento del interesado: toda manifestación de voluntad libre, específica, informada e inequívoca por la que el interesado acepta, ya sea mediante una declaración o una clara acción afirmativa, el tratamiento de datos personales que le conciernen.

- Violación de la seguridad de los datos personales: toda violación de la seguridad que ocasione la destrucción, pérdida o alteración accidental o ilícita de datos personales transmitidos, conservados o tratados de otra forma, o la comunicación o acceso no autorizados a dichos datos.

- Datos genéticos: datos personales relativos a las características genéticas heredadas o adquiridas de una persona física que proporcionen una información única sobre la fisiología o la salud de esa persona, obtenidos en particular del análisis de una muestra biológica de tal persona.

- Datos biométricos: datos personales obtenidos a partir de un tratamiento técnico específico, relativos a las características físicas, fisiológicas o conductuales de una persona física que permitan o confirmen la identificación única de dicha persona, como imágenes faciales o datos dactiloscópicos.

- Datos relativos a la salud: datos personales relativos a la salud física o mental de una persona física, incluida la prestación de servicios de atención sanitaria, que revelen información sobre su estado de salud.

- Servicio de la sociedad de la información: todo servicio conforme a la definición del artículo 1, apartado 1, letra b), de la Directiva (UE) 2015/1535 del Parlamento Europeo y del Consejo (1).

- Delegado de Protección de Datos (DPD): La persona o empresa que asume la función de asesorar a la Notaría para el cumplimiento de la normativa sobre protección de datos.

3.8.2. Tipología de los datos tratados en las notarias

Pues bien dicho lo anterior la tipología de los datos que son tratados por los Notarios en el seno de su actividad Notarial son de naturaleza pública y se regulan en la ORDEN JUS/484/2003, de 19 de febrero, y la ORDEN EHA/114/2008, de 29 de enero. Dichos ficheros son:

- Fichero de Protocolo y Documentación Notarial: Sirve para llevar a cabo las funciones propias de la actividad notarial, la generación de índices, el libro Registro, los partes testamentarios y ab intestato, entre otras.

- Fichero de Administración y Organización de la Notaría: su finalidad es la gestión de clientes, de facturación y de cobros y pagos en la Notaría.

- Fichero de Personal de la Notaría: Su finalidad es la gestión general de los empleados.

- Fichero de Cumplimiento de las Obligaciones de Tratamiento y Comunicación de Datos Derivadas de la Ley de Blanqueo de Capitales.

No obstante, el Notario podrá ser responsable de otros tratamientos como por ejemplo en el supuesto de tener instaladas cámaras de vigilancia, controles de acceso, tramitación documental etc ..., estos tratamientos también estarán sujetos al RGPD.

3.8.3. Obligaciones derivadas del RGPD

Para facilitar la comprensión de las obligaciones que introduce el nuevo RGPD se puede dividir en cinco grandes grupos las modificaciones en el régimen obligacional introducido por la RGPD: el derecho de información y el consentimiento, la responsabilidad proactiva, el acceso a los datos por cuenta de terceros, la gestión de las brechas de seguridad y el Delegado en Protección de Datos.

El deber de información y el modo de recabar el consentimiento para el tratamiento de los datos está prevista en la normativa actual, no obstante, las modificaciones introducidas, si bien no son excesivas, tienen grandes implicaciones prácticas que serán objeto de análisis en sus correspondientes apartados. El principio de responsabilidad proactiva si constituye un giro drástico de las reglas del juego al modificar por completo el régimen jurídico de la Protección de Datos.

3.8.3.1. Responsabilidad proactiva

El principio de responsabilidad proactiva exige que el responsable del tratamiento, el Notario, establezca las medidas necesarias para la debida protección de los datos de carácter personal. Por lo tanto, el responsable deberá demostrar que cumple con las obligaciones derivadas de la normativa y, para ello, deberá implementar medidas de cumplimiento y adopción de una política interna de protección de datos y de privacidad. El principio de responsabilidad proactiva supone que el Notario sea capaz de demostrar que cumple con las obligaciones derivadas de la normativa de protección de datos. Para ello, debe preconstituir una serie de evidencias de cumplimiento y adoptar internamente políticas de privacidad. Destacan una serie de medidas:

1.- Se tendrá que elaborar un registro de actividades de tratamiento en el que se inscribirán las operaciones que impliquen un tratamiento de datos. Así el artículo 30.1 RGPD establece:

« 1. Cada responsable y, en su caso, su representante llevarán un registro de las actividades de tratamiento efectuadas bajo su responsabilidad. Dicho registro deberá contener toda la información indicada a continuación:

a) El nombre y los datos de contacto del responsable y, en su caso, del corresponsable, del representante del responsable, y del delegado de protección de datos; b) los fines del tratamiento; c) una descripción de las categorías de interesados y de las categorías

de datos personales. d) las categorías de destinatarios a quienes se comunicaron o comunicarán los datos personales, incluidos los destinatarios en terceros países u organizaciones internacionales. e) en su caso, las transferencias de datos personales a un tercer
país o una organización internacional, incluida la identificación de dicho tercer país
u organización internacional y, en el caso de las transferencias indicadas en el artículo
49, apartado 1, párrafo segundo, la documentación de garantías adecuadas. f) cuando
sea posible, los plazos previstos para la supresión de las diferentes categorías de dato. g)
cuando sea posible, una descripción general de las medidas técnicas y organizativas de
seguridad a que se refiere el artículo 32, apartado 1».

El art. 30.5 regula diversos casos en los que se exceptúa de la obligación de llevar
dicho registro:

«Las obligaciones indicadas en los apartados 1 y 2 no se aplicarán a ninguna empresa ni organización que emplee a menos de 250 personas, a menos que el tratamiento
que realice pueda entrañar un riesgo para los derechos y libertades de los interesados, no
sea ocasional, o incluya categorías especiales de datos personales indicadas en el artículo
9, apartado 1, o datos personales relativos a condenas e infracciones penales a que se
refiere el artículo 10».

Habida cuenta que el tratamiento de datos por parte de los Notarios pueden incluir
«categorías especiales de datos personales», es por lo que deberá llevarse un registro
de actividades, debemos de recordar que las escrituras pueden contener datos de origen
étnico o racial, opiniones políticas, convicciones religiosas o filosóficas, de afiliación
sindical, datos genéticos, datos biométricos dirigidos a identificar de manera unívoca a
una persona física, datos relativos a la salud o datos relativos a la vida sexual o las orientación sexuales de una persona física.

2. A la luz de la evaluación de las anotaciones del registro de actividades de riesgo y
de conformidad con la gestión de riesgos, se deben introducir las medidas de seguridad
que consideren oportunas para reducir o mitigar los riesgos detectados.

Tal y como indica el artículo 5.1 f) del Reglamento (UE) 2016/679, esto es los
datos personales serán tratados de tal manera que se garantice una seguridad adecuada,
incluida la protección contra el tratamiento no autorizado o ilícito y contra su pérdida,
destrucción o daño accidental, mediante la aplicación de medidas técnicas u organizativas apropiadas («integridad y confidencialidad»).

Entre dichas medidas de seguridad pueden establecerse entre otras algunas tales
como:

 – Procedimientos para el cumplimiento de los principios de Privacidad por Defecto y Privacidad desde el Diseño.

- Procedimientos para el cumplimiento de los deberes de informar y obtener el consentimiento de los interesados sobre el tratamiento de sus datos personales.

- Procedimientos para dar cumplimiento al deber de firmar contratos con encargados del tratamiento con aquellos que presten servicios a la Notaría.

- Procedimiento para dar respuesta al ejercicio de derechos por los interesados.

- Procedimientos para gestionar adecuadamente los soportes que contengan información.

- Procesos para dar cumplimiento a la obligación de notificar, cuando procedan brechas de seguridad a la Agencia de Protección de Datos.

- La suscripción en su caso de documentos de confidencialidad por parte de los empleados.

- La designación en su caso de un Delegado de Protección de Datos.

Adicionalmente, si se detectase que es probable que un tipo de tratamiento entrañe un alto riesgo para los derechos y libertades de las personas, se debería realizar una evaluación del impacto de las operaciones de tratamiento en la protección de datos personales.

Estas obligaciones en todo caso serán complementarias de los deberes de secreto profesional de conformidad con su normativa aplicable.

3.8.3.2. Información y consentimiento

El Notario debe informar a sus clientes sobre el tratamiento de sus datos, su finalidad, los derechos que les asisten y otros aspectos exigidos por el RGPD. La teoría general sobre la que gira nuestra norma de protección de datos es el llamado "Principio del Consentimiento", estableciéndose en el artículo 4.11 del Reglamento: A efectos del presente Reglamento se entenderá por: «consentimiento del interesado»: toda manifestación de voluntad libre, específica, informada e inequívoca por la que el interesado acepta, ya sea mediante una declaración o una clara acción afirmativa, el tratamiento de datos personales que le conciernen;

Así, tenemos que como regla general el consentimiento debe ser inequívoco. El consentimiento inequívoco es aquel que se ha prestado mediante una manifestación del interesado o mediante una clara acción afirmativa. No se admiten formas de consentimiento tácito o por omisión, ya que se basan en la inacción.

Se contemplan situaciones en las que el consentimiento, además de inequívoco, ha de ser explícito:

Tratamiento de datos sensibles.

Adopción de decisiones automatizadas.

Transferencias internacionales.

El consentimiento puede ser inequívoco y otorgarse de forma implícita cuando se deduzca de una acción del interesado.

La principal de dichas causas de legitimación es que se haya obtenido el consentimiento del interesado. No obstante, a falta de dicho consentimiento, el tratamiento de los datos es posible, entre otros, cuando los datos se traten para el ejercicio de la actividad propia de la notaría o cuando el tratamiento sea necesario para el desarrollo y cumplimiento de una relación contractual.

Tal y como establece el artículo 9.2 a) del Reglamento (UE) 2016/679, a fin de evitar situaciones discriminatorias, el solo consentimiento del afectado no bastará para levantar la prohibición del tratamiento de datos cuya finalidad principal sea identificar su ideología, afiliación sindical, religión, orientación sexual, creencias u origen racial o étnico y el tratamiento de datos genéticos, datos biométricos dirigidos a identificar de manera unívoca a una persona física.

Lo dispuesto en el párrafo anterior no impedirá el tratamiento de dichos datos cuando el interesado dio su consentimiento explícito para el tratamiento de dichos datos personales con uno o más de los fines especificados al amparo de los restantes supuestos contemplados en el artículo 9.2 del Reglamento (UE) 2016/679, cuando así proceda.

No obstante hay determinados tratamientos que deberán estar amparados en una Ley que podrán en su caso establecer requisitos adicionales para el tratamiento:

Que el tratamiento sea necesario por razones de un interés público esencial, sobre la base del Derecho de la Unión o de los Estados miembros, que debe ser proporcional al objetivo perseguido, respetar en lo esencial el derecho a la protección de datos y establecer medidas adecuadas y específicas para proteger los intereses y derechos fundamentales del interesado;

Que el tratamiento sea necesario para fines de medicina preventiva o laboral, evaluación de la capacidad laboral del trabajador, diagnóstico médico, prestación de asistencia o tratamiento de tipo sanitario o social, o gestión de los sistemas y servicios de asistencia sanitaria y social, sobre la base del Derecho de la Unión o de los Estados miembros o en virtud de un contrato con un profesional sanitario.

Que el tratamiento sea necesario por razones de interés público en el ámbito de la salud pública, como la protección frente a amenazas transfronterizas graves para la salud, o para garantizar elevados niveles de calidad y de seguridad de la asistencia sanitaria y de los medicamentos o productos sanitarios, sobre la base del Derecho de la Unión o de los Estados miembros que establezca medidas adecuadas y específicas para proteger los derechos y libertades del interesado, en particular el secreto profesional,

En particular, la ley podrá amparar el tratamiento de datos en el ámbito de la salud cuando así lo exija la gestión de los sistemas y servicios de asistencia sanitaria y social, pública y privada, o la ejecución de un contrato de seguro del que el afectado sea parte.

3.8.3.3. Acceso a los datos por cuenta de terceros

El acceso por parte de un encargado de tratamiento a los datos personales que resulten necesarios para la prestación de un servicio al responsable no se considerará comunicación de datos siempre que se cumpla lo establecido en el RGPD, así como en la LOPD.

Cuando se vaya a realizar un tratamiento por cuenta de un responsable del tratamiento, el Notario, este elegirá únicamente un encargado que ofrezca garantías suficientes para aplicar medidas técnicas y organizativas apropiados, de manera que el tratamiento sea conforme con los requisitos del RGPD y garantice la protección de los derechos del interesado.

El encargado del tratamiento no recurrirá a otro encargado sin la autorización previa por escrito, específica o general, del responsable.

El tratamiento por el encargado se regirá por un contrato u otro acto jurídico con arreglo al Derecho que vincule al encargado respecto del responsable y establezca el objeto, la duración, la naturaleza y la finalidad del tratamiento, el tipo de datos personales y categorías de interesados, y las obligaciones y derechos del responsable. Dicho contrato o acto jurídico estipulará, en particular, que el encargado:

a) Tratará los datos personales únicamente siguiendo instrucciones documentadas del responsable, inclusive con respecto a las transferencias de datos personales a un tercer país o una organización internacional, salvo que esté obligado a ello en virtud del Derecho de la Unión o de los Estados miembros que se aplique al encargado; en tal caso, el encargado informará al responsable de esa exigencia legal previa al tratamiento, salvo que tal Derecho lo prohíba por razones importantes de interés público;

b) Garantizará que las personas autorizadas para tratar datos personales se hayan comprometido a respetar la confidencialidad o estén sujetas a una obligación de confidencialidad de naturaleza estatutaria;

c) Asistirá al responsable, teniendo cuenta la naturaleza del tratamiento, a través de medidas técnicas y organizativas apropiadas, siempre que sea posible, para que este pueda cumplir con su obligación de responder a las solicitudes que tengan por objeto el ejercicio de los derechos de los interesados.

d) Ayudará al responsable a garantizar el cumplimiento de las obligaciones.

e) A elección del responsable, suprimirá o devolverá todos los datos personales una vez finalice la prestación de los servicios de tratamiento, y suprimirá las copias existentes a menos que se requiera la conservación de los datos personales en virtud del Derecho de la Unión o de los Estados miembros;

f) Pondrá a disposición del responsable toda la información necesaria para demostrar el cumplimiento de las obligaciones establecidas en el presente artículo, así como para permitir y contribuir a la realización de auditorías, incluidas inspecciones, por parte del responsable o de otro auditor autorizado por dicho responsable.

g) El encargado informará inmediatamente al responsable si, en su opinión, una instrucción infringe el presente Reglamento u otras disposiciones en materia de protección de datos de la Unión o de los Estados miembros.

La adhesión del encargado del tratamiento a un código de conducta aprobado o a un mecanismo de certificación podrá utilizarse como elemento para demostrar la existencia de las garantías suficientes.

El responsable del tratamiento determinará si, cuando finalice la prestación de los servicios del encargado, los datos de carácter personal deben ser destruidos, devueltos al responsable o entregados, en su caso, a un nuevo encargado, si bien no procederá la destrucción de los datos cuando exista una previsión legal que obligue a su conservación, en cuyo caso deberán ser devueltos al responsable, que garantizará su conservación mientras tal obligación persista. El encargado del tratamiento podrá conservar, debidamente bloqueados, los datos en tanto pudieran derivarse responsabilidades de su relación con el responsable del tratamiento.

Cuando dos o más Notarios estén convenidos en una misma Notaría, es necesario que firmen entre sí un contrato que regule el acceso de cada uno de ellos a los datos del compañero.

3.8.3.4. Notificación de brechas de seguridad

Según el RGPD, una violación de la seguridad de los datos se define como los casos de destrucción, pérdida o alteración de datos personales, o la comunicación o acceso no autorizados a dichos datos, debido a una violación de la seguridad.

Las obligaciones de notificación y comunicación en caso de violación de la seguridad de los datos se establecen en los artículos 33 y 34 del RGPD.

Resulta, por tanto, imprescindible mantener un registro de violaciones de seguridad que permita controlar y analizar las incidencias que hayan tenido lugar en la organización.

Podremos diferenciar varios tipos o categorías de incidencias/violaciones de seguridad:

a. Físicas que afectan a los equipos informáticos provocando una destrucción parcial o total o malfuncionamiento ya sean por motivos fortuitos o no, es el caso de incendios, inundaciones, subidas y bajadas de tensión, etc...

b. De carácter interno, aquellas incidencias producidas en los sistemas y aplicaciones informáticas por los empleados y personas relacionadas con la entidad: Lectura no autorizada de la información contenida en los Ficheros o sistemas de información, copias no autorizadas de la información, error en la entrega o distribución de información que contenga datos de carácter personal, obtención de información desde soportes desechados o de otras fuentes no destinadas al efecto, modificación, o destrucción total o parcial o pérdida, no autorizada o accidental de la información directamente de los ficheros o sistemas de información, por cualquier persona, imposibilidad de reconstruir los datos, partiendo de sus copias de respaldo, suplantación del usuario autorizado, por el no autorizado, fallos en la gestión de datos de carácter general, que conlleven el incumplimiento de cualquiera de los aspectos regulados en el presente documento que los principios en los que se inspiran.

c. De carácter externo son todas aquellas producidas con carácter extrínseco a la notaría y técnico que pueden afectar al acceso, modificación o destrucción de los sistemas, la mayoría de estas incidencias se pueden producir cuando existen accesos a través de líneas de comunicación, por medio de hackers y troyanos que vulneran los dispositivos de seguridad para acceder a las bases de datos de la notaría, así como los virus.

Debemos de recordar que la persona que lo detecte, deberán comunicárselo al Notario o en su caso al DPD.

Cuando se produzca una violación de la seguridad de los datos personales, el responsable del tratamiento deberá comunicarlo a la autoridad de control competente «sin dilación indebida» (a saber, a más tardar 72 horas después de que se haya tenido constancia de ella). Sin embargo, no existe la obligación de comunicarla cuando sea improbable que dicha violación de la seguridad constituya un riesgo para los derechos y libertades de las personas físicas. No siempre resultará sencillo analizar esto y valorar si existe la obligación de comunicación en un caso concreto.

La notificación a la autoridad de control competente deberá, como mínimo:

Describir la naturaleza de la violación de la seguridad de los datos personales, inclusive, cuando sea posible, las categorías y el número aproximado de interesados afectados, y las categorías y el número aproximado de registros de datos personales afectados;

Comunicar el nombre y los datos de contacto del delegado de protección de datos o de otro punto de contacto que pueda proporcionar más información;

Describir las posibles consecuencias de la violación de la seguridad de los datos personales;

Describir las medidas adoptadas o propuestas por el responsable del tratamiento para poner remedio a la violación de la seguridad de los datos personales, incluyendo, si procede, las medidas adoptadas para mitigar los posibles efectos negativos.

Si fuera necesario, cuando no sea posible facilitar la información en un plazo de 72 horas, el responsable del tratamiento podrá facilitar la información exigida de manera gradual.

De la misma manera, el responsable del tratamiento deberá comunicar la violación de la seguridad de los datos personales al interesado sin dilación indebida y en un «lenguaje claro y sencillo», con arreglo al artículo 34 del RGPD.

No será necesaria si se cumple alguna de las condiciones siguientes:

a) El responsable del tratamiento ha adoptado medidas de protección técnicas y organizativas apropiadas y estas medidas se han aplicado a los datos personales afectados por la violación de la seguridad de los datos personales, en particular aquellas que hagan ininteligibles los datos personales para cualquier persona que no esté autorizada a acceder a ellos, como el cifrado;

b) El responsable del tratamiento ha tomado medidas ulteriores que garanticen que ya no exista la probabilidad de que se concretice el alto riesgo para los derechos y libertades del interesado a que se refiere el apartado 1;

c) suponga un esfuerzo desproporcionado. En este caso, se optará en su lugar por una comunicación pública o una medida semejante por la que se informe de manera igualmente efectiva a los interesados.

Cuando el responsable todavía no haya comunicado al interesado la violación de la seguridad de los datos personales, la autoridad de control, una vez considerada la probabilidad de que tal violación entrañe un alto riesgo, podrá exigirle que lo haga o podrá decidir que se cumple alguna de las condiciones mencionadas anteriormente.

Será siempre conveniente elaborar un protocolo que guie al Notario en el proceder cuando se produzca una brecha o una incidencia.

3.8.3.5. Nombramiento de delegado de protección de datos

El Delegado de Protección de Datos es una figura introducida por el RGPD que se erige como garante del cumplimiento de la normativa de la protección de datos de determinadas organizaciones. El Delegado de Protección de Datos deberá contar con conocimientos especializados del Derecho y de protección de datos, y sus funciones son informar, asesorar y supervisar el cumplimiento del RGPD por parte del responsable o encargado.

Los arts. 37, 38 y 39 RGPD establecen las obligaciones de los responsables de los tratamientos y encargados del tratamiento en relación con el Delegado de Protección de datos, estableciéndose tres supuestos en los que hay que designarlos obligatoriamente, esto es: a) Cuando el tratamiento de datos lo lleve a cabo una autoridad u organismo público, b) Cuando requiera una observación habitual y sistemática de interesados a gran escala, c) o consistan en el tratamiento a gran escala de categorías especiales de datos personales.

En cuanto a la obligación de los Notarios de designarlo la misma no aparece recogida de manera expresa, pudiendo ser designado en todo caso el Delegado en Protección de Datos con el carácter de voluntario.

En todo caso el Delegado de Protección de Datos ha de ser designado atendiendo a sus cualidades profesionales y, en particular, a sus conocimientos especializados del Derecho y la práctica en materia de protección de datos.

Los responsables y encargados del tratamiento comunicarán en el plazo de diez días a la Agencia Española de Protección de Datos o, en su caso, a las autoridades autonómicas de protección de datos, las designaciones, nombramientos y ceses de los delegados de protección de datos tanto en los supuestos en que se encuentren obligadas a su designación como en el caso en que sea voluntaria.

Entre las Obligaciones del DPD, están las siguientes:

a) Informar y asesorar al responsable o al encargado del tratamiento y a los empleados que se ocupen del tratamiento de las obligaciones que les incumben.

b) Atender a los afectados por el tratamiento por lo que respecta a todas las cuestiones relativas al tratamiento de sus datos personales y al ejercicio de sus derechos al amparo previstos en la legislación vigente.

c) Resolver las reclamaciones que le presente la Agencia Española de Protección de Datos o, en su caso, ante las autoridades autonómicas, para el caso de que el afectado no la hubiera presentado con carácter previo, debiendo atenderla en el plazo de 1 mes.

d) Cooperar con la autoridad de control

e) Actuar como punto de contacto de la autoridad de control para cuestiones relativas al tratamiento, incluida la consulta previa y realizar consultas, en su caso, sobre cualquier otro asunto.

f) Ser Interlocutor del responsable o encargado del tratamiento ante la Agencia Española de Protección de Datos y las autoridades autonómicas de protección de datos.

g) Cuando el DPD la existencia de una vulneración relevante en materia de protección de datos lo comunicará inmediatamente a los órganos de administración y dirección del responsable o el encargado del tratamiento.

h) Resolver reclamaciones previas por parte de los afectados por el tratamiento, debiendo resolverla en el plazo de dos meses.

3.8.4. Sanciones

El RGPD endurece el régimen sancionador aplicable a los responsables del tratamiento de los datos de carácter personal, procediendo a incrementar las cuantías de las sanciones por el incumplimiento de las disposiciones previstas para proteger los datos de carácter personal, implicando un cambio sustancial que debe ser tenido en cuenta a la hora de tratar datos personales.

Cabe resaltar un sustancial incremento del importe de las sanciones pecuniarias en aquellos casos en los que se incurra en una infracción tipificada en el RGPD. Así el artículo 83 en sus apartados 4 y 5, que sin hacer mención específica a cuantías mínimas, prevé la posibilidad de sancionar las infracciones cometidas con respecto al tratamiento de datos de carácter personal con multas administrativas de 10.000.000 o 20.000.000 de euros, o en el caso de que se trate de una empresa, de una cuantía equivalente al 2% o al 4% como máximo del volumen de negocio anual global del ejercicio anterior, optándose por la de mayor cuantía.

Dentro del artículo 83 se mencionan, por otra parte, los casos específicos que darán lugar a una u otra multa o cuantía, respondiendo la graduación de las sanciones a la adecuación al nivel de seguridad correspondiente, siempre en base a los riesgos que entrañe el tratamiento de los datos personales afectados, teniendo en cuenta las posibles infracciones cometidas con anterioridad, los tipos de datos afectados, la adhesión a códigos de conducta o mecanismos de certificación previstos en el RGPD o cualquier otra circunstancia agravante/atenuante aplicable al caso.

No obstante, debemos de tener en cuenta que el RGPD, permite a los Estados miembros establecer normas en materia de sanciones penales por infracciones del RGPD.

Por su parte, en lo que respecta a las administraciones públicas, el RGPD viene a acabar, en teoría, con el diferente régimen sancionador establecido por la normativa anterior, para las infracciones cometidas por las entidades de derecho privado y por las de derecho público. Así el artículo 83.7 del RGPD, establece que cada Estado miembro podrá establecer normas sobre si se puede, y en qué medida, imponer multas administrativas a autoridades y organismos públicos establecidos en dicho Estado miembro.

Asimismo el artículo prevé el derecho de los interesados que hayan sufrido daños y perjuicios materiales o inmateriales como consecuencia de una infracción del RGPD a recibir una indemnización del responsable o encargado del tratamiento por los daños y perjuicios sufridos.

3.9. RESPONSABILIDAD DISCIPLINARIA DEL NOTARIO

La sujeción del notario a responsabilidad disciplinaria es consecuencia de su carácter de funcionario público, que viene claramente establecido en los arts. 1º L.N. y 1º R.N. El Derecho disciplinario es subespecie del Derecho administrativo sancionador. Como es sabido, desde muy pronto y en base al art. 25 C.E., nuestro Tribunal Constitucional, desde sus primeras sentencias (SSTC 18/1981, de 8 de junio; 172/2005, de 20 de junio), ha señalado que los principios del Derecho Penal son aplicables, con matices, al Derecho Administrativo Sancionador. No obstante, debe recordarse que dicha doctrina ha sido objeto de diversas matizaciones en sede de Derecho disciplinario en base a la teoría de las relaciones de sujeción especial, como por ejemplo en materia de tipicidad (admitiendo con más extensión la colaboración reglamentaria) o en la admisibilidad del «bis in idem».

La regulación del procedimiento disciplinario notarial viene establecida sustancialmente en el art. 43.Dos de la ley 14/2000, de 29 de diciembre, y desarrollada por los arts. 346 a 364 RN, que integran el Título Sexto de dicha norma. Pero no debe olvidarse que los arts. 43.Dos.1 ley 14/2000 y 346 RN a falta de normas especiales, imponen la aplicación supletoria de las normas reguladoras del régimen disciplinario de los funcionarios civiles del Estado, excepto en lo referente a la tipificación de las infracciones.

Esta remisión cohonesta con el art. 4.f del Real Decreto Legislativo 5/2015, de 30 de octubre, por el que se aprueba el Texto Refundido de la Ley del Estatuto Básico del Empleado Público, que determina su aplicación cuando así lo disponga su legislación específica al "Personal retribuido por arancel". Desde este punto de vista habrá que tener en cuenta el Real Decreto 33/1986, de 10 de enero, por el que se aprueba el Reglamento de Régimen Disciplinario de los Funcionarios civiles de la Administración del Estado, en cuanto se encuentre vigente.

Por otra parte, del art. 2.4 de la Ley 39/2015, de 1 de octubre, del Procedimiento Administrativo Común de las Administraciones Públicas, se deduce la aplicación de dicha norma a la actuación de los Colegios Notariales, puesto que siempre que ejercitan competencias disciplinarias están actuando funciones públicas. La dicción literal del art. 2.4 llevaría a pensar que dicha aplicación es supletoria, pero si cohonestamos este precepto con la D.A. primera puede mantenerse su aplicación directa, pues no excluye los procedimientos disciplinarios. La razón es que la ley 14/2000, de 29 de diciembre, apenas si contiene alguna referencia procedimental. Dichas cuestiones se regulaban en el Reglamento Notarial, que no tiene rango legal. En definitiva, las leyes 39 y 40/2015 lo que han hecho en materia sancionadora y disciplinaria ha sido incorporar a la regulación legal una serie de conclusiones que se habían alcanzado sustancialmente por vía jurisprudencial, por lo que tal interpretación es, además, la más acorde con las garantías constitucionales implicadas en el procedimiento disciplinario.

Del art. 2 de la Ley 40/2015, de 1 de octubre, de Régimen Jurídico del Sector Público, se desprende la aplicación de los arts. 25 a 31 que recogen los principios de la potestad sancionadora.

3.9.1. Infracciones

La Ley 14/2000, de 29 de diciembre, clasifica las posibles infracciones disciplinarias que pueden cometer los notarios en tres categorías: muy graves, graves y leves.

No cabe olvidar que según el art. 43.Dos.3 de la ley 14/2000 y 351 RN los miembros o delegados de la Junta de Decanos, los de las Juntas Directivas de los Colegios Notariales así como los Archiveros de Protocolos, podrán ser sancionados por el Director general de los Registros y del Notariado y por el Ministro de Justicia, en los supuestos siguientes que tendrán la consideración de infracción grave, salvo que fuere reiterada en el transcurso de su mandato, en cuyo caso será infracción muy grave:

a) El incumplimiento grave o reiterado de sus deberes, siempre que suponga infracción de un precepto legal, reglamentario o corporativo.

b La negativa o resistencia a cumplir instrucciones, circulares, resoluciones o actos administrativos de obligado cumplimiento y las graves insuficiencias o deficiencias en su cumplimiento.

c) El incumplimiento o cumplimiento defectuoso de acuerdos corporativos regularmente adoptados, si mediara dolo o negligencia grave.

3.9.1.1. Muy graves

Según el art. 43.Dos.2.A de la ley 14/2000, son infracciones muy graves:

a) Las conductas constitutivas de delito doloso relacionadas con la prestación de la fe pública que causen daño a la Administración o a los particulares declaradas en sentencia firme.

b) Las conductas que hayan acarreado sanción administrativa, en resolución firme, por infracción grave de disposiciones en materia de prevención de blanqueo de capitales, tributaria, de mercado de valores u otras previstas en la legislación especial que resulte aplicable, siempre que dicha infracción esté directamente relacionada con el ejercicio de su profesión.

c) La autorización o intervención de documentos contrarios a lo dispuesto en las leyes o sus reglamentos, a sus formas y reglas esenciales siempre que se deriven perjuicios graves para clientes, para terceros o para la Administración.

d) La actuación del Notario sin observar las formas y reglas de la presencia física.

e) La reincidencia por la comisión de infracciones graves en el plazo de dos años siempre que hubieran sido sancionadas por resolución firme.

f) El incumplimiento grave de las normas sobre incompatibilidades contenidas en la Ley 12/1995, de 11 de mayo, de Incompatibilidades de los Miembros del Gobierno de la Nación y de los Altos Cargos de la Administración General del Estado, y en la Ley 53/1984, de 26 de diciembre, de Incompatibilidades del personal al servicio de las Administraciones Públicas.

g) La percepción de derechos arancelarios con infracción de las disposiciones por las que aquellos se rijan.

h) Asimismo, son infracciones muy graves las siguientes:

   a) El incumplimiento del deber de fidelidad a la Constitución en el ejercicio de la profesión.

   b) Toda actuación profesional que suponga discriminación por razón de raza, sexo, religión, lengua opinión, lugar de nacimiento, vecindad o cualquier otra condición o circunstancia personal o social.

   c) La violación de neutralidad o independencia políticas, utilizando las facultades atribuidas para influir en procesos electorales de cualquier naturaleza y ámbito así como la obstaculización al ejercicio de las libertades públicas y derechos sindicales.

   d) El incumplimiento de las obligaciones de custodia y uso de la firma electrónica avanzada del notario, así como la obligación de denunciar la pérdida, extravío o deterioro o situación que ponga en riesgo el secreto o la unicidad del dispositivo seguro de creación de firma de acuerdo con lo dispuesto en la legislación sobre el uso de firma electrónica de notarios y registradores de la propiedad, mercantiles y de bienes muebles.

3.9.1.2. Graves

Según el art. 43.Dos.2.B de la ley 14/2000 son infracciones graves:

a) Las conductas que hayan acarreado sanción administrativa, en resolución firme, por infracción de disposiciones en materia de prevención de blanqueo de capitales, tributaria, de mercado de valores, u otras previstas en la legislación especial que resulte aplicable, siempre que dicha infracción esté directamente relacionada con el ejercicio de su profesión y no constituyan falta muy grave.

b) La negativa injustificada a la prestación de funciones requeridas así como la ausencia injustificada por más de dos días del lugar de su residencia, siempre que cause daño a tercero; en particular se considerará a los efectos de esta infracción de negativa injustificada a la prestación de funciones requeridas, la denegación injustificada por parte del notario a autorizar un instrumento público.

c) Las conductas que impidan prestar con imparcialidad, dedicación y objetividad las obligaciones de asistencia, asesoramiento y control de legalidad que la vigente legislación atribuye a los Notarios o que pongan en peligro los deberes de honradez e independencia necesarios para el ejercicio público de su función.

d) Los enfrentamientos graves y reiterados del Notario con autoridades, clientes u otros Notarios, en el lugar, zona o distrito donde ejerza su función debida a actitudes no justificadas de aquél.

e) El incumplimiento grave y reiterado de cualesquiera deberes impuestos por la legislación notarial o por acuerdo corporativo vinculante así como el impago de los gastos colegiales acordados reglamentariamente.

f) La reincidencia por la comisión de infracciones leves en el plazo de dos años siempre que hubieran sido sancionadas por resolución firme.

g) Asimismo, son infracciones graves las siguientes:

   a) La falta de rendimiento que afecte al normal funcionamiento del servicio y no constituya falta muy grave.

   b) La falta de obediencia debida a las Juntas Directivas y al Consejo General del Notariado.

   c) El incumplimiento reiterado de los plazos establecidos en el artículo 134 de la Ley 2/1995, de 13 de marzo, de Sociedades de Responsabilidad Limitada.

   d) El incumplimiento y la falta de obediencia a las Instrucciones y resoluciones de carácter vinculante de la Dirección General de los Registros y del Notariado, así como la falta de respeto o menosprecio a dicho Centro Directivo.

3.9.1.3. Leves

Según el art. 43.Dos.2.C de la ley 14/2000 es infracción disciplinaria leve, si no procediere calificarla como grave o muy grave, el incumplimiento de los deberes y obligaciones impuestos por la legislación registral o, con base en ella, por resolución administrativa o acuerdo corporativo. Tratándose del incumplimiento de un acuerdo corporativo, será necesario que el notario previamente haya sido requerido para su observancia por el órgano corporativamente competente.

El requerimiento citará expresamente el precepto, dará un plazo para cumplirlo y apercibirá al Notario de que, si no lo hace, podrá incurrir en infracción disciplinaria leve.

3.9.2. Sanciones

Las sanciones a imponer son las de:

a) Apercibimiento.

b) Multa.

c) Suspensión de los derechos de ausencia, licencia o traslación voluntaria hasta dos años.

d) Postergación en la antigüedad en la carrera cien puestos o en la clase hasta cinco años.

e) Traslación forzosa.

f) Suspensión de funciones hasta cinco años.

g) Separación del servicio.

En la sanción de multa existirá una escala de tres tramos: menor, entre 601,01 y 3.005,06 euros; media, entre 3.005,07 y 12.020,24 euros, y mayor, entre 12.020,25 y 30.050,61 euros. En caso de reiteración podrá multiplicarse dicha cuantía hasta un máximo del cien por cien de la multa a pagar.

Las infracciones muy graves se sancionarán con multa en el último tramo, traslación forzosa, suspensión de funciones y separación del servicio.

Las infracciones graves se sancionarán con multa a partir del tramo medio de la escala, con suspensión de los derechos reglamentarios de ausencia, licencia o traslación voluntaria y con postergación.

Las infracciones leves sólo podrán ser sancionadas con apercibimiento, con multa de tramo menor o con suspensión de los derechos reglamentarios de ausencia, licencia o traslación voluntaria.

Las sanciones se graduarán atendiendo en cada caso concreto, esencialmente, a la trascendencia que para la prestación de la función notarial tenga la infracción cometida; la existencia de intencionalidad o reiteración y la entidad de los perjuicios ocasionados.

La imposición de una sanción por infracción grave o muy grave llevará aneja, como sanción accesoria, la privación de la aptitud para ser elegido miembro de las Juntas Directivas mientras no se haya obtenido rehabilitación.

3.9.3. Órganos competentes

Son órganos competentes en la imposición de sanción las Juntas Directivas de los Colegios Notariales, la Dirección General de los Registros y del Notariado y el Ministro de Justicia.

Las Juntas Directivas podrán imponer las sanciones de apercibimiento y multa en los tramos menor y medio.

La Dirección General de los Registros y del Notariado será el órgano competente para imponer las sanciones no reservadas a las Juntas Directivas excepto la separación del servicio.

La separación del servicio sólo podrá ser impuesta por el Ministro de Justicia.

3.9.4. Procedimiento sancionador

El procedimiento disciplinario sancionador se inicia mediante la incoación por el órgano competente ante la existencia de indicios de una posible responsabilidad disciplinaria. No obstante, el órgano competente puede acordar la previa tramitación de una información reservada. Tanto el acuerdo de incoación como el de apertura de la información reservada son actos de mero trámite y contra ellos no cabe recurso alguno.

La decisión de incoación se adopta siempre de oficio, pero puede proceder de propia iniciativa, de orden superior o de denuncia. El denunciante no tiene, por este solo hecho, la condición de interesado en el procedimiento.

En el acuerdo de incoación se designarán Instructor y Secretario, a los que les son de aplicación las causas de abstención y recusación de la ley 40/2015. El Ministro de Justicia, en el supuesto de la separación del servicio, o el Director general de los Registros y del Notariado en los restantes casos, podrán suspender provisionalmente en el ejercicio de sus funciones a cualquier Notario al que se haya ordenado incoar procedimiento disciplinario por infracción muy grave o grave, si ello fuere necesario para asegurar la debida instrucción del expediente o para impedir que continúe el daño al interés público o de terceros. La resolución acordando la suspensión provisional, que agotará la vía administrativa, será recurrible independientemente.

El Instructor procederá, como primera diligencia, a recibir la declaración del expedientado, y practicará cuantas otras diligencias sean precisas para el esclarecimiento de los hechos. En las diligencias practicadas antes del pliego de cargos no es precisa la intervención del expedientado, aunque la jurisprudencia ha hecho excepción respecto de la prueba testifical, al estimar que existe indefensión si la prueba no se practicó en forma contradictoria.

Si en base a dichas averiguaciones el Instructor encuentra méritos para ello, formulará un pliego de cargos, que será notificado al expedientado, concediéndosele diez días para formular alegaciones y proponer las pruebas que su derecho convengan.

Transcurrido dicho plazo el Instructor acordará la práctica de las pruebas solicitadas por el expedientado que considere procedentes, así como aquellas que el mismo estime pertinentes. En esta fase el expedientado deberá tener la oportunidad de intervenir en la práctica de todas las pruebas.

Finalizada la fase probatoria el Instructor dará al expedientado vista del expediente, y le concederá un nuevo plazo de diez días para formular alegaciones.

Transcurrido dicho plazo si el Instructor considera que no existen elementos suficientes para deducir responsabilidad disciplinaria (cfr. art. 89.1 ley 39/2015) resolverá la finalización del procedimiento, con archivo de las actuaciones.

En caso contrario, el órgano instructor formulará una propuesta de resolución que deberá ser notificada a los interesados. La propuesta de resolución deberá indicar la puesta de manifiesto del procedimiento y el plazo para formular alegaciones y presentar los documentos e informaciones que se estimen pertinentes.

La resolución sancionadora incluirá la valoración de las pruebas practicadas, en especial aquellas que constituyan los fundamentos básicos de la decisión, fijarán los hechos y, en su caso, la persona o personas responsables, la infracción o infracciones cometidas y la sanción o sanciones que se imponen, o bien la declaración de no existencia de infracción o responsabilidad. En la resolución no se podrán aceptar hechos distintos de los determinados en el curso del procedimiento, con independencia de su diferente valoración jurídica. No obstante, cuando el órgano competente para resolver considere que la infracción o la sanción revisten mayor gravedad que la determinada en la propuesta de resolución, se notificará al inculpado para que aporte cuantas alegaciones estime convenientes en el plazo de quince días.

El órgano sancionador ha de ser diferente del instructor puesto que el art. 63.1 de la ley 39/2015 impone la debida separación entre la fase instructora y la sancionadora, debiendo encomendarse a órganos distintos, y ello a pesar de que la falta de dicha separación no tiene relevancia constitucional.

La resolución dictada por el órgano sancionador es susceptible de recurso de alzada.

3.10. RESPONSABILIDAD CIVIL DEL NOTARIO

La responsabilidad civil del Notario constituye una materia dogmáticamente compleja, como consecuencia de la dualidad que presenta la institución como funcionario y como profesional del derecho, y que recoge el art. 1º de la Ley del Notariado.

En mi opinión la responsabilidad civil del Notario que es consecuencia de su actuación funcionarial, no puede incardinarse en el principio del art. 106.2 de la Constitución, puesto que el Notario no ha de responder por los perjuicios que resulten del desempeño "normal" de su función. Es decir, falta la nota de objetividad que se predica de la responsabilidad patrimonial de las administraciones públicas, puesto que precisamente el Notario no se halla incardinado en ellas pese a su condición de funcionario. De ahí resulta que la responsabilidad civil de la actuación notarial nunca será a cargo del Patrimonio de las Administraciones Públicas, sino del mismo Notario. Parece por ello evidente que no cabe equiparar ambos tipos de responsabilidad, pues sería absurdo pretender que el Notario, con su patrimonio personal, garantizase la indemnidad patrimonial de los particulares, lo que puede poner en juego cifras elevadísimas.

Por ello parece más bien que el fundamento de la responsabilidad civil el Notario radica, constitucionalmente hablando, en la protección que la Carta Magna dispensa a los derechos de los ciudadanos según su naturaleza, sea esta patrimonial o personal. Pero bien entendido que en el desarrollo legal de dicha protección la responsabilidad se hace gravitar exclusivamente sobre el Notario.

Otra nota ya apuntada es que la responsabilidad civil del Notario tiene un carácter esencialmente culpabilista, como resulta claramente del art. 146 del Reglamento Notarial, que solo hace responder al Notario de los daños producidos por su dolo, culpa o ignorancia inexcusable.

Tradicionalmente ha resultado discutido si dicha responsabilidad debe entenderse como contractual o extracontractual, con sus evidentes repercusiones en cuanto al plazo de prescripción. La jurisprudencia suele acudir al expediente de considerar la responsabilidad como contractual, y por tanto fundada en el art. 1.101 C.C. si se desencadena respecto de las personas que han reclamado el ministerio del Notario, y extracontractual, y basada en el art. 1902 C.C. si se produce respecto de terceros.

Recordemos que el plazo de prescripción de la acción para reclamar la responsabilidad civil *ex* art. 1.902 C.C. es de un año, conforme al art. 1.968.2º C.C.; mientras que el plazo de prescripción de las obligaciones contractuales que no tengan señalado uno especial es de cinco años conforme al art. 1.964.2 C.C.

Junto con los procedimientos ordinarios de reclamación de esta responsabilidad civil, judiciales y extrajudiciales, la legislación notarial ha previsto un procedimiento específico en el art. 146 del Reglamento Notarial, que se considera de naturaleza arbitral, al establecer "...A tales efectos, quien se crea perjudicado, podrá dirigirse por escrito a la Junta Directiva del Colegio Notarial, la cual, si considera evidentes los daños y perjuicios hará a las partes una propuesta sobre la cantidad de la indemnización por si estiman procedente aceptarla como solución del conflicto..." Es constante la doctrina de la Dirección General de los Registros y del Notariado en el sentido de que para que la Junta formule la propuesta no basta la solicitud del particular, sino que es preciso que la Junta estime el carácter evidente del perjuicio y que lo consienta el Notario. De faltar alguno de estos requisitos el que se crea perjudicado deberá acudir a los órganos jurisdiccionales.

Resulta también característico de la responsabilidad civil notarial el que, en determinados casos, el perjudicado está obligado a aceptar un resarcimiento *in natura*, al establecer el art. 146 del Reglamento que si los daños pudieren repararse, en todo o en parte, autorizando una nueva escritura el Notario lo hará a su costa, y no vendrá éste obligado a indemnizar sino los demás daños y perjuicios ocasionados.

Por otra parte el sistema de responsabilidad personal del Notario se complementa con un sistema de seguro obligatorio, impuesto por el art. 24 del Reglamento, y que tiene su origen en la Orden del Ministerio de Justicia de 16 de noviembre de 1.982 (B.O.E. nº 285, de 27 de noviembre), norma que todavía se encuentra en vigor.

Como otra medida para garantizar el pago por el Notario de sus eventuales responsabilidades civiles, los arts. 14 de la Ley del Notariado y 24 de su Reglamento, le imponen la constitución de una "fianza". Propiamente no se trata de tal, sino de una garantía real que, conforme al art. 26 del Reglamento podrá ser pignoraticia sobre títulos de la deuda pública o hipotecaria sobre inmuebles.

Distinta de la responsabilidad civil del Notario por su actuación como funcionario público es la que asume por su actuación como profesional del Derecho, que se traduce en la práctica en contratos de arrendamientos de servicios, depósito, mandato, etc. Especial trascendencia tiene en esta materia la función que desarrolla el Notario en orden a la gestión y tramitación de los documentos, y como depositario de las cantidades que sus clientes les confían.

La responsabilidad civil del Notario en estos casos será exigible conforme a las reglas generales, siendo constante la doctrina de la Dirección General en el sentido de que tal materia no es competencia de las Juntas Directivas ni de la misma Dirección, sino que debe deducirse directamente ante los Tribunales de Justicia.

Por último, subrayaremos que la jurisprudencia (v.g. Sentencia de la Sala 1ª del Tribunal Supremo de 28 de noviembre de 2007) entiende que la responsabilidad civil del Notario alcanza también a la culpa *in vigilando* por la actuación de sus empleados.

3.11. RESPONSABILIDAD PENAL DEL NOTARIO

El Notario está sujeto a responsabilidad penal como cualquier otro ciudadano, pero además, al concurrir en él la condición de funcionario público (arts. 1º de la Ley del Notariado y 24.2 del Código Penal), presenta las especificidades penales de los funcionarios.

Los tipos penales en los que puede incidir más directamente la función notarial serían los siguientes:

a) Revelación de secretos

El carácter secreto del protocolo notarial así como el elevado número de datos personales que son objeto de tratamiento por el Notario en el ejercicio de sus funciones y a los que tiene acceso, determinan que se pueda incurrir en las conductas tipificadas en los arts. 197 a 201 del Código Penal.

b) Blanqueo de capitales

El Notario es sujeto obligado conforme al art. 2.1.n de la ley 10/2010, y puede incurrir en las conductas tipificadas en los arts. 301 a 304 del Código Penal. Debe reseñarse que conforme al art. 301.3 se trata de delitos también sancionables por imprudencia grave.

c) Delitos sobre la ordenación del territorio y el urbanismo

Tipificados en los arts. 319 y 320 del Código Penal. La legislación urbanística, tanto estatal como autonómica, impone deberes a los Notarios en orden a garantizar la regularidad urbanística en la declaración de las nuevas construcciones, así como en la generación de nuevas fincas registrales, las parcelaciones, para evitar la creación de nuevos núcleos de población que reúnan los requisitos urbanísticos exigidos, etc, cuya infracción puede determinar la conducta típica.

d) Las falsedades documentales

La falsedad en documento público contemplada en los arts. 390 a 391 del Código Penal es el delito que tiene, potencialmente, una mayor repercusión en la actuación notarial. Puede ser cometida tanto a título dolo como de imprudencia grave. Dentro de las falsedades puede distinguirse entre las que suponen alteración del documento, las que implican una falsa representación documental de la realidad (falsedad ideológica) y las que suponen la intervención en el instrumento de personas que no han tenido tal (suplantación).

En esta materia debe hacerse una importante distinción entre aquellos casos en que el Notario constata hechos de directa percepción, y aquellos otros en los que el Notario formula un juicio en base a los hechos que percibe, como pueden ser el juicio de capacidad o el de suficiencia de la representación. Dichos juicios se plasman documentalmente por medio de una dación de fe, por lo que alguna jurisprudencia ha considerado, en determinados supuestos, que el Notario que los formula erróneamente puede estar incurso en falsedad a título de imprudencia grave.

e) Prevaricación.- Contemplada en el art. 404 del Código Penal, las nuevas competencias notariales en materia de jurisdicción voluntaria, matrimonios, divorcios, título ejecutivo europeo, certificado sucesorio europeo, etc, llevan a que el Notario haya de "dictar una resolución". Sin embargo debe señalarse que la prevaricación tan solo puede ser cometida a título de dolo.

PARTE 2ª
EL INSTRUMENTO PÚBLICO

4. EL INSTRUMENTO PÚBLICO

4.1. CONCEPTO DEL INSTRUMENTO PÚBLICO

Como ponen de manifiesto Manuel Ángel RUEDA PÉREZ y Salvador ALBORCH DOMÍNGUEZ (2011, páginas 133 y siguientes), partiendo de la vigente legislación notarial, el instrumento público puede ser contemplado desde un doble punto de vista:

a) *Desde un punto de vista amplio*, se pueden considerar comprendidos dentro del concepto de instrumento público todos los documentos que ha intervenido un Notario, sean de la clase que sean. En este sentido se pronuncia el artículo 144 del Reglamento Notarial que contiene la regulación legal de las escrituras, pólizas, actas y testimonios.

b) *Desde un punto de vista estricto* se pueden entender como tales únicamente las escrituras, las actas y las pólizas, dejando fuera del mismo otros documentos notariales. Esta solución parece derivarse de la configuración que el Reglamento Notarial da al Título IV, en el que su capítulo II, titulado «Del Instrumento Público» deja fuera los testimonios, cuya regulación se contiene en el capítulo III bajo el título «De otros documentos Notariales».

Concepto doctrinal: Podemos definir el instrumento público, siguiendo a JIMÉNEZ CLAR y LEYDA ERN (2008, página 79), como «el documento público redactado y autorizado con arreglo a las leyes por un Notario competente, que tiene carácter fehaciente».

De este concepto resultan los siguientes caracteres:

1. Es un *documento público*, porque ha sido redactado y autorizado conforme a las leyes por un Notario en el ejercicio de su función y dentro de su competencia. En este sentido, dice el artículo 1.216 del Código Civil que «*Son documentos públicos los autorizados por un Notario o empleado público competente, con las solemnidades requeridas por la ley*».

Es la cualidad pública de su autor lo que hace público el documento, y el Notario, al autorizarlo, asume la autoría no sólo del documento sino también del contenido del mismo. No obstante, cabe decir que, el concepto de autoría debe ser matizado, en relación con los documentos notariales, en función del tipo de documento notarial. Así, el Notario autoriza escrituras y actas, pero las pólizas son «intervenidas», no pudiendo ser confundida la autorización con la intervención, como señala acertadamente el artículo 17 bis de la Ley del Notariado y, como más adelante explicaremos al analizar la distinción entre escrituras y pólizas.

Por otra parte, el Código Civil parece siempre partir de la distinción entre documento público y privado y define a este negativamente como: «aquel documento que no es público». En este sentido, la Ley 59/2003, de firma electrónica de 19 de diciembre, modificada por la Ley 56/2007, de 28 de diciembre, de Medidas de Impulso de la Sociedad de la Información, establece una distinción fundamental entre documento público y documento oficial. En ambos casos, provienen de un funcionario público, pero sólo el documento público es el autorizado por un funcionario que tiene atribuida la fe pública notarial, judicial o administrativa, lo que hace que estos documentos públicos tengan unos efectos que no tienen los oficiales; en el mismo sentido, el artículo 319-2 de la Ley de Enjuiciamiento Civil establece la distinción en cuanto a los efectos, de los documentos públicos y los documentos oficiales o administrativos.

2. Está *redactado con arreglo a las leyes*, lo que implica que:

– El Notario debe indagar, interpretar y adecuar la voluntad de las partes al ordenamiento jurídico, según el artículo 147 del Reglamento Notarial, que dice: «El notario redactará el instrumento público conforme a la voluntad común a la voluntad común de los otorgantes, la cual deberá indagar, interpretar y adecuar al ordenamiento jurídico, e informará a aquéllos del valor y alcance de su redacción, de conformidad con el artículo 17 bis de la Ley del Notariado.

Lo dispuesto en el párrafo anterior se aplicará incluso en los casos en que se pretenda un otorgamiento según minuta o la elevación a escritura pública de un documento privado.

En el texto del documento, el notario consignará, en su caso, que aquél ha sido redactado conforme a minuta y si le constare, la parte de quien procede ésta y si la misma obedece a condiciones generales de su contratación.

Asimismo, el notario intervendrá las pólizas presentadas por las entidades que se dedican habitualmente a la contratación en masa, siempre que su contenido no vulnere el ordenamiento jurídico y sean conformes a la voluntad de las partes.

Sin mengua de su imparcialidad, el notario insistirá en informar a una de las partes respecto de las cláusulas de las escrituras y de las pólizas propuestas por la otra, comprobará que no contienen condiciones generales declaradas nulas por la sentencia firme e inscrita en el Registro de Condiciones generales y prestará asistencia especial al otorgante necesitado de ella. También asesorará con imparcialidad a las partes y velará por el respeto de los derechos básicos de los consumidores y usuarios».

– Tiene carácter eminentemente formal, de tal forma que su eficacia depende del cumplimiento de los requisitos de forma establecidos por las leyes para su autorización.

Posteriormente, analizaremos las distintas clases de instrumentos públicos, pero queremos aquí mencionar que la doctrina notarial restringía el concepto de instrumento público sólo a los que están destinados a formar parte del Protocolo, cuestión que actualmente debe ser replanteada después de la unificación de la fe pública extrajudicial, para contraponer, **los instrumentos protocolares a los no protocolares**, incluyendo, en los primeros, aquellos que contienen declaraciones de los particulares y que siempre van al Protocolo, como las escrituras, las actas y las pólizas intervenidas incorporadas al Protocolo o a la Sección A del Libro-Registro de Operaciones, y en los segundos, los testimonios e incluso las operaciones cambiarias asentadas en la Sección B de dicho Libro, **que circulan originales**.

Respecto a las **normas aplicables**, dice el art. 1.217 CC que *«los documentos en que intervenga Notario público se regirán por la legislación notarial»*; y concreta el Reglamento Notarial (Art. 143) que *«A los efectos del artículo 1217 del Código Civil, los documentos notariales se regirán por los preceptos contenidos en el presente Título.*

Los testamentos y actos de última voluntad se regirán, en cuanto a su forma y requisitos o solemnidades, por los preceptos de la legislación civil, acoplándose a los mismos la notarial, teniendo ésta el carácter de norma supletoria de aquélla.

Los documentos públicos autorizados o intervenidos por notario gozan de fe pública, presumiéndose su contenido veraz e íntegro de acuerdo con lo dispuesto en la Ley.

Los efectos que el ordenamiento jurídico atribuye a la fe pública notarial sólo podrán ser negados o desvirtuados por los Jueces y Tribunales y por las administraciones y funcionarios públicos en el ejercicio de sus competencias».

3. El Notario ha de ser *competente por la materia*, esto es, contratos y actos extrajudiciales, y por el lugar que actúe, dentro de su Distrito Notarial; ya que, en caso contrario, puede valer como documento privado pero no es documento público, tal y como resulta del art. 1.223 del Código Civil cuando dice: *«La escritura defectuosa, por incompetencia del notario o por otra falta en la forma, tendrá el concepto de documento privado si estuviese firmado por los otorgantes».*

4. Tiene *carácter fehaciente*, pues el artículo 143-3 del Reglamento Notarial dice: *«Los documentos públicos autorizados o intervenidos por notario gozan de fe pública, presumiéndose su contenido veraz e íntegro de acuerdo con lo dispuesto en la Ley».* Este es el elemento diferenciador frente a los demás documentos públicos. A lo narrado en el documento por el Notario por estar "facultado para dar fe" (artículo 317-5 de la Ley de Enjuiciamiento Civil), la Ley atribuye el valor de fe plena, autenticidad, veracidad y legalidad, incluso frente a tercero, mientras no sea desvirtuado por una resolución judicial en contrario.

Concepto legal: Nuestra vigente legislación notarial se pronuncia por un concepto amplio de instrumento público, en los dos artículos siguientes:

- Artículo 17 de la Ley del Notariado redactado por la Ley 36/2006, de 29 de noviembre, de medidas para la prevención del fraude fiscal al establecer que *«El Notario redactará escrituras matrices, intervendrá pólizas, extenderá y autorizará actas, expedirá copias, testimonios, legitimaciones y legalizaciones y formará protocolos y Libros-Registros de operaciones».*

- Y Artículo 144 RN (reformado por RD 45/2007, de 19 de enero) al decir que:

«Conforme al artículo 17 de la Ley del Notariado son instrumentos públicos: las escrituras públicas, las pólizas intervenidas, las actas y, en general, todo documento que autorice el notario, bien sea original, en certificado, copia o testimonio».

Este artículo, en los párrafos siguientes, continúa exponiendo el contenido concreto de cada uno de los instrumentos, lo que luego analizaremos al hablar de la distinción entre escrituras, actas y pólizas.

Una última cuestión a tratar es si dentro del instrumento público debe incluirse el documento electrónico.

Una primera referencia al mismo, viene dada en la Ley 24/2001, cuando dice que la regulación del documento electrónico se aplica a las copias hasta que la evolución tecnológica permita otra cosa; no obstante, cualquiera que sea el avance tecnológico respecto al mismo, la garantía del consentimiento informado requerirá siempre presencia física.

En la actualidad, el documento electrónico viene recogido en los siguientes preceptos:

- Artículo 17 bis de la Ley del Notariado de 28 de mayo de 1.862, introducido por la Ley de Medidas Fiscales, Administrativas y de Orden Social de 27 de diciembre de 2.001, al decir que:

«1. Los instrumentos públicos a que se refiere el artículo 17 de esta Ley, no perderán dicho carácter por el sólo hecho de estar redactados en soporte electrónico con la firma electrónica avanzada del notario y, en su caso, de los otorgantes o intervinientes, obtenida la de aquel de conformidad con la Ley reguladora del uso de firma electrónica por parte de notarios y demás normas complementarias».

- Artículo 3.6 de la Ley 59/2003, de firma electrónica, de 19 de diciembre, que sigue distinguiendo entre documentos electrónicos privados y públicos, siendo estos últimos los firmados electrónicamente por funcionarios que tengan legalmente atribuida la facultad de dar fe pública, judicial, notarial o administrativa, siempre que actúen en el ámbito de sus competencias con los requisitos exigidos por la Ley en cada caso.

- Ley 56/2007 de 28 de diciembre, que modifica algunos preceptos de la Ley 59/2003 de 19 de diciembre de firma electrónica.

Ello nos permite distinguir entre:

1. *Documentos públicos electrónicos*: El precepto proclama la admisibilidad de los documentos electrónicos públicos, como principio general que no admite posibles excepciones; y añade a este contenido normativo fundamental la definición de documento público y la conocida subclasificación de los documentos públicos, por razón de su autor, en judiciales, notariales y administrativos.

2. *Documentos oficiales electrónicos*. Es un defecto arrancar del axioma de que todo documento tiene necesariamente que ser o público o privado, cuando la realidad presenta, como es lógico, categorías intermedias.

Ello tiene lugar, ante todo, porque hay documentos expedidos por funcionarios públicos competentes para conocer de un asunto e incluso para documentarlo, que no son documentos públicos porque tales funcionarios no tienen fe pública. Y también porque no todos los documentos expedidos por los funcionarios públicos competentes dotados de fe pública tienen que ser necesariamente documentos públicos.

A estas ideas responde parcialmente la LEC 1/2000 al regular en el artículo 319.2 *«la fuerza probatoria de los documentos administrativos no comprendidos en los número 5.º y 6.º del artículo 317 a los que las leyes otorguen el carácter de públicos»*, esto es los expedidos por funcionarios sin fe pública, y que por tanto no son documentos públicos conforme al fundamental artículo 317 aunque una ley concreta, los califique, erróneamente, de documentos públicos. Y en la misma línea hay que interpretar el artículo 3.6.b) de la Ley de firma electrónica cuando dispone que, entre los documentos públicos y privados, el documento electrónico puede también ser soporte de «documentos expedidos y firmados electrónicamente por funcionarios o empleados públicos en el ejercicio de sus funciones públicas, conforme a su legislación específica», si bien en esas funciones públicas, no puede estar incluida la de dar fe, porque en este caso el documento sería público; no se exige por tanto, como hace a sus efectos la LEC, que una Ley especial les denomine documentos públicos. Ninguna de estas dos leyes, 1/2000 y 59/2003, da denominación alguna a este tipo de documentos, a los que la Ley de Acompañamiento 24/2001 denomina «oficiales» (art. 109.1c), terminología que la doctrina había tomado de la jurisprudencia penal.

3. *Documentos electrónicos privados*. El artículo 3.6.c) del la Ley de firma electrónica menciona como tercera variedad de documentos electrónicos, los «documentos privados», sin darnos su concepto ni hacer aquí referencia a que estén firmados electrónicamente.

Conforme a la ley de firma electrónica, cabe distinguir los documentos electrónicos privados que estén firmados con firma simple, con firma avanzada y con firma reconocida; y deja fuera de su ámbito los documentos electrónicos no firmados.

4. *Documentos electrónicos mixtos*. Existen, finalmente, otras categorías intermedias entre los documentos públicos y los documentos privados, constituidas por un documento privado originario adicionado con una intervención pública ulterior. Así ocurre con los documentos privados judicialmente homologados, cuyos efectos no pueden confundirse con los de una sentencia firme; y en la esfera notarial con supuestos como los de documento privado protocolizado, con firmas legitimadas, etc.; que tampoco se confunden con la escritura de elevación a público de documento privado. Baste ahora con señalar que estos documentos mixtos también pueden extenderse en soporte electrónico, a pesar del silencio que sobre ellos guarda el artículo 3.6 de la Ley, puesto que la admisibilidad general de los documentos electrónicos públicos se extiende a los adicionantes de un documento electrónico privado.

Esta materia se estudia más detalladamente en el epígrafe 16.2.

4.2. CLASES DE INSTRUMENTOS PÚBLICOS: ESCRITURAS Y ACTAS. SU DISTINCIÓN

Como hemos dicho al exponer el concepto de instrumento público, hay que hacer una primera clasificación, atendiendo a su custodia por el Notario, entre:

a) Instrumentos públicos *protocolares*, esto es, aquellos que se incorporan al protocolo notarial o al Libro Registro, como las escrituras, las pólizas y las actas;

b) *no protocolares* o que no se incorporan a dicho protocolo, y que son, toda la gama de testimonios, legalizaciones y certificaciones.

Los instrumentos públicos protocolares se dividen, en primer lugar, en:

– *Principales*, que crean una matriz y tienen número propio de Protocolo o de Libro-Registro, como las escrituras, las actas y las pólizas.

– Y *accesorios*, que sirven de complemento a los principales, como las Diligencias y las Notas.

En segundo lugar, por razón del soporte donde se hallan extendidos y almacenados, los instrumentos públicos pueden distinguirse entre:

a) Instrumentos públicos en soporte papel.

b) Instrumentos públicos de formato electrónico.

En tercer lugar, la principal clasificación es la que distingue entre escrituras, actas y pólizas.

ESCRITURAS Y ACTAS

Escrituras

El documento público notarial más importante es la escritura pública. El art. 144-2 del Reglamento Notarial dice: «*Las escrituras públicas tienen como contenido propio las declaraciones de voluntad, los actos jurídicos que impliquen prestación de consentimiento, los contratos y los negocios jurídicos de todas clases*», que recoge el contenido del artículo 17-1°, ap. 2 de la Ley del Notariado.

En consecuencia, la escritura pública es el documento público notarial por excelencia, ya que documenta negocios jurídicos.

El Reglamento Notarial no da una clasificación de las escrituras, sólo hay enumeraciones incompletas en el art. 178 RN y en la Norma general 2ª. del Arancel Notarial.

De acuerdo con la doctrina mayoritaria, vamos a intentar sistematizarlas y distinguir entre escrituras:

– **Principales**, que son las que contienen una declaración de voluntad.

Dentro de ellas, siguiendo a NUÑEZ LAGOS (1945, página 501), podemos distinguir entre las constitutivas, si la escritura nace al mismo tiempo que el negocio (que se crea, modifica o extingue), y las recognoscitivas, si sólo da forma pública a una relación jurídica preexistente. Estas clases de escrituras se tratan más extensamente en los epígrafes 4.5.1.1. y 4.5.1.2.

– **Complementarias**, que tienen por finalidad completar o perfeccionar otra anterior, con la que necesariamente han de estar relacionadas. A su vez, pueden ser:

– **Adicionales**, si añaden, agregan o rectifican algo a otra.

– **Subsanatorias**, si corrigen, aclaran o enmiendan omisiones, errores materiales o defectos de forma de otro documento.

– Y de **adhesión** al acto jurídico contenido en un documento anterior.

Como dice PÉREZ DE MADRID (2006, página 102), junto con los requisitos internos y los requisitos formales que más adelante analizaremos en el epígrafe 4.4., el Reglamento Notarial determina la estructura formal de la escritura pública, que es la siguiente:

1°. Menciones preliminares a la comparecencia: tipo de escritura, número de protocolo, fecha y Notario autorizante, que se estudia en el epígrafe 4.7.

2°. Comparecencia: Reseña de las circunstancias personales de los otorgantes y, en su caso, de otros posibles intervinientes como por ejemplo los testigos. Contiene igualmente la identificación de los mismos por los medios previstos en la legislación notarial, la reseña y juicio de suficiencia de la representación alegada y el juicio de capacidad notarial para el acto documentado, que se estudia más ampliamente en los epígrafes 4.6, 4.7.1 y 4.7.2.

3º. Exposición: Hace referencia a los antecedentes necesarios para la documentación del acto. En caso de que contenga bienes inmuebles, se realiza su descripción con arreglo a la legislación notarial, hipotecaria y especial, que se amplia en el epígrafe 4.12.

4º. Estipulaciones o Disposiciones: Es la parte «contractual» que contiene las declaraciones de voluntad, así como los pactos, cláusulas y condiciones que las partes quieren documentar, que se estudia en el epígrafe 4.16.

5º. Otorgamiento y Autorización: Contiene la referencia a las advertencias y reservas legales y fiscales; referencias a la lectura del documento; el consentimiento de las partes; la cláusula de autorización notarial y la firma del documento por las partes y el Notario y que está desarrollada en los epígrafes 4.17 y 4.18.

Con carácter general, la estructura formal de la escritura pública que acabamos de exponer se estudia con mayor amplitud en los epígrafes 4.6 al 4.13.

Actas

El segundo tipo documental es el acta notarial.

Por lo que respecta al concepto de acta notarial, el artículo 198-1, dice: «*Los Notarios, previa instancia de parte, en todo caso, extenderán y autorizarán actas en que se consignen los hechos y circunstancias que presencien o les conste, y que por su naturaleza no sean materia de contrato*». Por tanto, se trata de una definición negativa, que toma siempre en cuenta el ámbito superior de la escritura pública. En este sentido, el artículo 144-4 del Reglamento Notarial, añade: «*Las actas notariales tienen como contenido la constatación de hechos o la percepción que de los mismos tenga el Notario, siempre que por su índole no puedan calificarse de actos y contratos, así como sus juicios y calificaciones*».

La **distinción** entre escrituras y actas, es un tanto discutida en la doctrina, incluso no faltan autores que niegan tal distinción. En este sentido, GONZÁLEZ PALOMINO (1950, páginas 166 y 208), cree que la única diferencia radica en la procedencia de las declaraciones que se documentan, llamándose escritura al documento que recoge declaraciones de las partes, y actas a las que contienen declaraciones del Notario.

Otros autores creen que la distinción es clara, puesto que la escritura pública tiene por contenido una declaración de voluntad, un negocio jurídico, mientras que el acta, tiene por contenido un mero hecho que no sea típicamente una declaración de voluntad.

Para otros autores, el acta documenta un hecho y, por tanto, solo produce efectos probatorios, mientras que la escritura actúa en el campo de la forma de los negocios jurídicos y produce efectos procesales (probatorios y ejecutivos) y sustantivos (título de tráfico).

Con la doctrina mayoritaria podemos decir que entre las escrituras y las actas podemos establecer diferencias de tres tipos:

- **De fondo**: Según recojan una declaración de voluntad o un negocio jurídico (escritura) o un mero hecho (acta).

- **De efectos**: Procesales y sustantivos para las escrituras, y solo probatorios para las actas.

- **De forma**: Como veremos seguidamente al analizar el artículo 198 del R.N. en que se exigen menos requisitos para las actas que para las escrituras.

Las diferencias formales, en cuanto a escrituras y actas, con carácter general vienen establecidas en el artículo 198 del Reglamento Notarial, al decir que serán aplicables a las actas notariales los preceptos de la Sección Segunda, relativos a las escrituras matrices, con las siguientes modificaciones:

«1. En la comparecencia no se necesitará afirmar la capacidad de los requirentes, ni se precisará otro requisito para requerir al notario al efecto, que el interés legítimo de la parte requirente y la licitud de la actuación notarial, salvo que, por tratarse del ejercicio de un derecho el notario deba hacer constar de modo expreso la capacidad y legitimación del requirente.

2. No exigen tampoco la dación de fe de conocimiento, con las excepciones previstas en el párrafo anterior, y salvo el caso de que la identidad de las personas fuere requisito indispensable en consideración a su contenido.

3. No requieren unidad de acto ni de contexto, pudiendo ser extendidas en el momento del acto o posteriormente. En este caso se distinguirá cada parte del acta como diligencia diferente, con expresión de la hora y sitio, y con cláusula de suscripción especial y separada.

4. Las diligencias, salvo que, habiendo medios para ello, la persona con quien se entiendan pida que se redacten en el lugar, las podrá extender el notario en su estudio con referencia a las notas tomadas sobre el terreno, haciéndolo constar así, y podrá aquella persona comparecer en la Notaría para enterarse del contenido de la diligencia. Cuando se extienda la diligencia en el lugar donde se practique, invitará el notario a que la suscriban los que en ella tengan interés, así como a cualquier otra persona que esté presente en el acto.

5. Las manifestaciones contenidas en una notificación o requerimiento y en su contestación tendrán el valor que proceda conforme a la legislación civil o procesal, pero el acta que las recoja no adquirirá en ningún caso la naturaleza ni los efectos de la escritura pública. No será necesario que el notario dé fe de conocimiento de las personas con quienes entienda la diligencia ni de su identificación, salvo en los casos en que la naturaleza del acta exija la identificación del notificado o requerido».

Por lo que respecta a las actas, **su tipología** es muy variada y pueden ser:

a) **De presencia**, según el artículo 199 del Reglamento Notarial, son las que *«acreditan la realidad o verdad del hecho que motiva su autorización»*. Según el artículo 1, apartado a), del Reglamento Notarial, la fe pública notarial, en la esfera de los hechos, comprende la exactitud de lo que el Notario *«ve, oye o percibe por sus sentidos»*. No obstante, ese hecho puede ser muy variado, pues el Reglamento Notarial contempla específicamente las actas sobre hechos relacionados con la publicidad comercial, la entrega de documentos, efectos, dinero y otras cosas; el hecho de la existencia de una persona; o la exhibición al Notario de cosas o documentos. Se estudia más ampliamente en el epígrafe 4.24.6.

Un acta de presencia frecuente es el acta de remisión de documentos por correo, cuya finalidad consiste simplemente en «verificar el simple hecho del envío». Este tipo de Acta de presencia es tratada más extensamente en el epígrafe 4.24.8.

Los artículos 202 y siguientes regulan las actas de notificación y requerimiento: Las primeras *«tienen por objeto dar a conocer a la persona notificada una información o una decisión del que solicita la intervención notarial»* mientras que las de requerimiento van más allá, pues además buscan *«intimar al requerido para que adopte una determinada actitud»*. Se estudian las actas de notificación y requerimiento en epígrafe 4.24.11.

b) **De referencia o manifestaciones**, en las que el Notario recoge el hecho de que una persona emite, ante él, una determinada declaración (Art. 208) y que se estudia en el epígrafe 4.24.10.

c) **De notoriedad**, que son definidas en el artículo 209 del RN, como *«las que tienen la comprobación y fijación de hechos notorios sobre las cuales puedan ser fundados y declarados derechos y legitimadas situaciones personales o patrimoniales con trascendencia jurídica»*. Es decir, el Notario no se limita a acreditar un hecho, sino que el objeto es la emisión por parte del Notario de un juicio. Su estudio más detenido encontramos en el epígrafe 4.24.12.

Dentro de éstas, destacan por su importancia las de declaración de herederos abintestato (209 bis R.N.). Dichas actas de notoriedad se estudian en el epígrafe 4.24.13.

d) **De protocolización**, que tienen por objeto incorporar al protocolo notarial un documento. El Reglamento prevé la protocolización de documentos públicos y privados, pero incluso se pueden protocolizar impresos, planos, fotografías o gráficos (Artículos 211 a 215 RN). Se estudian estas actas, en el epígrafe 4.24.4.

e) **De depósito ante Notario**, que regula el artículo 216 del Reglamento y, respecto de las cuales, han señalado la doctrina y la DGRN que no se trata de un acta sino de un verdadero contrato y, como tal, su aceptación es voluntaria por parte del Notario. Se hallan analizadas con más extensión en el epígrafe 4.24.5.

f) **De documento fehaciente de liquidación de saldo**, que regula el artículo 218 del Reglamento, a los efectos de acompañarse como documento complementario al título ejecutivo, en los términos del artículo 572 de la Ley de Enjuiciamiento Civil. Vienen desarrolladas en el epígrafe 4.25.

g) **Actas para dejar constancia de cualquier hecho relacionado con soporte informático** (Art. 198,2°) **o para recibir o remitir copias electrónicas** (Art. 200-4 RN).

Hay otras actuaciones notariales que, aunque pueden participar de la naturaleza de escritura o de acta, son accesorias de las mismas, porque carecen de autonomía y nunca crean matriz. Son las diligencias y las notas.

a) Las **diligencias** recogen hechos realizados en cumplimiento de una rogación inicial contenida en un acta, y a veces, sobre todo si hay declaraciones negociales, en una escritura. Tienen texto y contexto autónomo, por lo que exigen autorización notarial. Como su publicidad es necesaria, **deben ser siempre transcritas en las copias**, y no cabe copia parcial de ellas (arts. 178 y 238); así, las de contestación a los requerimientos (art. 204).

b) Las notas tienen como finalidad primordial hacer constar en las matrices y Archivos el cumplimiento de obligaciones que se imponen al Notario como consecuencia de la autorización de un instrumento. Se extienden por el Notario autorizante, su sustituto o sucesor (art. 178), o el Archivero, al pie de la matriz o al margen de la misma, y si no quedase espacio, incluso en la matriz siguiente. Basta **media firma** (art. 244) del Notario (generalmente el primer apellido con la rúbrica); como ejemplo, citamos las de expedición de copias (art. 244). Su publicidad también es necesaria, y deben de ser transcritas en las copias posteriores (art. 238), excepto la de las actas (R. 23 noviembre 1959).

Existen otras notas que reflejan **vicisitudes en el ejercicio del cargo** por el titular del Protocolo, como la de toma de posesión (art. 39) o vacante de la Notaría (art. 277) y la de suspensión en el cargo (arts. 62 y 82). Las podemos llamar **orgánicas**. Exigen **la firma completa** del Notario (titular, sustituto o Delegado), pero no autorización. Como no afectan ni al fondo ni a la forma del instrumento donde se extienden, ninguna publicidad exigen, por lo que creemos que no deben de ser transcritas en las copias que se expidan de la matriz donde constan, sino dar sólo una referencia de su existencia, como hace el RN para la reseña en la copia de documentos gráficos en la matriz (cfr. art. 236) o de documentos complementarios.

Pólizas

El tercer tipo documental está constituido por las pólizas.

Por razón de su contenido, el artículo 144-3 del Reglamento Notarial dice: «*Las pólizas intervenidas tienen como contenido exclusivo los actos y contratos de carácter mercantil y financiero que sean propios del tráfico habitual y ordinario de al menos uno de sus otorgantes, quedando excluidos de su ámbito los demás actos y negocios jurídicos y en cualquier caso todos los que tengan objeto inmobiliario; todo ello sin perjuicio, desde luego, de aquellos casos en que la ley establezca otra forma documental».*

En cuanto a la distinción entre las escrituras y las pólizas, podemos hacer referencia a las siguientes:

– La redacción del instrumento:

La escritura pública es un documento cuya redacción está encomendada al Notario. El Reglamento conserva la antigua redacción del artículo 147, si bien añade un párrafo respecto de las pólizas al decir que *«Asimismo, el Notario intervendrá las pólizas presentadas por las entidades que se dedican habitualmente a la contratación en masa, y sean conformes a la voluntad de las partes».*

Por tanto, se puede decir que mientras que la redacción es consustancial a las escrituras y está implícita en el concepto mismo de autorización, en las pólizas la redacción no solo no es consustancial, sino que está excluida en el caso de las citadas entidades.

Ello no obstante, podemos afirmar que la diferencia aludida no es tan tajante, puesto que en las escrituras existe la posibilidad de redactar las mismas con arreglo a minuta, como se estudiará en el epígrafe 4.4.2.

– El otorgamiento: Por lo que a éste se refiere, podemos destacar las siguientes diferencias:

– La ausencia de lectura.

La intervención no exige ni comporta dación de fe de la lectura de la póliza, a diferencia de lo prescrito en el artículo 193 respecto de las escrituras. El artículo 197, quater, del RN, en sus letras e y g, solo ampara una conclusión en el sentido de que el contenido del negocio se realiza de acuerdo con las declaraciones de voluntad de los intervinientes, que se desprende del hecho de la firma. No existe la obligación notarial de leer la póliza a las partes ni la declaración por estas de haberla leído; esto, sin embargo, no es obstáculo para que el Notario deba leer la póliza para comprobar su legalidad y estar en disposición de poder informar a los interesados.

Un amplio sector doctrinal entiende que, cuanto menos, en la lectura de la póliza existe lo que se denomina «consentimiento informado» y que, por lo tanto, el Notario explica a los interesados el contenido de la misma para que puedan conocerlo. Esta materia se estudia más ampliamente en el epígrafe 4.19, al hablar del otorgamiento.

– La falta de unidad de acto y de contexto.

La póliza intervenida constituye un documento complejo; la conjunción de sendos documentos en un solo instrumento, que aglutina el propio cuerpo de la póliza y la diligencia de intervención. Esta dualidad rompería, por tanto, la unidad temporal, al decir el artículo 197 «*la intervención de la póliza se verificará por diligencia*».

La lectura de los diversos artículos que con el número 197 se ocupan especialmente de la póliza pone de manifiesto la posibilidad de otorgamientos separados en pólizas desdobladas (art. 197 párrafo 3º) y otorgamientos sucesivos (art. 197 ter).

– El contenido del otorgamiento.

Siguiendo a MARTÍNEZ SANCHIZ (2007, página 322), podemos decir que en la póliza, tras la intervención hay un otorgamiento. Si bien distingue entre otorgamiento integral, en la escritura, y otorgamiento instrumental, en la póliza intervenida. El integral, forma parte del proceso de gestación documental que culmina con la autorización y es, por tanto, intrínseco a la escritura pública; el instrumental, por el contrario, es extrínseco a la póliza, es decir, sin ese otorgamiento no hay póliza ni, en su caso, contrato, pero no es propiamente un elemento integrante del documento sino aprobación o adhesión al mismo. Todo lo referente a las pólizas intervenidas viene desarrollado en epígrafe 4.23.

4.3. REQUISITOS INTERNOS DEL INSTRUMENTO PÚBLICO

Los requisitos **internos** del instrumento público se plasman en que en su redacción, otorgamiento y autorización, se hayan cumplido las leyes que, en cada caso, sean aplicables. Por tanto, en todo instrumento público, además de dar cumplimiento a las leyes de índole sustantiva material que en cada caso procedan, el Notario habrá de ajustarse a todo lo previsto en la Ley y en el Reglamento Notarial.

RODRÍGUEZ ADRADOS (1996, página 147), resume los «requisitos de fondo» del instrumento público en uno solo: la autoría del documento notarial, que no es una mera asunción formal, sino que conlleva la rogación, la inmediación del Notario, la adecuación a la legalidad, el asesoramiento y la redacción.

Estos requisitos internos son los siguientes:

– Presencia física de los comparecientes: Justificando en su caso el poder o la representación, que se estudia en el epígrafe 4.8, las licencias o autorizaciones necesarias, que se desarrolla en epígrafe 4.15.

– Fe de conocimiento y juicio de capacidad, cuando sean necesarios, analizado en epígrafe 4.10.

– Unidad de acto, que es estudiada en el epígrafe 4.19.2.

– Exposición de hechos o antecedentes, que está desarrollada en el epígrafe 4.12.

– Estipulaciones o parte dispositiva; lectura, otorgamiento y autorización, que es estudiada en el epígrafe 4.16.

Como hemos señalado al hablar del concepto de instrumento público, el Reglamento Notarial da una noción del mismo muy amplia, por lo que hay que distinguir entre una serie de requisitos específicos para cada categoría de los mismos, y los requisitos comunes a todo instrumento público, que son los que aquí vamos a analizar, ya que a éste lo caracterizan una serie de requisitos necesarios para que sea una narración fehaciente por sí misma, la expresión documental de lo que el Notario ve, oye o percibe por sus sentidos, con su formación jurídica, y redactado con las solemnidades legales.

Se pueden reseñar como requisitos internos comunes a todos los instrumentos públicos, siguiendo a JIMÉNEZ CLAR Y LEYDA ERN (2008, páginas 85-88), los siguientes:

1º. Identificación del instrumento público

a) Relativos al instrumento público

Cada instrumento público deberá ser identificado con el nombre que corresponda a su clase: escritura, póliza, acta o testimonio

Mientras que para las escrituras y pólizas la denominación vendrá determinada por el acto, contrato o negocio que contengan; en lo relativo, a las actas y testimonios, el Reglamento notarial contiene un catálogo legal de los mismos.

Así, y por lo que se refiere a las Actas, nos remitimos a la enumeración que, al hablar de su tipología, hemos expuesto anteriormente, a saber: de presencia (que engloba las de remisión de documentos por correo, las de notificación y requerimiento y de exhibición de cosas o documentos), de referencia, de notoriedad, de protocolización, de depósito ante Notario, de liquidación, de subasta...

En cuanto a los testimonios, los calificaremos como:

– Por exhibición.

– De vigencia de leyes.

– De legitimación de firmas.

b) Relativos al Notario autorizante

Todos los documentos que sean objeto de la intervención de un Notario deberán consignar necesariamente:

– El nombre y apellidos del Notario.

– El término municipal de su residencia.

– La fecha de autorización.

2º. Contenido del instrumento público.

Dado que la actuación notarial tiene carácter rogado, todo instrumento público requiere el acuerdo de los otorgantes con su contenido, que previamente, tienen que haber conocido y entendido.

4.4. REQUISITOS FORMALES

La legislación notarial establece una serie de requisitos formales pertenecientes:

A) Al contenido del instrumento público cuya finalidad es la de que el mismo pueda ser fácilmente accesible para los otorgantes y para ello se requiere la redacción del instrumento público.

B) A la comunicación por el Notario del contenido del instrumento público a los otorgantes para lo que se requiere su lectura, previa a la firma.

4.4.1. La redacción del instrumento público

La redacción del instrumento está ordenada básicamente en los Artículos 17, 17 bis, 25 y 26 de la LN y al amparo de la delegación contenida en el Artículo 47 de la misma Ley, por los Artículos 147 y siguientes del RN. En tales normas se sustentan los efectos legitimadores que la Ley reconoce al documento notarial, tanto desde el punto de vista formal como material. Por encima de tales normas está el Artículo 149.I.8º de la Constitución española, que reserva al Estado la ordenación de los Instrumentos Públicos.

Como dice SAPENA DAVÓ (2008, página 154), la redacción del Instrumento Público es competencia del Notario por su condición de funcionario público, especialmente habilitado para garantizar la estricta observancia de los presupuestos básicos previstos por las leyes, para que la apariencia documental responda a la verdad e integridad del negocio o acto documentado, como recuerda la Resolución de la Dirección General de los Registros y del Notariado de 14 de febrero de 2007. El Notario, como reconoce dicha Resolución, ha de asesorar de forma imparcial para que las partes presten su consentimiento debidamente informado, ha de explorar la voluntad de las partes para, siguiendo sus instrucciones, conformarla y que la ratifiquen como suya; ha de controlar la regularidad del negocio y, sobre todo, ha de realizar una valoración de los fines perseguidos por si éstos fuesen simulados o fraudulentos; ha de controlar la legalidad vigilando el cumplimiento de las normas con especial tutela de lo intereses generales y públicos; y, por último, autoriza el documento con arreglo con la forma prevista por las Leyes.

En consecuencia, el Notario:

«Redactará el instrumento público conforme a la voluntad común de los otorgantes, la cual deberá indagar, interpretar y adecuar al ordenamiento jurídico, e informará a aquellos del valor y alcance de su redacción» (art. 147-1).

Siguiendo a JIMÉNEZ CLAR y LEYDA ERN (2008, páginas 91-98), la redacción del instrumento público, de competencia *exclusiva* del Notario, implica en la práctica las siguientes cuestiones:

A) De un lado, los instrumentos públicos son esencialmente documentos jurídicos concebidos para producir una determinada eficacia. Esta finalidad presupone la necesidad de que la intervención notarial tenga en cuenta las siguientes circunstancias:

1. La solución de los problemas de técnica jurídica, que plantee el caso concreto, pues el Notario no es solamente un funcionario público sino también un profesional del Derecho, según el artículo 1 del RN.

2. La ordenación de los elementos integrantes del negocio de tal forma que coincidan con el tipo legalmente previsto y su eficacia se despliegue en la forma prevista por las partes.

En este sentido el artículo 176 del RN en su párrafo primero establece que *«la parte contractual se redactará de acuerdo con la declaración de voluntad de los otorgantes o con los pactos o convenios entre las partes que intervengan en la escritura, cuidando al Notario de reflejar con debida claridad y separadamente los que se refieran a cada uno de los derechos creados, trasmitidos, modificados o extinguidos, como asimismo el alcance de las facultades, determinaciones y obligaciones de cada uno de los otorgantes o terceros a quienes pueda afectar el documento, las reservas y limitaciones, las condiciones, modalidades, plazos y pactos o compromisos anteriores»*.

B) De otro lado, los instrumentos notariales son instrumentos públicos cuya eficacia legal deriva directamente de la condición de funcionario público que ostenta el Notario. De esta circunstancia se derivan los siguientes requerimientos:

1. El principio de legalidad condiciona la redacción por el Notario del instrumento público a la observancia en la misma de lo previsto en las leyes.

El artículo 17 bis 2.a) LN dice que: «Con independencia del soporte electrónico, informático o digital en que se contenga el documento público notarial, el Notario deberá dar fe de la identidad de los otorgantes, de que su juicio tiene capacidad y legitimación, de que el consentimiento ha sido libremente prestado y de que el otorgamiento *se adecua a la legalidad y a la voluntad debidamente informada de los otorgantes o intervinientes»*.

2. La presunción de legalidad del instrumento público impide al Notario la redacción de instrumentos públicos cuyo contenido contravenga la legalidad vigente.

En este sentido el artículo 145 párrafo 1º del RN reitera lo anteriormente transcrito del artículo 17 bis 2.a) LN, estableciendo en el apartado tercero lo siguiente: «*Esto no obstante, el notario en su función de control de la legalidad, no sólo deberá excusar su ministerio, sino negar la autorización o intervención notarial cuando a su juicio:*

1.º La autorización o intervención notarial suponga la infracción de una norma legal, o no se hubiera acreditado al notario el cumplimiento de los requisitos legalmente exigidos como previos».

En cuanto a los requisitos formales del instrumento público que estamos analizando, hay que subrayar que la progresiva implementación de la contratación electrónica en el tráfico jurídico ha influido también en los requisitos de forma que la Ley prevee para los documentos notariales. Por ello hay que distinguir una serie de requisitos de forma que son de aplicación general a cualquier tipo de instrumento público, de aquellos otros que se refieren únicamente al instrumento público extendido en papel.

La inobservancia de cualquiera de estos preceptos no implica, en principio, la nulidad formal del instrumento público, ya que dicha sanción no viene impuesta por el artículo 27 de la Ley del Notariado, todo ello sin perjuicio de:

- la responsabilidad disciplinaria que proceda,
- las sanciones fiscales previstas en las leyes, si se prenscinde del papel timbrado sin justa causa,
- y de las facultades de la Dirección General de los Registros y del Notariado, por sí, o por medio de los Colegios Notariales, de vigilancia del cumplimiento de los requisitos formales del instrumento mediante las inspecciones oportunas.

1. Requisitos formales de aplicación general a cualquier instrumento público

A) Estilo o calidad de la redacción

Con independencia del soporte en el que se hallen extendidos el artículo 148 del RN dice: «*Los instrumentos públicos deberán redactarse empleando en ellos estilo claro, puro, preciso, sin frases ni término alguno oscuros ni ambiguos, y observando, de acuerdo, con la Ley como reglas imprescindibles la verdad en el concepto, propiedad en el lenguaje y severidad en la forma*».

B) Abreviaturas

En la redacción del instrumento público no podrán utilizarse abreviaturas, como preceptúa el artículo 25 de la Ley Notarial y regula el artículo 151, 1º del RN cuando dice: «*las abreviaturas y blancos de que trata el artículo 25 de la Ley no se refieren a las iniciales, abreviaturas y frases reconocidas comúnmente por tratamiento, títulos de honor, expresiones de cortesía, de respeto o de buena memoria*».

C) Espacios en blanco

En la redacción del instrumento público no podrán dejarse espacios en blanco como ordena el artículo 25 de la LN y desarrolla el 151-2 del RN cuando dice: «*ni se reputarán blancos los espacios que resulten al final de una línea cuando la siguiente empiece formando cláusula distinta; pero en este último caso deberá cubrirse el blanco con un línea de tinta*».

D) Guarismos

Como dice el artículo 25, 2º de la Ley "*tampoco podrán usarse en ellos guarismos en la expresión de fechas o cantidades*". En este sentido el artículo 151-2 del RN dice: "*en los instrumentos públicos no podrán usarse guarismos en ningún caso y concepto sin que previamente hubieren sido puestos en letra. Exceptúanse aquellos que impliquen expresión de cantidades que no afecten al valor o precio del contrato, o que constituyan referencia numérica de las fechas y datos de otros documento o notas de inscripción en los Registros o del pago del Impuesto*"; y añade en el 151-3 que: "*en las actas notariales y en las pólizas intervenidas podrán usarse guarismos para la expresión de cantidades y de fechas, si bien el notario, a su solo juicio, podrá ponerlos en letra incluso mediante diligencia extendida por sí, bajo su responsabilidad. En caso de discrepancia entre la expresión en letra y en guarismos prevalecerá la expresión en letra*".

2. Requisitos formales de aplicación a los instrumentos públicos extendidos en papel

A) Características del soporte

El artículo 154 del RN dice: «*Los instrumentos públicos, a excepción de las pólizas, se extenderán en el papel timbrado correspondiente, comenzando cada uno en hoja o pliego distinto, según se emplee una u otra clase de papel y, en todo caso, en la primera plana de aquéllos. Al final del instrumento, expresará el notario la numeración de todas las hojas o pliegos empleados que deberá ser estrictamente correlativa, salvo que con carácter excepcional y por causa justificada que el notario expresará no pudiera hacerlas así. Las firmas de los otorgantes deberán figurar a continuación del texto del acto o negocio jurídico que se autoriza o interviene, sin perjuicio de que cuando el número de otorgantes así lo exigiere se utilice uno o más folios adicionales, cuya numeración deberá ser igualmente relacionada por el notario.*

Cuando por tratarse de provincia exceptuada del uso de papel sellado o cuando por alguna circunstancia excepcional se emplee papel común sin señal o numeración que lo identifique suficientemente, los otorgantes y testigos, en su caso, deberán firmar en todas las hojas o pliegos.

No será necesaria la firma de los otorgantes y testigos en las particiones y demás documentos que se protocolicen, aun cuando se hallen extendidos en papel común, debidamente reintegrado, si el instrumento público mediante el cual se protocolicen, lo está en papel timbrado o que reúna las condiciones expresadas».

De dicho artículo se desprende que se *exceptúan* de la utilización del papel timbrado correspondiente:

- – la intervención de las pólizas y demás documentos mercantiles.
- – cuando se trate de instrumentos públicos otorgados en provincia exceptuada de papel timbrado.
- – cuando por alguna circunstancia excepcional se emplee papel común.

Por ello, el artículo 197 quinquies del RN faculta a la Dirección General de los Registros y del Notariado para que mediante instrucción pueda establecer o modificar las determinaciones físicas en cuanto a papel, numeración o forma de redacción, confección y configuración formal, deban tener las pólizas a los efectos del mejor funcionamiento de protocolos y libros registros o para la expedición de copias, testimonios o traslados de las mismas con solo efectos informativos.

También se desprende de dicho artículo la numeración correlativa al final del instrumento de todas las hojas o pliegos empleados.

El requisito de la numeración «estrictamente correlativa» de las hojas o pliegos aparece como un requisito nuevo en la reforma del RN por Real Decreto 45/2007 de 19 de enero, salvo que «con carácter excepcional y por causa justificada que el Notario expresará no pudiera hacerse así».

El papel timbrado utilizado en la actualidad para garantizar la autenticidad del instrumento y disminuir el riesgo de falsificación, es un papel especial y de uso exclusivo notarial, no está disponible en los estancos y apareció con las resoluciones de la Dirección General de Tributos de 4 de abril de 1991 y de la Dirección General de Registros y del Notariado de 22 de enero de 1992.

Como afirma GOMA SALCEDO (2011, página 107), las firmas de los otorgantes deberán figurar a continuación del texto del acto o negocio jurídico que se autoriza o interviene, sin perjuicio de que cuando el número de otorgantes así lo exigiere, se utilice uno o más folios adicionales, cuya numeración deberá ser igualmente relacionado por el Notario.

No será necesaria la firma de los otorgantes y testigos en las particiones y demás documentos que se protocolicen, aun cuando se hallen extendidos en papel común, debidamente reintegrado, si el instrumento público mediante el cual se protocolicen lo está en papel timbrado o reúne las condiciones expresadas.

B) Escritura e impresión

El artículo 152, 1º, del RN establece que: «*los instrumentos públicos deberán extenderse con caracteres perfectamente legibles, pudiendo escribirse a mano, a máquina o por cualquier otro medio de reproducción, cuidando de que los tipos resulten marcados en el papel en forma indeleble*».

C) Distribución del texto

El artículo 155 del RN dice: «*las planas primera y tercera de cada pliego, en las escrituras y actas matrices, tendrán al lado izquierdo del que escribe un margen blanco de la cuarta parte de la anchura de la plana, y al lado derecho un pequeño margen para que no lleguen las letras al canto del papel.*

Las planas segunda y cuarta tendrán también al lado izquierdo un margen de la cuarta parte del ancho de papel y al lado derecho el necesario para la encuadernación de los protocolos.

En ninguna plana los márgenes en blanco excederán del tercio de la anchura de papel.

El número de líneas deberá ser el de veinte en la plana del sello y veinticuatro en las demás, a base de quince sílabas por línea aproximadamente».

Por tanto, de este precepto podemos extraer que:

a) Márgenes: El margen izquierdo tendrá la cuarta parte de la anchura de la hoja y el márgen derecho será necesario para que las letras no lleguen al canto del papel y el preciso para la encuadernación de los protocolos.

En ninguna plana los márgenes en blanco excederán de la anchura del papel.

b) Líneas y sílabas: El número de sílabas deberá ser el de veinte en la cara anterior y veinticuatro en las demás, a base de quince sílabas por línea aproximadamente.

D) Interlineados y sobreraspados

El artículo 152, 3º dice así: «*Las adiciones, apostillas, entrerrenglonaduras, raspaduras y testados existentes en un instrumento público se salvarán, al final de este, antes de la firma de los que la suscriban*».

Y el apartado 4 del mismo precepto señala que: «*Los interlineados se podrán hacer, bien en el mismo texto, bien al final del instrumento, haciendo en este último caso una llamada en el lugar que corresponda, y en cuanto afecten a las matrices deberán hacerse o salvarse siempre a mano por el propio Notario*».

Finalmente como señala el artículo 243 del RN, «*las copias en soporte papel no podrán contener interpolaciones, tachaduras, raspaduras o enmiendas, ni siquiera en su pie o suscripción. Cuando fueran advertidos errores u omisiones, se subsanarán mediante diligencia posterior autorizada de igual modo que la copia haciendo constar, además, por nota al margen de esta, la rectificación*».

E) Idioma del instrumento público

a. Idioma oficial

Aunque el artículo 25 de la LN establece que «*los instrumentos públicos se redactarán en lengua castellana*», el principio de pluralidad lingüística que caracteriza al Estado español consagrado en el artículo 3 de la Constitución Española de 1978, ha sido recogido por el RN, tras la Reforma operada por el Real Decreto 45/2007 de 19 de enero, cuyo artículo 149 establece lo siguiente: «*los instrumentos públicos se redactarán en el idioma oficial del lugar del otorgamiento que los otorgantes hayan convenido. En caso de discrepancia entre los otorgantes respecto de su utilización de una sola de las lenguas oficiales el instrumento público deberá redactarse en las lenguas oficiales existentes. Las copias se expedirán en el idioma oficial del lugar pedido por el solicitante*».

De dicho precepto se deduce la:

- utilización del idioma oficial como principio general, que será el del lugar del otorgamiento que las partes hayan convenido;

- coexistencia de varios idiomas oficiales: en caso de discrepancia entre los otorgantes respecto de la utilización de una sola de las lenguas oficiales, el instrumento público deberá redactarse en las lenguas oficiales existentes.

Como dice GOMÁ SALCEDO (2011, páginas 102-108), en la legislación autonómica hay disposiciones especiales sobre la redacción de los instrumentos públicos en *catalán*: Ley 1/1998, de 7 de enero de Política Lingüística, Artículo 14; Decreto 204/1998 de 30 de julio, sobre uso de la lengua catalana en los documentos notariales; *valenciano*: Ley 4/1983 de 23 de noviembre de uso y enseñanza del valenciano, Artículo 13; *gallego*: Ley 3/1983 de 15 de junio de normalización lingüística, Artículo 8; vascuence: Ley Navarra 18/1986 de 15 de diciembre, del vascuence, Artículo 12; Ley 3/1992 de 1 de julio del Derecho Civil Foral del País Vasco, Artículo 15; *en las modalidades lingüísticas aragonesas*: Ley 1/1999 de 24 de febrero, de Aragón, sobre sucesiones por causa de muerte, Artículos 67 y 97; *en la lengua oficial que los otorgantes designen*: Ley de la Comunidad Balear 3/1986 de 29 de abril, de Normalización lingüística, Artículo 10.3.

- expedición de copias: las copias se expedirán en el idioma oficial del lugar pedido por el solicitante.

b. Idiomas extranjeros

El artículo 150 del RN dice: «*Cuando se trate de extranjeros que no entiendan el idioma español, el Notario autorizará el instrumento público si conoce el de aquéllos, haciendo constar que les ha traducido verbalmente su contenido y que su voluntad queda reflejada fielmente en el instrumento público.*

También podrá en este caso autorizar el documento a doble columna en ambos idiomas, si así lo solicitare el otorgante extranjero, que podrá hacer uso de este derecho aun en la hipótesis de que conozca perfectamente el idioma español. Podrá sustituirse la utilización de la doble columna por la incorporación de la traducción en idioma oficial al instrumento público.

Los notarios podrán intervenir pólizas redactadas en lengua o idioma extranjero a requerimiento de las partes, si todas ellas y el notario conocen dicho idioma. En estos casos, la diligencia de intervención y las restantes manifestaciones del notario se redactarán en el idioma oficial del lugar del otorgamiento.

Cuando los otorgantes, o alguno de ellos, no conocieren suficientemente el idioma en que se haya redactado el instrumento público, y el Notario no pudiere por sí comunicar su contenido, se precisará la intervención, en calidad de intérprete, de una persona designada al efecto por el otorgante que no conozca el idioma, extremo que se expresará en la comparecencia y la autorización del documento, que hará las traducciones necesarias, declarando la conformidad del original con la traducción y que suscribirá, asimismo, el instrumento público.

De acuerdo con lo que antecede, el Notario que conozca un idioma extranjero podrá traducir los documentos escritos en el mencionado idioma, que precise insertar o relacionar en el instrumento público.

Cuando en un instrumento público hubiere que insertar documento, párrafo, frase o palabra de otro idioma o dialecto, se extenderá inmediatamente su traducción o se explicará lo que el otorgante entienda por la frase, palabra o nombre exótico. Están fuera de esta prescripción las palabras latinas que tanto en el foro como en el lenguaje común son usuales y de conocida significación».

Del análisis de este precepto se deduce que cuando se trate de extranjeros que no entiendan el idioma español, con independencia de su traducción verbal en los casos legalmente previstos, el Notario podrá:

- autorizar el documento a doble columna en ambos idiomas, si así lo solicitare el otorgante extranjero, que podrá hacer uso de este derecho aun en la hipótesis de que conozca el idioma español.

- sustituir la utilización de la doble columna por la incorporación de la traducción en idioma oficial al instrumento público.

- los Notarios podrán intervenir pólizas redactadas en lengua o idioma extranjero a requerimiento de las partes, bajo las siguientes condiciones: que todos los otorgantes y el Notario conozcan el idioma y que la diligencia de intervención y las restantes manifestaciones del Notario se redacten en el idioma oficial del lugar del otorgamiento.

4.4.2. La redacción con arreglo a minuta de los interesados

Como dice SAPENA DAVÓ (2008, página 161 y siguientes), la redacción del instrumento público con arreglo a minuta, aparece en el RN con la Reforma de 1935. Con la reforma del artículo 147 por Real Decreto 1209/1984 de 8 de junio se refuerza en este artículo la doble condición del Notario de profesional del Derecho y de Funcionario Público que proclama el Artículo 1 del RN cuando establece que «*los Notarios son a la vez Funcionarios Públicos y profesionales del Derecho*».

La profesionalidad jurídica del Notario exige independencia, imparcialidad y libre elección; no es un añadido a su función pública de dación de fe, sino una exigencia de la fe pública que, aun siendo única, tiene que prestarse según la diversidad de la naturaleza del objeto al que se refiera. Esta exigencia, propia y caracterizadora de la fe pública notarial, también se le impone al Notario cuando se pretende el otorgamiento de una escritura con arreglo a minuta o cuando la escritura se utiliza como medio para la elevación a público de un documento privado.

1º. CONTROL DE LEGALIDAD. En el artículo 147 párrafo primero, sin distinguir si se le presenta al Notario minuta o no para su redacción, se le impone a éste el deber de redactar el instrumento público conforme a la voluntad común de los otorgantes, «la cual deberá indagar, interpretar y adecuar el ordenamiento jurídico, e informará a aquéllos del valor y alcance de su redacción, de conformidad con el artículo 17 bis de la Ley del Notariado». Por tanto, al no distinguir el precepto, no ofrece la menor duda de que este deber se mantiene aun cuando las partes se presenten al Notario una minuta del negocio a instrumentar o pretendan la elevación a público de un documento privado. El Tribunal Constitucional, en la Sentencia de 207/1999 de 11 de noviembre, declara que «a los Notarios, en cuanto fedatarios públicos, les incumbe en el desempeño de la función notarial el juicio de legalidad». No tiene sentido que la actuación del Notario en su vertiente asesora desaparezca en tales casos. Es cierto que la Sentencia de Tribunal Supremo de 20 de mayo de 2008 declaró la nulidad del párrafo segundo del artículo 145 del RN y parte de otros artículos más del mismo RN que tratan del control de legalidad. Pero la nulidad declarada por la citada Sentencia no puede permitir que se abrigue duda alguna acerca de la imposición de los mismos deberes en el caso de presentación de minutas o elevación a público de documento privado que los que el párrafo primero impone de forma genérico.

2º. CONSTANCIA EN EL INSTRUMENTO DE LA MINUTA PRESENTADA. Además el Notario tiene, ante la minuta presentada, el deber que el artículo 147 le impone de dejar constancia en el instrumento de que «*ha sido redactado conforme a minuta y si le constare, la parte de quien procede ésta y si la misma obedece a condiciones generales de su contratación*». Se nos antoja difícil pensar que al Notario no le pueda constar de quién procede la minuta presentada.

3º. ESPECIAL REFERENCIA A LA LEY 7/1998, DE 13 DE ABRIL, SOBRE CONDICIONES GENERALES DE LA CONTRATACIÓN

La Ley 7/1998, de 13 de abril, sobre Condiciones Generales de la Contratación ordena en su artículo 23 lo siguiente: «*1. Los Notarios y Registradores de la Propiedad y mercantiles advertirán en el ámbito de sus respectivas competencias de la aplicabilidad de esa Ley, tanto en sus aspectos generales como en cada caso concreto sometido a su intervención. 2. Los Notarios, en el ejercicio profesional de su función pública, velarán por el cumplimiento, en los documentos que autoricen, de los requisitos de incorporación a que se refieren los artículos 5 y 7 de esta Ley. Igualmente advertirán de la obligatoriedad de la inscripción de las condiciones generales en los casos legalmente establecidos. 3. En todo caso, el Notario hará constar en el contrato el carácter de condiciones generales de las cláusulas que tengan esta naturaleza y que figuren previamente inscritas en el Registro de Condiciones Generales de la Contratación, o la manifestación en contrario de los contratantes. 4. Los Corredores de Comercio en el ámbito de sus competencias, conforme a los artículos 93 y 95 del Código de Comercio, informarán sobre la aplicación de esta Ley*».

El artículo 5 de la misma LCGC fue modificado por la Ley 24/2001 de 27 de diciembre que añadió el número 2 que dice así: «*Los adherentes podrán exigir que el Notario autorizante no transcriba las condiciones generales de la contratación en las escrituras que otorgue y que se deje constancia de ellas en la matriz, incorporándolas como anexo. En este caso el Notario comprobará que los adherentes tienen conocimiento íntegro de su contenido y que las aceptan*». Pero recordemos que el artículo 7 de la misma LCGC establece que «*no quedarán incorporadas al contrato las siguientes condiciones generales: a) Las que el adherente no haya tenido oportunidad real de conocer de manera completa al tiempo de celebración del contrato o cuando no hayan sido firmadas, cuando sea necesario, en los términos resultantes del artículo 5.- b) Las que sean ilegibles, ambiguas, oscuras e incomprensibles, salvo, en cuanto a estas últimas, que hubieren sido expresamente aceptadas por escrito por el adherente y se ajusten a la normativa específica que discipline a su ámbito la necesaria transparencia de las cláusulas contenidas en el contrato*».

Las condiciones generales de la contratación obligan al Notario a cumplir con mayor celo su deber de imparcialidad y de asesoramiento, especialmente a la parte más débil. De ahí que, al amparo del artículo 147 se deba proclamar que las obligaciones de asesoramiento y control subsisten inalteradas cuando se pretenda un otorgamiento con arreglo a minuta propia de la contratación en masa. Recogiendo las exigencias de las Leyes de Condiciones Generales de Contratación y de Defensa de Consumidores y Usuarios, el artículo 147 ordena que «*sin mengua de su imparcialidad el Notario insistirá en informar a una de las partes respecto de las cláusulas de las escrituras y pólizas propuestas por la otra comprobará que no contienen condiciones generales de contratación declaradas nulas por sentencia firme e inscritas en el Registro de Condiciones Generales de Contratación y prestará asistencia especial al otorgante necesitado de ella. También aseso-*

rará con imparcialidad a las partes y velará por el respeto de los Derechos de los consumidores y usuario».

Al Notario no le compete la declaración de nulidad de una cláusula por razón de ser abusiva la misma. Nos dice la Exposición de Motivos de LCGC que «La ley parte de que el control de la validez de las cláusulas generales tan sólo corresponde a Jueces y Tribunales». La intervención del Notario consiste en el denominado por la Exposición de Motivos «deber de colaboración de los profesionales ejercientes de funciones públicas». Así, como recuerdan las dos Resoluciones de 19 de abril de 2006 der la Dirección General de los Registros y del Notariado, habrá de estarse a los dispuesto en el párrafo segundo del art. 10 bis de la Ley 26/1984, de 19 de julio (redacción dada por la Ley 7/1998, de 13 de abril) que atribuye al juez que conozca de las pertinentes acciones la posibilidad de declarar nulas las condiciones generales de la contratación insertas en un contrato cuando las mismas sean abusivas.

De conformidad con el artículo 12.2 de la LCGC cuando se insta una acción de cesación colectiva, se pretende una sentencia de condena por la que el demandado elimine esas cláusulas de sus contratos, por ser nulas al ser abusivas y, por ello, que se abstenga el demandado de utilizarlas en lo sucesivo. Una vez firme la Sentencia que ha tenido por objeto una acción colectiva su fallo, junto con el texto de la cláusula afectada, puede ser publicado a instancias del Tribunal en el Boletín Oficial del Registro Mercantil o en un periódico de los de mayor circulación de los de la Provincia (art. 21 de la LCGC). En todo caso, el Juez, una vez firme la Sentencia, y tratándose de una acción colectiva, como es la de cesación, remitirá la misma para su publicación en el Registro de Condiciones Generales de la Contratación (artículo 22 de la LCGC). Lo que determina la eficacia frente a terceros y hace surgir la obligación del Notario y del Registrador, es la fecha de inscripción que no la del asiento de presentación como así resulta tras la anulación del inciso final del artículo 17.1 del RCGC por la STS de 12 de diciembre de 2002.

Por todo ello, debe distinguirse entre Sentencia inscrita o no en el Registro de Condiciones Generales de la siguiente forma: a) inscrita la Sentencia por la que se declare la nulidad de determinadas cláusulas, no podrá el Notario autorizar escrituras o intervenir pólizas que contengan las cláusulas declaradas abusivas; b) no inscrita, hasta la fecha de la inscripción, atendido el especial deber de información impuesto por los artículos 23 de la LCGC y 147 y 194 del Reglamente Notarial, el Notario deberá cuidar muy especialmente el deber de asesoramiento respecto de aquellas cláusulas que estén afectadas de nulidad aún cuando la Sentencia no esté inscrita y deberá advertir —dejando constancia en el instrumento público— acerca de la existencia de las precitadas cláusulas en el negocio jurídico que se someta a su autorización o intervención, indicando expresamente que han sido declaradas abusivas y de las consecuencias de dicha declaración.

El Notario debe negarse, también, a incorporar cláusulas consideradas abusivas por la propia Ley además, como acabamos de ver, de las declaradas nulas en sentencia inscrita en el Registro de Condiciones Generales de Contratación. En cuanto al resto de las cláusulas que, aun pudiendo ser abusivas, no hayan sido declaradas así en sentencia firme inscrita ni declaradas como tales por norma alguna, el Notario no podrá negarse a su incorporación sin perjuicio de advertir a la parte perjudicada de los derechos que le asisten para conseguir su ineficacia. Y ello porque la calificación de una cláusula como abusiva, como se ha visto, corresponde a los Jueces y Tribunales. Así las dos Resoluciones de 19 de abril de 2006 citadas, ante una calificación registral, recordaron que «el Registrador no puede erigirse en una suerte de juez que declare la nulidad de determinadas cláusulas por contravenir dicha normativa sin que previamente exista la pertinente declaración judicial de tal nulidad».

4º. DERECHOS Y DEBERES DEL NOTARIO ANTE MINUTAS INSUFICIENTES O INCORRECTAS

A) El principio de legalidad.

El documento público notarial recuerda la Resolución de la Dirección General de los Registros del Notariado de 14 de febrero de 2007, goza de las presunciones de integridad, veracidad y de legalidad. Estas presunciones tienen su origen en la imposición al Notario de la obligación de velar por la regularidad, no solo formal, sino material del acto o negocio jurídico que autoriza o interviene.

El principio de legalidad se manifiesta también, con toda su importancia, ante las minutas que al Notario se presentan para la redacción del instrumento público emitiendo, con su actuación, el juicio de legalidad, juicio que se presenta como obligación impuesta al Notario que con su autorización, por su doble condición de funcionario público y profesional del Derecho, dota de eficacia jurídica propia al instrumento autorizado.

B) El necesario control de legalidad ante minutas insuficientes o incorrectas.

Las minutas presentadas al Notario pueden ser *suficientes*. El Notario trabaja sobre la minuta y redacta el instrumento público dejando constancia de la minuta presentada al efecto, tal y como hemos visto anteriormente según el Artículo 147 del RN. Si el Notario considera que la minuta presentada para la redacción del instrumento público es «*insuficiente*», a pesar de ser conforme a Derecho, o bien acuerda con las partes el completar la redacción, o hace constar que la redacta con arreglo a minuta, pudiendo incluso mencionar las insuficiencias que, a su juicio, existen y que no impiden la autorización; si las insuficiencias son de tal alcance que la autorización no es posible, estaremos en el supuesto de minutas *incorrectas*. La minuta no suele ser incorrecta en su totalidad y, en ocasiones, se limita a cláusulas concretas que el Notario, cumpliendo su deber-derecho de control de legalidad debe negarse a incorporar, bien por imperativo legal, o bien por haber sido declaradas abusivas en sentencia inscrita en el Registro de Condiciones de Contratación.

Pues bien, es ante las minutas incorrectas, ante la persistencia en la inclusión de cláusulas que el Notario considera no debe incorporar donde se manifiesta el control de legalidad obligado al Notario por razón del principio de legalidad que inspira su función.

La Sentencia del Tribunal Supremo de 20 de mayo de 2008 declaró la nulidad de los perceptos del RN que con rango reglamentario, desarrollaban el principio de legalidad. Así se declaró la nulidad del párrafo 2º del Artículo 145 del RN y parte de otros Artículos más del RN que tratan del mismo control de legalidad, como los Artículos 147, 197 quater, 168, 198 y 262. La nulidad se declara por infracción de la reserva de Ley. Dice la Sentencia que «lo que aquí se cuestiona no es la oportunidad o procedencia de que el Notario pueda denegar su autorización o intervención en determinadas situaciones, sino que ello no se haya establecido en norma de adecuación de rango legal».

Pero el principio de legalidad que motiva el obligado control de legalidad se sustenta, tanto en una habilitación legal anterior a la reforma del Reglamento, como en un conjunto de normas con rango de Ley que lo dotan de fundamento legal.

Por tanto, a pesar de la Sentencia de la Sala Tercera del Tribunal Supremo de 20 de mayo de 2008, que declaró la nulidad de los preceptos del Reglamento relativos al control de legalidad, todo sigue igual. La presunción de legalidad del instrumento público, el principio de legalidad que obliga al control de legalidad sigue siendo el mismo. Este deber de velar por la legalidad de instrumento público se presenta como un Derecho del Notario al ejercicio de su función ante la minuta incorrecta. Por tanto, la denegación de funciones, en la aplicación del control de legalidad, queda relegada a un recurso final para un Notario que ha fracasado en su labor de consejo jurídico. El Notario deberá informar de la denegación de funciones tanto a la Junta Directiva de su Colegio Notarial como a la Dirección General de los Registros del Notariado. A la Junta Directiva por tener ésta reconocida en el Artículo 327 del RN como obligaciones, entre otras la de *«1ª. Velar por la más estricta disciplina de los Notarios en el cumplimiento de sus deberes funcionales»*. Y a la Dirección General de los Registros y del Notariado por las competencias disciplinarias que la Ley 14/2000 de 29 de diciembre le reconoce en el artículo 43.

En el texto del documento, el Notario consignará en su caso, que aquél ha sido redactado conforme a minuta, y, si le constare, la parte de quien procede ésta y si la misma obedece a condiciones generales de su contratación. (147-2).

B) Requisitos referentes a la comunicación del contenido del instrumento público.

Tanto la Ley del notariado como el Reglamento Notarial contemplan dos sistemas para que el otorgante quede perfectamente informado del contenido del instrumento público:

– Lectura del instrumento público por el propio otorgante.

- Los otorgantes del instrumento público tienen el derecho a leer por sí el contenido del mismo, debiendo dar fe el Notario de esta circunstancia (artículo 25 de
la Ley del Notariado y 193 del Reglamento Notarial)

- Lectura del instrumento público por el Notario.

En el caso de que los otorgantes no hicieran uso de su derecho a leer por sí el instrumento público, el Notario deberá:

a) Advertir previamente a los otorgantes de la existencia de tal derecho

b) Leer íntegramente la escritura a los otorgantes

- Firmas: De los otorgantes y de los testigos, cuando deban hacerlo, en los términos previstos por la Ley; y la firma, rúbrica y signo del Notario.

Esta materia está analizada en los epígrafes 4.18 y 4.20.

4.5. VALOR JURÍDICO DEL INSTRUMENTO PÚBLICO

1. La función notarial y los efectos del documento notarial

Constatada históricamente desde la antigüedad la existencia de personas hábiles en
la escritura y su progresiva especialización en la redacción de documentos jurídicos para
una población mayormente iletrada (escribas, tabeliones), los orígenes del notariado
moderno son establecidos por la doctrina más autorizada (NÚÑEZ LAGOS, R., Hechos y derechos en el documento público. Madrid. 1945) en la utilización de las formas
procesales a través de procesos fingidos para dotar de la máxima eficacia a los actos jurídicos. Un largo proceso histórico que parte de la oralidad propia del Derecho romano y
culmina a fines del siglo XII con la sustitución del Juez en tales funciones por los *iudices
cartularii* o Notarios y su reflejo documental en los denominados *instrumenta guarenti-
gia*. Tal origen jurisdiccional permite que podamos adelantar la configuración del acto
notarial como una declaración unilateral de un funcionario, de carácter intelectual, que
expresa juicio y conocimiento, pero también voluntad, realizada en el ejercicio de las
facultades que le concede la ley, y como tal goza de una presunción de validez y es eje-
cutoria, es decir, de inmediata eficacia, aunque otro sujeto discrepe sobre su legalidad.

2. Instrumentos técnicos de la función notarial

El instrumento técnico fundamental de la actuación del notario es la «dación de
fe». En general, la fe se define como *credere quod non videmus propter testimonium
dicentis*, como contrapuesta a la evidencia, que consiste en lo que conocemos directamente por nuestros sentidos. Atendida la naturaleza de su autor la fe puede ser pública
o privada. La fe pública proviene de una autoridad o funcionario público, y es una creación del Ordenamiento jurídico, que impone la carga u obligación general de creer en

lo declarado por el funcionario que ejerce la fe pública. Por el contrario, la creencia en lo declarado por un particular (fe privada) dependerá del crédito que nos merezca su autor y de la certeza que tengamos sobre su autoría, pero siempre es facultativa, es decir, nadie está obligado jurídicamente a creer en ella. En el área jurídica francesa se suele denominar la fe pública como autenticidad. La autenticidad del documento notarial viene consagrada específicamente por el art. 17 bis.2 L.N., en cuanto atribuye al documento notarial las presunciones de veracidad, integridad y legalidad (cfr. RDGRN —recurso gubernativo— de 14 de febrero de 2.007 y 20 y 28 de febrero de 2.007, entre otras muchas).

El otro instrumento técnico es el documento: si bien el notario «da fe», el documento es lo que «hace fe», independizándose de su autor y cobrando una existencia plenamente autónoma. El documento es el soporte físico de las declaraciones del notario, y por lo tanto a través del mismo se despliegan los efectos de esas declaraciones.

El documento notarial presenta los siguientes caracteres:

a) Es un cosa mueble, pero no cabe predicar hoy día del mismo la nota de corporalidad, pues ya se conoce el documento notarial electrónico (cfr. art. 17 bis L.N.), plenamente equiparado en sus efectos al documento en soporte papel. Igualmente ya no puede mantenerse para el documento la nota de la grafía, o al menos de la grafía revestida de visibilidad, pues de los arts. 220.4, 221 y 284 R.N. y 114.2 de la ley 24/2001, resulta que la visibilidad de documento queda supeditada a la disponibilidad de los medios técnicos precisos, aunque la recognoscibilidad del autor está garantizada por la firma electrónica avanzada.

b) Es un documento autógrafo del notario. Esto es evidente para los denominado «documentos notariales de ciclo cerrado», que únicamente contienen las declaraciones del notario, pero también se produce en los denominados «documentos notariales de ciclo abierto», en los que además del pensamiento del notario se contienen declaraciones de los otorgantes, pero siempre de forma mediata, y expresadas por el notario Sólo en este sentido puede decirse que dichos documentos son parcialmente heterógrafos.

c) La autenticidad del documento se manifiesta inicialmente en la «autenticidad corporal», consistente en que reúna los signos externos de autorización. Con dicho presupuesto hace fe de su autor, que es el notario, es decir, goza de la «autenticidad de autoría». Cuestión distinta es la «autenticidad ideológica», que es la autenticidad del pensamiento contenido en el documento. La concurrencia de la autenticidad corporal y de la de autoría determina que el pensamiento que el documento expresa (*dictum*) goce de fe pública y deba ser tenido por cierto por particulares y funcionarios, en tanto no se vea privado de ella por la correspondiente resolución judicial.

d) Si el documento reúne la autenticidad corporal, la de autoría, y como consecuencia de ambas, la ideológica, se denomina auténtico. Su autenticidad no es un hecho, sino una creación del Ordenamiento jurídico.

e) Correspondió al genio de RODRÍGUEZ ADRADOS (1995) la distinción entre la autenticidad analítica del documento notarial y la sintética. La primera se refiere a las declaraciones del notario sobre aspectos concretos de la realidad física y jurídica. Cuando el notario se pronuncia analíticamente sobre los aspectos concretos que exige la legislación notarial, surge la denominada autenticidad sintética, que se refiere al acto o negocio jurídico consignado en el documento. Esta autenticidad sintética no es un efecto taumatúrgico de la actuación notarial, sino que se deriva de la comprobación notarial respecto de los elementos esenciales del acto o negocio, y determina que el mismo haya de pasar en el tráfico como existente, válido, eficaz e incontestado.

3. Las declaraciones del Notario respecto de la autenticidad analítica y la autenticidad sintética

Desde el punto de vista analítico el notario realiza declaraciones sobre constatación de hechos, las declaraciones y manifestaciones de las partes, juicio de identidad o fe de conocimiento, juicio de suficiencia de la representación, juicio de capacidad, juicio de legitimación, fe de lectura, fe de adecuación al consentimiento debidamente informado y libremente prestado. No nos detendremos en su examen pues se realiza pormenorizadamente en otras partes de esta obra. Sin embargo, es preciso contemplar que las declaraciones que al respecto realiza el notario no son uniformes. Así, en unas ocasiones, el notario declara sobre hechos de directa percepción, que ve, oye o percibe por sus sentidos. En otras el notario realiza una *comparatio* (como por ejemplo al establecer el lugar, la fecha y la hora). En determinados casos en notario emite juicios mixtos, en los que comprueba una serie de circunstancias fácticas y, en base a dichas comprobaciones, aplica las normas jurídicas para emitir un juicio (capacidad, suficiencia de la representación). En este sentido es imprescindible referirse al «hecho notorio». Dicho concepto, en Derecho notarial, no equivale a hecho famoso (de general conocimiento). Por el contrario, el notario declara por notoriedad hechos que no percibe directamente por sus sentidos, sino que se deducen, según las reglas lógicas del razonamiento humano, de otros hechos que sí constata o que son objeto de una verdad oficial (ej. certificaciones del estado civil). Estas distinciones tienen especial trascendencia a la hora de impugnar la autenticidad pues, en puridad, solo deben combatirse por vía de falsedad los hechos de directa constatación, mientras que los juicios, comparaciones y razonamientos del notario deben ser impugnados en base a su contradicción lógica.

Desde el punto de vista sintético el notario realiza su declaración más importante por medio de la autorización. Sin embargo, la misma no se revela generalmente por medio de una declaración específica, sino mediante *facta concludentia* por el hecho de estampar su firma en el documento, e implica la asunción por el notario, autor del documento, de todo lo narrado en el mismo. No obstante, debe resaltarse que tras la ley 24/2001 el art. 17 bis.2 L.N. exige al notario un juicio específico sobre la adecuación del otorgamiento a la legalidad del otorgamiento, y es consecuencia del control de legalidad que realiza el notario sobre el acto o negocio documentado (cfr. arts. 1º y 24 L.N., 43.Dos.2.A.c y 43.Dos.2.B.c de la ley 14/2000, y S.T.C. 207/1999, de 11 de noviembre). Dicho juicio constituye actualmente, en nuestra opinión, una declaración específica sobre la autenticidad sintética, pues en caso de no poder ser emitido, el notario deberá denegar el otorgamiento.

4.5.1. *Efectos especiales del documento notarial*

La eficacia general hasta ahora expuesta del documento notarial hace que el legislador se sirva del mismo para atribuirle efectos especiales o de colaboración en diversas instituciones jurídicas. Pasamos a reseñar los más importantes, sin perjuicio de su examen más detenido en otras partes de esta obra.

4.5.1.1. Efectos probatorios

La eficacia probatoria del documento notarial aparece reconocida en los arts. 1218 C.C. y 319.1 L.E.C. precepto este último que le atribuye el carácter de prueba plena.

La doctrina antes citada sobre la autenticidad sintética hace que no pueda sostenerse hoy día determinada posición doctrinal y jurisprudencial que, en base al párrafo primero del art. 1218 C.C. mantuvo que la fe pública solo amparaba las declaraciones de las partes como hecho, es decir, su texto y que se habían producido ante el notario. Por el contrario, ya se ha expuesto que la autenticidad sintética determina que queden amparados por el fe pública el acto o negocio documentado, lo que se recoge de manera más perfecta en el art. 319.1 L.E.C. al hablar de «hecho, acto o estado de cosas que documente».

En cuanto al segundo párrafo de art. 1218 C.C. un sector doctrinal lo entendió referido también a las declaraciones como hecho, entendiendo que recoge tanto las declaraciones de voluntad como las confesorias y testimoniales. Por el contrario, RODRÍGUEZ ADRADOS, sostuvo que el precepto no se refiere a las declaraciones de voluntad, sino a las confesorias y testimoniales, pero no a las denominadas «enunciativas extrañas», y que esas manifestaciones gozan de la correspondiente eficacia sustantiva, al menos para desencadenar la responsabilidad del declarante.

Establecida la eficacia probatoria del documento notarial es preciso referirse a la desvirtuación de dicha eficacia que, como hemos señalado, solo puede producirse en sede jurisdiccional. El algunos Ordenamientos, como es el caso del francés o del italiano, dicha desvirtuación ha de ser objeto de un procedimiento específico, en el que interviene el Ministerio fiscal. En el Derecho francés es el denominado *L' Inscription de faux contre les actes autentiques*, y se regula en los arts. 303 y ss. del *Code de procédure civile*. En el Derecho italiano es la denominada *querela di falso*, regulada en los arts. 221 y ss. del *Codice de Procedura Civile*.

En el Derecho español no existe dicho procedimiento, por lo que la contradicción y alegación probatoria se sustanciarán en el mismo procedimiento en el que se discuta la cuestión principal, salvo que se aprecien indicios de delito, en cuyo caso parece que se produciría una prejudicialidad penal.

Con independencia de ello es evidente que en el Derecho español no todos los medios de prueba tienen el mismo valor, sino que algunos de ellos, como el documento notarial, hacen prueba plena y no quedan sujetos a ser apreciados por el Juez según las reglas de la sana crítica. Al respecto la L.E.C. de 1881 estableció como motivo de casación por infracción de ley y doctrina legal, en el art. 1692.7º, el error de derecho o error de hecho que resultare de documentos o actos auténticos. Tras su reforma por la ley 34/1984, de 6 de agosto, quedó concretado en el art. 1692.4º, como error en la apreciación de la prueba basado en documentos que obren en autos que demuestren la equivocación del juzgador sin resultar contradichos por otros elementos probatorios. Sin embargo, lo cierto es que el Tribunal Supremo era muy reacio a revisar cuestiones probatorias en casación, por el temor de que dicho recurso se convirtiese en una tercera instancia, y por ello estableció un concepto muy estricto de documento auténtico (SS. 15.06.1983; 20.03.1984), y amplió la doctrina de la apreciación conjunta de la prueba (como señalan JIMÉNEZ CONDE y SERRA es evidente que las pruebas han de apreciarse las unas por las otras valorándolas en conjunto, pero ello no significa que en dicha operación pueda desconocerse el valor de la prueba legal. El Tribunal ha de razonar cumplidamente, con base en la prueba que obra en autos, la destrucción de las presunciones propias de la prueba legal), hasta el punto de llegar a afirmar en alguna sentencia que en nuestro sistema rige el principio de valoración libre de la prueba (SS. 04.06.1992; 02.07.1993), tesis que se encuentra en franca contradicción con los textos legales. Dicho motivo de casación fue suprimido por la reforma de la ley 10/1992, de 30 de abril, pero como la fuerza probatoria del documento notarial no es una simple cuestión de hecho, sino que en la misma está implicada la aplicación de normas jurídicas, se planteó que el control de su aplicación se realizase por la vía del número 4º, es decir, por infracción de las normas del ordenamiento jurídico o de la jurisprudencia, y así lo admitió el Tribunal Supremo, bien en los casos en que existe un error patente o hay arbitrariedad en la apreciación de la prueba, pues se estima que tales circunstancias vulneran el derecho constitucional de tutela judicial efectiva, o bien por la vulneración por el juzgador de una norma concreta sobre la valoración de la prueba.

En la vigente L.E.C. 2000 se distingue entre el recurso extraordinario por infracción procesal y el de casación. Si bien el Tribunal Supremo inició la aplicación de la nueva ley circunscribiendo las cuestiones sobre valoración de la prueba al recurso extraordinario por infracción procesal, pero solo en el supuesto del art. 496.1.4º L.E.C., es decir, cuando la irracionalidad y arbitrariedad del resultado probatorio vulnera el art. 24 C.E., a partir de la importante Sentencia de la Sala 1ª de 14 de mayo de 2.010, se estima el recurso de casación por infracción del art. 1.218 C.C. sobre el valor probatorio del documento notarial.

La prueba de la simulación. Especial trascendencia tiene en cuanto a la eficacia probatoria del documento notarial la destrucción en juicio de la eficacia sintética mediante la prueba de la existencia de una simulación negocial. Se trata de probar al Juez que el negocio que las partes declaran en la escritura querer celebrar no era querido, o que realmente querían celebrar uno distinto. Erróneamente se ha estimado que el carácter de prueba plena del documento notarial haría imposible o muy dificultosa dicha prueba, lo que se ha utilizado como argumento en favor del principio de libre apreciación. Sin embargo, tal planteamiento está de manera evidente lejos de la realidad, pues lo cierto es que la fe notarial no puede amparar la veracidad intrínseca de las declaraciones de las partes, ni la intención o propósito que disimulen u oculten, pues solo la narración de los hechos puede ser verdadera o falsa, pero lo que se dice querido es real o fingido, nunca falso.

Por lo tanto, la tarea probatoria en los casos de simulación ha de consistir en llevar a la convicción del juzgador que la voluntad declarada no se corresponde con la real, lo que normalmente se realiza mediante la prueba de sus actos anteriores y posteriores al negocio y determinando si este ha producido los efectos que le son propios. Debe apuntarse que la reforma operada por la ley 36/2006, de 29 de noviembre, en el art. 24 L.N. (y 177 R.N. por el R.D. 1804/2008 y R.D. 1/2010), exigiendo la constancia en ciertas escrituras de los medios de pago, aunque inicialmente diseñada para combatir el fraude fiscal y el blanqueo de capitales, ha tenido como consecuencia el facilitar a las partes la preconstitución de pruebas relativas a la onerosidad de los negocios y por tanto a su causa.

4.5.1.2. Efectos traditorios

Rige en nuestro Derecho, en orden a la transmisión y constitución del dominio y demás derechos reales, la teoría del título y el modo, de manera que los efectos jurídico-reales exigen la entrega de la cosa o tradición (cfr. arts. 609 y 1095 C.C.). Junto con la entrega material (tradición real) que contempla el art. 1462.1º C.C., se admiten otras formas de tradición simbólica e incluso consensuales, aplicables tan solo en ciertos supuestos, así como la denominada tradición instrumental del art. 1462.2º C.C. En efecto, el otorgamiento del negocio en escritura pública equivale a la entrega o tradición, si de la misma escritura no resultare o se dedujese claramente lo contrario, estableciéndose un procedimiento traditorio aplicable a toda clase de bienes y derechos, y de gran comodidad para *tradens* y *accipiens*, que por otra parte goza de la fehaciencia y demás efectos de la escritura pública.

La principal cuestión que suscita la tradición instrumental es la relativa a su relación con la posesión real. Ya aclaró DIEZ PICAZO que la tradición instrumental es efectiva y no presunta, pues no funciona como *quaestio facti* ni atañe a la carga de la prueba, y que no exige la posesión efectiva por el dueño, pues ello conduciría al absurdo de que el dominus no poseedor no puede transmitir su derecho. Por otra parte, el poseedor no dueño transmite su posesión con la escritura, colocando al *accipiens* en situación de usucapir, a cuyo efecto sumará el tiempo de posesión de su causante, y de disfrutar de la misma protección de la que gozaba el *tradens* en base a la acción publiciana.

No obstante, en determinados supuestos la escritura no implica la tradición, bien por la propia naturaleza de las cosas, como en la venta de cosa ajena o de cosa futura, o porque así resulte de la propia escritura. No será posible buscar la excepción fuera de la propia escritura por el carácter formal de la tradición instrumental, salvo que precisamente resulte de otra escritura, que solo producirá efectos contra tercero con los requisitos del art. 1.219 C.C.

Por otra parte, la tradición instrumental que deriva de la escritura hace que la misma sea medio idóneo para el cumplimiento de las obligaciones de dar, con especial trascendencia en la contratación inmobiliaria. Deben rechazarse las tesis de cierta doctrina registral relativas a que la inscripción suple y supera a la tradición, pues lo cierto es que el registro solo publica mutaciones jurídico-reales que se producen extrarregistralmente, y ello sin perjuicio de las peculiares normas que protegen la seguridad del tráfico.

4.5.1.3. Oponibilidad y utilizabilidad

Especial trascendencia tienen los efectos del documento público notarial a favor y en contra de los terceros, es decir, aquellos que no han sido partes del negocio instrumentado o causahabientes de los mismos.

4.5.1.3.1. Oponibilidad

Como enseña DIEZ PICAZO el efecto normal del negocio jurídico es su oponibilidad a tercero, pero ello exige que las partes hayan cumplido con la carga de dotarlo de una determinada solemnidad o fehaciencia, que funcionan como una garantía de seguridad, en el sentido de que el tercero no sea objeto de una confabulación o un fraude (No puede dejar de hacerse referencia al criterio general de nuestro Derecho sobre la forma del negocio jurídico. Históricamente existió una tensión entre el criterio espiritualista del Ordenamiento de Alcalá y el formalismo romanista de las Partidas. Por esta última posición se inclinaron el Proyecto de 1.851 y la Ley de Bases (Base XIX). En la edición revisada del Código cristalizó el sistema de los arts. 1.278 a 1.280. En un primer momento la Sentencia del Tribunal Supremo de 17 de abril de 1.897 y MUCIUS SCAEVOLA entendieron que el Código había establecido un sistema formalista, de manera que no era posible hacer valer en juicio los negocios contemplados en el art. 1.280 C.C. sin cumplir los requisitos de forma exigibles. Modernamente autores como LACRUZ y DE CASTRO han encontrado fundamento en el art. 1.279 C.C. para esta tesis. No obstante la doctrina y la jurisprudencia se han inclinado mayoritariamente por el criterio espiritualista).

Veamos algunas manifestaciones:

a) La regla general resulta del art. 1.218-1 C.C., del que se deduce la oponibilidad frente a tercero del negocio escriturado en base a la eficacia sintética del documento. Nótese que el documento privado reconocido solo tiene eficacia entre las partes y sus herederos, pero no frente a tecero (cfr. art. 1.225 C.C.).

b) La oponibilidad documental no puede ser contemplada al margen de la oponibilidad sustantiva, de modo que los efectos frente a tercero serán los propios del negocio instrumentado. Si el mismo se refiere a una relación jurídico-real, el otorgamiento de la escritura implicará normalmente la tradición, y con ello el nacimiento o adquisición del derecho real. Así el art. 1.473 C.C. establece claramente la preferencia dominical del adquirente de buena fe que primero escrituró. Si el negocio escriturado es una relación jurídico-obligacional, el documento notarial no supone una mutación taumatúrgica de los derechos que implique efectos del contrato más allá del art. 1.257 C.C., pero la oponibilidad a tercero se manifiesta en aspectos propiamente crediticios, como es la derogación de la regla *par conditio creditorum* que resulta de los arts. 1.924.3º.A y 1.929.1º C.C.

c) En otras ocasiones el documento notarial es impuesto por el Ordenamiento como requisito inexcusable de la oponibilidad a tercero del negocio o de alguno de sus efectos. Así sucede en todos aquellos casos en que el documento notarial tiene eficacia constitutiva (por un evidente *argumentum a maiore ad minus*), o en los supuestos de los arts. 1.280.4º y 5º, 1526.1 o 1,865 C.C.

La oponibilidad frente a tercero del documento notarial es extraordinariamente rigurosa, ya que se produce incluso respecto del tercero extraño (*poenitus extraneii*), por lo que el legislador se ha visto obligado a establecer ciertas excepciones a la misma:

a) La legislación hipotecaria exige el acceso al registro de los títulos para que produzcan efecto frente a tercero (arts. 606 C.C. y 32 L.H.). Se impone por tanto la publicidad de dichos títulos como requisito de su oponibilidad para que el tercero de buena fe pueda tener posibilidad de conocerlos. Desde otro punto de vista puede decirse que se produce una unificación tabular del historial jurídico de la finca que permite a los terceros de buena fe confiar en la apariencia registral.

Sin embargo, tal régimen tiene excepciones, ya que no es aplicable a la propiedad no inmatriculada, y son oponibles a tercero sin publicidad registral alguna las hipotecas legales, las servidumbres continuas y aparentes y la usucapión *contra tabulas* (cfr. art. 36 L.H.).

Pero además hoy día puede afirmarse que el documento notarial integra y supera los efectos registrales, incluidos los de prioridad y oponibilidad, como luego veremos.

b) El art. 1.219 C.C.. La oponibilidad de las contraescrituras frente a tercero ha de ceder cuando el tercero ha procedido conforme a la escritura original. El art. 1.219 C.C. no es sino una consecuencia de la presunción de integridad del art. 17 bis.2 L.N., que deviene *iuris et de iure* a favor del tercero que confió en la apariencia de la escritura original. En puridad el art. 1.219 C.C. establece dos supuestos en que la contraescritura será oponible: 1. Cuando se hubiese hecho constar al margen de la matriz y del traslado o copia en cuya virtud hubiese procedido el tercero, o, 2. Si se hubiese inscrito en el registro correspondiente. En el primer caso el tercero conoce la existencia de la contraescritura; en el segundo, se trata de una simple posibilidad de conocimiento. Parece lógico añadir un tercer supuesto, que es el de que el tercero conociese la existencia de la contraescritura, es decir, que sea de mala fe. Desarrollo del art. 1.219 C.C. es el art. 178 R.N.

Debe destacarse que las excepciones expuestas no son aplicables al contradocumento privado como resulta del art. 1.230 C.C., en clara aplicación de la inoponibilidad frente a tercero del documento privado que sanciona el art. 1225 C.C. En mi opinión tampoco puede oponerse al tercero su conocimiento de las existencia del documento privado, pues como este carece de efectos legitimadores no puede imponérsele la carga de confiar en su apariencia.

4.5.1.3.2. *Utilizabilidad*

La consignación del negocio en documento público determina también la nota de utilizabilidad por los terceros. La utilizabilidad es consecuencia de la protección jurídica que el Ordenamiento depara a la apariencia, producto y consecuencia de la eficacia documental sintética. Cuando los otorgantes del documento crean esa apariencia, la misma goza de las presunciones de veracidad e integridad, y no se permite a dichos otorgantes desdecirse de la apariencia que han creado en perjuicio de tercero. Por ello este puede usar el documento en cuanto le sea favorable, sin temor de verse perjudicado por otros actos no consignados en el mismo.

En general será aplicable la utilizabilidad en todos los supuestos en que se puedan invocar los arts. 1.219 y 1.230 C.C., y también en aquellos casos en que la nulidad del negocio instrumentado resulta de la voluntad de las partes, como sería los de simulación. Manifestaciones de la utilizabilidad son los arts. 522.2 L.E.C. y 174 R.N.

4.5.1.4. El documento notarial como título inscribible

Otro de los efectos del documento público notarial es el de ser susceptible de inscripción en los registros públicos de carácter jurídico. Más aún, la legislación aplicable a los mismos (art. 3 L.H.) exige que los títulos inscribibles sean documentos públicos notariales en cuanto se refiere a actos y negocios jurídicos extrajudiciales, dejando a salvo los supuestos de inscripción de títulos administrativos para la actividad de las administraciones públicas.

4.5.1.4.1. *Los efectos registrales como consecuencia de las presunciones del documento público notarial*

Esta reserva documental a favor del documento público notarial es consecuencia de su eficacia sintética respecto del acto o negocio jurídico, así como de la analítica, de manera que la actuación del Notario permite que el negocio goce de las presunciones de veracidad, integridad y legalidad, y por ello el registro puede realizar una publicidad oficial de dicho acto o negocio, así como de sus efectos. Como antes hemos apuntado dichos registros jurídicos cumplen una función unificadora del historial jurídico de un bien o de una persona que lleva a elevar su contenido a verdad oficial, de manera que la misma será inatacable si favorece a determinados terceros. Pero bien entendido que las presunciones que resultan del registro público tienen su fundamento en las del documento notarial, pues de nada sirve la publicidad si lo publicado no es verosímil, y, en ese caso, dotar a los publicado de una presunción de veracidad e integridad implicaría una *contradictio in terminis*, que no haría sino fomentar el engaño público.

4.5.1.4.2. *Absorción de los efectos registrales por el documento notarial*

En otro lugar (NIETO SÁNCHEZ: 2011, págs. 718 y ss.) tuvimos ocasión de exponer como tras las leyes 24/2001 y 24/2005 la aplicación de técnicas telemáticas a institutos jurídicos ya conocidos, ha tenido como consecuencia la atribución al documento notarial (y, en general, al título inscribible judicial o administrativo que disponga de ellas) de los efectos del asiento registral.

Por una parte, la posibilidad de consultar el Notario en tiempo real el contenido del registro sin intermediación del registrador (art. 222.10 L.H.) determina la incorporación por el Notario de la legitimación registral a la escritura en el momento de otorgarse. Puede decirse que los efectos de la publicidad registral se producen a través de la escritura pública, pues es a través de la misma como se manifiesta el contenido del registro.

Por otra la presentación telemática supone el acceso inmediato del título al registro, teniendo en cuenta que conforme al art. 24 L.H. todos los efectos de la inscripción se retrotraerán al asiento de presentación. Puede por tanto afirmarse que los efectos registrales que derivan de los arts. 32 y 34 L.H. se producen en virtud de la misma escritura.

Desde otro punto de vista, se han puesto de relieve los problemas que supone para los derechos de los adquirentes el sistema de inscripción propio de nuestros registros jurídicos (en técnica registral se conocen los siguientes sistemas: transcripción, que supone reproducir el título en el registro; encasillado, por el que el encargado rellena un formulario; e inscripción, por el que el asiento es un extracto del título redactado por el registrador), sustancialmente los derivados de su disconformidad con la redacción del asiento realizada por el registrador. Este problema ha sido tenido en cuenta por el legislador en un caso concreto como es el relativo a la adaptación de los derechos o medidas recogidos en una resolución o en un documento público extranjero cuando los mismos sean desconocidos en el Derecho español, en el art. 61 de la Ley 29/2015, de 30 de julio, de cooperación jurídica internacional en materia civil. Este precepto ha impuesto al registrador la obligación de comunicar la redacción que pretende dar al asiento a los interesados (en algunos casos, no obstante, el documento notarial tiene un efecto contrario, es decir de publicidad. Tal sucede por ejemplo cuando se impone la publicidad edictal de los expedientes notariales de jurisdicción voluntaria), quienes en caso de disconformidad pueden reclamar ante los órganos jurisdiccionales. Sin perjuicio de la posibilidad de generalizar tal sistema cabe también el de que el título contenga la redacción del asiento solicitada, sobre la cual se suscitaría el debate en caso de negativa del registrador a practicar el asiento en tales términos.

4.5.1.4.3. El documento notarial como mecanismo de suministro de información a las Administraciones públicas

El secreto del protocolo que resulta del art. 274 RN no es una norma absoluta, sino que se meramente se refiere a que el documento notarial no está, por regla general destinado al acceso público, como lógica consecuencia de que su contenido se refiere normalmente a datos personales sensibles y que afectan a la intimidad de las personas.

Sin embargo, ya el art. 33 LN la remisión de los Índices, comprensivos de una relación de los instrumentos otorgados por cada notario y de determinados datos sobre los mismos. El indudable interés de la Administración Tributaria por conocer datos de carácter patrimonial contenidos en las escrituras públicas, a los efectos de garantizar la correcta exacción fiscal, determinó un progresivo incremento de los deberes notariales de información, respecto de tributos tales como el ITPAJD, ISD o IIVTNU.

Pero la progresiva implementación de técnicas telemáticas e informáticas para el tratamiento de datos ha determinado que el suministro de información notarial a las Administraciones públicas se haya instrumentado a través del Índice Único Informatizado, al que se refiere el art. 17.3 LN. El art. 17.2 LN establece la obligación de llevar los índices de cada notaría por medios informáticos, con el contenido que determine el Ministerio de Justicia o, por su delegación, el Consejo General del Notariado (cfr. art. 285 RN). Por agregación de los índices de cada notaría surge el Índice Único, que permite a los notarios el cumplimiento de sus obligaciones de información con un único trámite. Especial relevancia tiene dicho instrumento en la lucha contra el blanqueo de capitales y la financiación del terrorismo en la que los notarios son sujetos obligados (cfr. Ley 10/2010, de 28 de abril; arts. 93, 94 y 95 Ley 58/2003, de 17 de diciembre).

En este punto merece destacarse como el instrumento notarial es idóneo para dar cumplimiento a una de las principales obligaciones en materia de prevención del blanqueo cual es la averiguación del titular real de las sociedades y entidades jurídicas. Como la legislación societaria impone que la transmisión y constitución de derechos reales sobre participaciones sociales se realice en instrumento público, es posible contrastar las declaraciones de los representantes de las entidades con el Índice Único, a los efectos de determinar la veracidad de la información. A estos efectos se ha creado por el Consejo General del Notariado la Base de Datos de Titularidad Real, cuya información puede ser suministrada a otros sujetos obligados.

Parece inevitable referirse aquí a la obligación impuesta por la Orden JUS/319/2018, de 21 de marzo, de que en las cuentas anuales de 2.017 se consigne una declaración de los administradores sobre titularidad real para su depósito con las cuentas anuales en el Registro mercantil, que ha sido objeto de impugnación jurisdiccional por el Consejo General del Notariado. Se han achacado a la BDTR como defectos para cumplir su función el que no recoge las transmisiones realizadas ante notario extranjero ni las que resultan de una resolución judicial. Como solución para esos presuntos defectos se trata de implementar una base de datos registral basada únicamente en manifestaciones. Fácilmente se constata lo endeble de la argumentación, y se intuye con claridad que el propósito no era otro que el de imponer la constatación registral de las transmisiones de derechos societarios con carácter constitutivo a los efectos de mejorar la calidad de la base registral. Desde luego subyace en tal intento una finalidad crematística, derivada de cobros por la constatación de las transmisiones y la venta de la información a otros sujetos obligados. Mucho más lógico sería imponer la constancia en la BDTR de las transmisiones ante notario extranjero o por resolución judicial, que no dejan de ser supuestos excepcionales, que imponer nuevas y onerosas obligaciones a todas las sociedades sin más justificación que incrementar los ingresos de un colectivo profesional.

Junto con el suministro de información el legislador también utiliza el documento notarial para otros efectos fiscales, como son el requerimiento notarial de pago del crédito incobrable que permite reducir la base imponible del IVA (art. 80.Cuatro.4 ley 37/1992, de 28 de diciembre), o las diversas legislaciones autonómicas que supeditan los beneficios fiscales de las donaciones a su constancia en escritura pública.

4.5.1.5. El documento notarial como título ejecutivo

Consecuencia de la eficacia sintética del documento notarial y de sus efectos legitimadores es el valor ejecutivo que se atribuye a algunos de ellos, es decir, la posibilidad de obtener el cumplimiento forzoso de las obligaciones que resultan del instrumento sin necesidad de previa cognición o con una cognición sumaria.

La eficacia ejecutiva de algunos documentos notarial y (determinadas copias y testimonios de pólizas) aparece reconocidas en el art. 517.1.4º y 5º LEC, preceptos que deben complementarse con los arts. 17 LN y 233 RN, y cuyo estudio se realiza pormenorizadamente en otro lugar de esta obra.

Tan solo señalaremos que las características del documento notarial español permiten que sea título ejecutivo extrajudicial europeo, como reconoce el Reglamento (CE) nº805/2004 del Parlamento Europeo y del Consejo, de 21 de abril. Conforme a la Disposición Final 21ª LEC se atribuye al notario en cuyo protocolo se encuentre el título ejecutivo la competencia para expedir el certificado de título ejecutivo europeo.

Desde otro punto de vista es preciso referirse al documento notarial como instrumento para la realización de las garantías reales (como ya señaló RDGRN de 13 de febrero de 2.004 dicha competencia notarial no vulnera la exclusividad jurisdiccional que establece el art. 117 CE, pues no se trata propiamente de un proceso ejecutivo ante notario, sino del ejercicio por el acreedor del *ius disponendi* sobre una cosa ajena ínsito en la garantía, al que se impone la intervención notarial para dotar al procedimiento de las adecuadas garantías). El prototipo es la enajenación de la prenda por el acreedor prevista en el art. 1.872 CC, así como el procedimiento de venta extrajudicial ante notario de finca hipotecada regulado en el art. 129 LH. Pero existen otras muchas aplicaciones como los arts. 94 y 95 de la LHMPSD, la ley 469 de la Compilación de Navarra, los arts. 322 y 323 del C. de C. Pienso que la remisión del art. 144 de la Ley 14/2014, de 24 de julio, de Navegación Marítima a la LH permite mantener la aplicación del procedimiento extrajudicial a la hipoteca naval.

4.5.1.6. Efectos declarativos del documento notarial

Como tal nos referimos a la posibilidad de que el notario declare en el instrumento público los derechos que resultan de un hecho, acto o negocio jurídico. Dicha actuación es conocida de antiguo por medio de las denominadas actas de notoriedad, a las que se refiere el art. 209 RN al decir: «... Las actas de notoriedad tienen por objeto la comprobación y fijación de hechos notorios sobre los cuales puedan ser fundados y declarados derechos y legitimadas situaciones personales o patrimoniales, con trascendencia jurídica...». Una aplicación concreta de las mismas se presenta en las actas de notoriedad de herederos ab intestato de los arts. 55 y 56 LN y 209 bis RN.

Sin embargo, existen otras aplicaciones de estos efectos declarativos. Podemos citar:

a) El certificado sucesorio europeo, cuya expedición está atribuida al notario por la Disposición Final vigésima sexta de la Ley 29/2015, de 30 de julio, de cooperación jurídica internacional en materia civil, que contiene medidas para facilitar la aplicación en España del Reglamento (UE) n.º 650/2012 del Parlamento Europeo y del Consejo, de 4 de julio de 2012, relativo a la competencia, la ley aplicable, el reconocimiento y la ejecución de las resoluciones, a la aceptación y la ejecución de los documentos públicos en materia de sucesiones «mortis causa» y a la creación de un certificado sucesorio europeo.

b) La adecuación al ordenamiento español de documentos públicos extranjeros que contengan instituciones desconocidas en el Derecho español, que regula el art. 57 de la misma ley 29/2015.

c) La declaración por el notario de estimar justificada la autenticidad del testamento ológrafo que contempla el art. 63 LN y de los testamentos en forma oral (art. 65 LN).

d) La aprobación de la partición realizada por el contador-partidor cuando resulte necesario por no haber confirmación expresa de todos los herederos y legatarios del art. 66 LN.

e) El acta de notoriedad para constatar el régimen económico matrimonial legal del art. 53 LN.

4.5.2. *Valor constitutivo del documento público notarial: el principio forma dat ese rei*

Uno de los más importantes efectos del documento notarial es su eficacia constitutiva respecto del acto o negocio documentado, de la que nos ocuparemos especialmente. Sin embargo, debe señalarse que esta es una cuestión que se integra en otra de más amplio calado, como es la de la relación temporal entre el documento y el acto. Al respecto pueden darse dos situaciones: que el acto y el documento surjan simultáneamente, o bien que primero nazca el acto a la vida jurídica y luego el documento.

4.5.2.1. La escrituras constitutivas

En determinadas ocasiones el acto o negocio nace precisamente en el momento de autorizarse la escritura pública. Eso puede suceder por disposición de la ley, por pacto o por la conveniencia de los otorgantes.

4.5.2.1.1. *Escrituras constitutivas por disposición legal*

Algunos preceptos legales imponen que determinados actos o negocios no puedan existir sin la escritura pública. Lógicamente junto con la escritura deberán concurrir los demás elementos que el Derecho exige para la validez. Distinto es el fenómeno del derecho antiguo que ligaba automáticamente efectos jurídicos a determinadas solemnidades, supuesto al que se aplica el brocardo atribuido a BALDO *forma dat esse rei*.

En el Derecho español dichos supuestos son escasos, pudiéndose citar:

a) La donación de inmuebles (art. 633 CC).

b) Las capitulaciones matrimoniales (art. 1.327 CC).

c) La hipoteca (arts. 1.875 CC y 145.1º LH).

d) Las sociedades mercantiles de capital (arts. 119 C. de C. y 20 TRLSC).

e) El derecho de superficie urbana (art. 40 del Real Decreto-Legislativo 2/2008, de 20 de junio).

f) El censo enfitéutico (art. 1.628 CC).

En los demás supuestos en que las leyes imponen la forma pública se considera que la exigencia no tiene un alcance *ad solemnitatem*. El Derecho español tiene una antigua tradición espiritualista que ya fue recogida en el Ordenamiento de Alcalá (Ley Única, Tít. XVI), aunque también denota las influencias formalistas del Derecho romano. Durante el proceso codificador las opiniones eran más bien favorables a un sistema formalista, que se puso de relieve en el Código de Comercio de 1.829 y el Proyecto de Código Civil de 1.851, que estableció la forma escrita como único medio de prueba de los contratos que superasen determinado importe, con inspiración francesa. La Ley de Bases se decantó claramente por esta idea en la Base 19 («... Se fijarán, en fin, principios generales sobre la prueba de las obligaciones, cuidando de armonizar esta parte del Código con las disposiciones de la moderna ley de Enjuiciamiento civil, respetando los preceptos formales de la legislación notarial vigente, y fijando un máximum, pasado el cual, toda obligación de dar o de restituir, de constitución de derechos, de arriendo de obras o de prestación de servicios, habrá de constar por escrito, para que pueda pedirse en juicio su cumplimiento o ejecución...»). Sin embargo, en el texto definitivo del Código no se estableció esta restricción probatoria, limitándose los arts. 1.244 y 1.248 CC a establecer normas meramente admonitorias.

A pesar de ello en un primer momento MUCIUS SCAEVOLA entendió que los arts. 1.278 a 1.280 CC debían interpretarse en el sentido de que los contratos mencionados en este último serían válidos en cualquier forma, pero si había de exigirse su cumplimiento, la reclamación judicial debía ir precedida de una acción encaminada a que el Tribunal compeliese al incumplidor a otorgar escritura pública. Y esta tesis fue seguida por STS de 17 de abril de 1.897.

Sin embargo, en la doctrina y jurisprudencia posteriores ha triunfado la posición que permite reclamar el cumplimiento sin cumplir los requisitos de forma, si bien reconociendo que los efectos del negocio no escriturado son limitados, por lo que cualquiera de las partes puede compeler a la otra a otorgar escritura pública.

4.5.2.1.2. Escrituras constitutivas por pacto

En otras ocasiones pueden ser los mismos interesados los que, en ejercicio de su autonomía de la voluntad, establezcan la eficacia constitutiva del documento notarial respecto del negocio. El supuesto normal (VALLET) será el de que se establezca en un *pactum de contrahendo*, debiendo destacarse también el pacto por el que se exige que todas las modificaciones posteriores del negocio consten en escritura pública bajo sanción de nulidad.

Por último, no cabe duda de que, aunque la escritura no venga exigida ni por la ley ni por el pacto, si los elementos del negocio concurren precisamente en el momento del otorgamiento de la escritura y no antes, negocio y documento nacerán simultáneamente y no pueden existir divergencias entre ambos.

4.5.2.2. Las escrituras recognoscitivas

Cuando se produce primero el nacimiento del acto o negocio y luego el de la escritura (por no imponerse esta con efectos constitutivos), el otorgamiento de esta puede obedecer a finalidades diversas y realizarse con distinto alcance. Un primer supuesto es aquel en que la escritura se otorga con la solo finalidad de reconocer precisamente el negocio anterior, en cuyo caso la finalidad del otorgamiento será la razón de ciencia: confesión si procede de las partes, o testimonio si procede de otros terceros.

El reconocimiento puede consistir en una mera referencia al negocio anterior, o bien reproducirlo total o parcialmente, e incluso incorporando el documento en que conste.

En todo caso RODRÍGUEZ ADRADOS opina que el documento previo deberá ser al menos reseñado, pues de lo contrario nos hallaríamos ante una escritura dispositiva.

Este es el supuesto regulado en el art. 1.224 CC, que dice: «... Las escrituras de reconocimiento de un acto o contrato nada prueban contra el documento en que éstos hubiesen sido consignados, si por exceso u omisión se apartaren de él, a menos que conste expresamente la novación del primero...». Dada la finalidad del negocio recognoscitivo, dicho precepto reconduce cualquier divergencia entre el negocio primitivo y las menciones al mismo que se hubieran realizado en la escritura al primero, salvo que conste expresamente la voluntad novatoria.

En cuanto a sus efectos, la escritura de reconocimiento puede producir por sí misma efectos convalidantes respecto del negocio preexistente (art. 1.311 CC) e interruptivos de la prescripción (arts. 1.647 y 1.973 CC), pero por lo demás deberá distinguirse entre la escritura de reconocimiento con efectos novatorios del negocio reconocido, que será verdadera escritura pública con todos los efectos de esta, y la escritura de reconocimiento sin efectos novatorios que nada prueba contra el documento precedente. En estos casos los efectos del documento exigen distinguir:

a) Respecto del propio negocio confesorio que contiene la escritura de reconocimiento, se aplica plenamente la eficacia sintética, y por tanto las presunciones de veracidad, integridad y legalidad.

b) Respecto del negocio reconocido no se dan estos efectos, ya que no es posible hablar de presunción de veracidad puesto que pueden haberse producido discordancias al reproducir el primer negocio, ni de integridad ya que puede haber omisiones.

Por lo tanto, la verdadera escritura de reconocimiento no produce efectos frente a terceros (que no menciona el art. 1.224 CC), ni es título ejecutivo ni título inscribible, pues no produce efectos legitimadores. Por otro lado, con su otorgamiento no se satisface la exigencia del art. 1.279 CC, como se deduce de la falta de mención de los actos recognoscitivos en el art. 1.280.1º CC.

4.5.2.3. Las escrituras dispositivas

Presupuesto el nacimiento previo del acto o negocio jurídico, la escritura posterior puede ir también encaminada a que el acto o negocio despliegue todos sus efectos, pudiendo al mismo tiempo ser potestativamente objeto de novación.

La naturaleza jurídica del acto de documentación de un previo acto o negocio en escritura pública es la de un verdadero negocio jurídico, como se deduce de los arts. 17 bis.2 LN, 708 LEC y 147.1 RN, pues toda la reglamentación que sobre las escrituras públicas se contiene en la legislación notarial está diseñada para el tratamiento de la voluntad negocial, por lo que es difícil pensar que las partes que la otorgan no celebran un negocio jurídico con sus característicos efectos reglamentarios sobre una situación jurídica.

En cuanto verdadera escritura dispositiva el negocio por el que esta se otorga tiene una eficacia de *renovatio contractus* sobre el negocio precedente. Nótese que ello es así aunque la escritura en nada se aparte de dicho negocio, pues el consentimiento negocial vertido en la escritura va precisamente encaminado a reglamentar la situación jurídica dotándola de todos los efectos que le son propios, entre ellos las presunciones de veracidad e integridad, de las que solo pueden disfrutar la escritura si hay verdadera renovación contractual como hemos visto. Puede por tanto afirmarse que el negocio escriturado tiene también una causa nueva y distinta de la del negocio precedente, pues a la causa propia del negocio material documentado se le ha de añadir la de formalización documental, encaminada precisamente a crear una apariencia pública del negocio para obtener todos los efectos propios de la escritura notarial.

4.5.3. Elevación a público de contratos privados

Se trata de un supuesto concreto en la problemática que venimos examinando, y que se produce en el caso en el que las partes han celebrado un previo contrato en forma privada (generalmente en documento privado, incluso electrónico, pero también en forma oral) y luego otorgan la escritura pública respecto del mismo, tratándose de una verdadera escritura dispositiva. Conforme a lo expuesto la elevación supone siempre una renovación negocial, y además puede implicar una novación del negocio primigenio si así lo acuerdan las partes. Por lo tanto, la escritura de elevación a público es verdadera escritura con todos sus efectos traditorios y ejecutivos y es título inscribible.

a) Elementos personales. Serán los mismos del documento privado original, o sus representantes, o sus herederos, si alguno de ellos hubiere fallecido. El notario ha de apreciar la capacidad de los otorgantes en el momento de la escritura, y no en el del contrato privado. Por ello el tutor precisa autorización judicial para elevar a público aunque el contrato privado se otorgase antes de la incapacitación.

b) Elementos reales. El objeto del contrato deberá describirse con los requisitos exigidos por la legislación notarial, completando a estos efectos el contrato privado. Habrán de declararse los títulos de adquisición (art. 174 RN), obtenerse información registral sobre la titularidad y cargas, y justificarse la referencia catastral.

c) Respecto del documento. El mismo deberá haber cumplido los requisitos fiscales si estuviere sujeto a ITPAJD o ISD. En cuanto a la necesidad de que se incorpore el documento privado, puede afirmarse que no es imprescindible, atendida la naturaleza dispositiva de la escritura de elevación a público, siempre que la escritura contenga todos los elementos necesarios para la eficacia del negocio (RDGRN de 17 de noviembre de 2.003).

En cuanto a sus efectos, ya hemos dicho que serán los propios de la escritura, por lo que es muy frecuente que los compradores de inmuebles obtengan la posesión por medio de la escritura de elevación, una vez satisfecho el precio total. En este sentido se subraya como la elevación a público tiene el efecto de producir la consumación de los contratos. Sin embargo, debe subrayarse que no es imprescindible que el negocio esté consumado o que se consume por medio de la escritura para proceder a la elevación. El art. 1.279 CC impone la elevación sin atender al estado en que se encuentran las obligaciones que genera el contrato, por lo que las partes pueden compelerse recíprocamente a la elevación aunque no se haya satisfecho el total precio y la escritura no haya de suponer la entrega y adquisición del dominio por el comprador, extremos todos ellos que deberán aclararse debidamente en la escritura de elevación.

Un caso especial se produce cuando ante la negativa de una de las partes la otra ha de obtener la elevación a público judicialmente al amparo del art. 1.279 CC. En estos casos si se estima la pretensión, se produce una sentencia de condena, que consiste en la emisión de una declaración de voluntad. La ejecución de dicha condena se produce conforme al art. 708 LEC, de manera que el Juez requerirá al ejecutado para que otorgue la escritura, y si no lo hiciese dictará auto teniendo por emitida la declaración de voluntad del ejecutado, con el que el ejecutante podrá acudir por sí solo ante notario y obtener la elevación.

4.5.4. Valor internacional del documento público

La tendencia natural de las personas, las empresas y los mercados a sobrepasar las fronteras ha provocado un notable **incremento de relaciones internacionales o transfronterizas** que, a su vez, generan un gran número de documentos.

Centrándonos en los documentos públicos y, dentro de ellos, **en los documentos públicos notariales**, puede decirse que todos los países admiten el valor de los que proceden de países extranjeros, si bien les reconocen una eficacia más limitada que la que se atribuye a los nacionales o subordinan su eficacia al cumplimiento de determinados requisitos.

Corresponde aquí examinar **la legalización y la traducción**, dos requisitos para la **validez formal** de un documento público notarial en un país extranjero, que son **ajenos a su otorgamiento** e independientes de él.

Debemos partir de la idea de que **no todo documento notarial extranjero es documento público, ni todo documento público es título con eficacia legitimadora y traslativa.**

Pero corresponde a otro lugar el estudio de los requisitos que deben concurrir en un documento público autorizado por notario extranjero, para desplegar en España eficacia probatoria (artículos 319 LEC y 1.218 CC), eficacia ejecutiva propia (artículos 56 de la LCJIC 517.4 y 523 LEC, 17 LN y 233 y 250 RN) y eficacia registral o ejecutiva impropia (artículos 60 de la LCJIC, 4 LH, 36 RH, 81 RRC, y disp. adic. tercera LJV).

Corresponde también a otro lugar el estudio de los principios de equivalencia de formas, reciprocidad e integración, sobre los que la doctrina asienta la libre circulación del documento público notarial, así como el concepto mismo de documento público y el de su autenticidad, así como los requisitos de validez formal de acuerdo con las normas de conflicto aplicables (artículo 11 CC).

Tan solo citaremos aquí las RS DGRN de 11 de Junio de 1999, 21 de Abril de 2003, 7 de febrero y 20 de mayo de 2005, 19 de marzo de 2015 y 29 de noviembre de 2017, en las que se pone de manifiesto la evolución de la doctrina del centro directivo sobre las materias que han sido objeto de remisión.

4.5.4.1. La legalización diplomática: Requisitos formales

En un sentido amplio, la legalización de un documento público consiste en **superponer una garantía de autenticidad**, mediante una **certificación añadida** al mismo, expedida por un funcionario público facultado para ello, de que la firma estampada en dicho documento es auténtica y de la cualidad de autoridad pública de la persona que lo ha firmado en el ejercicio de su función pública.

Hay diferentes vías o procedimientos de legalización en función de los diversos tipos de documento público de que se trate. Así hay una vía judicial para la legalización de documentos judiciales, una notarial para la de los notariales y otras para la de los académicos, mercantiles, de la Administración General del Estado o de las Administraciones Públicas.

El **Ministerio de Asuntos Exteriores y de Cooperación** dispone de una sección de legalizaciones.

Para obtener más información y consultar los listados de las Unidades de legalización de las Comunidades Autónomas, de los Colegios Notariales, de los Tribunales Superiores de Justicia y otros organismos:

http://www.exteriores.gob.es/Portal/es/ServiciosAlCiudadano/SiEstasEnElExtranjero/Paginas/Legalizaciones.aspx.

No debemos confundir la legalización con la legitimación de la firma de un documento.

La legitimación de una firma es «*un testimonio que acredita el hecho de que una firma ha sido puesta a presencia del Notario o el juicio de éste de que la misma pertenece a una persona*» (artículo 256 RN), mientras que la legalización certifica, además, su cualidad de autoridad pública.

La legalización se realiza sobre un documento público autorizado por Notario, con fecha fehaciente, buscando su eficacia extraterritorial, mientras que la legitimación se refiere a la firma estampada en un documento privado, buscando que éste adquiera fecha fehaciente (artículo 1.227 CC) y que aquélla quede indubitada (artículo 317 LEC).

En definitiva la legalización no es propiamente un instrumento público, sino **una auténtica certificación administrativa**, que no extiende cualquier Notario por su condición de tal sino **por el hecho de ostentar el cargo de Decano en una corporación de derecho público** como es el **Colegio Notarial.**

Con la supresión de la legalización que se requería para las escrituras autorizadas por los agentes diplomáticos o consulares españoles (RD 510/1985, de 6 de Marzo), y para que las escrituras autorizadas por un notario hicieran fe fuera del territorio de su Colegio Notarial (Ley 43/1985, de 19 de diciembre), **la regulación que contiene el RN sobre la legalización ha quedado restringida a la circulación internacional del documento.**

Algunos **reglamentos comunitarios** y un buen número de **convenios internacionales**, multilaterales o bilaterales, **eximen del requisito de la legalización o lo simplifican**, y en tal sentido podemos destacar:

– **El Reglamento 805/2004, del Parlamento Europeo y del Consejo, de 21 de Abril de 2004,** que regula un documento público con fuerza ejecutiva para créditos no impugnados, certificado como título ejecutivo europeo en el estado de origen, que será ejecutado en los demás estados miembros sin legalización o apostilla.

– **El Reglamento 44/2001 (Reglamento de Bruselas I)** que establece un procedimiento simplificado de exequátur para dotar a un título extranjero de efectos ejecutivos, en el que se excluye expresamente de legalización a las copias de las resoluciones, la traducción de los documentos aportados al tribunal y el poder para pleitos, entre otros documentos.

– **El Convenio de la Haya de 5 de Octubre de 1961**, llamado de la «**Apostilla**», que simplifica el procedimiento de legalización y del que nos ocuparemos más adelante.

– **El Convenio Europeo sobre supresión de la legalización en documentos extendidos por los agentes diplomáticos o consulares** (Londres, 7 de Junio de 1968).

– **El Convenio de la Comisión Internacional del Estado Civil,** (Viena, 8 de Septiembre de 1976), sobre certificaciones plurilingües de las actas del Registro

Civil (BOE del 22 de Agosto de 1983 y Circular DGRN de 24 de Septiembre de 1987).

– **El Convenio de la Comisión Internacional del Estado Civil,** (Atenas, 15 de Septiembre de 1977), que dispensa de legalización a ciertos documentos referidos al estado civil, capacidad, nacionalidad, domicilio o residencia de personas físicas.

Para más información:

http://www.exteriores.gob.es/Portal/es/ServiciosAlCiudadano/SiEstasEnElExtranjero/Documents/Conveniosexminlegalizacion.pdf

La legalización diplomática

La legalización de la firma de un notario puede hacerse **directamente por el Cónsul del país donde ha de surtir efectos** si su legislación lo considera suficiente, aunque puede exigir que sea corroborada por otros órganos administrativos internos.

El procedimiento de legalización no está regulado en ninguna norma de derecho positivo, pero la práctica internacional que se sigue en la mayor parte de los Estados y en España (Instrucción DGRN de 26 de julio de 2007) es la siguiente:

– **En una primera etapa o fase extranjera** la firma contenidas en un documento público debe ser legalizada en el país de origen con arreglo a sus propias leyes, y a continuación debe añadirse la legalización de su Ministerio de Asuntos Exteriores.

– **En una segunda etapa o fase interna** la firma del funcionario del Ministerio de Asuntos Exteriores debe ser legalizada por el Cónsul del país donde ha de surtir efectos, dado que suelen disponer de un registro de firmas, y, en caso de existir dudas serias y razonables el Ministerio de Asuntos Exteriores debe legalizar la firma de su Cónsul.

El **TS** en auto de 21 de junio de 2005 entendió que para poder dar por cumplido el requisito de la legalización **resulta inexcusable** seguir totalmente la cadena de legalizaciones prevista, requiriendo a la parte solicitante que procediera a la legalización de la firma del Cónsul General de España en un país extranjero por el Ministerio de Asuntos Exteriores.

Sin embargo en auto de **24 de febrero de 2004**, el **TS** señaló que la interrupción de la cadena de legalizaciones carece de transcendencia **si la legalización se sustituye por la apostilla** del Convenio de La Haya, en cuyo caso debe entenderse suficiente a los efectos del artículo 323 LEC.

El RRC en su artículo 90 dispone que «*La legalización, a efectos del Registro, se hará por el Cónsul español del lugar en que se expidan o por el Cónsul del país en España...*».

Y como curiosidad el RH en su artículo 35 exime de legalización a «*Los documentos pontificios expedidos con el fin de acreditar el cumplimiento de requisitos prescritos en el*

Derecho Canónico para el otorgamiento de actos y contratos en que esté interesada la Iglesia, traducidos y testimoniados por los Ordinarios Diocesanos...».

En los documentos públicos notariales, objeto de nuestro estudio, debemos analizar tanto la legalización de los de origen español que hayan de surtir efectos en el extranjero como la de los de origen extranjero que hayan de surtir efectos en España.

La legalización notarial de documentos públicos notariales que hayan de surtir efectos en el extranjero.

Dispone el artículo 268 RN que *«cuando se trate de documentos que hayan de surtir efectos en el extranjero y el Cónsul del país respectivo no legalice directamente la firma del Notario autorizante, el Decano del Colegio Notarial o quien le sustituya, haciendo constar necesariamente, en este caso, su cualidad de Decano accidental, legalizará la firma del Notario».*

Sobre esta legalización, sin intervención consular, el RN dispone que:

– **El Decano del Colegio Notarial puede delegar** la facultad de legalizar en todos o alguno de los miembros de la Junta Directiva, facultándole expresamente para ello (artículo 265 RN).

– **Se utilizan las fórmulas previstas** en los tratados internacionales y, en su defecto, la que establece el artículo 266.1 RN, que implicará que la firma legalizada es igual, al parecer, a la que el Notario acostumbra a usar, y que a la fecha del documento se halla en ejercicio del cargo, sin que conste nada en contrario.

– **Cuando se ponga o concluya en un folio distinto**, se hará en ella sucinta relación del documento y, en su caso, el número del folio en que aparezca la firma legalizada (artículo 266 RN).

– **La legalización llevará sobrepuesto un sello de los Colegios Notariales, y el sello de seguridad** creado por el Consejo General del Notariado, y podrán usarse cajetines u otro medio de impresión adecuado para las legalizaciones (artículos 267, 241, 271 y 328 RN).

– La firma del Decano será legalizada por la **Dirección General de los Registros y del Notariado** (artículo 268 RN) y, en su caso deben añadirse las legalizaciones realizadas por el **Ministerio de Justicia y el de Asuntos Exteriores**, cerrándose la cadena de legalizaciones con la realizada por la **representación diplomática o consular acreditada en España** del país en que ha de surtir efecto el documento.

La legalización de documentos públicos notariales extranjeros que hayan de surtir efectos en España.

Para ser admitidos y tener plena validez y eficacia en España, **los documentos públicos extranjeros deben venir legalizados o apostillados, salvo que** les exima de este requisito algún convenio internacional.

Así lo establece, con carácter general, la **LEC** en su artículo 323 al disponer que *«... cuando no sea aplicable ningún tratado o convenio internacional, ni ley especial, se considerarán documentos públicos los que reúnan los siguientes requisitos: ... 2.- Que el documento contenga a legalización o apostilla...».*

El **RRC** en su artículo 88 también lo requiere al dispone que *«A salvo lo dispuesto en los Tratados internacionales, requieren legalización los documentos expedidos por funcionario extranjero...»*, y en su artículo 89 que *«Aun siendo preceptiva la legalización, no se exigirá si consta al Encargado la autenticidad, directamente, o bien por haberle llegado el documento por vía oficial o por diligencia bastante. No se exigirá legalización ulterior si consta la autenticidad de la precedente...»*

El **RH** en su artículo 36 dispone que *«Los documentos otorgados en territorio extranjero podrán ser inscritos... siempre que contengan la legalización...»*, y el **RRM** en su artículo 5.3 se remite a lo dispuesto en la legislación hipotecaria para documentos extranjeros.

La **DGRN (Instrucción de 26 de julio de 2007 y RS 22 Enero 1989)** a propósito de la tramitación del expediente de adquisición de la nacionalidad española por residencia, considera que **la ausencia del requisito de legalización es un defecto que impide la inscripción registral** y es, por tanto, un trámite imprescindible, salvo que proceda la apostilla.

4.5.4.2. La apostilla. Traducción de documentos

4.5.4.2.1. La apostilla

El **RN** en su artículo 269 tras regular la legalización del signo, firma y rúbrica de un Notario, dispone que ello *«... se entiende sin perjuicio de la legalización realizada mediante la apostilla establecida en el Real Decreto 2433/1978, de 2 de Octubre, dictada en aplicación del Convenio Internacional de la Haya de 5 de Octubre de 1961».*

El denominado Convenio «Apostilla» tiene por objeto la **supresión de la exigencia de legalización diplomática o consular** para los documentos públicos extranjeros entre los estados contratantes.

Para consultar el texto del Convenio y el modelo de apostilla:

https://www.hcch.net/es/instruments/conventions/full-text/?cid=41

Y para el listado actualizado de los estados contratantes:

http://www.exteriores.gob.es/Portal/es/ServiciosAlCiudadano/SiEstasEnElExtranjero/Documents/ConveniodelaHaya.pdf.

Según la notificación del Gobierno Español de 4 de Agosto de 1997 (BOE 22 Octubre 1998) al Gobierno del Reino Unido, **el Reino de España no acepta la validez de las apostillas expedidas por el Reino Unido en Gibraltar en las que aparezca el nombre de la colonia como «país».**

Para más información:

https://www.hcch.net/es/instruments/specialised-sections/apostille

La apostilla consiste en una diligencia ajustada al modelo oficial anexo al Convenio, con la forma de un cuadrado de nueve centímetros de lado, como mínimo, cumplimentada sobre el propio documento o sobre una prolongación del mismo, y redactada en la lengua oficial de la autoridad que la expide.

La apostilla exime de la necesidad de legalización diplomática a los documentos públicos a los que se aplica el Convenio (Artículo 2 del Convenio), y certifica la autenticidad de la firma, la calidad en que el signatario haya actuado y, en su caso, la identidad del sello o timbre que el documento lleve (Artículo 5 del Convenio).

Ámbito objetivo

Se aplica a los documentos públicos, considerando como tales a los documentos notariales y los administrativos, las certificaciones oficiales puestas sobre documentos privados (menciones de registro, comprobaciones sobre la certeza de una fecha y autenticación de firmas) y los documentos dimanantes de una autoridad o funcionario vinculado a una jurisdicción del estado, incluyendo los provenientes del ministerio público o de un secretario, oficial o agente judicial (Artículo 1 del Convenio).

Sin embargo **no se aplica** a los documentos expedidos por agentes diplomáticos o consulares, ni a los documentos administrativos que se refieran directamente a una operación mercantil o aduanera, ni a los documentos dispensados de esta formalidad por las leyes, reglamentos o usos en vigor en el Estado en el que el documento deba surtir efecto.

Legitimación activa

La apostilla «... *se expedirá a petición del signatario o de cualquier portador del documento...*» (Artículo 5 del Convenio).

Se suele requerir al solicitante que indique el país de destino del documento y, si dicho país no es parte del Convenio se le informa del procedimiento de legalización adecuado. Si el documento debe presentarse en dos o más países y alguno de ellos no está acogido al Convenio, se suele expedir en el mismo documento la apostilla y la legalización.

Autoridades competentes

El listado de las autoridades competentes para expedir la Apostilla de los diferentes Estados contratantes, puede buscarse en la web oficial www.hcch.net.

En España las autoridades competentes para expedir la apostilla vienen designadas en el **RD 2433/1978, de 2 de Octubre, y la Orden del Ministerio de Justicia de 30 de Diciembre de 1978**, en función de la naturaleza del documento público, a saber:

- Los documentos autorizados por Notario, los documentos privados y certificaciones del Registro Civil, excepto por el Registro Civil Central, cuyas firmas hayan sido legitimadas por Notario, por los **Decanos de los Colegios Notariales respectivos.**

- Los documentos autorizados por las autoridades o funcionarios judiciales competentes y las certificaciones del Registro Civil, excepto por el Registro Civil Central, por los **Secretarios de la Sala de Gobierno del correspondiente Tribunal Superior de Justicia.**

- Los documentos públicos emanados de los órganos de la Administración Central y las Certificaciones expedidas por el Registro Civil Central, por **el Jefe de la Sección Central de la Subsecretaría del Ministerio de Justicia.**

- Los restantes documentos públicos podrán ser apostillados, **indistintamente y a elección del interesado**, por los Decanos de los Colegios Notariales respectivos o por los Secretarios de la Sala de Gobierno del correspondiente Tribunal Superior de Justicia.

Requisitos formales

Consiste en una **diligencia ajustada al modelo oficial anexo al Convenio** (Artículo 4 del Convenio). Comienza con el título «**Apostille (Convention de La Haye du 5 octobre 1961)**», que debe ir redactado en lengua francesa, mientas que las restantes menciones pueden ir redactadas en la lengua oficial de la autoridad que la expide y en una segunda lengua (Artículo 4 del Convenio).

En dicho modelo se prevé la constancia de un título y diez menciones numeradas correlativamente, que permiten identificar el origen del documento apostillado y la autoridad expedidora, a saber:

1. País de origen del documento.

2. Identidad del firmante del documento público.

3. Calidad en que dicho firmante actúa.

4. Identidad del Sello o timbre estampado en el documento.

5. Ciudad en la que se extiende la apostilla.

6. Fecha de la que se expide.

7. Autoridad que la extiende.

8. Número de registro de la apostilla.

9. Sello o timbre.

10. Firma de la apostilla.

La apostilla se cumplimenta sobre el propio documento o sobre una prolongación del mismo (Artículo 4 del Convenio), y al final se imponen un sello de legalizaciones (Artículo 316 RN) y un sello de seguridad del Consejo General del Notariado (Artículos 241 y 167 RN), y se estampa sobre ellos el sello del Colegio Notarial.

Cada una de las autoridades competentes para expedir apostillas debe llevar un registro o fichero de las apostillas expedidas (Artículo 7 del Convenio). Y a instancia de cualquier interesado, la autoridad que la haya expedido deberá comprobar si las menciones incluidas en la apostilla se ajustan a las del registro o fichero.

En la **Orden JUS/1207/2011, de 4 de mayo**, se crea y regula el **Registro Electrónico de Apostillas del Ministerio de Justicia**, así como el procedimiento de emisión de apostillas en soporte papel y electrónico, que en su artículo 11 dispone que *«Los documentos autorizados por notario y los documentos privados cuyas firmas hayan sido legitimadas por notario únicamente podrán ser apostillados en soporte papel»*.

4.5.4.2.2   La traducción de documentos

Para ser admitidos y tener plena validez y eficacia en España, los documentos públicos deben estar redactados en castellano o en la lengua oficial propia de una Comunidad Autónoma y, en caso contrario, para que no se tengan como no presentados, deben venir acompañados de su traducción.

Para los documentos públicos redactados en lengua extranjera o en idioma no oficial, se suele prever su traducción como requisito, y así lo podemos ver reflejado en diversas disposiciones legales.

El artículo 144 LEC dispone que *«1. A todo documento redactado en idioma que no sea el castellano o, en su caso, la lengua oficial propia de la Comunidad Autónoma de que se trate, se acompañará la traducción del mismo. 2. Dicha traducción podrá ser hecha privadamente y, en tal caso, si alguna de las partes la impugnare dentro de los cinco días siguientes desde el traslado, manifestando que no la tiene por fiel y exacta y expresando las razones de la discrepancia, el Secretario judicial ordenará, respecto de la parte que exista discrepancia, la traducción oficial del documento, a costa de quien lo hubiese presentado...»*.

Y el artículo 142 LEC dispone que *«... los documentos presentados en el idioma oficial de una Comunidad Autónoma tendrán, sin necesidad de traducción al castellano, plena validez y eficacia, pero se procederá de oficio a su traducción cuando deban surtir efecto fuera de la jurisdicción de los órganos judiciales sitos en la Comunidad Autónoma, salvo si se trata de Comunidades Autónomas con lengua oficial propia coincidente. También se* *procederá a su traducción cuando así lo dispongan las leyes o a instancia de parte que alegue indefensión...».*

El RN dispone lo siguiente:

«Los instrumentos públicos se redactarán en el idioma oficial del lugar del otorgamiento que los otorgantes hayan convenido. En caso de discrepancia entre los otorgantes respecto de la utilización de una sola de las lenguas oficiales el instrumento público deberá redactarse en las lenguas oficiales existentes. Las copias se expedirán en el idioma oficial del lugar pedido por el solicitante». (Artículo 149 RN).

*«Cuando se trate de **extranjeros que no entiendan el idioma español,** el Notario autorizará el instrumento público si conoce el de aquéllos, haciendo constar que les ha traducido verbalmente su contenido y que su voluntad queda reflejada fielmente en el instrumento público. También podrá en **este caso autorizar el documento a doble columna en ambos idiomas,** si así lo solicitare el otorgante extranjero, que podrá hacer uso de este derecho aun en la hipótesis de que conozca perfectamente el idioma español. Podrá sustituirse la utilización de la doble columna por **la incorporación de la traducción en idioma oficial** al instrumento público. Los notarios **podrán intervenir pólizas redactadas en lengua o idioma extranjero a requerimiento de las partes, si todas ellas y el notario conocen dicho idioma.** En estos casos, **la diligencia de intervención y las restantes manifestaciones del notario se redactarán en el idioma oficial del lugar del otorgamiento.** Cuando los otorgantes, o alguno de ellos, no conocieren suficientemente el idioma en que se haya redactado el instrumento público, y el Notario no pudiere por sí comunicar su contenido, se precisará la intervención, en calidad de intérprete, de una persona designada al efecto por el otorgante que no conozca el idioma, extremo que se expresará en la comparecencia y la autorización del documento, que hará las traducciones necesarias, declarando la conformidad del original con la traducción y que suscribirá, asimismo, el instrumento público. De acuerdo con lo que antecede, el Notario que conozca un idioma extranjero podrá traducir los documentos escritos en el mencionado idioma, que precise insertar o relacionar en el instrumento público...».* (Artículo 150 RN).

*«**No podrán ser testimoniados... (los documentos) redactados en lengua que no sea oficial en el lugar de expedición del testimonio y que el notario desconozca, salvo que les acompañe su traducción oficial...»*** (Artículo 252 RN).

Sin embargo la RS de **26 de Abril de 2010 la DGRN** consideró que *«... la aplicación mecánica y rigurosamente literal del artículo 252.2 RN... puede conducir a efectos o situaciones absurdas por extremas como, a título de ejemplo, la denegación del testimonio por fotocopia de pasaportes o documentos de identidad extranjeros o cheques bancarios emitidos por entidades extranjeras...»,* y rechaza la afirmación del notario recurrente de que *«... la autorización de un testimonio implica, por sí mismo, la presunción...de que* *conoce el idioma no oficial del lugar del otorgamiento en que está redactado el documento testimoniado...».*

El RRC en su artículo 86 dispone que «*Con los documentos no redactados en castellano ni en ninguna de las demás lenguas oficiales en las respectivas Comunidades Autónomas, o escritos en letra antigua o poco inteligible, **se acompañará traducción o copia suficiente hecha por Notario, Cónsul, Traductor u otro órgano o funcionario competentes.** No será necesaria la traducción si al Encargado le consta su contenido*».

El RH en su artículo 37 dispone que «*Los documentos no redactados en idioma español podrán ser traducidos, para los efectos del Registro, por la Oficina de Interpretación de Lenguas o por funcionarios competentes autorizados en virtud de leyes o convenios internacionales, y, en su caso, por un Notario, quien responderá de la fidelidad de la traducción. Los extendidos en latín y dialectos de España o en letra antigua, o que sean ininteligibles para el Registrador, se presentarán acompañados de su traducción o copia suficiente hecha por un titular del Cuerpo de Archiveros y Bibliotecarios o por funcionario competente, salvo lo dispuesto en el artículo treinta y cinco. El Registrador podrá, bajo su responsabilidad, prescindir del documento oficial de traducción cuando conociere el idioma, el dialecto o la letra antigua de que se trate*».

El RRM en su artículo 5 dispone que «*... En caso de documentos extranjeros, se estará a lo establecido por la legislación hipotecaria...*».

Según el **Reglamento de la Oficina de Interpretación de Lenguas** del Ministerio de Asuntos Exteriores (RD 2.555/1977, de 27 de agosto, y RD 2.002/2009, de 23 de diciembre), las traducciones de una lengua extranjera al castellano y viceversa que realicen los **Traductores-Intérpretes Jurados**, que certifiquen con su firma y sello la fidelidad y exactitud de sus actuaciones, **tendrán carácter oficial** (artículo 6).

A pesar de que el título de Traductor-Intérprete Jurado no confiere a su titular la condición de funcionario público, ni supone el establecimiento de ningún vínculo orgánico ni laboral con la Administración Pública, **le habilita para el ejercicio de la actividad en todo el territorio nacional** (artículos 7 y 9).

Teniendo en cuenta esta habilitación, en la **RS de 4 de Julio de 2.005 de la DGRN** consideró que no era necesario legitimar la firma del Traductor Jurado en una traducción, firmada y sellada por el mismo, si se ha justificado su condición mediante el traslado de la pertinente resolución administrativa, considerando que en tal caso «ha de entenderse justificada la condición oficial de la traducción y la persona que la realiza».

Dichas traducciones pueden ser sometidas a revisión por la **Oficina de Interpretación de Lenguas** que tiene, entre otras funciones, las de cotejo, revisión o traducción de los documentos remitidos por las autoridades judiciales conforme a lo previsto en las normas procesales, cuando el Ministerio de Justicia no haya previsto otro cauce para la prestación de este servicio (Artículo 2).

En la en la página web del Ministerio de Asuntos Exteriores y de Cooperación, se pone a disposición del público una lista con los nombres y apellidos de todos los Traductores-Intérpretes Jurados que hayan sido nombrados hasta esa fecha, indicando los idiomas para cuya traducción e interpretación han sido habilitados, sus datos de contacto y si están en ejercicio activo.

4.5.4.3. La denegación de la legalización o apostilla

Con carácter general **artículo 270 RN** dispone que «*Ningún Decano o sustituto a efectos de legalizaciones podrá negarse a legalizar sin justa causa; pero si prudentemente dudase del signo y firma, podrá diferir su legalización por veinticuatro horas, a fin de desvanecer sus dudas. Si no lo consiguiese, podrá negarse a legalizar, reteniendo el documento y dando parte inmediatamente a la Junta Directiva, con expresión de la causa, para que adopte con urgencia las medidas que procedan*».

La DGRN en la Instrucción de 26 de julio de 2007, a propósito de la tramitación de las solicitudes de adquisición de la nacionalidad española por residencia, considera que «*... la apostilla actúa en el ámbito de los requisitos de forma, permitiendo su consideración de documentos auténticos y conformes con la ley aplicable a las formalidades y solemnidades documentales establecidas por el país de origen del documento pero, como ha indicado la reciente Instrucción de 20 de marzo de 2006 sobre prevención del fraude documental en materia de estado civil, no ampara ninguna presunción de legalidad del contenido del documento o de la realidad de los hechos reflejados en el mismo, cuyo enjuiciamiento y valoración quedan sujetas a la apreciación del funcionario o autoridad española ante la que se pretendan hacer valer los efectos derivados de tales documentos...*»

En su RS de **10 de Junio de 1975 la DGNR** admite que el interesado al que se le deniegue una legalización pueda formular **recurso de queja** frente al Notario que hubiere denegado su intervención, en el que es preceptiva su audiencia.

En su RS de **26 de Abril de 2010 la DGNR** resuelve un recurso sobre la denegación de la práctica de apostillas para dos testimonios de autenticidad de fotocopias, considerando que «*... si no fuese posible denegar la apostilla no tendría sentido examinar la regularidad de la autorización del instrumento...*»

En su RS de **8 de Noviembre de 2010 la DGRN**, desestima un recurso sobre la denegación de la práctica de apostilla solicitada para un testimonio de legitimación de firma, entendiendo que, «*... conforme a los artículos 3 y 5... del propio Convenio, la apostilla certificará... la calidad en que el signatario haya actuado... Cabe entender que el control de la calidad en que el signatario haya actuado obliga a verificar que este actuó conforme a la ley aplicable a las formalidades y solemnidades documentales establecidas por el país de origen del documento...* No sería procedente su práctica *(legalización o apostilla) en relación con cualquier firma suya (del Notario) puesta con cualquier motivo y en cualquier pieza de papel u otro material que permita soportarla lo que determina que el notario actúe o no en su calidad de tal es tanto el contenido del documento como sus solemnidades... **Imagínese un documento dotado de las solemnidades propias del documento notarial... en el que un notario emitiese, por ejemplo, un informe pericial de salud... Parece evidente que no podría considerarse que el notario actúe en su calidad de tal... y, por tanto que no podría apostillarse un documento...»***

En definitiva, aunque solo a los tribunales compete pronunciarse sobre la validez de un documento público, en el ámbito estrictamente formal del acto administrativo de la apostilla, **la administración tiene atribuciones para rechazar aquellos documentos que no se ajusten a las formalidades establecidas, poniendo un obstáculo formal a un defecto de la misma índole.**

Por ello, aunque la apostilla no ampare ninguna presunción de legalidad del contenido del documento ni de la realidad de los hechos reflejados en el mismo, sí que **otorga una apariencia de validez jurídica en el extranjero a un documento que podría carecer de ella en el país de origen por contravenir o incumplir las formalidades establecidas por su legislación.**

Si se considerase que la apostilla es un trámite mecánico que no puede ser denegado, podría llegarse al absurdo, por ejemplo, de que una copia autorizada de una escritura a la que le faltase el número de protocolo o la fecha, pudiera desplegar en el extranjero los efectos que no podría desplegar en nuestro país.

En el ámbito del documento público notarial, tanto la legalización como la apostilla podrán estamparse en las copias auténticas de escrituras públicas, pólizas y actas.

Sin embargo presenta muchos más problemas la legalización y la apostilla de **testimonios por exhibición de documentos privados, de documentos públicos extranjeros que a su vez carecen de apostilla o legalización y de legitimaciones de firmas en documentos privados, especialmente si están redactados en idioma no oficial.**

Si bien no corresponde aquí examinar los requisitos exigibles a los mismos, de la legislación notarial y la **Circular 1/1996 del Consejo General del Notariado**, que aparece frecuentemente citada en las resoluciones del centro directivo sobre la materia, cabe extraer algunas conclusiones, y así:

Los testimonios, «... autorización o intervención... implica *el deber del Notario de dar fe... de que el consentimiento ha sido libremente prestado y de que el otorgamiento se adecua a la legalidad y a la voluntad debidamente informada de los otorgantes e intervinientes...*» (Art. 145 RN). Por tanto debe conocer el contenido del documento si viene redactado en idioma no oficial.

El notario tiene el **deber de velar por la regularidad, no solo formal sino material,** de los actos o negocios jurídicos en los que interviene (Art. 24.2 LN).

El notario no puede testimoniar un **documento privado que deba ser presentado obligatoriamente ante la Administración Tributaria** si no consta su presentación (Art. 252.2 RN).

El notario no puede testimoniar los **documentos redactados en lengua que no sea oficial en el lugar de expedición del testimonio y que desconozca, salvo que les acompañe su traducción oficial** (Art. 252.1.2º RN). En la diligencia del testimonio debe hacer constar expresamente que conoce la lengua en la que está redactado el documento (RS DRGN 26 de Abril de 2010), y resulta obvio que el solo hecho de que el documento venga redactado a doble columna, en la lengua oficial y en otra que no lo es, no constituye una traducción oficial en ningún caso.

El notario **puede legitimar las firmas** en las letras de cambio y demás documentos de giro o en las pólizas de seguro y reaseguro (Art. 259.2 RN), pero no puede hacerlo en:

– Los documentos que contengan la **prestación unilateral de garantías** (Art. 258.2 RN), sino que deben ser intervenidos y asentada su intervención en la Sección B del Libro Registro (Artículo 283.1 RN).

– Los contratos propios de las **pólizas cuando exista pluralidad de partes con intereses contrapuestos** (Art. 258.2 RN), ni los actos y contratos de carácter mercantil y financiero que sean propios del tráfico habitual y ordinario de al menos uno de sus otorgantes (Art. 144.3 RN).

– Los documentos que **no hayan cumplido los requisitos establecidos por la legislación fiscal** (Art. 258.1 RN).

– Los **documentos incompletos** que presenten huecos en blanco que no hayan sido inutilizados con rayas o guiones y que puedan completarse posteriormente y con ello alterar o introducir algún elemento esencial del mismo.

– Los documentos comprendidos en el **artículo 1.280 del Código Civil o en cualquier otro precepto que exija la escritura como requisito de existencia o de eficacia** (Art. 258.1 RN), dejando a salvo lo dispuesto en el artículo 207 del RN.

4.5.5. *La ineficacia del documento notarial*

La ineficacia del documento notarial supone que el mismo no produce los efectos que le son propios. Recordemos que conforme al art. 17 bis.2 L.N. consisten principalmente en las presunciones de veracidad, integridad y legalidad, en base a las cuales el ordenamiento jurídico determina la producción de otros tales como su valor probatorio, el ser título ejecutivo, ser título inscribible, etc, que se examinan a lo largo de esta obra. Dichas presunciones recaen sobre las declaraciones del notario relativas a determinados extremos que establece la legislación notarial, entre las que se encuentran también las relativas a declaraciones de voluntad o ciencia de los comparecientes, que por lo tanto solo de forma mediata se contienen en el instrumento. Las declaraciones del notario sobre tales extremos hacen fe pública, es decir, son auténticas, lo que determina la producción de los efectos citados en lo que se conoce como autenticidad analítica. Pero al mismo tiempo, cuando de negocios jurídicos se trata, la actividad del notario permite que el documento goce de una autenticidad sintética respecto del negocio instrumentado.

La ineficacia puede obedecer a diversas causas. El art. 1.216 C.C. exige que los documentos públicos sean autorizados por un notario con los requisitos exigidos por la ley. Por lo tanto, el primer supuesto será evidentemente el de que el documento no haya sido confeccionado por el notario al que atribuye su autoría o se altere el documento emitido por el notario. Estos casos, se categorizan como de falsedad corporal; en el primero, más que de ineficacia debe hablarse de inexistencia pues el documento no ha llegado a nacer, aunque puede ser necesario o conveniente destruir la apariencia creada.

El documento puede ser también ineficaz por incumplir los requisitos que exige la ley para su válida formación. Tales causas de ineficacia se clasifican en las que afectan a *los documentos inter vivos* y *mortis causa* (arts. 29 L.N. y 143 R.N.), pues estos últimos se rigen en primer lugar por la normativa civil, común o foral, y supletoriamente por la legislación notarial; las que originan la ineficacia total (art. 27 L.N.) o parcial (art. 26 L.N.); y las subsanables e insubsanables (art. 153 R.N.).

Junto con esta ineficacia puramente documental, el documento puede ser tachado de falsedad, es decir, de que las declaraciones del notario contenidas en el documento son inveraces. La esencia de la autenticidad del documento radica en la fe pública que la ley atribuye a las declaraciones del notario, pero si las mismas son inveraces se produce una situación antijurídica que determina la ineficacia documental. Se habla de falsedad ideológica, cuando lo narrado por el notario no corresponde con la realidad. Subespecie de la misma es la tacha de falta de integridad, pues el documento no sería veraz si recogiera una parte de la realidad y elevara ésta a rango de la totalidad de lo ocurrido.

Por último, también afecta a la eficacia del documento notarial la ineficacia del negocio instrumentado, así como su devenir negocial, aunque no suponga una ineficacia. En puridad solo se habla de ineficacia cuando la misma se refiere al acto o negocio, pues respecto a la ineficacia del documento se suele usar solo el término nulidad, pues las restantes categorías de ineficacia han tenido escaso éxito en la doctrina.

4.5.6. Falsedad del Instrumento público

En cuanto a que, como hemos señalado, el documento únicamente contiene declaraciones del notario, cuando las mismas no coinciden con la realidad se produce la falsedad: el documento falso es contrario al verdadero. La falsedad documental puede ser corporal o ideológica. Siempre antijurídica, los supuestos más relevantes de falsedad entran dentro del ámbito del Derecho penal; en los demás supuestos se habla de falsedad civil.

4.5.6.1. Falsedad corporal

Se produce cuando el documento en sí ha sido falsificado, es decir, cuando se suplanta al notario en su emisión, o cuando se altera el documento emitido por el notario. La alegación de la falsedad corporal en vía civil respecto de copias y testimonios tiene un procedimiento específico regulado en el art. 320 L.E.C., que impone el cotejo con los originales en caso en caso de impugnación de la autenticidad de documentos de los que exista matriz u original.

4.5.6.2. Falsedad ideológica

Tiene lugar cuando lo narrado por el notario respecto de sus percepciones no coincide con la realidad. La tacha de falsedad va encaminada a destruir la presunción de veracidad, pero esta beneficia no solo a las percepciones directas del notario sino también a los juicios que el notario emite en base a los hechos que percibe directamente. Cuando se discuten dichos juicios el documento no se tacha de falsedad sino de incorrección. Sin embargo, en cuanto dichos juicios sobre la realidad no sensible se basan en las percepciones directas, es posible que la impugnación del juicio se fundamente en la inveracidad de los hechos base, lo que determina que en ciertos casos se impugnen por tacha de falsedad.

4.5.6.3. Falsedad criminal

Si las narraciones inveraces realizadas por un notario son subsumibles en alguno de los supuestos contemplados en el art. 390 C.P. se produce la comisión de un delito, que procede no solo por dolo sino también por imprudencia grave según el art. 319 C.P. El delito de falsedad puede también ser producido por los particulares, bien en los tres primeros supuestos del art. 390 C.P. (cfr. art. 392 C.P.), bien utilizando el documento falso a sabiendas de ello (cfr. art. 393 C.P.), supuesto este último que incluye el caso del art. 390.4 C.P.

La existencia de indicios de este delito determina una cuestión prejudicial penal en el procedimiento civil que se estuviere sustanciando conforme al art. 40 L.E.C. Ahora bien, se suscita si la nulidad del instrumento falso, deberá ser declarada en la propia sentencia penal o bien deberá obtenerse en un procedimiento civil en base a los hechos declarados probados por la sentencia penal. De los arts. 109.1 y 110 C.P. resulta que la reparación de los daños y perjuicios causados por el delito comprende la restitución, la reparación del daño y la indemnización de perjuicios materiales y morales. Pese a que la declaración de nulidad no se encuentra expresamente prevista en la legislación penal, los Tribunales de este Orden jurisdiccional frecuentemente dictan sentencias que contienen tales declaraciones conforme al criterio jurisprudencial recogido, entre otras, en las Sentencias de la Sala Segunda del Tribunal Supremo de 14 de diciembre de 1999 y 27 de octubre de 2001 («... los Tribunales penales tienen competencia en orden a disponer la adopción de las medidas necesarias, incluidas las que exceden en significación a la simple entrega material, para la restitución de la cosa a quien legítimamente le corresponda como víctima del delito o falta cometido; pero teniendo presente: A) que las medidas decretadas deben ser necesarias para la restitución, pues sólo así pueden considerarse incluidas en el párrafo segundo del artículo 742 LECrim.; y B) que en la adopción de las medidas debe estarse a lo dispuesto en el Derecho Privado...»), que entienden dicha facultad incluida en el segundo párrafo del art. 742 LECrim. Sin embargo, los Tribunales penales solamente admiten pronunciar declaraciones de nulidad cuando ello es preciso para la restitución del perjudicado, y la misma puede conseguirse precisamente con dicha declaración. En los demás casos deberán deducirse las pretensiones de declaración de nulidad ante la jurisdicción civil.

La declaración de nulidad, en cuanto derivada como hemos visto de la responsabilidad civil nacida del delito exige siempre la previa rogación, bien sea por la acusación particular, bien por el Ministerio Fiscal (Sentencias de la Sala 2ª del Tribunal Supremo de 14 de julio de 1.986 y 29 de diciembre de 2.000). Además, el Tribunal Supremo es taxativo al afirmar que la declaración de nulidad de la escritura exige que hayan podido intervenir en el proceso todas las personas a cuyo favor se deriven derechos de la misma, pues de lo contrario se estaría vulnerando su derecho constitucional de defensa (Sentencias de la Sala 2ª de 15 de marzo de 2.013, 15 de noviembre de 2.014, 26 de junio de 2.015), así como en denegarla cuando la adquisición de un tercero sea irreivindicable (art. 111.2 C.P.).

4.5.6.4. Falsedad civil

Aparte de los supuestos en que se impone el ejercicio en vía civil de la acción de declaración de nulidad del instrumento cuando existe un delito de falsedad, o cuando los perjudicados se reservan el ejercicio de la acción civil ante la vía penal (cfr.

art. 109.2 C.P.), es perfectamente posible que la narración falsa que contiene el documento no sea susceptible de desencadenar responsabilidad penal, lo que no será infrecuente porque, como señaló MOXO RUANO, el círculo del ilícito civil es más amplio que el del ilícito penal. Por ello existirán numerosos supuestos en los que, aun habiéndose producido la conducta típica, no exista responsabilidad criminal, como serían los de muerte del presunto reo, amnistía, prescripción, y todos aquellos en los que la imprudencia no pueda ser calificada de grave.

En todos estos casos la falsedad del documento o su nulidad por falsedad habrán de determinarse en el procedimiento civil. No existe en nuestro Derecho, a diferencia del italiano (la *querella di falso - cfr. arts. 2700 Codice Civile* y 221 a 227 *Codice di Procedura Civile*) o del francés (*L'inscription de faux contre les actes autentiques - cfr. arts. 303 y ss. Code de procédure civile*) un procedimiento específico, sino que la falta de autenticidad se constata en el seno del procedimiento principal. Desde luego es perfectamente posible una demanda encaminada a la declaración de falsedad del documento, lo que será habitual cuando la sentencia penal no se pronuncia sobre derecho extremo.

4.5.7. Nulidad documental

Cuando la ineficacia procede de no reunir el documento los requisitos exigidos por la leyes para su válida creación se produce la ineficacia puramente documental, que, como hemos señalado se suele calificar siempre de nulidad. Los supuestos que la determinan viene recogidos sustancialmente en los arts. 26 y 27 L.N., pero la doctrina (RODRÍGUEZ ADRADOS, GIMÉNEZ ARNAU) coincide en que la enumeración no es un *numerus clausus*. Por otra parte, la utilización del término nulidad no debe llevar a pensar que nos hallamos siempre en presencia de una nulidad radical, total, absoluta e insanable, sino que en muchos casos podrá ser calificada de parcial y sanable, para lo que es necesaria la interpretación de la norma respectiva (art. 6.3 C.C.). Múltiples son los requisitos y prescripciones establecidos en la legislación notarial, por lo que solo nos detendremos en aquellos cuya infracción aparece expresamente tachada de nulidad.

4.5.7.1. Instrumentos que contengan disposiciones a favor del notario autorizante

Contemplada en el art. 27.1º L.N. es consecuencia de la prohibición del art. 22 L.N., desarrollada por los arts. 139 y 140 R.N. La doctrina considera que su infracción determina la nulidad radical de todo el instrumento.

4.5.7.2. Instrumentos que contengan disposiciones a favor de parientes del notario autorizante dentro del cuarto grado de consanguinidad o segundo de afinidad

A ella se refiere el art. 22 L.N. Pero conforme al Reglamento deben entenderse incluidas las disposiciones a favor del cónyuge o persona con análoga relación de afectividad o respecto de las sociedades en que sean socios o administradores. Respecto de las consecuencias de su infracción para GÓMEZ-FERRER y RODRÍGUEZ ADRADOS debe distinguirse: si el pariente es otorgante se producirá la nulidad de todo el instrumento por la prohibición del art. 22 L.N.; si no es otorgante pero resulta favorecido por una disposición, el art. 28 L.N. permite concluir que la nulidad solo afectará a la disposición en cuestión y no al total instrumento.

4.5.7.3. Falta de idoneidad de los testigos instrumentales

La nulidad determinada por el art. 27.2º L.N. debe ser cohonestada con el artículo primero de la ley de 1º de abril de 1.939, que solo impone la intervención de testigos instrumentales cuando lo reclame el notario, o cualquiera de las partes o cuando cualquiera de los otorgantes no sepa leer ni escribir. Cuando dicha intervención sea precisa los testigos deberán cumplir los requisitos de los arts. 181 y 182 R.N. Aunque GIMÉNEZ ARNAU y GÓMEZ-FERRER sostuvieron que si la intervención de los testigos es voluntaria su inidoneidad no producirá la nulidad del instrumento, pensamos que sí debe producirla pues sería injusto que quien los solicitó deba soportar unos testigos susceptibles de tacha (cfr. art. 377 L.E.C.) o que no tienen obligación de declarar en los juicios criminales (cfr. art. 416 L.E.Cr.).

4.5.7.4. Falta de dación de fe de los otorgantes o de identificación supletoria conforme al art. 23 LN

Contemplado en el art. 27.3 L.N., parece evidente que la omisión de consignar en el instrumento la identificación del otorgante es un defecto sanable, pues si el notario efectivamente lo identificó nada obsta a que pueda subsanar la omisión en la forma prevista en el art. 153 R.N., y así lo permite expresamente el art. 189 R.N.

En los casos en que efectivamente el notario no conociere al compareciente ni hubiese acudido a la identificación supletoria el documento vendrá privado de muchos de sus efectos, pero opinamos que ello no producirá su nulidad. La razón es que la propia legislación notarial prevé diversos supuestos en los que se exime al notario de identificar a los otorgantes o bien la prueba cumplida sobre la identificación queda pospuesta, como son los de los arts. 163, 192 o 198.1.2º R.N. y 686 C.C. Por ello parece que sería posible una identificación a posteriori mediante una nueva comparecencia o que se realizase la misma mediante resolución judicial (art. 153 R.N.).

4.5.7.5.   Falta de firmas de los otorgantes y testigos

Igualmente resulta la nulidad del art. 27.3º L.N. La firma de los otorgantes y testigos es requisito exigido por el art. 17.1 L.N. cuando deban hacerlo. Respecto de los testigos de los arts. 185 y 186 R.N. se deduce que no es requisito de los testigos instrumentales el saber y poder firmar, mientras que para los de conocimiento bastará con que pueda hacerlo uno de ellos. En cuanto a los otorgantes su firma se omitirá necesariamente su no supiesen o no pudiesen firmar, supliéndose por la firma de otra persona o de uno de los testigos. En mi opinión la falta de firma del otorgante, cuando sepa y pueda firmar, determina una nulidad sanable, bien mediante una nueva comparecencia en la que dicho otorgante supla la omisión, bien mediante una resolución judicial (art. 153 R.N.).

4.5.7.6.   Falta de firma, signo y rúbrica del notario

Mencionada igualmente en el art. 27.3º L.N. es una omisión subsanable por el notario mediante la correspondiente diligencia, lo que es aplicable a las copias que inadvertidamente se hubiesen expedido sin firma.

4.5.7.7.   Adiciones, apostillas, entrerrenglonaduras, raspaduras y testados en las escrituras matrices no salvados reglamentariamente

Se refiere a este supuesto de nulidad el art. 26 L.N., si bien dicho precepto debe ser cohonestado con el art. 152 R.N. De ambos se deduce que el salvado podrá ser realizado por el mismo notario, sin necesidad de firma de los otorgantes, y solo precisarán ser realizados o salvados a mano los interlineados. Según la mejor doctrina (RODRÍGUEZ ADRADOS) la exigencia de firma expresa de los otorgantes que refiere el art. 26 L.N. se refiere únicamente al supuesto de que las enmiendas se realicen después de la lectura del instrumento, y no será necesario si se procede a una nueva lectura, ya con las enmiendas. La nulidad es evidentemente parcial, solo respecto de la enmienda no salvada. Al mismo tiempo consideramos que también es sanable por el procedimiento del art. 153 R.N.

4.5.7.8. Falta de competencia del notario autorizante

Desde el punto de vista territorial el art. 116 R.N. declara que los notarios carecen de fe pública fuera de su distrito, salvo los casos de habilitación especial. Se trata sin duda de una nulidad sanable pues la habilitación de la Junta Directiva puede recaer a *posteriori*.

Puede también provocar la nulidad del instrumento la falta de competencia funcional del notario. Conforme al art. 1º L.N. la competencia del notario se refiere a los contratos y demás actos extrajudiciales, por lo que puede hablarse de nulidad del instrumento que invade la esfera de la fe pública judicial o administrativa.

4.5.7.9. Consecuencias de la nulidad documental

Establece el art. 1.223 C.C. que la escritura defectuosa, por incompetencia del Notario o por otra falta en la forma, tendrá el concepto de documento privado, si estuviese firmada por los otorgantes.

Ya señaló RODRÍGUEZ ADRADOS que la eficacia del documento (*dictum*) y la del acto jurídico que contiene (*actum*) pueden funcionar por separado, por lo que la ineficacia del documento no tiene por qué afectar a la del acto. Sin embargo, cuando la forma notarial sea exigida *ad solemnitatem* es evidente que la nulidad del instrumento determinará la del acto. Fuera de este caso el acto será válido si han concurrido los requisitos que para el mismo impone el derecho objetivo, sin perjuicio de que ya no pueda ser probado por el documento. Por ello, pese a la dicción literal del art. 1.223 C.C. la nulidad del documento notarial que omite la firma de algún otorgante (por error por no saber o poder firmar) no produce la del acto, que se podrá probar por otros medios.

La doctrina (RODRÍGUEZ ADRADOS, CORDÓN MORENO, GÓMEZ-FERRER) coincide en que el art. 1. 223 C.C. no supone una conversión formal del documento notarial en documento privado, bien por estimar que la escritura nula tiene los efectos de un documento privado pero no se convierte en documento privado, bien por considerar que el documento notarial no ha llegado a nacer. Nos adherimos a la primera solución, debida a RODRÍGUEZ ADRADOS, puesto que es la más coherente con la naturaleza sanable de la mayoría de las nulidades.

En efecto, mientras la nulidad no sea declarada el documento será eficaz y deberá circular incontestado, por lo que servirá para probar el acto, y en general la conducta negocial de los interesados, debiendo ser los Tribunales, en última instancia, quienes se pronuncien sobre la validez del negocio instrumentado.

4.5.8. *Ineficacia de los documentos notariales mortis causa*

Como hemos apuntado más arriba la ineficacia de estos documentos se rige en primer lugar por la normativa civil, común o foral, y supletoriamente por la legislación notarial. Aunque el más frecuente es el testamento también admite la legislación foral española los testamentos mancomunados, codicilos y pactos sucesorios.

En general debe afirmarse que actos *mortis causa* son esencialmente formales, por lo que la inobservancia de los requisitos de forma determinaría su ineficacia. Así el art. 687 C.C. establece que «Será nulo el testamento en cuyo otorgamiento no se hayan observado las formalidades respectivamente exigidas en este Capítulo», y el art. 715 C.C. lo reitera para el cerrado.

La ineficacia del documento *mortis causa* puede producirse tanto por defectos formales como por la propia ineficacia del negocio que contiene.

4.5.8.1. Ineficacia del documento mortis causa por cuestiones formales

Al igual que para los documentos inter vivos la única categoría de ineficacia que ha triunfado en la doctrina en este extremo es la nulidad.

4.5.8.1.1. *Nulidad testamentaria en el Código Civil*

Contemplaremos los siguientes requisitos:

1. Identificación del testador

Su omisión no produce la nulidad del testamento, como se deduce del art. 686 C.C., precepto que establece que, en tal caso, si fuere impugnado, corresponderá a quien sostenga su validez probar la identidad del testador.

2. Intervención de intérprete y redacción a doble columna

Si el testador se expresa en lengua que el notario no conozca el art. 684 C.C. impone la intervención de un intérprete elegido por el testador, así como que el testamento se redacte en las dos lenguas, la empleada por el testador y la oficial del lugar de otorgamiento. Por aplicación supletoria del art. 150 R.N. deberá redactarse a doble columna. Su omisión producirá la nulidad, pues en este caso el notario no tiene forma de conocer la voluntad del testador.

3. Intervención de testigos

El Código Civil impone la intervención de testigos instrumentales en el testamento en los casos del art. 697 C.C. Su omisión determinará la nulidad del testamento.

El art. 697 C.C. exige que los testigos sean idóneos, señalando los arts. 681 y 682 C.C. los requisitos que han de reunir los testigos. La falta de idoneidad de un testigo determinará la nulidad. No obstante, nótese que en la mayoría de los supuestos el notario solo puede pronunciarse sobre la idoneidad de los testigos en base a sus declaraciones y las del testador.

4. Falta de expresión del lugar, año, mes, día y hora del otorgamiento, de la y advertencia al testador del derecho que tiene a leerlo por sí, o de firma por el testador que pueda hacerlo y, en su caso, por los testigos y demás personas que deban concurrir; falta de expresión del juicio de capacidad

Impone el Código en el art. 695 C.C. la constancia en el testamento de tales circunstancias en los arts. 695 y 696 C.C. Debe estimarse que si el requisito fue materialmente cumplido su omisión producirá una nulidad sanable. La jurisprudencia (cfr. Sentencia de la Sala 1ª del Tribunal Supremo de 16 junio de 1.997) afirma que si el testador sabe y puede firmar, no se salva la omisión de su firma por la de uno de los testigos. Por lo tanto, debe estimarse que la falta de firma del testador que sabe y puede hacerlo determina la nulidad insanable. Sin embargo, no sucede los mismo con la falta de firma de los testigos pues el art. 681 C.C. no les impone que sepan firmar, y el art. 695 C.C. dice que firmarán «en su caso». Solo parece imprescindible la firma de al menos un testigo cuando el testador no sabe o no puede firmar.

5. Falta de unidad de acto

Dispone el art. 699 C.C que «Todas las formalidades expresadas en esta Sección se practicarán en un solo acto que comenzará con la lectura del testamento, sin que sea lícita ninguna interrupción, salvo la que pueda ser motivada por algún accidente pasajero». Dicho requisito ha sido interpretado por la jurisprudencia (Sentencias de la Sala 1ª del Tribunal Supremo de 12 de mayo de 1.945 y 30 de noviembre de 1.991) en el sentido de que consiste, según conocida jurisprudencia, en la lectura del testamento en alta voz por el Notario y firma de los asistentes, equivaliendo la expresión de conformidad del otorgante al cumplimiento del primer requisito exigido por el art. 695 del Código Civil, sin que sea preciso ni necesario que los testigos oigan de boca del testador cada una de las disposiciones testamentarias.

6. Testamento del incapacitado

Dispone el art. 665 C.C. que «Siempre que el incapacitado por virtud de sentencia que no contenga pronunciamiento acerca de su capacidad para testar pretenda otorgar testamento, el Notario designará dos facultativos que previamente le reconozcan y no lo autorizará sino cuando éstos respondan de su capacidad.». Su omisión determinará la nulidad del testamento.

7. Especificidades del testamento cerrado

El art. 708 C.C. prohíbe a los ciegos o quienes no puedan o no sepan leer esta modalidad testamentaria; y el art. 709 C.C. impone a quienes no puedan expresarse verbalmente pero si escribir, determinadas formalidades. El incumplimiento de las mismas o la infracción de la prohibición determinará la nulidad insanable.

Para el testamento cerrado regula el art. 715 C.C. un supuesto de conversión, al señalar que el testamento cerrado nulo por defecto de forma será válido como ológrafo si estuviere todo él escrito y firmado por el testador y reúne los demás requisitos de estos testamentos.

8. *Acción de nulidad y anulabilidad*

La doctrina ha discutido la aplicación de las diversas categorías de ineficacia a los testamentos por razón de defectos formales. Así se habla de una nulidad insanable como cuando hay suplantación del notario en el testamento abierto o el cerrado o no concurren testigos en los casos que sea preciso. Por el contrario, numerosos defectos formales son, como hemos visto, susceptibles de sanación, por lo que la acción de nulidad debe estar sujeta a plazo. Otros autores prefieren calificar los supuestos de nulidad sanable como de anulabilidad.

La acción de nulidad no puede ser excluida por el testador (cfr. art. 675 C.C.), quien sí puede, sin embargo, condicionar una disposición a la no impugnación o controversia. Cuando se trata de un supuesto de nulidad radical la acción es meramente declarativa y su ejercicio no estará sujeto a plazo, aunque sí que pueden prescribir los eventuales efectos restitutorios que resulten de la declaración de nulidad. En los casos de nulidad sanable o anulabilidad el Código Civil no establece plazo, por lo que ha sido una cuestión muy debatida en la doctrina y en la jurisprudencia. En la actualidad parece claro que será el de cinco años del art. 1964.2 C.C. redactado por la ley 42/2015, que coincide ahora con el plazo para declarar la indignidad del art. 762 C.C.

4.5.8.1.2. Nulidad testamentaria en el Derecho foral catalán

El art. 422-1 C.C. C. se refiere expresamente a la nulidad del testamento por incumplimiento de los requisitos formales, pero reconoce la nulidad parcial de una cláusula que no afecta al resto del testamento (art. 422-5 C.C.C.). El art. 422-1.2 C.C.C. reconoce expresamente el carácter subsanable de la omisión o expresión errónea de la fecha y la hora; así como que la falta de expresión de la hora no afecta a la validez si el testador no otorgó otro testamento en el mismo día.

Conforme al art. 421-11 C.C.C. pueden ser testigos los empleados del notario. Además, rige todavía en el Derecho catalán el principio romano *nemo pro parte*, de manera que los arts. 422-1.3 y 423-1 C.C.C. imponen bajo sanción de nulidad que el testamento contenga institución de heredero, salvo que se aplique el Derecho de Tortosa o se nombre albacea universal.

El art. 422-6 C.C. impone expresamente la conversión en codicilo del testamento nulo por falta de institución de heredero, y la del cerrado nulo por defecto de forma en ológrafo si cumple los requisitos del mismo.

4.5.8.1.3. Nulidad testamentaria en el Derecho de las Islas Baleares

El Baleares el art. 52 del Decreto Legislativo 79/1990, de 6 de septiembre, por el que se aprueba el texto refundido de la compilación del derecho civil de las Islas Baleares, permite expresamente que puedan ser testigos los empleados del notario.

Conforme al art. 14 en Mallorca y Menorca el testamento debe contener institución de heredero, lo que no es aplicable en Ibiza y Formentera (art. 69.2).

4.5.8.1.4. Nulidad testamentaria en el Derecho foral navarro

La Ley 1/1973 de 1 de marzo, por la que se aprueba la Compilación del Derecho Civil Foral de Navarra regula expresamente la nulidad de los testamentos y demás disposiciones mortis causa, estableciendo la ley 206 que «Son nulos los testamentos y demás disposiciones mortis causa en cuyo otorgamiento no se hayan observado los requisitos prescritos por la Ley». La ley 207 distingue entre nulidad total y parcial.

Según la ley 188 los testamentos abiertos ante notario requieren la intervención de dos testigos y los cerrados de cinco. No obstante, la ley 186 permite que sean testigos los empleados del notario.

Conforme a las leyes 160 y 167 las donaciones universales *inter vivos* y las *mortis causa* exigen ser otorgadas en escritura pública.

4.5.8.1.5. Ineficacia de los testamentos en el Derecho foral de Aragón

El Decreto Legislativo 1/2011, de 22 de marzo, del Gobierno de Aragón, por el que se aprueba, con el título de «Código del Derecho Foral de Aragón», el Texto Refundido de las Leyes civiles aragonesas, contempla en los arts. 423 y ss. la invalidez de los testamentos, distinguiendo entre ésta y la de las disposiciones testamentarias. Al mismo tiempo se reconoce expresamente la categoría de la anulabilidad en los supuestos de los arts. 423.2 y 424.2.

Los pactos sucesorios exigen como requisito formal su otorgamiento en escritura pública.

4.5.8.1.6. Ineficacia de los estamentos en el Derecho civil gallego

La Ley 2/2006, de 14 de junio, de derecho civil de Galicia, el art. 185 exige que los testigos han de saber firmar, el art. 211 que los pactos sucesorios han de constar necesariamente en escritura pública.

4.5.8.2. Ineficacia del documento notarial *mortis causa* por cuestiones sustantivas

El negocio *mortis causa* puede ser ineficaz por causas diversas, que resultarían de su contravención al derecho imperativo. Así, por no tener el testador la edad de catorce años o no hallarse en su cabal juicio (art. 663 C.C.). O por infringir las prohibiciones de testamento mancomunado (art. 669 C.C.) o por comisario (art. 670 C.C.).

En algunos casos la ineficacia será parcial, es decir, solo respecto de la disposición a la que afecte, como sería el caso de las incapacidades relativas de los arts. 752, 753 y 754 C.C.

También devendrá ineficaz el testamento por su revocación, expresa o tácita (cfr. arts. 737 y ss. C.C.). No sucede tal con las disposiciones irrevocables, como son algunas modalidades de pactos sucesorios.

4.5.9. Ineficacia del documento notarial por ineficacia del acto o negocio que incorpora

Junto con la ineficacia puramente formal también se ve afectada la eficacia del documento por la ineficacia del acto o negocio que contiene. En efecto, determinada dicha ineficacia el documento ya no podrá seguir desplegando la eficacia sintética respecto de dicho acto o negocio. Ello no significa la ineficacia total del documento notarial, pues al menos gozará de la presunción de veracidad y de la eficacia probatoria respecto de los extremos documentados por el notario en su actuación analítica. Como la actuación del notario está encaminada a realizar una serie de comprobaciones tendentes a disminuir al máximo la probabilidad de ineficacia, la declaración de la misma impone la destrucción de las presunciones que resultan de dichas comprobaciones. Se suele decir entonces que se imputan tachas al documento:

1. Tacha de incorrección

Relativa a los juicios del notario respecto de hechos que no percibe directamente y sobre la realidad no sensible. No nos hallamos en sede de falsedad, sino de error. Si el juicio del notario conduce a un resultado contrario a la realidad el documento es susceptible de ser impugnado para adaptar sus pronunciamientos a la misma. Por ejemplo, se produciría tal situación cuando el notario considera notorio que una persona no tiene hijos, en base a las declaraciones testificales y la documentación aportada y luego resulta tenerlos.

2. Tacha de ilegalidad

Las calificaciones jurídicas del notario pueden ser destruidas mediante la interpretación distinta de negocios antecedentes o mediante la alegación de su contradicción con el derecho objetivo, cuestión sobre la que deben decidir, en último término, los tribunales de justicia. Por ejemplo el notario considera justificada la representación alegada por un compareciente y los tribunales estiman que el acto escriturado no estaba incluido en sus facultades representativas.

3. Tacha de insinceridad

Se refiere a la verdad intrínseca de las declaraciones de verdad o ciencia de los comparecientes, la cual no queda amparada por la fe notarial.

Respecto de las declaraciones de voluntad negocial implica la negación de la realidad de lo querido, es decir, la existencia de simulación absoluta o relativa. Tampoco nos hallamos en sede de falsedad, pues lo que se dice querido es real o fingido, nunca falso.

4. Tacha de falta de integridad

A diferencia de la subespecie de falsedad que, como antes señalamos, implica elevar al rango de la totalidad una parte de la realidad, en el caso de la tacha se trata de alegar que la reglamentación negocial no es solo la contenida en el documento, sino que debe completarse o entenderse modificada por actos no contenidos en el mismo. Por ejemplo cuando se otorga una contraescritura en el supuesto del art. 1.219 C.C.

Como hemos señalado las presunciones documentales son *iuris tantum*, de manera que pueden ser judicialmente desvirtuadas declarando la ineficacia del negocio y, por tanto, del documento. También es posible que los otorgantes o sus causahabientes alteren la eficacia del negocio mediante una nueva reglamentación negocial, lo que también afectará a los efectos del documento, distinguiéndose entre los que se producen *inter partes* y frente a terceros (cfr. arts. 1.219 y 1.230 C.C. y 178 RN).

4.6. SUJETOS DEL INSTRUMENTO PÚBLICO

Todo acto jurídico requiere un hecho humano, producido por una voluntad consciente y exteriorizada, que conforme al ordenamiento jurídico, origina ciertos efectos.

El documento público como receptor de un acto o negocio jurídico ha de expresar quienes son los sujetos del mismo.

El Notario que autoriza el documento público no es parte del mismo, ya que, como dice J.E. GOMA SALCEDO (1992) el Notario es el autor del documento, el que lo autoriza, entendiendo el verbo autorizar no en el sentido usual de conceder permiso o licencia, pues el Notario no da licencia para nada, sino que es (como la palabra «otorgamiento») una derivación de «auctorare, se auctorem facere», hacerse autor.

El sujeto del negocio jurídico y el sujeto del instrumento público, pueden ser, o no, la misma persona, y a exponer las relaciones entre ambos conceptos van destinadas dos importantes parcelas del instrumento público, como son la comparecencia y la intervención.

4.6.1. Partes

Para el estudio de los sujetos en el instrumento público se han establecido unas categorías con el fin de determinar los diferentes roles o papeles que juegan las personas físicas o jurídicas que intervienen o forman parte en el otorgamiento del instrumento público.

Para ello se toman en cuenta circunstancias diversas, de tipo civil, notarial o fiscal.

Como dicen JIMÉNEZ CLAR y LEYDA ERN (2008), esta circunstancia ha dado lugar a intentos de clasificación entre conceptos que, por tener diferente origen o clasificación, son difícilmente compatibles.

Además hay que tener en cuenta que algunas clasificaciones atienden al instrumento público como continente de un negocio o contrato, sin tener en cuenta que el instrumento público tiene una extensión más amplia de la materia estrictamente contractual.

Teniendo en cuenta estas aclaraciones previas, tradicionalmente se distingue entre partes, comparecientes, otorgantes e intervinientes:

Siguiendo a NÚÑEZ LAGOS, conviene distinguir entre el negocio y el instrumento.

La parte es necesariamente sujeto del negocio, pero no tiene porqué serlo del instrumento en su aspecto formal, pero sí en el material, ya que es el receptor de sus efectos.

Parte es el sujeto del negocio jurídico o acto documentado, y pertenece al mundo de las relaciones jurídicas.

Son pues todas aquellas personas físicas o jurídicas que resultan afectadas desde el punto de vista obligacional por el contrato o negocio contenido en el documento público.

La parte puede o no coincidir con el compareciente.

Si es una persona física sujeto del negocio jurídico que comparece ante el Notario en su propio nombre y derecho, se es compareciente y parte.

Si actúa a través de un representante, legal o voluntario, se es parte, pero no compareciente, mientras que el representante será compareciente sin ser parte.

Como indica GOMÁ las partes pueden ser:

Simples o plurales, ya que una de las partes del negocio puede estar compuesta por varias personas.

Unilaterales, bilaterales o plurilaterales, así hay negocios con una sola parte (testador o poderdante), con dos partes (vendedor y comprador) o con más de dos partes (la sociedad, en que hay una parte por cada socio).

Principales y accesorias, llamado accesoria a la que completa la capacidad de la principal.

4.6.2. Comparecientes

Es la persona física que comparece ante el Notario, autor de una declaración en el documento público, pudiendo ser parte, si lo hace en nombre propio o no, si lo hace en nombre ajeno.

Por ello, como señala JIMÉNEZ CLAR no son o no pueden ser comparecientes:

– Las personas jurídicas, ya que su presencia física en el otorgamiento se lleva a cabo necesariamente por medio de la representación, ya sea orgánica o voluntaria.

– Las personas físicas cuando son representadas por otras, ya sea en virtud de representación voluntaria (apoderados) o legal (menores e incapacitados, entre otros)

En las actas es el requirente.

Se puede dar el caso de algunos instrumentos público que carezcan de compareciente, como es el caso de requerimientos genéricos o hechos por carta en caso de urgencia, o en las actas de protesto.

4.6.3. Otorgantes

Otorgante, que es el que presta su consentimiento al negocio jurídico y al instrumento con un único consentimiento, y es propio de las escrituras y las pólizas.

El otorgante puede ser el equivalente notarial de parte del negocio, aunque puede existir el otorgante que no es parte, en caso de que el instrumento público no contenga un negocio jurídico.

4.6.4. Intervinientes

Intervinientes son aquellas otras personas que, en cualquier concepto intervienen en o suscriben (art. 195 RN) un instrumento público, sin prestar el consentimiento jurídico sustantivo o negocial del otorgante.

Son:

- Los **testigos**, que posteriormente estudiaremos,

- El lector **no testigo**, que el Reglamento Notarial regulaba hasta 1967 y el Código Civil hasta 1991 para el testamento abierto del ciego, sin eliminar la lectura del Notario. La doctrina considera que puede seguir admitiéndose.

- El **firmante por sustitución**, cuando el otorgante no sabe o no puede firmar en los actos intervivos, aunque también puede ser un testigo, según el artículo 195 RN, pero en los testamentos sólo puede suplirse la firma del testador por los testigos, según los artículos 695 y 707.5 CC para los testamentos abierto y cerrado respectivamente.

- Los **facultativos**, que se admiten:

- En el testamento del incapacitado en intervalo lúcido, según establece en Derecho común, el artículo 665 CC al decir que *«Siempre que el incapacitado por virtud de sentencia que no contenga pronunciamiento acerca de su capacidad para testar pretenda otorgar testamento, el Notario designará dos facultativos que previamente le reconozcan y no lo autorizará sino cuando éstos respondan de su capacidad».*

En sentido similar en Derecho catalán (art. 421-9.2 del Libro Cuarto del Código Civil de Cataluña aprobado por Ley 10/2008 de 10 de julio).

- En el Derecho Catalán se ha introducido la novedad de que, aunque el testador no esté incapacitado judicialmente, el notario, si lo considera pertinente, puede pedir la intervención de dos facultativos (art. 421-9.1).

- En ambos casos dice que los facultativos deben hacer constar su dictamen en el propio testamento y deben firmarlo con el notario y, si procede, con los testigos (art. 421-9.3).

- Los **intérpretes**, antes de la reforma del Reglamento Notarial de 2007 se exigía que fueran oficiales, pero el actual artículo 150 RN ha prescindido de este requisito al decir que *«Cuando los otorgantes, o alguno de ellos, no conocieren suficientemente el idioma en que se haya redactado el instrumento público, y el Notario no pudiere por sí comunicar su contenido, se precisará la intervención, en calidad de intérprete, de una persona designada al efecto por el otorgante que no conozca el idioma, extremo que se expresará en la comparecencia y la autorización del documento,* *que hará las traducciones necesarias, declarando la conformidad del original con la traducción y que suscribirá, asimismo, el instrumento público».*

El artículo 684 CC establece que *«Cuando el testador exprese su voluntad en lengua que el notario no conozca, se requerirá la presencia de un intérprete, elegido por aquél, que traduzca la disposición testamentaria a la oficial en el lugar del otorgamiento que emplee el notario. El documento se escribirá en las dos lenguas con indicación de cuál ha sido la empleada por el testador».*

Para el testamento cerrado el art. 707 CC dice que *«3.ª En presencia del notario, manifestará el testador por sí, o por medio del intérprete previsto en el artículo 684, que el pliego que presenta contiene su testamento,...»*

Cuando se trate de sordomudos, se aplicará el artículo 193 RN cuyo último párrafo modificado en 2007 y recogiendo la doctrina establecida por la DGRN en Resolución 31 de agosto de 1987 y aceptada por la práctica notarial, dispone lo siguiente: *«Si alguno de los otorgantes fuese completamente sordo o sordomudo, deberá leerla por sí; si no pudiere o supiere hacerlo será precisa la intervención de un intérprete designado al efecto por el otorgante conocedor del lenguaje de signos, cuya identidad deberá consignar el notario y que suscribirá, asimismo, el documento; si fuese ciego, será suficiente que preste su conformidad a la lectura hecha por el notario».*

La Ley 192 de la Compilación Navarra (Ley 1/1973, de 1 de marzo) establece que los navarros podrán testar en vascuence. Cuando el testamento se otorgare ante Notario y éste no conociere el vascuence, se precisará la intervención de dos intérpretes elegidos por el testador que traduzcan su disposición al castellano; el testamento se escribirá en las dos lenguas, conforme se establece en el Reglamento Notarial.

En Aragón, el art. 412 DL 1/2011, de 22 de marzo, del Gobierno de Aragón, por el que se aprueba, con el título de «Código del Derecho Foral de Aragón», el Texto Refundido de las Leyes civiles aragonesas dice que *«Los testamentos notariales podrán redactarse en cualquiera de las lenguas o modalidades lingüísticas de Aragón que los testadores elijan. Si el autorizante o, en su caso, los testigos o demás personas intervinientes en el otorgamiento no conocieran la lengua o modalidad lingüística elegida, el testamento se otorgará en presencia y con intervención de un intérprete, no necesariamente oficial, designado por los testadores y aceptado por el autorizante, quien deberá firmar el documento».*

– Los **peritos** en general, que son cada vez más frecuentes en ciertas actas que requieren conocimientos técnicos de los que carece el Notario.

– Los **técnicos competentes**, como puede ser los arquitectos, en las declaraciones de obra nueva, en las actas de fin de obra y en las actas de depósito del Libro del Edificio.

El art. 49 RD 1093/1997 de 4 de julio, por el que se aprueban las normas complementarias al Reglamento para la ejecución de la Ley Hipotecaria sobre inscripción en el Registro de la Propiedad de Actos de Naturaleza Urbanística establece que «La justificación por técnico competente de los extremos a que se refieren los artículos anteriores podrá hacerse por comparecencia del técnico en el mismo acto del otorgamiento de la escritura o autorización del acta que, en cada caso, proceda».

Todas estas personas concurrirán al otorgamiento o aprobación del instrumento público y deberán firmarlo, conforme hemos visto en los artículos transcritos, y más específicamente para el testamento lo establece el artículo 698 CC que preceptúa que:

> «Al otorgamiento también deberán concurrir:
> 1º. Los testigos de conocimiento, si los hubiera, quienes podrán intervenir como testigos instrumentales.
> 2º. Los facultativos que hubieran reconocido al testador incapacitado.
> 3º. El intérprete que hubiera traducido la voluntad del testador a la lengua oficial empleada por el notario».

Con ello pasamos al estudio de los testigos.

4.6.5. Testigos

4.6.5.1. Concepto

El Diccionario de la Real Academia de la Lengua nos dice que testigo es:

1. com. Persona que da testimonio de algo, o lo atestigua.
2. com. Persona que presencia o adquiere directo y verdadero conocimiento de algo.

Testigo de conocimiento. 1. com. *Der.* testigo que, conocido a su vez por el notario, asegura a este sobre la identidad del otorgante.

Testigo instrumental. 1. com. *Der.* testigo que en documentos notariales afirma con el notario el hecho y contenido del otorgamiento.

El art. 180 RN lo define diciendo que «*Son testigos instrumentales los que presencien el acto de lectura, consentimiento, firma y autorización de una escritura pública*».

4.6.5.2. Evolución Histórica

En el Derecho Romano, como en nuestras Leyes de Partida la fuerza probatoria del documento privado arrancaba, no precisamente del mismo documento, sino de la prueba testifical, por ello, como asienta NÚÑEZ LAGOS, históricamente, el documento privado perdía toda su eficacia al fallecimiento de los testigos.

En Roma, por medio del testamento *in calamitis comitis* se buscó la presencia y sanción del pueblo, que también estaba representado en las estipulaciones *per aes et libram*; y luego, entre los testigos llamados a probar con su dicho la existencia del acto y contrato, va destacando la figura del *tabellio,* no sólo como perito en la redacción del contrato, sino como testigo de mayor excepción, que, en la Edad Media ya se muestra en plano de gran superioridad, pero todavía no se puede prescindir de estos, cuyo papel es, cada vez más, de acólito, a no ser que concurriera otro fedatario, como exigía en principio la Ley de Partida 54 al decir que *«en toda carta que sea fecha por mano de Escribano público deben ser puestos los homes de... los testigos»*.

La LO Notariado de 28 de mayo de 1862, en su art. 20 estableció que *«No podrán autorizar los Notarios ningún instrumento público inter vivos sin la presencia al menos de dos testigos»*.

Sistema que fue seguido por los reglamentos de 1897, 1917, 1921 y 1935.

El CC estableció en su artículo 694 que el testamento abierto deberá ser otorgado ante Notario hábil para actuar en el lugar del otorgamiento, y tres testigos idóneos que vean y entiendan al testador, y de los cuales, uno, al menos, sepa y pueda escribir y en el artículo 695 exigía que el testador expresara su última voluntad al Notario y a los testigos, siendo firmado por los mismos y para el testamento cerrado se exigía en el artículo 707, 2º que el testador compareciera ante el Notario que había de autorizarlo y cinco testigos idóneos, de los cuales, tres, al menos, habían de poder firmar.

En 1894 se mostraron partidarios de que subsistiera la intervención de los testigos, los Colegios Notariales de Aragón, Cataluña y Baleares, frente a una moción en contrario del Colegio de Valencia.

La Ley de 1 de abril de 1939 dispone que en la autorización de las escrituras públicas no será necesaria la intervención de testigos instrumentales, salvo que la reclamen el Notario autorizante o cualquiera de las partes, o cuando alguno de los otorgantes no sepa leer ni escribir, modificó el artículo 681 de Código Civil y se produjo una importante innovación al autorizar a los testigos instrumentales para serlo también de conocimiento y reduce el rigor del artículo 681 del Código Civil, y en lo sucesivo ya no es necesario que los testigos tengan vecindad o domicilio en el lugar del otorgamiento, cuando aseguren que conocen al testador y el Notario conoce a este y a aquellos.

El RN en su redacción de 2 de junio de 1944 siguiendo a la Ley 1 de abril de 1939 estableció en el artículo 180 RN:

> *«En la autorización de las escrituras públicas no será necesaria la intervención de testigos instrumentales, salvo que la reclamen el Notario autorizante o cualquiera de las partes, o cuando alguno de los otorgantes no sepa o no pueda leer ni escribir. Esta disposición se aplicará a los*

> *protestos sin perjuicio de las normas que sobre esta materia se dicten en lo sucesivo. Se excep-*
> *túan de esta disposición los testamentos que se regirán por lo establecido en la legislación civil.*
> *Son testigos instrumentales los que presencien el acto de la lectura, consentimiento, firma y*
> *autorización de una escritura pública.*
> *Los testigos instrumentales pueden ser a la vez, incluso en los testamentos, testigos de conocimiento.*
> *No será necesario en los testamentos que los testigos tengan vecindad o domicilio en el lugar*
> *del otorgamiento cuando aseguren que conocen al testador, y el Notario conozca a éste y a*
> *aquéllos».*

Se debe dar el doble requisito de no saber o poder leer y escribir, pudiendo darse el caso de una persona que sepa y pueda leer y no pueda o sepa escribir.

FERNÁNDEZ-GOLFÍN y FERNÁNDEZ-TRESGUERRES (2009) se plantean al problema de la coordinación de las normas civiles sobre capacidad de las personas y la protección a la intimidad, con la exigencia en la normativa notarial de testigos instrumentales, pudiendo darse el caso de personas con incapacidades sensoriales que poseen una adecuada formación, muy alejados del no saber leer y escribir de la norma, puedan excluir la presencia de testigos, e incluso que prefieran que no se consigne en el instrumento su incapacidad. Sin embargo, concluyen que debe prevalecer la exigencia de testigos instrumentales y la adecuada plasmación en los documentos de las circunstancias de su concurrencia u omisión con expresión de la materia y su causa, para evitar posibles anulaciones y responsabilidades.

Para los testamentos, la Ley 30/1991 de 20 de diciembre (BOE 23 de diciembre de 1991) suprime los testigos para los testamentos con carácter general, recogiendo el deseo generalizado de hacer posible mayor grado de discreción y reserva para un acto tan íntimo como la disposición de última voluntad, pero sique siendo necesario el concurso de los testigos cuando el testador no sabe o no puede leer o no sabe o no puede firmar, cualquiera que sea la causa y se ha prestado especial atención al caso, tradicional, del sordo que no sabe o no puede leer.

La disposición transitoria de la Ley de 20-diciembre-1991 establece que: «*Serán válidos los testamentos otorgados con anterioridad a la entrada en vigor de esta Ley que, no cumpliendo requisitos establecidos en la legislación anterior, se ajusten a lo previsto en la presente Ley siempre que no hubieren sido anulados por resolución judicial firme*»..

4.6.5.3. Funciones

ALBALADEJO afirma que en los casos en que se precisa la presencia de testigos en los testamentos, estos:

- Presencian el otorgamiento.
- Identifican al testador.

–   Y emiten juicio acerca de su capacidad.

No obstante RIVAS discrepa, afirmando que tras la Ley de 1991, su única misión es la de presenciar el otorgamiento del testamento, no siendo necesario que emitan juicio acerca de su capacidad, ni que identifiquen al testador salvo cuando sean de conocimiento.

Así lo ha recogido el TS en S de 21 Jun. 1986, que dice que, si bien es cierto que tanto los testigos como el Notario «han de asegurarse» de la capacidad del testador, corresponde únicamente al Notario tal constatación de capacidad en la escritura de otorgamiento.

Y fue seguida por la STC 6-mayo-1993 relativa al derecho balear.

Los testigos deberán estar presentes en el acto de lectura, consentimiento, firma y autorización de una escritura pública (art. 180 RN), no siendo válido que estén únicamente en la firma del documento, ya que los Notarios darán fe de haber leído a las partes y a los testigos instrumentales la escritura íntegra o de haberles permitido que la lean, a su elección, antes de que la firmen, y a los de conocimiento lo que a ellos se refiera, y de haber advertido a unos y a otros que tienen el derecho de leerla por sí.

Después de la lectura, los otorgantes deberán constar su consentimiento al contenido de la escritura. (art. 193 RN).

El art. 17.1. 2 LO Notariado, establece que *«Es escritura matriz la original que el Notario ha de redactar sobre el contrato o acto sometido a su autorización, firmada por los otorgantes, por los testigos instrumentales, o de conocimiento en su caso, y firmada y signada por el mismo Notario».*

«Por regla general, todos los testigos deberán firmar el instrumento. Si alguno de los testigos instrumentales no supiere o no pudiere, firmará el otro por sí y a nombre del que por tal causa no lo hiciese; y si, por último, ninguno de estos testigos supiere o pudiere firmar, bastará la firma de los otorgantes y la autorización del Notario, expresando éste que los testigos no firman por no poder o no saber hacerlo.

Cuando concurriesen, además, testigos de conocimiento, con arreglo al artículo 23 de la Ley, uno cuando menos deberá saber firmar, y firmará por sí y por el que no sepa, expresándose en ambos casos las circunstancias que prescribe el artículo 24 de la Ley respecto de los testigos.

En ningún caso será preciso que el testigo que firme escriba de propio puño la antefirma; la cualidad con que lo haga la expresará claramente el Notario en el instrumento mismo». *(art. 186 RN).*

Se firmarán las escrituras matrices con arreglo al párrafo segundo del artículo 17 de la Ley, pero si los otorgantes o alguno de ellos no supiese o no pudiere firmar, lo expresará así el notario y firmará por el que no lo haga la persona que él designe para ello o un testigo, sin necesidad de que escriba en la antefirma que lo hace por sí y como testigo, o por el otorgante u otorgantes que no sepan o no puedan verificarlo, siendo el notario quien cuidará de expresar estos conceptos en el mismo instrumento.

Los que suscriban un instrumento público, en cualquier concepto, lo harán firmando en la forma que habitualmente empleen.

El notario, a continuación de las firmas de otorgantes y testigos, autorizará la escritura y en general los instrumentos públicos, signando, firmando y rubricando. Deberá estampar al lado del signo el sello oficial de su Notaría. (art. 195 RN)

El art. 154 RN establece que cuando por tratarse de provincia exceptuada del uso de papel sellado o cuando por alguna circunstancia excepcional se emplee papel común sin señal o numeración que lo identifique suficientemente, los otorgantes y testigos, en su caso, deberán firmar en todas las hojas o pliegos.

Igualmente hemos visto para el testamento abierto que el artículo 697 de Código Civil habla de que los dos testigos deberán concurrir «*al acto de otorgamiento*», no en la fase de preparación, cuando el testador expresa su voluntad al Notario.

Ubicación de los testigos en el documento y circunstancias

La designación de los testigos se hizo siempre al final del documento, como nos lo dan a conocer las formulas antiguas que nos han llegado y las exposiciones doctrinales de los tratadistas italianos, pero en el siglo XVIII por influencias de la técnica procesal algunos notarios comenzaron por designarlos en la comparecencia, hasta que en el siglo XX se abandona esta práctica para volver a la antigua.

La práctica moderna suele distinguir si los testigos son de conocimiento o instrumentales.

Si son testigos de conocimiento, como son una forma de identificar a los comparecientes, convendrá designarlos a continuación de la persona a quienes identifican, expresándolo así de la misma manera que en aquel lugar se reseñan los documentos de identidad cuyo fin es el mismo, o bien al hacer constar la forma de identificar a los comparecientes, ya sea por conocimiento, por sus documentos de identidad o por testigos.

Si son testigos instrumentales, se hace constar su existencia y sus datos personales en la autorización, al constatar documentalmente la prestación de consentimiento.

En cuanto a las circunstancias de los testigos, la Ley del Notariado, en su artículo 24 establece que en todo instrumento público consignará el Notario, los nombres y vecindad de los testigos, entendiendo que, en la actualidad, además habrá que hacer constar su número de Documento nacional de Identidad, para una más perfecta identificación de los mismos.

Consecuencias de su falta o inhabilidad

Si siendo precisa la presencia de testigos no los hay en el otorgamiento o alguno de los mismos está incurso en alguna causa de incapacidad absoluta o relativa el instrumento público, escritura o testamento así otorgado será nulo.

Para los actos intervivos la sanción en caso de que los testigos sean inhábiles, se recoge en el artículo 27 LO Notariado, al decir que «*Serán nulos los instrumentos públicos: ...//... Segundo. En que sean testigos los parientes de las partes en ellos interesadas en el grado de que queda hecho mérito, o los parientes, escribientes o criados del mismo Notario*».

La Audiencia Provincial de Badajoz en Sentencia de 18 Abr. 2008 estableció que la presencia de testigos inidóneos cuando su presencia no es necesaria (la testadora era sorda pero pudo leer y leyó el testamento) no puede acarrear una consecuencia tan severa como la de originar la nulidad del testamento. No puede olvidarse el principio «favor testamenti».

Ello nos lleva a la duda que se plantea sobre las consecuencias que conllevaría la inidoneidad de uno o ambos testigos cuando se presencia no sea preceptiva por ley, sino *cuando lo reclamen el Notario o cualquiera de las partes* (art. 180 del RN) o para el testamento abierto en el art. 697, 3º del Código Civil, *cuando el testador o el notario lo soliciten*.

Parece que la sanción es de nulidad, pero la doctrina se inclina por opinar, que algo que se incorpora al documento, no siendo legalmente necesario, no debe producir su nulidad, por una causa ignorada por quien solicitó la presencia de testigos con la finalidad de darle un plus de publicidad o solemnidad, o por mero capricho.

4.6.5.4. Capacidad para ser Testigos

En actos «inter-vivos»

El art. 181 RN establece que «*Para ser testigo instrumental en los documentos inter-vivos se requiere ser español, hombre o mujer, mayor de edad o emancipado o habilitado legalmente y no estar comprendido en los casos de incapacidad que establece el artículo siguiente.*

Las personas sujetas a régimen foral podrán ser testigos, si son mayores de edad, por su legislación.

También podrán ser testigos los extranjeros domiciliados en España que comprendan y hablen suficientemente el idioma español».

Por tanto se exigen los siguientes *requisitos*:

- Ser español, hombre o mujer, o extranjero domiciliado en España que comprenda y hable suficientemente el idioma español.

- Ser mayor de edad, emancipado o habilitado de edad (los sujetos a derecho foral deben serlo según su legislación).

- No se exige que sepa y pueda leer y escribir, pero, al menos uno de ellos debe saber firmar.

- No estar en *causa de incapacidad*, que son las siguientes:

La LO Notariado establece en su artículo 21, que: «*No podrán ser testigos en los instrumentos públicos los parientes, escribientes o criados del Notario autorizante.*

Tampoco podrán serlo los parientes de las partes interesadas en los instrumentos, ni los del Notario, unos y otros dentro del cuarto grado de consanguinidad o segundo de afinidad».

El artículo 182 RN (reformado por RD 1276/2011, de 16 de septiembre) establece:

> «*Son incapaces o inhábiles para intervenir como testigos en la escritura:*
> *1.º Las personas que no posean el discernimiento necesario para conocer y para declarar o para comprender el acto o contrato a que el instrumento público se refiere.*
> *2.º El cónyuge o persona con análoga relación de afectividad y los parientes dentro del cuarto grado de consanguinidad o segundo de afinidad, del Notario autorizante o del Notario autorizado para actuar en su mismo despacho de conformidad con el artículo 42 de este Reglamento.*
> *3.º Los empleados del notario autorizante o del autorizado para actuar en su mismo despacho de conformidad con el artículo 42 de este Reglamento.*
> *4.º Los cónyuges y los parientes de los otorgantes, dentro del cuarto grado de consanguinidad o segundo de afinidad.*
> *5.º Los que hayan sido condenados por falsedad en documento público o mercantil o por falso testimonio*».
> «*Son incapaces o inhábiles para intervenir como testigos en la escritura:*
> *El párrafo 1.º antes de 2011 decía «Las personas con discapacidad psíquica, los invidentes, los sordos y los mudos*».

El artículo excluye a los parientes y empleados del Notario convenido con otro, de acuerdo con el artículo 42 del Reglamento Notarial, pero no al mismo notario.

La reforma de 2007 ha añadido al cónyuge del Notario o persona con análoga relación de afectividad, lo que produce una cierta indeterminación sobre esta inhabilidad, dados los diversos grados que puede haber en la relación entre el Notario y su pareja ¿pareja de hecho, novio, etc.?

Las incapacidades del artículo 182 son para los testigos instrumentales, ya que a los testigos llamados de conocimiento sólo les afectan las incapacidades a que se refieren los números 1 y 5 del artículo 182 (artículo 184 RN) y sólo podrán ser a la vez instrumentales cuando reúnan los requisitos de capacidad antes expresados (art. 185 RN).

La DGRN en R 27 de diciembre 2002, establece que a los testigos asertorios sólo se les podrá exigir los requisitos necesarios para ser testigos de hechos, es decir, que tengan capacidad de obrar y estén en situación de aseverar la certeza de los hechos sujetos a la apreciación del Notario y no les es aplicable la limitación por parentesco establecida en el artículo 182, 4º RN.

Actos «Mortis Causa»

Los testigos han de ser personas físicas y capaces, entendiéndose por tales quiénes no están comprendidos en alguna de las incapacidades legales.

Podemos distinguir dos clases de incapacidades:

a) *Incapacidades absolutas*, llamadas así por inhabilitar para ser testigo en cualquier testamento.

Actualmente el artículo 681 CC, reformado por Ley 15/2015, de 2 de julio, tiene la siguiente redacción:

«No podrán ser testigos en los testamentos:

1º. Los menores de edad, salvo lo dispuesto en el artículo 701.

2º. Sin contenido.

3º. Los que no entiendan el idioma del testador.

4º. Los que no presenten el discernimiento necesario para desarrollar la labor testifical.

5º. El cónyuge o los parientes dentro del cuarto grado de consanguinidad o segundo de afinidad del Notario autorizante y quienes tengan con éste relación de trabajo».

1º. En cuanto a los menores de edad,

Salva lo dispuesto en el artículo 701 CC, es decir en que pueden serlo los mayores de 16 años en el testamento en tiempo de epidemia.

La doctrina discute el por qué exigir la mayoría de edad para ser testigo en un testamento, cuando para otros negocios tanto o más importantes se establece una edad menor.

Así se puede celebrar matrimonio con 16 años y se puede otorgar testamento con 14 años, pero no ser testigo en el ajeno, y pueden ser testigos en los actos intervivos con arreglo a lo dispuesto en el artículo 361 de la ley de Enjuiciamiento Civil de 2000, que establece incluso que los menores de catorce años podrán declarar como testigos si, a juicio del tribunal, poseen el discernimiento necesario para conocer y para declarar verazmente

A favor y en contra muchos autores, que terminan concluyendo que a pesar de todo ello la disposición legal es tajante y no deja duda.

La regla general es que cuando alguno de los testigos no ha llegado a la mayor edad, el testamento en que intervienen es nulo (numerosa jurisprudencia del TS entre ellas la de 30 de noviembre de 1906), pero, excepcionalmente y en un caso singular, el TS en sentencia 21 noviembre 1899 dulcificó este requisito, por razones de equidad para mantener la validez de un testamento en el que uno de los testigos era tenido por mayor de edad, aunque le faltaban pocos meses para cumplirla.

También se discute si en la incapacidad están comprendidos o no los menores emancipados.

Queda claro que si no se han cumplido los 18 años no se es mayor, pero como el artículo 323 del Código Civil establece que la emancipación habilita al menor para regir su persona y bienes como si fuera mayor, salvo ciertas limitaciones, entre las que no se encuentra el ser testigo en los testamentos, algunos autores defienden la posibilidad de que sea testigo (ARMERO, VILA PLANA y DÍEZ-PICAZO y GULLÓN). En contra MANRESA, CASTÁN, ALBALADEJO y GONZÁLEZ PORRAS, que afirman que dado el carácter rigurosamente formalista del testamento es arriesgado aplicar por analogía la doctrina de la emancipación o habilitación de edad.

Los extranjeros podrán ser testigos, siempre que entiendan el idioma del testador, y para calificar su edad, habrá que estar a su ley personal.

2º. El número 2º, que se refería a los ciegos y los totalmente sordos o mudos ha sido dejado sin contenido, aunque no entendemos como un ciego puede ser testigo.

3º. Los que no entiendan el idioma del testador.

Es dudoso que esta clase de incapacidad se aplique al testamento otorgado en lengua extranjera, pues interviniendo intérprete, parece que debe excusarse que los testigos entiendan el idioma del testador, si bien la doctrina no es unánime.

RIVAS MARTÍNEZ defiende que no es necesario que entiendan el idioma del testador si hay intérprete, ya que los intérpretes son un medio de comunicación entre testador, testigos y Notario y se basa en una RDGRN de 22 de noviembre de 1916.

4º. Los que no presenten el discernimiento necesario para desarrollar la labor testifical (antes de 2015 decía Los que no estén en su sano juicio).

Parece claro que si la persona ha sido judicialmente incapacitada, no podrá ser testigo en un testamento, pero para que exista la incapacidad no es precisa la previa declaración de locura, sino que el testigo debe tener cordura y sanidad de juicio y aparecer y comportarse con la capacidad suficiente para querer y entender, entrando cualesquiera causas que impidan el normal funcionamiento de sus facultades de discernimiento.

Se discute si el loco en intervalo lúcido puede ser testigo en los testamentos.

Mientras que un sector (DÍEZ-PICAZO y GULLÓN, PUIG BRUTAU y LA-CRUZ-SANCHO) se oponen, otros entienden que es testigo hábil aquél que en el momento del testamento está en su sano juicio no existiendo la causa de inhabilidad en ese preciso momento (VILA PLANA, GARCÍA GOYENA y GONZÁLEZ-PORRAS). Con la nueva redacción del artículo parece que es posible.

Quien alegue la falta de sano juicio de un testigo deberá probarla, pues si no está incapacitado se presume la capacidad.

5º. *El cónyuge o los parientes dentro del cuarto grado de consanguinidad o segundo de afinidad del Notario autorizante y quienes tengan con éste relación de trabajo»*.

Se recogen en este supuesto dos supuestos diferentes: de una parte las de razón de parentesco o matrimonio y de otra los que tienen una razón de dependencia con el Notario autorizante.

Debemos entender con la jurisprudencia que no pueden ser testigos cualesquiera personas que actuaran como colaboradores del Notario aunque no sean sus empleados en sentido legal.

Caben dudas respecto a las personas que trabajan para el Notario y otras personas conjuntamente, como porteros del edificio, etc.

Actualmente creo que también están inhabilitados los empleados del Notario autorizado para actuar en su mismo despacho por convenio, de conformidad con el artículo 42 del Reglamento Notarial, ya que les une con el mismo una relación de trabajo, recibiendo órdenes e instrucciones del Notario, aunque no sea propiamente su empleador.

La jurisprudencia se ha pronunciado frecuentemente sobre el tema, con una interpretación poco flexible, incluyendo a todos los que tengan una relación subordinada con el Notario, reciban o no un sueldo o salario, e incluso si viven fuera de su casa.

Según la jurisprudencia no son inhábiles las personas que prestan servicios esporádicos y desinteresados al Notario, prestando servicios de carácter discontinuo y no salariado (realizaba protestos) (STS 10 de marzo de 1993), ni los que teniendo con él una relación de arrendamiento o de complacencia o buena vecindad le ceden una habitación de su casa como despacho (STS 20 de abril de 1972).

De otro lado la STS 16 de diciembre de 1975 (RJ 1975, 4580) considera que la finalidad de la prohibición es la de velar por la dignidad e independencia de la fe pública notarial, eliminando la posibilidad de estatificar en los documentos públicos de un Notario a los ligados con él por lazos de dependencia, prohibición que ha de alcanzar a los que, sin cumplir las condiciones de afiliación laboral reglamentarias, de hecho mantienen con el Notario tal relación.

La doctrina critica esta causa de incapacidad, ya que se basa en una sospecha de parcialidad del empleado de la notaría, e incluso el TS en la referida sentencia de 1.975 expone que su eliminación es deseo generalmente compartido por parte de la doctrina científica.

Se discute por la doctrina si el artículo 681 es aplicable sólo a los testigos instrumentales, o si también debe comprender a los de conocimiento.

Una parte de la doctrina y el Tribunal Supremo (STS 22 de mayo de 1918) entienden que a los testigos de conocimiento solo le son aplicables las incapacidades de los números 1º y 5º del artículo 182 del RN.

DÍEZ-PICAZO y GULLÓN incluyen a los dos tipos de testigos en el artículo 681, ya que este no distingue, como indica JOSÉ MANUEL GONZÁLEZ PORRAS, quien además incluye dentro de las prohibiciones del artículo 681 a los intérpretes del artículo 684 del Código Civil.

JUAN JOSÉ RIVAS pone de manifiesto que en la actualidad son también inhábiles para ser testigos en el testamento, aunque no se les recoja en el art. 681:

–   Los que no saben o no pueden firmar, pues todos los testigos han de firmar, de acuerdo con el nuevo artículo 695 del Código Civil, así también AURELIO DÍEZ GÓMEZ.,

–   Y, tratándose del testamento del enteramente sordo, los que no saben o no pueden leer aunque sepan firmar —porque hay quien firma sin saber leer, como hay ciegos que saben firmar— ya que ahora son precisamente los testigos, según el artículo 697, los que deben leer el testamento cuando el testador, y no cualquier persona designada por este, como permitía el antiguo artículo 698.

Los testigos deben saber y poder firmar y si el otorgante no sabe o no puede leer, que también sepan y puedan hacerlo, en los casos en que les corresponda hacer la lectura.

b) *Incapacidades relativas.*

Así llamadas por aplicarse sólo a los testigos de ciertos testamentos abiertos, otorgados con o sin notario.

Así en el art. 682 CC: «*En el testamento abierto tampoco podrán ser testigos los herederos y legatarios en él instituidos, sus cónyuges, ni los parientes de aquéllos, dentro del cuarto grado de consanguinidad o segundo de afinidad.*

No están comprendidos en esta prohibición los legatarios ni sus cónyuges o parientes cuando el legado sea de algún objeto mueble o cantidad de poca importancia con relación al caudal hereditario».

El precepto se refiere sólo al testamento abierto, no estando incluido el cerrado, ya que al ignorarse el contenido del mismo, no se sabe quiénes estarían en causa de incapacidad.

La prohibición se extiende sólo a los testigos instrumentales y no a los de conocimiento, como entienden LACRUZ, SANTOS BRIZ y el TS en sentencia de 22 de mayo de 1918.

Una antigua STS 21 de octubre de 1915 declaró que en la prohibición del art. 682 no están comprendidos el confesor del testador en su última enfermedad, ni el coadjutor ni el sacristán de la parroquia del causante por el hecho de haber éste dejado un legado a la «entidad iglesia» que es la realmente instituida.

La Audiencia Provincial de Sevilla en Sentencia de 9 Nov. 1992 y la Audiencia Provincial de Soria, en Sentencia de 19 Nov. 1997 siguiendo esta doctrina estimaron que no se puede establecer una identidad entre la entidad instituida heredera y las religiosas que actuaron de testigos instrumentales en el testamento abierto, al no implicar un beneficio económico ni utilidad estrictamente personal.

Sí declaró nulo el TS nulo un testamento en el cual uno de los testigos instrumentales era hijo político de la en él instituida heredera (STS 28 de octubre 1965 y análoga 10 de julio de 1935).

Alcanza a cualquier tipo de beneficiario, no sólo a los llamados en primer lugar, sino también a los sustitutos vulgares y a los fideicomisarios, aunque no lleguen a heredar.

El párrafo segundo sólo excluye a legatarios, no a herederos, aunque llegaran a heredar cantidad de poca importancia con relación al caudal hereditario.

La excepción consignada en el párrafo segundo del precepto prohibitivo del párrafo primero establece un principio cuya aplicación corresponde a la facultad discrecional de los Tribunales, por hallarse subordinado en cada momento a las circunstancias que determinen la importancia de los legados hechos a parientes de testigos del testamento (STS 18 de octubre 1917 y análogas de 13 mayo 1913 y noviembre 1899).

Así la jurisprudencia ha declarado no módico con relación al caudal hereditario el legado en usufructo del tercio de libre disposición (STS 19 de junio de 1958).

Momento de la inhabilidad.

Según el art. 683 CC:

> *«Para que un testigo sea declarado inhábil, es necesario que la causa de su incapacidad exista al tiempo de otorgarse el testamento».*

Como especialidades forales podemos destacar:

–　En Aragón, el DL 1/2011, de 22 de marzo recoge en los arts. 413 y ss. lo siguiente:

En los casos en que sea necesaria la intervención de testigos, serán dos, deberán entender al testador o testadores y al Notario o persona ante quien se otorgue el testamento y deberán saber firmar.

No será necesario que sean rogados ni que conozcan al testador ni que tengan su misma residencia.

No pueden ser testigos en los testamentos:

a) Los menores de catorce años y los demás incapaces para testar.

b) Los totalmente sordos o ciegos y los mudos que no puedan escribir.

c) Los favorecidos por el testamento.

d) El cónyuge y los parientes hasta el cuarto grado de consanguinidad o segundo de afinidad del heredero instituido o del legatario designado y del Notario o persona ante quien se otorguen.

Estas prohibiciones se aplican también a los facultativos, intérpretes y expertos que intervengan en el testamento.

– En Cataluña artículo 421-11 del Código de Sucesiones:

1. Los testigos, si deben intervenir, son dos, deben entender al testador y al notario y deben saber firmar. No es preciso que sean rogados, ni que conozcan al testador, ni que tengan su misma residencia.

2. No pueden ser testigos:

   a)   Los menores de edad y los incapaces para testar.

   b)   Los sordos, los ciegos, y los mudos que no puedan escribir.

   c)   Los condenados por delitos de falsificación de documentos, por calumnias o por falso testimonio.

   d)   Los favorecidos por el testamento.

   e)   El cónyuge, el conviviente en unión estable de pareja y los parientes dentro del cuarto grado de consanguinidad y el segundo de afinidad de los herederos instituidos o los legatarios designados y del notario autorizante.

Las causas de inidoneidad se aplican, además de a las personas a que se refiere el apartado 2, a los facultativos, intérpretes y expertos que intervienen en el testamento.

– En los testamentos otorgados en Navarra los testigos deberán ser idóneos y rogados.

En los testamentos no otorgados ante Notario, los testigos deben conocer al testador y apreciar su capacidad, y cuando fueren otorgados sólo ante testigos, éstos deben tener además la vecindad del testador.

En los testamentos otorgados ante Notario no se requiere que los testigos aprecien la capacidad del testador ni que, en su calidad de testigos instrumentales, conozcan a éste, siempre que sean vecinos del lugar del otorgamiento. Podrán ser testigos los empleados o dependientes del Notario.

En los testamentos otorgados ante Notario, Párroco o Clérigo ordenado de Presbítero, uno de los testigos al menos ha de poder leer y escribir. En los testamentos otorgados sólo ante testigos, dos de éstos al menos han de poder leer y escribir.

(Leyes 185 y 186)

En Galicia, en el artículo 185 de la Compilación se establece que en los casos en que sea necesaria su presencia, los testigos serán al menos dos, debiendo tener plena capacidad de obrar, entender al testador y saber firmar.

4.6.5.5. Clases

Existen, sin embargo, diferentes clases de testigos, lo que impide dar un concepto unitario e impide también señalar conjuntamente su necesidad.

Por su función se suelen clasificar en instrumentales, de conocimiento y asertorios.

4.6.5.5.1. *Testigos instrumentales*

Son los que presencian el acto de la lectura, consentimiento, firma y autorización de una escritura pública.

En cuanto a su *necesidad* hay que distinguir:

– *En los actos inter-vivos*, se precisan dos testigos, según el artículo 180 RN:

Cuando lo reclamen el Notario o cualquiera de las partes, o

Cuando alguno de los otorgantes no sepa o no pueda leer ni escribir.

– *En los testamentos se exigen*:

En Derecho común se precisan testigos instrumentales en los siguientes casos:

Para el testamento abierto establece el art. 697 CC:

> «Al acto de otorgamiento deberán concurrir dos testigos idóneos:
> 1º. Cuando el testador declare que no sabe o no puede firmar el testamento.
> 2º. Cuando el testador, aunque pueda firmarlo, sea ciego o declare que no sabe o no puede leer por sí el testamento.
> Si el testador que no supiese leer fuera enteramente sordo, los testigos leerán el testamento en presencia del notario y deberán declarar que coincide con la voluntad manifestada.
> 3º. Cuando el testador o el notario lo soliciten».

En relación con este artículo ROCA FERRER nos hace las siguientes observaciones:

1. La Ley no requiere que el testador no sepa o no pueda firmar, bastando con que se pronuncie en uno u otro sentido, y el Notario no tiene obligación de asegurase de tal circunstancia, consignando en el documento que el otorgante declara «no saber» o «no poder» firmar y el primero de los testigos firmará por el testador.

2. Si el testador es ciego, resulta indiferente que sepa o pueda firmar, será necesario la intervención de testigos, y si sabe y puede firmar, deberá firmar en el testamento, además de los testigos.

3. Si el testador lo solicita (cosa poco probable), será obligatoria para el Notario su presencia.

Y para el testamento cerrado en el art. 707. 5 CC que:

> *En el otorgamiento del testamento cerrado se observarán las solemnidades siguientes: 7.ª Concurrirán al acto de otorgamiento dos testigos idóneos, si así lo solicitan el testador o el notario. En Derecho foral son destacables los siguientes casos:*

–   En el testamento notarial otorgado en Aragón no será precisa la intervención de testigos, salvo que concurran circunstancias especiales en un testador o que expresamente lo requieran uno de los testadores o el Notario autorizante.

Se considera que concurren circunstancias especiales en un testador cuando éste declara que no sabe o no puede firmar el testamento y cuando, aunque pueda firmar, sea ciego o declare que no sabe o no puede leerlo por sí. Si el testador que no sabe o no puede leer es enteramente sordo, los testigos leerán el testamento en presencia del Notario y deberán declarar que coincide con la voluntad manifestada.

> *En Navarra, la Compilación (Ley 1/1973, de 1 de marzo) establece lo siguiente:*
> *Ley 167. Las donaciones mortis causa deben otorgarse en escritura pública, con asistencia de dos testigos que reúnan las condiciones requeridas para los testamentos ante Notario, conforme a las leyes 185 y 186.*
> *Ley 188.*
> *Los testamentos abiertos otorgados ante Notario requieren la intervención de dos testigos.*
> *Los testamentos cerrados autorizados por Notario requieren la intervención de siete testigos.*

En Baleares, el art. 52 del Texto Refundido de la Compilación (TR Decreto Legislativo 79/1990) establece que:

> *«En los testamentos otorgados ante Notario no será necesaria la presencia de testigos, excepto en los casos siguientes:*
> *a) Cuando el Notario no conozca al testador.*
> *b) En caso de que el testador sea ciego o enteramente sordo.*
> *c) Cuando el testador no sepa o no pueda firmar.*
> *d) En los supuestos en que el Notario lo considere necesario o lo manifieste el testador.*
> *En todos estos supuestos los testigos en número de dos no tendrán la obligación de conocer al testador, excepto en el caso a), y podrán serlo los empleados del Notario.*
> *En todo lo demás se observarán las formalidades previstas en el Código Civil)».*

En Galicia, según la Ley 2/2006, de 14 de junio (artículos 183 y 184), el testamento abierto ordinario se otorgará ante notario, sin que sea necesaria la presencia de testigos, pero como excepción, habrán de concurrir testigos al otorgamiento del testamento abierto ordinario cuando:

Lo solicite el testador o el notario.

El testador sea ciego, demente en intervalo lúcido o no sepa o no pueda leer o escribir.

En Cataluña se regula en la Ley 10/2008, de 10 de julio, del Libro Cuarto del Código Civil de Cataluña, relativo a las Sucesiones, que en su artículo 421-10 dispone:

> *«1. En el otorgamiento del testamento notarial, no es precisa la intervención de testigos, salvo que concurran circunstancias especiales en el testador o que este o el notario lo soliciten.*
> *2. Concurren circunstancias especiales en el testador si es ciego o sordo y si por cualquier causa no sabe o no puede firmar o declara que no sabe o no puede leer por sí solo el testamento».*

Los testigos instrumentales podrán a su ver ser testigos de conocimiento, ya que *«Cuando los testigos instrumentales conozcan al otorgante u otorgantes que no conociese el Notario, podrán, a la vez, ser testigos de conocimiento, en cuyo caso uno, cuando menos, deberá saber firmar y firmará. El Notario deberá dar fe de que conoce a los testigos de conocimiento».* (art. 185 RN)

«Los testigos instrumentales serán designados por los otorgantes o, si éstos no lo hiciesen, por el notario; pero tanto éste, en el primer caso, como aquellos, en el segundo, podrán oponerse a que lo sean determinadas personas, salvo los casos en que por mandato judicial o por disposiciones especiales se establezca lo contrario». (art. 183 RN)

4.6.5.5.2. Testigos de conocimiento

Son los que identifican a un compareciente a quien no conozca directamente el Notario, según el artículo 23 a) de la LO Notariado y 184 RN.

En los actos inter-vivos, el art. 23 LO Notariado establece que serán medios supletorios de identificación, en defecto del conocimiento personal del Notario los siguientes: a) La afirmación de dos personas, con capacidad civil, que conozcan al otorgante y sean conocidas del Notario, siendo aquellos responsables de la identificación.

El RN los regula en el artículo 184 al decir:

> *«Los testigos llamados de conocimiento sólo tienen como misión identificar a los otorgantes a quienes no conozca directamente el Notario, y sólo les afectan las incapacidades a que se refieren los números 1 y 5 del artículo 182.*
> *Los testigos de conocimiento sólo podrán ser a la vez instrumentales cuando reúnan los requisitos de capacidad antes expresados».*

En los testamentos son necesarios testigos de conocimiento, según el artículo 685 CC cuando el notario no conozca al testador, en cuyo caso se identificará su persona con dos testigos que le conozcan y sean conocidos del mismo notario, o mediante la utilización de documentos expedidos por las autoridades públicas cuyo objeto sea identificar a las personas. También deberá el notario asegurarse de que, a su juicio, tiene el testador la capacidad legal necesaria para testar.

En los casos de los artículos 700 y 701, los testigos tendrán la obligación de conocer al testador y procurarán asegurarse de su capacidad.

Esta disposición está dentro de las que regulan la forma general de los testamentos y es aplicable a todas ellas.

El eterno problema es determinar lo que significa «conocer»

El Diccionario de la Real Academia de la Lengua lo define como:

1. tr. Averiguar por el ejercicio de las facultades intelectuales la naturaleza, cualidades y relaciones de las cosas.

4. tr. Tener trato y comunicación con alguien. U. t. c. prnl.

A los efectos que nos ocupan no se puede exigir que Notario o testigos deban tener trato, amistad o relación entre sí o con el testador, sino que basta con que puedan identificarle y reconocerlo, saber quién es, distinguiéndolo de otras personas.

El conocimiento de una persona, según BLANQUER UBEROS, consiste en individualizarla según la personalidad con la que es conocida de forma usual y general y se trata de una operación mental distinta de un hecho, es la formación de un juicio, según el cual la persona se conoce o identifica como tal.

La DGRN en R de 6 Jun. 2006 ha determinado que «*el conocimiento, como juicio de ciencia que hace el Notario, no precisa de un conocimiento basado en un trato personal anterior al otorgamiento, sino que más bien es la afirmación de que quien comparece ante él es tenido en la vida ordinaria por quien dice ser, siendo más una cuestión de notoriedad que de un hecho: se puede identificar y dar fe de conocimiento de una persona aún y cuando no se haya tenido un trato personal y directo con ella*».

Sin embargo, el TS en la famosa sentencia de 25 abril de 1991 estimó la inidoneidad de los testigos porque no le conocían previamente al acto del otorgamiento del testamento.

Como hemos visto, pueden ser testigos de conocimiento los instrumentales, según el artículo 698,1° del Código civil y 184 del Reglamento Notarial.

Debe señalarse, sin embargo, que los testigos de conocimiento son cada vez menos, dada la mayor extensión y perfección de los medios de identificación, fundamentalmente a través del Documento Nacional de Identidad.

4.6.5.5.3. Testigos corroborantes

Testigos asertorios, corroborantes o de hechos son los que corroboran las manifestaciones de los comparecientes en los instrumentos públicos, siendo los propios de las actas.

Se diferencian de los instrumentales, en que tienen una misión activa, pues deben narrar o acreditar un hecho percibido por ellos.

Su función consiste en ser un medio de prueba en ciertos supuestos exigidos por la Ley.

Como supuestos de este tipo de testigos se pueden reseñar:

– *Para las actas de herederos abintestato* el art. 56 LO Notariado, reformado por Ley Jurisdicción Voluntaria Ley 15/2015, de 2 de julio establece al respecto que.

> «2. En el acta habrá de constar necesariamente, al menos, la declaración de dos testigos que aseveren que de ciencia propia o por notoriedad les constan los hechos positivos y negativos cuya declaración de notoriedad se pretende. Dichos testigos podrán ser, en su caso, parientes del fallecido, sea por consanguinidad o afinidad, cuando no tengan interés directo en la sucesión».

En igual sentido el art. 209 bis RN

Hay otros casos de testigos relacionados en el Reglamento Notarial, que no son realmente testigos en el instrumento público, sino testigos del notario, para salvaguardar su función, y son dos supuestos:

- En el supuesto del artículo 61 RN, cuando el notario requerido para ejercer su ministerio, a quien se impida o dificulte el libre ejercicio de sus funciones con injurias, amenazas o cualquier forma de coacción, lo hará constar, a los efectos de lo dispuesto en los artículos 550, 551.1, 552, 553, 555 y 556 del Código Penal, por medio de acta, que firmarán él mismo y los testigos concurrentes y, en su caso, la persona o personas que se presten a suscribirla.

- Según establece el artículo 282 RN, cuando con arreglo al artículo 32 de la Ley proceda que el Notario deje examinar por las partes interesadas con derechos adquiridos, sus herederos o causahabientes, un instrumento contenido en el protocolo, cuidará, bajo su más estrecha responsabilidad, que la lectura se limite al documento en que tengan aquellos interés y que no pueda sufrir el protocolo el menor daño o deterioro, y a tales efectos, el Notario buscará personalmente la escritura señalada y la pondrá de manifiesto a los interesados, no consintiendo se saquen notas o extractos de ella, ni que sea hojeado el protocolo, sino en cuanto sea indispensable para la lectura de la matriz de que se trate, debiendo verificarse la exhibición ante dos testigos y extendiéndose de ella la oportuna acta.

4.6.5.5.4. Testigos autorizantes

Que aparecen en determinados testamentos:

–   En peligro inminente de muerte que deberán ser cinco idóneos, que tienen obligación de conocer al testador y procurarán asegurarse de su capacidad. (arts. 700 y 685-2 CC).

–   En tiempo de epidemia, que deberán ser tres mayores de dieciséis años, que también tienen obligación de conocer al testador y procurarán asegurarse de su capacidad (arts. 701 y 685-2 CC).

4.7. PARTES EN LAS QUE SUELE DIVIDIRSE EL INSTRUMENTO PÚBLICO

El instrumento público es una unidad que precisa de una estructura interna a través de la cual pueda desarrollar su contenido y finalidad. Dicha estructura no ha de ser necesariamente rígida siempre que se cumpla con todos los requisitos formales del instrumento público, si bien se sigue tradicionalmente un esquema en el mismo que distingue: comparecencia, exposición, parte dispositiva, otorgamiento y autorización.

Así, las **partes en las que suele dividirse el instrumento público** son:

1.   El **Encabezamiento o las menciones previas a la comparecencia**. Hace constar los datos que permiten la identificación y el archivo ordenado del instrumento.

2.   La **Comparecencia:** Son los sujetos físicamente presentes en el momento de autorizarse el instrumento público.

3.   La **Intervención**, en la que se hace constar el carácter, en nombre propio o ajeno, en que van a actuar las personas que concurren al otorgamiento del instrumento público.

En este punto, conviene distinguir los intervinientes que son quienes están en presencia del Notario prestando su consentimiento y firmando el documento; de las partes que son aquellos en cuyo patrimonio produce las consecuencias jurídicas el negocio realizado.

Si se piensa en cualquier negocio realizado por un apoderado el interviniente sería dicho apoderado mientras que la parte u otorgante sería el poderdante.

4.   La **Parte Expositiva**: Es la descripción de los bienes y derechos que son objeto del negocio que se contiene en el instrumento público.

5.   La **Parte Dispositiva**. Expresa la declaración de voluntad de los otorgantes y los pactos o convenios entre las partes que intervienen en la escritura.

6. **Otorgamiento y Autorización**: Los otorgantes, una vez leído el instrumento, prestan el consentimiento a su contenido en presencia del Notario, cuya intervención convierte al documento en público.

4.7.1. Menciones preliminares a la comparecencia

Aunque el Artículo 156 del Reglamento Notarial (en adelante RN) las incluye dentro de la propia comparecencia en un sentido amplio, podríamos decir que tales menciones están constituidas por el encabezamiento del instrumento público, con el que se inicia el mismo y que tiene como finalidad identificar el tiempo, el lugar y la competencia notarial en el instrumento que se otorga.

Dichas menciones son las siguientes:

1. **Número de Protocolo**

   Las escrituras matrices se ordenan cronológicamente según el momento de su otorgamiento. Hay que tener en cuenta que la numeración comprende los instrumentos públicos autorizados cada año entre el 1 de enero y el 31 de diciembre ambos inclusive; y ello aunque en su transcurso haya vacado la Notaría y se haya nombrado un nuevo Notario. Tanto el Protocolo ordinario como el Libro Registro de pólizas tendrán su propia numeración correlativa e independiente.

2. **Lugar de otorgamiento**

   Es precisa su expresión habida cuenta del criterio básicamente territorial por el que se determina la competencia de los Notarios. De conformidad con el artículo 156.1 RN:

   Se expresará en todo caso la población donde se otorga.

   Si el otorgamiento del instrumento público tiene lugar fuera de ella, la aldea, caserío o paraje, con expresión del término municipal.

   En caso de autorización fuera del despacho notarial se indicará el lugar de otorgamiento.

3. **Fecha de otorgamiento**

   Se consignará en su encabezamiento atendiendo a lo dispuesto en el artículo 156.2 RN:

   Se expresará necesariamente el día, mes y año.

   También la hora en aquellos casos en que por disposición legal deban consignarse como por ejemplo en los testamentos. Aunque no lo exige expresamente el Reglamento es tradicional mencionar la hora también en las diligencias de las actas de presencia, notificación o requerimiento.

Podrán añadirse con carácter facultativo otros datos cronológicos.

4. **Notario Autorizante**

Debe hacerse constar, de acuerdo con el artículo 156.3 RN:

Nombre y apellidos.

Lugar de residencia.

Colegio al que pertenece.

Otras menciones como por ejemplo, el caso de sustitución de un compañero, en el que habrá que indicar también la causa; o si teniendo una residencia está habilitado para prestar su ministerio en otra población diferente.

Si el otorgamiento del documento ha sido turnado entre compañeros del distrito o plaza también debe indicarse por el Notario autorizante.

5. En último término, la práctica notarial viene incluyendo dentro de las menciones preliminares a la comparecencia, la **calificación del acto o contrato** con el nombre conocido que en derecho tenga, salvo que no lo tuviere especial.

4.7.2. *Comparecencia*

Una vez consignados los datos para la identificación del instrumento público, entramos en la fase de la comparecencia destinada a establecer las personas que están presentes ante el Notario para formalizar el documento. Ello exige distinguir entre:

Intervinientes: Son las personas que están en presencia del Notario, prestan el consentimiento y firman el documento.

Partes: Son las personas físicas o jurídicas que otorgan o realizan el negocio contenido en la escritura.

Por ejemplo, en la representación voluntaria, será interviniente el apoderado mientras que parte sería el poderdante.

Según Núñez Lagos la comparecencia es un hecho, el de la presencia física de la persona ante el Notario, y, además, una parte del instrumento: la que narra esa presencia.

Por tanto, la comparecencia se divide en la práctica en las siguientes partes:

La comparecencia propiamente dicha, en la que se menciona e identifica a las personas que están en presencia del Notario.

El **carácter en el que intervienen** estas personas, es decir, hay que expresar si intervienen en nombre propio o en nombre ajeno, En este último caso habrá que consignar los datos del representado y el carácter de esta representación, ya sea legal como en los casos de la tutela, o voluntaria como ocurre en el caso de la representación.

La comparecencia cumple igualmente la función de documentar la **rogación** que se hace al Notario para el desempeño de su función.

Finalmente, será necesario que el Notario **califique** el acto o contrato que va a formalizar.

4.7.2.1. Reseña de circunstancias personales

La seguridad del tráfico jurídico exige reflejar con certeza y exactitud la identidad de los otorgantes de un negocio. Ello exige distinguir entre identidad e identificación:

La **identidad** supone la individualización de una determinada persona mediante la atribución de unas circunstancias que permiten distinguirla de otros individuos.

La **identificación**, por su parte, consiste en la comprobación y constatación, por los medios legalmente determinados, de que la persona que comparece es aquella a la que corresponden los datos atribuidos a su identidad, como se verá posteriormente.

A las circunstancias personales se refieren los apartados 4º y 5º del artículo 156 y los artículos 157 a 163 RN. Habrá de hacerse constar:

Nombre y apellidos

Se harán constar por lo que resulte de los documentos de identidad aportados y, en su caso, de sus manifestaciones; y, en caso de duda, se hará constar su filiación.

El artículo 157 RN * establece las siguientes reglas especiales:

Cuando el otorgante fuera conocido con un segundo nombre unido al primero, o con un nombre distinto, se expresará también esta circunstancia. Si por razón de su nacionalidad antepusiera el apellido al nombre, se consignará así.

Si se conociera un solo apellido se hará constar así, no siendo necesario expresar el segundo cuando por los otros datos resulte perfectamente identificado.

En caso de duda, podrá agregarse la filiación del compareciente, así como el apellido de soltera en aquellos casos en que la mujer casada adoptara el apellido del marido.

Si en el estado de que el extranjero otorgante fuese ciudadano no se usa más que el nombre y el primer apellido, el Notario se abstendrá de exigirle la declaración del segundo aunque se trate de documentos inscribibles en el Registro de la Propiedad.

Si el compareciente es un funcionario público que interviene en el ejercicio de su cargo, basta con indicar éste y su nombre y apellidos, omitiéndose las circunstancias que a continuación se reseñan.

La edad

De acuerdo con el artículo 158 RN: "*La edad de los menores se indicará por su fecha de nacimiento.*

Tratándose de mayores de edad, bastará con consignar esta expresión salvo en los casos siguientes:

Que sea indispensable para el acto o contrato de que se trate, como por ejemplo la consignación de la edad del usufructuario para determinar el valor del usufructo.

Lo exija alguna disposición legal o reglamentaria, especialmente de tipo fiscal.

Que el Notario lo juzgue conveniente, como puede suceder para evitar confusiones a la hora de identificar a las personas por coincidencia de nombre y apellidos o cambio en el documento de identificación.

Los datos relativos a la edad se harán constar:

Cuando se trate de mayores de edad, por lo que figure en el documento de identificación del compareciente o, en su caso, lo que resulte del documento del que derive la representación.

Tratándose de menores de edad, por lo que resulte de las declaraciones de los comparecientes, acreditándose esta circunstancia, si hubiera duda sobre ellos, con su documento de identificación, con certificación del Registro Civil o con el Libro de Familia".

El Estado Civil y el Régimen Económico matrimonial

1. Estado Civil

Según el artículo 159 RN: "*las circunstancias relativas al estado de cada comparecientes se expresarán diciendo si es soltero, casado, separado judicialmente, viudo o divorciado. También podrá hacerse constar a instancia de los interesados su situación de unión o separación de hecho".*

Estas circunstancias se harán constar por lo que resulte de las manifestaciones de los comparecientes.

2. Régimen Económico Matrimonial

Lo más importante del estado civil es, sin duda, el régimen matrimonial. Así, "*si el otorgante fuera casado, separado judicialmente o divorciado y el acto o contato afectase o pudiese afectar en el futuro a las consecuencias patrimoniales de su matrimonio actual o, en su caso, anterior, se hará constar el nombre y apellidos del cónyuge a quien afectase o pudiese afectar, así como el régimen económico matrimonial. Estas circunstancias se expresan por lo que resulta de las manifestaciones de los comparecientes".* Por su parte, la D.G.R.N. ha señalado en numerosas resoluciones, con relación al estado civil, que basta la mera manifestación, sin que sea necesaria la acreditación de la inscripción en el Registro Civil de estas situaciones. (En este sentido, la Res. De 12 de junio de 2002 declara expresamente que el estado civil más problemático, que sería el de separado judicialmente, no ha de acreditarse documentalmente)

Cuando el régimen es el legal supletorio del compareciente bastará con la declaración del otorgante. Si fuese el establecido en capitulaciones matrimoniales será suficiente, a todos los efectos legales, que se le acredite al Notario su otorgamiento en forma auténtica. El Notario identificará la escritura de capitulaciones y, en su caso, su constancia registral, y testimoniará, brevemente, el régimen acreditado, salvo que fuese alguno de los regulados en la Ley, en que bastará con hacer constar cual de ellos es.

Como señala MARTÍNEZ-GIL VILCH, IGNACIO, (Nueva legislación notarial comentada, Colegio Notarial de Madrid 2007, págs. 393-402), quizá el RN debería haberse limitado a exigir la consignación del estado civil en aquellos documentos en los que dicho dato resultase trascendente.

Domicilio y Vecindad

Habrá que reflejar también el domicilio de los comparecientes, entendiendo por tal el lugar de su residencia habitual. Pero en aquellos casos en los que una persona tenga su vecindad en un punto y su residencia o domicilio en otro, deberán consignarse expresamente cada uno de ellos. Piénsese, por ejemplo, en los efectos de la residencia a la hora de determinar la ley aplicable a la sucesión de una persona tras la entrada en vigor del Reglamento Europeo de Sucesiones *.

Además de lo previsto en el RN, la constancia del domicilio debe hacerse con arreglo a las normas previstas para la confección y remisión del Índice Único Informatizado.

En esta materia, el RN sienta las siguientes normas especiales:

En la comparecencia de los representantes podrá indicarse como domicilio el del representado o el de la sucursal, agencia o delegación que constituya su centro de trabajo.

En la comparecencia de profesionales colegiados que intervengan por razón de su profesión, podrá indicarse como domicilio el de su despacho o estudio

Las circunstancias de vecindad se expresarán por lo que conste al Notario o resulte de las declaraciones de los otorgantes y de sus documentos de identidad (artículo 160 RN). En este punto, no queda claro si el RN quiere referirse a vecindad o domicilio.

La prueba de la vecindad es muchas veces un asunto de gran importancia práctica y de difícil concreción, dada la inexistencia de un sistema de acreditación fehaciente.

Documentos de Identificación

La indicación de los documentos de identidad será obligatoria para la redacción de escrituras cuando lo exija expresamente la ley.

Se exceptúan:

Los testamentos.

Aquellos casos en los que no pueda diferirse, a juicio del Notario, la autorización del instrumento

Cuando se trate de funcionarios públicos que actúen por razón de su cargo, en cuyo caso bastará la indicación de su cargo, nombre y apellidos.

Cuando el compareciente manifieste carecer de ellos y se den las siguientes condiciones:

1. Que la finalidad del documento otorgado sea hacer manifestaciones u otorgar poderes.

2. Que el objeto tenga relación con un expediente administrativo o judicial de asilo, acogida de refugiados, repatriación u otro similar.

3. Que quede constancia de la huella digital y de fotografía del compareciente.

El Número de Identificación Fiscal

La reseña del número de identificación fiscal será obligatoria:

Cuando así lo disponga la normativa tributaria.

Cuando se trate de escrituras relativas a actos y contratos por los que se adquieran, declaren, constituyan, transmitan, graven, modifiquen o extingan el dominio y los demás derechos reales sobre bienes inmuebles (artículo 23 LN)

Se consignará:

Tratándose de nacionales, el número es el mismo que el del D.N.I. con su letra correspondiente.

Tratándose de extranjeros residentes en España, habrá que especificar el número de su permiso de residencia, en el que se contiene también su número de identificación fiscal.

En los casos de extranjeros no residentes, necesariamente habrá que obtener con carácter previo el número de identificación fiscal.

Profesión

El RN solo exige su constancia cuando lo solicite el otorgante, el Notario lo considere conveniente por resultar significativa para una adecuada identificación, o su inclusión sea exigida por leyes o reglamentos.

La circunstancia de la profesión se expresará por lo que conste al Notario o resulte de las declaraciones de los otorgantes y de sus documentos de identidad; pero hay que tener en cuenta que los documentos de identidad actuales no contienen la profesión.

La Orden EHA/114/2008, de 29 de enero, establece, en materia de blanqueo de capitales, que los Notarios deben hacer constar en la escritura, en los supuestos que la misma orden señala, la profesión o actividad empresarial del otorgante.

4.7.2.2. Identificación de los comparecientes y fe de conocimiento

La **identificación** consiste en la comprobación y constatación, por los medios legalmente determinados, de que la persona que comparece es aquella a la que corresponden los datos atribuidos a su identidad.

Hay que tener en cuenta que pese a adoptar todas las cautelas la certeza absoluta en esta materia nunca será posible y que, por otra parte, son numerosos los supuestos de falta de concordancia entre la apariencia física real y la que resulta del documento de identificación.

Para lograr la seguridad en el tráfico jurídico no es suficiente con mencionar quienes son comparecientes y quienes son partes, sino que es necesario un doble requisito:

- La **identificación de los comparecientes**, es decir, la forma de acreditar que quienes están en presencia del Notario son quienes dicen ser.

- Y la **fe de conocimiento**, que no es más que la aseveración del Notario de conocer a los comparecientes, o de acreditarle su identidad por alguno de los medios supletorios que seguidamente veremos.

En este sentido, el artículo 23 LN establece que *"Los Notarios darán fe en las escrituras públicas y en aquellas actas que por su índole especial lo requieran de que conocen a las partes o de haberse asegurado de su identidad por los medios supletorios establecidos en las leyes y reglamentos".*

Esta actuación notarial se caracteriza por las siguientes notas:

a) La identificación del compareciente y la fe de conocimiento requieren la **presencia física** del mismo ante Notario; es por ello por lo que el ámbito de la fe de conocimiento se extiende y produce efecto únicamente respecto de los comparecientes.

b) La fe de conocimiento tiene la característica de **personalísima,** lo que implica que dicho juicio sólo lo puede emitir el Notario autorizante que ha tenido delante al compareciente.

c) La identificación de los comparecientes es, desde un punto de vista cronológico, la **fase inicial** en la actividad propia del Notario en la autorización del instrumento público.

d) La identificación de los comparecientes y la fe de conocimiento tienen carácter **obligatorio** para el Notario autorizante del instrumento público. Ello implica:

– Que, como dice el artículo 27.3 LN, serán nulos los instrumentos públicos en los que el Notario no de fe de conocimiento de los otorgantes.

– Hay, sin embargo, excepciones a este principio obligatorio de da dación de fe de conocimiento como son:

1. Actas notariales, salvo aquellas en que la identidad de las personas fuera requisito indispensable en relación a su contenido; o aquellas en que por tratarse del ejercicio de un derecho, el Notario deba hacer constar de modo expresola capacidad y legitimación del requirente a los efectos de su control de legalidad.

2. No será necesario que el Notario de fe de conocimiento de las personas con quienes efectúe los protestos de letras de cambio (artículo 192 RN).

3. Tampoco será necesaria respecto de aquellas personas a quienes haga alguna notificación o requerimiento, salvo en aquellos casos en los que lo exija su propia naturaleza (artículo 192 RN)

4. Finalmente, tampoco es precisa la identificación de las personas con las que se entienda la diligencia de un acta, salvo en los casos en que su propia naturaleza exija la notificación del notificado o requerido (artículo 198 RN)

Por último, el artículo 187 RN establece las circunstancias a las que se extiende la fe de conocimiento, del cual resulta:

– Que la fe de conocimiento se extiende exclusivamente a la identidad del compareciente.

– Que no garantiza:

– Edad

– Profesión

– Vecindad

– Y, aunque no lo mencione el RN, parece que tampoco se extenderán al estado civil ni al régimen económico matrimonial.

Tales circunstancias resultarán de las propias manifestaciones de los interesados o por referencia de sus documentos de identidad sin perjuicio de que, en caso de duda, pueda exigir las certificaciones del Registro del estado civil y cuantos documentos estime necesarios o convenientes.

4.7.2.2.1. Medios de identificación

Podemos distinguir un medio principal y medios supletorios:

A) Principal

El principal es el **conocimiento directo** que el notario tenga de los comparecientes.

La cuestión es determinar que se entiende por conocimiento directo, es decir, cuando puede el Notario afirmar que conoce a los comparecientes; y para ello parece que no basta simplemente con acreditar la personalidad sino que le debe constar que una persona es quien dice ser.

B) Medios supletorios

Cuando la identificación no sea posible por el conocimiento directo del Notario, el artículo 23 LN enumera una serie de medios supletorios, que son:

1. Testigos de conocimiento

Consiste en la afirmación de dos personas, con capacidad civil, que conozcan al otorgante y sean conocidas del Notario, siendo aquellos responsables de la identificación.

En principio, parece que el precepto da a entender que es preciso que el compareciente sea conocido por los testigos y que estos, a su vez, sean conocidos por el Notario; sin embargo, en la práctica parece imponerse que pueden ser testigos, bajo su responsabilidad, aquellas personas que conocen al otorgante, aunque no sean conocidas por el Notario, siempre que las identifique por alguno de los medios admitidos.

2. Identificación de una de las partes contratantes por la otra

Siempre que, de esta última, de fe de conocimiento el Notario

3. Cotejo de Firma

Es para el caso de que en el protocolo del Notario autorizante exista un documento anterior con la firma indubitada del mismo compareciente del cual se haya dado fe de conocimiento. Es independiente que el autorizante de dicho documento sea el propio que coteja u otro anterior siempre que dicha firma indubitada figure en su protocolo.

4. Identificación mediante documentos

Es la forma habitual de identificación y se hace mediante la referencia a carnets o documentos de identidad con retrato y firma expedidos por las autoridades públicas, cuyo objeto sea identificar a las personas.

El Notario, dice el artículo 23 LN, responderá de la concordancia de los datos personales, fotografía y firma estampados en el documento de identidad exhibido del compareciente.

En este punto debemos distinguir según se trate se:

- *Españoles*: Los documentos habituales para la identificación son el Documento Nacional de Identidad y el Pasaporte; por el contrario, mayores dudas plantea la admisión del carnet de conducir pues no tiene como finalidad la identificación de las personas sino que se trata de un simple documento administrativo, sin embargo, a favor de su admisión se indica que el permiso actual contiene fotografía y firma incorporadas al documento. Parece que la jurisprudencia se inclina por su admisión.

- *Extranjeros residentes en España*: Deben identificarse por medio de del pasaporte de su nacionalidad o del permiso de residencia expedido por autoridades españolas.

- *Extranjeros residentes en el extranjero*: El medio normal para su identificación es el pasaporte pudiendo también ser identificados mediante cualquier documento oficial expedido por autoridad competente de su país de origen que sirva a efectos de identificación como podría ser por ejemplo la carta o documento de identidad que, en caso de duda, se certificaría por la autoridad consular correspondiente.

4.7.2.3. La comparecencia en nombre ajeno

El compareciente puede actuar en nombre propio, en cuyo caso coinciden compareciente y otorgante, o en nombre ajeno, donde compareciente y otorgante son sujetos distintos pero vinculados por el negocio de la representación.

En este sentido, el artículo 164 RN establece que *la intervención de los otorgantes se expresará diciendo si lo hacen por su propio nombre o en representación de otro*.

La comparecencia en nombre ajeno tiene lugar en aquellos supuestos en que todos los otorgantes o, alguno de ellos, utilizan la figura de la representación. En este caso, hemos de distinguir, atendiendo a la fuente de la representación, entre:

a) La que deriva de la voluntad del sujeto que confiere la representación, que es la llamada *representación voluntaria* y que tiene lugar mediante el otorgamiento de un poder por el cual una persona confiere a otra facultades para su representación en los términos que el propio apoderamiento indique.

b) La que confiere la ley a determinadas personas para que, por razón de su cargo o posición, actúe en nombre de otra que no puede hacerlo por sí y que es la llamada *representación legal*; no siendo necesario que la representación legal se justifique si consta por notoriedad al autorizante.

c) Un tercer tipo de representación sería la llamada *orgánica*, que viene a ser una categoría intermedia entre la voluntaria y la legal ya que adopta características de ambos tipos de representación. Se asemeja a la legal en cuanto a que el representado no puede actuar por sí sino que lo hace por medio de sus órganos y, además, las facultades del representante vienen determinadas normalmente por la Ley; y también tiene similitudes con la representación voluntaria, puesto que la atribución de la facultad de representación en favor del órgano de administración correspondiente se realiza a través de la voluntad colectiva que emana del órgano asambleario correspondiente; como regla general debe acreditarse documentalmente la existencia de la persona jurídica, el nombramiento del cargo y las facultades de representación.

Por otra parte, debe distinguirse la representación directa de la indirecta:

Es **representación directa** aquella en que el representante actúa en nombre e interés ajeno, y **representación indirecta** aquella en que se actúa en nombre propio pero en interés ajeno.

Se discute si la representación indirecta es o no verdadera representación.

– La tesis clásica, que defienden algunos autores como Núñez Lagos o Castán, limita el concepto de representación al de representación directa, esto es, aquella en que además de los requisitos de:

– Legitimación para actuar en la esfera ajena

– Un negocio jurídico representativo

– Sustitución del representado

– Consentimiento de éste vía poder o ratificación,

Se exige la llamada CONTEMPLATIO DOMINI, es decir, la actuación en nombre ajeno. De la propia literalidad del término se deduce su sentido, que es el que las partes conocen la existencia de un dominus detrás de la actuación del representante.

El precepto de partida, dentro de la regulación del mandato, dado que la representación no tiene regulación independiente, es el artículo 1717 del CC, que dice: "*Cuando el mandatario obra en su propio nombre, el mandante no tiene acción contra las personas con quienes el mandatario ha contratado, ni éstas tampoco contra el mandante.*

En este caso el mandatario es el obligado directamente en favor de la persona con quien ha contratado, como si el asunto fuera personal suyo. Exceptuase el caso en que se trate de cosas propias del mandante.

Lo dispuesto en este artículo se entiende sin perjuicio de las acciones entre mandante y mandatario".

En sentido parecido dice el 287 CCom: *El contrato hecho por un factor en nombre propio, le obligará directamente con la persona con quien lo hubiere celebrado; mas si la ne-*

gociación se hubiere hecho por cuenta del principal, la otra parte contratante podrá dirigir su acción contra el factor o contra el principal.

Del mismo se deduce que cuando el mandatario obra en nombre propio no se da la esencia del fenómeno representativo, ya que los efectos se producen entre el mandatario y el tercero, siendo necesario un nuevo acto que los traslade al dominus oculto.

Argumenta Núñez Lagos que ni siquiera en la excepción de que se trate de cosas propias del mandante se da dicho efecto directo, porque:

- Si las partes ya sabían que las cosas eran propias del mandante, entonces hay contemplatio domini, y por ende representación directa.

- Si no lo sabían y el tercero lo descubre después, entonces no hay acción directa porque no se pretendió que la hubiera en principio, y lo que procede a lo sumo es una acción para reclamar el enriquecimiento injusto.

- Frente a este planteamiento, surge la tesis moderna, con autores como De Castro y Díez-Picazo, que sostienen que la representación indirecta es verdadera representación porque puede producir efectos directos entre el dominus y el tercero sin necesidad de un contrato posterior traslativo de los mismos.

Así, en el caso del 1717 CC, cuando se trata de cosas propias del mandante, dice De Castro que si las partes lo sabían, no sería necesaria regulación específica porque, en efecto, sería un caso de representación directa, y lo mismo en el caso del 287 CCom en donde las partes no pueden saber que el representante es tal porque si no, ex 285 CCom, no tendría responsabilidad alguna. Por ello ambos preceptos encuentran su sentido en el caso de que el tercero ignorase la existencia de un dominus en el momento de la perfección, pero viniese en conocimiento de este hecho a posteriori, y, para este caso, no puede hablarse de acción de enriquecimiento como defendía la tesis anterior porque el artículo 287 CCom es claro al hablar de la posibilidad de ejercitar «su acción» contra el mandatario o el principal, acción que necesariamente ha de ser la misma, pues el artículo no distingue.

4.7.2.3.1. *Intervención con poder, sin poder o con poder insuficiente o no acreditado*

A) INTERVENCIÓN CON PODER

La intervención con poder se produce en el marco de la representación voluntaria ya que el compareciente actúa en nombre de otro dentro de los límites del poder. En este caso, el Notario debe calificar el poder que se le presente desde un doble punto de vista:

- Formal, mediante el cumplimiento de las solemnidades legales.

- Material: Comprobando la capacidad y legitimación tanto del poderdante como del apoderado así como la suficiencia y subsistencia del poder.

Esta representación voluntaria excluye la notoriedad y ha de justificarse siempre en el acto del otorgamiento mediante la exhibición de la copia autorizada del poder, según el artículo 164 RN, mediante documentos fehacientes, que según el artículo 166 RN, que serán los siguientes:

- *Los documentos públicos*, conforme al artículo 1280.5º CC, pues los documentos privados, aún cuando tengan las firmas legitimadas, no son fuentes de poder al no acreditar la capacidad y las facultades dispositivas del poderdante, y en este sentido se expresa la RDGRN de 3 de marzo de 2000, si bien la DGRN lo admite como complementario del poder, en Resolución 20 de febrero de 2007.

- *Las certificaciones de las sociedades, asociaciones y demás personas jurídicas*, con las firmas legitimadas, junto con el documento público que acredite el nombramiento, aceptación y ejercicio del cargo de sus representantes, y en su caso, su inscripción en el registro pertinente, según los artículos 4 y 109 del RRM.

Mayores dificultades plantea la calificación de los poderes autorizados por Notarios extranjeros, particularmente los de países anglosajones, ya que en estos casos se asemejan más a una legitimación de firmas que a un verdadero poder notarial, lo cual ha generado múltiples debates doctrinales y jurisprudenciales.

La *Resolución DGRN de 6 de noviembre de 2017* incide en esta materia con las siguientes consideraciones:

- La acreditación del principio de equivalencia no es un requisito estructural de la escritura pública autorizada por notario español ni compete en exclusiva a éste.

- La declaración de que la autoridad extranjera actúa en términos equivalentes al notario español puede ser llevada a cabo en el mismo instrumento público o mediante la aportación de documentación complementaria ya sea expedida por notario español o extranjero ya por otro funcionario con competencia al respecto o incluso por la aportación de otros medios de prueba.

- Si el notario español autorizante de la escritura otorgada por el apoderado hace un juicio expreso de que el poder que se le exhibe es suficiente para el otorgamiento, cabalmente tendrá que haber apreciado su equivalencia conforme al Derecho español (ex artículos 58 y 60 de la ley de cooperación jurídica internacional en materia civil). De lo contrario no sería suficiente.

- El juicio de equivalencia notarial no tiene por qué ajustarse a fórmulas sacramentales, ni tiene que necesariamente adoptar la forma de informe separado, sino que basta la reseña del documento extranjero, el nombre y residencia del notario autorizante, la ley extranjera conforme a la cual se ha autorizado y la existencia de la apostilla o legalización, en su caso, y que el notario con base en las circunstancias del caso y a su conocimiento de la ley extranjera hiciera constar bajo su responsabilidad «que el poder reseñado es suficiente para el otorgamiento de esta escritura de (...), entendiendo que el mismo es funcionalmente equivalente a los efectos de acreditar la representación en el tráfico jurídico internacional» o fórmulas similares.

Además, será necesario que el documento esté debidamente legalizado o, en su caso, apostillado y traducido por intérprete oficial si estuviera redactado en lengua extranjera. Ante el Notario autorizante del negocio en que exista representación se presentará en original el poder extranjero con la apostilla o legalización referida a la firma del Notario extranjero y la traducción oficial por intérprete jurado que, si es español, no precisará ningún requisito adicional pero, si es extranjero, debe apostillarse o legalizarse igualmente su firma. Un error frecuente es el de presentar sólo la traducción apostillada, sin la copia autorizada del poder original, pero, en este caso, la apostilla únicamente ampara la firma del traductor y no la del notario autorizante del poder traducido.

No son admisibles, por tanto, para acreditar la representación voluntaria ni las copias simples por su finalidad eminentemente informativa, ni los testimonios de copias autorizadas que acreditarían la existencia del poder a la fecha de dicho testimonio pero nunca en la fecha de uso de dicho testimonio (piénsese por ejemplo en el caso de revocación del poder en el que se haya conminado al apoderado a devolver la copia autorizada pero dicho apoderado podría seguir usando el testimonio).

Debe tenerse en cuenta que la copia autorizada se presenta en soporte papel, si bien puede expedirse y remitirse electrónicamente por el Notario autorizante o quien le sustituya legalmente, todo ello de conformidad con el artículo 17 bis LN

En cuanto a **la circulación de las copias en soporte electrónico**, siguiendo al Notario LLOPIS BENLLOCH, JOSÉ CARMELO (trabajo publicado en el Blog del autor el día 20 de junio de 2017), cabe destacar las siguientes premisas:

1. El Reglamento Notarial no contiene disposición expresa ni permitiendo ni prohibiendo la posibilidad de que el traslado a papel de la copia autorizada electrónica se realice para entregarla al interesado y que este traslado pueda utilizarse para el tráfico jurídico general.

2. Por tanto, es absolutamente necesario acudir a la interpretación de la normativa.

3. Esa interpretación nos plantea dos posibilidades: una opción es entender que el Notario únicamente puede trasladar a papel la copia en relación a otra escritura que el mismo Notario va a autorizar, de modo que la copia trasladada a papel no puede circular en el tráfico, siendo esta opción la basada principalmente en la interpretación literal de la norma. La otra opción es entender que en el momento en que se trasladaba a papel, esa copia tenía entidad propia y podía ser objeto de

circulación en el tráfico sin ningún impedimento, basada en la finalidad actual de la norma hoy en día, o lo que es lo mismo: la realidad social del tiempo en que debe ser aplicada.

De todo ello se deriva: primero, si se admite para las copias autorizadas también debería poder hacerse extensivo a otros documentos notariales, como los testimonios de legitimación de firma; y segundo, que debemos valorar si un traslado a papel es la forma en la que queremos que circulen y se cotejen las copias electrónicas de documentos notariales.

Trata este asunto Resolución de 17 de julio de 2017, de la Dirección General de los Registros y del Notariado.

Concretamente, resuelve sobre una calificación negativa basada en que el notario había utilizado, para formarse su juicio de suficiencia sobre la representación, la exhibición de un traslado a papel de una copia autorizada electrónica remitido a otro notario distinto, basada en dos cuestiones: que la reseña era incompleta, pues no se había hecho constar la finalidad de la expedición de la copia y el nombre del notario receptor de la misma, lo que imposibilitaba la calificación registral, y que un traslado a papel de una copia electrónica enviada a otro notario no tenía la consideración de copia autorizada.

Así, de los *17-bis LN* y *224 RN*, resulta que **únicamente el traslado a papel de la copia autorizada llevado a cabo por el notario de destino tiene el valor previsto para los documentos notariales** *en contraposición a los traslados a papel hechos por otros funcionarios que agotan su valor y efectos en el expediente para el que han sido remitidos.*

Con todo la propia DGRN reconoce que la **regulación legal no termina de aclarar** la cuestión esencial que se plantea en este expediente: **si el traslado a papel de la copia autorizada llevado a cabo por el notario de destino puede ser utilizada exclusivamente por este o, por el contrario, es** un documento susceptible de ser utilizado en el tráfico jurídico *a modo de testimonio de copia autorizada.*

La **DGRN** se inclina por la 1ª tesis, y entiende que el *traslado a papel* por notario distinto del destinatario, **no es una *copia autorizada* sino más bien un *Testimonio notarial***, de ahí que los *Arts. 224 RN* y *264 RN*, prevean su constancia en el *Libro Indicador.*

Asimismo de los *Arts. 17-1* y *17-bis-3 LON* resultaría la legislación notarial reserva el *carácter de copia autorizada exclusivamente a las expedidas por el notario autorizante ya sea en papel o en formato electrónico.*

En consecuencia el *traslado a papel no puede servir de base al juicio notarial de suficiencia* de poderes, que debe basarse en *la exhibición de documentación auténtica.*

Por último, ha generado controversia el hecho de si, tratándose de sociedades mercantiles, el poder ha de estar inscrito en el Registro Mercantil para que se pueda inscribir en el Registro de la Propiedad el negocio objeto de la escritura. En principio, la copia autorizada que se exhiba al Notario debe contar con los datos de inscripción en el Registro Mercantil, teniendo en cuenta que la inscripción es obligatoria como resulta de los artículos 87 y 94 RRM. Pero este carácter obligatorio no debe confundirse con otorgarle un carácter constitutivo a dicha inscripción y, por tanto, el apoderado puede otorgarla escritura del negocio representativo con plena eficacia jurídica, sin perjuicio de la inoponibilidad de lo no inscrito frente a terceros de buena fe. Resoluciones DGRN de 5 de marzo y 1 de agosto de 2005 y de 30 y 31 de mayo de 2006).

Cabe destacar finalmente que tras la reforma del RN operada por RD 45/2007, los artículos 164, 178 y 197 RN regularon el llamado Archivo de poderes del Consejo General del Notariado, un archivo electrónico formado por las comunicaciones de revocación u otras causas de extinción de los poderes que harían los Notarios y que los propios Notarios debían consultar antes de autorizar o intervenir negocios jurídicos. Pero toda la regulación sobre el mismo fue declarada nula por la STS de 20 de mayo de 2008, y el archivo fue clausurado.

B) INTERVENCIÓN SIN PODER O CON PODER INSUFICIENTE O NO ACREDITADO

Estamos ante aquellos casos de intervención en los que existe una apariencia representativa pero sin que exista el poder de representación bien sea:

– Porque el poder nunca ha existido o se ha extinguido: Intervención sin poder

– Porque el poder existe pero las facultades del apoderado no permiten la realización por este del negocio en nombre de otro: Intervención con poder insuficiente.

– Porque el poder invocado existe realmente y se expresan todas sus circunstancias pero no se exhibe o se hace en forma incorrecta (por ejemplo fotocopia o testimonio): Intervención con poder no acreditado.

1. INTERVENCIÓN SIN PODER

Parece un concepto algo contradictorio ya que, en sentido estricto, la comparecencia en nombre de otro implica siempre la existencia de representación, que tiene su origen en el apoderamiento; y todo ello sin perjuicio de la llamada gestión de negocios ajenos sin mandato en el que el apoderado actuaría en nombre propio e interés ajeno si bien, en caso de que dicho negocio fuese ratificado finalmente por el dominus, el efecto sería el del propio contrato de mandato.

Supuesto especial es el de aquel supuesto en que la representación deriva de la ley y no precisa ser acreditada documentalmente como es la de algunas personas jurídicas públicas (el ayuntamiento representado por un alcalde), la derivada de algún cargo como la de los Obispos en sede episcopal o algunos cargos públicos como el de magistrado. Pues bien, en estos casos dice el RN que no es preciso que esta representación legal se justifique al Notario autorizante si le consta a éste por notoriedad. Por ello se distingue entre esa notoriedad pública derivada de los cargos oficiales, cuyo conocimiento es posible exigir al Notario, frente a la particular derivada de las relaciones paterno-filiales que sólo podrá usar el Notario cuando dicha relación le conste por conocer personalmente a la familia.

2. INTERVENCIÓN CON PODER INSUFICIENTE

El Notario ha de calificar la suficiencia del poder, es decir, se trata de determinar si las facultades conferidas son bastantes o comprenden el acto o contrato que se pretende otorgar. Cuando, por alguna razón, el Notario no considera suficiente el poder aportado por alguno de los comparecientes se plantea la cuestión de determinar si, a pesar de ello, debe otorgarse un instrumento público que adolece de defectos derivados de la representación alegada.

En estos casos parece que procedería denegar la prestación de la función notarial, pues no está legítimamente acreditada la representación del compareciente, en base el **art. 145 RN**, que establece que:

> «El notario, en su función de control de la legalidad, no sólo deberá excusar su ministerio, sino negar la autorización o intervención notarial cuando a su juicio:
> 3.º La representación del que comparezca en nombre de tercera persona natural o jurídica no esté suficientemente acreditada, o no le corresponda por las leyes».

No obstante, si el acto documentado fuera susceptible de posterior ratificación o sanación el notario podrá autorizar el instrumento haciendo la advertencia pertinente conforme **art. 164.3** de este Reglamento, siempre que se den las dos circunstancias siguientes:

a) que la falta de acreditación sea expresamente asumida por la parte a la que pueda perjudicar.

b) que todos los comparecientes lo soliciten.

Puede ocurrir, sin embargo, que el poder sea suficiente para una parte del negocio pero no para otra (piénsese en el caso de un inmueble que haya que segregar para su posterior venta y dicho poder sólo permitiese la venta; pues bien, la venta podría efectuarse pero, como es lógico, respecto de la totalidad del inmueble y utilizar el poder respecto de la parte del negocio que se contempla).

La DGRN ha tenido ocasión de pronunciarse respecto de la interpretación que ha de darse a algunos poderes. Ejemplos de ello son:

– El poder para vender inmuebles no autoriza para practicar segregaciones de ellos.

– El poder para vender bienes hereditarios implica la facultad de aceptar la herencia pero no la de hacer la partición.

– El poder otorgado por un cónyuge para vender una vivienda privativa faculta al apoderado, aunque no se diga explícitamente, para hacer la manifestación prevista en el artículo 1320 CC.

Una de las cuestiones sobre las que el Notario se ha de pronunciar a la hora de calificar la suficiencia del poder es si en el caso concreto se produce la llamada autocontratación, es decir, aquella situación en la que el representante celebra un negocio consigo mismo o bien, concentrando el poder de representación sobre dos patrimonios pone a estos en relación. Hay que decir que la autocontratación, como regla general, está permitida salvo en aquellos casos en que lo prohíba la ley o exista conflicto de intereses; ello no obstante, puede ocurrir también que exista conflicto de intereses pero el representado autorice expresamente la autocontratación.

3. INTERVENCIÓN CON PODER NO ACREDITADO

Se da en aquellos supuestos en los que el compareciente manifiesta que interviene en representación de otro pero no puede exhibir la copia autorizada del poder en el que el representado le ha conferido dicha representación.

Como es lógico, si no se justifica la existencia del poder existen dudas acerca del mismo y, en este caso, entra en juego lo previsto en el Artículo 1259 de CC cuando dice que *"El contrato celebrado a nombre de otro por quien no tenga su autorización o representación legal será nulo, a no ser que lo ratifique la persona a cuyo nombre se otorgue antes de ser revocado por la otra parte contratante..."*.

La cuestión es determinar que implica realmente la palabra «nulo» que señala dicho artículo debiendo entender, con la mayoría de la doctrina, que no se trata de una declaración de nulidad radical ya que admite posteriormente la posibilidad de ratificación posterior del negocio. Más que nulo podría entenderse, siguiendo a De Castro, que estamos ante un llamado acto incompleto que no permitirá que despliegue todos sus efectos hasta que no tenga lugar la indicada ratificación posterior

Por ello, parece que el Notario deberá observar la diligencia debida y, en todo caso, advertir a las partes de la debilidad del negocio así celebrado y de los peligros inherentes a su otorgamiento. En este punto, debe tenerse en cuenta lo dispuesto en el artículo 164.3º RN cuando dice que «Si la representación no resultare suficientemente acreditada a juicio del Notario autorizante y todos los comparecientes hicieren constar expresamente su solicitud de que se autorice el instrumento con tal salvedad, el Notario reseñará dichos extremos y los medios necesarios para la perfección del juicio de suficiencia. En tal caso, cuando le sean debidamente acreditados, el Notario autorizante o su sucesor en el protocolo así lo harán constar por diligencia, expresando en ella su juicio positivo de suficiencia de las facultades expresadas. En todas las copias que se expidan con anterioridad a dicha diligencia el Notario hará constar claramente que la representación no ha quedado suficientemente acreditada»

Cabe destacar que, cuando se trate de insuficiencia de poder de escrituras que deban inscribirse en registros públicos, la acreditación posterior de tal poder no se producirá ante el Registrador correspondiente sino que habrá de verificarse ante el Notario. Así lo ha entendido la DGRN en diversas Resoluciones pudiendo citar, por todas, la de 6 de noviembre de 2007.

4.7.2.3.2. El mandato verbal

El mandato verbal es aquel que invoca el compareciente en nombre ajeno que no presenta copia autorizada de la escritura de poder o que, presentándola, no tiene en la misma facultades conferidas suficientes para el negocio representativo que pretende; ello no obstante, alegando que tiene conferidas verbalmente facultades por el principal insiste en intervenir en el instrumento en base a la libertad de forma del mandato. Debe tenerse en cuenta, sin embargo, lo dispuesto en artículo 1280.5 CC cuando dice que *"Deberán constar en documento público:... 5º el poder que tenga por objeto un acto redactado o que deba redactarse en escritura pública o haya de perjudicar a tercero".*

Hay que diferenciar claramente este supuesto de mandato verbal del anteriormente expuesto en que no se acreditaba la representación pero esta existía ya que, en el mandato verbal, aun cuando luego se dé la ratificación posterior, los efectos retroactivos de ésta no podrán perjudicar los derechos adquiridos por terceros a diferencia de los casos en que el poder existe pero no se ha justificado.

La práctica introdujo el uso del *mandato verbal*, a partir del **art. 1.710 del CC**, por parte del compareciente que decía actuar en nombre de otro. Dice este artículo que *"El mandato puede ser expreso o tácito.*

El expreso puede darse por instrumento público o privado y aún de palabra.

La aceptación puede ser también expresa o tácita, deducida esta última de los actos del mandatario".

Y así:

– en materia de escrituras, deben de estar de acuerdo todos los otorgantes y subordinarse la eficacia del negocio a la ratificación posterior del interesado.

– en materia de actas, al estimarse el interés legítimo con mayor amplitud, tal mandato se admite con más generosidad.

Sin embargo, *la admisión del mandato verbal, no es pacífica en la doctrina*. Y así:

– Autores como ÁVILA lo consideran antirreglamentario, pues el **art. 164 R.N**. exige justificar siempre la representación voluntaria, no debiendo admitirse más representación que la documental o notoria.

– La Dirección General deja a la decisión del Notario la admisión del mandato verbal, por ejemplo, la resolución de 19 de febrero de 1990, matizando que hay otras cuya trascendencia no permite su admisión, como señaló la resolución 20 de octubre 1994, como podría ser para ejercitar derechos personalismos o para ciertos requerimiento y notificaciones.

Una de las cuestiones más importantes en materia de mandato verbal es determinar los efectos que produce la ratificación posterior, distinguiéndose las siguientes posiciones al respecto: (DACAL, Tomás, Notario de Alicante, en trabajo publicado en la web www.notariosyregistradores el día 19-5-2009).

a) Posición favorable a la retroactividad de la ratificación, incluso en perjuicio de tercero.

Fue defendida por la **Sentencia de 3 de marzo de 1992** relativa a un caso de compra en documento privado por mandatarios verbales de una cooperativa y luego venta de éstos, ya con poderes, pero de nuevo en documento privado. Tales documentos privados fueron ratificados pero meses después de ser embargadas las fincas objeto de los mismos. El esquema de la operación puede resumirse del modo siguiente

1) compra por mandatario verbal y en documento privado.

2) venta con poderes pero en documento privado.

3) Embargo.

4) Ratificación y elevación a públicos de documentos privados.

La sentencia afirma que la ratificación «tiene efecto retroactivo a la fecha del documento privado fundamental, resultando convalidando el acto realizado... desde la fecha de su celebración, lo que purificaría el negocio desde su nacimiento...».

Pero aunque parecen tan claras estas manifestaciones no lo son tanto, porque en el fondo la argumentación se basa en que el adquirente en documento privado era tenido como dueño, habiendo reunido los requisitos para la adquisición del dominio (título y modo o entrega) y además mantuvo tal carácter durante más de 10 años, con lo que no se ponía en duda en ningún caso su dominio y prevaleció la tercería a su favor.

b) Posición favorable a la irretroactividad de la ratificación, en perjuicio de tercero.

1. Mantenida por la **Sentencia 12 de diciembre de 1989**, que reitera que la ratificación tiene eficacia retroactiva entre las partes firmantes del negocio, pero no puede afectar a terceros que, durante el tiempo de pendencia del contrato dispositivo, adquirieron del primitivo dueño algún derecho incompatible con la

nueva propiedad, citando los artículos 1259,2 CC (*El contrato celebrado a nombre de otro por quien no tenga su autorización o representación legal será nulo, a no ser que lo ratifique la persona a cuyo nombre se otorgue antes de ser revocado por la otra parte contratante*) y 1727,2 CC (*En lo que el mandatario se haya excedido, no queda obligado el mandante sino cuando lo ratifica expresa o tácitamente*).

Añade que el acuerdo del Consejo de Administración de la sociedad mandante verbal autorizando para otorgar el documento publico, no puede considerarse como ratificación, pues solo constituye la formación de la voluntad social por el órgano representativo y tampoco puede considerarse una ratificación tácita, ya que es de esencia de la misma su proyección exterior.

2. La importante **Sentencia de 22 de octubre de 1999**, determina claramente que la ratificación opera retroactivamente Inter-partes, extendiéndose la retroactividad respecto de terceros a lo que les beneficia, pero no a lo que les perjudique. Precisa los siguientes e interesantes puntos:

   – que no cabe confundir la **ratificación** del 1259,2 CC con la **confirmación** de los contratos anulables, arts. 1309 y ss. CC. Entiendo que los primeros no existen hasta que se ratifican, mientras que los segundos sí existen desde el principio, aunque viciados de anulabilidad hasta la confirmación, con las evidentes consecuencias de prioridad registral.

   – que para que sea eficaz la representación basta que obedezca a un mandato verbal (apoderamiento no escrito) de conformidad con el art. 1710 CC, aunque para los actos del 1713,2 CC es preciso, además, que sea expreso y especial, y en tal caso la ratificación del mandante no añade nada al negocio celebrado desde la perspectiva sustantiva o material.

Esto es difícilmente entendible para la práctica diaria, pues cómo podemos distinguir los Notarios y Registradores que efectivamente el mandatario está obedeciendo a un real mandato verbal y cuándo no. La sentencia alude a este punto precisamente para excluirlo del caso concreto juzgado, esto es, para decir que en el supuesto contemplado (un administrador mancomunado sin el concurso del otro) no se actuaba en base a un real mandato verbal del representado, con la consecuencia de que no se perfeccionaba el negocio que no nació a la vida jurídica hasta la ratificación posterior.

   – que el Registro no convalida los defectos sustantivos, ni puede haber tercero hipotecario cuando hay defectos sustanciales en el propio título de adquisición.

3. Entre las **Resoluciones de la DGRN** citaremos:

   – **Resolución 3 de marzo de 1953** sobre un supuesto de escritura de cesión, cuya inscripción registral se suspendió por insuficiencia de poder del adquirente, y posterior presentación de embargo contra el cedente y ratificación posterior de la cesión. La D.G. resuelve que la ratificación produce efectos retroactivos entre las partes contratantes, pero sin perjuicio de los derechos adquiridos legítimamente en el intervalo por terceros (embargo), añadiendo que el negocio pendiente de ratificación no es propiamente inexistente sino sometido a una «conditio iuris».

– **Resolución 2 de diciembre de 1998**, cuyos hechos son los siguientes: 1) firma escritura de venta por apoderados sin salvar el autocontrato y presentación al Registro; 2) anotación preventiva de demanda en el Registro; 3) Ratificación de la compraventa para salvar el autocontrato. El Registrador deniega la inscripción de la compraventa con prioridad por carecer de eficacia retroactiva frente a terceros la ratificación posterior y la DG le da la razón.

El razonamiento de la DG es similar a lo expuesto: la sanción por existir autocontrato sin salvar, es la nulidad de lo actuado por insuficiencia de poder (art. 1259 CC); esta nulidad no impide la ratificación por el representado pero su eficacia no puede retrotraerse en perjuicio de los legítimos intereses de un tercero.

– **Resolución 25 de mayo de 2007**, mantiene un criterio similar considerando que una anotación preventiva de suspensión de pagos no puede ser perjudicada por una ratificación posterior de una elevación a público de documento privado, volviendo a reiterar que la ratificación produce efectos ex tunc entre las partes contratantes, pero no puede perjudicar los derechos legítimamente adquiridos en el ínterin por terceros.

Como novedad, esta resolución se apoya en el artículo 184 del CC Alemán que dice:

> *«Efecto retroactivo de la ratificación. 1.La ratificación subsiguiente se retrotrae hasta el momento en que fuera emprendido el negocio jurídico, a menos que esté establecido de otra manera. 2.El efecto retroactivo no invalida las disposiciones que fueran hechas antes de la ratificación sobre el objeto del negocio jurídico por parte del ratificante, o que hayan sido efectuadas en vía de ejecución forzosa o ejecución de embargo o por un administrador concursal»*

y en el art. 1399, párrafo 2º del CC Italiano que dice

> *«La ratifica ha effetto retroattivo, ma sono salvi i diritti dei terzi», cuya traducción al castellano parece innecesaria.*

Como conclusión hay que decir que en la práctica, sin embargo, existe una tendencia quizá algo irreflexiva a efectuar comparecencias en nombre ajeno como mandatario verbal cuando se trata claramente de supuestos de falta de poder. Sería deseable, máxime teniendo en cuenta las posibilidades que ofrecen las nuevas tecnologías, que la práctica notarial tendiera a abandonar la figura del mandato verbal ante el peligro de autorizar documentos incompletos por la falta de voluntad de una de las partes. En efecto, aunque en el momento del otorgamiento nos encontremos con situaciones de poderes insuficientes, no acreditados o inexistentes, sería posible retrasar la autorización del documento y compeler al mandatario a que su representado otorgue, en otra Notaría, un poder en condiciones, poder, cuya copia autorizada electrónica podría llegar a manos del Notario autorizante del negocio jurídico representativo en un tiempo relativamente breve y así autorizar un documento completo en el que no hiciera falta ninguna ratificación.

4.7.2.3.3   Normas generales sobre expresión de la representación en el instrumento público

Debe tenerse en cuenta lo previsto en los artículos 165 y 166 RN

El art. **165 RN** regula que:

> «Cuando alguno de los otorgantes concurra al acto en nombre de una Sociedad, establecimiento público, Corporación u otra persona social, se expresará esta circunstancia, designando, además de las
> – relativas a la personalidad del representante,
> – el nombre de dicha entidad y
> – su domicilio,
> – datos de inscripción y
> – número de identificación fiscal en su caso, e
> – indicando los datos del título del cual resulte la expresada representación.
> El representante suscribirá el documento con su propia firma, sin que sea necesario que anteponga el nombre ni use la firma o razón social de la entidad que represente».

Y el art. **166 RN** (reformado en 2007) establece que:

> «El notario reseñará en el cuerpo de la escritura que autorice los datos identificativos del documento auténtico que se le haya aportado para acreditar la representación alegada y expresará obligatoriamente que, a su juicio, son suficientes las facultades representativas acreditadas para el acto o contrato a que el instrumento se refiera.
> La reseña por el notario de los datos identificativos del documento auténtico y su valoración de la suficiencia de las facultades representativas harán fe suficiente, por sí solas, de la representación acreditada, bajo la responsabilidad del notario.
> En consecuencia, el notario no deberá insertar ni transcribir, como medio de juicio de suficiencia o en sustitución de éste, facultad alguna del documento auténtico del que nace la representación.
> En los supuestos en que el documento del que resulte la representación figure en protocolo legalmente a cargo del notario autorizante, la exhibición de la copia auténtica podrá quedar suplida por la constancia expresa de que el apoderado se halla facultado para obtener copia del mismo y que no consta nota de su revocación».

Si el otorgante actúa en representación voluntaria de otra persona física o jurídica, el notario, antes de la autorización del acto o negocio jurídico de que se trate *consultará el Archivo de Revocación de Poderes o el que le sustituya del Consejo General del Notariado,* a los efectos de comprobar que no consta la revocación salvo que, bajo su responsabilidad, no estime necesario realizar la consulta (Novedad 2007).

Esto es reflejo del **art. 98, 1 y 2** de la Ley de Medidas Fiscales, Administrativas y de Orden Social, de 27 de diciembre de 2001 que bajo la rúbrica «Juicio de suficiencia de la representación o apoderamiento por el Notario» señala que:

> *«1. En los instrumentos públicos otorgados por representantes o apoderados, el Notario autorizante insertará una reseña identificativa del documento auténtico que se le haya aportado para acreditar la representación alegada y expresará que, a su juicio, son suficientes las facultades representativas acreditadas para el acto o contrato a que el instrumento se refiera.*
> *2. La reseña por el Notario del documento auténtico y su valoración de la suficiencia de las facultades representativas harán fe suficiente, por sí solas de la representación acreditada, bajo la responsabilidad del Notario.*
> *3. Deberán ser unidos a la matriz, original o por testimonio, los documentos complementarios de la misma cuando así lo exija la ley y podrán serlo aquéllos que el Notario autorizante juzgue conveniente. En los casos de unión, incorporación o testimonio parcial, el Notario dará fe de que en lo omitido no hay nada que restrinja ni, en forma alguna, modifique o condicione la parte transcrita».*

Este precepto, que, a pesar de la claridad de su redacción, ha suscitado una gran controversia en la contratación inmobiliaria-registral, que ha dado lugar a diversas resoluciones de la Dirección General, como las de 12 de abril o 20 de septiembre de 2002, y alguna sentencia del Tribunal Supremo, como la de 23 de enero de 2003, en las que viene a decirse, que el citado precepto no ha modificado el esquema de seguridad jurídica preventiva, y lo único que ha cambiado es la forma de acreditación de la representación. El poder en ningún caso debe incorporarse, transcribirse o acompañarse a la escritura que documente el negocio jurídico representativo, debiendo el Notario hacer una reseña somera de las facultades para que el Registrador pueda calificarlas, en base al **art. 18 de la LH.**

En este sentido, es doctrina consolidada de la DGRN a través de numerosas resoluciones entre las que puede citarse la anteriormente mencionada de 6 de noviembre de 2007 la siguiente:

1. Reseña del Documento: En el documento se debe identificar el poder indicando el Notario autorizante, su fecha y número de protocolo; así como que se tiene a la vista copia autorizada del poder

2. Juicio de suficiencia: Su ausencia puede subsanarse conforme al artículo 153 RN. El juicio ha de ser congruente con el negocio instrumentado.

3. Ámbito de la calificación registral: Abarca la reseña identificativa así como el juicio de suficiencia y la congruencia indicados; pero, en ningún caso, solicitará que se aporte la copia autorizada del poder o la transcripción de facultades de éste. En definitiva, el registrador no puede revisar la valoración que ha efectuado

el Notario de la suficiencia de las facultades tarea que, en su caso, corresponde a los tribunales de justicia.

4.7.2.3.4. La ratificación

Consiste en la adquisición posterior, a través de la declaración de voluntad del supuesto representado, de la cualidad de parte en un acto jurídico, que no es propiamente inexistente, sino que se halla en estado de suspensión, sometido a una «condictio iuris». Es necesaria en caso de poderes insuficientes, o extralimitación del apoderado, como hemos visto, y no hace sino perfeccionar el negocio jurídico celebrado entre ese supuesto representante y el tercero que con él contrata.

Desde el punto de vista notarial, las notas básicas de su régimen jurídico son las siguientes:

– Su cauce instrumental, es la escritura o diligencia de adhesión, conforme al **art. 176 del RN**, que dice *"La parte contractual se redactará de acuerdo con la declaración de voluntad de los otorgantes o con los pactos o convenios entre las partes que intervengan en la escritura cuidando el Notario de reflejar con la debida claridad y separadamente los que se refieran a cada uno de los derechos creados, transmitidos, modificados o extinguidos, como asimismo el alcance de las facultades, determinaciones y obligaciones de cada uno de los otorgantes o terceros a quienes pueda afectar el documento, las reservas y limitaciones, las condiciones, modalidades, plazos y pactos o compromisos anteriores.*

La aceptación de la oferta a que se refiere el artículo 1262 y de la estipulación a favor de tercero del artículo 1257, la ratificación del párrafo 2.º del artículo 1259, todos del Código Civil y, en general, la adhesión a todo negocio jurídico, cuando en las escrituras matrices no aparezca la nota que las revoque o desvirtúe y la Ley no exigiere expresamente el requisito de la unidad de acto, podrán formalizarse mediante diligencia de adhesión en dichas matrices, autorizada dentro de los setenta días naturales a contar desde la fecha de su otorgamiento, o en escritura independiente sin sujeción a plazo".

– Puede solicitarse al Notario autorizante de la adhesión, la notificación de ésta a la otra parte, aunque la Ley no lo exige.

– El que contrata con el gestor debe notificar a la otra parte que desiste del contrato, para así evitar la ratificación. Y así podrá solicitarse al Notario en la misma escritura de revocación, según los **arts. 1.259 y 1.734 del Código civil**.

– Los Notarios deben comunicar la ratificación o la revocación al Notario autorizante de la escritura pendiente de firmeza. Y así según resulta del **art. 178 RN**:

> «Se hará constar al final o al margen de la escritura matriz, por medio de nota, que deberá ser transcrita en cuantas copias de cualquier clase sean libradas en lo sucesivo:
> 1.º La escritura o escrituras por las cuales se cancelen, rescindan, modifiquen, revoquen, anulen o queden sin efecto otras anteriores, de conformidad con lo dispuesto en el artículo 1.219 del Código Civil.
> 2.º Las de cesión de derechos o subrogación de obligaciones.
> 3.º Las de adhesión a que se refiere el párrafo 2.º del artículo 176 anterior, cuando aquélla conste en escritura independiente.
> El notario que autorice alguna de las escrituras comprendidas en los tres primeros números anteriores lo comunicará telemáticamente al notario en cuyo protocolo se hallen las matrices que contengan los negocios a que la nueva escritura afecte mediante el sistema de información Central del Consejo General del Notariado. El notario que reciba la comunicación lo hará constar al margen por nota indicativa de la fecha de la segunda escritura y el nombre y residencia del notario autorizante. Si la primitiva matriz obrase en el mismo protocolo del notario autorizante del último documento, él mismo pondrá la nota.
> Cuando al notario que custodie el protocolo en el que obre la escritura matriz objeto de cualquiera de las notas previstas en los números primero al cuarto de este artículo se le presente una copia auténtica de dicha escritura y se le requiera para ello por persona interesada, se transcribirá por él, al final de dicha copia, la nota correspondiente».

En cuanto a los *requisitos* de la ratificación:

– El ratificante debe tener capacidad legal y legitimación suficiente para el negocio jurídico que ratifica pudiendo, en caso de fallecimiento del representado, ser efectuada por sus herederos siempre y cuando no se trate de negocios personalísimos.

– La ratificación no puede introducir nuevos elementos que no consten el negocio objeto de la misma.

– Debe efectuarse dentro del plazo previsto y, no habiéndose pactado, en el que sea razonable según las circunstancias.

– Puede ser expresa, en cuyo caso se verá sometida a los mismos requisitos de forma del negocio a ratificar según la generalidad de la doctrina, o tácita.

Finalmente, y por lo que respecta a los *efectos* de la ratificación, hay que decir que ésta perfecciona como decíamos el negocio jurídico celebrado entre el gestor y el tercero. La perfección tiene, según la mayoría de la doctrina y la jurisprudencia, eficacia retroactiva al tiempo de celebrarse el negocio por el representante; si bien esta regla general de retroactividad quedaría excluida en aquellos casos en que perjudique los derechos adquiridos por terceros de buena fe.

4.7.3. Menciones finales

Dentro de las partes en que se divide el instrumento público y, de conformidad con lo expuesto, distinguimos:

– Las menciones preliminares, que identifican los datos formales del instrumento.

– La comparecencia, con los datos personales de los comparecientes, la representación que en su caso ostentan, el juicio de capacidad y la calificación del negocio celebrado.

– La exposición de hechos o antecedentes para la correcta identificación del negocio.

– Las estipulaciones del acto o contrato que se formaliza.

– Las llamadas **menciones finales**, que a la vez suelen dividirse en:

a) *Otorgamiento*: Es el acto a través del cual los interesados dan su consentimiento y «hacen suyo» el documento leído. Se trata de un consentimiento especial, y único ya que abarca tanto la escritura en sí como el negocio que en ella se contiene y que, en todo caso, tiene carácter constitutivo.

Como en las actas notariales no hay declaraciones de voluntad sino la narración por el Notario de los hechos que percibe, no es necesario consentimiento alguno, por lo que entiende la doctrina que no existe otorgamiento en las actas sino que su aprobación implica únicamente la conformidad del interesado con la narración.

b) *Reservas y advertencias legales*: Son las prevenciones que deben hacer los Notarios para que los otorgantes queden informados sobre la significación y alcance de sus actos, y cumplan determinados requisitos posteriores derivados del otorgamiento; tales como las relativas al cumplimiento de las obligaciones fiscales, las relativas a la necesidad o conveniencia de inscribir en registros públicos o las normas de protección en garantía de consumidores.

c) *Fe de conocimiento*: Es uno de los requisitos que deben figurar en la comparecencia en la escritura matriz. Consiste en la identificación que hace el notario de los comparecientes y demás intervinientes en un instrumento público. Tal identificación, también conocida como juicio de identidad, no exige que el notario tenga trato o relación con dichas personas; afecta sólo a la identidad del otorgante: saber quién es. Por tanto, no garantiza sus circunstancias personales, que el notario consignará según lo que declare el interviniente y los documentos que a tal exhiba. Por ello, es fundamental indicar el medio de identificación que se ha utilizado: testigos de conocimiento; identificación por una de las partes otorgantes; referencia a documentos de identidad; o cotejo de firmas con la indubitada de un instrumento público anterior en que se hubiese dado por el notario fe de conocimiento del firmante. Viene regulada en los artículos 187 a 192 RN.

Ha señalado la DGRN en Resolución de 21 de marzo de 2016 que «como ha puesto de relieve este Centro Directivo (cfr., por todas, las Resoluciones de 2 de octubre de 2003, 26 de marzo de 2004, 5 de junio de 2007, 18 de octubre de 2010 y 17 de agosto de 2011), en nuestra legislación la identificación de los comparecientes en los instrumentos públicos se encomienda al notario, que habrá de realizarla por los medios establecidos en las leyes y reglamentos (artículo 23 de la Ley del Notariado). El registrador, por su parte, debe comprobar que la identidad del otorgante así determinada coincida con la del titular registral por lo que resulte de los asientos del Registro, dados los efectos de la inscripción, especialmente respecto de la legitimación y fe pública registral (cfr. artículos 9.4.ª y 18 de la Ley Hipotecaria, y 51.9.ª del Reglamento Hipotecario). Por el valor que la ley atribuye al instrumento público, es presupuesto básico para la eficacia de este la fijación con absoluta certeza de la identidad de los sujetos que intervienen, de modo que la autoría de las declaraciones contenidas en el instrumento quede establecida de forma auténtica, mediante la individualización de los otorgantes. Por ello, el artículo 23 de la Ley del Notariado, como requisito esencial de validez del instrumento público, impone al notario autorizante la obligación de dar fe de que conoce a las partes o de haberse asegurado de su identidad por los medios supletorios establecidos en las leyes y reglamentos. Al dar fe de conocimiento o dar fe de la identidad de los otorgantes (cfr., respectivamente, artículos 23 y 17 bis de la Ley del Notariado), el notario no realiza propiamente una afirmación absoluta de un hecho sino que emite un juicio de identidad, consistente en la individualización del otorgante bien por conocerlo el notario (es decir, por llegar a tener la convicción racional de que es la persona que dice ser y por tal es tenido en la vida ordinaria, de suerte que se trata de un juicio de notoriedad sobre su identidad), o bien por la identificación mediante documentos u otros medios supletorios legalmente establecidos (comparatio personarum; así resulta especialmente en algunos supuestos en que el notario se asegure de la identidad de las partes mediante la verificación subjetiva que comporta un juicio de comparación de la persona del compareciente con los datos, fotografía y firma que figuran en el documento que sirve para su identificación —cfr. apartados c y d del artículo 23 de la Ley del Notariado—). Ahora bien, desde el punto de vista registral, dadas las importantes presunciones que la Ley atribuye en favor del titular registral, y al objeto de dar debido cumplimiento a lo dispuesto en los artículos 38, principio de legitimación, y 20, tracto sucesivo, ambos de la Ley Hipotecaria, el registrador debe calificar, y sin perjuicio de que el notario también deba comprobarlo, que la persona respecto de la cual el notario ha dado fe de conocimiento, es el titular registral y no otra persona con igual nombre y apellidos».

    d) *Autorización*: Es la declaración solemne del Notario en virtud de la cual da carácter formal de instrumento público al documento del que es autor y constituye la parte final del instrumento, diferente del otorgamiento, con la que termina su actuación el Notario. Exige conjuntamente dos requisitos:

        – La dación de fe: Implica, además de la afirmación del Notario de la certeza y veracidad de lo que narra, un juicio de legalidad del documento y del acto que contiene, por haberse redactado con arreglo a las leyes por persona que ejerce una función pública con deber de imparcialidad.

- La firma del Notario: Junto con la rúbrica y el signo, es la expresión documental y gráfica de la autorización, y el signo más sensible que acredita a un documento como notarial, siendo tan esencial que su falta determina la nulidad del documento, de acuerdo con lo previsto en el Artículo 27 LN.

4.8. CAPACIDAD Y REPRESENTACIÓN

4.8.1. Personas físicas

4.8.1.1. Menores

En España la mayoría de edad se alcanza a los 18 años cumplidos conforme al artículo 315 CC.

Hasta ese momento las personas físicas se consideran menores de edad. Dentro de la minoría de edad podemos distinguir la minoría de edad general, y los casos de los menores emancipados mayores de dieciséis años, que podrán serlo por concesión judicial o de quienes ejercen la patria potestad.

Eso sin perjuicio del particular caso de Aragón, donde los mayores de 14 años tienen un régimen especial regulado en los artículos 23 y siguientes de su Código de Derecho Foral.

Antes de entrar en el examen de la cuestión habría que hacer una pequeña precisión de derecho internacional:

La mayoría de edad vendrá determinada por la ley personal del sujeto, sin perjuicio de la norma del 10.8 del CC que admite como válidos los contratos celebrados en España por persona incapaz en su país si esa causa no estuviese determinada en la ley española, exceptuando los contratos relativos a inmuebles situados en el extranjero.

Por otro lado, para la representación legal tanto de padres, tutores, curadores y defensores judiciales, el 10.11 CC se remite a la ley reguladora de la que nacen las facultades del representante. Por lo que habrá que estar a la ley que regule la relación paternofilial, o a la ley del país que haya nombrado al representante legal.

En España, la representación legal de los hijos se regula en los artículos 162 y siguientes del CC.

Hay dos principios fundamentales:

El primero es que los menores no pueden actuar solos sino que deben estar representados por sus **REPRESENTANTES LEGALES**, que serán los progenitores si están sometidos a la patria potestad (general o prorrogada o rehabilitada, en caso de modificación judicial de la capacidad de los hijos); o los tutores si no están sometidos a la patria potestad por carecer de progenitores o estar estos privados del ejercicio de la misma, y en casos específicos por defensores judiciales y administradores ad hoc. (162 y 222 CC).

El segundo es que los representantes legales necesitarán para determinados actos además **AUTORIZACIÓN JUDICIAL**, que son los del 166 del CC para los padres; al igual que el tutor la necesita para los actos del 271 CC que se examinarán al hablar de los sometidos a tutela.

Del principio general de que los **padres representan a sus hijos**, tenemos las siguientes **excepciones**:

Por un lado están los *actos que pueden realizar por sí mismo los menores*, que básicamente son los de administración de sus propios bienes, para lo cual no obstante tendrán que tener dieciséis años aunque no estén emancipados (164.3 CC). Y tampoco hay que olvidar que pueden hacer testamento desde los catorce años conforme al 663 CC sensu contrario.

Por otro lado, están las excepciones respecto determinados bienes o actos en los que está *excluida la representación de los progenitores*:

Puede ocurrir respecto determinados bienes que los hijos hayan recibido a título gratuito por herencia o donación, en los cuales el disponente haya establecido que dichos bienes sean administrados por otra persona, conforme al 164.1 CC y 227 CC. Es muy frecuente en el caso de progenitores separados que en el testamento excluyen al otro progenitor de la administración de los bienes que el hijo pueda heredar del testador mientras sea menor de edad.

Parecido al caso anterior sería el de los bienes en que los hijos son herederos porque sus padres han sido desheredados o declarados indignos para suceder (164.2 CC). Para dichos bienes, la administración corresponderá a la persona designada por el disponente, y en su defecto, si la causa alcanza sólo a un padre, serán administrados por el otro, y si alcanza a ambos por un Administrador Judicial.

Por último están los casos en que para determinados actos, sobre los que en principio no está excluida la administración paterna por ninguna de las causas anteriores, la Ley determina una *representación especial por existir conflicto de intereses* con los progenitores que deben representar al menor. El 163 CC establece que si el conflicto es sólo con uno de los padres, en estos casos excepcionales, el menor estaría representado sólo por el otro progenitor respecto del cual no exista conflicto. Es por tanto una excepción al principio de que la representación legal debe ejercerse por ambos progenitores. No obstante si el conflicto existe con ambos deberá nombrarse al menor un defensor judicial que le represente y vele por sus intereses en ese caso específico. Lo mismo valdría para el caso de que los menores estuviesen representados por un tutor, cfr 299 CC.

Es frecuente el defensor judicial para el caso de fallecimiento de un progenitor en el que debe otorgar la escritura de herencia la viuda con hijos menores de edad. En estos casos si bien la DGRN en unos primeros momentos fue favorable a la no necesidad de defensor judicial si se adjudicaban los bienes conforme a las cuotas que les correspondieran en la herencia, es decir, sin hacer lotes que pudieran perjudicar a los menores; en los últimos tiempos es más estricta exigiéndolo en todo caso si los cónyuges estaban casados en gananciales y hay que liquidar la sociedad de gananciales; o el caso frecuente de *cautela socini* en los que la elección entre el usufructo universal gravando la legítima estricta o el tercio de libre disposición dejando intacta la legítima estricta provoca dicho conflicto de intereses (p.e. Resolución DGRN de 11/12/2012).

Examinamos a continuación al examen del segundo principio de la necesidad de la **autorización judicial para determinados actos**.

Una vez determinado quién debe representar al menor para un concreto acto (ambos progenitores, uno sólo, un administrador designado ad hoc por un disponente a título gratuito, o un defensor judicial) hay ciertos negocios jurídicos que por su trascendencia económica necesitan el requisito adicional de la autorización judicial.

Esos supuestos excepcionales están contemplados en el artículo 166 CC y serían los siguientes:

1. *Renunciar derechos de que los hijos sean titulares*: En este supuesto la ley examina dos casos específicos, la renuncia del derecho de suscripción preferente de acciones y la renuncia de herencia.

En cuanto a la renuncia del derecho de suscripción preferente de acciones, la ley lo excepciona de la necesidad de autorización judicial. Nótese que no habla el artículo del derecho de asunción de participaciones por el mismo sentido que veremos posteriormente al hablar de la necesidad o no de autorización para transmitir valores o participaciones, a cuya solución me remito.

Por lo que se refiere a la repudiación de herencia o legados es necesaria, y si el Juez la denegara sólo cabría aceptar la herencia a beneficio de inventario.

2. *Para enajenar o gravas bienes inmuebles, establecimientos mercantiles o industriales, objetos preciosos y valores mobiliarios.*

En cuanto a los inmuebles no hay más problema que determinar cuándo estamos ante un bien inmueble, recordando por ejemplo el carácter de tales de las concesiones y derechos reales sobre bienes de ese tipo.

En este punto hay que tener en cuenta la postura favorable en la doctrina y jurisprudencia a la solución del negocio complejo para adquirir un bien por medio de un préstamo hipotecario. Los padres en principio no necesitan de autorización judicial para adquirir bienes inmuebles, ni para pedir dinero a préstamo, pero si la necesitarían para gravarlo. No obstante el negocio complejo implica que el bien entra ya gravado en el patrimonio del incapacitado y si el activo tiene más valor que la carga, la operación implica una ganancia para el menor y no supone poner su patrimonio en una situación peor a la que tendría antes de la adquisición.

Más aún se defiende que si los padres pueden adquirir en nombre de los menores una propiedad ya gravada; también podrían subrogar la carga y novarla, o incluso gravar para pagar el precio de la venta.

La cuestión fundamental es que el gravamen nazca a la vez que la adquisición y relacionado con la misma y que no sea superior al activo o en garantía de cualquier otra obligación.

En Aragón (artículo 15 del Código de Derecho Foral) y Cataluña (artículo 236-27 del Código Civil de Cataluña), las normas ya prevén expresamente el supuesto de adquisición de bien con préstamo y subrogación o constitución de hipoteca sin necesidad de autorización judicial.

Más complicado sería el caso de los establecimientos mercantiles o industriales. Si estuviera pensando en un inmueble destinado a ese uso, está claro que por ser inmueble estaría comprendido en el supuesto anterior. Con lo cual parece que pudiera aplicarse a los casos antiguos en que el menor podía continuar ejerciendo el comercio de su padre o causante a través de su otro progenitor si tenía capacidad para ello o a través de factores, en cuyo caso la administración de esos bienes lo tienen los menores pero la administración extraordinaria o disposición necesitarían el consentimiento de los padres (5 CCom y 164.3 CC)

Más lógico parece poner en relación ese caso con el de la enajenación de los valores mobiliarios. Para disponer de estos se necesita autorización judicial. Pero la ley habla de valores mobiliarios y no menciona las participaciones sociales.

Hay dos posturas doctrinales: Los que entienden que sería necesaria la autorización judicial dada su similitud, y lo defienden argumentando que cuando se aprobó el Código Civil la existencia de la Sociedad limitada era excepcional por lo que no se tuvo en cuenta. Y la postura de los que entienden que la participación social no tiene el carácter legal de valor mobiliario y argumentan que las prohibiciones deben ser de interpretación restrictiva, para los cuales cabría la enajenación de las participaciones sin autorización judicial.

Es mayoritaria la segunda postura, pero con matizaciones, en principio no sería necesaria la autorización judicial salvo que dichas participaciones representaran realmente a inmuebles (sociedades patrimoniales en relación con el 108 LMV) o supusieran el control de un determinado negocio o explotación, en cuyo caso necesitarían dicha autorización por los supuestos de transmisión de inmuebles, establecimientos mercantiles o industriales u objetos de extraordinario valor.

Y esta misma solución habría que dar al supuesto examinado anteriormente de la renuncia del derecho de asunción de participaciones, con más razón si cabe dado que como vimos, en ese supuesto está prevista la no necesidad de la autorización judicial. Aunque aquí podemos entender que si con la renuncia al derecho de suscripción preferente o asunción el menor perdiera el control de la empresa podría ser necesaria la autorización judicial al asimilarse al supuesto de transmisión de establecimiento mercantil o industrial u objeto de extraordinario valor.

En Cataluña el mencionado artículo 236-27 equipara la venta de acciones y la de participaciones, excluyendo de la autorización judicial solamente la venta de acciones que cotizan en bolsa.

Por último, en cuanto a los objetos preciosos, parece que originariamente cuando se redactó el artículo estaba pensando en joyas o metales preciosos; sin perjuicio de que hoy debe entenderse cualquier otro bien que, ya sea por su valor intrínseco o por su valor en proporción al patrimonio del menor, haya que considerarlo como de extraordinario valor para dicho patrimonio.

Relacionado con lo anterior, tenemos que examinar brevemente el supuesto en que se trate de enajenar uno de estos bienes del 166, en los que los representantes legales no sean ni los progenitores ni los tutores, sino los administradores nombrados ad hoc por el disponente a título gratuito de un bien a favor del menor. Especialmente discutida es la posibilidad de que el disponente que haya designado a este administrador le pueda dispensar de la necesidad de autorización judicial.

En primer lugar tenemos que aclarar que cuando la ley habla de nombrar un administrador, la mayor parte de la doctrina y la jurisprudencia entienden que este administrador no tendría sólo facultades de administración, sino también de disposición.

Aclarado lo anterior, una parte de la doctrina entiende que el disponente a título gratuito podría dispensar, siempre que lo haga expresamente, al administrador de los bienes de la necesidad de autorización judicial, puesto que ya que el disponente le podría no haber dejado nada al menor, si le deja algo tendrá libertad para determinar sus normas de administración y disposición. Esta además es la solución contemplada en la legislación catalana (artículo 236-25 y 461-24) y navarra (artículo 65).

Otra parte de la doctrina entiende que no podría tener un régimen distinto de protección el menor por el sólo hecho de que la administración la tenga un administrador específico y no los legales; y que debería tener un tratamiento análogo al tutor. Parece ser la posición de la Resolución de la DGRN de 12 de julio de 2013.

Aunque esta Resolución distingue entre aquellos casos en que se recibe por donación donde el bien está perfectamente designado y separado; de aquellos otros casos en que el administrador ad hoc es nombrado en testamento. En estos casos la DGRN para aceptar la dispensa de autorización judicial parece poner como requisito la aceptación a beneficio de inventario para separar correctamente el patrimonio del menor antes y después de la herencia; y por otro lado que dicha dispensa no recaiga sobre bienes de la legítima dado el principio de intangibilidad de la misma.

Me remito al trabajo publicado por Francisco MARIÑO PARDO, FRANCISCO en su Blog de derecho Privado «Iuris Prudente» que lleva por título «El administrador de bienes de un menor o incapacitado nombrado en acto a título gratuito. Contenido de las facultades. Posibilidad de dispensa de autorización judicial. El caso del legitimario. La Resolución DGRN de 12 de julio de 2013».

3. Supuesto especial de la *aceptación de la herencia* 1060 CC:

Si se ha pedido autorización para renunciar y no se ha concedido, hemos visto que para los padres el 166.1 CC establece que sólo cabe la aceptación de la herencia a beneficio de inventario. El 1060 CC establece que *«Cuando los menores o personas con capacidad modificada judicialmente estén legalmente representados en la partición, no será necesaria la intervención ni la autorización judicial, pero el tutor necesitará aprobación judicial de la partición efectuada. El defensor judicial designado para representar a un menor o persona con capacidad modificada judicialmente en una partición, deberá obtener la aprobación del Juez, si el Secretario judicial no hubiera dispuesto otra cosa al hacer el nombramiento»*.

Debemos distinguir los casos en los que los menores están representados por sus padres de aquellos en los que esté representado por tutor, y de los que estuvieran representados por defensor judicial por existir conflicto con los padres o tutores.

Si están representados por los padres no se necesita autorización judicial (ni aprobación posterior) en principio ni para aceptar a beneficio de inventario ni para aceptar pura y simplemente, ya que el 166.1 sólo se establece la obligación de la aprobación a beneficio de inventario si se pidió autorización para renunciar y se denegó. Por lo tanto cabría pensar que los padres pueden aceptar pura y simplemente herencias en nombre de sus hijos sin autorización ni aprobación judicial.

No obstante una parte de la doctrina entiende que la aceptación de la herencia de los menores se entenderá siempre hecha a beneficio de inventario, aunque no se diga expresamente o no se cumplan sus requisitos formales, por interpretación extensiva del 166.1 CC y por protección del patrimonio del menor. No obstante la mayor parte de la doctrina entiende que salvo el caso en que se le hubiese denegado a los padres la autorización para repudiar la herencia, los padres podrán aceptar en nombre de los menores pura y simplemente o a beneficio de inventario, ya que donde la ley no distingue no debemos distinguir.

Cuando están representados por tutor no se necesitará autorización judicial, pero sí la aprobación posterior, se entiende que el 1060 CC está hablando para aceptarla a beneficio de inventario; porque si la aceptación es pura y simple se necesita en principio autorización judicial cfr 271.4 CC. Sin perjuicio de que el 272 CC parece admitir la posibilidad de que el tutor pueda firmar la aceptación de herencia pura y simple sin autorización, pero debiendo someterse luego a aprobación judicial posterior. Es decir del juego del 1060 y el 272 CC parece que el tutor podría firmar sin autorización judicial, pero con aprobación posterior, cualquier aceptación de herencia, sin perjuicio de lo que luego diremos.

Si están representados por defensor judicial, ya sea para aceptar pura y simplemente o a beneficio de inventario, hay que distinguir: Si en su nombramiento se previó y se concedió de antemano la autorización, no será necesaria ni la autorización judicial previa ni la aprobación judicial posterior. Pero si no se previó nada al nombramiento del defensor judicial este deberá obtener o la autorización judicial previa (en cuyo caso ya no sería necesaria la aprobación posterior); o el 1060 CC admite que podría firmarla sin autorización judicial, pero necesitaría en ese caso la aprobación judicial posterior.

Sin embargo el tema para la posibilidad prevista para tutores y defensores judiciales (en los que no se haya previsto nada en su nombramiento) para que puedan firmar la aceptación pura y simple sin autorización pero con aprobación judicial posterior (272 CC y 1060 CC) nunca ha sido claro y se ha complicado con el artículo 93 de la LJV donde no contempla dicha posibilidad y somete «en todo caso» a autorización judicial la aceptación sin beneficio de inventario tanto de los tutores como de los defensores judiciales.

Ante esta situación hay dos posturas: La de aquellos que defienden que la LJV ha derogado implícitamente el 272 CC de modo que ahora no puede el tutor aceptar en nombre del menor sin autorización judicial y esperar a la aprobación posterior. Y la de aquellos que teniendo en cuenta que la última redacción del 1060 CC viene dada precisamente por la ley que aprobó la LJV tratan de compaginarlos, entendiendo que el 93 LJV en realidad no dice nada distinto a lo que decía el 271.4 CC, y no se ha aprovechado para derogar o modificar el 272 CC, por lo que la situación no habría cambiado. Se entendería que si el tutor acepta la herencia en nombre del menor sin autorización judicial es porque se entiende que lo hace a beneficio de inventario; pues en otro caso, para aceptarla sin ese beneficio, tanto el 271.4 CC como el 93 LJV le exigen la autorización judicial, y en todo caso necesitaría aprobación judicial posterior.

Hay que tener en cuenta que el 1060 CC hablaba de la no necesidad de intervención ni aprobación judicial para aceptar herencias cuando los menores estaban legalmente representados en la partición. Esto dio lugar a pronunciamientos y sentencias en los que estimaba no necesaria la aprobación judicial cuando el menor estaba representado por el tutor, porque estaba legalmente representado, siempre y cuando no fuera la aceptación pura y simple, porque en ese caso haría falta la autorización previa cfr al 271.4 CC. El 272 CC lo que sometería a aprobación posterior sería en todo caso la partición de una herencia aceptada, pero no la aceptación sin beneficio de inventario que necesitaría siempre autorización judicial. El 1060 CC se modifica para añadir a esa primera línea la frase «pero el tutor necesitará aprobación judicial de la partición efectuada»; al tiempo que se aprueba el 93 LJV.

Ésta es, a mi entender, la solución más correcta. El tutor puede aceptar sin autorización previa y se entenderá que lo hace a beneficio de inventario y sin perjuicio de la aprobación judicial posterior. La aceptación a beneficio de inventario no perjudica al menor.

Es la solución que antes recogía expresamente el 992.2 CC «*La herencia dejada a los menores o incapacitados podrá ser aceptada a tenor de lo dispuesto en el número 10 del artículo 269. Si la aceptare por sí el tutor, la aceptación se entenderá hecha a beneficio de inventario*». Lo que ocurre es que este párrafo se eliminó con la Ley 1/1996 de 15 de enero, de Protección al menor precisamente.

En todo caso, la DGRN, limitaba la falta de autorización judicial a la esfera de la responsabilidad del tutor frente al tutelado (p.e. Resolución DGRN 4/06/2009). En sus Resoluciones la DGRN siempre entendió que, en aquellos casos en los que admitió la partición de herencia sin autorización judicial previa pero con aprobación judicial posterior, lo que se había producido era la aceptación a beneficio de inventario aunque no se dijera expresamente (Res DGRN 4/06/2009, y 1/06/2012), que era lo mismo que decía el 992.2 del CC antes de ser eliminado por la ley de 15 de enero de 1996, limitar en todo caso la responsabilidad del menor.

Y es que hay que tener en cuenta la distinción entre los efectos de la aceptación pura y simple, y la responsabilidad ultra vires de la misma, para lo que parece reforzarse la necesidad de la protección del menor y exigir siempre la autorización judicial previa; de los efectos de la partición que se produzca una vez efectuada la aceptación que deberá ser objeto de aprobación judicial, pero no de autorización si la aceptación se hizo a beneficio de inventario con los efectos de responsabilidad limitados que supone.

Ahora tras la reforma de 2015 el 93 LJV establece que en todo caso necesitará autorización judicial para aceptar sin beneficio de inventario, que es lo que dice también el 271.4 CC; y no se ha modificado el 272 CC que habla del momento posterior de la partición (aunque pueda ser inmediatamente posterior a la aceptación). Se habría clarificado la protección de las personas sometidas a tutela para elevarla a su grado máxima y en contra de las interpretaciones laxas de las normas sobre la intervención judicial en los supuestos de herencias en las que están interesados los menores o personas con la capacidad judicial modificada. Y ello pasando a constar expresamente la aprobación judicial en toda partición (1060 CC) (272 CC) aceptada por tutores o defensores judiciales. Por tanto disipando cualquier duda en la aceptación pura y simple en la que en ningún caso la aprobación posterior podría convalidar la falta de autorización judicial previa y considerarse aceptada pura y simplemente; que es lo que algún sector minoritario había defendido tras la derogación del segundo párrafo del 992 CC visto.

Por último examinaremos el **caso especial del 166.3 del CC**. Tras someter los dos primeros párrafos del artículo a la necesidad por los padres de obtener autorización judicial para los actos examinados dice el último párrafo: «*No será necesaria autorización judicial si el menor hubiese cumplido dieciséis años y consintiere en documento público, ni para la enajenación de valores mobiliarios siempre que su importe se reinvierta en bienes o valores seguros*».

Contempla este párrafo dos **excepciones a la necesidad de obtener la autorización judicial**, sólo para el caso de que los menores estén representados por sus padres. No hay norma análoga a cuando el menor estuviese representado por tutor, defensor judicial o administrador ad hoc.

La primera es que *el mayor de dieciséis años comparezca y consienta al acto en documento público*. Entiende el legislador que ese menor mayor de dieciséis años, que podría incluso ser emancipado, tiene criterio suficiente para consentir ese acto específico y ese consentimiento privaría de la necesidad de obtener la autorización judicial. Téngase en cuenta que este párrafo no elimina la necesidad de nombrar defensor judicial si hay conflicto de intereses con los padres.

La segunda sería la *enajenación de valores mobiliarios siempre que su importe se reinvierta en bienes o valores seguros*. En este caso, podemos recoger también lo que dijimos sobre si debemos entender incluidas aquí o no a las participaciones sociales. En todo caso, la aplicación de esta excepción plantearía más dificultades prácticas en cuanto a lo que se debiera entender como bien o valor seguro en la reinversión.

En las legislaciones forales la tendencia es la desjudicialización en materia de actos de administración y disposición de menores, sustituyendo la intervención judicial por la intervención de determinados parientes. Así, en Aragón el artículo 15 de su Código Civil, establece la autorización para los actos especiales de los representantes puede ser o judicial o de la Junta de Parientes. En Navarra, la autorización era directamente de los Parientes Mayores según remisión expresa del artículo 68 y del 142; no obstante la Ley 5/1987 reformó esos artículos y ya no está expresamente atribuida dicha competencia, sin perjuicio de que la atribución de la Junta de Parientes según el mismo 142 se extiende a aquellos casos en que se aplique por disposición voluntaria o costumbre local, sin olvidar el rango de fuente de derecho que tiene en Navarra la costumbre.

Examen de la **sustitución pupilar y ejemplar**:

Dice el 775 CC: «*Los padres y demás ascendientes podrán nombrar sustitutos a sus descendientes menores de catorce años, de ambos sexos, para el caso de que mueran antes de dicha edad*».

Y por su parte el 776 CC: «*El ascendiente podrá nombrar sustituto al descendiente mayor de catorce años, que, conforme a derecho, haya sido declarado incapaz por enajenación mental.*

La sustitución de que habla el párrafo anterior quedará sin efecto por el testamento del incapacitado hecho durante un intervalo lúcido o después de haber recobrado la razón».

Mucho ha discutido la doctrina sobre si estos artículos permiten a los padres disponer sólo del destino de los bienes que ellos hubiesen dejado a sus hijos, si estos fallecen antes de esa edad o si fallecen discapaces sin haber otorgado testamento; o si era un verdadero testamento de todos los bienes del hijo y no sólo de los que le podían venir del sustituyente. El propio Tribunal supremo a veces se ha pronunciado a favor de la concepción amplia que sería una excepción al carácter personalísimo del testamento; y otras veces a favor de la concepción estricta; sin perjuicio de que últimamente parece mantener el criterio amplio por ejemplo en STS de 26 de mayo de 1997 y 7 de noviembre de 2008. La DGRN mantuvo sin embargo la tesis estricta en Resolución de 6 de febrero de 2003.

Acreditación de la representación legal de los menores de edad:

Los *padres* acreditarán su paternidad con el Libro de Familia con los sellos del Registro Civil, o con certificado de nacimiento del hijo donde conste el nombre de los padres. Si comparece uno sólo manifestando que ejerce individualmente la patria potestad tendrá que aportar la Sentencia que lo justifique o el certificado de defunción del otro progenitor. También se admite la posibilidad de que le conste al notario por notoriedad. En caso de patria potestad prorrogada o rehabilitada hará falta el testimonio de la sentencia de incapacitación.

El *tutor*, y el *defensor judicial* acreditarán su nombramiento con testimonio del auto judicial de su nombramiento.

El *administrador ad hoc* de bienes dejados a los menores a título gratuito tendrá que aportar el título dispositivo por el que se lo nombró.

NIF: Conforme a la normativa tributaria no es preciso tener NIF hasta los 14 años; pero conforme al 156 del Reglamento Notarial debe constar en las escrituras relativas a actos o contratos por los que se adquieran, declaren, constituyan, transmitan, graven, modifiquen o extingan, el dominio y los demás derechos reales sobre bienes inmuebles o cualesquiera otros con trascendencia tributaria. De modo que sin NIF no se podrá ni liquidar el impuesto ni inscribirse en el Registro de la Propiedad conforme al 254.2 LH.

Emancipados o beneficio de mayor edad

Entre la mayoría y la minoría de edad, puede darse la situación intermedia de la emancipación; en la que una persona sigue siendo menor de edad, pero tiene un mayor margen de actuación en la administración de su patrimonio; sin perjuicio de que para determinados actos necesitará el complemento de capacidad de sus padres o curadores.

Los sometidos a patria potestad podrán emanciparse y los sometidos a tutela podrán pedir el beneficio de la mayor edad, que produce los mismos efectos. Está regulado en los artículos 314 y siguientes del Código Civil.

La **emancipación** se puede producir por concesión de los padres y consentimiento del menor en escritura pública y debe inscribirse en el Registro Civil; o por concesión judicial en los casos del 320 CC a petición del menor y previa audiencia a los padres. En ambos casos el menor tiene que tener dieciséis años.

Además está la presunción del 319 CC que reputa como emancipado al mayor de dieciséis años que vive independientemente de sus padres con consentimiento de estos; consentimiento que puede ser revocado. Es interesante este supuesto porque a diferencia de la emancipación por concesión, es revocable y no necesita inscribirse en el Registro Civil.

Y por último recordar que tras la modificación del Código Civil operada por la LJV en el año 2015 desapareció la emancipación por matrimonio tanto del 314 como del 316 CC, y asimismo se eliminó la dispensa para contraer matrimonio a partir de los 14 años. Manteniéndose la necesidad para contraer matrimonio de ser al menos menor emancipado. Por lo cual hoy se ha unificado en territorio de Derecho Común el requisito de la edad de dieciséis años para acceder a la emancipación o beneficio de mayoría de edad. En Aragón sin embargo puede ser emancipado el mayor de 14 años.

El sometido a tutela mayor de dieciséis años puede pedir al Juez el **beneficio de la mayor edad**, previa audiencia del Ministerio Fiscal.

En cuanto a los **efectos en el patrimonio** del emancipado. El emancipado comparece por él mismo, *no tiene representante legal*; sin perjuicio de que para determinados actos de importancia patrimonial necesita el *complemento de su capacidad* por parte de progenitores o curadores.

El artículo 323 CC establece: «*La emancipación habilita al menor para regir su persona y bienes como si fuera mayor; pero hasta que llegue a la mayor edad no podrá el emancipado tomar dinero a préstamo, gravar o enajenar bienes inmuebles y establecimientos mercantiles o industriales u objetos de extraordinario valor sin consentimiento de sus padres y, a falta de ambos, sin el de su curador.*

El menor emancipado podrá por sí solo comparecer en juicio.

Lo dispuesto en este artículo es aplicable también al menor que hubiere obtenido judicialmente el beneficio de la mayor edad».

Por tanto los *actos para los que necesita ese complemento de capacidad* serían los siguientes:

1. Tomar dinero a préstamo. Asimilable sería el caso de tomarlo a crédito. Entiende el legislador que en estos supuestos pude peligrar el patrimonio del menor emancipado por su responsabilidad universal en caso de incumplimiento, por lo que exige ese complemento. Aunque puede celebrar otros actos por sí mismo que pueden hacer peligrar también su patrimonio y la ley no los excluye, como por ejemplo aceptar una herencia pura y simplemente.

2. Gravar o enajenar inmuebles o establecimientos mercantiles o industriales. Nos remitimos a lo explicado al hablar de la necesidad por parte de los padres de obtener autorización judicial en los casos del 166 CC.

3. Objetos de extraordinario valor. Me remito igualmente a lo explicado al examinar el 166 CC.

Estos supuestos son parecidos a aquellos en los que los progenitores necesitan autorización judicial, aunque no los mismos; y son también parecidos a los casos en los que los tutores necesitan autorización judicial, aunque menos.

Es también aplicable al complemento de capacidad de los padres lo dispuesto en el 163 CC. Es decir si hay *conflicto de intereses* entre el emancipado y sus padres que deban completar la capacidad deberá nombrarse un defensor judicial, aunque si el conflicto es con uno sólo de los padres puede el otro solo complementar la capacidad sin necesidad de nombramiento de defensor judicial.

El 324 CC establece una norma específica para los casos de **menores emancipados casados.** El artículo dice que para gravar o enajenar bienes inmuebles, establecimientos mercantiles e industriales u objetos de extraordinario valor, si son comunes bastará el consentimiento de los dos cónyuges si el otro cónyuge es mayor de edad. Se trata de una excepción al complemento de la capacidad de los progenitores o curador que serán sustituidos en este caso por el otro progenitor, pero no como complemento de capacidad, sino que dice que «basta el consentimiento de los dos (cónyuges)» · Ahora bien si el otro cónyuge es también un menor emancipado se necesitará el complemento de capacidad de las personas que respectivamente tengan que complementar la capacidad de cada uno. Téngase en cuenta que el 324 CC habla de los bienes comunes de los cónyuges, si fueran privativos de cada uno rige la regla general del 323 CC, como también rige esta si se trata de pedir dinero a préstamo.

Nótese que en los casos del 323 CC el emancipado necesitará complemento de capacidad, pero nunca necesitará autorización judicial ya que no está sometido ni a patria potestad ni a tutela. Y el complemento de la capacidad del curador, cuando el emancipado no tenga progenitores o tenga el beneficio de la mayor edad, estará limitada a esos actos del 323 CC por disposición del 288 CC, y no se extenderá a aquellos otros en los que el tutor necesitaría autorización judicial que es la regla general del 290 CC.

Acreditación de la emancipación:

La emancipación o beneficio de la mayor edad se acredita frente a terceros por la inscripción en el Registro Civil de la escritura de concesión, o por el testimonio del auto de concesión judicial. Recuérdese el caso de la emancipación tácita del 319 CC que será problemático en su aplicación respecto de terceros si no está inscrita en el Registro Civil.

4.8.1.2. Personas con la capacidad judicialmente modificada

El principio general en España es que a una persona se le supone capaz mientras no esté judicialmente incapacitada, ya que solo puede incapacitarse a una persona por Sentencia judicial si concurre en ella causa de incapacitación.

La incapacitación, o como actualmente se le denomina, la modificación judicial de la capacidad, para que produzca efectos jurídicos debe declararse judicialmente.

No obstante no se puede evitar la realidad de la existencia de personas con discapacidades cuya capacidad no se ha modificado judicialmente. Es la diferencia entre la incapacidad natural y la incapacidad jurídica.

El ordenamiento jurídico establece una serie de medidas de protección para las personas con capacidad modificada judicialmente, aunque progresivamente se va reconociendo la existencia de la incapacidad natural. Supuestos de incapacidad natural con efectos jurídicos podrían ser los casos de los poderes preventivos, o de los poderes que subsistan aún en casos de incapacidad, o la regulación del guardador de hecho, pero me quiero detener brevemente en el estudio de la situación de los discapacitados tras la ratificación por España en 2008 de **la Convención Internacional sobre derechos de las personas con discapacidad de la ONU** aprobada el trece de diciembre de dos mil seis.

Merece una lectura el artículo 12 de la misma, ya que, si bien el mismo, habla de capacidad jurídica, si se leen los estudios preparatorios y el espíritu inspirador de la Convención, es posible una interpretación de la misma como capacidad de obrar. La Convención trata de reconocer a las personas con discapacidad los mismos derechos que las personas sin ella y limitar al máximo las actuaciones restrictivas. Congruente con lo anterior, en España, las autoridades judiciales no deberían someter ya sin especificaciones a las personas con discapacidad a tutela, sino que deberían indagar y especificar qué actos pueden realizar solos y en que actos es necesaria la intervención de un tutor o curador.

La Convención menciona la necesidad de que la persona con discapacidad tenga capacidad jurídica y pueda obrar por sí misma, eso sí, con los apoyos que en cada caso pueda necesitar. Se ha planteado por parte de la doctrina la posibilidad de que personas con ciertas discapacidades naturales que no han sido judicialmente incapacitadas puedan actuar y efectuar actos jurídicos siempre que cuente con los apoyos necesarios, incluidos los que el mismo fedatario le puede prestar.

Me remito a estudios sobre este aspecto elaborados por el Notario Carlos Marín Calero, y el Fiscal Gonzalo López Ebri.

Una persona con discapacidad puede tener su capacidad modificada judicialmente o no. Si tiene que realizar un acto de transcendencia jurídica, el operador jurídico que trate con ella deberá establecer si a su juicio dicha persona tiene capacidad para realizar válidamente dicho acto, porque si entiende que no la tiene por sí solo debería intervenir o bien junto con otras personas, o bien otra persona en su nombre.

Tradicionalmente han sido los casos de los sometidos a tutela o a curatela. El tutor representa al tutelado, y puede firmar en su nombre y representación sin estar el tutelado presente; y el curador complementa la capacidad del sometido a curatela y es necesario que concurran ambas voluntades.

En todo caso habrá que estar a lo que disponga la Sentencia que modifica la capacidad del sometido a tutela o curatela, pero si no se dice otra cosa los tutores representan al tutelado pero necesitarán autorización judicial para determinados actos.

Los **actos para los cuales el tutor necesita autorización judicial** son los del 271 CC:

1.º Para internar al tutelado en un establecimiento de salud mental o de educación o formación especial.

2.º Para enajenar o gravar bienes inmuebles, establecimientos mercantiles o industriales, objetos preciosos y valores mobiliarios de los menores o incapacitados, o celebrar contratos o realizar actos que tengan carácter dispositivo y sean susceptibles de inscripción. Se exceptúa la venta del derecho de suscripción preferente de acciones.

3.º Para renunciar derechos, así como transigir o someter a arbitraje cuestiones en que el tutelado estuviese interesado.

4.º Para aceptar sin beneficio de inventario cualquier herencia, o para repudiar ésta o las liberalidades.

5.º Para hacer gastos extraordinarios en los bienes.

6.º Para entablar demanda en nombre de los sujetos a tutela, salvo en los asuntos urgentes o de escasa cuantía.

7.º Para ceder bienes en arrendamiento por tiempo superior a seis años.

8.º Para dar y tomar dinero a préstamo.

9.º Para disponer a título gratuito de bienes o derechos del tutelado.

10.º Para ceder a terceros los créditos que el tutelado tenga contra él, o adquirir a título oneroso los créditos de terceros contra el tutelado.

Estos actos serán también aquellos para los que el sometido a curatela por discapacidad necesitará la asistencia del curador si la Sentencia no dispone otra cosa cfr 289 y 290 CC.

Para disponer de bienes del sometido a tutela hace falta autorización judicial como hemos visto. El artículo 65 LJV establece que la autorización judicial dispondrá que la venta deberá realizarse mediante subasta pública salvo que en la misma se permita expresamente la venta directa.

En cuanto a los establecimientos mercantiles e industriales, objeto de extraordinario valor y valores mobiliarios nos remitimos a las precisiones hechas al hablar de los menores de edad.

En cuanto a la herencia nos remitimos también a lo allí expuesto: El tutor necesitará autorización judicial tanto para repudiarla como para aceptar pura y simplemente. Para aceptar a beneficio de inventario no sería necesaria la autorización judicial, pero si la aprobación posterior de la partición cfr al 1060 CC.

También me remito a lo dicho allí en cuanto a si la aprobación posterior a que se refiere el 272 CC puede entenderse como excepción a la autorización judicial del 271.4 CC, sobre todo tras la aprobación del 93 LJV que habla de que la autorización es necesaria «en todo caso». Recordando que la DGRN en los casos anteriores a la LJV en los que ha admitido la aprobación posterior en los casos de autorización anterior, lo ha admitido entendiendo que las personas sometidas a tutela aceptan siempre a beneficio de inventario, que era lo que antes de la ley 1/1996 disponía expresamente el 992.2 CC. Aunque hoy ya no está dicho precepto en el ordenamiento, la mayor parte de la doctrina y jurisprudencia lo sigue entendiendo de ese modo.

Para el sometido a curatela, se necesitará la asistencia del curador tanto para aceptarla pura y simplemente como a beneficio de inventario cfr 996 CC.

En cuanto a los actos de disposición sobre inmuebles en principio necesitan autorización judicial, sin perjuicio de que la doctrina ha distinguido entre actos debidos y actos de enajenación, no exigiéndose la autorización en casos de elevación a público de contratos privados firmados con anterioridad por el sometido ahora a tutela; ejecución de opciones de compra anteriormente concedidas por el sometido a tutela; retractos legales...

La DGRN en Resolución de 17 de enero de 2011, sí que se ha pronunciado sobre que la adquisición de inmuebles no supone un gasto extraordinario ni acto dispositivo susceptible de inscripción que necesite autorización; puesto que no es acto dispositivo para el tutelado sino de adquisición. Era un caso de adquisición sin subrogación de hipoteca.

Para el caso de subrogación hay que tener en cuenta que si bien la DGRN ha admitido la teoría del negocio complejo en caso de padres representando a sus hijos en supuesto de patria potestad; no puede aplicarse el supuesto a los tutores por la necesidad de estos de pedir autorización judicial para tomar dinero a préstamo.

Por otro lado, el 221 CC impone ciertas prohibiciones al tutor. Este no puede recibir liberalidades del tutelado o sus causahabientes mientras no se apruebe definitivamente su gestión; ni tampoco puede ni adquirir a título oneroso bienes del tutelado ni transmitirle bienes por cualquier título.

La prohibición de adquisición a título gratuito comprende no sólo donaciones sino también adquisiciones mortis causa cfr al 753 CC; aunque este artículo las admite una vez aprobada definitivamente la gestión del tutor o una vez extinguida la tutela o curatela si no hay que rendir cuentas. Excepciona también de la prohibición las disposiciones testamentarias a favor de tutor que sea ascendiente, descendiente, hermano o cónyuge del tutelado.

La prohibición de compra la recuerda también el 1459 CC que no la permite ni en subasta pública ni a través de persona interpuesta.

Para un estudio más detallado de resoluciones sobre casos concretos en que el tutor necesitaría o no autorización judicial me remito al artículo de MARIÑO PARDO, FRANCISCO en su Blog Iuris Prudente de 30 de marzo de 2016 «Algunos casos, sentencias y resoluciones sobre la tutela. Adquisición, enajenación y otros actos del tutor sujetos a autorización o aprobación judicial».

En el derecho foral hay determinadas legislaciones como la catalana o la aragonesa que sustituyen la autorización judicial por la aprobación del Consejo tutelar o familiar, formado por parientes del tutelado.

Me quiero detener ahora para examinar los casos de los poderes preventivos y la autotutela:

Autotutela:

Dice el 223 CC: «*Los padres podrán en testamento o documento público notarial nombrar tutor, establecer órganos de fiscalización de la tutela, así como designar las personas que hayan de integrarlos u ordenar cualquier disposición sobre la persona o bienes de sus hijos menores o incapacitados.*

Asimismo, cualquier persona con la capacidad de obrar suficiente, en previsión de ser incapacitada judicialmente en el futuro, podrá en documento público notarial adoptar cualquier disposición relativa a su propia persona o bienes, incluida la designación de tutor.

Los documentos públicos a los que se refiere el presente artículo se comunicarán de oficio por el notario autorizante al Registro Civil, para su indicación en la inscripción de nacimiento del interesado.

En los procedimientos de incapacitación, el juez recabará certificación del Registro Civil y, en su caso, del registro de actos de última voluntad, a efectos de comprobar la existencia de las disposiciones a las que se refiere este artículo».

Este artículo comprende no sólo en su primer párrafo la posibilidad de que los padres designen a las personas que quieren que ejerzan como tutores de sus hijos, lo que tendrá que tener en cuenta el Juez en su caso; sino también la posibilidad de la autotutela que fue introducida en el Código Civil por la Ley 41/2003.

Apuntar brevemente que el caso de tutores nombrados por los padres para los hijos es una de las posibles excepciones del ejercicio del cargo de tutor por una sola persona cfr 236.4 CC.

En la autotutela una persona capaz otorga un documento público, en el que previendo su posible incapacidad designa a las personas que quiere que ejerzan como tutor suyo. Pero no sólo como tutor, sino que puede establecer cualquier medida sobre su persona o bienes. Evidentemente habrá de establecerse la autotutela en un documento distinto al propio testamento porque de lo contrario llegará tarde.

Esto trae a colación los **poderes con subsistencia de facultades aun en caso de incapacidad y los poderes preventivos**.

En cuanto al poder con subsistencia de facultades, la doctrina establecía que los poderes se extinguían con la incapacidad del poderdante puesto que este en ese caso habría ya perdido la posibilidad de revocar el poder. Se refería la ley tanto al caso de incapacidad jurídica como a la incapacidad natural.

Ante la realidad social de la prolongación de la vida y de la existencia de personas con incapacidad natural pero no jurídica, también la ley 41/2003 introdujo el último párrafo del 1732 CC que dice: «*El mandato se extinguirá, también, por la incapacitación sobrevenida del mandante a no ser que en el mismo se hubiera dispuesto su continuación o el mandato se hubiera dado para el caso de incapacidad del mandante apreciada conforme a lo dispuesto por éste. En estos casos, el mandato podrá terminar por resolución judicial dictada al constituirse el organismo tutelar o posteriormente a instancia del tutor*».

Este párrafo introduce pues dos novedades: Por un lado un poder ya vigente desde el momento en que se da, y que no se extingue por la incapacidad sobrevenida del mandante. Y por otro lado un poder que se otorga pero que su vigencia se posterga al supuesto en que se dé la condición de la discapacidad del mandante.

En estos casos una persona capaz puede designar por un lado un poder todo lo especial o general que quiera sobre todo o parte de sus bienes y sobre las facultades que quiera otorgar; y por otro lado las condiciones para que se entienda que entre en vigor o subsistan las facultades. Puede establecer que entre en vigor no sólo con una incapacitación judicial, sino por ejemplo con el reconocimiento de una minusvalía psíquica administrativa que tendrá que acreditar el apoderado.

El 1732 CC no establece expresamente la comunicación por el Notario al Registro Civil, pero se entiende comprendida dentro de los presupuestos generales que contempla el 223 CC ya que es una medida sobre la persona o bienes del propio otorgante y lo recogió expresamente la redacción del 46 ter de la Ley de Registro Civil tras la reforma operada por la ley 1/2009.

Por tanto en todos los casos, la autotutela, el poder con subsistencia de facultades y el poder preventivo, constará en la inscripción de nacimiento del otorgante esa designación, para el caso de que se inicie un procedimiento judicial y pueda el Juez o bien atender a su voluntad designando tutor a la persona elegida; o bien revocar ese poder al designar tutor. Por esto último, cuando se alegue la representación voluntaria del poder preventivo o con subsistencia de voluntades de una persona con la capacidad modificada judicialmente, deberá pedirse testimonio de la sentencia para comprobar que no se haya revocado dicho poder por el Juez. Asimismo deberá constar la manifestación del apoderado de no haber sido revocado el poder por el tutor.

Una vez devenido incapaz judicialmente el otorgante del poder hay dos posibilidades de actuación, o a través del tutor que se designe en el procedimiento judicial oportuno, o a través del apoderado. En caso de nombrarse tutor este estará sujeto a las limitaciones generales que hemos visto en principio para los tutores.

En caso de apoderado discute la doctrina si este necesitará autorización judicial para realizar los actos en los que el tutor necesita autorización judicial. La mayor parte de la doctrina entiende que no necesitará autorización ya que no es tutor sino apoderado; es decir por tener la representación origen voluntario del poderdante y no venir legalmente impuesta por ley. Sin perjuicio de que como todo mandatario, responderá de los actos que realice en perjuicio del mandante, y de que otros interesados o el Ministerio Fiscal insten el nombramiento de tutor y la autoridad judicial o el tutor nombrado revoquen el apoderamiento.

Para un estudio práctico sobre la autotutela y los poderes preventivos me remito al Blog del notario ROSALES DE SALAMANCA, FRANCISCO «El poder preventivo como solución a los procesos de incapacidad» de 13 de enero de 2014.

Conflicto de intereses:

En caso de conflicto de intereses entre el tutor o el curador y el sometido a tutela o curatela deberá nombrarse un defensor judicial conforme al 299 CC. Recordamos que no es necesario en caso de tutela conjunta ejercida por ambos padres cuando el conflicto existe con sólo uno de ellos, correspondiendo al otro por ley.

Por la misma razón en la que se nombra a los padres un defensor judicial, debe designarse a los tutores.

En cuanto a la autocontratación, en caso de tutores será necesario siempre el nombramiento de defensor judicial, salvo que en la Sentencia de nombramiento se disponga otra cosa.

Sin perjuicio de ello se ha planteado la posibilidad que en el supuesto de autotutela o del nombramiento de tutor para los hijos, se pueda dispensar de la necesidad de defensor judicial en caso de conflicto. El 223CC habla de la posibilidad de establecer cualquier norma sobre la persona y bienes, incluida la designación de tutor; por tanto si se puede designar un apoderado voluntario con facultades de autocontratación o múltiple representación, porque no se va a poder modalizar la tutela para uno mismo, o en el tutor elegido para los hijos, estableciendo que si se designa al tutor deseado se le dispense de autocontratación.

Sin embargo la doctrina es reacia en Derecho común al tutor con dispensa, pues salvo que la sentencia de nombramiento de tutor disponga otra cosa, el régimen de funcionamiento es el dispuesto por la ley y el nombramiento es judicial. Distinto sería el caso del poder preventivo o con subsistencia de facultades que nace de una representación voluntaria.

Lo mismo cabe decir del administrador nombrado por el disponente en actos a título gratuito a favor de un discapacitado previsto en el 227 CC, que ya estudiamos al hablar de los menores.

Acreditación de tutela o curatela:

La tutela o curatela y el nombramiento de los tutores o curadores se acredita frente a terceros por la inscripción en el Registro Civil de la Sentencia de Incapacitación y del auto de nombramiento del tutor o curador.

Bienes de un Patrimonio Protegido

Por último me detendré brevemente en el examen de la administración y disposición de bienes integrantes de un Patrimonio Protegido constituido a favor de una persona con discapacidad.

Están regulados por la Ley 41/2003 de protección patrimonial de las personas con discapacidad. Hay que tener en cuenta, en primer lugar, que esta ley establece como *beneficiarios* no sólo personas incapacitadas judicialmente, sino personas con minusvalías físicas igual o superior al 65% o psíquicas igual o superior al 33%.

La constitución exige conforme al artículo 3, escritura pública y el constituyente puede ser el beneficiario, o sus padres, tutores, curadores o guardadores de hecho. Si lo quiere constituir otra persona que quiera a la vez hacer una aportación, lo puede interesar de los anteriores y en caso de negativa de los mismos se necesitará autorización judicial.

Tanto la constitución como las aportaciones deben comunicarse por el Notario al Fiscal correspondiente al domicilio de la persona con discapacidad, conforme al 3.3 de la ley.

Del artículo 5 de dicha ley debemos distinguir dos situaciones en cuanto a su *administración y disposición*:

Si el patrimonio lo ha constituido el propio beneficiario se estará a lo establecido en el propio título constitutivo, aunque luego haya perdido la capacidad, por tanto el administrador nombrado no necesitará autorizaciones judiciales para ningún acto.

Si lo ha constituido otra persona a favor del beneficiario, el administrador necesitará autorización judicial para los mismos casos en que el tutor la necesita conforme a los artículos 271 y 272 CC o normas forales aplicables. Pero si el beneficiario tuviese aún capacidad de obrar suficiente, no sería necesaria dicha autorización. Y sin perjuicio de que los constituyentes o el administrador puedan solicitar al Ministerio Fiscal la excepción de la autorización judicial en los casos del 5.3 de la ley.

Piénsese que en caso de Patrimonio Protegido a favor de una persona con discapacidad, pueden coexistir los administradores de ese patrimonio, con tutores nombrados por la autoridad judicial para la persona del tutor u otros bienes del mismo no integrados en dicho Patrimonio Protegido. En ese caso el 5.7 de la ley es claro el administrador del patrimonio Protegido no necesita la intervención ni concurso del tutor o de los padres.

Acreditación del Patrimonio Protegido:

Para los bienes registrables en Registros Públicos se hará constar en la inscripción su inclusión en un Patrimonio Protegido.

El administrador, conforme al 5.7 de la ley, es considerado representante legal del beneficiario en cuanto a los bienes de dicho Patrimonio y también prevé el artículo 8 de la ley la inscripción en el Registro Civil de esta circunstancia.

4.8.1.3. Ausentes y desaparecidos

La regulación legal de la ausencia la encontramos en los artículos 181 y siguientes del Código Civil.

La ley contempla una situación gradual con efectos distintos a medida que se ignora el paradero de una persona. Desde una mera desaparición que se hace evidente a la hora de un negocio que no admite demora; a una declaración legal de ausencia cuando la desaparición se prolonga en el tiempo; y hasta una declaración de fallecimiento que sin embargo contempla aún la posible aparición de la persona declarada fallecida.

Al igual que en los supuestos de discapacidad, que puede ser natural o jurídica; la desaparición no tiene en todo caso que ser declarada judicialmente para que exista. Puede que una persona haya desaparecido pero que no tenga que ponerse en marcha el procedimiento jurídico hasta que por algún motivo sea preciso; y no tiene por qué seguirse todo el iter judicial de desparecido, ausente y fallecido, sino que directamente podría declararse a una persona fallecida sin haber tenido previamente que declarársele ausente.

La primera situación que regula la ley en el 181 CC es la **desaparición** de una persona sin noticias. No establece la norma ningún plazo en este caso, sino que se basa en la necesidad de actuación en nombre de esa persona en juicio o en negocio que no admita demora sin perjuicio grave. Y por supuesto, que no esté representado voluntariamente por un apoderado con facultades suficientes para ese juicio o negocio que no admita demora; puesto que si está válidamente representado no será preciso nombrarle un defensor judicial.

Cuando se dé esa situación, el Secretario Judicial hoy Letrado de la Administración de Justicia, a instancia del Ministerio Fiscal o de cualquier interesado nombrará un *defensor del desaparecido* que será su representante y las medidas necesarias para la conservación del patrimonio. Para el defensor se preferirá al cónyuge y en su defecto a los parientes hasta el cuarto grado; a falta de ellos o por urgencia la autoridad judicial podrá nombrar otra persona.

En cuanto a las facultades de este defensor, ha discutido la doctrina si tendría facultades de disposición o no; y en caso afirmativo, si tendría que contar con autorización judicial para los mismos casos en los que veremos la necesitará el representante legal del ausente.

Dada la naturaleza meramente transitoria y de necesidad para el nombramiento del defensor del desaparecido, entiendo que tendrá las facultades de conservación y administración y sólo aquellas de disposición necesarias que haya concedido la autoridad judicial en su nombramiento para el acto que no admita demora sin perjuicio grave. Si la situación se alargara en el tiempo, procedería la declaración de ausencia y el nombramiento de representante legal del ausente.

La segunda situación que prevé la ley sería la declaración de **ausencia**. En este caso nos encontramos no con un acto concreto que requiera una actuación del desaparecido, sino con una situación de desaparición más prolongada en el tiempo que puede hacer dudar de la existencia o no del ausente y que hace preciso nombrarle ya un verdadero representante para que administre su patrimonio en su ausencia.

Al ausente se le nombrará un *representante legal* a través del oportuno procedimiento de Jurisdicción Voluntaria que acabará con la declaración judicial de ausencia y el nombramiento del representante. Están obligados a solicitar esa declaración cfr al 182 CC el cónyuge y los parientes hasta el cuarto grado, y el Ministerio Fiscal de oficio o previa denuncia; sin perjuicio de que podrá pedirla cualquier persona que pretenda tener derechos sobre algún bien del desaparecido ejercitable en vida de este o dependiente de su muerte.

Para declarar a una persona ausente se tienen que dar los presupuestos temporales del 183 CC: O que haya pasado más de un año desde las últimas noticias o desde su desaparición si no dejó apoderado general; o tres años si dejó apoderado. No obstante procederá también la declaración en este último caso si el apoderado muere o renuncia habiendo transcurrido un año desde la desaparición o últimas noticias.

Del 184 y 185 CC resulta que el representante legal del ausente puede ser o legítimo o dativo, y según sea de una u otra clase tendrán requisitos distintos para administrar y disponer de los bienes del ausente.

Se consideran legítimos el cónyuge, los hijos, el ascendiente o los hermanos; y dativos cualquier otro que en defecto de los anteriores haya nombrado la autoridad judicial. Los dos tienen las obligaciones de administración y conservación que establece el 185 CC.

Para los *representantes del ausente que sean dativos* establece el último párrafo del artículo 185 CC que les serán aplicables las normas del ejercicio de la tutela. Por tanto necesitarán autorización judicial para aquellos actos en los que la precise el tutor que son los del 271 CC, y tendrán las mismas prohibiciones que este en cuanto a adquirir bienes del tutelado.

Sin embargo para los *representantes legales del ausente que sean legítimos,* el 186 CC prevé que tengan la posesión temporal de los bienes del ausente y establece unas reglas que implican la posibilidad de hacer suyos los frutos y rentas de esos bienes; y sólo el último párrafo prevé la necesidad de autorización del Secretario Judicial para vender, gravar, hipotecar o dar en prenda bienes del tutelado. Si bien este artículo habla de bienes en general y no sólo de inmuebles, se entiende que los actos de disposición ordinarios de dinero o bienes sin importancia necesarios para la normal administración del patrimonio del ausente no implican la necesidad de dicha autorización.

En cuanto a los efectos que produce la declaración de ausencia:

Destacamos por un lado los personales en su relación conyugal y filial: Declarada ausente una persona casada corresponderá al otro cónyuge el ejercicio de la patria potestad (156 CC); tendrá derecho a pedir la separación de bienes (189 CC), podrá pedir la extinción del régimen de participación (1415 CC), podrá pedir judicialmente la disolución de los gananciales (1393.1 CC). En cuanto a la administración y disposición de los bienes gananciales, el 1387 le otorga al cónyuge nombrado representante legal del otro la administración y disposición de los bienes gananciales, sin perjuicio de que conforme al 1389 CC necesitará autorización judicial para los actos de disposición de bienes inmuebles, establecimientos mercantiles, objetos preciosos, y valores, salvo el derecho de adquisición preferente.

Por otro lado, en cuanto a los efectos patrimoniales: Se entienden revocados todos los poderes generales o especiales (182 CC); y si está llamado a una herencia su parte acrecerá a los demás coherederos o a los que corresponda por derecho propio, que sin embargo tendrán que hacer un inventario de esos bienes con intervención del Ministerio Fiscal y declarar una reserva sobre esa parte que les acrece que será inscribible en el Registro de la Propiedad y que tendrán que reservar para el ausente si reaparece hasta su declaración de fallecimiento (191 CC). En cuanto a las personas a las que el 191 CC se refiere cuando dice que sucederían por derecho propio, entiende la doctrina que contemplaría tanto a los sustitutos como a los representantes de la sucesión intestada.

Regula la ley el caso específico de que aparezca una persona acreditando con documento fehaciente haber adquirido bienes del ausente, en cuyo caso el 188 CC establece que le serán entregados esos bienes. La situación no plantea dudas cuando el documento sea anterior a la desaparición del ausente; pero si la fecha fehaciente fuese posterior debería el representante legal recabar todas las noticias sobre el paradero del ausente. El 78 LJV prevé que si el ausente no ha reaparecido pero se sabe de su paradero el Secretario Judicial puede citarle para que comparezca y dictar la resolución judicial oportuna declarando extinguida la situación de ausencia legal o no.

También se puede plantear el supuesto de un bien transmitido fehacientemente por el ausente por un lado; y por el representante legal del mismo con autorización judicial por otro. Tendría que determinarse judicialmente cuál de los dos sería preferente.

La declaración de ausencia legal puede acabar o con la aparición del ausente, en cuyo caso se le restituirán los bienes; o con la prueba de su muerte, en cuyo caso se abre su sucesión; o por su declaración de fallecimiento que pasamos a ver.

La última situación que contempla la ley es la **declaración de fallecimiento**. En esta situación por haber desaparecido una persona o por un tiempo prolongado, o en una situación de peligro, sin tener más noticias de ella, la ley presume que dicha persona ha debido fallecer.

La ley contempla los supuestos en que procede en los artículos 193 y 194 CC: Diez años desde las últimas noticias o cinco si ya hubiese cumplido setenta y cinco años; un año desde un hecho con riesgo inminente de muerte; o tres meses en caso de siniestro;

y los casos de personas pertenecientes o acompañantes de contingentes armados o que viajaban a bordo de naves o aeronaves siniestradas regulados en el 194 CC.

La declaración de fallecimiento se tiene que decretar judicialmente y establecerá la fecha en la cual se entiende producida la muerte.

En cuanto a sus efectos, se decretará el fin de la ausencia legal si se hubiera establecido; y en todo caso se abrirá la sucesión de los bienes del declarado fallecido. En cuanto a la sucesión el 196 CC todavía contempla la posible aparición del declarado fallecido estableciendo una obligación de formar inventario de los bienes de la herencia y la prohibición a los herederos de disponer a título gratuito durante cinco años, y la de no entregar los legados en ese plazo, salvo las mandas piadosas en beneficio del alma o los establecidos a favor de Instituciones de beneficencia.

Si reapareciera el 197 CC establece que recuperará sus bienes en el estado en que se encuentren y tendrá derecho al precio de los que se hubiesen vendido o bienes que se hubiesen adquirido con este precio; y deberá declararse judicialmente también la cesación de efectos de la declaración de fallecimiento.

Particularidad foral gallega:

La Ley de Derecho Civil gallego distingue la ausencia no declarada, de manera muy similar a la desaparición del Código Civil; y la ausencia efectiva, similar a la declaración de ausencia legal del Código Civil. La particularidad es que no hay intervención judicial en el nombramiento ni del defensor del ausente no declarado que corresponde por ley a los parientes que menciona; ni del ausente efectivo, decretándose esa situación y la designación del representante por acta de notoriedad. El representante vincula al ausente y no se le aplican las normas de la tutela sino del mandato.

Acreditación:

El 198 CC establece por un lado la inscripción en el *Registro Civil* tanto de las declaraciones de desaparición, ausencia legal y fallecimiento, como de las representaciones legítimas y dativas acordadas y su extinción. Por otro lado prevé la anotación de determinadas medidas de protección del patrimonio del desparecido que hemos visto: inventarios de bienes, autorizaciones judiciales, escrituras de transmisión o gravamen de bienes del ausente; escrituras de partición de herencia del declarado fallecido en las que era heredero el ausente.

Así pues, tanto el defensor del desaparecido, como el representante legal del ausente acreditarán su cargo con el testimonio del auto judicial de su nombramiento inscrito en el Registro Civil.

4.8.1.4. Personas físicas declaradas en concurso

Se regula en la Ley Concursal 22/2003 (LC).

Ante una situación de insolvencia una persona puede ser declarada en concurso, que podrá ser voluntario si lo solicita el propio deudor; o necesario en los demás casos.

La situación concursal se abre con el Auto de declaración de concurso que produce unos determinados efectos en el deudor que concluirán o con la aprobación del convenio con los acreedores o con la apertura de la fase de liquidación de su patrimonio.

Con anterioridad a la declaración de concurso el deudor puede intentar un acuerdo de refinanciación del artículo 71bis y DA 4ª, o una propuesta anticipada de convenio, o un acuerdo extrajudicial de pagos, que deberá comunicarse al Juzgado que sería competente para entender el concurso y que producirá igualmente determinados efectos desde esa comunicación.

En este punto tratamos sobre el concurso de las personas físicas, ya que el concurso de personas jurídicas es objeto de otro punto de este libro.

Si bien tradicionalmente se entendió la quiebra y el concurso para comerciantes ya fueran personas físicas o jurídicas; **la legislación actual contempla el concurso para toda clase de personas físicas sean empresarios o no**, e incluso el concurso de la herencia yacente.

La declaración de concurso se decreta judicialmente, y el Auto que la declara deberá inscribirse en el Registro Civil en la hoja de la persona física afectada, en el registro Mercantil si fuese un comerciante individual que estuviese allí inscrito, y también en los Registros Públicos donde consten registrados bienes del deudor. Además se publicarán las decisiones del Juez del concurso en el Registro Público Concursal accesible telemática y gratuitamente.

Lo primero que se plantea es la *competencia del Juzgado* en caso de personas físicas. Anteriormente los Juzgados de lo Mercantil entendían de todos los concursos, pero tras la Ley 7/2015 los Juzgados de lo Civil son los competentes para el concurso de personas naturales no empresarias.

No es lugar para detenernos en este punto, pero sí que la doctrina echa en falta un artículo o norma que clarifique cuando nos encontramos ante un empresario y cuando no, puesto que el 231.1 LC, que sí distingue, se refiere sólo a los efectos del Acuerdo Extrajudicial de Pagos.

También critica la doctrina que esta distinción provoca la imposibilidad de acumular concursos en caso de matrimonios en los que un cónyuge sea empresario y otro no; con los problemas operativos y de coordinación que puede acarrear.

La declaración de concurso:

La declaración de concurso puede producir en el deudor dos efectos. O la *conservación* de sus facultades de administración y disposición pero con la necesidad de intervención del administrador concursal; o la *suspensión* de esas facultades no pudiendo intervenir ya el deudor sino haciéndolo en su nombre el administrador concursal.

Normalmente en caso de concurso voluntario se decretará la conservación de facultades y en caso de concurso necesario la intervención de facultades, sin perjuicio de que el juez del Concurso pueda establecer otra cosa si las circunstancias lo aconsejan, todo ello conforme al art. 40 LC. El deudor conservará en todo caso la facultad de testar.

Por tanto según los casos, para la validez de los actos de disposición, tendrán que concurrir deudor y administrador si conserva aquel sus facultades; o intervendrá solo el administrador concursal si le han sido intervenidas.

Frente al sistema inicial de tres administradores concursales, la regla general es ahora el de un único administrador conforme al 27 LC, salvo en casos de extrema complejidad. El administrador concursal podrá acudir personalmente con el deudor o puede conferir poderes específicos para determinados actos.

En todo caso, en esta primera fase concursal, hasta la apertura de la fase de liquidación o hasta la aprobación del convenio, para los actos de administración y disposición se estará a lo previsto en el artículo 43 LC:

La regla general es que los *actos de enajenación y gravamen necesitarán autorización judicial*, independientemente de si el deudor conserva o no sus facultades de administración.

No obstante hay varios supuestos que *no necesitan* dicha autorización judicial:

Los actos de disposición que a juicio de la administración concursal sean *indispensables para la viabilidad de la empresa*, pudiendo aplicarse a la actividad económica de las personas físicas. En estos casos es precisa la comunicación al Juzgado, por lo que debería acreditarse la misma.

Los de *bienes no indispensables* pero para los que se haya recibido *oferta de compra por valor sustancialmente equivalente* al que se le haya dado en el inventario. Entendiendo que hay equivalencia cuando la diferencia de valores no excede del 10% en los inmuebles o del 20% en los muebles. Esta oferta debe comunicarse por la administración judicial al juzgado y quedará aprobada si no se presenta otra oferta mejor en diez días. En estos casos debería aportarse la comunicación al Juzgado con indicación de haberse aprobado, aunque podría bastar la comunicación y la manifestación del administrador concursal de no haberse presentado otra oferta mejor en el plazo legal.

Los actos *inherentes a la actividad profesional o empresarial* del deudor conforme al 44 LC.

Conforme al 55 LC la declaración del concurso *impedirá el inicio de ejecuciones judiciales y extrajudiciales contra el patrimonio del deudor*, y la suspensión de las iniciadas.

Aunque esos efectos no afectan a los *acreedores con garantías reales*. Para estos el 56 LC establece que no podrán iniciarse las ejecuciones sobre bienes indispensables para el mantenimiento de la actividad empresarial o profesional, hasta que se apruebe un convenio que no afecte a ese bien específico, o hasta que transcurra un año sin haberse abierto la fase de liquidación; por tanto si podrán iniciarse contra los que no sean indispensables. También el 56 LC establece que no podrán ejercitarse acciones resolutorias de precio aplazado aunque sean expresas y consten inscritas en el Registro de la Propiedad contra bienes del deudor; ni las acciones para recuperar los bienes vendidos a plazos o cedidos por arrendamiento financiero.

Las acciones ya iniciadas se suspenderán hasta que se presente resolución del Juez del Concurso que estime que los bienes no son indispensables para la actividad empresarial o profesional del deudor.

Por tanto en esta primera fase se distingue los bienes indispensables o no para la actividad del deudor. Si no son indispensables podrá iniciarse o reanudarse la ejecución judicial o extrajudicial. A la apertura de la fase de liquidación, si no se hubiese iniciado o reanudado su ejecución aunque recayeran sobre bienes no indispensables, se acumularán al concurso, perdiendo los acreedores el derecho de hacerlo en pieza separada del concurso.

Bienes conyugales: El 77 LC establece que se incluirán en la masa tanto los bienes privativos como los gananciales que deban responder de las obligaciones del concursado. No obstante el mismo artículo contempla la posibilidad de que el cónyuge del concursado pida al Juez del concurso, la disolución y liquidación de los gananciales que se hará en pieza separada pero coordinado con el Convenio o la Liquidación concursal. Y el 78 LC dispone que si la vivienda habitual del matrimonio tiene carácter ganancial, el cónyuge del concursado tiene derecho a que se incluya preferentemente en su haber hasta donde alcance o abonando a la masa el exceso.

Para el caso de que el régimen del concursado fuese el de separación de bienes y la vivienda perteneciese a los dos por mitad, el 78 LC establece que el cónyuge del concursado puede adquirir la mitad de la vivienda habitual satisfaciendo su valor a la masa concursal.

Es una herramienta útil para que los cónyuges puedan intentar salvar la vivienda habitual por un procedimiento perfectamente legal sin caer en el posible alzamiento de bienes en que podrían incurrir si lo hicieran con anterioridad a la declaración de concurso una vez contraídas las deudas que pueden desembocar en el mismo.

Fase de Convenio:

La solución ideal del procedimiento concursal sería la *aprobación de un Convenio con los acreedores*; lo que se produce por Sentencia a la que se le da la misma publicidad vista para la declaración de concurso.

El 133 LC dispone que la aprobación del Convenio, implica el *cese de los efectos del concurso* y su sustitución por lo que se pueda establecer en su caso en el Convenio. Es decir, la regla general es que el concursado recuperaría sus facultades de administración sin perjuicio de que el Convenio puede establecer alguna limitación, por lo que deberá pedirse siempre el testimonio de la aprobación del Convenio para comprobarlo, no obstante conforme al 137 LC esas limitaciones deberían inscribirse en los Registros Públicos correspondientes. Las adquisiciones en contra de esas limitaciones no impiden la inscripción del negocio, sino que implican la infracción del Convenio y los acreedores podrían pedir la reanudación del mismo. En este caso además, el titular registral que hubiese adquirido pese a las limitaciones de las facultades del concursado no podrá evitar la acción de reintegración a la masa de ese bien.

El Convenio vincula a los acreedores con privilegios especiales que hubiesen votado a favor e incluso a los que no han votado a favor si se dan las mayorías de acreedores previstas en el 134 LC. En otro caso los privilegiados que no hubiesen votado a favor no se ven afectados por el mismo y pueden continuar la ejecución separada de su garantía.

El Convenio puede acabar con la Sentencia que declare su *cumplimiento*; o con la que declare su *incumplimiento*. En el primer caso desaparece cualquier limitación que pudiera subsistir en el antiguo concursado, y en el segundo caso se iniciaría la fase de liquidación, y además los acreedores privilegiados que hubiesen votado a favor del convenio o se hubiesen adherido podrán iniciar o reanudar la ejecución de sus garantías.

Fase de liquidación:

Se abre esta fase cuando no se llega a acuerdo con los acreedores para formalizar un Convenio, o cuando habiéndose incumplido este, el Juez decrete su fin a instancia de cualquier acreedor. Se abre la etapa que llevará a la liquidación ordenada del patrimonio del concursado. Se declara por Auto a la que se le da la misma publicidad que la declaración de concurso.

Los efectos sobre el concursado los regula el 145 LC: El concursado pierde las facultades de administración y disposición de su patrimonio que ejercerá exclusivamente el administrador concursal, que puede ser el mismo de la fase previa u otro distinto. Además si es persona natural cesan los alimentos con cargo a la masa a favor del mismo concursado, cónyuge o pareja o descendientes bajo su potestad, salvo casos especiales.

El administrador concursal deberá elaborar un Plan de Liquidación que aprobará el Juez oídas las alegaciones de los acreedores. Las enajenaciones tendrán que realizarse conforme disponga el Plan, subasta o enajenación directa, siendo norma supletoria el 149 LC.

El 151 LC establece la prohibición para los administradores concursales de adquirir bienes de la masa, ya sea directamente o por persona interpuesta.

Por tanto para formalizar negocios de disposición en esta fase, debe acreditarse la apertura de la misma con testimonio de la Sentencia; debe acreditarse el nombramiento del administrador concursal; debe acreditarse la aprobación del Plan de Liquidación y su firmeza; y debe realizarse el acto conforme a lo dispuesto en dicho plan. Para los créditos con privilegio especial el 155 LC establece que se hará en subasta, salvo que el Juez autorice la venta directa o la cesión en pago; por tanto en estos casos es necesaria además autorización judicial.

Conclusión por insuficiencia de masa:

El 176 LC regula este supuesto que puede ser incluso simultáneo a la declaración de concurso y se produce cuando el Juez aprecia de manera evidente que los bienes del concursado no van a ser suficientes para satisfacer los créditos contra la masa. Al deudor persona natural se le nombra un administrador concursal que liquida sus bienes por el orden establecido en el artículo, tras lo cual el deudor puede pedir al Juez la exoneración del pasivo no satisfecho cuyos efectos se regulan en el 178 LC. Es lo que ha venido a llamarse como segunda oportunidad para las personas naturales sometidas a concurso que pueden no tener que cargar siempre con las deudas no satisfechas en un concurso.

Una vez terminada la liquidación de los bienes del concursado se decretará la finalización del concurso, volviendo el deudor a recuperar sus facultades de administración y disposición cfr al 178 LC.

El Acuerdo extrajudicial de pagos

La Ley 14/2013 introdujo el capítulo X de la Ley concursal. Por este procedimiento, la persona natural que esté en situación de insolvencia o que prevea no poder cumplir sus obligaciones podrá solicitar el nombramiento de un mediador concursal para intentar llegar a un acuerdo con sus acreedores sin necesidad de acudir a la vía concursal.

Si la persona natural no es empresario, el procedimiento se iniciará notarialmente, pudiendo el notario ser mediador concursal. Si es personal natural empresario lo deberá solicitar al Registrador Mercantil o a Cámara de Comercio.

No podrán usar este procedimiento, además de los que hubiesen incurrido en determinados delitos, aquellos que en los que en los cinco años anteriores hubiesen obtenido otro acuerdo extrajudicial de pago, hubiesen sido declaradas en concurso, hubiesen obtenido la homologación de un acuerdo de refinanciación del 71 bis.

En cuanto a los efectos sobre el solicitante, el 235 LC dispone, que podrá continuar con el giro o tráfico empresarial o profesional ordinario, pero no podrá realizar actos de disposición que excedan lo anterior. Para conocer esta situación, la autoridad que entienda del procedimiento deberá comunicarlo a la autoridad judicial que fuese la competente para conocer el concurso en su caso. Esa comunicación es la regulada por el 5bis LC que dispone, que la autoridad judicial mandará dar publicidad a la misma en el Registro Público Concursal. En el procedimiento notarial y registral, el Notario y el Registrador Mercantil lo comunican directamente a dicho Registro para su publicación.

Además se anota en los Registros Públicos correspondientes.

Desde esa comunicación dispone el 5bis LC y el 235 LC que no podrán iniciarse ejecuciones judiciales o extrajudiciales contra los bienes del deudor hasta que se adopte el acuerdo extrajudicial de pagos, acuerdo de refinanciación, propuesta anticipada de convenio o se declare el concurso. Asimismo se suspenderán las iniciadas contra dichos bienes.

Los acreedores con garantía real sobre bienes no necesarios para la actividad empresarial o empresarial, o sobre la vivienda habitual, podrán iniciar el procedimiento pero quedará suspendido hasta que se llegue al acuerdo extrajudicial de pagos, acuerdo de refinanciación, propuesta anticipada de convenio o declaración de concurso.

Estas limitaciones tendrán la duración máxima de tres meses, o dos meses para el caso de personas naturales no empresarias. Transcurridos esos meses desde la comunicación al Juzgado sin haber logrado el acuerdo el deudor deberá solicitar la declaración de concurso si no lo hubiese hecho ya el mediador concursal ante la imposibilidad de llegar al mismo, pudiendo pedir asimismo el cierre del concurso consecutivo por insuficiencia de masa.

Si el acuerdo es adoptado, deberá elevarse a escritura pública. El notario cerrará el expediente por él iniciado o lo comunicará al Registrador Mercantil o Cámara de Comercio que lo hubiese iniciado para que cierren el expediente. La autoridad que cierre el expediente lo comunicará al Registro Público Concursal.

Si se alcanza acuerdo, los acreedores afectados no podrán iniciar o continuar ejecuciones contra el deudor.

Si se cumple el acurdo, el mediador concursal dejará constancia de ello por acta notarial que deberá publicarse en el Registro Público Concursal. Si se incumpliera el mediador deberá instar el concurso.

En los casos del concurso consecutivo será administrador concursal el mediador concursal salvo que el Juez disponga otra cosa. Dispone el 242.9 que si el concurso es calificado de fortuito y el deudor es persona natural, el Juez determinará la exoneración del pasivo insatisfecho si se dan los requisitos del 178 bis.

Acreditación

El procedimiento concursal prevé la publicidad a través del Registro Público Concursal donde deberán publicarse las distintas sentencias o autos de declaración de concurso, apertura de fase de convenio o de liquidación, cumplimiento de convenio, comunicaciones del 5 bis...

Dicho Registro es público y gratuito y su link actual es el siguiente: https://www.publicidadconcursal.es/concursal-web/

4.8.1.5. Emprendedor de responsabilidad limitada

Esta figura fue introducida por la Ley 14/2013 de Emprendedores en su capítulo II, artículos 7 y siguientes.

Más que un nuevo tipo social, se trata de **una forma de limitar la responsabilidad** de la vivienda habitual del emprendedor por deudas empresariales o profesionales. Está pensada para los autónomos.

Respecto del bien que puede quedar exento de responsabilidad por deudas empresariales o profesionales, el artículo 8 establece que debe ser la **vivienda habitual del emprendedor** siempre que su valor no exceda de 300.000€ o de 450.000€ en caso de ciudades de más de un millón de habitantes, y valorada conforme a la normativa fiscal de Transmisiones Patrimoniales.

Se ha discutido si ese límite de valor es de toda la casa o puede ser sólo de la mitad del cónyuge emprendedor si este estuviera casado y el bien fuera de titularidad conjunta. El 8.3 menciona en otro apartado la vivienda propia o conjunta sin distinguir por lo que parece que el requisito de valor es para toda la vivienda ya sea el emprendedor propietario único o no.

Si el bien es transmitido por el empresario pierde evidentemente el beneficio, pero aquel podrá trasladarlo a otro bien que pase a cumplir los requisitos mencionados.

En cuanto a las **deudas de las cuales no responderá** la vivienda habitual, dice el 8.1 que serán aquellas derivadas de la actividad empresarial o profesional del deudor.

En realidad hay varios **supuestos en los que dicho bien podría responder** aunque se den los requisitos que veremos:

Responderá de las deudas no empresariales o profesionales (p.e. impago del préstamo hipotecario para su adquisición).

Asimismo responderá de las deudas empresariales y profesionales contraídas por culpa o negligencia grave decretada por Sentencia o en caso de concurso culpable, conforme al artículo 8.4.

También por las deudas empresariales o profesionales contraídas con anterioridad a la publicación en el Registro Mercantil de la cualidad de empresario de responsabilidad limitada, si los acreedores no consienten la limitación, conforme al artículo 9.3.

Y por última también continuará respondiendo por las deudas derivadas de obligaciones tributarias o con la Seguridad Social, conforme al artículo 10.3. Aunque para estas la DA 1ª establece que para poder embargar la vivienda habitual del empresario de responsabilidad limitada será necesario que no haya otros bienes que embargar; y además entre la notificación de la diligencia de embargo y la ejecución habrá transcurrir un plazo de dos años.

Los **requisitos para constituirse en Empresario de Responsabilidad Limitada** son los siguientes:

En primer lugar suscribir una instancia con firma electrónica reconocida o Acta notarial que se enviará telemáticamente al Registro Mercantil.

En el Registro Mercantil se le inmatriculará como empresario individual haciendo constar su condición de Empresario de Responsabilidad Limitada y mención al bien exento de responsabilidad.

El Registro Mercantil enviará una certificación telemáticamente al Registro de la Propiedad donde esté inscrito el bien protegido para su constancia.

En su documentación el emprendedor deberá hacer constar las palabras «Empresario de Responsabilidad Limitada» o «ERL». Además debe realizar las cuentas anuales y auditarlas conforme a lo dispuesto para las sociedades unipersonales. Por último deberá depositarlas en el Registro Mercantil todos los años, con la advertencia de que si transcurren siete meses desde el cierre del ejercicio sin depositarlas, el bien protegido dejará de estarlo hasta que se cumpla esta obligación.

Es una figura que no ha tenido mucha aplicación ya que la limitación que ofrece es limitada y los requisitos similares a los de una sociedad unipersonal, por lo que sigue siendo más ventajoso constituir una sociedad unipersonal.

4.8.2. Estado civil. Personas casadas

Antes de entrar en el examen de la cuestión, convendría hacer una precisión de lo que se entiende por estado civil.

En sentido amplio serían todas aquellas circunstancias que afectan a la capacidad de la persona y que son inscribibles en el Registro Civil. Así de este concepto amplio parte el 4 LRC cuando dice que son inscribibles las circunstancias que allí enumera relativas a identidad, estado civil y demás circunstancias de la persona. En este sentido sería tanto el nacimiento, como la muerte, la ausencia, fallecimiento, las relaciones paterno-filiales, las circunstancias modificativas de la capacidad, la nacionalidad y vecindad civil y las derivadas del matrimonio, personales y patrimoniales. Este sería también el sentido de la Comisión Internacional del Estado Civil de la que España forma parte y aplicable a los Tratados Internacionales sobre la materia.

En sentido estricto serían aquellas situaciones que pueden afectar a la persona derivadas de relaciones de parentesco. Así el 159 del Reglamento Notarial distingue los estados de soltero, casado, viudo, separado judicialmente y divorciado. Sin perjuicio de ello van entrando en el ordenamiento jurídico normas que regulan otras situaciones como la separación de hecho o las parejas de hecho.

En este epígrafe se van estudiar específicamente dos aspectos que afectan a la capacidad y a la representación como son la vecindad civil y el régimen económico matrimonial. A falta de capitulaciones, para determinar el régimen económico matrimonial supletorio, hará falta saber cuál es la vecindad civil de los contrayentes.

A efectos notariales, el 156 RN exige plasmar en la comparecencia el estado civil del otorgante y la vecindad civil cuando afecte a la validez o eficacia del acto.

En cuanto al estado civil, el 159 RN hemos visto que dice que se expresará diciendo si es soltero, casado, separado judicialmente, viudo o divorciado; y a instancia del interesado se puede hacer constar su situación de unión o separación de hecho.

Si es casado, separado o divorciado y el acto pudiera tener consecuencias patrimoniales en su matrimonio actual o anterior, se hará constar también el nombre y apellidos del cónyuge o ex-cónyuge afectado y el régimen económico matrimonial.

Estas circunstancias se harán constar por manifestaciones de los interesados.

4.8.2.1. Vecindad civil

La vecindad civil afecta a la capacidad y representación de las personas, dado que conforme a lo dispuesto en el artículo 16 CC, la ley personal vendrá determinada por la vecindad civil.

Expuesto en epígrafes anteriores las posibles implicaciones en cuanto a los actos que pueden realizar los menores o los discapacitados, los permisos, asistencias o autorizaciones que necesitarán sus padres o tutores; quedaría determinar en este epígrafe cómo afecta a las personas casadas, y sin perjuicio de afectar a más aspectos como la sujeción a una ley sucesoria u otra.

Lo primero que habría que decir, sobre todo teniendo en cuenta la importancia de la misma que afectará fundamentalmente a la capacidad y representación de la persona, es la dificultad de la prueba de la vecindad civil.

El artículo 4, 5º LRC dice que la nacionalidad y la vecindad civil son hechos inscribibles en el Registro civil. El 58 LRC hace referencia a su constancia en su caso, en el expediente matrimonial. Finalmente el 68 LRC dice que la nacionalidad y las declaraciones de voluntad relativas a la vecindad civil se inscribirán en el registro individual y que tendrán carácter constitutivo.

Esta sin embargo no es una inscripción obligatoria, sino que en los casos que veremos en los que se pueda optar o manifestarse por una vecindad civil se hará constar con carácter constitutivo; pero en la mayoría de los casos en los que las personas no hacen a lo largo de su vida ninguna manifestación al respecto no habrá ningún reflejo registral.

Por esta razón algunos autores han abogado por la superación del concepto de vecindad civil y la adopción, para la aplicación de las normas de derecho civil forales o especiales, de la vecindad administrativa, que puede probarse con el empadronamiento; o de la vecindad fiscal que puede probarse por certificación tributaria.

No obstante soy partidario del mantenimiento de la misma, pero estableciendo como obligatoria su constancia en el momento de la inscripción del nacimiento; sin perjuicio de las futuras modificaciones que deberían inscribirse también obligatoriamente. Todo ello combinado con la posibilidad tan deseada de la interconexión telemática de los funcionarios correspondientes con el Registro Civil.

Esa solución es la apuntada desde la reforma operada por la Ley de Jurisdicción Voluntaria, por el 60 LRC que prevé la inscripción del Régimen Económico Matrimonial al margen de la inscripción del matrimonio. Ahora el encargado del Registro Civil al inscribir el matrimonio hará constar el régimen convencional o legal por el que se rige el mismo. Además prevé que por acta de notoriedad se haga constar esa información para aquellos matrimonios ya inscritos.

Piénsese que para determinar precisamente el Régimen Económico Matrimonial aplicable, a falta de capitulaciones, lo primero que deberá conocer el funcionario del Registro Civil es la vecindad civil de los contrayentes.

En España hay varias vecindades civiles forales, algunas con especialidades locales: La común, la catalana, la aragonesa, la navarra, la gallega, la del País Vasco (y dentro de ella la de los vizcaínos aforados, la de Álava y la de Guipúzcoa), la balear (y dentro de esta la de Mallorca, Menorca e Ibiza y Formentera), y las especialidad local del Fuero de Baylío en partes de Extremadura fundamentalmente.

No hay que confundir la vecindad civil, que determinará la ley personal aplicable al sujeto a la misma; con la vecindad administrativa que determinará la sujeción de ese sujeto a normas dictadas por la Comunidad Autónoma correspondiente no en materia civil, sino en materia administrativa. Lo mismo cabe decir de la vecindad fiscal que determinará la sujeción a las normas fiscales de una u otra Comunidad Autonomía cuando sean impuestos subjetivos.

La regulación para determinar la sujeción a una u otra vecindad civil, y la solución de determinados conflictos, la tenemos en los artículos 14 y siguientes del Código Civil:

La regulación parte de una vecindad civil originaria determinada al nacimiento, o a más tardar en los seis meses posteriores. Dicha vecindad podrá modificarse bien voluntariamente por opción del mayor de 14 años o de la persona casada, o por declaración voluntaria en caso de cambio de residencia; o sin necesidad de concurrencia de la voluntad por cambio de residencia y transcurso de un determinado plazo. Ante tanta complejidad es de agradecer que el 14.6 CC establezca que en caso de duda se presumirá que es la correspondiente al lugar de nacimiento.

Adquisición originaria:

Si los padres tienen una vecindad civil común entre ellos, el hijo tendrá la de los padres.

Si los padres no tienen una vecindad civil común, el hijo tendrá la de aquel cuya filiación haya sido determinada antes; y si ha sido determinada a la vez, tendrá la correspondiente al lugar de nacimiento. No obstante, en los seis meses posteriores al nacimiento los padres, o el que de ellos ejerza la patria potestad, pueden atribuir al hijo la vecindad civil de cualquiera de ellos.

Cambio voluntario:

Opción por el mayor de 14 años. Es una opción temporalmente limitada, ya que se puede ejercer desde que se cumplan los 14 hasta que transcurra un año desde la emancipación. No dice el artículo hasta que edad se puede ejercer si no se ha emancipado el menor, pero el último inciso habla de que si no está emancipado deberá ser asistido en la opción por su representante legal, lo que da lugar a la duda de si es hasta los diecisiete años, o hasta la mayoría de edad, o incluso más. Piénsese por otro lado que si a un menor se le emancipa con diecisiete años y medio, en principio tendría hasta los dieciocho años y medio, pero si se le emancipa con dieciséis tendría solo hasta los diecisiete años.

En todo caso, este optante puede elegir entre la vecindad civil correspondiente a su lugar de nacimiento, o por la última de cualquiera de sus padres. En este caso esta opción sí que debe hacerse constar en el Registro Civil.

Opción por el cónyuge: El cónyuge no separado legalmente o de hecho también puede optar por la vecindad civil del otro. Es una opción interesante para determinar el Régimen Económico Matrimonial supletorio por el encargado del Registro Civil cuando esté clara la vecindad civil de uno de los cónyuges pero no la del otro, o cuando quieran someterse a un Régimen Económico Matrimonial determinado como supletorio sin necesidad de pactar capitulaciones. Es decir en caso de dos contrayentes, uno de vecindad civil común y otro de vecindad civil catalana, a la hora de que el encargado del Registro Civil, o Notario que regule el expediente matrimonial, fije el Régimen aplicable al matrimonio a falta de capitulaciones tendrá que preguntarles por el primer domicilio habitual común que a lo mejor es provisional o tiene poca conexión con los cónyuges o puede incluso estar en el extranjero. Pero si los cónyuges tienen claro si quieren estar casados en gananciales o en separación de bienes, podrán optar en ese momento uno por la vecindad del otro para fijar el Régimen aplicable, haciéndose constar tanto la opción, como el Régimen Económico Matrimonial en el Registro Civil cuando se inscriba el matrimonio.

Cambio voluntario por residencia: A los dos años de residencia continuada en un territorio, una persona puede comparecer ante encargado del Registro Civil y optar por la vecindad civil de ese territorio. En este caso es obligatoria la constancia en el Registro Civil, acreditando al funcionario correspondiente el cumplimiento del requisito de residencia. En este caso no habla de edad para esta manifestación a diferencia del cambio por opción del mayor de catorce años, o del cónyuge (que al menos tendrá que tener dieciséis y en todo caso estar casado). Podría plantearse si en este caso un mayor de catorce años podría realizar esta opción cuando la vecindad civil del lugar de residencia no es ni la de su lugar de nacimiento, ni la de sus padres. Me inclino a la postura favorable, ya que abierta la posibilidad en el mismo artículo, no se entiende por qué podrá optar para unas determinadas vecindades civiles, y no para otras, cuando a partir de los catorce años puede por ejemplo hacer testamento para lo cual influirá su ley personal.

Cambio involuntario.

Dice el 14 CC que también se adquiere por residencia continuada de diez años salvo declaración en contra. En este caso, si una persona no quiere adquirir la vecindad civil del lugar de residencia tendrá que acudir al Registro Civil a declararlo y dicha manifestación se hará constar al margen de la inscripción de nacimiento. No necesitará hacer dicha manifestación cada diez años, sino que bastará hacerla una sola vez; si luego sí que quisiera adquirirla tendría que hacer la declaración contraria.

No obstante queda la duda, de qué pasaría si vuelve a cambiar de residencia, ¿haría falta una nueva declaración para rechazar esa otra vecindad civil correspondiente al nuevo lugar de residencia? Entiendo que no, dado que al decir que dichas manifestaciones no necesitan ser reiteradas, lo que se está manifestando realmente es la voluntad de no perder la que tenía.

Se ha discutido también desde cuándo deben contarse los diez años. El 225 RRC establece que no se computa el plazo en que el interesado no pudo regir legalmente su persona. Se duda de si debe computarse desde los dieciocho años; o cabría entender desde la emancipación con asistencia de sus representantes legales; o incluso desde los catorce años en que la ley le reconoce ya capacidad para optar por determinadas vecindades civiles.

Entiendo que para este caso sería defendible la postura de contar desde los catorce años, ya que al igual de haber una norma especial para poder testar a esa edad, también hay una norma especial para poder optar desde esa edad. Por lo tanto para ese acto determinado si puede regir legalmente su voluntad a esa edad ya sea sólo si está emancipado, o con asistencia de sus padres o tutores si no lo está.

Por todo lo anterior, vuelvo a repetir lo facilitador que sería la inscripción obligatoria en el Registro Civil de la vecindad civil en el momento del nacimiento; así como de cualquier modificación posterior voluntaria. Y en cuanto a la involuntaria por residencia de más de diez años, la posibilidad de hacerlo constar por comunicación del funcionario correspondiente al Registro Civil con ocasión de la formalización de escritura o acto administrativo donde quede acreditado dicho cambio. Además de la tan deseada posibilidad de acceso on-line al Registro Civil para comprobar los datos allí inscritos.

Mientras ello no sea posible habrá que acudir frecuentemente a la presunción del último inciso del artículo 14CC que se remite a la correspondiente al lugar de nacimiento.

Por otro lado, el artículo 15CC regula la adquisición de la vecindad civil por los extranjeros, que al adquirirla deberán optar o por la del lugar de residencia, o por la del lugar de nacimiento (si nació en España claro), o por la de cualquiera de sus progenitores o adoptantes, o por la de su cónyuge. El que adquiera la nacionalidad por carta de naturaleza tendrá la vecindad que designe el Real Decreto por el que se le otorgue.

En caso de español que recupere la nacionalidad pérdida, tendrá como vecindad civil la última que ostentase.

En estos casos debería hacerse constar en el Registro Civil la vecindad a la hora de abrirle hoja en el Registro Civil al nuevo ciudadano español.

El artículo 16CC es el que establece que la ley personal para los españoles será la determinada por la vecindad civil, y se remite a las normas de Derecho Internacional Privado para la solución de conflictos entre las normas de derecho civil español.

Regula específicamente un caso conflictivo como es el derecho de viudedad aragonés y su repercusión frente al resto de ordenamientos españoles. Sin perjuicio de que se verá en el epígrafe siguiente, el derecho expectante de viudedad aragonés supone en principio una excepción al régimen general aplicable en el resto del Estado de que cada cónyuge puede disponer por sí solo de sus bienes.

De ahí que el 16CC salve la eficacia de los contratos onerosos celebrados fuera del territorio aragonés sobre bienes sitos asimismo fuera de territorio aragonés, a favor del adquirente de buena fe cuando no se hubiese hecho constar el régimen matrimonial del transmitente.

Ahora bien, habría que hacer una precisión, más que cuando no se ha hecho constar el régimen económico matrimonial del transmitente, sería más bien cuando no se ha hecho constar la vecindad civil del transmitente, ya que la viudedad aragonesa se aplica no solo a los aragoneses sometidos al régimen del consorcio foral, sino a todos los aragoneses independientemente del Régimen Económico Matrimonial pactado, incluso al de separación de bienes. Y como dice el Código Civil, se aplica incluso si el viudo es no aragonés, pero el cónyuge fallecido lo era.

El 192 del Código de Derecho Foral aragonés establece que este derecho surge con el matrimonio. Y el 271 que se aplica a cualquier régimen económico matrimonial.

No se entiende muy bien la excepción de la viudedad aragonesa; y en cambio no se dice nada del posible negocio de disposición oneroso realizado por un vizcaíno aforado sujeto al régimen de comunicación foral vasca (aplicable también a parejas de hecho sometidas a ese régimen supletorio) que no puede disponer de un bien privativo sin consentimiento del cónyuge, salvo que conste registralmente la confesión de privatividad.

A efectos notariales, hemos visto que el 156 RN dice que la vecindad civil se expresará en la comparecencia cuando lo pidan los otorgantes o afecte a la validez o eficacia del acto o contrato que se formaliza.

El 11 de la Ley de derecho Civil Vasco 5/2015 establece que en los instrumentos públicos que se otorguen en el País Vasco se exprese la vecindad civil vasca y la vecindad civil local del otorgante.

4.8.2.2. Régimen económico matrimonial

El Régimen económico matrimonial (en adelante REM) va ligado al matrimonio. Los cónyuges pueden pactar un REM antes del matrimonio para que sea el aplicable en el momento de su celebración, o posterior a la celebración del mismo.

Si es anterior, el matrimonio debe celebrase en el plazo de un año para que tenga efecto, si transcurriera dicho plazo habría que volver a hacer capitulaciones.

El REM puede modificarse por los cónyuges en España todas las veces que quieran.

Si los cónyuges al celebrar el matrimonio no han celebrado capitulaciones matrimoniales pactando un REM, se les aplicará el REM supletorio.

Prueba del REM

Uno de los problemas del REM a efectos prácticos es su prueba.

Si ha quedado fijado por capitulaciones matrimoniales, no hay problema porque estas deben inscribirse en el Registro Civil, al margen de la inscripción de matrimonio para que tengan efectos frente a terceros. De modo que el que alegue un REM que derive de capitulaciones deberá aportar la escritura de capitulaciones en la que consten los datos de su inscripción en el Registro Civil, o inscripción de matrimonio donde conste anotada al margen dicha escritura.

Más problemas plantea el REM supletorio porque casi nunca constará su inscripción en el Registro Civil, sino que el Notario deberá interrogar a los contrayentes para su averiguación.

Sólo desde la reforma operada en la LRC por la LJV en 2015 se contempla la inscripción obligatoria del REM a la hora de inscribir los matrimonios celebrados desde su entrada en vigor en el 60 LRC, para ello el 58.6 establece que al finalizar el expediente matrimonial una de las circunstancias que el funcionario correspondiente debe expresar en el acta es el REM a que quedará sujeto el matrimonio.

Para los matrimonios ya celebrados a los que les resulte de aplicación el REM supletorio, el 60 LRC prevé la posibilidad de su inscripción en el Registro Civil por el acta de notoriedad que regula el 53 de la Ley del Notariado.

El REM legal supletorio resulta a efectos notariales de las manifestaciones de las partes; si estas no saben cuál es, el Notario deberá preguntar a los mismos las circunstancias de su matrimonio para determinar conforme a las reglas del 9.2 CC el REM aplicable a falta de capitulaciones: Nacionalidad común, y dentro de esta, vecindad civil común al tiempo de la celebración; a falta de la misma, lugar del primer domicilio conyugal común; a falta de domicilio común, lugar de celebración del matrimonio. Fijada la ley aplicable al REM esta no variará aunque con posterioridad cambie la nacionalidad o la vecindad civil de los contrayentes; sin perjuicio de que puedan modificarla por capitulaciones matrimoniales.

De ahí la importancia de poder determinar con claridad la vecindad civil de los cónyuges para poder determinar su REM.

Si entre españoles tenemos el problema de la vecindad civil para acreditar el REM, el tema se puede complicar con los matrimonios extranjeros o mixtos.

Si han fijado su REM por capitulaciones tendremos que exigir el documento auténtico de donde surgen y su inscripción en el Registro Civil correspondiente si es obligatoria la misma conforme a esa Ley. A efectos de la inscripción en el Registro Civil español no tendremos problemas con los matrimonios mixtos entre español y extranjero que son inscribibles tanto en el Registro Civil español correspondiente si se celebra en España; como en el Registro Civil Consular de donde pasará al Central si se celebra en el extranjero. Tampoco tendremos problemas con los matrimonios entre extranjeros celebrados en España, que son inscribibles en el Registro Civil correspondiente.

Los problemas los encontraremos con los matrimonios celebrados entre extranjeros fuera de España. El 9 LRC establece la regla general de que en el Registro Civil se inscriben los actos y hechos acaecidos a los españoles, y a los extranjeros acaecidos en España; pero añade que también serán objeto de inscripción los hechos y actos acaecidos fuera de España (y aquí no distingue entre españoles o extranjeros) cuando su inscripción sea exigida por el Derecho español. El 21.2 al hablar del Registro Civil Central dice que en el mismo podrán inscribirse documentos judiciales y extrajudiciales extranjeros, y certificaciones de asientos extranjeros. Es posible que de este modo un matrimonio entre extranjeros pueda solicitar su inscripción en el Registro Civil Central de su matrimonio o de su certificado de matrimonio, para poder inscribir las capitulaciones en el mismo si ya ambos viven en España.

El 59.2 LRC dice que el matrimonio celebrado en el extranjero puede acceder al Registro civil español por certificación extranjera del mismo que cumpla los requisitos legales.

La postura tradicional ha sido mantener que no hay obligación de inscribir en España los matrimonios celebrados por extranjeros fuera de España. Pero se plantea entonces la duda de si estos extranjeros pueden otorgar capitulaciones en España porque no serían inscribibles en el Registro Civil español; y a veces incluso tampoco en el Registro Civil extranjero si ese país no admite el cambio de REM durante el matrimonio o lo permite sólo judicialmente. Podría parecer que dichos cónyuges no pudiesen modificar su REM; pero el 9.3 CC permite la modificación no solo conforme a la ley que rija los efectos del matrimonio, sino también conforme a la ley de la nacionalidad o residencia habitual de cualquiera de los contrayentes. Es decir, que un matrimonio entre extranjeros, o sometido a un REM extranjero que no permita según la regulación extranjera la modificación, podrá no obstante modificarse a los efectos de las autoridades españolas conforme al 9.3 CC si los cónyuges residen ahora en España.

En estos supuestos la duda es si es necesario inscribir previamente el matrimonio extranjero en el Registro Civil Central para anotar allí las capitulaciones celebradas en España.

El criterio tradicional ha sido el negativo, por su no obligatoriedad de inscripción en el Registro civil español al no tratarse de un hecho que afecte a españoles o que haya ocurrido en España. Así lo entendió por ejemplo la Resolución de la DGRN de 6/11/2002. Acorde con esta solución la Resolución de la DGRN de 9/01/2008 ha admitido la no necesidad de inscribir las capitulaciones ni siquiera en el Registro Civil extranjero para su oponibilidad frente a terceros.

Aunque no faltan voces a favor de su inscripción, ya que si esos extranjeros residen en España y otorgan capitulaciones en España donde las mismas son actos de inscripción obligatoria, deberían inscribirse conforme al 9 LRC que permite la inscripción de hechos acaecidos en el extranjero (matrimonio entre extranjeros) cuando su inscripción sea obligatoria en Espana (para hacer constar las modificaciones de REM).

En todo caso retomando la prueba del REM, este constará o de capitulaciones inscritas en el Registro Civil, o de capitulaciones no inscritas en los casos de matrimonios entre extranjeros celebrados en el extranjero que las hayan hecho, o de las manifestaciones de los cónyuges cuando no haya capitulaciones matrimoniales y deba aplicarse un régimen legal supletorio.

El REM supletorio puede ser uno regulado por las leyes españolas: gananciales en territorio de derecho común y en Galicia, separación de bienes en Cataluña y Baleares, consorcial aragonés, de conquistas navarro, comunicación foral vizcaína o comunidad del fuero de Bailío. En Valencia actualmente vuelve a ser supletorio el de Gananciales, tras la declaración de inconstitucionalidad de la Ley Valenciana de 2007[1].

Aunque también puede ser un REM extranjero, si conforme a las normas del 9.2 resulta aplicable una ley extranjera. En este punto se admite que el REM supletorio que resulte aplicable a los matrimonios extranjeros conforme al 9.2 lo será al menos en cuanto a sus efectos en España, independientemente de si se llega a la misma solución o no a la que se llegara en otros Estados. No obstante para matrimonios celebrados o capitulaciones otorgadas con posterioridad al 1 de enero de 2019, ya no serán aplicables las normas del 9.2 sino las del Reglamento UE 2016/1103 que de modo análogo al Reglamento de Sucesiones, intenta unificar criterios para las autoridades de los países miembros de la unión.

Este Reglamento sigue el mismo sentido que el de Sucesiones. La ley aplicable al REM será una única ley que afectará a todo el patrimonio conyugal con independencia de en qué Estado se encuentre. Puede ser la ley de un Estado miembro o de un tercer Estado.

La ley aplicable al REM será la elegida por los cónyuges o futuros cónyuges o la supletoria a falta de elección. Los cónyuges o futuros cónyuges pueden elegir para su REM la ley de la nacionalidad o de la residencia habitual de cualquiera de ellos. Y puede modificarse durante el matrimonio. Esta elección se hará en la forma documental exigida por el país donde la elección se formalice.

A falta de elección la supletoria será la determinada por la nacionalidad común; en su defecto por el primer domicilio conyugal común; y a falta de los criterios anteriores por aquella ley con la que guarden vínculos más estrechos.

---

1   La ley Valenciana de REM de 20 de marzo de 2007 debía entrar en vigor según su DT 9ª el 25/04/08. No obstante con anterioridad a su entrada en vigor el TC admitió la demanda de inconstitucionalidad y como medida cautelar decretó la suspensión de la entrada en vigor. En Auto publicado en el BOE el 30/06/2008 se levantó por el TC la suspensión de la entrada en vigor. Finalmente el TC declaró la inconstitucionalidad de la Ley publicándose la sentencia en el BOE de 31/05/2016. Por lo tanto el REM de separación de bienes legal supletorio estuvo en vigor para aquellos matrimonios celebrados entre el 1 de julio de 2008 y el 31 de mayo de 2016.

Las normas de resolución de conflictos del Reglamento no se aplicarán para resolver los posibles conflictos internos de países con varias regulaciones civiles (como España) en los que se seguirá aplicando sus normas de resolución de conflictos. Es decir cuando tengamos un matrimonio entre españoles de vecindad civil distinta, habrá que acudir a los criterios del 9.2 y no a los criterios del Reglamento.

Mención especial establece el Reglamento a la vivienda habitual común que independientemente del REM aplicable tendrá la protección especial que designe la ley del territorio donde esté. Este artículo refuerza la aplicación en España del 1320 CC y artículos análogos en Cataluña y Aragón a las viviendas sitas en territorio donde dichas legislaciones protegen los actos dispositivos y de gravamen de la vivienda familiar, aunque no lo prevea la ley de REM aplicable.

A efectos notariales, el 159 RN, establece que se expresará, en todo caso, el régimen económico de los casados no separados judicialmente. Si fuere el legal bastará la declaración del otorgante. Si fuese el establecido en capitulaciones matrimoniales será suficiente que se le acredite al notario su otorgamiento en forma auténtica. El notario identificará la escritura de capitulaciones y en su caso, su constancia registral, y testimoniará el régimen acreditado, salvo que fuere alguno de los regulados en la ley, en que bastará con hacer constar cuál de ellos es.

Es importante expresar en la comparecencia si estamos ante un régimen legal o convencional porque a falta de la expresión «legal» se podría entender que es uno convencional y exigirse por el Registrador la acreditación de dicho régimen.

En caso de empresario individual inscrito en el Registro Mercantil, el 92 RRM exige hacer constar la fecha y lugar de celebración del matrimonio y sus datos de inscripción en el Registro Civil por los efectos que veremos puede tener conforme a los artículos 6 y siguientes del Código de Comercio.

Efectos del REM sobre administración y disposición de los bienes de los cónyuges.

Las facultades sobre los determinados bienes del matrimonio dependen del REM escogido o aplicable.

Si es escogido en capitulaciones matrimoniales, la doctrina es favorable no sólo a escoger uno de los regulados en las leyes como legales o voluntarios, sino a modificarlo al gusto. En base a ello encontramos el 1325 CC que habla no solo de que en capitulaciones se puede estipular, modificar o sustituir el REM, sino también establecer cualquier disposición relativa al mismo. Por otro lado el 1375 CC cuando establece la regla general de la necesidad del concurso de ambos cónyuges para la gestión y disposición de los bienes comunes; empieza diciendo «en defecto de pacto en capitulaciones».

En sentido análogo se expresan las legislaciones forales.

Por tanto cuando se pregunte a los cónyuges por su REM puede ser que sea el legal o que esté referido a uno de los regulados por las leyes; pero pueden ser modalizados o individualizados por determinados pactos, por lo que habrá que pedir la escritura de capitulaciones, además de exigir su inscripción en el Registro Civil.

Regímenes de Comunidad:

Centraremos el examen en el derecho común, sin perjuicio de apuntar a criterios de las regulaciones forales; y sobre todo en el régimen de gananciales, puesto que en separación de bienes cada cónyuge conserva la administración y disposición de su patrimonio sin que el matrimonio afecte al mismo, salvo las excepciones de la vivienda habitual.

La regulación actual se basa en la igualdad de los cónyuges y en su no discriminación por razón de sexo. Han desaparecido antiguas limitaciones de la capacidad de la mujer tanto en el Código Civil como en el Código de Comercio.

La regla general en los regímenes de comunidad es *la distinción entre bienes propios o privativos y bienes comunes.*

Los artículos 1346CC y 1347CC establecen las grandes líneas de la distinción. Serán privativos los que se tenían antes del matrimonio y los adquiridos después a título gratuito o por subrogación de otros privativos. Serán gananciales los adquiridos a título oneroso constante el matrimonio, o por subrogación de otros comunes.

A estos artículos se remite el 133 de la Ley de Derecho Civil Vasco para la distinción entre bienes ganados y procedentes de cada cónyuge en la Comunicación Foral vizcaína. Una regulación similar la encontramos en los artículos 210 y 211 del Código de derecho Foral de Aragón para el consorcio conyugal; y en los artículos 82 y 83 de la Compilación de Navarra para el régimen de conquistas.

Sin perjuicio de la posibilidad de cambio de régimen de los bienes por las aportaciones a gananciales que hagan los mismos para que un bien privativo pase a ser ganancial; y por la confesión de privatividad, para que un bien que va a ser adquirido con dinero presuntivamente ganancial, se considere privativo.

La regla general es que cada cónyuge puede administrar y disponer de sus bienes privativos, pero para disponer de los bienes comunes hace falta el consentimiento de ambos cónyuges. Esta regla conforme al 1375 CC lo es como hemos visto a falta de pacto en capitulaciones.

Para la adquisición onerosa de bienes, serán gananciales ya los adquieran uno o ambos cónyuges. Sin perjuicio de ello hay normas para las edificaciones o plantaciones, que tendrán el carácter del suelo donde se hicieran; para los bienes adquiridos a plazos, que dependerán de la naturaleza del primer desembolso; o para los bienes adquiridos en parte con bienes privativos y en parte con bienes gananciales que se entenderán de esa naturaleza proporcionalmente. Todo ello con el correspondiente derecho de reembolso y sin perjuicio de que el 1355 CC permita a ambos cónyuges de común acuerdo darle a un bien adquirido a título oneroso el carácter ganancial con independencia de la forma y plazos de adquisición.

En cuanto a la *administración y disposición de los bienes propios*, cada cónyuge lo puede hacer de sus bienes, con la excepción general que veremos de la vivienda habitual. En la comunicación foral vizcaína se exige el consentimiento de ambos cónyuges aún para disponer de bienes privativos (135 LDCV), e incluso para que un cónyuge repudie una herencia (139 LDCV). En Aragón por el juego del derecho expectante de viudedad un cónyuge también necesitará el consentimiento del otro para disponer de bienes propios, aunque en este caso se puede renunciar al mismo con carácter general o particular para determinados bienes.

Otro caso especial es la disposición de bienes privativos por confesión. En este caso el cónyuge a cuyo favor se ha hecho la confesión podrá disponer de él mientras viva el cónyuge confesante; pero a su fallecimiento necesitará que los herederos de aquel confirmen la confesión. (1324 CC y 95 RH)

En cuanto a la *administración y disposición de los bienes comunes* es preciso el consentimiento de ambos cónyuges y en caso de que el otro lo niegue será precisa autorización judicial.

No obstante el 1384 CC permite los actos de administración y disposición de dinero y de títulos valores por parte del cónyuge a cuyo nombre se encuentren y el 1385 CC el ejercicio de los derechos de crédito. Es la misma solución que contempla el 86 de la compilación navarra. Se discute la posibilidad de su aplicación a las participaciones sociales, dado que no tienen el carácter de valores, siendo la postura mayoritaria la contraria a su posibilidad.

En este punto otras legislaciones forales son más permisivas: El 232 del Código foral Aragonés añade al dinero y los valores mobiliarios, los bienes muebles y los derechos de crédito; y el 230 permite expresamente las declaraciones de obra y modificaciones hipotecarias. El 135 de la Ley de Derecho Foral Vasco permite en el régimen de Comunicación Foral a uno sólo de los cónyuges la disposición no solo de dinero y valores mobiliarios de los que sea titular sino también de cuotas, aportaciones cooperativas o partes representativas de la participación en sociedades, activos financieros.

También permite el 1378CC y las legislaciones forales, que cada cónyuge pueda hacer liberalidades de uso con dinero ganancial o común.

Hay también supuestos en los que por determinadas circunstancias un cónyuge puede tener a su cargo la administración y disposición de los bienes comunes: El 1387 CC lo establece para cuando un cónyuge sea nombrado tutor o representante legal del otro, lo que parece que incluiría al representante del ausente. El 1388 CC admite la posibilidad de que por los Tribunales se atribuya a uno solo de los cónyuges la administración cuando el otro esté imposibilitado para ello o hubiese abandonado el domicilio o se hallara separado de hecho. Este artículo parece estar pensado para el desparecido todavía no declarado ausente, o cónyuge que ha abandonado a su familia y no se sabe más de él, no al supuesto normal de separación de hecho en el que los dos cónyuges están perfectamente localizados en cuyo caso será necesario el consentimiento de ambos para la disposición de bienes comunes. Normas análogas establecen las regulaciones forales.

Para los casos de los artículos anteriores, es decir, que un cónyuge tenga la administración de los bienes comunes por ministerio de la ley o por Sentencia, habrá que estar al contenido de esta. En todo caso, el 1389 CC establece, que para realizar actos de disposición sobre inmuebles, establecimientos mercantiles, objetos preciosos o valores mobiliarios, salvo el derecho de suscripción preferente, necesitará ese cónyuge autorización judicial. El 242 del Código Foral de Aragón permite que la autorización lo sea de la Junta de Parientes.

En cuanto al ejercicio de la profesión:

El 1382 CC permite al cónyuge tomar como anticipo numerario ganancial para el ejercicio de su profesión; sin perjuicio de que debe siempre informar al otro de ello y de la situación y rendimientos de su actividad económica.

El artículo 231 del Código Foral de Aragón establece que cada cónyuge estará legitimado para realizar los actos de administración o disposición incluidos en el tráfico habitual de su profesión o negocio. Para probar en el tráfico que un acto está incluido en el giro habitual del que lo realiza, bastará que así resulte de la aseveración del Notario de que le consta por notoriedad.

El 6 CCo permite al cónyuge comerciante enajenar y gravar los bienes obtenidos por las resultas de su actividad. Es decir, podría disponer de ellos y gravarlos aunque fueran gananciales.

Relacionado con esto está la responsabilidad de los bienes comunes por las deudas propias de un cónyuge. El 1373 CC y 1374 CC establecen que cada uno responde con sus bienes propios, y si estos no son suficientes el acreedor puede pedir el embargo de bienes comunes que debe notificarse al otro cónyuge. Este puede pedir que el embargo se limite a la parte que le corresponde al cónyuge deudor para lo que se disolverá la sociedad de gananciales. Normas similares establecen las regulaciones forales de sistemas de comunidad.

Hay que recordar aquí lo que quedó reflejado al hablar del concurso de persona física, en la que el cónyuge del concursado puede pedir la disolución del REM y la inclusión preferente de la vivienda familiar en su haber conforme a los artículos 77 y 78 LC.

Ahora bien, si esa responsabilidad es por el ejercicio de actividades profesionales o empresariales, podemos plantearnos la aplicación de los artículos 6 y siguientes del Código de Comercio.

Estos artículos establecen una triple posibilidad de responsabilidad: Una mínima, una media y una amplia.

La mínima es la del propio 6 CCo que establece la responsabilidad de los bienes propios del cónyuge comerciante y de los obtenidos con esas resultas, es decir de los gananciales que provienen de su actividad comercial.

La media sería la que extiende la responsabilidad por deudas comerciales a los demás bienes comunes, es decir que respondieran todos los gananciales y no sólo la mitad hipotética que le correspondería al cónyuge deudor. Para que se de este este supuesto el 6, 7 y 8 CCo establecen que será necesario el consentimiento de ambos cónyuges y lo presume dado cuando se ejerce la actividad comercial con conocimiento y sin oposición expresa, o cuando al casarse ya se ejerciera la actividad y se continuara sin oposición.

La máxima sería aquella en virtud de la cual responderían también los bienes propios del cónyuge del comerciante. Para ello el 9 CCom exige el consentimiento expreso y para cada caso del cónyuge del comerciante.

Esos consentimientos presuntos o expresos pueden revocarse conforme al artículo 10 CCom.

Está claro que será difícil que un cónyuge de su consentimiento para que sus bienes propios respondan de las obligaciones comerciales del otro cónyuge; pero el peligro es importante para el caso de los consentimientos presuntos de la responsabilidad media, que hará que respondan de esas obligaciones todos los bienes gananciales. Para evitar esa responsabilidad es necesaria oposición expresa en escritura pública e inscribible en el Registro Mercantil. Recuérdese que en el Registro Mercantil son inscribibles los empresarios individuales conforme al 16 Ccom, siendo obligatoria para el naviero y potestativa para los demás conforme al 19 CCom.

Regímenes de separación de bienes:

Se aplicarán estos principios no sólo a los regímenes en sí de separación de bienes, sino también al de participación en ganancias, que durante su vigencia funciona como un régimen de separación y a su disolución es cuando hay que repartir las ganancias. También se aplicaría este régimen a los matrimonios sujetos al Fuero de Bailío según la doctrina mayoritaria que lo configuran como régimen de comunidad diferida que se consolida en el momento de la disolución[2].

En estos regímenes la única especialidad será la de la vivienda habitual que veremos.

En el resto de los casos cada cónyuge administra y dispone de los bienes de su patrimonio; y en caso de ostentar bienes comunes será necesario el consentimiento de ambos como en cualquier comunidad romana.

En cuanto a la adquisición, cada uno puede adquirir bienes individualmente; y si adquieren bienes conjuntamente tendrán que determinar la cuota de cada uno.

La legislación catalana, contempla la adquisición de bienes con pacto de supervivencia, donde uno de los cónyuges no podrá transmitir a un tercero su cuota, ni derecho y han de mantenerse en indivisión (231-15 CCCat)

La ley valenciana de REM contemplaba la posibilidad del agermanamiento de bienes para los cónyuges casados en separación de bienes valenciano, en virtud del cual podían dar ese carácter a determinados bienes que fuesen adquiriendo o podían aportar bienes a la germanía que era una comunidad germana que coexistía junto sus patrimonios privativos. La ley fue declarada inconstitucional en este punto, pero pueden existir germanías constituidas durante su vigencia.

El caso de la vivienda habitual y muebles de uso ordinario de ella.

El 1320 CC establece que para disponer de los derechos sobre la vivienda habitual y los muebles de uso ordinario de la familia, aunque tales derechos pertenezcan a uno solo de los cónyuges, se requerirá el consentimiento de ambos o, en su caso, autorización judicial. La manifestación errónea o falsa del disponente sobre el carácter de la vivienda no perjudicará al adquirente de buena fe.

En sentido similar se pronuncian el 231-9 del Código Civil Catalán, el 190 del Código Foral Aragonés, y el 55 de la Compilación Navarra. No se pronuncian en cambio ni la Ley de Derecho Civil Vasco, ni la Compilación Balear.

Se ha discutido si esa norma de protección de la vivienda familiar es una norma de orden público y por tanto de aplicación supletoria para aquellos matrimonios sujetos

---

2   La naturaleza de la comunidad del Fuero de Baylío ha sido objeto de discusión. Parece tener su origen en el régimen portugués de la «carta a Metade» y la previó la novísima recopilación y el TS la ha considerado vigente. Hay dos posturas en cuanto a su naturaleza: La de considerarla una comunidad universal que surge en el momento del matrimonio; o una comunidad diferida que se consolida a la disolución del mismo. El TS en sentencias antiguas de 1892 y 1896 mantuvo en cada una de ellas una postura; la DGRN en Resoluciones de 19 de agosto de 2014 y 6 de mayo de 2015 se ha decantado por la comunidad diferida.

a REM regulados en las normas que no lo contemplan; o si es una norma que debe ser resuelta por las normas de conflictos de leyes y no sería aplicable a aquellos REM donde su ley aplicable no lo contemple.

La DGRN, en Resolución de 13 de enero de 1999 entendió que mientras no se pruebe que la ley aplicable al matrimonio establezca esa necesidad de consentimiento de ambos cónyuges para disponer de la vivienda habitual no se puede suponer. Una Sentencia de la AP de Mallorca de 2005 y otra del TSJIB de 3 de abril de 1998, no consideran aplicable como supletorio en Baleares el 1320 CC.

Hay tendencia de aplicar el 1320 CC incluso para el caso de matrimonios extranjeros sujetos aun REM extranjero, por considerarlo de orden público. Al menos esa es la tendencia en los territorios donde sí se regula, es decir en toda España excepto en Baleares y País Vasco.

Hemos visto que el Reglamento UE 2016/1103 se remite a las normas de cada Estado para la protección de la vivienda habitual, no imponiendo un sistema uniforme en la Unión.

Por otro lado, esa norma se aplica incluso a la vivienda de la pareja de hecho en la legislación catalana (234-3 CCCat); y lo contemplaba también la ley valenciana de parejas de hecho antes de su anulación en su artículo 10. El resto de las legislaciones forales no lo contemplan pese a estar regulado en varias de ellas.

En los casos en que sea necesario este consentimiento y el cónyuge, o pareja en su caso, no lo otorgue será necesaria autorización judicial.

Cuando los cónyuges estén separados judicialmente, no será necesaria la manifestación en la escritura puesto que por ley cesa la presunción de vida en común. Pero en caso de disposición por persona casada (o pareja en Cataluña) o separada de hecho será precisa su constancia.

Por último hay que recordar que en casos de separación y divorcio puede atribuirse el uso de la vivienda familiar a un cónyuge no propietario. Este uso se ha configurado como un derecho familiar y no real; sin perjuicio de voces a favor de su constancia registral, que permiten reiteradas Resoluciones de la DGRN.

Se ha planteado la posibilidad de la transmisión de la vivienda por parte del titular sin consentimiento del titular de ese uso familiar. En este caso, se ha planteado si es aplicable el 1320 CC puesto que el disponente ya no es una persona casada. En todo caso si se transmite con consentimiento del usuario no habría problemas; y si se transmite sin su consentimiento se estaría transmitiendo la propiedad pero sin el uso de la misma que persistirá hasta que deba extinguirse, de ahí la postura favorable a su constancia en el Registro de la Propiedad, y para proteger los derechos de terceros adquirentes.

4.8.3. *Comunidad de bienes*

Concepto

En primer lugar debemos precisar el concepto de qué se entiende por una comunidad de bienes.

Los derechos pueden ser objeto de una titularidad única, estos es, por un solo titular; u objeto de una titularidad compartida, estos es, por varios titulares o cotitulares.

Cuando el derecho ejercido en cotitularidad es el de propiedad se habla de copropiedad o condominio. Si además se ostentan en común otros derechos reales en cotitularidad se habla de comunidad de bienes.

En este epígrafe es muy importante la repercusión de la regulación fiscal en la civil.

Civilmente lo determinante será el modo de organizar dicha cotitularidad de derechos.

La cotitularidad sobre un derecho determinará en principio el ejercicio en común del mismo, sin perjuicio de que sus titulares decidan aportar dicho derecho a una entidad que se encargue de su ejercicio a través de sus representantes.

Si se aporta a una entidad, la misma será una sociedad civil o mercantil, en principio dependiendo de la finalidad que se persiga; pero que tendrá personalidad jurídica independiente de la de sus socios, su responsabilidad independiente de la de aquellos, y actuará a través de sus órganos de gobierno mediante representación orgánica, sin perjuicio de que ese órgano de gobierno pueda a su vez otorgar representaciones voluntarias.

No obstante, si ese derecho sobre el que hay cotitularidad se quiere seguir disfrutando y ejerciendo en común, sin decidir aportarlo al ámbito organizativo de una entidad independiente, es cuando estaremos ante una comunidad de bienes propiamente dicha. Y para la organización del disfrute, conservación y disposición de la misma acudiremos a las normas generales de los artículos 392 y siguientes del Código Civil.

La diferencia fundamental es pues la personalidad jurídica. Las sociedades tienen personalidad jurídica (excepto las civiles que mantienen secretos sus pactos) y actúan por sus órganos de gobierno, y las comunidades de bienes ni tienen personalidad jurídica ni órganos de gobierno con representación orgánica.

Sin perjuicio de ese esquema básico, se admitió con excesiva holgura a mi entender, la constitución de Comunidades de Bienes ex novo con finalidad mercantil lo que vino facilitado desde la Administración Fiscal y que conllevó la proliferación de Comunidades de Bienes en el tráfico mercantil identificadas con un NIF constituidas específicamente para desarrollar una actividad lucrativa. Para ello se extendió el concepto de Comunidad de Bienes para comprender también en las mismas no sólo los casos en que se poseía algo en común, sino en los que se ponía el énfasis más en la puesta en común del trabajo que en la propiedad común de los medios del mismo.

Así si en un primer momento la doctrina discutía sobre el origen de la Comunidad de Bienes, habiendo dos posturas: Aquellos que defendían su origen incidental a través de una compra por varias personas, o una donación o herencia a favor de varios de ellos.

Y aquellos otros que defendían la posibilidad también de un origen voluntario, mediante la puesta en común de bienes o servicios para el desarrollo de una actividad en común.

Esta segunda posibilidad, se vino extendiendo por la vía práctica, con la admisión por parte de la AEAT de las Comunidades de Bienes mercantiles y la asignación de un NIF a las mismas, e incluso con la necesidad de establecer frente a aquella la figura de un Gestor de esa CB. Esto vino a complicar la diferenciación entre las CB y las sociedades mercantiles, a lo que contribuyó también la proliferación de Sociedades civiles con objeto mercantil.

Parece que la situación fiscal está retrocediendo posturas y volviendo a los términos primitivos. En este sentido hay que entender las instrucciones de la AEAT de finales de 2015 estableciendo la fiscalidad por Impuesto de Sociedades de las Sociedades Civiles con objeto Mercantil y prohibiendo la creación de CB con objeto mercantil para que las Sociedades Civiles con objeto mercantil no se transformen en CB.

De modo que hay una tendencia fiscal, a volver a los términos originarios civiles: Las entidades con objeto mercantil deberán constituir sociedades mercantiles; no obstante hay sociedades con objetos excluidos del ámbito mercantil, como las forestales, pesqueras y las profesionales. Y por último se sigue admitiendo la Comunidad de Bienes, pero para aquellos supuestos en los que se acredite la titularidad previa a la creación de la misma de un derecho o propiedad en común por todos los comuneros; y que en ningún caso la tenencia en común implique una finalidad mercantil. Las CB y las sociedades civiles propiamente dichas, tributarán por imputación de rentas en IRPF y las sociedades civiles con objeto mercantil y las sociedades mercantiles por IS.

No obstante ese acercamiento fiscal de nuevo a los principios civiles, no evita que la multitud de CB que siguen existiendo en el tráfico jurídico mercantil, sigan actuando propiamente como Comunidades de Bienes.

Así desde el punto de vista notarial, para acreditar la existencia de una Comunidad de Bienes habrá que acudir, o bien al negocio incidental originario de la misma, como puede ser la escritura de compraventa, donación o herencia de donde surge la cotitularidad; o bien al negocio voluntario de creación de la misma fundamentalmente para el caso de esas CB con actividad mercantil y en el ámbito de la póliza bancaria.

Y si bien la CB con actividad mercantil está dotada de un NIF frente a la AEAT, no es necesario que las CB lo tengan salvo que precisamente vayan a desarrollar una actividad sujeta a impuesto. Es decir, en los casos de las Comunidades de Bienes incidentales sobre varios bienes no será preciso obtener un NIF si no se desarrolla ninguna actividad lucrativa de la misma.

Si unos hermanos que han heredado un inmueble se limitan a establecer normas de disfrute y conservación del mismo no hace falta ese NIF, ahora bien si alquilan ese bien, ya pueden establecer la posibilidad de hacerlo fiscalmente como una CB con su NIF o seguir haciéndolo colectivamente con el NIF de todos sus miembros.

Pese a esta influencia de las normas fiscales, lo que en todo caso ha estado fuera de toda duda es que las Comunidades de Bienes carecen de personalidad jurídica. Si bien pueden ser objeto de personalidad procesal en algunos supuestos (artículos 6 y 7 LEC) y ser tratados como sujetos fiscales; lo que no pueden, es ser sujetos de derechos de propiedad independientemente de sus componentes y ser objeto de representación orgánica.

Por tanto, a efectos notariales y registrales si hablamos de cotitularidad sobre el derecho de propiedad u otros derechos reales, la Comunidad de Bienes no puede ser titular de derechos independientemente de sus componentes.

No cabe por tanto la inscripción de bienes a nombre de una Comunidad de Bienes, sino que tendrá que inscribirse el bien a nombre de sus componentes y expresando el porcentaje en el que son titulares; sin perjuicio de que en la escritura se pueda expresar y aclarar a efectos fiscales, que la adquisición la hacen como únicos componentes de una determinada CB y que es su intención afectar el bien adquirido a la actividad de la misma.

Sin perjuicio de ello, y dada la personalidad procesal derivada de los artículos 6 y 7 de la LEC, sí que se ha permitido por la DGRN la anotación preventiva de demanda o de embargo a favor de una comunidad de propietarios como veremos ala hablar de la Propiedad Horizontal; pero como medida cautelar y transitoria, y en caso de convertirse dicha medida en definitiva a través de la correspondiente inscripción, en ese caso sí que deberá inscribirse no a nombre de la comunidad que carece de personalidad jurídica; sino a nombre de sus componentes.

Administración y disposición

En cuanto a la administración y disposición, la Comunidad de Bienes implica el disfrute, uso, y aprovechamiento de la propiedad que en común se ostenta sobre un patrimonio. La norma general es que para la administración de la cosa común bastará un acuerdo de la mayoría conforme al 398 CC; y para la disposición de la cosa común hará falta unanimidad conforme al 397 CC. Ello sin perjuicio de que cada comunero puede disponer de su cuota cuando quiera, derivado del principio de que nadie puede estar obligado a permanecer en Comunidad; y también sin perjuicio del correspondiente derecho de retracto.

Por tanto lo fundamental es determinar cuándo nos encontramos ante un acto de administración o de disposición. Así p.e. la DGRN ha admitido el alquiler de una cosa común por acuerdo de la mayoría, y hay varios casos en la Comunidad de Propietarios que luego veremos en los que basta un acuerdo de la mayoría.

A efectos de contratación, de contraer obligaciones la Comunidad, se ha discutido si se puede actuar por mayoría, o a través de ese Gerente que en los contratos administrativos exigía la AEAT cuando se constituían Comunidades.

Si recordamos que la CB no tiene personalidad jurídica, y por tanto la responsabilidad no es de ese patrimonio separado, sino de los componentes de la misma; difícilmente se podrá perseguir o exigir responsabilidades a un comunero que no ha consentido que se contraigan obligaciones en su nombre. En el ámbito puramente obligacional podría intentar defenderse que la designación del Gerente en el contrato fundacional equivaldría a la designación de un representante voluntario; pero en todo caso y relativo a bienes inmuebles dicho apoderamiento debería constar en documento público.

Para los inmuebles o derechos reales, está claro que los cotitulares pueden establecer las normas de administración e incluso de representación voluntaria que quieran. La DGRN incluso admitió en Resolución de 4 de diciembre de 2004, la inscripción en un inmueble de determinadas normas sobre la disposición del mismo, que implicaban la posibilidad de disposición de ese bien por acuerdo de la mayoría. Claro está ese acuerdo para su acceso al Registro de la Propiedad debe establecerse por unanimidad en escritura e inscribirse en el Registro. Lo que cabría preguntarse es sí dicho acuerdo que implica en realidad una representación voluntaria para disponer del bien común, sería revocable o no. A mi entender sería revocable como toda representación voluntaria, sin perjuicio de la indemnización que se le pueda exigir al comunero que revoca su consentimiento.

Transmisión de cuotas y parcelaciones ilegales

Por último trataré la cuestión de la conexión entre la transmisión de cuotas de propiedad y las parcelaciones ilegales.

Cuando una persona es titular de un terreno y quiere transmitir parte del mismo pueden ocurrir dos cosas:

Que la ley permita transmitirlo independientemente como parcela independiente porque cumple los requisitos de parcela independiente de suelo urbano, o los requisitos de parcela mínima en suelo rústico. En estos casos hay que acudir a la parcelación o segregación y su posterior transmisión; o incluso a la Propiedad Horizontal tumbada si lo permite la Administración correspondiente.

O puede ocurrir que no se den los requisitos de parcela urbana o rústica mínima. En estas ocasiones las partes suelen acordar transmitir un determinado porcentaje del terreno original y accede al registro como una transmisión de cuota de modo que aparece un nuevo titular con su cuota.

En estos casos hay que tener en cuenta que el porcentaje transmitido no da derecho a delimitar y «parcelar» un trozo del terreno originario correspondiente a ese porcentaje como si fuera independiente jurídicamente; sino que simplemente se habrá producido un caso de cotitularidad.

Para evitar estos supuestos de «parcelaciones fraudulentas» determinadas regulaciones autonómicas fueron incluyendo la transmisión de cuota en proindiviso como uno de los supuestos de parcelaciones para los que será necesario solicitar licencia de parcelación. También el texto Refundido de la Ley estatal del suelo lo ha recogido en el artículo 26.2, pero siempre cuando atribuya el derecho de utilización exclusiva de partes determinadas de la finca.

A mi entender son perfectamente posibles estas transmisiones de cuotas, incluso con normas de disfrute a efectos internos entre los copropietarios de zonas determinadas, teniendo siempre claros los límites jurídicos. Es decir, los copropietarios de un terreno en común al igual que podrían establecer periodos de disfrute de la misma, podrían establecer zonas de disfrute de la misma como norma organizativa y de disfrute del bien común; e incluso pactando normas de prehorizontalidad; estos es, pactando las parcelas que podrían ser objeto de propiedad independiente por cada uno de ellos, para cuando se den los supuestos legales para ello. Teniendo claro en todo caso, que mientras se permanezca en esa situación de comunidad no son dueños de parcelas independientes dentro de la comunidad y por tanto no podrían transmitir ni hipotecar independientemente el terreno en el que organizativamente han decidido repartirse el disfrute de la cosa común; sino que podrán transmitir o hipotecar una cuota en la comunidad total pero sin concreción en un determinado terreno delimitado dentro de la misma.

Lo que las normas pretenden evitar es la atribución a cada copropietario de un derecho permanente de uso exclusivo sobre una parte suficientemente determinada de una finca. Lo que persigue es impedir que sean reputados como objetos jurídicos nuevos y absolutamente independientes entre sí, ya que, en otro caso, aquella atribución implicará una verdadera división, cualquiera que sea la denominación elegida. Y también evitar la aparición de núcleos de población en zonas no urbanizables.

Pero una vez aclarado esto, entiendo que como norma organizativa de la comunidad los comuneros podrían pactar a efectos internos el disfrute que quieran, pudiendo cambiar esas normas de disfrute cuando quieran. Esta es la solución a la que llegó la DGRN en Resolución de 5 de junio de 2001 en la que se vendía una cuota de finca rústica y posteriormente se pactaba a efectos internos y sin efectos reales la concreción del uso de esa cuota.

Será imprescindible dejar claro el alcance de dichos acuerdos y que no accedan al Registro las cuotas como objetos nuevos y totalmente delimitados; sin perjuicio de que se haya admitido por la DGRN la inscripción de los pactos de prehorizontalidad. También será imprescindible que catastro no otorgue referencias catastrales independientes a lo que no son más que cuotas indivisas sobre una propiedad común. En todo caso será también imprescindible que no se den otros indicios de que se esté creando un núcleo de población, como el hecho de varias transmisiones sucesivas de cuotas por mismo titular con sus declaraciones de obras correspondientes, en cuyo caso será imprescindible la licencia municipal.

4.8.4. *Propiedad horizontal*

La propiedad horizontal es un tipo especial de comunidad de bienes que se da cuando se cumple el supuesto de hecho del artículo 396 CC, y viene desarrollada y regulada por la Ley de Propiedad Horizontal de 21 de julio de 1960.

Es necesario que la cotitularidad recaiga sobre un edificio separado en pisos o locales, en los que coexistirá una propiedad separada sobre los departamentos privativos y una copropiedad sobre otros elementos comunes del edificio. La titularidad de cada departamento independiente conllevara la cotitularidad de un porcentaje sobre los comunes que deberá establecerse en el título constitutivo, y no podrán transmitirse independientemente los departamentos privativos sin su porcentaje de elementos comunes conforme al 3 LPH.

Se dará no sólo respecto de edificios construidos, sino que podrá darse sobre edificios por construir (prehorizontalidad) y sobre una o varias parcelas a través de Complejos inmobiliarios.

Es especial respecto de la comunidad ordinaria por varias cosas. En primer lugar porque no existe el derecho de retracto de comuneros entre los diferentes copropietarios del edificio. Es decir por el mero hecho de venderse un piso, los titulares de los demás no tienen derecho de adquisición preferente, conforme al 396 CC.

Por otro lado, no se podrá ejercer la acción de división de la cosa común, conforme al artículo 4 LPH.

Por último, si bien el principio es el mismo que para las comunidades ordinarias, esto es, mayoría para la administración y unanimidad para la disposición; la ley establece unas normas específicas sobre mayorías y actos específicos; y unos órganos de la Comunidad.

Precisamente la existencia y regulación de unos órganos de la Comunidad en el artículo 13 LPH es lo que ha originado la discusión doctrinal sobre la personalidad jurídica de la Comunidad de Propietarios.

La posición mayoritaria es la negativa a esa personalidad jurídica, ya que la Comunidad de Propietarios no deja de ser una Comunidad de Bienes especial por su objeto. Pero también es cierto que la regulación de sus órganos y la admisibilidad de su actuación procesal, ha determinado una consideración especial.

El artículo 13 LPH establece entre los órganos de la Comunidad de Propietarios al Presidente, el Secretario, el Administrador y la Junta de Propietarios. En realidad serían únicamente necesarios el Presidente, que puede ejercer también las funciones de Secretario y Administrador, y la Junta de Propietarios. Todo ello sin perjuicio de que el mismo artículo establece que aquellos edificios con menos de cuatro propietarios en donde su Estatutos lo permitan podrán funcionar conforme al 398 CC, es decir, sin Presidente ni Junta de Propietarios, sino por las normas de la Comunidad Ordinaria.

Dice el 13 LPH que el Presidente ostentará legalmente la representación de la Comunidad, en juicio y fuera de él, en todos los asuntos que la afecten. El 7 LEC dice que las entidades sin personalidad jurídica a los que la ley reconozca posibilidad de ser parte deberán actuar a través de las personas o cargos a quienes la ley les atribuya la representación en juicio. La LPH establece casos en que la Comunidad de Propietarios puede demandar a propietarios por determinados gastos comunitarios; al igual que pueden ser impugnados los actos de la misma. Por tanto se le reconoce legitimación procesal y estará representada por el Presidente.

El artículo 14 LPH regula a la Junta de Propietarios, estableciendo en su último apartado que tiene competencia para dirimir los asuntos de interés general de la Comunidad.

Pero el hecho de la regulación de unos órganos como la Junta de Propietarios y el Presidente no le otorga de personalidad jurídica, ni de representación orgánica. Estos órganos son una estructura de organización interna establecida por la Ley para ese tipo especial de Comunidad de Bienes.

Sin perjuicio de ello y coherente con su personalidad procesal sí que se ha admitido por ejemplo la anotación el Registro de Anotaciones Preventivas de Embargo o demanda a favor de la Comunidad de Propietarios, sin necesidad de tener que establecer la identidad y cuota de sus componentes. Al ser esas medidas, cautelares y de naturaleza procesal y tener la comunidad de propietarios legitimación procesal activa, la DGRN ha admitido esas anotaciones a su favor (p.e. Resolución de 25 de mayo de 2005) pero estableciendo que en todo caso si acabara en inscripción, la misma deberá entonces practicarse a nombre de todos los copropietarios porque la Comunidad no tiene personalidad jurídica.

En otro orden de cosas, y por su legitimación pasiva, la Comunidad de Propietarios puede ser demandada, pero no podrá practicarse embargo contra inmuebles a nombre de la Comunidad porque no los puede haber. Para practicar embargo sobre bienes propiedad de los distintos copropietarios será necesario también haber demandado a estos o que hayan podido tener intervención procesal.

En todo caso, para la legitimación procesal pasiva, no se requiere acuerdo de la Junta de Propietarios. Para la legitimación procesal activa será necesario dicho acuerdo en los casos establecidos por la Ley, p.e. para reclamar a un vecino moroso los gastos; puede que para otros casos no sea necesario, aunque el Presidente debería recabar la autorización de la Junta para entablar el pleito ya que de otro modo los vecinos le podrían pedir responsabilidades por los gastos ocasionados en el procedimiento, sobre todo si no es favorable a la Comunidad.

Por lo que se refiere a la administración y representación crediticia, se ha discutido si el Presidente de la Comunidad de Propietarios podría firmar una póliza de préstamo o crédito en nombre de la Comunidad, con acuerdo de la Junta de Propietarios, o es necesaria la firma de todos y cada uno de los propietarios. Independientemente de que habrá que acudir a la distinción que ahora veremos entre actos colectivos y actos de riguroso dominio, lo cierto es que si esa financiación tiene por objeto las actuaciones de rehabilitación, conservación y regeneración urbana, el artículo 9.5 a) del Real Decreto 7/2015 por el que aprueba el texto refundido de la Ley del Suelo y de Rehabilitación Urbana le reconoce plena capacidad jurídica en dicho ámbito crediticio.

Administración y disposición

En cuanto a la administración y disposición de los bienes comunes, corresponde a los propietarios reunidos en Junta decidir determinados supuestos de conservación, y obras y mejoras por las mayorías que recoge el artículo 17 LPH.

La norma general es que para la modificación del título constitutivo o Estatutos, o para la disposición de elementos comunes es necesaria la unanimidad. Para los demás supuestos bastará la mayoría simple sin perjuicio de determinados casos especiales que recoge el artículo 17 donde se pueden adoptar algunos acuerdos con determinadas mayorías de un tercio, o tres quintos.

La norma prevé lo que se ha llamado la cuasiunanimidad, que consiste en computar como favorables los votos de aquellos propietarios a los que se les haya comunicado el acuerdo adoptado y no hubiesen mostrado su desconformidad en el plazo de treinta días desde su recepción. En estos casos, será el Presidente y/o el Administrador quien deberá acreditar que se convocó debidamente a dichos propietarios en el domicilio indicado a la Comunidad, que no asistió, que se le notificó adjuntando copia de dicha notificación, y un medio que admita prueba de la misma; y por último que han transcurrido los treinta días sin que se haya opuesto.

También contempla la norma la posibilidad de obtener por vía judicial el consentimiento de aquel propietario que lo niega; que podrá ejercerse en los casos de negativa injustificada o de abuso de derecho.

Desde el punto de vista civil está claro que la Comunidad carece de personalidad jurídica; pero dicha situación intermedia procesal, crediticia y organizativa que prevén las normas, ha hecho que no sea precisa la firma de todos y cada uno de los copropietarios en los actos que puedan afectar a disposición de bienes comunes.

En los casos de administración está claro que la norma es la mayoría, así por ejemplo el 17 LPH recoge la posibilidad de arrendamiento de un elemento común sin uso específico por mayoría de tres quintos. Para otros casos de conservación y administración para los que no haya norma específica bastará la mayoría ordinaria. En estos casos podrá actuar el Presidente acreditando la toma del acuerdo con el certificado correspondiente firmado por el Secretario de la comunidad y con su Visto Bueno; y acreditando por supuesto la vigencia de su cargo con Libro de Actas o certificado del Secretario.

Para los actos de disposición la DGRN desde 2004 fundamentalmente, viene distinguiendo dos supuestos: Aquellos casos en los que el acto de la Comunidad es un acto colectivo de la misma y bastaría que compareciese el Presidente con el acuerdo adoptado por la Comunidad; y aquellos otros actos que por afectar intrínsecamente al dominio requieren consentimiento individualizado de los propietarios no bastando la presencia del Presidente con el respectivo acuerdo.

A través de diversas Resoluciones de 2004, 2005, y 2007 (p.e. aclaradora es la de 19 de abril de 2007) ha ido estableciendo qué supuestos entrarían dentro de los actos colectivos y qué otros necesitarían del consentimiento individualizado. Dentro de los actos colectivos, la DGRN ha incluido la desafectación y venta de un elemento común, o la vinculación ob rem de determinados trasteros a las viviendas como anejos. Dentro de los actos de dominio que implican la firma de todos los copropietarios ha incluido la modificación de las cuotas de los elementos privativos; la especificación de qué trastero corresponde a qué piso en determinados supuestos; y la conversión de un elemento privativo en común.

Prehorizontalidad

Está claro que en un edificio constituido en régimen de propiedad horizontal, se le abre hoja registral tanto al edificio como a los pisos y locales independientes conforme al 8.5 LH.

Por prehorizontalidad se entienden varias situaciones en las cuales físicamente hay una finca solar, aunque ya se ha iniciado o proyectado la construcción de un edificio por pisos o locales. Sería el supuesto del 8.4 LH.

Fuera de la división horizontal de edificio en construcción respecto del cual se exige al menos el proyecto y la licencia, la doctrina es favorable al estudio de la situación de los edificios o parte de ellos meramente proyectados o ideados.

Podrían ser los supuestos de comunidad valenciana, donde varios copropietarios acuerdan adquirir en comunidad un solar con la finalidad de construir un inmueble que estará destinado a distintos pisos o locales, acudiendo a la ficción de que cada propietario ha construido su piso y parte de elementos comunes. Esta figura está admitida por la DGRN desde la Resolución de 18 de abril de 1988 y tiene la ventaja fiscal de evitar la doble imposición de la declaración de obra nueva y posterior división horizontal.

La doctrina la ha admitido y durante su funcionamiento antes de la declaración de obra en comunidad valenciana su régimen sería el mismo de una comunidad de bienes pero entiende la doctrina que no le sería aplicable a esa comunidad la acción de división de los comuneros por aplicación del 401 CC, esto es, por hacerla inservible del uso a que se le destina.

También dentro de la prehorizontalidad se incluye el supuesto de propiedades horizontales acabadas junto con otras meramente proyectadas. Sin perjuicio de su admisibilidad reconocida por le DGRN siempre y cuando se cumplan los requisitos urbanísticos, sobre todo puede ocurrir este supuesto en la construcción de complejos por fases, por lo que pasaremos a hablar de los Complejos Inmobiliarios.

Complejos inmobiliarios

El 2c) de la LPH dice que será de aplicación a los complejos inmobiliarios; y el 24 LPH explica qué debe entenderse por Complejo Inmobiliario.

El Complejo puede estar constituido por dos o más edificaciones o parcelas, donde lo esencial es que estén destinadas a viviendas o locales; y que junto con la propiedad exclusiva de los mismos se ostente una copropiedad sobre otros elementos inmobiliarios, viales, servicios…

Por tanto dentro del Complejo cabrían tanto los supuestos de varias edificaciones en un solo solar con subcomunidades en esos distintos edificios; como también las urbanizaciones con varias parcelas, donde puede haber parcelas independientes privativas y parcelas comunes que den servicio a las anteriores.

Por esa distinta configuración el 24 LPH permite que se constituyan como una sola comunidad de propietarios o como una agrupación de comunidad de propietarios, donde habrá una Comunidad Global y otra por cada subcomunidad. En este caso la Junta de Propietarios estará formada por los Presidentes de cada subcomunidad y su ámbito de decisión sería sólo respecto de los elementos comunes que dan servicio a todas las subcomunidades.

En el tema de los Complejos Inmobiliarios, ha venido a plantear problemas la necesidad o no de autorización administrativa para su constitución y modificación.

En un principio no era necesaria licencia distinta a la de edificación. La Ley del suelo de 2008 estableció en su artículo 17.6 la necesidad de autorización para su constitución y modificación salvo en los siguientes supuestos:

Cuando el número y características de los elementos privativos coincidan con los establecidos en la licencia de obras. Es decir, si hay licencia para construir un número determinado de viviendas y locales, sólo será necesaria la licencia de obras y no de constitución del Complejo Inmobiliario si se respeta ese número de elementos privativos, estén constituidos sobre una o sobre varias parcelas, o sea una comunidad o varias subcomunidades.

Cuando la modificación no implica un aumento de elementos privativos.

Así en principio podría pensarse que sólo sería necesaria la licencia cuando se tratara de constituir un régimen cambiando la configuración de unas edificaciones ya construidas o cambiando el número de elementos independientes.

No obstante se complicó el asunto porque la ley de rehabilitación 8/2013 modificó el 17.6 de la Ley del suelo de 2008 y estableció que a los efectos de ese artículo se consideraba complejo inmobiliario a todo régimen de organización unitaria de la propiedad inmobiliaria en el que se distingan elementos privativos, sujetos a una titularidad exclusiva, y elementos comunes, cuya titularidad corresponda, con carácter instrumental y por cuotas porcentuales, a quienes en cada momento sean titulares de los elementos privativos. Por tanto asimilaba Complejo Inmobiliario con Propiedad Horizontal, con lo que se planteó la duda de si era necesaria autorización administrativa para constituir un edificio en propiedad horizontal, fuera de las excepciones que planteaba el propio artículo 17.

Al publicarse el Texto Refundido de la Ley del Suelo y de Rehabilitación, el antiguo artículo 17.6 pasa a ser el 26.6, pero si bien sigue exigiendo autorización administrativa para la constitución o modificación de los complejos Inmobiliarios, ahora especifica que se refiere a los Complejos Inmobiliarios comprendidos en el 24 LPH, por lo que se despeja la duda de la necesidad de autorización judicial en la Propiedad Horizontal común, ya sea vertical u horizontal como también ha refrendado la DGRN. No obstante la diferenciación entre la división horizontal tumbada y el Complejo Inmobiliario, fuera de los casos de promociones de viviendas adosadas, será casuística; baste a modo de ejemplo la Resolución de la DGRN de 21 de enero de 2014.

Todo ello sin perjuicio de la legislación autonómica que pueda exigir licencia administrativa en cualquier caso de división horizontal, en cuyo caso habrá que estar a esta última.

4.8.5. *Personas jurídicas*

El artículo 137 de la Constitución Española establece: «*El Estado se organiza territorialmente en municipios, en provincias y en las Comunidades Autónomas que se constituyan. Todas estas entidades gozan de autonomía para la gestión de sus respectivos intereses*».

España es un país descentralizado, donde encontramos, por una parte, al Estado Central, con las competencias del artículo 149 de la Constitución; y sin perjuicio de que pueda delegarlas en las Comunidades Autónomas o las Cortes establecer leyes marco conforme al 150 CE.

En el siguiente escalón estarían las Comunidades Autónomas, con las competencias del 148 CE y aquellas no atribuidas expresamente al Estado, cuando así lo prevean sus Estatutos. Sin perjuicio de la facultad del Estado para dictar Leyes armonizadoras conforme al último párrafo del 150 CE.

En siguiente lugar estaría la Administración Local, dividida en Provincias y Municipios. A ellas se refieren los artículos 140 y 141 de la CE. Los Municipios están representados por el Ayuntamiento, y las Provincias por las Diputaciones, sin perjuicio de las especialidades en las Islas que tienen su propia Administración, Cabildos en Canarias, y Consejos Insulares en Baleares.

En todos los supuestos de actuación notarial con una Administración Pública o Entidad de ella dependiente hay que tener en cuenta la sujeción de la firma de esas operaciones a turno conforme al 127 del Reglamento Notarial.

Dispone este artículo que cuando el otorgante, transmitente o adquirente de los bienes o derechos, fuere el Estado, las Comunidades Autónomas, Diputaciones, Ayuntamientos, o los organismos o sociedades dependientes de ellos, participados en más de un cincuenta por ciento, o en los que aquellas Administraciones Públicas ostenten facultades de decisión, los documentos se turnarán entre los notarios con competencia en el lugar del otorgamiento.

Dichos documentos deberán otorgarse en población en que la entidad, organismos o empresa tengan su domicilio social, o delegación u oficina o, en su caso, donde radique el inmueble objeto del contrato.

No obstante hay dos excepciones al turno de documentos:

La primera, para los documentos en que, por su cuantía, esté permitido que el notario perciba la cantidad que acuerde libremente con las partes, las Administraciones Públicas y Entes a que se refiere el párrafo primero de este artículo podrán elegir notario sin sujeción al turno, atendiendo a los principios de concurrencia y eficiencia en el uso de recursos públicos.

La segunda, cuando el adquirente fuere un particular, en cuyo caso éste podrá solicitar del Colegio Notarial la intervención de notario de su libre elección, que deberá ser atendida.

4.8.5.1. De Derecho Público

4.8.5.1.1. El Estado

La Administración estatal abarca todo el territorio nacional, sin perjuicio de las competencias propias o asumidas por las Comunidades Autónomas.

La Administración estatal está dirigida por el Gobierno de la Nación.

Su organización está regulada por la **Ley 40/2015 de 1 de octubre de Régimen Jurídico del Sector Público**.

Se distingue la Administración estatal central e institucional y la periférica, además de la Administración del Estado en el Exterior, de la que no nos ocuparemos.

Organización Central:

Por encima de todos está el Gobierno del Estado compuesto por el Presidente, Vicepresidente o Vicepresidentes en su caso, y Ministros. Actúa colegiadamente en Consejo de Ministros, sin perjuicio de poder establecer Comisiones Delegadas del Gobierno.

Dentro de los Ministerios, la ley distingue órganos superiores y directivos: Los superiores son los Ministros y los Secretarios de Estado. Los directivos son los Subsecretarios y Secretarios Generales; los Secretarios Generales Técnicos y Directores Generales; y los Subdirectores Generales.

Las competencias de cada uno de estos órganos están reguladas en la Ley, desde los artículos 61 al 67. Además en el 68 se regulan las funciones de los servicios comunes.

El funcionamiento de la Administración es jerárquico, todas las unidades administrativas, al frente del cual hay un jefe, están bajo la dirección de un órgano superior o directivo. En principio cada órgano tiene las competencias atribuidas en las leyes, salvo los casos de delegación o avocación de competencias realizadas conforme a las mismas.

El número, denominación y competencias de los Ministerios y Secretarías de Estado se establece por Real Decreto del Presidente. Las Subsecretarías, las Secretarías Generales, las Secretarías Generales Técnicas, las Direcciones Generales, las Subdirecciones Generales, y órganos similares a los anteriores se crean, modifican y suprimen por Real Decreto del Consejo de Ministros, a iniciativa del Ministro interesado y a propuesta del Ministro de Hacienda y Administraciones Públicas.

Los órganos de nivel inferior a Subdirección General se crean, modifican y suprimen por orden del Ministro respectivo, previa autorización del Ministro de Hacienda y Administraciones Públicas.

Las unidades que no tengan la consideración de órganos se crean, modifican y suprimen a través de las relaciones de puestos de trabajo.

Por otro lado el artículo 84 recoge el *sector público estatal institucional.*

Este está compuesto fundamentalmente por los Organismos Públicos donde se distinguen dos tipos: Los Organismos Autónomos y las Entidades Públicas Empresariales que veremos en el epígrafe correspondiente.

También forman parte del sector público institucional las autoridades administrativas independientes, las sociedades mercantiles estatales, los consorcios, las fundaciones del sector público, los fondos sin personalidad jurídica y las Universidades Públicas no Transferidas. Las sociedades y fundaciones estatales son objeto de estudio en otros epígrafes de este libro.

En todo caso la naturaleza, competencias y funcionamiento del sector público estatal institucional lo encontramos en los artículos 88 y siguientes de la Ley.

La organización territorial del Estado:

En cada CCAA existe una Delegación de Gobierno, adscrita al Ministerio de Hacienda y Administraciones Públicas, al frente de la cual hay un Delegado del Gobierno.

En las CCAA pluriprovinciales habrá en cada provincia un Subdelegado de Gobierno bajo el control del Delegado del Gobierno.

En las Islas existirá un Director Insular de la Administración General del Estado bajo la dependencia del Delegado de Gobierno, o Subdelegado cuando este exista.

Los servicios territoriales del estado en la CCAA pueden estar integrados en la Delegación de Gobierno, en cuyo caso dependen de éste o del Subdelegado y seguirán las instrucciones del Ministerio competente por razón de la materia. O también pueden estar no integrados, que se crean por Real Decreto a propuesta conjunta del Ministerio competente por razón de la materia, y del Ministerio competente de la racionalización de la Administración Pública. Los no integrados dependerán del órgano central competente que fijará su funcionamiento.

Los Delegados del Gobierno en las CCAA y los Subdelegados del Gobierno en las Provincias son órganos superiores y sus competencias las encontramos en los artículos 73 y 75 de la Ley. La Organización de las Delegaciones. La organización de las Delegaciones y Subdelegaciones de Gobierno se fija por Real Decreto, en todo caso disponen de una Secretaría General, y las funciones de asistencia jurídica y control económico financiero se realizan respectivamente por la Abogacía del Estado y la Inspección General Técnica.

La *Organización exterior* está regulada por la Ley 2/2014, de 25 de marzo, de la Acción y del Servicio Exterior del Estado y su normativa de desarrollo. En la Organización Exterior, son órganos directivos los Embajadores y los Representantes Permanentes en Organizaciones Internacionales.

También hay que recordar que, conforme al Anexo III del Reglamento Notarial, los Jefes de las Misiones diplomáticas y los Cónsules de España de carrera tendrán a su cargo el ejercicio de la fe pública en el extranjero. Los Jefes de Misión podrán delegar esas funciones en el Secretario de Embajada de mayor categoría que forme parte de aquélla, y los Cónsules, en los Vicecónsules. Cuando en una misma localidad exista Misión diplomática y Consulado de carrera, corresponderá a este último el ejercicio de la fe pública.

En países con numerosa población española podrá delegarse previa autorización del Ministerio de Asuntos Exteriores, el ejercicio de la fe pública a Agentes consulares honorarios.

Pero en todo caso las copias de todos aquellos funcionarios deberán constar de un pie de copia donde conste la calificación del Cónsul de carrera de quien dependan.

La redacción de matrices y escrituras se rige por el Reglamento Notarial, sin perjuicio de ir extendidas en papel común y no en papel timbrado, ni tener sello de seguridad. Surtirán efectos en España sin necesidad de legalización o Apostilla, puesto que son copias expedidas por funcionarios españoles en su ejercicio.

El artículo 82 regula el *Inventario de Entidades* del Sector Público Estatal, Autonómico y Local, que se configura como un registro público administrativo que garantiza la información pública y la ordenación de todas las entidades integrantes del sector público institucional cualquiera que sea su naturaleza jurídica.

Depende de la Intervención General de la Administración del Estado.

Dicho Inventario contendrá información actualizada sobre la naturaleza jurídica, finalidad, fuentes de financiación, estructura de dominio, en su caso, la condición de medio propio, regímenes de contabilidad, presupuestario y de control así como la clasificación en términos de contabilidad nacional, de cada una de las entidades integrantes del sector público institucional.

La creación, transformación, fusión o extinción de cualquier entidad integrante del sector público institucional, será inscrita en el Inventario de Entidades del Sector Público Estatal, Autonómico y Local.

Funcionamiento de la Administración: Competencia, delegación y avocación

La Ley del régimen jurídico del sector público se aplica a toda la Administración incluida la autonómica y la local.

En cuanto a la relación entre las Administraciones central, autonómica y local, esta se rige por los principios de lealtad, adecuación a las competencias atribuidas a cada una de ellas, colaboración, cooperación y coordinación; además de por el criterio de eficiencia. Dentro de los medios de cooperación encontraríamos la Conferencia de Presidentes de las Comunidades Autónomas, formada por el Presidente del Gobierno y de las distintas Comunidades y Ciudades Autónomas; y las Conferencias Sectoriales que reúnen a los representantes del Estado y de las Comunidades Autónomas correspondientes en función de la materia específica. Además pueden existir Comisiones bilaterales o territoriales en función del espacio geográfico afectado por las decisiones a tomar.

En cuanto al principio de actuación de la Administración, es jerárquica dentro de las competencias funcionales atribuidas a cada órgano.

El artículo 8 establece que la *competencia* es irrenunciable y se ejercerá por los órganos administrativos que la tengan atribuida como propia, salvo los casos de delegación o avocación, cuando se efectúen en los términos previstos en ésta u otras leyes.

Por un lado se distinguen supuesto en que manteniéndose la titularidad de la competencia, se altera la forma de su ejercicio: Serían los supuestos de delegación de competencia, encomienda de gestión y delegación de firma.

Por otro lado, puede haber supuestos de cambio en la titularidad y ejercicio de la competencia en órganos inferiores, como sería el supuesto de la desconcentración. En este caso se desconcentran en otros órganos jerárquicamente dependientes de aquéllos en los términos y con los requisitos que prevean las propias normas de atribución de competencias.

Delegación de competencias:

Los órganos de las diferentes Administraciones Públicas podrán delegar el ejercicio de las competencias que tengan atribuidas en otros órganos de la misma Administración, aun cuando no sean jerárquicamente dependientes, o en los Organismos Públicos o Entidades de Derecho Público vinculados o dependientes de aquéllas. Serán necesarias las autorizaciones de los Ministerios u Órganos recogidos en el 9.1.

En ningún caso podrán ser objeto de delegación las competencias recogidas en el 9.2 de la Ley. Además salvo autorización expresa de una Ley no podrán delegarse las competencias que se ejerzan por delegación.

Las resoluciones administrativas que se adopten por delegación indicarán expresamente esta circunstancia y se considerarán dictadas por el órgano delegante.

La delegación es siempre revocable por el órgano que la haya conferido.

Tanto las delegaciones de competencias como su revocación deberán publicarse en el «Boletín Oficial del Estado», en el de la Comunidad Autónoma o en el de la Provincia, según la Administración a que pertenezca el órgano delegante, y el ámbito territorial de competencia de éste.

Avocación de competencia:

Los órganos superiores podrán avocar para sí el conocimiento de uno o varios asuntos cuya resolución corresponda ordinariamente o por delegación a sus órganos administrativos dependientes, cuando circunstancias de índole técnica, económica, social, jurídica o territorial lo hagan conveniente.

Encomienda de gestión:

La realización de actividades de carácter material o técnico de la competencia de los órganos administrativos o de las Entidades de Derecho Público podrá ser encomendada a otros órganos o Entidades de Derecho Público de la misma o de distinta Administración, siempre que entre sus competencias estén esas actividades, por razones de eficacia o cuando no se posean los medios técnicos idóneos para su desempeño.

Las encomiendas de gestión no podrán tener por objeto prestaciones propias de los contratos regulados en la legislación de contratos del sector público.

La encomienda de gestión no supone cesión de la titularidad de la competencia ni de los elementos sustantivos de su ejercicio.

La formalización de las encomiendas de gestión se ajustará a lo dispuesto en el artículo 11 de la Ley.

Delegación de firma:

Los titulares de los órganos administrativos podrán, en materias de su competencia, que ostenten, bien por atribución, bien por delegación de competencias, delegar la firma de sus resoluciones y actos administrativos en los titulares de los órganos o unidades administrativas que de ellos dependan, dentro de los límites señalados en el artículo 9.

La delegación de firma no alterará la competencia del órgano delegante y para su validez no será necesaria su publicación.

En las resoluciones y actos que se firmen por delegación se hará constar esta circunstancia y la autoridad de procedencia.

Suplencia:

Los titulares de los órganos administrativos podrán ser suplidos temporalmente en los supuestos de vacante, ausencia o enfermedad, así como en los casos en que haya sido declarada su abstención o recusación.

Si no se designa suplente, la competencia del órgano administrativo se ejercerá por quien designe el órgano administrativo inmediato superior de quien dependa.

La suplencia no implicará alteración de la competencia y para su validez no será necesaria su publicación.

En las resoluciones y actos que se dicten mediante suplencia, se hará constar esta circunstancia y se especificará el titular del órgano en cuya suplencia se adoptan y quien efectivamente está ejerciendo esta suplencia.

Funcionamiento de los Órganos Colegiados de las Administraciones Públicas:

El funcionamiento de los mismos se rige por los artículos 15 y siguientes de la Ley.

El acuerdo de creación y las normas de funcionamiento de los órganos colegiados que dicten resoluciones que tengan efectos jurídicos frente a terceros deberán ser publicados en el Boletín o Diario Oficial de la Administración Pública en que se integran. Los órganos colegiados tendrán un Secretario que podrá ser un miembro del propio órgano o una persona al servicio de la Administración Pública correspondiente, al que corresponderá, entre otras cosas, certificar las actuaciones del mismo.

Todos los órganos colegiados se podrán constituir, convocar, celebrar sus sesiones, adoptar acuerdos y remitir actas tanto de forma presencial como a distancia, salvo que su reglamento interno recoja expresa y excepcionalmente lo contrario.

Para la válida constitución del órgano, a efectos de la celebración de sesiones, deliberaciones y toma de acuerdos, se requerirá la asistencia, presencial o a distancia, del Presidente y Secretario o en su caso, de quienes les suplan, y la de la mitad, al menos, de sus miembros.

Cuando estuvieran reunidos, de manera presencial o a distancia, el Secretario y todos los miembros del órgano colegiado, éstos podrán constituirse válidamente como órgano colegiado sin necesidad de convocatoria previa cuando así lo decidan todos sus miembros.

Los acuerdos serán adoptados por mayoría de votos.

Quienes acrediten un interés legítimo podrán dirigirse al Secretario para que les sea expedida certificación de sus acuerdos.

De cada sesión que celebre el órgano colegiado se levantará acta por el Secretario.

Gestión Patrimonial:

La adquisición y enajenación de bienes está regulada en la Ley 33/2003 de 3 de noviembre de Patrimonio de las Administraciones Públicas.

Se distingue entre bienes de dominio público y bienes patrimoniales.

Son de *dominio público* aquellos que siendo de titularidad pública están afectados al uso general o al servicio público, así como aquellos a los que una ley otorgue expresamente dicho carácter. Son inalienables, inembargables e imprescriptibles.

Son *bienes patrimoniales* los que, siendo de titularidad de las Administraciones Públicas, no tengan el carácter de demaniales. En todo caso se consideran patrimoniales los derechos de arrendamiento, los valores y títulos representativos de acciones y participaciones en el capital de sociedades mercantiles o de obligaciones emitidas por éstas, así como contratos de futuros y opciones cuyo activo subyacente esté constituido por acciones o participaciones en entidades mercantiles, los derechos de propiedad incorporal, y los derechos de cualquier naturaleza que se deriven de la titularidad de los bienes y derechos patrimoniales.

Las Administraciones están obligadas a llevar un Inventario de sus bienes, y están obligadas a inscribir los mismos en los Registros Públicos correspondientes, excepto los arrendamientos cuya inscripción es potestativa. Será título hábil para la inscripción la certificación administrativa prevista en la legislación hipotecaria.

Para la defensa del Patrimonio Público se regulan ciertas medidas entre las que destacan por su interés notarial y registral la necesidad de notificar a la Administración titular, ciertas transmisiones o excesos de cabida de propiedades lindantes con determinados dominios públicos; y la obligación del Registrador de comunicar la inscripción de tales transmisiones o excesos de cabida.

La gestión, administración y explotación de los bienes y derechos del Patrimonio del Estado que sean de titularidad de la Administración General del Estado corresponderán al Ministerio de Hacienda, a través de la Dirección General del Patrimonio del Estado.

La gestión, administración y explotación de los bienes y derechos del Patrimonio del Estado que sean de titularidad de los organismos públicos corresponderán a éstos, de acuerdo con lo señalado en sus normas de creación o de organización y funcionamiento o en sus estatutos, con sujeción en todo caso a lo establecido para dichos bienes y derechos en esta ley.

No obstante las competencias relativas a la adquisición, gestión, administración y enajenación de bienes y derechos del Patrimonio del Estado podrán ser objeto de desconcentración mediante Real Decreto acordado en Consejo de Ministros a propuesta del Ministro de Hacienda. Además el Consejo de Ministros podrá avocar discrecionalmente el conocimiento y autorización de cualquier acto de adquisición, gestión, administración y enajenación de bienes y derechos del Patrimonio del Estado. Igualmente, el órgano competente para la realización de estos actos podrá proponer al Ministro de Hacienda su elevación a la consideración del Consejo de Ministros.

Los contratos sobre los bienes de la Administración se regirán por la **Ley 9/2017 de Contratos del Sector Público**, sin perjuicio de las normas impuestas por la Ley del Patrimonio de las Administraciones Públicas.

La Administración puede adquirir a título oneroso y gratuito. Además de poder adquirir por medio de la facultad expropiatoria de acuerdo con la legislación de Expropiación Forzosa, por vía de ejecución administrativa o judicial de acuerdo con las normas procesales.

Los negocios jurídicos de adquisición o enajenación de bienes inmuebles y derechos reales se formalizarán en escritura pública. No obstante, las cesiones gratuitas de bienes inmuebles o derechos reales sobre los mismos, a otra Administración pública, organismo o entidad vinculada o dependiente, así como las enajenaciones de inmuebles rústicos cuyo precio de venta sea inferior a 150.000 euros se formalizarán en documento administrativo, que será título suficiente para su inscripción en el Registro de la Propiedad.

Los arrendamientos y demás negocios jurídicos de explotación de inmuebles, cuando sean susceptibles de inscripción en el Registro de la Propiedad, deberán formalizarse en escritura pública, para poder ser inscritos. Los gastos generados por ello serán a costa de la parte que haya solicitado la citada formalización.

En el otorgamiento de las escrituras ostentará la representación de la Administración General del Estado el Director General del Patrimonio del Estado o funcionario en quien delegue.

Los actos de formalización que, en su caso, se requieran en las adquisiciones derivadas del ejercicio de la potestad de expropiación y del derecho de reversión, serán efectuados por el Ministerio u organismo que los inste.

El arancel notarial que deba satisfacer la Administración pública por la formalización de los negocios patrimoniales se reducirá en el porcentaje previsto en la normativa arancelaria notarial.

Vamos a examinar las adquisiciones y enajenaciones de inmuebles que es donde puede haber actuación notarial.

Las *adquisiciones a título gratuito* se regulan en los artículos 19 y siguientes de la Ley de Patrimonio de las Administraciones Públicas.

La aceptación de las herencias, ya sean testamentarias o ab intestato, se entenderá hecha siempre a beneficio de inventario.

Las disposiciones por causa de muerte de bienes o derechos se entenderán a favor de la Administración General del Estado en los casos en que el disponente señale como beneficiario a alguno de sus órganos, a los órganos constitucionales del Estado o al propio Estado. En estos supuestos, se respetará la voluntad del disponente, destinando los bienes o derechos a servicios propios de los órganos o instituciones designados como beneficiarios, siempre que esto fuera posible y sin perjuicio de las condiciones o cargas modales a que pudiese estar supeditada la disposición, a las que se aplicarán las previsiones del apartado 4 del artículo siguiente.

Las herencias, legados y las donaciones, a favor de la Administración General del Estado serán aceptados por el Ministro de Hacienda, salvo los casos en que, con arreglo a la Ley del Patrimonio Histórico Español, la competencia esté atribuida al Ministro de Educación, Cultura y Deporte. No obstante, las donaciones de bienes muebles serán aceptadas por el Ministro titular del departamento competente cuando el donante hubiera señalado el fin a que deben destinarse.

Las disposiciones a título gratuito a favor de los organismos públicos vinculados o dependientes de la Administración General del Estado serán aceptadas por sus presidentes o directores.

Si las herencias, legados o donaciones llevan aparejados gastos o están sometidos a alguna condición o modo onerosos, solo podrán aceptarse si el valor del gravamen no excede del valor de lo que se adquiere, según tasación pericial. Si el gravamen excediese el valor del bien sólo podrá aceptarse si concurren razones de interés público debidamente justificadas.

Si la condición o modo consiste en su afectación permanente a determinados destinos, se entenderá cumplida y consumada cuando hubieren servido a ese destino durante treinta años.

El 21.5 impone una obligación al Notario que tuviera noticia de la existencia de algún testamento u oferta de donación a favor de la Administración General del Estado o de otro Organismo Público, ya que estará obligado a ponerlo en conocimiento de los servicios patrimoniales del Ministerio de Hacienda en el primer caso o del organismo público beneficiario en el otro caso.

Cuando a falta de otros herederos legítimos con arreglo al Derecho civil común o foral sea llamada la Administración General del Estado o las Comunidades Autónomas, corresponderá a la Administración llamada a suceder en cada caso efectuar en vía administrativa la declaración de su condición de heredero abintestato, una vez justificado debidamente el fallecimiento de la persona de cuya sucesión se trate, la procedencia de la apertura de la sucesión intestada y constatada la ausencia de otros herederos legítimos.

El procedimiento para la declaración de la Administración como heredera abintestato se iniciará de oficio, por acuerdo del órgano competente, por iniciativa propia o como consecuencia de orden superior, o en virtud de las comunicaciones a las que se refieren el artículo 791.2 de la Ley 1/2000, de 7 de enero, de Enjuiciamiento Civil, y el artículo 56.4 de la Ley del Notariado. En el caso de que el llamamiento corresponda a la Administración General del Estado, el órgano competente para acordar la incoación será el Director General del Patrimonio del Estado, tramitándose un expediente por la Delegación de Economía y Hacienda correspondiente al lugar del último domicilio conocido del causante en territorio español. De no haber tenido nunca domicilio en España, será competente la correspondiente al lugar donde estuviere la mayor parte de sus bienes.

El acuerdo de incoación del expediente debe publicarse en el BOE y en la web del Ministerio de Hacienda y una copia del acuerdo será remitida para su publicación en los tablones de anuncios de los Ayuntamientos correspondientes al último domicilio del causante, al del lugar del fallecimiento y donde radiquen la mayor parte de sus bienes para su exposición durante el plazo de un mes.

Se solicitará de las autoridades y funcionarios públicos, registros y demás archivos públicos, la información sobre el causante y los bienes y derechos de su titularidad que se estime necesaria para la mejor instrucción del expediente. Dicha información, de acuerdo con lo establecido en el artículo 64, será facilitada de forma gratuita.

La Abogacía del Estado de la provincia deberá emitir informe sobre las actuaciones practicadas. La resolución del expediente y, en su caso, la declaración de heredero abintestato a favor del Estado en la que se contendrá la adjudicación administrativa de los de bienes y derechos de la herencia, corresponde al Director General del Patrimonio del Estado, previo informe de la Abogacía General del Estado-Dirección del Servicio Jurídico del Estado. La resolución deberá publicarse en los mismos sitios en los que se hubiera anunciado el acuerdo de incoación del expediente.

La declaración administrativa de heredero abintestato, supondrá la aceptación de la herencia a beneficio de inventario, y permitirá la toma de posesión de los bienes y derechos del causante y, en su caso, a recabar de la autoridad judicial la entrega de los que se encuentren bajo su custodia. Si apareciesen bienes con posterioridad se incorporarán a la sucesión por resolución del Director General de Patrimonio, aunque si constan en registros públicos será suficiente el acuerdo del Delegado de Economía y Hacienda.

La declaración administrativa de heredero abintestato, o, en su caso, las resoluciones posteriores del Director General del Patrimonio del Estado o del Delegado de Economía y Hacienda acordando la incorporación de bienes y derechos al caudal relicto y su adjudicación, serán título suficiente para inscribir a favor de la Administración en el Registro de la Propiedad los inmuebles o derechos reales que figurasen en las mismas a nombre del causante. Si los inmuebles o derechos reales no estuviesen previamente inscritos, dicho título será bastante para proceder a su inmatriculación.

Por regla general se pasará a liquidar el patrimonio hereditario en la forma prevenida en el 956 CC, sin perjuicio de poder conservar aquellos bienes que interesen a la Administración. Una vez aprobada la liquidación del abintestato se realizará el ingreso de las cantidades pertinentes en el Tesoro, para consignarse en la partida de los Presupuestos Generales del Estado destinada a atender fines de interés social.

Adquisiciones a título oneroso: Están reguladas en los artículos 115 y siguientes de la Ley de Patrimonio.

La competencia para adquirir a título oneroso bienes inmuebles o derechos sobre los mismos corresponde al Ministro de Hacienda por propia iniciativa, o a petición razonada del departamento interesado, a la que deberá acompañar, cuando se proponga la adquisición directa de inmuebles o derechos, la correspondiente tasación. La tramitación del procedimiento corresponderá a la Dirección General del Patrimonio del Estado.

La adquisición de inmuebles o derechos sobre los mismos por los organismos públicos vinculados a la Administración General del Estado o dependientes de ella se efectuará por su presidente o director, previo informe favorable del Ministro de Hacienda.

El órgano competente tendrá que elaborar un expediente de adquisición al que deberán incorporarse una memoria, un informe de Abogacía del Estado o del órgano encargado de la asesoría jurídica para los casos de adquisición por entidades públicas, y la tasación pericial.

La adquisición podrá realizarse mediante concurso público o mediante el procedimiento de licitación restringida regulado en el apartado 4 de la disposición adicional decimoquinta, salvo que se acuerde la adquisición directa por las peculiaridades de la necesidad a satisfacer, las condiciones del mercado inmobiliario, la urgencia de la adquisición resultante de acontecimientos imprevisibles, o la especial idoneidad del bien.

Igualmente, se podrá acordar la adquisición directa: Cuando el vendedor sea otra Administración pública o, en general, cualquier persona jurídica de derecho público o privado perteneciente al sector público. También cuando fuera declarado desierto el concurso promovido para la adquisición o cuando se adquiera a un copropietario una cuota de un bien, en caso de condominio. Y por último cuando la adquisición se efectúe en virtud del ejercicio de un derecho de adquisición preferente.

Enajenación onerosa de inmuebles

Se aplicarán las siguientes normas tanto para la enajenación como para la imposición de gravámenes sobre dichos bienes.

El órgano competente para enajenar los bienes inmuebles de la Administración General del Estado será el Ministro de Hacienda. La incoación y tramitación del expediente corresponderá a la Dirección General del Patrimonio del Estado.

En relación con los inmuebles y derechos reales pertenecientes a los organismos públicos serán competentes para acordar su enajenación sus presidentes o directores o, si así está previsto en sus normas de creación o en sus estatutos, los órganos colegiados de dirección.

Cuando el valor del bien o derecho, según tasación, exceda de 20 millones de euros, la enajenación deberá ser autorizada por el Consejo de Ministros, a propuesta del Ministro de Hacienda.

Antes de la enajenación del inmueble o derecho real se procederá a depurar la situación física y jurídica del mismo, practicándose el deslinde si fuese necesario, e inscribiéndose en el Registro de la Propiedad si todavía no lo estuviese. No obstante, podrán venderse sin sujeción a lo anterior siempre que las condiciones conflictivas se pongan en conocimiento del adquirente y sean aceptadas por éste.

La enajenación podrá realizarse mediante subasta, concurso o adjudicación directa.

Se enajenarán por concurso aquéllos bienes que hayan sido expresamente calificados para ser enajenados por este procedimiento. A estos efectos, el Consejo de Ministros, a propuesta del Departamento responsable identificará los bienes que deben ser enajenados mediante este procedimiento y fijará los criterios que deben tomarse en cuenta en el concurso y su ponderación.

Se podrá acordar la adjudicación directa en los siguientes supuestos:

Cuando el adquirente sea otra Administración pública o, cualquier persona jurídica de derecho público o privado perteneciente al sector público.

Cuando el adquirente sea una entidad sin ánimo de lucro, declarada de utilidad pública, o una iglesia, confesión o comunidad religiosa legalmente reconocida.

Cuando el inmueble resulte necesario para dar cumplimiento a una función de servicio público o a la realización de un fin de interés general por persona distinta de las previstas en los dos supuestos anteriores.

Cuando fuera declarada desierta la subasta o concurso promovidos para la enajenación o éstos resultasen fallidos, siempre que no hubiese transcurrido más de un año desde la celebración de los mismos.

Cuando se trate de solares inedificables y la venta se realice a un propietario colindante.

Cuando se trate de fincas rústicas que no lleguen a constituir una superficie económicamente explotable o no sean susceptibles de prestar una utilidad acorde con su naturaleza, y la venta se efectúe a un propietario colindante.

Cuando la titularidad del bien o derecho corresponda a dos o más propietarios y la venta se efectúe a favor de uno o más copropietarios.

Cuando la venta se efectúe a favor de quien ostente un derecho de adquisición preferente reconocido por disposición legal.

Cuando por razones excepcionales se considere conveniente efectuar la venta a favor del ocupante del inmueble.

El expediente de enajenación de bienes de la Administración General del Estado será instruido por la Dirección General del Patrimonio del Estado de oficio, o a solicitud de parte interesada en la adquisición.

La convocatoria del procedimiento de enajenación se publicará en el «Boletín Oficial del Estado» y en el de la provincia en que radique el bien y se remitirá al Ayuntamiento del correspondiente término municipal para su exhibición en el tablón de anuncios, sin perjuicio de la posibilidad de utilizar, además, otros medios de publicidad.

Enajenación gratuita de inmuebles

La propiedad o sólo el uso de los bienes y derechos patrimoniales de la Administración General del Estado cuya afectación o explotación no se juzgue previsible podrán ser cedidos gratuitamente, para fines de utilidad pública o interés social de su competencia, a Comunidades Autónomas, entidades locales, fundaciones públicas o asociaciones declaradas de utilidad pública, aunque estas últimas sólo podrán adquirir el uso y no la propiedad.

Adicionalmente, esta transmisión podrá sujetarse a condición, término o modo, que se regirán por lo dispuesto en el Código Civil.

La cesión de bienes de la Administración General del Estado se acordará por el Ministro de Hacienda, a propuesta de la Dirección General del Patrimonio del Estado y previo informe de la Abogacía del Estado. No obstante, cuando se efectúe a favor de fundaciones públicas y asociaciones declaradas de utilidad pública la competencia para acordarla corresponderá al Consejo de Ministros.

Los organismos públicos vinculados a la Administración General del Estado sólo podrán ceder gratuitamente la propiedad o el uso de sus bienes a las instituciones antes señaladas, cuando tuviesen atribuidas facultades para su enajenación y no se hubiese estimado procedente su incorporación al patrimonio de la Administración General del Estado. En este caso serán competentes para acordar la cesión de los bienes los órganos que lo fueran para su enajenación, previo informe favorable de la Dirección General del Patrimonio del Estado o, del Consejo de Ministros.

Si los bienes cedidos no fuesen destinados al fin o uso previsto dentro del plazo señalado en el acuerdo de cesión o dejaran de serlo posteriormente, se incumplieran las cargas o condiciones impuestas, o llegase el término fijado, se considerará resuelta la cesión, y revertirán los bienes a la Administración cedente.

La resolución de la cesión se acordará por el Ministro de Hacienda, respecto de los bienes y derechos de la Administración General del Estado, y por los presidentes o directores de los organismos públicos, cuando se trate de bienes o derechos del patrimonio de éstos.

Si la cesión tuviese por objeto bienes inmuebles o derechos reales sobre ellos, se procederá a la práctica del correspondiente asiento a favor del cesionario en el Registro de la Propiedad. En la inscripción se hará constar el fin a que deben dedicarse los bienes y cualesquiera otras condiciones y cargas que lleve aparejada la cesión, así como la advertencia de que el incumplimiento de las mismas dará lugar a su resolución. La Orden por la que se acuerde la resolución de la cesión y la reversión del bien o derecho será título suficiente para la inscripción de la misma en el Registro de la Propiedad.

Constitución y disolución de sociedades y transmisiones de valores:

La constitución de sociedades, su disolución, la aportación de bienes a la misma y la adquisición o enajenación por la Administración General del Estado de títulos representativos del capital de sociedades mercantiles, sea por suscripción o compra, se acordará por el Ministro de Hacienda, previa autorización, en su caso, del Consejo de Ministros, en los supuestos que así lo establezca esta ley u otras que resulten de aplicación, con informe previo de la Dirección General del Patrimonio del Estado.

Dichas operaciones cuando se trate de organismos públicos vinculados a la Administración General del Estado o dependientes de ella corresponderá a sus directores o presidentes, previa autorización del Consejo de Ministros, cuando resulte necesaria.

En el caso de aportaciones no dinerarias efectuadas por la Administración General del Estado o sus organismos públicos a las sociedades mercantiles públicas anónimas, no será necesario el informe de expertos independientes previsto en la legislación mercantil, que será sustituido por la tasación prevista en el artículo 114 de esta ley.

Compete al Ministerio de Hacienda, a través de la Dirección General del Patrimonio del Estado, el ejercicio de los derechos que correspondan a la Administración General del Estado como partícipe directa de empresas mercantiles, tengan o no la condición de sociedades mercantiles estatales.

Los valores representativos de capital se podrán se podrán aportar o transmitir a una sociedad mercantil estatal o entidad pública empresarial cuyo objeto social comprenda la tenencia, administración, adquisición y enajenación de acciones y participaciones en entidades mercantiles. También se podrá celebrar un convenio de gestión por el que se concreten los términos en los que dicha sociedad estatal pueda proceder a la venta de valores por cuenta de la Administración General del Estado o de organismos públicos. La instrumentación jurídica de la venta a terceros de los títulos se realizará en términos ordinarios del tráfico privado.

Cuando los títulos y valores que se pretenda enajenar no coticen en mercados secundarios organizados, el órgano competente para la autorización de la enajenación determinará el procedimiento de venta que, normalmente, se realizará por concurso o por subasta. No obstante, el órgano competente podrá acordar la adjudicación directa cuando concurra alguno de los supuestos del artículo 175.5 de la Ley.

Actuación notarial

Corresponderá al Notario verificar que el acuerdo ha sido adoptado por el órgano que lo dicta, ya sea por sus competencias propias, o por delegación, avocación, delegación de firma o suplencia, en cuyo caso el acuerdo deberá expresar que se adoptan de tal modo. En estos casos el Notario deberá exigir la acreditación y publicación en su caso del acuerdo de delegación simple, de firma o la suplencia.

Por otro lado si el órgano que dicta la resolución es unipersonal, el Notario deberá verificar que es el funcionario competente y verificar su firma, aunque en la mayoría de los casos será firma electrónica y habrá que verificar un Código Seguro de Verificación.

Tratándose de Órganos Colegiados, el acuerdo deberá estar certificado por el Secretario.

En todo caso, como por lo general los acuerdos deberán estar informados favorablemente por la Abogacía del Estado u órgano encargado del asesoramiento jurídico de los demás Organismos Públicos, es recomendable exigir dicho informe para su examen. Al igual que recabar el informe de la Intervención General del Estado, u órgano encargado de la supervisión económica de los demás organismos públicos cuando sea necesario.

Hay que recordar en este punto el artículo 168 del Reglamento Notarial que dispone que las autoridades o funcionarios actuantes por razón de su cargo, no precisan presentar al Notario sus documentos de identidad si a este le consta el mismo por notoriedad. En los demás casos deberá justificarse documentalmente el cargo, por el acuerdo de su nombramiento, y la vigencia del mismo.

4.8.5.1.2. Comunidades Autónomas

Si bien la Constitución asume la unidad de la Nación española; reconoce autonomía a las Nacionalidades y Regiones que la forman.

En un principio la regulación de la Constitución estaba pensada para configurar a determinadas regiones históricas con mayores competencias y al resto con otras menores; en la práctica casi todas las Autonomías han desarrollado en su aspecto máximo la asunción de competencias. De este modo, en España se ha producido una profunda descentralización que hace que el funcionamiento del mismo se asemeje al de los Estados Federales.

En cuanto a su organización, la norma fundamental de las CCAA es su Estatuto donde se regulan sus aspectos básicos, sus competencias y órganos de Gobierno.

Disponen de una *Asamblea Legislativa* o Parlamento con funciones legislativas.

Las funciones ejecutivas y administrativas corresponden a un *Consejo de Gobierno*, donde las Consejerías funcionan a modo de Ministerios. Al frente del Consejo está el

Presidente autonómico elegido por la asamblea entre sus miembros y nombrado por el Rey. Al Presidente le corresponde conforme al 152 de la CE la máxima representación de la CCAA y la representación ordinaria del Estado en aquella.

En el ámbito judicial disponen de un *Tribunal Superior de Justicia* que culminará la organización judicial en su territorio, sin perjuicio de las competencias del Tribunal Supremo.

Además suelen disponer de otras figuras similares a las del Estado, como el Defensor del Pueblo, un Tribunal de Cuentas, u órganos de Consulta jurídica o un Consejo Económico y Social.

Las CCAA pueden tener competencias legislativas y ejecutivas exclusivas en materia de su competencia; competencias para el desarrollo de la legislación básica del Estado; o competencias de ejecución de la política legislativa exclusiva de aquel.

Administrativamente, se organizan de modo similar a la Administración del Estado, en órganos centrales o territoriales e incluso exteriores.

Dentro de los *órganos centrales* estarían las Consejerías o Departamentos con sus Direcciones Generales y órganos administrativos jerárquicamente dependientes actuando en régimen de descentralización funcional. Junto a ellos estaría su administración pública institucional con sus Organismos Autónomos, Agencias, Entidades Públicas, Fundaciones, Consorcios y Sociedades Mercantiles Públicas.

Territorialmente hay un Delegado del Gobierno autonómico en cada Provincia que dirige la administración autonómica en la misma. Muchas veces hay Delegaciones Provinciales de las distintas Consejerías en la Provincia que se coordinan en la Delegación de Gobierno autonómico.

En cuanto a la *representación exterior* de las CCAA, muchas cuentan con Oficinas de representación, fundamentalmente en Bruselas aunque también en otras ciudades con intereses para las respectivas CCAA.

Las distintas leyes autonómicas que regulan su estructura administrativa son las siguientes:

Andalucía: Ley 9/2007 de 22 de octubre.

Aragón: Decreto Legislativo 2/2001 de 3 de julio.

Asturias: Ley 8/1991 de 30 de julio.

Canarias: Ley 1/1983 de 14 de abril.

Cantabria: Ley 6/2002 de 10 de diciembre.

Castilla La Mancha: Ley 11/2003 de 25 de septiembre.

Castilla y León: Ley 3/2001 de 3 de julio.

Cataluña: Ley 13/2008 de 5 de noviembre.

Comunidad Valenciana: Ley 5/1983 de 30 de diciembre.

Extremadura: ley 1/2002 de 28 de febrero.

Galicia: Ley 1/1983 de 22 de febrero.

Islas Baleares: Ley 4/2001 de 14 de marzo.

La Rioja: Ley 8/2003 de 28 de octubre.

Madrid: Ley 1/1983 de 13 de diciembre.

Murcia: Ley 6/2004 de 28 de diciembre.

Navarra: Ley foral 14/2004 de 30 de diciembre.

País Vasco: Ley 7/1981 de 30 de junio.

En cuanto al régimen de funcionamiento de la Administración nos remitimos a lo establecido en el epígrafe anterior sobre competencia, delegación, avocación, delegación de firma, encomienda, suplencia y desconcentración puesto que la Ley 40/2017 del régimen Jurídico del Sector Público se aplica también a la administración autonómica.

Las Comunidades Autónomas cuentan con **autonomía financiera**, teniendo ingresos propios e ingresos por tributos cedidos por el Estado. Además la financiación de las mismas está regulada por la Ley Orgánica de Financiación de las Comunidades Autónomas (LOFCA) y los Conciertos con País Vasco y Navarra.

Nos remitimos a las normas de gestión patrimonial vistas al examinar la Administración General del Estado y sus organismos públicos que serán de aplicación a las Comunidades Autónomas y sus organismos públicos con las adaptaciones a los órganos equivalentes correspondientes que estarán determinados por las distintas normas autonómicas sobre la organización de su Administración.

4.8.5.1.3. Diputaciones Provinciales

La Administración Local está regulada en la **Ley 7/1985 de 2 de abril, Reguladora de las Bases del Régimen Local**. En cuanto a su capacidad económica, la norma fundamental es el **Real Decreto Legislativo 2/2004 de 5 de marzo por el que se aprueba el Texto Refundido de la Ley reguladora de las Haciendas Locales**.

El artículo 4 de la LBRL establece cuáles son las Administraciones Públicas de carácter territorial: Las Provincias y los Municipios, sin perjuicio de nombrar otras entidades como las islas, las comarcas, o las mancomunidades de municipios.

Las Entidades Locales fundamentales son la Provincias, e Islas y los Municipios; las demás mencionadas tendrán las potestades que determinen las leyes autonómicas que las creen.

Las potestades de las Entidades Locales pueden ser propias determinadas por la Ley; o delegadas por las CCAA o el Estado. Las delegadas se ejercerán de acuerdo con la norma de delegación.

Comenzando en este epígrafe por la Provincia, dispone el artículo 141 de la Constitución que la provincia es una entidad local con personalidad jurídica propia, determinada por la agrupación de municipios y división territorial para el cumplimiento de las actividades del Estado.

El Gobierno y la administración autónoma de las provincias estarán encomendados a Diputaciones u otras Corporaciones de carácter representativo.

No obstante, en los archipiélagos, las islas tendrán además su administración propia en forma de Cabildos o Consejos.

Su regulación básica está en la LBRL, cuyo artículo 31 establece que tiene personalidad jurídica y plena capacidad.

Órganos y Competencias:

Los Órganos de la Provincia son el Pleno de los diputados, el Presidente de la Diputación y la Junta o Comisión de Gobierno.

El *Pleno* está constituido por el Presidente y los Diputados, y tiene las competencias del 33 LBRL; sin perjuicio de poder delegar algunas de ellas en el Presidente o Junta de Gobierno. Hay otras facultades indelegables.

El *Presidente* tiene las competencias del artículo 34 y es quien ostenta la representación de la Diputación. Sin perjuicio de ello, puede delegar competencias, excepto las indelegables, en la Junta de Gobierno, o incluso delegaciones específicas en Diputados sean o no miembros de la Junta de Gobierno.

La *Junta de Gobierno* está formada por el Presidente y un número de diputados no superior al tercio del total, de libre designación y separación por el Presidente. La Junta de Gobierno tendrá las competencias que le atribuyan las leyes o le deleguen el Presidente o el Pleno.

Las competencias propias de la Provincia, que luego se desarrollarán por el órgano correspondiente, son las del 36 LBRL. Básicamente consisten en la coordinación de los servicios municipales, pudiendo presar servicios supramunicipales o comarcales, y en la asistencia y cooperación jurídica, económica y técnica con los Municipios.

Aparte de esas competencias propias, podrá desarrollar otras delegadas por el Estado o las Comunidades Autónomas. El Pleno necesita mayoría absoluta para delegar funciones o aceptar funciones delegadas, salvo aquellas impuestas por las Leyes.

Las Provincias para el desarrollo de sus fines podrán aprobar tasas, contribuciones especiales, precios públicos y recargos en el Impuesto de Actividades Económicas, adcmás de beneficiarse de la cesión de impuestos del Estado y de la posibilidad de participar en el Fondo complementario de financiación que prevé el 140 y siguientes de la LHL.

A los Cabildos Insulares Canarios y a los Consejos Insulares Baleares, se les reconocen los mismos recursos que a las Provincias.

Gestión patrimonial de las Diputaciones

También por su importancia práctica trataremos del régimen de los bienes de las Entidades Locales, regulados en los artículos 79 y siguientes de la LBRL.

Los bienes de la Diputación, pueden ser de dominio público, o patrimoniales. Son de dominio público los destinados a un uso o servicio público y comunales aquellos que se aprovechan corresponde en común a los vecinos. Son patrimoniales los demás.

Los de dominio público y comunales son inalienables, inembargables e imprescriptibles. Además pueden recuperar su posesión en cualquier momento.

Los patrimoniales se rigen por su legislación específica y en su defecto por el Derecho Privado; pudiendo recuperar la posesión de los mismos en el plazo de un año desde su pérdida.

La enajenación del patrimonio, así como la alteración de la calificación de los bienes de dominio público corresponde al Pleno. Se exige mayoría absoluta del para la enajenación de bienes cuya cuantía exceda del 20% de los recursos ordinarios del Presupuesto, para la cesión de bienes a título gratuito a otras Administraciones o Instituciones y para la alteración de la calificación jurídica de los bienes demaniales y comunales.

En cuanto a los requisitos, procedimientos de enajenación, y especialidades nos remitimos a lo que estudiaremos con mayor profundidad al hablar de los Municipios.

Operaciones de crédito

Por la importancia práctica en la vida notarial estudiaremos las competencias en las operaciones de crédito a suscribir por las Diputaciones. Sin perjuicio de desarrollar más ampliamente estos conceptos al hablar de los Municipios donde hablaremos también de los criterios de prudencia financiera y de los Planes económico financieros.

Serán competencia del Presidente las operaciones de crédito siempre que estén previstas en el Presupuesto y su cuantía acumulada en el ejercicio económico no supere el 10% de los recursos ordinarios. En el caso de operaciones de tesorería el importe acumulado de las operaciones vivas no puede superar el 15% de los ingresos corrientes liquidados en el ejercicio anterior.

Serán competencia del Pleno las operaciones de crédito cuya cuantía acumulada en el ejercicio económico exceda el 10% de los recursos ordinarios. Y en caso de las de tesorería cuando el importe acumulado de las operaciones vivas exceda del 15% de los ingresos corrientes liquidados el ejercicio anterior. Esta facultad del Pleno no es delegable y exige mayoría absoluta.

También corresponden al Pleno las operaciones de crédito excepcionales previstas en el 177.5 de la Ley de Haciendas Locales. Estas operaciones deben ser para gastos declarados necesarios y urgentes y para operaciones en que se den conjuntamente los siguientes requisitos: Que su importe anual total no supere el 5% de los recursos corrientes del presupuesto. Que la carga financiera total para la entidad, incluidas las operaciones proyectadas, no supere el 25% de dichos recursos. Y que queden canceladas antes de que proceda la renovación de la Corporación. Esta facultad también debe adoptarla el Pleno por mayoría absoluta.

Y asimismo corresponden al Pleno las operaciones de tesorería con la exclusiva finalidad de anticipar a los Ayuntamientos cantidades por Impuesto de Bienes Inmuebles e Impuesto de Actividades Económicas cuando sea la Diputación la que asuma su recaudación. La Diputación podrá anticipar hasta el 75% de la recaudación presumible. Estas operaciones tienen que estar canceladas al finalizar el ejercicio económico.

Especialidad en el País Vasco

En el País Vasco, el Parlamento autonómico está compuesto por un número de diputados igual para cada una de las tres Provincias, pese a la diferencia de población entre ellas. Esto es así porque funciona como una especie de segunda Cámara, siendo la de primer orden las Juntas Generales de cada territorio histórico.

En el País Vasco, cada Provincia conforma un Territorio Histórico con una Asamblea Legislativa, denominada Junta General, que elige un gobierno ejecutivo, la llamada Diputación Foral a cuyo frente está el Diputado General. Los territorios históricos tienen amplias competencias legislativas y ejecutivas, fundamentalmente en materia de impuestos.

Las competencias de los Territorios Históricos vascos son mucho mayores a las Provincias del Régimen Común, y las relaciones entre estas y con el Gobierno Autónoma Vasco se basan en los principios de cooperación y colaboración. Las relaciones entre esas Instituciones están reguladas en la Ley 27/83 de 25 de noviembre de relaciones entre las Instituciones Comunes de la Comunidad Autónoma y los Órganos Forales de sus Territorios Históricos.

Por su organización territorial el País Vasco, se asemeja a una entidad confederal.

Otras entidades locales supramunicipales

Los artículos 41 y siguientes de la LBRL regulan otras entidades supramunicipales:

Cabildos Insulares Canarios: Son los órganos de gobierno, administración y representación de cada isla, se rigen por las normas contenidas en la disposición adicional decimocuarta de esta ley y supletoriamente por las normas que las Diputaciones Provinciales, asumiendo las competencias de éstas, sin perjuicio de lo dispuesto en el Estatuto de Autonomía de Canarias.

En el Archipiélago Canario subsisten también las mancomunidades provinciales interinsulares exclusivamente como órganos de representación y expresión de los intereses provinciales. Integran dichos órganos los Presidentes de los Cabildos insulares de las provincias correspondientes, presidiéndolos el del Cabildo de la Isla en que se halle la capital de la provincia.

Los *Consejos Insulares de las Islas Baleares*: Son los órganos de gobierno, administración y representación de cada isla, y les son de aplicación las normas de esta ley que regulan la organización y funcionamiento de las Diputaciones provinciales, asumen sus competencias de acuerdo con lo dispuesto en esta ley y las que les correspondan de conformidad con el Estatuto de Autonomía de Baleares.

Las Comarcas: Las Comunidades Autónomas, de acuerdo con lo dispuesto en sus respectivos Estatutos, podrán crear en su territorio comarcas u otras Entidades que agrupen varios Municipios, cuyas características determinen intereses comunes precisados de una gestión propia o demanden la prestación de servicios de dicho ámbito.

Casi todos los Estatutos Autonómicos regulan la posibilidad de crear Comarcas y algunas las mantienen a efectos culturales o históricos. Otras Comunidades tienen leyes que regulan la creación de comarcas, por ejemplo la ley asturiana 3/1986; sin perjuicio de que en el Principado han tenido más éxito otras figuras como los Concejos o Parroquias. En otras Comunidades se han creado Comarcas no con carácter general sino para ciertas zonas con circunstancias propias, como es el caso de la Ley 1/991 de Castilla y León que creó la Comarca del Bierzo.

Sin perjuicio de ello hay Comunidades Autónomas donde han desarrollado legislación creando a la comarca como entidad con personalidad jurídica propia, y una organización similar a la de la Diputación, habiendo un Consejo comarcal constituido por el Pleno, dentro del cual se elige al Presidente y Vicepresidentes en su caso. Así tenemos la ley 8/1999 de Comarcas de Cantabria.

Pero la organización comarcal más completa la tenemos en Cataluña y Aragón; con el Decreto Legislativo 4/2003 que aprueba el Texto Refundido de la Ley de organización comarcal en Cataluña y el Decreto Legislativo 1/2006 que aprueba el Texto Refundido de la Ley de Comarcalización de Aragón.

Áreas Metropolitanas: El 43 LBRL dispone que las Comunidades Autónomas también podrán crear áreas metropolitanas de acuerdo con lo dispuesto en sus respectivos Estatutos.

Las áreas metropolitanas son Entidades locales integradas por los Municipios de grandes aglomeraciones urbanas entre cuyos núcleos de población existan vinculaciones económicas y sociales que hagan necesaria la planificación conjunta y la coordinación de determinados servicios y obras. La legislación autonómica determinará los órganos de gobierno y administración, en los que estarán representados todos los Municipios integrados en el área; el régimen económico y de funcionamiento, que garantizará la participación de todos los Municipios en la toma de decisiones y una justa distribución de las cargas entre ellos; así como los servicios y obras de prestación o realización metropolitana y el procedimiento para su ejecución.

Mancomunidades: Asimismo, se reconoce a los Municipios el derecho a asociarse con otros en mancomunidades para la ejecución en común de obras y servicios determinados de su competencia. Las Mancomunidades tienen personalidad y capacidad jurídicas para el cumplimiento de sus fines específicos y se rigen por sus Estatutos propios. Los Estatutos han de regular el ámbito territorial de la entidad, su objeto y competencia, órganos de gobierno y recursos, plazo de duración y cuantos otros extremos sean necesarios para su funcionamiento. En todo caso, los órganos de gobierno serán representativos de los Ayuntamientos mancomunados.

Podrán integrarse en la misma Mancomunidad Municipios pertenecientes a distintas Comunidades Autónomas, siempre que lo permitan las normativas de las Comunidades Autónomas afectadas.

4.8.5.1.4. Ayuntamientos

Dice el artículo 140 de la Constitución que los Municipios gozan de personalidad jurídica plena. Su gobierno y administración corresponde a sus respectivos Ayuntamientos, integrados por los Alcaldes y los Concejales.

Por su parte el 11 LBRL dispone que el Municipio es la Entidad local básica de la organización territorial del Estado y le reconoce personalidad jurídica y plena capacidad para el cumplimiento de sus fines.

En cuanto a su organización, dispone el 20 LBRL, que en todos los Ayuntamientos habrá Alcalde, Teniente de Alcalde y Pleno; además una Junta de Gobierno Local existirá en las poblaciones con más de cinco mil habitantes o en los de menos habitantes, cuando así lo disponga su reglamento orgánico o así lo acuerde el Pleno de su ayuntamiento. La Junta de Gobierno se integrará por el Alcalde y un número de concejales no superior al tercio del número legal.

Los artículos 20 y 21 regulan respectivamente las competencias del Alcalde y del Pleno; pudiendo aquel y este delegarlas, sin perjuicio de algunas indelegables. El 23 regula las competencias de la Junta de Gobierno.

Además en los Ayuntamientos habrá un Secretario Municipal que será el encargado de asesorar y dar fe de los actos municipales; y un Interventor encargado de la fiscalización económica.

El artículo 29 regula el régimen de Concejo Abierto para pequeños municipios. En dicho régimen, el gobierno y la administración municipales corresponden a un Alcalde y una Asamblea Vecinal de la que forman parte todos los electores. Ajustan su funcionamiento a los usos, costumbres y tradiciones locales y, en su defecto, a lo establecido en esta Ley y las leyes de las Comunidades Autónomas sobre régimen local.

Especialidades Municipios de gran población:

Se consideran tales los previstos en el artículo 121 de la LBRL.

Automáticamente: A los Municipios de más de 250.000 habitantes, aunque bastarán 175.000 habitantes para las capitales de provincia.

Previo acuerdo del Parlamento Autonómico correspondiente, y a iniciativa de los Municipios interesados: A los municipios que sean capitales de provincia, capitales autonómicas o sedes de las instituciones autonómicas. O cualquier municipio cuya población supere los 75.000 habitantes, que presente circunstancias económicas, sociales, históricas o culturales especiales.

El Pleno tendrá las competencias del 123 LBRL y en todo caso contará con un Secretario general y dispondrá de Comisiones de trabajo.

Corresponde al Pleno entre otras cosas, la determinación de los niveles esenciales de la organización municipal, entendiendo por tales las grandes áreas de gobierno, los coordinadores generales, dependientes directamente de los miembros de la Junta de Gobierno Local, sin perjuicio de las atribuciones del Alcalde para determinar el número de cada uno de tales órganos y establecer niveles complementarios inferiores.

El Alcalde tiene las facultades del artículo 124 LBRL y es quien representa al Ayuntamiento.

Existirá una Junta de Gobierno Local, cuyos miembros designará libremente el Alcalde incluso entre no concejales, y cuyo número no podrá exceder de un tercio del número legal de miembros del Pleno. La Junta de Gobierno contará con su propio Secretario. Tiene las competencias del 127 LBRL.

La gestión económico-financiera de los Municipios de gran población se ajustará a los criterios de estabilidad presupuestaria, y se introduce el principio de exigencia del seguimiento del coste de los servicios.

Se establece una separación de las funciones de contabilidad y de fiscalización de la gestión económico-financiera.

Todos los actos, documentos y expedientes de la Administración municipal y de todas las entidades dependientes de ella, de los que se deriven derechos y obligaciones de contenido económico estarán sujetos al control y fiscalización interna por la Intervención general municipal. A esta le corresponde la función pública de control y fiscalización interna en su triple acepción de función interventora, función de control financiero y función de control de eficacia.

Además podrán crear un Órgano de gestión tributaria para la gestión integral del sistema tributario municipal.

Por último, la DA 6ª de la LBRL ya preveía un *régimen especial para Madrid y Barcelona*. El régimen especial de Madrid está regulado en la Ley estatal 22/2006 de 4 de julio de capitalidad y régimen especial de Madrid; y el de Barcelona por la Ley estatal 1/2006 de 13 de marzo de régimen especial de Barcelona. Se basan en el régimen de Municipios de gran población añadiendo una organización más compleja dado el tamaño e importancia de ambos Municipios.

Competencias del Municipio y desarrollo de los Servicios

Desde la crisis económica que se inició a finales de 2007 se ha acentuado la importancia de la gestión efectiva de los servicios por parte de las administraciones. Las Entidades Locales se hallan bajo la tutela financiera de otras Administraciones, normalmente la Comunidad Autónoma.

Los artículos 25 y 26 establecen las competencias y servicios mínimos obligados a prestar por los Ayuntamientos. Sin perjuicio de que el Estado y las Comunidades Autónomas puedan delegar algunas funciones en los Municipios, en cuyo caso deberá aceptarse por estos y determinarse su duración que no podrá exceder de cinco años, e ir acompañada de una memoria económica y de la correspondiente financiación.

Para coordinar la prestación de servicios de los Municipios, la Diputación, con la conformidad de aquellos, propone al Ministerio de Hacienda la forma de prestación de los mismos, ya sea directamente o a través de consorcios, mancomunidades u otras fórmulas.

Se han impuesto unos objetivos de estabilidad presupuestaria, deuda pública y regla de gasto que deben cumplir las Administraciones para el gasto en que pueden incurrir para la prestación de los servicios. Derivado de aquello está la necesidad de presentar al Ministerio de Hacienda antes del 1 de noviembre de cada año el Coste Efectivo de los Servicios a prestar, que prevé el 116 ter.

La gestión por parte de los Ayuntamientos, de los servicios puede ser:

A) Gestión directa:

a) Gestión por la propia *Entidad Local.*

b) *Organismo autónomo* local.

c) *Entidad pública empresarial* local.

d) *Sociedad mercantil local*, cuyo capital social sea de titularidad pública.

Sólo podrán usarse las dos últimas fórmulas cuando se acredite con memoria justificativa con informe del Interventor que es más sostenible y eficiente que con las dos anteriores.

Se aplicará a los organismos autónomos y entidades públicas empresariales las normas de la Ley 40/2015 de régimen Jurídico de Sector Público. Su creación, modificación y extinción corresponde al Pleno, que aprobará sus Estatutos.

En los Organismos Autónomos locales deberá existir un consejo rector, cuya composición se determinará en sus estatutos.

En las Entidades Públicas Empresariales locales deberá existir un consejo de administración, cuya composición se determinará en sus Estatutos. El secretario del Consejo de Administración, que debe ser un funcionario público ejercerá las funciones de fe pública y asesoramiento legal de los órganos unipersonales y colegiados de estas entidades.

Las Sociedades Mercantiles locales se regirán íntegramente, cualquiera que sea su forma jurídica, por el ordenamiento jurídico privado, salvo las materias en que les sea de aplicación la normativa presupuestaria, contable, de control financiero, de control de eficacia y contratación.

Tanto los Organismos Autónomos, como las Entidades Públicas Empresariales y Sociedades Mercantiles Locales necesitarán autorización de la Concejalía, Área de gobierno u órgano equivalente al que estén adscritos para celebrar contratos por cuantía superior a la determinada por estos al crearlos.

B) Gestión indirecta: Mediante las distintas formas previstas para el contrato de gestión de servicios públicos en la Ley 9/2017 de Contratos del Sector Público.

Gestión patrimonial de los Municipios

Cabe repetir lo ya examinado al hablar de las Diputaciones Provinciales, compartiendo la regulación de los artículos 79 y siguientes de la LBRL.

Recordemos que pueden ser de dominio público, o patrimoniales. Son de dominio público los destinados a un uso o servicio público y comunales aquellos que se aprovechan corresponde en común a los vecinos. Son patrimoniales los demás.

Los de dominio público y comunales son inalienables, inembargables e imprescriptibles. Además pueden recuperar su posesión en cualquier momento.

Los montes vecinales en mano común se rigen por su ley específica.

Los patrimoniales se rigen por su legislación específica y en su defecto por el Derecho Privado; pudiendo recuperar la posesión de los mismos en el plazo de un año desde su pérdida.

La *enajenación del patrimonio*, así como la alteración de la calificación de los bienes de dominio público corresponde al Pleno del Ayuntamiento. Se exige mayoría absoluta del para la enajenación de bienes cuya cuantía exceda del 20% de los recursos ordinarios del Presupuesto, para la cesión de bienes a título gratuito a otras Administraciones o Instituciones y para la alteración de la calificación jurídica de los bienes demaniales y comunales.

El desarrollo del sistema de enajenación está regulado en los artículos 109 y siguientes del Reglamento de Bienes de las Entidades Locales RD 1372/1986 sin perjuicio de las normas autonómicas que puedan afectarles. Nos centraremos por su incidencia notarial en la enajenación y gravamen de bienes inmuebles.

Los bienes inmuebles patrimoniales no podrán enajenarse, gravarse ni permutarse sin autorización del órgano competente de la Comunidad Autónoma, cuando su valor exceda del 25 por 100 de los recursos ordinarios del presupuesto anual de la corporación. No obstante, se dará cuenta al órgano competente de la Comunidad Autónoma de toda enajenación de bienes inmuebles que se produzca.

Cesiones gratuitas

Los bienes inmuebles patrimoniales no podrán cederse gratuitamente sino a entidades o instituciones públicas para fines que redunden en beneficio de los habitantes del término municipal, así como a las instituciones privadas de interés público sin ánimo de lucro. De estas cesiones también se dará cuenta a la autoridad competente de la Comunidad Autónoma.

La cesión gratuita requiere la previa instrucción de un expediente que contendrá la memoria justificativa, la certificación del Registro de la Propiedad de titularidad del bien o derecho, la certificación del Secretario de la constancia del bien o derecho en el Inventario de bienes, informe del Interventor, dictamen suscrito por técnico de que los bienes no se hallan comprendidos en ningún plan de ordenación, reforma o adaptación, ni son necesarios para la entidad local ni es previsible que lo sean en los diez años inmediatos. Se le dará información pública por plazo no inferior a quince días.

La cesión de solares al organismo competente de promoción de la vivienda para construir viviendas de protección oficial revestirá, normalmente, la forma de permuta de los terrenos por dichas viviendas.

Si los bienes cedidos no fuesen destinados al uso dentro del plazo señalado en el acuerdo de cesión o dejasen de serlo posteriormente se considerará resuelta la cesión y revertirán aquellos a la Corporación Local.

Enajenaciones onerosas

Las enajenaciones de bienes patrimoniales se regirán en cuanto su preparación y adjudicación, por la normativa reguladora de la contratación de las Corporaciones Locales. Antes de iniciarse los trámites se procederá a depurar la situación física y jurídica del mismo, practicándose su deslinde si fuese necesario, e inscribiéndose en el Registro de la propiedad si no lo estuviese; además será necesaria la valoración técnica de los bienes o derechos a enajenar.

Las parcelas sobrantes serán enajenadas por venta directa al propietario o propietarios colindantes o permutadas con terrenos de los mismos.

Cuando se trata de enajenaciones o gravámenes que se refieran a monumentos, edificios y objetos de índole artística o histórica, será necesario el informe previo del órgano estatal o autonómico competente de acuerdo con la legislación sobre patrimonio histórico y artístico.

Adquisiciones:

En cuanto a las adquisiciones, están brevemente reguladas en los artículos 9 y siguientes del Reglamento de Bienes, siendo de aplicación supletoria lo previsto en la Ley de Patrimonio de las Administraciones Públicas y en todo caso lo previsto en la normativa autonómica correspondiente.

En cuanto a la regulación del Reglamento de Bienes dispone que los Municipios pueden adquirir, por la vía expropiatoria y ejecutiva administrativa o judicial que se regulará por la normativa específica.

La adquisición de bienes a título oneroso exigirá el cumplimiento de los requisitos contemplados en la normativa reguladora de la contratación de las Corporaciones Locales. Tratándose de inmuebles se exigirá, además, informe previo pericial, y siendo bienes de valor histórico o artístico se requerirá el informe del órgano estatal o autonómico competente, siempre que su importe exceda del 1 por 100 de los recursos ordinarios del Presupuesto de la Corporación o del límite general establecido para la contratación directa en materia de suministros.

La adquisición de bienes a título gratuito no estará sujeta a restricción alguna y se entenderá siempre hecha a beneficio de inventario. No obstante, si llevare aneja alguna condición o modalidad onerosa, sólo podrán aceptarse los bienes previo expediente en el que se acredite que el valor del gravamen impuesto no excede del valor de lo que se adquiere.

Operaciones de crédito.

Por la importancia práctica en la vida notarial estudiaremos las competencias en las operaciones de crédito a suscribir por los Ayuntamientos.

Ya hemos visto que los Ayuntamientos tienen que presentar anualmente al Ministerio de Hacienda un plan con el Coste Efectivo de los Servicios. Los Ayuntamientos para el cumplimiento y desarrollo de sus funciones contarán con los tributos propios y los cedidos por otras administraciones, además de los recursos del Fondo complementario de financiación previsto en los artículos 118 y siguientes de la LHL.

Sin perjuicio de ello pueden obtener financiación en la forma determinada por las Leyes, que tras la crisis han sometido a estrecha vigilancia y control las posibilidades de endeudamiento de los Municipios.

Así, el artículo 116 bis de la Ley de Haciendas Locales cuyo Texto Refundido fue aprobado por Real Decreto 2/2004, impone la obligación de elaborar un *Plan Económico Financiero*, con los requisitos que determine el Ministerio de Hacienda, a las Corporaciones Locales que incumplan el objetivo de estabilidad presupuestaria, o el objetivo de deuda pública o el objetivo de la regla de gasto. En estos casos la Diputación provincial o entidad equivalente asistirá al resto de corporaciones locales y colaborará con la Administración que ejerza la tutela financiera, según corresponda, en la elaboración y el seguimiento de la aplicación de las medidas contenidas en los planes económicos-financiero.

Durante el tiempo de vigencia de su plan económico-financiero o de su plan de ajuste, las Entidades Locales afectadas no podrán adquirir, constituir o participar en la constitución, directa o indirectamente, de nuevos organismos, entidades, sociedades, consorcios, fundaciones, unidades y demás entes. Tampoco podrán realizar aportaciones patrimoniales ni suscribir ampliaciones de capital de entidades públicas empresariales o de sociedades mercantiles locales que tengan necesidades de financiación. Excepcionalmente las Entidades Locales podrán realizar las citadas aportaciones patrimoniales si, en el ejercicio presupuestario inmediato anterior, hubieren cumplido con los objetivos de estabilidad presupuestaria y deuda pública y su período medio de pago a proveedores no supere en más de treinta días el plazo máximo previsto en la normativa de morosidad.

Por otro lado, el Real Decreto-ley 4/2012, de 24 de febrero, establece un mecanismo de financiación para el pago a los proveedores de las entidades locales que no han podido afrontar su pago en las condiciones allí determinadas. En este caso para poder acudir a dicha financiación el Pleno deberá aprobar un *Plan de Ajuste*.

El plan de ajuste deberá remitirse por la entidad local el día siguiente de su aprobación al órgano competente del Ministerio de Hacienda por vía telemática para su valoración.

Valorado favorablemente el plan de ajuste se entenderá autorizada la operación de endeudamiento prevista en el artículo 10 del Real Decreto. Este artículo dispone, que las entidades locales podrán financiar las obligaciones de pago abonadas en el mecanismo mediante la concertación de una operación de endeudamiento a largo plazo cuyas condiciones financieras serán fijadas por Acuerdo de la Comisión Delegada del Gobierno para Asuntos Económicos.

El plan de ajuste aprobado se extenderá durante operación de endeudamiento establecida en el artículo 10, debiendo los presupuestos generales anuales que se aprueben durante el mismo, ser consistentes con el mencionado plan de ajuste.

La *Ley de Haciendas Locales es también la que regula las operaciones de crédito de las Entidades Locales*.

Dice el artículo 48, que las entidades locales, sus organismos autónomos y los entes y sociedades mercantiles dependientes podrán concertar operaciones de crédito en todas sus modalidades, tanto a corto como a largo plazo, así como operaciones financieras de cobertura y gestión del riesgo del tipo de interés y del tipo de cambio.

Ahora bien el 48 bis obliga que todas las operaciones de crédito estén sujetas al *principio de prudencia financiera*. Entendiendo por prudencia financiera el conjunto de condiciones que deben cumplir las operaciones financieras de activos, pasivos y avales u otras garantías previstas en dicho artículo y que se establecerán por Resolución de la Secretaría General del Tesoro y Política Financiera, para las operaciones de activos y garantías, y por Resolución de la Secretaría General de Coordinación Autonómica y Local para las operaciones de pasivo.

Las operaciones de garantía que no se ajusten a prudencia financiera precisarán de autorización del órgano competente de la Administración Pública que tenga atribuida la tutela financiera de las Entidades Locales.

Operaciones de crédito a largo plazo

Para la financiación de sus inversiones, las entidades locales y sus organismos autónomos y los entes y sociedades mercantiles dependientes podrán acudir al crédito público y privado, a largo plazo, en cualquiera de sus formas: Emisión pública de deuda u otra apelación al crédito público o privado, contratación de préstamos o créditos; y conversión y sustitución total o parcial de operaciones preexistentes.

Para los casos excepcionales previstos en los artículos de esta ley 177.5, para gastos declarados necesarios y urgentes con los requisitos allí determinados; y en el 193.2, imposible reducción de gasto en el nuevo Presupuesto para compensar liquidación negativa del ejercicio anterior, el crédito sólo podrá instrumentarse mediante préstamos o créditos concertados con entidades financieras.

En cuanto a los *créditos extraordinarios*, están regulados en el 177 LHL. Cuando haya de realizarse algún gasto que no pueda demorarse hasta el ejercicio siguiente, y no exista en el presupuesto de la corporación crédito o sea insuficiente o no ampliable el consignado, el presidente de la corporación ordenará la incoación del expediente de concesión de crédito extraordinario, o de suplemento de crédito. Necesitará informe del Interventor y deberá ser aprobado por el Pleno con los mismos trámites y requisitos que los presupuestos. Excepcionalmente, se considerarán recursos efectivamente disponibles para financiar nuevos o mayores gastos, por operaciones corrientes, que expresamente sean declarados necesarios y urgentes, los procedentes de operaciones de crédito en que se den conjuntamente las siguientes condiciones:

Que su importe total anual no supere el cinco por ciento de los recursos por operaciones corrientes del presupuesto de la entidad.

Que la carga financiera total de la entidad, incluida la derivada de las operaciones proyectadas, no supere el 25 por ciento de los expresados recursos.

Que las operaciones queden canceladas antes de que se proceda a la renovación de la Corporación que las concierte.

Operaciones de crédito a corto plazo

Para atender necesidades transitorias de tesorería, las entidades locales podrán concertar operaciones de crédito a corto plazo, que no exceda de un año, siempre que en su conjunto no superen el 30 por ciento de sus ingresos liquidados por operaciones corrientes en el ejercicio anterior, salvo que la operación haya de realizarse en el primer semestre del año sin que se haya producido la liquidación del presupuesto de tal ejercicio, en cuyo caso se tomará en consideración la liquidación del ejercicio anterior a este último.

Se consideran operaciones a corto plazo: Los anticipos que se perciban de entidades financieras a cuenta de los productos recaudatorios de los impuestos devengados en cada ejercicio económico. Los préstamos y créditos concedidos por entidades financieras para cubrir desfases transitorios de tesorería. Las emisiones de deuda por plazo no superior a un año.

Garantías de las operaciones de crédito

El pago de las obligaciones derivadas de las operaciones de crédito podrá ser garantizado en la siguiente forma:

A) En operaciones de crédito a corto plazo:

a) Mediante la afectación de los recursos tributarios objeto del anticipo, devengados en el ejercicio económico, hasta el límite máximo de anticipo o anticipos concedidos.

b) En las operaciones de préstamo o crédito concertadas por organismos autónomos y sociedades mercantiles dependientes, con avales concedidos por la corporación correspondiente. Cuando la participación social sea detentada por diversas entidades locales, el aval deberá quedar limitado, para cada partícipe, a su porcentaje de participación en el capital social.

c)   Con la afectación de ingresos procedentes de contribuciones especiales, tasas y precios públicos.

B) En las operaciones de crédito a largo plazo:

a)   Con la constitución de garantía real sobre bienes patrimoniales.

b)   Con el instrumento previsto en el apartado A).b) anterior.

c)   Con la afectación de ingresos procedentes de contribuciones especiales, tasas y precios públicos, siempre que exista una relación directa entre dichos recursos y el gasto a financiar con la operación de crédito.

d)   Cuando se trate de inversiones cofinanciadas con fondos procedentes de la Unión Europea o con aportaciones de cualquier Administración pública, con la propia subvención de capital, siempre que haya una relación directa de ésta con el gasto financiado con la operación de crédito.

Garantía de operaciones ajenas

Cuando lo estimen conveniente a sus intereses y a efectos de facilitar la realización de obras y prestación de servicios de su competencia, las Entidades Locales pueden conceder su aval siempre de forma individualizada a las operaciones de crédito, que concierten personas o entidades con las que aquéllas contraten obras o servicios, o que exploten concesiones que hayan de revertir a la entidad respectiva.

También podrán conceder avales a sociedades mercantiles participadas por personas o entidades privadas, en las que tengan una cuota de participación en el capital social no inferior al 30 por ciento. En este caso el aval no podrá garantizar un porcentaje del crédito superior al de su participación en la sociedad.

Las operaciones de garantía ajena estarán sometidas a fiscalización previa y el importe del préstamo garantizado no podrá ser superior al que hubiere supuesto la financiación directa mediante crédito de la obra o del servicio por la propia entidad.

Operaciones de crédito y presupuesto municipal

La concertación de cualquiera de las modalidades de crédito previstas requerirá que la corporación disponga del presupuesto aprobado para el ejercicio en curso, lo que deberá ser justificado en el momento de suscribir el correspondiente contrato, póliza o documento mercantil en el que se soporte la operación, ante la entidad financiera correspondiente y ante el fedatario público que intervenga o formalice el documento.

Excepcionalmente, cuando se produzca la situación de prórroga del presupuesto, se podrán concertar las modalidades de operaciones de crédito previstas en el artículo 50 de la LHL.

Requisitos formales de las operaciones de crédito

En la concertación o modificación de toda clase de operaciones de crédito con entidades financieras de cualquier naturaleza se observará lo dispuesto en la Ley de Contratos de las Administraciones Públicas.

Deberán acordarse previo informe de la Intervención en el que se analizará, especialmente, la capacidad de la entidad local para hacer frente, en el tiempo, a las obligaciones que de aquéllas se deriven para ésta.

Serán competencia del Alcalde las operaciones de crédito a largo plazo previstas en el presupuesto, cuyo importe acumulado, dentro de cada ejercicio económico, no supere el 10 por ciento de los recursos de carácter ordinario previstos en dicho presupuesto. La concertación de las operaciones de crédito a corto plazo le corresponderán, cuando el importe acumulado de las operaciones vivas de esta naturaleza, incluida la nueva operación, no supere el 15 por ciento de los recursos corrientes liquidados en el ejercicio anterior.

Una vez superados dichos límites, la aprobación corresponderá al Pleno de la corporación local.

Supuestos de autorización de operaciones de crédito. Artículo 53 LHL

Cuando de los estados financieros que reflejen la liquidación de los presupuestos, los resultados corrientes y los resultados de la actividad ordinaria del último ejercicio, se deduzca un *ahorro neto negativo*, se exigirá autorización del Ministerio de Hacienda o del organismo autonómico correspondiente las siguientes operaciones: Operaciones de crédito a largo plazo, incluyendo las operaciones que modifiquen las condiciones contractuales o añadan garantías adicionales con o sin intermediación de terceros, la concesión de avales, y la sustitución de operaciones de crédito concertadas con anterioridad por parte de las entidades locales, sus organismos autónomos y los entes y sociedades mercantiles dependientes, que presten servicios o produzcan bienes que no se financien mayoritariamente con ingresos de mercado.

Cuando el ahorro neto sea de signo negativo, el Pleno de la respectiva corporación deberá aprobar un *plan de saneamiento financiero* a realizar en un plazo no superior a tres años, en el que se adopten medidas de gestión, tributarias, financieras y presupuestarias que permitan como mínimo ajustar a cero el ahorro neto negativo de la entidad, organismo autónomo o sociedad mercantil. Dicho plan deberá ser presentado conjuntamente con la solicitud de la autorización.

No obstante no será necesario presentar el Plan de saneamiento en caso de autorización de operaciones de crédito que tengan por finalidad la sustitución de operaciones de crédito a largo plazo concertadas con anterioridad, con el fin de disminuir la carga financiera o el riesgo de dichas operaciones, respecto a las obligaciones derivadas de aquéllas pendientes de vencimiento.

Por otro lado precisarán de autorización, aunque no haya ahorro neto negativo, las operaciones de crédito a largo plazo de cualquier naturaleza, incluido el riesgo deducido de los avales, cuando el volumen total del capital vivo de las operaciones de crédito vigentes a corto y largo plazo, incluyendo el importe de la operación proyectada, exceda del 110 por ciento de los ingresos corrientes liquidados o devengados en el ejercicio inmediatamente anterior.

Las entidades locales de más de 200.000 habitantes podrán optar por sustituir las autorizaciones contempladas, por la presentación de un escenario de consolidación presupuestaria, para su aprobación por el órgano competente. El escenario de consolidación presupuestaria contendrá el compromiso por parte de la entidad local, aprobado por su Pleno, del límite máximo del déficit no financiero, e importe máximo del endeudamiento para cada uno de los tres ejercicios siguientes.

En todo caso precisarán de la autorización del Ministerio de Hacienda las operaciones de crédito a corto y largo plazo, la concesión de avales, y las demás operaciones que modifiquen las condiciones contractuales o añadan garantías adicionales, en los siguientes casos:

a) Las que se formalicen en el exterior o con entidades financieras no residentes en España. A estos efectos no se considerará financiación exterior a las operaciones denominadas en euros que se realicen dentro del espacio territorial de los países pertenecientes a la Unión Europea y con entidades financieras residentes en alguno de dichos países; sin perjuicio de que deberán ser comunicadas previamente al Ministerio de Hacienda.

b) Las que se instrumenten mediante emisiones de deuda o cualquier otra forma de apelación al crédito público.

Actuación notarial

Cabe lo dicho en todos los casos de intervención de administraciones u Organismos Públicos. El Notario deberá verificar que el acuerdo ha sido adoptado por el órgano competente, exigiendo las delegaciones en su caso. Por otro lado deberá verificar que los acuerdos consten firmados, normalmente electrónicamente, por lo que deberá comprobar el Certificado Seguro de Validación.

En estos casos es aconsejable pedir los informes de Secretaría e Intervención, y asesoría jurídica en su caso, para apreciar la sujeción a los requisitos legales.

No obstante hay que tener en cuenta que si bien en muchas ocasiones es necesario el informe de Intervención, puede ocurrir que los reparos de este no impidan la adopción del acuerdo. Los efectos de los reparos y sus consecuencias están regulados en los artículos 216 y siguientes de la LHL.

4.8.5.1.5. Organismos Públicos

Dentro del Sector Público Institucional, podemos encontrar dos grandes tipos de entidades.

Por una parte los *Organismos Públicos*, que están vinculados o son dependientes de la Administración General del Estado. En este grupo están los Organismos Autónomos y las Entidades Públicas Empresariales.

Por otro lado, estarían una serie de *entes públicos no vinculados*, que gozan de una mayor autonomía de funcionamiento. Pertenecen a este grupo, las autoridades administrativas independientes, las sociedades mercantiles estatales, los consorcios, las fundaciones del sector público, los fondos sin personalidad jurídica y las universidades públicas no transferidas.

El inventario de la Administración Institucional y de los distintos entes públicos estatales, autonómicos y locales, previsto en el artículo 83 de la Ley del Régimen Jurídico del Sector Público es accesible actualmente a través de la web del Ministerio de Hacienda en la dirección http://www.minhafp.gob.es/es-ES/CDI/Paginas/Inventario/Inventario.aspx

En este epígrafe vamos a estudiar los Organismos Públicos. Están regulados en la **Ley 40/2015 del Régimen Jurídico del Sector Público.** Los artículos 87 a 97 contienen la regulación común a ambas figuras; del 98 al 102 las especialidades de los Organismos Autónomos y del 103 al 108 las especialidades de las Entidades Públicas Empresariales.

En cuanto a la *regulación común*:

Los organismos públicos tienen personalidad jurídica pública diferenciada, patrimonio y tesorería propios, así como autonomía de gestión. Dentro de su esfera de competencia, les corresponden las potestades administrativas precisas para el cumplimiento de sus fines, en los términos que prevean sus estatutos, salvo la potestad expropiatoria.

Pueden ser creados en ámbitos cuyas características justifiquen su organización en régimen de descentralización funcional o de independencia, con las siguientes finalidades:

Realización de actividades administrativas, sean de fomento, prestación o de gestión de servicios públicos o de producción de bienes de interés público susceptibles de contraprestación.

Actividades de contenido económico reservadas a las Administraciones Públicas.

Supervisión o regulación de sectores económicos, y públicos dependientes o vinculados a la Administración General del Estado, bien directamente o bien a través de otro organismo público

Los Organismos públicos se crean por Ley que determinará su tipo, fines, y Departamento de dependencia o vinculación. El anteproyecto que se eleve al Consejo de Ministros deberá ir acompañado de una propuesta de Estatutos y de un Plan de Actuación inicial, junto con el preceptivo informe favorable del Ministerio de Hacienda.

El Plan inicial de Actuación contendrá entre otras cosas: Las razones justificativas de su creación; el anteproyecto del presupuesto del primer ejercicio junto con el estudio económico-financiero que acredite la suficiencia de la dotación económica inicialmente asignada; y los objetivos del organismo.

Los organismos públicos deberán acomodar su actuación a lo previsto en su plan inicial de actuación que se actualizará anualmente mediante la elaboración del correspondiente plan anual que deberá ser aprobado en el último trimestre del año natural por el departamento del que dependa o al que esté vinculado el organismo

Los estatutos regularán, entre otras cosas: Las funciones del organismo, su estructura organizativa, el patrimonio y recursos económicos asignados. Los estatutos de los organismos públicos se aprobarán por Real Decreto del Consejo de Ministros a propuesta conjunta del Ministerio de Hacienda y Administraciones Públicas y del Ministerio al que el organismo esté vinculado o sea dependiente.

Los organismos públicos se estructuran en los órganos de gobierno, y ejecutivos que se determinen en su respectivo Estatuto. Los máximos órganos de gobierno son el Presidente y el Consejo Rector, aunque el estatuto puede prever otros órganos de gobierno con atribuciones distintas. A nivel organizativo, los organismos Públicos son clasificados por el Ministerio de Hacienda en tres grupos o niveles dependiendo del tamaño de su órgano de gobierno.

Los organismos públicos estatales de la misma naturaleza jurídica podrán fusionarse bien mediante su extinción e integración en un nuevo organismo público, bien mediante su extinción por ser absorbido por otro organismo público ya existente. La fusión se llevará a cabo mediante norma reglamentaria, aunque suponga modificación de la Ley de creación.

Los Organismos públicos estatales se disolverán cuando concurran las circunstancias del 96 de la Ley, entre ellas, por encontrarse en situación de desequilibrio financiero durante dos ejercicios presupuestarios consecutivos.

Publicado el acuerdo de disolución, se entenderá automáticamente iniciada la liquidación que conllevará la cesión e integración global, en unidad de acto, de todo el activo y el pasivo del organismo público en la Administración General del Estado que le sucederá universalmente. El órgano o entidad designada como liquidador determinará, en cada caso, el órgano o entidad concreta, de la Administración General del Estado, destinatario de dicho activo y pasivo.

La gestión y administración de sus bienes y derechos propios, así como de aquellos que se les adscriban para el cumplimiento de sus fines, será ejercida de acuerdo a la Ley 33/2003, de 3 de noviembre de Patrimonio de las Administraciones Públicas.

En este punto, la adscripción de bienes de la Administración a los organismos públicos llevará implícita su afectación al dominio público. Si los bienes o derechos adscritos no fuesen destinados al fin previsto, o dejaran de serlo posteriormente, o se incumpliesen cualesquiera otras condiciones establecidas para su utilización, el Director General del Patrimonio del Estado podrá cursar un requerimiento al organismo al que se adscribieron los bienes o derechos para que se ajuste en su uso a lo señalado en el acuerdo de adscripción, o proponer al Ministro de Hacienda la desadscripción de los mismos.

Cuando los bienes o derechos adscritos dejen de ser necesarios para el cumplimiento de los fines que motivaron la adscripción, se procederá a su desadscripción previa regularización, en su caso, de su situación física y jurídica por el organismo correspondiente. Se exceptúan de lo dispuesto y, en consecuencia, podrán ser enajenados por los organismos públicos los bienes adquiridos por ellos con el propósito de devolverlos al tráfico jurídico patrimonial de acuerdo con sus fines peculiares. En el caso de las entidades públicas empresariales que, en virtud de sus normas de creación o sus estatutos, tengan reconocidas facultades para la enajenación de sus bienes, cuando los inmuebles o derechos reales dejen de serles necesarios deberán comunicar esta circunstancia al Director General del Patrimonio del Estado.

Respecto a los bienes y derechos que tengan adscritos, corresponde a los organismos públicos el ejercicio de las competencias demaniales, así como la vigilancia, protección jurídica, defensa, administración, conservación, mantenimiento y demás actuaciones que requiera el correcto uso y utilización de los mismos.

La competencia para enajenar inmuebles corresponderá a sus Presidentes o Directores o, si así está previsto en sus normas de creación o en sus estatutos, los órganos colegiados de dirección. Será competente el Presidente o Director para enajenar muebles.

Se aplicará en todo caso lo visto en el apartado de la Gestión patrimonial de la Administración del Estado en cuanto al os procedimientos de enajenación.

Especialidades de los Organismos Autónomos

Los Organismos Autónomos, son aquellos organismos públicos, que desarrollan sus funciones en calidad de organizaciones instrumentales diferenciadas de la Administración Pública, pero dependiente de esta.

Se rigen fundamentalmente por el Derecho Administrativo, su personal será funcionario o laboral.

En su denominación deberá figurar la indicación «organismo autónomo» o su abreviatura «O.A».

El nombramiento de los titulares de los órganos de los organismos autónomos se regirá por las normas aplicables a la Administración General del Estado.

La contratación de los organismos autónomos se ajustará a lo dispuesto en la legislación sobre contratación del sector público. El titular del máximo órgano de dirección del organismo autónomo será el órgano de contratación.

En cuanto a la gestión patrimonial ya la hemos señalado en el apartado común a los organismos públicos.

Los recursos económicos de los organismos autónomos podrán provenir de: Los bienes y valores de su patrimonio y de sus productos y rentas; de las consignaciones específicas en los presupuestos generales del Estado; de transferencias corrientes o de capital que procedan de la Administración o entidades públicas; de donaciones, legados, patrocinios y otras aportaciones de entidades privadas y de particulares; y de cualquier otro recurso que estén autorizados a percibir, según las disposiciones por las que se rijan.

Los organismos autónomos aplicarán el régimen presupuestario, económico-financiero, de contabilidad, y de control establecido por la Ley General Presupuestaria 47/2003, de 26 de noviembre.

Ejemplos de Organismos Autónomos de la Administración del Estado son las Confederaciones Hidrográficas, la Agencia Española del Medicamento o la Biblioteca Nacional

Hay que recordar que las Comunidades Autónomas y la Administración Local también pueden crear Organismos Autónomos.

Entidades Públicas empresariales

Las Entidades Públicas Empresariales, son aquellos organismos públicos, que se financian mayoritariamente con ingresos de mercado y que junto con el ejercicio de potestades administrativas desarrollan actividades prestacionales, de gestión de servicios o de producción de bienes de interés público, susceptibles de contraprestación. Dependen de la Administración General del Estado o de un Organismo autónomo vinculado o dependiente de ésta, al que le corresponde la dirección estratégica, la evaluación de sus resultados y el control de eficacia.

Se rigen fundamentalmente por el Derecho Privado Mercantil, excepto la formación de voluntad de sus órganos, y el ejercicio de las potestades administrativas que se regirán por Derecho Administrativo.

Su personal será fundamentalmente laboral, con las especialidades del artículo 106.

En su denominación deberá figurar la indicación «entidad pública empresarial» o su abreviatura «E.P.E».

El personal directivo, que se determinará en los estatutos, será nombrado con arreglo a los criterios de competencia profesional y experiencia, atendiendo a la experiencia en el desempeño de puestos de responsabilidad en la gestión pública o privada. El resto del personal será seleccionado mediante convocatoria pública basada en los principios de igualdad, mérito y capacidad.

La contratación de las Entidades Públicas Empresariales se rige por lo dispuesto en la legislación sobre contratación del sector público.

En cuanto a la gestión patrimonial ya la hemos señalado en el apartado común a los organismos públicos.

Las Entidades Público Empresariales se financiarán mayoritariamente con ingresos de mercado derivados de sus operaciones, u obtenidos como contraprestación de sus actividades comerciales.

Además también con los recursos económicos que provengan de los bienes y valores de su patrimonio y de sus productos y rentas.

Solo excepcionalmente, cuando así lo prevea la Ley de creación, podrá financiarse con: Las consignaciones específicas en los Presupuestos Generales del Estado; con transferencias corrientes o de capital de las Administraciones o entidades públicas; y con donaciones, legados, patrocinios y otras aportaciones de entidades privadas.

Las Entidades Públicas Empresariales aplicarán el régimen presupuestario, económico-financiero, de contabilidad, y de control establecido por la Ley General Presupuestaria 47/2003, de 26 de noviembre.

Ejemplos de Entidades Públicas Empresariales de la Administración del Estado son Adif, Aena, el ICO o la FNMT.

Hay que recordar que las Comunidades Autónomas y la Administración Local también pueden crear Entidades públicas Empresariales.

4.8.5.1.6. Las Universidades

Hemos visto que el artículo 84 de la Ley 40/2015 del Régimen Jurídico del Sector público, divide al Sector Público Institucional en dos grandes bloques: Los Organismos Públicos, estudiados en el epígrafe anterior; y otra serie de entes que siendo considerados Administración Institucional, no tienen una vinculación o dependencia tan estrecha con la Administración General como los organismos públicos.

Dentro de este segundo grupo encuadra el artículo 84 a las Universidades Públicas no transferidas.

Debido a que la mayor parte de las competencias educativas se han transferido a las Comunidades Autónomas, ha sido precisa una Ley estatal que determine las competencias estatales y autonómicas en la materia y que fija el régimen jurídico básico de las mismas.

La ley fundamental en esta materia es la **Ley Orgánica 6/2001 de 21 de diciembre de Universidades.**

La ley se aplica tanto a las Universidades privadas como públicas, sin perjuicio de que sus Disposiciones Adicionales prevén una legislación específica para la Universidad Nacional de Educación a Distancia y la Universidad Internacional Menéndez Pelayo. Además de la sujeción de las Universidades católicas a los Acuerdos con la Santa Sede.

Las Universidades Públicas, son Administración Institucional, y son creadas por Ley del Parlamento Autonómico correspondiente, o por Ley de las Cortes Generales del Estado, a propuesta del Gobierno de la Nación, de acuerdo con el Consejo de Gobierno de la CCAA respectiva. En ambos casos es preceptivo el informe previo de la Conferencia General de Política Universitaria.

Las Universidades Privadas, que no son Administración Institucional, son creadas por personas físicas o jurídicas con sometimiento lo dispuesto en la Ley 6/2001. Las Universidades Privadas deben contar como requisito constitutivo, con el reconocimiento de la legislación autonómica o estatal que hemos visto apara la creación de las Universidades Públicas. Además es también preceptivo el informe de la Conferencia General de Política Universitaria.

Lo fundamental en las Universidades, tanto públicas como privadas es su autonomía que trata de regular y proteger la Ley. El artículo 2 dispone que las Universidades están dotadas de personalidad jurídica y desarrollan sus funciones en régimen de autonomía y de coordinación entre todas ellas.

Su objeto social exclusivo será la educación superior.

La autonomía de las Universidades comprende entre otras cosas: La elaboración de sus Estatutos y, en el caso de las Universidades Privadas, de sus propias normas de organización y funcionamiento. La elección, designación y remoción de sus órganos de gobierno y representación. La selección, formación y promoción del personal docente e investigador y de administración y servicios. La elaboración, aprobación y gestión de sus presupuestos y la administración de sus bienes.

Régimen Jurídico

Las Universidades públicas y privadas se regirán por la Ley de Universidades y por las normas autonómicas correspondientes.

Las Universidades públicas se regirán, además, por la Ley de su creación y por sus Estatutos, que serán elaborados por aquéllas y, previo su control de legalidad, aprobados por el Consejo de Gobierno de la Comunidad Autónoma. Los Estatutos además deben publicarse en el BOE. Se aplicará la Ley de Procedimiento Administrativo a las resoluciones dictadas por los órganos de las Universidades Públicas. Las resoluciones del Rector y los acuerdos del Consejo Social, del Consejo de Gobierno y del Claustro Universitario, agotan la vía administrativa.

El personal de administración y servicios estará formado por personal funcionario de las escalas de las propias Universidades y personal laboral contratado por la propia Universidad y será retribuido con cargo a los presupuestos de la Universidad.

Las Universidades Privadas se regirán además, por la Ley de su reconocimiento y por sus propias normas de organización y funcionamiento; y las normas correspondientes a la clase de personalidad jurídica adoptada.

Estructura

Las Universidades públicas y privadas estarán integradas por Escuelas, Facultades, Departamentos, Institutos Universitarios de Investigación, Escuelas de Doctorado y por aquellos otros centros o estructuras necesarios para el desempeño de sus funciones.

En las Universidades Públicas obligatoriamente existirán los siguientes órganos:

a) Colegiados: Consejo Social, Consejo de Gobierno, Claustro Universitario, Juntas de Escuela y Facultad y Consejos de Departamento. La elección de los representantes en el Claustro, Juntas y Consejos de departamento será por sufragio universal y secreto.

b) Unipersonales: Rector, Vicerrectores, Secretario General, Gerente, Decanos de Facultades, Directores de Escuelas, de Departamentos y de Institutos Universitarios de Investigación.

Consejo Social: Es el órgano de participación de la sociedad en la universidad. Le corresponde la supervisión de las actividades de carácter económico de la universidad y del rendimiento de sus servicios y promover la colaboración de la sociedad en la financiación de la universidad.

Asimismo, le corresponde la aprobación del presupuesto y de la programación plurianual de la Universidad, a propuesta del Consejo de Gobierno. Además le corresponde aprobar las cuentas anuales de la Universidad.

La Ley de la Comunidad Autónoma regulará su composición y la designación de sus miembros de entre personalidades de la vida cultural, profesional, económica, laboral y social, que no podrán ser miembros de la propia comunidad universitaria. Serán, no obstante, miembros del Consejo Social, el Rector, el Secretario General y el Gerente, así como un profesor, un estudiante y un representante del personal de administración y servicios, elegidos por el Consejo de Gobierno de entre sus miembros. El Presidente del Consejo Social será nombrado por la Comunidad Autónoma en la forma que determine la Ley respectiva.

Consejo de Gobierno: Es el órgano de gobierno de la Universidad. Establece las líneas estratégicas y programáticas, elabora los presupuestos, y ejerce las funciones previstas en esta Ley y las que establezcan los Estatutos.

El Consejo de Gobierno estará constituido por el Rector, que lo presidirá, el Secretario General y el Gerente, y por un máximo de 50 miembros. Formarán parte los Vicerrectores, y una representación de la comunidad universitaria, y una representación de Decanos y Directores, según establezcan los Estatutos. Además, cuando lo determinen los Estatutos, podrán ser miembros hasta un máximo de tres miembros del Consejo Social, no pertenecientes a la propia comunidad universitaria.

Claustro Universitario: Es el máximo órgano de representación de la comunidad universitaria.

Estará formado por el Rector, que lo presidirá, el Secretario General y el Gerente, y un máximo de 300 miembros. Le corresponde la elaboración de los estatutos, la elección del Rector, en su caso, y las demás funciones que le atribuye esta Ley.

Los estatutos regularán la composición y duración del mandato del Claustro. En todo caso, la mayoría de sus miembros serán profesores doctores con vinculación permanente a la universidad.

Junta de Facultad o Escuela: La Junta de Escuela o Facultad, presidida por el Decano o Director, es el órgano de Gobierno de ésta. La composición y el procedimiento de elección de sus miembros serán determinados por los Estatutos.

Consejo de Departamento: El Consejo de Departamento, presidido por su Director, es el órgano de gobierno del mismo. Estará integrado por los doctores miembros del Departamento, así como por una representación del resto de personal docente e investigador no doctor en la forma que determinen los Estatutos. En todo caso, los Estatutos garantizarán la presencia de una representación de los estudiantes y del personal de administración y servicios.

El Rector: Ostenta la representación de la Universidad. Ejerce la dirección, gobierno y gestión de la Universidad, desarrolla las líneas de actuación aprobadas por los órganos colegiados correspondientes y ejecuta sus acuerdos. Le corresponden cuantas competencias no sean expresamente atribuidas a otros órganos.

El Rector será elegido por el Claustro, o por la comunidad universitaria mediante elección directa y sufragio universal, según indiquen los estatutos de cada universidad, entre funcionarios en activo del Cuerpo de Catedráticos de Universidad que presten servicios en ella. El Rector elegido será nombrado por el órgano correspondiente de la Comunidad Autónoma.

El Rector podrá nombrar Vicerrectores entre los profesores doctores que presten servicios en la Universidad.

El Secretario General: Es nombrado por el Rector entre funcionarios públicos que presten servicios en la universidad, lo será también del Consejo de Gobierno.

El Gerente: Le corresponde la gestión de los servicios administrativos y económicos de la universidad. Será propuesto por el Rector y nombrado por éste de acuerdo con el Consejo Social.

Decanos de facultad y Directores de Escuela; Directores de Departamento y Directores de Institutos Universitarios de Investigación: Ostentan la representación de sus centros respectivos y ejercen las funciones de dirección y gestión ordinaria de éstos. Serán elegidos, en los términos establecidos por los estatutos.

Universidades Privadas: Sus normas de organización y funcionamiento establecerán sus órganos de gobierno y representación, así como los procedimientos para su designación y remoción, asegurando la representación de los diferentes sectores de la comunidad universitaria.

Los órganos unipersonales de gobierno de las Universidades privadas tendrán idéntica denominación a la establecida para los de las Universidades públicas.

Régimen económico y financiero, y gestión patrimonial

En el ejercicio de su actividad económico-financiera, las Universidades públicas se regirán por lo previsto en la Ley de Universidades y en la legislación financiera y presupuestaria aplicable al sector público.

Constituye el patrimonio de cada Universidad el conjunto de sus bienes, derechos y obligaciones y aquellos que las Administraciones públicas le puedan adscribir para su utilización en las funciones propias de las mismas.

Las Universidades asumen la titularidad de los bienes de dominio público afectos al cumplimiento de sus funciones. Se exceptúan, en todo caso, los bienes que integren el Patrimonio Histórico Español.

Cuando los bienes dejen de ser necesarios para la prestación del servicio universitario, o se empleen en funciones distintas de las propias de la Universidad, la Administración de origen podrá reclamar su reversión.

La administración y disposición de los bienes de dominio público, así como de los patrimoniales se ajustará a las normas generales que rijan en esta materia, por lo que nos remitimos a lo estudiado al hablar de la Ley de Patrimonio de las Administraciones Públicas. No obstante, y sin perjuicio de la aplicación de lo dispuesto en la legislación sobre Patrimonio Histórico Español, los actos de disposición de los bienes inmuebles y de los muebles de extraordinario valor serán acordados por la Universidad, con la aprobación del Consejo Social, de conformidad con las normas que, a este respecto, determine la Comunidad Autónoma.

Entre los ingresos de las universidades, además de las transferencias de las Instituciones Públicas, de los precios públicos obtenidos por sus enseñanzas públicas, de transferencias de entidades públicas y privadas, así como de herencias, legados o donaciones, se establece la posibilidad de concertar operaciones de crédito que deberá no obstante ser autorizada por la Comunidad Autónoma respectiva.

Las Universidades están obligadas a rendir cuentas de su actividad ante el órgano de fiscalización de cuentas de la Comunidad Autónoma, sin perjuicio de las competencias del Tribunal de Cuentas.

Las Universidades, con la aprobación del Consejo Social, podrán crear, por sí solas o en colaboración con otras entidades públicas o privadas, empresas, fundaciones u otras personas jurídicas de acuerdo con la legislación general aplicable. La dotación fundacional o la aportación al capital social y cualesquiera otras aportaciones a dichas entidades, con cargo a los presupuestos de la Universidad, quedarán sometidas a las normas que, a tal fin, establezca la Comunidad Autónoma.

Actuación Notarial

Para los actos que puedan formalizar las Universidades en documento público, habrá que tener en cuenta o los Estatutos en las Universidades públicas, o las Normas de Funcionamiento en las Privadas, para determinar el órgano competente.

Una vez determinado el órgano competente, habrá que determinar si es necesario algún tipo de autorización de la autoridad autonómica o estatal correspondiente.

Por último quien actúe deberá acreditar el nombramiento de su cargo y vigencia del mismo.

En cuanto a la identificación del Rector, si es de una Universidad Pública le podrán ser de aplicación los artículos 156, 4ª y 168 del Reglamento Notarial en cuanto a su identificación y reseña de circunstancias personales. En el caso de las Universidades Privadas, no estamos ante un funcionario público en el ejercicio de su cargo.

4.8.5.1.7. *Administración Corporativa*

Con el término Administración Corporativa se conoce a una serie de entes que presentan una naturaleza mixta entre el Derecho Público y el Derecho Privado.

Hemos estudiado en epígrafes anteriores a la Administración territorial, ya sea central, autonómica y local, y a ciertos entes de la Administración institucional. En ellos la característica principal es su indudable caracterización como Administración Pública sujeta el Derecho Público.

En otros epígrafes se estudiarán las sociedades mercantiles públicas, que son entidades sujetas al derecho privado en cuanto a su funcionamiento, sin perjuicio de que en su creación, control y tutela económica financiera están sometidas a normas de Derecho Público.

En la Administración Corporativa nos encontramos con unos entes que en su base tienen a unos particulares que se asocian en aras a la defensa y organización de sus intereses propios; pero con la peculiaridad de que esos fines particulares son sentidos por el Estado como dignos de interés también público.

Son por tanto, en palabras de CEPEDA MORRAS, corporaciones de base privada a las que se les encomienda determinadas funciones de interés público, y en esta medida tienen carácter de Administración.

La Administración Corporativa es expresión de la descentralización funcional del Estado, el cual, en determinados ámbitos, aprovecha una organización social existente, o la crea de nuevo, atribuyéndole determinadas prerrogativas públicas, pero sin considerarla directamente Administración Pública, con el consiguiente ahorro tanto en personal, como presupuestario, y persiguiendo criterios de eficiencia y autorregulación.

En un principio tienen mucho en común con las asociaciones privadas, que también son grupos de personas que se unen para la defensa de sus intereses.

No obstante, sus características principales que las distinguirían de estas son:

Ser creadas por un acto de poder del Estado que determina su estructura y fines.

Obligatoriedad de pertenencia para los miembros de determinada profesión u actividad, ya sea directamente por norma estatutaria, o indirectamente como requisito para el ejercicio de la actividad o profesión. Esta obligatoriedad no implica que no puedan coexistir con asociaciones de profesionales de los mismos ámbitos, dado el principio constitucional de libertad de asociación. Lo que ocurre es que sólo la Corporación tendrá el carácter de administración Corporativa, no pudiendo existir por ejemplo dos Colegios Profesionales o Cámaras de la misma profesión o actividad, pero si asociaciones de profesionales o empresarios paralelas a los Colegios o Cámaras.

Carácter monopolístico de la función encomendada en su sector de actividad, impuesta precisamente por la Administración por el fin público perseguido.

Naturaleza mixta pública y privada: Sus fines y su estructura se someten al Derecho Público, y los actos de sus órganos en el campo de sus fines públicos, son actos administrativos sujetos a la jurisdicción Contenciosa Administrativa. En cambio su actividad logística, y de desarrollo de medios ordinaria está sujeta a derecho privado, de modo que sus empleados no son empleados públicos, ni sus contratos están sometidos a la legislación de contratación pública, ni su contabilidad a las normas de control público.

La Administración Corporativa, ha sido tradicionalmente un modo propio del derecho latino de atribución de potestades públicas a organizaciones de base privada, que ejercen determinados fines que son considerados como públicos y por ellos dignos de intervención estatal pero sin incorporarlos plenamente al entramado administrativo. Son entidades a las que se le reconoce personalidad jurídico-pública, pero sin encuadrarse en la Administración Pública propiamente dicha.

En las Constitución Española, se refiere a ellas el artículo 52 que establece *«La ley regulará las organizaciones profesionales que contribuyan a la defensa de los intereses económicos que les sean propios. Su estructura interna y funcionamiento deberán ser democráticos».*

En cuanto a la adscripción o no obligatoria de los profesionales del sector a la Corporación de Derecho Público, el Tribunal Constitucional establece que la misma dependerá en definitiva de los fines perseguidos por la Corporación, de modo que podrá haber Corporaciones con adscripción obligatoria (p.e. determinados Colegios Profesionales, o las Cámaras de Comercio), junto con otros en los que sea no obligatoria (p.e. Cámaras Agrarias, Cofradías de Pescadores...).

Así la Sentencia del Tribunal Constitucional 132/1989, estableció que *«no cabe excluir que el legislador, para obtener un adecuada representación de intereses sociales, o por otros fines de interés general, prevea, no sólo la creación de entidades corporativas, sino también la obligada adscripción a este tipo de entidades, de todos los integrantes dc un sector social concreto, cuando esa adscripción sea necesaria para la consecución de los efectos perseguidos».*

Ahora bien ello supondría una restricción efectiva de las opciones de los ciudadanos a formar libremente las organizaciones que estimaran convenientes para perseguir la defensa de sus intereses, y por consiguiente, ha de considerarse la adscripción obligatoria a esas Corporaciones Públicas como un tratamiento excepcional respecto del principio de libertad, que debe encontrar suficiente justificación, bien en disposiciones constitucionales bien, a falta de ellas, en las características de los fines de interés público que persigan y cuya consecución la Constitución encomiende a los poderes públicos. Concluye la sentencia que *«El criterio para determinar la aceptabilidad de la adscripción obligatoria a una Corporación es el de que tal adscripción forzosa esté justificada por la naturaleza de los fines perseguidos, de forma que la integración forzosa resultase necesaria para el cumplimiento de los fines relevantes de interés general».*

El examen conjunto de las STCs 132/1989, 139/1989 Y 113/1994 permite concluir, ante todo, que la atribución de funciones públicas, en principio, puede justificar la afiliación forzosa; siempre que esa atribución sea concreta y no de manera vaga o genérica.

Las Corporaciones de Derecho Público, extrañas en el Derecho anglosajón, son cuestionadas en el ámbito comunitario, donde la Directiva de Servicios 2006/123 trata de acotar esta Administración Corporativa fijando cuáles de los sectores tradicionalmente organizados a través de aquella, son efectivamente merecedores de intervención estatal que los excluya de la libre asociación y libre competencia en definitiva, y cuáles en los que deberían desaparecer y regularse exclusivamente por el Derecho Privado sin ninguna intervención estatal que pueda restringir aquellas libertades.

4.8.5.1.7.1. Comunidades de Regantes y Usuarios

El artículo 81.1 del **Texto Refundido de la Ley de Aguas 1/2001 de 20 de julio**, establece: *«los usuarios del agua y otros bienes del dominio público hidráulico de una misma toma o concesión deberán constituirse en comunidades de usuarios. Cuando el destino dado a las aguas fuese principalmente el riego, se denominarán comunidades de regantes; en otro caso, las comunidades recibirán el calificativo que caracterice el destino del aprovechamiento colectivo».* Dicho artículo tiene por título «Obligación de constituir Comunidades de Usuarios», obligación que ya impuso la primera Ley de Aguas de 1866.

La Regulación de la misma está en los artículos 81 y siguientes de la mencionada Ley de Aguas y desarrolla en los artículos 198 y siguientes del **Reglamento de Dominio Público Hidráulico, aprobado por Real Decreto 849/1986 de 11 de abril**. La novedad es que si bien tradicionalmente se aplicaban a los usuarios de aguas de riego superficiales, ahora se quiere extender su aplicación a usuarios de cualquier acuífero independientemente de la finalidad del uso. La tendencia legislativa es a que se constituyan tantas Comunidades de Usuarios como tomas de agua haya en un caudal para un uso en una zona regable independiente. Si los usuarios no la constituyen, el propio Organismo de Cuenca podrá imponer su creación.

En cuanto a su naturaleza jurídica, el artículo 82 de la Ley de Aguas establece que las Comunidades de Usuarios, son Corporaciones de Derecho público, adscritas al Organismo de Cuenca correspondiente.

El procedimiento de constitución está regulado en el 201 del Reglamento. Es un procedimiento que se inicia con la convocatoria de una Junta General a todos los interesados. La Junta relacionará los usuarios y el caudal que cada uno pretenda utilizar y acordará las bases de los proyectos de Ordenanzas y Reglamentos por los que se regirá la Comunidad, nombrando una Comisión redactora de dichos proyectos y a su Presidente. Aprobados los proyectos pueden ser examinados por quienes tengan interés en la forma y plazos que determina el Reglamento. El Organismo de Cuenca puede denegar la aprobación si no se han cumplido las formalidades exigidas o si en los Estatutos se contiene alguna norma que vaya contra la legislación vigente; en otro caso, declarará por Resolución constituida la Comunidad y aprueba sus ordenanzas y reglamentos.

Los estatutos u ordenanzas regulan la organización de las comunidades de usuarios. Deben incluir la finalidad y el ámbito territorial de utilización, regularán la participación y representación obligatoria de los titulares que tendrán que satisfacer en proporción equitativa a los gastos comunes, así como los cánones y tarifas que correspondan. Además establecerán las infracciones y sanciones que puedan ser impuestas por el jurado de acuerdo con la costumbre y el procedimiento propios de los mismos, garantizando los derechos de audiencia y defensa de los afectados.

No obstante, al ser una figura tradicional, dispone el artículo 85 de la Ley que los aprovechamientos colectivos, que hasta ahora hayan tenido un régimen consignado en ordenanzas debidamente aprobadas, continuarán sujetos a las mismas mientras los usuarios no decidan su modificación de acuerdo con ellas.

En cuanto a las potestades administrativas, dispone el artículo 83 que podrán ejecutar por sí mismas y con cargo al usuario, los acuerdos incumplidos que impongan una obligación de hacer. El coste de la ejecución subsidiaria será exigible por la vía administrativa de apremio.

Las deudas a la comunidad de usuarios por gasto de conservación, limpieza o mejoras, así como cualquier otra motivada por la administración y distribución de las aguas, gravarán la finca o industria en cuyo favor se realizaron, pudiendo la comunidad de usuarios exigir su importe por la vía administrativa de apremio, y prohibir el uso del agua mientras no se satisfagan, aun cuando la finca o industria hubiese cambiado de dueño. El mismo criterio se seguirá cuando la deuda provenga de multas e indemnizaciones impuestas por los tribunales o jurados de riego.

Como toda Corporación de Derecho público, en lo relativo a su constitución y organización, así como cuando ejerciten potestades públicas los actos de sus órganos tendrán la consideración de actos administrativos sometidos al Derecho Administrativo y al control jurisdiccional contencioso administrativo. Por lo demás se regirán por el Derecho Privado, fundamentalmente en lo referente a su personal, su patrimonio y a la contratación.

Órganos

El artículo 84 establece los órganos obligatorios de las Comunidades de Usuarios, que son:

La Junta o Asamblea General. Constituida por todos los usuarios de la comunidad, es el órgano soberano de la misma, tendrá todas las facultades no atribuidas específicamente a algún otro órgano. Tiene un Presidente, que es el representante legal de la Comunidad de Usuarios y un Secretario. El cargo de Presidente tendrá la duración determinada en los Estatutos y se renovará a la vez que los vocales de la Junta de Gobierno, y el Secretario es de duración indefinida.

La Junta de Gobierno. Es elegida por la Junta General y es la encargada de la ejecución de las ordenanzas y de los acuerdos propios y de los adoptados por la junta general. Se compone de los Vocales, el Presidente será elegido en la forma determinada por los Estatutos, y normalmente será a su vez Presidente de la Comunidad. Los vocales elegirán a un Tesorero y a un Secretario.

Los actos de la Junta General y de Gobierno son ejecutivos de acuerdo con la Ley de Procedimiento Administrativo, sin perjuicio de su impugnación en alzada ante el Organismo de Cuenca

– Jurados. Dirimen las cuestiones que puedan surgir entre los usuarios e imponen las sanciones. Los procedimientos serán públicos y verbales en la forma que determine la costumbre y el reglamento. Sus fallos ejecutivos e irrecurribles en vía administrativa y judicial. Su Presidente será un Vocal de la Junta de Gobierno, actuando de Secretario el que lo sea de la Junta de Gobierno o el que designe las Ordenanzas.

Por último, en cuanto a su extinción, el artículo 214 del Reglamento del Dominio Público Hidráulico, establece las causas. Entre otras cabe destacar la renuncia al aprovechamiento, formulada al menos por las tres cuartas partes de los comuneros, a menos que los que no hubieran renunciado acuerden mantener la Comunidad con la modificación de sus Estatutos y de la inscripción registral.

4.8.5.1.7.2. Cámaras Agrarias

Las Cámaras Agrarias son Corporaciones de Derecho Público, creadas por el poder público para la consecución de fines de interés general relacionados con el mundo agrario.

Tradicionalmente tuvieron mayor importancia de la que hoy tienen. En 1919 se dispuso la creación a nivel provincial de una Cámara Oficial Agrícola de adscripción obligatoria para los contribuyentes rústicos o pecuarios que superasen un determinado umbral. En 1947 se les atribuyó el carácter de Corporaciones de Derecho Público.

El Real Decreto 1336/1977, de 2 de junio, creó las Cámaras Agrarias tanto a nivel municipal, provincial o estatal, como Corporaciones de derecho público, con fines de consulta y colaboración con la Administración en temas de interés general agrario, asumiendo las anteriores Hermandades Sindicales Agrarias. No obstante se elimina la adscripción obligatoria por la proclamación de la libertad sindical y de derechos de organización de empresarios y trabajadores del campo, apareciendo, paralelamente a las Cámaras Agrarias, las Organizaciones Profesionales Agrarias, que son asociaciones de Derecho Privado que persiguen intereses colectivos de sus miembros.

Al ser la regulación agraria, competencia de las Comunidades Autónomas en virtud del 148.1.7 de la Constitución, fueron promulgando leyes diversas, lo que llevó al Estado a promulgar la Ley 23/1986, de 24 de diciembre, por la que se establecen las bases del régimen jurídico de las Cámaras Agrarias. No obstante, dado el desarrollo legislativo autonómico, la ley de 1986 fue derogada por la Ley 18/2005. La derogación de la normativa estatal obedece, según la Exposición de Motivos, por una parte, a la pérdida de funciones de las Cámaras Agrarias, y de otra parte, a que la norma de 1986 venía constriñendo la capacidad de las Comunidades Autónomas para regular las Cámaras Agrarias.

Muchas Comunidades Autónomas han eliminado las figuras de las Cámaras Agrarias, ya sea totalmente, o dejándolas sólo a nivel local o sólo a nivel provincial, o sustituyéndolas por otras organizaciones, fundamentalmente por Consejos Agrarios, órganos consultivos de Derecho Público, que sirven de enlace con las distintas Asociaciones Profesionales Agrarias. Otras Comunidades Autónomas aún las mantienen con diversa regulación y funciones.

Dentro de las primeras, tenemos al **País Vasco** que mediante la Ley 13/2007, de 27 de diciembre, declara extinguidas las Cámaras Agrarias Territoriales de Álava, de Bizkaia, y la de Gipuzkoa**. La Rioja**, que a través de la Disposición Derogatoria 1ª.1 de Ley 11/2006, de 27 diciembre deroga la Ley 4/1997, de 27 de mayo, de la Cámara Agraria de La Rioja. **Galicia**, con la Ley 1/2006 del Consejo Agrario Gallego, quedan disueltas las cámaras agrarias provinciales. **Asturias**, con la Ley del Principado de Asturias 5/2014, de 6 de junio, de extinción de la Cámara Agraria del Principado de Asturias. **Extremadura** con la Ley 3/1997, de 20 de marzo, de extinción de las Cámaras Agrarias Locales. **Murcia**, con la Ley 5/2008, de 13 de noviembre, por la que se extingue la Cámara Agraria de la Región de Murcia. **Cataluña**, con la Ley 17/2014, de 23 de diciembre, de representatividad de las organizaciones profesionales agrarias, que extingue las Cámaras Agrarias**. Navarra**, con la Ley Foral 4/1998, de 6 de abril, que crea y regula la Cámara Agraria de Navarra derogada por la Disposición Derogatoria Única Ley Foral 21/2008, de 24 de diciembre. **Canarias**, con la Ley 6/2010, de 8 de julio, por la que se extinguen las Cámaras Agrarias de la Comunidad Autónoma de Canarias. **Baleares**, con el Decreto 86/2006, de 29 de septiembre, regulador del procedimiento para la liquidación de las Cámaras Agrarias locales e interinsular. **Andalucía**, con El Decreto-Ley 5/2010, de 27 de julio, que en de su Capítulo II extingue las Cámaras Agrarias de cualquier ámbito territorial de la Comunidad Autónoma de Andalucía.

Las Comunidades Autónomas que aún las regulan serían: **Cantabria**, con la Ley 3/1998, de 2 marzo de regulación de las Cámara Agraria de Cantabria. **Aragón**, con la

Ley 2/1996, de 14 mayo de Cámaras Agrarias. **Castilla La Mancha**, con la Ley 1/1996, de 27 junio, de regulación de las Cámaras Agrarias. **Castilla y León**, con la Ley 1/1995, de 6 de abril, de las Cámaras Agrarias de Castilla y León. **Madrid**, con la Ley 6/1998, de 28 de mayo, de régimen jurídico de Cámara Agraria de la Comunidad de Madrid. Y la **Comunidad Valenciana**, con la Ley 5/1995, de 20 de marzo, de Consejos Agrarios Municipales Valencianos.

Donde se mantiene la regulación, las Cámaras siguen siendo Corporaciones de Derecho Público, con personalidad propia para la gestión de su patrimonio y la defensa de sus intereses, y con funciones de consulta y colaboración con las autoridades autonómicas, pero sin ninguna función representativa sindical o profesional que están reservadas a las Organizaciones Profesionales Agrarias.

En lo relativo a su constitución y organización, así como cuando ejerciten potestades públicas los actos de sus órganos tendrán la consideración de actos administrativos sometidos al Derecho Administrativo y al control jurisdiccional contencioso administrativo. Por lo demás se regirán por el Derecho Privado, fundamentalmente en lo referente a su personal, su patrimonio y a la contratación.

En cuanto a la adscripción obligatoria o no de los profesionales a ella, la Jurisprudencia del Tribunal Constitucional derivada de entre otras la mencionada STC 132/1989 supeditó la adscripción obligatoria a la justificación de los fines perseguidos, de forma que la misma resultase necesaria para el cumplimiento de los fines de interés general. En este caso la jurisprudencia del TC concluye con la no exigencia de integración obligatoria en las mismas, pues las funciones consultivas y colaboradoras con la Administración no exigen dicha adscripción ya que las puede desarrollar una asociación privada; y respecto al ejercicio de funciones administrativas delegadas, la vaguedad e imprecisión con que se alude a ellas no justifica esa obligación.

Órganos

Cuentan con un Pleno, y una Comisión Ejecutiva en la que habrá un Presidente y un Secretario.

El Pleno es el órgano soberano y suele ser elegido por representación proporcional entre los electores, que suelen ser tanto personas físicas, como personas jurídicas que se dediquen a la actividad agraria.

La Comisión Ejecutiva ejecuta los acuerdos del Pleno.

El Presidente es el que ostenta la representación legal de la Cámara, sin perjuicio de las competencias del Pleno y de la Comisión Ejecutiva.

A nivel estatal la Ley 10/2009 reguló la creación de los órganos consultivos del Estado en el ámbito agroalimentario, para lo cual el problema fundamental que se encontró fue determinar las bases para calcular la representación de las organizaciones profesionales agrarias de implantación nacional. La Ley 12/2014 de 9 de julio derogó aquella y regula el procedimiento para la determinación de la representatividad de las organizaciones profesionales agrarias y crea el Consejo Agrario estatal.

Esta Ley se propone dos objetivos: En primer lugar determinar las Organizaciones Profesionales Agrarias con representatividad a nivel nacional. Y en segundo lugar, crear un Consejo Agrario estatal.

Prevé una consulta directa y simultánea en todo el territorio nacional, que será convocada de forma periódica. De este modo los agricultores, podrán elegir a una de las organizaciones candidatas, que cubrirán los diez puestos del Consejo Agrario de forma proporcional a los votos obtenidos. Contempla tres formas de acceder al censo para las personas físicas: por afiliación a la Seguridad Social por actividades empresariales agrarias, por la obtención de ayudas agrícolas de la Unión Europea superiores a una cantidad establecida y por la declaración de rentas agrarias iguales o superiores al 25 por ciento de la renta total. En cuanto a las personas jurídicas, el censo incluirá a las sociedades civiles y mercantiles cuyo objeto social único y exclusivo sea la actividad agraria y que acrediten una facturación mínima de 10.000 € en, al menos, uno de los dos ejercicios previos al de la convocatoria para la celebración de la consulta.

Respecto de las organizaciones profesionales agrarias que pueden ser candidatas en la consulta, mantiene misma exigencia de que sean aquellas reconocidas según lo previsto en la regulación del derecho de asociación sindical y que entre sus fines incluyan la defensa de los intereses generales de la agricultura, lo que las diferencia de otras organizaciones agrarias creadas para defender los intereses sectoriales de sus asociados.

El Consejo Agrario es un órgano de Derecho Público adscrito al Ministerio de Agricultura, Alimentación y Medio Ambiente con la finalidad consultiva y de asesoramiento a la Administración General del Estado en las cuestiones de interés general agrario y rural. Se compone de diez Consejeros nombrados por el Ministro entre las organizaciones agrarias de acuerdos con los resultados obtenidos en la consulta.

El Presidente será el Ministro, aunque podrá ser sustituido por un Subsecretario; el Secretario será un funcionario con rango de Subdirector General.

A día de hoy todavía no se ha producido la consulta estatal ni la constitución del Consejo Agrario estatal.

La mayoría de Comunidades Autónomas han creado también Consejos Agrarios a nivel autonómico, provincial e incluso municipal, participando en cada uno de ellos funcionarios autonómicos, provinciales o locales, con los mismos cometidos consultivos y estructura análoga.

4.8.5.1.7.3. Cofradías de Pescadores

Sus orígenes se remontan al Siglo XI y XII. Inicialmente, las cofradías de pescadores eran la reunión de todos los profesionales pesqueros de una localidad, que se colocaban bajo la advocación de un santo, al que designaban su Patrón. Se fueron desgajando de las Cofradías religiosas por sus características especiales. Posteriormente en la Edad Media se transforman en Gremios, sin perjuicio de su reconocimiento por la Corona sobre todo de Castilla y menos en la de Aragón, donde se regularon sus actividades civiles e incluso militares, puesto que fueron los antecedentes de las marinas de guerra. Más tarde, quedaron convertidas en mutualidades, sociedades de socorro o pósitos de pescadores. Han pervivido por la labor que realizan en el sector de la pesca artesanal, de bajura y marisqueo, sectores en los que el desarrollo asociativo es aún deficiente.

Actualmente contamos con normativa estatal y autonómica, sin perjuicio de que esta viene a repetir por lo general la regulación estatal desarrollándola.

La regulación **estatal** la encontramos en los artículos 41 y siguientes de la Ley 3/2001, de 26 de marzo, de Pesca Marítima del Estado.

En cuanto a la regulación Autonómica, casi todas las Comunidades Autónomas costeras han regulado dentro de sus competencias a las Cofradías de Pescadores. Así tenemos a **Galicia**, con la Ley 9/1993, de 8 de julio, de Cofradías de Pescadores.

Al **País Vasco**, con la Ley 16/1998, de 25 de junio, de las cofradías de pescadores. A **Cataluña**, con la Ley 22/2002, de 12 de julio, de cofradías de pescadores.

A la **Comunidad Valenciana**, con la Ley 5/2017, de 10 de febrero de pesca marítima y acuicultura, donde las regula en el Título IX. A la **Región de Murcia**, con la Ley 2/2007, de 12 de marzo, de Pesca Marítima y Acuicultura, donde las regula en el Título II. A **Andalucía**, con la Ley 1/2002, de 4 de abril, de ordenación, fomento y control de la Pesca Marítima, el Marisqueo y la Acuicultura Marina, donde las regula en el Título VI. A las **Islas Canarias**, con la Ley 17/2003, de 10 de abril, de Pesca, donde las regula en el Título III. Y a las **Islas Baleares**, con la Ley 6/2013, de 7 de noviembre, de pesca marítima, marisqueo y acuicultura, donde las regula en el Título IV. Carecen sólo de regulación propia Asturias y Cantabria.

De la regulación estatal y autonómica se derivan las siguientes características comunes:

Las Cofradías de Pescadores son corporaciones de derecho público, que gozan de personalidad jurídica plena y capacidad de obrar para el cumplimiento de sus fines, sin ánimo de lucro, representativas de intereses económicos, que actúan como órganos de consulta y colaboración de las administraciones competentes en materia de pesca marítima y de ordenación del sector pesquero.

Es decir, como toda Corporación de Derecho Público, por una parte representa y defiende los intereses de sus miembros, prestándoles servicios y administra los recursos propios de su patrimonio. Por otra parte, la ley le otorga otras facultades y funciones, fundamentalmente la de actuar como órganos de consulta de las Administraciones Públicas competentes aquellas otras que les encomienden la Administración General del Estado y las Comunidades Autónomas, en el ámbito de sus respectivas competencias. Son importantes las funciones delegadas en materia de desembarco y venta en lonja de las capturas, y las labores administrativas de documentación, autorizaciones y permisos que suelen realizar por encargo de la Administración.

Al igual que ha ocurrido con las Cámaras Agrarias, las Cofradías de Pescadores han perdido su función monopolística de representación profesional corporativa del colectivo pesquero. Tras la Constitución y el reconocimiento de la libertad asociativa y empresarial existen otras organizaciones en defensa de sus intereses propios, siendo comunes en el sector pesquero las cooperativas; pero en todo caso con naturaleza jurídico-privada y con las características de la forma social o asociativa elegida.

En cuanto a la adscripción obligatoria o no de los profesionales a ella, cabe aquí repetir lo dicho para las Cámaras Agrarias. Es decir, la Jurisprudencia del Tribunal Constitucional, supeditó la adscripción obligatoria a la justificación de los fines perseguidos, de forma que la misma resultase necesaria para el cumplimiento de los de interés general. En este caso la jurisprudencia del TC concluye con la no exigencia de integración obligatoria en las mismas, pues las funciones consultivas y colaboradoras con la Administración no exigen dicha adscripción ya que las puede desarrollar una asociación privada-; y respecto al ejercicio de funciones administrativas delegadas, la vaguedad e imprecisión con que se alude a ellas no justifica esa obligación.

Órganos

Los órganos de las Cofradías de Pescadores son:

La Junta General: Es el órgano soberano de la entidad. Estará integrada por el mismo número de trabajadores y empresarios, es decir, de pescadores y de armadores en representación de los distintos sectores de la Cofradía y ejercerá las funciones que establezcan los respectivos Estatutos cuya aprobación le corresponde, así como las que establezcan las Comunidades Autónomas.

El Cabildo: Integrado por el mismo número de pescadores y de armadores en representación de los distintos sectores de la Cofradía, elegidos por la Junta General. Ejercerá la función de gestión y administración ordinarias de la misma, así como las que establezcan las Comunidades Autónomas.

El Patrón Mayor: Será elegido por la Junta General, de entre sus miembros y ejercerá la función de dirección de la Cofradía, así como las que establezcan los Estatutos.

Existirá, además de las posibles Federaciones Autonómicas, una *Federación Nacional de Cofradías de Pescadores* en la que podrán integrarse las Cofradías de Pescadores, así como sus Federaciones. Funciona como órgano interlocutor entre las Cofradías y la Administración General del Estado en materia de pesca marítima, realizando aquellas actuaciones que por delegación le encomiende la Administración General del Estado.

Los órganos rectores de la Federación Nacional están constituidos por su Junta General en Pleno, que es el Órgano Superior Colegiado de la Federación, actuando la Comisión Permanente en los periodos entre sesiones del Pleno, como órgano de acción continuada de la misma.

La Comisión Permanente está constituida por el Presidente, los Vicepresidentes y los Presidentes de todas las Federaciones Regionales o Interfederativas, Provinciales, etc.

El Comité Ejecutivo de la Federación Nacional está constituido por dos representantes de cada una de las nueve regiones marítimas.

4.8.5.1.7.4. Cámaras de Comercio e Industria

Las Cámaras de Comercio, Industria y Navegación nacen en España a finales del siglo XIX como forma de representar los intereses generales de las empresas. Su primera regulación jurídica data del año 1886, posteriormente, en 1911, se impone un modelo cameral continental basado en la obligada adscripción de las personas que ejerzan actividades empresariales y en la obligatoriedad en el pago de cuotas. Este sistema es el que se mantuvo con la Ley 3/1993, de 22 de marzo.

El Real Decreto-ley 13/2010, de 3 de diciembre, de actuaciones en el ámbito fiscal, laboral y liberalizadoras, estableció un sistema cameral de pertenencia voluntaria y eliminación del recurso cameral permanente.

La vigente **Ley 4/2014, de 1 de abril, Básica de las Cámaras Oficiales de Comercio, Industria, Servicios y Navegación** supone un cambio y un esfuerzo en la actualización de esta figura que pretende impulsar. Mantiene su naturaleza como corporaciones de derecho público, garantizando el ejercicio de las funciones público-administrativas, y consagra su finalidad de representación, promoción y defensa de los intereses generales del comercio, la industria, los servicios y la navegación, así como la prestación de servicios a todas las empresas.

La ley establece un sistema de adscripción obligatoria a las Cámaras Oficiales de Comercio, Industria, Servicios y Navegación, pero sin que de ello se derive obligación económica o carga administrativa alguna. Los ingresos de las Cámaras provendrán, fundamentalmente, de los servicios que prestan las mismas y de aportaciones voluntarias de empresas o entidades.

Formarán parte de las mismas los sujetos pasivos del Impuesto de Actividades Económicas de su respectiva demarcación territorial. No obstante están excluidos aquellos que ejerzan actividades agrícolas, ganaderas y pesqueras de carácter primario, los servicios de mediadores de seguros y reaseguros privados prestados por personas físicas, así como los profesionales liberales.

Esta adscripción universal se entiende porque las Cámaras representan los intereses generales de toda la actividad económica y empresarial y no de un determinado sector, asociación o colectivo de empresas.

En cuanto a su regulación, también contamos en este punto con regulación estatal y autonómica. Siendo las Comunidades Autónomas las Administraciones tutelantes, tienen las más amplias facultades para poder definir la organización territorial y de los órganos de gobierno de sus respectivas Cámaras.

Sin perjuicio de ello la legislación estatal es básica para todas ellas y establece una regulación moderna y actualizada de lo que es una Corporación de Derecho Público. Esto unido al cambio de concepción estatal ha llevado a casi todas las Autonomías a reformar o dictar nuevas leyes en la materia.

Contamos con la siguiente legislación autonómica: En **Canarias**, la Ley 18/2003, de 11 de abril, de Cámaras de Comercio, Industria y Navegación. En **Baleares**, la Ley 1/2017, de 12 de mayo, de cámaras oficiales de comercio, industria, servicios y navegación. En **Galicia**, la Ley 5/2004, de 8 de julio, de cámaras oficiales de comercio, industria y navegación. En **Asturias**, la Ley del Principado de Asturias 8/2015, de 20 de marzo, de Cámaras Oficiales de Comercio, Industria, Servicios y Navegación. En **País Vasco**, el Decreto 78/2015, de 26 de mayo, de regulación del procedimiento electoral de las Cámaras Oficiales de Comercio, Industria, Servicios y Navegación y de la composición de sus órganos de gobierno. En **Navarra**, la Ley Foral 17/2015, de 10 de abril, de la Cámara Oficial de Comercio, Industria y Servicios de Navarra. En **Aragón**, la Ley 3/2015, de 25 de marzo, de Cámaras Oficiales de Comercio, Industria y Servicios. En **Cataluña**, la Ley 14/2002, de 27 de junio, de las cámaras oficiales de comercio, industria y navegación de Cataluña y del Consejo General de las Cámaras. En la **Comunidad Valenciana**, la Ley 3/2015, de 2 de abril, de la Generalitat, de Cámaras Oficiales de Comercio, Industria, Servicios y Navegación. En **Murcia**, la Ley 12/2015, de 30 de marzo, de Cámaras Oficiales de Comercio, Industria, Servicios y Navegación. En **Andalucía**, la Ley 10/2001, de 11 de octubre, de Cámaras Oficiales de Comercio, Industria y Navegación. En **Extremadura**, la Ley 3/2018, de 21 de febrero, de Cámaras Oficiales de Comercio, Industria y Servicios. En **Castilla y León**, el Decreto 12/2015, de 12 de febrero, por el que se regula la composición de los órganos de gobierno de las Cámaras Oficiales de Comercio, Industria y Servicios. En **La Rioja**, la Ley 3/2015, de 23 de marzo de la Cámara Oficial de Comercio, Industria y Servicios de La Rioja. En la **Comunidad de Madrid**, la Ley 2/2014, de 16 de diciembre, por la que se regula la Cámara Oficial de

Comercio, Industria y Servicios de Madrid. Y en **Castilla la Mancha**, la Ley 6/2017, de 14 de diciembre, de Cámaras Oficiales de Comercio, Industria y Servicios.

Siendo Cantabria la única Comunidad sin regulación específica.

En cuanto a su naturaleza jurídica dice el artículo 2 de la Ley estatal, que son Corporaciones de Derecho Público con personalidad jurídica y plena capacidad de obrar para el cumplimiento de sus fines, que se configuran como órganos consultivos y de colaboración con las Administraciones Públicas, sin menoscabo de los intereses privados que persiguen.

Además establece el mismo artículo, que les será de aplicación, con carácter supletorio, la legislación referente a la estructura y funcionamiento de las Administraciones Públicas en cuanto sea conforme con su naturaleza y finalidades; pero que la contratación y el régimen patrimonial se regirán conforme al derecho privado y habilitando un procedimiento que garantice las condiciones de publicidad, transparencia y no discriminación.

Las actividades a desarrollar por las Cámaras se llevarán a cabo sin perjuicio de la libertad sindical y de asociación empresarial, u otras organizaciones sociales que legalmente se constituyan.

Derivado de la jurisprudencia del Tribunal Constitucional para la justificación de la adscripción obligatoria, el artículo 5 de la ley estatal establece las concretas facultades público administrativas que desarrollan. Sin perjuicio de que además puedan llevar a cabo otras actividades, que tendrán carácter privado y se prestarán en régimen de libre competencia, que contribuyan a la defensa, apoyo o fomento del comercio, la industria, los servicios y la navegación.

Previa autorización de la administración tutelante, las Cámaras Oficiales de Comercio, Industria, Servicios y Navegación podrán promover o participar en toda clase de asociaciones, fundaciones y sociedades civiles o mercantiles, así como celebrar los oportunos convenios de colaboración.

Pueden ser de carácter autonómico, provincial y local, sin perjuicio además de la existencia de la Cámara Nacional, ya que la Ley estatal crea la Cámara Oficial de Comercio, Industria, Servicios y Navegación de España que representará al conjunto de las Cámaras ante las diversas instancias estatales e internacionales y coordinará e impulsará las acciones que afecten al conjunto de las Cámaras españolas. Es por ejemplo la intermediaria para la gestión de los programas europeos destinados a la competitividad de las PYMES.

Órganos

El Pleno: El pleno es el órgano supremo de gobierno y representación de la Cámara, que estará compuesto por un número no inferior a 10 ni superior a 60 vocales. Todas las empresas son electoras y elegibles. Hay un sistema de representación proporcional regulado en el artículo 10. El Pleno elige al Presidente de entre sus miembros.

Comité ejecutivo: Es el órgano permanente de gestión, administración y propuesta de la Cámara y estará formado por el presidente, vicepresidentes, el tesorero y los miembros del pleno que se determinen. La administración tutelante regulará el número de miembros integrantes. El secretario general y el director gerente, si lo hubiera, asistirán, con voz pero sin voto, a las reuniones del comité ejecutivo.

El Presidente: Ostentará la representación de la Cámara y la presidencia de todos sus órganos colegiados, siendo responsable de la ejecución de sus acuerdos.

El Secretario General: Las Cámaras tendrán un secretario general nombrado por el Pleno, que deberá ser licenciado o titulado de grado superior. Entre las funciones del secretario general constarán asistir a las reuniones del pleno y el comité ejecutivo con voz pero sin voto y velar por la legalidad de los acuerdos adoptados.

El Director Gerente: Las Cámaras podrán nombrar un director gerente, con las funciones ejecutivas y directivas que se le atribuyan, que deberá ser licenciado o titulado de grado superior. Corresponde al pleno el nombramiento y cese del director gerente. Cuando no exista director gerente, las funciones del mismo serán asumidas por el secretario general.

La Cámara de España también cuenta con un Pleno, un Comité Ejecutivo y un Presidente, e incluye entre sus miembros a representantes de las Cámaras de Comercio y de las empresas, así como de las organizaciones empresariales y de autónomos más representativas a nivel nacional. Asimismo, la Cámara de España cuenta con las figuras del Director Gerente y del Secretario General.

Establece la Ley estatal un novedoso control económico de las Cámaras. Estas deberán someter sus presupuestos ordinarios y extraordinarios de gastos e ingresos a la aprobación de la administración tutelante, que fiscalizará sus cuentas anuales y podrá establecer instrucciones necesarias. En todo caso, las cuentas anuales y liquidaciones de los presupuestos deberán presentarse acompañadas de un informe de auditoría de cuentas. Las cuentas anuales, junto con el informe de auditoría, y el Informe Anual sobre el Gobierno Corporativo, se depositarán en el registro mercantil correspondiente a la localidad en la que la Cámara tenga su sede.

El Tribunal de Cuentas y los correspondientes órganos autonómicos equivalentes fiscalizarán el destino de los fondos públicos que perciban las Cámaras.

Además prevé la ley su sujeción a planes de viabilidad económica y su disolución en caso de inviabilidad, todo ello controlado por la Administración tutelante.

4.8.5.1.7.5. Colegios profesionales

Dispone el artículo **36 de la Constitución** que «*La ley regulará las peculiaridades propias del régimen jurídico de los Colegios Profesionales y el ejercicio de las profesiones tituladas. La estructura interna y el funcionamiento de los Colegios deberán ser democráticos*»

A nivel estatal los Colegios Profesionales están regulados en la **ley 2/1974 de 13 de febrero sobre Colegios Profesionales**, reformada fundamentalmente por la **Ley 25/2009** de 22 de diciembre de modificación de diversas leyes para su adaptación a la ley sobre el libre acceso a las actividades de servicios y su acceso y la **Ley 17/2009** sobre el libre acceso a las actividades de servicios y su ejercicio; leyes que a su vez vinieron determinadas por la Directiva de Servicios Comunitaria 2006/123.

A nivel autonómico contamos con la siguiente legislación: **Canarias**, la Ley 10/1990, de 23 de mayo, de Colegios Profesionales. **Baleares**, la Ley 10/1998, de 14 de diciembre, de Colegios Profesionales. **Galicia**, la Ley 11/2001, de 18 de septiembre, de colegios profesionales. **Cantabria**, la Ley 1/2001, de 16 de marzo, de Colegios Profesionales. **País Vasco**, la Ley 18/1997, de 21 de noviembre, de ejercicio de profesiones tituladas y de colegios y consejos profesionales. **Navarra**, la Ley Foral 3/1998, de 6 de abril, de Colegios profesionales. **Aragón**, la Ley 2/1998, de 12 de marzo, de Colegios Profesionales. **Cataluña**, la Ley 7/2006, de 31 de mayo, del ejercicio de profesiones tituladas y de los colegios profesionales. **Comunidad Valenciana**, Ley 6/1997, de 4 de diciembre, de Consejos y Colegios Profesionales. **Murcia**, la Ley 6/1999, de 4 de noviembre, de los Colegios Profesionales de la Región de Murcia. **Andalucía**, la Ley 10/2003, de 6 de noviembre, reguladora de los Colegios Profesionales. **Extremadura**, la Ley 11/2002, de 12 de diciembre, de Colegios y de Consejos de Colegios Profesionales. **Castilla y León**, la Ley 8/1997, de 8 de julio, de Colegios Profesionales. **La Rioja**, la Ley 4/1999, de 31 de marzo, de Colegios Profesionales de La Rioja. **Comunidad de Madrid**, la Ley 19/1997, de 11 de julio, de Colegios Profesionales. Y **Castilla la Mancha**, la Ley 10/1999, de 26 de mayo, de Creación de Colegios Profesionales.

No tiene regulación propia, **Asturias**, sin perjuicio de que en el desarrollo de sus competencias ha ido creando Colegios Profesionales Autonómicos por medio de sus correspondientes leyes individuales.

En cuanto a la coordinación de la legislación estatal y autonómica el Tribunal Constitucional en STC 76/1983, de 5 de agosto, matizada posteriormente por la STC 20/1988, de 15 de febrero, dispuso que Ley a que se refiere el artículo 36 de la constitución ha de ser estatal en cuanto a la fijación de criterios básicos en materia de organización y competencia. En cualquier caso, pues, corresponde a la legislación estatal fijar los principios y reglas básicas a que han de ajustar su organización y competencia las Corporaciones de Derecho público representativas de intereses profesionales.

En la etapa preconstitucional, la Ley 2/1974, los conceptuó como Corporaciones de Derecho Público, con los fines esenciales de la «ordenación del ejercicio de las profesiones, la representación institucional exclusiva de las mismas cuando estén sujetas a colegiación obligatoria y la defensa de los intereses profesionales de los colegiados» a lo que la Ley 25/2009 añadiría el de «la protección de los intereses de los consumidores y usuarios de los servicios de sus colegiados». El artículo 3.2 de la ley de 1974 establecía la colegiación obligatoria para el ejercicio de las profesiones colegiadas.

El Real Decreto-ley 5/1996, de 7 de junio, de medidas liberalizadoras en materia de suelo y de Colegios Profesionales, sujetó el ejercicio de las profesiones colegiadas al régimen de libre competencia y, en concreto, para establecer que el requisito de colegiación únicamente debería realizarse en el colegio territorial correspondiente al domicilio del profesional y para eliminar la potestad de los Colegios Profesionales para fijar honorarios mínimos, pudiendo establecer únicamente baremos orientativos.

La jurisprudencia constitucional ha tenido oportunidad de pronunciarse sobre el aspecto relativo a la existencia de profesiones tituladas y reguladas. En la sentencia 42/1986, de 10 de abril, el Alto Tribunal afirmó que *«compete (...) al legislador, atendiendo a las exigencias del interés público y a los datos producidos por la vida social, considerar cuándo existe una profesión, cuándo esta profesión debe dejar de ser enteramente libre para pasar a ser profesión titulada, esto es, profesión para cuyo ejercicio se requieren títulos, entendiendo por tales la posesión de estudios superiores y la ratificación de dichos estudios mediante la consecución del oportuno certificado o licencia»*

En cuanto al fin público que realizan los Colegios Profesionales, la STC 89/1989, de 11 de mayo, establece que *«los Colegios Profesionales constituyen una típica especie de Corporación, reconocida por el Estado, dirigida no solo a la consecución de fines estrictamente privados, sino esencialmente a garantizar que el ejercicio de la profesión —que constituye un servicio al común— se ajuste a las normas o reglas que aseguren tanto la eficacia como la eventual responsabilidad en tal ejercicio, que, por otra parte, ya ha garantizado el Estado con la expedición del título habilitante».*

Uno de los aspectos más debatidos en los Colegios Profesionales ha sido la necesidad de la colegiación obligatoria para el ejercicio de la profesión, unido a la obligatoriedad de satisfacer muchas veces unas cuotas de ingreso además de las aportaciones periódicas obligatorias.

La regulación tradicional que imponía por razones que en su día se justificaron como de orden público, para velar por la profesionalidad del ejerciente o para evitar el intrusismo, son puestas en tela de juicio hoy en día, fundamentalmente en base a la defensa de la libre prestación de servicios y libertad de competencia proveniente fundamentalmente del Derecho Comunitario.

Prueba de ello fue por ejemplo la Ley de libre acceso a las actividades de servicios 17/2009 que tuvo como objeto desregularizar y liberalizar el acceso y ejercicio de determinadas profesiones. Sin perjuicio de que dicha ley, siguiendo la Directiva comunitaria, no es de aplicación ni a los siguientes servicios: servicios financieros; servicios y redes de comunicaciones electrónicas; servicios en el ámbito del transporte, incluidos los servicios portuarios; servicios de las empresas de trabajo temporal; servicios sanitarios; servicios audiovisuales, incluidos los servicios cinematográficos y la radiodifusión; actividades de juego, incluidas las loterías; servicios sociales relativos a la vivienda social, la atención a la infancia y el apoyo a familias y personas temporal o permanentemente necesitadas, proporcionados directa o indirectamente por las Administraciones Públicas; y servicios de seguridad privada. Además, cabe señalar que la Directiva tampoco se aplica a las actividades que supongan el ejercicio de la autoridad pública, lo que en nuestro ordenamiento jurídico comprende a fedatarios públicos, así como a los registradores de la propiedad y mercantiles.

Recientemente ha afirmado la STC 3/2013, de 17 de enero, que *«la institución colegial está basada en la encomienda de funciones públicas sobre la profesión a los profesionales, pues, tal y como señala el art. 1.3 de la Ley de Colegios profesionales, son sus fines la ordenación del ejercicio de las profesiones, su representación institucional exclusiva cuando estén sujetas a colegiación obligatoria, la defensa de los intereses profesionales de los colegiados y la protección de los intereses de los consumidores y usuarios de los servicios de sus colegiados. La razón de atribuir a estas entidades, y no a la Administración, las funciones públicas sobre la profesión, de las que constituyen el principal exponente la deontología y ética profesional y, con ello, el control de las desviaciones en la práctica profesional, estriba en la pericia y experiencia de los profesionales que constituyen su base corporativa»*

La disposición transitoria cuarta de la Ley 25/2009 estableció que en el plazo máximo de doce meses desde la entrada en vigor de esta Ley, el Gobierno remitiría a las Cortes Generales un Proyecto de Ley que determinara las profesiones para cuyo ejercicio sería obligatoria la colegiación.

El anteproyecto más ambicioso es una nueva Ley de Colegios Profesionales. Parte de la base del principio general de libertad de acceso y ejercicio, pero también de la consolidación del sistema actual de coexistencia de Colegios obligatorios y voluntarios, sin que tengan que disolverse Colegios por perder la obligación de colegiación, pudiendo mantenerse como Corporación de Derecho Público pero con colegiación voluntaria por parte de los profesionales.

Este anteproyecto siguiendo la reiterada jurisprudencia constitucional, reafirma el carácter de Corporación Pública de los Colegios Profesionales tanto de adscripción obligatoria como voluntaria, destacando sus fines públicos al lado de sus intereses particulares, pero reducirá la colegiación obligatoria de las 80 profesiones aproximadamente actuales a unas 38.

Mantendrá únicamente la colegiación obligatoria en las actividades legales, sanitarias y técnicas, las llamadas actividades reguladas. Entre las profesiones en las que se mantiene la colegiación obligatoria están los médicos, dentistas, farmacéuticos, veterinarios, enfermeros, fisioterapeutas, podólogos, ópticos-optometristas, biólogos, físicos, químicos, geólogos, psicólogos, arquitectos, arquitectos técnicos, abogados, procuradores, graduados sociales, notarios, registradores de la propiedad y mercantiles, así como las ingenierías e ingenierías técnicas reguladas. Deja fuera a los abogados de empresa y los arquitectos e ingenieros, en régimen de dependencia laboral, que no firman proyectos ni dirijan obras ni su ejecución. Solo una ley estatal podrá crear obligaciones de colegiación.

El anteproyecto ha seguido el criterio decantado por la jurisprudencia constitucional, conforme al cual, tras la reforma de la LCP por la Ley 25/2009, *«el legislador estatal ha configurado dos tipos de entidades corporativas, las voluntarias y las obligatorias. El requisito de la colegiación obligatoria constituye una barrera de entrada al ejercicio de la profesión y, por tanto, debe quedar limitado a aquellos casos en que se afecta, de manera grave y directa, a materias de especial interés público, como la protección de la salud y de la integridad física o de la seguridad personal o jurídica de las personas físicas, y la colegiación demuestre ser un instrumento eficiente de control del ejercicio profesional para la mejor defensa de los destinatarios de los servicios, tal y como se deduce de la disposición transitoria cuarta de esta misma norma. En definitiva, los colegios profesionales voluntarios son, a partir de la Ley 25/2009, de 22 de diciembre, el modelo común».*

Mientras no se apruebe el anteproyecto la legislación estatal actual establece lo siguiente en cuanto a la naturaleza, fines y órganos de los Colegios Profesionales:

Naturaleza

Los Colegios Profesionales son Corporaciones de Derecho Público, amparadas por la Ley y reconocidas por el Estado, con personalidad jurídica propia y plena capacidad para el cumplimiento de sus fines.

Se crean por Ley, y se rigen además por sus Estatutos y Normas de Régimen Interior.

Los actos emanados de los órganos de los Colegios y de los Consejos Generales, en cuanto estén sujetos al Derecho administrativo, una vez agotados los recursos corporativos, serán directamente recurribles ante la Jurisdicción Contencioso-Administrativa.

Fines

Son fines esenciales de estas Corporaciones la ordenación del ejercicio de las profesiones, la representación institucional exclusiva de las mismas cuando estén sujetas a colegiación obligatoria, la defensa de los intereses profesionales de los colegiados y la protección de los intereses de los consumidores y usuarios de los servicios de sus colegiados, todo ello sin perjuicio de la competencia de la Administración Pública por razón de la relación funcionarial.

El artículo 5 detalla las funciones públicas a realizar por los Colegios Profesionales.

Relacionado con esas funciones públicas los Consejos Generales o Colegios de ámbito nacional informarán preceptivamente los proyectos de ley o de disposiciones de cualquier rango que se refieran a las condiciones generales de las funciones profesionales.

En cuanto a la colegiación obligatoria sólo será requisito indispensable para el ejercicio de la profesión cuando así lo establezca una ley estatal. Cuando una profesión se organice por colegios territoriales, bastará la incorporación a uno solo de ellos, que será el del domicilio profesional único o principal, para ejercer en todo el territorio español.

Órganos

No establece la Ley ningunos órganos obligatorios en los Colegios, concediendo libertad organizativa. Lo que sí prevé es la existencia de un Consejo General cuando estén constituidos varios Colegios de la misma profesión de ámbito inferior al nacional que tendrá también la consideración de Corporación de Derecho Público.

Por tanto a nivel nacional, los Colegios podrán ser de ámbito nacional, sin perjuicio de disponer de Consejos o Decanatos autonómicos; o de ámbito territorial inferior, en cuyo caso deberán constituir el mencionado Consejo General.

Normalmente los Colegios Profesionales cuentan con los siguientes órganos:

Junta o Asamblea General de Colegiados: Que es el órgano soberano donde se encuentran los colegiados en activo, e incluso en determinados casos pueden formar parte los colegiados jubilados. Delibera sobre cualquier asunto de interés general del colectivo y controla la actuación del órgano directivo al que elige.

Junta Directiva o Junta de Gobierno: Elegida democráticamente entre los colegiados en activo, que será el órgano de gestión ordinaria y que ejecute los mandatos de la Asamblea. Puede organizarse internamente en Comisiones de trabajo y delegar funciones colectiva o individualmente.

El Presidente, Decano o Síndico: Que preside la Junta Directiva y ostenta la representación institucional del Colegio.

El Secretario: Normalmente miembro de la Junta Directiva y que lo será también del Pleno o Asamblea, y velará por la legalidad de los actos del órgano correspondiente.

Por último, al igual que al hablar de otras Corporaciones de Derecho Público, en el ámbito de las profesiones colegiadas pueden existir, **asociaciones profesionales** que integren a miembros de dicha profesión para la defensa de sus intereses. Pero estas asociaciones serán entidades privadas y en ningún caso tendrán ni las funciones, ni el carácter de Corporación de Derecho Público que tienen los Colegios Profesionales.

4.8.5.1.7.6. Cruz Roja Española

Origen histórico

El suizo Henry Dunant contempló el 24 de junio de 1859, muy cerca del Solferino, en el norte de Italia, una batalla en la que el ejército austríaco se enfrentó con el francés y el piamontés. Observó cómo los heridos quedaban desatendidos y morían por falta de asistencia, ya que los servicios sanitarios militares eran casi inexistentes.

Concibe la idea de crear sociedades de socorro en tiempo de paz cuya finalidad será cuidar de los heridos en tiempo de guerra por medio de voluntarios.

Esa idea fue recogida por un grupo de cuatro ciudadanos suizos pertenecientes a la Sociedad Ginebrina de Utilidad Pública, que junto a Dunant fue conocido más adelante como «Comité de los Cinco»: Moynier, Dufour, Appia y Maunoir. Este comité dio origen en 1863 al Comité Internacional de la Cruz Roja.

Esté Comité con el apoyo del Gobierno suizo logra organizar una conferencia diplomática el 8 de agosto de 1864, en Ginebra, en donde participan 16 países europeos y observadores de los Estados Unidos logrando la firma por doce Estados del primer Convenio de Ginebra para proteger a los militares heridos en campaña donde se contempla: La neutralización y protección del personal sanitario, la Cruz Roja sobre fondo blanco como símbolo protector, y el establecimiento de Comité Internacional de la Cruz Roja (C.I.C.R.).

España estuvo entre las catorce naciones que asistieron a la Primera Conferencia Internacional, y fue la séptima nación que en 1864 se adhiere al I Convenio de Ginebra.

En España la Cruz Roja se organizó bajo los auspicios de la Orden Hospitalaria de San Juan de Jerusalén, y en 1864 se declaró Sociedad de Utilidad Pública.

Desde entonces, los distintos gobiernos de la nación, han estado representados de una forma u otra en el seno de Cruz Roja.

En 1872 actuaba por primera vez en España directamente en la tercera guerra carlista. Participó intensamente también en los conflictos armados en África y en la Guerra Civil. En los años setenta completó su red de primeros auxilios en las carreteras españolas; y posteriormente mediante la creación de la Cruz Roja del Mar inició sus labores de socorro en el mar y aguas interiores.

En los ochenta y noventa se lleva a cabo su renovación institucional y su democratización interna que culmina con la aprobación de unos nuevos estatutos (junio de 1997) y del Reglamento General Orgánico (29 de julio de 1998).

Naturaleza jurídica

La Cruz Roja española, no es una Corporación de Derecho Público, ni es Administración Pública, ni tiene delegadas potestades administrativas, sino privilegios y prerrogativas a cambio de sus funciones que en ningún caso son público-administrativas, sino de interés social general.

Es una institución humanitaria de carácter voluntario y de interés público, que desarrolla su actividad bajo la protección del Estado Español ejercida a través del Ministerio de Asuntos Sociales o que en cada momento tenga atribuida esa facultad. Además el Alto Patronazgo en España los ostentan sus majestades los Reyes de España.

Tiene personalidad jurídica propia derivada del reconocimiento español del derecho Internacional y del reconocimiento a través de la normativa española que se dirá; y goza de plena capacidad jurídica y patrimonial para el cumplimiento de sus fines.

Es considerada auxiliar y colaboradora de las Administraciones públicas en las actividades humanitarias y sociales conservando su independencia y autonomía; gozando de los beneficios inherentes a las entidades públicas.

Acomoda sus actuaciones a los Principios Fundamentales del Movimiento Internacional de Cruz Roja y Media Luna Roja.

Regulación

Se rige por los convenios internacionales sobre la materia en los que sea parte España, por el Real Decreto 415/96, de 1 de marzo, por sus Estatutos de 28 de junio de 1997 publicados en el BOE de 17 de septiembre de 1997, y por su Reglamento General Orgánico de 29 de julio de 1998 y demás normas internas.

Órganos

El Presidente de Cruz Roja Española: Es el máximo responsable de Cruz Roja Española, le corresponde la gestión, representación y administración de la Institución con las más amplias facultades de conformidad con lo que establezcan los Estatutos de la misma.

Es elegido y cesado por la Asamblea, y uno y otro además deberán ser ratificados por el Consejo de Ministros mediante Real Decreto

La Asamblea General: Es el máximo órgano de gobierno de Cruz Roja Española, en el que se asegura la representatividad y la participación democrática de todos sus miembros, órganos de gobierno y dirección. La voluntad de la Asamblea General, regirá el destino y actuación de la Institución.

Está compuesta por el Presidente, hasta tres Vicepresidentes, el Secretario General, el Coordinador General y hasta trescientos cincuenta Vocales, de los que tendrán el carácter de natos los miembros electivos del Comité Nacional, los Presidentes de la

Comisión Nacional de Garantías de Derechos y Deberes y de la Comisión Nacional de Finanzas, los Presidentes de los Comités Autonómicos y los Presidentes de los Comités Provinciales. El resto de los Vocales serán elegidos por los Comités Autonómicos en el número y proporción que se establezca en el Reglamento General Orgánico.

Existen además Asambleas Locales, Comarcales o Insulares, que son el órgano de participación de todos los miembros de la Cruz Roja Española en el ámbito territorial correspondiente.

El Comité Nacional: Es el máximo órgano de gobierno durante el intervalo que medie entre reuniones de la Asamblea General. Le corresponde el control de la gestión y administración de Cruz Roja Española.

Presidido por el Presidente, está compuesto por hasta tres Vicepresidentes de la Institución, veintitrés Vocales elegidos por y entre los miembros de la Asamblea General, los Presidentes de los Comités Autonómicos y de las Ciudades Autónomas de Ceuta y Melilla, un representante de Cruz Roja Juventud, dos representantes del Ministerio al que corresponda la protección del Estado sobre la Institución, el Coordinador General de Cruz Roja Española, el Secretario General de Cruz Roja Española, que lo será del Comité Nacional y el Coordinador General de Cruz Roja Española.

Existen también los Comités Autonómicos, Provinciales, Locales, Comarcales e Insulares cuya composición determinan los Estatutos y donde los Ayuntamientos u otras Administraciones Territoriales tendrán representación.

El Secretario General: Es nombrado y cesado por el Presidente, dando conocimiento al Comité Nacional. Le corresponde, como gerente de la Institución, la dirección superior de todas las unidades administrativas de su competencia y, especialmente, las referentes a materias económicas y financieras, jurídicas, patrimoniales, de personal, de organización, servicios generales y de inspección, así como la coordinación de las Secretarías de los Comités Autonómicos y Provinciales. Es miembro nato de la Asamblea General, del Comité Nacional y de todas las Comisiones que existan en el ámbito estatal.

El Coordinador General: Es nombrado y cesado por el Presidente, dando conocimiento al Comité Nacional. Le corresponde la dirección superior de los Departamentos y servicios de su competencia que tienen encomendado el desarrollo de las actividades propias de la Institución. Asimismo, tiene competencia para supervisar las actividades del área de coordinación de los distintos ámbitos. Es miembro nato de la Asamblea General y del Comité Nacional.

Existen además otros órganos, como las Comisiones de Garantías y Derechos y Deberes y las Comisiones de Finanzas en todos los ámbitos territoriales y la Comisión de Buen Gobierno y la Comisión Nacional de Control Presupuestario.

Los miembros acreditan su cargo por certificación del Secretario, excepto este que lo hace por certificación del Presidente.

A nivel territorial habrá una Oficina central, y allá donde haya Comités Autonómicos o Provinciales habrá Oficinas territoriales, y los Comités Insulares, Comarcales o Locales cuyo volumen de actividad y posibilidades económicas lo aconsejen, podrán abrir Oficinas territoriales auxiliares, previa autorización del Comité Autonómico o Provincial.

La protección del Estado corresponde al **Consejo de Protección**, que es un órgano colegiado de carácter interministerial, adscrito al Ministerio de Asuntos Sociales que facilitará el desarrollo de los fines de la Cruz Roja, velará por la observancia de la legalidad y la correcta aplicación de sus recursos, y ejercerá la alta inspección de la Institución.

El Consejo de Protección consta de los siguientes órganos:

Presidente: El titular del Ministerio de Asuntos Sociales, que podrá delegar sus funciones en un miembro del Consejo.

Vocales: 1º Cuatro representantes del Ministerio de Asuntos Sociales y uno de cada uno de los siguientes ministerios: Asuntos Exteriores, Justicia, Defensa, Hacienda, Interior, Fomento, Educación, Empleo, Agricultura, y Presidencia, de nivel igual o superior al de director general. 2º El Presidente de Cruz Roja Española. 3º Trece miembros del Comité Nacional de Cruz Roja Española elegidos por el mismo. 4º El Secretario general de Cruz Roja Española.

Secretaría: El titular de la subdirección general o, en su caso, del órgano administrativo del Ministerio de Asuntos Sociales que tenga atribuida la protección del Estado sobre la Cruz Roja Española, que actuará con voz y sin voto.

Patrimonio y fiscalización

Sus bienes y derechos constituyen un patrimonio único, afecto a los fines de la Institución, figurando todos los bienes a nombre de Cruz Roja Española.

Además de las cuotas de sus miembros y aportaciones de entidades y particulares, recibirá subvenciones de las Administraciones Públicas y el importe de determinados sorteos autorizados a favor de Cruz Roja Española por el Estado.

La facultad de disponer, constituir gravámenes o acordar la adquisición de dichos bienes corresponde al Presidente, quien podrá ejercerla o delegarla con los límites establecidos en los Estatutos.

Las propuestas de adquisición, cesión, venta y constitución de gravámenes de bienes inmuebles y valores mobiliarios y la adquisición y disposición de determinados bienes muebles o semovientes o la realización de obras en inmuebles que presenten los órganos de gobierno de la Institución serán cursadas por las correspondientes Oficinas territoriales a la Comisión Nacional de Control Presupuestario, quien las informará y elevará al Presidente de la Institución, para la adopción del acuerdo que proceda. Se seguirá un procedimiento análogo en los demás niveles territoriales, de acuerdo con las competencias que tengan delegadas los Presidentes y las Comisiones de Control Presupuestario correspondientes.

Los bienes del Patrimonio de Cruz Roja Española podrán ser afectados en virtud de Resolución del Presidente a los distintos órganos de gobierno de la Institución para el desarrollo de sus actividades.

Los recursos financieros líquidos de Cruz Roja Española deberán encontrarse depositados en cuentas bancarias, figurando como titular de éstas el nombre de «Cruz Roja Española», seguido de la identificación del Comité, centro o establecimiento correspondiente de la Institución

La apertura y cancelación de cuentas, activas o pasivas, en entidades de crédito por Oficinas Locales, Comarcales o Insulares habrá de ser autorizada por el Presidente del ámbito Provincial o Autonómico Uniprovincial en que se formalice la operación y comunicada al Secretario del Comité correspondiente y por éste al Secretario General.

Para el libramiento de órdenes sobre dichas cuentas se exigirán, al menos, dos firmas mancomunadas, una de las cuales será la del Presidente o la del Secretario del Comité correspondiente; en cualquier caso deberán tener reconocidas las firmas el Presidente y el Secretario del Comité de ámbito superior.

El Presidente de Cruz Roja Española podrá aceptar herencias y legados, previo dictamen preceptivo de la Comisión Nacional de Control Presupuestario. Los Presidentes territoriales en cuyo ámbito se produzcan herencias o legados a favor de la Institución darán inmediata cuenta de estos hechos al Secretario General.

El Presidente Nacional podrá delegar mediante Resolución, las facultades para la aceptación de herencias, legados y donaciones, así como para los actos de disposición patrimonial y operaciones crediticias.

Los órganos técnicos de control y supervisión financiera y presupuestaria son las Comisiones de Finanzas. El Comité Nacional aprobará la liquidación del presupuesto, de los balances y de las cuentas de resultados, previo informe vinculante de la Comisión Nacional de Finanzas y del Consejo de Protección.

Cruz Roja Española gozará, para el cumplimiento de sus fines, del beneficio de justicia gratuita, de la inembargabilidad de sus bienes y derechos, de bonificación de la publicidad, de exención de tasas en sorteos y rifas, así como de excepción de prestar fianzas, depósitos o cauciones ante los tribunales, jueces y autoridades administrativas. Asimismo, disfrutará de las exenciones y beneficios de carácter fiscal previstos en el ordenamiento jurídico vigente y, especialmente, de los reconocidos para las entidades sin fines lucrativos y de los incentivos fiscales al mecenazgo.

Será aplicable a la ejecución de resoluciones judiciales y administrativas condenatorias de Cruz Roja Española lo dispuesto en la legislación vigente respecto a la ejecución de las sentencias condenatorias a la Administración General del Estado, correspondiendo al Ministerio de Asuntos Sociales las funciones que la legislación atribuye a la autoridad administrativa que debe llevar a efecto la ejecución de dichas resoluciones.

4.8.5.2. De Derecho Privado

4.8.5.2.1. *La representación de las personas jurídicas mercantiles*

Sin prejuicio de considerar la sociedad como contrato, esta tiene también un aspecto institucional como persona jurídica. En efecto, la sociedad no aparece como un simple contrato sino como un ente jurídico distinto de sus socio y dotado de vida jurídica propia y de órganos especialmente adecuados para su actuación en las relaciones jurídicas. El art. 35,2º CC determina que *son personas jurídicas las asociaciones de interés particular, sean civiles, mercantiles o industriales, a las que la ley conceda personalidad propia, independiente de la de cada uno de los asociados.*

Y *las personas jurídicas pueden adquirir y poseer bienes de todas clases, así como contraer obligaciones y ejercitar acciones civiles o criminales, conforme a las leyes y reglas de su constitución* como establece el art. 38 CC. Por tanto, la personalidad jurídica consiste en la atribución a la sociedad, esto es, a la agrupación de sus socios, de un determinado régimen jurídico que permite considerarla de forma autónoma, con un patrimonio propio constituido por las aportaciones de los socios cuya titularidad corresponde a la sociedad y no a aquellos. Además, se reconoce la capacidad y autonomía jurídica propia para actuar y contratar en su nombre con terceros e incluso con sus propios socios.

De acuerdo con el art. 116 CCom, *el contrato de compañía, por el cual dos o más personas se obligan a poner en fondo común bienes, industria o alguna de estas cosas, para obtener lucro, será mercantil, cualquiera que fuese su clase, siempre que se haya constituido con arreglo a las disposiciones de este Código.*

Una vez constituida la compañía mercantil, tendrá personalidad jurídica en todos sus actos y contratos.

Serán válidos y eficaces los contratos entre las compañías mercantiles y cualesquiera personas capaces de obligarse, siempre que fueren lícitos y honestos (art. 118 CCom).

Por su parte, el art. 119 CCom establece que *toda compañía de comercio, antes de dar principio a sus operaciones, deberá hacer constar su constitución, pactos y condiciones, en escritura pública que se presentará para su inscripción en el Registro Mercantil, conforme a lo dispuesto en el artículo 17.*

A las mismas formalidades quedarán sujetas, con arreglo a lo dispuesto en el artículo 25, las escrituras adicionales que de cualquier manera modifiquen o alteren el contrato primitivo de la compañía.

Los socios no podrán hacer pactos reservados, sino que todos deberán constar en la escritura social.

Por tanto, con carácter general para las sociedades mercantiles, su constitución requiere la escritura pública y su inscripción en el Registro Mercantil. Una vez inscrita, tiene personalidad jurídica.

A tenor del art. 122 Ccom, *por regla general, las sociedades mercantiles se constituirán adoptando alguna de las formas siguientes:*

1. La regular colectiva.

2. La comanditaria, simple o por acciones.

3. La anónima.

4. La de responsabilidad limitada.

4.8.5.2.1.1. Contratación anterior a la inscripción registral de las sociedades de capital

Comencemos recordando que *son sociedades de capital la sociedad de responsabilidad limitada, la sociedad anónima y la sociedad comanditaria por acciones* (art. 1.1 LSC).

Las sociedades de capital, cualquiera que sea su objeto, tendrán carácter mercantil (art. 2 LSC) y *en cuanto no se rijan por disposición legal que les sea específicamente aplicable, quedarán sometidas a los preceptos de esta ley* (art. 3 LSC).

La constitución de las sociedades de capital exigirá escritura pública, que deberá inscribirse en el Registro Mercantil (art. 20 LSC) y *con la inscripción la sociedad adquirirá la personalidad jurídica que corresponda al tipo social elegido* (art. 33 LSC).

Por los actos y contratos celebrados en nombre de la sociedad antes de su inscripción en el Registro Mercantil, responderán solidariamente quienes los hubiesen celebrado, a no ser que su eficacia hubiese quedado condicionada a la inscripción y, en su caso, posterior asunción de los mismos por parte de la sociedad (art. 36 LSC).

Tal y como señala el art. 37 LSC, *por los actos y contratos indispensables para la inscripción de la sociedad, por los realizados por los administradores dentro de las facultades que les confiere la escritura para la fase anterior a la inscripción y por los estipulados en virtud de mandato específico por las personas a tal fin designadas por todos los socios, responderá la sociedad en formación con el patrimonio que tuviere. Por su parte, los socios responderán personalmente hasta el límite de lo que se hubieran obligado a aportar.*

Una vez inscrita, la sociedad quedará obligada por aquellos actos y contratos a que se refiere el artículo anterior así como por los que acepte dentro del plazo de tres meses desde su inscripción. En ambos supuestos cesará la responsabilidad solidaria de socios, administradores y representantes. Y *en el caso de que el valor del patrimonio social, sumado al importe de los gastos indispensables para la inscripción de la sociedad, fuese inferior a la cifra del capital, los socios estarán obligados a cubrir la diferencia* (art. 38 LSC).

4.8.5.2.1.2. La representación orgánica de las sociedades de capital

La sociedad de capital, como toda persona jurídica, es una ficción del Derecho y, por tanto, necesita de personas físicas que la representen a los efectos de adquirir derechos y obligaciones. Esta es la llamada representación orgánica o necesaria.

Por eso, el art. 22 LSC que determina el contenido de la escritura de constitución exige que se haga constar *la identidad de la persona o personas que se encarguen inicialmente de la administración y de la representación de la sociedad. Si la sociedad fuera de responsabilidad limitada, la escritura de constitución determinará el modo concreto en que inicialmente se organice la administración, si los estatutos prevén diferentes alternativas.*

Además también deben incluirse los estatutos, el art. 23 LSC exige dentro de ellos determinar: [...]

> *e) El modo o modos de organizar la administración de la sociedad, el número de administradores o, al menos, el número máximo y el mínimo, así como el plazo de duración del cargo y el sistema de retribución, si la tuvieren.*
> *En las sociedades comanditarias por acciones se expresará, además, la identidad de los socios colectivos.*
> *f) El modo de deliberar y adoptar sus acuerdos los órganos colegiados de la sociedad.*

Compete a los administradores la gestión y la *representación* de la sociedad (art. 209 LSC).

Tal como establece el art. 210 LSC:

> *1. La administración de la sociedad se podrá confiar a un administrador único, a varios administradores que actúen de forma solidaria o de forma conjunta o a un consejo de administración.*
> *2. En la sociedad anónima, cuando la administración conjunta se confíe a dos administradores, éstos actuarán de forma mancomunada y, cuando se confíe a más de dos administradores, constituirán consejo de administración.*
> *3. En la sociedad de responsabilidad limitada los estatutos sociales podrán establecer distintos modos de organizar la administración atribuyendo a la junta de socios la facultad de optar alternativamente por cualquiera de ellos sin necesidad de modificación estatutaria.*
> *4. Todo acuerdo que altere el modo de organizar la administración de la sociedad, constituya o no modificación de los estatutos sociales, se consignará en escritura pública y se inscribirá en el Registro Mercantil.*

La competencia para el nombramiento de los administradores corresponde a la junta de socios sin más excepciones que las establecidas en la ley [...]. El nombramiento de los administradores surtirá efecto desde el momento de su aceptación (art. 214 LSC).

De acuerdo con el art. 215 LSC,

el nombramiento de los administradores, una vez aceptado, deberá ser presentado a inscripción en el Registro Mercantil haciendo constar la identidad de los nombrados y, en relación a los administradores que tengan atribuida la representación de la sociedad, si pueden actuar por sí solos o necesitan hacerlo conjuntamente. La presentación a la inscripción deberá realizarse dentro de los diez días siguientes a la fecha de la aceptación.

Esta inscripción no es constitutiva salvo para los casos de los consejeros-delegados.

Salvo disposición contraria de los estatutos sociales, podrán ser nombrados suplentes de los administradores para el caso de que cesen por cualquier causa uno o varios de ellos. El nombramiento y aceptación de los suplentes como administradores se inscribirán en el Registro Mercantil una vez producido el cese del anterior titular.

Si los estatutos sociales establecieran un plazo determinado de duración del cargo de administrador, el nombramiento del suplente se entenderá efectuado por el período pendiente de cumplir por la persona cuya vacante se cubra (art. 216 LSC).

Cuando se opte por el sistema de **consejo de administración,** este

estará formado por un mínimo de tres miembros. Los estatutos fijarán el número de miembros del consejo de administración o bien el máximo y el mínimo, correspondiendo en este caso a la junta de socios la determinación del número concreto de sus componentes. En la sociedad de responsabilidad limitada, en caso de consejo de administración, el número máximo de los componentes del consejo no podrá ser superior a doce (art. 242 LSC).

Por otro lado, a tenor del art. 245 LSC:

1. En la sociedad de responsabilidad limitada los estatutos establecerán el régimen de organización y funcionamiento del consejo de administración, que deberá comprender, en todo caso, las reglas de convocatoria y constitución del órgano, así como el modo de deliberar y adoptar acuerdos por mayoría.

2. En la sociedad anónima cuando los estatutos no dispusieran otra cosa, el consejo de administración podrá designar a su presidente, regular su propio funcionamiento y aceptar la dimisión de los consejeros.

3. El consejo de administración deberá reunirse, al menos, una vez al trimestre.

El consejo de administración será convocado por su presidente o el que haga sus veces. Los administradores que constituyan al menos un tercio de los miembros del consejo podrán convocarlo, indicando el orden del día, para su celebración en la localidad donde radique el domicilio social, si, previa petición al presidente, éste sin causa justificada no hubiera hecho la convocatoria en el plazo de un mes (art. 246 LSC).

Respecto a la constitución del consejo de administración el art. 247 establece:

1. En la sociedad de responsabilidad limitada el consejo de administración quedará válidamente constituido cuando concurran, presentes o representados, el número de consejeros previsto en los estatutos, siempre que alcancen, como mínimo, la mayoría de los vocales.

> *2. En la sociedad anónima, el consejo de administración quedará válidamente constituido cuando concurran a la reunión, presentes o representados, la mayoría de los vocales.*

Y en cuanto a los de acuerdos del consejo de administración en la sociedad anónima, a tenor del art. 248,

> *se adoptarán por mayoría absoluta de los consejeros concurrentes a la sesión. La votación por escrito y sin sesión sólo será admitida cuando ningún consejero se oponga a este procedimiento. Las discusiones y acuerdos del consejo de administración se llevarán a un libro de actas, que serán firmadas por el presidente y el secretario (art. 250 LSC).*

Con carácter general, el art. 233 LSC establece los criterios de *atribución del poder de representación* de la siguiente forma:

> *1. En la sociedad de capital la representación de la sociedad, en juicio o fuera de él, corresponde a los administradores en la forma determinada por los estatutos, sin perjuicio de lo dispuesto en el apartado siguiente.*
>
> *2. La atribución del poder de representación se regirá por las siguientes reglas:*
>
> *a) En el caso de administrador único, el poder de representación corresponderá necesariamente a éste.*
>
> *b) En caso de varios administradores solidarios, el poder de representación corresponde a cada administrador, sin perjuicio de las disposiciones estatutarias o de los acuerdos de la junta sobre distribución de facultades, que tendrán un alcance meramente interno.*
>
> *c) En la sociedad de responsabilidad limitada, si hubiera más de dos administradores conjuntos, el poder de representación se ejercerá mancomunadamente al menos por dos de ellos en la forma determinada en los estatutos. Si la sociedad fuera anónima, el poder de representación se ejercerá mancomunadamente.*
>
> *d) En el caso de consejo de administración, el poder de representación corresponde al propio consejo, que actuará colegiadamente. No obstante, los estatutos podrán atribuir el poder de representación a uno o varios miembros del consejo a título individual o conjunto.*
>
> *Cuando el consejo, mediante el acuerdo de delegación, nombre una comisión ejecutiva o uno o varios consejeros delegados, se indicará el régimen de su actuación.*

La representación de la sociedad compete en exclusiva al órgano de administración y en ningún caso puede ser sustituido en su ejercicio por la junta general (RDGRN de 26 de febrero de 1991). «[...] la representación orgánica constituye el instrumento a través del cual el ente societario manifiesta externamente la voluntad social y ejecuta los actos necesarios para el desenvolvimiento de sus actividades; es el propio ente el que actúa, siendo, por tanto, un elemento imprescindible de su estructura y conformación funcional, y sus actos directamente vinculantes para el órgano actuante, por lo que, en puridad, no puede afirmarse que exista una actuación alieno nomine, sino que es la propia sociedad la que ejecuta sus actos a través del sistema de actuación legal y estatutariamente establecido...» (RDGRN de 24 noviembre de 1998).

4.8.5.2.1.3. Delegación de facultades. Diferencias con los apoderamientos

De acuerdo con el art. 249 LSC, *cuando los estatutos de la sociedad no dispusieran lo contrario y sin perjuicio de los apoderamientos que pueda conferir a cualquier persona, el consejo de administración podrá designar de entre sus miembros a uno o varios consejeros delegados o comisiones ejecutivas, estableciendo el contenido, los límites y las modalidades de delegación.*

La delegación permanente de alguna facultad del consejo de administración en la comisión ejecutiva o en el consejero delegado y la designación de los administradores que hayan de ocupar tales cargos requerirán para su validez el voto favorable de las dos terceras partes de los componentes del consejo y no producirán efecto alguno hasta su inscripción en el Registro Mercantil.

Cuando un miembro del consejo de administración sea nombrado consejero delegado o se le atribuyan funciones ejecutivas en virtud de otro título, continúa el precepto, *será necesario que se celebre un contrato entre este y la sociedad que deberá ser aprobado previamente por el consejo de administración con el voto favorable de las dos terceras partes de sus miembros. El consejero afectado deberá abstenerse de asistir a la deliberación y de participar en la votación. El contrato aprobado deberá incorporarse como anejo al acta de la sesión.*

En el contrato se detallarán todos los conceptos por los que pueda obtener una retribución por el desempeño de funciones ejecutivas, incluyendo, en su caso, la eventual indemnización por cese anticipado en dichas funciones y las cantidades a abonar por la sociedad en concepto de primas de seguro o de contribución a sistemas de ahorro. El consejero no podrá percibir retribución alguna por el desempeño de funciones ejecutivas cuyas cantidades o conceptos no estén previstos en ese contrato.

El contrato deberá ser conforme con la política de retribuciones aprobada, en su caso, por la junta general.

El art. 249 bis LCS establece qué facultades son indelegables. A saber:

a) La supervisión del efectivo funcionamiento de las comisiones que hubiera constituido y de la actuación de los órganos delegados y de los directivos que hubiera designado.
b) La determinación de las políticas y estrategias generales de la sociedad.
c) La autorización o dispensa de las obligaciones derivadas del deber de lealtad conforme a lo dispuesto en el artículo 230.
d) Su propia organización y funcionamiento.
e) La formulación de las cuentas anuales y su presentación a la junta general.
f) La formulación de cualquier clase de informe exigido por la ley al órgano de administración siempre y cuando la operación a que se refiere el informe no pueda ser delegada.
g) El nombramiento y destitución de los consejeros delegados de la sociedad, así como el establecimiento de las condiciones de su contrato.
h) El nombramiento y destitución de los directivos que tuvieran dependencia directa del consejo o de alguno de sus miembros, así como el establecimiento de las condiciones básicas de sus contratos, incluyendo su retribución.

i) Las decisiones relativas a la remuneración de los consejeros, dentro del marco estatutario y, en su caso, de la política de remuneraciones aprobada por la junta general.

j) La convocatoria de la junta general de accionistas y la elaboración del orden del día y la propuesta de acuerdos.

k) La política relativa a las acciones o participaciones propias.

l) Las facultades que la junta general hubiera delegado en el consejo de administración, salvo que hubiera sido expresamente autorizado por ella para subdelegarlas.

La delegación de facultades se enmarca dentro de la representación orgánica a diferencia de los apoderamientos. Siguiendo a FERNÁNDEZ-MARTOS (2000, pp. 33 y ss.):

1. La delegación de facultades recae en una o en varias personas del Consejo; los apoderamientos no.

2. Los Consejeros delegados son representantes legales de la sociedad, aunque su designación tenga carácter voluntario para el Consejo. Por el contrario, los apoderamientos no son representantes legales sino voluntarios.

3. Los delegados del Consejo ejercen sus facultades en virtud de una simple designación en el correspondiente acuerdo mayoritario. Los apoderados ejercen sus facultades en virtud del otorgamiento del poder, lo que exige escritura pública.

4. La delegación de facultades sólo es posible cuando hay un órgano colegiado; en cambio, el apoderamiento es posible tanto si existe Consejo de Administración como si existen administradores aislados.

Obsérvese que el art. 249 LSC habla de delegaciones permanentes pero también caben *delegaciones no permanentes* que son aquellas que se hacen puntualmente para cada acto concreto. Tienen las siguientes características:

1. No es necesario el acuerdo de las dos terceras partes de los miembros del Consejo sino que, como todo acuerdo, basta con la mayoría absoluta de los miembros concurrentes a la sesión.

2. Su formalización no requiere escritura pública, sino su plasmación en un acta, reflejada en el Libro correspondiente, expidiéndose la certificación de dicha acta y del acuerdo, por quienes tienen la facultad de certificar (arts. 109 y 111 RRM).

3. La delegación de facultades no es necesaria cuando los estatutos atribuyen el poder de representación a uno o más miembros a título individual o conjunto (art. 124.2.d RRM), que normalmente será el presidente o vicepresidente. Basta en este caso el acuerdo y la certificación pertinente debiendo comprobarse por el Notario si los estatutos atribuyen el poder de representación y, en consecuencia el ejecutar el acuerdo y el de comparecer en nombre de la sociedad.

4. Será necesaria la designación en el propio acuerdo cuando se faculte para la ejecución del mismo a cualquier otro consejero con nombramiento vigente e inscrito en el Registro Mercantil (art. 108.2 RRM).

5. Puede designarse en el propio acuerdo para su ejecución al secretario. Vicesecretario del Consejo, sea o no administrador (art. 109 en relación con el art. 108.1 RRM).

4.8.5.2.1.4. Ámbito legal (mínimo) de la representación. Capacidad cambiaria art. 9 LCCh

De acuerdo con el art. 234 LSC:

> *1. La representación se extenderá a todos los actos comprendidos en el objeto social delimitado en los estatutos.*
> *Cualquier limitación de las facultades representativas de los administradores, aunque se halle inscrita en el Registro Mercantil, será ineficaz frente a terceros.*
> *2. La sociedad quedará obligada frente a terceros que hayan obrado de buena fe y sin culpa grave, aun cuando se desprenda de los estatutos inscritos en el Registro Mercantil que el acto no está comprendido en el objeto social.*

En sede de representación orgánica (como ya señalaban los arts. 63 LSL y 129 LSA), al decirse que «la representación se extenderá a todos los actos comprendidos en el objeto social..., el legislador español, al hacer el proceso de adaptación a las Directivas de la CEE en materia de sociedades, optó por un modelo distinto del que se sigue en materia de representación voluntaria en el Código Civil (art. 1713 y concordantes), y en relación con el cual la doctrina consolidada de las Resoluciones de esta Dirección General es clara: el poder de representación del órgano de administración de una sociedad de capital abarca todo tipo de operaciones económicas y actuaciones jurídicas siempre que se encuentren comprendidas en su objeto social. La legitimación representativa del órgano de administración se proyecta sobre toda clase de actos, y el ámbito o extensión propio de la esfera de representación orgánica viene marcado, no tanto por la naturaleza del acto o negocio jurídico en sí mismo —considerado aisladamente— que realice la administración social (ya que, en principio comprende todo tipo de acto o negocio jurídico, ya sean de administración, gravamen o disposición), sino por un elemento externo a éste, como es su relación con el giro o tráfico propio de la sociedad.

La delimitación del objeto social define el contenido mínimo, pero también máximo, del ámbito de las facultades representativas del órgano gestor, y aun cuando es cierta la dificultad de determinar a priori si un acto concreto trasciende o no a ese ámbito, en todo caso quedan excluidas aquellas actuaciones claramente contrarias al objeto social, esto es, las contradictorias o denegatorias de dicho objeto (cfr. RDGRN de 11 de noviembre de 1991, 22 y 26 de junio de 1992, 3 de octubre de 1994, 25 de abril de 1997, 17 de noviembre de 1998, 10 de mayo de 1999 y 16 de marzo de 2009, entre otras). En la Resolución de 11 de noviembre de 1991 se consideran incluidos en el poder de representación de los administradores: 1) los actos de desarrollo o ejecución del objeto, sea de forma directa o indirecta; 2) los actos complementarios o auxiliares para ello; 3) los actos neutros o polivalentes; y 4) los actos aparentemente no conectados con el objeto social. Dentro de los actos contrarios al objeto social se encuentran los genuinamente contrarios y los actos no tanto contrarios al objeto, sino que exceden de la competencia legal de los administradores. No puede olvidarse, en este contexto, que para la jurisprudencia del Tribunal Supremo las excepciones a las normas legales sobre limitación de responsabilidad (de la sociedad en tanto que obligada por el acto realizado por el órgano de administración) han de ser excepcionales.

Ahora bien, el número 2 del art. 234 LSC establece: *La sociedad quedará obligada frente a terceros que hayan obrado de buena fe y sin culpa grave, aun cuando se desprenda de los estatutos inscritos en el Registro Mercantil que el acto no está comprendido en el objeto social.*

Por tanto, el poder de representación de los administradores tiene un contenido legal típico que comprende todas las actividades que de forma directa o indirecta se han convenientes para alcanzar el objeto social determinado estatutariamente. Y en beneficio de los terceros que se relacionan con la sociedad y de la agilidad del tráfico mercantil *cualquier limitación de las facultades representativas de los administradores, aunque se halle inscrita en el registro mercantil, será ineficaz* frente a los mismos lo que les «exime de tener que averiguar en cada caso el ámbito de representación exacto del administrador de la entidad con la que contrata. Con ello, la eficacia de los límites al poder será meramente interna, con exclusiva repercusión entre la sociedad y el administrador. A efectos de la sociedad podría, por ejemplo, exigir responsabilidad por los daños causados que hubiere infringido en su patrimonio el administrador que, en sus actuaciones, si hubiera excedido de los límites del poder que se le confirió.

Pero la protección del tercero va, incluso, más allá. El legislador ha querido que la sociedad quede obligada incluso *frente a terceros que hayan obrado de buena fe y sin culpa grave, aun cuando se desprenda de los estatutos inscritos en el registro mercantil que el acto no está comprendido en el objeto social* (art. 234.2 LSC). Esta norma exime a los terceros que se relacionan con la entidad a través de sus administradores de tener que indagar acerca del contenido del objeto social y sus confines precisos, y de su correspondencia con los actos de los administradores. En el supuesto de que los administradores se hubieran extralimitado y ejercido sus funciones para las que no les faculta el contenido legal típico de su poder de representación, la sociedad habría de probar que el tercero actuó con, al menos, culpa grave. En consecuencia, solo los terceros que actuarán dolosamente, con conocimiento preciso del objeto social de la entidad y del exceso cometido por el administrador, y los que incurrieran en negligencia grave, desconociendo por mera pasividad el contenido de aquél y el abuso de los administradores, podrá verse "sancionados" con la desvinculación negociado de la sociedad a la que los administradores representaron rebasando las facultades típicas de su poder» (GRIMALDOS: 2016, pp. 284 y 285). No olvidemos el artículo 9.1 de la Directiva (UE) 2017/1132 del Parlamento Europeo y del Consejo, de 14 de junio de 2017, sobre determinados aspectos del Derecho de sociedades, que se corresponde con los artículos 10.1 de la derogada Directiva 2009/101/CE del Parlamento Europeo y del Consejo, de 16 de septiembre de 2009, y 9.1 de la también derogada Primera Directiva 68/151/CEE del Consejo, de 9 de marzo de 1968:

La sociedad quedará obligada frente a terceros por los actos realizados por sus órganos, incluso si estos actos no corresponden al objeto social de esta sociedad, a menos que dichos actos excedan los poderes que la ley atribuya o permita atribuir a estos órganos. No obstante, los Estados miembros podrán prever que la sociedad no quedará obligada cuando estos actos excedan los límites del objeto social, si demuestra que el tercero sabía que el acto excedía este objeto o no podía ignorarlo, teniendo en cuenta las circunstancias, quedando excluido el que la sola publicación de los estatutos sea suficiente para constituir esta prueba.

Por su parte, según el art. 9 LCCh, *todos los que pusieren firmas a nombre de otro en letras de cambio deberán hallarse autorizados para ello con poder de las personas en cuya representación obraren, expresándolo claramente en la antefirma.*

Se presumirá que los administradores de Compañías están autorizados por el solo hecho de su nombramiento

Según la jurisprudencia, el párrafo segundo del art. 9 LCCh contiene una presunción, que admite prueba en contrario, conforme a la cual, cuando la firma puesta en una letra de cambio o un pagaré lo hubiere sido en nombre de una sociedad, expresándolo así en el título, por quien ostentare la condición de administrador de la compañía, el mero hecho de su nombramiento como tal, sin necesidad de ninguna otra condición, será bastante para presumir que al plasmar la firma contaba con autorización suficiente para tal acto.

Resultan de aplicación al pagaré, en virtud de la remisión prevista en el art. 96 LCCh, las disposiciones relativas a las consecuencias de la firma puesta en las condiciones mencionadas en el art. 9 LCCh.

4.8.5.2.1.5. Duración del cargo de los Administradores

De acuerdo con el art. 221 LSC:

1. Los administradores de la sociedad de responsabilidad limitada ejercerán su cargo por tiempo indefinido, salvo que los estatutos establezcan un plazo determinado, en cuyo caso podrán ser reelegidos una o más veces por períodos de igual duración.
2. Los administradores de la sociedad anónima ejercerán el cargo durante el plazo que señalen los estatutos sociales, que no podrá exceder de seis años y deberá ser igual para todos ellos. Los administradores podrán ser reelegidos para el cargo, una o varias veces, por períodos de igual duración máxima.

Como excepción, en aras al principio de conservación de la empresa y estabilidad de la sociedad y de los mercados, a fin de evitar la paralización de los órganos sociales, y, a la postre, incurrir en causa de disolución, en los supuestos de acefalia funcional del órgano de administración, razones pragmáticas ya tenidas en cuenta en la STS 771/2007, de 5 de julio, que se refiere a que «la nulidad pretendida introduciría una perturbación en la situación jurídica de la sociedad», imponen reconocer a quienes de hecho administran con el cargo caducado facultades para convocar junta dirigida a regularizar los órganos de la sociedad, en solución similar a la prevista en la fecha de la convocatoria en el artículo 45.4 LSL, y hoy, de forma generalizada, en el segundo párrafo del artículo 171 LSC: «(...) Además, cualquiera de los administradores que permanezcan en el ejercicio del cargo podrá convocar la junta general con ese único objeto», incluso más allá de la pervivencia del asiento registral de nombramiento al amparo primero del 145.1 RRM, después del artículo 126 LSA en la redacción dada al mismo por la Ley 19/2005, de 14 de noviembre, y hoy del artículo 221 LSC.

Partiendo de la anterior premisa, el hecho de que la convocatoria efectuada por los administradores con cargo caducado comprendiese, además del dirigido a la regularización del órgano de administración, otros extremos, en modo alguno determina la nulidad radical e indiscriminada de toda la convocatoria, ni supone un obstáculo para la validez de los actos dirigidos a aquel fin» (STS de 9 diciembre 2010).

En cuanto a su cese, el art. 223 LSC establece que *los administradores podrán ser separados de su cargo en cualquier momento por la junta general aun cuando la separación no conste en el orden del día. En la sociedad limitada los estatutos podrán exigir para el acuerdo de separación una mayoría reforzada que no podrá ser superior a los dos tercios de los votos correspondientes a las participaciones en que se divida el capital social.*

«La validez de los acuerdos que puede adoptar la junta general dentro del ámbito de sus competencias está condicionada no sólo a que lo hayan sido por la mayoría legal o estatutariamente exigible, sino, como requisito previo, a la válida constitución de la propia junta, lo que exige su previa convocatoria (cfr. artículo 174) incluyendo el orden del día, salvo que se trate de junta universal, en cuyo caso es necesaria la aceptación unánime, no sólo en relación con la celebración de la junta, sino respecto de los temas a tratar en ella (cfr. artículo 178.1). Esta exigencia cumple la doble finalidad de brindar a los socios un cabal conocimiento de los asuntos sobre los que son llamados a pronunciarse, permitiéndoles informarse y reflexionar sobre el sentido de su voto, así como decidir sobre la conveniencia de asistir o no a la reunión, y garantizarles, por otra parte, que no podrá tomarse ninguna decisión sobre asuntos acerca de los cuales no se preveía deliberar ni adoptar acuerdo alguno. Tan elemental exigencia sólo quiebra en los supuestos en que excepcionalmente el legislador permite adoptar acuerdos sin cumplir dicho requisito, cuales son los de separación de los administradores (artículo 223.1 de la Ley de Sociedades de Capital) y el de ejercicio contra los mismos de la acción social de responsabilidad (artículo 238.1 de la misma Ley). Y, según han admitido tanto el Tribunal Supremo (cfr. Sentencias de 30 de abril de 1971, 30 de septiembre de 1985 y 4 de noviembre de 1992) como este Centro Directivo (cfr. Resoluciones de 16 de febrero de 1995, 26 de julio de 1996, 10 de mayo de 2011 y 10 de octubre de 2012) esa posibilidad de destitución de los administradores lleva consigo la de nombrar a quienes hayan de sustituirlos, sin necesidad de que el nombramiento se incluya en el orden de día.

La singularidad de la denominada junta general universal respecto de la que no tiene dicho carácter consiste en el mantenimiento de la validez de su constitución y de los acuerdos en ella adoptados, aunque no se hubieran cumplido los requisitos de convocatoria previstos en la ley y los estatutos, siempre que estén presentes o representados todos los socios y acuerden por unanimidad la celebración de la reunión (artículo 178.1 de la Ley de Sociedades de Capital). En tal supuesto se prescinde exclusivamente de los requisitos de convocatoria, por considerar que la presencia de todos los socios y la unanimidad exigida respecto al acuerdo de celebración de la junta garantiza el respeto de sus derechos de asistencia, información y voto cuya protección subyace a las normas sobre forma de convocatoria, que no se considera necesario cumplir en el caso de junta universal.

Tan fundamental es ese orden del día y su aceptación unánime que no puede tener dicha consideración de universal la junta a la que asistan todos los socios si no consta de forma expresa la aceptación unánime del orden del día (vid. Sentencia del Tribunal Supremo de 18 de junio de 2012 y Resolución de 17 de abril de 1999). Por tanto, y como ha reiterado este Centro Directivo (cfr. las Resoluciones de 7 de abril de 2011, 27 de octubre de 2012 y 24 de abril de 2013), para que una junta sea universal no es suficiente la asistencia de todos los socios si no se expresa esa aceptación por unanimidad del orden del día de la misma.

Tratándose de acuerdos que hayan de inscribirse en el Registro Mercantil, deben constar en la certificación de los acuerdos sociales —o en la escritura o el acta notarial, en el presente supuesto— los elementos esenciales para poder apreciar la regularidad de la convocatoria de la junta general o, en su caso, las circunstancias necesarias para su consideración como junta universal (cfr. artículos 97, apartado 1, circunstancias 2.ª y 3.ª, y 112.2 del Reglamento del Registro Mercantil). Por ello tiene razón el registrador al exigir que, a falta de acreditación del carácter universal de la junta, conste en el título hábil para practicar la inscripción los elementos esenciales para poder apreciar la regularidad de la convocatoria, entre ellos el nombre y el cargo de las personas que hayan efectuado dicha convocatoria. Pero, dado que el recurrente limita su impugnación única y exclusivamente a la suspensión de la inscripción del nombramiento de administradores solidarios contenidos en la certificación (que es propiamente el contenido de la escritura calificada), y dicho nombramiento puede ser acordado en la junta general aunque no constar en el orden del día, por haber sido consecuencia del cese de administradores también acordado en la misma junta, no puede exigirse para practicar dicha inscripción que se acredite la inclusión en el orden del día de otros extremos relativos a los acuerdos de reducción y aumento del capital social y aprobación de cuentas que no son elevados a público mediante dicha escritura» (RDGRN de 22 julio 2013).

Hay unos supuestos especiales de cese de administradores de la sociedad anónima:

1. Los administradores que estuviesen incursos en cualquiera de las prohibiciones legales deberán ser inmediatamente destituidos, a solicitud de cualquier accionista, sin perjuicio de la responsabilidad en que puedan incurrir por su conducta desleal.
2. Los administradores y las personas que bajo cualquier forma tengan intereses opuestos a los de la sociedad cesarán en su cargo a solicitud de cualquier socio por acuerdo de la junta general. (art. 224 LSC).

4.8.5.2.1.6. Continuidad de cargos de los administradores

A tenor del art. 222 LSC, *el nombramiento de los administradores caducará cuando, vencido el plazo, se haya celebrado junta general o haya transcurrido el plazo para la celebración de la junta que ha de resolver sobre la aprobación de las cuentas del ejercicio anterior.*

«Este Centro Directivo ha venido elaborando la doctrina (Resolución de 24 de junio de 1968) de que el mero transcurso del plazo para el que los administradores fueron elegidos no implica por sí solo, el cese del conjunto de obligaciones anejo a su cargo cuando no existe otra persona que legítimamente pueda llevarlos a cabo. Efectivamente, el carácter permanente del órgano de administración de la sociedad justifica sobradamente que aun vencido el plazo subsista el deber de diligencia de la persona que tiene encomendada la función de gestión de la sociedad quien debe proveer lo necesario para que la vida social no sufra una paralización y el perjuicio inherente a una situación semejante (apreciaciones todas ellas que pueden predicarse por identidad de razón de los liquidadores en aplicación del artículo 375.2 del texto refundido de Sociedades de Capital).

Fruto de esta doctrina fue la reforma del Reglamento del Registro Mercantil en su artículo 145 y posteriormente de la Ley de Sociedades de Responsabilidad Limitada (artículo 60.2), así como de la Ley de Sociedades Anónimas en su artículo 126.3 cuyo texto, con mínimas variaciones, constituye en la actualidad el artículo 222 LSC [...].

Es cierto que el hecho de que haya transcurrido el plazo de duración del cargo de los administradores no implica una prórroga indiscriminada de su mandato, pues el ejercicio de sus facultades está encaminado exclusivamente a la provisión de las necesidades sociales y, especialmente, a que el órgano con competencia legal, la junta de socios, pueda proveer el nombramiento de nuevos cargos (vid. artículo 377.1 para los liquidadores). Por este motivo, este centro directivo ha rechazado la inscripción de acuerdos sociales adoptados por juntas convocadas por administradores con cargos vencidos cuando el objeto de la convocatoria excedía sobradamente de las previsiones legales (vid. Resoluciones de 13 de mayo de 1998 y 15 de febrero de 1999), pero fuera de estos supuestos la persistencia de los deberes de gestión ordinaria de la sociedad es indudable.

Así lo ha entendido nuestro Tribunal Supremo quien tiene declarado (Sentencias de 23 de octubre de 2009 y 23 de febrero de 2012) que el administrador que, por cualquier causa previsible, deba cesar en el ejercicio del cargo, ha de convocar junta a fin de evitar que la sociedad quede descabezada y atender, en el interregno, a las necesidades de la gestión y representación. Se entiende que subsiste transitoriamente su cargo, y como consecuencia su responsabilidad, para evitar el daño que a la sociedad pueda producir la paralización del órgano de administración.

En el supuesto de hecho que ha provocado este expediente la única objeción de la nota de calificación es que, convocada la junta por los liquidadores de la sociedad y producido el transcurso del tiempo para el que, según Registro, fueron nombrados, el requerimiento realizado al notario para que comparezca en la junta de socios convocada, y cuyo reflejo documental es el presentado a inscripción, no es válido por tener aquéllos el cargo caducado al tiempo de hacer el requerimiento (en fecha coincidente con la prevista para la celebración de la junta de socios). A la luz de las anteriores consideraciones, el defecto no puede ser mantenido dado que la actuación de los liquidadores con plazo vencido se ha limitado a requerir la presencia de un notario a la sesión de la junta debidamente convocada antes de vencer aquél. Dado que la competencia para requerir al notario pertenece en exclusiva al órgano de administración (artículo 203 del Texto Refundido de la Ley de Sociedades de Capital) es claro que no ha existido extralimitación y que los liquidadores han actuado dentro del ámbito de diligencia inherente a su cargo» (RDGRN de 19 julio 2012).

4.8.5.2.1.7. La representación voluntaria de las sociedades de capital en particular, y de las sociedades mercantiles en general

Todas las sociedades pueden actuar a través de su representación orgánica o, también, por medio de representantes voluntarios designados en escritura de poder en el que se den facultades generales o para un o unos actos concretos.

Como establece el art. 1280.5º CC, *[...] el poder para administrar bienes, y de cualquier otro que tenga por objeto un acto redactado o que deba redactarse en escritura pública, o haya de perjudicar a tercero.*

Por su parte, el art. 94.1 RRM establece que *en la hoja abierta a cada sociedad se inscribirán obligatoriamente: [...]*

5.º Los poderes generales y las delegaciones de facultades, así como su modificación, revocación y sustitución. No será obligatoria la inscripción de los poderes generales para pleitos o de los concedidos para la realización de actos concretos.

Y el art. 95.1 RRM establece que, entre otros, los actos a que se refiere el párrafo 5.º del apartado 1 del artículo anterior *deberán constar, para su inscripción, en escritura pública.*

Es la representación orgánica (y no la junta general) quien confiere tales apoderamientos.

De acuerdo con el art. 1712 CC, *el mandato es general o especial. El primero comprende todos los negocios del mandante. El segundo, uno o más negocios determinados.*

Y, a tenor de lo dispuesto en el art. 1713 CC, *el mandato, concebido en términos generales, no comprende más que los actos de administración. Para transigir, enajenar, hipotecar o ejecutar cualquier otro acto de riguroso dominio, se necesita mandato expreso.*

Los poderes en tanto no son revocados, tienen duración indefinida, salvo que se hubiesen otorgado por tiempo determinado. Su vigencia no depende del cargo que lo otorgó.

Como señala el Tribunal Supremo, «los apoderados no constituyen un órgano de la sociedad, si bien representan a la sociedad y no a su administrador.

La jurisprudencia de esta Sala, sintetizada en la sentencia núm. 219/2002, de 14 de marzo, distingue entre la representación orgánica que legalmente corresponde al administrador o administradores de la sociedad y la representación voluntaria otorgada a otras personas por los órganos de administración mediante apoderamientos parciales o generales. Consecuencia de dicha distinción es que mientras la representación orgánica se rige por la normativa correspondiente al tipo de sociedad de que se trate, la representación voluntaria para actos externos, admitida por el artículo 141.1 del Texto Refundido de la Ley de Sociedades Anónimas de 1989 (hoy, art. 249.1 del Texto Refundido de la Ley de Sociedades de Capital) se rige por las normas del Código Civil sobre el mandato y por los artículos 281 y siguientes del Código de Comercio sobre el mandato mercantil. Y consecuencia de esto último, a su vez, es que subsisten las facultades del apoderado pese a los cambios personales en el órgano de administración, mientras éste no revoque el poder válidamente otorgado en su día (sentencia de 19 de febrero de 1997, recurso núm. 204/93, sentencia núm. 10/2000, de 19 de enero, sentencia núm. 803/2001, de 30 de julio, y sentencia núm. 1125/2001, de 3 de diciembre).

Si los apoderados de la sociedad actuaron abusivamente en el ejercicio de las facultades que les habían sido conferidas y la compraventa supuso una defraudación de los legítimos derechos del demandante en tanto que socio, tal cuestión ha de dilucidarse en el ámbito de las relaciones internas entre el demandante y su socio y los apoderados de la sociedad a quienes el demandante acusa de estar en connivencia para defraudar sus derechos y a quienes dirigió determinadas comunicaciones. Pero habida cuenta de las circunstancias antes expresadas, en especial de la falta de connivencia de la compradora, tales cuestiones no pueden proyectarse al ámbito externo, de la contratación de la sociedad con terceros, provocando la nulidad de los negocios jurídicos concertados por sus representantes» (STS de 12 noviembre 2013).

4.8.5.2.1.8. La inscripción registral de los nombramientos y apoderamientos y consecuencias de la no inscripción

Como ya hemos señalado, de acuerdo con el art. 215 LSC, *el nombramiento de los administradores, una vez aceptado, deberá ser presentado a inscripción en el Registro Mercantil haciendo constar la identidad de los nombrados y, en relación a los administradores que tengan atribuida la representación de la sociedad, si pueden actuar por sí solos o necesitan hacerlo conjuntamente*. Pero esta inscripción no es constitutiva salvo para los casos de los consejeros-delegados.

Sin embargo, se ha debatido sobre la inscribibilidad de los actos y negocios jurídicos concluidos por administrador no inscrito. La cuestión planteada la resuelve la DGRN en la Resolución de 29 de septiembre de 2016 (BOE 14 de octubre de 2016) según la «reciente» doctrina reiterada de ese Centro Directivo (cfr., por todas, las Resoluciones de 27 de febrero, 11 de junio, 5 de octubre y 6 de noviembre de 2012, 24 de junio y 8 de julio de 2013 y 28 de enero de 2014). Cuando se trate de personas jurídicas, y en particular, como sucede en este caso, de sociedades, la actuación del titular registral debe realizarse a través de los órganos legítimamente designados de acuerdo con la Ley y normas estatutarias de la entidad de que se trate, o de los apoderamientos o delegaciones conferidos por ellos conforme a dichas normas (vid. Resolución de 12 de abril de 1996, citada expresamente por la Resolución de 12 de abril de 2002).

Extremos y requisitos éstos que en caso de que dichos nombramientos sean de obligatoria inscripción en el Registro Mercantil y los mismos se hayan inscrito corresponderá apreciar al registrador Mercantil competente, por lo que la constancia en la reseña identificativa del documento del que nace la representación de los datos de inscripción en el Registro Mercantil dispensará de cualquier otra prueba al respecto para acreditar la legalidad y válida existencia de dicha representación.

En otro caso, es decir cuando no conste dicha inscripción en el Registro Mercantil, deberá acreditarse la legalidad y existencia de la representación alegada en nombre del titular registral a través de la reseña identificativa de los documentos que acrediten la realidad y validez de aquélla y su congruencia con la presunción de validez y exactitud registral establecida en los artículos 20 CCom y 7 del Reglamento del Registro Mercantil (vid. Resoluciones de 17 de diciembre de 1997 y 3 y 23 de febrero de 2001).

El nombramiento de los administradores surte sus efectos desde el momento de la aceptación, ya que la inscripción del mismo en el Registro Mercantil aparece configurada como obligatoria pero no tiene carácter constitutivo y, por tanto, el incumplimiento de la obligación de inscribir no determina por sí solo la invalidez o ineficacia de lo realizado por el administrador antes de producirse la inscripción (cfr. arts. 22.2 CCom, 4 y 94.1.4.º RRM y 214.3, 233 y 234 LSC, y, entre otras, Resoluciones de 17 de diciembre de 1997, 23 de febrero de 2001 y 13 de noviembre de 2007, para los cargos de sociedades, y de 15 de febrero, 9 de abril, 3 de junio y 19 de julio de 2003 y 2 de enero de 2005, para los apoderados o representantes voluntarios de sociedades). Doctrina que no contradice, según la DGRN, lo anteriormente expuesto, pues el no condicionamiento de la previa inscripción en el Registro Mercantil del nombramiento del cargo representativo o poder general para la inscripción del acto de que se trate no puede excusar la necesaria acreditación de la existencia y validez de la representación alegada, en nombre del titular registral, para que el acto concreto pueda ser inscrito sin la directa intervención de dicho titular registral (cfr. arts. 1, 20, 38 y 40 LH).

Pero entiende la DGRN que a pesar de que el nombramiento de administrador produzca efectos desde su aceptación, háyase o no inscrito dicho nombramiento en el Registro Mercantil, es preciso justificar que dicho nombramiento es además válido por haberse realizado con los requisitos, formalidades y garantías establecidas por la legislación de fondo aplicable.

No se trata en resumen, dice, de oponibilidad o no frente a tercero, de buena o mala fe, del nombramiento de administrador no inscrito, sino de acreditación de la validez, regularidad y plena legitimación del que actúa en representación del titular inscrito en el Registro de la Propiedad en base a un nombramiento que no goza de la presunción de validez y exactitud derivada de la inscripción en el Registro Mercantil y que, por tanto, en principio responde a una situación contraria a la que publica dicho Registro Mercantil con efectos frente a todos desde su publicación en el «Boletín Oficial del Registro Mercantil» (arts. 21.1 CCom y 9 RRM), y por tanto también frente al que conoce la falta de inscripción de dicho nombramiento pues consta en la propia escritura. Habría que decir que sería uno de los muchísimos casos en los que lo que consta en un Registro no coincide con la realidad (y esto tanto para los RM como para los RP).

Pero como sabemos, no hay ningún precepto legal que establezca como requisito *sine qua non* para la adquisición de la condición de administrador de una sociedad mercantil la inscripción de su nombramiento. En el caso que nos ocupa, el art. 214.3 LSC dice que *el nombramiento de los administradores surtirá efecto desde el momento de su aceptación* (como hacía antes el art. 58.2 LSL que establecía lo mismo y ni siquiera citaba su inscripción en el Registro Mercantil a diferencia del art. 125 LSA.)

Hoy sí que dice el art. 215 LSC que *el nombramiento de los administradores, una vez aceptado, deberá ser presentado a inscripción en el Registro Mercantil haciendo constar la identidad de los nombrados y, en relación a los administradores que tengan atribuida la representación de la sociedad, si pueden actuar por sí solos o necesitan hacerlo conjuntamente.* Pero obsérvese que habla de «presentación» y no de «inscripción».

Obviamente, no puede deducirse de ningún precepto que la inscripción es constitutiva. Por eso, es desde el momento de la aceptación cuando el administrador tiene plenas facultades representativas de la sociedad que le ha nombrado y, a partir de ese momento, vincula a la sociedad con sus actos. Si el Legislador hubiera querido establecer una consecuencia a la no inscripción distinta de la que se establece con carácter general por el art. 21 CCom lo hubiera hecho. Así, tras señalar el art. 20 LSC que *la constitución de las sociedades de capital exigirá escritura pública, que deberá inscribirse en el Registro Mercantil*, el art. 33 LSC establece que *con la inscripción la sociedad adquirirá la personalidad jurídica que corresponda al tipo social elegido* (en análogos términos establecía el art. 11 LSL y el art. 7 LSA que la constitución de la sociedad limitada y de la anónima se haría mediante escritura pública que debería inscribirse en el Registro Mercantil; con dicha inscripción adquirirían la personalidad jurídica); y por eso el art. 383 RH establece que *no podrá practicarse a favor de sociedad mercantil ninguna inscripción de aportación o adquisición por cualquier título de bienes inmuebles o derechos reales, sin que previamente conste haberse extendido la que corresponda en el Registro Mercantil.* O el art. 249.2 LSC que establece que *la delegación permanente de alguna facultad del consejo de administración en la comisión ejecutiva o en el consejero delegado y la designación de los administradores que hayan de ocupar tales cargos requerirán para su validez el voto favorable de las dos terceras partes de los componentes del consejo y no producirán efecto alguno hasta su inscripción en el Registro Mercantil* (como hacía el art. 141.2 LSA y por remisión a éste el art. 57,1 LSL, que también exigía la inscripción en dicho Registro del nombramiento de Consejero Delegado para que tuviera efectos y, por tanto, fueran válidos los actos por él celebrados).

Como señala GRIMALDOS (2016, p. 272), la inscripción «no tiene efectos constitutivos, siendo tan solo precisa para oponer el nombramiento a terceros que se relacionan con la sociedad». Por su parte, GALLEGO (2011, p. 1.538) dice que «a pesar del carácter obligatorio de la inscripción la única consecuencia apreciable que deriva de su incumplimiento consiste en que si el mismo provoca algún daño a terceros, deberá ser resarcido por la sociedad y por las personas obligadas a practicar la inscripción».

Nada hay que objetar al hecho también cierto de que es obligatoria la inscripción de determinados actos como es el caso del nombramiento de administrador —al igual que el otorgamiento de poderes—, como se deduce del citado art. 235 LSC y los arts. 4 y 94 RRM y el art. 192 RRM que se refiere a las circunstancias de la inscripción. Pero no son sino manifestación de la obligatoriedad que establece con carácter general el art. 19 en relación con el art. 16.1 CCom y el art. 22. Pero es precisamente este mismo Cuerpo legal —arts. 20 y 21— el que establece las consecuencias de la inscripción y de la no inscripción; los conocidos principios de publicidad material (hoy oponibilidad), en sus aspectos positivo y negativo: el acto o contrato inscrito se presume conocido de todos, mientras que el acto o contrato sujeto a inscripción, pero no inscrito, no se puede hacer valer frente a tercero en tanto no se pruebe que lo conocía, hoy mitigados tras la reforma del Código de Comercio operada en 1989. En el caso que nos ocupa, se concretan en una protección de los terceros que hubieran contratado con quien figura como representante de la sociedad en el Registro (antes habría otro administrador) de forma que ésta no podría alegar el cese no inscrito de un administrador como motivo de invalidez de lo actuado por dicho administrador cesado.

Pero en ningún caso la consecuencia de la no inscripción del nombramiento de administrador es la invalidez o ineficacia de los actos por él concluidos porque el administrador es tal desde la aceptación de su nombramiento, aceptación que consta en la propia escritura de nombramiento, y desde ese momento obliga y vincula a la sociedad de la que es representante. Por ello son perfectamente válidos los actos o negocios jurídicos celebrados por administrador (igual ocurriría en el caso de un apoderado) cuyo nombramiento no esté inscrito en el Registro Mercantil. Y llegado este momento hay que preguntarse por qué un negocio jurídico válido, en el caso que nos ocupa, una dación en pago, deviene ineficaz por razón de la negativa del Registrador de la Propiedad a inscribir, ya que cualquier otro acto o negocio que no requiriese inscripción en un Registro de la Propiedad (p.e. una dación en pago de un bien que no fuera un inmueble, una compraventa de bienes muebles, un contrato de arrendamiento, un contrato de suministro...), además de válido sería plenamente eficaz.

Según la DGRN, en los casos de falta de inscripción del nombramiento de administrador en el Registro Mercantil, la reseña identificativa del documento o documentos fehacientes de los que resulte la representación acreditada al notario autorizante de la escritura deba contener todas las circunstancias que legalmente sean procedentes para entender válidamente hecho el nombramiento de administrador por constar el acuerdo válido del órgano social competente para su nombramiento debidamente convocado, la aceptación de su nombramiento y, en su caso, notificación o consentimiento de los titulares de los anteriores cargos inscritos en términos que hagan compatible y congruente la situación registral con la extrarregistral (vid. arts. 12, 77 a 80, 108, 109 y 111 RRM); todo ello para que pueda entenderse desvirtuada la presunción de exactitud de los asientos del Registro Mercantil y que, en el presente caso, se hallan en contradicción con la representación alegada en la escritura calificada. A lo que habría que contestar que estaríamos ante una *presunción iuris tantum* que quedaría perfectamente desvirtuada por una escritura pública que es documento público.

Según la DGRN, la ausencia de inscripción en el Registro Mercantil del nombramiento de administrador no puede estimarse suplida por la reseña que figura en la escritura calificada, pues no resultan los datos que acreditan el cumplimiento de los requisitos legalmente previstos para que pueda reputarse válido el nombramiento y que, de haberse presentado la escritura en el Registro Mercantil, y haberse inscrito, habrían sido objeto de calificación por el registrador Mercantil.

Entrando en el contenido de las resoluciones anteriores de esa Dirección General, en la de 17 de diciembre de 1997 y como se señala en la misma «dada la concreción del recurso gubernativo a las cuestiones directamente relacionadas con la nota impugnada (art. 68 RRM), el ahora entablado ha de concretarse exclusivamente a la de decidir si es precisa, para la inscripción en el Registro de la Propiedad de una escritura otorgada por el Administrador único de sociedad mercantil anónima, la previa inscripción de su nombramiento en el Registro Mercantil correspondiente». «Presentadas escrituras de dación y pago y cancelación de hipoteca, fueron calificadas con sendas notas ambas del mismo tenor literal siguiente: suspendida la inscripción del precedente documento por cuanto no se acredita la inscripción del nombramiento de Administrador único de la sociedad «Promotora C., Sociedad Anónima», conforme a lo establecido en el artículo 125 de la Ley de Sociedades Anónimas y concordantes del Reglamento del Registro Mercantil; defecto subsanable». En sus fundamentos jurídicos esta resolución establece: «En el nuevo Reglamento del Registro Mercantil ha quedado suprimida la norma contenida en el artículo 95 del Reglamento de 14 de diciembre de 1956, por la cual se ordenaba la inadmisión en oficina pública de documentos comprensivos de actos sujetos a inscripción obligatoria en el Registro Mercantil, sin que se acreditara tal inscripción. Por otra parte, es incuestionable la validez de las actuaciones jurídicas que en nombre de la sociedad anónima realice el Administrador desde el mismo momento de la aceptación del cargo válidamente conferido (artículo 125 de la Ley de Sociedades Anónimas). Ciertamente la inscripción de tal cargo es obligatoria (artículos 22 del Código de Comercio, 125 de la Ley de Sociedades Anónimas y 4 y 94-4º del Reglamento del Registro Mercantil), pero como el incumplimiento de la obligación de inscribir no afecta a la validez y eficacia del acto realizado en representación de la sociedad, tal incumplimiento cae fuera del ámbito de calificación que corresponde al Registrador de la Propiedad respecto del acto jurídico otorgado por aquel Administrador». Por ello concluye: la «Dirección General ha acordado estimar el recurso interpuesto y revocar el auto apelado y la nota del Registrador».

En la RDGRN de 3 febrero de 2001 «se debate una vez más si para la inscripción en el Registro de la Propiedad de una escritura pública mediante la cual se transmite determinada finca por el administrador único de una sociedad de responsabilidad limitada es o no necesaria la previa inscripción de su nombramiento en el Registro Mercantil...

Como puso de relieve este Centro Directivo en la Resolución de 17 de diciembre de 1997, en el Reglamento del Registro Mercantil vigente ha quedado suprimida la norma contenida en el art. 95 del Reglamento de 14 de diciembre de 1956, por la cual se ordenaba la inadmisión en oficina pública de documentos comprensivos de actos sujetos a inscripción obligatoria en el Registro Mercantil, sin que se acreditara tal inscripción.

Por otra parte, es incuestionable la validez de los actos jurídicos que, en nombre de la sociedad anónima realice el administrador desde el mismo momento de la aceptación del cargo válidamente conferido (art. 125 LSA). Ciertamente, la inscripción de tal cargo es obligatoria (arts. 22 CCom, 125 LSA y 4 y 94.4º del RRM), pero como el incumplimiento de la obligación de inscribir no afecta a la validez y eficacia del acto realizado en representación de la sociedad, tal incumplimiento cae fuera del ámbito de calificación que corresponde al Registrador de la Propiedad respecto de dicho acto. Por ello, la interpretación conjunta de los preceptos legales citados no permite mantener el defecto impugnado». «Esta Dirección General ha acordado estimar el recurso interpuesto y revocar el auto apelado y la nota del Registrador».

Por último, en la Resolución de 23 febrero 2001 se decía: «Dada la concreción del recurso gubernativo a las cuestiones directamente relacionadas con la nota impugnada (art. 117 del Reglamento Hipotecario), el ahora entablado ha de concretarse exclusivamente a la de decidir si es precisa, para la inscripción en el Registro de la Propiedad de una escritura otorgada por dos administradores mancomunados de sociedad mercantil anónima, la previa inscripción de su nombramiento en el Registro Mercantil correspondiente. Tras reiterar los argumentos de las dos resoluciones anteriores la Dirección General desestima el recurso interpuesto por la Registradora de la Propiedad contra el Auto del Presidente del Tribunal Superior de Justicia de la Comunidad Valenciana por el que se revocó la nota de la Registradora».

En las tres resoluciones citadas se hace mención a las enormes dificultades prácticas que surgirán para inscribir en el Registro de la Propiedad el acto otorgado por el Administrador de una sociedad con cargo no inscrito en el Registro Mercantil, por cuanto en tal hipótesis habrá de acreditarse al Registrador de la Propiedad la realidad, validez y vigencia del nombramiento de Administrador. Pero tampoco hay que olvidar que en las tres se revocan las notas de los Registradores denegatorias de la inscripción y que en la de 23 de febrero de 2001 en la fundamentación del recurso interpuesto por la Registradora de la Propiedad contra el auto de TSJ de Valencia, cita el art. 11.3 del Reglamento del Registro Mercantil, señalando que «dicha norma no puede ser más lógica, ya que quien únicamente puede calificar la validez y regularidad de los nombramientos de administradores, es el Registrador Mercantil y es la inscripción en el Registro Mercantil lo que permite al Registrador de la Propiedad comprobar la legitimación de aquéllos para el otorgamiento de escrituras que han de motivar asientos en el Registro de la Propiedad». Ese es el criterio que parece ahora sostener la DGRN lo que nos conduce a que nunca sería objeto de inscripción un acto realizado por administrador o apoderado no inscrito. Y esto es lo que no compartía esa Dirección General antes, prueba de ello es que ordena inscribir. Pero los tiempos han cambiado.

En definitiva, que lo que la Ley no exige (inscripción en el Registro Mercantil para la validez y eficacia del nombramiento del administrador), la Dirección General lo impone *de facto* porque la única forma que entiende que hay para admitir la validez de dicho nombramiento es la calificación del Registrador Mercantil. No le parece suficiente el juicio favorable de validez hecho por el Notario que ha elevado a público el nombramiento ni el que hace el segundo Notario que autoriza el acto jurídico formalizado por el administrador no inscrito a la vista de su nombramiento. Tampoco se le ha ocurrido plantear que lo haga el Registrador de la Propiedad competente ya que pertenece al Cuerpo de Registradores de la Propiedad y Mercantiles.

No olvidemos que en el vigente Reglamento del Registro Mercantil ha quedado suprimida la norma contenida en el art. 95 del Reglamento de 14 de diciembre de 1956, por la cual se ordenaba la inadmisión en oficina pública de documentos comprensivos de actos sujetos a inscripción obligatoria en el Registro Mercantil, sin que se acreditara tal inscripción. Pero este precepto, ha tomado vida por vía de las últimas Resoluciones de la Dirección General de los Registros.

La consecuencia de esta interpretación es nociva para la seguridad jurídica y para las partes contratantes, empezando por la parte más débil que es, en este caso, el propio deudor para el que la dación en pago sea, probablemente, la mejor o única salida. Pero como todas las daciones en pago de bienes inmuebles se someten a la condición suspensiva de la inscripción de la adquisición en el Registro de la Propiedad, el deudor verá cómo su deuda continúa vigente y estará devengando unos intereses de demora. Y no se le eche la culpa de la no inscripción del nombramiento de administrador porque ésta puede devenir imposible (p.e. la sociedad no ha realizado el depósito de cuentas, no puede hacerlo porque se ha destruido la información contable y hay que reconstruirla o porque el administrador saliente está fugado y no se le puede notificar…).

En fin, vía resolución de la Dirección General de los Registros se impone lo que no hace ni la Ley de Sociedades de Capital ni ninguna otra, ni siquiera el Reglamento del Registro Mercantil. Y lo que es también muy grave, se deja «descabezada» la sociedad de forma que la persona jurídica queda sin que ninguna persona física pueda representarla ya que la no inscripción de su nombramiento y aceptación impide que los actos y negocios jurídicos concluidos por el administrador tengan acceso al Registro de la Propiedad.

4.8.5.2.1.9. Certificación de los acuerdos de los órganos sociales

Para acreditar los acuerdos sociales debe certificarse el contenido de las actas de las juntas o del consejo de administración. Es requisito necesario que el acta en cuestión se encuentre aprobada y firmada o que exista un acta notarial (art. 109.4 RRM).

De acuerdo con el art. 26.2 CCom, *cualquier socio y las personas que, en su caso, hubiesen asistido a la Junta general en representación de los socios no asistentes, podrán obtener en cualquier momento certificación de los acuerdos y de las actas de las Juntas generales.*

Aquellas certificaciones que contengan acuerdos susceptibles de inscribirse en el Registro Mercantil deberán tener el contenido que establece el art. 112 RRM.

> 1. Los acuerdos de los órganos colegiados de las sociedades mercantiles podrán certificarse por transcripción literal o por extracto, salvo que se trate de acuerdos relativos a la modificación

de la escritura o de los estatutos sociales, en cuyo caso será preceptiva la transcripción literal del acuerdo. En la certificación se harán constar la fecha y el sistema de aprobación del acta correspondiente o, en su caso, que los acuerdos figuran en acta notarial.

2. Si los acuerdos hubieren de inscribirse en el Registro Mercantil, se consignarán en la certificación todas las circunstancias del acta que sean necesarias para calificar la validez de los acuerdos adoptados.

3. En caso de certificación por extracto, si los acuerdos hubiesen de inscribirse en el Registro Mercantil, se consignarán en ella todas las circunstancias que enumera el artículo 97, y que son:
1.ª Fecha y lugar del territorio nacional o del extranjero en que se hubiere celebrado la reunión.
2.ª Fecha y modo en que se hubiere efectuado la convocatoria, salvo que se trate de Junta o Asamblea universal. Si se tratara de Junta General o Especial de una sociedad anónima, se indicarán el «Boletín Oficial del Registro Mercantil» y el diario o diarios en que se hubiere publicado el anuncio de convocatoria.

Tratándose de acuerdos que se han de inscribir en el RM, en la certificación deben constar los elementos esenciales para poder apreciar la regularidad de la convocatoria de la junta general o, en su caso, las circunstancias necesarias para su consideración como junta universal, sin que sea suficiente para considerar que la junta tuvo el carácter de universal la referencia a la asistencia a la reunión de los dos únicos socios, pues para que tenga tal carácter es necesario, además, que todos los socios acepten por unanimidad la celebración de la junta, debiendo expresarse tal circunstancia (RDGRN de 7 de abril de 2011).

No se entiende cumplida esta obligación con una mera referencia general a que la convocatoria se ha realizado conforme a los estatutos sociales (RDGRN de 16 de febrero de 2013).

3.ª Texto íntegro de la convocatoria o, si se tratase de Junta o Asamblea universal, los puntos aceptados como orden del día de la sesión.
4.ª En caso de Junta o Asamblea, el número de socios concurrentes con derecho a voto, indicando cuántos lo hacen personalmente y cuántos asisten por representación, así como el porcentaje de capital social que unos y otros representan. Si la Junta o Asamblea es universal, se hará constar, a continuación de la fecha y lugar y del orden del día, el nombre de los asistentes, que deberá ir seguido de la firma de cada uno de ellos.
En caso de órganos colegiados de administración, se expresará el nombre de los miembros concurrentes, con indicación de los que asisten personalmente y de quienes lo hacen representados por otro miembro.

Aunque la exigencia de indicar el nombre de los miembros del Consejo de Administración aparece referida al contenido del acta de la reunión, dicha circunstancia es determinante para que el Registrador pueda calificar la certificación protocolizada, dado que su validez y regularidad presupone que los miembros del órgano colegiado de administración que asistieron a la reunión correspondiente —al menos los que forman el quórum de asistencia mínimo— han de tener sus cargos vigentes y debidamente inscritos en el RM, y estos extremos sólo pueden ser calificados por el registrador si en la certificación se expresan, para su contraste con el contenido de los libros del RM, los nombres de los consejeros concurrentes (RDGRN de 26 de marzo de 2014).

5.ª Un resumen de los asuntos debatidos y de las intervenciones de las que se haya solicitado constancia.

6.ª El contenido de los acuerdos adoptados.

7.ª En el caso de Junta o Asamblea, la indicación del resultado de las votaciones, expresando las mayorías con que se hubiere adoptado cada uno de los acuerdos.

Si se tratase de órganos colegiados de administración, se indicará el número de miembros que ha votado a favor del acuerdo.

En ambos casos, y siempre que lo solicite quien haya votado en contra, se hará constar la oposición a los acuerdos adoptados.

8.ª La aprobación del acta conforme al artículo 99 (1. Las actas de Junta o Asamblea se aprobarán en la forma prevista por la Ley o, en su defecto, por la escritura social. A falta de previsión específica, el acta deberá ser aprobada por el propio órgano al final de la reunión. 2. Las actas del órgano colegiado de administración se aprobarán en la forma prevista en la escritura social. A falta de previsión específica, el acta deberá ser aprobada por el propio órgano al final de la reunión o en la siguiente. 3. Una vez que conste en el acta su aprobación, será firmada por el Secretario del órgano o de la sesión, con el Visto Bueno de quien hubiera actuado en ella como Presidente. 4. Cuando la aprobación del acta no tenga lugar al final de la reunión, se consignará en ella la fecha y el sistema de aprobación).

Las decisiones del socio único se consignarán en acta, que se extenderá o transcribirá en el Libro de actas correspondiente, con expresión de las circunstancias 1.ª y 6.ª del apartado anterior, así como si la decisión ha sido adoptada personalmente o por medio de representante.

Habrá que tener en cuenta, continúa el art. 112 RRM, *las siguientes particularidades:*

1.ª Será suficiente expresar el total capital que representen las acciones de los socios asistentes, o, en su caso, el número de votos que corresponden a sus participaciones, siendo necesario indicar el número de socios únicamente cuando éste sea determinante para la válida constitución de la Junta o Asamblea o para la adopción del acuerdo.

2.ª Si la Junta fuese universal sólo será necesario consignar tal carácter y que en el acta figura el nombre y la firma de los asistentes que sean socios o representantes de éstos.

3.ª No será necesario recoger en la certificación el resumen de los asuntos debatidos ni expresar, en su caso, si hubo o no intervenciones u oposiciones.

4.ª En caso de órganos de administración no será necesario especificar cuántos asistieron personalmente ni cuántos por representación.

5.ª Se consignará en la certificación que ha sido confeccionada la lista de asistentes, en su caso, así como el medio utilizado para ello.

4. En todo caso, en la certificación deberá constar la fecha en que se expide.

La RDGRN de 7 de abril de 2011 admite que la certificación de los acuerdos sociales resulte en la misma escritura y no necesariamente en documento aparte.

La expedición de las certificaciones corresponde al órgano de administración, conforme a las siguientes reglas (art. 109 RRM):

a) En el caso de Consejo de Administración, la facultad corresponde:

   – Al Secretario (sea o no consejero) o, en los casos de vacante, ausencia, enfermedad o cualquier otra causa de imposibilidad, al Vicesecretario, sean o no administradores.

Carece de legitimación para elevar a público quien, pese a tener el cargo de Secretario del consejo vigente en el momento de emitir la correspondiente certificación, no lo tiene en la fecha de elevación a público (RDGRN de 24 de abril de 2014).

– Con el visto bueno del Presidente o, en su caso, el Vicepresidente, quien atestigua la verdad del contenido de lo redactado por el Secretario.

b) Cuando no hay órgano colegiado:

– al administrador único;

– a cualquiera de los administradores solidarios;

– a los administradores mancomunados que tengan el poder de representación.

Las mismas reglas son de aplicación al órgano de liquidación.

En todo caso es necesario que tengan su cargo vigente e inscrito en el RM en el momento de la expedición. Al exigirse que tenga cargo vigente no cabe que se certifique por un administrador saliente.

Para la inscripción de los acuerdos contenidos en una certificación debe inscribirse, previa o simultáneamente, el cargo del certificante.

Lo que no cabe es que certifique un apoderado de la sociedad (RDGRN de 15 de enero de 2014), a diferencia de la elevación a público que podrá hacerse por persona que no tenga facultad certificante, pero *requerirá el otorgamiento de la oportuna escritura de poder, que podrá ser general para todo tipo de acuerdos en cuyo caso deberá inscribirse en el Registro Mercantil. Este procedimiento no será aplicable para elevar a públicos los acuerdos sociales cuando se tome como base para ello el acta o testimonio notarial de la misma (art. 108,3 RRM).*

Cuando el designado para un cargo con facultad certificante expide, a su vez, certificación relativa al acuerdo de su propio nombramiento, es preciso, de acuerdo con el art. 111 RRM, que se acredite el consentimiento del anterior titular al contenido de la certificación, mediante su firma legitimada en dicha certificación o en documento separado; o la declaración judicial de su ausencia o fallecimiento, su incapacitación o su defunción; lo que se hará a través del testimonio de la sentencia respectiva, el certificado del Registro Civil o el certificado de defunción, respectivamente.

En otro caso, deberá acompañarse a la certificación notificación fehaciente del nombramiento al anterior titular, con cargo inscrito, en el domicilio que consta como suyo en el RM.

La notificación queda cumplimentada y se tiene por hecha en cualquiera de las formas expresadas en el art. 202 RN. Por tanto, se considera satisfecha mediante acta notarial acreditativa de la remisión por correo certificado con acuse de recibo de la copia del documento en que se formalizó el nombramiento, siempre que esta remisión se haya verificado al domicilio registral del anterior titular con facultad certificante (RDGRN de 12 de marzo de 1993); es decir, debe quedar constancia de que la notificación se realizó, ya que si no consta su recepción, el Notario debe personarse en el domicilio del antiguo administrador y realizar personalmente la notificación, aunque en este caso, a diferencia de la notificación por correo, no es imprescindible que se acredite la recepción, bastando que el Notario, previamente dando a conocer su condición de tal, entregue la notificación a cualquier persona que se encuentre en el lugar designado y haga constar su identidad.

Esta notificación es necesaria aunque el anterior administrador con cargo inscrito tenga el cargo vencido y caducado por haber transcurrido el plazo de duración del cargo (RDGRN de 8 de febrero de 2016).

La manifestación de darse por notificado a los efectos de art. 111 RRM puede hacerse por medio de un apoderado con facultad suficiente para recibir notificaciones (RDGRN de 16 de octubre de 2012).

No es suficiente el hecho de que la certificación emitida por persona distinta a la que consta registralmente como titular de la facultad certificante se haga alusión a que se ha producido la renuncia del anterior titular de dicha facultad certificante, pues la narración de hechos que contiene la certificación no equivale a la acreditación del consentimiento (RDGRN de 22 de julio de 2014).

Para que se aplique el mecanismo del art. 111 RRM deben concurrir dos presupuestos (RDGRN de 23 de mayo de 2001 y 4 de junio de 2012):

1. Que la certificación en la que consta el nombramiento no haya sido expedida por persona inscrita.

2. Que, aunque la certificación en que se nombra nuevo administrador haya sido expedida por persona con cargo inscrito, ésta no tenga facultades certificantes o distintas de las inscritas.

Por consiguiente, no se aplica:

– Cuando de dos administradores solidarios se pasa a un administrador único que era uno de los solidarios (RDGRN de 5 de octubre de 2010 y 4 de junio de 2012) porque la certificación del acuerdo en el que consta el nombramiento se había expedido por persona con cargo inscrito y que por sí sólo tenía facultad certificante, de manera que parece que no será admisible cuando el certifica.

– Cuando de un consejo de administración se pasa a un administrador único o solidario, y sea certificado por el nuevo administrador que antes era Secretario o Vicesecretario del consejo.

Por el contrario, sí se aplica:

- Cuando de dos mancomunados se pasa a un administrador único o solidario y el nuevo administrador que certifica era uno de los mancomunados, porque por sí sólo no podía certificar (RDGRN de 22 de julio de 2014).

- Cuando de un Consejo de Administración se pasa a varios solidarios, mancomunados o único y uno de los firmantes de la certificación era uno de los consejeros salvo que fuera el Secretario o el Vicesecretario del Consejo.

4.8.5.2.1.10. Sociedades Anónimas especiales

4.8.5.2.1.10.1. Sociedad Anónima Europea

La realización del mercado interior implica, además de la eliminación de los obstáculos a los intercambios, una reestructuración a escala de la Comunidad de las estructuras de producción. Para ello es indispensable que las empresas cuya actividad no se limite a satisfacer necesidades puramente locales puedan concebir y llevar a cabo la reorganización de sus actividades a escala comunitaria, lo cual requiere que las empresas ya existentes de los distintos Estados miembros tengan la posibilidad de unir sus fuerzas mediante operaciones de concentración y fusión.

Resultaba pues esencial establecer una correspondencia entre la unidad económica y la unidad jurídica de la empresa en la Comunidad. Y para ello era conveniente prever la constitución de sociedades cuya formación y funcionamiento estuvieran regulados por un Reglamento de Derecho Comunitario directamente aplicable en todos los Estados miembros. Surge así el Reglamento 2157/2001 del Consejo, de 8 de octubre de 2001 por el que se aprueba el Estatuto de la Sociedad Anónima Europea (RESE) que entró en vigor el 8 de octubre de 2004.

Este Reglamento debía permitir la creación y la gestión de sociedades de dimensión europea sin que los obstáculos que se derivan de la disparidad y de la aplicación territorial limitada de las legislaciones nacionales aplicables a las sociedades mercantiles pudieran dificultar tales operaciones. Se busca así que pueda constituirse una Sociedad Anónima Europea (SE) tanto para permitir a sociedades de Estados miembros diferentes que se fusionen o que creen una sociedad holding, como para que sociedades sometidas a la legislación de Estados miembros diferentes puedan crear filiales comunes.

La SE se regirá por lo dispuesto en el Reglamento 2157/2001 y, cuando éste lo autorice expresamente, por las disposiciones de sus estatutos. En las materias no reguladas por este Reglamento o en las materias reguladas sólo en parte, se regirán por las disposiciones legales que adopten los Estados miembros que se refieran específicamente a las SE (en España arts. 455 a 494 LSC), en su defecto, por las disposiciones legales de los Estados miembros que fuesen de aplicación a una sociedad anónima constituida con arreglo a la legislación del Estado miembro en el que la SE tenga su domicilio social y, en último extremo, por las disposiciones de los estatutos en las mismas condiciones que rijan a las sociedades anónimas constituidas con arreglo a legislación de dicho Estado miembro.

A su vez, las disposiciones legales que adopten los Estados miembros específicamente para las SE deben ser conformes con las Directivas aplicables a las sociedades anónimas y la SE recibirá en cada Estado miembro el mismo trato que una sociedad anónima constituida con arreglo a la legislación de dicho Estado. En todo caso las leyes nacionales aplicables a la actividad específica que desarrolle la SE les serán plenamente aplicables.

De acuerdo con el art. 1 RESE, *podrán constituirse sociedades en el territorio de la Comunidad en forma de sociedades anónimas europeas (Societas Europaea, denominada en lo sucesivo «SE») en las condiciones y con arreglo a las modalidades previstas en el presente Reglamento.*

El capital de la SE estará dividido en acciones. Cada accionista sólo responderá hasta el límite del capital que haya suscrito.

La SE tendrá personalidad jurídica propia.

Su capital suscrito no podrá ser inferior a 120.000 euros salvo que la legislación de un Estado miembro fije un capital suscrito superior para sociedades que ejerzan determinados tipos de actividad, en cuyo caso dicha legislación se aplicará a las SE que tengan su domicilio social en dicho Estado miembro.

De acuerdo con el art. 15 RESE, *salvo lo dispuesto en el presente Reglamento, la constitución de una SE se regirá por la legislación aplicable a las sociedades anónimas del Estado en que la SE fije su domicilio social.*

La inscripción de una SE se hará pública con arreglo a lo dispuesto en el artículo 13, esto es, de acuerdo con la legislación del Estado miembro del domicilio social de la SE, de conformidad con la Directiva 68/151/CEE.

A tenor de lo establecido en el art. 16 RESE, *la SE adquirirá personalidad jurídica a partir del día en que se haya inscrito en el registro a que se refiere el artículo 12, según el cual, toda SE deberá estar registrada en el Estado miembro de su domicilio social en el registro que señale la legislación de ese Estado miembro a tenor del artículo 3 de la Primera Directiva 68/151/CEE del Consejo, de 9 de marzo de 1968, tendente a coordinar, para hacerlas equivalentes, las garantías exigidas en los Estados miembros a las sociedades definidas en el segundo párrafo del artículo 58 del Tratado, para proteger los intereses de socios y terceros.*

No obstante, *en el caso de que se hayan realizado actos en nombre de la SE antes de su inscripción con arreglo al artículo 12 y de que, después de dicha inscripción, la SE no asuma las obligaciones que se deriven de dichos actos, las personas físicas, sociedades u otras entidades jurídicas que los hayan realizado serán responsables solidarios de los mismos, salvo acuerdo contrario.*

La SE constará de:

a) una junta general de accionistas; y

b) bien un órgano de control y un órgano de dirección (sistema dual), bien un órgano de administración (sistema monista), según la opción que se haya adoptado en los estatutos.

Sistema dual

En el sistema dual hay un órgano de dirección y un órgano de control. Cuando en un Estado miembro no esté previsto este sistema dual con relación a las sociedades anónimas con domicilio social en su territorio, dicho Estado miembro podrá adoptar las medidas oportunas en relación con la SE. Este el caso de España que no obstante no reconocer este sistema para sus sociedades anónimas sí ha adoptado las medidas oportunas para que sea aplicable a las SE con domicilio social en nuestro país.

El *órgano de dirección* será el responsable de la gestión de la SE. El miembro o los miembros del órgano de dirección serán nombrados y revocados por el órgano de control. No obstante, un Estado miembro podrá establecer o permitir que los estatutos puedan disponer que el miembro o los miembros del órgano de dirección sean nombrados o revocados por la junta general en las mismas condiciones que se aplican a las sociedades anónimas domiciliadas en su territorio.

No podrá ejercerse simultáneamente la función de miembros del órgano de dirección y del órgano de control de la misma SE. No obstante, el órgano de vigilancia podrá, en caso de vacante, designar a uno de sus miembros para ejercer las funciones de miembro del órgano de dirección y durante este período, sus funciones en calidad de miembro del órgano de control quedarán en suspenso. Los Estados miembros podrán establecer una limitación temporal de este período. El caso español ese plazo máximo es de un año (artículo 484 LSC).

Los estatutos de la SE fijarán un número de miembros del órgano de dirección o las formas para su determinación si bien, los Estados miembros podrán establecer un número mínimo, máximo o ambos. Así, la legislación española contenida en la LSC que tras decir que la gestión podrá confiarse a un solo director, a varios directores que actúen solidaria o conjuntamente o a un Consejo de dirección, establece que éste estará formado por un mínimo de tres miembros y un máximo de siete. Continúa diciendo que los estatutos de la sociedad, cuando no determinen el número concreto, establecerán el número máximo y el mínimo y las reglas para su determinación (artículos 480 a 482).

El *órgano de control* controlará la gestión encomendada al órgano de dirección y no podrá ejercer por sí mismo el poder de gestión de la SE. Sus miembros serán nombrados por la junta general si bien los miembros del primer órgano de control podrán designarse en los estatutos que determinarán el número de miembros del mismo o las normas para su determinación si bien la legislación de los Estados miembros podrá fijar un número mínimo, máximo o ambos. La legislación española si bien sí ha determinado un número mínimo y uno máximo para el Consejo dirección no ha hecho lo propio con el Consejo de control.

Sistema monista

El órgano de administración asumirá la gestión de la SE. Cuando la legislación de un Estado miembro no establezca ninguna disposición sobre un sistema monista en relación con las sociedades anónimas que tengan su domicilio social dentro del territorio de dicho Estado, éste podrá adoptar las medidas oportunas en relación con las SE. En definitiva, en aquellos Estados cuya legislación establezca con carácter general el sistema dual de administración para sus sociedades anónimas podrían regular el sistema monista para las SE domiciliadas en su territorio.

Los estatutos sociales fijarán el número de miembros del órgano de administración o las normas para su determinación pudiendo cada Estado miembro fijar un número mínimo y, en su caso, un número máximo de miembros. No obstante, este órgano deberá constar de un mínimo de tres miembros cuando la participación de los trabajadores en la SE esté organizada de conformidad con la Directiva 2001/86/CE.

El miembro o los miembros del órgano de administración serán nombrados por la junta general si bien los miembros del primero podrán designarse en los estatutos.

Normas comunes a los sistemas monista y dual

Los miembros de los órganos serán nombrados por un período establecido en los estatutos que no podrá exceder de seis años. Salvo que los estatutos establezcan restricciones los miembros podrán ser reelegidos una o más veces.

Los estatutos de la SE podrán estipular que una sociedad u otra entidad jurídica pueda ser miembro de uno de sus órganos, excepto cuando la legislación aplicable a las sociedades anónimas del Estado miembro donde esté domiciliada la SE disponga lo contrario. La sociedad o la entidad jurídica deberá designar a un representante, persona física, para el ejercicio de los poderes en el órgano de que se trate.

No podrán ser miembros de ninguno de los órganos vistos ni representantes de un miembro que sea sociedad o entidad jurídica aquellas personas que, de acuerdo con la legislación del Estado miembro del domicilio social de la SE, no puedan formar parte del órgano correspondiente de una sociedad anónima constituida con arreglo al Derecho de dicho Estado miembro ni aquellas que no puedan formar parte de tales órganos en virtud de resolución judicial o administrativa dictada en un Estado miembro.

Los estatutos enumeraran las categorías de operaciones que requieran que el órgano de dirección reciba una autorización del órgano de control, en el sistema dual, o una decisión expresa del órgano de administración en el sistema monista. Los Estados miembros podrán disponer que en el sistema dual el propio órgano de control pueda someter a autorización determinadas categorías de operaciones. Salvo los casos en que el RESE o los estatutos dispongan otra cosa, las normas internas relativas al quórum y a la toma de decisiones de los órganos de la SE serán los siguientes: respecto al quórum de asistencia, al menos la mitad de los miembros deberán estar presentes o representados; la toma de decisiones será por mayoría de los miembros presentes o representados. A falta de disposición estatutaria al respecto, el presidente de cada órgano tendrá voto de calidad en caso de empate. No obstante, no podrá existir ninguna disposición estatutaria en sentido contrario cuando la mitad del órgano de control esté compuesta por representantes de los trabajadores.

Los miembros del órgano de dirección, de control o de administración responderán del perjuicio sufrido por la SE debido al incumplimiento por parte de éstos de las obligaciones legales, estatutarias o de cualquier otro tipo inherentes a sus funciones.

4.8.5.2.1.10.2. Sociedad Anónima Deportiva

Las Sociedades Anónimas Deportivas (SAD) se encuentran reguladas por la Ley 10/1990, de 15 octubre, del Deporte (LD) y por el Real Decreto 1251/1999, de 16 julio, de Sociedades Anónimas Deportivas (RDSAD).

De acuerdo con el art. 15.1 LD, *todos los Clubes, cualquiera que sea su finalidad específica y la forma jurídica que adopten, deberán inscribirse en el correspondiente Registro de Asociaciones Deportivas*. El reconocimiento a efectos deportivos de un Club se acreditará mediante la certificación de esta inscripción.

Por otra parte, *para participar en competiciones de carácter oficial, los Clubes deberán inscribirse previamente en la Federación respectiva. Esta inscripción deberá hacerse a través de las Federaciones autonómicas cuando éstas estén integradas en la Federación Española correspondiente. Y para participar en competiciones oficiales de ámbito estatal o de carácter internacional, los Clubes deportivos deberán adaptar sus Estatutos o reglas de funcionamiento a las condiciones establecidas en los artículos 17 y 18 de la presente Ley. Su inscripción se efectuará, además, en la Federación española correspondiente.*

Ahora bien, a tenor de lo dispuesto art. 19, *los Clubes, o sus equipos profesionales, que participen en competiciones deportivas oficiales de carácter profesional y ámbito estatal, adoptarán la forma de Sociedad Anónima Deportiva a que se refiere la presente Ley. Dichas Sociedades Anónimas Deportivas quedarán sujetas al régimen general de las Socie-*

dades Anónimas, con las particularidades que se contienen en esta Ley y en sus normas de desarrollo.

En la denominación social de estas Sociedades se incluirá la abreviatura «SAD» y tendrán como objeto social la participación en competiciones deportivas de carácter profesional y, en su caso, la promoción y el desarrollo de actividades deportivas así como otras actividades relacionadas o derivadas de dicha práctica.

Por otra parte, *las Sociedades Anónimas Deportivas y clubes que participen en una competición profesional deberán inscribirse en el Registro de Asociaciones Deportivas correspondiente y en la Federación respectiva.*

La certificación acreditativa del asiento de inscripción de una Sociedad Anónima Deportiva en el Registro de Asociaciones Deportivas deberá acompañarse a la solicitud de inscripción de ésta en el Registro Mercantil (art. 20 LD)

La administración de la SAD se encuentra regulada en el Capítulo V RDSAD. De acuerdo con su art. 21, *el órgano de administración de las sociedades anónimas deportivas será un Consejo de Administración compuesto por el número de miembros que determinen los Estatutos.*

No podrán formar parte del Consejo de Administración:

a) Las personas señaladas en la Ley de Sociedades Anónimas y demás normas de general aplicación.

b) Quienes en los últimos cinco años hayan sido sancionados por una infracción muy grave en materia deportiva.

c) Quienes estén al servicio de cualquier Administración pública o sociedad en cuyo capital participe alguna Administración pública siempre que las competencias del órgano o unidad a la que estén adscritos estén relacionadas con la supervisión, tutela y control de las sociedades anónimas deportivas.

d) Quienes tengan derecho o hayan tenido en los dos últimos años la condición de alto cargo de la Administración General del Estado y de las entidades de Derecho público vinculadas o dependientes de ella, en los términos señalados en el artículo 1.2 de la Ley 12/1995, de 11 de mayo, siempre que la actividad propia del cargo tenga relación con la de las sociedades anónimas deportivas.

Los miembros del Consejo de Administración y quienes ostenten cargos directivos en una sociedad anónima deportiva no podrán ejercer cargo alguno en otra sociedad anónima deportiva que participe en la misma competición profesional o, siendo distinta, pertenezca a la misma modalidad deportiva.

4.8.5.2.1.11. Las sociedades colectivas

Como señala el art. 127 CCom, *todos los socios que formen la compañía colectiva, sean o no gestores de la misma, estarán obligados personal y solidariamente, con todos sus bienes, a las resultas de las operaciones que se hagan a nombre y por cuenta de la compañía, bajo la firma de ésta y por persona autorizada para usarla.*

Como se ve, en las sociedades «personalistas», a diferencia de las sociedades de capital en la que sus socios tienen limitada su responsabilidad a sus aportaciones, responden con sus propios bienes de las deudas sociales.

El art. 128 CCom dispone que *los socios no autorizados debidamente para usar de la firma social no obligarán con sus actos y contratos a la compañía, aunque los ejecuten a nombre de ésta y bajo su firma. La responsabilidad de tales actos en el orden civil o penal recaerá exclusivamente sobre sus autores.*

Si la administración de las compañías colectivas no se hubiere limitado por un acto especial a alguno de los socios, todos tendrán la facultad de concurrir a la dirección y manejo de negocios comunes, los socios presentes se pondrán de acuerdo para todo contrato u obligación que interese a la sociedad (art. 129 CCom). Y habiendo socios especialmente encargados de la administración, los demás no podrán contrariar ni entorpecer las gestiones de aquéllos ni impedir sus efectos (art. 131 CCom).

Por otra parte, tal como establece el art. 130 CCom, *contra la voluntad de uno de los socios administradores que expresamente la manifieste no deberá contraerse ninguna obligación nueva; pero si, no obstante, llegare a contraerse, no se anulará por esta razón y surtirá sus efectos, sin perjuicio de que el socio o socios que la contrajeren respondan a la masa social del quebranto que ocasionaren.*

Cuando la facultad privativa de administrar y de usar de la firma de la compañía haya sido conferida en condición expresa del contrato social, no se podrá privar de ella al que la obtuvo; pero si éste usare mal de dicha facultad y de su gestión resultare perjuicio manifiesto a la masa común, podrán los demás socios nombrar de entre ellos un coadministrador que intervenga en todas las operaciones o promover la rescisión del contrato ante el Juez o Tribunal competente, que deberá declararla, si se probare aquel perjuicio (art. 132 CCom).

4.8.5.2.1.12. Las sociedades comanditarias, simples y por acciones

En la sociedad comanditaria hay dos tipos de socios: los colectivos, que responden personalmente de las deudas sociales, y los comanditarios, cuya responsabilidad queda limitada a sus aportaciones.

La compañía en comandita girará bajo el nombre de todos los socios colectivos, de algunos de ellos o de uno sólo, debiendo añadirse, en estos dos últimos casos, al nombre o nombres que se expresen, la palabra «y Compañía», y en todos, las de «Sociedad en comandita» (art. 146 CCom). En la escritura social de la compañía en comandita constarán las mismas circunstancias que en la colectiva (art. 145 CCom).

A efectos de capacidad y representación, las sociedades comanditarias simples se rigen por las mismas normas de las colectivas.

Las sociedades comanditarias por acciones son sociedades de capital (art. 1.1. LSC) y se regirán por las normas específicamente aplicables a este tipo social y, en lo que no esté en ellas previsto, por lo establecido en esta ley para las sociedades anónimas (art. 3.2 LSC). Por tanto, su capacidad y representación se regirá por lo dispuesto para las sociedades anónimas.

4.8.5.2.1.13. Sociedades Laborales

Están reguladas por la Ley 44/2015, de 14 octubre, de Sociedades Laborales y participadas (LSLb) y conserva su vigencia el Real Decreto 2229/1986, de 24 octubre, Registro Administrativo de las Sociedades Anónimas Laborales en todo lo que no sea contrario a la LSLb.

De acuerdo con el art. 1 LSLb, *las sociedades laborales son aquellas sociedades anónimas o de responsabilidad limitada que se someten a los preceptos establecidos en la presente ley. Podrán obtener la calificación de «Sociedad Laboral» las sociedades anónimas o de responsabilidad limitada que cumplan los siguientes requisitos:*

a) Que al menos la mayoría del capital social sea propiedad de trabajadores que presten en ellas servicios retribuidos de forma personal y directa, en virtud de una relación laboral por tiempo indefinido.

b) Que ninguno de los socios sea titular de acciones o participaciones sociales que representen más de la tercera parte del capital social, salvo que:

La sociedad laboral se constituya inicialmente por dos socios trabajadores con contrato por tiempo indefinido, en la que tanto el capital social como los derechos de voto estarán distribuidos al cincuenta por ciento, con la obligación de que en el plazo máximo de 36 meses se ajusten al límite establecido en este apartado.

Se trate de socios que sean entidades públicas, de participación mayoritariamente pública, entidades no lucrativas o de la economía social, en cuyo caso la participación podrá superar dicho límite, sin alcanzar el cincuenta por ciento del capital social.

En los supuestos de transgresión sobrevenida de los límites que se indican en los apartados a) y b) del presente artículo, la sociedad estará obligada a acomodar a la ley la situación de sus socios, en el plazo de dieciocho meses a contar desde el primer incumplimiento.

c) Que el número de horas-año trabajadas por los trabajadores contratados por tiempo indefinido que no sean socios no sea superior al cuarenta y nueve por ciento del cómputo global de horas-año trabajadas en la sociedad laboral por el conjunto de los socios trabaja-

dores. *No computará para el cálculo de este límite el trabajo realizado por los trabajadores con discapacidad de cualquier clase en grado igual o superior al treinta y tres por ciento.*

Si fueran superados los límites previstos en este apartado, la sociedad deberá alcanzarlos, de nuevo, en el plazo máximo de doce meses. El órgano del que dependa el Registro de Sociedades Laborales podrá conceder hasta dos prórrogas, por un plazo máximo de doce meses cada una, siempre que se acredite en cada solicitud de prórroga que se ha avanzado en el proceso de adaptación a los límites previstos. El plazo de adaptación en los casos de subrogación legal o convencional de trabajadores será de treinta y seis meses, pudiendo solicitarse igualmente las prórrogas previstas en este apartado.

La superación de límites y las circunstancias que originen dicha situación, así como su adaptación posterior a la ley, deberán ser comunicadas al Registro de Sociedades Laborales, en el plazo de un mes desde que se produzcan, a los efectos previstos en el apartado 2 del artículo 15 de la presente ley, según el cual, verificada la existencia de causa legal de pérdida de la calificación, cuando no se haya comunicado conforme al apartado 3 del artículo 1, o en el caso de comunicación cuando hayan transcurrido los plazos de adaptación previstos en dicho artículo, el Ministerio de Empleo y Seguridad Social o el órgano competente de la Comunidad Autónoma correspondiente, tras la instrucción del oportuno expediente, descalificará a la sociedad como «Sociedad Laboral», ordenando su baja en el Registro de Sociedades Laborales. Efectuado el correspondiente asiento, se remitirá certificación de la resolución y de la baja al Registro Mercantil para la práctica de nota marginal en la hoja abierta a la sociedad.

Tal como señala el art. 2 LSLb, *corresponde al Ministerio de Empleo y Seguridad Social o, en su caso, a los órganos competentes de las Comunidades Autónomas que hayan recibido los correspondientes traspasos de funciones y servicios en materia de calificación y registro de sociedades laborales, el otorgamiento de la calificación de «Sociedad Laboral», así como el control del cumplimiento de los requisitos establecidos en esta ley y, en su caso, la facultad de resolver sobre la descalificación. La calificación otorgada por una autoridad competente tendrá plena eficacia en todo el territorio nacional, sin necesidad de que la sociedad realice ningún trámite adicional o cumpla nuevos requisitos A tal efecto se llevarán a cabo actuaciones de armonización, colaboración e información entre el Registro del Ministerio de Empleo y Seguridad Social, el Registro Mercantil y los Registros de las Comunidades Autónomas. En particular, el Registro del Ministerio de Empleo y Seguridad Social, sin menoscabo de las competencias de las Comunidades Autónomas, integrará en una base de datos común la información que obre en los distintos registros de las Comunidades Autónomas que sea necesaria para el ejercicio de las competencias atribuidas en materia de supervisión y control a las autoridades competentes*

De acuerdo con el art. 4.2 LSLb, *la sociedad gozará de personalidad jurídica desde su inscripción en el Registro Mercantil, si bien para la inscripción en dicho Registro de una sociedad con la calificación de laboral deberá aportarse el certificado que acredite que dicha sociedad ha sido calificada por el Ministerio de Empleo y Seguridad Social o por el órgano competente de la respectiva Comunidad Autónoma como tal e inscrita en el registro administrativo correspondiente.*

La constancia en el Registro Mercantil del carácter laboral de una sociedad se hará mediante nota marginal en la hoja abierta a la sociedad, en la forma y plazos que se establezcan reglamentariamente, con notificación al registro administrativo.

La única peculiaridad respecto al órgano de administración se recoge en el art. 13.2 LSLb. Tras señalarse que *es competencia de los administradores la gestión y la representación de la sociedad, se señala: en el caso de que los administradores deleguen la dirección y gestión de la sociedad, o confieran apoderamientos con esta finalidad, deberán adoptar medidas para delimitar claramente sus competencias y evitar interferencias y disfunciones. También se establece que si la sociedad laboral estuviera administrada por un Consejo de Administración, los titulares de acciones o participaciones de la clase general podrán agrupar sus acciones o participaciones sociales para nombrar a sus miembros conforme al sistema de representación proporcional previsto en el artículo 243 del texto refundido de la Ley de Sociedades de Capital, aprobado por el Real Decreto Legislativo 1/2010, de 2 de julio.*

4.8.5.2.1.14. Sociedades Profesionales

Se encuentran reguladas en la Ley 2/2007, de 15 marzo, de Sociedades Profesionales (LSP). El art. 1 las define de la siguiente forma: *las sociedades que tengan por objeto social el ejercicio en común de una actividad profesional deberán constituirse como sociedades profesionales en los términos de la presente Ley.*

A los efectos de esta Ley, es actividad profesional aquella para cuyo desempeño se requiere titulación universitaria oficial, o titulación profesional para cuyo ejercicio sea necesario acreditar una titulación universitaria oficial, e inscripción en el correspondiente Colegio Profesional.

A los efectos de esta Ley se entiende que hay ejercicio en común de una actividad profesional cuando los actos propios de la misma sean ejecutados directamente bajo la razón o denominación social y le sean atribuidos a la sociedad los derechos y obligaciones inherentes al ejercicio de la actividad profesional como titular de la relación jurídica establecida con el cliente.

Habida cuenta que las sociedades profesionales podrán constituirse con arreglo a cualquiera de las formas societarias previstas en las leyes, cumplimentando los requisitos establecidos en la LSP, *se regirán por lo dispuesto en la presente Ley y, supletoriamente, por las normas correspondientes a la forma social adoptada.*

Son socios profesionales:

a) Las personas físicas que reúnan los requisitos exigidos para el ejercicio de la actividad profesional que constituye el objeto social y que la ejerzan en el seno de la misma.

b) Las sociedades profesionales debidamente inscritas en los respectivos Colegios Profesionales que, constituidas con arreglo a lo dispuesto en la presente Ley, participen en otra sociedad profesional.

Como mínimo, la mayoría del capital y de los derechos de voto, o la mayoría del patrimonio social y del número de socios en las sociedades no capitalistas, habrán de pertenecer a socios profesionales.

De acuerdo con el art. 7 LSP, *el contrato de sociedad profesional deberá formalizarse en escritura pública que recogerá las menciones y cumplirá los requisitos contemplados en la normativa que regule la forma social adoptada y, en todo caso, expresará:*

a) La identificación de los otorgantes, expresando si son o no socios profesionales.

b) El Colegio Profesional al que pertenecen los otorgantes y su número de colegiado, lo que se acreditará mediante certificado colegial, en el que consten sus datos identificativos, así como su habilitación actual para el ejercicio de la profesión.

c) La actividad o actividades profesionales que constituyan el objeto social.

d) La identificación de las personas que se encarguen inicialmente de la administración y representación, expresando la condición de socio profesional o no de cada una de ellas.

La escritura pública de constitución deberá ser inscrita en el Registro Mercantil y con la inscripción adquirirá la sociedad profesional su personalidad jurídica (art. 8 LSP). *La sociedad se inscribirá igualmente en el Registro de Sociedades Profesionales del Colegio Profesional que corresponda a su domicilio, a los efectos de su incorporación al mismo y de que éste pueda ejercer sobre aquélla las competencias que le otorga el ordenamiento jurídico sobre los profesionales colegiados.*

Como peculiaridad respecto al órgano de administración de este tipo de sociedades, se exige que como mínimo la mitad más uno de los miembros sean socios profesionales. *Si el órgano de administración fuere unipersonal, o si existieran consejeros delegados, dichas funciones habrán de ser desempeñadas necesariamente por un socio profesional. En todo caso, las decisiones de los órganos de administración colegiados requerirán el voto favorable de la mayoría de socios profesionales, con independencia del número de miembros concurrentes (art. 4.3 LSP).*

4.8.5.2.1.15. Sociedades Cooperativas

Las cooperativas son agrupaciones de personas o entidades jurídicas que se rigen por principios de funcionamiento específicos distintos de los de otros agentes económicos y entre los que destacan su estructura y gestión democráticas y la distribución equitativa del beneficio. Especial relevancia tiene el principio de primacía de la persona que se refleja en disposiciones específicas relativas a las condiciones de adhesión, renuncia y exclusión de los socios y que se traduce en la regla «un hombre, un voto» que vincula el derecho de voto a la persona. La cooperativa puede estar integrada, en su totalidad o en parte, por clientes, trabajadores o proveedores y sólo en algunos casos pueden tener entre sus miembros un porcentaje determinado de socios inversores no usuarios o de terceros que se benefician de su actividad o realizan trabajos por cuenta de la cooperativa.

El art. 129.2 de la Constitución Española ordena que los poderes públicos fomenten, mediante una legislación adecuada, las Sociedades Cooperativas.

De acuerdo con el art. 1.1 de la Ley 27/1999, de 16 julio, de Cooperativas (LCoop), *la cooperativa es una sociedad constituida por personas que se asocian, en régimen de libre adhesión y baja voluntaria, para la realización de actividades empresariales, encaminadas a satisfacer sus necesidades y aspiraciones económicas y sociales, con estructura y funcionamiento democrático, conforme a los principios formulados por la alianza cooperativa internacional, en los términos resultantes de la presente Ley.*

Las sociedades cooperativas podrán revestir la forma de cooperativa de primero y segundo grado, siendo esta última aquella cooperativa cuyos socios son, a su vez, cooperativas. En el primer caso deben ser al menos tres socios y en el segundo al menos dos cooperativas (art. 2 LCoop).

La LCoop es de aplicación a las sociedades cooperativas que desarrollen su actividad cooperativizada en el territorio de varias Comunidades Autónomas, excepto cuando en una de ellas se desarrolle con carácter principal y a las sociedades cooperativas que realicen principalmente su actividad cooperativizada en las ciudades de Ceuta y Melilla (art. 2). En otro caso se regirán por la norma autonómica respectiva.

Dicha normativa es la siguiente:

Andalucía: Ley 14/2011, de 23 de diciembre, de Sociedades Cooperativas Andaluzas.

Aragón: Decreto Legislativo 2/2014, de 29 de agosto, del Gobierno de Aragón, por el que se aprueba el texto refundido de la Ley de Cooperativas de Aragón.

Asturias: Ley 4/2010, de 29 de junio, de Cooperativas.

Baleares: Ley 1/2003 de 20 de marzo, de Cooperativas de las Illes Balears.

Cantabria: Ley 6/2013, de 6 de noviembre, de Cooperativas de Cantabria.

Castilla-La Mancha: Ley 11/2010, de 4 de noviembre, de Cooperativas de Castilla-La Mancha.

Castilla y León: Ley 4/2002, de 11 de abril, de Cooperativas de la Comunidad de Castilla y León.

Cataluña: Ley 12/2015, de 9 de julio, de Cooperativas

Extremadura: Ley 2/1998, de 26 de marzo, de Sociedades Cooperativas de Extremadura.

Galicia: Ley 5/1998, de 18 de diciembre, de Cooperativas de Galicia.

La Rioja: Ley 4/2001, de 2 de julio, de Cooperativas de La Rioja.

Madrid: Ley 4/1999, de 30 de marzo, de Cooperativas de la Comunidad de Madrid.

Murcia: Ley 8/2006, de 16 de noviembre, de Sociedades Cooperativas, de la Región de Murcia.

Navarra: Ley Foral 14/2006, de 11 de diciembre, de Cooperativas de Navarra.

País Vasco: Ley 4/1993, de 24 de junio, de Cooperativas de Euskadi.

Comunidad Valenciana: Decreto Legislativo 2/2015, de 15 de mayo, del Consell, por el que aprueba el texto refundido de la Ley de Cooperativas de la Comunitat Valenciana.

Además, en el País Vasco existe una ley especial para las sociedades cooperativas pequeñas de Euskadi (L País Vasco 6/2008), y en Extremadura una Ley de Sociedades Cooperativas Especiales (L Extremadura 8/2006).

La sociedad cooperativa se constituirá mediante escritura pública, que deberá ser inscrita en el Registro de Sociedades Cooperativas previsto en esta Ley. Con la inscripción adquirirá personalidad jurídica (art. 7).

El contenido de dicha escritura se recoge en el art. 10 y dentro de ella se incluyen los Estatutos cuyo contenido mínimo se encuentra regulado en el art. 11 LCoop.

La Sociedad cooperativa en constitución está regulada en el at. 9 LCoop, según el cual, *de los actos y contratos celebrados en nombre de la proyectada cooperativa antes de su inscripción, responderán solidariamente quienes los hubieran celebrado.*

Las consecuencias de los mismos serán asumidas por la cooperativa después de su inscripción, así como los gastos ocasionados para obtenerla, si hubieran sido necesarios para su constitución, se aceptasen expresamente en el plazo de tres meses desde la inscripción o si hubieran sido realizados, dentro de sus facultades, por las personas designadas a tal fin por todos los promotores. En estos supuestos cesará la responsabilidad solidaria a que se refiere el párrafo anterior, siempre que el patrimonio social sea suficiente para hacerles frente.

En tanto no se produzca la inscripción registral, la proyectada sociedad deberá añadir a su denominación las palabras «en constitución».

Tal como establece el art. 19 LCoop, los Órganos de la sociedad son: La Asamblea General (arts. 20 a 31), el Consejo Rector (arts. 32 a 37 y 40 a 43) y la Intervención (arts. 38, 39 y 40 a 43).

De acuerdo con el art. 32 LCoop, *el Consejo Rector es el órgano colegiado de gobierno al que corresponde, al menos, la alta gestión, la supervisión de los directivos y la representa-*

ción de la sociedad cooperativa, con sujeción a la Ley, a los Estatutos y a la política general fijada por la Asamblea General.

No obstante, en aquellas cooperativas cuyo número de socios sea inferior a diez, los Estatutos podrán establecer la existencia de un Administrador único, persona física que ostente la condición de socio, que asumirá las competencias y funciones previstas en esta Ley para el Consejo Rector, su Presidente y Secretario. [...]

En todo caso, las facultades representativas del Consejo Rector se extienden a todos los actos relacionados con las actividades que integren el objeto social de la cooperativa, sin que surtan efectos frente a terceros las limitaciones que en cuanto a ellos pudieran contener los Estatutos.

El Presidente del Consejo Rector y, en su caso, el Vicepresidente, que lo será también de la cooperativa, ostentarán la representación legal de la misma, dentro del ámbito de facultades que les atribuyan los Estatutos y las concretas que para su ejecución resulten de los acuerdos de la Asamblea General o del Consejo Rector.

Sin perjuicio de la representación orgánica, cabe también la voluntaria. *El Consejo Rector podrá conferir apoderamientos, así como proceder a su revocación, a cualquier persona, cuyas facultades representativas de gestión o dirección se establecerán en la escritura de poder, y en especial nombrar y revocar al gerente, director general o cargo equivalente, como apoderado principal de la cooperativa. El otorgamiento, modificación o revocación de los poderes de gestión o dirección con carácter permanente se inscribirá en el Registro de Sociedades Cooperativas.*

Los Estatutos establecerán la composición del Consejo Rector. El número de consejeros no podrá ser inferior a tres, debiendo existir, en todo caso, un Presidente, un Vicepresidente y un Secretario. Cuando la cooperativa tenga tres socios, el Consejo Rector estará formado por dos miembros, no existiendo el cargo de Vicepresidente (art. 33).

Según el art. 34 LCoop, los consejeros *serán elegidos por la Asamblea General en votación secreta y por el mayor número de votos. Los cargos de Presidente, Vicepresidente y Secretario serán elegidos, de entre sus miembros, por el Consejo Rector o por la Asamblea según previsión estatutaria.*

Tratándose de un consejero persona jurídica, deberá ésta designar a una persona física para el ejercicio de las funciones propias del cargo. [...]

El nombramiento de los consejeros surtirá efecto desde el momento de su aceptación, y deberá ser presentado a inscripción en el Registro de Sociedades Cooperativas, en el plazo de un mes.

Por último, a tenor de lo dispuesto en el art. 35 LCoop, *los consejeros serán elegidos por un período, cuya duración fijarán los Estatutos, de entre tres y seis años, pudiendo ser reelegidos. Los consejeros que hubieran agotado el plazo para el cual fueron elegidos, con-*

tinuarán ostentando sus cargos hasta el momento en que se produzca la aceptación de los que les sustituyan.

Podrán ser destituidos los consejeros por acuerdo de la Asamblea General, aunque no conste como punto del orden del día, si bien, en este caso, será necesaria la mayoría del total de votos de la cooperativa salvo norma estatutaria que, para casos justificados, prevea una mayoría inferior.

La renuncia de los consejeros podrá ser aceptada por el Consejo Rector o por la Asamblea General.

4.8.5.2.1.15.1. Sociedad Cooperativa Europea

La Sociedad Cooperativa Europea (SCE), al igual que la sociedad europea, supone la creación *ex novo* de un tipo societario y, también aquí, el instrumento jurídico utilizado es el reglamento que es directamente aplicable en los Estados miembros.

La Comunidad con el fin de respetar la igualdad de condiciones de la competencia y de contribuir a su desarrollo económico ha querido dotar a las cooperativas, entidades comúnmente reconocidas en todos los Estados miembros, de instrumentos jurídicos adecuados que permitan facilitar el desarrollo de sus actividades transfronterizas. Y para ello será aprobado el Reglamento (CE) 1435/2003, de 22 de junio, relativo al Estatuto de la Sociedad Cooperativa Europea (RESCE). Este Reglamento se aplica desde el 18 de agosto de 2006.

La SCE tiene por objeto principal la satisfacción de las necesidades y el fomento de las actividades económicas y sociales de sus socios, en particular mediante la conclusión de acuerdos con ellos para el suministro de bienes o servicios o la ejecución de obras en el desempeño de la actividad que ejerza o haga ejercer la SCE. Podrá también tener por objeto la satisfacción de las necesidades de sus socios mediante el fomento de su participación en actividades económicas en una o más SCE o sociedades cooperativas nacionales. Salvo disposición en contrario de los estatutos no podrá admitir que terceros no socios se beneficien de sus actividades o participen en sus operaciones.

Las SCE se regirán por lo dispuesto en el RESCE y cuando el mismo lo autorice expresamente, por las disposiciones de sus estatutos. Respecto a las materias no reguladas o reguladas sólo en parte así como respecto de los aspectos no cubiertos por el RESCE se regirán por la legislación que adopten los Estados miembros que se refieran específicamente a las SCE, por las leyes de los Estados miembros que fuesen de aplicación a una sociedad cooperativa constituida con arreglo a legislación del Estado en que la SCE tenga su domicilio social y, por último, por las disposiciones de los estatutos en las mismas condiciones que rijan para sociedades cooperativas con arreglo a la legislación del Estado en que la SCE tenga su domicilio social.

En España, en aplicación del RESCE, se ha aprobado la Ley 3/2011, de 4 de marzo, que regula la Sociedad Cooperativa Europea con domicilio en España (LSCE). Pero la aplicación subsidiaria del derecho interno plantea problemas debido a la existencia de normas estatales y autonómicas en materia de cooperativas y la aplicación de estas se asienta sobre el criterio de desarrollo de la actividad principal de la cooperativa en la mayoría de las normas. Esta complejidad no se acaba aquí, complicándose el tema de la publicidad con el sistema español de registros estatal y autonómicos.

La SCE tendrá personalidad jurídica que adquirirá el día de su inscripción, su capital estará dividido en participaciones y el número de socios y el capital serán variables. Salvo que los estatutos dispongan otra cosa, cada socio sólo responderá hasta el límite del capital que haya suscrito.

Los fundadores elaborarán los estatutos de conformidad con las disposiciones previstas para la constitución de cooperativas sujetas a la legislación del Estado miembro del domicilio social de la SCE, que deberán redactarse por escrito y llevar la firma de los fundadores. Los estatutos tendrán un contenido mínimo recogido en el RESCE (artículo 5.4).

La constitución de la SCE estará sometida a la legislación en materia de control preventivo aplicable en los Estados miembros donde la SCE tenga su domicilio social a las sociedades anónimas durante la fase de constitución, *mutatis mutandi*.

Toda SCE deberá estar registrada en el Estado miembro de su domicilio social en el registro que señale la legislación de dicho Estado de conformidad con la legislación aplicable a las sociedades anónimas (en España el Registro Mercantil que corresponda a su domicilio —artículos 3.1 y 3.3 de la LSCE— siempre que su denominación no sea idéntica a la de la sociedad española preexistente —art. 3.4—). No podrá registrarse ninguna SCE salvo que se haya celebrado un acuerdo de implicación de los trabajadores, se haya tomado una decisión en virtud del apartado 6 del artículo 3 de la Directiva 2003/72/CE —que la Comisión negociadora haya decidido por mayoría no iniciar negociaciones o terminar las negociaciones iniciadas y basarse en las disposiciones sobre información y consulta que estén vigentes en el Estados miembros en que la SE que tenga trabajadores—, o haya expirado el período de negociaciones conforme al artículo 5 de la anterior Directiva —seis meses desde la constitución de la Comisión negociadora o un año si se prorroga ese plazo de común acuerdo entre las partes— sin que se haya celebrado ningún acuerdo.

Los actos y datos relativos a la SCE que deban hacerse públicos se publicarán de acuerdo con la legislación del Estado miembro del domicilio social. La inscripción y la baja de la SCE se publicarán a título informativo en el Diario Oficial de la Unión Europea tras la publicación anterior. En este anuncio se indicará la denominación social, el número, la fecha y el lugar de la inscripción, la fecha, el lugar y el título de la publicación, el domicilio social y su sector de actividad.

El domicilio social deberá estar situado dentro de la Comunidad, en el mismo Estado miembro que su administración central. Además, los Estados podrán imponer a las SCE registradas en su territorio la obligación de situar la administración central y el

El capital de la SCE se expresará en la moneda nacional y aquellas cuyo domicilio social se encuentre fuera de la zona euro también podrá expresar su capital en euros. No podrá ser inferior a 30.000 € salvó que la legislación de un Estado miembro fije un capital superior para entidades jurídicas que ejerzan determinados tipos de actividad en cuyo caso le será de aplicación a las SCE. Las participaciones en las que divide el capital social serán obligatoriamente nominativas. Su valor nominal se fijará en los estatutos y será idéntico para las participaciones de la misma categoría. En ningún caso podrán emitirse participaciones por un importe inferior a dicho valor nominal.

Las participaciones emitidas como contrapartida de aportaciones dinerarias deberán hacerse efectivas como mínimo en un 25% de su valor nominal en el momento de la suscripción, desembolsándose el resto en un plazo máximo de cinco años, salvo que los estatutos establezcan un plazo inferior. Las participaciones emitidas en contrapartida de aportaciones no dinerarias deberán abonarse totalmente en el aumento de la suscripción. En materia de este tipo de aportaciones será de aplicación *mutatis mutandi* en lo que se refiere a la designación de expertos y a su valoración la legislación aplicable a las sociedades anónimas en los Estados miembros donde la SCE tenga su domicilio social.

Los órganos sociales de la SCE son la Asamblea General y, bien un órgano de control y un órgano de dirección (sistema dual), bien un órgano de administración (sistema monista), según la opción que se haya adoptado en los estatutos.

Pocas diferencias encontramos en cuanto a regulación de los sistemas monista y dualista en el RESCE respecto a la regulación de la SE en su Reglamento de 2001 aunque ahora esté un poco más desarrollada. En el sistema dualista se regulan de forma análoga las funciones del órgano de dirección y la designación de sus miembros, la presidencia y convocatoria del órgano de dirección, las funciones del órgano de control y la designación de sus miembros, la presidencia y convocatoria del órgano de control y su derecho de información. En cuanto al sistema monista también se regulan de igual forma las funciones del órgano de administración y la designación de sus miembros, la periodicidad de sus reuniones y el derecho de información de sus miembros, la presidencia y la convocatoria del órgano de administración. Y como normas comunes la duración del mandato de los miembros los órganos que no podrá exceder de seis años, las condiciones de elegibilidad, las operaciones que pueden sujetarse a autorización, el quórum de asistencia y para la toma de decisiones, el deber de confidencialidad de los miembros y la responsabilidad civil de los miembros de los órganos de la SCE.

Sí encontramos una diferencia importante entre una y otra normativa que denota una mejor técnica legislativa en el RESCE. Nos referimos a la regulación del «poder de representación» y de la «responsabilidad de la SCE», lo cual no implica que sea distinto al de la SE, porque deriva de lo establecido en la Primera Directiva en materia de Derecho de Sociedades, sino que el Reglamento que regula el Estatuto de la Sociedad Anónima Europea de 2001 no hacía referencia alguna a ese tema.

De acuerdo con el art. 47 RESCE, cuando el ejercicio del *poder representación* frente a terceros se confíe a más de un miembro, dichos miembros lo ejercerán colectivamente, salvo que el Derecho del Estado miembro del domicilio social de la SCE permita que los estatutos dispongan otra cosa, en cuyo caso esta cláusula será oponible frente a terceros cuando sea objeto de publicidad.

La SCE quedará obligada por los actos realizados por sus órganos, aun cuando tales actos no se correspondan con el objeto social de esta sociedad, a menos que dichos actos constituyan una extralimitación de los poderes que la legislación del Estado miembro del domicilio social de la SCE confiere o permite conferir a dichos órganos. No obstante, los Estados miembros podrán establecer que la SCE no quede obligada cuando tales actos sobrepasen los límites de su objeto social, si ésta aprueba el tercero sabía que el acto sobrepasa dicho objeto o, habida cuenta de las circunstancias, no podía ignorarlo, sin que la publicación de los estatutos constituya, por sí sola, una prueba.

Las limitaciones a los poderes de los órganos de la SCE resultantes de los estatutos o de una decisión de los órganos competentes no se podrán oponer en ningún caso frente a terceros, aunque se hayan publicado. En este mismo sentido el artículo 15.2 LSCE establece que «cualquier limitación a las facultades de los directores de las sociedades cooperativas europeas, aunque se halle inscrita en el registro, será ineficaz frente terceros».

También la regulación de la Asamblea General de la SCE es bastante similar a la junta general de la SE. Así, en cuanto a la regulación de los asuntos respecto a los que decidirá la Asamblea General, las normas que regulan su desarrollo y convocatoria.

4.8.5.2.1.16. Sociedades Forestales

Reguladas en la Ley 43/2003, de 21 noviembre, de montes. En su disposición adicional quinta: *1. Se define como sociedad forestal la agrupación de propietarios de parcelas susceptibles de aprovechamiento forestal que ceden a la Sociedad Forestal los derechos de uso forestal de forma indefinida o por plazo cierto igual o superior a veinte años.*

2. También podrán pertenecer a la Sociedad Forestal otras personas físicas o jurídicas que no sean titulares, siempre y cuando su participación no supere el 49 por ciento de las participaciones sociales.

3. En caso de transmisión de parcelas se presumirá, salvo pacto en contrario, la subrogación automática de la posición de socio del nuevo titular.

4. Las comunidades autónomas determinarán, en el ámbito de sus competencias, los requisitos adicionales que deberán cumplir estas sociedades, el nombre que tendrán y los incentivos de que disfrutarán.

5. Estas Sociedades Forestales tendrán como único objeto social la explotación y aprovechamiento en común de terrenos forestales cuyo uso se cede a la sociedad, para realizarlo mediante una gestión forestal sostenible.

6. Las Sociedades Forestales se regirán por el texto refundido de la Ley de Sociedades de Capital, aprobado por Real Decreto Legislativo 1/2010, de 2 de julio.

7. El régimen fiscal especial establecido en el capítulo VII del título VII de la Ley 27/2014, de 27 de noviembre, del Impuesto sobre Sociedades, resultará de aplicación a las operaciones de cesión de derechos de uso forestal a que se refiere el apartado 1 de esta disposición a cambio de valores representativos del capital social de la sociedad forestal adquirente

4.8.5.2.1.17. Sociedades mercantiles estatales

De acuerdo con el art. 84.1 de la Ley 40/2015, de 1 de octubre, de Régimen Jurídico del Sector Público (LRJSP), *integran el sector público institucional estatal las siguientes entidades: a) Los organismos públicos vinculados o dependientes de la Administración General del Estado, los cuales se clasifican en:*

1.º Organismos autónomos.

2.º Entidades Públicas Empresariales.

b) Las autoridades administrativas independientes.

c) Las sociedades mercantiles estatales.

d) Los consorcios.

e) Las fundaciones del sector público.

f) Los fondos sin personalidad jurídica.

g) Las universidades públicas no transferidas.

Por su parte, el art. 111 define por sociedad mercantil estatal aquella sociedad mercantil sobre la que se ejerce control estatal:

a) Bien porque la participación directa, en su capital social de la Administración General del Estado o alguna de las entidades que, conforme a lo dispuesto en el artículo 84, integran el sector público institucional estatal, incluidas las sociedades mercantiles estatales, sea superior al 50 por 100. Para la determinación de este porcentaje, se sumarán las participaciones correspondientes a la Administración General del Estado y a todas las entidades integradas en el sector público institucional estatal, en el caso de que en el capital social participen varias de ellas.

b) Bien porque la sociedad mercantil se encuentre en el supuesto previsto en el artículo 4 de la Ley 24/1988, de 28 de julio, del Mercado de Valores respecto de la Administración General del Estado o de sus organismos públicos vinculados o dependientes (hoy art. 5 TRLMV).

La Administración General del Estado y las entidades integrantes del sector público institucional, en cuanto titulares del capital social de las sociedades mercantiles estatales, perseguirán la eficiencia, transparencia y buen gobierno en la gestión de dichas sociedades mercantiles, para lo cual promoverán las buenas prácticas y códigos de conducta adecuados a la naturaleza de cada entidad. Todo ello sin perjuicio de la supervisión general que ejercerá el accionista sobre el funcionamiento de la sociedad mercantil estatal, conforme prevé la LPAP.

Las sociedades mercantiles estatales se regirán por lo previsto en esta Ley, por lo previsto en la LPAP, y por el ordenamiento jurídico privado, salvo en las materias en que le sea de aplicación la normativa presupuestaria, contable, de personal, de control económico-financiero y de contratación. En ningún caso podrán disponer de facultades que impliquen el ejercicio de autoridad pública, sin perjuicio de que excepcionalmente la ley pueda atribuirle el ejercicio de potestades administrativas.

La creación de una sociedad mercantil estatal o la adquisición de este carácter de forma sobrevenida será autorizada mediante acuerdo del Consejo de Ministros que deberá ser acompañado de una propuesta de estatutos y de un plan de actuación cuyo contenido se recoge en el art. 114 LRJSP.

Al acuerdo de creación de la sociedad mercantil estatal se acompañará un informe preceptivo favorable del Ministerio de Hacienda y Administraciones Públicas o la Intervención General de la Administración del Estado, según se determine reglamentariamente, que valorará el cumplimiento de lo previsto en este artículo 114.

El art. 115 LRJSP regula el régimen de responsabilidad aplicable a los miembros de los consejos de administración de las sociedades mercantiles estatales designados por la Administración General del Estado. Establece que la responsabilidad que le corresponda al empleado público como miembro del consejo de administración será directamente asumida por la Administración General del Estado que lo designó.

La Administración General del Estado podrá exigir de oficio al empleado público que designó como miembro del consejo de administración la responsabilidad en que hubiera incurrido por los daños y perjuicios causados en sus bienes o derechos cuando hubiera concurrido dolo, o culpa o negligencia graves, conforme a lo previsto en las leyes administrativas en materia de responsabilidad patrimonial.

En iguales términos se refiere la LRJSP respecto a la responsabilidad que le corresponda al empleado público como miembro de la entidad u órgano liquidador será directamente asumida por la entidad o la Administración General del Estado que lo designó, quien podrá exigir de oficio al empleado público la responsabilidad que, en su caso, corresponda cuando concurra dolo, culpa o negligencia grave conforme a lo previsto en las leyes administrativas en materia de responsabilidad patrimonial (art. 114.2).

El art. 166 de la Ley 33/2003, de 3 noviembre, de Patrimonio de las Administraciones Públicas (LPAP) establece que las disposiciones de su Título VII son de aplicación *a las sociedades mercantiles estatales, entendiendo por tales aquéllas en las que la participación, directa o indirecta, en su capital social de las entidades que, conforme a lo dispuesto en el Real Decreto Legislativo 1091/1988, de 23 de septiembre, por el que se aprueba el Texto Refundido de la Ley General Presupuestaria, integran el sector público estatal, sea superior al 50 por 100. Para la determinación de este porcentaje, se sumarán las participaciones correspondientes a las entidades integradas en el sector público estatal, en el caso de que en el capital social participen varias de ellas.*

También será de aplicación a las sociedades mercantiles que, sin tener la naturaleza de sociedades mercantiles estatales, se encuentren dentro del grupo de sociedades de una de ellas, esto es, tal como establece el art. 42 CCom, cuando una sociedad mercantil estatal ostente o pueda ostentar, directa o indirectamente, el control de otra u otras sociedades.

Las sociedades mercantiles estatales, con forma de sociedad anónima, cuyo capital sea en su totalidad de titularidad, directa o indirecta, de la Administración General del Estado o de sus organismos públicos, se regirán por el presente título y por el ordenamiento jurídico privado, salvo en las materias en que les sean de aplicación la normativa presupuestaria, contable, de control financiero y de contratación.

Forman parte del patrimonio de la Administración General del Estado los fondos propios, expresivos de la aportación de capital del Estado, de las entidades públicas empresariales, que se registrarán en la contabilidad patrimonial del Estado como el capital aportado para la constitución de estos organismos. Estos fondos generan a favor del Estado derechos de participación en el reparto de las ganancias de la entidad y en el patrimonio resultante de su liquidación.

De acuerdo con el art. 170 LPAP, *corresponde al Ministro de Hacienda la fijación de criterios para la gestión de los bienes y derechos del patrimonio empresarial de la Administración General del Estado, de acuerdo con las políticas sectoriales que, en su caso, adopte el Ministerio a que estén vinculados o adscritos o al que corresponda la tutela de las sociedades mercantiles estatales con forma de S.A., de conformidad con los principios de eficiencia económica en la prosecución del interés público, así como proponer al Consejo de Ministros el otorgamiento de las autorizaciones a que se refiere el artículo anterior.*

El Ministro de Hacienda podrá dar instrucciones a quienes ostenten en la Junta General de las sociedades mercantiles la representación de las acciones de titularidad de la Administración General del Estado y sus organismos públicos sobre la aplicación de las reservas disponibles o del resultado del ejercicio de las citadas sociedades cuando, de acuerdo con lo previsto en la LSC., sea posible dicha aplicación.

Corresponde a la Dirección General del Patrimonio del Estado la tenencia y administración de las acciones y participaciones sociales en las sociedades mercantiles en que participe la Administración General del Estado, la formalización de los negocios de adquisición y enajenación de las mismas, y la propuesta de actuaciones sobre los fondos propios de las entidades públicas que impliquen reducción o incremento del mismo como contrapartida a operaciones que supongan la escisión o fusión de actividades o bien la incorporación de bienes al Patrimonio de la Administración General del Estado o la aportación de bienes de ésta a las citadas entidades públicas.

A tenor de lo dispuesto en el art. 173.2 LPAP, *el Ministerio de Hacienda, por medio de dicha Dirección General, podrá dar a los representantes del capital estatal en los consejos de administración de dichas empresas las instrucciones que considere oportunas para el adecuado ejercicio de los derechos inherentes a la titularidad de las acciones.*

Por otra parte, al autorizar la constitución de una sociedad de las sociedades mercantiles estatales, *el Consejo de Ministros podrá atribuir a un ministerio, cuyas competencias guarden una relación específica con el objeto social de la sociedad, la tutela funcional de la misma. En ausencia de esta atribución expresa corresponderá íntegramente al Ministerio de Hacienda el ejercicio de las facultades que esta Ley otorga para la supervisión de la actividad de la sociedad (art. 176 LPAP).*

El Ministerio de tutela instruirá a la sociedad respecto a las líneas de actuación estratégica y establecerá las prioridades en la ejecución de las mismas, y propondrá su incorporación a los Presupuestos de Explotación y Capital y Programas de Actuación Plurianual, previa conformidad, en cuanto a sus aspectos financieros, de la Dirección General del Patrimonio del Estado, si se trata de sociedades cuyo capital corresponda íntegramente a la Administración General del Estado, o del organismo público que sea titular de su capital.

A tenor del art. 178 LPAP, *en casos excepcionales, debidamente justificados, el Ministro al que corresponda su tutela podrá dar instrucciones a las sociedades mercantiles estatales, para que realicen determinadas actividades, cuando resulte de interés público su ejecución. En estos casos, el art. 179 establece que los administradores de las sociedades a las que se hayan impartido instrucciones actuarán diligentemente para su ejecución, y quedarán exonerados de la responsabilidad prevista en la LSC si del cumplimiento de dichas instrucciones se derivaren consecuencias lesivas. Este principio se reitera en el art. 116.6 LRJSP.*

Por último, el art. 180 LPAP establece que *el ministro al que corresponda la tutela de la sociedad propondrá al Ministro de Hacienda o al organismo público representado en su Junta General, el nombramiento de un número de administradores que represente como máximo, dentro del número de consejeros que determinen los estatutos, la proporción que el Consejo de Ministros establezca cuando acuerde lo previsto en el artículo 169.d) de esta Ley, esto es. atribuir la tutela de las sociedades mercantiles estatales a un determinado departamento, o modificar el ministerio de tutela.*

Los administradores [...] no se verán afectados por la prohibición establecida en el segundo inciso del artículo 124 del Real Decreto Legislativo 1564/1989, de 22 de diciembre, por el que se aprueba el Texto Refundido de la Ley de Sociedades Anónimas, hoy sustituido por el art. 213.2 LSC (tampoco podrán ser administradores los funcionarios al servicio de la Administración pública con funciones a su cargo que se relacionen con las actividades propias de las sociedades de que se trate, los jueces o magistrados y las demás personas afectadas por una incompatibilidad legal).

Los nombramientos del presidente del consejo de administración y del consejero delegado o puesto equivalente que ejerza el máximo nivel ejecutivo de la sociedad se efectuarán por el consejo de administración, a propuesta del ministro de tutela (art. 181 LPAP).

4.8.5.2.1.18. Sociedades mercantiles locales

Están reguladas en la Ley 7/1985, de 2 abril, de Bases del Régimen Local (LBRL). Su art. 85.2 señala que *los servicios públicos de competencia local habrán de gestionarse de la forma más sostenible y eficiente de entre las enumeradas a continuación:*

A) Gestión directa:

a) Gestión por la propia Entidad Local.

b) Organismo autónomo local.

c) Entidad pública empresarial local.

d) Sociedad mercantil local, cuyo capital social sea de titularidad pública.

Solo podrá hacerse uso de las formas previstas en las letras c) y d) cuando quede acreditado mediante memoria justificativa elaborada al efecto que resultan más sostenibles y eficientes que las formas dispuestas en las letras a) y b), para lo que se deberán tener en cuenta los criterios de rentabilidad económica y recuperación de la inversión. Además, deberá constar en el expediente la memoria justificativa del asesoramiento recibido que se elevará al Pleno para su aprobación en donde se incluirán los informes sobre el coste del servicio, así como, el apoyo técnico recibido, que deberán ser publicitados. A estos efectos, se recabará informe del interventor local quien valorará la sostenibilidad financiera de las propuestas planteadas, de conformidad con lo previsto en el artículo 4 de la Ley Orgánica 2/2012, de 27 de abril, de Estabilidad Presupuestaria y Sostenibilidad Financiera.

Por su parte, el art. 85 ter LBRL establece que *las sociedades mercantiles locales se regirán íntegramente, cualquiera que sea su forma jurídica, por el ordenamiento jurídico privado, salvo las materias en que les sea de aplicación la normativa presupuestaria, conta-ble, de control financiero, de control de eficacia y contratación, [...].*

La sociedad deberá adoptar una de las formas previstas en la LSC y en la escritura de constitución constará el capital que deberá ser aportado por las Administraciones Públicas o por las entidades del sector público dependientes de las mismas a las que corresponda su titularidad.

Los estatutos determinarán la forma de designación y el funcionamiento de la Junta General y del Consejo de Administración, así como los máximos órganos de dirección de las mismas.

4.8.5.2.1.19. Agrupaciones de Interés Económico

La Agrupación de Interés Económico constituye una nueva figura asociativa creada con el fin de facilitar o desarrollar la actividad económica de sus miembros. El conteni-do auxiliar de la Agrupación sigue el criterio amplio que esta figura ha tenido en la Eu-ropa Comunitaria, y consiste en la imposibilidad de sustituir la actividad de sus miem-bros, permitiendo cualquier actividad vinculada a la de aquéllos que no se oponga a esa limitación. Se trata, por tanto, de un instrumento de los socios agrupados, con toda la amplitud que sea necesaria para sus fines, pero que nunca podrá alcanzar las facultades o actividades de uno de sus miembros. Dada su finalidad, la Agrupación de Interés Eco-nómico viene a sustituir a la vieja figura de las Agrupaciones de Empresas reguladas, primero por la Ley 196/1963, de 28 de diciembre, y después por la Ley 18/1982, de 26 de mayo, cuyo régimen sustantivo, parco y estrecho, no estaba ya en condiciones de en-cauzar la creciente necesidad de cooperación interempresarial que imponen las nuevas circunstancias del mercado, especialmente ante la perspectiva de la integración europea.

De acuerdo con el art. 1 de la Ley 12/1991, de 29 de abril, de Agrupaciones de In-terés Económico (LAIE),

> *las Agrupaciones de Interés Económico tendrán personalidad jurídica y carácter mercantil y se regirán por lo dispuesto en la presente Ley y, supletoriamente, por las normas de la sociedad colectiva que resulten compatibles con su específica naturaleza.*

La finalidad de la AIE es facilitar el desarrollo o mejorar los resultados de la ac-tividad de sus socios y no tiene ánimo de lucro para sí misma. Su objeto se limitará exclusivamente a una actividad económica auxiliar de la que desarrollen sus socios y no puede poseer directa o indirectamente participaciones en sociedades que sean miem-bros suyos, ni dirigir o controlar directa o indirectamente las actividades de sus socios o de terceros.

Las Agrupaciones de Interés Económico sólo podrán constituirse por personas físicas o jurídicas que desempeñen actividades empresariales, agrícolas o artesanales, por entidades no lucrativas dedicadas a la investigación y por quienes ejerzan profesiones liberales (art. 4 LAIE).

Los socios de la Agrupación de Interés Económico responderán personal y solidariamente entre sí por las deudas de aquélla y es subsidiaria de la de la Agrupación de Interés Económico (art. 5 LAIE).

Como todas las sociedades mercantiles (y la sociedad colectiva en particular), la constitución de la AIE requerirá escritura pública cuyo contenido mínimo se establece en el art. 8 LAIE que deberá inscribirse en el Registro Mercantil. *Los administradores responderán solidariamente con la Agrupación por los actos y contratos que hubieran celebrado en nombre de ella antes de su inscripción* (art. 7).

De acuerdo con el art. 12 LAIE, *la Agrupación será administrada por una o varias personas designadas en la escritura de constitución o nombradas por acuerdo de los socios. Salvo disposición contraria de la escritura, podrá ser administrador una persona jurídica. En ese caso, habrá de designarse una persona natural que actúe como representante suyo en el ejercicio de las funciones propias del cargo y, también, salvo disposición contraria de la escritura, no se exigirá la condición de socio para ser administrador. Serán de aplicación a los administradores de la Agrupación las prohibiciones establecidas por la Ley para los administradores de la Sociedad Anónima.*

El **régimen de representación** se recoge en el art. 13 LAIE.

1. La representación de la Agrupación, en juicio o fuera de él, corresponde a los administradores.

2. Cuando los administradores sean varios, cada uno de ellos ostentará por sí solo la representación de la Agrupación, a no ser que la escritura de constitución disponga que hayan de actuar conjuntamente dos o más administradores.

3. En sus relaciones con terceros será ineficaz cualquier limitación a las facultades representativas de los administradores, y la Agrupación quedará obligada por los actos realizados por ellos, incluso cuando tales actos sean ajenos al objeto social.

No obstante, la sociedad no quedará obligada en este último caso, si prueba que los terceros sabían que tales actos excedían del objeto de la Agrupación o que, dadas las circunstancias, no podrían ignorarlo.

La publicación del objeto de la Agrupación en el «Boletín Oficial del Registro Mercantil» no será suficiente por sí sola para constituir esa prueba.

Por último, tal como establece el art. 14 LAIE, *los administradores deberán ejercitar su cargo con la diligencia de un ordenado empresario y de un representante leal. Guardarán secreto sobre los datos confidenciales de la Agrupación, aun después de cesar en sus funciones.*

Los administradores responderán solidariamente de los daños causados a la Agrupación, salvo que prueben haber actuado conforme a la diligencia exigida en el apartado anterior.

4.8.5.2.1.20. Agrupaciones Europeas de Interés Económico

Se encuentran reguladas en el Reglamento (CEE) núm. 2137/1985, de 25 julio, del Consejo, sobre Constitución de una Agrupación Europea de Interés Económico (RAEIE). Se introduce así un instrumento jurídico a escala de la Unión Europea (UE) en forma de una agrupación europea de interés económico (AEIE) diseñada para minimizar las dificultades de orden jurídico, fiscal o psicológico a las que se enfrentan las personas físicas, sociedades y demás entes jurídicos en la cooperación transfronteriza.

Tal como establece el art. 2 RAEIE, *sin perjuicio de las disposiciones del presente Reglamento, la ley aplicable, por una parte, al contrato de agrupación excepto para las cuestiones relativas al estado y a la capacidad de las personas jurídicas y, por otra parte, al funcionamiento interno de la agrupación, será la ley interna del Estado de la sede establecida por el contrato de agrupación.*

Cuando un Estado engloba varias unidades territoriales, cada una de las cuales tiene sus propias normas aplicables a las materias a que se refiere el párrafo anterior, cada unidad territorial será considerada como un Estado para la determinación de la ley aplicable.

La finalidad de la agrupación será facilitar y fomentar las actividades económicas de sus miembros mediante la unión de sus recursos, actividades y competencias. El objetivo es la obtención de mejores resultados que los que sus miembros lograrían actuando de forma aislada. Por eso la agrupación no puede *ejercer, directa o indirectamente, el poder de dirección o de control de las actividades propias de sus miembros o de las actividades de otra empresa, en particular en los sectores relativos al personal, las finanzas y las inversiones* ni *poseer, directa o indirectamente, por cualquier título ninguna participación o acción, en cualquier forma, en una empresa miembro; la posesión de participaciones o de acciones en otra empresa sólo es posible en la medida en que es necesaria para alcanzar el objetivo de la agrupación y si tiene lugar por cuenta de sus miembros.*

Una AEIE puede estar integrada por sociedades y otras entidades jurídicas de Derecho público o privado, constituidas de conformidad con la legislación de un país de la UE y con domicilio en la UE. También puede estar integrada por personas físicas que desempeñen en la UE actividades industriales, comerciales, artesanales o agrarias, o que realicen prestaciones propias de las profesiones liberales u otras prestaciones de servicios. Debe contar con, al menos, dos miembros de países de la UE.

El contrato de la AEIE deberá especificar obligatoriamente la denominación, la sede dentro del territorio de la UE y el objeto de la agrupación; el nombre y, en su caso, el número y el lugar de registro de cada uno de sus miembros, y la duración de la agrupación, si no es indefinida. Dicho contrato deberá depositarse en el registro que cada país de la UE designe al efecto. El registro público de la documentación otorga plena capacidad jurídica a las AEIE en toda la UE.

Ninguna AEIE podrá recurrir públicamente al mercado de capitales. No está obligada a constituirse con capital; sus miembros podrán emplear libremente métodos alternativos para la financiación de la agrupación. No puede emplear a más de quinientos asalariados.

La formación o la liquidación de una agrupación debe publicarse en el Diario Oficial de la UE. (series C y S).

Cada uno de los miembros de una AEIE tiene derecho a un voto como mínimo. No obstante, el contrato de constitución puede otorgar varios votos a algunos miembros, siempre que ninguno de ellos posea la mayoría de votos. El Reglamento enumera las decisiones que deben tomarse por unanimidad.

No se pretende que la agrupación realice beneficios para sí misma. Los beneficios obtenidos por una AEIE se considerarán beneficios de sus miembros y se repartirán entre éstos en la proporción prevista en el contrato de agrupación o, en su defecto, a partes iguales. La imposición de los beneficios o las pérdidas de una AEIE corresponderá a sus miembros.

Como contrapartida de la libertad contractual que constituye el fundamento de las AEIE y del hecho de que sus miembros no estén obligados a aportar un capital mínimo, tal como establece el art. 24 RAEIE:

1. Los miembros de la agrupación responden solidaria e indefinidamente de las deudas de cualquier clase de ésta. La ley nacional determinará las consecuencias de esta responsabilidad.

2. Hasta el cierre de la liquidación de la agrupación, los acreedores de ésta sólo podrán reclamar a un miembro el pago de las deudas en las condiciones del apartado 1, después de haber reclamado el pago a la agrupación y si éste no se ha efectuado en un plazo suficiente.

A tenor del art. 16 RAEIE, *los órganos de la agrupación serán los miembros actuando de forma colegiada y el o los administradores. El contrato de agrupación podrá prever otros órganos; en tal caso determinará sus poderes.*

Los miembros de la agrupación, cuando actúen como órgano, pueden tomar cualquier decisión para la realización del objeto de la agrupación.

Por su parte, el art. 19 RAEIE establece que *la agrupación será administrada por una o varias personas físicas nombradas en el contrato de agrupación o por decisión de los miembros.*

No podrán ser administradores de una agrupación las personas que:

– en virtud de la ley que les es aplicable, o

– en virtud de la ley interna del Estado de la sede de la agrupación, o

– como consecuencia de una decisión judicial o administrativa pronunciada o reconocida de un Estado miembro, no puedan pertenecer al órgano de administración o de dirección de una sociedad, no puedan administrar una empresa o no puedan actuar en calidad de administrador de una agrupación europea de interés económico.

Un Estado miembro puede prever, para las agrupaciones inscritas en sus registros [...], que una persona jurídica pueda ser administrador, siempre que designe uno o varios representantes, personas físicas, que deberán indicarse de acuerdo con la letra d) del artículo 7, esto es, su nombre y cualquier otra información de identidad exigida por la ley del Estado miembro en el que se halla el registro, la indicación de que pueden actuar solos o deben hacerlo conjuntamente, así como el cese en sus funciones.

Si un Estado miembro ejerce esta opción, debe prever que este o estos representantes serán responsables como si ellos mismos fueran administradores de la agrupación. Las restricciones vistas se aplicarán también a otros representantes.

El contrato de agrupación o, en ausencia de éste, una decisión unánime de los miembros, determinará las condiciones de nombramiento y de revocación del o de los administradores y fijará sus poderes.

En cuanto a la representación de las AEIE, el art. 20 RAEIE establece que *únicamente el administrador o, si son varios, cada uno de los administradores, representa a la agrupación frente a terceros.*

Cada uno de los administradores obliga a la agrupación ante terceros cuando actúa en nombre de la agrupación, incluso cuando los actos no forman parte de su objeto, a menos que la agrupación pruebe que el tercero sabía que el acto superaba los límites del objeto de la agrupación o no podía ignorarlo, habida cuenta de las circunstancias; la publicación de la mención a que se refiere la letra c) del artículo 5 [el objeto de la Agrupación], no será prueba suficiente.

Cualquier limitación de los poderes del o de los administradores, derivada del contrato de agrupación o de una decisión de los miembros, no podrá oponerse a terceros, incluso si está publicada.

El contrato de agrupación podrá prever que la agrupación sólo quede válidamente obligada por dos o varios administradores que actúen conjuntamente. Esta cláusula sólo será oponible a terceros, en las condiciones previstas en el apartado 1 del artículo 9, si se publica de acuerdo con el artículo 8 [en el boletín oficial apropiado del Estado en el que la agrupación tiene su sede].

Tales condiciones de oponibilidad eran las siguientes: *Los actos e indicaciones que deben ser publicados en virtud del presente Reglamento, serán oponibles a terceros por la agrupación en las condiciones previstas por el derecho nacional aplicable, de conformidad con los apartados 5 y 7 del artículo 3 de la Directiva 68/151/CEE del Consejo, de 9 de marzo de 1968, sobre la coordinación, para hacerlas equivalentes, de las garantías exigidas en los Estados miembros a las sociedades definidas en el segundo párrafo del artículo 58 del Tratado, para proteger los intereses de los socios y de los terceros (DO n.º L 65 de 14.3.1968, p. 8).*

Hoy estas referencias hay que entenderlas hechas a los apartados 1 y 2 del artículo 9 de la Directiva (UE) 2017/1132 del Parlamento Europeo y del Consejo de 14 de junio de 2017 sobre determinados aspectos del Derecho de sociedades: *1. La sociedad quedará obligada frente a terceros por los actos realizados por sus órganos, incluso si estos actos no corresponden al objeto social de esta sociedad, a menos que dichos actos excedan los poderes que la ley atribuya o permita atribuir a estos órganos. No obstante, los Estados miembros podrán prever que la sociedad no quedará obligada cuando estos actos excedan los límites del objeto social, si demuestra que el tercero sabía que el acto excedía este objeto o no podía ignorarlo, teniendo en cuenta las circunstancias, quedando excluido el que la sola publicación de los estatutos sea suficiente para constituir esta prueba.*

2. Las limitaciones a los poderes de los órganos de la sociedad, resultantes de los estatutos o de una decisión de los órganos competentes, no se podrán oponer frente a terceros, incluso si se hubieran publicado.

4.8.5.2.1.21. Uniones Temporales de Empresas

Se encuentran reguladas en la Ley 18/1982, de 26 mayo, de Régimen Fiscal de Agrupaciones y Uniones Temporales de Empresas y de Sociedades de Desarrollo Regional. Esta normativa tiene una finalidad fiscal ya que las Uniones Temporales de Empresas (UTE), *que cumplan las condiciones y requisitos que se establecen en la presente Ley, podrán acogerse al régimen tributario previsto en la misma* (art. 1). Si bien este régimen tributario queda *condicionado al cumplimiento de los requisitos específicos previstos en cada caso para las... Uniones mencionadas y a su inscripción en el Registro Especial que al efecto llevará el Ministerio de Hacienda* (art. 3).

Las define el art. 7 de la siguiente forma: *Tendrán la consideración de Unión Temporal de Empresas el sistema de colaboración entre empresarios por tiempo cierto, determinado o indeterminado para el desarrollo o ejecución de una obra, servicio o suministro.*

A nuestros efectos, lo más importante es lo que se establece en el núm. 2: *La Unión Temporal de Empresas no tendrá personalidad jurídica propia.* Por tanto, los derechos y obligaciones son asumidos personalmente por las empresas que forman la UTE.

De acuerdo con el art. 69 de la Ley 9/2017, de 8 de noviembre, de Contratos del Sector Público, por la que se transponen al ordenamiento jurídico español las Directivas del Parlamento Europeo y del Consejo 2014/23/UE y 2014/24/UE, de 26 de febrero de 2014, *podrán contratar con el sector público las uniones de empresarios que se constituyan temporalmente al efecto, sin que sea necesaria la formalización de las mismas en escritura pública hasta que se haya efectuado la adjudicación del contrato a su favor.*

Por otra parte, *los empresarios que concurran agrupados en uniones temporales quedarán obligados solidariamente y deberán nombrar un representante o apoderado único de la unión con poderes bastantes para ejercitar los derechos y cumplir las obligaciones que del contrato se deriven hasta la extinción del mismo, sin perjuicio de la existencia de poderes mancomunados que puedan otorgar para cobros y pagos de cuantía significativa.*

A efectos de la licitación, los empresarios que deseen concurrir integrados en una unión temporal deberán indicar los nombres y circunstancias de los que la constituyan y la participación de cada uno, así como que asumen el compromiso de constituirse formalmente en unión temporal en caso de resultar adjudicatarios del contrato.

La duración de las uniones temporales de empresarios será coincidente, al menos, con la del contrato hasta su extinción.

De acuerdo con el art. 8 de la Ley 18/1982, para la *aplicación del régimen tributario establecido en esta Ley y, a nuestros efectos, una UTE debe cumplir los siguientes requisitos:*

a) Las Empresas miembros podrán ser personas físicas o jurídicas residentes en España o en el extranjero. Los rendimientos empresariales de las personas naturales que formen parte de una Unión serán determinados en régimen de estimación directa a efectos de su gravamen en el Impuesto sobre la Renta de las Personas Físicas.

b) El objeto de las Uniones Temporales de Empresas será desarrollar o ejecutar exclusivamente una obra, servicio o suministro concreto, dentro o fuera de España.

También podrán desarrollar o ejecutar obra y servicios complementarios y accesorios del objeto principal.

c) Las uniones temporales de empresas tendrán una duración idéntica a la de la obra, servicio o suministro que constituya su objeto. La duración máxima no podrá exceder de veinticinco años, salvo que se trate de contratos que comprendan la ejecución de obras y explotación de servicios públicos, en cuyo caso, la duración máxima será de cincuenta años.

d) Existirá un Gerente único de la Unión Temporal, con poderes suficientes de todos y cada uno de sus miembros para ejercitar los derechos y contraer las obligaciones correspondientes.

Las actuaciones de la Unión Temporal se realizarán precisamente a través del Gerente, nombrado al efecto, haciéndolo éste constar así en cuantos actos y contratos suscriba en nombre de la Unión.

e) Las Uniones Temporales de Empresas se formalizarán en escritura pública, que expresará el nombre, apellidos, razón social de los otorgantes, su nacionalidad y su domicilio; la voluntad de los otorgantes de constituir la Unión y los estatutos o pactos que han de regir el funcionamiento de la Unión, en los que se hará constar.

1. La denominación o razón, que será la de una, varias o todas las Empresas miembros, seguida de la expresión «Unión Temporal de Empresas, Ley.../..., número...».

2. El objeto de la Unión, expresado mediante una memoria o programa, con determinación de las actividades y medios para su realización.

3. La duración y la fecha en que darán comienzo las operaciones.

4. El domicilio fiscal, situado en territorio nacional, que será el propio de la persona física o jurídica que lleve la gerencia común.

5. Las aportaciones, si existiesen, al fondo operativo común que cada Empresa comprometa en su caso, así como los modos de financiar o sufragar las actividades comunes.
6. El nombre del Gerente y su domicilio.
7. La proporción o método para determinar la participación de las distintas Empresas miembros en la distribución de los resultados o, en su caso, en los ingresos o gastos de la Unión.
8. La responsabilidad frente a terceros por los actos y operaciones en beneficio del común, que será en todo caso solidaria e ilimitada para sus miembros.
9. El criterio temporal de imputación de resultados o, en su caso, ingresos o gastos.
10. Los demás pactos lícitos y condiciones especiales que los otorgantes consideren conveniente establecer.

Por tanto, a quien corresponde la representación es el gerente único *con poderes suficientes de todos y cada uno de sus miembros para ejercitar los derechos y contraer las obligaciones correspondientes,* cuyo nombre ha de figurar en los estatutos que formarán parte de la escritura de constitución y en la que figurarán sus facultades, así como la necesidad o no de contar para determinados actos y contratos con un Comité de Gerencia. El gerente único es un apoderado de *todos y cada uno* de los componentes de la UTE.

4.8.5.2.1.22. Entidades de Crédito

De acuerdo con el art. 1 de la Ley 10/2014, de 26 de junio, de ordenación, supervisión y solvencia de entidades de crédito (LOSSEC), *son entidades de crédito las empresas autorizadas cuya actividad consiste en recibir del público depósitos u otros fondos reembolsables y en conceder créditos por cuenta propia.*

Tienen la consideración de entidades de crédito:

a) Los bancos.

b) Las cajas de ahorros.

c) Las cooperativas de crédito.

d) El Instituto de Crédito Oficial.

A tenor del art. 2, el régimen jurídico de las entidades de crédito será el establecido por las normas de ordenación y disciplina teniendo tal consideración:

a) La LOSSEC y las disposiciones que la desarrollen.
b) El Reglamento (UE) n.º 575/2013 del Parlamento Europeo y del Consejo, de 26 de junio de 2013, sobre los requisitos prudenciales de las entidades de crédito y las empresas de inversión, y por el que se modifica el Reglamento (UE) n.º 648/2012.
c) El resto de las normas del ordenamiento jurídico español y del Derecho de la Unión Europea que contengan preceptos específicos referidos a las entidades de crédito.
La normativa reguladora de las sociedades mercantiles será de aplicación a las entidades de crédito en cuanto no se oponga a las citadas en el apartado anterior y, en particular, a la normativa especial por la que se rigen las cajas de ahorros y las cooperativas de crédito.

Por su parte, el art. 3 LOSSEC establece:

Queda reservada a las entidades de crédito que hayan obtenido la preceptiva autorización y se hallen inscritas en el correspondiente registro, la captación de fondos reembolsables del público, cualquiera que sea su destino, en forma de depósito, préstamo, cesión temporal de activos financieros u otras análogas.

Se prohíbe a toda persona, física o jurídica, no autorizada ni registrada como entidad de crédito el ejercicio de las actividades legalmente reservadas a las entidades de crédito y la utilización de las denominaciones propias de las mismas o cualesquiera otras que puedan inducir a confusión con ellas.

El Registro Mercantil y los demás registros públicos denegarán la inscripción de aquellas entidades cuya actividad u objeto social o cuya denominación resulten contrarios a lo dispuesto en este precepto. Las inscripciones realizadas contraviniendo lo anterior serán nulas de pleno derecho, debiendo procederse a su cancelación de oficio o a petición del órgano administrativo competente. Dicha nulidad no perjudicará los derechos de terceros de buena fe, adquiridos conforme al contenido de los correspondientes registros.

Según el art. 4 LOSSEC,

corresponde al Banco de España el ejercicio de las competencias que le atribuyan las normas de ordenación y disciplina sobre las entidades de crédito y, cuando corresponda, sobre las sociedades financieras de cartera y las sociedades financieras mixtas de cartera.

Corresponderá al Banco de España:

a) Autorizar la creación de entidades de crédito y la apertura en España de sucursales de entidades de crédito extranjeras no autorizadas en un Estado miembro de la Unión Europea. [...]

c) Autorizar las modificaciones estatutarias de las entidades de crédito, en los términos que reglamentariamente se establezcan. En particular podrán determinarse reglamentariamente aquellas modificaciones estatutarias en las que la autorización pueda sustituirse por la preceptiva comunicación al Banco de España.

d) Revocar la autorización concedida a una entidad de crédito en los supuestos previstos en el artículo 8. [...]

4.8.5.2.1.22.1. Bancos

Sin perjuicio de la LOSSEC, la autorización y Registro de Bancos se encuentra regulada en la Sección 1ª, del Capítulo I, del Título I del Real Decreto 84/2015, de 13 febrero que desarrolla la Ley 10/2014, de 26 junio, de ordenación, supervisión y solvencia de entidades de crédito (RD 84/2015).

De acuerdo con el art. 3 RD 84/2015:

1. Corresponde al Banco de España elevar al Banco Central Europeo una propuesta de autorización para acceder a la actividad de entidad de crédito, previo informe del Servicio Ejecutivo de la Comisión de Prevención del Blanqueo de Capitales e Infracciones Monetarias, la Comisión Nacional del Mercado de Valores y la Dirección General de Seguros y Fondos de Pensiones, en los aspectos de su competencia.

El Banco de España comunicará a la Secretaría General del Tesoro y Política Financiera la apertura del procedimiento de autorización, indicando los elementos esenciales del expediente que se ha de tramitar, y la finalización del mismo.

2. La solicitud de autorización deberá ser resuelta dentro de los seis meses siguientes a su recepción en el Banco de España, o al momento en que se complete la documentación exigible y, en todo caso, dentro de los doce meses siguientes a su recepción. Cuando la solicitud no sea resuelta en el plazo anterior, se entenderá desestimada. A la resolución de la autorización que se adopte mediante decisión del Banco Central Europeo se aplicará el régimen de impugnación previsto en la normativa de la Unión Europea y, en particular, en el Reglamento (UE) n.º 1024/2013 del Consejo, de 15 de octubre de 2013, que encomienda al Banco Central Europeo tareas específicas respecto de políticas relacionadas con la supervisión prudencial de las entidades de crédito.

3. Una vez obtenida la autorización y tras su constitución e inscripción en el Registro Mercantil, los bancos deberán quedar inscritos en el Registro de entidades de crédito del Banco de España para poder ejercer sus actividades.

4. Las inscripciones en el Registro de entidades de crédito del Banco de España a que se refiere el apartado anterior, así como las bajas en el mismo, se publicarán en el «Boletín Oficial del Estado».

Entre los requisitos para ejercer la actividad que se recogen el art. 4 RD 84/2015 destacaremos:

a) Revestir la forma de sociedad anónima constituida por el procedimiento de constitución simultánea y con duración indefinida.

b) Tener un capital social inicial no inferior a 18 millones de euros, desembolsado íntegramente en efectivo y representado por acciones nominativas.

c) Limitar estatutariamente el objeto social a las actividades propias de una entidad de crédito.
[...]

f) Contar con un consejo de administración formado por al menos cinco miembros. Los miembros del consejo de administración, los directores generales o asimilados y los responsables de las funciones de control interno y otros puestos clave tanto de la entidad como, en su caso, de la sociedad dominante, deberán cumplir los requisitos de idoneidad previstos en el capítulo III.

g) Contar con una adecuada organización administrativa y contable, así como con procedimientos de control interno adecuados que garanticen la gestión sana y prudente de la entidad. En especial, el consejo de administración deberá establecer normas de funcionamiento y procedimientos adecuados para facilitar que sus miembros puedan cumplir, en todo momento, sus obligaciones y asumir las responsabilidades que les correspondan de acuerdo con las normas de ordenación y disciplina de las entidades de crédito, el texto refundido de la Ley de Sociedades de Capital, aprobado por el Real Decreto Legislativo 1/2010, de 2 de julio, u otras disposiciones que sean de aplicación.

h) Tener su domicilio social, así como su efectiva administración y dirección, en territorio nacional.

i) Contar con procedimientos y órganos adecuados de control interno y de comunicación para prevenir e impedir la realización de operaciones relacionadas con el blanqueo de capitales y la financiación del terrorismo en las condiciones establecidas por la normativa correspondiente.

Tal como establece este art. 4 RD 84/2015, *en el plazo de un año a contar desde la notificación de la autorización de un banco, los promotores deberán otorgar la oportuna escritura de constitución de la sociedad, inscribirla en el Registro Mercantil y posterior-*

mente en el Registro de Entidades de Crédito, y dar inicio a sus operaciones. En otro caso, se declarará la caducidad de la autorización [...].

Por último, el art. 8 RD 84/2015, establece las limitaciones temporales a la actividad de los nuevos bancos:

a) Durante los tres primeros ejercicios, a partir del inicio de sus actividades, no podrán repartir dividendos, debiendo destinar la totalidad de sus beneficios de libre disposición a reservas, salvo que lo autorice el Banco de España atendiendo a la situación financiera de la entidad y, en particular, a que la misma cumpla sus obligaciones de solvencia.

b) Durante los cinco primeros años a partir del inicio de sus actividades:

1.º No podrán, directa o indirectamente, conceder créditos, préstamos o avales de clase alguna en favor de sus socios, consejeros y altos cargos de la entidad, ni en favor de sus familiares en primer grado o de las sociedades en que, unos u otros, ostenten participaciones accionariales superiores al 15 por ciento o de cuyo consejo de administración formen parte. Tratándose de accionistas personas jurídicas pertenecientes a su grupo económico, se incluyen en esta limitación todas las empresas pertenecientes a este. En este supuesto, la limitación no se aplicará a las operaciones con entidades de crédito.

2.º Una persona física o jurídica o un grupo no podrá poseer, directa o indirectamente, más del 20 por ciento del capital o de los derechos de voto del banco, o ejercer el control del mismo. A estos efectos, se entenderá por grupo el que se define como tal en el artículo 42 del Código de Comercio. No será aplicable esta limitación a las entidades de crédito y demás entidades financieras.

3.º La transmisibilidad inter vivos de las acciones y su gravamen o pignoración estarán condicionados a la previa autorización del Banco de España, debiendo constar esta limitación en los Estatutos de la Sociedad.

2. El incumplimiento de las limitaciones citadas en el apartado anterior, o una desviación sustancial respecto del programa de actividades citado en el artículo 5.b) durante los tres primeros años, podrá dar lugar a la revocación de la autorización conforme a lo previsto en el artículo 8 de la Ley 10/2014, de 26 de junio.

Toda modificación de los estatutos sociales de los bancos estará sujeta a autorización del Banco de España (art. 10 RD 84/2015).

No requerirán autorización previa, aunque deberán ser comunicadas al Banco de España para su constancia en el Registro de Entidades de Crédito, las modificaciones de los estatutos sociales que tengan por objeto:

a) Cambiar el domicilio social dentro del territorio nacional.

b) Aumentar el capital social.

c) Incorporar textualmente a los estatutos preceptos legales o reglamentarios de carácter imperativo o prohibitivo, o cumplir resoluciones judiciales o administrativas.

d) Aquellas otras modificaciones para las que el Banco de España, en contestación a consulta previa formulada al efecto por el banco afectado, haya considerado innecesario, por su escasa relevancia, el trámite de la autorización.

La comunicación al Banco de España deberá efectuarse dentro de los quince días hábiles siguientes a la adopción del acuerdo de modificación estatutaria. Si, recibida la comunicación, dicha modificación excediese en su alcance de lo previsto en este apartado, el Banco de España lo notificará en el plazo de treinta días a los interesados, para que revisen las modificaciones, o, en su caso, se ajusten al procedimiento de autorización [...].

Conforme a lo dispuesto en la disposición adicional duodécima de la LOSSEC, corresponde al Ministro de Economía y Competitividad autorizar las operaciones de fusión, escisión o cesión global o parcial de activos y pasivos en las que intervenga un banco, o cualquier acuerdo que tenga efectos económicos o jurídicos análogos a los anteriores, así como las modificaciones estatutarias que deriven de las mismas. A tal fin, se recabarán previamente los informes preceptivos que correspondan y, en todo caso, el del Banco de España.

4.8.5.2.1.22.2. Cooperativas de Crédito

Su regulación se encuentra recogida en la Ley 13/1989, de 26 mayo, de normas reguladoras de Cooperativas de Crédito (LCoopCr) y en el Real Decreto 84/1993, de 22 enero que aprueba el Reglamento de desarrollo de la Ley 13/1989, de 26 mayo, que regula las Cooperativas de Crédito (RCoopCr).

De acuerdo con el art. 1 LCoopCr, *son Cooperativas de Crédito las sociedades constituidas con arreglo a la presente Ley, cuyo objeto social es servir a las necesidades financieras de sus socios y de terceros mediante el ejercicio de las actividades propias de las entidades de crédito.*

Las Cooperativas de Crédito tienen personalidad jurídica propia y el número de sus socios es ilimitado y la responsabilidad de los mismos por las deudas sociales alcanza el valor de sus aportaciones.

Su régimen jurídico viene recogido en el art. 2 LCoopCr: *Las Cooperativas de Crédito se regirán por la presente Ley y sus normas de desarrollo, sin perjuicio, en cuanto a estas últimas, de las disposiciones que puedan aprobar las Comunidades Autónomas en el ejercicio de las competencias que tengan atribuidas en la materia. También les serán de aplicación las normas que con carácter general regulan la actividad de las entidades de crédito. Con carácter supletorio les será de aplicación la Legislación de Cooperativas.*

Las Cooperativas de Crédito podrán realizar toda clase de operaciones activas, pasivas y de servicios permitidas a las otras entidades de crédito, con atención preferente a las necesidades financieras de sus socios. En cualquier caso, el conjunto de las operaciones activas con terceros de una Cooperativa de Crédito no podrá alcanzar el 50 por 100 de los recursos totales de la Entidad (art. 4 LCoopCr).

A tenor del art. 5 LCoopCr, *la constitución de una Cooperativa de Crédito requerirá autorización previa del Ministerio de Economía y Hacienda. La solicitud de constitución deberá estar suscrita por un grupo de promotores, del que deberán formar parte, al menos, cinco personas jurídicas que desarrollen la actividad propia de su objeto social en forma ininterrumpida desde, al menos, dos años antes de la fecha de constitución, o por ciento cincuenta personas físicas.*

Para constituir una Cooperativa de Crédito con la denominación Caja Rural, el grupo promotor deberá incluir, al menos, una Cooperativa Agraria o cincuenta socios personas físicas titulares de explotaciones agrarias.

Concedida la autorización, la Cooperativa de Crédito en constitución deberá solicitar su inscripción en el Registro correspondiente del Banco de España, acompañando al efecto copia de la escritura pública de constitución y de los Estatutos. Asimismo, una vez inscrita en el Registro del Banco de España, deberá procederse a su inscripción en el Registro Mercantil y en el correspondiente Registro de Cooperativas, en cuyo momento adquirirán personalidad jurídica.

Los órganos sociales de las Cooperativas de Crédito son la Asamblea General y el Consejo Rector. Corresponderá al Consejo Rector la designación, contratación y destitución del Director general.

La reunión del Consejo Rector deberá ser convocada por el Presidente a iniciativa propia o a petición de al menos dos Consejeros o de un Director general.

La Dirección de la Cooperativa de Crédito estará desempeñada por uno o más Directores Generales.

En el Banco de España se llevará el registro de altos cargos de las Cooperativas de Crédito en el que deberán inscribirse, antes de tomar posesión de sus cargos, las personas elegidas o designadas para ocupar en estas entidades puestos de Consejero o de Director general. El Banco de España denegará la inscripción cuando, con arreglo a la legislación aplicable, resulte incompatibilidad, siendo en tal caso nula la elección o designación correspondiente.

Hay que señalar que de acuerdo con el art. 22 RCoopCr:

1. Los acuerdos no electorales se adoptarán, como regla general, por más de la mitad de los votos válidamente emitidos.

Las decisiones sobre modificaciones patrimoniales, financieras, organizativas o funcionales de la cooperativa de crédito que, según el Estatuto, tengan carácter esencial, así como las fusiones y cesiones globales a que se refiere el artículo 30, la emisión de obligaciones u otros valores, el cese del Consejo Rector y las demás expresamente previstas en la legislación cooperativa, requerirán una mayoría favorable no inferior a los dos tercios de los votos presentes o representados.

2. El Estatuto podrá prever la votación por correo para elegir o renovar cargos sociales. En tal caso será obligatoria la presencia y actuación de notario, al menos en tanto se depositan los votos secretos en las Juntas preparatorias y en el momento de enviar éstos, en sus sobres correspondientes, a la sede social, así como durante toda la sesión asamblearia, sea cual fuere el carácter único o ulterior, de ésta. En todo caso, el escrutinio se realizará, en la Asamblea General que proceda también en presencia de fedatario público, que levantará acta de ello.

3. El Consejo Rector podrá requerir la presencia de un notario para que levante acta de la asamblea, y estará obligado a hacerlo cuando lo prevea el Estatuto y siempre que al menos cinco días hábiles antes del previsto para la celebración de aquélla lo soliciten por escrito en la sede social socios que representen el 10 por 100 del capital social o del total de socios, o alcancen la cifra de 100 cooperadores, así como cualquier otro órgano social.

Los honorarios correspondientes al documento notarial, que tendrá la consideración de acta de la asamblea a todos los efectos, serán de cargo de la cooperativa.

A tenor del art. 24 RCoopCr, *los acuerdos rectores sobre operaciones o servicios cooperativizados en favor de miembros del Consejo Rector, de Comisiones Ejecutivas, de los restantes órganos a que se refiere el artículo 26, de la Dirección General, o de los parientes de cualesquiera de ellos dentro de los límites señalados en aquel precepto legal, se adoptarán necesariamente mediante votación secreta, previa inclusión del asunto en el orden del día con la debida claridad, y por mayoría no inferior a los dos tercios del total de consejeros.*

Si el beneficiario de las operaciones o servicios fuese un consejero, o un pariente suyo de los indicados antes, aquél se considerará en conflicto de intereses, y no podrá participar en la votación.

Una vez celebrada la votación secreta, y proclamado el resultado, será válido hacer constar en acta las reservas o discrepancias correspondientes respecto al acuerdo adoptado.

Lo dispuesto en los párrafos anteriores de este apartado 3 será asimismo de aplicación cuando se trate de constituir, suspender, modificar, novar o extinguir obligaciones o derechos de la cooperativa con entidades en las que aquellos cargos o sus mencionados familiares sean patronos, consejeros, administradores, altos directivos, asesores o miembros de base con una participación en el capital igual o superior al 5 por 100.

El art. 25 RCoopCr establece que *el Consejo Rector no podrá delegar, ni aun con carácter temporal, el conjunto de sus facultades, ni aquellas que, por imperativo legal, resulten indelegables, en el Director general. Tampoco será válida la delegación permanente de atribuciones que tengan carácter delegable, salvo lo previsto en el Estatuto sobre la Comisión Ejecutiva y las Comisiones Mixtas.*

Igualmente, salvo previsión estatutaria en contra, las cooperativas de crédito no podrán nombrar consejeros delegados.

El art. 27 RCoopCr regula la Dirección General de la siguiente forma:

1. Las cooperativas de crédito están obligadas a contar con una Dirección General, cuyo titular o titulares serán designados y contratados por el Consejo Rector entre personas que reúnan las condiciones de capacidad, preparación técnica, y experiencia suficiente para desarrollar las funciones propias de ese cargo.

Cuando los Directores fuesen dos o más, el Estatuto habrá de determinar si han de actuar de forma individual, conjunta o con carácter colegiado. En tales casos el poder de representación quedará sujeto a las reglas establecidas en el artículo 124 del Reglamento del Registro Mercantil.

2. El Estatuto deberá expresar el esquema básico de las atribuciones de la Dirección General, entre las que figurarán las de solicitar —incluso individualmente— al Presidente la convocatoria del Consejo Rector y, salvo que se encomiende de modo expreso a este órgano, decidir la realización de operaciones con terceros, dentro de los límites establecidos en el artículo cuarto, 2, de la Ley 13/1989.

4.8.5.2.1.22.3. Cajas de Ahorro y fundaciones bancarias

Están reguladas en la Ley 26/2013, de 27 diciembre, de Cajas de Ahorros y Fundaciones Bancarias (LCAFB).

Tal como establece el art. 2, *las **cajas de ahorros** son entidades de crédito de carácter fundacional y finalidad social, cuya actividad financiera se orientará principalmente a la captación de fondos reembolsables y a la prestación de servicios bancarios y de inversión para clientes minoristas y pequeñas y medianas empresas.*

Su ámbito de actuación no excederá el territorio de una comunidad autónoma. No obstante, podrá sobrepasarse este límite siempre que se actúe sobre un máximo total de diez provincias limítrofes entre sí.

Sin perjuicio de la normativa de las comunidades autónomas donde las cajas de ahorros tengan su domicilio social, estas se regirán, con carácter básico, por lo previsto en esta Ley y, supletoriamente, en cuanto sea de aplicación, por lo dispuesto en el Texto Refundido de la Ley de Sociedades de Capital, aprobado por el Real Decreto Legislativo 1/2010, de 2 de julio, y demás normas del ordenamiento jurídico-privado.

La administración, gestión, representación y control de las cajas de ahorros corresponde a los siguientes órganos de gobierno (art. 3 LCAFB):

a) Asamblea general.
b) Consejo de administración.
c) Comisión de control.
Adicionalmente, en el seno del consejo de administración, se constituirán las comisiones de inversiones, de retribuciones y nombramientos y de obra social.

El consejo de administración se regula en el art. 15 LCAFB:

1. Es el órgano que tiene encomendada la administración y gestión financiera, así como la de la obra social de la caja de ahorros, para el cumplimiento de sus fines.
El consejo de administración deberá establecer normas de funcionamiento y procedimientos adecuados para facilitar que todos sus miembros puedan cumplir en todo momento sus obligaciones y asumir las responsabilidades que les correspondan de acuerdo con las normas de ordenación y disciplina de las entidades de crédito y las restantes disposiciones que sean de aplicación a las cajas de ahorros.
2. El número de vocales del consejo de administración no podrá, de acuerdo con un principio de proporcionalidad en función de la dimensión económica de la caja de ahorros, ser inferior a cinco ni superior a quince.
3. La mayoría de los miembros del consejo de administración deberán ser vocales independientes. Su designación requerirá informe favorable de la comisión de retribuciones y nombramientos, que habrá de tener en cuenta las prácticas y estándares nacionales e internacionales sobre gobierno corporativo de entidades de crédito.
A los efectos de lo previsto en esta Ley, no podrán ser vocales independientes los consejeros generales.
Los miembros del consejo de administración serán elegidos por la asamblea general en la forma que determinen los estatutos. Será admisible en todo caso la representación proporcional, pudiendo los consejeros generales agruparse para designar tantos miembros del consejo de

administración como resulte la parte entera de dividir el número de agrupados por el cociente resultante de dividir el número total de consejeros generales por el número de miembros del consejo de administración que no han de ser independientes. En tal caso, los miembros agrupados no podrán participar en la elección del resto de miembros del consejo de administración (art. 16 LCAFB).

Los vocales de los consejos de administración, así como sus cónyuges, ascendientes o descendientes y las sociedades en que dichas personas participen mayoritariamente en el capital, bien de forma aislada o conjunta, o en las que desempeñen los cargos de presidente, consejero, administrador, gerente, director general o con funciones similares, no podrán obtener créditos, avales ni garantías de la caja respectiva o enajenar a la misma bienes o valores de su propiedad o emitidos por tales entidades sin que exista acuerdo del consejo de administración de la caja y autorización expresa del Banco de España y de la comunidad autónoma respectiva. Esta prohibición no será de aplicación respecto a los representantes del personal, para los cuales la concesión de créditos se regirá por los convenios laborales, previo informe de la comisión de control y del Banco de España (art. 18 LCAFB).

En cuanto al mandato de los vocales del consejo de administración, el art. 19 LCA-FB establece:

1. La duración del ejercicio del cargo de vocal del consejo de administración será la señalada en los estatutos, sin que pueda ser inferior a cuatro años ni superior a seis.

No obstante, los estatutos podrán prever la posibilidad de reelección de los vocales siempre que se cumplan las mismas condiciones, requisitos y trámites que en el nombramiento.

Los vocales independientes no podrán ostentar esta condición durante un período superior a doce años.

2. El procedimiento y condiciones para la renovación, la reelección y provisión de vacantes de los vocales se determinarán en las normas que desarrollen esta Ley, sin que puedan efectuarse nombramientos provisionales.

3. En todo caso, el nombramiento y la reelección de vocales habrán de comunicarse al Ministerio de Economía y Competitividad, al Banco de España, y a la comunidad autónoma respectiva, para su conocimiento y constancia.

El art. 21 LCAFB regula la organización y funcionamiento del consejo de administración:

1. El consejo de administración nombrará, de entre sus miembros, al presidente del consejo, que, a su vez, lo será de la caja de ahorros y de la asamblea general. Podrá elegir, asimismo, uno o más vicepresidentes y a un secretario, que podrá o no ser consejero.

2. El consejo se reunirá cuantas veces sea necesario para la buena marcha de la entidad. Podrá actuar en pleno o delegar funciones, con excepción de las relativas a la elevación de propuestas a la asamblea general o cuando se trate de facultades especialmente delegadas en el consejo, salvo que fuese expresamente autorizado para ello.

Los acuerdos se adoptarán por mayoría de los vocales asistentes, otorgándose a quien presida la reunión voto de calidad. Los estatutos podrán prever aquellos asuntos para cuya adopción se requiera de mayoría cualificada.

3. Las deliberaciones del consejo de administración tendrán carácter secreto.

4. Los vocales del consejo de administración que no sean consejeros generales asistirán a las asambleas generales con voz y sin voto.

Interesa destacar que el consejo de administración será el representante de la caja de ahorros para todos los actos comprendidos en el objeto social de la misma, delimitado en sus estatutos.

El ejercicio de sus facultades se regirá por lo establecido en los estatutos y en los acuerdos de la asamblea general.

Para concluir, hay que recordar de acuerdo con el art. 34 LCAFB, que *las cajas de ahorros, en los supuestos previstos en el apartado siguiente, deberán traspasar todo el patrimonio afecto a su actividad financiera a otra entidad de crédito a cambio de acciones de esta última y procederán a su transformación en una fundación bancaria, en caso de cumplir los requisitos previstos en el artículo 32 de esta Ley, o fundación ordinaria en caso contrario, con pérdida, en cualquiera de los casos, de la autorización para actuar como entidad de crédito.*

Los supuestos a los que se refiere el apartado anterior serán los siguientes:

a) Que el valor del activo total consolidado de la caja de ahorros, según el último balance auditado, supere la cifra de diez mil millones de euros; o,

b) Que su cuota en el mercado de depósitos de su ámbito territorial de actuación sea superior al 35 por ciento del total de depósitos.

El art. 32 LCAFB define la ***fundación bancaria*** *como aquella que mantenga una participación en una entidad de crédito que alcance, de forma directa o indirecta, al menos, un 10 por ciento del capital o de los derechos de voto de la entidad, o que le permita nombrar o destituir algún miembro de su órgano de administración.*

La fundación bancaria tendrá finalidad social y orientará su actividad principal a la atención y desarrollo de la obra social y a la adecuada gestión de su participación en una entidad de crédito.

En la denominación de las fundaciones bancarias deberá hacerse constar la propia expresión «fundación bancaria».

En su caso, las fundaciones bancarias podrán utilizar en su denominación social y en su actividad las denominaciones propias de las cajas de ahorros de las que procedan.

En cuanto a su régimen jurídico (art. 33 LCAFB), *las fundaciones bancarias quedarán sujetas al régimen jurídico previsto en esta Ley y, con carácter supletorio, bien a la Ley 50/2002, de 26 de diciembre, de Fundaciones, bien a la normativa autonómica que resulte de aplicación.*

4.8.5.2.1.22.4. Instituto de Crédito Oficial (ICO)

Se encuentra regulado en el Real Decreto-Ley 12/1995, de 28 diciembre, de medidas urgentes en materia presupuestaria, tributaria y financiera, concretamente en la Disposición adicional sexta y en el Real Decreto 706/1999, de 30 abril, de adaptación del Instituto de Crédito Oficial a la Ley 6/1997, de 14 abril de Organización y Funcionamiento de la Administración General del Estado y aprobación de sus estatutos.

El Instituto de Crédito Oficial (ICO) es una Entidad Pública Estatal, adscrita al Ministerio de Economía a través de la Secretaría de Estado de Economía, que tiene naturaleza jurídica de Entidad de Crédito, la consideración de Agencia Financiera del Estado, y *personalidad jurídica y patrimonio propio* para el cumplimiento de sus fines.

El Instituto de Crédito Oficial se regirá por las normas citadas, por las disposiciones que le sean aplicables de la Ley General Presupuestaria, por sus estatutos y, en lo no previsto en las normas anteriores, por las especiales de las entidades de crédito y por las generales del ordenamiento jurídico privado civil, mercantil y laboral, sin que le sea de aplicación la legislación reguladora de las Entidades Estatales Autónomas.

Son fines del ICO el sostenimiento y la promoción de las actividades económicas que contribuyan al crecimiento y a la mejora de la distribución de la riqueza nacional y, en especial, de aquellas que, por su trascendencia social, cultural, innovadora o ecológica, merezcan fomento, con absoluto respeto a los principios de equilibrio financiero y de adecuación de medios a fines que el Instituto debe observar en todo caso.

Son *funciones* del ICO las siguientes:

a) Contribuir a paliar los efectos económicos producidos por situaciones de grave crisis económica, catástrofes naturales u otros supuestos semejantes, de acuerdo con las instrucciones que al efecto reciba del Consejo de Ministros o de la Comisión Delegada del Gobierno para Asuntos Económicos.

b) Actuar como instrumento de ejecución de determinadas medidas de política económica, siguiendo las líneas fundamentales que establezca el Consejo de Ministros o la Comisión Delegada del Gobierno para Asuntos Económicos o el Ministro de Economía y Hacienda, con sujeción a las normas y decisiones que al respecto adopte su Consejo General.

En todo caso, el Consejo de Ministros o la Comisión Delegada del Gobierno para Asuntos Económicos, al dar instrucciones al ICO para que realice una operación, deberá especificar si la misma se ha de llevar a cabo en el ejercicio de las funciones a que se refiere el párrafo a) o si se ha de realizar en cumplimiento de las enunciadas en el párrafo b).

El ICO estará regido por un Consejo General, que tendrá a su cargo la superior dirección de su administración y gestión.

El Consejo General estará formado por el Presidente de la entidad, que lo será también del Consejo, y diez Vocales, y estará asistido por el Secretario y, en su caso, el Vicesecretario del mismo.

El nombramiento y cese de los Vocales del Consejo General corresponde al Consejo de Ministros, a propuesta del Ministro de Economía y Competitividad, que los designará entre personas de reconocido prestigio y competencia profesional en el ámbito de actividad del Instituto de Crédito Oficial.

El mandato de los vocales independientes será de tres años, tras el cual cabrá una sola reelección.

Tal como establece el art. 7 del Real Decreto 706/1999, *corresponderán al Consejo General la representación y dirección del Instituto de Crédito Oficial, y especialmente, y sin que la enumeración tenga carácter limitativo, las siguientes facultades:*

[...]

e) Aprobar los convenios de colaboración que deba concertar el Instituto con otros organismos o entidades pertenecientes a las distintas organizaciones públicas españolas y de la Unión Europea, así como con cualesquiera otros, públicos o privados, nacionales o extranjeros.

f) Aprobar la creación o participación del Instituto en sociedades financieras relacionadas directa o indirectamente con sus actividades.

g) Decidir sobre la realización y condiciones de las operaciones propias de la actividad de la entidad y las directa o indirectamente relacionadas con ella y, en particular, conceder, modificar y resolver las operaciones de crédito, así como autorizar la emisión de valores, la concesión de préstamos y el otorgamiento de avales y garantías de cualquier tipo o clase.

h) Autorizar cualquier acto de administración, disposición o riguroso dominio sobre cualquier clase de bienes.

[...].

A propuesta del Presidente, el Consejo General podrá constituir en su seno Comisiones Delegadas, con carácter permanente u ocasional y con la composición. atribuciones, régimen de las reuniones y requisitos de los acuerdos que estime más convenientes para la mejor administración del Instituto (art. 8 RD 706/1999).

El Instituto de Crédito Oficial ajustará su actividad contractual al Derecho privado, de conformidad con el texto refundido de la Ley de Contratos del Sector Público, aprobado por el Real Decreto Legislativo 3/2011, de 14 de noviembre (art. 23 RD 706/1999).

4.8.5.2.1.23. Establecimientos Financieros de Crédito

Están regulados por la Ley 5/2015, de 27 abril, de fomento de la financiación empresarial (LFFE) y por el Real Decreto 692/1996, de 26 abril que desarrolla el régimen jurídico de los establecimientos financieros de crédito (REFC) en lo que no sea contrario a la LFFE.

De acuerdo con el art. 6 LFFE, *podrán constituirse como establecimientos financieros de crédito aquellas empresas que, sin tener la consideración de entidad de crédito y previa autorización del Ministro de Economía y Competitividad, se dediquen con carácter profesional a ejercer una o varias de las siguientes actividades:*

a) La concesión de préstamos y créditos, incluyendo crédito al consumo, crédito hipotecario y financiación de transacciones comerciales.

b) El «factoring», con o sin recurso, y las actividades complementarias de esta actividad, tales como las de investigación y clasificación de la clientela, contabilización de deudores, y en general, cualquier otra actividad que tienda a favorecer la administración, evaluación, seguridad y financiación de los créditos que les sean cedidos.

c) El arrendamiento financiero [...]

d) Las de concesión de avales y garantías, y suscripción de compromisos similares.

e) La concesión de hipotecas inversas, incluyendo las reguladas en la disposición adicional primera de la Ley 41/2007, de 7 de diciembre, por la que se modifica la Ley 2/1981, de 25 de marzo, de Regulación del Mercado Hipotecario y otras normas del sistema hipotecario y financiero, de regulación de las hipotecas inversas y el seguro de dependencia y por la que se establece determinada norma tributaria.

Asimismo, los establecimientos financieros de crédito podrán desarrollar las demás actividades accesorias que resulten necesarias para el desempeño de las actividades anteriores, en los términos que se prevean en sus Estatutos sociales.

Los establecimientos financieros de crédito no podrán captar fondos reembolsables del público. No obstante, la captación de fondos reembolsables mediante emisión de valores sujeta a la Ley 24/1988, de 28 de julio, del Mercado de Valores [hoy sustituida por el TRLMV], y sus normas de desarrollo, podrá efectuarse con sujeción a los requisitos y limitaciones que para estos establecimientos se establezcan específicamente.

Los establecimientos financieros de crédito podrán titulizar sus activos, de acuerdo con lo que prevea la legislación sobre fondos de titulización.

Por otra parte, a tenor del art. 9 LFFE, *el Ministro de Economía y Competitividad, previo informe del Banco de España y del servicio ejecutivo de la Comisión de Prevención del Blanqueo de Capitales e Infracciones Monetarias en los aspectos de su competencia, autorizará la creación de establecimientos financieros de crédito de conformidad con el procedimiento que se prevea reglamentariamente.*

Reglamentariamente se establecerán los requisitos para el ejercicio de la actividad de los establecimientos financieros de crédito [...]

En lo no previsto por esta Ley y su normativa de desarrollo se aplicará el procedimiento de autorización, revocación, renuncia y caducidad establecido para las entidades de crédito en la Ley 10/2014, de 26 de junio, de ordenación, supervisión y solvencia de entidades de crédito y su normativa de desarrollo.

De acuerdo con el art. 5 REFC, *serán requisitos necesarios para obtener y conservar la autorización de un establecimiento financiero de crédito:*

a) Revestir la forma de sociedad anónima constituida por el procedimiento de funda-ción simultánea y con duración indefinida.

b) Tener un capital social mínimo de 5 millones de euros, desembolsado íntegramente en efectivo y representado por acciones nominativas.

c) Limitar estatutariamente su objeto social a las actividades propias de un estableci-miento financiero de crédito.

[...]

e) Contar con un consejo de administración formado por no menos de tres miembros. Todos los miembros del consejo de administración de la entidad, así como los del consejo de administración de su entidad dominante cuando exista, serán personas de reconocida ho-norabilidad comercial y profesional, deberán poseer conocimientos y experiencia adecuados para ejercer sus funciones y estar en disposición de ejercer un buen gobierno de la entidad. Los requisitos de honorabilidad y conocimiento y experiencia deberán concurrir también en los directores generales o asimilados, así como en los responsables de las funciones de control interno y otros puestos clave para el desarrollo diario de la actividad de la entidad y de su dominante, conforme establezca el Banco de España.

[...]

g) Tener su domicilio social, así como su efectiva administración y dirección en territorio nacional.

[...]

Por tanto, los EFC son sociedades anónimas y en materia de capacidad y represen-tación habrá que estar a lo dispuesto en la LSC con las peculiaridades vistas en cuanto a su constitución, objeto social, órgano de administración...

4.8.5.2.1.24. Entidades de Dinero Electrónico

Reguladas por la Ley 21/2011, de 26 julio, de dinero electrónico (LDE) que deroga el art. 21 de la Ley 44/2002, de 22 de noviembre, de Medidas de Reforma del Sistema Financiero y por el Real Decreto 778/2012, de 4 de mayo, de régimen jurídico de las entidades de dinero electrónico (REDE).

A tenor de su art. 1, *se entiende por dinero electrónico todo valor monetario almace-nado por medios electrónicos o magnéticos que represente un crédito sobre el emisor, que se emita al recibo de fondos con el propósito de efectuar operaciones de pago según se definen en el artículo 2.5 de la Ley 16/2009, de 13 de noviembre, de servicios de pago, y que sea aceptado por una persona física o jurídica distinta del emisor de dinero electrónico.*

De acuerdo con el art. 3 LDE, tendrán la consideración de entidades de dinero electrónico (EDE) aquellas personas jurídicas distintas de las entidades de crédito a las cuales se haya otorgado autorización para emitir dinero electrónico.

Corresponde al Ministro de Economía y Hacienda, previo informe del Banco de España y del servicio ejecutivo de la Comisión de Prevención del Blanqueo de Capitales e Infracciones Monetarias en los aspectos de su competencia, autorizar la creación de las entidades de dinero electrónico, así como el establecimiento en España de sucursales de dichas entidades autorizadas o domiciliadas en un Estado no miembro de la Unión Europea.

De acuerdo con el art. 2 REDE, *serán requisitos necesarios para obtener y conservar la autorización de una entidad de dinero electrónico:*

a) Revestir cualquier forma societaria mercantil. Las acciones, participaciones o títulos de aportación en que se halle dividido el capital social deberán ser nominativos.

b) Tener su domicilio social, así como su efectiva administración y dirección en territorio español.

c) Disponer de un capital social no inferior a 350.000 euros.

d) Que los accionistas o socios titulares de participaciones significativas sean idóneos conforme a lo previsto en el artículo 4 de la Ley 21/2011, de 26 de julio, de dinero electrónico.

e) Que todos los miembros del consejo de administración de la entidad de dinero electrónico, así como los del consejo de administración de su entidad dominante cuando exista, sean personas de reconocida honorabilidad comercial y profesional, posean conocimientos y experiencia adecuados para ejercer sus funciones y estén en disposición de ejercer un buen gobierno de la entidad. Los requisitos de honorabilidad y conocimiento y experiencia deberán concurrir también en los directores generales o asimilados, así como en las personas que asuman funciones de control interno u ocupen puestos claves para el desarrollo diario de la actividad de la entidad y de su dominante, conforme establezca el Banco de España.

A estos efectos, la valoración de la idoneidad de los miembros del consejo de administración, así como de los directores generales o asimilados y de las personas que asuman funciones de control interno u ocupen puestos claves para el desarrollo diario de la actividad de la entidad, se ajustará a los criterios y procedimientos de control de la honorabilidad, experiencia y buen gobierno establecidos en el artículo 2 del Real Decreto 1245/1995, de 14 de julio, sobre creación de bancos, actividad transfronteriza y otras cuestiones relativas al régimen jurídico de las entidades de crédito.

f) Disponer, a los efectos de garantizar una gestión sana y prudente de la entidad, de procedimientos de gobierno corporativo adecuados, incluida una estructura organizativa clara, con líneas de responsabilidad bien definidas, transparentes y coherentes, así como procedimientos eficaces de identificación, gestión, control y comunicación de los riesgos a los que esté o pueda estar expuesta, junto con mecanismos adecuados de control interno, incluidos procedimientos administrativos y contables adecuados. Tales métodos, procedimientos

y mecanismos serán exhaustivos y proporcionados a la naturaleza, escala y complejidad de
las actividades de emisión de dinero electrónico y los servicios de pago prestados por dicha
entidad.

g) Establecer procedimientos y órganos de control interno y de comunicación para pre-
venir e impedir el blanqueo de capitales y la financiación del terrorismo.

Por tanto, las EDE son sociedades mercantiles y en materia de capacidad y representación habrá que estar a las normas del tipo societario elegido con las peculiaridades
vistas en materia de constitución, objeto social, órgano de administración...

4.8.5.2.1.25. Entidades de Pago

Reguladas por el RD Ley 19/2018, de 23 de noviembre, de servicios de pago y otras
medidas vigentes en materia financiera que deroga (LSP) la Ley 16/2009, de 13 noviembre, de servicios de pago y en el Real Decreto 712/2010, de 28 mayo, de régimen
jurídico de los servicios de pago y de las entidades de pago (RSPEP).

Se entiende por **servicios de pago** (art. 1.2 LSP):

a) Los servicios que permiten el ingreso de efectivo en una cuenta de pago y todas las operacio-
nes necesarias para la gestión de la propia cuenta de pago.
b) Los servicios que permiten la retirada de efectivo de una cuenta de pago y todas las opera-
ciones necesarias para la gestión de la propia cuenta de pago.
c) La ejecución de operaciones de pago, incluida la transferencia de fondos, a través de una
cuenta de pago en el proveedor de servicios de pago del usuario u otro proveedor de servicios
de pago:
1º Ejecución de adeudos domiciliados, incluidos los adeudos domiciliados no recurrentes.
2º Ejecución de operaciones de pago mediante tarjeta de pago o dispositivo similar.
3º Ejecución de transferencias, incluidas las órdenes permanentes.
d) La ejecución de operaciones de pago cuando los fondos estén cubiertos por una línea de
crédito abierta para un usuario de servicios de pago:
1º Ejecución de adeudos domiciliados, incluidos los adeudos domiciliados no recurrentes.
2º Ejecución de operaciones de pago mediante tarjeta de pago o dispositivo similar.
3º Ejecución de transferencias, incluidas las órdenes permanentes.
e) La emisión y adquisición de instrumentos de pago.
f) El envío de dinero.
g) Los servicios de iniciación de pagos.
h) Los servicios de información sobre cuentas.

A tenor de lo dispuesto en el art. 2.15 LSP, tendrán la consideración de **entidades
de pago** (EP) aquellas personas jurídicas a las cuales se haya otorgado autorización para
prestar y ejecutar los servicios de pago en toda la Unión Europea, en los términos previstos en el artículo 11.

Las entidades de pago no podrán llevar a cabo la captación de depósitos u otros fondos reembolsables del público, ni emitir dinero electrónico. Los fondos recibidos por

dichas entidades de los usuarios de servicios de pago para la prestación de servicios de pago no constituirán depósitos u otros fondos reembolsables (art. 10.2 LSP).

Corresponderá al Ministro de Economía y Hacienda, previo informe del Banco de España y del Servicio Ejecutivo de la Comisión de prevención del blanqueo de capitales e infracciones monetarias en los aspectos de su competencia, autorizar la creación de las entidades de pago (art. 11.2 LSP).

De acuerdo con el art. 2 RSPEP, serán requisitos necesarios para obtener y conservar la autorización de una entidad de pago:

> *a) Revestir cualquier forma societaria que tenga la consideración de mercantil, bien por la naturaleza de su objeto, bien por la forma de su constitución. Las acciones, participaciones o títulos de aportación en que se halle dividido el capital social deberán ser nominativos.*
> *b) Tener su domicilio social, así como su efectiva administración y dirección en territorio español.*
> *c) Disponer en todo momento del siguiente capital inicial mínimo:*
> *i) 20.000 euros, en caso de que la entidad de pago sólo preste el servicio de pago de envío de dinero.*
> *ii) 50.000 euros, en caso de que la entidad de pago ejecute operaciones de pago en las que se transmita el consentimiento del ordenante mediante dispositivos de telecomunicación, digitales o informáticos y se realice el pago a través del operador de la red o sistema de telecomunicación o informático, que actúe únicamente como intermediario entre el usuario del servicio de pago y el prestador de bienes y servicios.*
> *iii) 125.000 euros, en caso de que la entidad de pago preste cualquiera de los restantes servicios de pago previstos en el artículo 1.2 de Ley 16/2009, de 13 de noviembre.*
> *d) Que los accionistas o socios titulares de participaciones significativas sean considerados idóneos conforme a lo previsto en el artículo 6 de la Ley 16/2009, de 13 de noviembre.*
> *e) Que todos los miembros del consejo de administración de la entidad, así como los del consejo de administración de su entidad dominante cuando exista, sean personas de reconocida honorabilidad comercial y profesional, posean conocimientos y experiencia adecuados para ejercer sus funciones y estén en disposición de ejercer un buen gobierno de la entidad. Los requisitos de honorabilidad y conocimiento y experiencia deberán concurrir también en los directores generales o asimilados, así como en las personas que asuman funciones de control interno u ocupen puestos claves para el desarrollo diario de la actividad de la entidad y de su dominante, conforme establezca el Banco de España.*
> *[...]*

Por tanto, las EP son sociedades mercantiles y en materia de capacidad y representación habrá que estar a las normas del tipo societario elegido con las peculiaridades vistas en materia de constitución, objeto social, órgano de administración...

4.8.5.2.1.26. Empresas de Servicios de Inversión

Se encuentran reguladas en el Real Decreto Legislativo 4/2015, de 23 de octubre, por el que se aprueba el texto refundido de la Ley del Mercado de Valores (TRLMV) y en el Real Decreto 217/2008, de 15 febrero, de régimen jurídico de las empresas de servicios de inversión y de las demás entidades que prestan servicios de inversión (RJESI).

El art. 143 TRLMV, distingue las siguientes empresas de servicios de inversión (ESI):

a) Las sociedades de valores.

b) Las agencias de valores.

c) Las sociedades gestoras de carteras.

d) Las empresas de asesoramiento financiero.

- Las *sociedades de valores (S.V.)* son aquellas empresas de servicios de inversión que pueden operar profesionalmente, tanto por cuenta ajena como por cuenta propia, y realizar todos los servicios de inversión y servicios auxiliares (que están previstos en los artículos 140 y 141, respectivamente).

- Las *agencias de valores (A.V.)* son aquellas empresas de servicios de inversión que profesionalmente sólo pueden operar por cuenta ajena, con representación o sin ella. Podrán realizar los servicios de inversión y los servicios auxiliares previstos en los artículos 140 y 141, respectivamente, con excepción de la negociación por cuenta propia, el aseguramiento de instrumentos financieros o la colocación de instrumentos financieros sobre la base de un compromiso firme y la concesión de créditos o préstamos a inversores, para que puedan realizar una operación sobre uno o más instrumentos financieros (definidos en el art. 2 TRLMV).

- Las *sociedades gestoras de carteras (S.G.V.)* son aquellas empresas de servicios de inversión que exclusivamente pueden prestar los servicios de inversión, la gestión discrecional e individualizada de carteras de inversión con arreglo a los mandatos conferidos por los clientes y el asesoramiento en materia de inversión, entendiéndose por tal la prestación de recomendaciones personalizadas a un cliente, sea a petición de este o por iniciativa de la empresa de servicios de inversión, con respecto a una o más operaciones relativas a instrumentos financieros (no se considerará que constituya asesoramiento, las recomendaciones de carácter genérico y no personalizadas que se puedan realizar en el ámbito de la comercialización de valores e instrumentos financieros que tendrán el valor de comunicaciones de carácter comercial). También podrán realizar los servicios auxiliares de: asesoramiento a empresas sobre estructura del capital, estrategia industrial y cuestiones afines, así como el asesoramiento y demás servicios en relación con fusiones y adquisiciones de empresas, así como la elaboración de informes de inversiones y análisis financieros u otras formas de recomendación general relativas a las operaciones sobre instrumentos financieros.

– Las ***empresas de asesoramiento financiero (E.A.F.I.)*** son aquellas personas físicas o jurídicas que exclusivamente pueden prestar los servicios de inversión de asesoramiento en materia de inversión y los siguientes servicios auxiliares: asesoramiento a empresas sobre estructura del capital, estrategia industrial y cuestiones afines, así como el asesoramiento y demás servicios en relación con fusiones y adquisiciones de empresas y la elaboración de informes de inversiones y análisis financieros u otras formas de recomendación general relativas a las operaciones sobre instrumentos financieros. En ningún caso, las actividades realizadas por estas empresas estarán cubiertas por el fondo de garantía de inversiones.

Las empresas de asesoramiento financiero así como las sociedades gestoras de carteras no podrán realizar operaciones sobre valores o efectivo en nombre propio, salvo para administrar su propio patrimonio. Estas empresas no estarán autorizadas a tener fondos o valores de clientes por lo que, en ningún caso, podrán colocarse en posición deudora con respecto a sus clientes.

Tal como establece el art. 149 TRLMV,

> *corresponderá a la Comisión Nacional del Mercado de Valores autorizar la creación de empresas de servicios de inversión.*
> *En la autorización se hará constar la clase de empresa de servicios de inversión de que se trate, así como los específicos servicios de inversión y servicios auxiliares que se le autoricen de entre los que figuren en el programa de actividades.*

Para que una empresa de servicios de inversión, una vez autorizada, pueda iniciar su actividad, los promotores deberán constituir la sociedad, inscribiéndola en el Registro Mercantil y posteriormente en el Registro de la Comisión Nacional del Mercado de Valores que corresponda. Cuando se trate de empresas de asesoramiento financiero que sean personas físicas, bastará con la inscripción en el registro de la Comisión Nacional del Mercado de Valores.

La Comisión Nacional del Mercado de Valores notificará toda autorización concedida a la Autoridad Europea de Valores y Mercados.

El art. 152.1 TRLMV establece los requisitos generales de autorización de las ESI, entre los que destacamos:

> *a) Tener por objeto social exclusivo la realización de las actividades que sean propias de las empresas de servicios de inversión, según esta ley.*
> *b) Revestir la forma de sociedad anónima, constituida por tiempo indefinido, y que las acciones integrantes de su capital social tengan carácter nominativo. Reglamentariamente, podrá preverse que la empresa de servicios de inversión revista otra forma de sociedad cuando se trate de empresas de asesoramiento financiero que sean personas jurídicas.*
> *c) Cuando se trate de una entidad de nueva creación, constituirse por el procedimiento de fundación simultánea y no reservar ventajas o remuneraciones especiales de clase alguna a sus fundadores.*

d) Contar con un capital social mínimo totalmente desembolsado en efectivo y con los recursos propios mínimos que reglamentariamente se determinen en función de los servicios y actividades que se presten y del volumen previsto de su actividad.

Cuando se trate de empresas de servicios de inversión que únicamente estén autorizadas a prestar el servicio de asesoramiento en materia de inversión o a recibir y transmitir órdenes de inversores sin mantener fondos o valores mobiliarios que pertenezcan a clientes, y que por esta razón nunca puedan hallarse en situación deudora respecto de dichos clientes, deberán suscribir un capital social mínimo o un seguro de responsabilidad profesional, o bien una combinación de ambos, de conformidad con lo que se establezca reglamentariamente.

e) Contar con al menos tres administradores o, en su caso, que el consejo de administración esté formado por no menos de tres miembros. Reglamentariamente, podrá exigirse un número mayor de administradores en función de los servicios de inversión y auxiliares que la entidad vaya a prestar. En el caso de las empresas de asesoramiento financiero que sean personas jurídicas, la entidad podrá designar un administrador único.

f) Los presidentes, vicepresidentes, consejeros o administradores, directores generales y asimilados a estos últimos, deben poseer reconocida honorabilidad, conocimiento y experiencia para el adecuado ejercicio de sus funciones y estar en disposición de ejercer un buen gobierno de la empresa de servicios de inversión. En el caso de entidades dominantes de empresas de servicios de inversión, el requisito de honorabilidad también deberá concurrir en los presidentes, vicepresidentes, consejeros o administradores, directores generales y asimilados a estos últimos y la mayoría de los miembros del consejo de administración deberán poseer conocimiento y experiencia para el adecuado ejercicio de sus funciones.

Asimismo, los requisitos de honorabilidad, conocimiento y experiencia deberán concurrir en los responsables de las funciones de control interno y otros puestos clave para el desarrollo diario de la actividad de una empresa de servicios de inversión y de su entidad dominante, conforme establezca la Comisión Nacional del Mercado de Valores.

[...]

h) Contar con un reglamento interno de conducta, ajustado a las previsiones de esta ley, así como con mecanismos de control y de seguridad en el ámbito informático y de procedimientos de control interno adecuados, incluido, en particular, un régimen de operaciones personales de los consejeros, directivos, empleados y apoderados de la empresa.

i) Adherirse al fondo de garantía de inversiones previsto en el título VI, cuando la regulación específica de este así lo requiera. Este requisito no resultará exigible a las empresas de asesoramiento financiero.

[...]

Por tanto, las ESI son sociedades anónimas y en materia de capacidad y representación habrá que estar a lo dispuesto en la LSC con las peculiaridades vistas en cuanto a su constitución, objeto social, órgano de administración...

4.8.5.2.1.27.   Entidades de Inversión Colectiva

Se encuentran reguladas en la Ley 35/2003, de 4 noviembre, de Instituciones de Inversión Colectiva (LIIC) y en el Real Decreto 1082/2012, de 13 julio, por el que se aprueba el Reglamento de desarrollo de la Ley 35/2003, de 4 noviembre, de Instituciones de Inversión Colectiva (RIIC).

De acuerdo con el art. 1 de la Ley, *son Instituciones de Inversión Colectiva (IIC, en adelante) aquellas que tienen por objeto la captación de fondos, bienes o derechos del público para gestionarlos e invertirlos en bienes, derechos, valores u otros instrumentos, financieros o no, siempre que el rendimiento del inversor se establezca en función de los resultados colectivos.*

Aquellas actividades cuyo objeto sea distinto del descrito en el párrafo anterior no tendrán el carácter de inversión colectiva. Asimismo aquellas entidades que no satisfagan los requisitos establecidos en esta Ley no podrán constituirse como IIC.

Las IIC revestirán la forma de sociedad de inversión o fondo de inversión.

Las IIC podrán ser de carácter financiero o no financiero, en los términos establecidos en el título III de esta Ley.

Por su parte, el art. 9 LIIC, define las **sociedades de inversión**: *son aquellas IIC que adoptan la forma de sociedad anónima y cuyo objeto social es el descrito en el artículo 1 de esta Ley.*

Podrán crearse sociedades de inversión por compartimentos en los que bajo un único contrato constitutivo y estatutos sociales se agrupen dos o más compartimentos, debiendo quedar reflejada esta circunstancia expresamente en dichos documentos. La parte del capital de la sociedad correspondiente a cada compartimento responderá exclusivamente de los costes, gastos y obligaciones atribuidos expresamente a un compartimento y de los costes, gastos y obligaciones que no hayan sido atribuidos expresamente a un compartimento, en la parte proporcional que se establezca en los estatutos sociales. Cada compartimento recibirá una denominación específica en la que necesariamente deberá incluirse la denominación de la sociedad de inversión. Cada compartimento dará lugar a la emisión de acciones o de diferentes series de acciones, representativas de la parte del capital social que les sea atribuida. A los compartimentos les serán individualmente aplicables todas las previsiones de esta Ley con las especificidades que se establezcan reglamentariamente en lo referido, entre otros, al número mínimo de accionistas, capital social mínimo y requisitos de distribución del mismo entre los accionistas.

Las sociedades de inversión se regirán por lo establecido en esta Ley y, en lo no previsto en ella, por lo dispuesto en el texto refundido de la Ley de Sociedades de Capital, aprobado por el Real Decreto Legislativo 1/2010, de 2 de julio (en adelante, la Ley de Sociedades de Capital) y la Ley 3/2009, de 3 de abril, sobre modificaciones estructurales de las sociedades mercantiles.

El capital de las sociedades de inversión habrá de estar íntegramente suscrito y desembolsado desde su constitución, y se representará mediante acciones. Podrán emitirse diferentes series de acciones que se podrán diferenciar, entre otros aspectos, por la divisa de denominación, por la política de distribución de resultados o por las comisiones que les sean aplicables. Las acciones pertenecientes a una misma serie tendrán igual valor nominal y conferirán los mismos derechos. Asimismo, cada una de estas series recibirá una denominación específica, que irá precedida de la denominación de la sociedad y, en su caso, del compartimento. Dichas acciones podrán estar representadas mediante títulos nominativos o mediante anotaciones en cuenta.

El número de accionistas de las sociedades de inversión no podrá ser inferior a 100. Reglamentariamente podrá disponerse un umbral distinto, atendiendo a los distintos tipos de activos en que la sociedad materialice sus inversiones, a la naturaleza de los accionistas o a la liquidez de la sociedad. Asimismo, reglamentariamente podrán establecerse requisitos adicionales de distribución del capital social entre los accionistas.

Las sociedades no constituidas por los procedimientos de fundación sucesiva y de suscripción pública de participaciones dispondrán de un plazo de un año, contado a partir de su inscripción en el correspondiente registro administrativo, para alcanzar la cifra mínima prevista en el párrafo anterior.

Tal como establece el art. 10 LIIC, corresponderá a la CNMV autorizar el proyecto de constitución de las sociedades y fondos de inversión.

La CNMV informará anualmente a la Comisión Europea y a la Autoridad Europea de Valores y Mercados del número y naturaleza de estas denegaciones.

Las IIC no podrán dar comienzo a su actividad hasta que no se hayan inscrito en el registro administrativo de la CNMV y se haya procedido al registro del folleto informativo correspondiente a la Institución y del documento con los datos fundamentales para el inversor. La inscripción de los fondos de inversión en el Registro Mercantil será potestativa.

Y de acuerdo con el art. 11 LIIC, serán requisitos necesarios para obtener y conservar la autorización:

a) Constituirse como sociedad anónima o como fondo de inversión.

b) Limitar su objeto social a las actividades establecidas en esta Ley.

c) Disponer del capital social o patrimonio mínimos en el plazo y cuantía que reglamentariamente se determinen.

d) Contar con los accionistas o partícipes en el plazo y número legalmente exigible.

e) En el caso de los fondos de inversión, designar una sociedad gestora que cumpla lo previsto en el artículo 43.1.c) si es una SGIIC autorizada en España, o que cumpla lo previsto en el apartado 4 de este si es una sociedad gestora autorizada en otro Estado miembro de la Unión Europea en virtud de la Directiva 2009/65/CE del Parlamento Europeo y del Consejo, de 13 de julio de 2009, o de la Directiva 2011/61/UE del Parlamento Europeo y del Consejo, de 8 de junio de 2011.

En el caso de las sociedades de inversión, si el capital social inicial mínimo no supera los 300.000 euros, designar una sociedad gestora en los términos previstos anteriormente.

f) Designar un depositario con las excepciones que se prevean reglamentariamente.

Tratándose de sociedades de inversión será necesario cumplir, además, los siguientes requisitos:

> *a) Contar con una organización administrativa y contable, así como con procedimientos de control interno adecuados que garanticen, tanto aquellos como éstos, la gestión correcta y prudente de la IIC, incluyendo procedimientos de gestión de riesgos, así como mecanismos de control y de seguridad en el ámbito informático y órganos y procedimientos para la prevención del blanqueo de capitales.*
>
> *b) Que su domicilio social, así como su efectiva administración y dirección, esté situado en territorio español.*
>
> *c) Que todos los administradores o, en su caso, los miembros de su consejo de administración, incluidas las personas físicas que representen a personas jurídicas en los consejos, así como quienes ostenten cargos de dirección en la entidad, tengan una reconocida honorabilidad empresarial o profesional.*
>
> *A los efectos de lo dispuesto en este artículo se considerará que ostentan cargos de dirección los directores generales y quienes desarrollen en la entidad funciones de alta dirección bajo la dependencia directa de su órgano de administración o de comisiones ejecutivas o consejeros delegados.*
>
> *Concurre honorabilidad en quienes hayan venido mostrando una conducta personal, comercial y profesional que no arroje dudas sobre su capacidad para desempeñar una gestión sana y prudente de la entidad. Para valorar la concurrencia de honorabilidad deberá considerarse toda la información disponible, de acuerdo con los parámetros que se determinen reglamentariamente.*
>
> *d) Que la mayoría de los miembros de su consejo de administración, o de sus comisiones ejecutivas, así como todos los consejeros delegados y directores generales y asimilados, cuenten con conocimientos y experiencia adecuados en materias relacionadas con el mercado de valores o con el objeto principal de inversión de la IIC en cuestión.*
>
> *e) Contar con un reglamento interno de conducta en los términos previstos en el capítulo I del título VI.*
>
> *Los requisitos previstos en las anteriores letras a), d) y e) no serán exigibles a las sociedades de inversión cuya gestión, administración y representación estén encomendadas a una o varias sociedades gestoras.*
>
> *En el caso de que se produzcan cambios en quienes desempeñen cargos de administración y dirección en la sociedad, los nuevos datos identificativos deberán comunicarse inmediatamente a la Comisión Nacional del Mercado de Valores, que los hará públicos a través del correspondiente registro.*
>
> *A los efectos de lo previsto en esta Ley, se considera que ostentan cargos de administración o dirección en una entidad sus administradores o miembros de sus órganos colegiados de administración y aquellas personas que desarrollen en la entidad, de hecho o de derecho, funciones de alta dirección bajo la dependencia directa de su órgano de administración o de comisiones ejecutivas o consejeros delegados de la misma, incluidos los apoderados que no restrinjan el ámbito de su representación a áreas o materias específicas o ajenas a la actividad que constituye el objeto de la entidad.*

Y el art. 12 LIIC establece que *las modificaciones en el proyecto constitutivo, en los estatutos o en el reglamento de las IIC quedarán sujetas al procedimiento de autorización previa establecido en el artículo 10.*

No requerirán autorización previa, aunque deberán ser comunicadas posteriormente a la CNMV para su constancia en el registro correspondiente, las modificaciones de los estatutos sociales y de los reglamentos, que tengan por objeto:

a) El cambio de domicilio dentro del territorio nacional así como el cambio de denominación de la sociedad gestora o del depositario.

b) La incorporación a los reglamentos de los fondos de inversión o a los estatutos de las sociedades de inversión de preceptos legales o reglamentarios de carácter imperativo o prohibitivo, o cumplimiento de resoluciones judiciales o administrativas.

c) Las ampliaciones de capital con cargo a reservas de las sociedades de inversión.

d) Aquellas otras modificaciones para las que la CNMV, en contestación en consulta previa o mediante resolución o disposición de carácter general, haya considerado innecesario, por su escasa relevancia, el trámite de autorización.

La autorización concedida a las IIC sólo puede ser revocada o suspendida por la CNMV (art. 13 LIIC).

> *En cuanto a la forma de administración de este tipo de sociedades, establece el art. 7 RIIC que serán órganos de administración y representación de la sociedad de inversión los determinados en sus estatutos, de conformidad con las prescripciones de la legislación sobre sociedades anónimas. La sociedad de inversión habrá de contar con un consejo de administración.*
>
> *Cuando así lo prevean los estatutos sociales, la junta general o, por su delegación, el consejo de administración, podrán acordar la designación de una SGIIC como la responsable de garantizar el cumplimiento de lo previsto en este reglamento. El eventual acuerdo deberá elevarse a escritura pública e inscribirse en el Registro Mercantil y en el registro de la CNMV.*
>
> *En caso de que la sociedad de inversión no designe una SGIIC, la propia sociedad quedará sometida al régimen de las SGIIC previsto en este reglamento.*
>
> *La SGIIC designada, o la sociedad de inversión que no haya designado a una SGIIC podrá, a su vez, delegar la gestión de inversiones en otra u otras entidades financieras en la forma y con los requisitos establecidos en el artículo 98. En el caso de que esta delegación haya sido impuesta por la sociedad de inversión, lo cual deberá acreditarse mediante el correspondiente acuerdo de la junta general de accionistas de la sociedad de inversión o, por delegación expresa de esta, del consejo de administración, la entidad que delega no será responsable ante los accionistas de los perjuicios que pudieran derivarse de dicha contratación.*
>
> *Este acuerdo no relevará a los órganos de administración de la sociedad de ninguna de las obligaciones y responsabilidades que la normativa vigente les imponen.*

En cuanto a las **Sociedades Gestoras de Instituciones de Inversión Colectiva (SGIIC)**, tal como establece el art. 40 LIIC, *son sociedades anónimas cuyo objeto social consistirá en la gestión de las inversiones, el control y la gestión de riesgos, la administración, representación y gestión de las suscripciones y reembolsos de los fondos y las sociedades de inversión.*

Además, las sociedades gestoras podrán ser autorizadas para realizar las siguientes actividades:

a) Gestión discrecional e individualizada de carteras de inversiones, incluidas las pertenecientes a fondos de pensiones, en virtud de un mandato otorgado por los inversores o persona legalmente autorizada, siempre que tales carteras incluyan uno o varios de los instrumentos previstos en el artículo 2 de la Ley 24/1988, de 28 de julio, del Mercado de Valores [hoy del TRLMV].

b) Administración, representación, gestión y comercialización de entidades de capital riesgo, de Entidades de Inversión Colectiva Cerradas, de Fondos de Capital Riesgo Europeos (FCRE) y de Fondos de Emprendimiento Social Europeos (FESE), en los términos establecidos por la Ley 22/2014, de 12 de noviembre, por la que se regulan las entidades de capital-riesgo, otras entidades de inversión colectiva de tipo cerrado y las sociedades gestoras de entidades de inversión colectiva de tipo cerrado, y por la que se modifica la Ley 35/2003, de 4 de noviembre, de Instituciones de Inversión Colectiva.

No obstante, las sociedades gestoras podrán ser autorizadas, además, para realizar las siguientes actividades complementarias:

a) Asesoramiento sobre inversiones en uno o varios de los instrumentos financieros.

b) Custodia y administración de las participaciones de los fondos de inversión y, en su caso, de las acciones de las sociedades de inversión de los FCRE y FESE.

c) La recepción y transmisión de órdenes de clientes en relación con uno o varios instrumentos financieros.

En todo caso, la autorización para realizar las actividades del presente apartado estará condicionada a que la sociedad gestora cuente con la autorización preceptiva para prestar los servicios mencionados en la letra a) del apartado 1 anterior.

Corresponde a la Comisión Nacional del Mercado de Valores autorizar con carácter previo, la creación de una SGIIC. Una vez constituidas, para dar comienzo a su actividad, deberán inscribirse en el Registro Mercantil y en el correspondiente registro de la Comisión Nacional del Mercado de Valores.

La CNMV notificará a la Autoridad Europea de Valores y Mercados cada autorización concedida o revocada con la periodicidad que se determine reglamentariamente.

Las sociedades gestoras deberán reunir los siguientes requisitos para obtener y conservar la autorización (art. 43 LIIC):

a) Revestir la forma de sociedad anónima, constituida por tiempo indefinido, y que las acciones integrantes del capital social tengan carácter nominativo.
b) Tener por objeto social exclusivo el previsto en el artículo 40 de esta Ley. Con carácter principal, deberán realizar las actividades contempladas en el primer párrafo del artículo 40.1, sin perjuicio de que puedan ser autorizadas para realizar el resto de las actividades previstas en dicho artículo.
c) Que su domicilio social, así como su efectiva administración y dirección, esté situado en territorio español.

d) Que, cuando se trate de una entidad de nueva creación, se constituya por el procedimiento de fundación simultánea y que sus fundadores no se reserven ventajas o remuneraciones especiales de clase alguna.

e) Disponer del capital social mínimo que se establezca reglamentariamente, totalmente desembolsado en efectivo y posteriormente con los niveles de recursos propios que se exijan, proporcionados al valor real de los patrimonios que administren.

f) Que cuente con un consejo de administración formado por no menos de tres miembros.

g) Que se comunique la identidad de todos los accionistas, directos o indirectos, personas físicas o jurídicas, que posean una participación significativa en la sociedad, y el importe de dicha participación.

h) Que quienes ostenten cargos de administración o dirección en la sociedad, cuenten con los requisitos de honorabilidad establecidos en el párrafo c) del apartado 2 del artículo 11 de esta Ley y que la mayoría de los miembros de su consejo de administración, o de sus comisiones ejecutivas, así como todos los consejeros delegados y directores generales y asimilados, cuenten con los requisitos de conocimiento y experiencia establecidos en el párrafo d) del apartado 2 del artículo 11 de esta Ley, atendiendo al carácter de la IIC y tipos de carteras que la sociedad de gestión pretenda gestionar.

i) Que cuente con una buena organización administrativa y contable, así como con medios humanos y técnicos adecuados, en relación con su objeto.

j) Que cuente con procedimientos y mecanismos de control interno adecuados que garanticen la gestión correcta y prudente de la sociedad, incluyendo procedimientos de gestión de riesgos, así como mecanismos de control y de seguridad en el ámbito informático y órganos y procedimientos para la prevención del blanqueo de capitales y de la financiación del terrorismo, un régimen de operaciones vinculadas y un reglamento interno de conducta. La sociedad gestora deberá estar estructurada y organizada de modo que se reduzca al mínimo el riesgo de que los intereses de las IIC o de los clientes se vean perjudicados por conflictos de intereses entre la sociedad y sus clientes, entre clientes, entre uno de sus clientes y una IIC o entre dos IIC.

k) Que haya presentado documentación adecuada sobre las condiciones y los servicios, funciones o actividades que vayan a ser subcontratadas o externalizadas, de forma que pueda verificarse que este hecho no desnaturaliza o deja sin contenido la autorización solicitada.

Las modificaciones del proyecto constitutivo y de los estatutos sociales de las sociedades gestoras (art. 44 LIIC) *deberán ser objeto de inscripción en el Registro Mercantil y en el de la CNMV.*

No requerirán autorización previa, aunque deberán ser comunicadas a la CNMV para su constancia en el registro correspondiente, las modificaciones de los estatutos sociales de las sociedades gestoras que tengan por objeto:

a) El cambio de denominación de la sociedad gestora.

b) El cambio de domicilio dentro del territorio nacional.

c) Incorporar a los estatutos de la sociedad gestora preceptos legales o reglamentarios de carácter imperativo o prohibitivo, o cumplir resoluciones judiciales o administrativas.

d) Las ampliaciones y reducciones de capital.

e) Aquellas otras modificaciones para las que la CNMV, en contestación a consulta previa formulada al efecto por la institución afectada, haya considerado innecesario, por su escasa relevancia, el trámite de autorización.

Tendrán la consideración de agentes o apoderados (art. 95 RIIC) aquellos que no se encuentren vinculados mediante relación laboral a la sociedad o a entidades de su grupo y a los que la SGIIC haya otorgado *poderes* para actuar habitualmente en su nombre y por su cuenta frente a la clientela en la comercialización de acciones y participaciones de IIC cuya gestión aquella tenga encomendada. La actuación como agentes y apoderados de las personas jurídicas quedará condicionada a la compatibilidad de dicha actividad con su objeto social.

> *Estas relaciones deberán formalizarse mediante el otorgamiento de un poder notarial que deberá especificar el ámbito territorial de actuación, sociedades y fondos de inversión incluidos, tipo de clientela y forma de ejecución de las adquisiciones o suscripciones y de las enajenaciones o reembolsos que, en todo caso, deberá cumplir con los requisitos establecidos en este reglamento y sus normas de desarrollo. Además, las entidades podrán celebrar un contrato que regule otros aspectos de la relación de representación, tales como las obligaciones que se derivan del contrato para las partes, los sistemas de fianzas, el régimen de incompatibilidades que, en su caso, se deseen establecer, los sistemas de facturación de comisiones y las normas de conducta aplicables al representante.*

La formalización de los apoderamientos, su inscripción en el Registro Mercantil y la comunicación a la CNMV serán requisitos previos para la actuación de los apoderados.

> *La transformación, fusión, escisión y segregación de una rama de actividad, así como las demás operaciones de modificación social en las que esté involucrada al menos una SGIIC o que conduzcan a la creación de una SGIIC, requerirán autorización previa de la CNMV (art. 119 RIIC)*

En la tramitación de la autorización de las operaciones societarias, la CNMV comprobará:

> *a) Que el cambio de estructura de la sociedad como consecuencia de la operación societaria no signifique merma alguna de los requisitos que para la constitución de las SGIIC [...].*
> *b) Que, cuando se produzca la desaparición de una SGIIC, no sufran perjuicios las IIC por ella gestionadas, sus partícipes o accionistas, y que, en su caso, se liquiden ordenadamente las operaciones pendientes.*

Por tanto, las S.I. y las SGIIC son sociedades anónimas y en materia de capacidad y representación habrá que estar a lo dispuesto en la LSC con las peculiaridades vistas en cuanto a su constitución, objeto social, órgano de administración, modificaciones estructurales...

4.8.5.2.1.28. Entidades Aseguradores y Reaseguradoras

Reguladas en la Ley 20/2015, de 14 julio, de ordenación, supervisión y solvencia de las entidades aseguradoras y reaseguradoras (LOSSEAR). Por otra parte, son de aplicación a las mutuas, mutualidades de previsión social y cooperativas de seguros los artículos 9, 10 y 24 del derogado Real Decreto Legislativo 6/2004, de 29 octubre, por el que se aprueba el texto refundido de la ley de ordenación y supervisión de los segu-

ros privados (TRLOSSP) declarados vigentes por la disposición derogatoria g) de la
LOSSEAR.

De acuerdo con su art. 27 LOSSEAR, *la actividad aseguradora únicamente podrá ser
realizada por entidades privadas que adopten alguna de las siguientes formas:*

a) sociedad anónima,

b) sociedad anónima europea,

c) mutua de seguros,

d) sociedad cooperativa,

e) sociedad cooperativa europea,

f) mutualidad de previsión social.

*Las mutuas de seguros, las sociedades cooperativas y las mutualidades de previsión so-
cial únicamente podrán operar a prima fija.*

*Las entidades reaseguradoras deberán adoptar la forma jurídica de sociedad anónima
o sociedad anónima europea.*

*También podrán realizar la actividad aseguradora y reaseguradora las entidades que
adopten cualquier forma de derecho público, siempre que tengan por objeto la realización
de operaciones de seguro o reaseguro en condiciones equivalentes a las de las entidades aseguradoras o reaseguradoras privadas.*

*Las entidades a que se refiere el párrafo anterior se ajustarán a lo dispuesto en esta Ley,
en defecto de reglas especiales contenidas en su normativa específica, y quedarán sometidas
también, en el ejercicio de su actividad aseguradora, a la legislación del contrato de seguro
y a la competencia de los tribunales del orden civil.*

*Las entidades aseguradoras y reaseguradoras se constituirán mediante escritura públi-
ca, que deberá ser inscrita en el Registro Mercantil. Con dicha inscripción adquirirán su
personalidad jurídica las sociedades anónimas, mutuas de seguros y mutualidades de previsión social. Las cooperativas de seguros adquirirán la personalidad jurídica de acuerdo
con su normativa específica* (art. 28 LOSSEAR).

El domicilio social de las entidades aseguradoras y reaseguradoras deberá situarse
dentro del territorio español, cuando se halle en España el centro de su efectiva administración y dirección, o su principal establecimiento o explotación. Su traslado al
extranjero deberá ser autorizado por el Ministro de Economía y Competitividad, previa
publicación del acuerdo de traslado de domicilio y el transcurso de un mes desde la
publicación del último anuncio advirtiendo a los tomadores de su derecho a comunicar
a la Dirección General de Seguros y Fondos de Pensiones las razones que, en su caso,
pudieran tener para estar disconformes con el traslado.

El objeto social de las entidades aseguradoras (art. 31) será exclusivamente la práctica de las operaciones de seguro y demás actividades definidas en el artículo 3 (*a*) *Las actividades de seguro directo de vida y de seguro directo distinto del seguro de vida. b) Las actividades de reaseguro. c) Las operaciones preparatorias o complementarias de las de seguro que practiquen las entidades aseguradoras y reaseguradoras. d) Las actividades de prevención de daños vinculadas a la actividad aseguradora. e) Cualesquiera otras actividades cuando se establezca expresamente en una norma con rango de ley*).

Estas entidades deben tener unos capitales mínimos recogidos en el art. 33 LOSSEAR). *El capital social mínimo de las sociedades anónimas estará totalmente suscrito y desembolsado al menos en un cincuenta por ciento. Los desembolsos de capital por encima del mínimo se ajustarán a la legislación mercantil general.*

Por su parte, las mutuas de seguros deberán acreditar fondos mutuales permanentes, aportados por sus mutualistas o constituidos con excedentes de los ejercicios sociales, cuyas cuantías mínimas, según los ramos en que pretendan operar, serán las señaladas como capital social desembolsado de las sociedades anónimas.

No obstante, para las mutuas con régimen de derrama pasiva se requerirán las tres cuartas partes de dicha cuantía.

Las mutualidades de previsión social que hayan obtenido la autorización administrativa para operar por ramos deberán acreditar un fondo mutual cuya cuantía mínima será la que corresponda entre las señaladas como capital social desembolsado de las sociedades anónimas. El resto de mutualidades de previsión social deberán acreditar un fondo mutual de 30.050,61 euros. Asimismo, formarán con su patrimonio un fondo de maniobra que les permita pagar los siniestros y gastos sin esperar al cobro de las derramas.

El fondo mutual ha de estar siempre íntegramente suscrito y desembolsado.

De acuerdo con el art. 41 LOSSEAR, *las* **mutuas de seguros** *son sociedades mercantiles sin ánimo de lucro, que tienen por objeto la cobertura a los socios, sean personas físicas o jurídicas, de los riesgos asegurados mediante una prima fija pagadera al comienzo del período del riesgo.*

A tenor del art. 9 TRLOSSP, las **mutuas a prima fija** *son entidades aseguradoras privadas sin ánimo de lucro que tienen por objeto la cobertura a sus socios, personas físicas o jurídicas, de los riesgos asegurados mediante una prima fija pagadera al comienzo del período del riesgo.*

Serán aplicables a las mutuas a prima fija las siguientes normas (art. 9.2):

a) La carencia de ánimo de lucro y que cada una de ellas cuente, al menos, con 50 mutualistas.

b) La condición de mutualista será inseparable de la de tomador del seguro o de asegurado. En ningún caso las entidades de las que proceda el reaseguro aceptado por las mutuas adquirirán condición de mutualistas.

c) Los mutualistas que hayan realizado aportaciones para constituir el fondo mutual podrán percibir intereses no superiores al interés legal del dinero, y únicamente podrán obtener el reintegro de las cantidades aportadas en el supuesto a que se refiere el párrafo f) de este apartado o cuando lo acuerde la asamblea general por ser sustituidas con excedentes de los ejercicios.

d) Los mutualistas no responderán de las deudas sociales, salvo que los estatutos establezcan tal responsabilidad; en tal caso, ésta se limitará a un importe igual al de la prima que anualmente paguen, y deberá destacarse en las pólizas de seguro.

e) Los resultados de cada ejercicio darán lugar a la correspondiente derrama activa o retorno que, en cuanto proceda de primas no consumidas, no tendrá la consideración de rendimiento del capital mobiliario para los mutualistas; o, en su caso, pasiva, que deberá ser individualizada y hecha efectiva en el ejercicio siguiente; o se traspasarán a las cuentas patrimoniales del correspondiente ejercicio.

f) Cuando un mutualista cause baja en la mutua, tendrá derecho al cobro de las derramas activas y obligación de pago de las pasivas acordadas y no satisfechas; también tendrá derecho a que, una vez aprobadas las cuentas del ejercicio en que se produzca la baja, le sean devueltas las cantidades que hubiera aportado al fondo mutual, salvo que hubieran sido consumidas en cumplimiento de su función específica y siempre con deducción de las cantidades que adeudase a la entidad. No procederá otra liquidación con cargo al patrimonio social a favor del mutualista que cause baja.

g) En caso de disolución de la mutua, participarán en la distribución del patrimonio los mutualistas que la integren en el momento en que se acuerde la disolución y quienes, no perteneciendo a ella en dicho momento, lo hubiesen sido en el período anterior fijado en los estatutos; todo ello sin perjuicio del derecho que les asiste a los partícipes en el fondo mutual.

Por su parte, las **mutuas a prima variable** (art. 10 TRLOSSP) *son entidades aseguradoras privadas sin ánimo de lucro fundadas sobre el principio de ayuda recíproca, que tienen por objeto la cobertura, por cuenta común, a sus socios, personas físicas o jurídicas, de los riesgos asegurados mediante el cobro de derramas con posterioridad a los siniestros, y cuya responsabilidad es mancomunada, proporcional al importe de los respectivos capitales asegurados en la propia entidad y limitada a dicho importe.*

Además de las normas contenidas en los párrafos a), b), c), e), f) y g) del art. 9.2 TRLOSSP, *serán aplicables a las mutuas a prima variable las siguientes:*

a) Exigirán la aportación de una cuota de entrada para adquirir la condición de mutualista y deberán constituir un fondo de maniobra que permita pagar siniestros y gastos sin esperar al cobro de las derramas.

b) Los administradores no percibirán remuneración alguna por su gestión y la producción de seguros será directa, sin mediación, y sin que pueda ser retribuida.

Los riesgos que aseguren deberán ser homogéneos cualitativa y cuantitativamente, y los capitales asegurados y gastos de administración no podrán sobrepasar los límites que se determinen reglamentariamente.

Dichas mutuas podrán operar solamente en un ramo de seguro distinto al seguro directo de vida, salvo los de caución, crédito y todos aquellos en los que se cubra el riesgo de responsabilidad civil. No obstante, podrán operar en seguro de responsabilidad civil como accesorio del ramo de «incendio y elementos naturales», siempre dentro de los límites del valor del bien asegurado.

Podrán ceder operaciones de reaseguro, pero no podrán aceptarlas en ningún caso.

Deberán desarrollar su actividad y localizar sus riesgos en un ámbito territorial que sea el menor de los dos siguientes: dos millones de habitantes o una provincia, salvo que se trate de prestaciones para caso de enfermedad o por fallecimiento de personas unidas por un vínculo profesional.

Las **cooperativas de seguros**, que tienen por objeto la cobertura a los socios de los riesgos asegurados mediante una prima fija pagadera al comienzo del período del riesgo, se regirán por las siguientes disposiciones (art. 42 LOSSEAR):

a) La condición de socio cooperativista será inseparable de la de tomador del seguro o de asegurado, siempre que este último sea el pagador final de la prima.

b) Salvo disposición contraria de los estatutos sociales, los cooperativistas no responderán de las deudas de la sociedad. En el caso de que, conforme a los estatutos sociales, los cooperativistas respondieran de las deudas de la sociedad, su responsabilidad se limitará a una cantidad igual al importe de la prima anual correspondiente a cada uno de ellos. La cláusula estatutaria sobre responsabilidad personal del socio cooperativista por las deudas sociales deberá figurar en las pólizas de seguro de forma destacada.

c) La inscripción en el Registro Mercantil y registro de sociedades cooperativas correspondiente deberá tener lugar con carácter previo a la autorización administrativa regulada en el artículo 20.

d) En lo demás, se regirán por las disposiciones de esta Ley, su desarrollo reglamentario, y por los preceptos del texto refundido de la Ley de Sociedades de Capital a los que se remite, así como por las disposiciones reglamentarias que la desarrollen y, supletoriamente, por la legislación de cooperativas.

Las cooperativas sometidas a ordenación y supervisión de las Comunidades Autónomas que hayan asumido competencias en materia aseguradora se regirán por las disposiciones dictadas por aquéllas, por las disposiciones de esta Ley y las normas que la desarrollen y, supletoriamente, por los preceptos del texto refundido de la Ley de Sociedades de Capital.

A tenor del art. 9.4 TRLOSSP, las **cooperativas a prima fija** se regirán por las siguientes disposiciones:

a) Les serán aplicables las normas contenidas en los párrafos a), b), c), d), e) y f) del apartado 2 de este artículo, pero las referencias que en ellas se contienen a las mutuas, mutualistas, fondo mutual y derramas se entenderán hechas a las cooperativas, cooperativistas, capital social y retorno cooperativo.

b) La inscripción en el Registro de cooperativas deberá tener lugar con carácter previo a la solicitud de autorización administrativa regulada en el artículo 5.

c) En lo demás, se regirán por las disposiciones de esta Ley y por los preceptos del Texto Refundido de la Ley de Sociedades Anónimas, aprobado por el Real Decreto Legislativo 1564/1989, de 22 de diciembre, a los que aquélla se remite, así como por las disposiciones reglamentarias que la desarrollen y, supletoriamente, por la legislación de cooperativas.

Y las **cooperativas a prima variable** (art. 10.5. TRLOSSP) se regirán por las siguientes normas:

a) Les serán aplicables las normas contenidas en los apartados anteriores de este artículo, pero la aportación de la cuota de entrada a que se refiere el párrafo a) del apartado 2 se realizará como constitutiva del capital social, y las referencias que en dichos apartados se contienen a las mutuas, mutualistas y fondo mutual deberán entenderse hechas a las cooperativas, cooperativistas y capital social.

b) La inscripción en el Registro de cooperativas deberá tener lugar con carácter previo a la solicitud de autorización administrativa regulada en el artículo 5.

c) En lo demás, se regirán por las disposiciones de esta Ley y por los preceptos del Texto Refundido de la Ley de Sociedades Anónimas, aprobado por el Real Decreto Legislativo 1564/1989, de 22 de diciembre, a los que aquélla se remite (hoy por la LSC), así como por las disposiciones reglamentarias que la desarrollen y, supletoriamente, por la legislación de cooperativas.

Por su parte, las **mutualidades de previsión social** (art. 43 LOSSEAR)

son entidades aseguradoras que ejercen una modalidad aseguradora de carácter voluntario complementaria al sistema de Seguridad Social obligatoria, mediante aportaciones de los mutualistas, personas físicas o jurídicas, o de otras entidades o personas protectoras. Aquellas mutualidades de previsión social que se encuentran reconocidas como alternativas a la Seguridad Social en la disposición adicional decimoquinta de la Ley 30/1995, de 8 de noviembre, de Ordenación y Supervisión de los Seguros Privados, ejercen además una modalidad aseguradora alternativa al alta en el Régimen Especial de la Seguridad Social de los Trabajadores por Cuenta Propia o Autónomos.

Cuando en una mutualidad de previsión social todos sus mutualistas sean empleados, sus socios protectores o promotores sean las empresas, instituciones o empresarios individuales en las cuales presten sus servicios y las prestaciones que se otorguen sean únicamente consecuencia de acuerdos de previsión entre éstas y aquellos, se entenderá que la mutualidad actúa como instrumento de previsión social empresarial.

Las mutualidades de previsión social deberán cumplir los siguientes requisitos:

a) Lo dispuesto para las mutuas de seguros en el artículo 41.

b) La condición de socio mutualista será inseparable de la de tomador del seguro o de asegurado, siempre que este último sea el pagador final de la prima.

c) Establecer igualdad de obligaciones y derechos para todos los mutualistas, sin perjuicio de que las aportaciones y prestaciones guarden la relación estatutariamente establecida con las circunstancias que concurran en cada uno de ellos.

d) Salvo disposición contraria en los estatutos sociales, los mutualistas no responderán de las deudas de la mutualidad. En el caso de que, conforme a lo previsto en los estatutos sociales, los mutualistas respondieran de dichas deudas, su responsabilidad se limitará a una cantidad inferior al tercio de la suma de las cuotas que hubieran satisfecho en los tres últimos ejercicios, con independencia del ejercicio corriente. La cláusula estatutaria sobre responsabilidad personal del mutualista por las deudas sociales deberá figurar en los reglamentos de prestaciones y pólizas de seguro de forma destacada.

e) La incorporación de los mutualistas a la mutualidad de previsión social será en todo caso voluntaria y requerirá una declaración individual del solicitante, o bien de carácter general derivada de acuerdos adoptados por los órganos representativos de una cooperativa o de un colegio profesional, salvo oposición expresa del mutualista, sin que puedan ponerse límites para ingresar en la mutualidad de previsión social distintos a los previstos en sus estatutos por razones justificadas.

f) La incorporación de los mutualistas podrá ser realizada directamente por la propia mutualidad de previsión social o bien a través de la actividad de mediación en seguros, esto último siempre y cuando cumplan los requisitos de fondo mutual y garantías financieras que sean exigibles. No obstante, los mutualistas podrán participar en la incorporación de nuevos socios y en la gestión de cobro de las cuotas; en tal caso, podrán percibir la compensación económica adecuada fijada estatutariamente.

g) Realizar sólo las operaciones aseguradoras y otorgar las prestaciones sociales enumeradas en el artículo 44, sin perjuicio de lo dispuesto en el artículo 45 para las mutualidades de previsión social autorizadas para operar por ramos.

h) Asumir directamente los riesgos garantizados a sus mutualistas, sin practicar operaciones de coaseguro ni de aceptación en reaseguro, si bien podrán realizar operaciones de cesión en reaseguro con entidades autorizadas para operar en España. No obstante, las mutualidades de previsión social que tengan autorización para operar por ramos de seguro podrán realizar operaciones de coaseguro y aceptar en reaseguro.

i) Las remuneraciones y demás ingresos de los administradores por desplazamiento, alojamiento y manutención, percibidos por su gestión en la mutualidad formará parte de los gastos de administración, que no podrán exceder de los límites fijados en la normativa correspondiente. No obstante, las mutualidades de previsión social autorizadas para operar por ramos no estarán sujetas a límites en sus gastos de administración.

j) En el supuesto de que una mutualidad ejerza el control mayoritario sobre otras entidades y abone a los administradores de estas últimas alguna cuantía en concepto de los gastos fijados en el apartado anterior, éstos computarán como gastos de administración de la mutualidad.

4.8.5.2.1.29. Sociedades de Garantía Recíproca y sociedades de reafianzamiento

Se encuentran reguladas en la Ley 1/1994, de 11 marzo, de Régimen Jurídico de las Sociedades de Garantía Recíproca (LSGR). De acuerdo con su art. 1, *las pequeñas y medianas empresas, con el fin de facilitarse el acceso al crédito y servicios conexos, así como la mejora integral de sus condiciones financieras, podrán constituir sociedades de garantía recíproca con capital variable, en las que los socios no responderán personalmente de las deudas sociales.*

Se entenderá por pequeñas y medianas empresas aquellas cuyo número de trabajadores no exceda de doscientos cincuenta.

A los efectos de esta Ley, las sociedades de garantía recíproca tendrán la consideración de entidades financieras y, al menos, las cuatro quintas partes de sus socios estarán integradas por pequeñas y medianas empresas.

Las sociedades de garantía recíproca (SGR) tendrán como objeto social el otorgamiento de garantías personales, por aval o por cualquier otro medio admitido en derecho distinto del seguro de caución, a favor de sus socios para las operaciones que éstos realicen dentro del giro o tráfico de las empresas de que sean titulares (art. 2 LSGR).

Tal como establece el art. 3, *las sociedades de garantía recíproca no pueden conceder ninguna clase de créditos a sus socios.*

Las SGR son un tipo especial de sociedad, que en lo que se refiere al capital social y a la responsabilidad de los socios por las deudas sociales se asemeja totalmente a una sociedad anónima; pero en lo que se refiere a los derechos de los socios predomina el carácter mutualista.

Tienen dos tipos de socios (art. 6 LSGR):

> *1. Los socios partícipes habrán de pertenecer al sector o sectores de actividad económica mencionados en los estatutos sociales, y su establecimiento deberá estar situado en el ámbito geográfico delimitado en los propios estatutos.*
> *2. Junto a los socios partícipes, a cuyo favor puede prestar garantía la sociedad de garantía recíproca, podrán existir socios protectores si así lo admiten los estatutos. Son socios protectores los que no reúnan las condiciones enunciadas en el apartado anterior. Estos socios no podrán solicitar la garantía de la sociedad para sus operaciones y su participación, directa o indirecta, en el capital social no excederá conjuntamente del 50 por 100 de la cifra mínima fijada para ese capital en los estatutos sociales. No se computarán en ese porcentaje las participaciones pertenecientes a socios protectores que sean Administraciones públicas, organismos autónomos y demás entidades de derecho público, dependientes de las mismas; sociedades mercantiles en cuyo capital participe mayoritariamente cualquiera de los anteriores o entidades que representen o asocien intereses económicos de carácter general o del ámbito sectorial a que se refieran los estatutos sociales.*

El art. 8 establece un capital social mínimo de las sociedades de garantía recíproca no podrá ser inferior a 10.000.000 de euros y para garantizar la liquidez y solvencia de las sociedades de garantía recíproca, en su condición de entidades financieras, el capital indicado podrá ser modificado, en los términos establecidos en la LDIEC y sustituida por la LOSSEC.

Además, el importe de la cifra de recursos propios computables de las sociedades de garantía recíproca no podrá ser inferior a 15.000.000 de euros. Esta cifra se calculará de acuerdo con la definición que fije el Banco de España.

En la escritura de constitución (art. 17 LSGR) se expresará, entre otras cosas,

> *los nombres, apellidos y edad de las personas que se encarguen inicialmente de la administración y representación social, si fueran personas físicas, o su denominación social, si fueran personas jurídicas, y, en ambos casos, su nacionalidad y domicilio [...]. Y también deben figurar los estatutos sociales (art. 18 LSGR) y, en ellos, la composición, facultades del Consejo de administración, así como la forma de deliberación y adopción de sus acuerdos. Igualmente deberá contener el modo de proveer las vacantes que se produzcan y la determinación de los administradores a quienes se confiere el poder de representación, así como su régimen de actuación.*

En efecto, el art. 40 LSGR comienza señalando *el Consejo de administración es el órgano de administración y representación de la sociedad.*

Podrá designar a su presidente, regular su propio funcionamiento, aceptar la dimisión de los consejeros y designar en su seno una Comisión Ejecutiva y/o un Consejero Delegado, sin perjuicio de los apoderamientos que pueda conferir a cualquier persona. La delegación permanente de alguna facultad del Consejo de administración en la Comisión Ejecutiva y/o en el Consejero Delegado, y la designación de los administradores que hayan de ocupar tales cargos requerirán para su validez el voto favorable de las dos terceras partes de los componentes del Consejo y no producirá efecto hasta su inscripción en el Registro Mercantil.

Tal como establece el art. 41 LSGR, *el Consejo de administración decidirá, caso por caso, sobre la procedencia de otorgar las garantías de la sociedad para las operaciones de los socios. Podrá fijar las condiciones especiales que haya de cumplir el socio para que la sociedad garantice su deuda.*

Para ser nombrado miembro del Consejo de administración no se requiere la condición de socio, a menos que los estatutos dispongan lo contrario. No obstante, el Presidente y los Vicepresidentes del Consejo deberán ostentar la condición de socios.

2. Todos los miembros del Consejo de Administración de las sociedades de garantía recíproca deberán ser personas de reconocida honorabilidad comercial y profesional, poseer conocimientos y experiencia adecuados para ejercer sus funciones y estar en disposición de ejercer un buen gobierno de la entidad. Los requisitos de honorabilidad y conocimiento y experiencia deberán concurrir también en los directores generales o asimilados, así como en los responsables de las funciones de control interno y en las personas que ocupen puestos claves para el desarrollo diario de la actividad de la entidad.

A estos efectos, la valoración de la idoneidad se ajustará a los criterios y procedimientos de control de la honorabilidad, experiencia y buen gobierno establecidos con carácter general para las entidades de crédito (art. 48 LSGR).

El art. 44 LSGR establece que *son aplicables las disposiciones contenidas en el Capítulo V, secciones 3ª y 4ª, de la Ley de Sociedades Anónimas, en materia del Consejo de administración de las sociedades de garantía recíproca. Hoy esta referencia debe entenderse sustituida por el Título VI de la LSC.*

Por último, de acuerdo con el art. 11, *con el fin de ofrecer una cobertura y garantía suficientes a los riesgos contraídos por las sociedades de garantía recíproca y facilitar la disminución del coste del aval para sus socios, podrán constituirse **sociedades de reafianzamiento** cuyo objeto social comprenda el reaval de las operaciones de garantía otorgadas por las sociedades de garantía recíproca reguladas en la presente Ley. Revestirán la forma de sociedades anónimas participadas por la Administración pública y tendrán la consideración, a los efectos de esta Ley, de entidades financieras.*

En virtud del reaval, el reavalista será responsable ante el acreedor en caso de incumplimiento a primer requerimiento del avalista por quien se obligó, en los términos que se definan en los contratos de reaval.

Las sociedades de reafianzamiento no podrán otorgar avales ni otras garantías directamente a favor de las empresas.

Las sociedades de reafianzamiento son sociedades anónimas y en materia de capacidad y representación habrá que estar a lo dispuesto en la LSC con las peculiaridades vistas en cuanto a su objeto social y a su consideración de entidades financieras.

4.8.5.2.1.30. Administraciones especiales

4.8.5.2.1.30.1. Sociedades en liquidación

Como establece el art. 221 CCom, *las compañías, de cualquier clase que sean, se disolverán totalmente por las causas que siguen:*

1.ª El cumplimiento del término prefijado en el contrato de sociedad o la conclusión de la empresa que constituya su objeto.

2.ª La pérdida entera del capital.

3.ª La apertura de la fase de liquidación de la compañía declarada en concurso.

Por su parte, a tenor del art. 222 CCom, compañías colectivas y en comandita se disolverán, además, totalmente por las siguientes causas:

1.ª La muerte de uno de los socios colectivos, si no contiene la escritura social pacto expreso de continuar en la sociedad los herederos del socio difunto o de subsistir ésta entre los socios sobrevivientes.

2.ª La demencia u otra causa que produzca la inhabilitación de un socio gestor para administrar sus bienes.

3.ª La apertura de la fase de liquidación en el concurso de cualquiera de los socios colectivos.

En la liquidación y división del haber social se observarán las reglas establecidas en la escritura de compañía y, en su defecto, las que se expresan en los artículos siguientes. No obstante, cuando la sociedad se disuelva por la causa 3.ª prevista en los artículos 221 y 222, la liquidación se realizará conforme a lo establecido en el capítulo II del título V de la Ley Concursal (art. 227 CCom).

> *Desde el momento en que la sociedad se declare en liquidación cesará la representación de los socios administradores para hacer nuevos contratos y obligaciones, quedando limitadas sus facultades, en calidad de liquidadores, a percibir los créditos de la compañía, a extinguir las obligaciones contraídas de antemano, según vayan venciendo, y a realizar las operaciones pendientes (art. 228 CCom).*

De acuerdo con el art. 229 Ccom, *las sociedades colectivas o en comandita, no habiendo contradicción por parte de alguno de los socios, continuarán encargados de la liquidación los que hubiesen tenido la administración del caudal social; pero, si no hubiese conformidad para esto de todos los socios, se convocará sin dilación Junta general y se estará a lo que en ella se resuelva, así en cuanto al nombramiento de liquidadores de dentro o fuera de la sociedad, como en lo relativo a la forma y trámites de la liquidación y a la administración del caudal común.*

Los liquidadores deben formar y comunicar a los socios el inventario del haber social, con el balance de las cuentas de la sociedad en liquidación, según los libros de su contabilidad y Comunicar igualmente a los socios todos los meses el estado de la liquidación (art. 230 CCom).

Terminada la liquidación y llegado el caso de proceder a la división del haber social, según la calificación que hicieren los liquidadores o la Junta de socios que cualquiera de ellos podrá exigir que se celebre para este efecto, los mismos liquidadores verificarán dicha división dentro del término que la Junta determinare (art. 232 CCom).

Ningún socio podrá exigir la entrega del haber que le corresponda en la división de la masa social, mientras no se hallen extinguidas todas las deudas y obligaciones de la compañía, o no se haya depositado su importe, si la entrega no se pudiere verificar de presente (art. 235 CCom).

Las **sociedades de capital** pueden disolverse de pleno derecho (art. 360 LSC), lo que el registrador, de oficio o a instancia de cualquier interesado, hará constar en la hoja abierta a la sociedad o por constatación de la existencia de causa legal o estatutaria (arts. 362 y 363 LSC). En este último caso, la disolución de la sociedad requerirá acuerdo de la junta general adoptado con la mayoría ordinaria establecida para las sociedades de responsabilidad limitada en el art. 198, y con el quórum de constitución y las mayorías establecidas para las sociedades anónimas en los arts. 193 y 201 LSC. También podrá disolverse por mero acuerdo de la junta general adoptado con los requisitos establecidos para la modificación de los estatutos (art. 368 LEC).

Los administradores deberán convocar la junta general en el plazo de dos meses para que adopte el acuerdo de disolución o, si la sociedad fuera insolvente, ésta inste el concurso. Cualquier socio podrá solicitar de los administradores la convocatoria si, a su juicio, concurriera alguna causa de disolución o la sociedad fuera insolvente. La junta general podrá adoptar el acuerdo de disolución o, si constare en el orden del día, aquél o aquéllos que sean necesarios para la remoción de la causa (art. 365 LSC).

Si la junta no fuera convocada, no se celebrara, o no adoptara alguno de los acuerdos vistos, cualquier interesado podrá instar la disolución de la sociedad ante el juez de lo mercantil del domicilio social. La solicitud de disolución judicial deberá dirigirse contra la sociedad. Además, los administradores están obligados a solicitar la disolución judicial de la sociedad cuando el acuerdo social fuese contrario a la disolución o no pudiera ser logrado (art. 366 LSC).

De acuerdo con el art. 367 LSC:

> *1. Responderán solidariamente de las obligaciones sociales posteriores al acaecimiento de la causa legal de disolución los administradores que incumplan la obligación de convocar en el plazo de dos meses la junta general para que adopte, en su caso, el acuerdo de disolución, así como los administradores que no soliciten la disolución judicial o, si procediere, el concurso de la sociedad, en el plazo de dos meses a contar desde la fecha prevista para la celebración de la junta, cuando ésta no se haya constituido, o desde el día de la junta, cuando el acuerdo hubiera sido contrario a la disolución.*
> *2. En estos casos las obligaciones sociales reclamadas se presumirán de fecha posterior al acaecimiento de la causa legal de disolución de la sociedad, salvo que los administradores acrediten que son de fecha anterior.*

A tenor de lo dispuesto en el art. 369 LSC, *la disolución de la sociedad se inscribirá en el Registro Mercantil. El registrador mercantil remitirá de oficio, de forma telemática y sin coste adicional alguno, la inscripción de la disolución al «Boletín Oficial del Registro Mercantil» para su publicación.*

La disolución de la sociedad abre el período de liquidación. *La sociedad disuelta conservará su personalidad jurídica mientras la liquidación se realiza. Durante ese tiempo deberá añadir a su denominación la expresión «en liquidación». Durante el período de liquidación se observarán las disposiciones de los estatutos en cuanto a la convocatoria y reunión de las juntas generales de socios, a las que darán cuenta los liquidadores de la marcha de la liquidación para que acuerden lo que convenga al interés común, y continuarán aplicándose a la sociedad las demás normas previstas en esta ley que no sean incompatibles con las establecidas en este capítulo (art. 371 LSC).*

Con la apertura del período de liquidación cesarán en su cargo los administradores, extinguiéndose el poder de representación (art. 374 LSC) y los liquidadores asumirán las funciones establecidas en esta ley, debiendo velar por la integridad del patrimonio social en tanto no sea liquidado y repartido entre los socios. Serán de aplicación a los liquidadores las normas establecidas para los administradores que no se opongan a lo dispuesto en este capítulo (art. 375 CCom).

> *Salvo disposición contraria de los estatutos o, en su defecto, en caso de nombramiento de los liquidadores por la junta general de socios que acuerde la disolución de la sociedad, quienes fueren administradores al tiempo de la disolución de la sociedad quedarán convertidos en liquidadores (art. 376 LSC) y ejercerán su cargo por tiempo indefinido (art. 378 LSC).*

El art. 379 LSC regula el *poder de representación* de los liquidadores de la siguiente forma:

> *1. Salvo disposición contraria de los estatutos, el poder de representación corresponderá a cada liquidador individualmente.*

2. La representación de los liquidadores se extiende a todas aquellas operaciones que sean necesarias para la liquidación de la sociedad.
3. Los liquidadores podrán comparecer en juicio en representación de la sociedad y concertar transacciones y arbitrajes cuando así convenga al interés social.

En caso de liquidación de sociedades anónimas, los accionistas que representen la vigésima parte del capital social podrán solicitar del Secretario judicial o del Registrador mercantil del domicilio social la designación de un interventor que fiscalice las operaciones de liquidación. Si la sociedad hubiera emitido y tuviera en circulación obligaciones, también podrá nombrar un interventor el sindicato de obligacionistas (art. 381 LSC).

En las sociedades anónimas, cuando el patrimonio que haya de ser objeto de liquidación y división sea cuantioso, estén repartidas entre gran número de tenedores las acciones o las obligaciones, o la importancia de la liquidación por cualquier otra causa lo justifique, podrá el Gobierno designar persona que se encargue de intervenir y presidir la liquidación de la sociedad y de velar por el cumplimiento de las leyes y del estatuto social (art. 382 LSC).

La disolución de pleno derecho, por sí sola, no extingue la personalidad jurídica de la sociedad. La sentencia del TS núm. 1023/1997, de 10 de noviembre, declara:

«No existe una norma que derogue el principio de la capacidad general de la sociedad de capital por el hecho de que quede disuelta y se abra el periodo de liquidación. La sociedad puede realizar, en abstracto, cualquier tipo de acto. Para considerar que la liquidación limita la capacidad de la sociedad sería preciso que la ley le prohibiera la realización de determinados actos, o determinadas categorías de actos, con independencia de su finalidad, lo que no sucede.

A esto habría que añadir que la disolución de pleno derecho tampoco supone la revocación de los apoderamientos otorgados en su día por el órgano de administración (o las sustituciones de poder otorgadas por sus apoderados, como en este caso) pues como se ha dicho, la personalidad jurídica de la sociedad persiste y aunque cese la representación de los administradores para hacer nuevos contratos y contraer nuevas obligaciones, asumiendo los liquidadores las funciones de liquidación de la sociedad (art. 267 del Texto Refundido de la Ley de Sociedades Anónimas), las contingencias que afecten al órgano de administración de la sociedad no afectan a los apoderamientos válidamente concedidos en su día, sin perjuicio de las consecuencias que en la relación interna entre la sociedad y los apoderados puedan tener las extralimitaciones o actuaciones inadecuadas de estos.

En consecuencia, no existe un defecto de capacidad, ni una falta de facultades en los apoderados para representar a la sociedad, por lo que no hay ausencia de consentimiento válido y la infracción del art. 1261 CC, que es lo alegado como motivo del recurso de casación, no se ha producido.

Cualquier contrariedad al ordenamiento jurídico no supone la nulidad del negocio jurídico, especialmente cuando están previstas otras consecuencias, como son la responsabilidad del liquidador de la sociedad por los perjuicios causados a los accionistas y acreedores con fraude o negligencia graves (art. 279 del Texto Refundido de la Ley de Sociedades Anónimas) o la del apoderado por su actuación dolosa o culposa (art. 1726 del Código Civil)».

En concreto, *a los liquidadores corresponde concluir las operaciones pendientes y realizar las nuevas que sean necesarias para la liquidación de la sociedad* (art. 384). *Percibir los créditos sociales y pagar las deudas sociales* (art. 385 LSC) *y enajenar los bienes sociales* (art. 386 LSC).

4.8.5.2.1.30.2. Las sociedades en concurso de acreedores

De acuerdo con el art. 361 LSC, *la declaración de concurso de la sociedad de capital no constituirá, por sí sola, causa de disolución.* Pero *la apertura de la fase de liquidación en el concurso de acreedores producirá la disolución de pleno derecho de la sociedad.*

En tal caso, el juez del concurso hará constar la disolución en la resolución de apertura de la fase de liquidación del concurso. En dicha resolución se cesa a los administradores o, en su caso, a los liquidadores de la sociedad, que son sustituidos por la administración concursal, sin perjuicio de continuar aquéllos en la representación de la sociedad concursada en el procedimiento y en los incidentes en los que sea parte.

A tenor del art. 26 LC, una vez declarado el concurso, *el juez ordenará la formación de la sección segunda, que comprenderá todo lo relativo a la administración concursal [...] a la determinación de sus facultades y a su ejercicio [...]. Precisamente, los efectos sobre las facultades de administración y disposición del deudor respecto de su patrimonio, así como el nombramiento y las facultades de los administradores concursales es uno de los pronunciamientos que ha de contener el auto por el que resuelva la declaración de concurso (artículo 21.1.2º LC).*

Con carácter general (art. 27 LC), la administración concursal estará integrada por un único miembro. Únicamente podrán ser designadas las personas físicas o jurídicas que figuren inscritas en la sección cuarta del Registro Público Concursal y que hayan declarado su disposición a ejercer las labores de administrador concursal en el ámbito de competencia territorial del juzgado del concurso.

Por excepción, en aquellos concursos en que exista una causa de interés público que así lo justifique, el juez del concurso, de oficio o a instancia de un acreedor de carácter público podrá nombrar como segundo administrador concursal a una Administración Pública acreedora o a una entidad de Derecho Público acreedora vinculada o dependiente de ella.

Tal como establece el art. 40 LC:

1. En caso de concurso voluntario, el deudor conservará las facultades de administración y disposición sobre su patrimonio, quedando sometido el ejercicio de éstas a la intervención de los administradores concursales, mediante su autorización o conformidad.

2. En caso de concurso necesario, se suspenderá el ejercicio por el deudor de las facultades de administración y disposición sobre su patrimonio, siendo sustituido por los administradores concursales.

No obstante, el juez podrá acordar la suspensión en caso de concurso voluntario o la mera intervención cuando se trate de concurso necesario. En ambos casos, deberá motivarse el acuerdo señalando los riesgos que se pretendan evitar y las ventajas que se quieran obtener.

A solicitud de la administración concursal y oído el concursado, el juez, mediante auto, podrá acordar en cualquier momento el cambio de las situaciones de intervención o de suspensión de las facultades del deudor sobre su patrimonio. El cambio de las situaciones de intervención o de suspensión y la consiguiente modificación de las facultades de la administración concursal se someterá al mismo régimen de publicidad (BOE y Registro Público Concursal).

La intervención y la suspensión se referirán a las facultades de administración y disposición sobre los bienes, derechos y obligaciones que hayan de integrarse en el concurso.

Los actos del deudor que infrinjan estas limitaciones *sólo podrán ser anulados a instancia de la administración concursal y cuando ésta no los hubiese convalidado o confirmado. Cualquier acreedor y quien haya sido parte en la relación contractual afectada por la infracción podrá requerir de la administración concursal que se pronuncie acerca del ejercicio de la correspondiente acción o de la convalidación o confirmación del acto. La acción de anulación se tramitará, en su caso, por los cauces del incidente concursal y caducará, de haberse formulado el requerimiento, al cumplirse un mes desde la fecha de éste. En otro caso, caducará con el cumplimiento del* convenio por el deudor o, en el supuesto de liquidación, con la finalización de ésta.

Los referidos actos no podrán ser inscritos en registros públicos mientras no sean confirmados o convalidados, o se acredite la caducidad de la acción de anulación o su desestimación firme.

En cuanto a los efectos de la declaración de concurso sobre los órganos de las personas jurídicas deudoras, establece el art. 48 LC:

1. Durante la tramitación del concurso, se mantendrán los órganos de la persona jurídica deudora, sin perjuicio de los efectos que sobre su funcionamiento produzca la intervención o la suspensión de sus facultades de administración y disposición.

2. La administración concursal tendrá derecho de asistencia y de voz en las sesiones de los órganos colegiados de la persona jurídica concursada. A estos efectos, deberá ser convocada en la misma forma y con la misma antelación que los integrantes del órgano que ha de reunirse. La constitución de junta o asamblea u otro órgano colegiado con el carácter de universal no será válida sin la concurrencia de la administración concursal. Los acuerdos de la junta o de la asamblea que puedan tener contenido patrimonial o relevancia directa para el concurso requerirán, para su eficacia, de la autorización o confirmación de la administración concursal. 3. Los administradores o liquidadores del deudor persona jurídica continuarán con la representación de la entidad dentro del concurso. En caso de suspensión, las facultades de administración y disposición propias del órgano de administración o liquidación pasarán a la administración concursal. En caso de intervención, tales facultades continuarán siendo ejercidas por los administradores o liquidadores, con la supervisión de la administración concursal, a quien corresponderá autorizar o confirmar los actos de administración y disposición.

Los apoderamientos que pudieran existir al tiempo de la declaración de concurso quedarán afectados por la suspensión o intervención de las facultades patrimoniales.

El art. 33 LC establece cuales son las **funciones de la administración concursal,** distinguiendo las de carácter procesal, las propias del deudor o de sus órganos de administración, en materia laboral, las relativas a derechos de los acreedores, las funciones de informe y evaluación, las de realización de valor y liquidación, las de secretaría y cualesquiera otras que esta u otras Leyes le atribuyan. A nuestros efectos interesa destacar:

b) Propias del deudor o de sus órganos de administración:

3º. Realizar los actos de disposición que no sean necesarios para la continuidad de la actividad cuando se presenten ofertas que coincidan sustancialmente con el valor que se les haya dado en el inventario.

7º. Rehabilitar los contratos de préstamo y demás de crédito a favor cuyo vencimiento anticipado por impago de cuotas de amortización o de intereses devengados se haya producido dentro de los tres meses precedentes a la declaración de concurso, siempre que concurran las condiciones del artículo 68 (siempre que, antes de que finalice el plazo para presentar la comunicación de créditos, notifique la rehabilitación al acreedor, satisfaga o consigne la totalidad de las cantidades debidas al momento de la rehabilitación y asuma los pagos futuros con cargo a la masa).

8º. Rehabilitar los contratos de adquisición de bienes muebles o inmuebles con contraprestación o precio aplazado cuya resolución se haya producido dentro de los tres meses precedentes a la declaración de concurso, conforme a lo dispuesto por el artículo 69 (siempre que, antes de que finalice el plazo para la comunicación de créditos, notifique la rehabilitación al transmitente, satisfaga o consigne la totalidad de las cantidades debidas en el momento de la rehabilitación y asuma los pagos futuros con cargo a la masa. El incumplimiento del contrato que hubiera sido rehabilitado conferirá al acreedor el derecho a resolverlo sin posibilidad de ulterior rehabilitación).

12º. En el concurso necesario, sustituir las facultades de administración y disposición sobre el patrimonio del deudor de conformidad con lo dispuesto por el artículo 40.2 y, en particular:

i) Adoptar las medidas necesarias para la continuación de la actividad profesional o empresarial [...].

La intervención o sustitución de las facultades patrimoniales «afecta a todos los intereses económico-patrimoniales del deudor, que tengan relevancia para la masa activa y pasiva del concurso» (STS Sala 1ª de 28/05/2012, voto particular, ap. 4); considerándose, en general «que son actos de administración (de carácter patrimonial y no meramente orgánico) aquellos que se encuentran encaminados a la explotación e incremento del patrimonio y los de percepción y utilización de sus frutos o productos (arrendamiento, recolección, venta de productos etc.), así como aquellos otros que tienden a su conservación y defensa (reparación, custodia, reclamaciones a terceros etc.).

Hasta la aprobación judicial del convenio o la apertura de la liquidación, como regla general, tal y como establece el art. 43 LC, *no se podrán enajenar o gravar los bienes y derechos que integran la masa activa sin autorización del juez.*

Se exceptúan de lo dispuesto en el apartado anterior:

1.º Los actos de disposición que la administración concursal considere indispensables para garantizar la viabilidad de la empresa o las necesidades de tesorería que exija la continuidad del concurso. Deberá comunicarse inmediatamente al juez del concurso los actos realizados, acompañando la justificación de su necesidad.

2.º Los actos de disposición de bienes que no sean necesarios para la continuidad de la actividad cuando se presenten ofertas que coincidan sustancialmente con el valor que se les haya dado en el inventario. Se entenderá que esa coincidencia es sustancial si en el caso de inmuebles la diferencia es inferior a un diez por ciento y en el caso de muebles de un veinte por ciento, y no constare oferta superior. La administración concursal deberá comunicar inmediatamente al juez del concurso la oferta recibida y la justificación del carácter no necesario de los bienes. La oferta presentada quedará aprobada si en plazo de diez días no se presenta una superior.

3.º Los actos de disposición inherentes a la continuación de la actividad profesional o empresarial del deudor, en los términos establecidos en el artículo siguiente.

En el caso de que **se apruebe un convenio,** desde que este tenga eficacia, *cesarán todos los efectos de la declaración de concurso, quedando sustituidos por los que, en su caso, se establezcan en el propio convenio, salvo los deberes de colaboración e información establecidos en el artículo 42, que subsistirán hasta la conclusión del procedimiento.* No obstante, con el previo consentimiento de los interesados, en el convenio se podrá encomendar a todos o a alguno de los administradores concursales el ejercicio de cualesquiera funciones (art. 133 LC).

Si no se alcanza un acuerdo, la alternativa es la **liquidación**. De acuerdo con el art. 145.3 LC, *si el concursado fuese persona jurídica, la resolución judicial que abra la fase de liquidación contendrá [...], en todo caso, el cese de los administradores o liquidadores que serán sustituidos por la administración concursal, sin perjuicio de continuar aquéllos en la representación de la concursada en el procedimiento y en los incidentes en los que sea parte.*

El art. 148 LC establece que, *dentro de los quince días siguientes al de notificación de la resolución de apertura de la fase de liquidación, la administración concursal presentará al juez un plan para la realización de los bienes y derechos integrados en la masa activa del concurso que, siempre que sea factible, deberá contemplar la enajenación unitaria del conjunto de los establecimientos, explotaciones y cualesquiera otras unidades productivas de bienes y servicios del concursado o de algunos de ellos. [...]*

En el caso de personas jurídicas, el administrador concursal, una vez aprobado el plan de liquidación, deberá remitir, para su publicación en el portal de liquidaciones concursales del Registro Público Concursal, cuanta información resulte necesaria para facilitar su enajenación.

En particular, se remitirá información sobre la forma jurídica de la empresa, sector al que pertenece, ámbito de actuación, tiempo durante el que ha estado en funcionamiento, volumen de negocio, tamaño de balance, número de empleados, inventario de los activos más relevantes de la empresa, contratos vigentes con terceros, licencias y autorizaciones administrativas vigentes, pasivos de la empresa, procesos judiciales, administrativos, arbitrales o de mediación en los que estuviera incursa y aspectos laborales relevantes.

El art. 149 LC fija las reglas legales supletorias de liquidación que se aplican en el supuesto de no aprobarse un plan de liquidación y, en su caso, en lo que no hubiere previsto el aprobado. Destacaremos en lo que puede afectar a alguna actuación notarial:

1.ª El conjunto de los establecimientos, explotaciones y cualesquiera otras unidades productivas de bienes o de servicios pertenecientes al deudor se enajenará como un todo, salvo que, previo informe de la administración concursal, el juez estime más conveniente para los intereses del concurso su previa división o la realización aislada de todos los elementos componentes o sólo de algunos de ellos.

La enajenación del conjunto o, en su caso, de cada unidad productiva se hará mediante subasta. No obstante, el juez podrá acordar la realización a través de enajenación directa o a través de persona o entidad especializada cuando la subasta quedare desierta o cuando, a la vista del informe de la administración concursal, considere que es la forma más idónea para salvaguardar los intereses del concurso. La transmisión mediante entidad especializada se realizará con cargo a las retribuciones de la administración concursal.

Los bienes antes referidos, así como los demás bienes y derechos del concursado se enajenarán, según su naturaleza, conforme a las previsiones contenidas en el plan de liquidación y, en su defecto, por las disposiciones establecidas en la Ley de Enjuiciamiento Civil para el procedimiento de apremio.

Para los bienes y derechos afectos a créditos con privilegio especial se aplicará lo dispuesto en el artículo 155.4 (La realización en cualquier estado del concurso de los bienes y derechos afectos a créditos con privilegio especial se hará en subasta, salvo que, a solicitud de la administración concursal o del acreedor con privilegio especial dentro del convenio, el juez autorice la venta directa o la cesión en pago o para el pago al acreedor privilegiado o a la persona que él designe, siempre que con ello quede completamente satisfecho el privilegio especial, o, en su caso, quede el resto del crédito reconocido dentro del concurso con la calificación que corresponda). Si estos bienes estuviesen incluidos en los establecimientos, explotaciones y cualesquiera otras unidades productivas de bienes o de servicios pertenecientes al deudor que se enajenen en conjunto, se aplicarán, en todo caso, las siguientes reglas:

a) Si se transmitiesen sin subsistencia de la garantía, corresponderá a los acreedores privilegiados la parte proporcional del precio obtenido equivalente al valor que el bien o derecho sobre el que se ha constituido la garantía suponga respecto a valor global de la empresa o unidad productiva transmitida.

Si el precio a percibir no alcanzase el valor de la garantía, calculado conforme a lo dispuesto en el artículo 94 será necesario que manifiesten su conformidad a la transmisión los acreedores con privilegio especial que tengan derecho de ejecución separada, que representen al menos el 75 por ciento del pasivo de esta naturaleza afectado por la transmisión y que pertenezcan a la misma clase, según determinación del artículo 94.2. En tal caso, la parte del valor de la garantía que no quedase satisfecha tendrá la calificación crediticia que le corresponda según su naturaleza.

Si el precio a percibir fuese igual o superior al valor de la garantía, no será preciso el consentimiento de los acreedores privilegiados afectados.

b) Si se transmitiesen con subsistencia de la garantía, subrogándose el adquirente en la obligación del deudor, no será necesario el consentimiento del acreedor privilegiado, quedando excluido el crédito de la masa pasiva. El juez velará por que el adquirente tenga la solvencia económica y medios necesarios para asumir la obligación que se transmite.

Por excepción, no tendrá lugar la subrogación del adquirente a pesar de que subsista la garantía, cuando se trate de créditos tributarios y de seguridad social. [...]

En el auto de aprobación del remate o de la transmisión de los bienes o derechos realizados ya sea de forma separada, por lotes o formando parte de una empresa o unidad productiva, el juez acordará la cancelación de todas las cargas anteriores al concurso constituidas a favor de créditos concursales, salvo las que gocen de privilegio especial conforme al artículo 90 y se hayan transmitido al adquirente con subsistencia del gravamen.

En todos los casos de **conclusión del concurso,** tal como establece el art. 178 LC, cesarán las limitaciones de las facultades de administración y disposición sobre el deudor subsistentes, salvo las que se contengan en la sentencia firme de calificación o de lo previsto en los capítulos siguientes.

En los casos de *conclusión del concurso por liquidación o insuficiencia de masa activa del deudor persona jurídica, el auto que la declare, acordará su extinción y dispondrá la cancelación de su inscripción en los registros públicos que corresponda, a cuyo efecto se expedirá mandamiento conteniendo testimonio de la resolución firme.*

En estos casos, de acuerdo con el art. 179 LC, *cabe la reapertura del concurso de deudor persona jurídica que será declarada por el mismo juzgado que conoció de éste, se tramitará en el mismo procedimiento y se limitará a la fase de liquidación de los bienes y derechos aparecidos con posterioridad. A dicha reapertura se le dará la publicidad prevista en los artículos 23 y 24 (BOE, publicidad complementaria en su caso, Registro Mercantil y Registro Público Concursal), procediendo también la reapertura de la hoja registral en la forma prevista en el Reglamento del Registro Mercantil.*

Por otra parte, *en el año siguiente a la fecha de la resolución de conclusión de concurso por insuficiencia de masa activa, los acreedores podrán solicitar la reapertura del concurso con la finalidad de que se ejerciten acciones de reintegración, indicando las concretas acciones que deben iniciarse o aportando por escrito hechos relevantes que pudieran conducir a la calificación de concurso como culpable, salvo que se hubiera dictado sentencia sobre calificación en el concurso concluido.*

4.8.5.2.1.30.3. Administración judicial de sociedades

Está regulada por los arts. 630 a 633 LEC.

De acuerdo con el primero de los preceptos, procede en los siguientes casos: *cuando se embargue alguna empresa o grupo de empresas o cuando se embargaren acciones o participaciones que representen la mayoría del capital social, del patrimonio común o de los bienes o derechos pertenecientes a las empresas, o adscritos a su explotación.*

Para el nombramiento del **administrador judicial** y los términos de la administración judicial se seguirá el siguiente procedimiento, regulado en el art. 631 LEC:

> *Se citará de comparecencia ante el Secretario judicial encargado de la ejecución a las partes y, en su caso, a los administradores de las sociedades, cuando éstas no sean la parte ejecutada, así como a los socios o partícipes cuyas acciones o participaciones no se hayan embargado, a fin de que lleguen a un acuerdo o efectúen las alegaciones y prueba oportunas sobre el nombramiento de administrador, persona que deba desempeñar tal cargo, exigencia o no de caución, forma de actuación, mantenimiento o no de la administración preexistente, rendición de cuentas y retribución procedente.*
> *A los interesados que no comparezcan injustificadamente se les tendrá por conformes con lo acordado por los comparecientes.*
> *Si existe acuerdo, el Secretario judicial establecerá por medio de decreto los términos de la administración judicial en consonancia con el acuerdo. Para la resolución de los extremos en que no exista acuerdo o medie oposición de alguna de las partes, si pretendieren practicar prueba, se les convocará a comparecencia ante el Tribunal que dictó la orden general de ejecución, que resolverá, mediante auto, lo que estime procedente sobre la administración judicial. Si no se pretendiese la práctica de prueba, se pasarán las actuaciones al Tribunal para que directamente resuelva lo procedente.*

También se nombrará un **interventor**. De acuerdo con el art. 631.2 LEC, *si se acuerda la administración judicial de una empresa o grupo de ellas, el Secretario judicial deberá nombrar un interventor designado por el titular o titulares de la empresa o empresas embargadas y si sólo se embargare la mayoría del capital social o la mayoría de los bienes o derechos pertenecientes a una empresa o adscritos a su explotación, se nombrarán dos interventores, designados, uno por los afectados mayoritarios, y otro, por los minoritarios.*

Tanto el hecho de la administración judicial como el nombramiento del administrador debe constar en los registro públicos. Así se establece en el núm. 3 del citado art. 631 LEC: *El nombramiento de administrador judicial será inscrito, cuando proceda, en el Registro Mercantil. También se anotará la administración judicial en el Registro de la Propiedad cuando afectare a bienes inmuebles.*

En cuanto a las **facultades del administrador judicial,** quedan recogidas en el art. 632.1 LEC: *Cuando sustituya a los administradores preexistentes y no se disponga otra cosa, los derechos, obligaciones, facultades y responsabilidades del administrador judicial serán los que correspondan con carácter ordinario a los sustituidos, pero necesitará autorización del Secretario judicial responsable de la ejecución para enajenar o gravar participaciones en la empresa o de ésta en otras, bienes inmuebles o cualesquiera otros que por su naturaleza o importancia hubiere expresamente señalado el Secretario judicial.*

Si existen interventores designados por los afectados, para la enajenación o gravamen, el administrador los convocará a una comparecencia, resolviendo el Secretario judicial mediante decreto.

Las resoluciones vistas serán susceptibles de recurso directo de revisión ante el Tribunal que dictó la orden general de ejecución.

La **forma de actuación del administrador** está regulada en el art. 633 LEC:

> *1. Acordada la administración judicial, el Secretario dará inmediata posesión al designado, requiriendo al ejecutado para que cese en la administración que hasta entonces llevara.*
> *2. Las discrepancias que surjan sobre los actos del administrador serán resueltas por el Secretario judicial responsable de la ejecución mediante decreto, tras oír a los afectados y sin perjuicio del derecho de oponerse a la cuenta final que habrá de rendir el administrador.*
> *3. De la cuenta final justificada que presente el administrador se dará vista a las partes y a los interventores, quienes podrán impugnarla en el plazo de cinco días, prorrogable hasta treinta atendida su complejidad.*
> *De mediar oposición se resolverá tras citar a los interesados de comparecencia. El decreto que se dicte será recurrible directamente en revisión ante el Tribunal.*

4.8.5.2.1.30.4.   Sociedades intervenidas por el Gobierno

De acuerdo con el art. 373 LSC, *cuando el Gobierno, a instancia de accionistas que representen, al menos, la quinta parte del capital social, o del personal de la empresa, juzgase conveniente para la economía nacional o para el interés social la continuación de la sociedad anónima, podrá acordarlo así por real decreto, en que se concretará la forma en que ésta habrá de subsistir y las compensaciones que, al ser expropiados de su derecho, han de recibir los accionistas.*

En todo caso, el real decreto reservará a los accionistas, reunidos en junta general, el derecho a prorrogar la vida de la sociedad y a continuar la explotación de la empresa, siempre que el acuerdo se adopte dentro del plazo de tres meses, a contar de la publicación del real decreto.

4.8.5.2.2. La representación de las personas jurídicas no mercantiles

4.8.5.2.2.1. Sociedades Civiles

Dado el punto de vista práctico pretendido en el presente libro, prescindiremos de la polémica existente sobre la personalidad jurídica de las sociedades civiles, partiendo con carácter general de la idea de que las sociedades civiles tienen personalidad jurídica sin necesidad de inscripción en ningún registro, y siempre que no mantengan sus pactos secretos. No obstante, para un estudio detallado del tema aconsejamos la lectura de unas notas publicadas en el año 2013 por el Notario Don Joaquín Zejalbo Martín, en la web «https://www.notariosyregistradores.com/doctrina/ARTICULOS/2013-sociedad-civil.htm», donde realiza un examen de la jurisprudencia de las distintas Audiencias Provinciales al respecto así como una exposición de la doctrina de autores de reconocido prestigio.

Partimos de la base de que la sociedad civil puede constituirse en documento público o privado, siendo necesaria la primera forma cuando se aporten bienes inmuebles o derechos reales.

– Si se ha constituido mediante documento público, deberemos proceder al juicio de capacidad y legitimación sobre la base del contrato constitutivo, y en caso de actuarse a través de la representación voluntaria habrá que atender al correspondiente instrumento de poder.

– Si se ha constituido mediante documento privado, es posible que en el contrato no conste nadie con el cargo de administrador; en tal caso pueden ser todos los socios los que obliguen a la sociedad con sus actos, todos pueden utilizar el fondo común, pueden también obligar a los demás socios a costear los gastos de la sociedad, y ninguno puede hacer novedad en los bienes inmuebles existentes. (art. 1695 C.C.). Y cabe que en el mismo contrato, o incluso posteriormente (art. 1692 C.C.) se determine que un socio es el administrador y representante de la sociedad.

El socio administrador será pues el que se ocupe de la administración, gestión y representación de la sociedad civil, siendo admisibles diversas formas de administración y representación: administrador único, administradores mancomunados o solidarios.

En todos estos casos deberemos exigir el contrato de constitución debidamente liquidado de impuestos, y a él habrá que estar para examinar quién tiene la representación de la sociedad civil, de acuerdo con los artículos 1692 a 1695 del Código Civil.

Ahora bien, los autores FERNÁNDEZ-MARTOS Y BERMÚDEZ-CAÑETE y FERNÁNDEZ-MARTOS ABASCAL, en su obra Manual Práctico sobre la capacidad y representación de todas las personas jurídicas, 2000, pp. 438, 439 y 444, señalan que tratándose de sociedades civiles constituidas en documento privado no cabe que el Notario autorice o intervenga escrituras o pólizas, y sólo si las partes requiriesen su actuación, previas las advertencias oportunas al no constar la representación de la sociedad en escritura pública, podrá realizar aquélla, pero dejando claro que la autorización o intervención se hace por requerimiento expreso de las partes y con conocimiento de los efectos limitados que comporta la actuación de mandatarios sin escritura de poder, y a ser posible con la firma de todos los socios que aparezcan como tales en el documento privado de constitución de la sociedad, incorporando además una fotocopia de dicho documento privado a la matriz o a la póliza a los efectos de no considerar los pactos reservados (art. 1669 del C.C.).

4.8.5.2.2.2. Sociedades Agrarias de Trasformación

Normativa de aplicación

Las SS.AA.TT están reguladas por el Real Decreto 1776/1981, de 3 de agosto (B.O.E. nº 194 de 14 de agosto de 1981) por el que se aprueba el Estatuto que regula las Sociedades Agrarias de Transformación y la Orden de 14 de septiembre de 1982 (B.O.E. nº 242 de 9 de octubre de 1982) del Ministerio de Agricultura, Pesca y Alimentación, que desarrolla el mencionado Real Decreto.

Hay que tener en cuenta además la Ley 20/1990, de 19 de diciembre, sobre régimen fiscal de las cooperativas, que deroga la disposición final segunda del referido Real Decreto 1776/1981.

Son normas básicas de constitución, funcionamiento, disolución y liquidación de las Sociedades Agrarias de Transformación las disposiciones del citado Real Decreto, y con carácter subsidiario, las que resulten de aplicación a las sociedades civiles.

En el ámbito de las Comunidades Autónomas cabe citar como más relevantes las siguientes disposiciones:

Decreto 73/1995, de 7 de abril, por el que se crea el Registro de Sociedades Agrarias de Transformación de Canarias.

Decreto 132/1996, de 11 de septiembre, del Consejo de Gobierno por el que se crea y regula el Registro de Sociedades Agrarias de Transformación en la Comunidad de Madrid.

Decreto 53/1983, de 14 de marzo, por el que se crea el Registro de Sociedades Agrarias de Transformación del País Vasco.

Decreto 199/2013, de 23 de julio, sobre las sociedades agrarias de transformación de Cataluña.

Decreto 215/1985, de 10 de octubre, por el que se crea el Registro de Sociedades Agrarias de Transformación de Galicia.

Decreto Foral 71/1986, de 28 de febrero, por el que se crea el Registro de Sociedades Agrarias de Transformación de Navarra.

Decreto 31/2000, de 13 de abril, por el que se regula el Registro de Sociedades Agrarias de Transformación del Principado de Asturias.

Decreto 15/2011, de 25 de enero, del Gobierno de Aragón, por el que se aprueba el Reglamento de las Sociedades Agrarias de Transformación en Aragón.

Orden de 9 de octubre de 1995, de la Consejería de Medio Ambiente, Agricultura y Agua, por la que se crea y regula el Registro de Sociedades Agrarias de Transformación de la Comunidad Autónoma de Murcia.

Decreto 9/1997, de 23 de enero, por el que se crea el Registro de Sociedades Agrarias de Transformación de la Comunidad Autónoma de las Islas Baleares.

Decreto 73/2009, de 1 de octubre por el que se regula el Registro de Sociedades Agrarias de Transformación de la Comunidad Autónoma de Cantabria.

Decreto 55/1996, de 23 abril, por el que se crea y regula el Registro de Sociedades Agrarias de Transformación de la Comunidad Autónoma de Extremadura.

Constitución de una sociedad agraria de trasformación

En todo caso se llevará a efecto por escrito y se formalizará en los documentos siguientes:

a) acta fundacional, con expresión de fecha, lugar y promotores otorgantes, objeto y domicilio sociales, cifra de capital social, valor de cada uno de los resguardos en que se divide, número total de éstos, desembolso inicial y plazos ulteriores, duración de la Sociedad, primeros cargos rectores y persona facultada para tramitar el expediente de constitución.

Entendemos que se precisará escritura pública si se aportan bienes inmuebles o derechos reales.

b) relación de socios con nombre y apellidos, número del documento nacional de identidad, estado civil, profesión, edad y domicilio, condición o título por el que se asocia o representación debidamente acreditada que, en su caso ostenta, clase y valor de sus respectivas aportaciones.

c) estatutos sociales que han de regir la actividad funcional interna de la Sociedad.

d) memoria descriptiva del objeto y actividades sociales a realizar y de las obras e instalaciones necesarias para ello, datos técnicos y económicos, justificación de la asociación por los beneficios que de ella se derivarán y explotaciones, colectividades o ámbitos agrarios afectados.

Registro de las Sociedades Agrarias de Trasformación

Según el artículo 1 de la Orden de 14 de septiembre de 1982 las competencias derivadas del cumplimiento y efectos de lo establecido en el Real Decreto 1776/1981 de 3 de agosto, corresponden al Instituto de Relaciones Agrarias. Ahora bien, según establece el Real Decreto 39/2008 de 18 de enero, el Instituto de Relaciones Agrarias, Organismo Autónomo adscrito al Ministerio de Agricultura, Pesca y Alimentación, desapareció en 1991 al crearse el Instituto de Fomento Asociativo Agrario, que asumió íntegramente sus funciones, las cuales una vez suprimido dicho Instituto en 1995, fueron nuevamente traspasadas a los distintos órganos administrativos del Ministerio de Agricultura, Pesca y Alimentación, en virtud del Real Decreto 654/1991, de 26 de abril, y el Real Decreto 1055/1995, de 23 de junio, por los que se modifica la estructura orgánica del referido Departamento Ministerial.

En consecuencia, el registro necesario para dar de alta a la SAT debe realizarse a través de la Autoridad Competente de la Comunidad Autónoma donde radique, excepto para aquellas con ámbito territorial superior en cuyo caso la inscripción de las Sociedades Agrarias de Transformación se produce en el Registro General de Sociedades Agrarias de Transformación del Ministerio de Agricultura y Pesca.

Tratándose de otorgamiento de poderes o facultades la inscripción se efectuará únicamente mediante la presentación en el Registro competente de la correspondiente escritura pública.

Hay que destacar que las SS.AA.TT. no se encuentran entre los sujetos obligados a su inscripción en el Registro Mercantil que establece el artículo 81 del Real Decreto 1784/1996, de 19 de julio, por el que se aprueba el Reglamento del Registro Mercantil.

Órganos de administración y representación

Son los siguientes (art. 10 del Decreto de 1981):

a) *Asamblea General*, que es el órgano supremo de expresión de la voluntad de los socios, constituida por todos ellos;

b) *Junta rectora* como órgano de gobierno, representación y administración ordinaria de la Sociedad Agraria de Transformación. La junta rectora estará integrada por un presidente, un secretario y tres vocales, cuando menos, siendo el número máximo de sus miembros, que en todo caso deben tener la condición de socios, el de doce. Su elección corresponde exclusivamente a la asamblea general;

c) *Presidente*, que es el órgano unipersonal con las facultades estatutarias que incluirán necesariamente la representación de la Sociedad Agraria de Trasformación, sin perjuicio de las conferidas a la junta rectora.

En las Sociedades Agrarias de Trasformación cuyo número de socios sea inferior a diez, la asamblea general asumirá, como propias, las funciones que competen a la junta rectora, constituyendo ambas un solo órgano. Las Sociedades Agrarias de Trasformación podrán establecer en sus estatutos sociales otros órganos de gestión, asesoramiento o control, determinando en estos casos expresamente el modo de elección de sus miembros, número de éstos y competencias.

Acuerdos sociales

Conforme al art. 11 del Decreto de 1981:

Los acuerdos de la Asamblea general y de la Junta Rectora, salvo disposición contraria de este Real Decreto, de los Estatutos sociales o de acuerdo expreso de la Asamblea general, se adoptarán por mayoría simple de los asistentes. En los de la Junta Rectora se exigirá que estos sean, al menos, la mitad de sus miembros.

Cada socio dispondrá de un voto. Los Estatutos sociales, no obstante, podrán establecer que para la adopción de acuerdos que entrañen obligaciones económicas para los socios, éstos dispongan del número de votos que corresponda a la cuantía de su participación en relación con el capital social.

Representación de las SS.AA.TT.

Dado que conforme al art. 12 del Decreto de 1981 el estatuto social de la SAT, en cuanto no se oponga al Real Decreto o a las demás disposiciones de necesaria aplicación, es la norma jurídica libremente pactada por los socios para regir la actividad de la Sociedad, deberemos atender en el momento de autorizar o intervenir una escritura o póliza en que uno de los contratantes sea una S.A.T. a los estatutos sociales de ésta, y no sólo al acta fundacional.

Una vez analizadas las facultades de cada órgano de la sociedad, exigiremos la acreditación de la inscripción de la S.A.T. en el Registro correspondiente, así como las certificaciones de los acuerdos de la Asamblea General y de la Junta Rectora, a la que competerá normalmente las facultades decisorias para formalizar contratos.

Para adverar la intervención de los cargos de Presidente y Secretario en las referidas certificaciones, deberán acreditarnos el nombre de las personas que ostenten los cargos de presidente y secretario mediante certificación expedida por el órgano competente del Ministerio de Agricultura, Pesca y Alimentación o de la correspondiente Consejería de Agricultura de la Comunidad Autónoma de que se trate, según el ámbito territorial de la S.A.T. (FERNÁNDEZ-MARTOS Y BERMÚDEZ-CAÑETE y FERNÁN-DEZ-MARTOS ABASCAL. 2000, p. 291).

4.8.5.2.2.3. Asociaciones sometidas al régimen general

Régimen legal

Las asociaciones se rigen básicamente por el artículo 22 de la Constitución Española, la Ley Orgánica 1/2002, de 22 de marzo, reguladora del Derecho de Asociación y el Real Decreto 1740/2003, de 19 de diciembre, sobre procedimientos relativos a asociaciones de utilidad pública, sin perjuicio de la normativa de cada Comunidad Autónoma.

La Ley Orgánica 1/2002 deroga la anterior Ley de Asociaciones de 24 de diciembre de 1964, y se aplica a todas las asociaciones que no tengan fin de lucro y no estén sometidas a un régimen específico, tales como: (ex art. 1 LO).

- Los partidos políticos, que se rigen por la ley 54/78 de 4 de diciembre.

- Los sindicatos que se rigen por la Ley orgánica de libertad sindical de 2 de agosto de 1985.

- Las Iglesias, Confesiones y Comunidades Religiosas que se rigen por Tratados Internacionales y leyes específicas.

- Las asociaciones deportivas, que se rigen por la ley de 15 de octubre de 1990.

Tampoco se aplica esta ley a las comunidades de bienes y propietarios y las entidades que se rigen por las disposiciones relativas al contrato de sociedad, cooperativas y mutualidades, uniones temporales de empresas y agrupaciones de interés económico.

Constitución e inscripción registral

Según el artículo 5 de la LO 1/2002 de 22 de marzo

Pueden constituir asociaciones y formar parte de ellas, las personas físicas y las jurídicas, sean públicas o privadas, siendo 3 al menos y unidas por un fin común o «affectio societatis».

- el procedimiento de constitución se reduce al acta de fundación, en la que conste el acuerdo de tres o más personas que se comprometen a poner en común conocimientos, medios y actividades para conseguir unas finalidades lícitas, comunes, de interés general o particular. El acta puede constar en documento público o privado.

Con el otorgamiento del acta la asociación adquiere personalidad jurídica y plena capacidad de obrar, sin perjuicio de su inscripción a los efectos del art. 10 de la LO 1/2002 de 22 de marzo.

El acta deberá incluir los estatutos de la Asociación, los cuales conforme al art. 7 de la LO 1/2002 deberán contener, entre otras menciones:

- los Órganos de gobierno y representación y el régimen de los mismos.

- el Régimen de administración, contabilidad y documentación y fecha de cierre del ejercicio.

Las asociaciones sometidas a la Ley Orgánica de 2002 deberán inscribirse en el Registro de asociaciones, a los solos efectos de publicidad, ex art. 10.1 LO y 22.3 CE.

El Registro se regula en los arts. 24 y ss. LO, distinguiéndose entre un Registro nacional, dónde se inscriben las asociaciones de ámbito estatal y todas aquéllas que no desarrollen principalmente sus funciones en el ámbito territorial de una Comunidad Autónoma, y otro autonómico que tendrá por objeto la inscripción de las asociaciones que desarrollen principalmente sus funciones en el ámbito territorial de aquéllas.

La Administración verificará la inscripción, limitándose su actividad a la verificación del cumplimiento de los requisitos que han de reunir el acta fundacional y los estatutos. Queda pues claro que la personalidad jurídica se adquiere antes de la inscripción y se produce por la concurrencia de voluntades o prestación de consentimientos en el acta fundacional.

Para la inscripción los promotores menores no emancipados mayores de catorce años, sin perjuicio de lo que establezca el régimen previsto para las asociaciones infantiles, juveniles o de alumnos, deberán aportar documento acreditativo del consentimiento de la persona que deba suplir su capacidad.

Funcionamiento y órganos

El funcionamiento de las asociaciones habrá de ajustarse a lo dispuesto en sus estatutos, siempre y cuando estos no se opongan a lo dispuesto en la LO 1/2002 y las disposiciones que la desarrollan.

Los órganos de las asociaciones son:

- *La Asamblea General,* integrada por todos los asociados,

Los acuerdos se adoptan por mayoría simple; no obstante requieren mayoría cualificada los acuerdos relativos a la disolución de la asociación y a la modificación de los estatutos;

- *El órgano de representación,* que normalmente se llama Junta Directiva, es el encargado de gestionar la Asociación entre Asambleas, y sus facultades se extenderán, con carácter general, a todos los actos propios de las finalidades de la asociación, siempre que no requieran, conforme a los Estatutos, autorización expresa de la Asamblea General.

Su funcionamiento dependerá de lo que establezcan los Estatutos, siempre que no contradigan el Artículo 11 de la Ley Orgánica 1/2002, de 22 de marzo, reguladora del Derecho de Asociación En consecuencia, cuando un Notario tenga que autorizar o intervenir una escritura o póliza en que sea parte una asociación, habrá que atender a los estatutos de la misma para determinar la competencia de la Junta Directiva, sus facultades y cuándo hay que recabar un complemento de capacidad por acuerdo de la Asamblea General. Habrá que conocer las atribuciones del presidente y el tiempo de vigencia de los que ostenten los cargos en la Junta Directiva, fijando los estatutos los plazos. (FERNÁNDEZ-MARTOS Y BERMÚDEZ-CAÑETE y FERNÁNDEZ-MARTOS ABASCAL. 2000, p. 191).

Si nos exhiben actas o certificados donde consten los acuerdos de nombramiento, la prudencia exigirá la legitimación notarial de la firma de los que las suscriben o de los que expiden el certificado, éste último firmado por el Secretario con el visto bueno del Presidente.

Si en los estatutos que nos exhiben no consta la inscripción registral, deberemos solicitar una certificación del Registro correspondiente donde conste inscrita la asociación.

Si no constara o no se acreditara la correspondiente inscripción, creemos que si una de las partes contratantes insiste en el otorgamiento del contrato de que se trate, el fedatario podrá autorizar o intervenir el documento de que se trate haciendo las advertencias oportunas.

Resumiendo:

– Examinaremos la inscripción registral

– Examinaremos en los estatutos de la asociación los órganos de dirección y representación y sus facultades correspondientes, para determinar si tiene capacidad la Junta Directiva o es necesario acuerdo de la Asamblea General.

– Solicitaremos la oportuna certificación del secretario con el visto bueno del presidente o certificación del Registro correspondiente acreditativa de que los cargos están vigentes.

– Solicitaremos las certificaciones de las actas acreditativas de los acuerdos adoptados.

4.8.5.2.2.4. Particularidades de algunas clases de asociaciones

Conviene realizar dos puntualizaciones antes de su examen particular:

– todas se rigen por la LO 1/2002, si bien la diferencia con las asociaciones de carácter general es que antes de su inscripción son preceptivos ciertos informes y autorizaciones.

– una vez inscrita no hay especialidad en materia de capacidad y representación de sus órganos, salvo en el supuesto de las asociaciones juveniles. (FERNÁNDEZ-MARTOS Y BERMÚDEZ-CAÑETE y FERNÁNDEZ-MARTOS ABAS-CAL. 2000, p. 291).

4.8.5.2.2.4.1. Asociaciones militares

Se rigen por la Ley Orgánica 9/2011, de 27 de julio, de derechos y deberes de los miembros de las Fuerzas Armadas, estableciendo su artículo 14 que los militares tienen derecho a crear asociaciones y asociarse libremente para la consecución de fines lícitos, de acuerdo con lo previsto en la Ley Orgánica 1/2002, de 22 de marzo, reguladora del Derecho de Asociación, y que las asociaciones de miembros de las Fuerzas Armadas no podrán llevar a cabo actividades políticas ni sindicales, ni vincularse con partidos políticos o sindicatos

La especialidad consiste en la necesidad de inscribirse en el Registro de Asociaciones Profesionales de miembros de las Fuerzas Armadas, habilitado al efecto en el Ministerio de Defensa, pudiendo denegarse la inscripción mediante resolución motivada del Ministro de Defensa, cuando el acta fundacional de la asociación o sus estatutos no se ajusten a los requisitos establecidos en la ley orgánica 9/2011, de 27 de julio y en la Ley orgánica reguladora del Derecho de Asociación. (art. 36 de la LO 9/2011, de 27 de julio).

4.8.5.2.2.4.2. Asociaciones culturales privadas

La única especialidad se establecía en el Decreto 2930/1972, de 21 de julio, que exigía informe del Ministerio de Cultura, disposición que fue derogada.

Puede tener distinto ámbito territorial: municipal, su actuación está centrada en el municipio; comarcal, su actividad abarca varios municipios; provincial, su actividad abarca la provincia; regional, si el ámbito es una comunidad autónoma; o nacional, si se trata de asociaciones cuyos objetivos van a desarrollarse en todo el país.

Para ser declarada de utilidad pública se requiere solicitud al Ministerio del Interior, siendo necesario que la asociación esté constituida legalmente y en funcionamiento ininterrumpido al menos durante los dos años inmediatamente anteriores a la solicitud.

4.8.5.2.2.4.3. Asociaciones juveniles

La legislación que se ocupa de las Asociaciones Juveniles, además de la Ley Orgánica de 2002 es la siguiente: *Real Decreto 397/1988, de 22 de abril, por el que se regula la Inscripción registral de Asociaciones Juveniles, Ley 18/1983, de 16 de noviembre, por la que se crea el Consejo de la Juventud de España y la Orden de 5 de diciembre de 1986, por la que se regula el censo de Asociaciones y Organizaciones Juveniles y Entidades prestadoras de servicios a la Juventud.*

Para la inscripción como asociación juvenil se exige que sean socios de pleno derecho los jóvenes de edad comprendida entre los 14 años cumplidos y los 30 sin cumplir.

Los menores de edad pueden ser miembros de los órganos de gobierno, pero no serán responsables ante terceros de las decisiones tomadas por los órganos en los que participen.

Como especialidad de sus estatutos, en éstos debe figurar su carácter de Asociaciones Juveniles.

Conviene destacar que la legislación anterior exigía además del requisito de la edad de sus miembros que la finalidad fuera «la promoción, integración o entretenimiento de la juventud, sin interés lucrativo alguno»; creemos que este requisito debe estar subsistente, pues de otra manera no se entiende que solo por estar comprendidos los asociados entre estas edades (14 a 30 años) se puedan calificar sus asociaciones como juveniles, cuando sus fines no tengan nada que ver con las inquietudes u objetivos propios de la juventud. (FERNÁNDEZ-MARTOS Y BERMÚDEZ-CAÑETE y FERNÁNDEZ-MARTOS ABASCAL. 2000, p. 195).

4.8.5.2.2.5. Asociaciones sometidas a regímenes especiales

4.8.5.2.2.5.1. Asociaciones políticas

Este tipo de asociaciones recibe el nombre de partidos políticos. En virtud del derecho de asociación se configuran como asociaciones aunque sometidas a su regulación especial, que es la Ley Orgánica 6/2002, de 27 de junio, de Partidos Políticos.

Constitución y personalidad jurídica Según el artículo 3 de la ley 6/2002 el acuerdo de constitución debe formalizarse mediante acta fundacional, que deberá constar en documento público y contener entre otros datos los estatutos del partido.

A continuación debe realizarse la inscripción en el Registro de Partidos Políticos, un registro dependiente del Ministerio del Interior.

Según los artículos 4 y 5 de la ley 6/2002 dentro de los veinte días siguientes a la presentación de la documentación completa en el Registro de Partidos Políticos, el Ministerio del Interior procederá a practicar la inscripción del partido. Dicho plazo quedará, sin embargo, suspendido si se advierten defectos formales en el acta fundacional o en la documentación que la acompaña, cuando los proponentes carezcan de capacidad o cuando se deduzcan indicios racionales de ilicitud penal, remitiéndose comunicación al Ministerio Fiscal; la suspensión del plazo de veinte días será durante todo el tiempo que medie hasta la devolución por el mismo al Ministerio del Interior de la comunicación fundada en la no apreciación de motivos suficientes de ilicitud penal o hasta que el Juez Penal resuelva sobre la procedencia de la inscripción o, en su caso, como medida cautelar, sobre la reanudación provisional del plazo para la inscripción.

Según el artículo 4 de la ley transcurridos los veinte días de que dispone el Ministerio del Interior, se entenderá producida la inscripción, que confiere la personalidad jurídica, hace pública la constitución y los estatutos del mismo, vincula a los poderes públicos, y es garantía tanto para los terceros que se relacionan con el partido como para sus propios miembros.

Esta inscripción produce efectos indefinidamente mientras no se anote en el mismo Registro su suspensión o disolución.

Órganos de representación

Según el artículo 3 de la ley 6/2002 los estatutos de los partidos políticos habrán de regular entre otros extremos:

> *«Los órganos de gobierno y representación, su composición, los plazos para su renovación que habrá de efectuarse como máximo cada cuatro años, sus atribuciones o competencias, los órganos competentes para la convocatoria de sesiones de los órganos colegiados, el plazo mínimo de convocatoria, duración, la forma de elaboración del orden del día, incluyendo el número de miembros exigidos para proponer puntos a incluir en el mismo, así como las reglas de deliberación y la mayoría requerida para la adopción de acuerdos, que, por regla general, será la mayoría»*

En consecuencia habrá que estar a los que digan los respectivos estatutos para conocer la competencia, denominación y atribuciones de cada uno de los órganos de la asociación y quién ostenta la representación requerida (FERNÁNDEZ-MARTOS Y BERMÚDEZ-CAÑETE y FERNÁNDEZ-MARTOS ABASCAL. 2000, p. 235).

Cautelas *a la hora de intervenir profesionalmente en la contratación de asociaciones políticas*

Lo primero es cerciorarse de la inscripción en el Registro de partidos políticos.

A continuación examinar los estatutos, para conocer los órganos rectores, sus facultades y denominaciones.

Exigiremos certificación de vigencia de cargos, expedida por el secretario con el visto bueno del presidente, salvo que otra cosa digan los estatutos al respecto.

Finalmente, certificación de los órganos colegiados, si procediera. (FERNÁNDEZ-MARTOS Y BERMÚDEZ-CAÑETE y FERNÁNDEZ-MARTOS ABASCAL. 2000, p. 236).

4.8.5.2.2.5.2. Asociaciones sindicales, profesionales y empresariales

4.8.5.2.2.5.2.1. Los sindicatos de trabajadores

La Ley Orgánica 11/1985, de 2 de agosto, de Libertad Sindical es la norma reguladora de esta materia, estableciendo en su artículo 1 que todos los trabajadores tienen derecho a sindicarse libremente para la promoción y defensa de sus intereses económicos y sociales. A los efectos de esta Ley, se consideran trabajadores tanto aquellos que sean sujetos de una relación laboral como aquellos que lo sean de una relación de carácter administrativo o estatutario al servicio de las Administraciones Públicas.

Dicha ley se complementa con el Real Decreto 416/2015, de 29 de mayo, sobre depósito de estatutos de las organizaciones sindicales y empresariales.

Constitución, personalidad jurídica y representación

El sindicato adquiere personalidad jurídica y plena capacidad de obrar una vez transcurridos un plazo de veinte días hábiles desde el depósito de los Estatutos.

Como todas las asociaciones, para constituirse se precisa en primer lugar un acta fundacional, otorgada en documento público, donde deberán constar los estatutos.

Estos contendrán entre otras menciones las siguientes:

– Los órganos de representación, gobierno y administración y su funcionamiento, así como el régimen de provisión electiva de sus cargos, que habrán de ajustarse a principios democráticos.

– El régimen económico de la organización, así como el origen y destino de los ingresos y los medios que permitan a los afiliados al sindicato para conocer la situación económica.

En segundo lugar, una vez establecido las normas estatutarias, es necesario depositar el acta fundacional y los estatutos en la oficina pública correspondiente con el fin de verificar el cumplimiento del contenido mínimo de los Estatutos y otorgarles la publicidad necesarias para que puedan ser conocidos por el resto de partes implicadas o interesadas.

Como novedad, el Real Decreto 416/2015, de 29 de mayo dispone que la solicitud de depósito deberá presentarse por medios electrónicos ante la oficina pública competente, a través de la dirección electrónica que a tal efecto se establezca, utilizando los formularios previstos específicamente para ello.

Excepcionalmente los sindicatos que acrediten carecer de medios electrónicos podrán seguir realizando los trámites recogidos en los artículos 5 a 10, presentando la documentación en los registros previstos en el artículo 16 de la Ley 39/2015, de 1 de octubre, del Procedimiento Administrativo Común de las Administraciones Públicas.

Cuando el ámbito territorial de actuación de la organización sindical o empresarial sea estatal o supraautonómico, la Oficina Pública correspondiente es la Oficina Pública de Depósito de Estatutos dependiente de la Dirección General de Empleo del Ministerio de Empleo

En caso contrario, se deberá presentar en las oficinas de la Comunidad Autónoma o en las direcciones del Área de Trabajo e Inmigración de las Ciudades de Ceuta y Melilla.

Una vez subsanados los defectos que alegue la oficina pública, o en caso de que éstos no hubieran existido, la oficina pública dará la publicidad necesaria al sindicato publicando los estatutos en el tablón de anuncios de la misma, en el «Boletín Oficial del Estado» y, en su caso, en el «Boletín Oficial» correspondiente.

Según el artículo 5 de la Ley Orgánica 11/1985, de 2 de agosto, los sindicatos constituidos al amparo de la presente Ley responderán por los actos o acuerdos adoptados por sus órganos estatutarios en la esfera de sus respectivas competencias. El sindicato no responderá por actos individuales de sus afiliados, salvo que aquéllos se produzcan en el ejercicio regular de las funciones representativas o se pruebe que dichos afiliados actuaban por cuenta del sindicato.

Cautelas a la hora de intervenir profesionalmente en la contratación de estos sindicatos

Son las siguientes:

– Verificar el transcurso de los veinte días hábiles del depósito, bien por la presentación del boletín oficial donde se hubiese publicado, bien mediante certificación del organismo depositario, o bien por otro medio.

– Examinar los estatutos para determinar quién tiene la representación en cada caso y cuál es su ámbito de aplicación (competencia funcional y territorial de los órganos), así como si debe o no completar su capacidad con acuerdos de órganos colegiados, en cuyo caso pediremos las certificaciones de las actas donde consten los acuerdos de los órganos colegiados que completen la capacidad requerida.

– Examinar la vigencia de los cargos que actuen, acreditada mediante certificación expedida por el secretario con el visto bueno del presidente con los requisitos estatutarios que procedan. (FERNÁNDEZ-MARTOS Y BERMÚDEZ-CA-ÑETE y FERNÁNDEZ-MARTOS ABASCAL. 2000, p. 239).

4.8.5.2.2.5.2.2. Asociaciones profesionales y empresariales

Ambas asociaciones se rigen por la misma normativa, contenida en la ley 19/1977, de 1 de abril, sobre regulación del Derecho de Asociación Sindical, en lo que no se oponga a la ley Orgánica de Libertad Sindical, y en el Real Decreto 416/2015, de 29 de mayo, sobre depósito de estatutos de las organizaciones sindicales y empresariales, que deroga Real Decreto 873/1977, de 22 de abril, sobre depósito de los estatutos de las organizaciones constituidas al amparo de la Ley 19/1977, reguladora del derecho de asociación sindical.

Estas asociaciones se constituyen por personas que sean empresarias y cuenten con trabajadores por cuenta ajena.

Pueden unirse asociaciones de carácter sectorial, creándose federaciones o confederaciones empresariales, en cuyos supuestos éstas tendrán personalidad jurídica independiente de las asociaciones que las integran.

Constitución y personalidad jurídica

De acuerdo con el artículo 3 de la Ley 19/1977, de 1 de abril y el artículo 14 del Real Decreto 416/2015, de 29 de mayo, estas asociaciones adquieren personalidad jurídica y plena capacidad de obrar transcurridos veinte días desde el depósito de los estatutos por los promotores, salvo que dentro de dicho plazo se inste de la autoridad judicial competente la declaración de no ser conformes a derecho, en cuyo caso la autoridad judicial dictará la resolución definitiva que proceda.

El punto de partida para el cómputo de los veinte días es pues el depósito del acta fundacional y de los estatutos en la oficina pública establecida al efecto.

Conforme al artículo 4 del Real Decreto 416/2015, de 29 de mayo la solicitud de depósito deberá presentarse por medios electrónicos ante la oficina pública competente, a través de la dirección electrónica que a tal efecto se establezca, utilizando los formularios previstos específicamente para ello.

Excepcionalmente los sindicatos y asociaciones empresariales que acrediten carecer de medios electrónicos podrán seguir realizando los trámites recogidos en los artículos 5 a 10, presentando la documentación en los registros previstos en el *artículo 16 de la Ley 39/2015, de 1 de octubre, del Procedimiento Administrativo Común de las Administraciones Públicas.*

Cuando el ámbito territorial de actuación de la organización empresarial sea estatal o supraautonómico, la oficina pública competente será la Dirección General de Empleo del Ministerio de Empleo y Seguridad Social. En el caso de que dicho ámbito no supere el territorio de una comunidad autónoma, la oficina pública competente será la prevista según la normativa de cada comunidad.

Capacidad y órganos de representación

Como en las asociaciones de carácter general, el acta fundacional deberá contener, entre otras menciones, los estatutos aprobados.

Éstos deberán contener entre otras menciones:

– Los órganos de representación, gobierno y administración y sus normas de funcionamiento, así como el régimen de provisión electiva de sus cargos, que habrá de ajustarse a principios democráticos.

– El régimen económico del sindicato o de la asociación empresarial que establezca el carácter, la procedencia y el destino de sus recursos, así como los medios que permitan a los afiliados conocer su situación económica.

– y en el caso de las asociaciones empresariales, el sistema de constancia de los asociados en garantía de los mismos.

En consecuencia habrá que analizar los estatutos para conocer los órganos competentes, su competencia y la duración de sus cargos, por lo que a la hora de actuar profesionalmente cuando contrate este tipo de asociación las cautelas serán las mismas que hemos señalado en el apartado correspondiente de los sindicatos de trabajadores. (FERNÁNDEZ-MARTOS Y BERMÚDEZ-CAÑETE y FERNÁNDEZ-MARTOS ABASCAL. 2000, p. 240).

4.8.5.2.2.5.2.3. Organizaciones sindicales del Cuerpo Nacional de Policía

Estas organizaciones se regían por la ley Orgánica 2/1986, de 13 marzo, de Fuerzas y Cuerpos de Seguridad, que si bien sigue vigente, la materia objeto de estudio, contenida en los artículos 16 al 26 del capítulo IV del título II y en las disposiciones adicionales primera, segunda, sexta y séptima ha sido derogada por la Ley Orgánica 9/2015, de 28 de julio, de Régimen de Personal de la Policía Nacional.

Esta última en su artículo 8 establece que los Policías Nacionales tienen derecho a constituir organizaciones sindicales de ámbito nacional para la defensa de sus intereses profesionales; que sólo podrán afiliarse a organizaciones sindicales formadas exclusivamente por Policías Nacionales; y que estas organizaciones no podrán federarse o confederarse con otras que, a su vez, no estén integradas exclusivamente por miembros de la Policía Nacional, aunque sí podrán formar parte de organizaciones internacionales de su mismo carácter.

Personalidad jurídica y órganos de representación

Para su constitución se requiere el acta fundacional, en que se manifieste la voluntad de crear la asociación, acompañada de los estatutos, debiendo depositarse ambos en el registro especial de la Dirección General de la Policía.

Sólo se podrán rechazar, mediante resolución motivada, aquellos estatutos que carezcan de los requisitos mínimos a que se refiere el artículo 88 de la Ley Orgánica 9/2015, de 28 de julio, cuyos defectos no hubieran sido subsanados en el plazo de diez días a partir del requerimiento practicado al efecto.

Los estatutos deberán contener, al menos, las siguientes menciones:

– Los órganos de representación, gobierno y administración y normas para su funcionamiento, así como el régimen de provisión electiva de cargos, que habrán de ajustarse a principios democráticos.

– El régimen económico de la organización, que establezca el carácter, procedencia y destino de sus recursos, así como los medios que permitan a los afiliados conocer la situación económica.

Tendrán la condición de representantes de las organizaciones sindicales representativas de la Policía Nacional aquellos funcionarios que, perteneciendo a las mismas, hayan sido formalmente designados como tales por el órgano de gobierno de aquéllas, de acuerdo con sus respectivos estatutos. (artículo 89 de Ley Orgánica 9/2015).

Una vez constituidas e inscritas las organizaciones sindicales responderán por los actos o acuerdos adoptados por sus órganos estatutarios en la esfera de sus respectivas competencias; dichas organizaciones responderán por los actos de sus afiliados, cuando aquéllos se produzcan en el ejercicio regular de las funciones representativas o se pruebe que los afiliados actuaban por cuenta de las organizaciones sindicales. (artículo 92 de Ley Orgánica 9/2015).

Finalmente indicar que cuando un profesional intervenga en un contrato o negocio en que sea parte este tipo de asociación habrá que examinar los estatutos, la inscripción en el Registro especial mencionado y así conocer si tiene personalidad jurídica y los órganos y competencias de los mismos y la vigencia de los nombramientos. (FERNÁNDEZ-MARTOS Y BERMÚDEZ-CAÑETE y FERNÁNDEZ-MARTOS ABASCAL. 2000, p. 241).

4.8.5.2.2.5.2.4. Asociaciones de jueces y fiscales

Asociaciones de jueces y magistrados

Su derecho de asociación se reconoce en el *artículo 127 de la Constitución*

y se desarrolla en la Ley Orgánica 6/1985, de 1 de julio, del Poder Judicial, que señala que sólo podrán formar parte de las mismas quienes ostenten la condición de jueces y magistrados en servicio activo, y que ningún juez o magistrado podrá estar afiliado a más de una asociación profesional. Además, las asociaciones de jueces y magistrados deberán tener ámbito nacional, sin perjuicio de la existencia de secciones cuyo ámbito coincida con el de un Tribunal Superior de Justicia, y no podrán llevar a cabo actividades políticas ni tener vinculaciones con partidos políticos o sindicatos.

Las asociaciones profesionales de jueces y magistrados integrantes de la Carrera Judicial quedarán válidamente constituidas desde que se inscriban en el registro que será llevado al efecto por el Consejo General del Poder Judicial, teniendo entonces personalidad jurídica y plena capacidad para el cumplimiento de sus fines.

La inscripción se practicará a solicitud de cualquiera de los promotores, a la que se acompañará el texto de los estatutos y una relación de afiliados.

Los estatutos deberán expresar, entre otras, las siguientes menciones: «Organización y representación de la asociación», «formas de elegirse los cargos directivos de la asociación».

Sólo podrá denegarse la inscripción cuando la asociación o sus estatutos no se ajustaren a los requisitos legalmente exigidos.

Finalmente destacar que serán de aplicación supletoria las normas reguladoras del derecho de asociación en general. (artículo 401 ley 6/1985)

Asociaciones de fiscales

Su normativa principal es la Ley 50/1981, 30 diciembre, por la que se regula el Estatuto Orgánico del Ministerio Fiscal.

Las Asociaciones de Fiscales tienen personalidad jurídica y plena capacidad para el cumplimiento de sus fines. Sólo podrán formar parte de las mismas quienes ostenten la condición de Fiscales, sin que puedan integrarse en ellas miembros de otros cuerpos o carreras.

Las Asociaciones profesionales quedarán válidamente constituidas desde que se inscriban en el Registro, que será llevado al efecto por el Ministerio de Justicia. La inscripción se practicará a solicitud de cualquiera de los promotores, a la que se acompañará el texto de los Estatutos y una relación de afiliados.

Los Estatutos deberán expresar, entre otras, las siguientes circunstancias: «Organización y representación de la Asociación» y la «forma de elegirse los cargos directivos de la Asociación». (artículo 54 de la ley 50/1981).

Cuando un profesional intervenga en un contrato en que sea parte o actúe una asociación de este tipo, deberá comprobar la inscripción en el registro especial mencionado y conocer los estatutos y la vigencia de los cargos (FERNÁNDEZ-MARTOS Y BERMÚDEZ-CAÑETE y FERNÁNDEZ-MARTOS ABASCAL. 2000, p. 242).

4.8.5.2.2.5.2.5. Asociaciones administrativas de propietarios, de contribuyentes y Juntas de Compensación

La competencia legislativa en esta materia, según recuerda la STC 20 marzo 97, corresponde a las Comunidades Autónomas, por lo que el derecho estatal vigente queda relegado a su aplicación supletoria, que viene constituido por:

- El *Real Decreto 1346/1976, de 9 de abril, por el que se aprueba el texto refundido de la Ley sobre Régimen del Suelo y Ordenación Urbana.*

- El *Real Decreto 3288/1978, de 25 de agosto*, por el que se aprueba el Reglamento de Gestión Urbanística.

4.8.5.2.2.5.2.5.1. Asociaciones de propietarios

El sistema de cooperación es un sistema de actuación por el cual la Administración ejecuta las obras de urbanización y los propietarios costean las mismas y aportan los terrenos de entrega o cesión obligatoria y gratuita.

La doctrina lo clasifica como sistema de gestión, unas veces público, y otras mixto, por cuanto comparte aspectos del sistema de expropiación (la ejecución de las obras de urbanización es a cargo de la Administración actuante) y del sistema de compensación (el costeamiento de las obras de urbanización es por los propietarios de la actuación de transformación urbanística).

Con carácter general, el *artículo 18* del Texto refundido de la *Ley del Suelo y Rehabilitación Urbana* aprobado por *Real Decreto Legislativo 7/2015, de 30 de octubre* (que incorpora el texto de la *Ley 8/2007, de 28 de mayo, de Suelo*, la cual deroga), como ya lo hiciera el derecho urbanístico —estatal y autonómico— preexistente, determina que las obras de urbanización deberán ser costeadas por el promotor de la actuación de transformación urbanística.

La aplicación del sistema de cooperación exige la reparcelación de los terrenos comprendidos en la unidad de actuación, salvo que ésta sea innecesaria por resultar suficientemente equitativa la distribución de los beneficios y cargas.

En el sistema de cooperación la constitución de la entidad urbanística colaboradora que examinamos es voluntaria.

Constitución y registro

El Reglamento estatal de Gestión Urbanística determina la posibilidad de que los propietarios del polígono o unidad de actuación puedan constituir asociaciones administrativas con la finalidad de colaborar en la ejecución de las obras de urbanización (*artículo 191.1 del Reglamento de Gestión*). Dichas asociaciones se formarán por iniciativa de los propietarios o de la Administración actuante.

La denominación de tales entidades urbanísticas colaboradoras era la de Asociaciones administrativas de cooperación, que ha pasado a algunas normas autonómicas. En otras Comunidades, se ha optado por un cambio de denominación, como es el caso de Castilla y León, que las titula Asociaciones de Propietarios (*artículo 266 del Decreto 22/2004, de 29 de enero*, por el que se aprueba el Reglamento de Urbanismo de Castilla y León).

Conforme al *artículo 192 del Reglamento estatal de Gestión Urbanística*, las asociaciones administrativas de cooperación estarán constituidas por los propietarios de bienes que se incorporen a las mismas dentro de un polígono o unidad de actuación. La pertenencia a una asociación será voluntaria pero no podrá constituirse más de una en cada polígono o unidad de actuación.

La personalidad jurídica se adquiere en el momento de la inscripción en el Registro de Entidades Urbanísticas Colaboradoras.

Se constituyen mediante un acta fundacional, acompañada de los estatutos, que serán sometidos a la aprobación de la Administración actuante. Acordada, en su caso, la aprobación, se inscribirá en el Registro de Entidades Urbanísticas Colaboradoras.

Los estatutos establecerán cuáles son los órganos que gobiernen la asociación, pero en todo caso los propietarios constituidos en asociación elegirán de entre ellos un Presidente, que tendrá la representación de todos y a través del cual se establecerán las relaciones con la Administración actuante.

Los acuerdos de la asociación administrativa se adoptarán con el quórum estatutario y al menos por mayoría de los presentes, ejercitando voto personal.

4.8.5.2.2.5.2.5.2. Juntas de Compensación

Como ya hemos indicado, el Reglamento estatal de Gestión Urbanística que fue aprobado por Real Decreto 3288/1978, de 25 de agosto sólo será aplicable supletoriamente a las Comunidades Autónomas que no hayan regulado esta materia en sus distintas leyes del suelo o en sus propios reglamentos ejecutivos en la materia. Es cierto, no obstante, que algunas de las normas autonómicas más recientes y que por tanto parten del nuevo marco articulado por el *Real Decreto Legislativo 7/2015* mantienen el sistema de compensación como uno de los posibles para la ejecución del planeamiento.

Es el sistema que ofrece mayor participación a los particulares, en concreto de los propietarios y de los titulares de derechos y cargas.

Tal cosa sucede, por ejemplo, con la *Ley 3/2009, de 17 de junio*, de Urbanismo de Aragón, en sus artículos 158 a 165. También en el *Decreto 45/2009, de 9 de julio*, por el que se modifica el *Decreto 22/2004, de 29 de enero*, por el que se aprueba el Reglamento de Urbanismo de Castilla y León.

Podemos definir la Junta de Compensación como la Entidad Urbanística Colaboradora que se constituye para dar cauce a la participación de los particulares en el sistema de Compensación.

Tiene naturaleza administrativa, personalidad jurídica propia y plena capacidad para el cumplimiento de sus fines.

Constitución y personalidad

Se constituyen mediante escritura pública, en la que se designarán los cargos del órgano rector, que habrán de recaer en personas físicas. En la escritura se contendrán las Bases de Actuación (que tienen por objeto la regulación de su actividad) y los estatutos (que son la norma fundamental de organización y funcionamiento de la Junta de Compensación), que deberán ser aprobados por la Administración (la cual tendrá un representante en el órgano de gestión de la Junta) para posteriormente inscribirse en un registro especial.

Hay que destacar que, a diferencia de lo que inicialmente podría pensarse, como es que su personalidad jurídica nacería desde el momento en que fuera otorgada la escritura pública de su constitución (así lo establece por ejemplo la ley de Aragón reguladora de la materia), el Reglamento de Gestión Urbanística, como también hacen buena parte de las legislaciones de las Comunidades Autónomas, anudan el nacimiento de esta misma personalidad al momento de la inscripción de dicha constitución en el Registro de Entidades Urbanísticas Colaboradoras.

Los **órganos** de la Junta de Compensación suelen ser los siguientes:

– La Asamblea General de propietarios.

– El Consejo Rector.

– El Presidente.

– El Vicepresidente (cuando se decida que exista pues es un órgano prescindible).

– El Secretario.

Cautelas a la hora de actuar profesionalmente

Habrá que verificar la inscripción en el Registro de Entidades Urbanísticas, así como estudiar las facultades del órgano rector y los estatutos y Bases de actuación aprobados.

Si interviene un órgano colegiado de la Junta de Compensación se exigirá el correspondiente certificado del acta que documente el acuerdo, comprobando que ésta se aprobó en debida forma y que las certificaciones están expedidas por quienes tienen facultad certificante y sus cargos vigentes. (FERNÁNDEZ-MARTOS Y BERMÚDEZ-CAÑETE y FERNÁNDEZ-MARTOS ABASCAL. 2000, p. 248).

4.8.5.2.2.5.2.5.3. Asociaciones administrativas de contribuyentes

Son las que tienen por objeto la distribución entre sus miembros de los beneficios y cargas derivados de la imposición de una determinada exacción fiscal.

Se regulan en el Real Decreto Legislativo 2/2004, de 5 de marzo, por el que se aprueba el texto refundido de la Ley Reguladora de las Haciendas Locales.

Constitución y personalidad jurídica

Según el artículo 36 del Real Decreto Legislativo 2/2004, pueden constituir la asociación los propietarios o titulares afectados por las obras, comprometiéndose a sufragar la parte que corresponda aportar a la entidad local cuando su situación financiera no lo permitiera, además de la que les corresponde según la naturaleza de la obra o servicio.

También los propietarios o titulares afectados por la realización de las obras o el establecimiento o ampliación de servicios promovidos por la entidad local podrán constituirse en asociaciones administrativas de contribuyentes en el período de exposición al público del acuerdo de ordenación de las contribuciones especiales.

Para constituir la asociación será necesaria un acta en la que conste la voluntad de constituir la asociación por la mayoría de contribuyentes, disponiendo el artículo 37 del Real Decreto Legislativo 2/2004 que el acuerdo deberá ser tomado por la mayoría absoluta de los afectados, siempre que representen, al menos, los dos tercios de las cuotas que deban satisfacerse.

Aunque nada dice la ley, los estatutos aprobados por los asociados serán sometidos a la aprobación de la entidad local, y una vez aprobados, deberá inscribirse en el Registro municipal correspondiente, adquiriendo así su personalidad jurídica (FERNÁNDEZ-MARTOS Y BERMÚDEZ-CAÑETE y FERNÁNDEZ-MARTOS ABASCAL. 2000, p. 249).

4.8.5.2.2.5.3. Centros de iniciativa turística

Podemos definirlos como una asociación formada por profesionales, empresarios, administraciones y colectivos relacionados con el turismo o interesados en su desarrollo y que entre sus múltiples objetivos cabe destacar: Trabajar conjuntamente con las administraciones públicas y entidades responsables del sector, fomentar el asociacionismo, favorecer la profesionalización, creación de productos turísticos y su comercialización, proponer, fomentar y apoyar las iniciativas turísticas, ya sean públicas o privadas.

Se rigen por el Decreto 2481/1974 de 9 de agosto, complementado por la Orden de 8 de febrero de 1975, si bien hoy la mayoría de Comunidades Autónomas han dictado normas sobre esta materia, regulando la constitución, registro y personalidad jurídica, si bien en muchos puntos coinciden con la normativa estatal.

Aconsejamos en primer lugar pues examinar la normativa autonómica al respecto.

Constitución y personalidad

Se precisa:

– acta fundacional, donde constarán los nombres y cargos de la junta u órgano de gobierno y relación de miembros fundadores, así denominación que se propone utilizar el Centro y ámbito territorial de su actuación

Podrán adoptar cualquier denominación específica, pero deberá figurar como genérica la de centro de Iniciativas Turísticas de «...».

– Estatutos por los que se rige el Centro de Iniciativas Turísticas.- Medios económicos, y estudio de financiación y presupuestos.

El Decreto estatal y la Orden citados establecen que debe autorizarse el Centro, por lo que el otorgamiento de la autorización para la creación de centros de Iniciativas Turísticas se tramitará mediante expediente, que se iniciará por instancia dirigida al Ministro del Departamento por el Presidente de la Junta constitutiva, en representación de los asistentes a la sesión fundacional, e irá acompañada de los Estatutos de constitución; la concesión de la autorización llevará consigo la inscripción de oficio del Centro en el Registro General de los centros de Iniciativas Turísticas.

Indicar que en las Comunidades Autónomas corresponderá a la correspondiente consejería de fomento o de turismo la autorización de estos centros (a propuesta en algunas de ellas de la Dirección general de Turismo), llevándose en la dirección General de Turismo de la respectiva Comunidad Autónoma el Registro de Centros de Iniciativas Turísticas, en el que se inscribirán de oficio los Centros existentes y los que se autoricen en el futuro.

Hay que entender que la personalidad jurídica queda condicionada a la aprobación ministerial y la inscripción en el correspondiente Registro General, debiendo el profesional que intervenga en la esfera de contratación de estos Centros examinar además de la correspondiente inscripción los estatutos para conocer los órganos y competencias de los mismos (FERNÁNDEZ-MARTOS Y BERMÚDEZ-CAÑETE y FERNÁNDEZ-MARTOS ABASCAL. 2000, p. 251.)

4.8.5.2.2.5.4. Asociaciones de estudiantes

4.8.5.2.2.5.4.1. Asociaciones de estudiantes universitarios

Son las que constituyen los estudiantes de las facultades y escuelas técnicas para conseguir una mayor participación en la vida académica o universitaria, tanto en sus aspectos culturales como profesionales.

El derecho a asociarse de los estudiantes universitarios se establece en el *artículo 46.2.g de la Ley Orgánica 6/2001, de 21 de diciembre, de Universidades.*

En lo no contemplado en la legislación anterior, nos debemos remitir al *Decreto 2248/1968, sobre Asociaciones de Estudiantes* y a la *Orden de 9 de noviembre de 1968, sobre normas del registro de Asociaciones de Estudiantes.*

Hay que tener en cuenta que las Comunidades Autónomas a las que se les ha trasferido competencia en educación han dictado normas al respecto, por lo que habrá que atender en primer lugar a dicha normativa.

Además, como se ha indicado parte de la legislación es preconstitucional, por lo que estará en vigor en la medida en que no vaya contra lo establecido en la Constitución o en normas posteriores.

Con carácter general se precisa unos estatutos y la recogida en una acta fundacional de *50 firmas* entre los estudiantes de la Facultad a la que se vaya a adscribir dicha asociación, donde constará nombre, apellidos, documento nacional de identidad, centro, curso y los cargos elegidos, entre otras menciones.

Los estatutos se presentarán ante el/la Secretario/a o el Vicedecanato de Estudiantes (dependiendo del centro se encargará uno u otro de dicha tarea) y posteriormente en el rectorado.

Finalmente debe inscribirse en el correspondiente Registro de asociaciones de la comunidad autónoma de que se trate.

Una vez inscrita la asociación por haber sido aprobada tendrá personalidad jurídica, y la representará el órgano que establezca los estatutos aprobados, quienes han de acreditar la vigencia de sus cargos por los procedimientos habituales explicados en el apartado general de las asociaciones. (FERNÁNDEZ-MARTOS Y BERMÚDEZ-CAÑETE y FERNÁNDEZ-MARTOS ABASCAL. 2000, p. 251.)

4.8.5.2.2.5.4.2. Asociaciones de alumnos

Las Asociaciones de Alumnos están reconocidas en el artículo 7 de la Ley Orgánica 8/1985 del derecho a la educación, y están referidas únicamente a la educación secundaria.

El desarrollo de la legislación anterior, lo encontramos en el Real Decreto 1532/1986 que regula las Asociaciones de Alumnos, si bien todas las Comunidades Autónomas han asumido competencias en materia de educación, por lo que pasamos a examinar la normativa general del Estado.

Como características fundamentales podemos citar las siguientes:

- Se desarrollan para participar en la gestión del Centro de enseñanza.
- Estas asociaciones de alumnos se constituirán mediante acta que deberá ser firmada, al menos, por el 5 por 100 de los alumnos del Centro con derecho a asociarse y, en todo caso, por un mínimo de cinco.

- El acta y los estatutos se depositan en la secretaría del Centro y ésta los remite al órgano provincial del Ministerio o al órgano correspondiente de la Consejería de Educación, si estuvieran transferidas las competencias sobre Educación.

- Las asociaciones de alumnos deberán contar con dos gestores, no retribuidos, para velar por el buen uso de sus recursos económicos. La designación de los gestores se realizará por la Junta Directiva de la asociación de entre sus propios miembros mayores de edad, Profesores o padres de alumnos del Centro

- Los órganos provinciales del Ministerio de Educación y Ciencia o el órgano correspondiente de la Consejería de Educación procederán a incluir las asociaciones en un censo establecido al efecto siempre que los fines de las mismas se adecuen a lo dispuesto en la Ley Orgánica reguladora del Derecho a la Educación y en la respectiva normativa autonómica.

- La inclusión en el censo tendrá carácter declarativo.

- Pueden constituir federaciones y confederaciones.

4.8.5.2.2.5.4.3. Asociaciones de padres de alumnos

Son asociaciones sin ánimo de lucro cuyos miembros lo forman padres y madres del alumnado de cada centro educativo en el ámbito no universitario, y asumen entre otras, las siguientes finalidades:

a) Asistir a los padres o tutores en todo aquello que concierne a la educación de sus hijos o pupilos.

b) Colaborar en las actividades educativas de los centros.

c) Promover la participación de los padres de los alumnos en la gestión del centro.

Vienen reconocidas en el *artículo 5 de la Ley Orgánica 8/1985, de 3 de julio, reguladora del derecho a la educación*, estando reguladas por el Real Decreto 1533/1986, de 11 de julio, si bien todas las Comunidades Autónomas han dictado normas al respecto, por lo que la referencia que haremos a continuación al Ministerio de Educación y Ciencia hay que entenderla hecha a la respectiva Consejería de Educación.

La constitución de las asociaciones de padres de alumnos se efectuará mediante acta en la que conste la voluntad de varios padres o tutores de alumnos de crear una asociación para el cumplimiento de las finalidades antes indicadas, debiendo los estatutos contener entre otras estos extremos: denominación, fines, composición y funcionamiento de sus órganos de gobierno, que en todo caso deberán ser democráticos, y patrimonio fundacional.

Las asociaciones de padres de alumnos presentarán en el Ministerio de Educación y Ciencia el acta y los estatutos, que las incluirá en un censo establecido al efecto.

La inclusión en el censo tendrá carácter declarativo, y además la asociación deberá inscribirse en el correspondiente Registro Autonómico de Asociaciones.

Su órgano rector suele ser la Junta Directiva, y como soberano la Asamblea General; entre los miembros de la Junta se elige al Presidente, que representará a la Asociación en sus relaciones con el Centro, los padres de alumnos y la Administración.

4.8.5.2.2.6. Asociaciones deportivas

La ley 10/1990 de 15 de octubre del Deporte es la norma básica y fundamental de ámbito estatal, junto con el real decreto 1251/1999 de 16 de julio sobre sociedades anónimas deportivas, que es la norma fundamental para las asociaciones que adopten esta forma societaria.

El real decreto 1252/1999 regula el registro de asociaciones deportivas, además de modificar algunos artículos del Real decreto 11835/1991 de 20 de diciembre sobre federaciones deportivas españolas y registro de asociaciones deportivas.

La ley estatal de 1990 especifica que su objetivo fundamental es regular el marco jurídico en que debe desenvolverse la práctica deportiva en el ámbito del Estado, es decir, atiende al deporte supraautonómico; por lo tanto será la legislación autonómica la aplicable en cada comunidad autónoma, dentro de su ámbito territorial.

Dentro de la ley estatal interesa destacar brevemente la referencia que realiza al asociacionismo deportivo, proponiendo en un primer nivel un nuevo modelo de asociacionismo deportivo que persigue favorecer el de base, mediante la creación de clubes deportivos elementales, de constitución simplificada; y en un segundo nivel proponiendo un modelo de responsabilidad jurídica y económicas para los clubes que desarrollan actividades de carácter profesional, mediante la conversión de los clubes profesionales en sociedades anónimas deportivas o la creación de tales sociedades para los equipos profesionales de la modalidad deportivas que corresponda.

También atiende la ley a las Federaciones Deportivas españolas y a las Ligas Profesionales como formas asociativas de segundo grado, reconociendo la naturaleza jurídico privada de las federaciones y atribuyéndoles funciones públicas de carácter administrativo; finalmente también contempla la ley las Agrupaciones de Clubes y los Entes de Promoción deportiva, que se regulan como asociaciones de ámbito estatal e implantación supraautonómica. (FERNÁNDEZ-MARTOS Y BERMÚDEZ-CAÑETE y FERNÁNDEZ-MARTOS ABASCAL: 2000, p. 267).

El consejo superior de deportes

Es un Organismo Autónomo de carácter administrativo adscrito al Ministerio de Educación y Ciencia, que tiene por finalidad ejercer la actuación de la Administración del Estado en el ámbito del deporte.

Sus órganos rectores son el Presidente y la Comisión Directiva, siendo las competencias del Consejo, entre otras, las siguientes:

- Autorizar y revocar de forma motivada la constitución y aprobar los estatutos y reglamentos de las Federaciones deportivas españolas.

- Autorizar el gravamen y enajenación de los bienes inmuebles de las federaciones deportivas españolas, cuando éstos hayan sido financiados total o parcialmente con fondos públicos del Estado.

- Autorizar la inscripción de las sociedades anónimas deportivas en el Registro de Asociaciones Deportivas.

- Autorizar la inscripción de las Federaciones deportivas españolas en las correspondientes Federaciones deportivas de carácter internacional.

El Presidente del Consejo Superior de Deportes, con rango de Secretario de Estado, es nombrado y separado por el Consejo de Ministros. Ostenta la representación y superior dirección del Consejo, administra su patrimonio, celebra los contratos propios de su actividad y dicta, en su nombre, los actos administrativos.

Son competencias específicas de la Comisión Directiva, entre otras, las siguientes:

- Autorizar y revocar, de forma motivada, la constitución de las Federaciones deportivas españolas.

- Aprobar definitivamente los estatutos y reglamentos de las Federaciones deportivas españolas, de las Ligas profesionales y de las Agrupaciones de clubes, autorizando su inscripción en el Registro de Asociaciones Deportivas correspondiente.

- Autorizar la inscripción de las Sociedades Anónimas Deportivas en el Registro de Asociaciones Deportivas.

Finalmente en lo que interesa a la intervención notarial reseñamos que para la enajenación, cesión y permuta de los bienes propios del Consejo Superior de Deportes se estará a lo dispuesto en la legislación sobre Patrimonio del Estado.

Clases de asociaciones deportivas

A los efectos de la ley 10/1990, las Asociaciones deportivas se clasifican en clubes, Agrupaciones de clubes de ámbito estatal, Entes de promoción deportiva de ámbito estatal, Ligas profesionales y Federaciones deportivas españolas

Clubes deportivos

Se consideran clubes deportivos las asociaciones privadas, integradas por personas físicas o jurídicas que tengan por objeto la promoción de una o varias modalidades deportivas, la práctica de las mismas por sus asociados, así como la participación en actividades y competiciones deportivas.

Dentro de esta categoría, se distinguen entre Clubes deportivos elementales, Clubes deportivos básicos y Sociedades Anónimas Deportivas.

Todos los clubes deben inscribirse en el correspondiente Registro de Asociaciones Deportivas.

A. Clubes deportivos elementales

Es suficiente para su constitución que sus promotores o fundadores suscriban un documento privado expresando sus nombres y su voluntad de constituirse como club.

Se integran exclusivamente por personas físicas, con un mínimo de tres fundadores, con el fin de la práctica de actividades deportivas y/o la participación en la competición oficial y/o aficionada.

El artículo 16 de la ley 10/1990 dispone que la constitución de un club deportivo elemental dará derecho a obtener un Certificado de Identidad Deportiva, en las condiciones y para los fines que reglamentariamente se determinen.

Por esto y por su antiformalismo en su constitución se considera que carecen de personalidad jurídica, lo que puede dar lugar a problemas jurídicos, por lo que habrá que exigir que en el documento constitutivo consten las personas que tienen la representación del club y asumen la responsabilidad de los actos que se realicen en nombre del mismo (FERNÁNDEZ-MARTOS Y BERMÚDEZ-CAÑETE y FERNÁNDEZ-MARTOS ABASCAL. 2000, p. 270).

B. Clubes deportivos básicos

Para su constitución es necesario un acta notarial otorgada por al menos por cinco fundadores, personas físicas o jurídicas, donde se recoja la voluntad de éstos de constituir un club con exclusivo objeto deportivo, teniendo por finalidad la promoción, práctica de una o varias especialidad deportiva, y la participación en competiciones oficiales.

También se precisará unos Estatutos en los que deberá constar, entre otras menciones: Denominación, objeto y domicilio del club, órganos de gobierno y de representación, y régimen de elección, que deberá ajustarse a los principios democráticos.

El carácter de club básico es otorgado por la inscripción en el registro correspondiente de asociaciones deportivas, que en este caso tiene carácter constitutivo.

Los estatutos del club constituyen su norma de funcionamiento, siendo sus órganos rectores normalmente el presidente, la junta directiva y la asamblea general. Habrá que atender a los estatutos para conocer el régimen de adopción de acuerdos asó como la responsabilidad de los miembros de estos órganos.

En cuanto a la legislación autonómica, todas las Comunidades Autónomas han dictado normas en la materia, y los Clubes de las Comunidades autónomas deberán acogerse a la legislación propia. Por ello, las asociaciones deportivas constituidas o inscritas en Registros Deportivos de acuerdo con la legislación autonómica correspondiente serán reconocidas como clubes deportivos a los efectos de lo previsto en el artículo 15.4 de la ley 10/1990, siempre que en sus estatutos prevean la constitución de órganos de gobierno y representación ajustados a principios democráticos, por lo que para participar en competiciones oficiales de ámbito estatal o de carácter internacional, los clubes deportivos no deberán adaptar sus Estatutos o reglas de funcionamiento a las condiciones establecidas en los artículos 17 y 18 de la citada ley.

C. Sociedades Anónimas Deportivas.

Es la forma jurídica que deben adoptar todos los clubes o sus equipos profesionales que participen en competiciones deportivas oficiales de carácter profesional y de ámbito estatal.

Las Sociedades Anónimas Deportivas quedan sujetas al régimen general de las Sociedades Anónimas, con las particularidades que se contienen en la ley 10/1990.

Las sociedades anónimas deportivas deberán inscribirse en el Registro de Asociaciones Deportivas correspondiente y en la Federación respectiva. La certificación acreditativa del asiento de inscripción de una Sociedad Anónima Deportiva en el Registro de Asociaciones Deportivas deberá acompañarse a la solicitud de inscripción de ésta en el Registro Mercantil.

En cuanto a las acciones de estas sociedades, hay que tener en cuenta que según el Real Decreto 1251/1999, de 16 de julio toda persona física o jurídica que adquiera o enajene una participación significativa en una sociedad anónima deportiva deberá comunicar al Consejo Superior de Deportes el número y valor nominal de las acciones, plazo y condiciones de la adquisición o enajenación, entendiéndose por participación significativa aquella que comprenda acciones u otros valores convertibles en ellas o que puedan dar derecho directa o indirectamente a su adquisición o suscripción de manera que el adquirente pase o deje de tener, junto con los que ya posea, una participación en el capital de la sociedad igual o múltiplo del 5 por 100.

El órgano de administración de las sociedades anónimas deportivas será un Consejo de Administración compuesto por el número de miembros que determinen los Estatutos, estableciendo el artículo 21 del Real Decreto 1251/1999, de 16 de julio algunas exclusiones y disponiendo que los miembros del Consejo de Administración y quienes ostenten cargos directivos en una sociedad anónima deportiva no podrán ejercer cargo alguno en otra sociedad anónima deportiva que participe en la misma competición profesional o, siendo distinta, pertenezca a la misma modalidad deportiva.

La escritura de constitución y los Estatutos de las sociedades anónimas deportivas deberán recoger, además de las expresiones obligatorias mencionadas en la ley de Sociedades de Capital, las específicas que determina el artículo 8 del Real Decreto 1251/99.

Las federaciones deportivas

Las federaciones deportivas españolas son entidades privadas, con personalidad jurídica, cuyo ámbito de actuación se extiende al conjunto del territorio del Estado, integradas por Federaciones deportivos de ámbito autonómico, Clubs deportivos, deportivas, técnicos, jueces y árbitros u otros agentes colaboradores o colectivos relacionados con el deporte.

Los requisitos para la constitución y reconocimiento de una Federación Deportiva Española se encuentran establecidos en el artículo 8 del *Real Decreto 1835/1991*, de 20 de diciembre, sobre Federaciones deportivas españolas y Registro de Asociaciones Deportivas.

La creación y constitución de una Federación deportiva española requerirá el otorgamiento ante Notario del acta fundacional, suscrita por los promotores, que deberán ser, como mínimo, 65 clubes deportivos, radicados por lo menos, en seis Comunidades Autónomas, o por nueve Federaciones de ámbito autonómico, con la documentación que señala el mencionado artículo y con los estatutos, debiendo inscribirse en el Registro de Asociaciones Deportivas del Consejo Superior de Deportes.

Los Estatutos de las Federaciones deportivas españolas, así como sus modificaciones, se publicarán en el «Boletín Oficial del Estado».

Son órganos de gobierno y representación de las Federaciones deportivas españolas, con carácter necesario, la Asamblea General y el Presidente.

El Presidente de la Federación española es el órgano ejecutivo de la misma. Ostenta su representación legal, convoca y preside los órganos de gobierno y representación, y ejecuta los acuerdos de los mismos.

En aquellas Federaciones deportivas españolas en que exista Junta Directiva, ésta se configura como el órgano colegiado de gestión de las mismas, siendo sus miembros designados y revocados libremente por el Presidente de la Federación, que la presidirá.

Su composición, responsabilidad de sus miembros ante la Asamblea General y régimen de funcionamiento, adopción de acuerdos y de sesiones, serán regulados en los Estatutos federativos y normas reglamentarias correspondientes, previéndose en todo caso la existencia de un Vicepresidente que sustituirá al Presidente en caso de ausencia, y que deberá ser miembro de la Asamblea General.

Las Federaciones deportivas de ámbito autonómico integradas en las Federaciones españolas correspondientes, ostentarán la representación de éstas en la respectiva Comunidad Autónoma.

Las Federaciones pueden gravar y enajenar sus bienes inmuebles, tomar dinero a préstamo y emitir títulos representativos de deuda o de parte alícuota patrimonial, siempre que dichos negocios jurídicos no comprometan de modo irreversible el patrimonio de la Entidad o su objeto social.

Cuando se trate de bienes inmuebles que hayan sido financiados, en todo o en parte, con fondos públicos del Estado, será preceptiva la autorización del Consejo Superior de Deportes para su gravamen o enajenación.

Ligas profesionales

Las Ligas son asociaciones de clubes que se constituirán, exclusiva y obligatoriamente, cuando existan competiciones oficiales de carácter profesional y ámbito estatal.

Las Ligas profesionales tendrán personalidad jurídica, y gozarán de autonomía para su organización interna y funcionamiento respecto de la Federación deportiva española correspondiente de la que formen parte.

Los Estatutos y reglamentos de las Ligas profesionales serán aprobados por el Consejo Superior de Deportes, previo informe de la Federación deportiva española correspondiente.

Según dispone el artículo 26 del Real Decreto 1835/1991, de 20 de diciembre, los Estatutos de las ligas profesionales deberán incluir, entre otros, los siguientes extremos: Denominación, objeto asociativo, domicilio social, órganos de gobierno y representación y sus funciones, así como sistema de elección y cese de los mismos.

Serán órganos de gobierno necesariamente el Presidente y la Asamblea. El cargo de Presidente será incompatible con el desempeño de un cargo directivo en un club o sociedad anónima deportiva de los asociados a la Liga.

Entes de promoción deportiva

Son asociaciones de Clubes o Entidades que tienen como objetivo la promoción y organización de actividades físicas y deportivas, con finalidades lúdicas, formativas o sociales.

Los Entes de promoción deportiva podrán ser reconocidos de utilidad pública por el Consejo de Ministros, a propuesta del Ministerio de Educación y Ciencia, con la tramitación y requisitos establecidos para las demás Entidades deportivas.

El comité olímpico español

El Comité Olímpico Español es una asociación sin fines de lucro, dotada de personalidad jurídica cuyo objeto consiste en el desarrollo del movimiento olímpico y la difusión de los ideales olímpicos.

El Comité Olímpico Español se rige por sus propios Estatutos y Reglamentos, en el marco de la ley 10/1990 y del ordenamiento jurídico español, y de acuerdo con los principios y normas del Comité Olímpico Internacional.

Cautelas a la hora de autorizar o intervenir en contratos en que sea parte una asociación deportiva

En primer lugar hay que atender a su ubicación y ámbito de ubicación para determinar si se rige por la legislación autonómica correspondiente o por la normativa estatal.

Hay que verificar su inscripción el respectivo Registro.

Las agrupaciones de clubes de ámbito estatal, los Entes de promoción deportiva de ámbito estatal, las Ligas profesionales y Federaciones deportivas españolas, y las Federaciones y Asociaciones deportivas internacionales deben inscribirse en el Registro de Asociaciones Deportivas.

Asimismo, deberán inscribirse en el mismo los clubes deportivos que participen en competición profesional y las sociedades anónimas deportivas. El resto de clubes y asociaciones deportivas se inscribirán en el registro autonómico correspondiente.

Habrá que analizar los estatutos, particularmente los órganos de administración y representación de la asociación, así como sus competencias.

Se deberá comprobar la vigencia de los cargos mediante la certificación de la persona facultada para ello.

En caso de enajenación o gravamen de inmuebles hay que tener en cuenta lo expuesto en los apartados anteriores y la respectiva ley de la Comunidad Autónoma de que se trate.

Por último, convendrá examinar si los acuerdos de los órganos colegiados se han adoptado con los requisitos exigidos en cada caso estatutariamente y que las certificaciones se expidan por las personas que correspondan, haciéndose constar en cada caso la forma, momento y mayoría con que se aprueban tales acuerdos. (FERNÁNDEZ-MARTOS Y BERMÚDEZ-CAÑETE y FERNÁNDEZ-MARTOS ABASCAL. 2000, p. 283).

4.8.5.2.2.7. Las Fundaciones

La **normativa estatal** está constituida por:

– la ley 50/2002, de 26 de diciembre, de Fundaciones, que además es de aplicación a las fundaciones de ámbito autonómico en las Comunidades Autónomas que no tienen ley propia, y contiene artículos básicos que son de aplicación general a todas las fundaciones y que las leyes autonómicas deberán respetar.

– la Ley 49/2002, de 23 de diciembre, de Régimen Fiscal de las Entidades sin Fines Lucrativos y de los Incentivos Fiscales al Mecenazgo

– el Real Decreto 1337/2005, por el que se aprueba el Reglamento de fundaciones de competencia estatal

– el Real Decreto 1611/2007, por el que se aprueba el Reglamento del Registro de fundaciones de competencia estatal.

La **normativa de las Comunidades Autónomas** es la siguiente:

– Andalucía:

> Ley 10/2005, de 31 de mayo, de Fundaciones de la Comunidad Autónoma de Andalucía

> Decreto 32/2008, de 5 febrero, Reglamento de Fundaciones de la Comunidad Autónoma de Andalucía

– Canarias:

> Ley 2/1998, de 6 de abril, de Fundaciones Canarias

> Decreto 188/1990, de 19 septiembre, Reglamento de organización y funcionamiento del Protectorado

– Castilla-león:

> Ley 13/2002, de 15 de julio, de Fundaciones de Castilla y León, modificada por la Ley 12/2003 y por la Ley 2/2006

> Decreto 63/2005, de 25 agosto, Reglamento de Fundaciones de Castilla y León

– Cataluña:

> Ley 4/2008, de 24 de abril, del libro tercero del Código civil de Cataluña, relativo a las personas jurídicas

> Decreto 43/2003, 20 febrero, Plan de Contabilidad de las fundaciones privadas

– Galicia:

> Ley 12/2006, de 1 de diciembre, de fundaciones de interés gallego.

> Decreto 14/2009, de 21 enero, Reglamento de Fundaciones de interés gallego.

    Decreto 15/2009, de 21 enero, Reglamento del Registro de Fundaciones de interés gallego

- Baleares: Decreto 61/2007, de 18 de mayo, que regula el Registro Único de Fundaciones de la comunidad autónoma de las Illes Balears y la ordenación del ejercicio del protectorado

- Asturias: Decreto 34/1998, de 18 junio, Registro de Fundaciones docentes y culturales de interés general del Principado de Asturias, modificado por Decreto 12/2000

- Aragón: *Decreto 276/1995, de 19 de diciembre, de la Diputación General de Aragón, por el que se regulan las competencias en materia de fundaciones y se crea el Registro de Fundaciones.*

- La Rioja: ley 1/2007 de 12 de febrero de fundaciones de la comunidad autónoma de La Rioja

- Madrid:

    Ley 1/1998, de 2 de marzo, de Fundaciones de la Comunidad de Madrid

    Decreto 20/2002, de 24 enero, Registro de Fundaciones de la Comunidad de Madrid

- Navarra:

    Ley foral 10/1996, de 2 de julio, reguladora del régimen tributario de las fundaciones y de las actividades de patrocinio

    Decreto Foral 613/1996, de 11 noviembre, estructura y el funcionamiento del Registro de Fundaciones

- País Vasco: ley 9/2016, de 2 de junio, de Fundaciones del País Vasco

- Comunidad Valenciana:

    Ley 8/1998, de 9 de diciembre, de Fundaciones de la Comunidad Valenciana

    Decreto 68/2011, de 27 mayo, Reglamento de Fundaciones

Constitución

Según el artículo 8 de la Ley de Fundaciones podrán constituir fundaciones tanto las personas físicas como las personas jurídicas (públicas o privadas). Las personas físicas deberán tener capacidad para disponer gratuitamente, tanto «*inter vivos*» como «*mortis causa*».

En caso de personas jurídicas privadas de índole asociativa, requerirán acuerdo del órgano competente para poder disponer gratuitamente de sus bienes. Las de índole institucional deberán recabar el acuerdo de su órgano rector. Las personas jurídico-públicas tendrán capacidad para constituir fundaciones, salvo que en sus normas reguladoras establezcan lo contrario.

En cuanto a la forma, según el artículo 9 de la ley 50/2002 La fundación podrá constituirse «*inter vivos*» o «*mortis causa*».

– Si es inter vivos, se realizará mediante escritura pública, con el contenido que establece la ley.

– Si es mortis causa, se realiza testamentariamente, cumpliendo el testamento con los requisitos para la escritura de constitución que establece la misma ley. Si en la constitución de una fundación por acto «mortis causa» el testador se hubiera limitado a establecer su voluntad de crear una fundación y de disponer de los bienes y derechos de la dotación, la escritura pública en la que se contengan los demás requisitos exigidos por la Ley se otorgará por el albacea testamentario y, en su defecto, por los herederos testamentarios. En caso de que éstos no existieran, o incumplieran esta obligación, la escritura se otorgará por el Protectorado, previa autorización judicial.

En cuanto a su personalidad jurídica, las fundaciones gozan de personalidad jurídica propia desde la inscripción de la escritura pública de su constitución en el correspondiente Registro de Fundaciones. Por tanto, se sigue el sistema de inscripción constitutiva en el Registro de Fundaciones.

Desde diciembre de 2015 existe un Registro Único de Fundaciones de Competencia Estatal, dependiente del Ministerio de Justicia.

Algunas Comunidades Autónomas tienen Registro único y otras tienen tantos registros como protectorados.

Una fundación se encuentra en proceso de formación durante el periodo que media desde el otorgamiento de la escritura fundacional y la inscripción correspondiente en el Registro de Fundaciones. Durante ese periodo, el Patronato de la fundación realizará los actos necesarios para llevar a cabo su inscripción y aquellos actos que sean indispensables para la conservación de su patrimonio y los que no admitan demora sin perjuicio para la propia fundación. Dichos actos se entenderán automáticamente asumidos por la fundación, una vez que obtenga personalidad jurídica.

Ámbito territorial de actuación

Son fundaciones de ámbito estatal, las fundaciones que desarrollen sus actividades en todo el territorio del Estado o principalmente en el de más de una Comunidad Autónoma. Son fundaciones de ámbito autonómico las fundaciones que desarrollen principalmente sus actividades en el territorio de una Comunidad Autónoma. El ámbito territorial deberá determinarse expresamente en los estatutos. Todo ello sin perjuicio de que también pueda realizar actividades de carácter internacional.

El ámbito territorial de actuación determinará la ley —estatal o autonómica— aplicable a la fundación y el órgano administrativo —Administración General del Estado o Comunidad Autónoma— que realizará las funciones de Protectorado y Registro. Si la fundación desarrolla sus actividades principalmente en una Comunidad Autónoma que no tiene una ley específica en materia de fundaciones, se regirá, supletoriamente, por la ley estatal (Ley 50/2002).

Administración y representación

Las fundaciones se constituyen mediante escritura pública, que deberá contener las menciones del artículo 10 de la ley 50/2002, entre ellas los estatutos de la fundación.

Éstos contendrán de acuerdo con el artículo 11 de la Ley 50/2002: la denominación de la entidad; los fines fundacionales; el domicilio de la fundación y el ámbito territorial de ejercicio principal de sus actividades; las reglas básicas para la aplicación de los recursos al cumplimiento de los fines fundacionales y para la determinación de los beneficiarios; la composición del Patronato, las reglas para la designación y sustitución de sus miembros, las causas de su cese, sus atribuciones y la forma de deliberar y adoptar acuerdos; y cualesquiera otras disposiciones y condiciones lícitas que el fundador o fundadores tengan a bien establecer.

En toda fundación debe existir un órgano de gobierno y de representación, con la denominación de Patronato y cuyos miembros reciben el nombre de patronos.

Son funciones del Patronato: cumplir con los fines fundacionales y administrar diligentemente los bienes y derechos que integran el patrimonio de la fundación.

Pueden ser miembros del Patronato las personas físicas y jurídicas, públicas o privadas.

El Patronato estará constituido por un mínimo de tres miembros y en su seno habrá siempre un Presidente y un Secretario. Destaca pues el carácter obligatorio de la existencia de un Secretario en el Patronato.

El Secretario podrá o no ser patrono. En el caso de que no lo sea, tendrá voz, pero no voto.

Sólo pueden ser miembros del patronato las personas físicas que tengan plena capacidad de obrar y no estén inhabilitados para el ejercicio de cargos públicos, y las personas jurídicas siempre que designen a la persona física que les represente.

La composición y el sistema de designación de los patronos deberán quedar establecidos en los estatutos.

Los Patronos deben aceptar el cargo mediante alguna de las siguientes fórmulas:

- Ante el propio Patronato, acreditándose esta aceptación mediante certificación expedida por el Secretario.

- En documento público, ante Notario.

- En documento privado con firma legitimada por Notario.

- Mediante comparecencia realizada a tal fin en el Registro de Fundaciones.

Cabe destacar que el cargo de patrono es gratuito; sin embargo, se regula la posibilidad de establecer una retribución adecuada para aquellos patronos que desempeñen para la Fundación servicios distintos a los que implica el desempeño del cargo de patrono, siempre que el fundador no lo haya prohibido y previa autorización del Protectorado. Las personas físicas deberán ejercer su cargo personalmente, salvo que lo desempeñen por razón del cargo que ocupan, en cuyo caso podrán actuar en su nombre las personas que le sustituyan en dicho cargo.

El Patronato puede delegar sus facultades en uno o más de sus miembros si los estatutos no lo prohíben. No obstante, no son delegables:

La aprobación de las cuentas y del plan de actuación.

La modificación de los estatutos.

La fusión.

La liquidación de la fundación.

Aquellos actos que requieran la autorización del Protectorado:

- Autocontratación de patronos.

- Enajenación, onerosa o gratuita, y gravamen de los bienes y derechos que formen parte de la dotación o estén directamente vinculados al cumplimiento de los fines fundacionales.

Los poderes generales y las delegaciones de facultades, así como su modificación o revocación, deberán inscribirse en el Registro de fundaciones. Para ello, deberá presentarse escritura pública a la que se incorporará el acuerdo del Patronato.

Los estatutos podrán prever la existencia de otros órganos para el desempeño de las funciones que expresamente se les encomienden. Respecto al Protectorado, solamente indicar que es el órgano de la Administración, general o autonómica, que vela por el correcto ejercicio del derecho de fundación y por la legalidad de la constitución y funcionamiento de las fundaciones.

En la Administración General del Estado existe, desde diciembre de 2015, un Protectorado Único de Fundaciones de Competencia Estatal, dependiente del Ministerio de Educación, Cultura y Deporte.

En las Comunidades Autónomas existen sistemas diversos. Unas tienen Protectorado único y otras Protectorado múltiple.

Patrimonio y capacidad

El patrimonio de la Fundación está formado por todos los bienes, derechos y obligaciones susceptibles de valoración económica que integren la dotación, así como por aquellos que adquiera la fundación con posterioridad a su constitución, se afecten o no a la dotación. Su administración y disposición corresponde al Patronato. La Fundación deberá figurar como titular de todos los bienes y derechos integrantes de su patrimonio. Para ello, los órganos de gobierno promoverán, bajo su responsabilidad, su inscripción a nombre de la Fundación en los Registros públicos correspondientes. En cuanto a la disposición y gravamen del patrimonio fundacional hay que tener presente que:

–   Requieren la autorización previa del Protectorado los actos de enajenación, onerosa o gratuita, y de gravamen de los bienes y derechos que formen parte de la dotación y de los directamente vinculados al cumplimiento de los fines fundacionales (artículo 21 de la ley 50/2002).

–   el resto de actos de disposición de aquellos bienes y derechos fundacionales distintos de los que forman parte de la dotación o estén vinculados directamente al cumplimiento de los fines fundacionales, de gravamen de bienes inmuebles, establecimientos mercantiles o industriales, bienes de interés cultural, así como aquéllos cuyo importe, con independencia de su objeto, sea superior al 20 por 100 del activo de la fundación que resulte del último balance aprobado, deberán ser comunicados por el Patronato al Protectorado en el plazo máximo de treinta días hábiles siguientes a su realización.

La aceptación de herencias por las fundaciones se entenderá hecha siempre a beneficio de inventario. La aceptación de legados con cargas o donaciones onerosas o remuneratorias y la repudiación de herencias, donaciones o legados sin cargas serán comunicadas por el Patronato al Protectorado en el plazo máximo de los diez días hábiles siguientes. Las fundaciones podrán realizar actividades mercantiles mediante la participación en sociedades mercantiles en las que no responda personalmente de las deudas sociales.

Cuando esta participación sea mayoritaria deberán dar cuenta al Protectorado en cuanto dicha circunstancia se produzca.

Fundaciones extranjeras

Según el artículo 7 de la ley 50/2002 las fundaciones extranjeras que pretendan ejercer sus actividades de forma estable en España, deberán mantener una delegación en territorio español, e inscribirse en el Registro de Fundaciones competente en función del ámbito territorial en que desarrollen principalmente sus actividades.

La fundación extranjera que pretenda su inscripción deberá acreditar ante el Registro de Fundaciones correspondiente que ha sido válidamente constituida con arreglo a su ley personal.

La inscripción podrá denegarse cuando no se acredite que ha sido válidamente constituida con arreglo a su ley personal o cuando los fines no sean de interés general con arreglo al ordenamiento español.

Las delegaciones en España de fundaciones extranjeras quedarán sometidas al Protectorado que corresponda en función del ámbito territorial en que desarrollen principalmente sus actividades, siéndoles de aplicación el régimen jurídico previsto para las fundaciones españolas.

Cautelas *cuando en un negocio jurídico sea parte una fundación*

– Estudiar los estatutos para conocer qué tipo de fundación es y la normativa aplicable.

– Comprobar que está inscrita en el registro de fundaciones correspondiente.

– Si se trata de una fundación extranjera tener en cuenta lo dicho anteriormente en el apartado correspondiente.

– En caso de poderes generales y delegaciones de facultades otorgados por el patronato comprobar que están inscritos en el Registro de fundaciones.

– En caso de enajenación o gravamen hay que examinar si procede la autorización previa del Protectorado o la comunicación posterior al mismo, en los términos expuestos anteriormente y que recoge el artículo 21 de la ley 50/2002.

4.8.5.2.2.7.1. Fundaciones de beneficencia particular

Fueron reguladas por la Ley de Beneficencia de 20 de junio de 1849, con la particularidad de que dado sus fines benéficos o piadosos se les impone la obligación de formular presupuestos y rendir cuentas anualmente ante las juntas generales, provinciales y municipales de Beneficencia.

El Real Decreto e Instrucción de 14 de marzo de 1899 se convirtieron en la norma básica para el ejercicio de las funciones de control que el Estado asumía respecto de las fundaciones privadas de Beneficencia, ejercidas a través de las Juntas Provinciales

La ley 30/1994 de 24 de noviembre, de Fundaciones y de incentivos fiscales a la participación privada en actividades de interés general derogó la Ley de Beneficencia de 20 de junio de 1849 y cuantas disposiciones se opusieran a la ley 30/1994 recogidas en el Real Decreto de 14 de marzo de 1899 sobre reorganización de servicios de la beneficencia particular e instrucción para el ejercicio del Protectorado del Gobierno.

4.8.5.2.2.7.2. Fundaciones culturales

Estaban reguladas por el Decreto de 21 de julio de 1972, y actualmente se rigen por la ley 50/2002, de 26 de diciembre, teniendo como fines la promoción, difusión y salvaguarda de la cultura.

4.8.5.2.2.7.3. Fundaciones laborales

Estaban reguladas por el Decreto de 16 de marzo de 1961 y la Orden de 25 de enero de 1962 y actualmente se rigen por la ley 50/2002, de 26 de diciembre

Son aquéllas que se crean para beneficiar a los colectivos de trabajadores de una o varias empresas y sus familiares.

4.8.5.2.2.7.4. Fundaciones religiosas

Son las creadas por la Iglesia Católica o por cualquier otra iglesia, confesión o comunidad, al amparo de la Ley Orgánica 7/1980 de 5 de julio de Libertad Religiosa.

Estas fundaciones pueden perseguir fines eminentemente religiosos y otros fines distintos, dedicadas en este caso a actividades docentes, benéficas, hospitalarias, de asistencia social, etc.

- Respecto a las que tengan fines propiamente religiosos, les es aplicable la Ley Orgánica 7/1980 de 5 de julio de Libertad Religiosa y se inscriben en el Registro de Entidades Religiosas, regulado por el *Real Decreto 594/2015* de 3 de julio, teniendo en cuenta además que a las fundaciones canónicas se les aplica el Real Decreto 589/1984, de 8 de febrero, de Fundaciones de la Iglesia Católica.

El Registro de Entidades Religiosas se ubica en la Dirección General de Cooperación Jurídica Internacional y Relaciones con las Confesiones y en él se inscriben las entidades religiosas que quieran obtener personalidad jurídica civil. Su gestión corresponde a la Subdirección General de Relaciones con las Confesiones.

En el Registro consta el nombre oficial de la entidad, la fecha y número de inscripción, el domicilio social, una descripción de sus fines, su régimen de funcionamiento y órganos representativos y los nombres de los representantes legales y de los lugares de culto.

Destacar pues en esta nueva normativa que la inscripción de los representantes legales es obligatoria a diferencia de la anterior en la que era potestativa para las entidades.

- Respecto a las que tengan fines de carácter benéfico o asistencial, se regirán por sus normas estatutarias y gozarán de los derechos y beneficios de los entes clasificados como de beneficencia privada, es decir, están sometidas a la normativa general de las fundaciones, pues en estos casos actúan al amparo del derecho de fundación. (FERNÁNDEZ-MARTOS Y BERMÚDEZ-CAÑETE y FER-NÁNDEZ-MARTOS ABASCAL. 2000, p. 294).

4.8.5.2.2.8. Mutualidades

4.8.5.2.2.8.1. Mutualidades Patronales de accidentes de trabajo

Se rigen por el Real Decreto Legislativo 1/1994, de 20 de junio, por el que se aprueba el Texto Refundido de la Ley General de la Seguridad Social y el Real Decreto 1993/1995 de 7 de diciembre, por el que se aprueba el Reglamento sobre colaboración de las Mutuas de Accidentes de Trabajo y Enfermedades Profesionales de la Seguridad Social.

Conviene destacar que las «Mutuas Patronales de Accidentes y Enfermedades Laborales de la Seguridad Social» han cambiado de nombre con la nueva Ley de Mutuas 35/2014 de 26 de diciembre, pasando a llamarse «Mutuas Colaboradoras de la Seguridad Social».

Se definen como asociaciones privadas de empresarios constituidas mediante autorización del Ministerio de Empleo y Seguridad Social e inscripción en el Registro especial dependiente de éste, que tienen por finalidad colaborar en la gestión de la Seguridad Social, bajo la dirección y tutela del mismo, sin ánimo de lucro y asumiendo sus asociados responsabilidad mancomunada en los supuestos y con el alcance establecidos en esta ley.

Las mutuas se financian básicamente con las cotizaciones por accidentes de trabajo y con una fracción de las cotizaciones por contingencias comunes.

Las Mutuas Colaboradoras con la Seguridad Social, una vez constituidas, adquieren personalidad jurídica y capacidad de obrar para el cumplimiento de sus fines, con plena capacidad para adquirir, poseer, gravar o enajenar bienes y realizar toda clase de actos y contratos o ejercitar derechos o acciones. El ámbito de actuación de las mismas se extiende a todo el territorio del Estado.

Constitución

Los empresarios que deseen constituir una Mutua de Accidentes de Trabajo y Enfermedades Profesionales de la Seguridad Social deberán solicitar la oportuna autorización del Ministerio de Trabajo y Seguridad Social, mediante instancia firmada por todos ellos y acompañada de una serie de documentos, entre los que destacamos: Acta en que conste el acuerdo de los empresarios para constituir la Mutua, relación nominal de los mismos y estatutos cuya aprobación se solicite.

El Ministerio de Trabajo y Seguridad Social, previa comprobación de que concurren en la solicitud formulada los requisitos necesarios para la constitución de una Mutua y que sus estatutos no se oponen al ordenamiento jurídico, procederá a la aprobación de aquélla y de éstos. Aprobada la constitución de la Mutua y constituida la fianza, se procederá a la inscripción de la entidad en el correspondiente Registro, dependiente de la Secretaría General para la Seguridad Social.

Notificada a la entidad la aprobación y subsiguiente inscripción, con expresión del número de Registro que le corresponda, la misma podrá comenzar su actuación.

Las inscripciones en el Registro se publicarán en el BOE.

Por tanto, para adquirir la personalidad jurídica se necesita la inscripción en el Registro y la asignación del número correspondiente.

En cuanto a los *estatutos* de las Mutuas, deberán recoger entre otras menciones: Denominación, objeto, domicilio social, normas de gobierno y funcionamiento interior de la entidad, detallando el número de miembros que han de componer sus Juntas directivas; así como las atribuciones, régimen de incompatibilidades, nombramiento, remoción y sustitución de aquéllos y del Director Gerente; las facultades reservadas a las Juntas generales; los requisitos que han de observarse en la convocatoria de las Juntas directivas y generales, según revistan carácter ordinario o extraordinario, las formas de representación y las condiciones exigidas para la validez de los acuerdos; responsabilidad de los asociados que desempeñen funciones directivas, así como del Director Gerente, y la forma de hacer efectiva dicha responsabilidad.

Los **órganos** *de gobierno* de las Mutuas Colaboradoras con la Seguridad Social son la Junta General, la Junta Directiva y el Director Gerente, cuya designación, por su carácter profesional, deberá recaer en persona que no tenga la condición de asociado.

La *Junta general* es el superior órgano de gobierno de la entidad, estando integrada por todos sus asociados, si bien sólo tendrán derecho de voto aquellos que estuvieren al corriente en el cumplimiento de sus obligaciones sociales.

Formará parte de la Junta general un representante de los trabajadores al servicio de la entidad, que tendrá plenos derechos y será elegido de entre los miembros del comité o comités de empresa o de los delegados de personal, o en su caso, de los representantes sindicales del personal.

La *Junta directiva* se compondrá del número de asociados que se señale en los estatutos, sin que en ningún caso pueda ser superior a veinte miembros.

Los miembros de la Junta directiva no podrán comprar ni vender para sí mismos, ni directa ni por persona o entidad interpuesta, cualquier activo patrimonial de la entidad.

La Junta general designará a los asociados que hayan de constituir la Junta directiva. El Director Gerente concurrirá con voz y sin voto a las reuniones de la Junta.

Los designados para formar parte de la Junta directiva no comenzarán a ejercer sus funciones hasta que sus nombramientos sean confirmados por el Ministerio de Trabajo y Seguridad Social.

La Junta directiva tendrá a su cargo el gobierno directo e inmediato de la entidad, correspondiéndole la convocatoria de la Junta general y la ejecución de los acuerdos adoptados por la misma, así como las demás funciones que se establezcan en los estatutos, comprendiéndose entre ellas la exigencia de responsabilidad al Director Gerente. Le corresponderán también las facultades de representación de la Mutua.

El *Director gerente* no podrá comprar ni vender para sí mismo cualquier activo patrimonial de la entidad ni contratar con la mutua actividad mercantil alguna, ni directamente ni por persona o entidad interpuesta.

El Director Gerente no comenzará a ejercer sus funciones hasta que su nombramiento sea confirmado por el Ministerio de Trabajo y Seguridad Social.

En cuanto a las *reuniones y acuerdos* tanto la Junta directiva como la general podrán reunirse, con carácter ordinario o extraordinario, en los casos y con los requisitos establecidos en los estatutos. En todo caso, la Junta general se reunirá con carácter ordinario una vez al año.

Los acuerdos de los órganos de gobierno se aprobarán por mayoría simple de los asistentes, salvo exigencia estatutaria expresa de una mayoría cualificada para determinados acuerdos. No obstante, los acuerdos relativos a la reforma de los estatutos, así como los referentes a fusión, absorción o disolución de la entidad deberán ser tomados en Junta general extraordinaria, convocada expresamente al efecto, y precisarán para su aprobación, en primera convocatoria, una mayoría de dos tercios de los empresarios asociados a la Mutua que estuvieran al corriente en el cumplimiento de sus obligaciones sociales; los estatutos determinarán el número de asistentes y la mayoría que hayan de concurrir para que el acuerdo sea válido, en el caso de que sea preciso efectuar otras convocatorias.

De todas las reuniones se extenderán las correspondientes actas, que se transcribirán en los libros destinados a tal fin.

Enlazando con esto último, y cuando en un negocio jurídico intervenga como parte una mutua patronal, habrá que estar a la certificación del acta correspondiente para conocer el acuerdo concreto y la vigencia de los cargos, debiendo estudiar los estatutos para saber las facultades de las Juntas Directivas y de sus cargos, principalmente del Presidente, y las competencias de las Juntas generales.

4.8.5.2.2.8.2. Mutualidades de Previsión Social y Regímenes Especiales externos al Sistema Institucional de la Seguridad Social

Las mutualidades de previsión social se regulaban en el Real Decreto Legislativo 6/2004, de 29 de octubre, por el que se aprueba el texto refundido de la Ley de ordenación y supervisión de los seguros privado, que ha sido derogado excepto sus artículos 9, 10 y 24 por lo que se refiere a las mutuas, mutualidades de previsión social y cooperativas de seguros; la disposición adicional sexta; la disposición adicional séptima; y la referencia contenida en la disposición derogatoria del Real Decreto Legislativo, letra a).8.ª, por la que se mantiene en vigor la disposición adicional decimoquinta de la Ley 30/1995, de 8 de noviembre, de Ordenación y Supervisión de los Seguros Privados, que deben seguir vigentes.

Se regula hoy por la ley 20/2015, de 14 de julio, de ordenación, supervisión y solvencia de las entidades aseguradoras y reaseguradoras, que las define como entidades aseguradoras que ejercen una modalidad aseguradora de carácter voluntario complementaria al sistema de Seguridad Social obligatoria, mediante aportaciones de los mutualistas, personas físicas o jurídicas, o de otras entidades o personas protectoras, señalando además que las mutualidades de previsión social que se encuentran reconocidas como alternativas a la Seguridad Social en la disposición adicional decimoquinta de la Ley 30/1995, de 8 de noviembre, de Ordenación y Supervisión de los Seguros Privados, ejercen además una modalidad aseguradora alternativa al alta en el Régimen Especial de la Seguridad Social de los Trabajadores por Cuenta Propia o Autónomos.

Las mutualidades de previsión social deberán cumplir entre otros los siguientes **requisitos**:

– Carecer de ánimo de lucro.

– La condición de socio mutualista será inseparable de la de tomador del seguro o de asegurado, siempre que este último sea el pagador final de la prima.

– Salvo disposición contraria en los estatutos sociales, los mutualistas no responderán de las deudas de la mutualidad. En el caso de que, conforme a lo previsto en los estatutos sociales, los mutualistas respondieran de dichas deudas, su responsabilidad se limitará a una cantidad inferior al tercio de la suma de las cuotas que hubieran satisfecho en los tres últimos ejercicios, con independencia del ejercicio corriente.

– La incorporación de los mutualistas a la mutualidad de previsión social será en todo caso voluntaria y requerirá una declaración individual del solicitante, o bien de carácter general derivada de acuerdos adoptados por los órganos representativos de una cooperativa o de un colegio profesional, salvo oposición expresa del mutualista, sin que puedan ponerse límites para ingresar en la mutualidad de previsión social distintos a los previstos en sus estatutos por razones justificadas.

Ahora bien, esta es la legislación general relativa a todas las Mutualidades Profesionales privadas, pero su norma específica es la aprobada en cada caso para ellas, y además los reglamentos de Régimen interior o Estatutos aprobados por los respectivos colectivos. (FERNÁNDEZ-MARTOS Y BERMÚDEZ-CAÑETE y FERNÁNDEZ-MARTOS ABASCAL. 2000, p. 367).

Entrando ya en el estudio de los regímenes especiales externos al sistema de la Seguridad Social (algunos consideran que son regímenes especiales que forman parte del sistema de la Seguridad Social), debemos referirnos primeramente al Real Decreto Legislativo 670/1987, de 30 de abril, por el que se aprueba el texto refundido de Ley de Clases Pasivas del Estado, que abarca a todos los funcionarios —en la mayoría de las materias pero no en todas—, salvo al personal funcionario en prácticas y de nuevo ingreso en las Comunidades Autónomas y a los funcionarios de la Administración Local.

Veamos pues cada una de las normativas para determinados grupos de funcionarios, y a las que deberemos atender para conocer los órganos rectores de las diversas instituciones mutuales y su capacidad cuando intervengan en la contratación civil o mercantil. (FERNÁNDEZ-MARTOS Y BERMÚDEZ-CAÑETE y FERNÁNDEZ-MARTOS ABASCAL. 2000, p. 367).

Funcionarios Civiles del Estado. MUFACE

En cuanto a derechos pasivos rige el Real Decreto Legislativo 670/1987, de 30 de abril, de Clases Pasivas, pero la protección mutualista corre a cargo de la Entidad Gestora de la Mutualidad General de Funcionarios Civiles del Estado (MUFACE), que no se aplica a los de la Administración local, Organismos Autónomos, Administración Militar, Administración de Justicia, nuevo ingreso en Comunidades Autónomas y Administración de la Seguridad Social.

Las normas que regulan su funcionamiento, composición y competencias son:

- Real Decreto Legislativo 4/2000, de 23 de junio, por el que se aprueba el texto refundido de la Ley sobre Seguridad Social de los Funcionarios Civiles del Estado

- Real Decreto 375/2003, de 28 marzo, que aprueba el Reglamento General del Mutualismo Administrativo *Real Decreto 577/1997, de 18 de abril,* de estructura de los órganos de gobierno, administración y representación de la Mutualidad General de Funcionarios Civiles del Estado.

- *Orden APU 284/2004, de 2 de febrero,* por la que se regula el procedimiento de ingreso de cotizaciones de los mutualistas a la Mutualidad General de Funcionarios Civiles del Estado.

Seguridad Social de las Fuerzas Armadas (ISFAS)

La protección mutualista se encomienda al ISFAS por el *Real Decreto Legislativo 1/2000, de 9 de junio*, por el que se aprueba el texto refundido de la Ley sobre Seguridad Social de las Fuerzas Armadas.

El ISFAS es un organismo adscrito al Ministerio de Defensa, e integrado en la Subsecretaría del citado departamento ministerial, regulando su estructura el *Real Decreto 1726/2007, de 21 de diciembre*, por el que se aprueba el Reglamento General de la Seguridad Social de las Fuerzas Armadas, modificado por el *Real Decreto 641/2016, de 9 de diciembre*.

El ISFAS es un Organismo público con personalidad jurídica pública diferenciada, patrimonio y tesorería propios, así como autonomía de gestión.

La Seguridad Social de la Administración Local

El régimen especial de funcionarios de la Administración Local se inició en España con la ley 11/1960, de 12 de mayo, que creó la Mutualidad Nacional de Previsión de la Administración Local, como entidad de gestión de la Seguridad Social de los Funcionarios de las Corporaciones Locales.

Por su parte la disposición final 2ª de ley 7/1985, de 2 de abril, Reguladora de las Bases del Régimen Local establece que los funcionarios públicos de la Administración local tendrán la misma protección social, en extensión e intensidad, que la que se dispense a los funcionarios públicos de la Administración del Estado y estará integrada en el Sistema de Seguridad Social.

La Mutualidad Nacional de Previsión de la Administración Local (MUNPAL) es una persona jurídica de derecho público, dotada de plena capacidad jurídica y de patrimonio propio para el cumplimiento de sus fines, cuya adscripción orgánica, superior Dirección y tutela corresponde al Ministerio para las Administraciones Públicas.

Su estructura orgánica se establece en el Real Decreto 2739/1986, de 19 de diciembre.

La Seguridad Social de la Administración de Justicia

Este Régimen especial se articula a través de un doble mecanismo de cobertura:

- Derechos pasivos, regulado por el Real Decreto Legislativo 670/1987, de 30 de abril, por el que se aprueba el texto refundido de Ley de Clases Pasivas del Estado.

- La protección mutualista, que se regula en el Real Decreto Legislativo 3/2000, de 23 de junio, por el que se aprueba el texto refundido de las disposiciones legales vigentes sobre el Régimen especial de Seguridad Social del personal al servicio de la Administración de Justicia.

La protección mutualista se atribuye a la Mutualidad General Judicial, adscrita al Ministerio de Justicia, regulada por el Decreto 1776/1971, de 1 de julio, por el que se aprueba el Reglamento de la Mutualidad de Previsión de Funcionarios de la Administración de Justicia.

Quedan obligatoriamente incluidos en este Régimen especial:

a) El personal al servicio de la Administración de Justicia comprendido en la Ley Orgánica 6/1985, de 1 de julio, del Poder Judicial.

b) Los funcionarios en prácticas al servicio de la Administración de Justicia.

La Mutualidad General Judicial es un organismo público con personalidad jurídica pública diferenciada, patrimonio y tesorería propios, así como autonomía de gestión.

4.8.5.2.3. *Personas jurídicas extranjeras*

Deberán acreditar su representación mediante exhibición del documento de su constitución (donde conste entre otros extremos, su denominación, fecha de constitución y persona que represente a la entidad) o bien mediante certificación del Registro Mercantil, Tribunal de Comercio u órgano equivalente encargado del registro de la misma en el país de origen o correspondiente a la nacionalidad de la persona jurídica de que se trate; estos documentos deberán estar legalizados, salvo que sean aplicables algunas de las excepciones que contemplan los Convenios de la Haya, de Atenas o de Londres que pasamos a examinar.

En cualquier caso, dichos documentos deberán ser traducidos salvo que el Notario autorizante del documento en España conozca la lengua en que está redactado el documento extranjero legalizado o apostillado.

4.8.5.2.3.1. Legalización de documentos públicos extranjeros (Convenios de la Haya, Atenas y Londres)

En nuestra normativa legal (artículo 36 del Reglamento hipotecario) el requisito de la legalización de los documentos públicos extranjeros está formado por dos actos diferentes: la legitimación, prestada por los cónsules españoles a las firmas puestas por los funcionarios autorizantes en los documentos extranjeros y la legalización o constatación de las firmas del Cónsul por parte del ministerio de Asuntos Exteriores (FERNÁNDEZ-MARTOS Y BERMÚDEZ-CAÑETE y FERNÁNDEZ-MARTOS ABASCAL. 2000, p. 167).

Pasamos a examinar algunos de los convenios firmados por España que eximen del requisito de legalización, con sus Estados parte.

CONVENIO DE LA HAYA, de 5 de octubre de 1961

Este convenio se refiere solamente a la legalización propiamente dicha, es decir, a la formalidad destinada a comprobar la autenticidad de la firma puesta en el documento, la calidad en que ha obrado el firmante del mismo y, en su caso, la identidad del sello que lleva el documento, consistente dicha formalidad en la «Apostilla» expedida por la autoridad competente del Estado del que dimane el documento.

Se aplica a los documentos públicos que hayan sido autorizados en el territorio de un Estado contratante que deban ser representados en otro Estado contratante. (FER-NÁNDEZ-MARTOS Y BERMÚDEZ-CAÑETE y FERNÁNDEZ-MARTOS ABASCAL. 2000, p. 168).

Funcionarios competentes en ESPAÑA para colocarla:

1) Documentos dimanantes de una autoridad o funcionario vinculado a una jurisdicción del Estado, incluyendo los provenientes del ministerio público, o de un secretario, oficial o agente judicial

    – Secretario de Gobierno del Tribunal Superior de Justicia de la Comunidad Autónoma correspondiente.

2) Documentos autorizados notarialmente y documentos privados cuyas firmas hayan sido legitimadas por Notario

    – Decano del Colegio Notarial respectivo o Miembro de su Junta Directiva.

3) Documentos expedidos por las autoridades y funcionarios de la Administración Central (incluido el Registro Civil Central)

    – Ministerio de Justicia.

4) Restantes documentos públicos

    – Respecto de los documentos públicos de las restantes Administraciones, excepto los emanados de los órganos de la Administración Central, los interesados en el cumplimiento del trámite podrán utilizar indistintamente y a su elección el procedimiento 1) o el procedimiento 2).

(BOE. núm. 248, de 17.10.78 y BOE núm. 17, de 19. 01. 79)

Los *Estados parte* del Convenio de la Haya son:

Alemania, Andorra, Antigua y Barbuda, Argentina, Armenia, Australia, Austria, Azerbaiyan (2/03/05), Bahamas, Bahrein (31/12/13), Barbados, Belarus, Bélgica, Belice, Bosnia-Herzegovina, Botswana, Brasil (16/08/2016), Brunei-Darusalan, Bulgaria, Burundi (13/02/15), Cabo Verde (13/02/10), Chile (30/08/2016), Chipre, Colombia, Islas Cook, Corea (14/07/07), Costa Rica (14/12/11), Croacia, Dinamarca (29/12/06), Dominica, Ecuador (2/04/06), El Salvador, Eslovenia, España, EE.UU. Estonia, Fidji, Finlandia, Francia, Georgia (14/05/07), Granada, Grecia, Guatemala

(18/09/2017), Honduras, Hong-Kong, Hungría, India (12/03/08), Irlanda, Islandia, Israel, Italia, Japón, Kazajstán, Kirguistán (31/07/11), Lesotho, Letonia, Liberia, Liechtenstein, Lituania, Luxemburgo, Macao, Macedonia, Malawi, Malta, Marruecos (16/08/2016), Islas Marshall, Isla Mauricio, México, Moldavia (16/03/07), Mónaco, Mongolia (31/12/09), Montenegro, Namibia, Nicaragua (EV. 14/05/13), Isla Niue, Noruega, Nueva Zelanda, Omán (30/01/12), Países Bajos, Panamá, Paraguay (01/09/2014), Perú (30/09/10), Polonia (14/08/05), Portugal, Reino Unido, República Checa, República Dominicana (30/08/09), República Eslovaca, Rumanía, Rusia, Federación de Samoa, San Cristobal y Nieves, San Marino, San Vicente y las Granadinas, Santa Lucía, Santo Tomé y Príncipe (13/09/08), Serbia, Islas Seychelles, Sudáfrica, Suecia, Suiza, Suriname, Swazilandia, Tayikistán (30/10/2015), Tonga, Trinidad y Tobago, Turquía, Ucrania, Uruguay (14/10/12), Uzbekistán (15/04/12), Vanuatú, Venezuela.

CONVENIO DE ATENAS DE 15 DE SEPTIEMBRE DE 1977 (BOE nº 112, de 11-05-81),

Este convenio de refiere solamente a documentos relacionados con el estado civil, concretamente:

Documentos referidos a estado civil, capacidad, situación familiar de las personas físicas, nacionalidad, domicilio o residencia, cualquiera que sea el uso al que estén destinados, así como cualquier otro documento extendido para la celebración del matrimonio o para la formalización de un acto de estado civil. La dispensa de legalización se extiende a las traducciones de esos actos o documentos si proceden de una autoridad calificada para realizar tales traducciones.

Los estados firmantes son:

Austria, España, Francia, Italia, Luxemburgo, Países Bajos, Bélgica, Grecia, Polonia, Portugal y Turquía.

CONVENIO DE LONDRES DE 7 DE JUNIO DE 1968

Los documentos expedidos por los servicios consulares de un país extranjero en España deberán ser legalizados por el Ministerio de Asuntos Exteriores español excepto los emitidos por agentes diplomáticos o consulares, acreditados en países que han ratificado este convenio de Londres de 7 de junio de 1968 (BOE 206 de 28.08.82), que son: Alemania, Austria, Chipre, España, Francia, Grecia, Irlanda, Italia, Liechtenstein, Luxemburgo, Moldavia, Noruega, Países Bajos, Polonia, Portugal, Reino Unido, República Checa, Suecia, Suiza y Turquía.

4.8.6. Iglesia Católica

En nuestro ordenamiento jurídico rige el principio de la libertad religiosa, recogido en el artículo 16 de la Constitución Española de 1978, el cual garantiza la libertad ideológica, religiosa y de culto de los individuos y las comunidades, respetando en sus manifestaciones el orden público protegido por la ley.

Dicho artículo establece que ninguna confesión tendrá carácter estatal, si bien dispone que los poderes públicos tendrán en cuenta las creencias religiosas de la sociedad española, y mantendrán las consiguientes relaciones de cooperación con la Iglesia Católica y las demás confesiones.

Este principio dio lugar a la Ley orgánica 7/1980 de libertad religiosa de 5 de julio de 1980, que rige fundamentalmente esta materia, además de otras disposiciones y acuerdos que luego se reseñarán.

El artículo quinto de dicha Ley orgánica, en su párrafo primero, establece que las Iglesias, Confesiones y Comunidades religiosas y sus Federaciones gozarán de personalidad jurídica una vez inscritas en el correspondiente Registro Público, que se crea, a tal efecto, en el Ministerio de Justicia.

En cumplimiento de lo establecido en el citado artículo, se dictó el Real Decreto 142/1981, de 9 de enero, sobre organización y funcionamiento del Registro de Entidades Religiosas. Dicho Real Decreto fue derogado por el Real Decreto 594/2015, de 3 de julio, por el que se regula el Registro de Entidades Religiosas.

El artículo sexto-dos de la Ley orgánica establece que las Iglesias, Confesiones y Comunidades religiosas podrán crear y fomentar, para la realización de sus fines, asociaciones, fundaciones e instituciones con arreglo a las disposiciones del Ordenamiento Jurídico General.

El artículo séptimo-uno dice que el Estado, teniendo en cuenta las creencias religiosas existentes en la sociedad española, establecerá en su caso, acuerdos o convenios de colaboración con las Iglesias, Confesiones y Comunidades religiosas inscritas en el Registro que por su ámbito y número de creyentes hayan alcanzado notorio arraigo en España. En todo caso, estos acuerdos se aprobarán por Ley de las Cortes Generales.

Las disposiciones señaladas son de aplicación tanto a la Iglesia católica como a las entidades religiosas no católicas, si bien para la primera rige además el acuerdo entre el Estado Español y la Santa Sede sobre Asuntos jurídicos, firmado el 3 de enero de 1979 en la ciudad del Vaticano.

El Vaticano es un Estado independiente y soberano, y la representación suprema de la Iglesia católica corresponde al Sumo Pontífice.

El artículo 38 del Código Civil, tras señalar en su primer párrafo que las personas jurídicas pueden adquirir y poseer bienes de todas clases, así como contraer obligaciones y ejercitar acciones civiles o criminales conforme a las leyes y reglas de su constitución, añade en su párrafo segundo, que «la Iglesia se regirá en este punto por lo concordado entre ambas potestades». Se refiere este último párrafo a la Iglesia católica, y ello nos remite al Acuerdo antes mencionado de 3 de enero de 1979.

Este Acuerdo, en su artículo I recoge el reconocimiento, por parte del Estado español, entre otras, de las siguientes circunstancias:

a. Que la Iglesia puede organizarse libremente y puede crear, modificar o suprimir diócesis, parroquias y otras circunscripciones territoriales, que gozarán de personalidad jurídica civil en cuanto la tengan canónica y ésta sea notificada a los órganos competentes del Estado.

Además la Iglesia puede erigir, aprobar y suprimir Ordenes, Congregaciones religiosas, otros Institutos de vida consagrada y otras instituciones y entidades eclesiásticas.

b. Que el Estado reconoce la personalidad jurídica civil de la Conferencia Episcopal Española, de conformidad con los Estatutos aprobados por la Santa Sede.

c. Que el Estado reconoce la personalidad jurídica civil y la plena capacidad de obrar de las Ordenes, Congregaciones religiosas y otros Institutos de vida consagrada y sus provincias y sus casas y de las asociaciones y otras entidades y fundaciones religiosas que gocen de ella en la fecha de entrada en vigor del citado acuerdo.

Las Ordenes, Congregaciones religiosas y otros Institutos de vida consagrada y sus provincias y sus casas que, estando erigidas canónicamente en la fecha del Acuerdo, no gocen de personalidad jurídica civil y las que se erijan canónicamente en el futuro adquirirán la personalidad jurídica civil mediante la inscripción en el correspondiente Registro del Estado, la cual se practicará en virtud de documento auténtico en el que conste la erección, fines, datos de identificación, órganos representativos, régimen de funcionamiento y facultades de dichos órganos. A los efectos de determinar la extensión y límites de su capacidad de obrar, y por tanto de disponer de sus bienes, se estará a lo que disponga la legislación canónica, que actuará en este caso como derecho estatutario.

Las asociaciones y otras entidades y fundaciones religiosas que, estando erigidas canónicamente en la fecha de entrada en vigor del Acuerdo, no gocen de personalidad jurídica civil y las que se erijan canónicamente en el futuro podrán adquirir la personalidad jurídica civil con sujeción a lo dispuesto en el ordenamiento del Estado, mediante la inscripción en el correspondiente Registro en virtud de documento auténtico en el que consten los mismos datos citados en el párrafo anterior.

Por otro lado, la disposición transitoria 1. de dicho Acuerdo, establece que las Ordenes, Congregaciones religiosas y otros institutos de vida consagrada, sus provincias y sus
casas y las asociaciones y otras entidades o fundaciones religiosas que tienen reconocida
por el Estado la personalidad jurídica y la plena capacidad de obrar deberán inscribirse
en el correspondiente Registro del Estado en el más breve plazo posible. Trascurridos
tres años desde la entrada en vigor en España del Acuerdo, solo podrá justificarse su
personalidad jurídica mediante certificación de tal registro, sin perjuicio de que pueda
practicarse la inscripción en cualquier tiempo.

En base a lo anterior, hay que distinguir:

4.8.6.1. Conferencia Episcopal Española

El Estado reconoce su personalidad jurídica civil, tal y como hemos visto en el citado Acuerdo. Por lo tanto, no es necesario acreditar ante el Notario dicha personalidad
jurídica.

La Conferencia Episcopal Española elabora sus propios estatutos.

Su representación corresponde al Presidente, elegido por la misma Conferencia.
El presidente está dispensado de la necesidad de acreditar documentalmente su cargo,
dada la notoriedad de su nombramiento y ejercicio, siendo de aplicación lo dispuesto en
el artículo 168-3ª del Reglamento Notarial, según el cual las autoridades y funcionarios
públicos no precisarán presentar ante el Notario documentos que justifiquen su cargo
cuando al Notario le conste por notoriedad.

Igualmente, la representación de la Conferencia Episcopal corresponde, en defecto
del Presidente, al Vicepresidente. En cuanto a otros representantes, habrán de acreditar
documentalmente su poder o delegación.

El representante de la Conferencia Episcopal habrá de acreditar con la certificación
correspondiente, la autorización de la Asamblea Plenaria o de la Comisión Permanente, cuando ello se exija por los estatutos de la Conferencia para el acto de que se trate,
teniendo en cuenta que si el acto es de enajenación de determinados bienes o de bienes
cuyo valor supere el límite máximo, será necesaria también la licencia de la Santa Sede.

4.8.6.2. Entidades de carácter territorial

Son las Diócesis, Parroquias y otras circunscripciones territoriales, tales como Vi-
carías y Arciprestazgos, y en general, toda Entidad inserta en la estructura de la Iglesia
Católica que tenga como base un territorio.

El Acuerdo antes citado les reconoce la personalidad jurídica civil en cuanto la tengan canónica y ésta sea notificada a los órganos competentes del Estado.

A este respecto, hay que resaltar la Resolución de 11 de marzo de 1982, de la Dirección General de Asuntos Religiosos, sobre inscripción de Entidades de la Iglesia católica en el Registro de Entidades Religiosas, la cual establece que las circunscripciones territoriales de la Iglesia católica no están sujetas al trámite de inscripción en el Registro de Entidades Religiosas, disponiendo que las diócesis, parroquias y otras circunscripciones territoriales que pueda crear la Iglesia gozarán de personalidad jurídica civil en cuanto la tengan canónica y esta sea notificada por la autoridad eclesiástica competente a la Dirección General de Asuntos Religiosos del Ministerio de Justicia, la que acusará recibo de la notificación. Esta podrá ser acreditada por cualquiera de los medios de prueba admitidos en derecho, entre ellos, por una certificación expedida por la Dirección General de Asuntos Religiosos, en la que se haga constar que se ha practicado. Y en cuanto a las diócesis, parroquias y otras circunscripciones territoriales existentes en España antes del 4 de diciembre de 1979, podrán acreditar su personalidad jurídica por cualquiera de los medios de prueba admitidos en derecho incluida la certificación de la competente autoridad eclesiástica en la que se acredite que se ha procedido a la citada notificación, así como por la oportuna certificación de la Dirección General de Asuntos Religiosos.

La Resolución DGRN de 25 de septiembre de 2007 establece que dentro de las entidades religiosas de la Iglesia Católica, las circunscripciones territoriales (tales es el caso de las parroquias y obispados) no están sujetas al trámite de la inscripción en el Registro de Entidades Religiosas, ya que gozan ope legis de personalidad jurídica en cuanto la tengan canónica. Además la acreditación de las circunscripciones territoriales existentes en España antes del 4 de diciembre de 1979 puede realizarse por cualquier medio en Derecho, por lo que no es procedente la acreditación de la Diócesis cuando consta al notario por notoriedad. Así resulta claramente de los Acuerdos Jurídicos con la Santa Sede, del Código de Derecho Canónico, y así fue aclarado e interpretado por la Resolución de la Dirección General de Asuntos Religiosos de 11 de marzo de 1982.

Por lo que se refiere a su representación y facultades:

1. Las Diócesis serán representadas por el Obispo respectivo, el cual no necesita acreditar su cargo, ya que al Notario le constara el mismo por notoriedad.

   En defecto del Obispo Diocesano, representan a las Diócesis el Obispo Auxiliar o el Obispo Coadjutor.

   En cuanto a las facultades para el acto de que se trate, habrá que atenerse a las normas del Derecho Canónico.

2. Las Parroquias serán representadas por su Párroco respectivo, el cual no necesita acreditar su cargo cuando al Notario le conste por notoriedad. En otro caso,

acreditará documentalmente su cargo con la correspondiente certificación de la autoridad eclesiástica competente.

En defecto del Párroco, representan a la Parroquia el Administrador Parroquial o el Vicario Parroquial.

Y en cuanto a las facultades, es de aplicación lo dicho anteriormente para las Diócesis, teniendo en cuenta que para la enajenación de bienes cuyo valor exceda de determinada cuantía, es precisa la licencia del Obispo Diocesano.

3. Por lo que se refiere a las demás circunscripciones territoriales de la Iglesia Católica, su representación y facultades vendrán determinadas por las normas del Derecho Canónico.

4.8.6.3. Entidades de carácter asociativo

Son las Ordenes, Congregaciones religiosas y otros Institutos de vida consagrada y sus provincias y sus casas, y las asociaciones y otras entidades y fundaciones religiosas.

El Acuerdo antes reseñado reconoce la personalidad jurídica civil y la plena capacidad de obrar de las que gocen de ella en la fecha de entrada en vigor de mismo, pero deben inscribirse en el Registro de Entidades Religiosas, ya que transcurridos tres años desde la entrada en vigor del citado Acuerdo, sólo podrá justificarse su personalidad jurídica mediante certificación de tal Registro, sin perjuicio de que pueda practicarse la inscripción en cualquier tiempo.

En cuanto a las que estando erigidas canónicamente a fecha del Acuerdo no gocen de personalidad jurídica civil y las que se erijan canónicamente en el futuro, adquirirán dicha personalidad jurídica mediante la inscripción en el Registro de Entidades Religiosas.

Deberán acreditar su personalidad jurídica mediante certificación del Registro de Entidades Religiosas.

Su representación vendrá determinada por sus respectivas reglas, constituciones o estatutos.

El representante deberá acreditar al Notario documentalmente su cargo o nombramiento.

Por lo que se refiere a sus facultades, habrán de acreditarse por sus respectivas constituciones o estatutos, o bien por la certificación del Registro de Entidades Religiosas, teniendo en cuenta en todo caso que se deben cumplir los requisitos y normas del Derecho Canónico.

Por otro lado y con carácter general para la Iglesia y los Entes Eclesiásticos, hay que tener en cuenta que para la enajenación de bienes se deben cumplir las normas del Derecho Canónico, que actúa como derecho estatutario. (Cánones 615 y 638-3, y 1290 y siguientes).

El canon 1297 atribuye a la Conferencia Episcopal la competencia para establecer normas en materia de arrendamiento de bienes de la Iglesia, y principalmente la licencia que se ha de obtener de la autoridad eclesiástica competente.

No obstante, hay que tener en cuenta que dichas normas no excluyen la aplicación de las reglas civiles generales, que también deberán observarse; así, a título de ejemplo, para la enajenación de bienes inmuebles a título gratuito, será necesaria la escritura pública. En tal sentido, la Sentencia del Tribunal Supremo 5269/2004 de 16 de julio, que establece que «no existe norma jurídica alguna que dispense a la Iglesia Católica de cumplir las prescripciones de las leyes civiles en cuanto a la adquisición del dominio (arts. 609 y 633 CC); ha de adquirirlo como cualquier otra persona sin distinción alguna».

Por otro lado, mencionar que el artículo 206 de la Ley Hipotecaria permitía la inmatriculación de los bienes inmuebles de la Iglesia Católica mediante la oportuna certificación, lo cual quedó suprimido por la reforma de la Ley Hipotecaria realizada por la Ley 13/2015, de 24 de junio.

En otro orden de cosas, cabe resaltar que las fundaciones religiosas de la Iglesia Católica se regulan expresamente por el Real Decreto 589/1984 de 8 de febrero, en el que se indica que éstas podrán adquirir personalidad jurídica civil mediante su inscripción en el Registro de Entidades Religiosas.

4.8.7. Otras religiones

Las Iglesias, Confesiones y Comunidades religiosas y sus Federaciones gozarán de personalidad jurídica una vez inscritas en el Registro de Entidades Religiosas.

Acreditarán su personalidad jurídica, mediante la certificación de su inscripción en dicho Registro, siéndoles de aplicación lo posteriormente expuesto en el siguiente epígrafe en cuanto a los datos requeridos para la inscripción.

Por lo que se refiere a su representación y facultades, se deducirán de sus propias reglas o Estatutos, teniendo en cuenta que:

En cuanto a su representación se puede acreditar con la certificación del Registro de Entidades Religiosas, siempre que en el mismo conste el nombramiento del que ostenta la representación legal de la Entidad.

Las facultades se acreditarán con la mencionada certificación, ya que como posteriormente se verá deben figurar en la inscripción.

Por otro lado, hay que mencionar la firma de los Acuerdos de cooperación del Estado español con la Federación de Entidades Religiosas Evangélicas de España, la Federación de Comunidades Israelitas de España y la Comisión Islámica de España, aprobados respectivamente por la Ley 24, 25 y 26/1992, de 10 de noviembre.

Finalmente, se declararon de notorio arraigo en España el Protestantismo (1984), el Judaísmo (1984) y la Religión Islámica (1989), así como la Iglesia de Jesucristo de los Santos de los Últimos Días (2003), la Iglesia de los Testigos de Jehová (2006), el Budismo (2007) y la Iglesia Ortodoxa (2010), y al respecto, hay que reseñar el Real Decreto 593/2015, de 3 de julio, que regula la declaración de notorio arraigo de las confesiones religiosas en España.

4.8.8. Registro de entidades religiosas

Viene regulado por el Real Decreto 594/2015, de 3 de julio, por el que se regula el Registro de Entidades Religiosas.

El mismo radica en Madrid y está bajo la dependencia del Ministerio de Justicia con carácter de registro general y público.

En el Registro de Entidades Religiosas podrán inscribirse:

1. Las Iglesias, Confesiones y Comunidades religiosas, así como sus Federaciones.

2. Los siguientes tipos de entidades religiosas, siempre que hayan sido erigidas, creadas o instituidas por una Iglesia, Confesión o Comunidad religiosa o Federaciones de las mismas inscritas en el Registro:

    a)   Sus circunscripciones territoriales.

    b)   Sus congregaciones, secciones o comunidades locales.

    c)   Las entidades de carácter institucional que formen parte de su estructura.

    d) Las asociaciones con fines religiosos que creen o erijan, así como sus federaciones.

    e) Los seminarios o centros de formación de sus ministros de culto.

    f) Los centros superiores de enseñanza que impartan con exclusividad enseñanzas teológicas o religiosas propias de la Iglesia, Confesión o Comunidad religiosa inscrita.

    g) Las comunidades monásticas o religiosas y las órdenes o federaciones en que se integren.

h) Los institutos de vida consagrada y sociedades de vida apostólica, sus provincias y casas, así como sus federaciones.

i) Cualesquiera otras entidades que sean susceptibles de inscripción de conformidad con los Acuerdos entre el Estado español y las confesiones religiosas.

Las entidades inscribibles anteriormente reseñadas, gozarán de personalidad jurídica una vez inscritas en el Registro de Entidades Religiosas, y sólo se puede denegar la inscripción cuando no se reúnan los requisitos establecidos en la Ley Orgánica 7/1980, de 5 de julio, de Libertad Religiosa o en el citado real decreto. (Artículo 4).

La solicitud de inscripción se regula en el artículo 5 del citado Real Decreto, y su artículo 6 establece en cuanto a la inscripción de Iglesias, Confesiones y Comunidades religiosas, que, a la solicitud realizada por sus representantes legales o personas debidamente autorizadas, deberá acompañarse documento elevado a escritura pública en el que deben constar los siguientes datos:

Denominación que no podrá incluir términos que induzcan a confusión sobre su naturaleza religiosa.

Domicilio.

Ámbito territorial de actuación.

Expresión de sus fines religiosos y de cuantos datos se consideren necesarios para acreditar su naturaleza religiosa.

Régimen de funcionamiento, órganos representativos y de gobierno, con expresión de sus facultades y de los requisitos para su válida designación.

Relación nominal de los representantes legales. En el caso de que éstos fuesen extranjeros deberán acreditar su residencia legal en España en los términos establecidos por la legislación vigente.

Será necesario presentar, además, el acta de la fundación o establecimiento en España en documento elevado a escritura pública.

Por lo que se refiere a la inscripción de entidades creadas por una Iglesia, Confesión o Comunidad religiosa inscrita, se recoge en el artículo 7, la inscripción de Federaciones en el artículo 8, y la inscripción de entidades de origen extranjero en el artículo 9, todo ellos del citado Real Decreto.

Y en cuanto a los actos con acceso al Registro, son los siguientes:

a) La fundación o establecimiento en España de la entidad religiosa.

b) Las modificaciones estatutarias.

c) La identidad de los titulares del órgano de representación de la entidad.

d) La incorporación y separación de las entidades a una federación.

e) La disolución de la entidad.

f) Los lugares de culto.

g) Los ministros de culto.

h) Cualesquiera otros actos que sean susceptibles de inscripción o anotación conforme los Acuerdos entre el Estado español y las confesiones religiosas.

Por lo que se refiere a la modificación de los titulares de los órganos de representación, ésta deberá comunicarse al Registro de Entidades Religiosas en el plazo de tres meses desde que se haya adoptado el acuerdo de modificación. (Art. 14).

El artículo 26 recoge las secciones del Registro.

El Registro de Entidades Religiosas es público, efectuándose la publicidad formal del mismo mediante certificaciones o copias del contenido de los asientos, pudiendo los interesados realizar su consulta a través de la sede electrónica del Ministerio de Justicia o por escrito dirigido al Registro de Entidades Religiosas.

Y conforme a la disposición transitoria segunda, las fundaciones religiosas de la Iglesia Católica seguirán rigiéndose por el Real Decreto 589/1984, de 8 de febrero, de Fundaciones de la Iglesia Católica, en tanto no se regulen con carácter general las fundaciones de las entidades religiosas. Hasta entonces, el Registro mantendrá la Sección de Fundaciones prevista en dicho real decreto.

En cuanto a los efectos de la inscripción, el nuevo Real Decreto 594/2015, conforme antes ha quedado reseñado, en su artículo 4.1, dispone: «Las entidades inscribibles al amparo del artículo 2, gozarán de personalidad jurídica una vez inscritas en el Registro de Entidades Religiosas».

De este régimen general parece que quedarán exceptuadas las entidades de la Iglesia Católica, cuya personalidad jurídica se ve reconocida en virtud del Acuerdo con la Santa Sede antes aludido.

Por lo que se refiere a la posibilidad de denegar la inscripción, conforme al párrafo 2º del artículo 4 del Real Decreto, «solo podrá denegarse la inscripción cuando no se reúnan los requisitos establecidos en la Ley Orgánica 7/1980, de 5 de julio, de Libertad Religiosa o en el presente real decreto». Esta redacción tiene como referencia la doctrina derivada de la Sentencia del Tribunal Constitucional 46/2001, 15 de febrero, y la aplicación que de la misma han venido haciendo los Tribunales a partir de la interpretación de la naturaleza de la función del Registro de Entidades Religiosas como de «mera constatación, que no de calificación», que se extiende a la comprobación de que la entidad no es alguna de las excluidas por el artículo 3.2 de la Ley Orgánica 7/1980, de 7 de julio, ni excede de los límites previstos en el artículo 3.1 de la misma ley, sin que pueda realizar un control de la legitimidad de las creencias religiosas, ello, tal y como se recoge en la exposición de motivos del citado Real Decreto. Igualmente en tal sentido, las Sentencias del Tribunal Supremo, Sala 3ª, de 21 de mayo de 2004, 28 de septiembre de 2010, y 7 de febrero de 2011.

4.8.9. Patrimonios sin personalidad jurídica

Podemos entender el patrimonio como el conjunto de derechos y obligaciones de una persona o para un fin determinado, con un marcado contenido económico, considerado como una universalidad de derecho, es decir, como una masa móvil, cuyo activo y pasivo no pueden disociarse.

Hay distintas posiciones doctrinales sobre la naturaleza jurídica y el concepto del patrimonio. En tal sentido:

1. La subjetiva o personalista, según la cual el patrimonio es emanación de la personalidad jurídica y comprende todos los bienes y las obligaciones del individuo, conceptuándolo como una universalidad de derecho independiente de los bienes que lo integran.

2. La finalista que, sin negar la existencia del patrimonio personal, pone énfasis en el interés en que cada masa de bienes sirve, afirmándose así la existencia de patrimonios, que no pertenecen a alguien sino a algo, que están destinados a un fin.

3. Realista o atomista, según la cual el patrimonio no es algo distinto de los bienes y derechos que lo componen, sino la suma de todos ellos y, por ello, no puede ser considerado apto para ser objeto de un derecho subjetivo.

4. También hay autores que concluyen que el patrimonio ofrece una configuración variable, y que debe ser estudiada por separado cada una de las diversas modalidades en que puede presentarse, que son esencialmente tres: personal, de destino y especial o separado.

5. Desde posiciones intermedias, el patrimonio es el conjunto de relaciones jurídicas activas y pasivas que pertenecen a una persona y son estimables económicamente, o bien es una masa de bienes de valor económico afectada y caracterizada por su atribución y el modo de atribuirse a quien sea su titular, y a la que el Derecho atribuye caracteres y funciones especiales.

Los patrimonios sin personalidad los podemos entender como masas patrimoniales, que, pese a carecer de personalidad jurídica, pueden ser parte de negocios jurídicos.

Como tales tenemos diversos ejemplos en nuestro Ordenamiento Jurídico. Así, entre otros:

1. Comunidades de propietarios en régimen de propiedad horizontal.

Reguladas en la Ley 49/1960, de 21 de julio, de Propiedad Horizontal, su representación en juicio y fuera de él corresponde al Presidente, que ha de ser elegido en el seno de la Junta de propietarios.

Deberá acreditar su cargo al Notario mediante exhibición del libro de actas en el que figure su nombramiento, y en cuanto a sus facultades, los acuerdos deberán ser tomados con las mayorías establecidas en el artículo 17 de la Ley de Propiedad Horizontal.

2. Uniones temporales de empresas.

Reguladas por la Ley 18/1982, de 26 de mayo, sobre Régimen Fiscal de Agrupaciones y Uniones Temporales de Empresas y de las Sociedades de Desarrollo Industrial Regional.

Según el artículo séptimo de dicha Ley, tendrá la consideración de Unión Temporal de Empresas el sistema de colaboración entre empresarios por tiempo cierto, determinado o indeterminado para el desarrollo o ejecución de una obra, servicio o suministro.

La Unión Temporal de Empresas no tendrá personalidad jurídica propia.

Y según su artículo octavo, las Empresas miembros podrán ser personas físicas o jurídicas residentes en España o en el extranjero.

El objeto de las Uniones Temporales de Empresas será desarrollar o ejecutar exclusivamente una obra, servicio o suministro concreto, dentro o fuera de España.

También podrán desarrollar o ejecutar obra y servicios complementarios y accesorios del objeto principal.

Las uniones temporales de empresas tendrán una duración idéntica a la de la obra, servicio o suministro que constituya su objeto. La duración máxima no podrá exceder de veinticinco años, salvo que se trate de contratos que comprendan la ejecución de obras y explotación de servicios públicos, en cuyo caso, la duración máxima será de cincuenta años.

En cuanto a su representación, sigue diciendo el artículo octavo que existirá un Gerente único de la Unión Temporal, con poderes suficientes de todos y cada año de sus miembros para ejercitar los derechos y contraer las obligaciones correspondientes.

Las actuaciones de la Unión Temporal se realizarán precisamente a través del Gerente, nombrado al efecto, haciéndolo éste constar así en cuantos actos y contratos suscriba en nombre de la Unión.

Las Uniones Temporales de Empresas se formalizarán en escritura pública, que expresará el nombre, apellidos, razón social de los otorgantes, su nacionalidad y su domicilio; la voluntad de los otorgantes de constituir la Unión y los estatutos o pactos que han de regir el funcionamiento de la Unión.

3. Fondos de inversión inmobiliaria (FIM).

Son instituciones de inversión colectiva que, sin tener personalidad jurídica, tienen por objeto la captación de fondos del público para gestionarlos e invertirlos en activos e instrumentos de carácter no financiero. Vienen reguladas por la Ley 35/2003, de 4 de noviembre, de Instituciones de Inversión Colectiva, modificada por la Ley 31/2011, de 4 de octubre y por la Ley 22/2014, de 12 de noviembre por la que se regulan las entidades de capital-riesgo, otras entidades de inversión colectiva de tipo cerrado y las sociedades gestoras de entidades de inversión colectiva de tipo cerrado.

Debemos mencionar también el Reglamento aprobado por el Real Decreto 1082/2012, de 13 de julio, y modificado por el Real Decreto 83/2015, de 13 de febrero.

4. Herencia yacente.

Es la situación en la que se encuentra la herencia siempre que no haya sido aceptada por los que ostenten el derecho a heredar. En tales casos, el caudal relicto, es decir, la masa hereditaria, se encuentra sin titular, y se da una situación de interinidad (falta de titularidad) de la herencia desde el fallecimiento del causante hasta la aceptación de la herencia. Pues bien, durante ese periodo de tiempo, en el que la herencia no ha sido aceptada, hablamos de Herencia Yacente. Esta situación cesa cuando se produce la aceptación de la herencia, en cuyo momento el que acepta adquiere la cualidad de heredero.

Podemos observar que la característica principal de la Herencia Yacente es la falta de titularidad durante un tiempo. Mientras dure esta situación la misma puede ser administrada, bien, mediante albacea o administrador nombrado en testamento, mediante administrador judicial (art. 795 LEC), previéndose también en determinados casos que el Notario, a instancia de parte, adopte las provisiones necesarias para la administración y custodia de los bienes hereditarios (art. 1020 CC).

Por otro lado, conforme a la Ley 22/2003, de 9 de julio, Concursal, el concurso de la herencia podrá declararse en tanto no haya sido aceptada pura y simplemente. (Art. 1).

5. Patrimonio de personas con discapacidad.

Regulado por la Ley 41/2003, de 18 de noviembre, de protección patrimonial de las personas con discapacidad y de modificación del Código Civil, de la Ley de Enjuiciamiento Civil y de la Normativa Tributaria con esta finalidad.

El objeto inmediato de esta ley es la regulación de una masa patrimonial, el patrimonio especialmente protegido de las personas con discapacidad, favoreciendo la constitución de este patrimonio y la aportación a título gratuito de bienes y derechos a la misma.

Los bienes y derechos que forman este patrimonio, que no tiene personalidad jurídica propia, se aíslan del resto del patrimonio personal de su titular-beneficiario, sometiéndolos a un régimen de administración y supervisión específico.

Se trata de un patrimonio de destino, en cuanto que las distintas aportaciones tienen como finalidad la satisfacción de las necesidades vitales de sus titulares.

En cuanto a la administración del patrimonio, en su sentido más amplio, comprensivo también de los actos de disposición, se parte de la regla general de que todos los bienes y derechos, cualquiera que sea su procedencia, se sujetan al régimen de administración establecido por el constituyente del patrimonio, el cual tiene plenas facultades para establecer las reglas de administración que considere oportunas, si bien y según los casos, las reglas de administración deberán prever que se requiera autorización judicial en los mismos supuestos que el tutor la requiere respecto de los bienes del tutelado, aunque se permite que el juez pueda flexibilizar este régimen de la forma que se estime oportuna cuando las circunstancias concurrentes en el caso concreto así lo hicieran conveniente.

El patrimonio protegido se constituirá en documento público, previéndose también la constitución por resolución judicial en el supuesto del artículo 3 (2) de la ley.

6. Fondos de titulización.

Se regulan en la Ley 5/2015, de 27 de abril, de fomento de la financiación empresarial.

Según el artículo 15 de la citada ley:

1. Los fondos de titulización son patrimonios separados, carentes de personalidad jurídica, con valor patrimonial neto nulo, integrados:

   a) En cuanto a su activo, por los derechos de crédito, presentes o futuros, que agrupen de conformidad con lo previsto en el artículo 16 y,

   b) en cuanto a su pasivo, por los valores de renta fija que emitan y por los créditos concedidos por cualquier tercero.

2. El patrimonio de los fondos de titulización podrá, cuando así esté previsto en la escritura de constitución, dividirse en compartimentos independientes, con cargo a los cuales podrán emitirse valores o asumirse obligaciones de diferentes clases y que podrán liquidarse de forma independiente.

La parte del patrimonio del fondo de titulización atribuido a cada compartimento responderá exclusivamente de los costes, gastos y obligaciones expresamente atribuidos a ese compartimento y de los costes, gastos y obligaciones que no hayan sido atribuidos expresamente a un compartimento en la proporción que se fije en la escritura pública de constitución del fondo o en la escritura pública complementaria. Los acreedores de un compartimento sólo podrán hacer efectivos sus créditos contra el patrimonio de dicho compartimento.

Según el artículo 25 de la indicada ley las sociedades gestoras de fondos de titulización tienen por objeto la constitución, administración y representación legal de los fondos de titulización.

Aunque carecen de personalidad jurídica, según el artículo 16 (3), se podrá inscribir en el Registro de la Propiedad el dominio y los demás derechos reales sobre los bienes inmuebles pertenecientes a los fondos de titulización. Igualmente se podrán inscribir la propiedad y otros derechos reales sobre cualesquiera otros bienes pertenecientes a los fondos de titulización en los registros que correspondan.

7. Las comunidades de bienes.

Reguladas en los artículos 392 y siguientes del Código Civil, hay comunidad cuando la propiedad de una cosa o de un derecho pertenece pro indiviso a varias personas. (Art. 392).

Carecen de personalidad jurídica, y cada uno de los comuneros actúa en nombre propio frente a terceros, respondiendo personal e ilimitadamente.

Por lo que se refiere a la administración, serán obligatorios los acuerdos de la mayoría de los partícipes, y en caso de no alcanzarse dicha mayoría o ser el acuerdo de ésta gravemente perjudicial para los comuneros, puede el Juez, a instancia de parte, proveer lo que corresponda, incluso nombrar un administrador. (Art. 398).

8. Determinados tipos de sociedad civil.

Conforme al artículo 1665 del Código Civil, la sociedad es un contrato por el cual dos o más personas se obligan a poner en común dinero, bienes o industria, con ánimo de partir entre sí las ganancias.

Y según el artículo 1667, la sociedad civil se podrá constituir en cualquier forma, salvo que se aportaren a ella bienes inmuebles o derechos reales, en cuyo caso será necesaria la escritura pública.

Pues bien, las sociedades que carecen de personalidad jurídica son según el artículo 1669 del Código Civil, aquellas cuyos pactos se mantengan secretos entre los socios, y en que cada uno de éstos contrate en su propio nombre con los terceros.

Esta clase de sociedades se regirá por las disposiciones relativas a la comunidad de bienes.

Por otro lado, hay que tener en cuenta en esta materia de patrimonios sin personalidad, las siguientes circunstancias:

1. Que conforme al artículo 6 de la Ley 1/2000, de 7 de enero, de Enjuiciamiento Civil, podrán ser parte en los procesos ante los tribunales civiles:

Las masas patrimoniales o los patrimonios separados que carezcan transitoriamente de titular o cuyo titular haya sido privado de sus facultades de disposición y administración.

Las entidades sin personalidad jurídica a las que la ley reconozca capacidad para ser parte.

Y que, sin perjuicio de la responsabilidad que, conforme a la ley, pueda corresponder a los gestores o a los partícipes, podrán ser demandadas, en todo caso, las entidades que, no habiendo cumplido los requisitos legalmente establecidos para constituirse en personas jurídicas, estén formadas por una pluralidad de elementos personales y patrimoniales puestos al servicio de un fin determinado.

2. Que con arreglo a la Ley 58/2003, de 17 de diciembre, General Tributaria, en su artículo 35 (4) se establece que tendrán la consideración de obligados tributarios, en las leyes en que así se establezca, las herencias yacentes, comunidades de bienes y demás entidades que, carentes de personalidad jurídica, constituyan una unidad económica o un patrimonio separado susceptibles de imposición.

3. Y que el artículo 9 de la Ley Hipotecaria establece que la inscripción contendrá las circunstancias siguientes:

e) La persona natural o jurídica a cuyo favor se haga la inscripción o, cuando sea el caso, el patrimonio separado a cuyo favor deba practicarse aquélla, cuando éste sea susceptible legalmente de ser titular de derechos u obligaciones. Los bienes inmuebles y derechos reales de las uniones temporales de empresas serán inscribibles en el Registro de la Propiedad siempre que se acredite, conforme al artículo 3, la composición de las mismas y el régimen de administración y disposición sobre tales bienes, practicándose la inscripción a favor de los socios o miembros que las integran con sujeción al régimen de administración y disposición antes referido. También podrán practicarse anotaciones preventivas de demanda y embargo a favor de las comunidades de propietarios en régimen de propiedad horizontal.

4.9. SITUACIONES JURÍDICAS DE PENDENCIA

Se puede distinguir con De Castro entre situaciones normales y principales, y situaciones de segundo orden, y dentro de éstas últimas se pueden considerar las situaciones especiales y transitorias en que se encuentran ciertas titularidades y derechos subjetivos; entre otras, situaciones interinas. Estas últimas se dan cuando hay derechos sin sujeto actual o con sujeto aún no determinado y se estima fundamental la vinculación del objeto o lado pasivo de los derechos (reserva del poder). Falta transitoriamente el sujeto de un derecho, pero subsisten derecho y obligación de respetarlo. La interinidad se limita a la titularidad del derecho; queda «in pendenti» quién será el sujeto, y por haber varios sujetos con la posibilidad de ser el sujeto definitivo, nacen a favor de cada uno de ellos unas peculiares facultades (titularidades provisionales).

Dentro de las situaciones interinas siguiendo a De Castro, se hallan las situaciones jurídicas de pendencia, quien las define como «las situaciones interinas creadas respecto de una masa patrimonial o de un derecho subjetivo, mientras que dura ("in pendenti", "in suspenso") la indeterminación de su titular».

Se encuentran en muchas instituciones: así, a modo de ejemplo:

– Derechos de crédito (arts. 1.114, 1.861 CC), derechos reales (arts. 513, 546 CC) sometidos a condición.

– Disposiciones testamentarias, tanto a título universal como particular, hechas bajo condición (arts. 790, 804 CC).

– Sustituciones vulgar, pupilar y ejemplar (arts. 774 y ss. CC).

– Reservas troncal y viudal (arts. 811, y 968 y ss. CC).

– Derechos del concebido (arts. 29, 965 CC), así como de los no concebidos (Ley 14/2006, de 26 de mayo, sobre técnicas de reproducción humana asistida).

– Derechos destinados a una persona jurídica en formación.

– Ausentes o desaparecidos (arts. 181 y ss. CC).

Según De Castro, cada situación tiene sus peculiaridades, pero hay ciertas notas que, en general, las caracterizan.

La finalidad de las situaciones de pendencia se concreta:

1. En no dejar abandonados unos bienes, indefensos los derechos ya nacidos y sin una protección los intereses del incierto titular.

2. En que durante la interinidad cada uno de los posibles beneficiarios pueda defender sus intereses mediante:

a) el mantenimiento del «status quo»,

y *b)* la posibilidad de convertirse en titular definitivo.

La relación jurídica en pendencia carece de titular definitivo, teniendo titularidades provisionales de dos tipos.

1. Titular interino, al que se confía la defensa de la situación y que la representa, pudiendo ser éste a su vez uno de los posibles beneficiarios o ser un tercero al que se confía la custodia del derecho o masa patrimonial como administrador, defensor o representante especial.

2. Titular preventivo. Dicha titularidad corresponde a cada una de las personas a las que se atribuye la posibilidad jurídica de llegar a ser titular definitivo, y también se reserva respecto de las personas aún no determinadas como las no nacidas o desaparecidas.

La situación jurídica de pendencia termina cuando el evento se produce. En tal caso la titularidad interina desaparece, y se extinguen los derechos eventuales, debiendo el titular interino rendir cuentas de su gestión.

Al desaparecer la titularidad interina, una de las titularidades preventivas se ha convertido en titularidad definitiva, y en su favor se produce automáticamente la atribución de los derechos o de la titularidad patrimonial.

Dicha atribución, en general (salvo si había inserción de plazo), se lleva al momento en el que se produjo la situación de pendencia (retroacción); en tal sentido, el art. 1.120 CC.

Lo realizado por el titular interino dentro de su competencia se deberá respetar, siendo inválido aquello en que se extralimite, debiendo responder al titular definitivo del ejercicio de sus funciones.

Lo hecho por el titular definitivo quedará convalidado por lo general, y resultará ineficaz lo realizado por los demás que tuvieran titularidades preventivas.

4.10. JUICIO DE CAPACIDAD

4.10.1. Concepto

Si nos vamos al Diccionario de la RAE, entre las distintas acepciones de la palabra juicio nos valdría probablemente la de «Facultad por la que el ser humano puede distinguir el bien del mal y lo verdadero de lo falso» y si vemos las correspondientes a la palabra capacidad nos iría bien la de «cualidad de capaz, capacidad para el cargo que se desempeña».

También contiene el Diccionario, dos definiciones de capacidad:

– Capacidad de obrar, como la «Aptitud para ejercer personalmente un derecho y el cumplimiento de una obligación».

– Capacidad jurídica, como la «Aptitud legal para ser sujeto de derechos y obligaciones».

Si ahora las juntamos como juicio de capacidad podríamos sacar la siguiente conclusión: el juicio de capacidad es un juicio de valor que emite, en este caso el notario, sobre la aptitud de una persona para ejercer personalmente un derecho o cumplir una obligación.

4.10.2. Antecedentes

Como dice PEDRO ÁVILA ÁLVAREZ (1986, p. 200) en su Derecho Notarial, en el notariado en torno al juicio de capacidad hay tres sistemas:

– No exigirse el juicio de capacidad por parte del notario con lo que el instrumento queda incompleto debiendo completarse por otros medios que acrediten tal capacidad.

– Exigirse el juicio por parte del notario pero no su constancia en el instrumento, presumiéndose su existencia por el hecho de acceder el notario a su autorización.

– Exigirse el juicio de capacidad por parte del notario y su constancia en el instrumento que es el sistema español.

4.10.3. Obligatoriedad para el notario

La emisión del juicio de capacidad es **obligatorio** para el notario ya que tanto la Ley como el Reglamento Notarial le impone la obligación específica de dar fe de que los otorgantes tienen, a su juicio, capacidad y legitimación para el acto de que se trate.

Así, en la Ley, el art. 17 bis 2, a) establece que «... *Con independencia del soporte electrónico, informático o digital en que se contenga el documento público notarial, el notario deberá dar fe de la identidad de los otorgantes, de que a su juicio tienen capacidad y legitimación, de que el consentimiento ha sido libremente prestado y de que el otorgamiento se adecua a la legalidad y a la voluntad debidamente informada de los otorgantes o intervinientes*».

Y, en su Reglamento, lo que queda del art. 145 después de su parcial anulación por la Sentencia del Tribunal Supremo de 20 de mayo de 2008 señala que «*La autorización o intervención del instrumento público implica el deber del notario de dar fe de la identidad de los otorgantes, de que a su juicio tienen capacidad y legitimación, de que el consentimiento ha sido libremente prestado y de que el otorgamiento se adecua a la legalidad y a la voluntad debidamente informada de los otorgantes e intervinientes. Dicha autorización e intervención tiene carácter obligatorio para el notario con competencia territorial a quien se sometan las partes o corresponda en virtud de los preceptos de la legislación notarial*».

Es necesaria la emisión de un **juicio expreso y explícito**; cuando se señala que la autorización o intervención «implica» no puede considerarse que por el mero hecho de realizar la autorización o intervención el notario ha emitido un juicio afirmativo o positivo de capacidad. Esta afirmación se sostiene en la obligatoriedad de constancia expresa que impone el Reglamento Notarial:

> – El art. 156.8 señala que «*La comparecencia de toda escritura indicará:... 8.º La afirmación de que los otorgantes, a juicio del notario, tienen la capacidad legal o civil necesaria para otorgar el acto o contrato a que la escritura se refiera, en la forma establecida en este Reglamento, así como, en su caso, el juicio expreso de suficiencia de las facultades de representación*».
> – y el art. 167 señala que «*El Notario..., hará constar que, a su juicio, los otorgantes, en el concepto con que intervienen, tienen capacidad civil suficiente para otorgar el acto o contrato de que se trate*».

4.10.4. *Consecuencias de su omisión o falsedad*

Como hemos visto, su omisión supone un **defecto básico** del documento que autoriza el notario. Hace años (Rs de la DGRN 18 de abril de 1879), como la exigencia de la emisión del juicio de capacidad no venía recogida en la Ley del Notariado se llegó a considerar su falta como un defecto de carácter reglamentario cuya omisión no invalida el instrumento ni su contenido. Hoy esa opinión ha sido abandonada.

Así el Artículo 153 RN señala que «*Los errores materiales, las omisiones y los defectos de forma padecidos en los documentos notariales ínter vivos podrán ser subsanados por el Notario autorizante, su sustituto o sucesor en el protocolo, por propia iniciativa o a instancia de la parte que los hubiera originado o sufrido. Sólo el Notario autorizante podrá subsanar la falta de expresión en el documento de sus juicios de identidad o de capacidad o de otros aspectos de su propia actividad en la autorización*».

Su **responsabilidad** la recoge el Artículo 146 RN, cuando señala que «*El Notario respondera civilmente de los daños y perjuicios ocasionados con su actuación cuando sean debidos a dolo, culpa o ignorancia inexcusable. Si pudieren repararse, en todo o en parte, autorizando una nueva escritura el Notario lo hará a su costa, y no vendrá éste obligado a indemnizar sino los demás daños y perjuicios ocasionados.*

A tales efectos, quien se crea perjudicado, podrá dirigirse por escrito a la Junta Directiva del Colegio Notarial, la cual, si considera evidentes los daños y perjuicios hará a las partes una propuesta sobre la cantidad de la indemnización por si estiman procedente aceptarla como solución del conflicto».

También puede dar lugar a responsabilidad penal en función de los artículos 390 y ss. del Código Penal.

4.10.5. *Capacidad natural*

La capacidad natural se predica únicamente de las personas físicas, ya intervengan por sí mismas o en nombre y representación de otra persona física o jurídica, y podríamos definirla como un entendimiento básico de que esa persona es capaz de entender lo que está haciendo y por tanto puede prestar un consentimiento.

La capacidad se presume, lo que establece claramente la Convención Internacional de los Derechos de las Personas con Discapacidad de 13 de diciembre de 2006, además de nuestra Constitución (Art. 10), Código Civil (Art. 322) y Ley Procesal Civil (Art. 760.1).

4.10.6. *Capacidad jurídica*

La capacidad jurídica o de obrar es la que, como dice ANTONIO ARIAS GINER (2011, p. 419) en la obra colectiva de Derecho Notarial en su tema 16, tiene una persona con capacidad natural para formalizar y asumir las consecuencias de un determinado negocio jurídico o si, por el contrario se halla afecta a determinados complementos de capacidad o está sujeto a prohibiciones subjetivas, requisitos de edad... lo que ordinariamente conllevará una labor interpretativa de las normas jurídicas.

4.10.7. *Presunción de veracidad*

El juicio de capacidad que emite el notario, como el resto de sus afirmaciones amparadas por las normas legales y que contiene el documento público goza de una fuerte presunción de veracidad.

No obstante se trata de una presunción que admite prueba en contrario a diferencia de otras cuestiones que el documento público contiene que hacen prueba plena, como sería el hecho, acto o estado de cosas que documenten, de la fecha en que se produce esa documentación y de la identidad de los fedatarios y demás personas que, en su caso, intervengan en ella (Art. 319.1 Ley de Enjuiciamiento Civil).

Es pues una «**presunción iuris tantum**». Así nuestro Tribunal Supremo desde hace mucho tiempo (1952) tiene declarado que la fe pública ampara la creencia del notario de que el otorgante es capaz pero no la realidad de que lo sea, por tratarse de una apreciación psíquica, no de un hecho que se exteriorice siempre por signos perceptibles para el jurista constituyendo el juicio del notario una presunción iuris tantum que los Tribunales pueden y deben revisar por prueba suficiente en contrario.

4.10.8. Casos especiales

Sin ánimo de ser exhaustivo y dejando de lado el juicio de capacidad de las personas físicas que intervienen en nombre y representación de las personas jurídicas (que tienen su propio estudio en este libro) podríamos tratar los siguientes:

4.10.8.1. Extranjeros

(Art. 168.4 del RN) cuando señala que «*La capacidad legal de los extranjeros que otorguen documentos ante Notario español, si éste no la conociere, se acreditará por certificación del Cónsul general o, en su defecto, del representante diplomático de su país en España. Cuando se den los supuestos del número 8 del artículo 10 del Código Civil la capacidad de los extranjeros se calificará por el Notario con arreglo a la Ley española...*»

Y dicho artículo reconoce la validez de los contratos onerosos celebrados en España por extranjero incapaz según su ley nacional, si la causa de la incapacidad no estuviese reconocida en la legislación española. Esta regla no se aplicará a los contratos relativos a inmuebles situados en el extranjero.

Pero hay que tener cuidado con los extranjeros y estar muy seguro de que se conoce su ley nacional o personal porque como dice el art. 9.1 del Código civil es la que regula su capacidad y el estado civil, los derechos y deberes de familia y la sucesión por causa de muerte. Así podríamos autorizar un instrumento de un extranjero residente en España de más de 18 años y que con arreglo a su ley nacional no tiene capacidad para formalizarlo. Un matrimonio de extranjeros a los que su Ley nacional común exige, la mayoría de edad para contraerlo; pensar que en todos los países la mayoría de edad no se adquiere al cumplir 18 años.

4.10.8.2. Menores

En principio los menores carecen de capacidad de obrar aunque en múltiples casos del ordenamiento jurídico se le reconoce eficacia a su intervención.

Así tendríamos a los menores emancipados que tienen la misma capacidad de obrar que una persona mayor de edad pero que para ciertos actos requieren un complemento de capacidad. Así el art. 323 del Código civil exige el consentimiento de sus padres y, a falta de ambos, el de su curador para tomar dinero a préstamo, gravar o enajenar bienes inmuebles y establecimientos mercantiles o industriales u objetos de extraordinario valor.

Mayores de 14 años que pueden hacer testamento (art. 663 Código Civil).

Mayores de 16 años que pueden ser emancipados, casarse, consentir en documento público y sin necesidad de autorización judicial la renuncia a una herencia por poner algún ejemplo.

4.10.8.3. Ciertas personas con determinada discapacidad

En estos casos el ordenamiento jurídico establece una serie de cautelas para que el notario pueda llegar a poder realizar su juicio de capacidad y para que la persona otorgante tenga un conocimiento cabal de lo que va a realizar y preste así un consentimiento informado.

- Sordo o sordomudo que debe leerla por si mismo; si no sabe o no puede será necesaria la intervención de un intérprete designado al efecto por el otorgante conocedor del lenguaje de signos, cuya identidad deberá consignar el notario y que tiene que firmar la escritura.

- Ciego, en cuyo caso será suficiente que preste su conformidad a la lectura hecha por el notario.

4.10.8.4. Supuesto del Artículo 665 Código Civil

Se trata del único supuesto en que el juicio de capacidad del notario se transmite a otros profesionales y requiere una sentencia de incapacitación (hoy diríamos de modificación de la capacidad) que no contenga pronunciamiento acerca de su capacidad para otorgar testamento.

Es lo que la Doctrina venía llamando, por la dicción del precepto anterior a la reforma, el testamento del demente en intervalo lúcido y que en la actualidad no precisa de dicha circunstancia sino únicamente de tener la capacidad modificada judicialmente.

En este sentido el Tribunal Supremo en Sentencia 146/2018 de 15 de marzo ha declarado la validez del testamento otorgado con arreglo al art. 655 de una persona con la capacidad modificada sujeta a curatela y que precisa de la intervención del curador para realizar actos de disposición al considerar que la disposición de bienes *mortis causa* no puede equipararse a los actos de disposición *inter vivos* y existe una regulación específica para el otorgamiento de testamento por las personas con discapacidad mental o intelectual.

4.10.9. ¿Puede el notario utilizar profesionales para la emisión del juicio de capacidad?

Obviamente no solo puede sino que debe en los supuestos dudosos pero hay que tener en cuenta que salvo en el caso anterior en que la responsabilidad del juicio recae en los profesionales que lo emiten, en los demás supuestos por mucho dictamen de especialistas que haya, el juicio lo emite el notario y es de su responsabilidad; cierto y evidente es que si el juicio notarial de capacidad está dotado de una fuerte presunción iuris tantum, más fuerte será la misma si al mismo se le superpone un dictamen clínico sobre la capacidad del sujeto.

4.10.10. Poder con incapacidad sobrevenida

Aunque no se si es el sitio adecuado para tratar el tema no me resisto a ello por la incidencia que tiene en la ayuda de las personas que pueden terminar con una discapacidad y que les va a impedir la gestión de su patrimonio. Desgraciadamente cada vez hay más personas con enfermedades degenerativas que se ven privadas por falta de capacidad de obtener recursos mediante la venta de sus bienes y pagarse así una residencia asistencial que sus hijos, por sus limitaciones económicas no pueden sufragar. Es recomendable el artículo de nuestro compañero FRANCISCO ROSALES DE SALAMANCA RODRÍGUEZ en su página web (https://notariofranciscorosales.com).

Personalmente doy a mis clientes dos alternativas en este tipo de poderes:

a) Que surta efectos desde el momento de su otorgamiento y obviamente también en caso de una incapacidad sobrevenida posterior.

b) Que solo surta efectos a partir de la incapacidad sobrevenida por lo que para poder usarlo exijo una certificación médica visada de que el poderdante se encuentra en una situación psíquica que le impide prestar un consentimiento válido.

Y a partir de ahí también aconsejo dos niveles de apoderados ya que lo más habitual es que este tipo de poderes se otorgue recíprocamente entre cónyuges; en estos casos, para evitar que por fallecimiento o por encontrarse en situación de imposibilidad de prestar un consentimiento válido uno de ellos, el otro se quede sin apoderado conviene establecer un segundo nivel en favor de los hijos, con actuación mancomunada o solidaria o dos de tres..., que para actuar tendrán que acreditar bien el fallecimiento del otro cónyuge con el correspondiente certificado de defunción, bien su imposibilidad de prestar un consentimiento válido con el correspondiente certificado médico.

Si estamos ante un viudo/a puede plantearse lo mismo (un segundo nivel) para los casos en que se tenga solo un hijo.

Es conveniente hacer constar una declaración expresa del apoderado de que el poderdante no se haya incapacitado ya que la sentencia de incapacitación puede dejar sin efecto los poderes con el nombramiento de tutor.

Y acordaros que hay que remitir una copia autorizada al Juzgado Civil del lugar de nacimiento del poderdante para su anotación en la inscripción de nacimiento por aplicación del art. 46 ter de la Ley de Registro Civil.

4.10.11. Juicio de capacidad en las pólizas

El art. 197 quáter del Reglamento Notarial señala que, conforma lo previsto en el artículo 17 de la Ley del Notariado, la expresión del notario «con mi intervención» implica, entre otras cosas «el juicio de capacidad de los otorgantes para el acto o contrato intervenido».

Eso no obsta para que la hoja que normalmente añade el notario de intervención pueda hacer y de hecho se hace con carácter general un juicio expreso de capacidad y especialmente de legitimación de las personas que intervienen en nombre y representación de personas jurídicas.

4.10.12. Juicio de capacidad en las actas

El art. 198 permite no tener que afirmar la capacidad de los requirentes salvo que verse o se trate de un derecho sobre los que el notario debe hacer constar la capacidad y legitimación del requirente.

Ello no es óbice, como veremos más adelante de que toda actuación notarial debe tener una causa; es decir nos tienen que contar qué quieren y porqué y para qué lo quieren; también en las actas y, naturalmente la congruencia de ello lleva implícito un juicio de capacidad, legitimación e interés del que solicita la prestación de la función notarial, sea o no obligatoria su constancia en el documento.

4.11. LA CALIFICACIÓN DEL ACTO O CONTRATO

Como dice ENRIQUE GIMÉNEZ ARNAU (1976 p. 532) en su obra de Derecho Notarial «toda persona como toda cosa tiene un nombre con el que puede ser designada. También debe tenerlo cualquier acto que va encaminado al cumplimiento de un fin específico. Aplicando este imperativo a la escritura notarial, surge la necesidad de darle un nombre, de calificarla, calificando el acto que contiene».

En este sentido nos encontramos la exigencia reglamentaria de que la comparecencia de la escritura debe indicar «*La calificación de dicho acto o contrato con el nombre que en el derecho tenga...*» conforme al Art. 156.9 Reglamento Notarial.

Se trata por tanto de que el notario le dé un **nombre** al acto, negocio o contrato que contiene el documento que autoriza conforme es nombrado en el ordenamiento jurídico. Es pues una labor jurídica, una labor de carácter técnico ya que el notario tiene que buscar entre los distintos contratos o negocios que recoge el ordenamiento jurídico el que le corresponda al instrumento que va a autorizar.

¿Y qué pasa **si no lo tiene o no lo encuentra**? No pasa nada ya que junto con los llamados contratos nominados (que tienen nombre) existen en la realidad otro tipo de contratos nuevos o de construcción por parte del notario, en cumplimiento de la obligación impuesta en el art. 1 del Reglamento Notarial de «*asesorar a quienes reclaman su ministerio y aconsejar a la partes los medios jurídicos más adecuados para el logro de los fines lícitos que aquéllos se proponen alcanzar*» que no lo tienen (contratos innominados). Esta opción viene recogida en el art. 156.9 del Reglamento cuando después de recoger la antes señalada obligación de calificar el acto o contrato con el nombre que en derecho tenga, añade «*... salvo que no lo tuviere especial*»; es decir la propia normativa contempla la posibilidad de que estemos ante un contrato innominado y que, en consecuencia no sea susceptible de calificación.

¿Y qué pasa **si lo hace mal o se equivoca**? Pues justo porque cabe la posibilidad de no realizar la calificación (ausencia), el error no puede considerarse un defecto de carácter esencial que impida la inscripción. Algunos autores como ENRIQUE GIMÉNEZ ARNAU han llegado a calificarlo como «irrelevante». ANTONIO ARIAS GINER considera que no es un requisito necesario para la inscripción ya que no viene recogido en el art. 51 RH. En definitiva tanto la DGRN como el TS han venido considerando que lo básico es atender a la verdadera y auténtica naturaleza del contrato prescindiendo de una calificación errónea o defectuosa.

No obstante en esta materia de la calificación del acto o contrato hay una excepción básica en materia del **juicio de suficiencia de la capacidad del apoderado** que hace el notario en sede de poderes ya que después de la entrada en vigor del artículo 98 de la Ley 24/2001 de 27 de diciembre, el notario debe emitir su juicio de capacidad y de suficiencia de la representación alegada poniendo en relación necesariamente con la calificación que realice del acto o contrato que contiene el documento que autoriza. Así el mencionado artículo 98 en su apartado primero establece que

> *«En los instrumentos públicos otorgados por representantes o apoderados, el Notario autorizante insertará una reseña identificativa del documento autentico que se le haya aportado para acreditar la representación alegada y expresará que, a su juicio, son suficientes las facultades representativas acreditadas para el acto o contrato a que el instrumento se refiera».*

El contenido del precepto ha dado lugar a abundantes pronunciamientos tanto del Tribunal Supremo como de la Dirección General de los Registros y del Notariado, que exigen:

- − una reseña identificativa del documento auténtico aportado de donde resulten las facultades del apoderado.
- − la emisión de un juicio de suficiencia para el acto concreto (no puede hacerse de forma genérica)   que debe ser congruente con el contenido del documento.

El párrafo segundo de dicho precepto señala que *«La reseña por el notario de los datos identificativos del documento auténtico y su valoración de la suficiencia de las facultades representativas harán fe suficiente, por sí solas, de la representación acreditada, bajo responsabilidad del notario. El registrador limitará su calificación a la existencia de la reseña identificativa del documento, del juicio notarial de suficiencia y a la congruencia de éste con el contenido del título presentado, sin que el Registrador pueda solicitar que se le transcriba o acompañe el documento del que nace la representación».*

Cumplidos los requisitos el registrador deberá calificar, de un lado, la existencia y regularidad de la reseña identificativa del documento del que nace la representación y, de otro, la existencia del juicio notarial de suficiencia expreso y concreto en relación con el acto o negocio jurídico documentado y las facultades ejercitadas, así como la congruencia del juicio que hace el notario del acto o negocio jurídico documentado y el contenido del mismo título.

Como consecuencia el Registrador no puede entrar en la revisión de la calificación notarial efectuada creándose una presunción «iuris tantum» de validez que será plenamente eficaz mientras no sea revisada judicialmente como declaró la Rs. DGRN 24 de julio de 2017.

4.12. LA EXPOSICIÓN DE HECHOS O ANTECEDENTES

Tradicionalmente en la elaboración de una escritura pública, después de la reseña de los datos de los que comparecen, su juicio de capacidad, el de legitimación con la referencia expresa a su intervención y en ella, la calificación del acto o contrato viene el apartado referido a la exposición de los hechos y de los antecedentes que sirven de base para su elaboración.

Así, ENRIQUE GIMÉNEZ ARNAU (1976, p. 630) la define como la parte de la escritura en la que, «después de haberse fijado e identificado la personalidad de los comparecientes, se describe el objeto de la relación o del acto de voluntad que sobre el objeto va a verificarse; se justifica su dependencia jurídica del sujeto y se establecen los supuestos que en el orden lógico y jurídico sean antecedentes de los pactos, estipulaciones o manifestaciones de voluntad que seguidamente hayan de hacer los comparecientes».

El objeto, aún siendo fundamental, no puede ser y no es el único contenido de esta parte de la escritura ya que la misma contiene también la causa del contrato o los motivos que llevan a los comparecientes a su otorgamiento.

PEDRO ÁVILA ÁLVAREZ (1986, p. 204) clasifica las manifestaciones que las partes hacen al notario y que éste refleja en la parte expositiva en manifestaciones:

a) De transcendencia formal cuya única finalidad es el cumplimiento de la forma del instrumento (ej. La manifestación del vendedor de haber adquirido la propiedad en virtud de un determinado título).

b) De transcendencia material que persiguen alguna finalidad a efectos del Derechos sustantivo (ej, que la finca no está arrendada).

c) Volitivas incidentales que implican una decisión de voluntad.

Respecto de las dos primeras la escritura prueba el hecho de haberse producido pero no de su veracidad, salvo que la afirmación sea notarial al habérsele exhibido al notario la documentación necesaria para su acreditación; y respecto de la misma puede llegar a establecer un principio de prueba escrita contra los dicentes.

4.13. EXPRESIÓN DE LA FINALIDAD O DE LOS MOTIVOS. SUS EFECTOS

La constancia de los motivos de las partes para la formulación del acto o negocio que contiene el documento público notarial ha sido considerada por los tratadistas como de no obligatoria mención en el mismo. Ahora bien la falta de obligatoriedad no debe dejar acomodar al notario en su labor interpretativa por varias razones:

a) Por su propio concepto que refleja su Reglamento en el art. 1, ya que el notario tiene como misión la de…aconsejar a las partes los medios jurídicos más adecuados para el logro de los fines lícitos que se proponen alcanzar…

Mal se puede cumplir con esa misión si el notario desconoce la finalidad o la causa de la voluntad de las partes.

b) Por las ventajas que produce a la hora de la interpretación del negocio y de la voluntad de las partes.

c) Y para intentar, a través de su expresión, la ineficacia del negocio si incidiese en una causa inmoral o causa ilícita.

LUIS DÍEZ PICAZO (1979, p. 145) después un estudio pormenorizado de «**La causa del contrato**» se enfrenta a dos situaciones que nos limitaremos a reseñar:

a) Los negocios **abstractos** que son aquellos que aparecen desligados e independizados de su causa y que por tanto funcionan, de ahí su nombre, abstracción hecha de cual sea su causa.

b) Los negocios **simulados**.

En los negocios simulados hay una verdadera «voluntad negocial de crear una apariencia» y es una voluntad enteramente sin vicios ya que lo declarado concuerda perfectamente con esa voluntad. El problema pues no radica en la voluntad sino en la causa; no hay causa en el negocio.

También se pueden definir éstos como los negocios jurídicos emitidos en virtud de una declaración de voluntad no verdadera con la finalidad de que nazca la apariencia de un determinado negocio jurídico. Eso hace que estos negocios se caractericen por:

a) Una divergencia querida.

b) Un acuerdo simulatorio entre las partes.

c) Y una finalidad e engañar a los terceros extraños al acto.

Se suelen dividir en dos clases:

a) Absoluta, cuando el negocio simulado no encubre otro negocio, que sería el supuesto que antes hemos aludido como de inexistencia de causa y por tanto inexistencia del negocio jurídico ya que dice el Art. 1275 de nuestro Código civil que «*los contratos sin causa o con causa ilícita no producen efecto alguno*».

b) Relativa, cuando el negocio simulado encubre otro negocio subyacente que es el verdaderamente querido por las partes. Estaremos pues ante un supuesto de causa falsa que determina según el Art. 1276 del mismo cuerpo legal «*su nulidad si no se probase que estaban fundados en otra verdadera y lícita*».

También DÍEZ PICAZO se queja de que en la Doctrina patria ha habido una enorme falta de homogeneidad porque parece que la idea de causa se aplica a realidades distintas. Por ello distingue entre:

a) La causa de la atribución que es la situación jurídica que autoriza, conforme al ordenamiento jurídico, el desplazamiento patrimonial en favor del atributario; este derecho le puede venir dado de una disposición legal o de un negocio jurídico anterior.

b) La causa de la obligación, que respondería a la pregunta de ¿porqué se debe?, y se debe por los contratos, cuasicontratos, delitos y cuasidelitos. La causa aparece así como la fuente de la obligación.

c) Y la causa del negocio, que responde a la pregunta de ¿porqué se hace el negocio?

Es a ésta última a la que debe atender la labor investigadora e interpretativa de voluntad que debe realizar el notario ya que aunque a veces no sea de reseña obligatoria, no podemos olvidar que el Art. 1261 del Código civil señala que «*No hay contrato sino concurren los siguientes requisitos:...3º. La causa de la obligación que se establezca*». Y digo que no es de reseña obligatoria, como requisito de forma por «*aunque la causa no se exprese en el contrato, se presume que existe y es lícita mientras el deudor no pruebe lo contrario*» como señala el Art. 1277.

Excepcionalmente hay negocios en lo que el ordenamiento obliga a la reseña de la causa negocial; podemos citar la transacción y el compromiso; la causa de la desheredación; las donaciones remuneratorias y onerosas; los contratos condicionales y la mayor parte de los contratos accesorios de garantía.

4.14. EL OBJETO DEL NEGOCIO JURÍDICO

Señala el art. 1261 del Código civil que «*para que exista contrato es necesaria la existencia de un objeto que sea materia del mismo*». Y el art. 1271 afirma que «*pueden ser objeto de contrato todas las cosas que no estén fuera del comercio de los hombres, aún las futuras y también pueden serlo (pfo 3) todos los servicios que no sean contrarios a las leyes o a las buenas costumbres*».

Supera así la arcaica concepción de su antecedente inmediato (Código Napoleónico) pero se limita a las cosas y servicios a los que se refiere el contrato y hay más, mucho más: desde los créditos y demás derechos incorporales como los subjetivos, los precontratos o tratos preliminares pueden ser objeto de contrato y no son cosas. En cualquier caso para nuestro ordenamiento, el objeto del contrato ha de ser un objeto lícito. Ahora bien esta idea tiene matices según se trate de cosas o de servicios; las cosas no son lícitas ni ilícitas sino, como dice DÍEZ PICAZO lo lícito o ilícito será comerciar o negociar con ellas; y respecto de los servicios la licitud debe predicarse de la conducta que debe adoptarse por el prestador conforme a las exigencias legales y a las convenciones morales. Y también han de ser cosas o servicios posibles con arreglo al Art. 1273 del Código civil. Es una dicción mejorable ya que en puridad no existen las cosas imposibles.

Por todo ello la Doctrina ha realizado diferentes construcciones en orden al objeto que podríamos resumir en las siguientes:

a) La prestación como objeto del contrato, en la que la prestación sería el comportamiento de una de las partes que tiene un valor económico y ofrece interés para la otra.

b) La obligación como objeto del contrato, en la que el objeto es en realidad la obligación que por el contrato se constituye, se modifica o se extingue.

En cuanto que los negocios jurídicos tienen un contenido de derecho patrimonial es más que interesante la definición de DÍEZ PICAZO (1979. P. 134) como la de aquellos bienes susceptibles de una valoración económica que corresponde a un interés de las partes.

Por tanto y ya desde un punto de vista notarial, se trata de señalar, con la mayor pulcritud y exactitud posible, los bienes (cosas, servicios, comportamientos, derechos y obligaciones) sobre los que va a versar el contrato por su incidencia de valoración patrimonial e interés de las parte que contratan.

4.14.1. Descripción de inmuebles

Limitándonos a los inmuebles, el Reglamento Notarial en su Art. 170 señala que *«en los documentos sujetos a registro, el notario hará la descripción de los bienes que constituyan su objeto expresando con la mayor exactitud posible aquellas circunstancias que sean imprescindibles para realizar la inscripción»*.

También indica el mismo precepto que *«A requerimiento de los otorgantes o cuando el notario lo juzgue conveniente podrá añadirse (a la descripción) cualesquiera otras circunstancias descriptivas no exigidas por la legislación registral, que faciliten una mejor determinación del objeto del negocio jurídico formalizado»* y finalmente exige incluir la referencia catastral y la certificación descriptiva y gráfica.

Como vemos, por su antigüedad, el Reglamento Notarial se halla enclavado en una de las concepciones arcaicas del objeto del negocio jurídico sin perjuicio de aquí tenga su lógica al circunscribirse el precepto a bienes inmuebles y por tanto a la clasificación genérica de «cosas».

La posibilidad de rectificación de los datos equivocados por su contraste con la certificación catastral ha desaparecido al derogarse por la STS de 20 de mayo de 2008 el artículo 171; pero no olvidemos que el fundamento básico de la misma es de falta de rango normativo por lo que la obligación sigue vigente al hallarse impuesta por el Texto Refundido de la Ley del Catastro.

Sin perjuicio de lo anterior la descripción de los inmuebles debe contener, a efectos de su inscripción los requisitos establecidos en la legislación hipotecaria que, en lo que nos interesa se circunscribe a los artículos 9 de la Ley y 51 de su Reglamento. Así:

> *- el Art. 9 señala en su apartado a) la necesidad de hacer constar la «Descripción de la finca objeto de inscripción, con su situación física detallada, los datos relativos a su naturaleza, linderos, superficie y, tratándose de edificaciones, expresión del archivo registral del libro del edificio, salvo que por su antigüedad no les fuera exigible. Igualmente se incluirá la referencia catastral del inmueble o inmuebles que la integren y el hecho de estar o no la finca coordinada gráficamente con el Catastro en los términos del artículo 10»..*
> *- Y el Art. 51, entre otros requisitos dice que «las inscripciones se practicarán con arreglo a las reglas siguientes:*

1.ª La naturaleza de la finca se determinará expresando si es rústica o urbana, el nombre con las que las de su clase sean conocidas en la localidad, y en aquéllas, si se dedican a cultivo de secano o de regadío y, en su caso, la superficie aproximada destinada a uno y a otro.

Si se aporta cédula, certificación o licencia administrativa que lo acredite se hará constar, además, la calificación urbanística de la finca.

2.ª La situación de las fincas rústicas se determinará expresando el término municipal, pago o partido o cualquier otro nombre con que sea conocido el lugar en que se hallaren; sus linderos por los cuatro puntos cardinales; la naturaleza de las fincas colindantes; y cualquier circunstancia que impida confundir con otra la finca que se inscriba, como el nombre propio si lo tuviere. En los supuestos legalmente exigibles se hará constar la referencia catastral del inmueble.

3.ª La situación de las fincas urbanas se determinará expresando el término municipal y pueblo en que se hallaren; el nombre de la calle o sitio; el número si lo tuvieren, y los que hayan tenido antes; el nombre del edificio si fuere conocido por alguno propio; sus linderos por la izquierda (entrando), derecha y fondo; la referencia catastral en los supuestos legalmente exigibles; y cualquier otra circunstancia que sirva para distinguir de otra la finca descrita. Lo dispuesto en este número no se opone a que las fincas urbanas cuyos linderos no pudieran determinarse en la forma expresada se designen por los cuatro puntos cardinales.

4.ª La medida superficial se expresará en todo caso y con arreglo al sistema métrico decimal, sin perjuicio de que también se haga constar la equivalencia a las medidas del país.

La descripción de las fincas rústicas y urbanas será preferentemente perimetral, sobre la base de datos físicos referidos a las fincas colindantes o datos catastrales de las mismas tomados de plano oficial».

4.14.2. Rectificación de descripciones

Hemos visto pues que es necesaria la utilización de la referencia catastral y que bien a instancias de los interesados o del Notario se puede rectificar la descripción de las fincas. Ello viene sancionado por el Real Decreto Legislativo 1/2004 de 5 de marzo por el que se aprueba el Texto Refundido de la Ley del Catastro Inmobiliario.

Dicho texto cuando habla de la subsanación de discrepancias entre la descripción que figura en la escritura y la que resulta de la certificación catastral descriptiva y gráfica señala en su **Art. 18** que «*Con ocasión de la autorización de un hecho, acto o negocio en un documento público podrán subsanarse las discrepancias relativas a la configuración o superficie de la parcela de la siguiente forma: El notario ante el que se formalicen los correspondientes hechos, actos o negocios jurídicos solicitará de los otorgantes que le manifiesten si la descripción que contiene la certificación catastral a que se refiere el artículo 3.2 se corresponde con la realidad física del inmueble en el momento del otorgamiento del documento público*».

Ante esa situación el propietario se enfrenta a **tres opciones**:

a) Declarar que no tiene datos suficientemente contrastables para determinar si existe o no esa coincidencia, prescindiendo del procedimiento de subsanación. No es un supuesto expresamente contemplado por la norma pero creo que debe admitirse por sentido común ya que es frecuente que el propietario no haya medido expresamente su parcela, chalet, nave industrial etc.

b) Declarar que si que hay coincidencia y que el notario describa la propiedad con arreglo a la certificación catastral, aunque la misma no tenga acceso al registro de la propiedad. No obstante dice la norma que en los documentos posteriores sólo será preciso consignar la descripción actualizada, lo que carece de virtualidad práctica ya que en los documentos posteriores se hace constar la descripción registral a la que obviamente se puede añadir la del título anterior que se adecúa con la realidad catastral y de la propiedad.

Esa actualización no tiene directamente acceso al registro de la propiedad si no cumple los términos de los arts. 9, 199 y 201 de la Ley Hipotecaria que en sintesis:

– El art. 9 permite la adecuación de forma potestativa en cualquier acto inscribible.

– El art. 199 que obliga al registrador a notificar a titulares de dominio, salvo que ellos hayan instado el expediente y a los colindantes.

– Y el art. 201 que permite el acceso cuando la diferencia no supere el 5% o el 10% siempre que se pueda determinar la coincidencia de la descripción literaria del registro con la del Catastro. En estos casos, y siempre que no haya duda fundada por parte del registrador, se debe practicar la inscripción y posteriormente notificar la misma a los propietarios de las fincas colindantes.

– Si no se puede determinar estaremos ante el expediente de rectificación que regulan los arts. 201 y 203 de la Ley.

c) Declarar que no existe identidad entre la realidad física de la propiedad y su descripción contenida en la certificación catastral incorporada. En este caso debe concretar en qué consiste la discrepancia y aportar una representación gráfica georreferenciada alternativa (una plano de técnico con coordenadas). Con ello se autoriza un acta para que el interesado acredite la discrepancia por cualquier medio admitido en Derecho y una vez que el notario considera correcta la acreditación cita a los titulares colindantes para que en un plazo de 20 días aleguen lo que les convenga a su derecho:

– si no hay oposición de nadie, se puede incorporar la nueva descripción al acta debiendo el notario informar telemáticamente a la Dirección General del Catastro sobre la rectificación realizada en el plazo máximo de cinco días desde la formalización del documento público. Una vez validada técnicamente por la citada Dirección General la rectificación declarada, se incorporará la correspondiente alteración en el Catastro. Si se ha aportado plano representado sobre la cartografía catastral el Catastro tiene 5 días para hacer la validación a efectos de que el notario la haga constar en la copia que expida.

– y si media oposición o no se acredita suficientemente el notario dejará constancia de ello en el documento público y, por medios telemáticos, informará
de su existencia a la Dirección General del Catastro para que, en su caso,
ésta incoe el procedimiento oportuno.

Con la Ley 13/2015 se ha querido subsanar parcialmente estas deficiencias ya que
en todos los casos en que la operación a realizar suponga una reordenación de terrenos
y de obras nuevas es necesario aportar la representación gráfica georreferenciada que
realiza normalmente un topógrafo con el CSV que le facilita el Catastro; en los terrenos
se exigen sus coordenadas y en las obras nuevas las coordenadas de la edificación que se
declara dentro de la parcela. También es necesaria dicha representación gráfica en todas
las inmatriculaciones de fincas que ahora se hacen exclusivamente ante notario en la
forma que regula el art. 203 de la Ley Hipotecaria.

Con los diferentes accesos de esos expedientes al Registro de la Propiedad se pretende ahora aumentar la coordinación entre las titularidades jurídicas que son el objeto de
la inscripción registral con las descripciones y titularidades catastrales ya que el Catastro
opera directamente sobre el territorio utilizando el inmueble como elemento estructural básico (subsistema catastral) y el registro sobre el derecho real o titularidad que
afectan al inmueble (subsistema de registro de títulos o de derechos).

El problema que se plantea es que son procesos largos y no son generalmente baratos.

4.14.3. Determinación de los títulos de adquisición

El concepto de título de adquisición tiene tradicionalmente dos acepciones como
he mantenido al estudiar este tema (JUAN MONTERO-RIOS GIL 2011, p. 451):
material y formal.

a) Título material es el negocio que justifica la titularidad del bien o derecho del
exponente, es la causa, el porqué una persona puede hacer un determinado acto
o negocio.

Ej. Vendo el piso porque soy dueño al haberlo comprado a... heredado de mi padre...
adjudicado en el convenio regulador de mi divorcio aprobado por sentencia...etc

b) Título formal es el documento que acredita la existencia del título material, es el
soporte del negocio o de la titularidad previa.

Ej. La escritura...sentencia... que lo demuestre.

Ambos, material y formal deben constar en el documento notarial para determinar
con el primero la causa jurídica y con el segundo el soporte documental de su acreditación.

La determinación de los títulos de adquisición la regula el Artículo 174 del Reglamento Notarial que establece: *«La relación de los títulos de adquisición del que transmita,*

modifique, grave o libere un inmueble o derecho real, se hará con arreglo a lo que resulte de los títulos presentados, y a falta de esta presentación, por lo que, bajo su responsabilidad, afirmen los interesados, consignándose, siempre que sea posible, los datos del Registro, folio, tomo, libro y número de la finca y de la inscripción.

En los títulos o documentos presentados o exhibidos al Notario con aquel objeto, y al margen de la descripción de la finca o fincas o derechos objeto del contrato, se pondrá nota expresiva de la transmisión o acto realizado, con la fecha y firma del Notario autorizante. Cuando fueren varios los bienes o derechos, se pondrá una sola nota al pie del documento».

Excepciones: Por el tenor literal del precepto la obligación de relación que establece no es de aplicación cuando se trata de bienes muebles (excepto buques) ni tratándose de inmuebles en operaciones distintas a las mencionadas.

Por ello PEDRO ÁVILA ÁLVAREZ lo considera innecesario en supuestos como agrupación, división, segregación o declaración de obra nueva sin perjuicio de que en la situación actual los supuestos señalados entren más en casos de «modificaciones» de inmuebles.

La realidad actual la podríamos resumir así: el propio 174 establece en sede de principio la obligación del notario de señalar el título de adquisición si bien permite si no ha mediado presentación de los mismos la manifestación del interesado con la consignación en todo caso y siempre que sea posible de los datos registrales. Igualmente prevé para el primer caso que el notario extienda la nota que exprese la transmisión o acto realizado, con la fecha y su firma.

La rapidez y exigencia del tráfico económico deja en muchos casos vacía de contenido la obligación impuesta por el párrafo segundo del precepto al no aportarse en múltiples ocasiones las copias autorizadas de los títulos previos.

Esta velocidad del mundo de la contratación unida a la falta de obligatoriedad de la presentación del título y a la doctrina de la Dirección General de los Registros y del Notariado que declaró en Rs. De 10 de noviembre de 1908 comentada por CHICO ORTIZ (1972) que la omisión del título de adquisición no puede impedir la inscripción ni afectar a la validez del negocio siempre que la propiedad resulte suficientemente identificada no está suponiendo un menoscabo importante en la seguridad del tráfico porque:

a) Aunque no se aporte la copia autorizada se aportan copias simples o fotocopias cuyo contenido se contrasta con la verificación registral previa.

b) Cuando, como veremos más adelante, sea posible el acceso telemático por el notario en el acto mismo del otorgamiento, podrá reiterarse la comprobación de la coincidencia.

c) Se produce, generalmente el mismo día del otorgamiento de la escritura, el cierre del registro con la presentación telemática de la copia autorizada electrónica al Libro Diario.

Con el sistema, los operadores inmobiliarios y financieros se consideran suficientemente protegidos siendo compatible con la exigencia de rapidez del mercado.

4.14.4. Determinación de cargas y gravámenes

La justificación y razón de ser del Notariado, en sus dos vertientes de funcionario y profesional, se halla en la utilidad del mismo para la sociedad a la que sirve que ha desarrollado un modelo de seguridad jurídica preventiva que tiene dos pilares básicos: el notario y la publicidad registral.

El concepto tradicional de «cargas y gravámenes» nos lleva al control de la publicidad registral a través de lo que conoce como «cargas propias» (embargos, hipotecas, servidumbres...); pero junto a ellas existen lo que se denominan las «cargas de procedencia» y las «afecciones».

Las cargas de procedencia hacen referencia a las que afectan a las propiedades de donde procede la propiedad objeto del contrato o negocio jurídico. Las más comunes son las servidumbres. Y el caso típico el del promotor que con varios solares en una misma manzana, con ocasión de edificar el primero de ellos, prevé la existencia de patios de luces entre los solares o comunicaciones entre los sótanos de los diferentes edificios que quiere construir; así por la mecánica registral de las cargas de procedencia es fácil encontrarnos con la existencia de una servidumbre de luces y vistas en la venta de una plaza de aparcamiento de sótano o de una servidumbre de paso de vehículos en la venta de una vivienda de ático..

Las **afecciones** las podemos dividir en dos grandes grupos: las fiscales y las demás nacidas de diversa legislación.

Las primeras, que tienen un duración de cinco años, se concretan en la responsabilidad de la propiedad (sea de quién sea) al pago de los impuestos que genere una determinada operación y a los que genere la comprobación de lo liquidado de forma que si el sujeto pasivo no paga lo que la Administración Tributaria le reclama, ésta tiene acción contra la propiedad que se halla trabada por la afección. La realidad práctica es que no se les hace ningún caso ni por parte de adquirentes ni de acreedores ya que un plazo tan largo de afección paralizaría el tráfico negocial si tenemos que esperarnos a que la afección caduque. Pero no nos olvidemos que están ahí.

Las otras vienen determinadas por el aumento de atribuciones que el ordenamiento confiere al notariado que tiene la obligación legal de controlar, para la seguridad del consumidor, los siguientes aspectos:

- la correcta titularidad sobre los bienes y derechos del que dice ser su dueño.
- las cargas y gravámenes que puedan afectar a la propiedad.
- la referencia catastral de la propiedad y sus modificaciones, también en orden a la titularidad.
- su situación de deudas del Impuesto sobre Bienes Inmuebles (IBI).
- su situación de deudas de la comunidad de propietarios.
- la comunicación al Ayuntamiento para levantar el cierre registral por falta de presentación respecto del Impuesto sobre el incremento del valor de los terrenos urbanos.
- la existencia, según los casos, del certificado de eficiencia energética.
- la procedencia del dinero de las transmisiones.
- el titular real de las operaciones, especialmente respecto de sociedades.

Cumplidas las obligaciones que analizaremos y otorgada la escritura nace la obligación de presentación de la misma telemáticamente en el Registro de la Propiedad para que cause el asiento correspondiente en el Libro Diario con el cierre que ello conlleva a operaciones posteriores.

También existen otras obligaciones notariales, a solicitud de parte y previa aceptación notarial como podrían ser la tramitación electrónica de la escritura incluyendo el pago de impuestos y su inscripción definitiva, la obtención de los CIF para las sociedades que constituya, la presentación y pago del Impuesto sobre el incremento del valor de los terrenos urbanos, cuando proceda, por cuenta del sujeto pasivo...

4.14.4.1. El control de la titularidad y de las cargas y gravámenes que puedan afectar a la propiedad

El control del notariado sobre las cargas y gravámenes tiene su reflejo propiamente notarial en la dicción del **Artículo 175** del Reglamento Notarial, tal y como ha quedado en su redacción dada por el Real Decreto 45/2007 de 19 de enero y la STS. de 20 de mayo de 2008, que establece:

> «1. A los efectos de informar debidamente a las partes acerca del acto o negocio jurídico, el notario, antes de autorizar el otorgamiento de una escritura de adquisición de bienes inmuebles o constitución de derecho real sobre ellos, deberá comprobar la titularidad y el estado de cargas de aquellos.
> 2. El conocimiento de la titularidad y estado de cargas del inmueble se efectuará por medios telemáticos en los términos previstos en la Ley Hipotecaria. Excepcionalmente, en supuestos de imposibilidad técnica, podrá efectuarse mediante un escrito con su sello que podrá remitirse por cualquier procedimiento, incluso telefax, en cuyo caso se estará a lo dispuesto en el apartado cuarto de este artículo.
> 3. Sin perjuicio de que como medio de preparación para la redacción de la escritura se acceda a los Libros del Registro de la Propiedad, el notario deberá efectuarlo también en el momento

inmediato más próximo a la autorización de la escritura pública bajo su responsabilidad. En cualquier caso, el acceso se realizará sin intermediación del registrador mediante el empleo de la firma electrónica reconocida del notario y en los términos previstos en el artículo 222.10 de la Ley Hipotecaria.

Dicho acceso sólo podrá efectuarse en el cumplimiento estricto de las funciones que la legislación vigente atribuye al notario.

El notario testimoniará e incorporará a la matriz el contenido del acceso telemático, indicando el día y la hora de éste.

4. Si se empleara telefax o cualquier otro medio escrito el otorgamiento de la escritura deberá realizarse dentro de los diez días naturales siguientes a la recepción por el notario de la información registral, si bien que en tal caso el notario advertirá a las partes de la posible existencia de discordancia entre la información registral y los Libros del Registro, al no producirse el acceso telemático a estos en el momento de la autorización.

La solicitud de información, que podrá referirse a una o varias fincas, contendrá, además del nombre del notario, su domicilio y número de telefax, la descripción de la finca o fincas con sus datos registrales y situación conocida de cargas, o bien solamente reseña identificadora en la que se haga constar su naturaleza, término municipal de su situación, extensión y linderos, con expresión, según los casos, del sitio o lugar en que se hallare si es rústica, nombre de la localidad, calle, plaza o barrio, el número, si lo tuviere, y el piso o local, si es urbana, y si fuesen conocidos, los datos registrales de ellas y los del titular registral o al menos los del transmitente.

La información podrá ser solicitada sin expresión de plazo o para un día determinado dentro de los quince naturales siguientes al de la petición.

5. Se exceptúan del deber a que se refiere los apartados anteriores, los siguientes supuestos:

a) Cuando se trate de actos de liberalidad.

b) Cuando el adquirente del bien o beneficiario del derecho se declare satisfecho de la información resultante del título, de las afirmaciones del transmitente y por lo pactado entre ellos».

En esta materia la legislación ha avanzado mucho; pensar que hasta agosto de 1993 bastaba que la libertad de cargas la declarase el transmitente o que las partes se remitiesen a lo que resultase de los libros del Registro advirtiendo el notario de la conveniencia de que se acreditasen a través de la certificación registral.

Consiste básicamente en la obligación que tiene el notario de comprobar antes de la firma de la escritura la titularidad y el estado de cargas de las propiedades objeto del contrato.

Para su estudio podemos distinguir con ANTONIO JIMÉNEZ CLAR (2008) en sus Temas de Derecho Notarial varios apartados: 1) Ámbito de aplicación, 2) Mecanismos de comprobación, y 3) Excepciones.

1) Ámbito de aplicación: doble, material y temporal (a qué escrituras se aplica y cuando se hace el control).

- Material: adquisición de bienes inmuebles (por cualquier título) o constitución de un derecho real (cualquiera) sobre ellos.

- Temporal: antes del otorgamiento de la escritura.

2) Mecanismos de comprobación: la regla general es el acceso telemático y la excepción el telefax o cualquier otro medio.

a) **Acceso telemático**, que se configura como la regla general, con arreglo a la legislación hipotecaria y sin intermediación del Registrador dado el carácter de autoridad o funcionario que se atribuye al notario (art. 222.10 L.H.).

¿Cuando?: en dos momentos siempre antes del otorgamiento.

– Momento de preparación de la escritura.

– Momento de la firma de la escritura debiendo incorporarse a la misma el contenido del acceso con indicación del día y la hora.

b) **Acceso por telefax** en los supuestos de imposibilidad técnica (la excepción), con intermediación en estos casos del Registrador que expide al información y, dado su valor puramente informativo (Art. 222.5 L.H.), con advertencia expresa a las partes en la escritura de la posible discordancia entre el contenido de la información y los Libros del Registro.

¿Cuando?: también antes del otorgamiento cuando quiera el notario ya que la solicitud se puede pedir para un día determinado dentro de los quince siguientes o sin expresión de día en cuyo caso el Registrador ha de remitir la información en un plazo máximo de tres días (Art. 354 a.4 R.H.).

¿Cómo?: los requisitos formales se predican únicamente de la excepción (telefax) ya que el acceso telemático requiere la firma electrónica reconocida. Son los relativos:

– Al notario: hay que identificar al notario que pide la información a través de su nombre y apellidos, domicilio y número de telefax.

– Al inmueble: hay que identificar la propiedad de la que se solicita la información ya sea indicándola por extensa (descripción, datos registrales y situación de cargas conocidas) o mediante una reseña comprensiva de su naturaleza, término municipal de su situación, extensión y linderos, con expresión, según los casos, del sitio o lugar en que se hallare si es rústica, nombre de la localidad, calle, plaza o barrio, el número, si lo tuviere, y el piso o local, si es urbana, y si fuesen conocidos, los datos registrales de ellas y los del titular registral o al menos los del transmitente.

No obstante la regla general no existe pues a pesar del tiempo de vigencia de la actual normativa (más de 16 años) **no está habilitado el acceso telemático**; los registradores no han cumplido sus obligaciones de informatización real y de actualización informática simultánea por no se sabe que temor a que el notario, el Juez o el funcionario público legitimado pueda ver directamente y sin su intermediación el contenido del Registro. Por tanto nos hallamos siempre ante el supuesto de imposibilidad técnica que condena al notario a la solicitud de información por telefax con intermediación del registrador que la expide, a esperar tres días (plazo que le da la Ley para emitirla Art. 354 a.4 R.H.) y a soportar la falta de fiabilidad frente al contenido de los libros de la información obtenida dado su valor puramente informativo (Art. 222.5 L.H.), lo que obliga al notario a advertir expresamente a las partes en la escritura de la posible discordancia entre el contenido de la información y los Libros del Registro. La validez de la información obtenida es de 10 días.

Ello ha generado en ocasiones una grave problemática que se ha llegado a evidenciar en una Sentencia del Tribunal Supremo de 18 de marzo de 2014 la condena al notario al pago de una indemnización de casi dos millones y medio de euros en un sinsentido de remisiones de información.

3) **Excepciones**. Son los supuestos que permiten a los interesados pedirle al notario que no cumpla con su obligación de información. Son dos:

 – Actos de liberalidad.

 – Y conformidad del adquirente del bien o beneficiario del derecho que debe declararse en la escritura satisfecho de la información que resulta del título, por lo que le cuenta el transmitente y por lo pactado entre ellos.

Nótese que en la redacción anterior a la STS de 20 de mayo de 2008 se exigía la alegación de «urgencia en el otorgamiento» y permitía al notario negar la autorización si consideraba que la urgencia no estaba justificada o si sospechaba que la información que se le ha dado al adquirente no es exacta.

Ahí el consumidor se queda huérfano de la protección notarial ya que el notario ya no puede entrar a valorar ni la urgencia ni la calidad de la información que se le facilita al adquirente. Por eso hay que tener, mucho cuidado con las excepciones, no hay prisa que no permita esperar un par de días y hacer las cosas correctamente.

En cualquier y aunque no son muchos, los sinvergüenzas se las saben todas ya que aunque el sistema ha minimizado considerablemente el riesgo el notario no tiene tiempo material de firmar la escritura, digitalizar toda la documentación a ella incorporada y remitirla con su firma electrónica al registro de la propiedad para causar el asiento de presentación en cinco minutos. Tampoco le da tiempo al registro de la propiedad a notificar variaciones de forma inmediata. Así me ha ocurrido de formalizarse una operación a las 14,15 horas (terminada a las 14,45) ya sin empleados, remitirla a las 17,15 horas y encontrarme con una hipoteca que entró en el Registro a las 14,00 firmada en otra notaría a las 13,00 sobre el mismo inmueble, idéntico deudor y diferente entidad de crédito.

En todo caso, si el sistema que prevé la norma (art. 175) estuviese funcionando el riego se minimizaría considerablemente más y es a eso a lo que hay que tender si bien pienso que ni existe voluntad política ni voluntad en el colectivo registral para ello, lo que indudablemente cuesta entender ya que su finalidad es la de proteger los derechos de los consumidores a los que ambos cuerpos, y no digo nada los políticos, están obligados a servir.

4.14.4.2. La referencia catastral de la propiedad, titularidad y sus modificaciones

La obligación de constancia de la referencia catastral viene impuesta por el Real Decreto Legislativo 1/2004 de 5 de marzo aprobatorio del texto refundido de la Ley del Catastro Inmobiliario en sus artículos 38 y siguientes.

4.14.4.2.1. ¿Qué es la referencia catastral?

Es un identificativo alfanumérico que aparece en el recibo de IBI y que identifica cartográficamente la propiedad, su titular, y su base imponible fiscal así como sus linderos y superficie. En la actualidad la certificación catastral descriptiva y gráfica incorpora la georreferencia de la propiedad.

4.14.4.2.2. ¿Dónde hay que ponerla?

La obligación se predica de los documentos (Art. 38) donde consten los hechos, actos o negocios de trascendencia real relativos al dominio y demás derechos reales, contratos de arrendamiento, proyectos técnicos o cualesquiera otros relativos a los bienes inmuebles.

La norma tiene excepciones que recoge el Art. 39:

a) Cancelación de derechos reales de garantía. (En la práctica se pide por los notarios ya que es un dato que nos exige el Índice Único de información a la Administración Tributaria).

b) Los actos administrativos para cobro de deudas de derecho público.

c) Los procedimientos recaudatorios y tributarios si la referencia es conocida por la Administración.

d) Las anotaciones en el Registro de la Propiedad por resolución judicial o administrativa de apremio.

4.14.4.2.3. ¿Quién debe suministrarla?

Los notarios deben obtener (Art. 47) la referencia catastral del inmueble por procedimientos telemáticos. Para eso tenemos un acceso con firma electrónica a la sede del Catastro,

Y, solo si no la podemos conseguir se la tenemos que pedir al otorgante. Dicha referencia se hará constar en la escritura a la que se incorporará el documento obtenido o aportado.

¿Qué documento? Después de la modificación del art. 3 por la Ley 2/2011 de 4 de marzo de Economía Sostenible en su Disposición Final 18 parece que el documento idóneo es la certificación catastral descriptiva y gráfica; esa y no otra es la que tiene que obtener el notario ya que tiene acceso telemático y posibilidad para obtenerla; solo si no puede entrarán en funcionamiento las otras formas de acreditación, que son:

a. Certificación catastral electrónica obtenida por los procedimientos telemáticos que se aprueben por resolución de la Dirección General del Catastro.

b. Certificado u otro documento expedido por el Gerente o Subgerente del Catastro.

c. Escritura pública o información registral.

d. Último recibo justificante del pago del Impuesto sobre Bienes Inmuebles.

Y solo si no puede con ninguna es cuando se la pide al otorgante.

4.14.4.2.4. ¿Qué pasa si no se aporta o no se puede obtener?

La falta de obtención no es un obstáculo esencial para formalizar el instrumento ya que el Art. 44 señala que «El incumplimiento de la obligación de aportación no impedirá que los notarios autoricen el documento ni afectará a su eficacia o a la del hecho, acto o negocio que contenga. Tampoco impedirá la práctica de los asientos correspondientes en el Registro de la Propiedad», ello sin perjuicio de las advertencias que hay que realizar a las partes en esos casos.

4.14.4.2.5. Titularidad y modificaciones

Lo notarios son sujetos obligados por la legislación catastral (Art. 36.3) a comunicar al Catastro, de forma telemática y dentro de los veinte (20) primeros días de cada mes, información relativa de todos los documentos que autoricen siempre que contengan datos (hechos, actos o negocios jurídicos) susceptibles de inscripción en el Catastro. También tenemos obligación de comunicar la identidad de las personas que hayan incumplido su obligación de aportar la referencia catastral; esto último debe entenderse cuando el notario no ha podido obtenerla telemáticamente y la ha solicitado a los interesados y éstos no la hayan aportado. La información señalada puede revestir, y es lo más común, el concepto de «comunicación» que recoge el Art. 14.a) en cuyo caso el plazo se acorta a cinco (5) días.

En los casos de modificación hipotecaria de fincas (segregaciones, agrupaciones, divisiones horizontales...) además de las preceptivas licencias administrativas, el notario debe remitir copia simple de la escritura junto con los planos aportados al Catastro que debe notificar al notario la nueva referencia catastral asignada. En estos casos la experiencia demuestra que es más práctico obtener por parte del técnico una validación positiva del Catastro de la operación a realizar para poder ajustarse a la misma y evitar la sorpresa de que, una vez hecha, el Catastro no la valide.

4.14.4.2.6. ¿Qué se consigue con ello?

No hay que pensar demasiado para valorar las ventajas que para el Estado supone el tener una información permanentemente actualizada de su territorio, no solo de la configuración física de las propiedades (pensar en sede de expropiaciones por obras públicas), sino de su titular (pensar en el control fiscal de las transmisiones inter vivos y también mortis causa). A su lado hay también evidentes ventajas para el consumidor ya que éste, con las comunicaciones que realiza el notario, se ahorra el coste y las molestias de hacerlas procediéndose automáticamente a los cambios de titularidad. Es decir no tiene que desplazarse ni a su Ayuntamiento ni al Catastro provincial para hacer los cambios de titularidad.

No obstante son comunicaciones telemáticas que no suelen dar problemas si todos los datos coinciden (si el titular catastral coincide con el titular del derecho transmitido en los términos de los Arts. 45 y 49) ya que en otro caso el ordenador del Catastro no va a entender la comunicación y es posible que no la realice. Hay básicamente los siguientes supuestos:

- Que el Catastro nos diga que inicia el procedimiento para cambiarlo, lo que exime al sujeto pasivo de su obligación de notificar.
- Que nos diga que lo ha cambiado y te mande un resguardo.
- Que lo cambie pero mal en cuyo caso remitimos una copia simple para que lo arregle aunque la verdad no suele tener mucho éxito.
- Que no lo cambie en cuyo caso suelen pedirnos una copia simple que se les remite o se la piden directamente al interesado.

En estos dos últimos supuesto subsiste la obligación del interesado de notificar la alteración al Catastro de lo que debe informar el notario al consumidor.

4.14.4.3. La situación de deudas del IBI

Íntimamente ligada con la exigencia anterior está la obligación notarial de informar sobre el estado deudas de IBI que pueden afectar al inmueble objeto del negocio.

El IBI o Impuesto sobre bienes inmuebles es un impuesto anual, de carácter municipal que grava la mera tenencia de los mismos. Se devenga, Art. 75 del Texto Refundido de la Ley de haciendas locales aprobado por el Real Decreto Legislativo 2/2004 de 5 de marzo, el día 1 de enero, lo que determina que el que es titular del inmueble en esa fecha es la persona o sujeto obligado a su pago.

El Tribunal Supremo en su Sentencia de 15 de junio de 2016 ha permitido al vendedor repetir contra el comprador la **parte proporcional** del tributo por lo que es aconsejable pactar en la escritura cómo pactan las parte su pago ya que si no hay pacto cabría la reclamación por lo que si la voluntad de los contratantes es que sea de cuenta de uno o de otro o de ambos de forma proporcional lo mejor es pactarlo expresamente.

4.14.4.3.1. ¿Qué pasa si el titular, porque, por ejemplo haya vendido, no paga?

Es evidente que la administración desarrollará una actividad frente al mismo tendente al cobro del impuesto pero el Artículo 64 del mencionado Texto Refundido de la Ley de haciendas locales establece una afección al pago del impuesto sobre la propiedad transmitida, aunque sea de otra persona. Así señala que «en los supuestos de cambio, por cualquier causa, en la titularidad de los derechos que constituyen el hecho imponible de este impuesto, los bienes inmuebles objeto de dichos derechos quedarán afectos al pago de la totalidad de la cuota tributaria, en régimen de responsabilidad subsidiaria, en los términos previstos en la Ley General Tributaria».

Hay que tener en cuenta en materia del ejercicio de la denominada «**acción de derivación**» que el Tribunal Supremo en Sentencia de 24 de enero de 2004, declara, como doctrina legal, en relación con el artículo 65 de la LRHL 1988 que en esos casos de cambio no hace falta la declaración de fallido del adquirente o los adquirentes intermedios para que, declarada la del deudor originario transmitente de los bienes afectos al pago de la deuda tributaria, pueda derivarse la acción contra dichos bienes tras la notificación reglamentaria, al adquirente y titular actual de los mismos, del acto administrativo de derivación.

Igualmente hay que ser conscientes de que el mismo art. 64 nos cuenta que responden solidariamente de la cuota de este impuesto, y en proporción a sus respectivas participaciones, los **copartícipes** o cotitulares de las entidades a que se refiere el artículo 35.4. de la Ley 58/2003, de 17 de diciembre, General Tributaria, si figuran inscritos como tales en el Catastro Inmobiliario. De no figurar inscritos, la responsabilidad se exigirá por partes iguales en todo caso. Se refiere pues a las herencias yacentes, que son las que está pendientes de aceptación, a las comunidades de bienes y demás entidades que, carentes de personalidad jurídica, constituyan una unidad económica o un patrimonio separado susceptibles de gravamen fiscal.

Por todo ello y especialmente por las consecuencias que respecto de acreedores y adquirentes se derivan el propio precepto establece la obligación de los notarios de solicitar información y de advertir expresamente a los comparecientes en los documentos que autoricen sobre las deudas pendientes por el IBI asociadas al inmueble que se transmite, sobre el plazo dentro del cual están obligados los interesados a presentar declaración por el impuesto, cuando tal obligación subsista por no haberse aportado la referencia catastral del inmueble, conforme al apartado 2 del artículo 43 del texto refundido de la Ley del Catastro Inmobiliario y otras normas tributarias, sobre la afección de los bienes al pago de la cuota tributaria y, asimismo, sobre las responsabilidades en que incurran por la falta de presentación de declaraciones, el no efectuarlas en plazo o la presentación de declaraciones falsas, incompletas o inexactas, conforme a lo previsto en el artículo 70 del texto refundido de la Ley del Catastro Inmobiliario y otras normas tributarias.

De esta forma se consigue, además de una protección del adquirente, casi siempre el cobro de los recibos por parte del Ayuntamiento sin desplegar más actuaciones ya que es el propio adquirente o el acreedor los que se ocupan, para su tranquilidad, de que el cobro se realice procediendo a la retención correspondiente al transmitente o al deudor.

4.14.4.3.2. A quién se pide y cómo

Obviamente se pide al único que puede darla: al Ayuntamiento. Y se pide por cualquier medio que acredite su recepción siendo válido el fax y el correo electrónico. Hay multiplicidad de convenios regulatorios entre el Consejo General del Notariado, los Colegios Notariales y Ayuntamientos y Diputaciones para facilitar tanto la solicitud como la recepción de la información. Hay muchos Ayuntamientos implicados en facilitar incluso al instante la información solicitada (aquellos que han firmado convenio con ANCERT (Agencia Notarial de Certificación) que es la sociedad de control de información del Consejo General del Notariado) aunque hay demasiados (aquí pocos son muchos) que sea por razones de adecuación informática o sea por razones de índole presupuestaria no están preparados para hacerlo con la celeridad que requiere el tráfico económico.

También hay los que alegan que esa información vulnera la legislación de protección de Datos. Nada más lejos de la realidad, la propia Agencia Estatal de Protección de Datos en una consulta 0079/2005 reconoció el derecho del notario a solicitar dicha información sin que ello suponga una vulneración de la legislación de protección de datos.

No se exigen requisitos especiales para pedir la información, basta, al tratarse de una obligación legal, que lo pida el notario. Se pide a través de la plataforma de ANCERT para aquellos Ayuntamientos adscritos o a través de correo electrónico como forma más generalizada. La normativa no establece nada respecto del plazo para facilitarla si bien las analogías en materia de informaciones y la agilidad del tráfico (siempre arriesgadas y peligrosas de formular) nos permitiría apuntar el criterio de a la mayor brevedad posible y, en cualquier caso dentro de los tres días siguientes a la solicitud.

Lo anterior nos lleva a plantearnos dos cuestiones:

a) **¿Qué pasa si habiendo pedido el notario la información, no se remite** por el Ayuntamiento que posteriormente reclama contra la propiedad y por tanto contra el nuevo titular los recibos impagados existentes mediante el ejercicio de la acción de derivación? El supuesto nos podría llevar a cuestionar la licitud de una reclamación de esa índole contra el inmueble motivada por la falta de cumplimiento de la Administración de su obligación legal de información.

b) **¿Qué pasa si el Ayuntamiento la da mal y después reclama?** Sobre este tema merece la pena destacar la Sentencia 469/2013 de 10 de diciembre del Juzgado de lo Contencioso de Alicante que impidió la reclamación subsidiaria al comprador de la propiedad en aras a los principios de la confianza legítima y prohibición del abuso de derecho que deben ser también aplicables a la Administración.

El sistema, con ser bueno, tiene lagunas referidas a las deudas del ejercicio correspondiente a la transmisión cuando no ha terminado el plazo para su pago. Hemos visto que las deudas de ejercicios anteriores se pueden controlar por el sistema; en cambio lo que no se puede controlar por el mismo es que el transmitente porque ya no es el propietario no pague el IBI del año en que realiza la transmisión; aquí podemos aconsejar que el adquirente averigüe el importe y se lo descuente al transmitente si no quiere arriesgarse porque si su transmitente deviene insolvente la afección de la propiedad obligará al adquirente, que adquiere confiado en el sistema, a atenderlo si no quiere que se ejecute la afección.

4.14.4.4. La situación de deudas de la comunidad de propietarios

Básicamente la Ley de Propiedad Horizontal de 21 de julio de 1960 con sus diferentes modificaciones regula la afección del inmueble al pago de diferentes gastos derivados de su propiedad.

La última de las modificaciones ha sido a través de la conocida como Ley 3R (Ley 8/2013 de 26 de junio de Rehabilitación, Regeneración y Renovación Urbanas). Esa norma ha modificado la Ley de Propiedad Horizontal en determinados regímenes de mayorías para diferentes asuntos, creando subcomunidades, permitiendo la división de elementos, regulando el fondo de reserva y ampliando el plazo de afección.

Esta afección, que tiene carácter preferente (de forma similar a las deudas de IBI) afecta no solo a adquirentes sino también a los acreedores por lo que su conocimiento es importante.

4.14.4.4.1. A qué se refiere la afección

Se refiere a los siguientes supuestos:

a) Sostenimiento de gastos generales. (art. 9).

Gastos generales son los gastos que no se pueden imputar individualmente a uno o varios pisos o locales, sin que la no utilización de un servicio exima del cumplimiento de las obligaciones de pago. Se trata pues de un concepto muy amplio

b) Obras de conservación y derramas. (art. 10).

Se trata de los trabajos y las obras que resulten necesarias para:

1º. el adecuado mantenimiento y cumplimiento del deber de conservación del inmueble y de sus servicios e instalaciones comunes, incluyendo en todo caso, las necesarias para satisfacer los requisitos básicos de seguridad, habitabilidad y accesibilidad universal, así como las condiciones de ornato y cualesquiera otras derivadas de la imposición, por parte de la Administración, del deber legal de conservación.

2º. Para garantizar los ajustes razonables en materia de accesibilidad universal y, en todo caso, las requeridas a instancia de los propietarios en cuya vivienda o local vivan, trabajen o presten servicios voluntarios, personas con discapacidad, o mayores de setenta años, con el objeto de asegurarles un uso adecuado a sus necesidades de los elementos comunes, así como la instalación de rampas, ascensores u otros dispositivos mecánicos y electrónicos que favorezcan la orientación o su comunicación con el exterior, siempre que el importe repercutido anualmente de las mismas, una vez descontadas las subvenciones o ayudas públicas, no exceda de doce mensualidades ordinarias de gastos comunes. No eliminará el carácter obligatorio de estas obras el hecho de que el resto de su coste, más allá de las citadas mensualidades, sea asumido por quienes las hayan requerido.

3º. La construcción de nuevas plantas y cualquier otra alteración de la estructura o fábrica del edificio o de las cosas comunes, así como la constitución de un complejo inmobiliario, tal y como prevé el artículo 17.4 del texto refundido de la Ley de Suelo, aprobado por el Real Decreto Legislativo 2/2008, de 20 de junio, que resulten preceptivos a consecuencia de la inclusión del inmueble en un ámbito de actuación de rehabilitación o de regeneración y renovación urbana.

4.14.4.4.2. Cómo se pagan

Los gastos generales, en proporción a la cuota de participación de cada piso o local que figura en la escritura y las obras del art. 10, por los propietarios de la correspondiente comunidad o agrupación de comunidades, en base al mismo sistema limitándose el acuerdo de la Junta, ya que no hace falta acuerdo previo, a la distribución de la derrama pertinente y a la determinación de los términos de su abono.

4.14.4.4.3. Afección

La afección hace que la propiedad del piso local está sujeta con carácter preferente al pago de esos gastos. Es preferente sobre:

a) Los créditos hipotecarios y los refaccionarios, anotados e inscritos en el Registro de la Propiedad.

b) Los créditos preventivamente anotados en el Registro de la Propiedad en virtud de mandamiento judicial, por embargos, secuestros o ejecución de sentencias.

c) Los refaccionarios no anotados ni inscritos.

Cuanto tiempo?: la parte vencida de la anualidad en curso y los tres años anteriores. Antes de la modificación de la Ley 3R era la parte vencida de la anualidad corriente y el año anterior.

Sea quién sea el deudor responde el dueño del piso ya que la afección tiene carácter real y no personal, es decir sujeta directamente a la propiedad al pago. Obviamente el propietario no deudor que pague tiene derecho de repetición contra el propietario anterior.

Los notarios, en su labor de control y protección debe exigir dos actuaciones del sujeto obligado:

a) Que declare que la vivienda o local se halla al corriente en el pago de los gastos generales de la comunidad de propietarios o expresar los que adeuda.

b) La aportación en el momento de la firma de la escritura de una certificación sobre el estado de deudas con la comunidad coincidente con su declaración, sin la cual no podrá autorizarse el otorgamiento del documento público, salvo que fuese expresamente exonerado de esta obligación por el adquirente.

En cuanto hemos señalado que la afección se produce no solo respecto de los gastos generales sino también de las obras indicadas no estaría de más que el contenido de la certificación deba versar sobre todas ellas y no sobre una o alguna de ellas. Bastaría pensar en la mejora aprobada en este ejercicio a pagar con una derrama que será exigible en el ejercicio siguiente, en el vendedor que aporta un certificado de hallarse al corriente en los gastos generales de comunidad (lo que obviamente es cierto) y en el comprador al que al año se le exige un importe inesperado en cuya aprobación y determinación no ha tenido ni arte ni parte.

La certificación será emitida en el plazo máximo de siete días naturales desde su solicitud por quien ejerza las funciones de secretario, con el visto bueno del presidente, quienes responderán, en caso de culpa o negligencia, de la exactitud de los datos consignados en la misma y de los perjuicios causados por el retraso en su emisión.

Sería deseable que se acortase el plazo de siete días (demasiado largo para la celeridad del tráfico) sobre todo si le compete a un profesional como a los administradores de fincas.

En la actualidad el Notariado tiene suscrito un Convenio con el Colegio Nacional de Administradores de Fincas que permite solicitar desde el ordenador del notario el preceptivo informe sobre la situación de deudas de comunidad de la propiedad objeto de transmisión. El sistema requiere un previo escrito del propietario ante el notario solicitando que utilice el sistema.

Debe también el notario advertir al transmitente de su obligación de comunicar a quién ejerza las funciones de secretario de la Comunidad el cambio de titularidad de la vivienda o local por cualquier medio que le permita tener constancia de su recepción ya que si no lo hace, responderá de forma solidaria con el nuevo titular de las deudas de la comunidad generadas después de haber vendido el piso. Ello sin perjuicio también de su derecho de repetición.

4.14.4.5. Cálculo, pago y comunicación de la Plusvalía Municipal

Lo que se conoce mal como plusvalía municipal es un impuesto que se denomina sobre el incremento del valor de los terrenos de naturaleza urbana que grava la diferencia del valor del terreno proporcional si es un piso o total si es terreno o vivienda unifamiliar entre el día que entra en mi patrimonio y el día que sale del mismo.

El notariado, a efectos de su cálculo, ha suscrito convenios con la casi totalidad de municipios de España para que a través de medios telemáticos pueda obtener su importe, con carácter vinculante para el municipio, e informar así al obligado tributario cuánto dinero le va a costar el impuesto de la plusvalía municipal.

Lo que no puede hacer el notario, hoy por hoy, es solicitar en su nombre por vía telemática prórrogas ni aplazamientos de pago.

También muchos Ayuntamientos permiten que sea el propio notario el que abone el importe de dicho impuesto facilitando la correspondiente carta de pago al sujeto tributario y evitándole, presentaciones, desplazamientos y colas.

No obstante en este apartado la realidad es un poco decepcionante aunque es comprensible. Se utiliza poco. ¿Y, porqué? Pues simplemente porque supone para el sujeto pasivo un coste financiero ya que a la hora de formalizar la escritura el vendedor o los herederos tienen que aportar a la notaría su importe, previamente calculado, y ello le supone anticipar el pago ya que si lo hace él tiene un mes en caso de transmisiones onerosas y seis meses desde el fallecimiento en caso de herencias. Tiene cierto predicamento cuando el vendedor vive fuera y no se plantea venir en el plazo para pagar la plusvalía.

4.14.4.5.1. Cierre registral

Desde el 1 de enero de 2013 se ha modificado la legislación hipotecaria exigiendo el art. 254 para inscribir, si el objeto es urbano, que se acredite uno de los siguientes supuestos:

– Que se ha realizado la autoliquidación del impuesto por el sujeto pasivo.

– Que se ha presentado la declaración del mismo.

– O que se ha realizado la comunicación de la existencia del hecho imponible por el sujeto no obligado al pago.

Puestas así las cosas y ante el panorama de cualquier comprador de tener que esperar a que su vendedor (sujeto pasivo) realice el pago o presentación al Ayuntamiento o tener que ir él para poder inscribir el CGN suscribió un convenio con la Federación Nacional de Municipios y Provincias a efectos de que esa comunicación se pudiera enviar por correo electrónico con firma notarial y que la misma vinculase a aquellos municipios que integran dicha Federación. Este sistema genera un acuse de recibo inmediato que se puede incorporar a la escritura como prueba de que el comprador ha cumplido con su obligación permitiendo así la inscripción a su favor de lo que ha comprado. En algunos casos, pocos, el sistema también genera automáticamente un acuse de recibo del propio Ayuntamiento.

No obstante, el sistema no fue del agrado de los registradores que le han puesto la pega de que no acredita la recepción por parte del Ayuntamiento. El enfrentamiento dio lugar a una Resolución de la DG de 28 de septiembre de 2013 que zanjó la cuestión señalando que el sistema no acreditaba la recepción por parte del Ayuntamiento y por tanto no permitía dar por cumplida con el mismo la obligación señalada manteniéndose el cierre del Registro a la escritura. Contradiciendo el criterio anterior el Juzgado de Primera Instancia 2 de los de Bilbao en sentencia 34/2014 de 18 de febrero ha reconocido la validez del sistema ya que considera probado que:

– el sistema garantiza la recepción ya que solo se emite el justificante que el notario incorpora a la escritura cuando la comunicación ha llegado al servidor del Ayuntamiento; de lo contrario el sistema da «error».

– y que aunque el sistema no pueda acreditar que el funcionario encargado lo haya recibido, la ley obliga solo a notificar; tampoco se puede hacer esa demostración cuando se presenta por registro de entrada en el mismo Ayuntamiento.

En este momento el sistema de comunicación notarial es pacífico en cuanto a su validez y permite el levantamiento del cierre registral.

4.14.4.5.2. Posibles exenciones en su pago

Si partimos de la base de que impuesto grava el aumento del valor de los terrenos urbanos se pueden encontrar posibilidades de solicitar la exención de su pago si se demuestra la inexistencia de hecho imponible, es decir que no ha habido aumento de valor; para ello se puede confrontar la certificación descriptiva gráfica del título previo (en la que consta el valor del terreno entonces) con la del momento de la adquisición (en la que consta el valor del terreno ahora). Este criterio ha sido admitido por algún Tribunal (S del Juzgado de lo Contencioso Administrativo 6 de Valencia de 1 de abril de 2016) condenando al Ayuntamiento de Torrent a cancelar la liquidación que había hecho.

En esta línea el Tribunal Constitucional ha sentado la tesis de que si no ha habido existencia de ganancia tampoco debe girarse liquidación por dicho impuesto. En cualquier caso la inexistencia debe acreditarse por parte del sujeto pasivo del impuesto., El Tribunal Supremo aclara la cuestión aceptando como prueba de la falta de incremento con los valores de las escrituras de adquisición y de transmisión, correspondiendo la prueba en contrario a la propias Administración.

Así hago constar, cuando en es el caso, en mis escrituras cláusulas como «La parte vendedora solicita expresamente la exención del pago de dicho tributo al amparo de las Sentencias del Tribunal Constitucional de 16 de febrero de 2017 y 59/2017 de 11 de mayo de 2017 y su desarrollo, aclaración e interpretación por parte del Tribunal Supremo en su Sentencia 1.163/2018 de 9 de julio de 2018 al acreditarse la inexistencia de incremento de valor, ofreciendo como prueba:

- Que el valor de adquisición reflejado en la escritura señalada en el epígrafe "Título" fue de * euros la vivienda y * euros la plaza de aparcamiento, muy superior al valor de la presente enajenación.

- y que el valor del suelo que refleja la certificación catastral incorporada a la escritura de adquisición es de * euros para la vivienda y * euros para la plaza de aparcamiento, también superior a la que refleja la certificación incorporada a la presente.

De la existencia de los valores señalados yo, el notario, doy fe de que son los que figuran en el título exhibido por la parte vendedora».

4.14.4.6. El certificado de eficiencia energética

Hemos comentado antes el requisito, según los casos, de acreditación de la existencia del certificado de eficiencia energética. El requisito del certificado de eficiencia energética deriva de la transposición de la Directiva Comunitaria 2002/1991 en la Ley del Suelo de 2011 (Art. 24) y tiene su actual desarrollo en el RD. 235/2013 de 5 de abril.

4.14.4.6.1. ¿Qué casos?

Podemos distinguir entre un ámbito de carácter objetivo y otro de carácter formal; así:

a) Ámbito objetivo. A qué supuestos afecta el requisito? Afecta, en lo que a la mayoría nos interesa, a:

- edificios de nueva construcción, haciendo referencia pues a la ON.

- edificios o partes de edificios existentes que se vendan o alquilen (salvo que ya lo tengan porque tiene una vigencia de 10 años con arreglo al 11).

Se exceptúan, en lo que igualmente a la mayoría interesa:

- edificios industriales, de la defensa, agrícolas... Hablamos por tanto de edificios industriales y de naves pero no de locales comerciales ni de naves en propiedad horizontal ya que no habla en este caso de «parte» de edificios sino de edificios enteros ya que cuando quiere hablar de «parte», el RD lo hace.

- edificios o parte de edificios «aislados» de menos de 50 m² útiles. ¿Qué carácter tiene ese aislados? No lo concreta la normativa.

- edificios que se adquieran para tirar o para hacer reformas importantes.

- edificios o parte de edificios existentes de «viviendas» cuyo uso sea inferior a 4 meses/año o bien durante un tiempo limitado al año (no sé qué quiere decir) y (acumulativo) con un consumo de energía previsto inferior al 25% de lo que resultaría de su utilización durante todo el año.

- habitaciones de hoteles, casas rurales...

- Garajes y trasteros.

b) Ámbito formal. El RD habla continuamente (Exp. De Motivos, Art. Único, DT. 1ª, Art. 1, Art. 14.2, Art. 14.3) de compraventa y de compradores.

Eso podría permitirnos sostener que se puede excluir de su ámbito a las operaciones de:

- herencia.

- donación.

- extinción de comunidad en cuanto no son actos traslativos.

- permutas.

- dación en pago.

- aportaciones societarias.

Los últimos cuatro supuestos creo que se pueden defender porque el RD habla con propiedad señalando en varias ocasiones «a los compradores y usuarios cuando se vendan o arrienden» aunque en todos ellos se produce una transmisión del dominio por lo que puede ser dudosa la interpretación realizada.

4.14.4.6.2. Actuación notarial

La actuación notarial pasa por la exigencia del certificado en las ON y en las ventas.

Se plantea la posibilidad de que, como todo derecho, sea renunciable por parte del comprador o inquilino. Aunque hay tesis a favor de la admisibilidad de la renuncia creo que con las sanciones que se imponen no es admisible la misma ni se debe aconsejar a los consumidores; vale la pena esperar y conseguirlo antes de firmar.

De hecho la Consellería ha dictado una Orden exigiendo que hagamos constar, con carácter obligatorio, en las escrituras la aportación o no de dicho certificado debidamente inscrito en el Registro de Certificaciones de Eficiencia Energética que se ha creado ad hoc.

Se busca así un control de cumplimiento al imponer a los registradores dos cosas con una evidente extralimitación de competencias:

– la constancia por nota marginal de si se ha aportado o no el certificado.

– y la comunicación trimestral sobre los casos en que se ha aportado y los que no.

La falta de aportación puede generar sanciones por lo que habría que advertirlo expresamente en la redacción de la escritura.

4.14.4.7. El titular real

La determinación del titular real es una exigencia que impone el artículo 4 de la Ley 10/2010 de 28 de abril de prevención del blanqueo de capitales y de la financiación del terrorismo.

4.14.4.7.1. Ámbito subjetivo

Este nuevo cuadro de obligaciones notariales afecta tanto a las personas físicas como a las jurídicas ya que en ambos casos existe la obligación de recabar información para averiguar si el cliente actúa por cuenta propia o de terceros.

a) Para las personas físicas, el notario debe hacer constar en el documento que ha solicitado la información para tener el convencimiento de que la actuación es por cuenta propia.

b) Para las personas jurídicas la determinación del titular real obliga a identificar a las personas físicas que ostenten el 25% o más del capital o de los derechos de voto o que ejerzan el control directa o indirectamente de su gestión. Esta obligación afecta a la estructuras societarias cuyos socios son a su vez sociedades de manera que la obligación que se impone es ir «tirando del hilo» de todas ellas hasta llegar a la identificación de las personas físicas.

4.14.4.7.2. Ámbito objetivo

Incluye todas las actuaciones que realiza el notario que concluyan o puedan concluir en:

- Un documento protocolar, sea escritura o acta.

- Una póliza del tipo que sea.

- Un documento extraprotocolar en el que (i) el interviniente debe comparecer ante el notario por entrañar declaración de voluntad (p.ej. los previsto en el artículo 259.2 del Reglamento Notarial) o (ii) concurra algún indicador de riesgos de los señalados por el OCP. Ver aquí Comunicación 3/2010 de 6 de julio del Órgano Centralizado de Prevención del Blanqueo (OCP) dependiente del Consejo General del Notariado.

4.14.4.7.3. Forma de constancia

La estructura accionarial, en los términos indicados puede hacerse constar en documento privado firmado (obliga al notario a conservarlo diez años) o en documento público siendo aconsejable un acta específica a la que se remitirá el notario en las sucesivas operaciones que autorice debiendo manifestar el representante que no ha variado la estructura que consta en el mismo (si hubiese variado se formalizaría otra acta declarativa de la nueva situación). En la actualidad cuando se formaliza dicha acta debe remitirse a una base de datos de consulta entre notarios para comprobar cuando comparece una persona jurídica si lo que la misma contiene se halla en vigor o por el contrario hay que modificarla.

4.14.4.7.4. Consecuencias de la falta de acreditación

La norma (art. 4.4) y la interpretación de la aludida Comunicación es tajante: imposibilidad de autorizar o intervenir el acto o negocio incurriendo, en otro caso, en responsabilidad.

4.14.4.7.5. Actividad adicional ante indicadores de riesgo

Supone, como su nombre indica, que habiéndose identificado correctamente al titular real nos encontremos ante situaciones de riesgo.

Son situaciones de riesgo las que figuran en el art. 3.4 de la Orden EHA/114/2008 de 29 de enero:

- Concurrencia de varios indicadores de riesgo de los facilitados por OCP.
- La persona jurídica ha sido constituida en alguno de los países incluidos en el R.D. 1080/1991 de 5 de julio o en la Orden ECO/2652/2002 de 24 de octubre (los conocidos como «paraísos fiscales»).

En estos casos, la identificación del titular real se debe realizar inexcusablemente en documento público distinto del que se autoriza o interviene y, además debe incorporarse al mismo fotocopia del documento de identificación del titular real manifestando el otorgante que coincide con su original. Caso de no aportarse la fotocopia (ya hemos identificado al titular real) hay prohibición de autorizar o intervenir (art. 7.3).

4.14.4.7.6. Excepciones (art. 9.1)

Cuando se trate de algunos de los siguientes tipos de personas jurídicas:

- Entidades de derecho público de los Estados miembros de la Unión Europea o de países terceros equivalentes.
- Bancos y todo tipo de entidades financieras domiciliadas en la UE o países terceros equivalentes.
- Sociedades que coticen en bolsas o mercados de la UE o países terceros equivalentes.

4.14.4.8. El pago telemático de los impuestos y la tramitación electrónica del documento

Hemos apuntado antes la posibilidad de que el notario, a instancias del o de los interesados presente la documentación autorizada a la oficina liquidadora de Hacienda y realice por cuenta del contribuyente el pago de los impuestos, la presentación al Ayuntamiento de la misma a efectos de la plusvalía municipal y al registro de la propiedad para obtener la inscripción definitiva de la titularidad o derecho adquirido. Posibilidad admitida por todas las Comunidades Autónomas.

4.14.4.8.1. Sistema

El sistema es simple y a grandes rasgos sería el siguiente: previo requerimiento que debe constar en el documento (ojo con las advertencias derivadas del nuevo Reglamento Europeo de Protección de Datos que entró en vigor el 25 de mayo pasado) y previa provisión de fondos por parte del cliente: una vez firmada la escritura y presentada a plusvalía y al Registro en el Libro Diario (de lo que he hablado antes), se genera un expediente electrónico de la misma.

Con ese expediente se produce una copia simple que se manda a la Administración Tributaria autonómica competente amparada en la firma electrónica del notario. El sistema genera el modelo de autoliquidación que debe ser revisado siempre por el notario. El notario, que tiene una cuenta de pagos asignada al sistema, ingresa el importe de la liquidación. La Administración Tributaria autonómica emite al cabo de un par de horas el justificante del ingreso. El notario lo pega al expediente electrónico y lo remite al Registro como complemento del asiento de presentación previo. Con ello el Registrador de la Propiedad practica, en el plazo legal, la inscripción y le manda al notario el justificante de haberlo hecho. El notario pega ese justificante a su expediente electrónico.

Con ello en ese expediente consta, la escritura, las presentaciones, el pago y la inscripción con lo que finalmente se imprime la copia de la escritura y se le entrega al cliente con todo hecho.

4.14.4.8.2. Excepciones

En Valencia, al menos, el sistema solo permite la liquidación de impuestos de Transmisiones Patrimoniales y Actos Jurídicos Documentados y Operaciones Societarias; es decir, ventas, prestamos, cancelaciones de hipotecas, sociedades, ampliaciones de capital, cambios de administradores, poderes sujetos a inscripción en el Registro Mercantil. No se permite la liquidación de operaciones sujetas al Impuesto de sucesiones o Donaciones.

No obstante ello no debe impedir la tramitación electrónica, si el cliente lo quiere de las operaciones sujetas al Impuesto de sucesiones o Donaciones ya que se puede hacer la liquidación digamos a mano y una vez obtenido el justificante incorporarlo a la escritura por diligencia y seguir con la tramitación electrónica ordinaria.

4.14.4.8.3. Inconvenientes

El sistema tiene ciertos inconvenientes ya que no permite en sede electrónica realizar liquidaciones complementarias ni solicitar devoluciones por ingresos indebidos.

4.14.4.8.4. Futuro

No se le augura excesivamente bueno, salvo respecto de los particulares, ya que las entidades financieras que dirigen contrataciones en masa utilizan sus propias gestorías para la realización de dicha tramitación. En este punto no puedo resistirme a comentar que dicha gestión por medio de esas gestorías supone un incremento de coste para el consumidor sin que la entidad financiera tenga un plus de garantía por mucho seguro de responsabilidad civil que tenga la sociedad gestora (más grande es el que tiene el notario) y la única explicación que se puede entrever es la comisión que dicha entidad gestora abona a la entidad financiera por el hecho de atribuirle la gestión de sus escrituras.

4.14.4.8.5. AJD en las hipotecas

Como sabemos el Tribunal Supremo en una sentencia de 16 de octubre, de la que ha sido ponente el magistrado Jesús Cudero, la Sala Tercera del Tribunal Supremo (Sección Segunda) modifica su jurisprudencia anterior (la última, Sentencia de 28 de febrero de 2018) e, interpretando el texto refundido de la ley del impuesto sobre transmisiones patrimoniales y actos jurídicos documentados y su reglamento, concluye que no es el prestatario el sujeto pasivo de este último impuesto en las escrituras notariales de préstamo con garantía hipotecaria (como aquella jurisprudencia sostenía) sino la entidad que presta la suma correspondiente porque el adquirente del derecho, la hipoteca, es la entidad prestamista y no la parte deudora o prestataria.

Y eso a sabiendas de que el Reglamento del Impuesto aprobado por Real Decreto 828/1995, de 25 de mayo en su artículo 68.2 considera expresamente en los préstamos hipotecarios al prestatario como adquirente al considerar que la normativa reglamentaria no es un desarrollo de la ley sino una extralimitación de la misma sin amparo ni cobertura legal.

También como sabemos la decisión del Presidente Sr. Diez Picazo y Ponce de León de declarar en suspensión el fallo hasta la decisión del Pleno, llena de incertidumbre la situación a la fecha de escribir estas líneas.

4.14.5. Determinación del valor y la verificación de los medios de pago

La determinación del precio o valor de los derechos se regula de forma inseparable de la constatación de los medios de pago desde que la Ley 36/2006, de 29 de noviembre, de medidas para la prevención del fraude fiscal modificó el contenido de los artículos 24 de la Ley del Notariado, 21 y 254 del la Ley Hipotecaria y 177 del Reglamento Notarial. Éste a su vez, por su carácter específico ha sufrido modificaciones en el Real Decreto 45/2007 de 19 de enero, Real Decreto 1804/2008 de 3 de noviembre y Real Decreto 1/2010 de 8 de enero.

4.14.5.1. Determinación del valor

Los bienes no valen aquello que las partes pactan sino que tienen un valor en si mismos. La posición de la Hacienda Pública es que los impuestos se pagan por el valor real de las propiedades sujetas al mismo y no por el precio de su adquisición.

Al menos en Valencia, desde la Orden de la Consellería de Hacienda de 2013, repetida en años sucesivos la determinación de ese valor real se obtenía con un sistema de coeficientes distintos según los municipios por el que se multiplicaba el valor catastral. El sistema fue muy criticado al no ser propiamente dicho un sistema de comprobación de valor en base a los siguientes argumentos:

a) Que conforme a la LGT y la Ley 22/2009, de Cesión de Tributos, las CCAA no pueden regular reglamentariamente medios de comprobación de valores, sin carecer de la correspondiente normativa estatal de cobertura dictada para los tributos de ITP y AJD e ISD.

b) Que las comprobaciones de valores no pueden ser automáticas y deben motivarse, es decir, contener, so pena de nulidad, el valor tomado como referencia y los parámetros, coeficientes y demás elementos de cuantificación utilizados para determinar el valor comprobado.

c) Que la comprobación de valores no puede realizarse sin una inspección y tasación por técnico del objeto que constituye la base imponible.

El sistema ha dado lugar a diferentes pronunciamientos de los Tribunales:

a) Sentencia del Tribunal Supremo de 11 de julio de 2014 (roj 2970/2014) en recurso de casación en interés de ley, contra la Xunta de Galicia al fijar como doctrina legal «la comprobación de valores debe ser individualizada y su resultado concretarse, de manera que el contribuyente al que se notifica el que la Administración considera valor real, pueda conocer sus fundamentos técnicos y prácticos y así aceptarlos o rechazarlos, y sólo en este último caso proponer la tasación pericial contradictoria a lo que también tiene derecho, sin que se le pueda obligar a acudir a dicho medio cuando no conoce suficientemente las razones de la valoración propuesta por Hacienda».

b) Sentencias del Tribunal Superior de Justicia de Valencia de 28 de octubre de 2015 y 3 de marzo de 2016 que declararon ilegal el sistema de la Consellería ya que el basarse en valores catastrales no supone más que utilizar un sistema genérico y previo de su valoración que no se halla amparado por la Ley del Impuesto en lugar de una gestión individualizada.

c) Finalmente el TS en S de 6 de abril de 2017 ha casado la jurisprudencia anterior declarando legal, aunque sin carácter retroactivo, el sistema de comprobación de valores que os he explicado antes, aunque con un voto particular en contra, en base a los siguientes argumentos:

c.1) Es cierto que la base imponible del Impuesto viene determinada por el valor real de los bienes.

c.2) Es cierto también que el medio al que se acogió la Comunidad Valenciana nos lleva a una comprobación de valores objetiva, dado el carácter presuntivo tanto de la determinación del valor catastral como del coeficiente aplicable.

En efecto, continúa razonando el TS, por lo que respecta al valor catastral, se trata de un valor determinado mediante métodos objetivos, indiciarios y presuntivos que no podrá superar el valor de mercado (art. 23.2 TR Ley Catastro 2014)

Y, cualquiera que sea el método adoptado por la Administración para fijar los porcentajes que aplica al valor catastral, el resultado también es indiciario y presuntivo.

c.3) Ahora bien, lo anterior no nos puede llevar a declarar inválido el medio de comprobación ya que la Ley General Tributaria sancionó la práctica (art. 158.1 RD 1065/2007 de 27 de julio) de aplicar un coeficiente debidamente publicado sobre el valor catastral para determinar el «valor real» de los bienes.

c.4) Además ante el resultado final el contribuyente puede promover tasación pericial contradictoria o impugnar el acto de valoración y liquidación mediante recurso de reposición o reclamación económico administrativa, quedándole finalmente abierta la vía judicial para demostrar que el valor asignado no se corresponde con el valor real ya que el sistema solo puede ser admisible en la medida que refleje dicho valor real; de lo contrario, lo que procede es corregir la extralimitación pero no anular con carácter general el sistema de comprobación. Se trata de una presunción iuris tantum que admite prueba en contrario.

c.5) En cualquier caso se requiere para la utilización de éste método que la Administración justifique adecuadamente su elección y razone el resultado de la comprobación de manera que permita al contribuyente conocer los datos tenidos en cuenta relativos a la referencia catastral del inmueble, su valor catastral en el año del hecho imponible, el coeficiente aplicado y la formativa en que se basa la Administración Tributaria para que el contribuyente pueda prestar su conformidad o rechazar la valoración.

4.14.5.2. La verificación de los medios de pago

(Ver sobre esto la Comunicación 1/2010 de 19 de enero de la OCP y posteriores).

Con la última modificación de la legislación reseñada puesta en relación con el resto de preceptos, la obligación notarial de identificación de los medios de pago queda como sigue:

4.14.5.2.1. Ámbito objetivo de aplicación

Se predica la obligación únicamente de las escrituras que contengan actos o negocios que reúnan tres características:

a) que impliquen declaración, modificación o extinción del dominio o derechos reales sobre bienes inmuebles.

b) que sean onerosos.

c) y que la contraprestación consista en todo o en parte (permutas) en dinero o signo que lo represente.

4.14.5.2.2. Momento del pago

El notario debe hacer constar si el pago se ha realizado antes, durante o después de la firma de la escritura.

4.14.5.2.3. Clasificación por el medio de pago

Éste puede ser:

a) Efectivo metálico, cuya constancia se hace por las manifestaciones de los otorgantes. Hay que tener en cuenta la obligación de exigir el modelo S-1 para los movimientos de efectivo por importe igual o superior a cien mil euros (100.000' 00 €) y la imposibilidad de empresarios y profesionales que actúen en el ejercicio de su actividad de aceptar pagos en metálico que superen los 2500 €.

b) Cheques y demás instrumentos de giro no bancarios sean nominativos o al portador en cuyo caso debe acreditarse el librado, el librador, la fecha y su importe, además del beneficiario si es nominativo. Es conveniente señalar también el número del cheque o instrumento y el código de la cuenta de cargo. Pueden constar los datos indicados por manifestaciones o por soporte documental incorporando a la escritura una fotocopia como testimonio del cheque.

c) Cheques y demás instrumentos de giro bancarios sean nominativos o al portador, con los mismos requisitos obligatorios que para los no bancarios. También puede hacerse constar aunque sin carácter obligatorio el número del cheque o instrumento, el código de la cuenta de cargo (cuenta de la entidad financiera) y el código de la cuenta de origen de los fondos (cuenta del cliente) o si se libró contra metálico. La constatación también puede ser por manifestaciones o por soporte documental incorporando a la escritura una fotocopia como testimonio del cheque e indicando el código de la cuenta de origen.

d) Transferencias o domiciliaciones en las que debe acreditarse el ordenante, el beneficiario, la fecha, el importe, la entidad emisora y la entidad receptora. Pueden señalarse también los códigos de las cuentas de cargo y abono pero no con carácter obligatorio. Pueden constar los datos indicados por manifestaciones, por soporte documental o en una mezcla de las dos formas.

4.14.5.2.4. *Obligatoriedad y consecuencias*

En el apartado anterior se han señalado los extremos que son obligatorios en aras a evitar la consecuencia de la falta de inscripción registral que determina el artículo 254.3 de la Ley Hipotecaria. No obstante y aunque los hallamos calificados como de «no obligatorios», la constancia de los códigos de las cuentas de cargo y abono en las transferencias y domiciliaciones sí lo es para el notario a efectos de que el Consejo General del Notariado lo ponga, a través de la información del Índice Único, a disposición de la Agencia Estatal de la Administración Tributaria.

4.14.5.2.5. *Calificación registral*

La anterior redacción del art. 177 no incluía una referencia específica de los datos cuya ausencia determina el cierre registral y de los que no. Ello trajo consigo, por su carácter genérico (*se negasen a aportar alguno de los datos o documentos relativos a los medios de pago*) la atribución a la calificación registral en Rs. de la DGRN de 7, 8 y 9 de julio de 2009 de cómo el notario había hecho constar esos medios de pago en la escritura y, aunque no hubiese habido negativa de aportación, valorar cuando debía cerrar el Registro según ha mantenido JAVIER SERRANO FERNÁNDEZ (2009) en el nº 52 de la Revista Registradores de España En la actualidad, la calificación debe circunscribirse a la concurrencia de los requisitos obligatorios de identificación.

4.14.5.2.6. Impuesto sobre el Valor Añadido

La Dirección General en su Rs. de 9 de julio de 2009 ha mantenido el criterio de que la identificación incluye también al importe del IVA aunque éste no pueda conceptuarse en propiedad ni como precio ni como valor al considerar que se cumple así mejor la finalidad de la Ley 36/2006 de 29 de noviembre de medidas de prevención del fraude fiscal. En cualquier caso su falta de trascendencia jurídica real debe dejar fuera de la calificación registral su constatación que debe quedar dentro de la propia actuación notarial y no debería impedir en ningún caso su inscripción.

4.14.5.2.7. Para qué se hace

Para evitar operaciones de blanqueo de capitales, ojo con los extranjeros que nos compran el piso en metálico; para detectar donaciones encubiertas y para averiguar quién es el titular real de las operaciones; es decir quién pone el dinero.

4.14.5.2.8. Regulación básica

Para su mejor comprensión se reproducen los preceptos regulatorios en su actual redacción:

Artículo 24 Ley del Notariado. «*En todo instrumento público consignará el Notario su nombre y vecindad, los nombres y vecindad de los testigos, y el lugar, año y día del otorgamiento.*

Los notarios en su consideración de funcionarios públicos deberán velar por la regularidad no sólo formal sino material de los actos o negocios jurídicos que autorice o intervenga, por lo que están sujetos a un deber especial de colaboración con las autoridades judiciales y administrativas.

En consecuencia, este deber especial exige del Notario el cumplimiento de aquellas obligaciones que en el ámbito de su competencia establezcan dichas autoridades.

En las escrituras relativas a actos o contratos por los que se declaren, transmitan, graven, modifiquen o extingan a título oneroso el dominio y los demás derechos reales sobre bienes inmuebles se identificarán, cuando la contraprestación consistiere en todo o en parte en dinero o signo que lo represente, los medios de pago empleados por las partes. A tal fin, y sin perjuicio de su ulterior desarrollo reglamentario, deberá identificarse si el precio se recibió con anterioridad o en el momento del otorgamiento de la escritura, su cuantía, así como si se efectuó en metálico, cheque, bancario o no, y, en su caso, nominativo o al portador, otro instrumento de giro o bien mediante transferencia bancaria.

Igualmente, en las escrituras públicas citadas el Notario deberá incorporar la declaración previa del movimiento de los medios de pago aportadas por los comparecientes cuando proceda presentar ésta en los términos previstos en la legislación de prevención del blanqueo de capitales. Si no se aportase dicha declaración por el obligado a ello, el Notario hará constar esta circunstancia en la escritura y lo comunicará al órgano correspondiente del Consejo General del Notariado.

En las escrituras públicas a las que se refieren este artículo y el artículo 23 de esta Ley, el Consejo General del Notariado suministrará a la Administración tributaria, de acuerdo con lo dispuesto en el artículo 17 de esta Ley, la información relativa a las operaciones en las que se hubiera incumplido la obligación de comunicar al Notario el número de identificación fiscal para su constancia en la escritura, así como los medios de pago empleados y, en su caso, la negativa a identificar los medios de pago. Estos datos deberán constar en los índices informatizados».

Artículo 177 del Reglamento Notarial. «*El precio o valor de los derechos se determinará en efectivo, con arreglo al sistema monetario oficial de España, pudiendo también expresarse las cantidades en moneda o valores extranjeros, pero reduciéndolos simultáneamente a moneda española. De igual modo, los valores públicos o industriales se estimarán en efectivo metálico, con arreglo a los tipos oficiales o contractuales.*

En las escrituras públicas relativas a actos o contratos por los que se declaren, constituyan, transmitan, graven, modifiquen o extingan a título oneroso el dominio y los demás derechos reales sobre bienes inmuebles, se identificarán, cuando la contraprestación consistiera, en todo o en parte, en dinero o signo que lo represente, los medios de pago empleados por las partes, en los términos previstos en el artículo 24 de la Ley del Notariado, de acuerdo con las siguientes reglas:

Se expresarán por los comparecientes los importes satisfechos en metálico, quedando constancia en la escritura de dichas manifestaciones.

El Notario incorporará testimonio de los cheques y demás instrumentos de giro que se entreguen en el momento del otorgamiento de la escritura. Los comparecientes deberán, asimismo, manifestar los datos a que se refiere el artículo 24 de la Ley del Notariado, correspondientes a los cheques y demás instrumentos de giro que hubieran sido entregados con anterioridad al momento del otorgamiento, expresando además su numeración y el código de la cuenta de cargo. En caso de cheques bancarios u otros instrumentos de giro librados por una entidad de crédito, entregados con anterioridad o en el momento del otorgamiento de la escritura, el compareciente que efectúe el pago deberá manifestar el código de la cuenta con cargo a la cual se aportaron los fondos para el libramiento o, en su caso, la circunstancia de que se libraron contra la entrega del importe en metálico. De todas estas manifestaciones quedará constancia en la escritura.

En caso de pago por transferencia o domiciliación, los comparecientes deberán manifestar los datos correspondientes a los códigos de las cuentas de cargo y abono, quedando constancia en la escritura de dichas manifestaciones.

En el marco del artículo 17.3 de la Ley de 28 de mayo de 1862, del Notariado, el Consejo General del Notariado proporcionará a la Agencia Estatal de la Administración Tributaria información, en particular, en el caso de pagos por transferencia o domiciliación, cuando no se hubieran comunicado al Notario las cuentas de cargo y abono.

En el caso de que los comparecientes se negasen a identificar los medios de pago empleados, el Notario advertirá verbalmente a aquellos de lo dispuesto en el apartado 3 del artículo 254 de la Ley Hipotecaria, de 8 de febrero de 1946, dejando constancia, asimismo, de dicha advertencia en la escritura.

A los efectos previstos en el párrafo anterior, se entenderán identificados los medios de pago si constan en la escritura, por soporte documental o manifestación, los elementos esenciales de los mismos. A estos efectos, si el medio de pago fuera cheque será suficiente que conste librador y librado, beneficiario, si es nominativo, fecha e importe; si se tratara de transferencia se entenderá suficientemente identificada, aunque no se aporten los códigos de las cuentas de cargo y abono, siempre que conste el ordenante, beneficiario, fecha, importe, entidad emisora y ordenante y receptora o beneficiaria.

Igualmente, en las escrituras citadas el Notario deberá incorporar la declaración previa del movimiento de los medios de pago aportada por los comparecientes cuando proceda presentar ésta en los términos previstos en la normativa de prevención del blanqueo de capitales. Si no se aportase dicha declaración por el obligado a ello, el Notario hará constar dicha circunstancia en la escritura y lo comunicará al órgano correspondiente del Consejo General del Notariado».

Arts. 21 y 254 de la Ley Hipotecaria de 8 de febrero de 1946.

Modificados ambos por la Ley 36/2006, de 29 de noviembre, de medidas para la prevención del fraude fiscal.

Artículo 21.

«1. Los documentos relativos a contratos o actos que deban inscribirse expresarán, por lo menos, todas las circunstancias que necesariamente debe contener la inscripción y sean relativas a las personas de los otorgantes, a las fincas y a los derechos inscritos.

2. Las escrituras públicas relativas a actos o contratos por los que se declaren, constituyan, transmitan, graven, modifiquen o extingan a título oneroso el dominio y los demás derechos reales sobre bienes inmuebles, cuando la contraprestación consistiera, en todo o en parte, en dinero o signo que lo represente, deberán expresar, además de las circunstancias previstas en el párrafo anterior, la identificación de los medios de pago empleados por las partes, en los términos previstos en el artículo 24 de la Ley del Notariado, de 28 de mayo de 1862».

Artículo 254.

«1. Ninguna inscripción se hará en el Registro de la Propiedad sin que se acredite previamente el pago de los impuestos establecidos o que se establecieren por las leyes, si los devengare el acto o contrato que se pretenda inscribir.

2. No se practicará ninguna inscripción en el Registro de la Propiedad de títulos relativos a actos o contratos por los que se adquieran, declaren, constituyan, transmitan, graven, modi-

fiquen o extingan el dominio y los demás derechos reales sobre bienes inmuebles, o a cualesquiera otros con trascendencia tributaria, cuando no consten en aquellos todos los números de identificación fiscal de los comparecientes y, en su caso, de las personas o entidades en cuya representación actúen.

3. No se practicará ninguna inscripción en el Registro de la Propiedad de títulos relativos a actos o contratos por los que se declaren, constituyan, transmitan, graven, modifiquen o extingan a título oneroso el dominio y los demás derechos reales sobre bienes inmuebles, cuando la contraprestación consistiera, en todo o en parte, en dinero o signo que lo represente, si el fedatario público hubiere hecho constar en la Escritura la negativa de los comparecientes a identificar, en todo o en parte, los datos o documentos relativos a los medios de pago empleados.

4. Las escrituras a las que se refieren los números 2 y 3 anteriores se entenderán aquejadas de un defecto subsanable. La falta sólo se entenderá subsanada cuando se presente ante el Registro de la Propiedad una escritura en la que consten todos los números de identificación fiscal y en la que se identifiquen todos los medios de pago empleados».

4.14.5.3. Determinación en moneda extranjera

En el artículo 177 del Reglamento Notarial se prevé, además de señalar que el precio o valor de los derechos se determine en efectivo con arreglo al sistema monetario oficial de España (euro €), que se pueda expresar en moneda o valores extranjeros. Solo pone una condición: que se reduzcan simultáneamente a moneda española. Es lo que se conoce como el sistema de equivalencia.

No existe un criterio o norma legal de dicha conversión que, siendo fácil en las monedas que forman parte del mercado de divisas que cotizan, es muy complicado con respecto a las que están fuera del mismo que suelen tener no obstante criterio de convertibilidad con el dólar americano lo que a su vez permitiría la fijación en moneda nacional.

4.14.5.3.1. *Moneda de curso legal*

La moneda de curso legal o «fiat» es la moneda y el papel que cada país designa como suya, como la de curso legal en su territorio. La Ley 46/1998 de 17 de diciembre de introducción el euro fijó en su art. 3 la nuestra, como hemos dicho en el euro.

4.14.5.3.2. *Dinero electrónico*

La Ley 21/2011 de 26 de julio considera dinero electrónico todo valor monetario almacenado por medios electrónicos o magnéticos que represente un crédito sobre el emisor, que se emita al recibo de fondos con el propósito de efectuar operaciones de pago según se definen en el artículo 2.5 de la Ley 16/2009, de 13 de noviembre, de servicios de pago, y que sea aceptado por una persona física o jurídica distinta del emisor de dinero electrónico. Añade el artículo 17 que los emisores de dinero electrónico emitirán contra recibo de fondos, dinero electrónico por su valor nominal.

En consecuencia, dinero electrónico es simplemente un modo de transferir de manera íntegramente electrónica moneda de curso legal no una moneda diferente ni un dinero distinto.

4.14.5.3.3. Criptomonedas

Como dice JOSÉ CARMELO LLOPIS (2018) en su blog (http://www.notariallopis.es), la cuestión de la determinación de la naturaleza jurídica, de lo que son las criptomonedas es discutida, existiendo posiciones que la consideran como un bien mueble a efectos comerciales, como un título valor, como una moneda extranjera (no sé de dónde) e incluso como divisas electrónicas o representaciones digitales de valor.

Aunque hay discusión sobre lo que son, en cambio no la hay sobre lo que no son; las criptomonedas no son, hoy por hoy, moneda de curso legal ni dinero fiat o electrónico ya que no están supervisadas por ninguna autoridad y no cuentan con el respaldo del Estado español ni de la Unión Europea.

4.14.5.3.3.1. Las criptomonedas como medio de pago

Las criptomonedas no son dinero en si mismas (podrían serlo si se convierten) pero sí han sido admitidas por el Tribunal de Justicia de la Unión Europea y por nuestra Dirección General de Tributos como medios de pago (tal vez como signo que lo represente?) porque dice LLOPIS, las criptomonedas no tienen otra finalidad en sí mismas, además de ser objeto de inversión, que las de servir para la adquisición de bienes o derechos o contratar la prestación de servicios. Dicho de otra manera: con una criptomoneda únicamente se pueden pagar la compra de bienes o de otras criptomonedas, pagar por el uso de servicios o convertirlas en dinero fíat o en otras criptomonedas distintas.

4.14.5.3.3.1.1. Permuta

Si concluimos que las criptomonedas no son dinero ni en principio signo que lo represente pero sí son un medio de pago válido, la entrega de las mismas como contraprestación del contrato nos conduciría a su consideración jurídica de cambio de cosa por cosa o sea, de permuta.

4.14.5.3.3.1.2. Blanqueo de capitales

La aplicación de la legislación de prevención del fraude fiscal y de blanqueo de capitales es plenamente aplicable a los pagos en criptomonedas a pesar de la consideración de que no es dinero ni signo que lo represente. Así se ha expresado la Resolución vinculante de la DGT de 30 de marzo de 2015.

En la misma línea la Comisión Europea y la Cuarta Directiva de Prevención de Blanqueo estudian la asimilación del pago con criptomonedas, dado el anonimato que permite, al pago en metálico, con lo que en nuestro país nos llevaría a aplicar la prohibición para empresarios y profesionales que actúan en el ámbito de su actividad por importe de más de 2.500 €.

Y si, como notarios, no encontramos con un pago en Bitcoin de un inmueble, ¿qué hacemos? Al respecto hay básicamente dos posiciones:

a) Entenderlo como un pago en efectivo con las limitaciones dichas a empresarios y profesionales.

b) Entenderlo como una especie de transferencia, siendo entonces requisito necesario hacer constar al menos las direcciones de cargo y de abono de los implicados en la transacción, y siendo conveniente además hacer constar todas las demás características que permitan constatar la existencia y valor de la contraprestación. Esta es una opción lógica si además tenemos en cuenta que, de acuerdo con el Código Civil, debemos identificar la contraprestación de la manera más clara y delimitada posible.

4.14.5.3.3.1.3. Hacienda

Y para acabar de liarla tenemos a Hacienda ya que si mantiene el criterio de que nos hallamos ante una permuta nos encontraríamos con una doble tributación por la que el comprador o adquirente tributaría por TPO o por IVA; hasta ahí nada nuevo.

Y qué paga el vendedor o transmitente? Tendrá que abonar, en su caso, si tiene, plusvalía municipal y ganancia patrimonial. Hasta ahí tampoco hay nada nuevo.

Como dice JOSÉ CARMELO LLOPIS, la transmisión de bitcoin desde el punto de vista tributario es más complicada y todavía incierta. Si lo consideráramos estrictamente cosa mueble habría que pensar que podría exigirse al adquirente de bitcoin la liquidación de impuestos como el de Transmisiones Patrimoniales Onerosas por el valor declarado al tipo legalmente aplicable a los bienes muebles.

Pero en relación a este impuesto, debemos recordar que tanto el Ministerio de Hacienda como el Tribunal de Justicia de la Unión Europea declararon oficialmente en el año 2015 que las criptomonedas tenían la consideración de efectos comerciales y por tanto medios de pago sujetos y exentos del Impuesto sobre el Valor Añadido, si bien es cierto que en lo referente a las operaciones de compra y venta de bitcoin y no a las operaciones en las que se emplee bitcoin para la compra de bienes o el pago por prestación de servicios.

Si extendemos este criterio al uso de las monedas virtuales con arreglo a su naturaleza, éstas no deberían tributar al ser utilizadas como medios de pago y por tanto las consecuencias fiscales, al igual que las civiles y notariales vistas quedarían también difuminadas hasta hacerlas prácticamente indistinguibles de una verdadera compraventa a cambio de precio.

Otra cuestión, también relevante pero quizás más difícil de controlar sea que el transmitente, al pagar en bitcoin, podría tener una peligrosa repercusión en el Impuesto Sobre la Renta de las Personas Físicas por la ganancia patrimonial, de haberla, teniendo en cuenta el valor por el que se adquirió el bitcoin y el valor por el que se transmite. Esto es congruente con el resto de situaciones en las que, en relación a bitcoin, se pone de manifiesto ganancia patrimonial, como por ejemplo en los cambios entre criptomonedas, y con el propio concepto de ganancia patrimonial, puesto que al utilizar el valor actual de la misma, el titular está poniendo de manifiesto una ganancia derivada de la tenencia de la criptomoneda.

Concluye dicho autor que, comprar hoy en día un inmueble con bitcoin es una operación inusual y en cierto modo arriesgada en España, dado lo desconocido de su naturaleza y de las implicaciones de todo tipo, especialmente fiscales que puede tener, pero es indudable que las monedas virtuales, sea bitcoin o cualquier otra, se están asentando social y económicamente, y estas cuestiones van a tener que ir siendo resueltas por las instituciones nacionales y comunitarias para clarificar su situación jurídica.

4.15. LIMITACIONES Y AUTORIZACIONES ADMINISTRATIVAS PREVIAS

4.15.1. Introducción

Los negocios jurídicos que mas frecuentemente realizan los particulares, son mayoritariamente de carácter consensual, si bien la intervención del Notario, dota a los negocios jurídicos de la fe pública necesaria para la inscripción registral en aquellos casos que la ley lo requiere, completando así un ciclo completo que protege los intereses, tanto entre las partes, como frente a terceros.

Esta intervención del Notario, mediante, las escrituras que reflejan tales negocios, se han visto afectados, por la propia evolución de la sociedad, ya que la separación tan nítida que nos indica la teoría general del Derecho, entre el denominado Derecho Privado como conjunto de normas que regulan las relaciones jurídicas entre los particulares (ámbito de actuación habitual del Notario) frente al Derecho Público, como conjunto de normas que regulan las relaciones jurídicas entre los ciudadanos y la Administración (y ámbito de actuación habitual de otros funcionarios), se ha visto alterada desde sus orígenes hasta la actualidad.

Y con el Reglamento Notarial de 2 de junio de 1944, se llega a la culminación del proceso, de interrelación entre Derecho Privado y Derecho Público en la intervención notarial, puesto que:

– a la prueba preconstituida que supone el instrumento público,

– a la redacción del mismo por el Notario

– y a la autorización del instrumento una vez comprobado la legalidad del negocio

– se añade explícitamente la obligación del Notario, no solo del control de legalidad, sino de exigir a los interesados, la aportación de los requisitos exigidos por la legislación vigente (administrativos, fiscales, etc.) pues en otro caso, el Notario debe excusar su ministerio y no puede autorizar la escritura pública que carezca de alguno de estos requisitos.

Así, el art. 145.3 del Reglamento Notarial, que desarrolló el precepto relativo al control notarial, determinaba que «..., *el notario, en su función de control de la legalidad, no sólo deberá excusar su ministerio, sino negar la autorización o intervención notarial cuando a su juicio: 1.º La autorización o intervención notarial suponga la infracción de una norma legal, o no se hubiere acreditado al notario el cumplimiento de los requisitos legalmente exigidos como previos».*

En definitiva, el circulo entre el instrumento público y los requisitos ó autorizaciones en via administrativa, se va cerrando, confiriendo al Notario una mayor obligación de control en los requisitos previos a la escritura, si bien por via reglamentaria, lo que derivó en la anulación de este precepto en su redacción anterior, por el Tribunal Supremo en Sentencia de 20 de mayo de 2008, por falta de rango legal de dicha norma.

No obstante, a pesar de esta supresión esta obligación deriva igualmente del art. 24, párrafo 2º de la Ley del Notariado, reformada por la Ley 36/2006, que dispone: «*Los notarios, en su consideración de funcionarios públicos deberán velar por la regularidad no sólo formal sino material de los actos ó negocios jurídicos que autorice ó intervenga, por lo que están sujetos a un deber especial de colaboración con las autoridades judiciales y administrativas*».

Lo cierto es que en la actualidad el Notario desempeña un papel cada día mas importante en el control de la ley, no solo de tipo civil ó mercantil, sino las demás materias de Derecho Público. Y como pone de manifiesto GOMÁ SALCEDO, el «*Notario debe conocerlas, captar su existencia y aplicación al caso que se trata de documentar, interpretarlas y valorarlas correctamente e informar de ellas a las partes cumpliendo*».

En este tema, vamos a analizar, los casos más importantes en que el Notario inter-viene en negocios jurídicos realizados por los particulares, que si bien, son de carácter privado, no por ello, quedan sustraídos de la creciente intervención del Estado, Ayunta-mientos, y en general, órganos de la Administración estatal, autonómica o local, que en su deber por velar por el interés común y bienestar de sus ciudadanos, han ido amplian-do el espectro de las licencias, permisos y en definitiva, autorizaciones. Y que en caso de no ser concedida puede derivar en la no autorización notarial de dicho acto ó negocio jurídico, o incluso estar afectado de nulidad.

4.15.2. Limitaciones y autorizaciones administrativas previas

Cuando hablamos de LIMITACIONES en nuestro ordenamiento jurídico, pode-mos admitir una acepción amplia y otra más especial ó restringida:

1. En sentido amplio, se entiende como limitación, toda circunstancia ó situación que, afectando a un derecho personal ó real, impide, modula ó condiciona el ejercicio del mismo por su titular.

2. Sin embargo, en sentido más estricto ó especial, nos vamos a referir en este tema a las limitaciones administrativas, es decir, aquellas que afectan únicamente a la autorización del instrumento público, de forma que el Notario debe tenerlas en cuenta antes de otorgarse el documento, con el fin de advertir a los interesados de la aplicación directa ó indirecta de alguna norma legal que puede afectar a ejercicio de su derecho transmitido ó aportado, exigido por la Administración ó cualquier Organismo público ajeno a la esfera interna de los particulares.

Y más concretamente, entendemos por AUTORIZACIONES administrativas previas a todos aquellos permisos, licencias y en general requisitos documentales que, siendo ajenos a la propia esencia del negocio, son exigidos por una norma con rango de ley ó de rango inferior, en interés general de la comunidad, para el otorgamiento de la correspondiente escritura pública, que el Notario debe solicitar de las partes, antes de autorizar el instrumento público.

Las limitaciones, afectan más bien al contenido del negocio ó de los derechos de las partes, mientras que las autorizaciones, afectan más bien a la forma del negocio.

Analizaremos a continuación conjuntamente las limitaciones y autorizaciones mas importantes, por su frecuencia práctica, distinguiéndolas por razón del sujeto, objeto y forma.

4.15.2.1. Limitaciones y autorizaciones por razón del sujeto

Vamos a distinguir, como más importantes, las que afectan a no residentes y a los extranjeros en general, a los concursados no rehabilitados y a sociedades y otras personas jurídicas:

4.15.2.1.1. Españoles y extranjeros no residentes

Se refieren fundamentalmente a las denominadas inversiones exteriores: Si bien de la normativa actual se desprende que están bastante liberalizadas en relación a épocas anteriores, lo cierto es que susbsisten determinados preceptos de relevancia notarial contenidos en la Ley 18/1992, en materia de inversiones extranjeras en España; el Real Decreto 664/1999 de 23 de abril, sobre Inversiones Exteriores; el Real Decreto 1816/1991 sobre transacciones económicas con el exterior, asi como la Orden Ministerial de 28 de mayo de 2001 que desarrolla el RD 664 antes citado, y el Real Decreto 1080/1991 de 5 de julio sobre paraísos fiscales.

De esta normativa, como indica GARCÍA-ATANCE LACADENA, se desprende la siguiente situación:

1. Cuando en la celebración del negocio jurídico, intervienen ciudadanos españoles residentes en España, se aplican las normas generales, pero cuando alguno de los otorgantes, persona física ó jurídica es extranjero ó español no residente, el Notario debe extremar su celo profesional, en el sentido de que el concepto de inversión extranjera ó mas propiamente inversión exterior, **no depende de la nacionalidad, sino de la residencia del inversor.**

2. La acreditación de la residencia al Notario autorizante se convierte así en un elemento previo y necesario para el otorgamiento de la escritura que documente la inversión extranjera, de acuerdo con las siguientes reglas extraídas de la normativa anterior:

– Se presumen residentes en España, las personas físicas españolas y la personas jurídicas domiciliadas en España.

– Ahora bien, a las personas físicas extranjeras, se les exige la acreditación de la no residencia en España. Esta prueba negativa puede realizarse:

a) Mediante un certificado negativo del Ministerio del Interior, con un plazo de vigencia de 2 meses. No obstante, por razones de urgencia, el Notario puede autorizar la escritura, si aporta fotocopia legitimada del pasaporte u otro documento de identidad extranjero, junto a la declaración escrita de no residencia. Y una vez obtenido dicho certificado debe remitirse a la Dirección General de Comercio e Inversiones.

b) Y si hay traspaso de fondos en la adquisición, mediante certificado bancario que acredite que dichos fondos proceden de una cuenta abierta para no residentes, y tanto si son de extranjero no residentes, como de españoles no residentes en España.

c) Y precisamente, el español residente en el extranjero puede acreditar su no residencia en España, mediante certificado consular, con una vigencia de dos meses, si bien por razones de urgencia el Notario puede autorizar igualmente la escritura, si aporta fotocopia legitimada del pasaporte ó DNI español y declaración escrita de no residencia.

  – Y una vez acreditada la no residencia, el Notario puede autorizar la escritura, pero con la **obligación posterior de declarar dicha inversión extranjera** (que se ajusten a los supuestos de la ley, como adquisición de inmuebles, participación en otra sociedades, etc), por parte de los otorgantes, en el plazo de un mes.

  – No obstante, **si la inversión exterior procede de un paraíso fiscal**, el Notario debe recabar, con carácter previo, de los otorgantes, el documento que acredite la autorización administrativa de la Dirección General de Comercio e Inversiones del Ministerio de Economía, pues en otro caso, no puede autorizar la escritura.

  – **En cuanto a las formalidades de esta declaración**, hay que destacar, que tras la ley de 39/2015 de 10 de octubre, sobre Procedimiento Común de las Administraciones Públicas, los Notarios están obligados a relacionarse a través de medios electrónicos con las Administraciones públicas, por lo que los modelos de declaración (D1A —inversiones—, DP.1 —declaración previa de inversión en sociedades procedente de paraíso fiscal—; DP.2 —declaración previa de inversión en inmuebles procedente de paraíso fiscal—; D-18 liquidación de inversión en sociedades., D2.B, liquidación de inversión en inmuebles, etc.) se deben realizar mediante el programa AFORIX que se descarga de la pagina web cuyo enlace es https://oficinavirtual.comercio.es/AFORIXUpdater/index.html y cuyas instrucciones resultan de la Resolución de la D.G. de Comercio de 27 de julio de 2016 (B.O.E. 12 agosto 2016).

3. **Y si se trata de sectores con regulación específica, como el Juego, Defensa Nacional, Televisión, Radio y Transporte Aéreo,** el Real Decreto 664/1999 de 23 de abril antes citado, excluye de la liberalización antes dicha, en su art. 1, 2º párrafo a los regímenes especiales a que se refiere el artículo único de la Ley 18/1992 de 1 de julio, pues en estos casos, será necesaria igualmente la autorización administrativa previa del Ministerio correspondiente.

4.15.2.1.2. Extranjeros

Los extranjeros están sujetos a una limitación importante a la hora de adquirir sus derechos cuando se trate de **Zonas de acceso restringido a la propiedad**, pues la Ley 8/1975 de 12 de marzo, modificada por la Ley de presupuestos del estado para 1991, y su Reglamento, el Real Decreto 689/1978 de 10 de febrero, impone una limitaciones, en relación con la adquisición de fincas, constitución, modificación o transmisión de derechos reales sobre las mismas, o realización de obras, construcciones o edificaciones en ciertas zonas del territorio nacional, que según pone de manifiesto FERRER MOLINA, podemos distinguir en dos tipos:

A) **Referidas a extranjeros no comunitarios**, sean personas físicas o personas jurídicas, incluso sociedades españolas cuyo capital pertenezca en más de un 50% a socios no comunitarios, o en que éstos tengan una situación de prevalencia, se precisa:

- Previa autorización militar e inscripción obligatoria en el Registro de la Propiedad en el plazo de dieciocho meses, si bien en las sucesiones mortiscausa se debe solicitar la autorización en los tres meses siguientes ó enajenar la finca en un año.

- Pero estos requisitos no son necesarios cuando se trate de suelo urbano de poblaciones fronterizas o zona declarada de interés turístico. Y en 2º lugar, las.

B) **Referidas a toda clase de personas, españolas o extranjeras,** cuando se trate de los territorios del norte de África, Ceuta y Melilla, se precisa permiso especial del Consejo de Ministros y en su nombre del delegado del Gobierno respectivo.

Y con carácter general, tanto a nacionales como a extranjeros, la Ley permite al Gobierno prohibir o restringir las construcciones, edificaciones o instalaciones en determinados puntos del territorio a toda clase de personas, en **interés de la defensa o seguridad militar**. Así, el artículo 30 de la ley Orgánica 5/2005 de 17 de noviembre, dispone: «*Artículo 30: Zonas de interés para la defensa: En las zonas del territorio nacional consideradas de interés para la defensa, en las que se encuentren constituidas ó se constituyan zonas de seguridad de instalaciones militares ó civiles, declaradas de interés militar, asi como en aquellas en que las exigencias de la defensa ó el interés del Estado lo aconsejen, podrán limitarse los derechos sobre los bienes propiedad de nacionales y extranjeros situados en ellas, de acuerdo con lo que determine la ley*».

4.15.2.1.3. Sociedades

Como es sabido, y con carácter general, debemos recordar que, en cuanto al otorgamiento de la escritura de constitución, según se desprende del art. 7 de la Ley de sociedades de Capital y el 413 Reglamento Registro Mercantil: «*1. No podrá autorizarse escritura de constitución de sociedades y demás entidades inscribibles o de modificación de denominación, sin que se presente al Notario la certificación que acredite que no figura registrada la denominación elegida. La denominación habrá de coincidir exactamente con la que conste en la certificación negativa expedida por el Registrador Mercantil Central. 2. La certificación presentada deberá ser la original, estar vigente y haber sido expedida a nombre de un fundador o promotor o, en caso de modificación de la denominación, de la propia sociedad o entidad. Y 3. La certificación deberá protocolizarse con la escritura matriz*».

Pero a los efectos de este tema, podemos decir que, en materia de sociedades, existe en nuestra legislación algunas limitaciones importantes en cuanto a sus requisitos de constitución, cuando se trata de sectores específicos (bancario, seguros, transporte, etc.) de modo que el Notario, antes de autorizar la escritura, debe tener en cuenta el tipo social a que se refiere el acto ó contrato, y una vez examinado su especial régimen jurídico, exigir la autorización ó certificación administrativa «ad hoc» para el acto de que se trate, normalmente de su organismo supervisor (Banco de España, Comisión Nacional de Valores, Dirección General de Seguros, Ministerio de Fomento, etc.). Dada la multitud de permisos y licencias administrativas que existen y que es difícil de sintetizar en estas páginas, nos vamos a referir a las mas generales:

4.15.2.1.3.1. Bancos privados

La norma fundamental por la que se rigen los Bancos es el RD. Legislativo 1298/1986 de 28 de junio, por el que se adoptan las normas legales en materia de establecimientos de crédito al ordenamiento jurídico de la CCE, la Ley 26/1988 de 29 de julio, sobre Disciplina e Intervención de las entidades de crédito, y especialmente, el Real Decreto 1245/1995 de 14 de julio, sobre creación de Bancos, que impone en la constitución de un Banco, como obligatorio:

- que adopte necesariamente la forma de SA, con un capital mínimo de 18.030.363,13 euros.

- en la denominación debe incluir necesariamente la palabra Banco, como reserva especial que no pueden utilizar otras entidades que no sean e estas características.

- pero sobre todo, la necesaria autorización administrativa del Ministerio de Economía, previo informe del Banco de España, no solo para la constitución sino también para la transmisión y gravamen de acciones, durante los cinco primeros años de la sociedad.

- la escritura debe otorgarse en el plazo de un año desde la notificación de la autorización, pues en otro caso, puede suponer la revocación de la misma. Y una vez otorgada la escritura de constitución, se debe inscribir, no solo en el registro Mercantil, sino también en el Registro administrativo especial del Banco de España.

4.15.2.1.3.2. Entidades Financieras de Crédito (E.F.C.)

Que son las que incluyen a las antiguas sociedades de crédito hipotecario, entidades de financiación, sociedades de arrendamiento financiero y sociedades mediadoras del mercado de dinero, y se rigen por el RD. 692/1996 de 26 de abril y su constitución exige también autorización administrativa del Ministerio de Economía, previo informe del Banco de España, recalcando en su art. 3 que esta autorización es previa a la constitución de la sociedad. Deben adoptar necesariamente la forma de SA, con un capital mínimo de 5.109.401,29 euros y en la denominación debe incluir necesariamente la palabra «Establecimiento Financiero de crédito «ó abreviadamente «E.F.C»., como reserva especial que no pueden utilizar otras entidades que no sean de estas características

4.15.2.1.3.3. Cajas de Ahorro

La norma fundamental por la que se rigen las Cajas de Ahorro, es la ley 26/2013 de 27 de diciembre, sobre creación de Cajas de Ahorro y Fundaciones Bancarias, además de la normativa general de las entidades de crédito antes citadas, y la especifica de cada Comunidad Autónoma. La nueva ley ha restringido su actividad a un ámbito sólo local y si bien se mantiene la autorización administrativa del Ministerio de Economía, previo informe del Banco de España, ya no se cita como fondo de dotación mínimo para su constitución de 901.659,05 € (ciento cincuenta millones de las antiguas pesetas), ó 4.508.295,26 € (setecientos cincuenta millones de las antiguas pesetas) según municipios, sino que su constitución se ajustará a la nueva ley de sociedades de capital.

4.15.2.1.3.4. Instituciones de Inversión Colectiva

Cuya norma principal es la Ley 35/2003 de 4 de noviembre, y que en su artículo 1 las define como *«aquellas entidades que tienen por objeto la captación de fondos, bienes ó derechos del público para gestionarlos e invertirlos en bienes, derechos, valores u otros instrumentos, financiero ó no, siempre que el rendimiento del inversor se establezca en función de resultados colectivos»*.

Para su funcionamiento, se suelen constituir sociedades gestoras de fondos de titulación hipotecaria, fondos de titulación de activos, fondos de inversión, etc. que necesitan en todo caso, autorización administrativa previa del Ministerio de Economía y Hacienda, previo informe de la Comisión Nacional del Mercado de Valores.

4.15.2.1.3.5. Sociedades y Agencias de Valores

Que se rigen por el R.D. 867/2001 de 20 de julio, además, los arts. 62 y siguientes de la ley de Mercado de Valores de 28 de julio de 1988, y se definen, las primeras como *«aquellas empresas de servicios de inversión que pueden operar profesionalmente, tanto por cuenta ajena como por cuenta propia, y realizar todos los servicios de inversión y actividades complementarias»* y las segundas, como *«aquellas empresas de servicios de inversión que profesionalmente sólo pueden operar por cuenta ajena, con representación, ó sin ella»* y que necesitan en todo caso, autorización administrativa previa del Ministerio de Economía y Hacienda, a propuesta de la Comisión Nacional del Mercado de Valores.

4.15.2.1.3.6. Sociedades de Tasación

Que se rigen por el R.D. 775/1997 de 30 de Mayo, de cuya regulación resulta, que en general, son de constitución libre, pero si desean obtener su homologación, necesaria para determinados supuestos (titulación hipotecaria, valoraciones para aseguradoras, para patrimonio de instituciones y fondos de inversión inmobiliaria, etc.) se debe solicitar previamente al Banco de España, acompañando el *proyecto de escritura* de constitución de la entidad, que una vez obtenida, debe otorgarse antes del plazo de 6 meses desde la notificación de la homologación administrativa, para su inscripción en el Registro mercantil y posteriormente en el registro administrativo del Banco de España.

4.15.2.1.3.7. Sociedades de Seguros

Cuya norma fundamental por la que se rigen es el R.D. legislativo 6/2004 de 29 de octubre y su reglamento, aprobado por RD. 2486/98 de 20 de noviembre, de donde se desprende que pueden ser constituidas, únicamente como sociedades anónimas, mutuas, cooperativas y mutualidades de previsión social ó entidades que adopten cualquier forma de Derecho Público.

Pero la especialidad, si se opta por la forma de sociedad anónima, en relación a las entidades anteriores, es que según el artículo 7 del R: D. Legislativo 2486, se constituirán mediante escritura pública, que deberá inscribirse en el Registro mercantil para la adquisición de su personalidad jurídica, y la constitución es requisito previo esencial para solicitar la autorización administrativa: *«la solicitud de autorización administrativa regulada en el artículo 5 únicamente podrá presentarse tras la adquisición de personalidad jurídica»*.

4.15.2.1.3.8. Sociedades de Transporte terrestre

Cuya norma fundamental es la Ley 16/1987 de 30 de julio y su reglamento aprobado por R.D. 1211/1990 de 28 de septiembre, que como especialidad, destacamos la necesidad de inscribirse en un registro administrativo dependiente del actual Ministerio de Fomento, pero la inscripción no es requisito de constitución, ni siquiera de inscripción en el Registro Mercantil, sino únicamente requisito para iniciar su actividad, por eso es conveniente señalar en los Estatutos, que la fecha de inicio de operaciones es una vez otorgada la escritura, la de inscripción en dicho registro administrativo, según se desprende de la Resolución de la Dirección General de Registros y del Notariado de 10 de mayo de 1992.

4.15.2.1.3.9. Sociedades de Transporte Aéreo

Cuya norma fundamental es la Ley de navegación Aérea de 21 de julio de 1960 y legislación posterior complementaria que, a efectos de constitución, debemos distinguir:

a) Las concesionarias de transporte regular, deben ser españolas (Salvo autorización expresa del Consejo de Ministros), con capital español en ¾ partes y títulos nominativos. En este caso, no hace falta autorización previa especial, pues este tipo de transporte sólo puede obtenerse por concesión administrativa.

b) Las de transporte no regular, en las que la participación de capital extranjero no puede exceder del 25% y que aquí si se requiere previa autorización del Ministerio de Fomento.

4.15.2.1.3.10. Sociedades Navieras

Cuya norma fundamental es el R.D. 1027/1989 de 28 de julio, que como especialidad, destacamos la necesidad de inscribirse la escritura de constitución en el Registro mercantil y después en un registro administrativo dependiente de la Dirección General de la Marina Mercante; pero tampoco aquí esa inscripción es requisito de constitución, sino únicamente requisito para iniciar su actividad., pues lo que determina la obligación de inscribir no es la constitución de la sociedad, sino la propiedad del buque o el comienzo de su explotación.

4.15.2.1.4. Fundaciones y otras entidades

Las entidades sin ánimo de lucro como Fundaciones, Asociaciones, Cooperativas, etc, también están sujetas a autorizaciones administrativas, y por la descentralización existente debido a las competencias asumidas por las Comunidades Autónomas, la legislación es muy dispersa entre todas las comunidades, si bien, atendida a la legislación estatal podemos citar como mas importantes:

4.15.2.1.4.1. Fundaciones

En esta materia:

–   Para su constitución, el Notario debe exigir una certificación negativa de la denominación, doble: a nivel estatal, pues según la ley de 50/2002 de 26 de diciembre sobre Fundaciones, en su artículo 11 dispone que en los Estatutos deberá constar «*a) La denominación de la entidad, en la que deberá figurar la palabra Fundación, que no podrá coincidir ni asemejarse de manera que pueda crear confusión con ninguna otra previamente inscrita en el Registro de Fundación*» y a nivel autonómico, de la Conserjería ó departamento de la CCAA correspondiente.

–   Y en caso de enajenación de bienes inmuebles de la Fundación, se exige normalmente la autorización previa del Protectorado, que dependerá de cada organismo competente al efecto. En este punto, es de destacar, como especialidad, que el art. 333.1, apartado 4º del Codigo civil de Cataluña, en su punto 3º regula el **silencio administrativo positivo**, al decir que «*4. Si en el plazo de dos meses a partir de la solicitud de autorización, el protectorado no ha dictado resolución expresa, opera el silencio administrativo positivo y el objeto de la solicitud se tiene por autorizado, salvo que el protectorado haya requerido al solicitante determinada documentación relativa a la solicitud de autorización*»

4.15.2.1.4.2 Asociaciones

Y respecto de ellas:

–   para su constitución, el Notario debe exigir una **doble certificación negativa** de la denominación, a nivel estatal, pues según la Ley 1/2002 de 22 de marzo, reguladora del Derecho de Asociación, en su artículo 6 también exige que en los Estatutos se haga constar la denominación de la Asociación, que no podrá coincidir con otra, y a nivel autonómico, de la Conserjería o departamento de la CCAA correspondiente.

–   y si se trata de Clubs Deportivos, y adoptan la forma **de Sociedad Anónima Deportiva**, su legislación específica ya no es la de Asociaciones, sino la ley 10/1990 del Deporte, además de especialidades en su constitución, cabe destacar, a efectos notariales, que en su artículo 22, impone que, para la enajenación de una participación en una Sociedad Anónima Deportiva, deberá comunicarse al Consejo Superior de Deportes, el alcance, plazos y condiciones de la enajenación. Y si la participación es significativa (se entiende por participación significativa, cuando el adquirente, unido a las participaciones que posea, superen el 25% del derecho de voto), deberá recabar la autorización previa del Consejo. Si transcurridos 3 meses de la solicitud, no ha recaído resolución, se entenderá concedida la autorización.

4.15.2.1.5. Cooperativas

Igualmente se necesita para su constitución, la certificación negativa de la denominación, doble: a nivel estatal, y a nivel autonómico, de la Conserjería ó departamento de la CCAA correspondiente.

- Y se trata de **Cooperativas de Crédito,** La norma fundamental por la que se rigen las Cooperativas de crédito es la Ley 13/1989 de 26 de Mayo, sobre Cooperativas de crédito, que exige autorización del Ministerio de Economia y Hacienda, si bien el procedimiento registral es complejo: debe otorgarse la escritura de constitución, se inscribe provisionalmente en el registro especial del Banco de España, inscripción en el Registro mercantil (que deberá solicitarse en los 15 dias siguientes), inscripción en el Registro de Cooperativas, estatal ó autonómico, que determina la adquisición de la personalidad jurídica de la cooperativa, y la comunicación de estas inscripciones al Banco de España para su inscripción definitiva.

4.15.2.2. Limitaciones y autorizaciones por razón del objeto

Las limitaciones más importantes por razón del objeto, son mayoritariamente aquellas en que se intenta proteger el interés público de todos los ciudadanos, en atención a las características de la finca, situación, racionalización de los recursos, desarrollo de ciudades, etc., modalizando el ejercicio de los derechos, e incluso atribuyendo la posibilidad de que la Administración pueda adquirir esos bienes, mediante los llamados derechos de tanteo y retracto. Por ello, las mas importantes son:

4.15.2.2.1. Viviendas de protección oficial

La norma fundamental a nivel estatal estaba constituida por el RD. de 31 de octubre de 1978, en materia de Viviendas de Protección Oficial, desarrollado por el RD. de 10 de noviembre de 1978.

Sin embargo, el régimen jurídico de la protección pública de la vivienda, con la distinción tradicional entre Viviendas de Protección Oficial de promoción Pública y Viviendas de Protección Oficial de promoción privada, se ha visto alterado en los últimos años a raiz de la aprobación por las CCAA de numerosas normas que regulan diferentes modalidades de protección pública y especialmente, porque, junto al criterio clásico, se ha ampliado la protección pública a: 1) viviendas que, reuniendo ó no los requisitos exigidos por el RD 31 Oct. 1978, **son objeto de una financiación especial** (las conocidas antes como de precio tasado) y que cumplan los requisitos que determina el Plan Estatal de Vivienda 2005-2008 (está pendiente la aprobación del nuevo Plan 2009-2012) según RD. 801/2005 de 1 de julio para favorecer el acceso a los ciudadanos a la vivienda, norma estatal que luego desarrollan las CCAA, competentes en esta materia, 2) así como también **las viviendas usadas**, como aquellas libres o protegidas cuya adquisición en segunda o posterior transmisión se considera, previo cumplimiento de determinadas condiciones y con precio de venta limitado.

Por ello, al estar financiadas casi todas las viviendas con arreglo a los Planes trienales de Vivienda, el RD 31 octubre 1978 ha quedado solapado por las normas de financiación de ayudas públicas. No obstante, como limitaciones más importantes según dicha legislación, caben destacar:

4.15.2.2.1.1. Precio máximo de venta o renta

Según dispone el art. 51 del RD 3148/1978, «*El precio de venta en primera transmisión, por metro cuadrado de superficie útil de una vivienda de promoción pública, será para cada área geográfica homogénea igual al 90 por 100 del módulo (M) aplicable, vigente en la fecha de celebración del contrato de compraventa...*» de forma, que antes de autorizar la escritura de transmisión de propiedad de cualquiera de estas viviendas, el Notario debe asegurarse de que el vendedor o transmitente ha obtenido del órgano competente de la Administración autonómica competente certificación donde consta el precio máximo de venta de dicha vivienda. En caso contrario, un sector doctrinal mayoritario entiende que no debe autorizarse la escritura, pues la normativa específica debe cumplirse por la finalidad a que está afecta la protección pública de la vivienda, mientras que otro sector doctrinal considera que la falta de acreditación de precio máximo por el órgano competente puede determinar sanciones administrativas, incluido la descalificación de la vivienda, pero que no obsta a la validez de la transmisión civil de la propiedad y no constituye, en ningún caso un motivo de cierre registral.

4.15.2.2.1.2. Destino a domicilio habitual y permanente

Según dispone el art. 3 del RD 3148/1978, «*Las Viviendas de Protección Oficial habrán de dedicarse a domicilio habitual y permanente, sin que, bajo ningún concepto puedan destinarse a segunda residencia o a cualquier otro uso*». Esta mención es obligatoria en todas las escrituras de transmisión, pues, ante su incumplimiento reiterado, el art. 3 del RD2569/1986 dice que «*los Notarios no autorizarán documento público alguno en el que no se consignen las circunstancias y compromisos expresados*», de forma, que en este caso el

Notario debe incluir obligatoriamente dicha cláusula, pues en este caso si que puede ser objeto de defecto intrínseco de la propia escritura por infringir ese precepto legal.

4.15.2.2.1.3. Limitaciones en cuanto a la transmisión

Siguiendo el esquema que nos indican G. PERAL, J.C. LLOPIS y J. LÓPEZ NAVARRO, podemos distinguir;

a) **Viviendas sujetas a regímenes anteriores al RD. 31 octubre 1978**, las viviendas de promoción privada, son de transmisión con precio libre en segunda y posteriores transmisiones, según RD. 14 de mayo de 1993, mientras que las de promoción pública, el precio de venta lo fijará el Ministerio de Fomento u órgano competente.

b) **Viviendas sujetas al régimen del RD. 31 octubre 1978 y las VPO del Plan 2005-2008**, distinguiremos: en las *viviendas de promoción pública*, el precio es el 90% del módulo aplicable en segunda transmisión no se puede vender hasta que transcurran al menos 5 años desde la fecha del contrato, además del derecho de tanteo y retracto de la CCAA.

– En las *viviendas de promoción privada*, asi como las acogidas al RD.801/2005 de 1 de julio, es este Plan de vivienda es el que determina su especial régimen, de forma que hay que tener en cuenta varias limitaciones importantes:

1º. Prohibición de transmisión: El art. 13 del nuevo RD dice que los compradores de viviendas acogidas a este RD. no podrán transmitirlas *«inter vivos»* ni ceder su uso, por ningún título, durante el plazo mínimo de 10 años, desde la fecha de la formalización de la adquisición. Aunque se puede dejar sin efecto en caso de subasta o ejecución judicial del préstamo, y si hubiera obtenido ayudas financieras, se requiere la previa cancelación del préstamo y el reintegro de las ayudas estatales recibidas, mas los intereses legales desde el momento de la percepción. También se permite en el caso de familias numerosas, personas mayores de 65 años, para traslado, personas con discapacidad o casos de violencia de género o razones personales justificadas.

La autorización del Notario está, por tanto, sujeta a esta importante limitación, y no debe por ello, autorizar dicha escritura. No obstante, la importante Sentencia del Tribunal Supremo de 28 de febrero de 1991, estimó que dichas limitaciones no afectaban a la validez de la transmisión, siempre que no exista dolo por el adquirente y sin perjuicio de las sanciones administrativas en que pueda incurrir. Por ello, algunas CCAA, como la valenciana ha establecido en su última regulación, la validez de la enajenación, sin perjuicio de la obligación del Notario y Registrador de ponerla en conocimiento de la Autoridad autonómica a efectos de imponer dichas sanciones.

2º. Limitación de compradores: El art. 13 párrafo 7º determina que la venta, ya sea 1ª ó 2ª transmisión, no es libre, sino que debe hacerse a *«favor de "demandantes inscritos* *en los registros públicos previstos al efecto por las CCAA y ciudades de Ceuta y Melilla, por el procedimiento establecido, garantizando los principios de igualdad, publicidad y concurrencia, para eliminar fraudes, tanto en primera como en segunda transmisión" ».*

3º. Precio máximo de venta: El art. 20 del nuevo RD dice que el precio de venta en segunda transmisión de las viviendas acogidas a este RD de 2005, no es libre, sino que tendrá un límite de hasta 2 veces el precio de venta inicial, una vez actualizado mediante la aplicación del porcentaje del IPC, Índice General, registrado desde la fecha de la primera transmisión hasta la segunda ó ulterior transmisión de que se trate.

4º. Cláusulas obligatorias en la escritura: El art. 13, párrafo 8º del nuevo RD dice que las prohibiciones de disponer y demás limitaciones indicadas se harán constar expresamente en las escrituras de compraventa, de adjudicación o declaración de obra nueva, y se adjuntará a dichas escrituras una copia testimoniada de la calificación definitiva de la vivienda ó en su caso, en la escritura de préstamo. Dichas prohibiciones ó limitaciones se anotarán por nota marginal en el Registro de la Propiedad.

4.15.2.2.2. *Limitaciones del dominio de fincas por razón del interés público*

Se encuentran muy dispersas en nuestro ordenamiento jurídico, pero centrándonos en las mas importantes, y sobre todo en las de carácter estatal, nos vamos a referir a las siguientes:

4.15.2.2.2.1. Costas

De acuerdo con lo dispuesto en la ley de Costas 22/1968 de 28 de julio los terrenos situados en la zona de dominio público o en las de servidumbre de protección, de tránsito o de acceso al mar, tiene las siguientes limitaciones:

a) La protección del **dominio público marítimo-terrestre** comprende la defensa de su integridad y de los fines de uso general a que está destinado, la preservación de sus características y elementos naturales y la prevención de las consecuencias perjudiciales de obras e instalaciones. Únicamente se puede permitir la ocupación del dominio público marítimo-terrestre para aquellas **actividades ó instalaciones** que, por su naturaleza, no puedan tener otra ubicación.

En esta zona están expresamente prohibidas las **construcciones** destinadas a residencia ó habitación y otros usos, como p. ej. tendido de líneas eléctricas de alta tensión, vertido de residuos, etc.

b) En la **zona de servidumbre de protección,** que comprende una zona de 100 metros, medida tierra adentro desde el límite interior de la ribera del mar, están prohibidas las **edificaciones** destinadas a residencia ó habitación y otros usos, como p. ej. tendido de líneas eléctricas de alta tensión, vertido de residuos.

No obstante, pueden autorizarse, con carácter ordinario, **las obras, instalaciones o actividades** que, por su naturaleza, no puedan tener otra ubicación o presten servicios necesarios o convenientes para el uso del dominio público marítimo-terrestre, así como las instalaciones deportivas descubiertas.

c) La **zona de servidumbre de tránsito**, que recae sobre una franja de 6 metros, medidos tierra adentro a partir del límite interior de la ribera del mar, debe dejarse permanentemente expedita para el paso público peatonal y para los vehículos de vigilancia y salvamento. Esta zona puede ser ocupada excepcionalmente por las obras que hayan de realizarse en el dominio público marítimo-terrestre.

d) **La servidumbre de acceso público** y gratuito al mar recae sobre terrenos colindantes o contiguos al dominio público marítimo-terrestre, en la longitud y anchura que demanden la naturaleza y finalidad del acceso. En esta zona no se permiten obras ó instalaciones que interrumpan el acceso al mar sin que se proponga por los interesados una solución alternativa que garantice su efectividad en condiciones análogas a las anteriores, a juicio de la Administración del Estado.

e) En cuanto a **la zona de influencia**, cuya anchura se determina en los instrumentos correspondientes y debe ser, como mínimo de 500 metros, a partir del límite interior de la ribera del mar, la ordenación territorial y urbanística de los terrenos incluidos en esta zona debe respetar las exigencias de protección del dominio público marítimo-terrestre a través de ciertos criterios, debiendo adaptarse las construcciones a lo establecido en la legislación urbanística.

En conclusión, el Notario antes de autorizar una escritura de Obra Nueva sobre estas fincas colindantes, debe tener en cuenta estas limitaciones, asegurándose de la situación de la finca afectada, normalmente por medio de una certificación catastral descriptiva y gráfica de la misma **y especialmente solicitar la autorización de Jefatura de Costas,** dependiente del Ministerio de Fomento, si la finca es colindante con el dominio publico marítimo terrestre, que acredite que no invade tal dominio.

Igualmente, es necesaria la autorización del departamento de Costas del Ministerio, para solicitar inmatricular ó solicitar excesos de cabida sobre dichas fincas colindantes con el dominio público marítimo terrestre, puesto que el artículo 31 del Reglamento de Costas aprobado por RD de 1 de diciembre de 1989 (modificado el 18 de septiembre de 1992) dispone que *«1. Cuando se trate de inmatricular en el Registro de la Propiedad fincas situadas en la zona de servidumbre de protección a que se refieren los artículos 23 de la Ley de Costas y 43 de este Reglamento, en la descripción de aquéllas se precisará si lindan o no con el dominio público marítimo-terrestre En caso afirmativo, no podrá practicarse la inmatriculación si no se acompaña al título la certificación de la Administración del Estado que acredite que no se invade el dominio público». Y dice el artículo 34 que «1. Las mismas reglas de los artículos anteriores se aplicarán a las inscripciones de excesos de cabida, salvo que se trate de fincas de linderos fijos o de tal naturaleza que excluyan la posibilidad de invasión del dominio público marítimo-terrestre». Y el art. 35 añade «Las reglas establecidas en los artículos anteriores para la inmatriculación serán también aplicables a la segunda y posteriores inscripciones».*

4.15.2.2.2.2. Dominio público hidráulico

De acuerdo con lo dispuesto en el art. 6 del RD. legislativo 1/2001 y el art. 78 del RD 849/1986, las márgenes que lindan con los cauces de los rios están sujetas, en toda su extensión longitudinal, a las siguientes limitaciones:

a) Una zona de servidumbre de 5 metros de anchura para uso público, que tiene como fines: el paso para el servicio de personal de vigilancia del cauce, para el ejercicio de pesca fluvial, salvamento, varado y amarre de embarcaciones. En ella, los propietarios pueden plantar y sembrar especies no arbóreas que no impidan el paso, pero no pueden edificar sin la correspondiente autorización, que solo se concede en casos muy justificados.

b) Una zona de policía de 100 metros de anchura en la que se condiciona el uso del suelo y las actividades que se desarrollen. Para realizar cualquier tipo de construcción en la zona de policía de cauces se exige autorización previa del departamento de la Confederación hidrográfica correspondiente, salvo que por un plan de ordenación se haya informado al organismo de cuenca y se recojan las oportunas previsiones formuladas al efecto.

c) Y los predios contiguos a las riberas de los ríos navegables están sujetos, además, a la servidumbre de camino de sirga para el servicio exclusivo de la navegación y flotación fluvial, según dispone el artículo 553 del Código Civil.

4.15.2.2.2.3. Patrimonio histórico

De acuerdo con lo dispuesto en el art. 16 de la Ley 16/1985 de 25 de junio, la incoación de un expediente de **declaración de interés cultural** respecto de un bien inmueble comporta la suspensión del otorgamiento de licencias municipales de parcelación, edificación o demolición en las zonas afectadas, así como la suspensión de los efectos de las ya otorgadas.

Y las obras que, por razón de fuerza mayor hayan de realizarse con carácter inaplazable en tales zonas precisan, en todo caso, autorización de los organismos competentes.

4.15.2.2.2.4. Vías públicas

Según lo dispuesto en los artículos 20 a 26 de la Ley 25/1988, de 29 de julio; los artículos 78 y 83 del RD. 1812/1994 de 2 de septiembre se establecen en **las carreteras** las siguientes limitaciones:

1. Zona de dominio público: es la zona ocupada por la carretera y sus elementos funcionales, y una franja de terreno de 8 metros de anchura en autopistas y vias rápidas y de 3 metros en las restantes carreteras. En esta zona, sólo pueden autorizarse obras e instalaciones cuando la prestación de un servicio público de interés general así lo exija, previa autorización del Ministerio de Fomento.

2. Zona de servidumbre: comprende dos franjas de terreno a ambos lados de la carretera, delimitadas interiormente por la zona de dominio público y exteriormente por dos líneas paralelas a las aristas exteriores de la explanación, a una distancia de 25 metros de anchura en autopistas y vias rápidas y de 8 metros en las restantes carreteras. En ellas se permiten las obras que sean compatibles con la seguridad vial, previa autorización del Ministerio de Fomento, pudiendo autorizarse ciertos usos como el encauzamiento y canalización de aguas que discurran por la carretera, el estacionamiento temporal de vehículos que no puedan circular, etc.

3. Zona de afección, que comprende dos franjas de terreno a ambos lados de la carretera, delimitadas interiormente por la zona de servidumbre y exteriormente por dos líneas paralelas a las aristas exteriores de la explanación, a una distancia de 100 metros de anchura en autopistas y vias rápidas y de 50 metros en las restantes carreteras. En ellas se pueden realizar obras ó instalaciones fijas o provisionales, previa autorización del Ministerio correspondiente. Se permiten las obras de reparación o mejora de las construcciones o instalaciones ya existentes, previa autorización, siempre que no supongan aumento del volumen y sin que el incremento del valor que la sobras supongan pueda ser tenido en cuenta a efectos expropiatorios.

4.15.2.2.2.5. Vías Férreas

La antigua ley de Policía de Ferrocarriles de 23 de noviembre de 1877 establecía una distancia mínima de veinte metros para las construcciones colindantes, que sin embargo ha sido suprimida por la Ley 16/1987 de Ordenación de transportes Terrestres de 30 de julio, que regula toda esta materia en función del título de la concesión administrativa en concreto.

4.15.2.2.2.6. Montes

Cuando se trata de solicitar excesos de cabida de montes ó fincas colindantes con un monte comunal, ó ubicadas en un término municipal en que existan montes demaniales, se requiere el informe favorable de los titulares de dichos montes, y tratándose de Montes Catalogados, el del órgano forestal de la Comunidad Autónoma, ya que, si no consta tal informe en el expediente, el Registrador tendría que comunicarlo con posterioridad, conforme al artículo 22 de la ley 43/2003 de Montes.

4.15.2.2.3. *Limitaciones por razón de concesiones administrativas*

Cuando lo que se pretende transmitir son los derechos derivados de una concesión administrativa, el Notario debe tener en cuenta lo dispuesto, con carácter general, en el Texto Refundido de la ley de Contratos de las Administraciones Públicas, de 16 de junio de 2000, que en su art. 114,2º dispone: «Para que los adjudicatarios puedan ceder sus derechos y obligaciones a terceros, deberán cumplirse los siguientes requisitos: a) Que el órgano de contratación **autorice expresamente y con carácter previo**, la cesión. B) Que el cedente tenga ejecutado, al menos el 20 por ciento del importe del contrato, ó realizada la explotación al menos durante el plazo de una quinta parte del tiempo de duración del contrato si éste fuese de gestión de servicios públicos. c) Que el cesionario tenga capacidad para contratar con la Administración y que esté debidamente clasificado si tal requisito ha sido exigido al cedente. d) Que se formalice en **escritura pública**».

Por lo tanto, habrá que estar a la legislación especifica de la concesión de que se trate para comprobar los requisitos exigidos. Dada la amplitud de esta materia, podemos resaltar, como más importantes las siguientes concesiones:

1. **La legislación de minas**, en especial, la Ley de 21 de julio de 1973 de minas exige para enajenar, gravar o arrendar los permisos sobre explotaciones o investigaciones mineras:

   – Previa autorización de la Dirección General de Minas o de la Jefatura del distrito minero según los casos,

   – Y si se trata de hipoteca, la autorización corresponde al Ministerio de industria.

2. **La legislación de Aguas**, en especial, el T.R. de 20 de julio de 2001 sobre aprovechamiento del dominio público hidraúlico, en su art. 63, admite la posibilidad de transmitir, total ó parcialmente ó gravar, el aprovechamiento de aguas, pero cuando el aprovechamiento implique un servicio público, será necesaria la autorización administrativa previa del Organismo de cuenca.

3. **En materia de autopistas,** la Ley de 10 de mayo de 1972 y su reglamento aprobado por RD. de 25 de enero de 1973 minas exige para cede el derecho a la

concesión, el otorgamiento de escritura pública, con autorización del Ministerio de Fomento, como previa, y que hayan transcurrido al menos cinco años desde la puesta en servicio del último tramo construido.

4. En materia de Estaciones de Servicio, también se exige por su legislación especifica, es decir, el R.D. de 24 de septiembre de 19943, el otorgamiento de escritura pública, con autorización del Ministerio de Fomento, como previa, y que hayan transcurrido al menos cinco años desde la fecha de su adjudicación.

En todas estas concesiones administrativas, asi como otras mas frecuentes de producción y/o distribución de energía electrica, ferrocarriles, hidrocarburos, etc. el Notario debe exigir ineludiblemente, con carácter previo, la autorización administrativa pertinente antes de autorizar el instrumento público de cesión ó gravamen de esos derechos.

4.15.2.2.4. Derivadas de la legislación sobre el suelo

1. En caso de **división o segregación de terrenos**, urbanos y rústicos, el artículo 17 de la vigente ley del Suelo 8/2007 de 28 de mayo y el art. 78 del Real Decreto 1093/1997, de 4 de julio (SIRPANU) exigen que se acredite el otorgamiento de la licencia que estuviese prevista por la legislación urbanística aplicable, o la declaración municipal de su innecesariedad, que deberá testimoniarse literalmente en el documento.

2. Y además, las establecidas en los artículos 24 y 25 de la Ley de Modernización de las Explotaciones Agrarias de 4 de julio de 1995 a propósito de las **Unidades Mínimas de Cultivo** que no permite la división de fincas rústicas que den lugar a fincas con superficie inferior a la unidad mínima de cultivo en cada zona respectiva.

3. En **declaraciones de Obra Nueva**, siguiendo a **FERRER MOLINA**, destacamos que el artículo 22 de la Ley de 1988, complementado por los arts. 45 y ss. del Real Decreto 1093/1997, de 4 de julio (SIRPANU) señala que:

    a) Si la Obra Nueva está terminada, Los Notarios exigirán para autorizar escrituras de Declaración de Obra Nueva terminada, que se acredite el otorgamiento de la preceptiva licencia y la expedición por técnico competente de la certificación de finalización de la obra conforme al proyecto objeto de la misma.

    b) Si la Obra Nueva está en construcción, a la licencia de edificación se acompañará certificación expedida por técnico competente de que la descripción de la Obra Nueva se ajusta al proyecto para el que se obtuvo la licencia. En este caso el propietario deberá hacer constar la terminación mediante acta notarial que incorporará la certificación de finalización de la obra antes mencionada.

Tanto la licencia como las mencionadas certificaciones deberán testimoniarse en las correspondientes escrituras.

En caso de que la concesión de la licencia tenga lugar por acto presunto, se incorporarán a la escritura, en original o por testimonio:

a) La certificación administrativa del acto presunto.

b) En caso de que no se hubiere expedido esta última, el escrito de solicitud de la licencia y, en su caso, el de denuncia de la mora, el escrito de solicitud de la certificación del acto presunto, todos ellos sellados por la Administración actuante, y la manifestación expresa del declarante de que, en los plazos legalmente establecidos para la concesión de la licencia solicitada y para la expedición de la certificación del acto presunto, no se le ha comunicado por la Administración la correspondiente resolución denegatoria de la licencia solicitada ni tampoco se le ha expedido la certificación del acto presunto.

Si la obra nueva es antigua, se podrá declarar:

a) probando por certificación del Catastro o del Ayuntamiento, por certificación técnica o por acta notarial, la terminación de la obra en fecha determinada y su descripción coincidente con el título.

b) Que dicha fecha sea anterior al plazo previsto por la legislación aplicable para la prescripción de la infracción en que hubiera podido incurrir el edificante.

c) Que no conste del Registro la práctica de anotación preventiva por incoación de expediente de disciplina urbanística sobre la finca que haya sido objeto de edificación.

4.15.2.2.5. *Las derivadas de la Ley de Ordenación de la Edificación de 5 de noviembre de 1999*

Exige en su artículo 20 para autorizar escrituras de Declaración de Obras Nuevas de edificaciones en las que sea de aplicación dicha Ley, que se acredite y testimonie la constitución de las garantías del artículo 19.

La Instrucción de la Dirección General de 11 de septiembre de 2000, ha aclarado que la acreditación de las garantías deberá realizarse mediante la presentación de la propia póliza del contrato de seguro completada con el documento que acredite su entrada en vigor, mediante un certificado expedido por la Entidad aseguradora acreditativo de la constitución y vigencia del contrato, o mediante el suplemento de entrada en vigor del seguro, en el que se particularicen las condiciones del contrato, debiendo expresarse, al menos, las circunstancias de la Instrucción.

Todo ello teniendo en cuenta que tras la modificación de la Disposición Adicional 2ª por la Ley de 30 de diciembre de 2002 de medidas fiscales, administrativas y de orden social, interpretada por la Resolución-Circular de la Dirección General de los Registros y del Notariado de 3 de diciembre de 2003, la Ley sólo es aplicable a los edificios cuyo destino principal sea el de vivienda, pero no en el supuesto del autopromotor individual de una única vivienda unifamiliar para uso propio.

4.15.2.2.6. Derechos de adquisición preferente

Dispersos en nuestra legislación, podemos citar, como más importantes, los siguientes:

a) En las enajenaciones de **Montes**, el derecho de tanteo y retracto a favor de las Comunidades Autónomas recogido en el artículo 25 de la Ley 43/2003, de 21 de noviembre, de Montes, en el caso de enajenación de montes de superficie superior al límite fijado por la CCAA correspondiente, asi como de los montes protectores en los términos que cita este precepto, disponiendo en su apartado 5ª que «*los notarios y registradores de la propiedad no autorizarán ni inscribirán, respectivamente, las correspondientes escrituras sin que se les acredite previamente la práctica de dicha notificación de forma fehaciente*».

b) Tanteo y retracto establecido a favor del la Administración del Estado, sobre **Bienes de interés cultural,** que puede ejercitar para sí ó para una entidad benéfica o para cualquier entidad de Derecho público, según determina el artículo 38 de la **Ley 16/1985 de Patrimonio Histórico Español, de 25 de junio de 1985,** que en su apartado 5º dispone: «*Los Registradores de la Propiedad y Mercantiles no inscribirán documento alguno por el que se transmita la propiedad o cualquier otro derecho real sobre los bienes a que hace referencia este artículo sin que se acredite haber cumplido cuanto requisitos en él se recogen*».

c) En el **Impuesto sobre Transmisiones Patrimoniales y Actos Jurídicos Documentados,** el tanteo y retracto establecido a favor de la Administración autonómica competente para liquidar el impuesto, cuando en la enajenación de un bien, el valor comprobado por la Administración excede de mas del 50% del valor declarado (art. 46, 5º del R.D. Legislativo 3050/1980 de 30 de diciembre), cuando dispone que: «*5. Cuando el valor comprobado exceda en más del 100 por 100 del declarado, la Administración Pública tendrá derecho a adquirir para sí los bienes y derechos transmitidos, derecho que sólo podrá ejercitarse dentro de los seis meses siguientes a la fecha de firmeza de la liquidación del impuesto. Siempre que se haga efectivo este derecho, se devolverá el importe del impuesto pagado por la transmisión de que se trate. A la ocupación de los bienes o derechos ha de preceder el completo pago del precio, integrado exclusivamente por el valor declarado*».

d) En el caso de infracción de la normativa sobre **Unidades Mínimas de Cultivo** (RD. de 12 de enero de 1973, que en su art. 45 dispone que. «*1. Cuando de algún modo se infrinja lo prevenido en el artículo 44 (que impide la división ó segregación que de lugar a fincas inferiores a la unidad mínima de cultivo) los dueños de las fincas colindantes con las parcelas que resulten de extensión inferior a la unidad mínima de cultivo, tendrán el derecho de adquirirlas, cualquiera que sea su poseedor y a salvo de lo dispuesto en la ley Hipotecaria, por el justo precio que, a falta de acuerdo, se determine judicialmente. 2. Si varios colindantes manifestasen en igual tiempo su voluntad de ejercitar el derecho que les concede este artículo y no llegasen a un acuerdo, será preferido entre ellos el que fuere dueño de la finca colindante de menor extensión. 3. El derecho que por este artículo se concede caducará a los cinco años de realizarse la división ó segregación indebida...*»

e) El retracto a favor del sucesor de la **Explotación Familiar Agraria**, según el art. 27 de la ley 49/81 de 24 de diciembre, que dispone: «*1. Tendrán el derecho de retracto los propietarios de fincas colindantes que sean titulares de explotaciones prioritarias, cuando se trate de la venta de una finca rústica de superficie inferior al doble de la unidad mínima de cultivo. 2. Si fueren varios colindantes, será preferido el dueño de la finca que con la adquisición iguale o supere la extensión de la unidad mínima de cultivo. Si más de un colindante cumple esta condición tendrá preferencia el dueño de la finca de menor extensión. 3. Cuando ninguna de las fincas colindantes iguale o supere, como consecuencia de la adquisición, la unidad mínima de cultivo, será preferido el dueño de la finca de mayor extensión. 4. El plazo para ejercitar este derecho de retracto será el de un año contado desde la inscripción en el Registro de la Propiedad, salvo que antes se notifique fehacientemente a los propietarios de las fincas colindantes la venta de la finca, en cuyo caso el plazo será de sesenta días contados desde la notificación. 5. El propietario colindante que ejercite el derecho de retracto no podrá enajenar la finca retraída durante el plazo de seis años, a contar desde su adquisición.*»

f) Derechos de tanteo y retracto en **Viviendas de Protección Oficial:** Según el art. 54 del RD 3148/1978, «Las viviendas de promoción pública sólo podrán transmitirse «inter vivos», segunda ó sucesivas transmisiones por los propietarios cuando «*hayan transcurrido cinco años desde la fecha del contrato de compraventa, y siempre que previamente se haya hecho efectiva la totalidad de las cantidades aplazadas*»

Y añade «Los Entes públicos promotores podrá ejercitar en estos casos los derechos de tanteo y retracto con arreglo a los artículos 1507 y siguientes del Código Civil, a cuyos efectos se hará constar expresamente el ejercicio de dichos derechos en los contratos de compraventa que suscriban los beneficiarios». Por ello, los Notarios deben incluir estas cláusulas en la escritura, por ser de inserción obligatoria en este tipo de transmisiones.

Y para las **viviendas acogidas al nuevo régimen de financiación del Plan 2005, el RD. 801/2005 de 1 de julio** antes citado, en su art. 13.7º determina que las CCAA y las ciudades de Ceuta y Melilla pueden establecer, respecto de estas VPO con destino a venta, un derecho de tanteo y retracto a favor de las Administraciones Públicas, Agencias ó Sociedades Públicas de Alquiler o demandantes inscritos en los registros públicos.

4.15.2.2.7. Otros requisitos previos de protección al adquirente o consumidor

Finalmente, destacar en este punto, que con el fin de proteger al comprador en el momento de adquirir una finca para vivienda u otros usos, las leyes estatales y especialmente las autonómicas recogen obligaciones para la parte vendedora que el Notario debe incluir en la escritura como documentos incorporados, y podemos señalar, como más importantes:

- **el certificado de eficiencia energética** que tiene su origen en la Directiva 2002/91/CE, es un documento oficial redactado por un técnico competente que incluye información objetiva sobre las características energéticas de un inmueble. Y es obligatorio, salvo excepciones que constan en el R.D.235/2013 de 5 de abril, para el propietario de cualquier parte individual de un edificio existente (viviendas, oficinas o locales) objeto de una operación de compraventa o de alquiler.

- **la cédula de habitabilidad**, que es un documento de carácter administrativo que acredita que una vivienda cumple las condiciones mínimas de habitabilidad y en consecuencia es apto para ser destinado a vivienda según la ley estatal ó autonómica que procede. En Cataluña, está bastante desarrollada esta materia y su ley 18/2007, de 28 de diciembre, del derecho a la vivienda. indica que los notarios antes de otorgar una escritura de compraventa exigirán la cédula de habitabilidad vigente (caduca a los 10 años) y la incorporarán a la escritura. El notario podrá exonerar de presentar la cédula de habitabilidad cuando la vivienda deba rehabilitarse o derribarse, debiendo en tal caso presentarse un informe emitido por un arquitecto en el que se acredite que la vivienda puede obtener la cédula una vez ejecutadas las obras de rehabilitación o cuando el destino de transmisión no sea el de uso como vivienda y las partes lo reconozcan de forma expresa. La cédula se llama de segunda ocupación si se refiere a viviendas usadas o preexistentes.

- **licencia municipal de cambio de uso** cuando la vivienda consta inscrita en el Registro como local comercial, nave, etc. que deberá obtenerse por el otorgante y el Notario lo incorporará a la escritura de modificación.

- **La oferta vinculante de la operación crediticia que se entregará previamente al cliente y la Ficha de Información Personalizada «FIPER»,** cuya regulación a nivel de toda España se realiza en la Orden EHA/2899/2011, de 28 de octubre, de transparencia y protección del cliente de servicios bancarios, en cuyo artículo 22 indica que la FIPER es una Ficha de Información

Personalizada, que las entidades de crédito, una vez que el cliente haya facilitado la información que se precise sobre sus necesidades de financiación, su situación financiera y sus preferencias, proporcionarán a este la información personalizada que resulte necesaria para dar respuesta a su demanda de crédito, de forma que le permita comparar los préstamos disponibles en el mercado, valorar sus implicaciones y adoptar una decisión fundada sobre si debe o no suscribir el contrato.

Esta información se facilitará mediante la (FIPER) que se entregará a todos los clientes de préstamos, de forma gratuita, con la debida antelación (tres días hábiles) y, en todo caso, antes de que el cliente quede vinculado por cualquier contrato u oferta. Esa orden ha sido desarrollada por la circular 5/2012 del Banco de España.

En Cataluña el Código Consumo establece un plazo de 14 dias antes del otorgamiento para examinar el proyecto de escritura de préstamo de la FIPER, con inclusión de la oferta vinculante.

4.15.2.3. Limitaciones y autorizaciones por razón de la forma

En la autorización del instrumento público, el Notario debe observar todos los requisitos y formalidades que le impone el Reglamento Notarial, pero además tiene la obligación de reseñar en la escritura haber cumplido las obligaciones que le imponen otras leyes, como las fiscales, protección de datos, control de cambios, y últimamente, en materia de blanqueo de capitales, las derivadas de la ley.

Vamos a referirnos brevemente en estas dos últimas:

4.15.2.3.1. Control de cambios

El Notario también debe extremar su cuidado en materia de blanqueo de capitales, por ello, y para el control de los medios de pago, el art. 24, parrafo 3º de la Ley del Notariado, reformada por la Ley 36/2006, impone al Notario la obligación de consignar los medios de pago, y la Orden EHA/1439/2006 de 3 de mayo determina la obligación de solicitar a los particulares el **modelo S1** en caso de personas físicas o jurídicas de naturaleza privada que, actuando por cuenta propia o de tercero, realicen los siguientes movimientos de medios de pago:

a) Salida o entrada en territorio nacional de moneda metálica, billetes de banco y cheques bancarios al portador denominados en moneda nacional o en cualquier otra moneda o cualquier medio físico, incluidos los electrónicos, por importe igual o superior a 10.000 euros por persona y viaje.

b) Movimientos por territorio nacional de medios de pago consistentes en moneda metálica, billetes de banco y cheques bancarios al portador denominados en moneda nacional o en cualquier otra moneda o cualquier medio físico, incluidos los electrónicos, concebido para ser utilizado como medio de pago, por importe igual o superior a 100.000 euros. A efectos de la Orden, se entenderá por «movimiento» cualquier cambio de lugar o posición que se verifique en el exterior del domicilio del tenedor de los medios de pago.

4.15.2.3.2. Titularidad real en materia de blanqueo de capitales

La ley 19/2003 en materia de blanqueo de capitales ya imponía a los sujetos obligados la obligación de averiguar si los clientes actúan ó no en nombre propio, y la de determinar la estructura accionarial o de control de las personas jurídicas, en el R. Decreto 54/2005 y para los notarios, se concreta actualmente en el art. 3.4 de la Orden EHA/114/2008.

Pero ha sido la nueva ley 10/2010 de 28 de abril sobre blanqueo de capitales (desarrollada por su Reglamento RD 304/2014 de 5 de Mayo) la que en su art. 4, 4º ha establecido con carácter general, la siguiente norma: *«Los sujetos obligados no establecerán o mantendrán relaciones de negocio con personas cuya estructura de propiedad ó de control no haya podido determinarse»*.

Como consecuencia de tal precepto ya vigente, se han dictado dos importantes comunicaciones del Consejo General del Notariado, la 3/2010 de 6 de julio y la 4/2010 de 23 de julio, que ha planteado la nueva situación por la que, el notario, como sujeto obligado, también le afecta directamente en lo relativo a la autorización ó no del instrumento público, cuando se trata de una sociedad donde no se ha determinado el **titular real**, ó como dice la ley personas que dominan o son mayoritarios en la *«estructura de propiedad o de control»*.

Un sector crítico con la norma citada, defendido entre otros por G. VON WICHMANN, SIMÓ SEVILLA, etc. entienden que la ley ha introducido dudas sobre su aplicación, ya que sólo obliga a quienes establecen las relaciones de negocios o ejecutan las operaciones, pero no a los demás sujetos obligados, como el Notario, que se limita a autorizar la escritura. Por ello, son especialmente críticos con las Comunicaciones 3/2010 y 4/2010 del Consejo General del Notariado.

No obstante, el Director del OCP (Organismo Central para la Prevención del Blanqueo de Capitales), D. PEDRO GALINDO GIL, ha justificado la aplicación de ambas Comunicaciones, pues hasta que no se desarrolle por vía reglamentaria, la ley (de contenido sustancialmente económico) no distingue casos concretos, ni excluye al Notario como sujeto obligado en la aplicación de la ley, por lo que del tenor literal de la misma se desprende que el Notario no debe autorizar la escritura si no se determina por los otorgantes el titular real de la sociedad interviniente, con las matizaciones y especialidades que se expresan en la última de esas Comunicaciones.

4.15.3. Efectos de estas normas en cuanto a la autorización de los respectivos documentos públicos

De todos los supuestos que hemos visto anteriormente, que en todo caso, son sólo una muestra de la pluralidad de casos que se dan en nuestra legislación, se deduce que el Notario debe conocer perfectamente la norma aplicable a cada caso, y decidir la autorización del instrumento público solicitado por las partes únicamente cuando está seguro que se han cumplido los trámites administrativos requeridos y no hay contravención de norma alguna.

Y de acuerdo con lo anterior, **R. FERRER MOLINA,** distingue unas consecuencias de tipo formal, frente a las de tipo sustantivo, diciendo que «*si los interesados no obtienen las autorizaciones, verificaciones o licencias previas, prescinden de uno de los requisitos necesarios para la plena validez del acto o contrato, por lo que el Notario no sólo deberá excusar su ministerio, sino negar la autorización, conforme al artículo 145 del Reglamento Notarial aunque contra su negativa caber recurso de queja...*» pero «*si a pesar de todo lo expuesto, llegase a autorizarse un acto sin los requisitos administrativos previos, se plantea el problema de cuáles serán sus efectos sustantivos. Así: Desde un punto de vista legal, la legislación de defensa nacional impone multas pecuniarias, demolición de obras o expropiación. Desde el punto de vista doctrinal, tanto los autores como la doctrina de la Dirección General:. parten de la existencia civil del negocio jurídico, pero con un defecto de eficacia frente a terceros, para su nulidad o ineficacia se exige una declaración de los Tribunales, y a efectos de la posible responsabilidad disciplinaria del Notario se distingue entre defectos insubsanables o subsanables, enervando estos últimos el posible expediente sancionador...*»

Por su parte **J. MARTÍNEZ-GIL PARDO DE VERA**, sostiene, con carácter general, un criterio finalista ó de prudencia, de forma que el Notario debe de abstenerse de autorizar la escritura que carezca de la necesaria autorización administrativa, especialmente cuando el fin que se persigue quede absolutamente desvirtuado, pero admite como excepción, determinados supuestos, como algunas limitaciones, que bastaría la advertencia del Notario, o incluso algunos casos de autorización posterior con ratificación de los interesados.

Sin embargo, de un análisis mas detenido de la legislación civil y administrativa que hemos visto anteriormente, puede establecerse una triple distinción en la actuación del Notario, como podría ser la clasificación en: supuestos de NO AUTORIZACIÓN, supuestos de AUTORIZACIÓN condicionada o pendiente de ratificación, y finalmente, los de AUTORIZACIÓN con advertencias específicas, así como la incidencia del silencio positivo en algunos casos:

4.15.3.1. No autorización

Estaríamos hablando de aquellos casos en los que el Notario no debe ni siquiera plantearse la posibilidad de autorizar la escritura que las partes le han solicitado, por no tener otra alternativa, no sòlo legal ni tampoco de tipo practico (aportación posterior de licencia ó notificación, o subsanación por otra escritura que susbane el defecto, por razones de urgencia, etc.). Se tratará de aquellos casos en que el Notario debe apreciar ciertos indicios que asi corroboran esta decisión de no autorizar. Estos indicios pueden ser, a modo de ejemplo:

1. Aquellos casos en que la propia ley, con carácter imperativo no quiere, bajo ningún concepto, de forma tajante, que la escritura se otorgue. Ejemplos claros los tenemos en el antiguo art. 259 de TR del Suelo, decia que «*los Notarios no autorizarán ni los Registradores inscribirán*» las escrituras de obra nueva sin haberse obtenido la licencia de edificación; ó el artículo 20 de la ley de Ordenación de la Edificación de 1999 al decir «***No se autorizarán*** *ni se inscribirán en el registro de la Propiedad la declaración de obra nueva de edificaciones, a las que sea de aplicación esta ley, sin que se acredite y testimonie la constitución de las garantías a que se refiere el art. 19*», ó el artículo 25 de la Ley de Montes antes citada de 21 de noviembre de 2003 cuando dice: «***los notarios*** *y registradores de la propiedad **no autorizarán** ni inscribirán, respectivamente, las correspondientes escrituras sin que se les acredite previamente la práctica de dicha notificación de forma fehaciente*».

2. Otros casos serían aquellos en los que, por la gran importancia del negocio ó la envergadura de la propia escritura (todos aquellos casos ya descritos de constitución de Sociedades de tipo especial, como Bancos, Cajas de Ahorro, compañías de seguros, etc) en los que el Notario no puede ceder en su decisión de pedir e incorporar la autorización administrativa previa a la escritura, puesto que no cabe alegar urgencia alguna, ni falta de formación, asesoramiento ó conocimiento de los socios constituyentes, ni tampoco debe admitirse la simple solicitud de autorización, dado lo específico de la propia escritura y el rígido y especial régimen jurídico exigido por la ley para estos casos.

3. Otros casos en los que el Notario debe excusar su ministerio son aquellos en los que el interés jurídico que se intenta proteger por la ley es de gran importancia para la sociedad, ya sea por motivos de disciplina urbanística (suelo) de tipo protector (montes) ó social no especulativo (viviendas de VPO) en los que el Notario debe insistir en la necesidad de la aportación de la licencia ó autorización previa antes de autorizar la escritura.

4. Y finalmente, el Notario no debe autorizar tampoco la escritura en aquellos su-
    puestos en que la falta de autorización pueda causar un perjuicio a una de las
    partes (principalmente el adquirente) ó de un tercero (p. ej. un Banco ó Caja que
    le concede el préstamo hipotecario a continuación sobre la finca transmitida al
    adquirente). Serían aquellos casos, en los que se otorga la escritura a falta de un
    requisito administrativo previo (licencia de segregación, licencia de edificación,
    certificación catastral descriptiva y gráfica, etc.) y el Notario puede tener dudas
    fundadas de que, aunque esté solicitada, no va a ser fácil su obtención (ej. por
    haberse iniciado un procedimiento sancionador al titular, no cumplir la finca
    las exigencias mínimas del planeamiento, haberse agotado el volumen edificable
    en una finca que se amplia una planta y se modifica la Obra nueva ya registrada,
    etc.). En todos estos caso, la seguridad jurídica que el Notario debe preservar en
    todo caso, hará que, por prudencia, no autorice el instrumento público si no se
    ha obtenido dicha autorización o licencia previa.

4.15.3.2. Autorización condicionada o pendiente de ratificación

Se trataría de aquellos casos en los que, el Notario se encuentra en la tesitura de
autorizar ó no la escritura, cuando por razones de urgencia, de interés únicamente privado ó cuando está la licencia solicitada y no obtenida todavía, podría ser posible la
autorización.

Estaríamos ante la excepción frente a la regla general de no autorización, si bien, el
Notario, antes de proceder a su autorización, debería comprobar que en el negocio juri-
dico planteado por las partes se dan cumulativamente varias circunstancias:

a. Que no se cumpla ninguna de las anteriores incidencias que impidan al Notario
    denegar su función, por no aportar la licencia ó autorización necesaria en el mo-
    mento mismo del otorgamiento de la escritura.

b. Que el negocio jurídico (transmisión, gravamen, etc.) que se va a formalizar en
    escritura pública, admita, por su propia naturaleza, supeditar su eficacia al cum-
    plimiento de la condición a que se sujete la falta de autorización ó licencia.

c. Que dicho negocio jurídico pueda ser ratificado ó subsanado posteriormente,
    sin que por ello quede afectado de nulidad.

d. Y que el Notario, dentro de su pericia y sus apreciaciones, pueda garantizar al
    adquirente del derecho pendiente ó expectante, que la posibilidad de obtener
    la licencia es real y que las partes están en disposición de ratificar el negocio y
    asumen el riesgo derivado del otorgamiento incompleto, después de advertido
    por el Notario de sus consecuencias de no hacerlo de forma completa. Para ello,
    el Notario, puede examinar la solicitud presentada y comprobar que se han reu-

nido los requisitos solicitados por la Administración, consultas previas al órgano competentes, coincidencia con situaciones anteriores similares, etc. y dentro de la decisión personal que a cada Notario le compete, decidir, bajo su estricta responsabilidad, el otorgamiento de la escritura solicitada.

4.15.3.3. Autorización con advertencias específicas

Finalmente, estaríamos ante los supuestos en que las limitaciones afectan a los derechos transmitidos o adquiridos por las partes en la escritura, y que si bien, no obstan para su otorgamiento, si que es conveniente que el Notario, en su función, realice en el momento de la autorización, a los otorgantes, las advertencias legales necesarias con el fin de que no se vean perjudicados en el ejercicio de los mismos, una vez otorgada la escritura.

Como ejemplos claros, podemos recordar, los derivados de los derechos de adquisición preferente, en que el Notario debe informar a las partes de la posibilidad de adquisición de la finca o derecho por parte de una Administración (Conserjería de Hacienda, de Vivienda, etc.), salvo que se trate de supuestos de necesaria notificación previa, como el citado artículo 20. 5º de la Ley de Montes de 2003) en los que no se puede autorizar sin la notificación.

4.15.3.4. Posible incidencia de la doctrina sobre silencio administrativo positivo

Y por último, debemos tener en cuenta la posibilidad de que los otorgantes, ante la falta de licencia de segregación o de innecesariedad, aleguen la aplicación del silencio administrativo positivo por parte del Ayuntamiento correspondiente y soliciten del Notario la autorización de la escritura.

En principio, como punto de partida, debemos destacar, con carácter general, la importancia de la Resolución de la Dirección General de los Registros y del Notariado, de 24 de abril de 2006, al declarar que, aunque por el silencio positivo no pueden adquirirse facultades contrarias al ordenamiento jurídico, ello no obsta a que el acto administrativo presunto sea inicialmente válido, y por ello, susceptible de inscripción, todo ello, sin perjuicio del derecho de la Administración a impugnar dicho acto si lo considera nulo ó anulable, y que, por otra parte, en ese supuesto concreto de la resolución determina que el Registrador de la Propiedad carece normalmente de elementos documentales para juzgar si el acto presunto es contrario al planeamiento o no, por ello debe inscribir dicho acto, salvo que de forma palmaria contradiga el ordenamiento.

Sin embargo, no podemos olvidar la doctrina sentada por el Tribunal Supremo, en Sentencia de la Sala 3ª, de 28 de enero de 2009, que adopta para sí la reciente Resolución de la Dirección General de los Registros y del Notariado de 27 de octubre de 2010, y que impone una limitación importante a la aplicación del silencio administrativo positivo en estos casos, pues determina que no pueden entenderse adquiridas por silencio administrativo licencias en contra de la ordenación territorial o urbanística, y deniega la pretensión de haber obtenido mediante silencio administrativo declaración municipal de la innecesariedad de la licencia de parcelación, pues además en este caso planteado concurría la circunstancia de que el Ayuntamiento de Cártama ya había emitido una resolución denegando la declaración de innecesariedad de la licencia, que fue objeto de recurso de reposición.

Es por tanto, el silencio administrativo positivo otro elemento que el Notario puede valorar según las circunstancias especiales de su autorización, intentando alcanzar el equilibrio entre el interés particular de los otorgantes y el interés público ó general que las leyes urbanísticas intentan preservar.

En **CONCLUSIÓN**, y de acuerdo con estas premisas, el Notario debe atenerse a cada caso concreto, teniendo en cuenta, lo declarado por el Tribunal Supremo, en la sentencia de 20 de mayo de 2008, sobre impugnación de determinados artículos del Reglamento Notarial, antes citada, que explica que el control de legalidad de los Notarios *«ha de responder a la voluntad del legislador plasmada en la correspondiente norma de rango legal...»*, pero que *«debe significarse la transcendencia que la denegación puede tener para los derechos y titularidades jurídicas de carácter patrimonial de los interesados, privándoles de la forma de documentación publica (arts. 1278 y 1279 Cc) y la correspondiente garantía y eficacia que de ello deriva (art. 1218 Cc) y las posibilidades de negociación que tal garantía facilita, asi como de la subsiguiente protección registral, siquiera sea provisional y temporal, que proporciona el acceso al registro a través del correspondiente asiento de presentación»*.

4.16. PARTE DISPOSITIVA

Vistas las tres primeras partes de la escritura, encabezamiento, comparecencia y exposición, pasamos a ver la parte dispositiva

En general, podemos decir que Disposición es una declaración de voluntad que produce un efecto jurídico. Así al testamento se le llama disposición de última voluntad.

Así como en algunas escrituras (p.e. poderes) puede faltar la exposición de antecedentes, la disposición es indefectible, porque es el acto o el contrato en sí mismo; constituye, en una palabra, la materia de la escritura, el vínculo jurídico que en ella se establece, sin estipulación no hay escritura ni siquiera se concibe como posible.

Esta parte recibe varios nombres en la práctica notarial, así podemos verlos como «Estipulaciones», «cláusulas» «pactos» o «disposiciones» o en la forma «Estipulan» «pactan» o disponen» cuando se trata de redacción continua.

La parte dispositiva de un instrumento público es aquella en el que las personas que lo otorgan crean, transmiten, modifican o extinguen derechos o facultades.

Puede definirse la parte dispositiva como aquella parte del instrumento dedicada al negocio jurídico y por consiguiente es peculiar de las escrituras públicas al ser el contenido propio de éstas las declaraciones de voluntad, los actos jurídicos que impliquen prestación consentimiento y los contratos de toda clase, según el artículo 144 RN.

Como bien dice PEDRO ÁVILA (1982, pág. 213), su carácter esencial, primordialísimo es obvio. Si las partes solicitan la intervención del Notario no es por el sólo gusto de comparecer ante él, o con la única finalidad de exponer unos antecedentes, sino para autenticar un negocio jurídico. Puede decirse que las dos partes anteriores de la escritura (comparecencia y exposición) se ordenan a esta tercera y no tienen más misión que servir a ella.

La escritura pública plasma la relación definitiva entre las partes y las vincula en los términos, pactos y condiciones en ella reflejados, por lo que los notarios debemos tener especial cuidado e interés en la redacción de esta parte del documento, mirándola con escrupulosa atención (en palabras de DIEZ MORENO) para que dichos pactos sean precisos y claros, evitando futuros pleitos e interpretaciones, porque la menor impropiedad en el lenguaje, la omisión de circunstancias que puedan parecer nimias o la inclusión de otras que parecen intrascendentes, pueden llevar a la confusión en la escritura y a verse alterada la real voluntad de las partes.

El art. 17 LN señala que «Las escrituras públicas tienen como contenido propio las declaraciones de voluntad, los actos jurídicos que impliquen prestación de consentimiento, los contratos y los negocios jurídicos de todas clases».

Y el artículo 1218 CC establece que «Los documentos públicos hacen prueba, aun contra tercero, del hecho que motiva su otorgamiento y de la fecha de éste».

El artículo 49 LN reformado por Ley 15/2015, de 2 de julio establece que:

«Los Notarios intervendrán en los expedientes especiales autorizando actas o escrituras públicas:

1.º Cuando el expediente tenga por objeto la declaración de voluntad de quien lo inste o la realización de un acto jurídico que implique prestación de consentimiento, el Notario autorizará una escritura pública.

2.º Cuando el expediente tenga por objeto la constatación o verificación de un hecho, la percepción del mismo, así como sus juicios o calificaciones, el Notario procederá a extender y autorizar un acta».

Para esta labor necesita el Notario una especial preparación técnica, porque, citando a BRUGGI, es muy difícil convertir en preciso lenguaje jurídico la incorrecta y vulgar expresión de que suelen servirse las partes al declarar su voluntad. Esta concordancia de la voluntad verdadera, no técnicamente manifestada, con la técnica declaración, supone un fino análisis de jurista.

Pues bien, como principios fundamentales de esta parte dispositiva, cabe señalar los siguientes:

1º. Que para que la escritura surta los efectos jurídicos deseados por los interesados el Notario debe ordenar los elementos esenciales y accidentales del negocio documentado y los requisitos necesarios para surtir efectos jurídicos.

Así, según el artículo 176.1º RN: «La parte contractual se redactará de acuerdo con la declaración de voluntad de los otorgantes o con los pactos o convenios entre las partes que intervengan en la escritura cuidando el Notario de reflejar con la debida claridad y separadamente los que se refieran a cada uno de los derechos creados, transmitidos, modificados o extinguidos, como asimismo el alcance de las facultades, determinaciones y obligaciones de cada uno de los otorgantes o terceros a quienes pueda afectar el documento, las reservas y limitaciones, las condiciones, modalidades, plazos y pactos o compromisos anteriores».

La doctrina recoge la innecesaridad de hacer constar los elementos naturales del contrato así como las disposiciones legales que no se alteren por el mismo, pero reflejando en la escritura los pactos, renuncias, condiciones y clausulas para cumplir del mejor modo lo que los interesados se proponen y no haya resquicio a la duda ni a la interpretación desviada de la voluntad de aquellos.

2º. Que la escritura sea un fiel reflejo de la voluntad de los otorgantes.

Por ello según el artículo 147.1 y 2 RN, reformado por R.D. 45/2007, de 19 de enero:

«El notario redactará el instrumento público conforme a la voluntad común de los otorgantes, la cual deberá indagar, interpretar y adecuar al ordenamiento jurídico, e informará a aquellos del valor y alcance de su redacción, de conformidad con el artículo 17 bis de la Ley del Notariado.

Lo dispuesto en el párrafo anterior se aplicará incluso en los casos en que se pretenda un otorgamiento según minuta o la elevación a escritura pública de un documento privado».

El notario debe dar la forma jurídica a las pretensiones de las partes, de manera que el resultado sea el más seguro y económico, garantizando los efectos deseados, como puede ser la transmisión pacífica del inmueble y su inscripción en el Registro de la Propiedad.

3º. Que la escritura contenga las menciones y compromisos que las Leyes especiales imponen en ciertos casos, como en:

- – Las Viviendas de Protección Oficial, el Real Decreto de 5 de diciembre de 1986,

- – La Orden Ministerial de 5 de mayo de 1994 sobre transparencia de las condiciones financieras de los préstamos hipotecarios.

- – El carácter de condiciones generales de su contratación, de las cláusulas que tengan esta naturaleza y que figuren previamente inscritas en el Registro correspondiente o la manifestación en contrario de los contratantes, según el artículo 23 de la Ley de 13 de abril de 1998 sobre condiciones generales de la contratación.

Dentro de la parte dispositiva de la escritura tiene especial importancia en aquellos actos o contratos por los que se declaren, constituyan, transmitan, graven, modifiquen o extingan a título oneroso el dominio y los demás derechos reales sobre bienes inmuebles, la constancia de la forma en que se ha hecho el pago del precio o contraprestación.

Esto, aparte de ser una necesidad desde el punto de vista del control del fraude fiscal, lo era desde el punto de vista de técnica notarial, abandonado el obsoleto sistema de «precio confesado recibido antes de este acto» que constaba en la gran mayoría de las escrituras, por su absoluta indefinición.

De la normativa anterior se deducía claramente que no existía obligación legal alguna de hacer constar los medios de pago —entendiendo por tales los concretos cauces o vías empleados o previstos para satisfacer el precio o contraprestación—, sino tan sólo el montante del precio y forma del pago

Pero la Ley **36/2006, de 29 de noviembre**, de Medidas de Prevención del Fraude Fiscal, modifica los artículos 17, 23 y 24 de la Ley del Notariado, y 21 y 254 de la Ley Hipotecaria, en el sentido de que las novedades se dirigen a la obtención de información que permita un mejor seguimiento de las transmisiones y del empleo efectivo que se haga de los bienes inmuebles.

Para ello se establece la obligatoriedad de la consignación del Número de Identificación Fiscal (NIF) y de los medios de pago empleados en las escrituras notariales relativas a actos y contratos sobre bienes inmuebles y la consignación de la referencia catastral en los contratos de suministro de energía eléctrica y de arrendamiento, o en los de cesión de uso de bienes inmuebles, para permitir su correcta identificación.

La instrucción de **28 de noviembre de 2006**, de la Dirección General de los Registros y del Notariado, reguló algunos extremos sobre la identificación y constancia de los medios de pago en las escrituras relativas a actos o contratos por los que se declaren, transmitan, graven, modifiquen o extingan a título oneroso el dominio y los demás derechos reales sobre bienes inmuebles, hoy superada por el artículo 177 del Reglamento Notarial.

El **artículo 177 RN** dentro de la parte dedicada a la ESTIPULACIÓN establece que:

«El precio o valor de los derechos se determinará en efectivo, con arreglo al sistema monetario oficial de España, pudiendo también expresarse las cantidades en moneda o valores extranjeros, pero reduciéndolos simultáneamente a moneda española. De igual modo, los valores públicos o industriales se estimarán en efectivo metálico, con arreglo a los tipos oficiales o contractuales.

En las escrituras públicas relativas a actos o contratos por los que se declaren, constituyan, transmitan, graven, modifiquen o extingan a título oneroso el dominio y los demás derechos reales sobre bienes inmuebles, se identificarán, cuando la contraprestación consistiera, en todo o en parte, en dinero o signo que lo represente, los medios de pago empleados por las partes, en los términos previstos en el artículo 24 de la Ley del Notariado, de acuerdo con las siguientes reglas:

1.ª Se expresarán por los comparecientes los importes satisfechos en metálico, quedando constancia en la escritura de dichas manifestaciones.

2.ª El Notario incorporará testimonio de los cheques y demás instrumentos de giro que se entreguen en el momento del otorgamiento de la escritura. Los comparecientes deberán, asimismo, manifestar los datos a que se refiere el artículo 24 de la Ley del Notariado, correspondientes a los cheques y demás instrumentos de giro que hubieran sido entregados con anterioridad al momento del otorgamiento, expresando además su numeración y el código de la cuenta de cargo. En caso de cheques bancarios u otros instrumentos de giro librados por una entidad de crédito, entregados con anterioridad o en el momento del otorgamiento de la escritura, el compareciente que efectúe el pago deberá manifestar el código de la cuenta con cargo a la cual se aportaron los fondos para el libramiento o, en su caso, la circunstancia de que se libraron contra la entrega del importe en metálico. De todas estas manifestaciones quedará constancia en la escritura.

3.ª En caso de pago por transferencia o domiciliación, los comparecientes deberán manifestar los datos correspondientes a los códigos de las cuentas de cargo y abono, quedando constancia en la escritura de dichas manifestaciones.

En el marco del artículo 17.3 de la Ley de 28 de mayo de 1862, del Notariado, el Consejo General del Notariado proporcionará a la Agencia Estatal de la Administración Tributaria información, en particular, en el caso de pagos por transferencia o domiciliación, cuando no se hubieran comunicado al Notario las cuentas de cargo y abono.

En el caso de que los comparecientes se negasen a identificar los medios de pago empleados, el Notario advertirá verbalmente a aquellos de lo dispuesto en el apartado 3 del artículo 254 de la Ley Hipotecaria, de 8 de febrero de 1946, dejando constancia, asimismo, de dicha advertencia en la escritura.

A los efectos previstos en el párrafo anterior, se entenderán identificados los medios de pago si constan en la escritura, por soporte documental o manifestación, los elementos esenciales de los mismos. A estos efectos, si el medio de pago fuera cheque será suficiente que conste librador y librado, beneficiario, si es nominativo, fecha e importe; si se tratara de transferencia se entenderá suficientemente identificada, aunque no se aporten los códigos de las cuentas de cargo y abono, siempre que conste el ordenante, beneficiario, fecha, importe, entidad emisora y ordenante y receptora o beneficiaria.

Igualmente, en las escrituras citadas el Notario deberá incorporar la declaración previa del movimiento de los medios de pago aportada por los comparecientes cuando proceda presentar ésta en los términos previstos en la normativa de prevención del blanqueo de capitales. Si no se aportase dicha declaración por el obligado a ello, el Notario hará constar dicha circunstancia en la escritura y lo comunicará al órgano correspondiente del Consejo General del Notariado».

Este artículo 177 fue redactado por el Real Decreto 45/2007, de 19 de enero que modificó el Reglamento notarial, y posteriormente lo ha sido por Real Decreto 1804/2008, de 3 de noviembre (Ref. BOE-A-2008-18548) y por Real Decreto 1/2010, de 8 de enero («B.O.E». 19 enero Ref. BOE-A-2010-836).Vigencia: 20 enero 2010

Este artículo complementa y desarrolla el **art. 24 LN**, según el cual:

«En todo instrumento público consignará el Notario su nombre y vecindad, los nombres y vecindad de los testigos, y el lugar, año y día del otorgamiento.

Los notarios en su consideración de funcionarios públicos deberán velar por la regularidad no sólo formal sino material de los actos o negocios jurídicos que autorice o intervenga, por lo que están sujetos a un deber especial de colaboración con las autoridades judiciales y administrativas.

En consecuencia, este deber especial exige del Notario el cumplimiento de aquellas obligaciones que en el ámbito de su competencia establezcan dichas autoridades.

En las escrituras relativas a actos o contratos por los que se declaren, transmitan, graven, modifiquen o extingan a título oneroso el dominio y los demás derechos reales sobre bienes inmuebles se identificarán, cuando la contraprestación consistiere en todo o en parte en dinero o signo que lo represente, los medios de pago empleados por las partes. A tal fin, y sin perjuicio de su ulterior desarrollo reglamentario, deberá identificarse si el precio se recibió con anterioridad o en el momento del otorgamiento de la escritura, su cuantía, así como si se efectuó en metálico, cheque, bancario o no, y, en su caso, nominativo o al portador, otro instrumento de giro o bien mediante transferencia bancaria.

Igualmente, en las escrituras públicas citadas el Notario deberá incorporar la declaración previa del movimiento de los medios de pago aportadas por los comparecientes cuando proceda presentar ésta en los términos previstos en la legislación de prevención del blanqueo de capitales. Si no se aportase dicha declaración por el obligado a ello, el Notario hará constar esta circunstancia en la escritura y lo comunicará al órgano correspondiente del Consejo General del Notariado.

En las escrituras públicas a las que se refieren este artículo y el artículo 23 de esta Ley, el Consejo General del Notariado suministrará a la Administración tributaria, de acuerdo con lo dispuesto en el artículo 17 de esta Ley, la información relativa a las operaciones en las que se hubiera incumplido la obligación de comunicar al Notario el número de identificación fiscal para su constancia en la escritura, así como los medios de pago empleados y, en su caso, la negativa a identificar los medios de pago. Estos datos deberán constar en los índices informatizados».

Por tanto, el Notario en estas escrituras tiene que hacer constar:

a) *si el precio se recibió en el momento del otorgamiento de la escritura, o con anterioridad*, debiendo hacer constar la fecha de la entrega, aunque si bien dicho requisito ha desaparecido el artículo 24 RN y del art. 177 Rn, creo que sigue siendo exigible por la Instrucción DGRN 28 noviembre 2006 y por razón de una buena técnica notarial *o si se aplaza el pago a un momento futuro*, en cuyo caso, las RDGRN de 9 de julio y 12 de noviembre de 2009 y 10 de julio de 2012 establecen que las manifestaciones y constancia documental de los medios de pago empleados exigidas tanto por los artículos 21 y 254 de la LH, como por los artículos 24 LN y 177 del RN aparecen referidas, en todo caso, a los pagos realizados en el momento del otorgamiento de la correspondiente escritura pública o con anterioridad al mismo, pero no se refieren en ningún caso a los pagos que para satisfacer la parte de la prestación dineraria pactada que haya sido aplazada se hayan de realizar en un momento ya posterior a aquél otorgamiento, con independencia de que en la inscripción se haga constar, conforme al artículo 10 de la Ley Hipotecaria, la forma en que las partes contratantes hayan convenido los pagos futuros correspondientes a la parte del precio aplazado.

Sin embargo la RDGRN 9 julio 2009 extiende el régimen legal de constancia de los medios de pago a los realizados por el comprador en concepto de repercusión del Impuesto sobre el Valor Añadido.

b) su cuantía en Euros

c) así como si se efectuó en

1. metálico,

2. cheque, bancario o no, y, en su caso, nominativo o al portador,

3. otro instrumento de giro o

4. bien mediante transferencia bancaria, ingreso o domiciliación en cuenta.

Pueden distinguirse al respecto los siguientes supuestos:

a) *Si se entregaron con anterioridad*: no es necesario testimoniarlos en la escritura, pero sí expresar:

    1.   Su cuantía y de qué tipo de instrumento se trata: cheque o pagaré, si es bancario o no, y si es nominativo o al portador.

    2.   La numeración del cheque, pagaré o letra de cambio y el código de la cuenta de cargo o, en sustitución de ésta, el hecho de tratarse de cheque bancario librado contra entrega de metálico.

b) Si se entregan *en el momento del otorgamiento y están librados con cargo a una cuenta del pagador* (cheques ordinarios o cheques conformados): han de aparecer testimoniados en la escritura, con lo que queda constancia de las circunstancias del artículo 24 de la Ley del Notariado, de la numeración del instrumento y del código de la cuenta de cargo, aunque nada se diga al respecto en el cuerpo de la misma.

c) Si se entregan *en el momento del otorgamiento y están librados con cargo a una cuenta de la propia entidad bancaria* (cheques bancarios): han de aparecer igualmente testimoniados en la escritura, con lo que indirectamente quedan también constancia de los mismos datos citados en el párrafo anterior; pero el compareciente que efectúe el pago deberá manifestar el código de la cuenta con cargo a la cual se aportaron los fondos para el libramiento o que se libraron contra la entrega del importe en metálico.

El artículo sólo regula el caso de libramiento contra entrega de metálico, pero han de admitirse en supuestos similares, como la declaración de haberse librado por constituir todo o parte del préstamo hipotecario que la entidad concede al pagador y que se formaliza en el siguiente número de protocolo, o la de disponer el pagador del cheque bancario por endoso en otra operación. Este último caso se admite por las RDGRN de 2 de junio y 7 de julio de 2009, al decir el centro directivo que ni el artículo 24 de la Ley del Notariado ni el 177 de su Reglamento incluyen la identificación de la persona, física o jurídica, a cuyo favor o a cuya orden se libre el correspondiente instrumento de giro, cuando éste es nominativo, entre los elementos que deben expresarse en el instrumento público.

El pago hecho a persona distinta del vendedor no es un problema de identificación de medios de pago y queda al margen del Registro, pues lo que impone la legislación es la «identificación» no la «justificación» de los medios de pago. R. 16 de octubre de 2014.

En estos casos es necesario en todo caso que de la escritura resulte el código de la cuenta contra la que se libran, lo que parece que se cumple tanto si se identifica la entidad, sucursal y número de cuenta (10 dígitos) como si se expresa el «Código Cuenta Cliente» (C.C.C. de 20 dígitos) o IBAN (código internacional de 24 dígitos).

3º. *Pagos mediante transferencia* (o domiciliación bancaria): no es necesario testimoniar ningún documento, se entenderá suficientemente identificada, siempre que conste el ordenante, beneficiario, fecha, importe, entidad emisora y ordenante y receptora o beneficiaria, no siendo necesario expresar los códigos de las cuentas de cargo y de abono.

Por tanto, en caso de transferencias bancarias, se puede identificar de dos formas:

a) Haciendo constar el ordenante, beneficiario, fecha, importe, entidad emisora y ordenante y receptora o beneficiaria, no siendo necesario expresar los códigos de las cuentas de cargo y de abono (RR. 6 de julio de 2011 y 22 de julio de 2016 **y R. 8 de noviembre de 2016**).

b) Expresando los dígitos de las respectivas cuentas de cargo y abono, aunque no conste el emisor y receptor de la transferencia (RDGRN 2 de julio de 2011)

En lo relativo a la calificación de los registradores de la Propiedad respecto de los medios de pago, la DGRN ha dicho que:

a) La obligación de comprobar si las escrituras públicas a que se refiere el artículo 24 LN expresan no sólo «las circunstancias que necesariamente debe contener la inscripción y sean relativas a las personas de los otorgantes, a las fincas y a los derechos inscritos, sino, además, «la identificación de los medios de pago empleados por las partes, en los términos previstos en el artículo 24 de la Ley del Notariado, de 28 de mayo de 1862» (artículo 21 de la Ley Hipotecaria).

b) El cierre del Registro respecto de esas escrituras públicas en las que consistiendo el precio en todo o en parte, en dinero o signo que lo represente, «el fedatario público hubiere hecho constar en la escritura la negativa de los comparecientes a identificar, en todo o en parte, los datos o documentos relativos a los medios de pago empleados» —apartado tercero del mismo artículo 254—. En tales casos, esto es, negativa total o parcial a identificar el medio de pago, se entenderá que tales escrituras están aquejadas de un defecto subsanable, pudiéndose subsanar éste a través de otra escritura «en la que consten todos los números de identificación fiscal y en la que se identifiquen todos los medios de pago empleados» (artículo 254.4 de la Ley Hipotecaria). (RDGRN 22 de julio de 2016)

c) Las sucesivas redacciones dadas al art. 177 RN serán de aplicación a los documentos otorgados durante sus respectivos períodos de vigencia, aunque los pagos a que se refieran hubieran tenido lugar en un momento anterior.

d) El Registrador deberá comprobar que el documento contiene una identificación completa de los medios de pago empleados, en los términos exigidos por el artículo 24 LN y su desarrollo reglamentario, debiendo examinar y, en su caso, suspender la inscripción cuando en dicha identificación se haya incurrido en alguna omisión

e) No todos los elementos de identificación de los medios de pago que, según el artículo 177 RN deben constar en la escritura pública, son objeto de calificación, sino únicamente aquellos cuya omisión produce el cierre registral (cfr. los párrafos 4 y 5), sin perjuicio de las responsabilidades de otro orden que pueden derivar del incumplimiento de la obligación de expresar los restantes elementos identificadores a que se refiere el mismo precepto. R. 5 de mayo de 2011, R. 14 de junio de 2011, R. 6 de julio de 2011.

f) Lo que impone la legislación vigente es la «identificación» y no la «justificación» de los medios de pago empleados por las partes. En efecto, es perfectamente válido el pago efectuado a un tercero al amparo de los artículos 1162 y 1163 del Código Civil. Por ello, que el pago del precio se haya realizado al vendedor o a otra persona no es un problema de identificación de medios de pago y queda al margen del Registro la causa o razón de ser por la que el pago no se efectuó al vendedor (R. 16 de octubre de 2014).

g) En las cancelaciones de hipoteca no es preciso justificar el medio de pago, ya que no estamos ante un acto a título oneroso, sino ante la extinción de una garantía, consecuencia de haberse extinguido la obligación garantizada (R. 18 de mayo de 2007)

h) La Resolución de 5 de mayo de 2011, que considera suficiente el testimonio de un cheque frente a la pretensión del Registrador de que los datos del mismo se expresaran en el cuerpo de la escritura.

Hay otros supuestos de transmisión de bienes y derechos de forma onerosa en que no median dinero o signo que lo represente y que por tanto están excluidos de esta norma, como pueden ser:

a) La transmisión de bienes y derechos en pago

b) La compensación

c) La subrogación en una deuda del transmitente, sea hipotecaria o no

d) La dación en pago de deudas

La RDGRN 12 de abril de 2018 establece que, cuando el medio de pago es el reconocimiento de una deuda que tiene su origen en un préstamo o crédito en dinero es necesario acreditar los medios de pago. También cuando el reconocimiento tiene un valor meramente recognoscitivo, pero no cuando se pacta la extinción de la obligación preexistente.

Así recoge la doctrina sentada en Resolución de 2 de septiembre de 2016 en la que en una escritura de reconocimiento de deuda y constitución de hipoteca, si la deuda que tiene su origen en un préstamo o crédito en dinero, es necesario acreditar los medios de pago, pero no si se trata de la garantía de una obligación diferente como puede ser un contrato de ejecución de obra habiendo realizado la empresa constructora un trabajo que se encuentra pendiente de pago.

Hay que recordar que la **Ley 7/2012 de 29 de octubre**, sobre prevención del fraude fiscal ha establecido en su artículo 7 limitaciones a los pagos en efectivo, al decir:

«Limitaciones a los pagos en efectivo.

Uno. Ámbito de aplicación.

1. No podrán pagarse en efectivo las operaciones, en las que alguna de las partes intervinientes actúe en calidad de empresario o profesional, con un importe igual o superior a 2.500 euros o su contravalor en moneda extranjera.

No obstante, el citado importe será de 15.000 euros o su contravalor en moneda extranjera cuando el pagador sea una persona física que justifique que no tiene su domicilio fiscal en España y no actúe en calidad de empresario o profesional.

2. A efectos del cálculo de las cuantías señaladas en el apartado anterior, se sumarán los importes de todas las operaciones o pagos en que se haya podido fraccionar la entrega de bienes o la prestación de servicios.

3. Se entenderá por efectivo los medios de pago definidos en el artículo 34.2 de la Ley 10/2010 de 28 de abril, de prevención del blanqueo de capitales y de la financiación del terrorismo.

4. A efectos de lo dispuesto en esta ley, y respecto de las operaciones que no puedan pagarse en efectivo, los intervinientes en las operaciones deberán conservar los justificantes del pago, durante el plazo de cinco años desde la fecha del mismo, para acreditar que se efectuó a través de alguno de los medios de pago distintos al efectivo. Asimismo, están obligados a aportar estos justificantes a requerimiento de la Agencia Estatal de Administración Tributaria.

5. Esta limitación no resultará aplicable a los pagos e ingresos realizados en entidades de crédito».

¿Qué efectos produce su incumplimiento? Según Francisco Peral:

Civilmente, el pago en efectivo por encima de los límites cuantitativos es plenamente válido, eficaz y liberatorio de la deuda.

Fiscalmente, constituye una infracción administrativa grave tanto para el receptor como para el pagador, sancionable con multa proporcional pero importante.

Notarialmente, el notario habrá intentado impedirla, pero, si no ha sido posible, su obligación es informar a la AEAT.

Registralmente, el incumplimiento no es causa de suspensión ni de denegación de la inscripción en los registros de la propiedad o mercantiles que proceda, sin perjuicio de la obligación del registrador de informar a la AEAT.

La DGT en consulta 132780 La prohibición para los pagos en efectivo se produce cuando se paguen en efectivo *operaciones* por un importe igual o superior a 2.500 euros (art. 7.Uno.1 de la Ley 7/2012). En caso de una operación de 3.000 euros, se supera el límite para que la operación pueda pagarse en efectivo. El pago de esa operación en efectivo, sea total o parcialmente (dado que la norma no distingue), supondría un incumplimiento de la prohibición.

Pero la base de la sanción no es por el importe de los 3.000 euros de la operación, sino sólo aquella parte pagada en efectivo. Así, la base de la sanción es *la cuantía pagada en efectivo en las operaciones de importe igual o superior a 2.500 euros* (art. 7.Dos.4 de la Ley 7/2012).

Por lo tanto, esta operación no puede pagarse en efectivo, ni siquiera parcialmente.

El **artículo 34 de la Ley 10/2010, de 28 de abril**, de prevención del blanqueo de capitales y de la financiación del terrorismo establece la siguiente Obligación de declarar.

«1. Deberán presentar declaración previa en los términos establecidos en el presente Capítulo las personas físicas que, actuando por cuenta propia o de tercero, realicen los siguientes movimientos:

a) Salida o entrada en territorio nacional de medios de pago por importe igual o superior a 10.000 euros o su contravalor en moneda extranjera.

b) Movimientos por territorio nacional de medios de pago por importe igual o superior a 100.000 euros o su contravalor en moneda extranjera.

A estos efectos se entenderá por movimiento cualquier cambio de lugar o posición que se verifique en el exterior del domicilio del portador de los medios de pago.

Se exceptúan de la obligación de declaración establecida en el presente artículo las personas físicas que actúen por cuenta de empresas que, debidamente autorizadas e inscritas por el Ministerio del Interior, ejerzan actividades de transporte profesional de fondos o medios de pago.

2. A los efectos de esta Ley se entenderá por medios de pago:

a) El papel moneda y la moneda metálica, nacionales o extranjeros.

b) Los cheques bancarios al portador denominados en cualquier moneda.

c) Cualquier otro medio físico, incluidos los electrónicos, concebido para ser utilizado como medio de pago al portador.

3. En caso de salida o entrada en territorio nacional estarán asimismo sujetos a la obligación de declaración establecida en este artículo los movimientos por importe superior a 10.000 euros o su contravalor en moneda extranjera de efectos negociables al portador, incluidos instrumentos monetarios como los cheques de viaje, instrumentos negociables, incluidos cheques, pagarés y órdenes de pago, ya sean extendidos al por-

tador, endosados sin restricción, extendidos a la orden de un beneficiario ficticio o en otra forma en virtud de la cual la titularidad de los mismos se transmita a la entrega, y los instrumentos incompletos, incluidos cheques, pagarés y órdenes de pago, firmados pero con omisión del nombre del beneficiario.

4. La declaración establecida en el presente artículo se ajustará al modelo aprobado y deberá contener datos veraces relativos al portador, propietario, destinatario, importe, naturaleza, procedencia, uso previsto, itinerario y modo de transporte de los medios de pago. La obligación de declarar se entenderá incumplida cuando la información consignada sea incorrecta o incompleta.

El modelo de declaración, una vez íntegramente cumplimentado, será firmado y presentado por la persona que transporte los medios de pago. Durante todo el movimiento los medios de pago deberán ir acompañados de la oportuna declaración debidamente diligenciada y ser transportados por la persona consignada como portador.

Mediante Orden del Ministro de Economía y Hacienda se regulará el modelo, forma y lugar de declaración y podrán modificarse las cuantías recogidas en las letras a) y b) del apartado primero de este artículo.

Esta declaración de hace mediante el correspondiente modelo S-1 suscrito por la persona que realice estos movimientos.

Todo ello se regula en la Orden EHA 1439/2006 de 3 de Mayo y Orden EHA 114/2008 de 29 de enero.

La residencia fiscal de las personas físicas se regula en el artículo 9 de la Ley 35/2006 del Impuesto sobre la renta, que contempla tres circunstancias para determinar la residencia fiscal en España: la permanencia más de la mitad de 183 días durante el año natural en España, cuyo cómputo puede incluir las ausencias esporádicas; la ubicación en España del núcleo principal o centro de intereses económicos; y la presunción de residencia en España cuando la tengan el cónyuge no separado y los hijos menores. Por tanto, una persona no tiene su domicilio fiscal en España cuando no cumple ninguna de las tres circunstancias reseñadas.

Movimientos de pago. El caso de exigencia de acreditación del modelo S-1 es un tema de responsabilidad notarial, con obligación de reflejarlo en la escritura, sin que la omisión de dicho impreso permita cerrar el registro, ya que el supuesto no está previsto en los artículos 21 y 254 LH. (R. 18 de mayo de 2007).

4.16.1. Estipulaciones y disposiciones

El Notario, al redactar el documento, debe articular el negocio jurídico conforme a la voluntad de las partes.

La doctrina suele distinguir entre:

- *Estipulaciones* que reflejan declaraciones de voluntad de las partes respecto a pactos y convenios entre ellas y por ello son predominantes en los actos bilaterales o contratos en los que hay contraprestaciones recíprocas.

- *Disposiciones*, son aquellas cláusulas en los instrumentos unilaterales o en los que el otorgante enajena, transmite o cede un derecho o una cosa y por ello son predominantes en las donaciones, en los testamentos y en los poderes en los que el compareciente da o dispone de algo sin contraprestación alguna.

No resulta muy relevante esta distinción porque independientemente de denominaciones o técnicas formales, lo cierto es que la parte dispositiva es siempre aquella que contiene el acto o negocio jurídico documentado, bien se manifieste a través de disposiciones, bien a través de estipulaciones.

JIMÉNEZ CLAR (2011, pág. 514) nos dice que una de las características que puede ayudar a comprender la diferencia entre estipulaciones y disposiciones es su régimen de revocabilidad.

Así solemos decir «DISPONE» en los poderes (naturalmente revocables) y en los testamentos (esencialmente revocables), mientras decimos «ESTIPULAN» en compraventas, permutas, extinciones de comunidad, constituciones de sociedad y préstamos hipotecarios.

Como indica este autor, dentro de un contrato de compraventa, el otorgamiento de un poder irrevocable es un pacto del mismo, y por tanto, una estipulación.

Las donaciones aceptadas en la misma escritura son irrevocables por la sola voluntad del donante, pero en ellas solemos decir que DISPONEN, ya que las condiciones de las mismas son establecidas unilateralmente por el donante y no son pactadas, sino que el donatario puede aceptarlas o no.

4.17. RESERVAS Y ADVERTENCIAS LEGALES

Los interesados en un documento público deben conocer sus consecuencias legales.

A esto se denominó en la Doctrina tradicional «cercioratio», y consistía en que el escribano asevera que ha instruido al compareciente del significado y alcance de determinadas renuncias a ciertas leyes, para que dicha renuncia no fuera luego puesta en entredicho.

Hoy forma parte del deber de informar a las partes sobre el valor y alcance de la redacción dada a instrumento público que es, y ha sido, una actividad fundamental del Notario a través de la historia.

Dispone así el **artículo 194 RN** que:

«Los Notarios harán de palabra, en el acto del otorgamiento de los instrumentos que autoricen, las reservas y advertencias legales establecidas en los Códigos Civil y de Comercio, Ley Hipotecaria y su Reglamento y en otras leyes especiales, haciéndolo constar en ésta o parecida forma: «Se hicieron a los comparecientes las reservas y advertencias legales».

Esto no obstante, se consignarán en el documento aquellas advertencias que requieran una contestación inmediata de uno de los comparecientes y aquellas otras en que por su importancia deban, a juicio del Notario, detallarse expresamente, bien para mayor y más permanente instrucción de las partes, bien para salvaguardia de la responsabilidad del propio Notario».

No es pacífica la distinción entre reservas y advertencias, pero siguiendo la doctrina podemos señalar que:

– *Las advertencias legales* son las prevenciones que debe hacer el Notario para que los otorgantes queden informados sobre la significación y alcance de sus actos y cumplan determinados requisitos posteriores derivados del otorgamiento, tales como:

– La de cumplir las obligaciones fiscales, como la advertencia del artículo 114.2 del Reglamento del Impuesto de Transmisiones Patrimoniales y Actos Jurídicos Documentados (Real Decreto 828/1995, de 29 de mayo), según el cual:

«Asimismo (los notarios) consignarán en los documentos sujetos entre las advertencias legales y de forma expresa, el plazo dentro del cual están obligados los interesados a presentarlos a la liquidación, así como la afección de los bienes al pago del impuesto correspondiente a transmisiones que de ellos se hubiera realizado, y las responsabilidades en que incurran en el caso de no efectuar la presentación».

– Las derivadas de las adquisiciones de viviendas de protección oficial, pues el Real Decreto 2569/1986, de 5 de diciembre, sobre medidas financieras en materia de Viviendas de Protección Oficial. (BOE» núm. 305, de 22 de diciembre de 1986, páginas 41832 a 41833) establece lo siguiente:

«Artículo 3. 1. En todos los contratos de compraventa, adjudicación, arrendamiento o cesión de uso de viviendas de protección oficial de promoción privada, a que se refiere el artículo 13 del real decreto 3148/1978, de 10 de noviembre, se hará constar expresamente, y con carácter de cláusula obligatoria, que el adquirente o cesionario de la vivienda tiene residencia habitual y permanente en la localidad en que esté situada la vivienda, lo que acreditará con la certificación municipal correspondiente anexa al contrato, y que se compromete a dedicar la vivienda a su domicilio habitual y permanente y ocuparla en el plazo de tres meses desde la entrega o cederla a residente habitual en la localidad mediante contrato debidamente visado en dicho plazo.

De no reunir tal condición de residente en la localidad, se expondrán en el contrato los motivos familiares, de trabajo, de retorno o antigua residencia o domicilio de origen, etcétera, que motiven la contratación, y se estipulará expresamente que su titular se compromete a establecer en la vivienda su domicilio habitual y permanente, acreditando su residencia en el plazo de tres meses desde la entrega de la vivienda mediante el correspondiente certificado municipal ante el órgano competente para el visado del contrato, o presentar en dicho plazo contrato de arrendamiento o cesión de uso para su visado, caso de ceder la vivienda a un residente en la localidad.

En todo caso, se hará constar en el contrato que no dedicar la vivienda a domicilio habitual y permanente, manteniéndola habitualmente desocupada o dedicarla a segunda residencia o a otros usos no autorizados, implicará necesariamente, de conformidad con lo establecido en los artículos 8.º del real decreto-ley 31/1978, de 31 de octubre, y 56 y 57 del real decreto 3148/1978, de 10 de noviembre, además de las sanciones pecuniarias que puedan corresponder a la infracción muy grave cometida, la descalificación de la vivienda con carácter de sanción. Esta descalificación obligará al reintegro de los beneficios económicos percibidos y al ingreso de las exenciones y bonificaciones tributarias disfrutadas, con los incrementos de los intereses legales y, en su caso, con la diferencia entre los intereses del préstamo y el interés legal. Asimismo, se hará constar que el propietario no podrá concertar ventas o arrendamientos a precios superiores a los reglamentariamente aplicables ni minorar las condiciones de los servicios prestados, durante el plazo de cinco años desde la descalificación.

2. El incumplimiento de lo dispuesto en el apartado anterior implicará la denegación del visado de los correspondientes contratos. Asimismo los notarios no autorizarán documento público alguno en el que no se consignen las circunstancias y compromisos expresados en dicho apartado».

–   *Las reservas legales* son avisos del Notario acerca de la existencia de derechos preferentes a favor de terceras personas, y en las cuales, además de información, hay un cierto grado de reconocimiento de un derecho, tales como retractos legales (colindantes o comuneros, p.e.) hipotecas legales a favor del Estado, la Provincia o los pueblos por ciertas anualidades de impuestos, o a favor de la seguridad social, aseguradores, o bien una posible circunstancia que pudieran afectar al negocio celebrado, como la necesidad de actuaciones complementarias para la plena eficacia del negocio.

Así en el art. 164 RN, párrafo 2º se establece que:

«Si la representación no resultare suficientemente acreditada a juicio del notario autorizante y todos los comparecientes hicieren constar expresamente su solicitud de que se autorice el instrumento con tal salvedad, el notario reseñará dichos extremos y los medios necesarios para la perfección del juicio de suficiencia. En tal caso, cuando le sean debidamente acreditados, el notario autorizante o su sucesor en el protocolo así lo harán constar por diligencia, expresando en ella su juicio positivo de suficiencia de las facultades expresadas. En todas las copias que se expidan con anterioridad a dicha diligencia el notario hará constar claramente que la representación no ha quedado suficientemente acreditada».

Y el art. 169 RN dice que:

«Cuando para la plena eficacia del acto o negocio jurídico que se pretenda formalizar, sea precisa la concurrencia del consentimiento del cónyuge o conviviente no intervinientes, el notario podrá autorizar el documento siempre que, haciendo la oportuna advertencia a las partes, éstas insistieren en ello y prestaren su conformidad, todo lo cual se consignará expresamente conforme al artículo 164».

El artículo 194 RN, como hemos visto, indica que las advertencias y reservas deben hacerse en el acto del otorgamiento de los instrumentos que autoricen, lo cual puede tener lugar en la fase previa o posterior a la lectura, pero siempre antes del consentimiento.

Según la doctrina también podría hacerse:

– En la base preparatoria, en forma suficiente, o...

– En la exposición de la escritura.

– Y también procede de algunas actas, como las de notificación y requerimiento y las de referencia, según los artículos 204 y 208 del Reglamento Notarial.

Hasta 1901, el Reglamento Notarial obligaba a consignar las advertencias por escrito.

Actualmente el art. 194 RN permite hacerlas de palabra, pero haciendo constar expresamente en el instrumento que se han hecho.

Como Indica ANTONIO FERNÁNDEZ-GOLFÍN (2017), sin embargo, han proliferado últimamente, y sin duda, cada vez con más intensidad casos en que la ley exige hacer constar de un modo expreso que ha tenido lugar una advertencia o reserva concreta.

Sin ánimo de ser exhaustivos podemos citar como ejemplos:

a) La de la prevalencia de la situación registral en el momento de presentación de la escritura frente a la información registral obtenida con carácter previo al otorgamiento.

b) La obligación de expresar en la escritura la negativa a hacer constar los medios de pago o la acreditación del NIF (art. 24 LN) lo que supone de por sí una advertencia de las consecuencias negativas de ello, es decir, comunicación a la Administración tributaria y cierre registral, como hemos visto.

c) Hacer constar expresamente en la escritura la obligación de inscripción en el Registro Mercantil. (art. 82 RRM).

d) El sometimiento a determinadas consecuencias que nacen de normas fiscales (por ejemplo, la afección real al pago de la cuota del IBI a que se refiere el art. 64 de la Ley Reguladora de las Haciendas Locales).

e) Advertir la falta de constancia de la referencia catastral (art. 43 RDL del Texto Refundido de la Ley del Catastro Inmobiliario).

f) Hacer constar que el documento se ha redactado conforme a minuta y si además obedece a condiciones generales de la contratación (147 RN).

g) Fuera del ámbito de la escritura, advertencias no ya a las partes sino a terceros como:

– Hacer constar en la copia si la representación no ha quedado suficientemente acreditada y las partes han insistido en el otorgamiento (164 RN).

– En el caso de testimonios por exhibición, si el testimonio lo es de una copia, del art. 251 RN se infiere la necesidad de hacerlo constar para que el tercero no interprete que la copia respecto de la cual se obtiene el testimonio coincide con el original.

Finalmente, aclarar que cuando el art. 194 RN dice que se hagan en el acto del otorgamiento, no se refiere en sentido formal a «otorgamiento» como parte de la escritura sino en un sentido sustantivo, es decir, en el acto solemne que comprende la lectura, consentimiento, firma y finalmente autorización. Lógicamente, la advertencia o reserva concreta se hará en la parte de la escritura donde mejor encaje según su carácter y finalidad.

Del mismo modo, el aluvión de demandas de responsabilidad civil contra los notarios por razón de su actividad notarial, ha hecho crecer las advertencias en los instrumentos públicos,

La STS de fecha 22 junio 2004 reconoce la inexistencia de responsabilidad civil del notario por la omisión en la escritura pública de traspaso de local de negocio de la advertencia específica de no haber transcurrido el plazo para el ejercicio por el arrendador del derecho de tanteo arrendaticio dado que consta literalmente escrito en la escritura la realización de advertencia general de haber hecho de palabra referencia a tal realidad, aunque no se plasmara en ella de forma expresa.

La DGRN en resolución 20 julio 2004 determina que la consignación documental de que se hicieron verbalmente las reservas y advertencias legales queda amparada por la fe pública notarial y sólo puede ser desvirtuada por sentencia judicial.

4.18. LECTURA DEL INSTRUMENTO

La lectura del documento público es un requisito tanto del negocio como del instrumento público, es presupuesto necesario para la validez del documento autenticado, ya que no puede prestarse consentimiento a lo que no se conoce, ya sea por la lectura propia o por la del notario, así como para cerciorarse que el texto redactado se ajusta a lo querido por las partes.

La lectura del instrumento que exigía la práctica anterior a la Ley Orgánica del Notariado de 28 de mayo de 1862, la recogió está en su artículo **25.3**, y hoy se transcribe en el **art. 193 RN**, reformado por R.D. 45/2007, de 19 de enero, que señala que:

«Los notarios darán fe de haber leído a las partes y a los testigos instrumentales la escritura íntegra o de haberles permitido que la lean, a su elección, antes de que la firmen, y a los de conocimiento lo que a ellos se refiera, y de haber advertido a unos y a otros que tienen el derecho de leerla por sí.

A los efectos del artículo 25 de la Ley del Notariado, y con independencia del procedimiento de lectura, se entenderá que ésta es íntegra cuando el notario hubiera comunicado el contenido del instrumento con la extensión necesaria para el cabal conocimiento de su alcance y efectos, atendidas las circunstancias de los comparecientes.

Igualmente darán fe de que después de la lectura los comparecientes han hecho constar haber quedado debidamente informados del contenido del instrumento y haber prestado a éste su libre consentimiento.

Si alguno de los otorgantes fuese completamente sordo o sordomudo, deberá leerla por sí; si no pudiere o supiere hacerlo será precisa la intervención de un intérprete designado al efecto por el otorgante conocedor del lenguaje de signos, cuya identidad deberá consignar el notario y que suscribirá, asimismo, el documento; si fuese ciego, será suficiente que preste su conformidad a la lectura hecha por el notario».

Pues bien, de estos preceptos y de los concordantes del Código civil en materia de testamentos cabe señalar los siguientes requisitos de la lectura:

– Es siempre necesaria, al ser un requisito esencial del documento notarial, cuya falta se sanciona con nulidad formal, conforme al artículo 27 LN, y cuya renuncia no es posible en nuestro derecho, si bien, después de la reforma del 2007 se puede sustituir por la comunicación por el notario del contenido del instrumento con la extensión necesaria para el cabal conocimiento de su alcance y efectos, atendidas las circunstancias de los comparecientes.

– Es un deber del Notario y un derecho de los comparecientes, del que el Notario debe advertirles expresamente. Esta advertencia debe constar en el instrumento, así como la renuncia de los interesados, en su caso, a ejercitar este derecho.

De modo que pueden darse las siguientes posibilidades:

– El Notario puede leer el documento aunque los comparecientes hayan optado por leer ellos, quienes no pueden impedir la lectura de aquél.

– El notario debe leer en todo caso los testamentos, conforme al artículo 695 del Código civil, y aquellos instrumentos que los otorgantes no lean, bien porque no quieren, bien porque no pueden, como es el caso del ciego y el extranjero.

– Los comparecientes puedan designar un lector no testigo, que ya no recoge el Reglamento Notarial ni el Código civil, pero que puede seguirse admitiendo, y sin perjuicio de la lectura necesaria por el Notario en este caso.

Todo ello se entiende sin perjuicio de que el Notario explique de palabra lo necesario y conteste a las preguntas de los interesados en virtud de su deber de información.

– Antes de la reforma del RN del 2007 debía ser integra, incluso de los documentos unidos a la matriz, como los estatutos sociales o el cuaderno particional, pero no de los complementarios, como las certificaciones. Sin embargo, actualmente, parece que el Reglamento se inclina por una explicación extensa o comunicación por el notario del contenido del instrumento a las partes con la extensión necesaria para el cabal conocimiento de su alcance, lo cual parece conveniente en caso de escrituras muy largas (hipotecas) o de complejidad técnica, cuando la preparación de las partes no es buena.

– Debe ser en voz alta, audible para los presentes, de lo que resulta que:

– El enteramente sordo o sordomudo deberá leer por sí el documento; si no pudiere o supiere hacerlo será precisa la intervención de un intérprete designado al efecto por el otorgante conocedor del lenguaje de los signos, cuya identidad deberá consignar el notario y que suscribirá, asimismo, el documento (art. 193.4ª RN reformado por R.D. 45/2007, de 19 de enero).

– En caso del ciego, será suficiente que preste su conformidad a la lectura hecha por el notario, que en este caso es necesaria (art. 193.4º RN)

– Debe hacerse a todos, comparecientes y testigos, con presencia necesaria ante el Notario.

En los actos inter-vivos si alguien falta a la lectura, se permite que la firmen los presentes, siempre que al final de la matriz se añada una nota en la que conste la ausencia del interesado en el momento de la lectura y su derecho a adherirse posteriormente, en la forma determinada en el artículo 176 del Reglamento Notarial (mediante diligencia de adhesión), según Resolución de la DGRN. de 18 de marzo de 1986.

– Debe existir unidad de acto, esto es, que la lectura debe ir seguida del consentimiento y firma de los interesados y autorización del Notario sin más interrupción que la motivada por algún accidente pasajero, conforme al artículo 697 del Código civil para los testamentos.

A tal efecto, la DGRN en Resolución 6 de junio 2003 establece que la unidad de acto formal o contextual, la del instrumento en sí, es requisito indispensable en el otorgamiento y autorización de la escritura pública, comprendiendo la lectura, consentimiento, firma y autorización del documento notarial de modo que las voluntades de los otorgantes, y en su caso de los testigos, deben concurrir y expresarse de forma que cada uno de ellos tenga constancia de que la voluntad de los demás existe cuando expresa o mantiene la suya propia, lo que exige la inmediación entre todos y con el documento, pero frente a la unidad de acto formal, la simultaneidad de la expresión de las voluntades integrantes del negocio jurídico (unidad de acto en sentido material), no es requisito necesario del instrumento público admitiendo la legislación notarial que las voluntades informadoras del acto o negocio jurídico se manifiesten en momentos distintos, pero exigiendo el Reglamento Notarial que ello tenga lugar bajo la forma de instrumentos independientes o de diligencias de adhesión, donde cada nuevo instrumento o diligencia sobre el mismo negocio tiene en sí su propia unidad de acto contextual y en relación con los demás unidad teleológica, integrando todos ellos el negocio jurídico.

4.18.1. Excepción de instrumento no leído

Si un documento cualquiera no ha sido leído por sus firmantes, al exigir una parte el cumplimiento del mismo, el otro puede alegar no haberlo leído y por tanto ser desconocedor de su contenido y la nulidad del consentimiento prestado, ya que no puede consentirse lo que se desconoce (ÁVILA: 1982).

La omisión de la lectura del documento no dará lugar a la nulidad formal, sino a nulidad del fondo, mediante la famosa «exceptio schaedula non lecta» por inexistencia de consentimiento.

En el instrumento público, dado que es obligatoria la lectura ante las partes o por las partes por sí mismas, y el artículo 25 de la Ley Orgánica del Notariado exige al Notario que dé fe de la lectura, contra la afirmación del Notario y la mención documental de que se hizo la lectura, consentimiento y firma, no cabe tal excepción, sino, en su caso, la de falsedad en la narración de instrumento público.

Puede suceder que la excepción de documento no leído sea alegada únicamente respecto de una parte del documento y no de su totalidad, como fue el caso contemplado por las Resoluciones de la DGRN de 30 de octubre de 1999 y de 17 de octubre de 2003, en las que los recurrentes se quejaban de que el instrumento público no les había sido leído íntegramente.

En esta ultima la DGRN dice que dicha dación de fe determina que su contenido se presuma veraz e íntegro de acuerdo con lo dispuesto en la Ley del Notariado o en otras leyes (Cfr. Art. 17 bis de la Ley del Notariado), haciendo prueba plena del hecho, acto y estado de cosas que documentan, de la fecha y de la identidad del fedatario y demás personas que intervengan en ella (Cfr. Art. 319 de la Ley de Enjuiciamiento Civil, Ley 1/2000, de 7 de enero).

Por lo tanto, contra la afirmación notarial y su mención documental de que se hizo la lectura, el consentimiento y la firma, no cabe la excepción de documento no leído, sino sólo la querella de falsedad de la narración documental contra el Notario (Cfr. Arts. 390 y 391 del Código Penal), que, de prosperar, determinaría la nulidad formal de la escritura.

4.19. EL OTORGAMIENTO

4.19.1. Su Significación

El otorgamiento se configura como un acto complejo por el que la escritura adquiere su especial singularidad. Siguiendo a ANTONIO BOTIA, Derecho Notarial, 2011, pág. 527, podríamos definirlo como «aquella parte final del instrumento público, previa a la autorización o intervención del notario, en la que las partes aprueban la redacción del mismo», por lo tanto en el otorgamiento se produce la simbiosis entre el negocio jurídico objeto del documento y la intervención notarial que ha interpretado y redactado este, adaptándolo y conformándolo a la normativa, por lo tanto y como señala el TS es el momento en que la *escritura pública plasma la relación definitiva entre las partes.*

Esta simbiosis que resulta del otorgamiento supone la conjunción de una serie de elementos heterogéneos conducentes a la perfecta comprensión de la trascendencia del acto, por lo que siguiendo los principios marcados por el artículo 193 y siguientes del RN podríamos distinguir:

a. Información sobre el documento que se va a otorgar:

«Los notarios darán fe de haber leído a las partes y a los testigos instrumentales la escritura íntegra o de haberles permitido que la lean, a su elección, antes de que la firmen, y a los de conocimiento lo que a ellos se refiera, y de haber advertido a unos y a otros que tienen el derecho de leerla por sí».

Como señalan numerosas resoluciones de la DGRN, entre otras, la de 5 de febrero de 2013, las escrituras públicas gozan de una presunción de veracidad, integridad y legalidad. Las mismas se aplican a las concretas declaraciones del Notario respecto de particulares extremos (comparecencia, lectura, firma, etc.), y es lo que se denomina eficacia analítica del documento notarial. Pero el conjunto de la actividad del Notario que se plasma y corona en el acto del otorgamiento, cuando de escrituras públicas se trata, determina la denominada eficacia sintética, es decir, que tales presunciones son aplicables al negocio instrumentado. Tales presunciones solo pueden ser desvirtuadas por la correspondiente resolución judicial, y como señala reiteradamente las resoluciones de la DGRN, mientras esto no se produzca, las escrituras públicas gozan de toda su eficacia jurídica conforme a los artículos 1.218 del Código civil y 319.1 de la Ley de Enjuiciamiento Civil, por lo que se presume a «*los efectos del artículo 25 de la Ley del Notariado, y con independencia del procedimiento de lectura, que ésta es íntegra cuando el notario hubiera comunicado el contenido del instrumento con la extensión necesaria para el cabal conocimiento de su alcance y efectos, atendidas las circunstancias de los comparecientes*».

Igualmente darán fe de que después de la lectura los comparecientes han hecho constar haber quedado debidamente informados del contenido del instrumento y haber prestado a éste su libre consentimiento.

Lógicamente se plantea cual es el nivel de información suficiente que debe aportar el notario a los intervinientes o mejor dicho si la actividad desplegada por el notario ha sido bastante. En base a la presunción de veracidad y legalidad antes señalada esta se presume suficiente, lo que dota estabilidad y firmeza al sistema notarial, aunque la jurisprudencia basada en el derecho de consumidores y especialmente en lo relativo a las cláusulas abusivas cuestionan esta presunción, y se crea una quiebra del sistema, señalando el TS en la sentencia de Sentencia Nº: 241/2013 de 9 mayo de 2013 que *La mera lectura por el notario de la escritura no supone información adecuada: (en la) actuación de la entidad contraria a los buenos usos y prácticas financieras.*

Se justifica el TS en que la intervención del notario tiene lugar al final del proceso que lleva a la concertación del contrato, en el momento de la firma de la escritura de préstamo hipotecario, a menudo simultáneo a la compra de la vivienda, por lo que considera que no parece ser el momento más adecuado para que el consumidor revoque una decisión previamente adoptada con base en una información inadecuada, por lo tanto retrotrae la quiebra del consentimiento, no al momento del otorgamiento notarial, sino a un momento temporal anterior, salvando por lo menos formalmente, la presunción de veracidad y legalidad del otorgamiento notarial, aunque de hecho vaciándola de contenido en algunos de sus elementos.

b. Las reservas en el otorgamiento. No entramos en el análisis de este punto por tratarse en otro momento, siendo, no obstante, de máxima importancia para la comprensión por parte de los intervinientes de la trascendencia de sus actos y manifestaciones y, en todo caso, esenciales para salvar la responsabilidad profesional del notario.

4.19.2. La unidad de acto

Como señala RODRÍGUEZ ADRADOS (El Notario Siglo XXI Nº 24 MARZO-ABRIL 2009) la formulación del principio de la unidad de acto se realiza de forma defectuosa en nuestro ordenamiento. No se menciona en la Ley del Notariado y sólo figura en el Reglamento pero de forma tangencial e imprecisa, pues solo el artículo 198 cuando trata las diferencias entre las actas y la escrituras señala que las primeras «*No requieren unidad de acto ni de contexto*», de manera que, a sensu contrario, deducimos que en las escrituras sí que se requiere. También parece intuirse con el art. 195,3º RN cuando dice que «*el notario, a continuación de las firmas de otorgantes y testigos, autorizará la escritura, y en general los instrumentos públicos, signando, firmando y rubricando. Deberá estampar al lado del signo el sello oficial de su Notaría*». Por lo que el texto reglamentario parece imponer, de forma sobreentendida, una unidad temporal entre el otorgamiento de los interesados y la autorización notarial y, se manifiesta como una unidad compleja que se extiende a otros partícipes en el acto y no solo a los contratantes.

Frente a la levedad normativa en el reconocimiento de este principio existe desde la época de la reforma del notariado en el siglo XIX una conciencia generalizada de que estamos ante un pilar básico de la fe pública extrajudicial. Joaquín Costa en la Reforma de la fe pública (Zaragoza: Guara, 1984 pág. 45) lo reseñaba como uno de los elementos esenciales en las solemnidades impuestas a la autorización y al otorgamiento de los instrumentos públicos y lo describía como: «*La lectura, consentimiento y firma de la escritura matriz tendrán lugar en un solo acto*». Pero, sin embargo, su formulación exclusivamente reglamentaria y notablemente escueta conlleva serías dudas sobre las consecuencias de su incumplimiento e incluso nos lleva a plantearnos de qué estamos hablando cuando lo hacemos de la unidad de acto.

Podríamos distinguir en un primer momento entre la unidad de acto que afecta al propio negocio y por otra la formal, que se explicita en la documentación generada por éste y que es la que afecta a la actuación notarial. Esta unidad de acto notarial se extiende más allá del propio negocio y de los contratantes y se amplía a otros partícipes en el documento como es el propio notario, testigos, intérpretes y facultativos. Esta unidad de acto formal, se convertiría en la última garantía de la integridad del documento, al impedir toda modificación del mismo entre acto consentido y su autorización documental. Pero cuando se predica la unidad de acto en la documentación notarial debemos tener conciencia que su comprensión no es unívoca por afectar a actuaciones diferenciadas conforme al tipo de documentos que nos encontremos y por lo tanto sus formulación y consecuencias son distintos.

Siguiendo a BOTIA (obra citada pág. 533), podríamos hablar de estos tres tipos de unidades de acto.

a. La mal llamada unidad de acto sustantiva que viene determinada por su exigencia normativa como un requisito *ad solemnitatem* de la validez del acto y que hoy queda circunscrita al testamento abierto regulado en el art. 699 CC, y que su incumplimiento supondría un supuesto de nulidad por carecer de un requisito.

b. La llamada unidad de acto instrumental, entendida como la necesidad de que cada texto separado se refiera a un hecho concreto, con una dimensión temporal concreta, que se aplicaría a todos los documentos notariales, incluso las actas.

El mencionado autor señala que en este caso no puede haber sanción alguna, al no venir tipificada ni tan siquiera como falta disciplinaria; se trataría de una recomendación impuesta al notario respecto de la forma de redactar concretamente las actas. Pero su incumplimiento en los documentos en los que sí existe otorgamiento, las escrituras y las pólizas, trasciende desde dicho ámbito a otro más exigente, el de la «unidad de contexto».

c. La llamada unidad de contexto, entendida como la necesidad de que el notario autorice el documento simultáneamente al hecho de que da fe, que sólo se aplicaría a los documentos donde existan otorgamientos (escrituras y pólizas)

Aquí se plantean dos respuestas al incumplimiento del principio. Tenemos por una parte a RODRÍGUEZ ADRADOS que señala que la formulación, meramente reglamentaria, hace que la omisión de la unidad de acto formal no pueda originar la nulidad del instrumento, sino únicamente derivar en una responsabilidad disciplinaria. Y por otro lado autores como Calvo Soriano, entendiendo que el art. 1217 CC realiza una remisión en bloque a la legislación notarial, incluido el RN, lleva a la conclusión contraria afirmando la nulidad del documento.

GIMÉNEZ-ARNAU cree que, en una interpretación de la unidad de acto puede entenderse como unidad de fecha, y así lo opina BORRELL en base a la remisión del artículo 1.218 del C.C. donde se señala que «*Los documentos públicos hacen prueba, aun contra tercero, del hecho que motiva su otorgamiento y de la fecha de éste*», por lo que en opinión de este autor el documento autorizado en la misma fecha aunque en diferentes momentos temporales sería válido, sin perjuicio de las responsabilidades por parte del notario autorizante. En este sentido GIMÉNEZ-ARNAU también cree que, en «una interpretación progresista», la unidad de acto puede entenderse como unidad de data, o de fecha; y RODRÍGUEZ ADRADOS preconiza, aunque señala que sin éxito, esta posibilidad para algún documento en el que un número grande de otorgantes emiten con completa independencia sus respectivas declaraciones unilaterales de voluntad, de manera que deben subsistir aunque no se realicen otras declaraciones previstas; pone el ejemplo, el poder general para pleitos otorgado por poderdantes pertenecientes a un determinado colectivo que puede ser bastante numeroso.

4.19.3. Otorgamientos sucesivos

Los otorgamientos sucesivos en documentos notariales, excluida la póliza, están contemplados en el art. 176 del RN donde contempla tres supuestos diferenciados y uno genérico:

a. La aceptación de la oferta sobre la cosa y la causa que han de constituir el contrato a que se refiere el art. 1262 del Código civil

b. La estipulación a favor de tercero del art. 1257 del Código civil que debe ser aceptada por este antes de ser revocada

c. El párrafo segundo del art. 1259 también del Código Civil donde recoge el supuesto de mandato verbal pues el contrato celebrado a nombre de otro por quien no tenga su autorización o representación legal será nulo, a no ser que lo ratifique la persona a cuyo nombre se otorgue antes de ser revocado

d. Y en general la adhesión a todo negocio jurídico, cuando en las escrituras matrices no aparezca la nota que las revoque o desvirtúe y la ley no exigiera expresamente el requisito de la unidad de acto.

En este caso y desde el punto de vista formal en la adhesión caben dos posibilidades:

Si no ha trascurrido más de dos meses desde el otorgamiento de la escritura pública, podrá realizarse la adhesión mediante diligencia en la escritura matriz, por lo que no será preciso poner nota en esta.

Si ha trascurrido este plazo deberá producirse la adhesión en otra escritura pública que podrá ser formalizada por el propio notario o por otro. En el primer caso pondrá una nota en la escritura matriz y en el segundo, el otro notario comunicará telemáticamente al primero la adhesión y este lo hará contar mediante nota en la matriz.

No obstante los otorgamientos sucesivos, no impiden la observancia de la unidad de acto en cada escritura o en cada diligencia, que a pesar de este nombre es también una escritura distinta, ya que como señala González Palomino la unidad de papel no es la unidad de documento. Lo que se opone a la unidad de acto es su incumplimiento subrepticio, ocultado, provocando la apariencia de una inexistente comparecencia simultánea.

Son supuestos especiales:

La póliza intervenida, supone una excepción de la unidad de acto. Esta divergencia nace de su propia exégesis histórica pues aparece en el siglo XV en Florencia como superación del formalismo notarial dentro del mundo comercial. Por eso su justificación normativa hunde su fundamento en el artículo 54 del decimonónico Código de comercio donde se contempla los otorgamiento sucesivos. Su realidad actual está contemplada en el artículo 197 ter del RN en su modificación de 19 de enero de 2007 donde se notarializa la póliza, aunque conservando su naturaleza, pues no se requerirá la concurrencia simultánea ante el notario de los distintos otorgantes, pudiendo, tener lugar en momentos diferentes.

Las actas notariales, como hemos visto según el art. 198.2.3º del Reglamento no se les aplica la unidad de acto.

Básicamente la norma reglamentaria está refiriéndose la estructura formal del acta donde habitualmente existe una rogación inicial por parte de los interesados y una o varias diligencias o incluso una nueva acta desdoblada de la anterior que supone la verdadera actuación notarial delimitada por el requirente, dentro de su voluntad, aunque bajo el control notarial.

Las Donaciones de bienes inmuebles del artículo 633 del CC Contempla que la aceptación pude hacerse en la misma escritura o en otra separada. Hecha en escritura separada, deberá notificarse la aceptación en forma auténtica al donante, y se anotará esta diligencia en ambas escrituras. Es de suponer que si la aceptación se hace en el plazo de dos meses mediante diligencia, no sería precisa esta notificación.

La firma simultanea electrónica entre notarios planteado por la Ley 24/2001, de 27 de diciembre, que no ha sido desarrollado reglamentariamente y que se trata en el siguiente epígrafe.

4.20. LA FIRMA DE LOS INTERESADOS

La sociedad antigua y medieval era esencialmente analfabeta por lo que el otorgamiento planteado en el sistema notarial era oral.

En el derecho Justinianeo la conformidad de las partes no venía dada por la firma de estas, sino por el acto de la «absolución» por el cual el notario entregaba a las partes el documento previamente redactado («complecio») bajo las instrucciones de éstas, y posteriormente daban su conformidad al contenido del mismo (Álvaro D' Ors, Documentos y Notarios en el Derecho Romano Post-Clásico. En centenario de la Ley del Notariado 1964).

En las Partidas y como regla general se plantea la misma solución y algo similar ocurre en la Corona de Aragón donde la firma de los interesados no es esencial para la validación del documento y sí su conformidad al mismo refrendada por el notario autorizante.

La situación cambia en Castilla a partir de las Ordenanzas de los escribanos públicos de Castilla expedida el 7 de junio de 1503, que dio paso a la aparición del protocolo moderno, y donde Arribas Arranz, Filemón (Los Escribanos Públicos en Castilla Durante el Siglo XV. En centenario de la Ley del Notariado 1964) señala que sólo la firma personal o suplida por un testigo de los otorgantes sirve para la validación del documento. Igualmente desarrolla las fórmulas de garantía para las personas que tenían las facultades cognitivas limitadas con planteamientos similares a los actuales. No obstante en la Corona de Aragón se mantiene el sistema justinianeo hasta el siglo XVIII.

La firma es una forma fácil y barata de vincular un documento a una persona mostrando como la declaración contenida en el mismo se da por concluida y se asume como propia.

La firma en sí no es un concepto jurídico pues a pesar de la trascendencia que le otorga el ordenamiento, no hay ninguna disposición legal que especifique exactamente en qué debe consistir o cómo tiene que realizarse, siendo aceptado qué no debe ser válida únicamente la formada por nombres y apellidos, sino que sería aceptable cualquier signo autógrafo, incluso si este fuere ilegible. (Resolución de 25 de marzo de 1908 y Sentencia de 8 de junio de 1918: la firma debe ser la usual o habitual que se utiliza en todos los actos de la vida). La utilización de estampillas, sellos u otros procedimientos mecánicos tiene una eficacia probatoria mucho más limitada que la firma manuscrita, de manera que la firma con estampilla de un cheque supone la nulidad de éste (STS de 17 de mayo de 2000).

Aparentemente, la firma de los interesados es un requisito indispensable en todo instrumento público ya que la especial eficacia que el ordenamiento jurídico atribuye al documento público exige que el consentimiento a su contenido conste de forma indubitada, y a tal efecto, la legislación notarial, ha establecido como mecanismo legal para la constancia formal del consentimiento la firma del instrumento público por los interesados.

Todo ello resulta de:

El artículo 17 de la Ley del Notariado de 28 de mayo de 1862 que establece que la escritura matriz ha de ser firmada por los otorgantes.

El artículo 195 del Reglamento Notarial de 2 de junio de 1944, que dice que *«Se firmarán las escrituras matrices con arreglo al párrafo segundo del artículo 17 de la Ley»*.

Los artículos 695 y 707 del Código civil para los testamentos.

El artículo 27 de la Ley del Notariado que determina la nulidad los instrumentos públicos en que no aparezcan las firmas de las partes.

Sin embargo, el concepto y por lo tanto la trascendencia jurídica de la firma es distinto para las escrituras y para las actas:

En las escrituras es la manifestación formal necesaria con que se acredita la prestación del consentimiento por los otorgantes y la expresión documental del otorgamiento.

En las actas es solamente la manifestación de asentimiento o reconocimiento de que lo narrado por el Notario es exacto, pues en las actas no hay otorgamiento.

En cuanto a los requisitos de la firma, hay que distinguir:

Requisitos subjetivos: Deben firmar todos los interesados, esto es los otorgantes y comparecientes, los que intervengan en el instrumento público en cualquier concepto, según el art. 195 RN, esto es, el testigo, el lector no testigo, el firmante por sustitución, el facultativo, el intérprete o perito, e incluso aquellos que quieran hacer alguna declaración, en base a los artículos 695 y 707 del C.C. y 204 del R.N.

Requisitos objetivos: Según el artículo 154 del Reglamento Notarial deben ser firmadas las escrituras y las actas a continuación del texto del acto negocio jurídico que se autoriza o interviene.

Con las siguientes normas especiales en esta materia:

a) Cuando el número de otorgantes así lo exigiere se podrán utilizar uno o más folios adicionales, cuya numeración deberá ser igualmente relacionada por el Notario.

b) Cuando por tratarse de provincia exceptuada del uso de papel sellado o cuando por alguna circunstancia excepcional se emplee papel común sin señal o numeración que lo identifique suficientemente, los otorgantes y testigos, en su caso, deberán firmar en todas las hojas o pliegos.

c) No será necesaria la firma de otorgantes y testigos en las particiones y demás documentos que se protocolicen, aun cuando se hallen extendidos en papel común, debidamente reintegrado, si el instrumento público mediante el cual se protocolicen, lo está en papel timbrado o que reúna las condiciones legalmente previstas.

En las actas se da la excepción de que no hace falta que firmen los requirentes, si alguno de aquellos no pudiere o no supiere firmar, en cuyo caso se hará constar así (nuevo art. 198.1.8º RN).

Requisitos formales:

– Los instrumentos públicos deben ser firmados al final de la matriz, según el art. 195 y concordantes del Reglamento Notarial. Además:

– La firma será de puño y letra del interesado, sin que se admita estampilla. No es necesaria la antefirma que aclare que se hace en nombre ajeno, ya que el Notario lo expresará claramente en el instrumento mismo, así:

a) Cuando alguno de los Otorgantes concurra al acto en nombre de una Sociedad, establecimiento público, Corporación u otra persona social suscribirá el documento con su propia firma, sin que sea necesario que anteponga el nombre ni use la firma o razón social de la entidad que represente (artículo 165 del Reglamento Notarial).

b) En ningún caso será preciso que el testigo que firme escriba de propio puño la antefirma la cualidad con que lo haga (artículo 186 del Reglamento Notarial).

– Se hará en la forma que habitualmente empleen, aunque no sea legible o contenga trazos que no correspondan rigurosamente con el nombre del firmante, pues en la comparecencia ya constan las circunstancias personales de los interesados, según la resolución de 4 de noviembre de 1925.

– Ha de ser indeleble, como para toda redacción de instrumento público (artículo 152 del Reglamento Notarial).

– Si la póliza constase de varias hojas bastará con que los otorgantes firmen al final del texto contractual (art. 197 RN).

La firma deberá ser puesta en presencia del Notario.

En este punto hay que destacar, tras la nulidad del artículo 197 bis en virtud de sentencia de 20 de mayo de 2008, la circular interna de obligado cumplimiento del Consejo General del Notariado 1/2010 de 19 de febrero establece la obligatoriedad de intervenir presencialmente la firma de los representantes de las entidades financieras en las pólizas que los notarios intervengan.

La huella dactilar.

El artículo 191 del Reglamento Notarial señala que «*cuando el Notario no conozca a cualquiera de los otorgantes y cuando, aun conociéndolos, éstos no sepan o no puedan firmar, podrá exigir que pongan en el documento la impresión digital, preferentemente de uno o de los dos índices, antes de la firma de los testigos, haciendo constar el Notario en el mismo documento las circunstancias del caso*».

Por tanto su exigencia puede ser voluntaria u obligatoria para el notario en los siguientes supuestos:

A efectos de identificación de españoles. La identificación del compareciente en un instrumento es la más importante de las calificaciones a las que está obligado el notario, y aunque puede servir como método complementario a los sistemas de identificación del art. 23 de la LN alternativo a la mera presentación del DNI, hay que partir que el notario no es un perito dactilógrafo, a esto añadimos que si tenemos en cuenta la obligatoriedad de la presentación del NIF o del NIE, cuando se trate de actos o contratos con trascendencia tributaria conforme al artículo 23 de la LN modificado por la Ley 36/2006, de 29 de noviembre, de medidas para la prevención del fraude fiscal, la huella digital únicamente puede utilizarse de manera residual.

Diferente sería el caso de los extranjeros, donde resulta obligatoria la imposición en el instrumento público a exigencia del Notario, cuando la identificación se haga con referencia a carnets o documentos de identidad con fotografía, pero sin firma, en los que conste la huella digital, según el artículo 187 del Reglamento Notarial, aunque a efectos prácticos vuelve a ser un supuesto marginal.

Realmente el único supuesto habitual es cuando el notario la utiliza como una garantía complementaria que puede exigir como suplencia de firma del otorgante o testador.

4.20.1. Especialidades de quienes no saben o no pueden firmar

El artículo 180 del Reglamento Notarial establece que cuando alguno de los otorgantes no sepa o no pueda leer o escribir será necesaria la intervención de testigos instrumentales. Eso mismo establecen los artículos 697,1º y 707.5º del Código Civil. Los testigos instrumentales son aquellos que presencian el acto de la lectura, el consentimiento, la firma y la autorización de la escritura.

Hay que distinguir los actos inter-vivos de los testamentos.

En los actos inter-vivos:

Cuando una persona no sabe o no puede firmar es preciso dar una solución a la forma en que se materializa su consentimiento en el acto o negocio.

Si el que no sabe o no puede firmar es uno de los otorgantes, lo expresará el Notario y firmará por él la persona que designe o un testigo, según el artículo 195 del Reglamento Notarial.

Hay que remarcar que el artículo 180 RN requiere la presencia de testigos instrumentales únicamente cuando el compareciente no sepa o pueda «leer ni escribir» por lo que deben concurrir ambas circunstancias para exigir la comparecencia de estos.

No obstante, el sistema de testigos, la práctica habitual es la exigencia de la huella digital del interesado en base al artículo 187 y 191 del RN

Otro supuesto es que el que no sabe o no puede firmar sea uno de los testigos, tanto instrumentales como de conocimiento cuya firma será suplida por el otro. Y si ninguno sabe o puede bastará la firma de los otorgantes, expresando el Notario tal circunstancia, según el artículo 186 del Reglamento Notarial.

En los testamentos:

Si el que no sabe o no puede firmar es el testador, se expresará así en el testamento y firmará por él y a su ruego uno de los testigos, según los artículos 695 y 707.5ª del Código civil. Es de interés en este punto, la sentencia de 21 de octubre de 1915 que declara que no es preciso acudir a testigos cuando el testador pueda firmar, aunque imperfectamente. Debiendo aplicarse este criterio a todas aquellas hipótesis en que el testador sabe y puede firmar aunque defectuosamente por las más variadas razones, tanto por escasez de conocimientos como por el estado presente del testador (senilidad, pulso tembloroso, etc). En estos casos el notario debe insistir en que estampe su firma.

En caso de los testigos, parece que ambos deben poder firmar, según los artículos 695 del Código civil.

Señalaba Roca Sastre en su Derecho de Sucesiones I, tema 15 del capítulo III, para que proceda la suplencia sólo se exige la mera declaración de no saber o no poder firmar, sea o no exacta la afirmación, y que conste en el documento.

No obstante la moderna doctrina jurisprudencial (Sentencia TS 433/2014-28/10/2014) se ha referido repetidamente al carácter supletorio —o subordinado a la imposibilidad de firmar el testador— de la firma del testigo habiendo llegado incluso a declarar que, aun manifestada por el propio testador en el acto aquella imposibilidad (por no saber o no poder hacerlo), si luego se demuestra dicha alegación falsa, mendaz o inexacta, el testamento deviene nulo, porque —como advierte la sentencia del Tribunal Supremo de 31 de enero de 1964— *«no puede quedar al arbitrio caprichoso de aquél el cumplimiento de un requisito formal exigido por el párrafo primero del artículo 695 del Código civil».* A ello ha de agregarse, en el plano psicológico y volitivo, que quien sabiendo y pudiendo firmar no firma es, a falta de otra explicación que justifique satisfactoriamente su proceder, porque no quiere hacerlo. Y si no quiere cumplimentar este requisito para la efectividad de la declaración documentada en el testamento leído, una vez informado o instruido el otorgante de su exigencia legal, no es ilógico sino plenamente razonable deducir que lo hace porque no está en su voluntad real o interna que se cumpla o haga efectiva la disposición documentada, al menos en los términos en que le ha sido leída.

4.20.2. *Consentimiento prestado por discapacitados sensoriales*

Las discapacidades pueden generar una limitación en la posibilidad de comprensión del acto o negocio jurídico en que intervienen los interesados, por lo que el legislador ha reseñado una serie de cautelas tanto para su protección, como en una clara desconfianza hacia el discapaz en su capacidad para la percepción de las cosas.

En un proceso de normalizar estas deficiencias físicas la normativa ha ido rompiendo límites a la capacidad jurídica del discapaz, y así por ejemplo desde la modificación del Código Civil de 3 de julio de 2015 del artículo 681 *los ciegos y los totalmente sordos o mudos* podrían ser testigos en testamentos.

También en el artículo 56 de la Ley de Jurisdicción Voluntaria el legislador se metió en un aprieto cuando señaló que para contraer matrimonio alguien *«afectado por deficiencias mentales, intelectuales o sensoriales, se exigirá por el Secretario judicial, Notario,*

Encargado del Registro Civil o funcionario que tramite el acta o expediente, dictamen médico sobre su aptitud para prestar el consentimiento».

Tuvo que rectificar, incluso antes de que entrara en vigor la norma, y para restañar su error redactó un párrafo ininteligible, obscuro y muy difícil de determinar dónde se encuentra el límite para solicitar el dictamen médico en caso de limitaciones sensoriales.

No obstante y a pesar de la buena voluntad de las tendencias igualitaristas, la dificultad de comunicación de dichas personas con el Notario, supone que para que puedan prestar el consentimiento, las Leyes sigan estableciendo requisitos complementarios o sustitutivos, sin perjuicio de:

La lectura del Notario, si lo considera conveniente o es necesaria, como en los testamentos de los ciegos, o de los que no saben o no puede leer.

La posibilidad permitida por la doctrina de designar un lector, sea o no testigo.

La presencia de testigos, si lo reclaman el Notario o los otorgantes, o si el otorgante no sabe o no puede leer o firmar, o es ciego.

4.20.3. Consentimiento de los sordos o sordomudos

El artículo 193 del Reglamento notarial establece:

Si alguno de los otorgantes es completamente sordo o sordomudo:

– *si sabe leer*, deberá leer la escritura por sí, lo que es aplicable a los testamentos, y en concreto respecto de los sordomudos deberá manifestar su consentimiento de forma indubitada, pudiendo además otorgar testamento cerrado, según el artículo 709 del código civil;

– *y si no sabe o no puede leer*, será precisa la intervención de un intérprete designado al efecto por el otorgante conocedor del lenguaje de signos (conforme a la Ley 27/2007, de 23 de octubre, por la que se reconocen las lenguas de signos españolas) cuya identidad deberá consignar el Notario y que suscribirá, asimismo, el documento, y en los testamentos los testigos lo leerán en presencia del Notario y deberán declarar que coincide con la voluntad manifestada, según el artículo 697 del Código Civil.

El problema se plantea cuando nos encontramos ante un sordomudo analfabeto en el leguaje de signos. En este caso la AP Las Palmas (sec. 5ª, S 5-1-2017) estima que lo relevante en el otorgamiento de testamento realizado por un testador incapaz de expresar una voluntad jurídicamente compleja, es que el testador pueda expresar su voluntad, perfectamente observada, comprendida y traducida al Notario por un testigo, y a la que el Notario dé la forma legal correspondiente. El testigo en este caso no es traductor oficial del lenguaje de signos, sino alguien allegado al testador y capaz de comunicarse con él.

4.20.4. Consentimiento de los ciegos

En los actos inter-vivos si el otorgante fuese ciego será suficiente que preste su conformidad a la lectura hecha por el Notario si puede firmar (art. 193.R.N.); en caso contrario, deberán concurrir dos testigos idóneos, uno al menos designado por él.

En el testamento abierto del ciego, aunque pueda firmarlo, siempre concurrirán dos testigos. (art. 697, 2º CC). Este supuesto es especialmente sensible a la actuación notarial, pues la presencia de testigos es *ad solemnitatem* por lo que su incumplimiento acarrea la nulidad del testamento y la posible responsabilidad del notario por obviar los trámites.

La sentencia del Tribunal Supremo de 12 de abril de 1973 reseñaba que no era necesario que la ceguera fuera total o absoluta, sino que bastaba con que la lesión o defecto visual alcanzara el grado suficiente para impedirle la lectura y estampar su firma

Sin embargo jurisprudencia más moderna del T.S como la sentencia de 11 de noviembre de 2009 tiende a validar el testamento sin la presencia de testigos en base al principio *favor testamenti* especialmente cuando el conocimiento del invidente está apoyado en la lectura notarial.

4.20.5. Consentimiento de los extranjeros

En cuanto al otorgante extranjero que no entienda el idioma español, según el artículo 150 del Reglamento Notarial se pueden producir los siguientes supuestos:

Si el Notario conoce el de aquellos:

Traducción verbal: Autorizará el instrumento público haciendo constar que les ha traducido verbalmente su contenido y que su voluntad queda reflejada fielmente en el instrumento público.

A falta de mejor interpretación nos remitiremos al artículo 193 del RN que exige una lectura integra considerando que ésta es íntegra cuando el notario hubiera comunicado el contenido del instrumento con la extensión necesaria para el cabal conocimiento de su alcance y efectos, atendidas las circunstancias de los comparecientes. IGNACIO MARTÍNEZ-GIL (2007, p. 370,) considera que no se necesita una traducción íntegra sino suficiente que le permita al extranjero comprender el alcance de lo que está firmando.

Traducción escrita:

Debe ser solicitada por el otorgante de la escritura que podrá hacer uso de este derecho aun en la hipótesis de que conozca perfectamente el idioma español.

Hay un doble método: Por una parte existe el método de realizar la escritura a doble columna y en este caso cabe que el notario compruebe la fiabilidad de la traducción en caso de que la hubiere aportado el interviniente o que hubiera estado realizada por parte de un intérprete, tanto oficial como no.

En segundo lugar existe la posibilidad de la incorporación total o incluso parcial del texto.

Lo que si está claro es que en caso de discrepancia entre la traducción aportada y el texto en idioma español, se estará a lo que señala este último.

Un problema creciente con la internacionalización de la sociedad es el progresivo número de documentos redactados en idioma extranjero que deben causar efectos en otro país y que se requiere al Notario para la legitimación de la firma. Este es el caso de numerosa documentación administrativa extranjera especialmente para casos de pensiones u otro tipo de trámites similares donde un organismo foráneo solicita una firma autenticada. Si el documento está en una lengua dentro del círculo cultural habitual, como puede ser el inglés o el francés, el notario puede fácilmente determinar el contenido del texto y la trascendencia de su intervención. Pero no siempre es así y se plantean varias soluciones:

a. La utilización del acta contemplada en el artículo 207.2 del RN donde a través de esta el notario puede dar soporte a una traducción del documento, obteniendo además el interesado el documento legitimado. Este método es aconsejable cuando la intervención notarial excede de una simple legitimación y encierra un acto como un apoderamiento.

b. Una moderna posibilidad la plantea VICENTE MARTORELL (Web Notarios y Registradores LA TRADUCCIÓN EN EL ÁMBITO NOTARIAL Y REGISTRAL) donde remite al modo conversacional de la app de Google, por ejemplo, para la prestación del consentimiento de aquellos comparecientes, normalmente desfavorecidos, muchos de ellos provenientes de países del Este de Europa, que concurren al otorgamiento de documentos sencillos, pero vitales para ellos, como poderes para la tramitación de altas, permisos, etc.

Pólizas en lengua extranjera: Los notarios podrán intervenir pólizas redactadas en lengua o idioma extranjero a requerimiento de las partes, si todas ellas y el notario conocen dicho idioma. En estos casos, la diligencia de intervención y las restantes manifestaciones del notario se redactarán en el idioma oficial del lugar del otorgamiento.

Traducción de documentos unidos o relacionados:

Las Resoluciones DGRN de 7 de julio de 2011 y 2 de agosto de 2011 admitieron la traducción notarial incluso la parcial con aseveración de que lo omitido *no modifica ni condiciona lo inserto*; de manera que la exigencia de una trascripción total solo estaría justificada si en la calificación registral se hubiera alegado que el registrador conoce el derecho extranjero y que esa transcripción total es necesaria para comprobar determinados requisitos exigidos por la legislación extranjera aplicable.

Sin embargo, la Resolución DGRN de 11 de enero de 2017 contradiciendo la doctrina anterior y en gran parte la lógica del sistema, niega la posibilidad de tal traducción notarial parcial a efectos registrales.

Escrituras otorgadas cuando el Notario no conoce el idioma de los otorgantes.

El sistema se modificó con la reforma del 2008 del Reglamento de manera que se pasó de requerir la asistencia de intérprete oficial a la más sencilla fórmula del intérprete pericial, especialmente justificado por la inexistencia de traductores jurados en numerosas plazas y la internacionalización económica mundial que ha supuesto la venida a España de individuos de los punto más diversos.

Tras la reforma, pasa a ser el otorgante el que deba designar a la persona que conozca el idioma extranjero y que haga la traducción que puede ser desde un familiar a un amigo y lógicamente también un traductor oficial. Lo cierto es que cada vez resulta más frecuente la intervención de intérprete, en el sentido amplio del término, que es la persona designada al efecto por el otorgante que no conozca el idioma español. Este extremo se expresará en la comparecencia y la autorización del documento, y hará las traducciones necesarias para la recta comprensión del documento, declarando la conformidad del original con la traducción y que suscribirá, asimismo, el instrumento público.

Los intérpretes pueden ser oficiales o no. Los oficiales son los que a decir de la Dirección General (8 de octubre de 1965) tuvieren una titulación académica adecuada, como pueden ser catedráticos y profesores universitarios, o de Institutos o Centros de Idiomas etc. En este supuesto se desplaza la responsabilidad de la traducción al intérprete.

Los no oficiales son simplemente personas peritas en la legua del otorgante. Remitiéndonos al concepto aportado por la DGRN, son aquellos que independientemente de su titulación académica hablan el idioma extranjero. A diferencia de la normativa anterior donde se exigía que fuera el Notario quien propusiera el intérprete y este también respondía de la falsedad en la traducción junto con el traductor perito, sin embargo la nueva redacción del artículo 150 RN al contemplar que el otorgante pueda designar a una persona para que le haga la traducción, exonera al Notario de la responsabilidad por la exactitud de esta.

Escrituras otorgadas en lenguas autonómicas.

Un caso especial podría darse en el supuesto de una escritura pública redactada en un idioma autonómico no comprendido por uno de los intervinientes. El artículo 149 del RN parece que se inclina por el pacto entre las partes y a falta de este por un documento en ambas lenguas. Esta es la solución aportada en Galicia por el Artículo 8.º

Ley 3/1983, de 15 de junio, y también la sumida por el Artículo 14 de la Ley 1/1998, de 7 de enero, de Política Lingüística de Cataluña. En esta Comunidad esta Ley fue desarrollada por el Decreto 204/1998, de 30 de julio, sobre el uso de la lengua catalana en los documentos notariales donde se reseñaban determinados principios como en el supuesto de duda respecto a la lengua el documento deberá estar en catalán, y en todo caso la obligación del fedatario de poder atender al ciudadano en ambas lenguas.

En el País Vasco el artículo 7 de la Ley Derecho Civil señala que los actos y contratos regulados en el Fuero Civil podrían formalizarse en euskera. La anterior normativa exigía que cuando el acto o contrato se formalice ante Notario y éste no conociese el euskera, se precisaría la intervención de un intérprete.

Este requisito del intérprete se contempla también en el supuesto recogido en el artículo 97 de la Ley de Sucesiones por causa de muerte de Aragón donde los testadores podrán redactarse en cualquiera de las lenguas o modalidades lingüísticas de Aragón y si el notario o los testigos desconocen la lengua se deberá utilizar un intérprete.

4.21. OTORGAMIENTOS REALIZADOS DE FORMA SIMULTÁNEA ANTE NOTARIOS DE DISTINTOS PAÍSES. EUFIDES

La intervención simultánea de varios Notarios en diferentes países plantea interrogantes. Hasta ahora, esa intervención simultánea de Notarios de diferentes países en el otorgamiento no existía. EUFIDES ha abierto la puerta a esa posibilidad.

EUFIDES es una asociación con sede en Bélgica que responde a la voluntad del notariado europeo de contribuir decididamente a la construcción del espacio común de justicia. El proyecto, puesto en marcha en 2012, partió de una idea clara: facilitar a todos los Notarios de la UE una conexión telemática, confidencial y segura, para poder colaborar en la tramitación de un único expediente cuando se realiza una operación con elemento extranjero.

Los notariados de España, Francia, Italia, Bélgica y Luxemburgo fueron los países impulsores de la idea, un proyecto al que el pasado año se unieron Alemania y Holanda. Los órganos con los que cuenta la asociación son la Asamblea General formada por los presidentes de los Notariados fundadores y un Consejo de Administración formado por cinco miembros de cada uno de los países fundadores.

El objetivo inicial fue el de dar *respuesta* a la contratación inmobiliaria. Se trataba de conseguir que los clientes pudieran comprar una vivienda en cualquier parte de Europa sin tener que renunciar por ello a la libre elección de Notario. Es decir, podrían elegir al Notario de su confianza en su país, aunque no estuviera situado allí el inmueble; el Notario elegido entraría en contacto con un compañero del lugar de situación del inmueble y ambos Notarios colaborarían para lograr un completo asesoramiento de las partes y que, aún prestado el consentimiento en otro país, se pagaran los impuestos, se inscribiera el documento y se cumplieran todos los requisitos posteriores que exija la legislación del lugar de situación del bien. Todo ello sin perjuicio de que los Notarios pueden preguntar y responder a cuestiones legales y solicitar y enviar con todas las garantías jurídicas los más variados documentos, desde notas registrales hasta certificaciones catastrales, también informes fiscales, certificados de últimas voluntades...

Tras estos primeros ensayos inmobiliarios, EUFIDES ha ido extendiendo su campo de acción y, de hecho, sus posibilidades en el ámbito notarial son enormes.

Entre otras cosas, puede utilizarse para preparar la firma de capitulaciones matrimoniales, para la liquidación de comunidades matrimoniales, para la preparación de testamentos o declaraciones de herederos de extranjeros o a los que se aplica un Derecho extranjero, o para las particiones de herencias, extremadamente complejas cuando las posesiones y rentas están desperdigadas por varios de los Estados miembros de la UE.

Esta plataforma también es muy útil para la solicitud de informes de vigencia de leyes o para favorecer la circulación de los poderes en Europa.

El último campo con el que se ha experimentado es el del Derecho de Sociedades, permitiendo EUFIDES, por ejemplo, la constitución desde un país de una sociedad en otro país distinto.

La entrada en vigor del Reglamento de Sucesiones ha sido una nueva oportunidad para EUFIDES. El certificado sucesorio que regula, y que el propio Reglamento pide que sea preferentemente electrónico, se adapta muy bien a EUFIDES cuando su expedición corresponde al Notario, lo que ocurre en muchos países de Europa; y es muy útil y rápido que el certificado circule a través de EUFIDES. Los nuevos Reglamentos sobre régimen económico del matrimonio y de la pareja registrada, que entrarán en vigor el año que viene, también contemplan documentos notariales de elección de ley aplicable, que perfectamente podrán circular electrónicamente.

Para el envío o la recepción de los documentos es necesario utilizar la firma electrónica, contando la plataforma con el apoyo de un sistema de verificación de firma electrónica denominado Bartolus, lo que permite garantizar que el firmante de un documento es Notario y que su certificado está vigente y no revocado en el momento de la firma.

En los últimos tres años, los Notarios europeos han tramitado cerca de un centenar de operaciones transfronterizas al año mediante este procedimiento.

Una de los problemas que tiene EUFIDES para que se cumpla la libre circulación del documento notarial es la apostilla. En muchos países europeos ya no se está exigiendo la apostilla a aquellos documentos notariales respecto de los cuales el país receptor no duda del carácter de autoridad del Notario extranjero que los autoriza y de la vigencia de su cargo. En España chocamos con la necesidad de que los documentos inscribibles (o los poderes para otorgar documentos inscribibles) deban contar con apostilla. No obstante, cabe esperar que en breve la legislación europea suprima con carácter general la apostilla entre los países de la UE, tendencia que se observa ya en los Reglamentos de Sucesiones y se Familia.

En todos estos casos, no podemos hablar propiamente de un otorgamiento ante distintos Notarios cuando un Notario extranjero envía una copia de un poder y otro Notario otorga la escritura basándose en ese poder, que era hasta ahora lo más parecido al otorgamiento simultáneo. Esa posibilidad existe ahora también a través de EUFI-DES, con la particularidad de que la copia autorizada del poder puede circular ahora de forma electrónica.

Sí es un verdadero otorgamiento simultáneo el que se produce cuando los distintos intervinientes en un negocio prestan su consentimiento ante Notarios de diversos países.

En el ámbito del Derecho inmobiliario, EUFIDES permite que una compraventa se otorgue ante un Notario de un país por una de las partes y que la otra parte ratifique ante un Notario distinto. Firmada la escritura de ratificación, la copia autorizada de ésta puede ser enviada por el Notario autorizante de forma telemática a través de EUFIDES. En el ámbito del Derecho de familia o de sucesiones, algo similar ocurre cuando uno de los ex esposos firma la liquidación de la sociedad conyugal en un país y el otro, en un país distinto; o cuando alguno de los herederos firma en un país y otros en otro. Y en el ámbito del Derecho Societario, ocurriría, por ejemplo, cuando algunos de los fundadores firman en un país y otros en otro o cuando todos están en un país pero el administrador no socio acepta en otro.

Por supuesto, el otorgamiento simultáneo en varios países genera problemas que no se producen en el ámbito interno.

Uno de ellos es el idioma. La recepción por el Notario del documento otorgado en otro país presupone que los dos Notarios implicados entiendan un mismo idioma, si bien es posible que en el acto de la ratificación intervenga un traductor y que la traducción se incorpore a la ratificación misma o se realice a doble columna. En este caso, el papel del traductor varía un poco respecto a lo que estamos acostumbrados, pues aquí el Notario y el otorgante se entenderán, pero su intervención permitirá el entendimiento del Notario destinatario y de la otra parte.

Otro de los problemas que plantea este desdoblamiento en el ámbito internacional es la apostilla. En el ámbito europeo, como ya ha quedado dicho, la apostilla está llamada a desaparecer. Mientras tanto, hay países europeos que no exigen ya la apostilla a otros países europeos, que no es el caso del nuestro por una razón muy sencilla: mientras no se suprima legalmente la apostilla a nivel europeo, sigue vigente la necesidad que la legislación interna hipotecaria establece de que el documento inscribible esté apostillado, sea la apostilla en papel o electrónica, donde se admita (que no es el caso de España para los documentos notariales).

4.22. LA AUTORIZACIÓN

4.22.1. Concepto

La autorización es la declaración solemne del Notario, en cuya virtud asume la autoría legal del documento y lo eleva a la categoría de instrumento público, constituyendo la parte final del mismo.

4.22.2. Requisitos

Para la determinación de los requisitos y elementos fundamentales de la misma nos remitimos al artículo 17 bis.2.a de la Ley Orgánica del Notariado, donde señala que *el notario deberá dar fe:*

De la identidad de los otorgantes,

De que a su juicio tienen capacidad y legitimación,

De que el consentimiento ha sido libremente prestado

Y de que el otorgamiento se adecua a la legalidad y a la voluntad debidamente informada de los otorgantes o intervinientes.

Esta expresión documental de la dación de fe, bastaría, según el artículo 188 RN, con que sea general incluso en los testamentos, utilizando la fórmula «*y yo, el Notario, doy fe de todo lo contenido en este instrumento público*», u otra en términos parecidos e indubitados.

No obstante no es este el momento de profundizar en estos puntos pues la mayoría de los requisitos y elementos de la autorización son tratados ampliamente en otros lugares del libro.

A pesar de ello, cabría analizar algunos de ellos, como es el caso de lo que supone y qué trascendencia tiene la manifestación del notario hecha en la autorización cuando señala que el consentimiento ha sido libremente prestado y que este se adecua a la voluntad debidamente informada de los otorgantes o intervinientes. Esto genera importantes problemas deontológicos porque una cosa es dar fe de la narración de unos hechos y otra muy distinta es emitir el juicio de esta adecuación. Como hemos visto reiteradamente existe una presunción legal de que esto es así, pero no podemos obviar la quiebra que se ha producido en esta presunción legal a raíz de la crisis económica de finales de la primera década de del siglo XXI, especialmente en lo que respecta al consentimiento informado de los firmantes en los contratos de adhesión y específicamente en lo que respecta a la llamada cláusula suelo.

En este sentido la sentencia del TS de 9 de mayo de 2013 ha supuesto un cambio sustancial del alcance de la fe pública del notario respecto a determinados extremos que, en un principio vienen sobrentendidos a la hora de la autorización notarial.

La validez en este tipo de cláusulas venía determinada, en un primer lugar, por el cumplimiento de una serie de requisitos formales regulados en la Orden de Transparencia de 5 de mayo de 1994 que por otras parte se cumplieron escrupulosamente, pero a decir del Tribunal existía un déficit de comprensibilidad real de manera que el consumidor no tenía pleno conocimiento del significado de la cláusula. Esta conclusión jurisprudencial supone lógicamente reducir la trascendencia de la intervención notarial, de manera que resulta indiferente la actuación del fedatario para un recto entendimiento por parte del firmante respecto al alcance de la cláusula, de forma que la compresibilidad de lo actuado debería de retrotraerse a un momento anterior a la actuación notarial, o sea a la fase contractual previa, planteamiento que crea un déficit de prueba. Para salvar la situación de inseguridad jurídica que esto produce, se ha utilizado un método extravagante que lleva a que la culminación sobre la compresibilidad de la cláusula no nazca en la actuación notarial, sino en la redacción de la expresión manuscrita introducida en el art. 6.1 de la ley 1/2013 de 124 de mayo que es simultanea pero ajena a la autorización del notario.

Paralelamente lo anterior, sobre la autorización notarial, se plantea un doble problema. Por un lado el posible desconocimiento del derecho por parte del notario y consiguientemente las consecuencias de esto. Como dice claramente el art. 1 del RN, los notarios, como profesionales del Derecho tienen la misión de asesorar a quienes reclaman su ministerio y aconsejarles los medios jurídicos más adecuados para el logro de los fines lícitos que aquéllos se proponen alcanzar. Esto desde el punto de vista teórico resulta gratificante, pero el cada vez más complejo entramado normativo tanto fiscal como material, unido a una abundante jurisprudencia hace que siempre existan numerosos ángulos oscuros en la contratación notarial y que el notario pueda desconocer o interpretar erróneamente una determinada norma. Ante esta circunstancia se puede generar una responsabilidad profesional frente a los contratantes e incluso frente a terceros. La doctrina jurisprudencial ha declarado que la relación entre el fedatario y su cliente debe de calificarse como de arrendamiento de servicios por lo que frente a los otorgantes esa responsabilidad es de naturaleza contractual. En este sentido la responsabilidad notarial prescribe conforme al artículo 1964 CC a los cinco años. No obstante y como este plazo responde a una nueva redacción dada al artículo por la Ley 42/2015, de 5 de octubre se establece un extraño régimen transitorio que supone que las actuaciones anteriores a esta fecha y que no hubieran prescrito por el transcurso del plazo previo de quince años contemplado en la redacción anterior del 1964, prescribirán el 7 de octubre de 2010, o sea a los cinco años de entrada en vigor de la reforma.

Por el contrario, si los perjudicados no son quienes hayan encargado al notario su intervención, su responsabilidad sería de carácter extra contractual, en este caso el plazo de prescripción en mucho más breve pues se aplicaría el artículo 1902 CC con lo que nos encontraríamos con un periodo de un año para una posible reclamación. (SSTS de fechas 6 de mayo de 1994, 5 de febrero de 2000, 15 de noviembre de 2002 y 9 de marzo de 2012).

Concordante con lo expuesto, el art. 146 RN redunda en predicar sobre la responsabilidad civil del notario respecto de los daños y perjuicios ocasionados por dolo, culpa o ignorancia inexcusable. La pregunta es determinar cuál es el nivel de exigencia al notario y donde se genera la ignorancia inexcusable. La sentencia de la Sala de lo Civil del Tribunal Supremo de fecha 9 de marzo de 2012, señala que «*se trata de una norma de imputación subjetiva de la responsabilidad que exige determinar si, atendiendo a las circunstancias concurrentes, la actuación del notario se desarrolló dentro de los parámetros razonables de la diligencia exigible, teniendo en cuenta el especial grado de diligencia que se impone a los notarios en el ejercicio de sus funciones, dada la alta cualificación profesional, en una sociedad en la que es notorio el incremento de la complejidad y proliferación de las actuaciones jurídicas y el grado de previsibilidad que la situación producida presentaba*».

Finalmente y como elemento formal, la autorización supone la suscripción del Notario, que consiste en escribir debajo del texto documental su signo, firma, rúbrica y sello, asumiendo así la doble afirmación de veracidad y legalidad del instrumento, pero teniendo en cuenta que:

La rúbrica y signo los propone el Notario y se le dan al expedirle el título y no podrán variarse en lo sucesivo sin orden del Ministerio de justicia (art. 19 LN). Aunque este no es el lugar para el análisis histórico la rúbrica y el signo forman parte de la esencia del notariado por lo que despacharlo en dos líneas parece una indignidad. Aunque el *signum* ha perdido en parte su función, fue un elemento imprescindible para asegurar la autenticidad del documento. Por lo tanto constituye un elemento de credibilidad identificativa. De hecho en nuestro país en su evolución histórica la utilización del signo triunfó sobre la del sello siendo este un elemento identitario del notariado español.

Los secretarios de las Juntas Directivas llevarán un libro en el que estamparán los signos, firmas y rúbricas adoptadas por el Notario al tomar posesión de sus Notarías. (art. 36 RN).

También habla el Reglamento de la media firma, sin que se regule exactamente lo que es y a diferencia de la firma y del signo, sin que exista un registro de estas. Sólo se admite en las notas, cédulas y asientos de libro indicador, según los artículos 244, 202 y 283 Reglamento Notarial.

El sello oficial llevará en el centro un libro en forma de protocolo, con el lema «nihil prius fide», orlado con el nombre y residencia del Notario. (art. 66 RN). Este modelo fue el utilizado por los colegios Notariales en el momento de la reforma de 1862 para unificar los sellos locales y que se mantiene hasta el día de hoy aunque como dice algún compañero no es preciso que sea redondo. La omisión del sello tendría el carácter de una simple irregularidad sin que esto pueda afectar a la validez del documento. (RGRN de 25 de enero de 2013).

En el año 1999 se introdujo la utilización de sellos de seguridad a efectos de reducir las falsificaciones. Estas etiquetas deberán utilizarse en todos aquellos documentos en los que el Notario estampe su firma, signo y rúbrica, salvo en las matrices. Por tanto, la etiqueta deberá pegarse en las copias autorizadas de las escrituras y actas, así como en los testimonios y, muy especialmente, en las legalizaciones y legitimaciones de firmas.

Para concluir señalar que:

– Al final del instrumento, expresará el notario la numeración de todas las hojas o pliegos empleados que deberá ser estrictamente correlativa. (art. 154 RN) Esta exigencia debe predicarse también de las copias así como de los testimonios expedidos en varias hojas.

Esta norma tiene una serie de excepciones:

a. La prevista en la propia norma donde se señala que con carácter excepcional y por causa justificada el notario expresará el que no puede hacerse así. No se indica cual es una causa justificada por lo que debe quedar al criterio de cada notario.

b. Lógicamente las pólizas intervenidas no expresan la numeración por estar redactadas en papel común.

c. Las escrituras formalizadas en territorios exceptuados del uso del papel sellado. Actualmente no existe ninguno que carezca de este tipo de papel.

d. Y el supuesto excepcionalísimo de la no utilización de papel timbrado en la redacción de escrituras. Básicamente se generan este tipo de escrituras en los otorgamientos de poderes notariales electorales donde por su naturaleza gratuita está excluido el uso del papel sellado (Anexo IV del Reglamento Notarial), y en los supuestos donde por razones de urgencia y en circunstancias excepcionales, el notario carezca de papel timbrado y en este caso deberán firmar los interesados en cada uno de los folios timbrándose posteriormente.

4.23. PÓLIZAS Y OTROS DOCUMENTOS MERCANTILES INTERVENIDOS

El art. 17.1 LN establece que *el Notario redactará escrituras matrices, intervendrá pó-lizas, extenderá y autorizará actas, expedirá copias, testimonios, legitimaciones y legaliza-ciones y formará protocolos y Libros-Registros de operaciones.* Sigue diciendo: *El Notario conservará en su Libro-Registro o en su protocolo ordinario el original de la póliza, en los términos que reglamentariamente se disponga. A los efectos de lo dispuesto en el artículo 517.2.5.º de la Ley 1/2000, de 7 de enero, de Enjuiciamiento Civil, se considerará títu-lo ejecutivo el testimonio expedido por el Notario del original de la póliza debidamente conservada en su Libro-Registro o la copia autorizada de la misma, acompañada de la certificación a que se refiere el artículo 572.2 de la citada Ley.*

El art. 144 RN tras recordar que *conforme al artículo 17 de la Ley del Notariado son instrumentos públicos las escrituras públicas, las pólizas intervenidas, las actas, y, en general, todo documento que autorice el notario, bien sea original, en certificado, copia o testimonio,* señala en su párr. 3º que *las pólizas intervenidas tienen como contenido ex-clusivo los actos y contratos de carácter mercantil y financiero que sean propios del tráfico habitual y ordinario de al menos uno de sus otorgantes, quedando excluidos de su ámbito los demás actos y negocios jurídicos, y en cualquier caso todos los que tengan objeto inmo-biliario; todo ello sin perjuicio, desde luego, de aquellos casos en que la Ley establezca esta forma documental.*

Por su parte, el art. 197 RN establece que *podrán ser intervenidas las pólizas que documenten los actos y contratos a que se refiere el artículo 144 de este Reglamento, y reú-nan los requisitos y consignen las circunstancias legalmente exigidas, en general o para el contrato que contengan.*

Por su parte, el art. 197 sexiens señala que *los notarios podrán intervenir o autorizar las distintas declaraciones cambiarias [...]* y el art. 298, párr. 1º RN que *el Libro-Registro consta de dos Secciones. [...] En la Sección B se asentarán por orden de fecha y correlativa-mente las intervenciones de aquellos documentos originales que por su naturaleza no pueda conservarse en poder del notario el original.*

4.23.1. *Concepto de póliza y de póliza intervenida*

La definición doctrinal y jurisprudencial de *póliza* es pacífica. MÓXICA ROMÁN (1993, p. 22) define póliza como «todo documento en el que se dé forma a un contrato mercantil suscrito por las partes intervinientes». Este autor recoge también el concepto que de póliza da la jurisprudencia, en la Sentencia de 16 de enero de 1988 de la entonces Audiencia Territorial de Valencia: «En la actualidad... sólo es posible llegar a la conclu-sión de que por póliza hay que entender el documento privado en el que con la firma de las partes, se plasma un contrato mercantil». O en la Sentencia de 2 de noviembre de 1989 de la Audiencia Provincial de Barcelona: «... sin que quepa restringir la expresión legal póliza a los supuestos que pretende el ejecutado de impresos emitidos por el Estado, teniendo, como ya se ha dicho por esta Audiencia, concretamente en Sentencia de 13 de septiembre de 1985, un concepto más amplio equiparable, sin necesidad de concretar en el caso otros matices, a documento en que figura incorporado un contrato mercantil».

ORTIZ NAVACERRADA (1992, p. 52) define la póliza como «documento privado en el que, con la firma de las partes, se plasma un contrato mercantil». El concepto de póliza, en consecuencia, es un concepto que en el Derecho Mercantil se aplica al documento en el que consta un contrato de esta naturaleza. Naturalmente, dicho documento, a falta de la intervención de un Notario en su otorgamiento y firma, es un contrato privado.

Distinto del anterior es el concepto de *póliza intervenida*, que se aplica exclusivamente al supuesto de que el documento póliza en el que conste un contrato mercantil se halle autorizado por un fedatario público, al haber sido otorgado y firmado por las partes con su intervención. Como señala ORTIZ NAVACERRADA (1992, p. 52), «la póliza, documento privado en general, adquiere naturaleza y rango de documento público cuando es intervenida por Corredor de Comercio (hoy Notario) ». «La forma documentada, no consustancial al título ejecutivo desde el punto de vista conceptual, pero sí única admitida en nuestro Derecho positivo, tradicional y vigente, se concreta aquí en una póliza, denominación que designa entre nosotros al documento privado en que plasma un contrato mercantil: adquiere la misma categoría de documento público como consecuencia de su intervención por Corredor de Comercio (hoy Notario) ».

Hay que aclarar que los términos «autorizar» e «intervenir» referenciados a documentos son sinónimos. Según el Diccionario de la Real Academia Española de la Lengua una de las acepciones de «intervenir» es «interponer su autoridad» y «autorizar» es, en su segunda acepción: «dicho de un escribano o de un Notario: Dar fe en un documento».

4.23.2. Ámbito objetivo de la póliza intervenida

Como ya se ha señalado, de acuerdo con los arts. 17 LN y 144 RN las «pólizas intervenidas» tienen como contenido exclusivo los actos y contratos de carácter mercantil y financiero que sean propios del tráfico habitual y ordinario de al menos uno de sus otorgantes, quedando excluidos de su ámbito los demás actos y negocios jurídicos, y en especial, los que tengan objeto inmobiliario. Al margen de que, a mi juicio, los contratos financieros tienen *per se* carácter mercantil, la LN y, en coherencia con ella, el RN, no puede limitar el concepto de «póliza» aunque sí constreñir al Notario a intervenir las pólizas que recojan los actos y contratos que sean propios del tráfico habitual y ordinario de al menos uno de sus otorgantes. Los restantes deberían reconducirse a la forma documental de escritura pública.

Como señala MEJÍAS GÓMEZ (2008, p. 259), esto no significa que se refiera sólo a la denominada contratación en masa. Junto a las operaciones habituales de las Entidades de crédito —préstamos, créditos, arrendamiento financiero de bienes muebles, factoring, confirming...—, también serían susceptibles de intervención las relativas al tráfico habitual de otras compañías mercantiles —renting, transporte, fletamento, catering, consulting, engineering, merchandising, franquicia, edición, difusión-, los negocios jurídicos accesorios —garantías personales (afianzamientos, mandatos de crédito) y reales mobiliarias (prendas de imposiciones a plazo, participaciones en fondos de inversión, acciones...) — y algunos derivados de las propias operaciones intervenidas, como las cesiones de créditos mercantiles.

Algún autor ha planteado la duda de la admisibilidad de la forma documental de póliza intervenida para negocios jurídicos que indirectamente tienen un objeto inmobiliario. Este sería el caso del afianzamiento de préstamos con garantía hipotecaria que se otorguen de forma simultánea o con posterior al mismo. A mi juicio, sería perfectamente admisible habida cuenta que dicho afianzamiento tiene el mismo carácter accesorio que la garantía hipotecaria, en ambos casos, de una obligación principal, el préstamo, que, desde luego, es una operación del tráfico habitual de las entidades de crédito.

Más dudas podría plantear el afianzamiento en contratos de arrendamiento financiero de bienes inmuebles, dado que aquí sí que el contrato tiene objeto inmobiliario. Pero, en mi opinión, la respuesta es la misma porque este tipo de leasing, cuando lo realiza una entidad financiera, es precisamente un contrato de naturaleza financiera; por eso ésta percibe un interés. Este tipo de entidades no se dedican a adquirir bienes inmuebles para su arrendamiento sino que adquieren el inmueble que les solicita el cliente para, seguidamente y en unidad de acto, cedérselo en arrendamiento con opción de compra como vía de financiación de la adquisición. La conservación de la propiedad por la entidad financiera tiene para ésta el carácter de garantía de la operación de financiación.

4.23.3. Regulación de la intervención notarial de pólizas

Sin perjuicio de lo establecido en el art. 17.1 LN, la regulación de la intervención notarial de pólizas se encuentra recogida Sección 3.ª titulada «De las pólizas», del Capítulo II («Del instrumento público»), del Título IV («Del instrumento público»).

La redacción de estos preceptos reglamentarios se debe al Real Decreto 45/2007, de 19 de enero. De esta forma se desarrolló la regulación establecida a partir del 1 de diciembre de 2006, fecha en la que entró en vigor la modificación de la Ley del Notariado (LN) operada por la Ley 36/2006, de 29 noviembre (BOE 30 de noviembre). Hasta esa fecha, su regulación estaba recogida en los arts. 93, 95 y 106 a 111 CCom —preceptos hoy todavía vigentes—, en los arts. 32 y ss. del Reglamento para el Régimen interior de los Colegios Oficiales de Corredores de Comercio, de su Consejo General y regulando el ejercicio del cargo de Corredor Colegiado de Comercio, aprobado por Decreto 853/1959, de 27 de mayo (RCorr) —cuya última modificación tuvo lugar por Real Decreto 1251/1997, de 24 de julio—. Todas estas normas eran aplicables al Cuerpo único de Notarios tras la integración operada por la Disposición Adicional 24ª de la Ley de Medidas Fiscales, Administrativas y de Orden Social de 28 de diciembre de 1999 tal como se estableció por el RD 1643/2000, de 22 de septiembre y la instrucción de la DGRN de 29 de septiembre de 2000.

Y el cambio es radical porque hasta que se produce la antedicha modificación lo que circulaban eran las pólizas originales intervenidas en tantos ejemplares como partes intervinientes de forma que cada una tenía su original con las firmas de todos los otorgantes y la intervención del Corredor de Comercio Colegiado primero y, luego, tras la integración en un Cuerpo único, la del Notario. Al circular los originales lo que recogía el Libro-Registro era una reproducción aunque, además, se conservaba otro original en el Archivo del fedatario público. Pero el carácter oficial lo tenía sólo el Libro-Registro, porque el Archivo era realmente una colección de originales cuyo valor estaba en los propios documentos intervenidos.

A partir de la modificación de la LN hay un único original que es el que conserva el Notario para conformar el Libro-Registro. Lo que circulan son copias del mismo que en ningún caso pueden llevar las firmas de los otorgantes.

Sin perjuicio de las normas contenidas en la Sección 3.ª del Capítulo II del Título IV (arts. 197 a 197 quater) hay un precepto, el art. 197 quinquies que establece que *serán aplicables a las pólizas intervenidas las disposiciones de la Sección 1.ª y 2.ª anteriores sobre el instrumento público, a salvo lo establecido en el artículo 152, párrafo segundo de este Reglamento y las especialidades contenidas en esta Sección y las derivadas de su respectiva naturaleza.*

Por tanto, le son de aplicación las normas generales de los instrumentos públicos y las más específicas de las escrituras matrices con la salvedad lógica del párr. 2º del art. 152 que establece que *los espacios en blanco deberán quedar cubiertos con escritura o, en su defecto, con una línea.* Y esto porque, habida cuenta que las pólizas mercantiles en general, y bancarias en particular, están previamente redactadas e impresas no tiene sentido que el notario se dedique a tachar los espacios en blanco.

El citado art. 197 quinquies matiza esta aplicabilidad atendiendo a la «naturaleza» propia de las pólizas, y que radica en que están redactadas e impresas por la empresa, de forma que, a diferencia de las escrituras matrices, por regla general el Notario no redacta el contenido de las pólizas, aunque sí su otorgamiento y la dirigencia de intervención (art. 197 párr. 8º RN)

4.23.4. Requisitos materiales (contenido mínimo)

De acuerdo con el párr. 4º del art. 197 RN, la póliza para ser intervenida deberá expresar, al menos, los siguientes extremos:

a) *El lugar y fecha de la misma, salvo que tales circunstancias figuren ya en el texto de la póliza.*

Estos requisitos son obvios ya que difícilmente un contrato no tiene lugar y fecha de perfeccionamiento y con carácter general aparecen en todas las pólizas tal y como son confeccionadas por la entidad correspondiente. Lo que no se alcanza a entender bien es la última referencia a que «tales circunstancias figuren ya en el texto de la póliza». Se supone que todo lo que está en la póliza es «texto» de la misma, esté en el *encabezamiento, en el final o dentro de una cláusula.*

LÓPEZ CANO (2007, p. 9) se pregunta: ¿Puede ser distinta la fecha de la póliza y la de la intervención? Entiende que sí, la intervención del Notario puede producirse en una fecha determinada y los otorgantes quieren que los efectos jurídicos del negocio se retrotraigan a la fecha del negocio jurídico documentado en la póliza. Igualmente en los otorgamientos sucesivos una es la fecha de la póliza y otras la de las intervenciones).

En efecto, esto es posible. El Notario tiene una obligación reglamentaria que es la de fechar su intervención que coincidirá con las de los otorgamientos. Pero, ya que los mismos van destinados a concluir un negocio jurídico, también tiene que velar porque este tome efectos en la fecha que las partes deseen. El caso más claro es el del otorgamiento por los apoderados de las entidades de crédito, que habitualmente tiene lugar con posterioridad al del cliente, fecha en la que toma efectos el contrato (p.e. se abona el importe del préstamo). Por eso es conveniente hacer constar tal fecha en la diligencia de intervención (p.e.: «las partes convienen dar eficacia al presente contrato con fecha...»).

b) *El nombre, apellidos, residencia y Colegio del notario autorizante, con las oportunas indicaciones de sustitución, habilitación, requerimiento especial exigido en ciertos casos y designación en turno oficial, así como el nombre y apellidos del notario a quien, en su caso, sustituya y a cuyo Libro-Registro o protocolo se incorporará la póliza intervenida.*

Estos extremos difícilmente aparecen en las pólizas por lo que deben ser incluidos por el Notario. Me parecen más propios de la diligencia de intervención, pero esta exigencia es coherente con el art. 197 quater ya que la expresión «con mi intervención» debe completarse con la identificación del Notario autorizante y el concepto en el que actúa.

Obsérvese como el RN utiliza aquí el término «autorización» notarial por considerarse sinónimo del de «intervención».

c) *El nombre y apellidos o la denominación de los contratantes o intervinientes, y su domicilio, y cuantos otros datos exija la ley en orden a la identificación de aquellos. En el supuesto de representación o de apoderamiento se indicará el nombre y apellidos de las personas físicas intervinientes. La reseña identificativa del documento auténtico que se haya aportado para acreditar la representación y el juicio de suficiencia de las facultades representativas, en su caso, regulado por el artículo 166 de este Reglamento. El notario podrá hacer constar cuantos otros datos considere oportunos.*

Los datos de los intervinientes son un elemento esencial de todo negocio jurídico ya que determina su elemento subjetivo y de todo instrumento público así como la reseña identificativa del documento público que acredita su representación y el juicio de suficiencia del Notario.

Recordemos que de acuerdo con el citado art. 166 RN, *el notario reseñará en el cuerpo de la escritura que autorice los datos identificativos del documento auténtico que se le haya aportado para acreditar la representación alegada y expresará obligatoriamente que, a su juicio, son suficientes las facultades representativas acreditadas para el acto o contrato a que el instrumento se refiera. La reseña por el notario de los datos identificativos del documento auténtico y su valoración de la suficiencia de las facultades representativas harán fe suficiente, por sí solas, de la representación acreditada, bajo la responsabilidad del notario. En consecuencia, el notario no deberá insertar ni transcribir, como medio de juicio de suficiencia o en sustitución de éste, facultad alguna del documento auténtico del que nace la representación.*

En los supuestos en que el documento del que resulte la representación figure en protocolo legalmente a cargo del notario autorizante, la exhibición de la copia auténtica podrá quedar suplida por la constancia expresa de que el apoderado se halla facultado para obtener copia del mismo y que no consta nota de su revocación.

Deberán ser unidos a la matriz, original o por testimonio, los documentos complementarios de la representación cuando así lo exija la ley y podrán serlo aquéllos que el notario autorizante juzgue conveniente. En los casos de unión, incorporación o testimonio parcial, el notario dará fe de que en lo omitido no hay nada que restrinja ni, en forma alguna, modifique o condicione la parte transcrita.

d) *La calificación del acto o contrato con el nombre conocido que tenga en derecho o le atribuyan los usos mercantiles, salvo que no tuviera denominación especial.*

Igual que en las escrituras matrices pero, en este caso, al venir la póliza previamente redactada e impresa, será la entidad que lo haga quien le dará nombre al contrato. En otro caso puede hacerlo el Notario en la diligencia de intervención.

e) El contenido del acto o negocio jurídico de que se trate según las manifestaciones y acuerdos de los otorgantes.

Obviamente, si no hay contenido y pactos no hay negocio jurídico. Los que se recogen en las pólizas, habitualmente están basados en condiciones generales y la parte adherente acepta las impuestas por la parte empresarial.

f) La conformidad y aprobación de los otorgantes al contenido de la póliza tal como aparece redactada, y sus firmas. Los otorgantes suscribirán la póliza con su propia firma, sin que sea necesario que el representante anteponga el nombre, ni use la firma o razón social de la entidad que represente. Tampoco será necesario que firme más de una vez el otorgante que intervenga en la póliza en varios conceptos.

En cuanto a la conformidad y aprobación de los otorgantes ya hemos señalado antes que nos encontramos ante contratos de adhesión en los que, en expresión del maestro GARRIGUES, más que «consentimiento» hay «asentimiento». Uno u otro se expresan mediante la firma y, al igual que en las escrituras matrices, esta es suficiente sin necesidad de antefirmas y, con una única se expresa el consentimiento del otorgante que intervenga en varios conceptos (p.e. prestatario y pignorante, representante del prestatario y fiador...).

g) Si constare de varias hojas, y también salvo que tales circunstancias figuren ya en el texto de la póliza, el número total de hojas, incluidos los anexos, que componen el texto contractual, incluyendo los documentos unidos, en su caso, que numerará, rubricará y sellará.

Lo normal es que la póliza esté redactada en más de una hoja, por lo que hay que numerarlas, incluidos anexos y documentos unidos (p.e. la certificación de un acuerdo societario) y se sellan y rubrican todas las hojas. Entiendo que si se añade una hoja con la diligencia de intervención también debe numerarse.

Obsérvese que se habla de hojas y no de páginas, tanto para la numeración como para el sellado y rubricado. Las pólizas suelen venir paginadas pero cuando se imprimen por ambas caras, lógicamente ya no coincide paginación y numeración de hojas.

El párr. 6º del art. 197 RN acaba señalando que *si la póliza presentada al notario para su intervención no consignara alguno de los requisitos cuya constancia en la misma sea exigida por la Ley o por este Reglamento, los hará constar el notario antes de la diligencia de intervención, norma lógica ya que si falta algún requisito obligatorio, el Notario debe completarlo.*

Sin embargo, también hay que tener en cuenta lo establecido en el párr. 9º: *La intervención de la póliza se verificará por diligencia, mediante la fórmula «Con mi intervención», que el notario autorizará con su signo, firma, rúbrica, estampando su sello. Dicha diligencia podrá incorporar de modo sucinto los extremos previstos en las letras a) a g) precedentes.* De aquí se deduce, a mi entender, que cabe también cumplimentarlos en la propia diligencia de intervención, lo que me parece más correcto y práctico. Lo primero para distinguir el contenido redactado por la empresa en sus contratos de lo que completa el Notario y lo segundo porque no exige que se utilicen máquinas de escribir, ya casi desaparecidas, o completarlo a mano, y utilizar la diligencia de intervención que redacta de forma completa el Notario.

4.23.5. Requisitos formales

Como ya hemos señalado, las pólizas son contratos mercantiles que están previamente redactados e impresos por las empresas de forma que el Notario no tiene ningún control sobre su formato físico, a diferencia de las escrituras matrices. Por ello debe establecerse en una norma respecto a la legibilidad y durabilidad de lo en ellas escrito.

Por otra parte, y habida cuenta que, al igual que las escrituras matrices, las pólizas deben ser objeto de conservación y encuadernación, debían establecerse unas normas respecto al formato físico de los documentos redactados e impresos por las empresas para hacer ello posible.

Para ello el párr. 7º del art. 197 RN establece dos tipos de normas:

Una primera que aun siendo obvia, la experiencia demuestra que debe existir y que se refiere a la forma física en la que de imprimirse las pólizas. Estas *deberán extenderse con caracteres perfectamente legibles de manera que los tipos resulten marcados en el papel de forma indeleble.* Piénsese que, además de poder leerse la misma como requisito previo para consentir con su contenido, luego debe reproducirse mediante fotocopia en forma de «testimonios» o «traslados simplemente informativos». Difícilmente puede hacerse esto si original no tiene unos caracteres «perfectamente legibles» y que estén «marcados en el papel de forma indeleble» habida cuenta que esa reproducción puede tener lugar años después de su confección y otorgamiento.

Otras normas van destinadas a la encuadernación:

A los efectos de los márgenes de los lados izquierdo y derecho, necesarios para su encuadernación y posterior reproducción, serán aplicables a las mismas las normas contenidas en los tres primeros párrafos del artículo 155 de este Reglamento y que son las siguientes:

Las planas primera y tercera de cada pliego, en las escrituras y actas matrices, tendrán al lado izquierdo del que escribe un margen blanco de la cuarta parte de la anchura de la plana, y al lado derecho un pequeño margen para que no lleguen las letras al canto del papel.

Las planas segunda y cuarta tendrán también al lado izquierdo un margen de la cuarta parte del ancho del papel y al lado derecho el necesario para la encuadernación de los protocolos.

En ninguna plana los márgenes en blanco excederán del tercio de la anchura del papel.

Se reproducen así, por coherencia, las normas exigibles a las escrituras matrices y van destinadas a facilitar la encuadernación y luego la reproducción por fotocopia. En todo caso, hay que señalar que estas normas no se cumplen, al menos por las entidades bancarias.

Obviamente no es de aplicación y expresamente se excluye el párr. 4º del mencionado artículo 155 (*el número de líneas deberá ser el de veinte en la plana del sello y veinticuatro en las demás, a base de quince sílabas por línea aproximadamente*) porque sería impensable que se exigiese esto a las entidades de crédito.

Igualmente deberá dejarse un espacio en blanco de, al menos, 10 centímetros al principio de la primera hoja de la póliza a los efectos de escribir en el mismo las determinaciones que sean procedentes y, especialmente y de manera visible, el número del asiento. Este espacio mínimo, en la práctica, se cumple más bien menos que más, aunque es suficiente para poder hacer constar el «número de asiento».

Hay que precisar que no es correcta la referencia reglamentaria al «número de asiento». Como veremos al estudiar el Libro-Registro, lo correcto sería decir «número de póliza» o «número de Libro-Registro». Y ello porque las pólizas originales se encuadernan de forma similar a como que se hace con las escrituras matrices y en estas se habla de «número de protocolo». La referencia a «número de asiento» trae causa en el sistema de conservación anterior a la modificación del reglamento notarial de 2007 en el que al circular las pólizas originales lo que se conservaba era una reproducción por fotocopia en unas llamadas «hojas indubitadas». Por eso las pólizas eran objeto de «asientos», en su momento de forma manual y luego mediante la citada reproducción.

Es importante señalar que, a diferencia del sistema vigente hasta la reforma de la LN en 2006, tal y como señala el párr. 2º RN, *el notario sólo intervendrá el original de la póliza que conservará en el Libro Registro de Operaciones y, en su caso, en el protocolo ordinario.* Obsérvese que no se habla de la existencia de otros posibles ejemplares (que pueden firmar entre las partes y que serán, a mi modo de ver, igualmente originales). El Notario sólo interviene uno que para él debe ser el único y original. Esta disposición se justifica porque en el sistema anterior había tantos originales como partes contratantes y, habitualmente otro, para su conservación por el Notario y se intervenían todos.

Continúa el precepto diciendo que se prohíbe que el notario se desprenda del original de la póliza, salvo los supuestos legalmente previstos. Lo que es coherente con el párr. 5º del art. 283 RN que establece *que el notario custodiará en su oficina, bajo su responsabilidad, su libro-registro, debiendo realizarse, precisamente en dicha oficina, los cotejos procedentes con los mismos requisitos que se establecen para el cotejo de protocolo.*

Como señala RODRÍGUEZ ADRADOS (2008, p. 279) «en ambos casos resulta pues aplicable el artículo 32 de la Ley del Notariado, que prohíbe la extracción del libro protocolo —y ahora también de libro-registro— del edificio en que se custodia "ni aun por decreto judicial ni orden superior", es decir, ni por mandamiento judicial ni por disposición administrativa, sea del Colegio Notarial respectivo, de la Dirección General de los Registros y del Notariado, o del Ministro de Justicia; y sólo permite la extracción de la matriz aislada —y ahora también del original aislado de una póliza— contra la que "aparezcan indicios o méritos bastantes para considerarla cuerpo de un delito" »

Respecto al formato físico de las pólizas hay que concluir señalando que, aunque en el párr. 2º del art. 197 quinquies RN *se faculta a la Dirección General de los Registros y del Notariado para que, mediante Instrucción, pueda establecer o modificar las determinaciones físicas que en cuanto a papel, numeración o forma de redacción, confección y configuración formal, deban tener las pólizas a los efectos del mejor funcionamiento de protocolos y Libros-Registros o para la expedición de copias, testimonios o traslados de las mismas con solos efectos informativos. Nunca se ha hecho uso de esa facultad ni se espera que se haga.*

4.23.6. *Otorgamiento de las pólizas*

El otorgamiento de las pólizas se produce mediante su firma. Por eso hay que recordar lo ya señalado (art. 197, párr. 4º, f RN) respecto a que *los otorgantes suscribirán la póliza con su propia firma, sin que sea necesario que el representante anteponga el nombre, ni use la firma o razón social de la entidad que represente. Tampoco será necesario que firme más de una vez el otorgante que intervenga en la póliza en varios conceptos.*

Tal como establece el art. 197 bis, *las pólizas objeto de intervención deberán suscribirse en presencia del notario.* Por tanto, y como no podía ser de otra forma, rige el «principio de inmediación».

El segundo párrafo de este precepto establecía que «no obstante, en los contratos realizados por representantes de entidades financieras, en lo que atañe exclusivamente a los otorgamientos por dichas entidades de operaciones propias del tráfico ordinario referidas en el párrafo tercero del artículo 144 de este reglamento, bastará con que el notario, sino concurran personalmente, se asegura, previamente a la intervención, de la legitimidad de las firmas, y la suficiencia de los poderes de tales representantes, dejando constancia en la póliza de estas circunstancias». Este párrafo fue anulado por la STS del 20 mayo 2002, y era transcripción literal art. 33 RCorr que, a su vez, se apoyaba en el art. 95 CCom.

Si bien dicha anulación dio origen a diversas interpretaciones, la Circular de orden interno 1/2010, de 19 de febrero, del Consejo General del Notariado, relativa al lugar y presencia inexcusable del Notario en la intervención del representante de entidad financiera en pólizas, exige a los Colegios Notariales «perseguir de oficio aquellas actuaciones en las que la prestación del consentimiento por parte del representante de la entidad financiera no se realice en presencia del notario con competencia territorial».

Hay que tener en cuenta que tras dicha anulación el art. 197 bis RN afirma que las pólizas objeto de intervención deberán suscribirse en presencia del notario. Mientras no se haga constar otra cosa, se entenderá que la firma ha sido puesta en presencia del notario, en el mismo lugar y en la misma fecha de la intervención.

Por su parte, de acuerdo con el artículo 197 quater, *como consecuencia del artículo 17 bis de la Ley del Notariado, la expresión ‹Con mi intervención› implica el control de legalidad por el notario y, en particular: g) La conformidad y aprobación del contenido de la póliza tal como aparece redactada, por los otorgantes, y de haber estampado los mismos o los testigos instrumentales, en su caso, la firma ante el notario.*

La interpretación sistemática derivada de los arts. 1, 17 y 17 bis LN, así como de los artículos vistos y del artículo 197 quinquies RN es clara y terminante: no existe duda alguna en lo relativo a los siguientes aspectos: a) necesaria presencia del representante de entidad financiera ante el notario; b) necesaria identificación y apreciación de la capacidad jurídica y de obrar de ese representante, del mismo modo a como se efectúa respecto de cualquier otro en la póliza y, c) necesidad de que la intervención se produzca en el lugar que se exprese en la póliza, sin que quepan opciones distintas.

Habida cuenta que el consentimiento contractual ha de prestarse necesariamente en presencia de notario con competencia territorial en el lugar de que se trate, único al que se extiende su jurisdicción notarial, de conformidad con los arts. 8 LN y 3 RN, la intervención del notario deberá coincidir necesariamente con el lugar que tal consentimiento se preste y hacerlo constar así en la póliza y en su intervención en virtud de los 197 párr. 4º. a) y 197 bis párr. 2º RN.

Por ello, y como sucede con cualquier otro funcionario público, el ejercicio de su función en términos contrarios a lo dispuesto en la normativa que ordena la misma genera múltiples consecuencias. Las mismas se desdoblan en tres grandes ámbitos: primero, en el personal, pues el ejercicio en los términos expuestos daría lugar a responsabilidad disciplinaria (art. 43 de la Ley 14/2000, de 29 de diciembre); segundo, el patrimonial, pues ese ejercicio indebido podría fundar acciones de responsabilidad civil frente al notario (art. 146 RN) que no quedaría cubierta por el seguro habida cuenta que se derivan de un actuación incumpliendo las obligaciones legales; y, tercero, respecto del mismo documento público autorizado o intervenido en contra de lo dispuesto en la legislación que rige esa función pública perdiendo su carácter ejecutivo y pudiendo, incluso, dar lugar a su nulidad (arts. 27 y 23 LN).

Como ya se ha señalado, si el otorgamiento de los apoderados de la entidad financiera tienen lugar en fecha distinta a la de la intervención de la póliza, debe hacerse constar cuál ha sido esta. El hecho de que todos los otorgamientos de los apoderados tengan lugar en la misma fecha que la de los clientes bancarios, muy infrecuente en la práctica, induce a cuestionar el correcto cumplimiento del deber de presencia.

Este art. 197 bis finaliza diciendo que *mientras no se haga constar otra cosa, se entenderá que la firma ha sido puesta en presencia del notario, en el mismo lugar y en la misma fecha de la intervención. La referencia a la «presunción» del otorgamiento «en presencia del Notario» tiene sólo sentido a la vista del párrafo que precedía a este y que fue anulado por el Tribunal Supremo.*

Respecto al «lugar» del otorgamiento, cabría que fuera distinto al que figure en la intervención notarial, pero siempre dentro del ámbito de competencia territorial del Notario autorizante. Y en cuanto a los otorgamientos en distintas «fechas», al no exigirse «unidad de acto», no sólo cabe sino que es frecuente. Lo que exige el precepto es que se hagan constar las fechas de los distintos otorgamientos cuando sean distintas a la de la intervención notarial.

El párr. 8° del art. 197 RN señala que *el notario podrá redactar las circunstancias relativas al otorgamiento de la póliza por las partes.* Esto significa que si el otorgamiento se realiza a través de apoderado, en la condición de representante de una persona jurídica, con la presencia de testigos o de cualquier otra forma distinta de la del otorgamiento de una persona física en su propio nombre y derecho, el Notario debe hacer constar tales circunstancias, salvo que ya se haga en la propia póliza.

4.23.6.1. Otorgamientos sucesivos

De acuerdo con el art. 197 ter RN *en las pólizas objeto de intervención no se requerirá la concurrencia simultánea ante el notario de los distintos otorgantes, pudiendo, tener lugar en momentos diferentes, salvo que una disposición legal o reglamentaria, o el notario o cualquiera de los interesados la exija.*

Como ya hemos señalado anteriormente, en las pólizas no rige el principio de «unidad de acto», por lo que no es necesario que se produzcan todos los otorgamientos de forma simultánea. Se exceptúan los supuestos en los que una disposición legal o reglamentaria lo exigiera o que, por las circunstancias o el contenido del contrato, lo exigiera el notario o cualquiera de los «interesados», término este que hay que interpretar como «otorgantes».

Continúa este precepto señalando que *en el caso de otorgamientos sucesivos, en cada uno de ellos el notario bajo la rúbrica «con mi intervención» indicará el nombre del otorgante, fecha del otorgamiento y cualquier otra circunstancia que considere necesario y signará, firmará y sellará.*

Esta es la exigencia reglamentaria aunque con frecuencia, en lugar de hacerlo constar en cada uno de los distintos otorgamientos, se hace constar una sola vez todas las distintas fechas en la diligencia de intervención.

La última frase del párr. 2º de este precepto establece una norma importante: la incorporación al protocolo o al Libro-Registro se produce con la primera intervención del notario, por tanto, en la fecha del primer otorgamiento. Esto hace que si hay otorgamientos posteriores, algunos Notario hagan una única diligencia de intervención que la fechan con el primer otorgamiento y otros con el último. Soy más partidario de hacerlo con el primero de forma que la fecha de la póliza y de la diligencia de intervención sea la misma, eso sí, haciendo constar expresamente las fechas de cada otorgamiento y la fecha de toma de efectos.

La no exigencia del requisito de «unidad de acto» permite que otorgada la póliza por una de las partes no lo sea por otra de ellas, o por uno de los apoderados mancomunados de la entidad de crédito, no llegándose, en ocasiones, a perfeccionar el contrato. Ello no es óbice para que el Notario deba incorporar la póliza a su Libro-Registro en la fecha del primer otorgamiento ya que de toda actuación fedataria debe quedar constancia aunque no se perfeccione finalmente el contrato.

Por eso, el art. 197 ter RN finalizaba diciendo en su párr. 3º que entre la fecha del primer otorgamiento y la del último, no podría mediar nunca un plazo superior a dos meses. Transcurrido dicho plazo sin concurrir las circunstancias precisas para formalizar e intervenir la operación, no podría el notario intervenirla, debiendo en su caso, volverse a otorgar y firmar por los interesados un nuevo documento. Pero esta última parte del precepto fue declarada nula por Sentencia de la Sala 3ª del Tribunal Supremo (secc. 6ª) de 20 de mayo de 2008.

Para entender la ratio de este art. 197 ter, párr. 2º RN, hay que recordar que su literalidad deriva del final del párrafo 4º del art. 33 RCorr, redactado por el RD 1251/1997, de 24 de julio. Este precepto establecía que «si la fecha de alguna de las firmas fuera anterior a la del documento mismo, se hará constar dicha circunstancia en el Libro-Registro del Corredor, con expresión de la fecha específica de cada otorgamiento efectuado anticipadamente. Entre la fecha del primer otorgamiento y la del último, no podrá mediar nunca un plazo superior a dos meses. Transcurrido dicho plazo sin concurrir las circunstancias precisas para formalizar e intervenir la operación, no podrá el corredor intervenirla, debiendo en su caso, volverse a otorgar y firmar por los interesados un nuevo documento».

Pero la diferencia fundamental es que entonces la póliza intervenida se incorporaba al Libro-Registro en la fecha del último otorgamiento. Esto traía causa en que los contratos bancarios de financiación son concebidos por las entidades de crédito como una «operación única» y ello aunque incluyan «actos o negocios jurídicos» independientes; y ello, porque el crédito se concede en unas determinadas circunstancias, de forma que si no se cumplen todas, no se concluye. Así, en un préstamo a varios prestatarios con fiadores y pignoración, si no se produce el otorgamiento de todos los deudores y el de todos los garantes no nace la «operación crediticia». Por eso, no se incorporaba la póliza intervenida al Libro-Registro hasta la fecha del último otorgamiento. No se podía concluir un contrato bancario de financiación a falta de algún otorgamiento y no podía dejarse «abierto» indefinidamente evitándose así, p.e., el otorgamiento solamente a alguno de los deudores o que un garante pudiera otorgar una garantía sin saber cuándo nacía la obligación garantizada, de forma que o se concluía toda la «operación» en su conjunto en el plazo de dos meses o se repetían todos los otorgamientos en un nuevo contrato. Esta norma iba, pues, destinada, al fedatario público, impidiéndole intervenir la operación y evitar que conservara un contrato con varios otorgamientos pero que a falta de otro u otros, no llegaba a tomar efectos.

Respecto al plazo de dos meses, era y es análogo al de sesenta días del art. 176, párr. 2º RN y, probablemente se justifique en el plazo que se da para encuadernar el Protocolo y el Libro-Registro que es en los dos primeros meses del año siguiente.

En la tramitación administrativa del RD 45/2007, de 19 de enero, por el que se modificó el Reglamento Notarial, algunos preceptos de los borradores anteriores sufrieron variaciones; uno, precisamente, fue el que impuso que la incorporación de la póliza intervenida al Libro-Registro en la fecha de la primera intervención (art. 197 ter párr. 2º) sin experimentar modificación alguna el art. 197, párrafo 2º. A ello hay que unirle otra cuestión también trascendental y es la regulación del sistema llamado de «póliza desdoblada» se incorpora al RN en el art. 197, párr. 3º, aunque para los supuestos de intervención de más de un Notario.

Dicho esto, la nulidad de este precepto declarada por Sentencia de la Sala 3ª del Tribunal Supremo (secc. 6ª) de 20 de mayo de 2008 se hizo con el siguiente argumento: «La impugnación de este precepto no encuentra fundamento en la invocación del art. 149.1.8ª de la Constitución EDL 1978/3879, precepto de atribución de competencia del que no puede deducirse una reserva de ley en los términos que invoca la parte recurrente. Tampoco se advierte la existencia de una presunción que incida en la reserva de ley en materia procesal (art. 117 CE) que se alega, pues lo que se produce es la falta de intervención de la operación por el Notario, en razón del transcurso del plazo establecido.

Sin embargo, entiende la Sala que el precepto, en cuanto impone a las partes un determinado plazo para el otorgamiento, partiendo de la no exigencia de unidad de acto, viene a restringir, sin previsión legal que le sirva de amparo, el ámbito de la autonomía de la voluntad y libertad contractual de las partes, cuya infracción se invoca genéricamente por la recurrente, voluntad contractual preexistente que se ve limitada en cuanto a su formalización e intervención notarial, con la consiguiente incidencia en la garantía y efectos que ello proporciona, en contra de las normas de carácter legal que la ampara (arts. 1.255, 1.278 o 1.279 del Código Civil), y que no excluyen la posibilidad de persistencia de tal voluntad de otorgamiento por las partes más allá del plazo recogido en el Reglamento, norma reglamentaria que no puede ir en contra de lo establecido en normas de rango superior. Lo que determina la nulidad del párrafo que se impugna y la consiguiente estimación del recurso en este aspecto».

Como se observa, en ningún caso se aprecia falta de amparo legal de la norma sino que se considera que es contraria a los preceptos del Código Civil porque impone un plazo para el otorgamiento de las partes debiendo «volverse a otorgar y firmar por los interesados un nuevo documento». Con toda probabilidad, si no se hubiera incluido este inciso, el precepto no hubiera sido anulado.

Habida cuenta de la declaración de nulidad del párrafo 2º del art. 197 ter RN por la Sentencia de la Sala 3ª del Tribunal Supremo (secc. 6ª) de 20 de mayo de 2008, podría darse el caso que meses o años después quisiera realizarse el otorgamiento en la misma póliza lo que en muchos casos no es posible materialmente, por ejemplo, en los hubiera tenido lugar la encuadernación; ni parece razonable jurídicamente.

Con más frecuencia ocurre que, una vez realizado el abono del préstamo o la apertura del crédito, no se produce el otorgamiento de algún apoderado de la entidad de crédito y al solicitarse el testimonio ejecutivo se toma consciencia de ello y, argumentando la no aplicabilidad del límite temporal de los dos meses, se pretende completar el título ejecutivo, años después y con el Libro-Registro ya encuadernado.

La admisión de estos otorgamientos implicaría para el Notario el incumplimiento, bien del deber de encuadernación, bien del deber de incorporar una nueva diligencia de intervención en los sucesivos otorgamientos, lo que deviene imposible una vez foliadas y encuadernadas las pólizas.

Habida cuenta de que estos problemas seguían produciéndose, la Junta Directiva del Ilustre Colegio Notarial de Valencia acordó, por unanimidad, al amparo de lo dispuesto en el art. 70 RN, la elevación a la Dirección General de los Registros y del Notariado (DGRN) de un consulta al respecto. La solución jurídica que se planteaba era acudir al art. 197 quinquies RN, según el cual *serán aplicables a las pólizas intervenidas las disposiciones de la Sección 1.ª y 2.ª anteriores sobre el instrumento público, a salvo lo establecido en el artículo 152, párrafo segundo de este Reglamento y las especialidades contenidas en esta Sección y las derivadas de su respectiva naturaleza.*

Y, de acuerdo con el art. 176, párr. 2º (incluido en la secc. 2ª), *la aceptación de la oferta a que se refiere el artículo 1.262 y de la estipulación a favor de tercero del artículo 1.257, la ratificación del párrafo segundo del artículo 1.259, todos del Código Civil y, en general, la adhesión a todo negocio jurídico, cuando en las escrituras matrices no aparezca la nota que las revoque o desvirtúe y la Ley no exigiere expresamente el requisito de la unidad de acto, podrán formalizarse mediante diligencia de adhesión en dichas matrices, autorizada dentro de los sesenta días naturales a contar desde la fecha de su otorgamiento, o en escritura independiente, sin sujeción a plazo.*

Significa esto que en el caso de otorgamientos sucesivos en las pólizas intervenidas hay que establecer el mismo límite temporal de sesenta días naturales a contar desde la fecha del primer otorgamiento para que los sucesivos se produzcan en la propia póliza en los términos del citado art. 197 bis RN. En otro caso, y sin sujeción a plazo, podrá hacerse en documento independiente y, por tanto, bien por el sistema de póliza desdoblada o por documento independiente de adhesión que, lógicamente, deberán proporcionar las entidades financieras ya que son ellas quienes las redactan e imprimen.

Esta solución resuelve el problema del posible incumplimiento del Notario con el resto de sus obligaciones «materiales», es coherente con el principio de aplicación de iguales normas en todos los instrumentos públicos y es cumplimiento directo de la aplicación subsidiaria a las pólizas intervenidas de las mismas normas que a las escrituras matrices. Además, es perfectamente coherente con la causa que motivó la nulidad del precepto específico: no se limita a un plazo temporal la conclusión del contrato entre las partes sino que, al igual que se establece para otorgamientos en distintos momentos para las escrituras matrices, se reconduce a un otorgamiento en un documento independiente. La diferencia es que las escrituras matrices las redacta el propio Notario pero las pólizas no (art. 17 Ley del Notariado).

En este mismo sentido se ha manifestado la DGRN en su Resolución de 7 de noviembre de 2017 (Expte 184/17 N) al señalar que «la fórmula de las adhesiones sucesivas en las escrituras públicas se encuentra contemplada con carácter general, desde antiguo, en el artículo 176 del Reglamento Notarial para todos los supuestos en que "la Ley no exigiere expresamente el requisito de la unidad de acto", y siempre que en tales escrituras no apareciere "la nota que las revoque o desvirtúe", previendo al efecto que "podrán formalizarse mediante diligencia de adhesión en dichas matrices, autorizada dentro de los sesenta días naturales a contar desde la fecha de su otorgamiento, o en escritura independiente sin sujeción a plazo" ».

«Por medio de la reforma del Reglamento Notarial llevada a cabo por el Real Decreto 45/2007, de 19 de enero, se procedió, entre otros extremos, a integrar en el texto reglamentario la disciplina de las formas utilizadas tradicionalmente por los Corredores de Comercio, la póliza intervenida y el libro registro, introduciendo notables modificaciones en el sistema anteriormente recogido en el Reglamento de Corredores, aprobado por Decreto 853/1959, de 27 de mayo, al que deroga. La integración de estos nuevos preceptos en el entorno del ordenamiento notarial se procura mediante un llamamiento expreso a la supletoriedad de las disposiciones del propio Reglamento Notarial relativas a los requisitos generales de los instrumentos públicos a las escrituras matrices, contenido en el primer párrafo de artículo 197 quinquies.

A efectos de dar cumplida respuesta a la consulta formulada por el Colegio Notarial de Valencia, el único aspecto que interesa destacar en relación con los otorgamientos sucesivos en póliza es el introducido en el tercer párrafo del artículo 197 ter del Reglamento Notarial, transcrito en los antecedentes, mediante el que se establecía un plazo máximo de dos meses de distancia cronológica entre el primer y el último otorgamiento, de suerte que, si en ese término no se hubiere perfeccionado el negocio, debería, en su caso, «volverse a otorgar y firmar por los interesados un nuevo documento». En definitiva, lo que venía a introducir esta norma, declarada nula por el Tribunal Supremo, es una regla especial que, con relación a las pólizas, se aparta de la general que no somete a término los otorgamientos sucesivos».

«La anulación por el Tribunal Supremo del tercer párrafo del artículo 197 ter del Reglamento Notarial, eliminando la distancia cronológica máxima entre los sucesivos otorgamientos de una póliza, no provoca el advenimiento de una laguna legal, en la medida en que no se percibe la necesidad de una previsión específica que imponga un término de vigencia a las declaraciones de voluntad plasmadas en póliza, a diferencia de las que consten en escritura pública.

Por ello, la pérdida de vigencia de la norma especial no tiene más efecto que franquear el paso a la aplicación de la norma supletoria contenida en el segundo párrafo del artículo 176 del Reglamento Notarial. A consecuencia de ello, los otorgamientos en pólizas posteriores al primero deberán recogerse en el mismo documento, mediante diligencia de intervención, si se producen dentro de los sesenta días naturales siguientes; y los que tuvieran lugar con posterioridad, por medio de una nueva póliza con el mismo contenido, conforme al sistema de póliza desdoblada previsto en el tercer párrafo del artículo 197 del Reglamento Notarial».

4.23.6.2. La póliza desdoblada

Igual que es posible que los otorgamientos se produzcan en distintos momentos, también lo es que se realicen en distintos lugares. En el régimen vigente hasta la reforma de la LN en 2016, y como ya hemos señalado, al circular los originales de las pólizas, estos se desplazaban para recoger los distintos otorgamientos. Tras la reforma y existiendo un único original del cual el Notario no puede desprenderse (art. 197 párr. 2º RN), se hacía necesario arbitrar un sistema para la intervención notarial de estos otorgamientos distantes el espacio. Y así surge el sistema de «póliza desdoblada», que como su propio nombre indica consiste en desdoblar el documento original único. Según el Diccionario de la Real Academia Española de la Lengua, desdoblar es «separar algo formando dos o más elementos semejantes». Realmente más que «desdoblar» un póliza, lo que se hace es «duplicar», «triplicar» …, es decir, expedir tantos ejemplares «iguales» para su otorgamiento separado, que serán ejemplares «únicos» para cada Notario que intervenga.

De acuerdo con el párr. 3º del art. 197 RN, *salvo en los casos de sustitución reglamentaria, respecto de la intervención del mismo supuesto negocial ante distintos notarios, podrá utilizarse el sistema de póliza desdoblada consistente en extender tantas pólizas completas como notarios competentes existan. Cada notario conservará la póliza que haya intervenido en su Libro Registro y, en su caso, en el protocolo ordinario.*

El precepto empieza haciendo una salvedad, «los casos de sustitución reglamentaria». De lo que se deduce que «el sistema de póliza desdoblada no cabe en los supuestos de sustitución reglamentaria, sencillamente porque no está previsto para el caso de intervención de más de un notario en la misma póliza sino para el caso de que los distintos otorgantes no puedan acudir al mismo notario.

No genera ninguna duda y coincide con la forma de operar en materia de escrituras, quedando excluida la utilización de la póliza desdoblada en los casos de sustitución reglamentaria y, por tanto, la única póliza original debe conservarla el notario sustituido, tanto si el notario sustituto interviene una póliza para el Libro-Registro o Protocolo del notario sustituido, como si el notario sustituto interviene un otorgamiento cuando los anteriores lo han sido por el notario sustituido.

En este caso de sustitución reglamentaria, tenemos una única póliza pero con intervenciones de dos notarios diferentes, y no se trataría de un supuesto de póliza desdoblada en el que hay al menos dos pólizas intervenidas desdobladas» (OLMEDO CASTAÑEDA: 2007, p. 5).

Por otra parte, de la expresión «podrá utilizarse» podría deducirse que cabe otro sistema alternativo. El Reglamento tal vez se está refiriendo a la posibilidad de resolver el problema de la imposibilidad de que todos los otorgamientos se realicen ante el mismo Notario: evidentemente cabe que alguno actúe mediante apoderado. Más discutible es la utilización de la figura del mandatario verbal habida cuenta de la literalidad art. 517,2 *[...] sólo tendrán aparejada ejecución [...] 5.º Las pólizas de contratos mercantiles firmadas por las partes y por corredor de comercio colegiado* [hoy Notario] *que las intervenga [...]* aunque hoy este precepto debe entenderse en el sentido que le da el art. 17 LN y sería el o los testimonios notariales los que serían títulos ejecutivos.

La RDGRN de 4 de noviembre de 2013 dice que «el Reglamento Notarial, al regular brevemente el sistema de póliza desdoblada en su artículo 197.3, no resuelve ciertamente todas las dudas que pudieran plantearse en la práctica a la hora de acudir a él. La póliza desdoblada es una excepción al sistema de único ejemplar, puesto que existirán tantos ejemplares como notarios intervinientes, los cuales conservarán el ejemplar que hayan intervenido y a su vez cada notario puede efectuar una o varias intervenciones parciales. Uno de los requisitos de este sistema es que todos los ejemplares resultantes de ese desdoblamiento sean iguales. El artículo 197.3 viene a exigirlo cuando establece que cada uno de los ejemplares sea una «póliza completa». La razón de esta previsión reglamentaria es evidente: todos los otorgantes del negocio instrumentado en la póliza han de tener conocimiento del contenido íntegro de la misma, puesto que no sería admisible que una de las partes no tuviera, en el momento de firmar, información acerca de un pacto, estipulación o pormenor del negocio, incluso aunque no le afectara directamente.

Por póliza completa ha de entenderse, pues, que cada ejemplar de la misma recoja todos y cada uno de los elementos del negocio de manera exactamente igual y sin variación alguna».

En el caso objeto de la resolución señala la DGRN que «el hecho de que en uno de esos ejemplares se haya variado la identidad de la persona física que representa a la entidad financiera y el poder con el que actúa, no altera en nada el negocio otorgado, dado que quien presta el consentimiento en el negocio es la dicha entidad financiera, así se refleja en todos los ejemplares, y así se verifica en la práctica.

Ello implica, por tanto, que la identidad de la concreta persona física que representa a la entidad financiera es un dato irrelevante a estos efectos, de modo que en uno de los ejemplares —el que no es firmado por la entidad—, podría figurar como su representante una concreta persona física, pero finalmente ser firmado en su representación en el ejemplar correspondiente por otra (por las razones que sean) sin que ello signifique que todos los ejemplares dejen de ser «completos» en el sentido que da a esa palabra el Reglamento Notarial. De no admitirse así, podrían producirse supuestos ciertamente llamativos, como sería el de que, una vez firmado por el deudor uno de los ejemplares de la póliza, no se pudiera después continuar con el sistema porque se revocara el poder del representante de la entidad persona física que figuraba en ese primer ejemplar, hubiera fallecido, o simplemente por imposibilidad de hacerlo».

4.23.6.2.1. *Cuestiones arancelarias referentes a las pólizas desdobladas*

Nos remitimos a lo señalado en el epígrafe **2.2.12.2.5.4.**

4.23.7. *Forma de intervención notarial de las pólizas*

Como señala el art. 197 RN, *podrán ser intervenidas las pólizas que documenten los actos y contratos a que se refiere el artículo 144 de este Reglamento, y reúnan los requisitos y consignen las circunstancias legalmente exigidas, en general o para el contrato que contengan.*

El notario sólo intervendrá el original de la póliza que conservará en el Libro Registro de Operaciones y, en su caso, en el protocolo ordinario. Se prohíbe que el notario se desprenda del original de la póliza, salvo los supuestos legalmente previstos.

La forma de intervención del Notario en el «original» y «único ejemplar» de la póliza puede adoptar una doble forma: la mera referencia a la expresión «CON MI INTERVENCIÓN», a lo sumo haciendo constar los nombres y apellidos o denominaciones de las personas jurídicas otorgantes, o la más extensa de la «diligencia de intervención».

Para poder utilizar la primera se requería una norma que estableciese el significado jurídico y las consecuencias de la utilización de esa expresión. Por ello el art. 197 quater RN establece:

Como consecuencia del artículo 17 bis de la Ley del Notariado, la expresión «Con mi intervención» implica el control de legalidad por el notario y, en particular:

a) *La identificación por el notario de los contratantes por sus documentos de identidad reseñados, salvo que se consigne otro medio de identificación de los establecidos en el artículo 23 de la Ley del Notariado.*

b) *La reseña de las circunstancias de los otorgantes conforme a lo prevenido en el artículo 197 bis, párrafo segundo, de este Reglamento.*

c) *El juicio de capacidad de los otorgantes para el acto o contrato intervenido y, en su caso, que los poderes relacionados son suficientes para el acto o contrato intervenido. Será de aplicación lo previsto en el segundo párrafo del artículo 164 de este Reglamento.*

d) *Que la calificación del acto o contrato es la que figura en el mismo, con el nombre conocido que tenga en derecho o le atribuyan los usos mercantiles, salvo que no tuviera denominación especial.*

e) *Que el contenido del negocio jurídico de que se trate se realiza de acuerdo con las declaraciones de voluntad de los intervinientes.*

f) *Haber hecho a los otorgantes las reservas y advertencias legales en la forma exigida por las leyes o por este Reglamento. No obstante el notario podrá incluir las reservas y advertencias legales que juzgue oportunas.*

g) *La conformidad y aprobación del contenido de la póliza tal como aparece redactada, por los otorgantes, y de haber estampado los mismos o los testigos instrumentales, en su caso, la firma ante el notario, o juicio de legitimidad de la misma tratándose de representantes de entidades financieras, cuando legalmente se halle permitido.*

En definitiva, se pretende no tener que hacer mención expresa al cumplimiento del control de legalidad, el juicio de capacidad, a la verificación del consentimiento de los otorgantes..., en fin, al cumplimiento de todas y cada una de las obligaciones del Notario.

La otra forma de realizar la intervención notarial es mediante una «diligencia de intervención». A ella se refiere el art. 197, párr. 9 que tras señalar en el párrafo anterior que

Establece que *la intervención de la póliza se verificará por diligencia, mediante la fórmula «Con mi intervención», que el notario autorizará con su signo, firma, rúbrica, estampando su sello. Dicha diligencia podrá incorporar de modo sucinto los extremos pre-*

vistos en las letras a) a g) precedentes [se refiere a los del párr. 4º de ese mismo artículo no a los que acabamos de enumerar del art. 197 quater].

Y continúa señalando que *el notario, podrá anexar a la póliza folios de uso exclusivo notarial de papel de uso exclusivo para documentos notariales, identificándose en los mismos la póliza a la que se anexan.*

Si la póliza constase de varias hojas bastará con que los otorgantes firmen al final del texto contractual. El notario deberá expresar en la diligencia de intervención el número total de hojas que componen el texto contractual y en su caso los documentos unidos, debiendo numerar todas ellas, que el notario rubricará y sellará.

Realmente esta es la forma por la que parece decantarse el RN. Probablemente más que dos formas de realizar la intervención notarial, haya solo una, la «diligencia» pero que al comenzar con la expresión «CON MI INTERVENCIÓN» ya no exija incluir una serie de referencias porque se deducen de ella tal y como dice el art. 197 quater.

Y en esta diligencia que habría que incluir, después de dicha expresión:

1. El lugar y fecha de la intervención.

2. El nombre, apellidos, residencia y Colegio del notario autorizante, con las oportunas indicaciones, en su caso, de sustitución, habilitación, requerimiento especial exigido en ciertos casos y designación en turno oficial, así como el nombre y apellidos del notario a quien, en su caso, sustituya y a cuyo Libro-Registro o protocolo se incorporará la póliza intervenida.

3. El nombre y apellidos o la denominación de los contratantes o intervinientes, y su domicilio, y cuantos otros datos exija la ley en orden a la identificación de aquellos. En el supuesto de representación o de apoderamiento se indicará el nombre y apellidos de las personas físicas intervinientes. La reseña identificativa del documento auténtico que se haya aportado para acreditar la representación y el juicio de suficiencia de las facultades representativas.

4. La conformidad y aprobación de los otorgantes al contenido de la póliza tal como aparece redactada.

5. En su caso, la fecha que convienen las partes para que tome efectos el contrato.

6. El cumplimiento y las advertencias generales de la Ley Orgánica 15/1999, de 13 de diciembre, de Protección de Datos de Carácter Personal

7. El cumplimiento de la Ley 10/2010, de 28 de abril, de Prevención de Capitales y Financiación del Terrorismo.

8. La liquidación del arancel, especificando base y epígrafe, tal como exige la Ley 8/1989, de 13 de abril, de Tasas y Precios públicos.

9. El número total de hojas, incluidos los anexos, que componen el texto contractual, incluyendo los documentos unidos.

Y para esta diligencia de intervención (y otros documentos) *el notario, podrá anexar a la póliza folios de uso exclusivo notarial de papel de uso exclusivo para documentos notariales, identificándose en los mismos la póliza a la que se anexan* tal y como se dice en el párr. 10° del art. 197 RN.

El notario autorizará con su signo, firma, rúbrica, estampando su sello esta diligencia de intervención. Y, además, *rubricará y sellará* todas las hojas de la póliza incluidos sus anexos.

Como señalan las RDGRN de 13 y 14 de julio de 2015 (BOE 22 y 23 de septiembre), «la diligencia por la que el notario interviene la póliza la dota del valor de un documento notarial y de sus efectos, especialmente de carácter ejecutivo.

Dicha diligencia, en la que el notario vuelca su actuación, si bien más breve y limitada que la labor notarial en la redacción de la escritura pública —la diligencia no reproduce el contenido de la póliza— (artículo 197, párrafo 8.°, del Reglamento Notarial), sí debe incorporar los elementos necesarios que permitan reconocer el cumplimiento de la función notarial y los distintos juicios que le son propios en su actuación».

«El Reglamento Notarial, en redacción por el Real Decreto 45/2007, de 19 de enero, introduce la diligencia de intervención en la Sección 3.ª (artículos 197 a 197 sexies), y lo hace en forma parca, posteriormente recortada por la Sentencia del Tribunal Supremo (Sala Tercera) de 20 de mayo de 2008.

Sin embargo dicha parquedad, permite distinguir claramente la actuación notarial en la lectura y firma de la póliza (cfr. artículo 197.f) y su actuación en la intervención de ésta (artículos 197 quater y 197 quinquies). Por lo que a la intervención se refiere, la expresión «con mi intervención», implica el examen del notario sobre una serie de extremos que enumera el artículo 197 quater, entre los cuales no está comprendido el concepto o conceptos en que interviene cada uno de los firmantes de la misma y aunque ese extremo de ordinario se desprenderá del contenido de la misma póliza, el hecho de que no aparezca de forma explícita entre los que necesariamente debe contener aquélla (cfr. artículo 197.f), hace necesario, por un principio de claridad y precisión en el alcance de la fe pública notarial, que el conocimiento de los diversos conceptos en que los comparecientes por si o representados comparecieron ante notario, actuaciones de las que se deducirá una distinta posición de cada uno en el contrato, resulten del texto de la propia intervención notarial, a la cual así, a falta de regulación específica sobre ese extremo, le serán de aplicación las disposiciones de la Sección 1.ª y 2.ª sobre el instrumento público (cfr. artículo 197 quinquies) y concretamente en esta materia, lo que determina el artículo 164 del Reglamento Notarial».

4.23.7.1. Reservas y advertencias legales del Notario

Como señala el art. 197 quater párr. 1, f), la expresión «CON MI INTERVEN-CIÓN» significa *haber hecho a los otorgantes las reservas y advertencias legales en la forma exigida por las leyes o por este Reglamento. No obstante el notario podrá incluir las reservas y advertencias legales que juzgue oportunas.*

Aquí habría que incluir:

– La necesidad de ratificación en caso de otorgamiento por mandatario verbal o por apoderado con facultades insuficientes.

– La necesidad de aportar algún documento (copia autorizada de escritura, certifica-ción de acuerdo societario, acreditación de la titularidad del bien pignorado...).

– La existencia de alguna cláusula «presuntamente abusiva» pero no inscrita en el Registro de Condiciones Generales de la Contratación (art. 84 TRLGDCU).

– Tampoco es infrecuente que en algunos contratos se incluya el redondeo sólo al alza incumpliéndose en los supuestos allí establecidos lo que establece la dispo-sición adicional duodécima de la Ley 44/2002, de 22 de noviembre, de Medidas de Reforma del Sistema Financiero.

4.23.7.1.1. Advertencias en los contratos marco

La Resolución de la Dirección General de los Registros y del Notariado de 13 de julio de 2016 (Nº Expedte 362/16 N) por la que se contesta la Consulta del Ilustre Colegio Notarial de Andalucía en relación a un contrato de confirming sin cuantía, nos hace reflexionar respecto a su aplicación a otros contratos «marco».

De acuerdo con la misma:

1ª. «De las características expuestas se desprende que los convenios así conformados no generan directamente obligaciones para las partes, sino que se limitan a establecer las reglas a las que se someterán las operaciones futuras comprendidas en su objeto»

«El examen de las previsiones contenidas en los formularios a que se refiere la con-sulta revela que en ninguna de ellas se incluye la causa en virtud de la cual pueda derivar-se una presunción de responsabilidad, limitándose a reseñar las relaciones jurídicas que eventualmente podrían originar una deuda, si llegaran a concluirse»

«Su contenido negocial es el propio de la figura jurídica conocida en la doctrina con los nombres de "**contrato normativo**" o "**contrato marco**", cuya misión consiste en fijar el régimen común a que se encontrarán sometidas les operaciones comprendidas en su objeto que eventualmente concierten las partes que lo suscriben».

«Sentado lo anterior, y en función de las consideraciones expuestas, puede darse respuesta a las cuestionas planteadas en la consulta.

a) Sobre la eventual justificación de una negativa a autorizar o intervenir escrituras o pólizas del tipo a que se refiere la consulta, no se encuentra motivo alguno de antijuridicidad que permita excusar la prestación del servicio por la circunstancia de que el contenido negocial sea el propio de un contrato normativo.

b) En cuanto a la incidencia de la falta de cuantía en la calificación de las facultades representativas de los apoderados que las tienen limitadas por razón del importe, debe tenerse en cuenta que el otorgamiento de este tipo de contratos no entraña la asunción de ninguna obligación evaluable en términos monetarios para ninguna de las partes; la aceptación de riesgos o compromisos monetarios se producirá con la realización de las concretas operaciones afectadas por el documento, particularmente en la realización de anticipos y en la compra de créditos, que precisan de un consentimiento independiente.

c) En relación con las implicaciones en materia de prevención de blanqueo de capitales, no parece que concurra alguna circunstancia específica que obligue a adoptar medidas singulares en este tipo de contratos.

d) Los contratos a los que se refiere la consulta, esto es, aquellos en los que no figura la cuantía, tendrán la consideración arancelaria de documentos sin cuantía.

2ª. Esta resolución hace mención a otra cuestión muy importante al decir: «**Tampoco puede considerarse que el contrato normativo constituya por sí mismo un título ejecutivo** de los contemplados en los apartados 4° y 5° del artículo 517 de la Ley de Enjuiciamiento Civil. Como ha señalado la doctrina, la atribución legal de virtualidad ejecutiva a determinados títulos extrajudiciales se fundamenta en la circunstancia de que llevan incorporada una presunción de responsabilidad, conjetura legal que descansa en dos cualidades, una de índole formal, explícita, y otra de carácter material, implícita.

– La de índole *formal* consiste en la presunción de que el documento ha sido suscrito y consentido por los titulares de los patrimonios afectados, o sus apoderados con facultades bastantes (artículo 1.218 del Código Civil);

– la de naturaleza *material*, referida al contenido del documento público, se contrae a la necesidad de que sus términos se adecúen a la estructura del modelo de pretensión llamada a satisfacer en los procedimientos de ejecución dineraria, y que se concreta no sólo en la identificación de los sujetos legitimados activa y pasivamente, sino también en la determinación de la relación o relaciones jurídicas específicas cuyo desenvolvimiento pueda haber generado la deuda objeto de reclamación, así como sus condiciones de exigibilidad y liquidez; en síntesis, la causa de la reclamación.

«El examen de las previsiones contenidas en los formularios a que se refiere la consulta revela que en ninguna de ellas se incluye la causa en virtud de la cual pueda derivarse una presunción de responsabilidad, limitándose a reseñar las relaciones jurídicas que eventualmente podrían originar una deuda, si llegaran a concluirse, y que tan sólo constituyen el presupuesto sobre el que pueden actuar sus concretas disposiciones, completando el contenida negocial de aquéllas; en definitiva, simplemente documentan ciertos aspectos de las relaciones a que afecta, pero no las relaciones mismas, cuyo nacimiento requerirá de un nuevo acuerdo de voluntades, de manera que su función en un procedimiento de ejecución dineraria será la de complementar el título ejecutivo, mas no la de constituirlo, puesto que su contenido no cumple los requisitos materiales para fundar la acción ejecutiva.

Por tanto, **para poder reclamar en un procedimiento de ejecución dineraria** el cumplimiento de las obligaciones afectadas por convenios del tipo examinado **será necesario que se acompañen**, como integrantes del propio título ejecutivo, **los documentos en que conste la causa de las mismas**, documentos que, además de reunir los requisitos materiales o de contenido precisos para fundar la acción, habrán de gozar de las mismas garantías de procedencia legitimadora, esto es, que el documento ha sido suscrito y consentido por los titulares de los patrimonios afectados, o sus apoderados con facultades bastantes (artículo 1.218 del Código Civil)» y, por tanto, **ser documento público de lo que se deriva que sea título ejecutivo.**

En todo caso, si no es posible determinar la cuantía hay que hacer expresa constancia de que, a juicio del Notario, no podrá despacharse ejecución en virtud de la póliza en la que no conste cuantía ya que, a tenor del art. 520 LEC, para el caso de los títulos ejecutivos señalados en los números 4º (escrituras públicas) y 5º (pólizas intervenidas) del art. 517 LEC se requiere cantidad determinada que exceda de 300 euros y, además, a tenor del art. 572.1 LEC "para el despacho de la ejecución se considerará líquida toda cantidad de dinero determinada, que se exprese en el título con letras, cifras o guarismos comprensibles". Y en los supuestos de contratos formalizados en escritura o en póliza intervenida siempre que se haya pactado en el título que la cantidad exigible en caso de ejecución será la resultante de liquidación efectuada por el acreedor en la forma pactada en el título (art. 572.2 LEC), se requerirá el documento fehaciente que acredite haberse practicado lo liquidación en la forma pactada por las partes en el título ejecutivo (art. 573.2º LEC), lo que difícilmente podrá hacerse sin que se haya establecido un límite.

Por ello, en este tipo de pólizas en las que **no consta cuantía** debería hacerse una **advertencia** del siguiente o parecido tenor: *Yo, Notario, hago expresa advertencia, de acuerdo con lo establecido en la Resolución de la Dirección General de los Registros y del Notariado de 13 de julio de 2016:*

1. Que el otorgamiento de este contrato no entraña la asunción de ninguna obligación evaluable en términos monetarios para ninguna de las partes.

2. Que no puede considerarse que el presente contrato constituya por sí mismo un título ejecutivo de los contemplados los apartados 4º y 5º del artículo 517 de la Ley de Enjuiciamiento Civil. Para poder reclamar en un procedimiento de ejecución dineraria el cumplimiento de las obligaciones derivadas del mismo será necesario que se acompañen, como integrantes del propio título ejecutivo, los documentos en que conste la causa de las mismas, documentos que, además, deberán tener por sí mismos el carácter de título ejecutivo.

En los supuestos en los que se incluye un **fiador** también hay que dejar constancia de su indeterminación cuantitativa ya que a tenor del art. 1827 CC la fianza «debe ser expresa y no puede extenderse a más de lo contenida en ella».

Por eso a la anterior advertencia debería unirse otra del siguiente o parecido tenor: *Además, hago constar respecto al afianzamiento, que tal como señala la Resolución de la Dirección General de los Registros y del Notariado de 13 de julio de 2016, el presente contrato no genera directamente obligaciones para las partes y, por tanto, no cabe afianzamiento a tenor de lo dispuesto en los arts. 1.822 y 1.824 del Código Civil. Y, en todo caso, el afianzamiento no puede estar indeterminado cuantitativamente ya que, a tenor del art. 1827 del Código Civil, la fianza «debe ser expresa y no puede extenderse a más de lo contenida en ella».*

En el resto de los contratos «normativos» o contratos «marco» en los que **sí se fija cuantía**, como p.e. las llamadas «pólizas multiproducto» o «pólizas globales», el contrato sí entraña la asunción de obligaciones evaluables para las partes pero la cuestión de su ejecutividad comporta la misma problemática, por eso debería hacerse una **advertencia** del siguiente o parecido tenor: *Yo, Notario, hago expresa advertencia, de acuerdo con lo establecido en la Resolución de la Dirección General de los Registros y del Notariado de 13 de julio de 2016:*

No puede considerarse que el presente contrato constituya por sí mismo un título ejecutivo de los contemplados los apartados 4º y 5º del artículo 517 de la Ley de Enjuiciamiento Civil. Para poder reclamar en un procedimiento de ejecución dineraria el cumplimiento de las obligaciones derivadas del mismo será necesario que se acompañen, como integrantes del propio título ejecutivo, los documentos en que conste la causa de las mismas, documentos que, además, deberán tener por sí mismos el carácter de título ejecutivo.

4.23.8. Traslados con solos efectos informativos

El último párrafo del art. 197 RN establece que, *intervenida e incorporada la póliza al protocolo o al libro registro de operaciones, el notario podrá expedir traslados de la misma con solos efectos informativos, con sujeción a lo dispuesto en el artículo 224 de este Reglamento respecto de las copias simples.*

Como se observa, para la expedición de estos traslados es condición necesaria que la póliza está incorporada al protocolo o al Libro-Registro, lo que significa que debe tener número de protocolo o de asiento (más correctamente de póliza o de Libro-Registro). No podría por tanto salir de una Notaría el traslado de una póliza que no estuviese completa, intervenida, incorporada al Libro-Registro o al Protocolo (y, por tanto, numerada).

Como se deduce del art. 224.1 RN, *además de cada uno de los otorgantes, según el artículo 17 de la Ley, tienen derecho a obtener copia, en cualquier tiempo, todas las personas a cuyo favor resulte de la escritura o póliza incorporada al protocolo algún derecho, ya sea directamente, ya adquirido por acto distinto de ella, y quienes acrediten, a juicio del notario, tener interés legítimo en el documento.*

El número 2 de este precepto establece de forma clara que *en ningún caso podrá hacerse constar en la copia simple la firma de los otorgantes* al igual que ocurre con los «testimonios del Libro-Registro» (art. 250 RN). Obsérvese como el RN respecto a las pólizas sólo habla de «traslados con solos efectos informativos» que tiene su equivalente en las copias simples de las matrices. Sin embargo, a diferencia de estas en las que hay «copias autorizadas», su equivalente es el «testimonio del Libro-Registro» no de la póliza que sería lo normal.

4.23.9. *Intervención notarial de otros documentos mercantiles*

En la contratación existen documentos mercantiles que pueden ser objeto de intervención notarial que deben circular en original. Este es el caso, entre otros, de los títulos cambiarios. Por eso el art. 197 sexiens establece que *los notarios podrán intervenir o autorizar las distintas declaraciones cambiarias, asegurándose de la identidad, capacidad y declaración de voluntad de los otorgantes, así como de sus facultades si actuasen en representación de otras personas, y velarán por que se extiendan, en su caso, en el modelo oficial y con el timbre correspondiente.*

La diligencia de intervención será del siguiente o parecido tenor: «con mi intervención respecto del... (libramiento, aceptación, endoso, aval) de don/doña... lugar, fecha, signo, firma y rúbrica del notario y sello de su notaría».

Como vemos, el RN utiliza como sinónimos los términos «autorizar» o «intervenir», aunque en este caso parece más apropiado el segundo. Por otra parte, lógicamente, la intervención notarial tiene que limitarse a las declaraciones cambiarias ya que su contenido está delimitado estrictamente por le Ley Cambiaria y del Cheque. Y a este respecto, concretarse en la identidad, capacidad y declaración de voluntad de los otorgantes y en la utilización del modelo oficial y con el timbre correspondiente.

A este último respecto hay que recordar que de acuerdo con el art. 37.1 Real Decreto Legislativo 1/1993, de 24 de septiembre, por el que se aprueba el Texto refundido de

la Ley del Impuesto sobre Transmisiones Patrimoniales y Actos Jurídicos Documentados, *las letras de cambio se extenderán necesariamente en el efecto timbrado de la clase que
corresponda a su cuantía. La extensión de la letra en efecto timbrada de cuantía inferior
privará a estos documentos de la eficacia ejecutiva que les atribuyen las leyes. Hoy ya no
tienen el carácter de título ejecutivo.* Y que a tenor del art. 36 *en la letra de cambio servirá
de base la cantidad girada, y en los certificados de depósito, su importe nominal. Cuando el
vencimiento de las letras de cambio exceda de seis meses, contados a partir de la fecha de su
emisión, se exigirá el impuesto que corresponda al duplo de la base.*

El RN propone, como en otros caso, una formulación de la diligencia de intervención. Hay que señalar que en la práctica es inusual este tipo de intervención.

Otro documento mercantil que también circula en original y que es mucho más utilizado en la práctica es el aval bancario. Como en las pólizas, su contenido es redactado
por la entidad de crédito que lo otorga pero para que tenga el valor de título ejecutivo,
se requiere la intervención notarial que asegure la identidad, capacidad y declaración de
voluntad de los otorgantes, así como que tienen facultades suficientes para obligar a la
entidad representada.

Y en estos como en otros posibles casos en los que circula el original intervenido
notarialmente, lo que se conserva es una copia. Por eso el art. 298, párr. 1º RN establece
que *el Libro-Registro consta de dos Secciones. [...] En la Sección B se asentarán por orden
de fecha y correlativamente las intervenciones de aquellos documentos originales que por su
naturaleza no pueda conservarse en poder del notario el original.*

4.23.10. *Efectos de la intervención notarial de pólizas y otros docu-
mentos mercantiles*

*Los documentos públicos autorizados por Notario en soporte electrónico, al igual que
los autorizados sobre papel, gozan de fe pública y su contenido se presume veraz e íntegro
de acuerdo con lo dispuesto en esta u otras leyes.* Así se establece en el art. 17 bis, 2.b) RN.

Las pólizas intervenidas por fedatario público siempre han tenido el carácter de documento público, como así lo disponía el artículo 596,2 LEC de 1881 al incluir en la
clasificación de «documentos públicos y solemnes» a las certificaciones expedidas por
los Agentes de Bolsa y Corredores de Comercio, con referencia al Libro registro de sus
respectivas operaciones, en los términos y con las solemnidades que prescriben el artículo 64 del Código de Comercio y leyes especiales. Y el art. 93 *in fine* CCom establece
que *los libros y pólizas de los Agentes Colegiados harán fe en juicio.*

Hoy el art. 317.3º de la LEC vigente: *se considerarán documentos públicos: [...] los
intervenidos por Corredores de Comercio Colegiados [hoy Notarios] y las certificaciones*

de las operaciones en que hubiesen intervenido, expedidas por ellos con referencia al Libro Registro que deben llevar conforme a Derecho.

Por otra parte y como señalaremos más adelante, los testimonios del Libro-Registro son documentos públicos que tienen el mismo valor y eficacia que el documento que reproducen, salvo que las leyes dispongan otra cosa. Ello sin perjuicio del carácter ejecutivo de los testimonios expedidos con ese carácter.

Por tanto, como todo documento público, a tenor de lo dispuesto en el art. 1218 CC, hacen prueba, aún contra tercero, del hecho que motiva su otorgamiento y de la fecha de este. También harán prueba contra los contratantes y sus causahabientes, en cuanto a las declaraciones que en ellos hubieren hecho los primeros. Y de acuerdo con lo establecido en el art. 319 LEC, *los documentos públicos comprendidos en los números 1.º a 6.º del artículo 317 harán prueba plena del hecho, acto o estado de cosas que documenten, de la fecha en que se produce esa documentación y de la identidad de los fedatarios y demás personas que, en su caso, intervengan en ella.*

Si se impugnase la autenticidad de un documento público, para que pueda hacer prueba plena se procederá de la forma siguiente: [...] 2.º Las pólizas intervenidas por corredor de comercio colegiado se comprobarán con los asientos de su Libro Registro (art. 320 LEC). Y harán prueba plena en juicio, sin necesidad de comprobación o cotejo y salvo prueba en contrario y la facultad de solicitar el cotejo de letras cuando sea posible: 1.º Las escrituras públicas antiguas que carezcan de protocolo y todas aquellas cuyo protocolo o matriz hubiese desaparecido. 2.º Cualquier otro documento público que, por su índole, carezca de original o registro con el que pueda cotejarse o comprobarse.

Las pólizas intervenidas son también título ejecutivo. Como ya sabemos, de acuerdo con el art. 517.1 LEC, *la acción ejecutiva deberá fundarse en un título que tenga aparejada ejecución y a tenor del art. 517.2 LEC, sólo tendrán aparejada ejecución los siguientes títulos: [...] 5.º Las pólizas de contratos mercantiles firmadas por las partes y por corredor de comercio colegiado [hoy notario] que las intervenga, con tal que se acompañe certificación en la que dicho corredor acredite la conformidad de la póliza con los asientos de su libro registro y la fecha de éstos.*

Y de acuerdo con el art. 17.1 LN, *a los efectos de lo dispuesto en el artículo 517.2.5.º de la Ley 1/2000, de 7 de enero, de Enjuiciamiento civil, se considerará título ejecutivo el testimonio expedido por el Notario del original de la póliza debidamente conservada en su Libro-Registro o la copia autorizada de la misma, acompañada de la certificación a que se refiere el artículo 572.2 de la citada Ley.*

4.24. ACTAS NOTARIALES

4.24.1. Concepto

Concepto legal. La denominación de «acta» no apareció en le Ley del Notariado de 28 de mayo de 1862, únicamente recogía una referencia a las actas en el art. 23 tras su reforma por Ley de 23 diciembre de 1946, precepto además no dedicado a las actas en cuanto tales sino a la «fe de conocimiento» y medios de identificación supletorios. Para encontrar un reconocimiento de rango legal para este género instrumental hay que esperar al texto vigente del art. 17 LN en su redacción dada por Ley 36/2006 de 29 de noviembre.

Por el contrario lo sucesivos reglamentos de la LN sí fueron recogiendo esta forma instrumental hasta culminar en la regulación actual tras la modificación del Reglamento de 2 de junio de 1944 por el RD 45/2007 de 19 de enero.

Dice así el art. 17.1 LN

El Notario redactará escrituras matrices, intervendrá pólizas, extenderá y autorizará actas, expedirá copias, testimonios, legitimaciones y legalizaciones y formará protocolos y Libros-Registros de operaciones. (...) Las actas notariales tienen como contenido la constatación de hechos o la percepción que de los mismos tenga el Notario, siempre que por su índole no puedan calificarse de actos y contratos, así como sus juicios y calificaciones.

Y el art. 144 RN en desarrollo del precepto legal que

Conforme al artículo 17 de la Ley del Notariado son instrumentos públicos las escrituras públicas, las pólizas intervenidas, las actas y, en general, todo documento que autorice el Notario, bien sea original, en certificado, copia o testimonio. (...) Las actas tienen como contenido la constatación de hechos o la percepción que de los mismos tenga el Notario, siempre que por su índole no puedan calificarse de actos y contratos, así como sus juicios o calificaciones.

Y el art. 198 RN comienza diciendo en su apartado 1 que

Los Notarios, previa instancia de parte en todo caso, extenderán y autorizarán actas en que se consignen los hechos y circunstancias que presencien o les consten, y que por su naturaleza no sean materia de contrato (...).

Concepto doctrinal. Pueden definirse las actas notariales en base a un doble criterio:

a) Formal, por su incorporación al protocolo, distinguiéndose así de los testimonios.

b) Y material, criterio que a su vez tiene un aspecto negativo y positivo,

   – aspecto positivo: tienen por contenido propio la constatación de hechos o la percepción que de los mismos tenga el Notario, así como sus juicios o calificaciones, inciso último referido a las actas de notoriedad,

   –   aspecto negativo: las actas afectan a hechos jurídicos que no puedan calificarse de actos o contratos, distinguiéndose así de las escrituras y las pólizas intervenidas.

En base a lo expuesto cabría formular un concepto descriptivo de las actas notariales definiéndolas como *el instrumento público protocolizado que constata hechos, o la percepción que el Notario tenga de los mismos, siempre que no puedan calificarse de actos y contratos, así como sus juicios y calificaciones.*

En consecuencia:

a) *Es un instrumento público.* Esto es autorizado por Notario, único funcionario público que tiene atribuida legalmente la competencia específica de atribuir fe pública a los documentos que autoriza; deben quedar, por tanto, fuera del concepto de «acta notarial» no sólo las actas que no son documentos públicos (piénsese por ejemplo en las multas o atestados de la policía), sino también aquellos supuestos de acta-documento público autorizadas dentro de su competencia por fedatarios públicos judiciales y administrativos.

Por tanto:

–   La competencia del Notario es general: se extiende a los contratos y actos de carácter extrajudicial, de manera que los ámbitos en que no puede intervenir viene precisados por alguna disposición legal (p.ej. en materia de actas como luego veremos respectos de requerimientos a la administración) o interpretación jurisprudencial.

–   En el caso de otros fedatarios públicos, judiciales o administrativos, o por extensión otro tipo de funcionarios no fedatarios, su ámbito de actuación viene dado, no con carácter general, sino por su competencia específica.

– En consecuencia las actas notariales producen efectos frente a terceros, y esos efectos son los que para los documentos públicos recoge el art. 1.218 del CC, mientras que en esos otros casos sólo son utilizables en un ámbito concreto y con los efectos que determine su regulación específica.

b) Es un instrumento público *protocolizado.* Por tanto el Notario conserva la matriz y expide copias de las mismas que son las que circulan en el tráfico jurídico. Se diferencia así de los testimonios y demás documentos no protocolares.

c) Es un instrumento público protocolizado *que constata hechos, o la percepción que el Notario tenga de los mismos, siempre que no puedan calificarse de actos y contratos, así como sus juicios y calificaciones.* Se diferencia así tanto de las escrituras como de las pólizas intervenidas, teniendo estos otros instrumentos públicos un ámbito preciso definido por la Ley y Reglamento Notariales.

Las formas documentales son una materia sustraída a la autonomía privada, y el Notario debe controlar el uso adecuado de cada forma instrumental en función del contenido del hecho, acto o contrato que se pretende documentar. Se debe evitar la creación de una mera apariencia de legalidad, mediante la creación de un acta vacía de sentido. El Notario debe denegar la autorización de un acta cuando a través de ésta pretende evitarse el otorgamiento de una escritura pública que es el género documental creado para contener declaraciones de voluntad negociales y dotarles de la máxima eficacia. Ello es así no tanto en evitación de simples errores sino de posibles fraudes, los cuales no afectan únicamente a la esfera civil, sino que pueden afectar al ámbito fiscal e incluso intentar eludir la normativa sobre blanqueo de capitales. Como ejemplos prácticos de ello pueden citarse los siguiente:

- la pretensión de formalizar vía acta de manifestaciones lo que es una auténtica declaración de voluntad contractual intentando subrepticiamente que el Notario, por los cauces legales existentes, especialmente el índice único informatizado previsto en el art. 17 de la LN, notifique el otorgamiento de un acta de referencia ocultándose un auténtico contrato, posiblemente sujeto a impuesto, y que pasará desapercibido a la Administración Tributaria;

- el supuesto que contempló la RDGRN de 22 de noviembre de 2005 contra la resolución del Registro Civil de Barcelona que se negó a inscribir una escritura que se calificó como capitulaciones matrimoniales cuando en realidad era una acta de manifestaciones de los cónyuges en la que éstos declaraban que siempre había estado su matrimonio sujeto al régimen de separación de bienes del derecho civil catalán, en la que el Centro Directo confirmó que no eran propias capitulaciones matrimoniales por no contener declaración de voluntad dirigida a modificar el régimen legal o convencional anteriormente pactado, por lo que no podía ser objeto de inscripción,

- o el caso de la STS de fecha 14 de mayo de 2004, que versó sobre un reconocimiento de paternidad que se formalizó no en escritura sino en acta de manifestaciones y que hizo las siguientes consideraciones: el acta de manifestaciones no era nula de pleno derecho (como sí dictaminó la sentencia de la Audiencia Provincial de Sevilla); dicha acta podía valer como elemento a tener en cuanto en su caso para una reclamación posterior de paternidad; pero el reconocimiento de paternidad efectuado no tenía valor por sí mismo porque de una interpretación conjunta del art. 120 del CC (que habla de documento público) y del art. 186 del RRC (que citaba como documentos públicos aptos para el reconocimiento la *escritura pública)* dicho reconocimiento debería haberse formalizado en escritura pública y no en mera acta de manifestaciones

4.24.2. Especialidades formales

El RN dedica la sección 4ª del Capítulo II del Título IV (arts. 198 a 220) a la regulación de las *Actas notariales*. La sección se abre con el art. 198 dedicado a las especialidades y características generales de este documento notarial, destinándose el resto de los artículos a regular los tipos específicos de actas.

Dice el art. 198.2 que *serán aplicables a las actas notariales los preceptos de la sección segunda, relativos a las escrituras matrices* con las especialidades que marca el propio precepto y que se refieren básicamente a la forma, al contenido y a los efectos.

A) Estructura formal:

a) **Rogación**. Comienza el art. 198 RN diciendo que *Los Notarios, previa instancia de parte en todo caso, extenderán y autorizarán actas (...)*.

Se establece con ello una regla general que apenas conoce excepciones, esto es, la no actuación de oficio por parte del Notario, que siempre requerirá «instancia de parte» (RDGRN sistema notarial de 27 de enero de 2006). Este precepto no es sino una aplicación concreta a las actas de lo que genéricamente establece el art. 3 del RN *(El Notariado, como órgano de jurisdicción voluntaria, no podrá actuar nunca sin previa rogación de sujeto interesado, excepto en casos especiales legalmente fijados)*. Además de ser imprescindible la rogación el Notario no puede excederla en su actuación (RDGRN sistema notarial de 26 de enero de 2004).

Excepción al principio de previa rogación es art. 61 RN relativo al acta en que el propio Notario hace constar que se le impide o dificulta el libre ejercicio de sus funciones o cuando se falte al respeto y consideración debida al Notario: *El Notario requerido para ejercer su ministerio, a quien se impida o dificulte el libre ejercicio de sus funciones con injurias, amenazas o cualquier forma de coacción, lo hará constar, a los efectos de lo dispuesto en los artículos 550, 551.1, 552, 553, 555 y 556 del Código Penal, por medio de acta, que firmarán él mismo y los testigos concurrentes y, en su caso, la persona o personas que se presten a suscribirla, de cuyo documento se sacarán tres copias que, dentro de las veinticuatro horas siguientes, serán remitidas al Juez de Instrucción, al Presidente del Tribunal Superior de Justicia y a la Junta Directiva del Colegio Notarial. Esta tendrá legitimación para ejercitar las acciones civiles y criminales que estime convenientes, incluso para interponer la querella en nombre propio y en el del Notario.*

De igual modo se procederá, a tenor de lo dispuesto en el artículo 634 del Código Penal, cuando, sin incurrir en delito, se faltare al respeto y consideración debida al Notario. Además, el Notario podrá reclamar directamente, y bajo su responsabilidad, la asistencia de agentes de la autoridad, los cuales vendrán obligados a prestarla, con arreglo a sus respectivos reglamentos.

Podría citarse también el art. 153 RN relativo a las actas por la que el Notario subsana, por propia iniciativa, errores materiales, omisiones o defectos de forma padecidos en documentos notariales inter vivos. No obstante, y aunque formalmente estas actas comiencen como las del art. 61 RN por el tradicional «*Por mí y ante mí*», cabe entender que la rogación va implícita en la del instrumento subsanado, sin cuyo existencia, obviamente no podría actuar el Notario.

Finalmente hay supuestos en que la previa instancia está tan difuminada que puede llegar a plantarse si existe realmente; tales supuestos son, por ejemplo, las actas de protocolización de documentos públicos extranjeros o de expedientes judiciales contemplados en los arts. 212 y 213 RN y que luego se examinarán. Si bien, y como se indicará en su lugar, no son propiamente actuaciones de oficio por parte del Notario, sino más bien supuestos de rogación indirecta (así por ejemplo la protocolización de un expediente judicial tiene su origen directo en la providencia que lo ordena, normalmente en base a un precepto legal que así lo prevé, pero su origen indirecto no es otro que la parte que instó el expediente judicial).

En cualquier caso la rogación ha de ser previa, posible, determinada y tener un objeto lícito:

a) **Previa**, esto es anterior al comienzo de la actividad notarial dirigida a la percepción de los hechos, sin que sea admisible que el Notario consigne en acta hechos en los que estuvo presente sin haber sido requerido para presenciarlos (RRD-GRN sistema notarial de 7 de octubre de 1996 y de 13 de junio de 2002). Dos puntualizaciones:

   – Requerimientos fuera del despacho notarial. La razón de que el requerimiento sea previo es que el mismo supone, formalmente, la conformidad del requirente con la adecuada concreción de los hechos que le interesan y que ha de comprobar el Notario, de ahí que, como señaló la RDGN del sistema notarial de 22 de julio 2005, la firma del requerimiento en lugar distinto del despacho notarial *debe ser expresamente autorizada por el Notario* autorizante del acta, cuando esté muy claro el contenido del requerimiento y el Notario se preste a ello asumiendo los eventuales riesgos de esa forma de proceder.

   – Requerimientos sobre hechos anteriores. Un supuesto que es relativamente frecuente en la práctica se da cuando alguna persona que se ha presentado en la Notaría para la firma de una escritura, quiere que el Notario levante acta de que la misma no llega a firmarse por incomparecencia de la otra parte. Llevado a su extremo el requisito del previo requerimiento llevaría a la imposibilidad de levantar el acta. Sin embargo, y como en todo lo referente a la rogación en esta materia, es necesario un ponderado juicio del Notario sobre los intereses en juego y los requisitos formales exigidos, de ahí que lo

propio es que se pueda levantar acta de ese extremo, siquiera sea como acta
de manifestaciones, dejando constancia de que a la hora de extender el acta
no se ha personado la otra parte en la notaría y no se ha procedido a la firma
del documento, y de hecho así se viene haciendo en la práctica.

b) **Posible** en cuanto a su cumplimiento, no pudiendo compelerse al Notario
cuando exista imposibilidad física o un riesgo evidente. En tal sentido se ha pronunciado la RDGRN de 28 de noviembre de 2003 que entendió justificada la
denegación de funciones por parte del Notario en un supuesto en que el requerimiento implicaba acceder a un tejado con evidente dificultad para ello, argumentando que tal pretensión excedía de la capacidad normal de actuación de
cualquier persona para desarrollar su actividad sin riesgo.

c) **Determinada** en cuanto a la actuación a realizar, no pudiendo admitirse rogaciones ambiguas o indeterminadas. Así lo viene exigiendo de siempre la doctrina
de la DGRN (RR de 28 de mayo de 1919, 12 de julio de 1929, 21 de noviembre
de 1980...) siendo el requirente el que ha de concretarla (R de 27 de enero de
2006 declara que es el requirente quien define qué hechos y circunstancias precisan de la prueba privilegiada que emana de la fe pública notarial) sin que sea
además posible una determinación a posteriori o fraccionada a medida que se
practican las diligencias necesarias (RDGRN sistema notarial de 30 de octubre
de 2002). En definitiva como señaló la RDGN de 5 de febrero de 1991 *se hace
indispensable una adecuada concreción en el acto de la rogación inicial de aquellos
hechos o circunstancias que expresamente interesan al requirente y que deben ser
posteriormente comprobados por el Notario, a fin de conseguir el cumplimiento de
los fines que interesan al mismo y de evitar dudas que luego puedan surgir en la
práctica de la diligencia; a tales necesidades responden las obligaciones reglamentarias de consignar la firma del interesado —que implica su conformidad con los
términos en que queda redactada la rogación inicial— y la relación de los términos
comprobados por el Notario según lo que presencie o perciba por sus propios sentidos
en los detalles que interesan al requirente.*

Relacionado con la determinación del objeto de la rogación está el principio de **integridad** en el cumplimiento del requerimiento, que no significa otra cosa que la imposibilidad de dividir arbitrariamente la realidad comprobada según interese o no al
requirente. La imparcialidad y veracidad que presiden la actuación notarial exigen que
los hechos se recojan en su integridad aunque perjudiquen al requirente. En tal sentido
la RDGN sistema notarial de 7 de octubre de 2002 considera que la rogación si bien
legitima la actuación del Notario frente al requirente, éste no tiene libertad absoluta y
no puede dividir arbitrariamente la realidad misma que ha de ser recogida en el acta, y
si lo pretende el Notario debe denegar su intervención.

d) **De objeto lícito**. La licitud de la rogación implica la observancia y control por parte del Notario de elementos que afectan al requirente, a la propia actuación notarial y al contenido de la rogación:

a') *En cuanto al requirente,* la rogación ha de obedecer a un *interés legítimo* que responda a un interés jurídicamente protegible. No obstante este requisito no puede juzgarse con la misma intensidad en todos los casos, ya que no es lo mismo un acta de mera percepción de cosas en que el interés legítimo apenas tiene relevancia, que actas con regulación especial como las declaración de herederos ab intestato o de ejecución extrajudicial de hipotecas en las cuales el interés legítimo se centra en el posible heredero o acreedor ejecutante. Hay supuestos intermedios, como actas de notificación o requerimiento, en que la determinación precisa del interés legítimo hacen aconsejable una parte expositiva del acta. En cualquier caso el requerimiento ha de hacerse personalmente para que el Notario pueda juzgar el interés legítimo y la identidad del requirente y no por teléfono, y si lo acepta debe ser condicionado a que se faciliten posteriormente los datos personales y de no hacerlo estimarlo desistido (RDGRN sistema notarial de 3 de julio de 2001).

b') *En cuanto a la actuación notarial* la licitud implica la observancia de las normas sobre competencia territorial y funcional del Notario requerido:

a'') Respecto de la primera por cuanto el Notario debe tener competencia territorial en el lugar donde debe practicarse la diligencia.

b'') Respecto de la segunda el Notario no puede admitir requerimientos que invadan la esfera judicial o administrativa. Aplicación de ello es la prohibición de dirigir requerimientos notariales a Autoridades Públicas, Judiciales, Administrativas y funcionarios que recoge el párrafo segundo del art. 206 del RN y así lo había declarado ya la DGRN (entre otras R de 3 de septiembre de 1990). Dentro del ámbito judicial el Notario no tiene competencia para intervenir con su actuación en actos o hechos que están *sub iudice*: la función notarial es extrajudicial conforme a los artículos 1 y 2 de la LN. En la esfera administrativa los Notarios, a salvo de la norma prohibitoria respecto de los requerimientos, pueden ejercer su función dentro de ciertos límites. La DGRN tiene señalado reiteradamente (así RR de 3 de mayo de 1984, 17 de septiembre de 1992 o 30 de junio de 2003) que el principio de legalidad que ampara la actuación de la Administración Pública supone una importante reducción del ámbito de la actuación notarial en la esfera administrativa, por lo que, sin perjuicio de las posibles actuaciones notariales que estén previstas expresamente por las propias leyes administrativas, la actuación notarial se reduce básicamente a hacer constar en Acta de Presencia la ejecución concreta de actuaciones de los particulares ante los órganos administrativos (último inciso del art. 206 RN). En este punto cabe destacar:

– Que la Ley 39/2015, de 1 de octubre, del Procedimiento Administrativo Común de las Administraciones Públicas, establece en su art. 14 la obligatoriedad general de relacionarse por medios electrónicos con la Administración (únicamente las personas físicas, según el art. 14.1 *podrán elegir en todo momento si se comunican con las Administraciones Públicas para el ejercicio de sus derechos y obligaciones a través de medios electrónicos o no, salvo que estén obligadas a relacionarse a través de medios electrónicos con las Administraciones Públicas*, entre ellas las que determina el apartado 2 del mismo art.), por lo que sería posible un acta de presencia que acreditarse el envío de la documentación por medios electrónicos, aplicándose las especialidades que recoge el propio RN para estos casos.

– Que, caso de presentarse en formato no digital y utilizarse los servicios de correos, el art. 31 del Real Decreto 1829/1999, de 3 de diciembre, por el que se aprueba el Reglamento por el que se regula la prestación de los servicios postales, en desarrollo de lo establecido en la Ley 24/1998, de 13 de julio, del Servicio Postal Universal y de Liberalización de los Servicios Postales, regula la admisión de solicitudes, escritos y comunicaciones que los ciudadanos o entidades dirijan a los órganos de las Administraciones públicas; dicho precepto exige comparecencia del remitente, que consideramos debe ser el propio administrado, por lo que entendemos no sería posible un acta notarial de remisión de documentos por correo, pero sí un acta de presencia acreditativa de la comparecencia en correo y el envío, a menos que se tratase de la remisión de copia de un documento público a una administración y en el propio documento el compareciente/administrado autorizase al Notario para remitirla (p.ej. remisión de copias simples de transmisiones de inmuebles donde el adquirente autoriza al Notario para su envío al Municipio competente a los efectos del IIVTNU) y siempre, claro está, que de la norma legal no resulte tal imposibilidad.

c') *En cuanto al contenido de la rogación* el Notario debe decidir sobre la licitud de su actuación. Especialmente importante es el respeto a los derechos fundamentales de la persona consagrados en el art. 18 CE (derecho a la intimidad, a la propia imagen, a la inviolabilidad del domicilio o al secreto de las comunicaciones), teniendo en cuanta además que el art. 11 LOPJ dispone que no surtirán efecto las pruebas obtenidas (por ende las actas), directa o indirectamente, violentando los derechos o libertades fundamentales.

Deben rechazarse por tanto cualquier pretensión más o menos sutil de injerencia ilegítima es esferas ajenas. No obstante dada la variedad de situaciones en que puede encontrarse el Notario es imposible establecer unas reglas generales, quedando a la prudencia del mismo el admitir la rogación o rechazarla por falta de interés *legítimo* (la RGRN del sistema notarial de 29 de octubre de 2004 señala que las actas de mera percepción de actos humanos y en particular cuando se trate de actos de otra persona exige la apreciación de un interés legítimo de entidad suficiente que justifique el inmiscuirse en la esfera ajena, debiendo denegar el Notario la prestación de su función en el caso de que tal intromisión afecte o pueda afectar al derecho al honor, intimidad o a la propia imagen de esa persona).

Dos supuestos frecuentes son:

Los que afectan al **domicilio**. Cualquier requerimiento para realizar actuaciones dentro de recintos privados deben salvaguardar el derecho fundamental a la inviolabilidad del domicilio (art. 18.2 CE 1978 *El domicilio es inviolable. Ninguna entrada o registro podrá hacerse en él sin consentimiento del titular o resolución judicial, salvo en caso de flagrante delito*). Así la RGRN del sistema notarial de 29 de octubre de 2004 respecto del levantamiento de un acta en urbanizaciones privadas entendió que si son de acceso restringido y con control de seguridad, el Notario debe identificarse y solicitar permiso para entrar; de igual forma se necesita permiso para entrar en embarcaciones; la RDGRN del sistema notarial de 10 de mayo de 2005 considera ajustada a Derecho la negativa del Notario a levantar acta de presencia en un domicilio a requerimiento de quien aseguraba ser propietario de la vivienda y no acreditaba su posesión pacífica y pretendía que el Notario presenciase el cambio de cerradura de la misma. Por el contrario sí puede el Notario reflejar el estado de unos inmuebles, perceptible desde la calle, sin atender a quién es el titular escriturario y registral (RDGRN de 31 de marzo de 2006).

Los que afectan a **comunicaciones o mensajes electrónicos** siendo muy amplia la casuística posible en este campo:

– Un supuesto práctico frecuente en la actualidad es el requerimiento para constatar el contenido de comunicaciones electrónicas recibidas vía correo electrónico, mensajes de texto (SMS) recibidos en teléfonos móviles o a través de programas de mensajería instantánea o chats. En estos casos la prudencia impone una serie de cautelas por parte del Notario tales como asegurarse de la titularidad por parte del requirente de la unidad de teléfono móvil o de la cuenta de correo, de que los mensajes o correos se han dirigido al requirente y que es éstos son abiertos por el destinatario...

– Más delicado es lo relativo a los contenidos del mensaje o correo: si afectase a la intimidad de alguno de los comunicantes se debe denegar la intervención y evidentemente si de los mensajes o correos resultan amenazas, injurias o calumnias.

En este sentido la intervención notarial **no debe** imputar los mensajes recibidos como enviados por determinada persona toda vez que lo único de lo que pueda dar fe el Notario es de lo que aparece en la terminal del requirente.

– También es problemática la intervención notarial en actas de presencia cuando se trata de acceder a equipos informáticos, y especialmente a los programas de correo, utilizados por un empleado, a requerimiento de la empresa; este supuesto lo contempló la RDGN del sistema notarial de 21 de diciembre de 2010, que hace un estudio detallado de los requisitos y límites para el examen de los sistemas informáticos utilizados por un empleado, y para el caso concreto en que se recurría la actuación notarial consideró que si bien la empresa al solicitar la constancia del examen de los medios informáticos puestos a disposición del trabajador mediante acta notarial, no cumplió con los requisitos que el Tribunal Supremo exige para poder superar los límites derivados de los derechos a la intimidad y al secreto de las comunicaciones, en el caso había sido la propia recurrente la que había dejado sin efecto el impedimento que supondría una posible intromisión a sus correos personales para llevar a cabo dicho examen del ordenador cuándo ella misma había manifestado en un procedimiento judicial previo haber borrado tales correos. La STS de 8 de febrero de 2018 permitió revisar el correo de los empleados si se utilizan medios de detección de palabras clave y no se realiza una búsqueda «indiscriminada» y sin ningún patrón. Por su parte la STEDH de 5 de septiembre de 2017 consideró que las empresas no tienen derecho a controlar de forma ilimitada los correos profesionales de sus empleados; pueden controlar el correo interno, pero deben avisar previamente al interesado y deben tener un motivo concreto para hacerlo; por el contario la STEDH de 12 de enero de 2016 mantuvo una posición más favorable al control por parte del empresario. Dado lo controvertido de la situación conviene en estos casos exigir por parte del Notario, una serie de cautelas para acceder al requerimiento, tales como: levantamiento del acta en horario de trabajo, en presencia del trabajador, de los representantes de los trabajadores o del asesor legal, intervención de peritos que gestionen debidamente el acceso a la información para evitar intromisiones en la esfera privada del trabajador y acceso únicamente cuando existan sospechas fundadas de un uso ilícito del ordenador de empresa.

– Acceso a documentos, mensajes o imágenes subidas a las llamadas *redes sociales* en Internet, en la cuales normalmente el usuario autoriza la utilización de datos e imágenes que se compartan en la red y que puede plantear igualmente dudas en cuanto a la posibilidad de dejar constancia notariales de imágenes o datos de páginas personales a las que el requirente puede acceder por facilitarle el titular las claves de acceso (como mínimo el requirente debe declarar bajo su responsabilidad que está en posesión legítima de las claves de acceso y que los datos o imágenes a las que se acceda no afecten a la esfera personal de terceros o haya indicios de delito).

b) Juicio de capacidad, legitimación y fe de conocimiento. Establecen los números 1° y 2° del apartado 1 del artículo 198 que *1° En la comparecencia no se necesitará afirmar la capacidad de los requirentes, ni se precisará otro requisito para requerir al Notario al efecto, que el interés legítimo de la parte requirente y la licitud de la actuación notarial, salvo que por tratarse del ejercicio de un derecho el Notario deba hacer constar de modo expreso la capacidad y legitimación del requirente.*

2.° No exigen tampoco la dación de fe de conocimiento, con las excepciones previstas en el párrafo anterior, y salvo el caso de que la identidad de las personas fuere requisito indispensable en consideración a su contenido.

Y el segundo inciso del número 5° que *No será necesario que el Notario dé fe de conocimiento de las personas con quienes entienda la diligencia ni de su identificación, salvo en los casos en que la naturaleza del acta exija la identificación del notificado o requerido.*

Cabe distinguir en base a dichos preceptos entre el requerimiento inicial y las diligencias posteriores:

– En cuanto al requerimiento inicial, los números 1° y 2° citados establecen una regla general y una excepción.

La regla general es que en principio basta con que el requirente tenga interés legítimo no siendo necesario que el Notario de fe de conocimiento del mismo, es decir, lo identifique formalmente, ni tenga que apreciar su capacidad ni su legitimación. En estos casos bastará con que el que formula el requerimiento tenga capacidad natural para entender y querer. En consecuencia no se precisaría la mayoría de edad ni estar emancipado, pudiéndose aplicar por analogía los preceptos de nuestro ordenamiento que admiten la actuación de menores no emancipados, así arts. 162 (que enumera los casos exceptuados de la representación legal de los padres), 663 (permite testar a partir de los catorce años), 625 y 626 (permite aceptar donaciones que no sean condicionales u onerosas a quien tenga capacidad natural) todos ellos del CC, o el art. 361 de la LEC (que permite ser testigos a quienes tengan suficiente discernimiento aun siendo menores de catorce años), en esta dirección la RDGRN de 2 de agosto de 1985 admitió un acta de manifestaciones de un menor de 11 años de edad. Por la misma razón no se precisa legitimación concreta para el acto ya que por definición en estos casos no hay bien o derecho del que se disponga, por lo que la actuación en nombre de tercero es posible con un poder general para administrar (recordando que el menor no emancipado no puede ser mandatario ex art. 1716 CC).

La excepción la constituyen los casos que supongan el *ejercicio de un derecho*. En estos supuestos se precisa identificación, juicio de capacidad y legitimación apreciada por el Notario y siguiendo las reglas generales previstas para las escrituras.

Las normas en cuestión no descienden a la casuística de cuando bastará con la apreciación del interés legítimo o será necesaria la identificación y el juicio de capacidad completo, por lo que debe ser el Notario quien, a la vista de la actuación concreta para la que se le requiera, quien deberá tomar la decisión al respecto. Así no son lo mismo las puras actas de presencia acreditadoras de hechos objetivos, o las de notificación o requerimiento que agoten su finalidad en la puesta de conocimiento de un tercero de ciertos hechos (p.ej. requerir para levantar acta de un hecho claramente perceptible por los sentidos como la existencia o no de iluminación en una acera en que bastaría acreditar mero interés legítimo) que aquellas otras actas que por sí mismas pueden tener eficacia en la conservación, ejercicio o defensa de derechos del requirente (p.ej. requerir de pago a la otra parte contratante a fin de ejercitar la resolución de una compraventa de inmuebles ex art. 1504 del CC que exigiría identificación y juicio de capacidad y legitimación).

En este sentido se ha pronunciado en ocasiones la DGRN; baste citar la R de 15 de diciembre de 1995: «*En esta materia, debemos distinguir dentro de las actas con contenido notificatorio o requisitoria, dos clases diferenciadas a los efectos que analizamos: a) Aquellas que no pretenden unos efectos jurídicos concretos, sino que se agotan en finalidades simplemente prácticas. A ellas les es aplicable, tanto en lo referente a la comparecencia del rogante, como a la contestación del destinatario, la doctrina de este Centro Directivo (vid. Resolución de 9 mayo 1968), según la cual, no es motivo fundado para denegar la autorización de un acta de requerimiento o notificación, la falta de acreditación de la representación del compareciente, habida cuenta de que el artículo 197 del Reglamento Notarial, no exige otro requisito que el interés legítimo de la parte requirente. b) De aquellas otras que persiguen sobre todo un efecto jurídico determinado en las normas legales correspondientes, bien sea para la conservación de los derechos del propio requirente, como requisito para el ejercicio de derechos potestativos de aquél, o aquellas que imponen una obligación o carga en el notificado, abriendo para éste un plazo preclusivo de caducidad para el ejercicio de un derecho potestativo propio. Es en estas actas donde, en razón de ese contenido, debe exigirse la identificación del requirente (cfr. regla tercera del artículo 197), el juicio de capacidad y derivadamente quizá también la acreditación de la representación, cuya falta no podría verse suplida en ocasiones por el mandatario verbal (...)*».

– Por lo que se refiere a las diligencias posteriores el número 5º se refiere a la fe de conocimiento. Dicho precepto se concreta a las actas de notificación o requerimiento (habla del «*notificado o requerido*»), pero es evidente que puede generalizarse a los supuestos en que sea necesaria tal identificación. Así se contempla expresamente respecto de las actas de depósito en el art. 216 RN. Por el contrario, y a diferencia de las normas antes examinadas, el número 5º no se refiere a la capacidad de la persona con la que se entienda la diligencia. Es evidente que, como mínimo debe exigirse la capacidad de entender o querer, pero la cuestión, igual que vimos para el requerimiento inicial, no admite una respuesta general para todos los casos, dependiendo del alcance que el acta pueda tener en la esfera jurídica personal o patrimonial de aquellos con quienes se entienda la diligencia (el propio 216 citado para las actas de depósito habla de «*quien traiga de ella su derecho u ostente su representación legal o voluntaria*»).

c) No exigencia de unidad de acto. Dispone el número 3.º del apartado 1 que *No requieren unidad de acto ni de contexto, pudiendo ser extendidas en el momento del acto o posteriormente. En este caso se distinguirá cada parte del acta como diligencia diferente, con expresión de la hora y sitio, y con cláusula de suscripción especial y separada.*

La norma se refiere directamente a la estructura externa del acta, en la cual cabe distinguir el requerimiento inicial y las diligencias que pueden documentarse en momento y mediante textos posteriores; pero no se trata de una imposición formal sino de una posibilidad frente a los requisitos sí exigidos para la escritura pública. De hecho, en la práctica podemos encontrarnos con tres situaciones:

Acta única con pluralidad de textos. Es el procedimiento más generalizado y al que se refiere el precepto indicado (*no requieren unidad de contexto*). Existe un texto inicial que formula la rogación (suele denominarse requerimiento —al Notario— que no se debe confundir con el acta de requerimiento —a un tercero— propiamente dicha) y unos textos sucesivos que se denominan diligencias.

A estas diligencias posteriores se refiere el número 4º al decir que *Las diligencias, salvo que, habiendo medios para ello, la persona con quien se entiendan pida que se redacten en el lugar, las podrá extender el Notario en su estudio con referencia a las notas tomadas sobre el terreno, haciéndolo constar así, y podrá aquella persona comparecer en la Notaría para enterarse del contenido de la diligencia. Cuando se extienda la diligencia en el lugar donde se practique, invitará el Notario a que la suscriban los que en ella tengan interés, así como a cualquier otra persona que esté presente en el acto.*

De la letra del artículo puede deducirse:

- La redacción de las diligencias posteriores a la rogación inicial puede hacerse bien en el lugar donde se practica la actuación notarial bien posteriormente en el estudio del Notario según notas tomadas en el lugar. Si se opta por la segunda opción debe hacerse constar expresamente en la redacción que así se procede.

- La elección sobre la forma de hacerlo corresponde al Notario salvo que se trate de una diligencia que se entienda con persona concreta y ésta pida la redacción en el mismo acto, en cuyo caso el Notario deberá proceder a ello si fuere posible.

- Si se redactan en el estudio del Notario, las personas con las que se haya entendido la actuación podrán comparecer en la notaría para enterarse del contenido de la diligencia, lo que implícitamente implica reconocerles interés legítimo a los efectos de obtener copia del acta.

– Si se extiende la diligencia en el lugar donde se practique, el Notario tiene la obligación de ofrecer la posibilidad de que la suscriban no sólo la persona con quien se entienda sino también otras presentes en el acto. No se trata de una elección del Notario sino que éste obligatoriamente tiene que ofrecer la posibilidad de suscribir la diligencia; no otra cosa puede significar la forma imperativa que utiliza el precepto reglamentario «*invitará*». Finalmente señalar que las personas referidas no son los posibles testigos que intervinieren en el acta (instrumentales o de conocimiento) que si intervienen deben firmar, sino a las personas a las que directa (un notificado, requerido o propietario del lugar donde se practique la diligencia) o indirectamente (como peritos) se entienda la actuación. Por lo demás la falta de firma de estas personas no invalidaría la actuación notarial.

Acta única con un sólo texto. Se instrumentan en un solo texto y de continuo el requerimiento inicial y la actuación requerida. En la práctica notarial actual dicho procedimiento se usa sólo en supuestos muy simples como por ejemplo un acta de referencia en que se documentan las manifestaciones a la vez que se requiere al Notario para su constancia.

Doble acta. En este caso las actuaciones posteriores a la rogación no se formalizan a través de diligencias dentro de la misma acta sino en actas separadas. Ello puede deberse a cuestiones prácticas: como en los casos de requerimientos a través de Notario para requerir al competente territorialmente para entender la práctica de la diligencia, en actas de depósito para documentar la devolución del mismo que por el transcurso del tiempo o por estar el acta inicial encuadernada no pueden documentarse dentro de la misma, subsanaciones de errores de otros documentos, actas referidas a expedientes de jurisdicción voluntaria cuya tramitación se dilate en el tiempo, etc; o puede deberse a una norma legal que imponga dos actas, una que recoja el requerimiento inicial bajo la fecha y el número de protocolo del día en que se produce y otra con las diligencias practicadas que se incorporan al protocolo en la fecha y número de protocolo del día de su terminación.

d) Firma. A la firma del requerimiento se refiere número 8º al decir que *Las actas notariales se firmarán por los requirentes y se signarán y rubricarán por el Notario, salvo que alguno de aquéllos no pudiere o no supiere firmar, en cuyo caso se hará constar así. Quedarán a salvo aquellos supuestos de urgencia libremente apreciados por el Notario.*

La regla general de que las actas se firmen por el requirente presenta dos excepciones:

– Que no pudiere o no supiere firmar, en cuyo caso el Notario se limitará a hacerlo constar sin que sea necesario la presencia de testigos instrumentales.

– Casos de urgencia libremente apreciados por el Notario. Lo cual puede ocurrir bien por tener que documentarse un acto o hecho urgente que no permita la redacción y firma de un requerimiento inicial a pesar de estar presente el requirente, bien por formularse la rogación por algún medio a distancia y referirse igualmente a un acto o hecho que puede desaparecer en el *interin* de la comparecencia en la propia Notaría.

Esta segunda excepción debe sin embargo ser de interpretación restrictiva y no aplicarse a supuestos de rogación a distancia para actas que supongan el ejercicio de un derecho y que exigirían la personación ante el Notario a fin de que pudiera éste comprobar la identidad, capacidad y legitimación del requirente, y ello aunque por tratarse de un requerimiento urgente, la firma de éste se posponga a un momento posterior. Sólo así cabría entender las normas más restrictivas que el propio Reglamento recoge para actas de este tipo, por ejemplo, en el art. 205 a propósito del requerimiento por carta con firma legitimada o que el Notario conozca en el caso de notificaciones o requerimiento, o en el art. 218 para el acta de fijación de saldo (llamada por el Reglamento documento fehaciente de liquidación) que permite efectuar el requerimiento mediante carta dirigida al Notario quien legitimará la firma del remitente e incorporará al acta.

B) En cuanto al contenido.

En general dispone el número 7.º que *Las manifestaciones verbales percibidas por el Notario durante la realización de un acta sólo podrán ser recogidas en ésta previa advertencia por el Notario al autor de la existencia y finalidad del acta, del carácter potestativo de la manifestación y de la posibilidad de diferirla a la comparecencia en la notaría en los dos días hábiles siguientes a la entrega de la cédula o copia del acta que las insta. El requerimiento para levantar el acta no podrá referirse en ningún caso a conversaciones telefónicas, ni comprender la realización de preguntas por parte del Notario.*

Cuando el acta deba ser realizada en el interior de un establecimiento el Notario deberá advertir a la persona responsable, o que juzgue más idónea, de su condición y del objeto del acta y no consignará hecho alguno sino los que compruebe una vez autorizada su actuación. Si le fuere negada se limitará a hacerlo constar así.

La norma se refiere a supuestos totalmente distintos:

a) *Manifestaciones verbales.* Se refiere a ellas el primer inciso que contiene una regla general a todas las clases de actas (el Notario debe advertir previamente de la existencia del acta y de su finalidad)   y una regla concreta (la posibilidad de diferir la declaración a los dos días siguientes) que en realidad sólo afecta a las actas de notificación y requerimiento por lo que su lugar adecuado sería el de los preceptos dedicados a las mismas. Por lo que refiere a la regla general, la necesaria advertencia del Notario implica el carácter necesariamente potestativo de las manifestaciones que se puedan hacer de forma que nadie pueda verse compelido a realizarlas. Más difícil es precisar el término *finalidad* del acta habida cuenta que el uso que de la misma vaya a hacer el requirente no tiene que figurar necesariamente en la rogación inicial; por ello su único sentido posible no puede ser *finalista o de futuro* relativo al uso que se haga del documento sino *objetivo o de presente* relativo al hecho que se pretende acreditar o del que se quiere dejar constancia mediante el acta, de forma que la persona que pueda hacer una manifestación tenga conciencia objetiva del alcance que pueda tener la misma.

Esta advertencia previa del Notario tiene su fundamento (como ha declarado reiteradamente la DGRN, así RR 7 abril 1985, 22 junio 1992, 29 octubre 1994 y otras) en el respeto a la intimidad y la necesaria protección jurídica de los derechos básicos de la persona que exigen como presupuesto lógico que el Notario haga saber su condición y las consecuencias que para el sujeto puedan tener sus declaraciones.

¿Qué ha de entenderse por *manifestaciones*? Como igualmente tiene declarado la DGRN cualquier expresión verbal o escrita de una persona como sujeto individualmente determinado y en la medida en que el Notario constate su autoría y el contenido de la declaración.

El precepto habla únicamente de manifestaciones, pero se plantea la cuestión de si la advertencia previa del Notario a la práctica de la diligencia debe o no extenderse a comportamientos concretos. La respuesta debe ser afirmativa cuando se trata de reflejar en el acta conductas o comportamientos públicos de personas individualizadas y que deban quedar identificados en el acta. Por el contrario no sería necesaria la advertencia previa del Notario para hacer constar comportamientos públicos respecto de los que es irrelevante la identidad de la persona que los realiza.

b) *Conversaciones telefónicas.* Queda prohibida tajantemente la posibilidad de dejar su constancia en acta notarial (*El requerimiento para levantar el acta no podrá referirse en ningún caso a conversaciones telefónicas*). La DGRN ya había tenido ocasión de pronunciarse sobre este tema, así en R 29 noviembre de 1994 que señaló que la absoluta inseguridad que este tipo de conversaciones presenta hace improcedente consignarlas en acta, atribuyéndoselas a una determinada persona, ya que el Notario no la ve y por tanto, no la puede identificar.

c) *Formulación de preguntas.* Igualmente queda prohibida *la realización de preguntas por parte del Notario.* Cualquier pregunta dirigida a un tercero deberá revestir necesariamente la forma de acta de notificación y requerimiento e ir formuladas en escrito que el requirente dirija al requerido, pero nunca utilizar al Notario en cuanto tal para formular las preguntas, por cuanto ello requeriría respuesta inmediata y además podría, dado el carácter de *funcionario público* del Notario, sentirse compelido a responderlas. En este sentido la RDGRN de 20 octubre de 2005 declara que debe rechazarse la tendencia a acudir al levantamiento de actas que con la finalidad de preconstituir la prueba implican indagaciones o interrogatorios sustitutivos de las diligencias judiciales. Ello no impide la posibilidad de declaraciones testificales por medio de acta notarial pero en base a la comparecencia voluntaria de los presuntos testigos ante el Notario y bajo la forma de acta de manifestaciones, las cuales, en cualquier caso, nunca tendrán el mismo valor que la prueba testifical ante el juez.

No obstante lo dicho lo que no impide el precepto reglamentario es que el Notario, en la práctica de la diligencia, pueda formular determinadas preguntas meramente instrumentales para el objeto de la misma.

d) *Interior de establecimientos.* Del contexto de la norma parece deducirse que se está refiriendo a un establecimiento comercial, industrial o profesional abierto al público cuyo acceso sea libre. Respecto de la expresión *interior* la misma debe incluir todo lo que no es aprehensible desde el exterior por la simple percepción de los sentidos de forma natural. La DGRN había mantenido una posición más permisiva respecto de estas actas permitiendo en los establecimientos de libre acceso general que el Notario actuase sin revelar su cualidad de tal siempre que no entrase en relación con terceras personas y el acta se limitase a la observación de aquello que se ofrecía a la disponibilidad general (RDGRN de 2 de marzo de 2004); sin embargo dada la evidente dificultad en discernir cuándo se llega a interactuar con terceros y teniendo en cuenta el interés superior que es la protección de los derechos fundamentales y de la personalidad, la redacción del precepto reglamentario tras RD 45/2007 no admite excepciones, el Notario debe en todo caso pedir autorización, y no hacer constar nada sino después de obtenerla.

El número 9º añade que *Los Notarios se abstendrán de dar fe de incidencias ocurridas en actos públicos sin ponerlo en conocimiento de la persona que los presida, pero ésta no podrá oponerse a que aquellos, después de cumplido este requisito, ejerzan las funciones propias de su ministerio; si ésta se opusiere, se limitará a hacerlo constar así.*

A diferencia de las actas referentes a establecimientos en que hay que pedir autorización, en el caso de actos públicos se exige sólo ponerlo en conocimiento.

La redacción dada a esta norma tras la reforma del Reglamento por RD 45/2007 sustituye la expresión *Autoridad competente* por la actual *persona que los presida* con lo que queda claro que es indiferente el carácter público o privado del asunto que se trate en la reunión.

La citada reforma incluye también el inciso final *si ésta se opusiere, se limitará a hacerlo constar así* suscitando la duda de qué debe hacer el Notario en tal caso. Una interpretación conjunta de esta norma con la prevista para los establecimientos junto con el carácter tajante de la expresión se *limitará*, parece dar a entender que el Notario debe hacer constar esto y nada más, dando por terminada su intervención, así parece entenderlo YUSTE (2008, p. 113). Por el contrario MORILLO FERNÁNDEZ y SOLIS VILLA (2007, p. 567) estiman mejor fundada una interpretación favorable a la continuación de la diligencia basándose en su antecedente inmediato (el anterior art. 198.2 del RN) que avalaba la continuación de la actuación notarial a pesar de la oposición del presidente del acto y porque una norma de rango superior cual es el artículo 2 de la LN establece la obligatoriedad del Notario de dar fe de cualquier acto público extrajudicial para que se le requiera, decretando su responsabilidad si se negare a ello sin que un precepto reglamentario de dudosa interpretación pueda desvirtuar dicha norma legal.

Finalmente el apartado 2 del art. 198 se refiere a los archivos y soportes informáticos disponiendo que *Cuando un Notario sea requerido para dejar constancia de cualquier hecho relacionado con un archivo informático, no será necesaria la transcripción del contenido de éste en soporte papel, bastando con que en el acta se indique el nombre del archivo y la identificación del mismo con arreglo a las normas técnicas dictadas por el Ministerio de Justicia. Las copias que se expidan del acta deberán reproducir únicamente la parte escrita de la matriz, adjuntándose una copia en soporte informático no alterable según los medios tecnológicos adecuados del archivo relacionado. La Dirección General de los Registros y del Notariado, de conformidad con el artículo 113.2 de la Ley 24/2001, de 27 de diciembre, determinará los soportes en que deba realizarse el almacenamiento, y la periodicidad con la que su contenido debe ser trasladado a un soporte nuevo, tecnológicamente adecuado, que garantice en todo momento su conservación y lectura.*

Esta norma, como demuestra su inclusión en el artículo 198, no regula un tipo especial de acta, sino el procedimiento y formalidades generales a observar cuando el Notario se encuentre ante cualquier tipo de acta que verse sobre archivos informáticos.

El precepto es trasunto del art. 114 de la Ley 24/2001 de 27 de diciembre, y requiere, como prevé expresamente el mismo, un posterior desarrollo normativo por parte del Ministerio de Justicia en cuanto al *nombre del archivo e identificación del mismo* y por parte de la DGRN en cuanto a *los soportes de almacenamiento y periodicidad de traslado a un soporte nuevo que garantice su conservación y lectura.*

Precisamente este carácter general del precepto, que puede afectar a cualquier tipo de acta (presencia, exhibición, remisión de documentos, depósito, etc), unido al necesario desarrollo ulterior del mismo plantea ciertos interrogantes.

Así, a la hora de concretar la actuación requerida en la rogación inicial, se debe identificar el archivo informático indicando el nombre e identificación del mismo, sin que sea necesaria su transcripción en soporte papel. Ello podría hacer pensar que no es necesario que el Notario conserve el archivo en cuestión, pero del resto de la dicción de la norma se deduce lo contrario, ya que en tal caso no tendría sentido la referencia al almacenamiento y conservación. Por otra parte de alguna forma debe garantizarse la inalterabilidad de su contendido, pues de lo contrario la intervención notarial no tendría ningún sentido. De ello se deduce que el archivo informático debe quedar en un lugar que, aunque no se diga expresamente, debe estar a disposición del Notario, sea porque se le entrega directamente el archivo informático en un soporte que conserva el Notario (nada impide un acta de depósito del soporte si bien en tal caso debe quedar claro que lo que se deposita es el soporte entregado y no el archivo informático), sea porque el archivo informático que contiene el soporte que se entrega al Notario es copiado y trasladado por éste a sus propios archivos electrónicos, sea porque se trata de un archivo creado desde los sistemas informáticos de la Notaría y enviado en presencia o por el Notario o bien recibidos a los mismos conservando el Notario copia de ellos. No se aclara si el archivo conservado lo será sujeto a las normas del *protocolo notarial* a modo de *protocolo informático,* como *depósito* (lo que no se aviene bien dado el carácter temporal del mismo) o como una suerte de *archivo informático complementario del protocolo.* Todas estas y otras cuestiones que plantee la práctica deberán ser resueltas por la normativa de desarrollo que deberá tener en cuanto las diferencias conceptuales entre archivo electrónico y documento físico que se proyectan a la realidad aprehensible, siquiera sea conceptualmente, por el ser humano, especialmente la diferencia entre el soporte y el contenido (en el caso de documentos físicos están indisolublemente unidos mientras que en el caso de los archivos informáticos estos son una relación de bits distintas del soporte que los contiene y que necesita de elementos externos para su lectura) y entre original y copia (concepto difícilmente trasladable al archivo informático).

Finalmente, y consecuencia de lo anterior, la copia del acta debe ser coherente con su contenido, de forma que sólo reproducirá la parte escrita de la matriz, adjuntándose una copia inalterable en soporte informático del archivo relacionado.

4.24.3. Efectos

Dice el primer inciso del número 5º que *Las manifestaciones contenidas en una notificación o requerimiento y en su contestación tendrán el valor que proceda conforme a la legislación civil o procesal, pero el acta que las recoja no adquirirá en ningún caso la naturaleza ni los efectos de la escritura pública.*

En general la eficacia sustantiva de las actas es la que para los documentos públicos recoge el art. 1.218 del Código civil (RRDGRN sistema notarial de 7 de diciembre de 2001 y 2 de marzo de 2004 señalan que las manifestaciones del Notario en un acta de presencia gozan de presunción de exactitud y sólo pueden ser impugnadas ante los Tribunales), pero en ningún caso los propios de la escritura pública. Es decir no puede tener efectos traditorios, ni constituir título ejecutivo ni es título inscribible; y no puede tenerlos por cuanto su ámbito objetivo se circunscribe a la constancia de los hechos, y todo lo más a determinados hechos jurídicos, cuyas consecuencias no derivan de declaración de voluntad alguna sino de los efectos jurídicos que la ley atribuya al hecho producido.

Por la razón expuesta el RN no regula los efectos sustantivos de las actas, porque no es la norma adecuada para ello, simplemente contiene la referencia del número 5º citado. El sentido de esta alusión es eminentemente práctico. Si bien el Notario debe procurar y controlar el uso adecuado de las formas documentales como ha quedado antes dicho, es frecuente en el caso concreto contemplado (un acta de notificación o requerimiento) puedan cruzarse declaraciones tendentes a la confirmación de la formalización de algún negocio jurídico (p.ej. la remisión de una oferta o el requerimiento para el cumplimiento de lo pactado en un precontrato), situación fáctica que no puede evitarse por el Notario. La norma confirma así la regla general expuesta pues la acreditación mediante acta de la existencia de las declaraciones de voluntad cruzadas no les atribuye el valor de escritura pública, cuyo otorgamiento y autorización exige requisitos precisos en cuanto a la capacidad, fe de conocimiento, legitimación de los otorgantes, control de legalidad de forma y fondo del negocio y unidad de acto, circunstancias que son excepcionadas por regla general para las actas.

4.24.4. Actas de protocolización

4.24.4.1. Concepto

Los documentos no elaborados por el propio Notario pueden ingresar en el protocolo:

a) Bien incidentalmente a través de otro instrumento público (sea una escritura matriz que incorpora certificaciones, recibos, testimonios de documentos acreditativos de pago, etc; sea una acta que tiene documentos complementarios que se incorporan con el requerimiento inicial o con la diligencia posterior como actas de presencia donde se protocolizan fotografías que reflejan la realidad observada por el Notario).

b) Bien como objeto específico de la actuación notarial dirigida a incorporar un documento al protocolo; en este segundo caso la incorporación al protocolo tiene sustantividad propia y es objeto específico de un acta notarial, denominada precisamente por ello «*acta de protocolización*».

El Reglamento Notarial regula las actas de protocolización en los arts. 211 y ss. RN bajo el título «*Actas de protocolización*», comenzando el art. 211 RN diciendo que *Las actas de protocolización tendrán las características generales de las de presencia (...)*, sin embargo dicha afirmación es del todo errónea ya que, como ha destacado la generalidad de la doctrina notarial, las actas de presencia tienen por objeto hechos ajenos a la actuación desplegada por el Notario, mientras que en las de protocolización su objeto es precisamente la actividad desarrollada por el propio Notario, esto es, la incorporación de un documento al protocolo.

Podemos así definir las actas de protocolización como aquellas que tienen por objeto específico recoger el hecho por el que el Notario incorpora un documento al protocolo junto con la matriz que documenta dicho hecho y bajo el número que le corresponda.

4.24.4.2. Formalidades y efectos generales

Dice el art. 211 RN que *Las actas de protocolización tendrán las características generales de las de presencia, pero el texto hará relación al hecho de haber sido examinado por el Notario el documento que deba ser protocolado, a la declaración de la voluntad del requirente para la protocolización o cumplimiento de la providencia que la ordene, al de quedar unido el expediente al protocolo, expresando el número de folios que contenga y los reintegros que lleve unidos.*

Estas actas tienen una estructura formal más breve que otras debiendo contener los siguientes extremos que se deducen del precepto indicado:

a) **Instancia de parte** sea directamente mediante un requerimiento dirigido a tal fin sea indirectamente mediante «cumplimiento de la providencia que lo ordenare».

b) **Control de legalidad** por parte del Notario: éste debe examinar el documento que debe ser protocolizado. Dicho mandato no puede entenderse como una mera identificación formal del documento entregado para protocolizar (caso contrario no tendría sentido el último inciso del precepto), sino que debe relacionarse con el genérico control de legalidad que integra el contenido de la función notarial.

Una aplicación concreta de este control de legalidad es la mención del último párrafo del art. 215 RN respecto de documentos privados y pago de impuestos que comentaremos en su momento.

c) **Declaración** por parte del Notario de quedar unido el documento al protocolo expresando el número de folios que contenga y los reintegros que lleve unidos.

Esta declaración notarial es la que determina el efecto general de estas actas cual es la incorporación al protocolo. Es importante destacar que esta incorporación es irreversible, ya que el documento protocolizado pasa a formar definitivamente parte del protocolo y por tanto queda sujeto a su régimen legal (art. 272.1 del RN establece que *El protocolo notarial comprenderá los instrumentos públicos y demás documentos incorporados al mismo (...)*). Esto determina que el documento protocolizado queda sometido a las reglas generales sobre encuadernación, custodia del protocolo por el Notario a cuyo cargo esté, responsabilidad de éste respecto del mismo, expediente de reconstrucción respectos de las matrices destruidas o extraviadas etc; y no puede ser extraído ni desglosado del protocolo salvo que aparecieren *indicios o méritos bastantes para considerarlo cuerpo de delito* (art. 32 LN); cabe citar en este punto la RDGRN de 21 de enero de 1932 que justifica el no desglose por tener *«las matrices de las actas notariales y documentos complementarios incorporados al protocolo notarial por este medio, el carácter de instrumentos públicos al igual que las escrituras propiamente tales; e integrando todos ellos el protocolo notarial»*.

Esta irreversibilidad de la incorporación al protocolo planteó, respecto de los documentos privados, problemas procesales bajo el régimen de la LEC de 1881, ya que la misma exigía que a la demanda o contestación, según el caso, se acompañasen necesariamente los documentos en que los interesados fundasen su derecho, y si se trataba de documentos privados debía acompañarse el original de los mismos. Este efecto perverso de la protocolización notarial fue resuelto por la LEC de 7 de enero de 2000 que dispone en su art. 268 que *1. Los documentos privados que hayan de aportarse se presentarán en original o mediante copia autenticada por el fedatario público competente (...) 3. En el caso de que el original del documento privado se encuentre en un expediente, protocolo, archivo o registro público, se presentará copia auténtica o se designará el archivo, protocolo o registro (...)*.

Finalmente y como consecuencia de lo anterior el documento protocolizado queda sujeto a la dualidad matriz-copia pues al haberse convertido en matriz circulará en el tráfico jurídico a través de las copias que de él se expidan conforme a las normas previstas en la Ley y Reglamento Notariales.

4.24.4.3. Documentos que pueden ser protocolizados

En general cualquier documento susceptible de ello puede ser objeto de protocolización. No obstante el RN contempla algunos supuestos específicos:

A) Documentos públicos extranjeros

A ellos se refiere el art. 212 RN: *Los documentos públicos autorizados en el extranjero, una vez legalizados en forma, podrán ser protocolados en España mediante acta que suscribirá el interesado, si se hallare presente.*

En otro caso, bastará la afirmación del Notario de haberle sido entregado el documento a tales efectos.

En cuanto a la forma del párrafo segundo se desprende que el acta puede llegar a autorizarse sin rogante y por tanto sin comparecencia en la misma. Sería uno de los casos en que la instancia de parte queda diluida en el hecho de la propia protocolización, sin que ello implique una actuación de oficio.

B) Expedientes judiciales

Supuesto contemplado en el art. 213 RN: *La protocolización de los expedientes judiciales se efectuará por medio de un acta extendida y suscrita por el Notario a requerimiento de cualquier persona que entregue el expediente con el auto judicial en que se ordene la protocolización.*

Formalmente nos encontramos como en el caso de los documentos públicos extranjeros con la posibilidad de que no haya rogante sino que el Notario despliegue su actividad protocolizando *en cumplimiento de la providencia que lo ordenare* (luego tampoco es propiamente una actuación de oficio). En la práctica el requerimiento lo viene a firmar la persona que entrega al Notario el expediente judicial con el auto ordenando la protocolización y que normalmente será un interesado en el procedimiento que se haya seguido.

C) Planos, fotografías y otros documentos

Dispone el art. 214 RN que *también pueden ser protocolizados mediante acta los documentos públicos de todas clases, los impresos, planos, fotograbados, fotografías o cualesquiera gráficos cuya medida y naturaleza lo consienta, al efecto de asegurar su respectiva identidad y su existencia respecto de tercero en la fecha de la protocolización.*

Es aplicable el precepto a la protocolización de documentos administrativos que son legalmente exigidas a la manera de los expedientes judiciales antes referidos. El caso más característico sería el de las Actas de Reorganización de la Propiedad derivadas de expedientes de concentración parcelaria.

A la hora de expedir copia de la matriz que protocolice alguno de estos documentos el art. 236 RN dispone que *en la copia hará constar simplemente el Notario que la expida, que hay un plano, fotografía, dibujo, etc., como documento complementario o unido, con el número que le corresponda. Si el interesado en la expedición de la copia o en el ejercicio de los derechos que de ella deriven presenta una reproducción del documento de que se trate, el Notario, previo cotejo y caso de coincidencia, hará constar en dicha reproducción por diligencia que corresponde al documento de que se trate y sus circunstancias en el protocolo.*

D) Documentos privados

Finalmente dice el art. 215 RN que *Los documentos privados cuyo contenido sea materia de contrato podrán protocolizarse por medio de acta cuando alguno de los contratantes desee evitar su extravío y dar autenticidad a su fecha, expresándose en tal caso que tal protocolización se efectúa sin ninguno de los efectos de la escritura pública y sólo a los efectos del artículo 1.227 del Código Civil.*

Cuando no sean materia de acto o contrato se podrán protocolizar mediante acta a los efectos que manifiesten los interesados.

Los documentos privados sujetos al Impuesto de Transmisiones Patrimoniales y Actos Jurídicos Documentados, y al Impuesto de Sucesiones y Donaciones, no podrán ser objeto de acta de protocolización si no consta en ellos la nota que corresponda de la Oficina liquidadora o entidad bancaria colaboradora.

El precepto distingue dos tipos de documentos privados:

a) Aquellos cuyo contenido sea materia de contrato. En este caso el rogante ha de ser alguno de los contratantes. La apreciación del interés legítimo para instar la protocolización es por tanto restrictiva, pero no debería negarse a priori a cualquier otra persona, ya que por ejemplo debería admitirse la rogación de quien actuó como representante de alguno de los contratantes, de quienes resulten beneficiados directa o indirectamente en su esfera jurídica por dicho contrato (como un heredero del contratante) o perjudicados, o de quien haya adquirido o transmitido posteriormente alguno de los bienes o derechos objeto del contrato recogido en el documento privado en cuestión. Ahora bien dado los efectos y objeto del acta (mera protocolización) la capacidad necesaria del requirente será la genérica para instar un acta notarial sin que necesite la requerida para el contrato recogido en el documento privado que se pretende protocolizar.

En el texto del acta el Notario debe consignar que la protocolización se efectúa sin ninguno de los efectos de la escritura pública y sólo a los efectos del artículo 1.227 CC es decir, dar fehaciencia a la fecha (*La fecha de un documento privado no se contará respecto de terceros sino desde el día en que hubiese sido incorporado o inscrito en un registro público, desde la muerte de cualquiera de los que le firmaron, o desde el día en que se entregase a un funcionario público por razón de su oficio*). En consecuencia el documento privado protocolizado privado continúa siendo y carece de los efectos de la escritura pública: traditorios, formales, título ejecutivo, acceso registral, etc. Se distingue de esta forma la mera protocolización del documento privado de la elevación a público del mismo, dado que en este segundo caso, la actividad a desplegar por el Notario debe ser la misma en cuanto al control de la capacidad e interés legítimo de los otorgantes y a la regularidad formal y material del contrato, que en el otorgamiento de una escritura pública.

Por otra parte, la protocolización no implica reconocimiento alguno en cuanto a la suscripción del documento privado no permitiéndose ningún tipo de reconocimiento de firma del documento entregado al Notario, por ello el diferente criterio existente, restrictivo para el testimonio de legitimación de firmas [art. 258 RN *Solo podrán ser objeto de testimonios de legitimación de firmas los documentos y las certificaciones que hayan cumplido los requisitos establecidos por la legislación fiscal, siempre que estos documentos no sean de los comprendidos en el artículo 1280 del Código Civil, o en cualquier otro precepto que exija la escritura pública como requisito de existencia o de eficacia (...)*] y amplio para la protocolización de documentos privados, permitiendo la protocolización incluso de los contemplados por el art. 1280 CC, y ello porque la protocolización no produce ningún efecto sustantivo. De lo dicho se desprende que si el rogante de un acta de protocolización pretende, no el simple hecho de la incorporación al protocolo sino el reconocimiento de la firma que se puso en el documento privado o la modificación o ratificación respecto del objeto o consentimiento del contrato contenido en el documento privado, el Notario deberá denegar la autorización.

b) Aquellos cuyo contenido no sea materia de acto o contrato. En este caso podrán protocolizarse a los efectos que manifiesten los interesados. En realidad, dada la limitación de efectos de la protocolización de los documentos privados cuyo contenido sea materia de contrato, la diferencia entre ambos tipos tampoco es tan fundamental, ya que, en el mejor de los casos, los efectos quedarán reducidos a evitar el extravío y dar autenticidad a la fecha. En la práctica los otros efectos que pueden manifestar los interesados parecen más bien referirse a los motivos o finalidades perseguidas por el requirente ya que cualquier efecto jurídico vendrá determinado por la ley y queda fuera del ámbito de la autonomía de la voluntad.

El último párrafo del art. 215 RN impide protocolizar los documentos privados sujetos a ITPAJD o ISD si no consta en ellos la nota correspondiente de la Oficina Liquidadora o entidad bancaria colaboradora. Esta prohibición corre en paralelo a la que se establece para testimoniar documentos privados que deban presentarse ante la Administración Tributaria si no consta su presentación (art. 252.2 RN) y para legitimar firmas en documentos privados que no hayan cumplido lo prevenido en la legislación fiscal (art. 258 RN).

4.24.5. Actas de depósito

Las regulan los arts. 79 LN y 216 y 217 RN. El primero de ellos dice en su apartado 1 que *En todos aquellos casos en que, por disposición legal o pacto, proceda el depósito de bienes muebles, valores o efectos mercantiles, podrá realizarse ante Notario mediante acta de depósito, de conformidad con lo dispuesto en la presente Ley y en su reglamento de ejecución;* y el art. 216 RN comienza diciendo que *Los Notarios pueden recibir en depósito los objetos, valores, documentos y cantidades que se les confíen, bien como prenda de contratos, bien para su custodia.*

Naturaleza de las actas de depósito. A diferencia de las demás actas, las de depósito presentan un doble aspecto privado y público, como consecuencia de ello y derivado de su aspecto privado, presentan dos características que no aparecen en los demás instrumentos públicos autorizados o intervenidos por Notario, a saber: que la aceptación del depósito es voluntaria para el Notario (RDGRN sistema notarial de 18 de diciembre de 2003), salvo que el depósito se halle establecido por alguna ley, en cuyo caso se estará a lo que en ella se disponga (art. 216 RN) y que cabe regular las condiciones del depósito (el art. 216 RN habla de *condiciones impuestas por el Notario* y el art. 217 RN de *condiciones propuestas por el Notario y aceptadas por el depositante*).

En los depósitos no regulados especialmente por ley se podrán establecer condiciones relativas a la remuneración del depósito, forma de devolución y alcance de la custodia por parte del Notario; siendo conveniente limitar la duración temporal del depósito fijando una fecha a partir de la cual el Notario quede exonerado de responsabilidad por la custodia o incluso autorizando al Notario para la destrucción de la cosa depositada si no se procede a solicitar la devolución en el plazo señalado. Si bien la RDGRN sistema notarial de 26 de noviembre de 2001 señala que aun siendo voluntario para el Notario, no pierde nunca las características de su función debiendo extremar sus deberes de imparcialidad y claridad, tanto al imponer las condiciones para su admisibilidad y devolución, como a la hora de informar sobre su existencia a las personas que tenga derecho a ello.

La posibilidad de regular las condiciones del depósito entre Notario y depositante, y su aceptación voluntaria por parte del Notario, claudica, cuando, como hemos indicado se trate de un depósito regulado por ley, en que se estará a las determinaciones legales que puedan establecerse. Entre los depósitos notariales establecidos por ley y que por tanto carecen de carácter voluntario para el Notario, puede incluirse:

A) La consignación notarial de las sumas adeudadas a la comunidad de propietarios para poder acudir con derecho a voto a las Juntas (art. 15.2 LPH).

B) EL depósito de la fianza del arrendatario, previsto en el art. 27.4 de la Ley 29/1994, de 24 de noviembre, de Arrendamientos Urbanos, en los casos de resolución de un arrendamiento inscrito en el Registro de la Propiedad, supuesto en el que *si hubiera cargas posteriores que recaigan sobre el arrendamiento, será además preciso para su cancelación justificar la notificación fehaciente a los titulares de las mismas, en el domicilio que obre en el Registro, y acreditar la consignación a su favor ante el mismo notario, de la fianza prestada por el arrendatario.*

C) El depósito del testamento cerrado *en poder del Notario autorizante para que lo guarde en su archivo* a que se refiere el art. 711 CC.

D) El depósito y venta de las mercancías o equipajes transportados en los casos en que el destinatario no abone el flete, el pasaje o los gastos conexos a su transporte o no se presente para retirar los efectos porteados, así como cuando el transporte no pueda concluir a causa de una circunstancia fortuita sobrevenida durante el viaje, que hiciere imposible, ilegal o prohibida su continuación (arts. 512 y ss. de la Ley 14/2014, de 24 de julio, de Navegación Marítima).

E) El ofrecimiento de pago y consignación regulado en el art. 69 LN a que nos referiremos seguidamente y que se estudia en otro apartado de esta obra.

F) El acta de depósito del Libro del Edificio a que se refirió la resolución-circular de la DGRN de 26 de julio de 2007, derivada de la obligación de entrega del Libro del Edificio que establece el art. 7 LOE, y respecto de la cual habrá que estar a la normativa autonómica de aplicación; la RDGRN de 26 de octubre de 2016 considera, en base a la redacción vigente del art. 202 LH (procedente de la modificación de la LH por Ley 13/2015), que a efectos registrales, el depósito en el RP se aplica también a los autopromotores. Suele tratarse de un acta mixta de manifestaciones (del promotor y del arquitecto en el sentido de que la documentación depositada se corresponde con el libro del edificio) y de depósito del mismo. Dada la extensión del libro del edificio suele realizarse el depósito mediante su soporte informático (CD)   siendo conveniente diligenciar dicho soporte haciendo constar el acta a que se refiere, y debiendo el Notario proceder como determina el art. 216 RN para el depósito de documentos que estén extendidos en soporte informático.

La **finalidad** del depósito puede ser, como indica el art. 216 RN, bien *como prenda de contratos* bien *para su custodia*.

En todo caso, y sea cual sea la finalidad del depósito no son admisibles, y *el Notario rechazará* los depósitos que pretendan constituirse en garantía de un acto o contrato contrario a las leyes o al orden público. Consecuencia de ello es la necesidad de que el Notario conozca el contenido del depósito, por lo que no deben admitirse depósitos de recipientes (pliegos, sobres, cajas, etec...) cerrados y sellados cuyo contenido sea desconocido para el Notario; lo que viene confirmado por el hecho de que si el objeto depositado fuera un programa informático cuyo contenido no pueda ser razonablemente conocido por el Notario, dice el art. 216 RN que *éste sólo admitirá el depósito si el requirente depositante manifiesta que el contenido de aquel programa no es contrario a la ley o al orden público.*

Por lo que refiere al **objeto** susceptible de depósito, de los arts. 216 y 217 RN resulta:

– Que pueden recibirse *en depósito objetos, valores, documentos y cantidades* (art. 216.I RN). El art. 217 RN comienza hablando de depósitos de *metálico, valores, efectos y documentos* lo cual no supone una enumeración sustancialmente diferente. En general podrá ser objeto de depósito todo aquello que sea susceptible del mismo y cualquier pretensión de depósito extravagante puede ser rechazada por el Notario teniendo en cuenta la regla general de voluntariedad antes indicada.

Los depósitos en materia mercantil se estudian en otro apartado de esta obra. Baste señalar aquí que los apartados 2 y 3 del art. 79 LN disponen que *2. Si el depósito consistiere en letras de cambio u otros efectos que se pudieran perjudicar por su no presentación en ciertas fechas a la aceptación o al pago, el Notario, a instancias del depositante, podrá proceder a realizar dicha presentación. En caso de serle satisfecho el importe, quedará sus-*

tituido el depósito de los efectos por su importe en dinero. 3. En todos los casos en que, por la legislación mercantil, se permita la venta de los bienes o efectos depositados, el Notario, a instancia del depositante o del propio depositario, podrá convocar y proceder a la venta de los bienes. A ese efecto se procederá según lo previsto en esta Ley para las actas notariales de subasta, y se dará al importe obtenido el destino establecido en la legislación mercantil.

- Si fuere necesaria la identificación del objeto *se entregarán al Notario, cerrándolos y sellándolos a su presencia en forma que ofrezcan garantía de no ser abiertos* (art. 217.II RN).

- Si se trata de depósitos en efectivo *el Notario no podrá obtener para sí, el depositante o tercero rendimiento de las cantidades depositadas. A tal fin deberá abrir una cuenta específica no remunerada, sin que el Notario pueda desempeñar funciones de gestión respecto de dicho efectivo, cheque o fondos* (art. 217.II RN).

- Si el depósito se efectúa en metálico o cheques bancarios al portador, aunque no lo diga el precepto del RN habrá de estarse a lo preceptuado en la normativa de blanqueo de capitales y exigir el impreso S1 cuando la cuantía exceda de los 100.000 euros para movimientos dentro del territorio nacional y de 10.000 cuando procedan del extranjero, de acuerdo con la Orden EHA/1439/2006, de 3 de mayo reguladora de la declaración de movimientos de medios de pago en el ámbito de la prevención del blanqueo de capitales, y Orden EHA/114/2008, de 29 de enero, reguladora del cumplimiento de determinadas obligaciones de los notarios en el ámbito de la prevención del blanqueo de capitales.

- Si el Notario lo considerase conveniente para su seguridad *podrá conservar los depósitos que se le confíen en un Banco, y en caja de alquiler arrendada a su nombre como tal Notario, advirtiéndolo así al depositante y consignándolo en el acta.* En este caso *la caja sólo podrá ser abierta por el Notario o su sustituto legal, o mediante orden escrita de la Junta Directiva del Colegio Notarial respectivo o de la Dirección General* (art. 217.III RN).

Si el objeto del depósito notarial son documentos extendidos en soporte informático, el art. 216 RN recoge reglas especiales:

a) Identificación del documento electrónico y su soporte. *En el acta de depósito o en el documento en que deba quedar unido, bastará hacer referencia al depósito con reseña de las características del documento electrónico y de su soporte, tales como su fecha, formato y su extensión, si las tiene, la unidad de medida, en su caso, así como las demás características técnicas que permitan identificarlos.*

b) Traslado del documento a nuevo soporte. La DGRN podrá acordar, *cuando innovaciones técnicas lo hagan aconsejable,* el traslado *sistemático,* del contenido de los documentos depositados a un nuevo soporte más adecuado para su conserva ción, lectura o reproducción; se establecerán en tal caso las normas que garanticen la fiabilidad de las copias. Para dicho traslado *deberá citarse a los interesados, quienes podrán oponerse retirando el documento.*

Independientemente de que la DGRN haya acordado el traslado en los términos del art. 216 RN y 113.3 de la Ley 24/2001, también podrá realizarse a *instancia de la persona que depositó el documento o sus causahabientes.* En todo caso, y como es obvio, *el traslado del contenido del documento deberá hacerse por medios técnicos adecuados que aseguren la fiabilidad de la copia.*

Nos remitimos en este punto a lo comentado al tratar el art. 198.2 RM en el caso en que un Notario sea requerido para dejar constancia de cualquier hecho relacionado con un archivo informático.

Por lo que refiere a la **estructura y forma** del acta de depósito, el requirente será el depositante que deberá firmar el acta junto con el Notario, o si aquel no supiera o pudiere firmar una persona a su ruego.

En el acta se consignarán:

a) Las condiciones propuestas por el Notario y aceptadas por el depositante relativas a la constitución y devolución del depósito.

b) Todo cuanto fuere preciso para la identificación del depósito.

Llegado el momento de la devolución del depósito se extenderá en la misma acta nota de haberlo efectuado, firmada por la persona que haya impuesto el depósito o por quien traiga causa de ella u ostente representación legal o voluntaria. En todo caso el solicitante deberá acreditar al Notario el derecho que le asiste a la devolución del depósito. El art. 216 del RN habla de *nota* en el acta, pero lo propio es una *diligencia de devolución* a fin de consignar adecuadamente la comparecencia, intervención y justificación del derecho o interés legítimo de quien insta la retirada del depósito; si por el transcurso del tiempo el acta inicial estuviere ya encuadernada, cabe extender un acta de devolución con número propio de protocolo en la que se consignen las circunstancias precisas de la devolución con identificación del acta de depósito inicial y reseña por nota en ésta del acta de devolución. Cuando el depósito estuviese constituido bajo alguna condición convenida con un tercero el Notario no efectuará la devolución mientras no se le acredite suficientemente el cumplimiento de la condición estipulada.

4.24.5.1. Depósito sin acta

La redacción del art. 220 RN anterior a la reforma del mismo en virtud del RD 45/2007, contemplaba la posibilidad de la recepción por parte del Notario de depósitos con libertad de forma y sin autorización de acta.

El vigente art. 216 RN no recoge esta especialidad, toda vez que los mismos tienen un marcado carácter de derecho privado y no son materia notarial en sentido estricto. Ello no quiere decir que no sean posibles, sino que caso de formalizarse con Notario no lo serán por su cualidad de funcionario sino por la de profesional jurídico, rigiéndose por las normas generales de derecho privado, por lo que ni tendrán los efectos atribuidos a las actas de depósito en general o en sus posibles variantes, ni le afectarían prohibiciones como la de retribución bancaria o su traspaso al sucesor del protocolo.

En la práctica los depósitos sin acta más frecuentes vendrán referidos a la gestión de la documentación autorizada por el Notario, especialmente documentación previa o complementaria y el metálico necesario para el pago de impuestos e inscripciones registrales.

4.24.6. Actas de presencia

Reguladas en el art. 199 RN el concepto de acta de presencia viene a coincidir básicamente con el de las actas en general, de tal manera que si en sentido genérico los art. 17 LN y 144 RN establecen que *Las actas notariales tienen como contenido la constatación de hechos o la percepción que de los mismos tenga el Notario, siempre que por su índole no puedan calificarse de actos y contratos, así como sus juicios y calificaciones;* y en sentido específico el art. 199 RN comienza diciendo que *Las actas notariales de presencia acreditan la realidad o verdad del hecho que motiva su autorización,* excluyendo así únicamente las actas de notoriedad (que son las que incluyen los juicios y calificaciones del Notario a que se refieren los citados 17 LN y 144 RN).

A estas actas por tanto se les aplicará de manera especial las reglas generales que el art. 199 RN establece para todo tipo de actas, pudiendo considerarse las de presencia como el prototipo de acta a la que deberá ajustarse cualquier otra que carezca de nombre y regulación especial.

El párrafo segundo del art. 199 RN recoge cuatro **reglas generales** para estas actas:

1. *El Notario redactará el concepto general en uno o varios actos.* El término *concepto general* debe interpretarse en el sentido de que no puede pretenderse hacer constar en acta detalles tan precisos o concretos que no puedan ser objeto de un relato documental, siendo por tanto una regla sometida a la prudente valoración del Notario que debería rechazar aquellos requerimientos imposibles de cumplir o que pudieran generar dudas sobre el alcance de su actuación. La referencia a *uno o varios actos* se traducirá documentalmente en la redacción de una o varias diligencias donde se constaten los hechos percibidos por el Notario en cada uno de los momentos temporales en que se traduzca la comprobación de los hechos (RDGRN sistema notarial de 23 de enero de 2006 señala que pueden redactarse según las notas tomadas sobre el lugar).

2. Según lo que presencie o perciba por sus propios sentidos. En consecuencia *no* lo que le manifiesten al Notario. Pueden hacerse constar manifestaciones en el acto de la diligencia pero deben quedar claramente separadas y diferenciadas de los hechos percibidos por el Notario, por lo que la veracidad de los hechos objeto de las manifestaciones no pueden quedar amparadas por la fe pública notarial, y en todo caso se debe estar, respecto de dichas manifestaciones a lo que con carácter general establece el art. 198.1.7º RN. Además señala la RDGN sistema notarial de 11 de diciembre de 2001 que cae fuera de la función notarial la investigación de los hechos; la recogida de hechos en acta de presencia es perfectamente posible pero limitada a los hechos mismos sin que el Notario pueda deducir de ellos ningún juicio, ni de mera probabilidad, ni hacer ninguna presunción hominis por obvia que parezca por ser estas materias de competencia judicial.

3. En los detalles que interesen al requirente. El precepto dice que *interesen* al requirente no *en interés* del requirente, es decir, la dicción legal debe interpretarse en el sentido de que el Notario debe levantar acta de aquellos extremos para los que es requerido y no otros, pero ello lo debe hacer sea en beneficio o perjuicio del requirente, dado que la actuación del Notario debe estar presidida por la imparcialidad y no actúa en interés de parte, sino en aras de la objetividad y legalidad que preside la actividad notarial (en tal sentido RDGN sistema notarial de 7 de octubre de 2002 antes vista).

4. Si bien no podrá extenderse a hechos cuya constancia requieran conocimientos periciales. Ello es consecuencia igualmente de la imparcialidad que debe presidir la actuación del Notario al levantar el acta, por lo que no sólo es que no tenga que realizar dictámenes periciales, sino que debe abstenerse de realizar valoraciones sobre los hechos. Se trata de constatar los hechos como se perciben. Lo que sí es posible es un acta mixta de presencia, manifestaciones e incluso protocolización de documentos, donde el Notario constata en el acta los hechos que percibe por sus sentidos, recoge las manifestaciones verbales de un perito y protocoliza a requerimiento del interesado el informe pericial que se efectúe, debiendo en tal caso quedar claramente separados los extremos a que se refieren cada una de estas actuaciones.

Existen tipos de actas de presencia especialmente regulados en unos casos y en otros meramente enumerados, tanto dentro como fuera del Reglamento Notarial:

1. Recogidas en el Reglamento Notarial. Dentro de la legislación notarial el art. 200 RN menciona las siguientes:

a) *La entrega de documentos, efectos, dinero u otras cosas, así como los ofrecimientos de pago* (art. 200 1º RN). En la redacción del texto de estas actas se debe atender, en lo que sea pertinente al caso, los siguientes extremos:

   – *la transcripción del documento entregado*; puede tratarse bien de una transcripción literaria, o bien, de protocolizar una reproducción exacta del mismo,

–   *la descripción completa de la cosa*, que a discreción del Notario podría completarse con la protocolización de fotografías de la misma,

–   *la naturaleza, características y notas individuales de los efectos*, que igualmente puede completarse con la protocolización de una reproducción de los mismos.

El art. 200 1º RN habla de la *entrega*, término que ha de interpretarse como entrega de una persona a otra, puesto que si de lo que se trata es de entregar documentos, efectos, dinero u otras cosas al Notario, ya no estaremos ante un acta de presencia sino ante un acta de depósito. En este segundo caso además nos podemos encontrar con dos situaciones: que la cosa se deposite al Notario para que sea retirada por el depositante o un tercero determinado, sin actuación notarial posterior al depósito inicial, en cuyo caso estaremos ante un acta de depósito de los arts. 216 y 217 RN, por tanto de voluntaria aceptación por parte del Notario y bajo las condiciones que se pacten entre Notario y requirente; o que el requerimiento inicial incluya no sólo el depósito de la cosa ante el Notario sino además un requerimiento a un tercero para su retirada de la notaría. Este segundo caso puede plantear dudas sobre la voluntariedad de su aceptación por parte del Notario, que como ya vimos es una excepción a la regla general del carácter obligatorio de la función pública notarial, aplicable sólo a las actas de depósito. Si estamos en el supuesto regulado en el art. 69 LN, sobre *ofrecimiento de pago y consignación* introducido por la disposición final 11.1 de la Ley 15/2015, de 2 de julio, de la Jurisdicción Voluntaria, el Notario no puede denegar su autorización si es competente territorialmente para efectuar el ofrecimiento de pago, que quedará sujeto a las siguientes reglas:

–   Se formalizará a través de acta (art. 49 2º LN *Los Notarios intervendrán en los expedientes especiales autorizando actas o escrituras públicas: (...) 2.º Cuando el expediente tenga por objeto la constatación o verificación de un hecho, la percepción del mismo, así como sus juicios o calificaciones, el Notario procederá a extender y autorizar un acta.*

–   El ofrecimiento de pago y la consignación de los bienes de que se trate podrán efectuarse ante Notario.

–   El que promueva expediente expresará los datos y circunstancias de identificación de los interesados en la obligación a que se refiera el ofrecimiento de pago o la consignación, el domicilio en que puedan ser hallados así como las razones de la actuación, todo lo relativo al objeto del pago o la consignación y su puesta a disposición del Notario.

–   Cuando los bienes consignados consistan en dinero, valores e instrumentos financieros, en sentido amplio, serán depositados por el Notario necesariamente en la Entidad financiera colaboradora de la Administración de Justicia.

Si fueran de distinta naturaleza a los indicados en el apartado anterior, el Notario dispondrá su depósito o encargará su custodia a establecimiento adecuado a tal fin, asegurándose de que se adoptan las medidas necesarias para su conservación, que quedará adecuadamente justificado por diligencia en el acta.

– El Notario notificará a los interesados la existencia del ofrecimiento de pago o la consignación, a los efectos de que en el plazo de diez días hábiles acepten el pago, retiren la cosa debida o realicen las alegaciones que consideren oportunas.

Si el acreedor contestara al requerimiento aceptando el pago o lo consignado en plazo, el Notario le hará entrega del bien haciendo constar en acta tal circunstancia, dando por finalizado el expediente.

Si transcurrido dicho plazo no procediera a retirarla, no realizara ninguna alegación o se negara a recibirla, se procederá a la devolución de lo consignado sin más trámites y se archivará el expediente.

b) *El hecho de la existencia de una persona, previa su identificación por el Notario* (art. 200 2º RN). Se trata de la conocida como «fe de vida» a que también se refiere el art. 251.3 RN al tratar de los testimonios por exhibición (*También podrán ser utilizados estos testimonios para dar fe de la presencia de una persona ante el Notario*); la decisión de la utilización del acta o del testimonio a estos efectos dependerá de la conveniencia y uso que se vaya a dar al documento (MORILLO FERNÁNDEZ y SOLIS VILLA, 2007, p. 579), siendo un factor a tener en cuenta para la elección entre una u otra forma de actuación el interés que tenga el requirente en la conservación (caso de acta) o no (caso de testimonio) en el protocolo del documento. Por su parte el art. 363 del RRC dispone que *La vida, estado de soltero, viudo o divorciado se acreditan por la correspondiente fe del Encargado.*

La vida se acredita también por comparecencia del sujetó o por acta notarial de presencia, y el estado de soltero, viudo o divorciado, por declaración jurada o afirmación solemne del propio sujeto o por acta de notoriedad.

Ningún órgano oficial, ante quien la vida se acredite por comparecencia del sujeto o el estado de soltero, viudo o divorciado por aquella manifestación podrá exigir otros medios de prueba, sin perjuicio de la investigación de oficio que proceda en caso de duda fundada. Por los órganos oficiales se advertirá previamente al declarante la responsabilidad penal en que puede incurrir.

La legislación del Registro civil sólo habla así de acta notarial de presencia, por lo que habrá que tener en cuenta también cuál va a ser el uso que se le va a dar a la «fe de vida» y ante qué organismo se va a utilizar para decidirse entre el acta de presencia del art. 200 2º RN o el testimonio del art. 251.3 RN.

Distinta del acta de «fe de vida» que tiene por objeto acreditar la existencia de una persona, son aquellas que tienen por objeto acreditar el estado y circunstancias de una persona, que son propiamente actas de notoriedad, o las que pretender dar fe de la presencia de una persona en un lugar y momento determinado, que sí son propiamente actas de presencia y en las que hay que controlar especialmente por parte del Notario el interés legítimo del requirente (si es un tercero distinto de la persona cuya presencia se trata de acreditar), así como que no se vulneren derechos personales de la persona objeto del acta, especialmente honor, intimidad y propia imagen.

c) *La exhibición al Notario de documentos o de cosas con el fin de que, examinados, los describa en el acta tal y como resulten de su percepción* (art. 200 3° RN). Tipo de acta de presencia que examinaremos con posterioridad.

d) *Conforme a lo establecido en el artículo 114.2 de la Ley 24/2001, de 27 de diciembre, los Notarios deberán dejar constancia en acta, a solicitud de los interesados, tanto de las comunicaciones electrónicas recibidas de éstos como de las que, a requerimiento de los mismos, envíen los Notarios a terceros. La Dirección General de los Registros y del Notariado queda habilitada para regular mediante Instrucción la forma en que el Notario debe almacenar en su archivo electrónico el contenido de las actas a que se refiere este párrafo, determinando los soportes en que debe realizarse el almacenamiento y la periodicidad con que su contenido debe ser trasladado a un soporte nuevo, tecnológicamente adecuado, que garantice en todo momento su conservación y lectura* (art. 200 4° RN).

e) Finalmente el Anexo IV del Reglamento Notarial (*Del ejercicio de la fe pública en materia electoral*) regula las *actas electorales*, que son un tipo de acta de presencia con determinadas especialidades. En este tipo de actas pueden distinguirse dos situaciones:

La relativa a los Notarios adscritos a determinadas candidaturas (según el art. 9 del Anexo IV RN *Los candidatos y los representantes de las candidaturas, así como sus respectivos apoderados, podrán solicitar la adscripción de Notarios solamente para hacer constar hechos o actos electorales que se produzcan el día de la votación en una o varias circunscripciones*). En este caso (art. 13 Anexo IV) *sólo podrán realizar los requerimientos del día de la votación a los que les fueron adscritos, quienes no deberán aceptar requerimientos de personas distintas de los solicitantes.*

Y la relativa al resto de Notarios o fedatarios electorales habilitados (el art. 18 Anexo IV permite la habilitación como fedatarios electorales de ciertos funcionarios, siempre que sean licenciados en derecho y que no estén incluidos en ninguna de las candidaturas proclamadas), cuya actuación será general para este tipo de actas.

Por lo demás se recoge una norma especial de competencia territorial en el art. 10 Anexo IV según la cual todos los Notarios con residencia demarcada dentro de una circunscripción electoral quedan habilitados sin necesidad de investidura especial, para actuar en materia electoral en todo el territorio de aquélla durante el día de la votación;

y cuando el territorio de la circunscripción electoral sea de menor extensión que el distrito notarial todos los Notarios de éste podrán actuar libremente, en la misma materia, en todos y cada uno de los términos municipales del mismo. Cuando sea necesario el art. 11 Anexo IV permite a los Decanos disponer que determinados Notarios permanezcan el día de la votación en la población que se les señale, con obligación de desplazarse a las demás poblaciones de la circunscripción territorial en donde sean requeridos.

Y en lo que se refiere al procedimiento de estas actas (arts. 15 a 17 Anexo IV) se dispone:

- Requerimiento. Toda persona que, en el ámbito de un Colegio electoral determinado, tenga interés legítimo en hacer constar el día de la votación hechos o actos concretos del procedimiento electoral podrá requerir la prestación de funciones de cualquier Notario o Fedatario electoral que no haya sido adscrito conforme al artículo 9.º del anexo.

- Contenido. Al cumplimentar los requerimientos, el Notario hará constar únicamente los hechos que, a su juicio, tengan relación directa con el objeto de aquéllos y no estará obligado a recoger manifestaciones ajenas a dicho objeto que puedan hacer otras personas, salvo las que le haga el Presidente de la Mesa en relación con los mismos hechos.

- Auxilio. En el caso de que se impidiere o dificultare a los Notarios su actuación, se estará a lo establecido en las normas electorales y, en todo caso podrán aquéllos reclamar el auxilio de los agentes de la autoridad, quienes vendrán obligados a prestarlo con arreglo a sus respectivos reglamentos.

Cuando la gravedad de los hechos, a juicio del Notario, así lo aconseje, éste, por medio de simple escrito, lo pondrá en conocimiento de la Junta directiva de su Colegio a fin de que la misma pueda ejercitar, si lo estimare oportuno, las acciones, e incluso interponer querellas en nombre propio y en el del Notario.

- Conservación. Si se trata de Notarios obviamente el acta quedará en su protocolo, pero tratándose de habilitados como fedatarios electorales que por tanto no tienen protocolo bajo su custodia, prevé el art. 23 Anexo IV que los Fedatarios electorales entregarán las actas que hayan levantado, dentro de los tres días siguientes al de la votación, en el Colegio Notarial que les haya expedido su credencial, donde quedarán archivadas, al menos, durante cinco años. La entrega podrá ser efectuada directamente o mediante el Notario Delegado o Subdelegado de la Junta directiva en el distrito notarial donde el Fedatario electoral tenga su domicilio. En tal caso los testimonios de dichas actas se librarán por cualquier miembro de la Junta directiva a petición del requirente o de las Juntas Electorales. Las personas con las que se hayan entendido determinadas diligencias podrán obtener testimonio parcial relativo a ellas.

2. Recogidas en otras normas. Entre otras cabe citar las siguientes, algunas de las cuales se examinan en sus respectivos apartados:

a) Acta de venta extrajudicial de bien hipotecado. Regulada en los arts. 129 LH, 234, 235, 236 y 236-a a 236-o RH y 72 y ss. LN en lo que resulte de aplicación.

b) Acta de subasta. Regulada en los arts. 72 a 77 LN.

c) Acta prevista en los arts. 136 y 137 RRM para acreditar la identidad de las firmas reproducidas mecánicamente con las que se estampen en presencia del Notario, en los casos en que la firma de los administradores en las acciones no sea autógrafa sino que se reproduzca por medios mecánicos. En este caso antes de la puesta en circulación de los títulos deberá inscribirse en el Registro Mercantil el acta que acredite la identidad en la cual deben expresarse al menos los siguientes extremos:

1.ª El acuerdo o decisión de los administradores de utilizar dicho procedimiento, y la designación de quién o quiénes deban firmar.

2.ª La manifestación del administrador o de los administradores requirentes de que todas las acciones que han de ser objeto de la firma, cuyas clases y números indicarán, son idénticas al prototipo de los títulos que entregan al Notario.

3.ª La legitimación por el Notario de las firmas reproducidas mecánicamente en el prototipo. El prototipo se protocolizará con el acta notarial.

El prototipo podrá sustituirse por fotocopia de uno de los títulos en la que el Notario hará constar diligencia de cotejo con su original.

d) En materia de extranjería, también pueden utilizarse actas notariales en determinados casos. La Ley Orgánica 4/2000, de 11 de enero, sobre derechos y libertades de los extranjeros en España y su integración social, en su art. 18.2 establece a propósito de la reagrupación familiar que *el reagrupante deberá acreditar, en los términos que se establezcan reglamentariamente, que dispone de vivienda adecuada y de medios económicos suficientes para cubrir sus necesidades y las de su familia, una vez reagrupada*; lo que desarrolla el Real Decreto 557/2011, de 20 de abril, por el que se aprueba el Reglamento de la Ley Orgánica 4/2000, cuyo art. 55 dispone que el extranjero que solicite autorización de residencia para la reagrupación de sus familiares, deberá adjuntar en el momento de presentar la solicitud informe expedido por los órganos competentes de la Comunidad Autónoma del lugar de residencia del reagrupante a los efectos de acreditar que cuenta con una vivienda adecuada para atender sus necesidades y las de su familia. El informe anterior podrá ser emitido por la Corporación local en la que el extranjero tenga su lugar de residencia cuando así haya sido establecido por la Comunidad Autónoma competente. El informe de la Corporación local habrá de ser emitido y notificado al interesado en el plazo de treinta días desde la fecha de la solicitud. En caso de que el informe no haya sido emitido en plazo, circunstancia que habrá de ser debidamente acreditada por el interesado, podrá justificarse este requisito por cualquier medio de prueba admitido en Derecho, y entre tales medios destaca el acta notarial. En todo caso, el informe o la documentación que se presente en su sustitución debe hacer referencia, al menos, a los siguientes extremos: título que habilite para la ocupación de la vivienda, número de habitaciones, uso al que se destina cada una de las dependencias de la vivienda, número de personas que la habitan y condiciones de habitabilidad y equipamiento. En similares términos se pronuncia el art. 3.d) de la Orden de 8 de enero de 1999 que para acreditar la disponibilidad de una vivienda suficiente para el reagrupante y su familia señala que deberá aportarse por el reagrupante informe expedido por la Corporación Local y caso de que no exista tal informe el reagrupante deberá acreditar dichas condiciones mediante acta notarial mixta de presencia y manifestaciones para acreditar las características y amplitud de la vivienda.

El informe o, en su defecto, el acta notarial, deberá hacer referencia a los siguientes extremos: título que habilite para la ocupación de la vivienda, número de habitaciones o dependencias en que se distribuye la vivienda, uso al que se destina cada una de ellas, número de personas que la habitan y condiciones de equipamiento de la misma, en particular, las relativas a la disponibilidad de agua corriente, electricidad, sistema de obtención de agua caliente y red de desagües.

e) Y las actas de presencia en una Junta de sociedad mercantil. Hay que distinguir de las actas de mera presencia de hechos que puedan acontecer en el curso de una junta de cualesquiera personas jurídicas, incluidas mercantiles, colectivos o comunidades de propietarios, que son puras actas de presencia que no sustituyen al acta de la reunión, de aquellas otras cuya finalidad es precisamente que el Notario levante acta de la Junta o Asamblea. Las primeras se rigen por las reglas generales de las actas de presencia y se sujetan a sus limitaciones, por tanto puede ser requirente cualquier persona con interés legítimo en la constatación de hechos que ocurran en el transcurso de la reunión y la actuación del Notario queda limitada por la necesaria autorización de los presentes al levantamiento del acta y a la imposibilidad de hacer constar manifestaciones sin permiso expreso. Las segundas son las que pasamos a examinar a continuación.

4.24.6.1. Acta de presencia en Junta de sociedad mercantil

Un tipo especial de acta de presencia, con regulación especial y frecuente en la práctica, es la de presencia en juntas de sociedades mercantiles. Se contempla en los arts. 101

y ss. RRM y art. 203 LSC a los que supletoriamente se aplicará la normativa general del Reglamento Notarial.

Requerimiento (art. 203.1 LSC y 101.1 RRM).

Los administradores podrán requerir la presencia de Notario para que levante acta de la junta general y estarán obligados a hacerlo siempre que, con cinco días de antelación al previsto para la celebración de la junta, lo soliciten socios que representen, al menos, el uno por ciento del capital social en la sociedad anónima o el cinco por ciento en la sociedad de responsabilidad limitada. En este caso, los acuerdos sólo serán eficaces si constan en acta notarial.

El Notario que hubiese sido requerido por los administradores para asistir a la celebración de la Junta y levantar acta de la reunión, juzgará la capacidad del requirente (...).

Se debe distinguir entre la formalización del requerimiento al Notario y la iniciativa para que se levante acta notarial de la Junta.

El requerimiento lo debe formalizar ante el Notario el órgano de administración,

a. bien por iniciativa propia,

b. bien porque lo soliciten socios que representen, al menos, el uno por ciento del capital social en la sociedad anónima o el cinco por ciento en la sociedad de responsabilidad limitada; en este segundo caso,

   – tiene carácter obligatorio para los administradores,

   – los socios lo deben solicitar con un mínimo de cinco días de antelación a la celebración de la junta,

   – la solicitud de los socios a los administradores no requiere forma especial, si bien es conveniente recurrir a un acta notarial de requerimiento dirigida al órgano de administración que no suple el requerimiento que con posterioridad deberán realizar los administradores al Notario para que levante acta de la junta,

   – en estos casos los acuerdos sociales sólo serán eficaces si constan en acta notarial.

El precepto reglamentario habla de *juzgar la capacidad del requirente* lo cual debe entenderse en sentido amplio, esto es, no sólo la capacidad jurídica y de obrar, sino también la legitimación para intervenir en nombre de la sociedad, circunstancia que deberá acreditarse al Notario como si del otorgamiento de una escritura pública se tratara. De manera que deberá identificarse al requirente con arreglo a las reglas generales de identificación, juzgar su capacidad y la legitimación que tiene para instar el acta notarial de junta debiendo justificar su representación orgánica (normalmente mediante la escritura pública que formalice su nombramiento debidamente inscrita en el Registro

Mercantil). El art. 166 LSC dice que *La junta general será convocada por los administra-dores y, en su caso, por los liquidadores de la sociedad*, por tanto:

a. En caso de administrador único, bastará su comparecencia.

b. En caso de administradores mancomunados, deberán todos ellos formalizar el requerimiento, o los que sean necesarios según se configure el ejercicio del cargo en los estatutos.

c. En el caso de administradores solidarios, cualquiera de ellos.

d. En el caso de Consejo de Administración, el representante del mismo en base a la ejecución de un acuerdo del consejo para la convocatoria, acreditado mediante certificación de dicho acuerdo expedida por el secretario del consejo con el visto bueno del presidente con las firmas debidamente legitimadas notarialmente.

Qué ocurre cuando los administradores formulan el requerimiento con **cargo cadu-cado** por transcurso del plazo para el que fueron nombrados. Podemos distinguir dos situaciones en base a los arts. 222 LSC y 145.1 RRM:

– Si vencido el cargo de administrador, se trata de levantar acta notarial de la Junta General siguiente o de la que debe resolver sobre la aprobación de las cuentas del ejercicio anterior, **el requerimiento debe admitirse**.

– Si vencido el cargo de administrador, hubiese transcurrido el plazo legal para la celebración de la Junta que deba resolver sobre las cuentas anuales (art. 164.1 LSC *La junta general ordinaria, previamente convocada al efecto, se reunirá nece-sariamente dentro de los seis primeros meses de cada ejercicio, para, en su caso, apro-bar la gestión social, las cuentas del ejercicio anterior y resolver sobre la aplicación del resultado*), el Notario **no debe admitir el requerimiento** (RDGRN de 30 de octubre de 2009). En tales casos ya no hay legitimación para convocar la junta y por tanto tampoco la hay para requerir el levantamiento de acta notarial debien-do acudirse a la convocatoria vía secretario judicial o registrador mercantil (art. 171.1 LSC).

En cuanto a la posible actuación por **representante voluntario**, no debe admitirse un apoderamiento general, únicamente podría valer un poder en documento público (art. 1280.5 CC) y especial para requerir acta de la junta, nunca general para instar actas notariales. La RDGRN sistema notarial de 18 de noviembre de 1996 considera que requirente los es en todo caso el órgano de administración.

Tipo de junta y convocatoria (art. 101.1 RRM).

(...) salvo que se trate de Junta o Asamblea Universal, verificará si la reunión ha sido convocada con los requisitos legales y estatutarios, denegando en otro caso su ministerio. Por tanto puede levantarse acta notarial de la Junta, ya sea ésta convocada o universal. Se puede así distinguir:

a. Junta Universal. La posibilidad de levantar acta de este tipo de juntas resulta de la mención que hace el art. indicado. Por definición en las mismas no hay convocatoria, celebrándose la junta universal por una «espontánea» decisión de todos los socios para celebrarla o bien a la presencia de todos ellos en una convocatoria «informal» o «deficiente». Se pueden de esta forma, dar distintas situaciones prácticas:

– que los administradores requieran expresamente al Notario para el levantamiento de acta de junta universal, en base al art. 203.1 LSC, por haberse realizado una convocatoria informal y preverse la asistencia de la totalidad de los socios;

– cabe plantearse si cabe un requerimiento de la totalidad de los socios que, estando reunidos, deciden celebrar junta universal; cabe entender que en este caso sí puede haber requerimiento directo, toda vez que si la totalidad de los socios que componen el cien por cien del capital social pueden por unanimidad ordenar la junta universal en sus aspectos fundamentales y entre ellos el orden del día, por la misma razón pueden de forma unánime decidir el levantamiento de acta notarial de la junta universal sin que medie requerimiento de los administradores;

– el supuesto más dudoso es el del requerimiento defectuoso por convocatoria que no se ajusta a la ley en sus estrictos términos; el Notario debe denegar el requerimiento para junta convocada, pero sería posible admitirlo para una posible junta universal, siempre que se den sus presupuestos.

En cualquier caso, el levantamiento de acta notarial de junta universal, requerirá siempre que esté presente o representada la totalidad del capital social y los concurrentes acepten por unanimidad la celebración de la reunión (art. 178 LSC), debiendo el Notario hacer constar al inicio del acta que se ha acreditado la concurrencia del 100 por cien del capital social y que por unanimidad se ha decidido la celebración de la junta y el orden del día consiguiente.

b. unta convocada, ordinaria o extraordinaria. Si se trata de Junta convocada el Notario debe comprobar que la convocatoria cumple los requisitos que marca la Ley de Sociedades de Capital de 2 de julio de 2010 (art. 173. 1. *La junta general será convocada mediante anuncio publicado en la página web de la sociedad si ésta hubiera sido creada, inscrita y publicada en los términos previstos en el artículo 11 bis. Cuando la sociedad no hubiere acordado la creación de su página web o todavía no estuviera ésta debidamente inscrita y publicada, la convocatoria se publicará en el «Boletín Oficial del Registro Mercantil» y en uno de los diarios de mayor circulación en la provincia en que esté situado el domicilio social. 2. En sustitución de la forma de convocatoria prevista en el párrafo anterior, los estatutos podrán establecer que la con-*

vocatoria se realice por cualquier procedimiento de comunicación individual y escrita, que asegure la recepción del anuncio por todos los socios en el domicilio designado al efecto o en el que conste en la documentación de la sociedad. En el caso de socios que residan en el extranjero, los estatutos podrán prever que sólo serán individualmente convocados si hubieran designado un lugar del territorio nacional para notificaciones. 3. Los estatutos podrán establecer mecanismos adicionales de publicidad a los previstos en la ley e imponer a la sociedad la gestión telemática de un sistema de alerta a los socios de los anuncios de convocatoria insertados en la web de la sociedad).

c. Junta convocada por el Secretario Judicial o Registrador Mercantil. En principio no hay razón para excluir la intervención notarial en este tipo de Juntas previstas en el art. 169 LSC (*1. Si la junta general ordinaria o las juntas generales previstas en los estatutos, no fueran convocadas dentro del correspondiente plazo legal o estatutariamente establecido, podrá serlo, a solicitud de cualquier socio, previa audiencia de los administradores, por el Secretario judicial o Registrador mercantil del domicilio social.*

   2.   Si los administradores no atienden oportunamente la solicitud de convocatoria de la junta general efectuada por la minoría, podrá realizarse la convocatoria, previa audiencia de los administradores, por el Secretario judicial o por el Registrador mercantil del domicilio social).

Anotación preventiva en el Registro Mercantil (Art. 104 RRM).

a Legitimación. El art. 104. 1. RRM habla de *A instancia de algún interesado*.

b Contenido de la anotación. Deberá anotarse preventivamente la solicitud de levantamiento de acta notarial de la Junta por la minoría prevista por la Ley.

c. Forma. La anotación se practicará, en virtud del requerimiento notarial dirigido a los administradores y efectuado dentro del plazo legalmente establecido para dicha solicitud. En este caso la solicitud a los administradores debe revestir la forma de requerimiento notarial. Formalmente la solicitud de la anotación preventiva requiere la presentación de copia autorizada del acta de requerimiento dirigida a los administradores en la cual se incluya la solicitud para la práctica de la misma, de no incluirse se deberá acompañar instancia dirigida al Registrador Mercantil para que se practique la anotación.

d. Efectos. Practicada la anotación preventiva, no podrán inscribirse en el Registro Mercantil los acuerdos adoptados por la Junta a que se refiera el asiento si no constan en acta notarial.

e. Cancelación. La anotación preventiva de la solicitud de acta notarial se cancelará por nota marginal cuando se acredite debidamente la intervención del Notario en la Junta, o cuando hayan transcurrido tres meses desde la fecha de la anotación.

Constitución de la junta (Art. 101.1 y 2 RRM).

El Notario se personará en el lugar, fecha y hora indicados en el anuncio de la convocatoria.

Deberá asegurarse de la identidad y de los cargos de Presidente y Secretario de la reunión:

- De la identidad, conforme a las reglas generales de la legislación notarial, esto es por fe de conocimiento o medios supletorios de identificación, preferentemente el DNI.

- De los cargos de Presidente y Secretario, esto es, que en virtud de las normas legales y estatutarias, corresponde a estas personas la presidencia y secretaría de la junta.

Constituida la Junta, preguntará a la asamblea si existen reservas o protestas sobre las manifestaciones del Presidente relativas al número de socios concurrentes y al capital presente.

Contenido del acta (art. 102 1 y 3 RRM).

El Notario dará fe las circunstancias generales previstas en la legislación notarial y de las circunstancias previstas como 1.ª, 2.ª y 3.ª del artículo 97 RRM, esto es:

1.ª Fecha y lugar del territorio nacional o del extranjero en que se hubiere celebrado la reunión.

2.ª Fecha y modo en que se hubiere efectuado la convocatoria, salvo que se trate de Junta o Asamblea universal (RDGRN de 19 de diciembre de 2002 señala que la acreditación del cumplimiento de los requisitos de convocatoria puede hacerse o completarse al comienzo de la diligencia que relata todo lo acontecido en la Junta y por tanto en un momento posterior al requerimiento, **siempre que sea antes del comienzo de la propia Junta**)

3.ª Texto íntegro de la convocatoria o, si se tratase de Junta o Asamblea universal, los puntos aceptados como orden del día de la sesión.

Y además, como especialidad del acta notarial dará fe:

1.ª De la identidad del Presidente y Secretario, expresando sus cargos.

2.ª De la declaración del Presidente de estar válidamente constituida la Junta y del número de socios con derecho a voto que concurren personalmente o representados y de su participación en el capital social. Estos datos se recogerán de las declaraciones del Presidente sin que corresponda al Notario la comprobación de los mismos, sin perjuicio de que se hagan constar expresamente las salvedades que bien el presidente bien cualquiera de los asistentes pueda realizar sobre los datos consignados en el acta (p.ej. validez de representaciones).

3.ª De que no se han formulado por los socios reservas o protestas sobre las anteriores manifestaciones del Presidente y, en caso contrario, del contenido de las formuladas, con indicación de su autor (RDGRN de 19 de diciembre de 2002 el acta de sociedad debe contener la constancia de las reservas o protestas de los socios). El Notario recogerá las manifestaciones que se realicen pero sin entrar en el fondo de ellas ni responder a las mismas. Especialmente importantes son las protestas que puedan hacerse sobre la convocatoria y sobre el derecho de asistencia o su negación a determinados socios o representantes.

4.ª De las propuestas sometidas a votación y de los acuerdos adoptados, con transcripción literal de unas y otros, así como de la declaración del Presidente de la Junta sobre los resultados de las votaciones, con indicación de las manifestaciones relativas al mismo cuya constancia en acta se hubiere solicitado. El precepto distingue:

- las propuestas sometidas a votación y los acuerdos adoptados, respecto de los cuales el Notario hace una **trascripción literal**

- el resultado de las votaciones, respecto de los que recoge la **declaración del presidente** en tal sentido (RDGRN de 10 de mayo de 2001), y nunca la propia declaración del Notario de haber quedado aprobado un acuerdo (lo que supondría un juicio de legalidad por parte del Notario contrario a la prohibición de calificación que se recoge seguidamente)

5.ª De las manifestaciones de oposición a los acuerdos y otras intervenciones cuando así se solicite, consignando el hecho de la manifestación, la identificación del autor y el sentido general de aquélla o su tenor literal si se entregase al Notario texto escrito, que quedará unido a la matriz. En consecuencia las manifestaciones de los presentes pueden recogerse por el Notario:

- bien por redacción hecha en el lugar;

- bien por apuntes o notas tomadas en el lugar para redactar la diligencia en el estudio del Notario; debe admitirse el uso de medios de grabación de sonido;

- por texto escrito que se le entregue en cuyo caso unirá dicho escrito a la diligencia comprobando que coincide con las manifestaciones realizadas en la junta por el interesado (RDGRN de 28 de febrero de 2000 indica que el Notario sólo consignará literalmente las manifestaciones si se le entregasen texto escrito que se unirá a la matriz).

El Notario podrá excusar la reseña de las intervenciones que, a su juicio, no fueren pertinentes por carecer de relación con los asuntos debatidos o con los extremos del orden del día. Cuando apreciare la concurrencia de circunstancias o hechos que pudieran ser constitutivos de delito podrá interrumpir su actuación haciéndolo constar en el acta.

En ningún caso el Notario calificará la legalidad de los hechos consignados en el instrumento. Ello hay que relacionarlo con el hecho de que el acta no es per se título hábil para inscribir los acuerdos en el Registro Mercantil, sino que habrá que acudir a la pertinente escritura de elevación a público de acuerdos sociales, momento en el que el Notario sí determinará si se dan o no los presupuestos necesarios para la validez de los acuerdos y su elevación a público.

Cierre del acta y valor jurídico (arts. 102.2, 103 RRM y 203. 2 y 3 LSC).

La diligencia relativa a la reunión:

a. Si las sesiones se prolongan durante dos o más días consecutivos, la reunión de cada día se consignará como diligencia distinta en el mismo instrumento y por orden cronológico.

b. Puede ser extendida por el Notario en el propio acto o, ulteriormente, en su estudio con referencia a las notas tomadas sobre el lugar

c. No necesitará aprobación, ni precisará ser firmada por el Presidente y el Secretario de la Junta. La RDGRN de 30 de enero de 2004 (ídem RDGRN de 18 de junio de 2003) señala que las declaraciones del Notario relativas al lugar, fecha, identificación como Notario, identificación de Presidente y Secretario y mención de los demás hechos y circunstancias exigidas por la Ley, gozan de la presunción de exactitud de la fe pública.

d. El acta notarial tendrá la consideración de acta de la Junta y, como tal, se transcribirá en el Libro de actas de la sociedad.

e. Los acuerdos que consten en ella podrán ejecutarse a partir de la fecha de su cierre.

f. Los honorarios notariales serán de cargo de la sociedad.

Otras actas notariales (art. 105 RRM).

Puede requerirse al Notario para levantar acta, no como acta de Junta, sino como acta de presencia para dejar constancia de hechos acaecidos en las juntas o asambleas de socios. Tal posibilidad viene contemplada en el art. 105 RRM del que resulta son actas de presencia ordinarias destinadas a reflejar hechos acecidos en las juntas o asambleas de socios que se regirán por las normas generales contenidas en la legislación notarial. No se les aplicarán las especialidades previstas para las actas notariales de junta y por tanto:

- Puede instar el requerimiento cualquier interesado, sea o no administrador, por lo que bastará interés legítimo en los términos del art. 198.1.1º RN.

- El Notario no comprobará requisitos de convocatoria, ni la forma de constitución de la junta o de la mesa. Únicamente dejará constancia de los hechos acaecidos para los que sea requerido y aunque por el contenido específico del requerimiento refleje circunstancias de las previstas para las actas notariales de junta, no tendrán el valor de éstas y en ningún caso pueden servir para la elevación a público de los acuerdos sociales adoptados. Tendrán por tanto el valor probatorio de las actas notariales de presencia en general y servir de base, en su caso, para defender judicialmente la validez o nulidad de los acuerdos adoptados o eventuales responsabilidades de los administradores. En definitiva como dice expresamente el art. 105 RRM *no tendrá la consideración de acta de la junta.*

– Dado que son actas de presencia no son obligatorias para la sociedad por lo que la entrada del Notario y el levantamiento del acta sólo es posible si media autorización en los términos del art. 181. 2 y 3 LSC *(2.El presidente de la junta general podrá autorizar la asistencia de cualquier otra persona que juzgue conveniente. La junta, no obstante, podrá revocar dicha autorización. 3. Lo dispuesto en el apartado anterior será de aplicación a la sociedad de responsabilidad limitada, salvo que los estatutos dispusieran otra cosa).*

– Existe una prohibición de concurrencia de este tipo de actas con el levantamiento de acta notarial de la junta, pues dice el precepto reglamentario que *cuando hubiese sido requerida la presencia de Notario para levantar acta de la Junta o de la Asamblea de socios, no podrá ningún otro Notario prestar sus servicios para constatar los hechos a que se refiere el apartado anterior.*

4.24.7. Actas para la publicidad

El art. 2 de la Ley 34/1988, de 11 de noviembre, General de Publicidad, considera publicidad toda forma de comunicación realizada por una persona física o jurídica, pública o privada, en el ejercicio de una actividad comercial, industrial, artesanal o profesional, con el fin de promover de forma directa o indirecta la contratación de bienes muebles o inmuebles, servicios, derechos y obligaciones. En ocasiones la actividad comercial trata de estimular la venta de sus productos utilizando ofertas, pruebas o concursos en los que requieren la intervención de un Notario. Las actas para la publicidad serían de esta forma, aquella modalidad de actas de presencia, que pretenden una intervención notarial para dar credibilidad o fiabilidad a determinadas ofertas comerciales. Su objeto sería por tanto constatar *hechos susceptibles de publicidad comercial.*

El art. 199 RN se refiere a las mismas en sus párrafos tercero y cuarto, que establecen una serie de cautelas y limitaciones a fin de evitar posibles engaños a los destinatarios de la publicidad:

– El Notario, al expresar el alcance concreto de la fe pública notarial, hará constar que ésta no puede extenderse a cosas o hechos distintos de los que han sido objeto de su percepción personal.

– Está prohibido el uso publicitario de toda acta que no se haya instado expresamente con la finalidad de tal uso.

– El Notario autorizante deberá aprobar previamente los textos e imágenes en que la publicidad se concrete y en todo caso el nombre del Notario no deberá aparecer en la publicidad autorizada de dichos textos e imágenes.

– Igualmente el Notario denegará la autorización cuando pueda inducir a confusión a los consumidores y usuarios sobre el alcance de la intervención notarial.

Finalmente el art. 199 RN prevé que el Consejo General del Notariado creará un archivo telemático de libre consulta por los Notarios y los usuarios en que conste la intervención notarial y las bases de los concursos para los que se requiera aquélla. El Notario requerido advertirá al requirente de la incorporación de ese acta al archivo telemático indicado a los efectos del ejercicio de los derechos a que se refiere la Ley Orgánica 15/1999, de 13 de diciembre, de protección de datos de carácter personal. Si se negare, no podrá hacer constar la intervención notarial en dicho archivo. Dicho archivo se denomina ABACO y su consulta es de acceso público es la siguiente dirección *http:// www.notariado.org/liferay/web/notariado/e-Notario/abaco/sorteos-en-vigor*.

Su existencia es previa a la reforma del RN de 2007 habiéndose regulado en la Circular del Consejo General del Notariado de 15 de febrero de 2003.

4.24.8. Actas de remisión de documentos

Consideradas como una subespecie de las actas de presencia las regula el art. 201 RN del que resulta lo siguiente:

1. En cuanto al envío.

a) El envío puede referirse a cartas u otros documento y puede realizarse,

– *por correo ordinario* (entiéndase por oposición al correo electrónico), puede ser o no certificado, con o sin acuse de recibo y dada la liberalización de servicios postales puede utilizarse tanto correos estatal como cualquier otro operador,

– *procedimiento telemático* (entiéndase entre ellos el correo electrónico),

– *telefax,*

– *o cualquier otro medio idóneo.*

b) Tratándose de procedimientos no telemáticos, el envío puede ser efectuado por un tercero, lo que se hará constar por acta de presencia normal, si bien para tal caso, las especialidades del art. 201 RN están pensando en el caso de que el envío sea efectuado por el Notario por solicitarlo de esta forma el requirente.

Si se trata de procedimientos telemáticos, puede ser objeto del acta bien presenciar cómo el requirente realiza el envío y dejar constancia de la confirmación que en su caso pueda reportar el sistema, bien que sea el propio Notario el que realice la comunicación electrónica. En este segundo caso se plantea la eventual compatibilidad entre lo que dispone con carácter general el art. 200 4º y el art. 201. Algunos (MORILLO FERNÁNDEZ y SOLIS VILLA, 2007, p. 583) entienden que en el caso del art. 200 4º el autor del documento enviado es el Notario y en el del art. 201 el autor del documento es el requirente; otros (GOMA SALCEDO, 2011, p. 380) que el art. 200 4º se refiere a un acta en que el contenido de las comunicaciones se conserva por el Notario en formato electrónico mientras que el art. 201 regula aquellas en que se trasladan a papel las comunicaciones y las respuestas del sistema y se incorporan al acta en ese formato. En todo caso no debe buscarse contradicción entre ambos preceptos pues el art. 200 4º recoge unas previsiones de carácter general para las comunicaciones electrónicas que se aplicarán en cuanto sean permitentes a las actas de remisión de documentos por procedimientos electrónicos del art. 201, pudiendo distinguirse distintas situaciones:

– Que la remisión telemática se efectúe desde el propio ordenador del Notario, entendemos que puede efectuarse desde cualquier cuenta de correo incluida la dirección de correo corporativa u oficial; siendo además preferible la utilización de esta última toda vez que permite que el Notario firme electrónicamente el envío, que adjunte el documento con el texto que se quiera trasladar, que en el texto del mensaje se haga constar la referencia al acta donde se requiere la actuación notarial y que se refleje el acuse de recibo que proporcione el sistema (GOMA SALCEDO, 2011, p. 380). En su caso, si se tratara de un archivo informático específico, se deberá estar a lo que determine la DGRN sobre el almacenamiento informático de estas actas y el traslado de soporte informático para garantizar su conservación o lectura.

– Que la remisión telemática se efectúe desde un ordenador del requirente. En este caso se pueden plantear al Notario dudas sobre la fiabilidad del sistema informático utilizado, de ahí que por seguridad convenga realizar determinadas comprobaciones previas (asegurarse desde el ordenador que existe realmente conexión a internet, que la cuenta de correo utilizada está perfectamente configurada para realizar envíos y recepciones, por ejemplo mediante el envío desde la cuenta de correo del Notario de un correo y a la inversa, todo ello a fin de evitar fraudes y simulaciones de programas informáticos no apreciables a simple vista).

– Y finalmente que la remisión telemática se efectúe desde una cuenta de correo de un tercero que no pertenezca al requirente. Este supuesto no debe admitirse, debiendo el Notario rechazar el requerimiento a menos que el tercero consienta expresamente en la propia acta o por comparecencia en el acto de la diligencia y firme la misma.

2. En cuanto al contenido del acta.

a) Quedará acreditado por la fe pública notarial:

– *el simple hecho del envío,*

– *el contenido de la carta o documento,*

– *según el medio utilizado la fecha de su entrega* (entiéndase al servicio de correos o empresa encargada de servicios postales) *o su remisión por procedimiento técnico adecuado,*

– *en su caso la expedición del correspondiente resguardo de imposición como certificado, entrega o remisión,*

– *así como la recepción por el Notario del aviso de recibo, o del documento o comunicación de recepción.*

b) Lo que no ampara la fe pública notarial es el hecho de la recepción del documento por el destinatario, y ello, aunque se protocolice el acuse de recibo, dado que no estamos ante una acta de notificación o requerimiento.

3. En cuanto a las especialidades formales:

a) *En la carta o documento remitidos quedará siempre constancia de la intervención notarial.* Normalmente se pondrá una nota o diligencia en la que se identifique el Notario y el acta mediante su número de protocolo y año.

b) *Las sucesivas actuaciones notariales se harán constar por diligencias.*

c) *Las actas de remisión de documentos no confieren derecho a contestar en la misma acta y a costa del requirente.* Como indicamos no estamos ante un acta de notificación o requerimiento, por lo que sus efectos son más limitados y no admiten contestación (RDGRN sistema notarial de 14 de marzo de 2005 indica que el destinatario de la carta no tiene derecho a contestar ya que el remitente no es el Notario sino el requirente). Aunque el art. 201 RN no lo diga, a diferencia de las actas de notificación o requerimiento, en que el Notario debe ser competente territorialmente en el lugar en que se efectúa la notificación o requerimiento (y ello aunque la cédula de notificación o requerimiento se enviase por correo con acuse de recibo), en la remisión de cartas o documentos, el envío puede efectuarse a cualquier sitio, incluidos aquellos en que el Notario no sea competente territorialmente.

Además la RDGRN sistema notarial de 9 de marzo de 2004 señala que no cabe el acta de remisión de carta cuando se trata de notificación o requerimiento fehaciente impuesto por las Leyes y en los demás casos el Notario debe valorar si tiene contenido notificatorio o requisitorio, en cuyo caso debería también denegarlas.

d) Finalmente y como aplicación del principio general de control de legalidad notarial, *el Notario no admitirá requerimientos para envío de sobres cerrados cuyo contenido no aparezca reproducido en el acta.* Y, aunque no se diga expresamente, la carta o documento debe estar redactada en lengua oficial en el lugar donde se formalice el requerimiento, o en otro caso, acompañarse de traducción a fin de que el Notario pueda controlar que su contenido no es contrario a la ley o al orden público, a menos que el Notario conozca suficientemente la lengua no oficial o extranjera en que estén redactados la carta o documento, en cuyo caso debería hacerlo constar en el texto del acta.

4.24.9. Actas de exhibición de cosas y de documentos

El RN las regula, igual que las anteriores, como una subespecie de las actas de presencia (arts. 200 3° y 207 RN), siendo aquellas que tienen por objeto la descripción de documentos o cosas que se exhiben al Notario, dejando así constancia en el protocolo de la existencia de tales cosas o documentos en poder de una persona en una determinada fecha y lugar.

El párrafo primero del art. 207 distingue genéricamente según lo exhibido sea una cosa o un documento.

En las actas de exhibición de cosas:

a) El Notario describirá o relacionará las circunstancias que las identifiquen.

b) Diferenciará lo que resulte de su percepción de lo que manifiesten peritos u otras personas presentes en el acto.

c) Podrá completar la descripción mediante planos, diseños, certificaciones fotografías o fotocopias que incorporará a la matriz.

En las actas de exhibición de documentos:

a) Además de lo anterior en cuanto sea aplicable, transcribirá o relacionará los documentos.

b) O concretará su narración a determinados extremos de los mismos indicados por el requirente, observando en este caso, si a su parecer procede, lo dispuesto en el párrafo último del art. 237 RN (*en la copia parcial se hará constar, bajo la responsabilidad del Notario, que en lo omitido, no hay nada que amplíe, restrinja, modifique o condicione lo inserto, sin perjuicio de que también puede hacerse extracto o relación breve de aquello*).

A continuación en su párrafo segundo el art. 207 RN hace una enumeración, no exhaustiva, de supuestos en que esta acta puede utilizarse:

1. Para dejar constancia en el protocolo de la existencia de cosas o documentos en poder de una persona o en un determinado lugar.

Esta sería la hipótesis general de las actas de exhibición que presenta numerosas aplicaciones prácticas, entre las que cabe reseñar las siguientes:

a) Acta para la cancelación de una condición resolutoria en garantía del precio aplazado representado por letras de cambio. En tal caso:

– El Notario hará constar en el acta la inutilización de las letras que debe producirse en el mismo momento del otorgamiento del acta en evitación de posibles fraudes caso de que la garantía afecte al precio aplazado en compraventas de varias fincas y la condición resolutoria se haya distribuido entre ellas, y se pretenda hacer cancelaciones parciales aplicando a varias la misma cambial.

– El acta puede instarla cualquier interesado, no necesariamente el comprador o titular registral, dado que tiene por objeto la constatación de un hecho cual es la inutilización de las letras de cambio. Consecuencia de ello es que puede utilizarse este acta para cancelar la condición aunque no estuviere previsto tal medio expresamente en la escritura de compraventa (RDGRN de 30 de mayo de 1980), pero que las letras de cambio deben estar perfectamente identificadas por su número y serie y caso contrario no puede procederse a la cancelación por este medio (RRDGRN de 21 de julio de 1986, 30 de mayo de 1996 y 23 de enero de 2008) y que tampoco es posible la cancelación si faltara una letra (RDGRN de 5 de enero de 2000).

b) Acta para la cancelación de hipoteca cambiaria. Se ajustará, con las debidas adaptaciones, a las reglas que el art. 156 LH establece para las hipotecas en garantía de títulos transmisibles por endoso y emitidos en masa (art. 156.1 LH *La cancelación de las inscripciones de hipotecas constituidas en garantía de títulos transmisibles por endoso se efectuará presentándose la escritura otorgada por los que hayan cobrado los créditos, en la cual debe constar haberse inutilizado en el acto del otorgamiento los títulos endosables, o solicitud firmada por dichos interesados y por el deudor, a la cual se acompañen inutilizados los referidos títulos, o bien previo ofrecimiento y consignación del importe de los títulos, hecha en los casos y con los requisitos prevenidos en los artículos mil ciento setenta y seis y siguientes del Código Civil*).

– Puede, de igual forma que en el caso anterior, utilizarse como documento cancelatorio el acta notarial que acredite que los efectos se hayan en poder del solicitante (art. 156.2 *Las inscripciones de hipotecas constituidas con objeto de garantizar títulos al portador se cancelarán totalmente si se hiciere constar por acta notarial estar recogida y en poder del deudor toda la emisión de los títulos debidamente inutilizados*), sin que sea necesario que se haya previsto expresamente este medio en la escritura de constitución de la hipoteca y siendo indiferente quien inste el acta pues igualmente se trata de la constatación de un hecho cual es la inutilización de las letras.

- Si se pretende una cancelación parcial sólo podrá utilizarse para la misma un acta notarial como se desprende del art. 156.4 y 5 LH *(La cancelación de las inscripciones de hipotecas constituidas en garantía de títulos transmisibles por endoso se efectuará presentándose la escritura otorgada por los que hayan cobrado los créditos, en la cual debe constar haberse inutilizado en el acto del otorgamiento los títulos endosables, o solicitud firmada por dichos interesados y por el deudor, a la cual se acompañen inutilizados los referidos títulos, o bien previo ofrecimiento y consignación del importe de los títulos, hecha en los casos y con los requisitos prevenidos en los artículos mil ciento setenta y seis y siguientes del Código Civil.*

  También podrá cancelarse parcialmente la hipoteca cuando se presente acta notarial que acredite estar recogidas y en poder del deudor, debidamente inutilizadas, obligaciones equivalentes al total importe de la responsabilidad porque esté afecta a la hipoteca una finca determinada, aunque dichas obligaciones no asciendan a la décima parte del total de la emisión. En este caso sólo podrá cancelarse la inscripción de la hipoteca que grave la finca que se trate de liberar).

c) Acta para la exhibición de documentos en formato electrónico. Se deberá estar a lo indicado en el punto 1 del art. 114 (que lleva por título *Constatación fehaciente de hechos relacionados con soportes informáticos*) de la Ley 24/2001 de 27 de diciembre de medidas fiscales, administrativas y del orden social:

- No será necesaria la transcripción de su contenido en el documento en soporte papel, bastando con que en éste se indique el nombre del archivo y una función alfanumérica que lo identifique de manera inequívoca, obtenida del mismo con arreglo a las normas técnicas dictadas al efecto por el Ministro de Justicia.

- Las copias que se expidan del documento confeccionado podrán reproducir únicamente la parte escrita de la matriz, adjuntando una copia en soporte informático adecuado del archivo relacionado, amparada por la firma electrónica avanzada del Notario.

2. Para hacer constar la existencia de un documento no notarial cuyas firmas legitime el propio Notario autorizante, que vaya a surtir efectos solamente fuera de España en país que prevea o exija dicha forma documental.

El origen de la norma está en la reforma que del RN se hizo el 8 de junio de 1984 y pretendió resolver una cuestión de índole práctica: la de aquellos documentos admitidos en el ámbito del derecho de otro país (normalmente sujeto al *common law*) y cuyas firmas se presentaban a legitimar ante Notario español que según nuestra legislación debía denegar la legitimación por cuestiones de forma o fondo (art. 258 RN *Sólo podrán ser objeto de testimonios de legitimación de firmas los documentos y las certificaciones que hayan cumplido los requisitos establecidos por la legislación fiscal, siempre que estos documentos no sean de los comprendidos en el artículo 1280 del Código Civil, o en cualquier otro precepto que exija la escritura pública como requisito de existencia o de eficacia. Queda a salvo lo dispuesto en el artículo 207 de este Reglamento)* De primeras cabe ya concluir que no es necesaria el acta del 207 si se trata de documentos susceptibles de legitimación de firmas con arreglo a la legislación española aunque esté redactado en idioma extranjero (que el Notario debe conocer o bien acompañarse de traducción).

La solución del artículo comentado supone por tanto:

a) De una parte la legitimación notarial de una firma, para lo cual el Notario debe ajustarse a lo dispuesto en cuanto a la legitimación de firmas. Así dice el art. 207.2 2º que *el Notario identificará a los interesados, quienes comparecerán ante él, y en el mismo acto firmarán el documento no notarial o declararán que las firmas estampadas son las suyas.* Y dado que nos encontramos ante una declaración de voluntad (recordemos que se trata de documentos privados que contienen negocios jurídicos para los que el derecho español exige como requisito de existencia o eficacia escritura pública) la legitimación de firmas se sujeta a la regla genérica del art. 259 2 RN *(sólo podrán ser legitimadas cuando sean puestas o reconocidas en presencia del Notario (...) las de los documentos utilizados en la práctica comercial o que contengan declaraciones de voluntad);* por tanto no cabe utilizar cualquier otro mecanismo del párrafo 1 del art. 259 RN y sólo cabe firma presencial o reconocimiento ante el Notario.

b) De otra el cumplimiento de los requisitos fundamentales que para el otorgamiento de una escritura se requieren en derecho español, y que se recogen en el acta complementaria. Continúa diciendo el art. 207.2 2º RN que los interesados declararán *en todo caso, que conocen el contenido del documento y que, libre y voluntariamente, quieren que produzca los efectos que le sean aplicables conforme a lo previsto por las leyes extranjeras. El Notario, además, deberá emitir en cuanto le sea posible el juicio de capacidad legal o civil a que se refiere el artículo 156, 8º, de este Reglamento, y cumplir lo dispuesto en el mismo respecto de la intervención y representación de los otorgantes.*

Interesa destacar en este punto que es erróneo entender que cabe legitimar firmas de documentos redactados en idioma extranjero que el Notario no conoce, sin que se acompañe traducción, con el argumento de que se formaliza en el acta del 207. 2 2º RN en la cual el interesado ya manifiesta que conoce su contenido y además sólo surte efectos en otro país. Por el contrario y así cabe deducirlo del RN el Notario debe conocer el contenido del documento presentado a legitimar lo que implica o bien conocer suficientemente el idioma en que está redactado o bien pedir traducción oficial. Así se desprende del art. 252 2º *No podrán ser testimoniados: (...) 2º Los redactados en lengua que no sea oficial en el lugar de expedición del testimonio y que el Notario desconozca, salvo que les acompañe su traducción oficial.* El precepto se refiere en concreto a los testimonios por exhibición pero es susceptible de aplicación a los testimonios de legitimación de firmas. Y ello además por una cuestión práctica, dado que el Notario debe conocer el contenido del documento, lo que implica conocer el idioma en que está redactado o disponer de traducción oficial, entre otras cosas para saber si existe interés legítimo, si su contenido es contrario a la ley o al orden público, si encubre un supuesto susceptible de ser calificado como blanqueo con las pertinentes comunicaciones o si es una de los comprendidos en el art. 1280 CC (esta necesidad ya la recogió la RDGRN de 9 de abril de 1976 y la Circular del CGN 1/1999).

c) Por lo demás como cuestiones formales *el documento, o un ejemplar del mismo, original o por fotocopia, quedará incorporado a la matriz del acta en la que se expresará, literalmente o en relación, el texto del testimonio de legitimación. En dicho texto, a continuación de las firmas legitimadas, se consignarán, abreviadamente, los particulares contenidos en el acta que sean pertinentes.*

3. Para efectuar, conforme al artículo 262 de este Reglamento, el reconocimiento de la propia firma puesta con anterioridad en un documento que, a juicio del Notario, quedará suficientemente reseñado en el acta, o unido a ésta, original o por fotocopia (vid. ut infra el examen del testimonio de legitimación de firmas).

El art. 259 RN permite, entre otros medios, basar el testimonio de legitimación de firmas, en el reconocimiento hecho en su presencia (del Notario) por el firmante y por el cotejo de otra firma original legitimada. Si se realizase el reconocimiento a través de esta acta de presencia en un documento que contuviere únicamente la declaración de reconocimiento de la propia firma, cuya reproducción se protocolizase con el acta permitiendo la circulación del documento original, debidamente diligenciado y referenciado respecto del acta de reconocimiento de la propia firma, facilitaría a posteriori legitimaciones basadas en el cotejo de otra firma original legitimada; ello sería especialmente útil para las personas que firman con frecuencia documentos cuya firma debe ser legitimada (p. ej. Administradores de sociedades mercantiles) de forma que tal legitimación sería posible acompañando el acta y el documento de reconocimiento junto con el documento a legitimar en cualquier notaría sin necesidad de que la firma ya obrase en el protocolo, o sea conocida por el Notario, y por supuesto siempre que por el contenido del documento la legitimación no tenga que ser por comparecencia personal (en los casos referidos en el art. 259.2 RN *Dentro del ámbito de los documentos susceptibles de testimonio, sólo podrán ser legitimadas cuando sean puestas o reconocidas en presencia del Notario las firmas de letras de cambio y demás documentos de giro, de pólizas de seguro y reaseguro y, en general, las de los documentos utilizados en la práctica comercial o que contengan declaraciones de voluntad.*)

4. Para fijar el saldo líquido exigible en los préstamos o créditos en cuenta corriente concedidos por entidades de crédito, ahorro o financiación siempre que tales operaciones y esta modalidad de fijación hayan sido pactadas en escritura pública. En virtud de la documentación exhibida por la entidad acreedora y de su concordancia con certificación de ésta, que se unirá a la matriz, el Notario levantará el acta en la que quede determinado el saldo de la cuenta (vid. ut infra el examen del documento fehaciente de liquidación).

4.24.10. Actas de referencia

Las actas de referencia, o de manifestaciones, son aquellas en las que el Notario da fe a solicitud de una persona, de las manifestaciones que sin requerimiento previo hace dicha persona u otra, a presencia del Notario. Caben así dos modalidades: aquellas en que es el propio requirente el que hace las manifestaciones y aquellas otras en que sin requerimiento por parte del Notario, el interesado solicita que se hagan constar las manifestaciones de otra persona que voluntariamente comparece con él ante el Notario (normalmente se trata en tal caso de una declaración testifical o informe pericial).

Del art. 208 RN resulta:

a) Que en las actas de referencia se observarán iguales requisitos que en las de presencia.

b) Que el texto será redactado por el Notario de la manera más apropiada a las declaraciones de los que en ellas intervengan, usando las mismas palabras, en cuanto fuere posible.

c) Que el Notario debe advertir al declarante sobre el valor jurídico de las mismas en los casos en que fuese necesario.

En cuanto al contenido de las manifestaciones, deben tenerse en cuenta los límites generales que para las actas recoge el art. 198 RN, en especial el de licitud de la actuación notarial (art. 198.1.1°), la no equiparación de efectos con la escritura pública (art. 198.1 5°) y que el contenido no sea contrario a la ley o al orden público (art. 198.1.6°). Aplicación práctica de estos límites es:

a) Que las manifestaciones deben tener un contenido lícito, lo cual excluye tanto las manifestaciones que puedan ser constitutivas de delito, ya sean perseguibles de oficio o ya lo sean a instancia de parte como injurias o calumnias; como las que supongan un atentado al honor o intimidad de las personas (derechos cuya protección deriva del art. 8 CE).

Debe igualmente abstenerse de autorizar el acta el Notario si se invade la competencia judicial realizando declaraciones sobre conductas delictivas (RDGRN de 29 enero de 2002).

b) Que aun siendo de contenido lícito, debe igualmente rechazarse la autorización cuando las manifestaciones impliquen actos de naturaleza jurídica negocial, pues como ha quedado dicho tales manifestaciones son contenido propio de las escritura púbicas y a través de un acta de referencia no pueden constatarse declaraciones de voluntad dirigidas a constituir, modificar o extinguir un negocio jurídico.

c) Que el requerimiento que se haga al Notario no pude pretender, aunque sea subrepticiamente, ningún tipo de interrogatorio de la persona que hace las manifestaciones, pues ello está vedado por el art. 198.1 7°.

d) Que las manifestaciones deben realizarse presencialmente ante el Notario, no siendo posible que el requirente pretenda hacerlas constar él mismo como si fueran de otra persona, o protocolizar un documento de autoría no fehaciente, ni mucho menos recoger en acta manifestaciones telefónicas (art. 198.1 7°). En cuanto a la comparecencia en representación de un tercero, persona física o jurídica, deber admitirse sólo cuando esté dentro del ámbito de las facultades del representante y no se trate de declaraciones de carácter personal (p.ej. no es lo mismo que utilizando un poder notarial se formalizase un acta de manifestaciones haciendo constar la finalización de una obra declarada previamente en construcción o el cumplimiento por parte de una persona jurídica de determinados requisitos fiscales, con la seguridad social o administrativos para participar en un concurso público, que efectuar una declaración de ciencia propia sobre un hecho conocido sensorialmente por el representado).

e) Que en principio, deben denegarse las manifestaciones que contravengan el principio de la buena fe o la prohibición de ir contra los actos propios; se trata en todo caso de un límite difuso que queda dentro de la prudente apreciación notarial, por lo que en caso de duda, debería admitirse el requerimiento, haciendo una salvedad sobre el valor jurídico de las manifestaciones realizadas y que en todo caso quedarán sometidas a la pertinente valoración judicial. Así puede ocurrir en la práctica cuando se pretenda recoger en acta las manifestaciones de que la verdadera voluntad del declarante es distinta de la que va a efectuar o se efectuó en un negocio o acto jurídico futuro o pasado, con la finalidad de obtener un principio de prueba con la que pretender la nulidad o anulabilidad de tal acto o negocio jurídico; en principio cabría pensar que la pretensión es ilícita y por tanto el Notario debe abstenerse de recoger la declaración, pero puede haber circunstancias que justifiquen la autorización, toda vez que la valoración de los hechos que puedan determinar la nulidad del negocio o acto jurídico quedarán sometidos a la pertinente prueba y valoración de la misma en el procedimiento judicial que corresponda (p.ej. en los casos de captación de voluntad o intimidación en personas ancianas o dependientes que se ven forzadas a celebrar determinados negocios jurídicos por su situación personal).

f) Finalmente que si bien los particulares no tiene una obligación genérica de decir la verdad, tal deber sí lo tiene el funcionario público, en este caso el Notario, por lo que debería denegar la autorización del acta si se pretende declarar algo cuya falsedad le consta al Notario de manera indubitada.

Por lo demás en cuanto a los efectos de estas actas, el hecho de que una persona comparezca ante Notario en fecha determinada y realice ciertas manifestaciones está amparado por la fuerza probatoria que al documento público reconoce el art. 1218 CC, aunque como tiene declarado la STS de 14 de junio de 2006 «el acta notarial de manifestaciones es un elemento probatorio que establece la realidad de que los otorgantes han hecho ante Notario determinadas manifestaciones, pero no la realidad intrínseca de éstas, que pueden ser desvirtuadas por medio de prueba en contrario». La RDGRN sistema notarial de 26 de julio de 2004 señala que la fe pública sólo alcanza al hecho del otorgamiento de la manifestación y la fecha.

Tales manifestaciones (RDGRN de 25 de mayo de 1998), si se refieren a hechos propios son una confesión, y si lo son respecto de hechos ajenos, una prueba testifical o pericial extrajudicial que no puede tener el valor en juicio propio de un dictamen pericial, ni de un interrogatorio de las partes o testigos, dado que tales medios de prueba requieren la posibilidad de contradicción entre las partes. Ello no quiere decir que su valor sea inexistente en el proceso pues siempre quedarán sujetas a valoración de los tribunales pudiéndose traer a colación el art. 299.3 LEC *Cuando por cualquier otro medio no expresamente previsto en los apartados anteriores de este artículo pudiera obtenerse certeza sobre hechos relevantes, el tribunal, a instancia de parte, lo admitirá como prueba, adoptando las medidas que en cada caso resulten necesarias.*

4.24.11. Actas de notificación y requerimiento

Las actas de notificación y requerimiento las regula el RN como una subespecie de las actas de presencia, pero en realidad se podrían considerar un tipo de acta específico dada la regulación propia que de las mismas hace el RN y porque además tienen un objeto distinto: en las de presencia lo que se solicita del Notario es que deje constancia de lo que percibe por los sentidos, mientras que en las de notificación y requerimiento lo que se solicita es que deje constancia de la comunicación de una determinada información. La RDGRN de 27 de junio de 2006 señala que la intervención notarial no dota de valor intrínseco ni de presunción de legitimidad al contenido del requerimiento sino que se limita a dar fijeza y autenticidad al hecho mismo de la notificación.

Dejando de lado discusiones conceptuales el art. 202 RN comienza diciendo que *Las actas de notificación tienen por objeto transmitir a una persona una información o una decisión del que solicita la intervención notarial, y las de requerimiento, además, intimar al requerido para que adopte una determinada conducta.*

Distingue así este artículo entre actas de notificación y de requerimiento, para después someterlas a la misma regulación, toda vez que en ambos casos lo fundamental es el hecho de la notificación, bien de una información (las de notificación propiamente dichas), bien de la intimación que el requirente hace al requerido para que este adopte una determinada conducta.

En cualquier caso la regulación que de estas actas hace el RN es general y supletoria de cualesquiera notificaciones y requerimientos previstos en leyes específicas y así resulta del art. 206.1 RN *Las notificaciones o requerimientos previstos por las Leyes o Reglamentos sin especificar sus requisitos o trámites se practicarán en la forma que determinan los artículos precedentes. Pero cuando aquellas normas establezcan una regulación específica o señalen requisitos o trámites distintos en cuanto a domicilio, lugar, personas con quienes deban entenderse las diligencias, o cualesquiera otros, se estará a lo especialmente dispuesto en tales normas, sin que sean aplicables las reglas del artículo 202 y concordantes de este Reglamento.* Notificaciones y requerimientos mencionados en leyes especiales son, entre otros, los siguientes:

- Los requerimiento de pago previstos en la LEC para los procedimientos de ejecución dineraria y en especial en los de ejecución directa contra los bienes hipotecados o pignorados (arts. 581.2 y 686 LEC).

- El requerimiento en el procedimiento de venta extrajudicial de los bienes hipotecados (art. 236 c) RH).

- El protesto de la letra de cambio (arts. 52 a 54 LCCH).

- Las notificaciones en los tanteos y retractos arrendaticios (art. 25 LAU y 22 LAR).

- La notificación en el procedimiento de subrogación activa de préstamos hipotecarios prevista en el art. 2 de la Ley 2/1994, de 30 de marzo, sobre subrogación y modificación de préstamos hipotecarios.

- Y diversas menciones que a la notificación o requerimiento fehaciente se hacen a lo largo del CC aun sin una regulación especial (art. 1005 sobre la *interpellatio in iure* al llamado a una herencia para que manifieste si acepta o repudia, art. 1100 sobre la mora del deudor, art. 1504 sobre el requerimiento en caso de falta de pago del precio aplazado en la resolución de una compraventa y que ha motivado extensa jurisprudencia, art. 1973 a propósito de la interrupción de la prescripción...).

4.24.11.1. Rogación previa

Cabe formularla por tres **procedimientos**:

a) Comparecencia física ante el Notario que debe practicar la notificación o requerimiento.

En materia de rogación estas actas se rigen por las reglas generales ya examinadas pero con especial incidencia de la doctrina sentada por la DGRN en la citada R de 15 de diciembre de 1995 y que recordemos distinguía entre aquellas actas que no pretenden unos efectos jurídicos concretos, sino que se agotan en finalidades simplemente prácticas, y en las que sólo sería exigible el interés legítimo de la parte requirente y aquellas otras que persiguen un efecto jurídico determinado en las normas legales correspondientes, bien sea para la conservación de los derechos del propio requirente, como requisito para el ejercicio de derechos potestativos de aquél, o aquellas que imponen una obligación o carga en el notificado, abriendo para éste un plazo preclusivo de caducidad para el ejercicio de un derecho potestativo propio y en las que debe exigirse la identificación del requirente, el juicio de capacidad y en su caso acreditación de la representación, cuya falta no podría verse suplida en ocasiones por el mandatario verbal.

b) Por medio de carta con firma conocida por el Notario o legitimada.

Se refiere en el art. 205 RN del que resulta lo siguiente:

- Debe tratarse de *requerimientos o notificaciones de carácter urgente, por referirse a plazos próximos a terminar, revocación de poderes u otros de carácter perentorio.* La referencia que hace el precepto a la revocación de poderes no está clara toda vez que la revocación de poder es una declaración de voluntad y por tanto contenido propio de una escritura pública y no de un acta. Suele entenderse tal referencia como referida a la notificación de una revocación previamente otorgada en escritura, a la solicitud de devolución de la copia autorizada del poder o de ambas a la vez (MORILLO FERNÁNDEZ y SOLIS VILLA, 2007, p. 588).

- En tales casos puede admitir el Notario la rogación para iniciar el acta *si fuere requerido por medio de carta cuya firma le sea conocida o aparezca legitimada.*

- *Si la aceptare, levantará el acta correspondiente, uniendo la carta recibida a la matriz, actuando en los términos que resulten de su texto, pero sin responsabilidad alguna por lo que se refiere a la identidad del firmante de la carta y a su capacidad.*

c) Rogación inicial ante otro Notario con remisión de copia autorizada del acta que la recoge al Notario competente territorialmente para efectuar la notificación o requerimiento. En ocasiones la rogación inicial puede resultar no de un acta específica sino de una escritura (p.ej. en el caso de revocaciones de poderes con requerimiento de notificación al apoderado, notificaciones a los administradores de una sociedad de transmisión de participaciones sociales, o de acuerdos certificados y elevados a públicos respecto al anterior órgano certificante, etc...). En estos casos:

- El Notario ante quien se formule el requerimiento inicial comprobará todos los requisitos para admitir o no el mismo.

- Y al Notario competente territorialmente al que se remite debe cumplimentarlo, reseñando la recepción de la copia remitida y protocolizando esta en el acta que autorice.

En cuanto al **contenido** de la rogación, el Notario debe examinar tres extremos: su licitud y su competencia territorial y funcional:

a) Licitud: La rogación debe incluir el texto de la notificación o requerimiento que se pretende cuyos extremos deben estar redactados de forma clara y precisa y con indicación de todos los datos necesarios para su cumplimiento, debiendo el Notario depurar la rogación, averiguar las finalidades prácticas pretendidas, asesorar al requirente sobre la idoneidad del acta solicitada para conseguirlas y sobre la mejor manera de lograrlas (RDGRN 26 de febrero de 1999).

En cualquier caso no debe considerarse al Notario como el mero transmisor de una pretensión o noticia, pues debe apreciarse interés legítimo en el requirente y rechazar aquellas pretensiones que no respeten derechos como el de propiedad o intimidad, o atenten contra la buena fe de terceros, o dejen espacio a la ambigüedad por tratarse de minutas incompletas.

b) Competencia territorial: En la rogación debe indicarse el domicilio donde debe practicarse la notificación debiendo ser el Notario competente territorialmente para practicarla en el lugar en que radique y ello ya efectúe la notificación personalmente o mediante envío de la cédula, copia o carta por correo con acuse de recibo. Esta, junto con el derecho a contestar, es una de las exigencias que distingue las actas de notificación y requerimiento con las de remisión de documentos por correo.

Si no fuera competente territorialmente se debe remitir el requerimiento para su cumplimentación a Notario competente tal y como consta anteriormente indicado.

c) Competencia funcional: Dice el art. 206. 2 RN que *Los Notarios, salvo en los casos taxativamente previstos en la ley, no aceptarán requerimientos dirigidos a Autoridades Públicas, Judiciales, Administrativas y funcionarios, sin perjuicio de que puedan dejar constancia en acta notarial de presencia de la realización por los particulares de acciones o actuaciones que les competan conforme a las normas administrativas.*

Este precepto, introducido por la reforma del RN por RD 45/2007 recoge lo que tenía declarado ya la DGRN (entre otras R de 3 de septiembre de 1990). Dentro del ámbito judicial el Notario no tiene competencia para intervenir con su actuación en actos o hechos que están *sub iudice*: la función notarial es extrajudicial conforme a los artículos 1 y 2 de la Ley del Notariado. En la esfera administrativa los Notarios, a salvo de la norma prohibitoria respecto de los requerimientos, pueden ejercer su función dentro de ciertos límites. La DGRN tiene señalado reiteradamente (así RR de 3 de mayo de 1984, 17 de septiembre de 1992 o 30 de junio de 2003) que el principio de legalidad que ampara la actuación de la Administración Pública supone una importante reducción del ámbito de la actuación notarial en la esfera administrativa, por lo que, sin perjuicio de las posibles actuaciones notariales que estén previstas expresamente por las propias leyes administrativas, la actuación notarial se reduce básicamente a hacer constar en Acta de Presencia la ejecución concreta de actuaciones de los particulares ante los órganos administrativos.

4.24.11.2. Procedimiento de notificación

El procedimiento para efectuar la notificación viene desarrollado en los arts. 202 y 203 RN, que, como veremos tienen carácter general y supletorio de lo que con carácter especial pueda determinar otra norma (art. 206.1 RN).

Dice el último párrafo del art. 202 RN que *La notificación o requerimiento quedarán igualmente cumplimentados y se tendrán por hechos en cualquiera de las formas expresadas en este artículo,* y dichas formas son dos:

A) Mediante correo certificado con acuse de recibo. *El Notario, discrecionalmente, y siempre que de una norma legal no resulte lo contrario, podrá efectuar las notificaciones y los requerimientos enviando al destinatario la cédula, copia o carta por correo certificado con aviso de recibo* (art. 202.2 RN). Hay que hacer dos salvedades:

a) Que aunque el art. 202 RN comience hablando de esta procedimiento, el mismo debe considerarse la excepción a la regla general de personación física del Notario, por lo que sólo se deberá acudir al correo certificado con aviso de recibo en casos excepcionales. El TS en varias sentencias tiene declarado (NÚÑEZ CABALLERO, 2008, p. 116) que la notificación por correo no acredita de modo fehaciente la entrega en el domicilio del notificado o requerido, sino únicamente la declaración del funcionario postal relativa a las circunstancias de la entrega y en su caso la firma por alguna persona en concepto de receptor del envío.

b) Y que, aun enviándose la cédula por correo con acuse de recibo, rige la competencia territorial del Notario respecto del lugar donde deba entregarse, pues es la competencia territorial la que debe primar para salvaguardar el derecho a contestación del notificado o requerido.

B) Mediante comparecencia personal del Notario que se sujetará a lo previsto en el art. 202 RN, salvo norma especial prevista en otra disposición.

a) Respecto al *lugar*:

- El Notario se personará en el domicilio o lugar en que la notificación o requerimiento deban practicarse según la designación efectuada por el requirente (art. 202.3 RN).

- No obstante, la diligencia podrá practicarse en cualquier lugar distinto del designado, siempre que el destinatario se preste a ello y sea identificado por el Notario (art. 202.7 RN). En este caso la cédula debe entregarse necesariamente al destinatario de la misma y esta debe ser identificada por el Notario.

b) Respecto al *tiempo*:

- Nada dice el RN por lo que se estará a las reglas generales sobre la admisión de requerimientos para la actuación notarial.

- En principio se estará a lo que se determine en el requerimiento, siempre que esté justificado y sea una petición legítima, debiendo rechazarse pretensiones extemporáneas, absurdas, imposibles de cumplir o de mala fe.

- Si nada se indica, podrá hacerse en cualquier tiempo, en principio cuanto antes. Se seguirá la regla general de atender al orden cronológico de los requerimientos salvo casos de carácter urgente.

- La RDGRN del sistema notarial de 27 de junio de 2006 señala que se trata de una cuestión que queda a la prudencia del Notario que deberá cohonestar la conveniencia de asegurar la efectividad de la notificación, lo que con frecuencia aconseja eludir el horario laboral en aquellas notificaciones a practicar en domicilios particulares, con el respeto a la intimidad de quien se presenta en el domicilio ajeno en horas en que el destinatario puede considerar que corresponden a su intimidad y reposo.

c) Respecto a la *forma y persona con quien debe entenderse la diligencia*:

- Personado el Notario en el domicilio o lugar en que deba hacerse la notificación o requerimiento dará a conocer su condición de Notario y el objeto de su presencia.

- Preguntará por el destinatario de la notificación o requerimiento y si se hallare presente le entregará la cédula de notificación.

- De no hallarse presente el requerido, podrá hacerse cargo de la cédula cualquier persona que se encuentre en el lugar designado y haga constar su identidad. Si nadie quisiera hacerse cargo de la notificación se hará constar esta circunstancia. Cuando el edificio tenga portero podrá entenderse la diligencia con el mismo.

- Si la diligencia se entendiera con persona distinta del notificado o requerido, la cédula deberá entregarse en sobre cerrado en el que se hará constar la identidad del Notario y el domicilio de la Notaría. El Notario advertirá, en todo caso, al receptor de la obligación de hacer llegar a poder del destinatario el documento que le entrega, consignando en la diligencia este hecho, la advertencia y la respuesta que recibiere.

– El Notario siempre que no pueda hacer entrega de la cédula deberá enviar la misma por correo certificado con acuse de recibo, tal y como establece el Real Decreto 1829/1999, de 3 de diciembre, o por cualquier otro procedimiento que permita dejar constancia fehaciente de la entrega.

– Si se hubiere conseguido cumplimentar el acta, se hará constar así, la manera en que se haya producido la notificación y la identidad de la persona con la que se haya entendido la diligencia; si ésta se negare a manifestar su identidad o su relación con el destinatario o a hacerse cargo de la cédula, se hará igualmente constar. Si se hubiere utilizado el correo, o cualquier otro medio de envío de los previstos en este artículo, se consignarán sucesivamente las diligencias correspondientes.

– Finalmente dice el art. 203 RN que *Cuando el interesado, su representante o persona con quien se haya entendido la diligencia se negare a recoger la cédula o prestase resistencia activa o pasiva a su recepción, se hará constar así, y se tendrá por realizada la notificación. Igualmente se hará constar cualquier circunstancia que haga imposible al Notario la entrega de la cédula; en este caso se procederá en la forma prevista en el párrafo sexto del artículo 202.*

4.24.11.3. La cédula de notificación

El RN se refiere al documento que el Notario entrega o remite al destinatario para cumplimentar la notificación o requerimiento como *cédula, copia o carta* aunque lo normal será la entrega o remisión de cédula. Tal concepto no viene definido como variante del instrumento público debiéndose entender por tal un mero traslado del acta matriz, que no reúne las características de las copias auténticas (como uso de papel sellado o constancia de su expedición por nota en la matriz) y en la que se hacen constar menciones específicas sobre el derecho, plazo y lugar del derecho a contestar.

Como resulta del art. 200.4 y 5 RN, la cédula:

– Irá suscrita por el Notario con media firma al menos, si bien entiende la DGRN que la omisión de tal requisito podrá constituir un defecto reglamentario, pero resulta intrascendente si el requerido se presenta a contestar pues con ello queda probada la notificación.

– Contendrá el texto literal de la notificación o el requerimiento y el carácter con que se expide.

- Puede extenderse en papel común, si bien en la práctica suele usarse el papel especial y numerado que emiten los Colegios Notariales para las copias simples.

- Expresará el derecho de contestación del destinatario y su plazo.

- Reflejará la fecha en que se expide y la de su entrega si es otra, y no se debe dejar constancia en la matriz del acta nota de su expedición.

4.24.11.4. Derecho del requerido a contestar

La persona destinataria de la notificación o requerimiento puede contestar o no contestar a los términos notificados pues no está vinculado a hacerlo aunque la notificación o requerimiento se tramiten por acta notarial. Caso de hacerlo puede decidir utilizar una vía privada o realizarlo a través de Notario bien sea utilizando otra acta con el mismo u otro Notario, bien sea dentro de la propia acta inicial. Cuando hablamos del derecho del requerido a contestar nos estamos refiriendo a ésta última posibilidad.

Utilizar la forma notarial, sea en la propia acta o en otra separada, tiene como ventaja su fehaciencia frente a la forma privada, sea con o sin testigos. Y dentro de la forma notarial hacerlo en la propia acta tiene dos indudables ventajas: el abaratamiento de costes, pues con los límites que veremos los gastos son de cargo del requirente; y que queda unida al requerimiento inicial haciendo de tal forma la contestación más comprensible.

Se ocupa del derecho a contestar el art. 204 RN que comienza diciendo que *El requerido o notificado tiene derecho a contestar ante el Notario dentro de la misma acta (...), siendo sus requisitos de tiempo, forma y fondo los siguientes:*

A) En cuanto al tiempo. Deberá hacerse *en el plazo improrrogable de los dos días hábiles siguientes a aquel en que se haya practicado la diligencia o recibido el envío postal. No se consignará en el acta ninguna contestación que diere el destinatario antes de haber sido advertido por el Notario de su derecho a contestar y del plazo reglamentario para ello. A estos efectos no se considerarán días laborables los sábados.*

El plazo improrrogable de los dos días hábiles es un máximo, en consecuencia cabe la posibilidad de que se pueda contestar en el propio acto de formalizar la notificación o requerimiento pero siempre que el Notario previamente haya advertido al destinatario de su derecho a contestar y del plazo para ello. La advertencia del Notario tiene una doble finalidad: por un lado evitar contestaciones precipitadas y poco meditadas y por otro informar del plazo máximo de contestación.

Si la cédula de notificación se entregó personalmente por el Notario el plazo incluye los dos días hábiles siguientes a aquel en que se verificó la entrega. Mayor problema plantea el cómputo del plazo si la cédula se remitió por correo con aviso de recibo pues es perfectamente posible que el destinatario se presente en la notaría a contestar sin que el servicio de correos haya remitido todavía el acuse; en estos casos el plazo debería empezar a contarse desde el día de la recepción y en los casos en que dicho acuse no haya llegado todavía al Notario lo prudente es exigir al que pretende contestar que justifique el día que lo recibió. La cuestión no es baladí toda vez que sólo se está en condiciones de contestar si se tiene el texto de la cédula pues caso contrario el requerido podría realizar manifestaciones erróneas, contradictorias con los términos de la notificación o requerimiento o perjudiciales para sus intereses.

B) En cuanto a la forma.

– *La contestación deberá hacerse de una sola vez, bajo la firma del que contesta.* Aunque no lo diga el RN no bastará la mera manifestación de identidad sino que el Notario deberá identificar al que contesta conforme a las reglas generales de identificación.

– *El Notario no podrá librar copia de un acta de notificación o requerimiento sin hacer constar en aquélla la contestación, si la hubiere. Tampoco podrá expedir, antes de caducar el plazo, copia del acta pendiente de contestación, salvo que lo solicite, bajo su responsabilidad, quien tenga interés legítimo para ejercitar desde luego cualquier acción o derecho, todo lo cual se hará constar en la cláusula de suscripción de la copia y en la nota de expedición que ha de consignarse en la matriz, entendiéndose reservado el derecho a contestar mientras no caduque el plazo.*

C) En cuanto al fondo. El requerido no puede *introducir en su contestación otros requerimientos o notificaciones que deban ser objeto de acta separada.* Queda al prudente arbitrio del Notario discernir si está ante una simple contestación o se están introduciendo nuevas manifestaciones con efectos jurídicos, lo que en ocasiones no será nada fácil.

En todo caso el Notario, en observancia del principio de imparcialidad (RDGRN sistema notarial de 19 junio de 2003), aunque puede proporcionar al destinatario información legal e incluso redactarle la contestación, no debe aconsejarle nunca sobre el sentido y contenido de ella, manteniéndose siempre al margen de la cuestión de fondo [RODRÍGUEZ ADRADOS (1996 —I—, p. 131)].

En cuanto a los efectos de la contestación el art. 198.1.2.5° dice en su primer inciso que *Las manifestaciones contenidas en una notificación o requerimiento y en su contestación tendrán el valor que proceda conforme a la legislación civil o procesal, pero el acta que las recoja no adquirirá en ningún caso la naturaleza ni los efectos de la escritura pública.*

Finalmente el RN contiene una regla de distribución del gasto generado por la contestación en el art. 204.3 *Los derechos y gastos notariales de la contestación serán de cargo del requirente, pero si su extensión excediera del doble del requerimiento o notificación iniciales, el exceso será de cargo del que contesta.*

4.24.11.5. Notificaciones y requerimientos internacionales

Cada día son más frecuentes las notificaciones o requerimientos transnacionales, no sólo por la asunción por parte del notariado de expedientes en materia de jurisdicción voluntaria, sino por motivos de movilidad geográfica, familiar o laboral, con unos mercados cada vez más interdependientes que determinan la existencia de factores transfronterizos en el tráfico comercial y societario, que provocan la multiplicación de la necesidad de notificaciones y requerimientos puntuales.

Los ejemplos van desde el ámbito familiar y sucesorio, pasando por el inmobiliario, al propiamente societario y contractual. A mero título de ejemplo:

– en la necesidad de notificación en el extranjero en casos como la interpellatio in iure (art. 1005 CC),

– una declaración de herederos ab intestato con algún heredero residente en el extranjero al que haya que notificar (arts. 55 y ss. LN),

– citación de personas para comparecer en la adveración y protocolización de testamentos no notariales (arts. 57 y ss. LN),

– notificaciones derivadas de expedientes para nombramiento de contador-partidor dativo (art. 1057 CC),

– aprobación de particiones o formalización de inventarios hereditarios (como en el beneficio de inventario, art. 1004 y ss. CC y arts. 67-68 LN),

– al formalizar una separación o divorcio de competencia notarial (art. 54 LN) y debieran prestar consentimiento a las medidas que le afecten (ex art. 82 CC) un hijo mayor de edad o emancipado residente por razones laborales o de estudio en el extranjero,

– requerimiento de pago a efectos del ejercicio de una condición resolutorio explícita resolviendo una transmisión de un bien inmueble (art. 1504 CC),

– notificaciones de resoluciones contractuales por incumplimiento de una parte (art. 1124 CC),

– notificaciones a administradores de sociedades mercantiles cesados (art. 111 RRM),

– notificaciones en caso de cesiones de créditos o pignoraciones de los mismos en garantía de cualesquiera obligaciones o contratos bilaterales entre personas o sociedades con residencia en distintos Estados (para evitar la liberación del deudor del crédito cedido o pignorado ex art. 1527 CC).

En muchos de estos supuestos (por ej. cuando sea necesario un consentimiento complementario o darse por notificado el administrador cesado) en que no haya conflictividad se recurrirá en muchas ocasiones a la comparecencia del residente en el extranjero ante el consulado español, pues si bien la función consular no es competente para realizar la notificación en el país de destino dado que los funcionarios consulares no pueden notificar en el territorio de acogida, nada impide la presencia voluntaria en el Consulado del destinatario de la notificación.

Pero en otros casos, sobre todo los conflictivos, será necesario recurrir a la asistencia internacional. Teniendo en cuenta:

A) Que en la legislación notarial española sólo contamos con una remisión de carácter general, el art. 35 LN que dispone que «Salvo que otra cosa dispongan los Convenios Internacionales, las Comisiones rogatorias extrajudiciales, de carácter civil o mercantil, que tengan por objeto la notificación o entrega de documentos, podrán practicarse notarialmente en los términos que reglamentariamente se establezcan». La norma contiene una remisión genérica que no ha sido objeto, a pesar del tiempo transcurrido, de desarrollo reglamentario, toda vez que los arts. 202 a 206 RN relativos a las actas notariales de notificación y requerimiento, están pensados para el ámbito nacional.

B) Que este vacío normativo sólo se suple en parte por el art. 28 LCJIMC que, reconoce la posibilidad de las notificaciones notariales transnacionales al disponer que *1. Los documentos autorizados o expedidos por Notario, autoridad o funcionario competente podrán ser objeto de traslado o notificación de conformidad con las previsiones del capítulo anterior que le sean aplicables atendiendo a su especial naturaleza. 2. Los documentos extrajudiciales podrán ser remitidos a Notario, autoridad o funcionario público a través de la autoridad central o de forma directa. 3. La solicitud contendrá al menos la siguiente información: a) La naturaleza, fecha e identificación del documento. b) El nombre y dirección postal o electrónica del Notario, autoridad o funcionario que lo haya autorizado o expedido. c) La pretensión notificada y consecuencias, en su caso, de su incumplimiento y si se indicara, el plazo requerido para ello.*

C) Que dentro del sistema español de Derecho internacional privado, la LCJIMC tiene un carácter subsidiario, por lo que se deberá contemplar la posible aplicación de instrumentos de carácter supranacional, bien normas de la Unión Europea bien tratados internacionales de los que España sea parte, y en defecto de los mismos de normas especiales de Derecho interno español. Tratándose de actos de notificación y/o traslado de documentos extrajudiciales deberemos atender, fundamentalmente a los siguientes grupos de normas:

a. En el ámbito de la Unión Europea, y dejando aparte otros instrumentos como Reglamento UE nº 1215/2012 (Bruselas I), es norma básica el Reglamento UE nº 1393/2007 de 13 de noviembre 2007 relativo a la notificación y traslado en los Estados miembros de documentos judiciales y extrajudiciales en materia civil o mercantil, conocido como Reglamento de notificaciones. Es de destacar:

- La interpretación que el TJUE ha realizado sobre el ámbito de aplicación del Reglamento de notificaciones en las sentencias de 25 de junio de 2009 (Asunto C-233/2014, Tecom Mican S.L.) y 11 de noviembre de 2015 (Asunto C-233/2014, Tecom Mican S.L.), incluyendo dentro del concepto documento extrajudicial la notificación de documentos privados cuya transmisión formal al destinatario residente en el extranjero sea necesaria para el ejercicio, la prueba o la salvaguardia de un derecho o de una pretensión jurídica en materia civil o mercantil, y también en particular las actas notariales.

- La cooperación regulada en el Reglamento UE nº 1393/2007 no se limita a los procedimientos judiciales pudiendo darse la cooperación al margen de un procedimiento judicial siempre que dicha cooperación tenga incidencia transfronteriza y sea necesaria para el buen funcionamiento del mercado interior.

- Aunque las notificaciones previstas en el Reglamento UE nº 1393/2007 puedan ser realizadas no sólo por órganos judiciales nacionales, sino que puede llevarse a cabo por otros organismos transmisores y receptores designados por los respectivos Estados y que sean funcionarios públicos, autoridades u otras personas, España no designó tales funcionarios o autoridades sino que comunicó que la obligación de notificar documentos judiciales y extrajudiciales era competencia de los órganos judiciales españoles, lo que se verificaría a través de los letrados de la Administración de Justicia (antiguos secretarios judiciales).

- Existe así una discordancia entre lo previsto con carácter general y subsidiario en el art. 28 LCJIMC y el régimen de notificaciones en el ámbito de la UE del citado Reglamento 1393/2007, que aconseja que el Estado español notifique a la Comisión la posibilidad de que los Notarios puedan ser órganos receptores y transmisores a efectos de la norma comunitaria, lo que facilitaría en gran medida el tráfico jurídico civil y mercantil. De esta forma, a través de Notario o de las autoridades transmitentes señaladas por cada Estado miembro se podría comunicar cualquier documento extrajudicial, haya sido o no autorizado por la autoridad transmitente, de acuerdo con la doctrina de la citada sentencia TJUE de 11 de noviembre de 2015 (Asunto C-233/2014, Tecom Mican S.L.).

b. En el ámbito internacional, los instrumentos más relevantes son el Convenio de La Haya de 1 de marzo de 1954 sobre procedimiento civil y el Convenio relativo a la notificación o traslado en el extranjero de documentos judiciales y extrajudiciales en materia civil o mercantil, hecho en La Haya el 15 de noviembre de 1965 aplicable en relación a terceros Estados, que sustituye al anterior entre los Estados partes en ambos instrumentos legales y cuyo art. 17 dispone que los documentos extrajudiciales que emanen de autoridades o funcionarios ministeriales de un Estado contratante podrán ser remitidos a efectos de notificación o traslado en otro Estado contratante según las modalidades y condiciones previstas por el Convenio.

c. Y en último término, las normas de derecho interno contenidas en la LCJIMC, sin perjuicio de la posible existencia de convenios bilaterales en España y otros Estados.

D) La RDGRN de 27 de febrero de 2012, en un caso de notificación internacional, tras recoger el distinto alcance de las actas de notificación y requerimiento y las de mera remisión de documentos por correo (en las que no hay problemas de competencia territorial, siempre que la oficina receptora, del servicio postal, esté dentro de la jurisdicción notarial, pudiendo dirigirse el envío a cualquier destino, en España o en el extranjero) y dejar claro que las segundas no producen una verdadera notificación o requerimiento notarial; afirma que en el supuesto de que el acta de notificación o requerimiento deba despacharse en país extranjero, podrá utilizarse el exhorto notarial, el exhorto consular, si el país de destino lo autoriza a las autoridades consulares españolas, en la forma prevista en los tratados internacionales, y tratándose de países de la Unión Europea, mediante el procedimiento previsto en el Reglamento número 1393/2007 del Parlamento Europeo y del Consejo, de 13 de noviembre de 2007, relativo a la notificación y al traslado en los Estados miembros de documentos judiciales y extrajudiciales en materia civil y mercantil, admitido por todos los países de la Unión Europea, incluida Dinamarca, que en su artículo 16 establece que «los documentos extrajudiciales podrán transmitirse a efectos de notificación o traslado en otro Estado miembro de acuerdo con las disposiciones del presente Reglamento».

E) Lo dicho hasta ahora es aplicable a las notificaciones y requerimientos efectuados *por intermediación* de la autoridad competente extranjera. Sin embargo, y a diferencia de las notificaciones y traslados de documentos judiciales en que se prevé la notificación directa al destinatario, el art. 28 LCJIMC no parece recoger esta posibilidad para los extrajudiciales, por lo que queda en el aire la posibilidad de realizar determinadas notificaciones o comunicaciones a residentes en el extranjero de forma directa por parte de un Notario español. Cabría distinguir dos supuestos:

a. Notificaciones o requerimientos derivados de una norma legal, se debería acudir a la asistencia internacional.

b. Notificaciones o requerimientos derivados de una relación contractual pactadas por las partes y no impuestas por una norma legal que deberían poder hacerse a un particular residente en otro Estado por correo postal o forma equivalente, si tal forma **es la prevista** en un contrato y con el **valor** que las partes hayan **pactado** en el mismo.

4.24.12. *Actas de notoriedad*

Dice el Art. 209.1 RN que *Las actas de notoriedad tienen por objeto la comprobación y fijación de hechos notorios sobre los cuales puedan ser fundados y declarados derechos y legitimadas situaciones personales o patrimoniales, con trascendencia jurídica.*

Se ha discutido el alcance que debe darse al concepto de *hecho notorio* objeto de estas actas. Tradicionalmente se consideró por tal el que es conocido por la generalidad de personas de una comarca, localidad o círculo social cualquiera. Frente a ello se alegó que los hechos notorios, precisamente por el hecho de serlo no necesitan de prueba alguna, por lo que había que concluir que se trata de hechos no notorios que adquieren notoriedad precisamente por la actividad notarial. DE LA CÁMARA (1975, p. 429) centró la cuestión en los siguientes términos:

- No es misión del Notario declarar probados los hechos, sino dejar constancia de ellos amparada por le fe pública.

- No se trata de la *notoriedad* de los procesalistas que es la que se corresponde con hechos universalmente conocidos en un ámbito determinado, sino de la *notoriedad relativa*, esto es, aquellos hechos que son tenidos por ciertos por todas o la gran mayoría de personas que se relacionan con aquella a que se refiere o afecta el hecho notorio, aunque lo desconozca la inmensa mayoría de sus conciudadanos que no tienen relación con dicha persona.

- El objeto del acta no es el hecho notorio sino la notoriedad del hecho, aunque una vez recogida en el acta sirva indirectamente para demostrar aquel. La declaración del Notario no versa sobre si el hecho existe o no, sino sobre la realidad de que es tenido por cierto en el indicado círculo de relaciones sociales.

- Sobre la base de lo anterior, y teniendo en cuenta que el hecho de la notoriedad no es ni puede ser evidente, no puede atribuirse a esta afirmación del Notario los efectos de la fe pública; estaríamos ante una opinión o juicio análogo a los que se formulan al dar fe de conocimiento o juicio de capacidad.

Concretado el concepto de hecho notorio, el objeto de estas actas puede ser (ÁVILA ÁLVAREZ, 1990, pp. 143-144):

- A) La comprobación y fijación de hechos notorios a través de la investigación notarial de la notoriedad de los hechos y la constatación del resultado de esa investigación.

- B) O además la declaración y reconocimiento de derechos y la legitimación de situaciones fundados en el hecho cuya notoriedad se pretende. En este caso:

a. No se practica de oficio por el Notario sino que debe solicitarse por el interesado en el requerimiento inicial.

b. Ha de resultar evidente por aplicación directa de los preceptos legales aplicables al caso, y de ningún modo dudosa, discutible o controvertida.

c. Se refiere a situaciones con trascendencia jurídica de todo orden, personales o patrimoniales, típicas o atípicas.

d. No exige para su firmeza, eficacia y en su caso inscribibilidad, trámite ni aprobación posterior, y concretamente, no requieren aprobación judicial.

4.24.12.1. Naturaleza jurídica

En torno a su naturaleza jurídica se han mantenido tradicionalmente dos posiciones:

A) Quienes entendían que las actas de notoriedad excedían los límites de la actividad notarial propiamente dicha, porque a diferencia de lo que ocurre en las demás actas notariales, donde el Notario aprecia el hecho por sí mismo a través de sus sentidos, en las actas de notoriedad, el Notario realiza un juicio de valoración de un hecho que él no ha percibido por sus sentidos sino que se limita a valorar la percepción del hecho que tienen los demás. Y tratándose de la declaración de derechos, éstos derivan de los preceptos legales en cuestión y no de la declaración en tal sentido del Notario.

B) Otros por el contrario consideran que las actas de notoriedad encajan perfectamente con la función notarial porque el Notario desempeña una función enjuiciadora o calificadora en su actividad que se aprecia tanto en las escrituras (p. ej. en el juicio de capacidad o en la calificación del acto o contrato) como en las actas (p.ej. el enjuiciar sobre la licitud de su propia actuación o la legitimación e interés legítimo del requirente). Para esta segunda postura la cuestión habría quedado resuelta tras la Ley 36/2006 que dio nueva redacción al art. 17.1.8 LN incluyendo como objeto de las actas notariales, junto con la constatación de hechos o la percepción que de los mismos tenga el Notario, sus *juicios o calificaciones*.

4.24.12.2. Supuestos de aplicación

No existe un *numerus clausus* de supuestos en los que se deba recurrir al acta de notoriedad, siendo diversas las situaciones que pueden exigir o aconsejar acreditar la notoriedad de determinados hechos. En la práctica diaria se dan casos como los siguientes:

- necesidad de acreditar la identidad de una persona que aparece en documentos o registros con nombres diversos o que el apodo o nombre con el que se identifica a una determinada persona es atribuido a quien legalmente tiene un determinado nombre y apellidos,

- acreditar en el caso de reserve hereditaria, que personas reúnen la cualidad de reservatarios con derecho a la reserva,

- una determinada posesión de estado,

- la acreditación de la vecindad civil o la residencia en un determinado domicilio,

- el ejercicio habitual o cesación en el mismo de una actividad comercial.

En determinados casos es la Ley la que impone que determinados hechos se acrediten por acta notarial de notoriedad. En unos solo se exige la acreditación por notoriedad por lo que la tramitación del acta se ajustará a las reglas del art. 209 RN; en otros se imponen determinadas especialidades por lo que las reglas del art. 209 RN tendrán carácter supletorio e integrador de la norma. Entre otros cabe citar los siguientes:

A) Actas de notoriedad para la determinación de los sustitutos no designados nominativamente en toda clase de sustituciones hereditarias y para hacer constar en el Registro de la Propiedad la extinción de la sustitución de la ineficacia del llamamiento sustitutorio, por cumplimiento o no cumplimiento de condición (arts. 82.3 y 4 RH).

B) Acta de notoriedad para la constancia del régimen económico matrimonial legal (art. 53 LN).

C) Acta de notoriedad (se admite también de manifestaciones) para acreditar la propiedad de un vehículo histórico que se pretenda matricular caso de que no sea el mismo titular el que va a matricular y el que figura en la documentación original (art. 41 Real Decreto 2822/1998, de 23 de diciembre, por el que se aprueba el Reglamento General de Vehículos en relación con el Real Decreto 1247/1995, de 14 de julio, por el que se aprueba el Reglamento de Vehículos Históricos).

D) Acta de notoriedad para acreditar el estado de soltero, viudo o divorciado de una persona que admite el art. 363.2 RRC.

E) Acta de notoriedad para la declaración de herederos ab intestato que seguidamente examinaremos (arts. 55 y ss. LN y 209 bis RN)

F) Acta de notoriedad para la inscripción de aprovechamientos de aguas públicas adquiridos por prescripción (art. 65 RH).

4.24.12.3. Tramitación

El art. 209 RN regula los trámites generales de estas actas que se aplican a todos aquellos casos que no tengan una regulación especial, y aun en los regulados con carácter supletorio de las reglas especiales.

A) Requerimiento para iniciar el acta

(Art. 209.2.Primero) *El requerimiento para instrucción del acta será hecho al Notario por persona que demuestre interés en el hecho cuya notoriedad se pretende establecer, la cual deberá aseverar, bajo su responsabilidad, la certeza del mismo, bajo pena de falsedad en documento público*

Competencia. Para las actas de notoriedad que no tengan regulación especial, el Notario será el que libremente elija el requirente; si tienen reglas especiales a ellas habrá que estar, exigiéndose en determinados casos (como las de declaración de herederos abintestato) competencia territorial en función de determinados puntos de conexión con el hecho cuya notoriedad se pretende.

En los supuestos en que se exija competencia territorial cabría recurrir al acta-exhorto a través de otro Notario de forma que el requirente puede formalizar el requerimiento inicial con Notario de su elección y éste remite copia auténtica del requerimiento al Notario competente. En tales casos hay que entender que el Notario ante quien se formaliza el acta-exhorto se limita a transmitir la rogación con la documentación que puede llevar incorporada, siendo el Notario competente el que debe apreciar el interés legítimo, formar el juicio de notoriedad y solicitar la práctica de las pruebas y comparecencias personales que estime conveniente.

Requirente. Puede serlo cualquier persona que demuestre interés en el hecho cuya notoriedad se pretenda declarar. En todo caso debe aseverar, bajo su responsabilidad, la certeza del mismo, bajo pena de falsedad en documento público. La redacción de la norma suscita dos cuestiones:

- Que en principio el requerimiento para la iniciación para un acta de notoriedad podría realizarse por medio de apoderado pero la afirmación de la certeza de los hechos positivos o negativos cuya notoriedad se pretende, tiene carácter personalísimo, por lo que sólo puede hacerla el interesado.

- Y que la alusión a la falsedad en documento público no parece avenirse bien con la regulación que del delito de falsedad hace el Código Penal de 1995, toda vez que tal delito sólo puede ser cometido por el autor del documento y no por los particulares que en él emitan declaraciones o manifestaciones. No obstante (MORILLO HERNANDEZ y SOLIS VILLA, 2007, p. 604 citando a OLIVA GARCÍA) la jurisprudencia penal está reconduciendo al delito de simulación parcial del art. 390.1 CP algunas modalidades de falsedades ideológicas cometidas por particulares.

B) Práctica de prueba

(Art. 209.2.Segundo y Tercero) *El Notario practicará, para comprobación de la notoriedad pretendida, cuantas pruebas estime necesarias, sean o no propuestas por el requirente. Y deberá hacer requerimientos y notificaciones personales o por edictos cuando el requirente lo pida o él lo juzgue necesario.*

En el caso de que fuera presumible, a juicio del Notario, perjuicio para terceros, conocidos o ignorados, se notificará la iniciación del acta por cédula o edictos, a fin de que en el plazo de veinte días puedan alegar lo que estimen oportuno en defensa de sus derechos, debiendo el Notario interrumpir la instrucción del acta, cuando así proceda, por aplicación del número quinto de este artículo.

Constarán necesariamente en las actas de notoriedad todas las pruebas practicadas y requerimientos hechos con sus contestaciones; los justificantes de citaciones y llamamientos; la indicación de las reclamaciones presentadas por cualquier interesado, y la reserva de los derechos correspondientes al mismo ante los Tribunales de Justicia.

El Notario practicará por tanto las pruebas propuestas por el requirente, pero no le limitan las solicitadas, sino que podrá acudir a cualquier medio de prueba que juzgue conveniente para la comprobación de los hechos, incluidos los requerimientos o notificaciones personales que juzgue necesarios sean o no propuestos.

En el caso de que presumiblemente pueda haber perjuicio a terceros:

a) Tales terceros no tiene que ser conocidos, pueden ser ignorados, esto es, genéricos (colindantes, vecinos, parientes dentro de determinados grados en caso de reserva de los que se ignora si existen o no...).

b) Se debe notificar la iniciación del acta por medio de cédula, si son terceros con domicilio conocido, o por edictos, si son terceros ignorados o conocidos pero de domicilio ignorado.

En cuanto al lugar donde publicar los edictos será donde el Notario juzgue conveniente atendido el hecho cuya notoriedad se pretende y la relación que los terceros puedan tener con el mismo, pudiendo como pautas señalar las siguientes:

– en las actas referidas a inmuebles, el tablón de anuncios del Ayuntamiento del municipio donde radica el bien,

– en las referidas a circunstancias personales, en el tablón de anuncios del Ayuntamiento de la residencia habitual o empadronamiento,

– ello sin perjuicio de que se publique un edicto en el BOE y de que puedan utilizarse diversos criterios a la vez con sendas publicaciones simultáneas cuando a juicio del Notario sea conveniente.

Los terceros dispondrán de un plazo de veinte días para que puedan alegar lo que estimen oportuno en defensa de sus derechos.

Aunque no se mencione en el RN una prueba que con frecuencia se utiliza en este tipo de actas es la declaración de testigos, que no actúan con el carácter de testigos instrumentales sino como testigos de hechos a los que se aplicará la exigencia de capacidad del art. 361 LEC *(Podrán ser testigos todas las personas, salvo las que se hallen permanentemente privadas de razón o del uso de sentidos respecto de hechos sobre los que únicamente quepa tener conocimiento por dichos sentidos. Los menores de catorce años podrán declarar como testigos si, a juicio del tribunal, poseen el discernimiento necesario para conocer y para declarar verazmente).*

C) Declaración de notoriedad

(Art. 209.2. Cuarto) *El Notario, si del examen y calificación de las pruebas y del resultado de las diligencias estimare justificada la notoriedad pretendida, lo expresará así, con lo cual quedará conclusa el acta.*

Cuando además de comprobar la notoriedad se pretenda el reconocimiento de derechos o la legitimación de situaciones personales o patrimoniales, se pedirá así en el requerimiento inicial, y el Notario emitirá juicio sobre los mismos, declarándolos formalmente, si resultaren evidentes por aplicación directa de los preceptos legales atinentes al caso.

D) Interrupción

(Art. 209.2. Quinto párrafo 1) *La instrucción del acta se interrumpirá si se acreditare al Notario haberse entablado demanda en juicio declarativo, con respecto al hecho cuya notoriedad se pretenda establecer. La interrupción se levantará, y el acta será terminada a petición del requirente, cuando la demanda haya sido expresamente desistida, cuando no se haya dado lugar a ella por sentencia firme o cuando se haya declarado caducada la instancia del actor.*

Señaló la RDGRN de 8 de mayo de 1995 que la mera oposición no es por sí sola bastante para obligar a interrumpir la tramitación del acta, siendo necesario que se haya entablado el juicio declarativo que proceda y así se acredite.

Formalmente la interrupción se hará constar como una diligencia más del acta que se tramite, debiendo incorporarse al protocolo cuando se interrumpa, bajo el número y fecha que corresponda a tal momento, como si de la finalización se tratara, toda vez que no se puede saber con certeza si se deberá reiniciar o no la tramitación. Y en el caso que debe reanudarse el acta, lo más práctico es que tal reanudación se haga constar bajo el número de protocolo que corresponda al día de la petición del requirente en tal sentido (cuando la demanda haya sido expresamente desistida, cuando no se haya dado lugar a ella por sentencia firme o cuando se haya declarado caducada la instancia del actor), extendiéndose nota de haberse reanudado su tramitación en el acta interrumpida.

E) Protocolización

(Art. 209.2. Quinto párrafo 2) El requerimiento a que se refiere el requisito primero se formalizará mediante acta con la fecha y número de protocolo del día del requerimiento. Concluida la tramitación del acta se incorporará al protocolo como instrumento independiente en la fecha y bajo el número que corresponde en el momento de su terminación, dejando constancia de la misma en el acta que recoja el requerimiento.

La redacción de este segundo párrafo de la regla quinta, procedente de la reforma del RN operada por RD 45/2007 introdujo el sistema de la doble acta:

Un acta inicial donde se formaliza el requerimiento con la fecha y el número de protocolo del día de la rogación.

Y una segunda acta final, concluida la tramitación, en la fecha y bajo el número que corresponda al momento de su terminación, de la que se dejará constancia en el acta que recoja el requerimiento.

Este sistema suscita algunos interrogantes formales:

a) Actas de notoriedad simples. En nuestra opinión pueden recogerse en una sola acta aquellos casos más simples en que la conclusión del acta tenga lugar en el mismo día en que se inicie, lo que acontecerá normalmente sin solución de continuidad. Y lo mismo cabe predicar de aquellos supuestos en los que la notoriedad se tramita y se declara en el seno de una escritura pública (como es el caso de las escrituras de herencia dentro de las cuales se recoge una declaración de notoriedad sobre quienes son sustitutos vulgares ex art. 82 RH).

b) No queda claro donde deben protocolizarse los trámites y pruebas realizadas. Cabe entender:

–   o bien que toda la tramitación se incorporará al protocolo con el acta final una vez concluida, lo que parece más acorde con la literalidad de la norma, es más práctico para las actas que se alargan en el tiempo, permite además que el requerimiento se realice ante un Notario que mediante exhorto se remite al que realiza la tramitación y se evita la existencia de un documento notarial autorizada pero fuera todavía del protocolo;

–   o bien entender que los trámites y pruebas se protocolizan con el acta inicial y la final únicamente supone el cierre y contiene la declaración sobre la notoriedad del hecho, siendo esta última acta la que circularía en el tráfico jurídico con independencia de la inicial.

En todo caso, se siga una u otra opción, no afectaría a la validez de la tramitación del acta, pues en nuestra opinión lo importante es que el requerimiento tenga fecha y número de protocolo desde el inicio, pudiendo realizarse la tramitación a través de una o varias actas (como podría darse el caso si hubiere interrupción por oponerse un tercero interponiendo juiico declarativo).

4.24.12.4. Valor probatorio

El acta de notoriedad prueba los hechos recogidos en el acta y entre ellos el juicio del Notario que le pone fin, en cuanto a la realidad y verdad de que ese juicio se ha emitido, no en cuanto a su contenido. No tiene por objeto probar la existencia del hecho notorio aunque podrían utilizarse para una posible prueba las actuaciones realizadas en su tramitación (testigos, documentos...) En tal sentido la STS 29 de junio de 1998 consideró que las actas de notoriedad no prueban la realidad del hecho objeto de las mismas, tampoco su notoriedad, sólo prueban la emisión de un juicio por parte del Notario autorizante, juicio que no está amparado por la fe pública.

En base a ello se puede distinguir:

a) Los hechos que el Notario presencia tales como manifestaciones del requirente o testigos, entrega de documentos, publicaciones, etc... Las afirmaciones que realice sobre tales hechos sí están amparadas por la fe pública y gozan por tanto de las presunciones de veracidad, integridad y legalidad, teniendo pleno valor probatorio mientras no se destruyan por querella de falsedad.

b) La exposición del hecho notorio no queda amparada por la fe pública dado que la apreciación y por tato la narración que realicen en el acta quienes lo conocen puede ser errónea.

c) Y por último la declaración final o juicio de notoriedad del Notario no es incontrovertible ni queda amparada por la fe pública notarial, que tendrá el valor probatorio que le hayan atribuido las normas que regulen cada supuesto, y en cualquier caso, aun no suponiendo una prueba definitiva, pues puede impugnarse en juicio declarativo, crea una presunción suficiente para ser utilizada como título legitimador que resuelva problemas o elimine obstáculos en el tráfico jurídico.

4.24.13. *El acta de notoriedad sobre declaración de herederos abintestato*

A falta de testamento o contrato sucesorio, la declaración de herederos es el título formal de la sucesión ab intestato, que en el caso de la declaración notarial se substancia por acta de notoriedad cuya esencia está en el juicio emitido por el Notario que no es sólo la constatación de la notoriedad de unos hechos, sino que tiene un alcance jurídico al declarar el derecho de los interesados; se trata de un juicio o calificación en el sentido que expresa el art. 17.1 LN (MARIÑO PARDO, 2015, p. 482).

De los dos posibles objetos de un acta de notoriedad estaríamos claramente en aquellos casos en que se busca la declaración y reconocimiento de derechos fundados en el hecho cuya notoriedad se pretende, es decir, la determinación de los parientes a los que la ley atribuye el derecho a suceder ab intestato.

Puede definirse en base a lo dicho como «aquella que, participando de la naturaleza de la jurisdicción voluntaria, tiene por objeto la creación de un título formal a fin de que las personas llamadas por la ley a una sucesión de quien fallece sin una designación a tal efecto válida y eficaz puedan acreditar dicho llamamiento» (SEMPERE MONTES, 2011, p. 636).

Su tramitación se efectuará con arreglo a lo previsto en los arts. 55 y 56 LN y a la normativa notarial (art. 55.2 LN). La Ley 15/2015, de la Jurisdicción Voluntaria introdujo los arts. citados en la LN pero no derogó expresamente el art. 209 bis RN, por lo que el mismo mantendría su vigencia en todo lo que sea compatible con la normativa de la LN.

4.24.13.1. Ámbito de aplicación

La competencia notarial, tras la Ley 15/2015, de 2 de julio, de la Jurisdicción Voluntaria, se extiende de forma exclusiva, esto es sin competencia concurrente de ningún otro funcionario, a las declaraciones de herederos ab intestato que sean descendientes, ascendientes, cónyuge o persona unida por análoga relación de afectividad a la conyugal, o parientes colaterales del causante (art. 55.1 LN).

Sólo queda fuera de la competencia notarial:

– Cuando a falta de parientes con derecho a heredar, el llamamiento legal sea a favor del Estado o Comunidad Autónoma, en cuyo caso la competencia para formular la declaración ya no es notarial, debiendo tramitarse en sede administrativa. En este caso, de haberse instado por algún interesado el requerimiento para iniciar el acta notarial, dispone el art. 56.4 LN *que transcurrido el plazo de dos meses desde que se citó a los interesados sin que nadie se hubiera presentado o si fuesen declarados sin derecho los que hubieren acudido reclamando la herencia y si a juicio del Notario no hay persona con derecho a ser llamada, se remitirá copia del acta de lo actuado a la Delegación de Economía y Hacienda correspondiente por si resultare procedente la declaración administrativa de heredero. En caso de que dicha declaración no correspondiera a la Administración General del Estado, la citada Delegación dará traslado de dicha notificación a la Administración autonómica competente para ello.*

- Cuando se trate de miembros de las Fuerzas Armadas fallecidos en campaña o navegación en tiempo de guerra, pues dispone el art. 9.2 párrafo 2º LOPJ que *corresponderá a la jurisdicción militar la prevención de los juicios de testamentaría y de abintestato de los miembros de las Fuerzas Armadas que, en tiempo de guerra, fallecieren en campaña o navegación, limitándose a la práctica de la asistencia imprescindible para disponer el sepelio del difunto y la formación del inventario y aseguramiento provisorio de sus bienes, dando siempre cuenta a la Autoridad judicial civil competente.*

En las legislaciones civiles que contemplan la sucesión en bienes troncales y no troncales (SEMPERE MONTES, 2011, p. 642) es pacífico en la doctrina entender que existe un doble llamamiento legal —el ordinario y el troncal— referidos a dos masas patrimoniales perfectamente delimitadas y separadas, de lo que se deduce que el Notario podrá autorizar el acta de declaración de herederos relativa al primer llamamiento y con independencia del segundo; por otro lado, mientras que para la sucesión intestada ordinaria la declaración es única, la sucesión troncal puede requerir una pluralidad de declaraciones, tantas como bienes o conjunto de ellos haya que pertenezcan a distintas líneas familiares. Expresamente así lo determina el art. 518.2 del Código Foral de Aragón aprobado por Decreto Legislativo 1/2011, de 22 de marzo *(La declaración de herederos legales deberá expresar si se refiere solo a los bienes no troncales, solo a los troncales, con indicación de la línea de que procedan, o a ambos tipos de bienes. Si falta dicha mención, se presumirá que la declaración se ha limitado a los bienes no troncales y no impedirá instar una nueva declaración referida a los troncales).*

Desde un punto de vista temporal el Notario es competente para tramitar la declaración de herederos ab intestato aunque la sucesión se hubiese abierto con anterioridad a la entrada en vigor de la ley que le atribuye la competencia procedimental. Así lo determinó la RDGRN del sistema notarial de 9 de febrero de 1995 en relación a la Ley 10/1992 de 30 de abril, que modificó la LEC de 1881 y atribuyó al notariado la competencia para las declaraciones de herederos cuando fueren llamados ascendientes, descendientes o cónyuge, y lo mismo hay que entender respecto de la Ley 15/2015 de 2 de julio de la Jurisdicción Voluntaria, cuando resulten llamados parientes colaterales o pareja de hecho.

4.24.13.2. Notario competente

Será competente (art. 55.1 LN) para formalizar la declaración de herederos abintestato, a elección del solicitante, cualquiera de los Notarios con competencia para actuar:

- O en el lugar en que hubiera tenido el causante su último domicilio o residencia habitual, siempre que estuvieran en España,

- O donde estuviere la mayor parte de su patrimonio, siempre que estuviera en España,

- O en el lugar en que hubiera fallecido, siempre que estuviera en España,

- También podrá elegir a un Notario de un distrito colindante a los anteriores.

- En defecto de todos ellos, será competente el Notario del lugar del domicilio del requirente.

En cualquier caso el Notario debe declarar su propia competencia en el acta y requerido uno de los Notarios competentes quedará excluida la competencia de los demás (art. 209 bis 3º RN)

Si se trata de una sucesión con elemento internacional habrá que aplicar las reglas de competencia del Reglamento Europeo de Sucesiones núm. 650/2012.

4.24.13.3. Trámites esenciales

La declaración de herederos abintestato se tramitará en acta de notoriedad cuyos trámites son los siguientes:

A) El acta se iniciará a requerimiento de cualquier persona con interés legítimo, a juicio del Notario. Teniendo en cuenta:

a) Que el requerimiento inicial no es necesario que lo realicen conjuntamente todos los herederos cuya declaración se pretende. Basta con uno de ellos.

b) Que debe prevalecer la más amplia legitimación de «cualquier persona con interés legítimo» de que habla el apartado 2 del art. 55 LN que la expresión más restrictiva que usa el apartado 1 cuando habla de quienes se crean con derecho a suceder ab intestato a una persona.

c) Que esta postura amplia de la legitimación se justifica por la existencia de posibles terceros con interés legítimo en la declaración como:

- transmisarios de un heredero fallecido después del causante y antes de la tramitación del expediente,

- cesionarios intervivos de un heredero,

- acreedores del causante o de los herederos,

- llamados de grado ulterior que podría llegar a heredar si no se hace efectivo el primer llamamiento, a efectos por ejemplo del ejercicio de la *interpellatio in iure* o de una acción de incapacidad para suceder del primer llamado (SSTS de 4 de mayo de 2005 y 25 junio de 2008 consideran que dentro de la vocación hereditario se incluyen todos los sucesores llamados, testamentariamente o ab intestato, principal y subsidiariamente),

– incluso en supuestos en que el testamento no contenga institución de heredero o la misma devenga ineficaz, cabría mantener la legitimación para instar la declaración por parte de un albacea o contador partidor testamentario o de un legatario de cosa determinada que necesite concretar el heredero que le debe entregar los bienes.

En cualquier caso, de no tratarse de llamados en primer término que justifiquen su derecho con la documentación que se entrega con el requerimiento, deberán justificar su derecho para poder instar la declaración.

En cuanto al requerimiento a través de representante podemos distinguir:

a) Representante legal, partiendo de la base, aunque la cuestión sea discutida, de que el requerimiento para la declaración de herederos *abintestato* **no implica aceptación tácita de herencia (STS 26 julio de 2002)** y por tanto no deben exigirse para instar el acta al representante legal los requisitos o autorizaciones que se exijan en cada caso para aceptar una herencia:

– Debemos admitir la legitimación tanto del titular de la patria potestad como de los tutores, ya lo sean de menores ya de incapacitados (aunque respecto de estos habría que ver el tenor de la sentencia).

– En el supuesto de incapacitados sujetos a curatela no precisarían de complemento de capacidad salvo que otra cosa determinase o se dedujese de la sentencia de incapacitación.

– En cuanto a los emancipados, tampoco precisarían el complemento de capacidad (si el art. 323.2 CC permite al emancipado comparecer por sí solo en juicio con mayor razón puede instar una declaración de herederos ab intestato).

– Más dudosa es la legitimación de un guardador de hecho, a menos que en aplicación del art. 303.1 párrafo 2 CC, cautelarmente, mientras se mantenga la situación de guarda de hecho y hasta que se constituya la medida de protección adecuada, si procediera, se le otorgasen judicialmente facultades tutelares a los guardadores.

b) Representante voluntario, aquí hay que distinguir dos aspectos distintos:

– La formalización del requerimiento inicial puede hacerse por medio de apoderado, siendo suficiente un poder general o incluso a pleitos que tuvieren facultades para otorgar actas notariales.

– Pero la aseveración de la certeza de los hechos positivos y negativos, en que se haya de fundar el acta, es de carácter personalísimo y en consecuencia no las puede realizar un apoderado, a menos que en el poder otorgado se hubiesen recogido expresamente dichas aseveraciones (RDGRN de 19 de diciembre de 1995).

B) El requerimiento deberá contener:

a) La designación y datos identificativos de las personas que el requirente considere llamadas a la herencia. En este punto:

- Como mínimo los datos identificativos deben ser el nombre y apellidos habiendo señalado la RDGRN sobre sistema notarial de 12 de mayo de 2009 que el Notario debe identificar a quienes considera herederos por el nombre de los mismos que figuren en los documentos públicos que se aporten (entiéndase certificados del RC), sin perjuicio de hacer constar la forma en que los designe el requirente (apodos, nombres familiares o habitualmente usados) para mejor identificación).

- Cabe la posibilidad de que el requirente no pueda determinar completamente los posibles llamados *ab intestato*:

    a') así sucederá por ejemplo cuando los llamados son colaterales y no se sabe con certeza la identidad de todos ellos o en caso de medio hermanos de los que se sabe su existencia pero no su identidad o número,

    b') la existencia de estos posibles llamados cuya identidad no pueda averiguarse o no puedan ser localizados, exigirá publicar edictos y anuncios,

    c') si durante la tramitación pueden determinarse los interesados se llegará a su declaración como herederos,

    d') si no llegan a determinarse o no se demuestra su derecho al llamamiento sucesorio, el acta terminará sin juicio de notoriedad positivo, o con la declaración como herederos de los determinados, con reserva en el acta del derecho a ejercitar su pretensión ante los tribunales de los que no hubiesen, a juicio del Notario, justificado su derecho y de los que no hubiesen podido ser localizados.

b) Los documentos acreditativos del parentesco con el fallecido de las personas designadas como herederos, mediante los oportunos certificados del Registro Civil. Las certificaciones deben acreditar las relaciones de parentesco con el causante, por tanto en el caso de colateral deberán subir hasta el ascendiente común y bajar hasta el pariente colateral cuya declaración como heredero se pretende. Por lo que refiere a la documentación del Registro Civil hay que destacar:

- La entrada en vigor el 30 de junio de 2020 (disposición final décima) de la Ley 20/2011, de 21 de julio, del Registro Civil la cual regula en el art. 80 los medios de publicidad del Registro Civil que se materializará mediante el acceso de las Administraciones y funcionarios públicos, en el ejercicio de sus funciones y bajo su responsabilidad, a los datos que consten en el Registro Civil o mediante certificación sin que se pueda exigir a los ciudadanos la presentación de certificados del Registro Civil cuando los datos objeto del certificado obren en poder de las Administraciones, o fuere posible su obtención directamente por parte de la Administración o funcionario público por medios electrónicos.

– La disposición transitoria tercera de la LRC dispone que *A partir de la fecha de entrada en vigor de la presente Ley no se expedirán más Libros de Familia. Los Libros de Familia expedidos con anterioridad a la entrada en vigor de la presente Ley seguirán teniendo los efectos previstos en los artículos 8 y 75 de la Ley del Registro Civil de 8 de junio de 1957 y en ellos se seguirán efectuando los asientos previstos en los artículos 36 a 40 del Reglamento de la Ley del Registro Civil aprobado por Decreto de 14 de noviembre de 1958.*

– La disposición transitoria quinta de la LRC dispone en su apartado 1 que *La publicidad formal de los datos incorporados a libros no digitalizados continuará rigiéndose por lo previsto en la Ley del Registro Civil de 8 de junio de 1957.*

– Finalmente, y para el caso de aportarse documentación pública extranjera, señalar:

– Que la regla general es la admisibilidad de las certificaciones de registros extranjeros equivalentes al nuestro que deberán estar traducidos y legalizados.

– Que pueden ser aplicables los Convenios, de los que España es parte, de Viena de 8 de septiembre de 1976 que regula la expedición de certificaciones plurilingües del estado civil que deben extenderse en un modelo previamente aprobado; y de Atenas de 15 de septiembre de 1977 que dispensa entre los Estados miembros, del requisito de la legalización cuando el documento, que ha de estar firmado, fechado y sellado por la autoridad del Estado parte, se refiera al estado civil, a la capacidad o a la situación familiar de las personas físicas, a su nacionalidad, domicilio o residencia, cualquiera que sea el uso a que sean destinados, y cualquier otro documento que haya sido extendido para la celebración del matrimonio o para la formalización del acto del estado civil (RDGN de 8 de marzo de 2011 considera que no se incluyen en el Convenio circunstancias que afecta a la propia existencia de la persona como nacimiento o defunción).

– Tangencialmente pueden verse también los artículo 94 a 100 de la LRC, declarados por la disposición adicional primera de la LCJIMC norma especial a los efectos del art. 2 de esta última.

c) La identidad y domicilio del causante. La forma de acreditarlos debe ser flexible (piénsese en el caso de instarse una declaración de un fallecido hace décadas):

– respecto de la identidad del causante cabe acreditarla del conjunto de los certificados de defunción, filiación, etc del Registro Civil que se exhiban, sin perjuicio de que sea conveniente la constancia del documento de identidad,

– respecto del domicilio, el art. 209 bis RN considera como prueba preferente el que se consigna en el DNI, si bien la RDGRN del sistema notarial de 6 de mayo de 2013, considera que el domicilio resultante de dicho documento puede desvirtuarse mediante otras pruebas (certificado de defunción, testificales) siempre con las debidas cautelas.

C) En todo caso deberá acreditarse:

a) El fallecimiento del causante mediante información del Registro Civil.

b) Y que el fallecimiento ocurrió sin título sucesorio, lo que resultará:

– bien del certificado del Registro General de Actos de Última Voluntad, del que resulte que el causante no otorgó testamento;

– bien mediante documento auténtico del que resulte a juicio del Notario, indubitadamente, que, a pesar de la existencia de testamento o contrato sucesorio, procede la sucesión abintestato;

– bien mediante sentencia firme que declare la invalidez del título sucesorio o de la institución de heredero.

Los documentos presentados o testimonio de los mismos quedarán incorporados al acta.

D) El requirente deberá aseverar la certeza de los hechos positivos y negativos, en que se haya de fundar el acta. Tal aseveración, como dijimos, es personalísima y no cabe hacerla a través de apoderado (RDGRN de 19 de diciembre de 1995).

E) Deberá ofrecer información testifical relativa a que la persona de cuya sucesión se trate ha fallecido sin disposición de última voluntad y de que las personas designadas son sus únicos herederos. A estos efectos:

a) Habrá de constar necesariamente, al menos, la declaración de dos testigos que aseveren que de ciencia propia o por notoriedad les constan los hechos positivos y negativos cuya declaración de notoriedad se pretende.

b) Los testigos podrán ser, en su caso, parientes del fallecido, sea por consanguinidad o afinidad, cuando no tengan interés directo en la sucesión.

c) En cuanto a la capacidad de los testigos propuestos por el requirente, tener en cuenta:

– Que la RDGRN del sistema notarial de 27 de diciembre de 2002 consideró que no les eran aplicables las limitaciones recogidas en el art. 182 RN para los testigos instrumentales.

– Que de una parte el art. 361 LEC señala que podrán ser testigos todas las personas, salvo las que se hallen permanentemente privadas de razón o del uso de sentidos respecto de hechos sobre los que únicamente quepa tener conocimiento por dichos sentidos, pudiendo declarar como testigos los menores de catorce años si, a juicio del tribunal, poseen el discernimiento necesario para conocer y para declarar verazmente.

– Que de otra, para ser testigos en testamentos el art. 681 CC exige mayoría de edad (salvo el caso del testamento en periodo de epidemia que el art. 701 CC permite que sean mayores de 16 años) y el art. 181 RN exige para los testigos instrumentales que sean mayores de edad o emancipados.

– Que, ante la falta de norma expresa, y como norma de prudencia, conviene exigir una edad suficiente que permita asumir las circunstancias de lo que se testifica, teniendo cuenta además que deben ser personas con edad suficiente para conocer las circunstancias personales del causante, siquiera sea por notoriedad.

F) Por aplicación del art. 209 bis RN el Notario deberá enviar el parte del acta telemáticamente al Colegio Notarial para evitar duplicidades. Pudiéndose realizar con carácter previo consultas a la base de datos (de ámbito nacional) para averiguar previamente si se ha tramitado ya otra acta respecto del mismo causante.

G) Cuando cualquiera de los interesados fuera menor o persona con capacidad modificada judicialmente y careciera de representante legal, el Notario comunicará esta circunstancia al Ministerio Fiscal para que inste la designación de un defensor judicial.

H) Si el Notario considera suficientemente acreditada la identidad de los interesados, su domicilio, nacionalidad y vecindad civil, y, en su caso, la ley extranjera aplicable, en principio no necesita acudir a más pruebas. Caso contrario y a fin de procurar la audiencia de cualquier interesado, practicará, además de las pruebas propuestas por el requirente, las que se estimen oportunas, y en especial aquellas dirigidas a acreditar su identidad, domicilio, nacionalidad y vecindad civil y, en su caso, la ley extranjera aplicable. A estos efectos:

a) La vecindad civil puede probarse en los casos en que acceda al Registro Civil (opción de la misma, declaración de adquisición por residencia habitual de dos años, adquisición de la nacionalidad española, opción por vecindad civil del lugar de nacimiento, de cualquiera de los padres) por la inscripción registral, lo cual facilitará la prueba. En otro caso la RDRN de 30 de noviembre de 2013 admite el acta de notoriedad extremando las garantías formales y exigiendo del Notario un juicio motivado.

b) Para la prueba del derecho extranjero se pude acudir por similitud al art. 36.2 RH (aseveración o informe de un Notario o Cónsul español o de Diplomático, Cónsul o funcionario competente del país de la legislación que sea aplicable) o al art. 35 de la LCJIMC (solicitudes de información de Derecho extranjero mediante oficio a la autoridad central española —Ministerio de Justicia— para ser utilizadas en un proceso judicial español o por una autoridad española en el marco de sus competencias; la solicitud de información podrá contener la petición de informes de autoridades, dictámenes periciales de juristas expertos, jurisprudencia, textos legales certificados y cualquier otra que se estime relevante).

I) Si se ignorase la identidad o domicilio de alguno de los interesados, el Notario recabará, mediante oficio, el auxilio de los órganos, registros, autoridades públicas y consulares que, por razón de su competencia, tengan archivos o registros relativos a la identidad de las personas o sus domicilios, a fin de que le sea librada la información que solicite, si ello fuera posible.

J) Si no lograse averiguar la identidad o el domicilio de alguno de los interesados, el Notario deberá dar publicidad a la tramitación del acta mediante anuncio publicado en el «Boletín Oficial del Estado» y podrá, si lo considera conveniente, utilizar otros medios adicionales de comunicación. También deberá exponer el anuncio del acta en los tablones de anuncios de los Ayuntamientos correspondientes al último domicilio del causante, al del lugar del fallecimiento, si fuera distinto, o al del lugar donde radiquen la mayor parte de sus bienes inmuebles.

K) Cualquier interesado podrá oponerse a la pretensión, presentar alegaciones o aportar documentos u otros elementos de juicio dentro del plazo de un mes a contar desde el día de la publicación o, en su caso, de la última exposición del anuncio.

4.24.14.4. Suspensión

Si, recibida una comunicación, se recibieren posteriormente otras relativas a la sucesión del mismo causante, el Decano, o el Jefe del Registro si los Notarios pertenecieren a distinto Colegio, lo comunicará inmediatamente a los Notarios que hubiesen iniciado el acta en segundo o posterior lugar para que suspendan la tramitación de la misma.

Como cautela hasta que hayan transcurrido veinte días hábiles desde la comunicación al Decanato, el Notario no podrá expedir ningún tipo de copias del acta. (Art. 209 bis RN).

En cuanto a la suspensión por oposición de un posible interesado, debe aplicarse lo dicho anteriormente, respecto a las actas de notoriedad en general y que recoge el art. 209.5 RN (*La instrucción del acta se interrumpirá si se acreditare al Notario haberse entablado demanda en juicio declarativo*) y la doctrina de la la RDGRN de 8 de mayo de 1995 de que la mera oposición no es por sí sola bastante para obligar a interrumpir la tramitación del acta, siendo necesario que se haya entablado el juicio declarativo que proceda y así se acredite.

4.24.14.5. El juicio de notoriedad

Ultimadas las diligencias y transcurrido el plazo de veinte días hábiles, a contar desde el requerimiento inicial o desde la terminación del plazo del mes otorgado para hacer alegaciones en caso de haberse publicado anuncio, el Notario hará constar su juicio de conjunto sobre la acreditación por notoriedad de los hechos y presunciones en que se funda la declaración de herederos. Cualquiera que fuera el juicio del Notario, terminará el acta y se procederá a su protocolización.

En caso afirmativo, declarará qué parientes del causante son los herederos abintestato, expresando sus circunstancias de identidad y los derechos que por ley les corresponden en la herencia. La copia autorizada del acta será el **título formal** de la sucesión abintestato, pudiendo reseñarse varias cuestiones:

– Que contra el criterio de anteriores RRDGRN, la de 4 de junio de 2012 a efectos de su transcendencia registral, las actas de declaración de herederos deben presentarse íntegras para su calificación. Por el contrario, con posterioridad a la entrada en vigor de la LJV la RGRD de 20 de diciembre de 2017 sostiene que la calificación registral de las actas de notoriedad de declaración de herederos es asimilable a la de los documentos judiciales (art. 22.2 segundo inciso LJV *La calificación de los Registradores se limitará a la competencia del Juez o Secretario judicial, a la congruencia del mandato con el expediente en que se hubiere dictado, a las formalidades extrínsecas de la resolución y a los obstáculos que surjan del Registro*) y también que la segunda acta o acta de cierre, la que recoge el juicio de notoriedad, es el título sucesorio a efectos del registro, sin que el registrador pueda exigir la presentación de la primera acta o acta de requerimiento, si bien hay que entender que en tal caso el acta de cierre debe llevar todos los datos y circunstancias necesarios para la identificación adecuada de la sucesión a que la declaración se refiere, básicamente, y como indica la DGRN, los de apertura de la sucesión, los particulares de la prueba practicada en que se apoya la declaración de notoriedad, la competencia del Notario, fecha de nacimiento y de fallecimiento del causante, la ley reguladora de la sucesión, estado civil y según el caso, cónyuge, número e identificación de los hijos y demás parientes, último domicilio del causante, con expresión de los parientes concretos que gozan de la preferencia legal de órdenes y grados de sucesión con la específica y nominativa declaración de herederos abintestato.

– Que la redacción de los arts. 55 y 56 LN no supone la vuelta imperativa al sistema del acta «única», pudiéndose mantener la formalización mediante el sistema de la «doble acta» (RGRN de 24 de noviembre de 2016 del sistema notarial).

– Que la autorización del acta de declaración de herederos ab intestato no condiciona la delación a favor de los herederos y no impide a éstos aceptar o repudiar la herencia. Por tanto otorgada antes de la tramitación del acta renuncia por alguno de los llamados el acta puede otorgar efectos a la renuncia y aplicar el llamamiento legal subsidiario que proceda (RDGRN de 27 de febrero de 2013); y a la inversa, la renuncia posterior a la autorización del acta, no hace necesaria una nueva acta declarativa de los derechos de los beneficiarios de la renuncia (RDGRN de 19 de junio de 2013).

Se hará constar en el acta la reserva del derecho a ejercitar su pretensión ante los Tribunales:

– De los que no hubieran acreditado a juicio del Notario su derecho a la herencia

– Y de los que no hubieran podido ser localizados.

También quienes se consideren perjudicados en su derecho podrán acudir al proceso declarativo que corresponda.

Realizada la declaración de heredero abintestato, se podrá, en su caso, recabar de la autoridad judicial la entrega de los bienes que se encuentren bajo su custodia, a no ser que alguno de los herederos pida la división judicial de la herencia.

4.25. EL DOCUMENTO FEHACIENTE DE LIQUIDACIÓN

4.25.1. El problema de la liquidez de las deudas

De acuerdo con el art. 571 LEC procederá la ejecución forzosa cuando haya un título ejecutivo del que, directa o indirectamente, resulte el deber de entregar una cantidad de dinero líquida. Continúa el art. 572.1 diciendo: *Para el despacho de la ejecución se considerará líquida toda cantidad de dinero determinada, que se exprese en el título con letras, cifras o guarismos comprensibles. En caso de disconformidad entre distintas expresiones de cantidad, prevalecerá la que conste con letras. No será preciso, sin embargo, al efecto de despachar ejecución, que sea líquida la cantidad que el ejecutante solicite por los intereses que se pudieran devengar durante la ejecución y por las costas que ésta origine.*

En principio, debe entenderse que es líquida una obligación cuando su contenido consiste en el pago de una cantidad cierta y determinada, expresada en dinero. Sin embargo, la legislación procesal admite también el carácter ejecutivo de las deudas que sin ser en principio líquidas, sean liquidables. De ahí que se considere una deuda dineraria como líquida cuando se disponga de un guarismo o cifra concreta o de los datos fijos necesarios para su obtención.

Para resolver el problema de la liquidez en determinados contratos mercantiles en los que la cuantía de la obligación no puede ser determinada *a priori* ya que aquélla depende de actos de ejecución posteriores al contrato, el ordenamiento jurídico ofrece diversas soluciones para completar el título ejecutivo con algún otro documento en el que consten los actos de desarrollo del contrato y que permitan determinar la cuantía de la deuda a reclamar. Aquí se enmarca el especial método liquidatorio del art. 572.2 y 573.1.2º LEC y el requisito del *documento fehaciente de liquidación*, preceptos a los que se remite el art. 685 LEC referente a la demanda ejecutiva y documentos que han de acompañarse a la misma en la ejecución sobre bienes hipotecados o pignorados, procedimiento (regulado en el Cap. V del Tít. IV del Libro III LEC) que es el que ha servido de inspiración al art. 129 LH. Preceptos que van a ser objeto de estudio en este trabajo.

4.25.2. Solución legal al problema de la liquidez en determinados contratos. Evolución histórica

Como ya he dicho, para despachar la ejecución se requiere que la cantidad exigida sea líquida. Este requisito chocaba con la propia naturaleza de contratos como el de apertura de crédito, líneas de descuento, pólizas de afianzamiento... en los que al fijarse una cifra máxima de disponibilidad se necesita un acto posterior que determine la cantidad exigible. Para salvar este obstáculo, los Bancos solían incorporar a sus formularios una cláusula por cuya virtud la liquidación del crédito practicada por la entidad bancaria haría fe en juicio y a ella se sometería desde luego el deudor, considerándose líquida, a los efectos de la LEC, la cantidad que resultase (GARRIGUES: 1975, p. 172). Este uso bancario fue recogido por el art. 103 del Reglamento del Banco de España de 1948, aprobado por Orden de 23 de marzo de 1948 *(la liquidación de un crédito practicada por el Banco a su vencimiento, o antes de éste, a voluntad de cualquiera de las partes, previo aviso, hará fe en juicio y a ella se someterá anticipadamente en la póliza el acreditado, considerándose líquida la cantidad que de la certificación librada por el establecimiento resulte, a los efectos de que con ella la póliza vencida lleve aparejada ejecución).*

Quedó sancionada la licitud de esta práctica respecto a las entidades de crédito por la OM de 21 de abril de 1950 al disponer que en las *pólizas de crédito intervenidas* por Agente de Cambio y Bolsa o Corredor Colegiado de Comercio otorgadas por Bancos, Cajas de Ahorro o Sociedades de crédito, podía convenirse que la determinación del saldo del crédito al día de su vencimiento, realizada por la entidad acreedora, *haría fe en juicio*, considerándose líquida la cantidad certificada por el Banco en tal concepto, siempre que dicha certificación hubiera sido también intervenida por fedatario público mercantil, quien haría constar en la diligencia que extendía la coincidencia del saldo certificado por la entidad acreedora con el que resulte de la cuenta corriente abierta al deudor en los libros de contabilidad de la misma.

Con este sistema la determinación de la cantidad líquida quedaba completamente en manos de la entidad acreedora, dejando que la actividad del fedatario mercantil, al constatar la coincidencia entre el saldo certificado y el saldo de la cuenta, fuese una mera cuestión de hecho que se ofrecía a la evidencia del mismo, a la vista de la documentación presentada por la entidad acreedora. No se exigía, por tanto, dictamen alguno del fedatario acerca de la determinación del saldo de la cuenta, sino simplemente la manifestación fehaciente de coincidencia entre el saldo expresado por la entidad financiera en su certificación y el que resulta de la cuenta que ésta.

Si bien es cierto que esta cantidad sólo servía de base para despachar la ejecución y que en la fase contradictoria del juicio el ejecutado podía oponer la excepción de *pluspetitio* no lo es menos que este sistema no era muy acorde con los principios de justicia y equidad ya que, como hemos visto, era el propio acreedor quien determinaba unilateralmente la cantidad exigible. En todo caso y a pesar de ser cuestionada su legalidad e incluso su constitucionalidad por algunos autores e incluso por Juzgados de 1ª Instancia, fue aplicada sin reparos por las Audiencias.

También el propio Tribunal Constitucional (Auto nº 541/1984, de 26 de septiembre) tuvo la oportunidad de manifestarse indirectamente a favor de esta norma al no admitir un recurso de amparo que, entre otras pretensiones, afirmaba que la citada OM resultaba inconstitucional por vulnerar el principio de igualdad del art. 14 CE.

Posteriormente, el RD 2680/1982, de 15 de octubre, equiparaba la eficacia ejecutiva de los contratos de crédito otorgados en escritura pública ante Notario con los formalizados en póliza intervenida por Agente o Corredor, extendiendo a las primeras el sistema de certificación del saldo para la determinación de la cantidad líquida base de la ejecución. El artículo único de esta norma establecía que *si en los contratos y operaciones de crédito de cualquier clase, otorgadas mediante escritura pública por Entidades de crédito, ahorro y financiación, se hubiese pactado que la cantidad líquida exigible en caso de ejecución sea determinada en acta notarial, el Notario, a requerimiento de los representantes legales de la Entidad, la levantará determinando y fijando el saldo de la cuenta, con incorporación de la certificación de la entidad acreedora y referencia de la documentación que lo acredite.*

Formalmente este Decreto no creaba títulos ejecutivos pues las escrituras públicas ya estaban recogidas en el número 1º del art. 1.429 LEC, pero sustancialmente estaba creando un nuevo título con tratamiento diverso ya que las escrituras otorgadas por Entidades financieras, de ahorro y financiación recibían el trato favorable de una posible liquidación *ad hoc*, frente a las escrituras del número 1º del art. 1.429 que deberían contener siempre una obligación líquida. No en vano el Consejo de Estado emitió con fecha 9 de junio de 1982 dictamen contrario a la promulgación del citado Decreto por considerarlo contrario al principio de legalidad ya que esta materia por afectar a lo regulado por la LEC debía tener rango normativo de ley formal.

Con este panorama legislativo no exento de controversias, la Ley 34/1984, de 6 de agosto, de reforma urgente de la LEC, modifica, entre otros, el art. 1.435, párrafo 4°: *Si en los contratos mercantiles otorgados por Entidades de crédito, ahorro y financiación, en escritura pública o en póliza intervenida de conformidad con lo dispuesto en el n° 6 del art. 1429 de esta Ley se hubiere convenido que la cantidad exigible en caso de ejecución será la especificada en certificación expedida por la Entidad acreedora, aquélla se tendrá por líquida siempre que conste en documento fehaciente que acredite haberse practicado la liquidación en la forma pactada por las partes en el título ejecutivo y que el saldo coincida con el que aparece en la cuenta abierta al deudor».*

Varias fueron las novedades que la redacción de este precepto introducía respecto a la anterior regulación:

1°) Afianzó constitucionalmente la eficacia del pacto de liquidez al estar incluido en una ley postconstitucional.

2°) Unificó en materia de liquidación el régimen de las pólizas intervenidas por fedatarios mercantiles y el de las escrituras notariales, suprimiendo las diferencias que existían entre la OM de 1950 y el RD 2.680/1982.

3°) Generalizó el sistema al referirse a *contratos mercantiles* frente a lo que establecía la OM de 1950 que sólo hacía referencia a las *pólizas de crédito* y el RD 2.680/1982 que se refería a *contratos y operaciones de crédito* de cualquier clase.

4°) Exigió que la liquidación se hiciera por la entidad acreedora constando en documento fehaciente, autorizado por fedatario público, que acreditase que la liquidación se había efectuado en la forma pactada y que el saldo coincidiese con el que aparecía en la cuenta abierta al deudor. En el régimen de la OM ese documento se limitaba a expresar el saldo y la conformidad del mismo con el que aparecía en los libros de la entidad acreedora. Esta fue probablemente la novedad más importante.

De aquí pasamos a la situación actual que se deriva de los dos preceptos vistos: el art. 572.2 LEC según el cual, también podrá despacharse ejecución por el importe del saldo resultante de operaciones derivadas de contratos formalizados en escritura pública o en póliza intervenida por corredor de comercio colegiado, siempre que se haya pactado en el título que la cantidad exigible en caso de ejecución será la resultante de la liquidación efectuada por el acreedor en la forma convenida por las partes en el propio título ejecutivo. Y por el art. 573.1: En los casos a que se refiere el apartado segundo del artículo anterior, a la demanda ejecutiva deberán acompañarse, además del título ejecutivo y de los documentos a que se refiere el artículo 550, los siguientes:

1.º El documento o documentos en que se exprese el saldo resultante de la liquidación efectuada por el acreedor, así como el extracto de las partidas de cargo y abono y las correspondientes a la aplicación de intereses que determinan el saldo concreto por el que se pide el despacho de la ejecución.

2.º El documento fehaciente que acredite haberse practicado la liquidación en la forma pactada por las partes en el título ejecutivo [...]

También aquí observamos diferencias respecto al sistema vigente hasta la entrada en vigor de la LEC de 2000:

1ª. Ya no se habla de «contratos mercantiles otorgados por Entidades de crédito, ahorro y financiación, en escritura pública o en póliza intervenida», sino de «operaciones derivadas de contratos formalizados en escritura pública o en póliza intervenida por corredor de comercio colegiado». Lo que significa que el ámbito objetivo de aplicación del pacto liquidatorio no se circunscribe a los contratos bancarios sino a todo tipo de contratos, civiles y mercantiles.

2ª. Se sustituye la expresión «se hubiere convenido que la cantidad exigible en caso de ejecución será la especificada en certificación expedida por la Entidad acreedora» por la de que «se haya pactado en el título que la cantidad exigible en caso de ejecución será la resultante de la liquidación efectuada por el acreedor en la forma convenida por las partes en el propio título ejecutivo».

Es decir, la cantidad exigible ya no se deriva de «certificación expedida por la entidad acreedora» sino de «liquidación efectuada por el acreedor». Sin embargo se añade por el vigente art. 572.1.1º LEC que deben acompañarse a la demanda ejecutiva *el documento o documentos en que se exprese el saldo resultante de la liquidación efectuada por el acreedor, así como el extracto de las partidas de cargo y abono y las correspondientes a la aplicación de intereses que determinan el saldo concreto por el que se pide el despacho de la ejecución.* Por tanto, el documento en el que figure la determinación del saldo exigible debe ir acompañado de los movimientos contables y de los cargos de intereses.

3ª. De acuerdo con el antiguo art. 1.435 LEC-1881, modificado en 1984, *se tendrá por líquida siempre que conste en documento fehaciente que acredite haberse practicado la liquidación en la forma pactada por las partes en el título ejecutivo y que el saldo coincida con el que aparece en la cuenta abierta al deudor. Hoy estos términos son sustituidos en el vigente art. 571.1.2º LEC: El documento fehaciente que acredite haberse practicado la liquidación en la forma pactada por las partes en el título ejecutivo.*

Por tanto, hoy no hace falta que en el documento fehaciente se haga constar «que el saldo coincide con el que aparece en la cuenta abierta al deudor». Entre otras cosas porque se acompaña la cuenta con los movimientos de cargo y abono y, por tanto, con el saldo final.

4.25.3. *Constitucionalidad del procedimiento liquidatorio*

Como es conocido, fueron abundantes las cuestiones de inconstitucionalidad planteadas sobre el art. 1.435 LEC 1881. Y esto es importante tenerlo en cuenta porque los
preceptos hoy vigentes de la LEC y de la LH son herederos de aquél.

Se consideraba que el mismo podría vulnerar los principios constitucionales de
igualdad (art. 14), de tutela judicial (art. 24,1), el derecho a la defensa (art. 24,2) y el
principio de protección de los legítimos intereses de los consumidores y usuarios (art.
51,1).

Todas estas cuestiones fueron resueltas por la STC 14/1992, de 10 de febrero (BOE
de 3 de marzo de 1992; rectificación de errores BOE de 10 de abril del mismo año). Con
posterioridad el T.C. ha reiterado los mismos argumentos en las Sents. T.C. 26/1992,
de 5 de marzo (BOE de 17 de marzo de 1992) y 47/1992, de 2 de abril (LA LEY, 13 de
julio de 1992, pág. 7) y 141/1995, de 3 de octubre.

Veamos los argumentos planteados por los órganos proponentes de las cuestiones
de inconstitucionalidad y los esgrimidos por el Alto Tribunal para declarar la constitucionalidad del precepto.

1º. Principio de igualdad (art. 14 CE)

Todos los órganos proponentes de las cuestiones de inconstitucionalidad consideraban que el precepto de referencia habría introducido un tratamiento discriminatorio en
favor de las entidades de crédito, que son los únicos acreedores que podían gozar de la
facultad de acudir a este especial procedimiento de hacer líquida la deuda a efectos del
despacho de ejecución. Se descartaba que esta desigualdad pudiera venir justificada por
el interés de proteger la agilidad del tráfico mercantil que atañe a todos los implicados
en las relaciones jurídico-mercantiles y no sólo a tales entidades; por la seriedad que
caracteriza a este sector empresarial o por estar basado el procedimiento de liquidación
en un convenio entre las partes, ya que en realidad los contratos bancarios son contratos
de adhesión.

El T.C por su parte consideró que la diferencia de trato legislativo se encontraba
objetivamente justificada. Reconoce que las características singulares de la actividad
económica de las entidades de crédito y la imperiosa necesidad de que estas entidades
mantengan la confianza del público y una solvencia acreditada, que es esencial en la intermediación financiera, hace que los incumplimientos de sus deudores típicos tengan
mucha mayor importancia que para otro tipo de empresas, y justifica «que el legislador
establezca en favor de las primeras un régimen procesal especial que facilite la realización de sus créditos».

Que el procedimiento de liquidación del art. 1435 LEC no facilitase la ejecución de
cualesquiera derechos de crédito de los que fueran titulares las entidades de crédito con-

firmaba que no estábamos ante un supuesto de trato jurídico especial que atendía sólo a rasgos subjetivos del acreedor, sino que dicho trato era debido a las peculiares exigencias de las actividades de intermediación financiera que constituyen el objeto primordial de las entidades de crédito en nuestro Derecho.

Estas evidentes diferencias entre las entidades de crédito y todos los restantes acreedores, que se manifiestan en el sometimiento de aquéllas a una normativa muy específica, «ofrecen una justificación suficiente, objetiva y razonable, a la diferencia de trato legislativo creada por el precepto cuestionado» (Fundamento Jurídico 5°).

Dos son pues los argumentos que emplea el T.C.: primero, la relevancia que el incumplimiento de los deudores típicos tendría para la solvencia de las entidades financieras y, por tanto sobre el buen funcionamiento del sistema de pagos y, en definitiva, sobre la economía nacional; y segundo, la particular característica de tales entidades de ser empresarios cuya actividad profesional consiste en recibir y conceder crédito.

Sin embargo, posiblemente este primer argumento no justificase por sí sólo el peculiar sistema de liquidación que establece el precepto cuestionado. Como señalaba DÍAZ MORENO (1992, p. 6) «la solvencia y solidez de las entidades financieras viene asegurada —o, al menos, perseguida— por otro tipo de normas, como son las relativas a coeficientes obligatorios, concentración de riesgos y, en general, las que disciplinan la actividad de estas entidades y prevén las facultades de inspección y sanción de las autoridades monetarias».

Tenía así un mayor peso específico el segundo argumento esgrimido por el T.C. La especialidad de la norma del art. 1.435,4 LEC radicaría en la caracterización de las entidades de crédito como profesionales cuya actividad consiste en conceder crédito. Precisamente por esta actividad que les aboca a asumir la posición de acreedores por operaciones crediticias deben ser tratados por el Ordenamiento de manera adecuada a las peculiaridades de dicha actividad. Por tanto, no estamos ante una especialidad normativa aplicable sin más a las entidades de crédito, sino relativa a los contratos mercantiles que estas conciertan, esto es, en cuanto a su actividad típica, no en el resto de las relaciones jurídicas en las que puedan intervenir. Así, si la agilidad y seguridad en el desarrollo de la función crediticia de manera típica y habitual son considerados deseables, parece que debe convenirse «que el párrafo cuarto del art. 1435 LEC no introduce ninguna discriminación injustificada o arbitraria».

Observemos que en la actualidad este especial procedimiento de liquidación, tanto en la LEC como en la LH, *se extiende a todo acreedor, sea o no, entidad de crédito. Hoy art. 572.2 LEC establece: También podrá despacharse ejecución por el importe del saldo resultante de operaciones derivadas de contratos formalizados en escritura pública o en póliza intervenida por corredor de comercio colegiado, siempre que se haya pactado en el título que la cantidad exigible en caso de ejecución será la resultante de la liquidación efectuada por el acreedor en la forma convenida por las partes en el propio título ejecutivo.* Por tanto, habla de todo tipo de «contratos». Tampoco en el vigente art. 129.2.c) LH se distingue en función de quien sea el acreedor.

2º. Derecho a la tutela judicial efectiva y a la defensa (arts. 24,1 y 24,2 CE)

De acuerdo con los órganos judiciales proponentes de las cuestiones de inconstitucionalidad, el penúltimo párrafo del art. 1435 LEC podría vulnerar el derecho a la defensa reconocido en el art. 24 CE. Parten de la idea de que la limitación de las posibilidades de defensa inherentes al juicio ejecutivo deriva, cuando se aplica dicho precepto, en una verdadera imposibilidad de defenderse. Y ello porque se obligaba al ejecutado a probar hechos negativos o a atacar el saldo certificado por la entidad ejecutante sin conocer siquiera las partidas que integran la cuenta o las fechas del cálculo de intereses. Se alteraría así el derecho a justificar procesalmente las posiciones de las partes e introduciría restricciones no justificadas en sus posibilidades reales de defensa.

También consideraban estos órganos judiciales que quedaban vulnerados los derechos a no sufrir indefensión y a un proceso con todas las garantías (arts. 24,1 y 24,2 CE). Entendían que se producía para el ejecutado una reducción de sus garantías procesales como consecuencia de dos medidas judiciales propias del juicio ejecutivo: el embargo de los bienes del deudor, que se decreta *inaudita parte debitoris* sobre la base de la certificación expedida por la entidad acreedora, y la posibilidad de que la sentencia de remate abra paso a una ejecución para hacer frente a la deuda declarada unilateralmente por el Banco, sin posibilidades efectivas de alegación y defensa por parte del deudor y habiéndose producido la inversión del contradictorio.

Respecto a la primera de las cuestiones planteadas el Alto Tribunal alega que el llamado pacto de liquidez que se contempla en el art. 1435 LEC no determina en modo alguno las desmesuradas consecuencias probatorias que dan por supuesto los órganos judiciales que cuestionan su constitucionalidad. «Que la cantidad reclamada sea líquida para poder despachar la ejecución no significa que presuma que sea cierta o verdadera». No hay nada en el precepto legal cuestionado que excepcione la aplicación de las reglas sobre prueba de las obligaciones, incluidas las que reparten la carga de la prueba a partir del art. 1214 CC. o las que especifican el valor y fuerza probatorias que despliegan los documentos privados, tanto en general (art. 1218 CC.) como en relación con los libros y documentos contables de los empresarios (art. 31 CCom) (Fundamento Jurídico 2º).

El párrafo 4º del art. 1435 LEC no restringe la potestad judicial para recibir el pleito a prueba. Si el cliente de la entidad niega con un mínimo de seriedad o verosimilitud la cuantía de la suma reclamada o incluso la existencia o la exigibilidad de la deuda, ni el art. 1435 ni ningún otro precepto de la LEC obligan al juzgador a dar por probada la deuda reclamada por la entidad acreedora. «En consecuencia, la norma cuestionada no consagra un privilegio probatorio en favor de las entidades de crédito, que contraríe el art. 14 CE, pues no invierte la carga de la prueba, ni otorga a la contabilidad de las mismas el carácter de documento público. Y tampoco priva al deudor de un proceso con todas las garantías probatorias, ni lo sume en indefensión por exigirle una pretendida prueba diabólica o imposible, lo que si ocurriera sería sin duda contrario a los apartados 1 y 2 del art. 24 CE» (Fundamento Jurídico 3º).

En cuanto a la vulneración de los derechos a no sufrir indefensión (art. 24,1 CE) y a un proceso con todas las garantías (art. 24,2) dice el T.C. que «el art. 1435 no solamente no impide al juez ese control inicial, ni lo relega a un examen impracticable o imposible, sino que le ofrece la posibilidad de contar con el imprescindible *auxilio técnico*; pues, debido a una enmienda parlamentaria dirigida precisamente a "reforzar la posición jurídica del deudor, evitando que la determinación del saldo quede al solo arbitrio de la entidad acreedora", la certificación de lo adeudado que esta última expide debe constar en un documento fehaciente. Y en todo caso deben quedar acreditados ante el juez dos extremos de innegable importancia: que la liquidación haya sido practicada en la forma pactada por las partes en el título ejecutivo y que el saldo coincida con el que aparece en la cuenta abierta al deudor» (Fundamento Jurídico 8º).

El abanico de excepciones y motivos de nulidad que ofrecía y ofrece la LEC al demandado era y es lo suficientemente amplio como para que éste se encuentre muy lejos de verse impedido de ejercer medios legales suficientes para su defensa, siendo superior, por lo demás, al permitido en el proceso de ejecución hipotecaria del art. 131 LH entonces vigente, en el que se encuadraba su art. 153, y cuya constitucionalidad vino manteniendo el T.C. desde la Sent. 41/1981, de 18 de diciembre (Fundamento Jurídico 9º).

Respecto al embargo preventivo, considera el T.C. que no es en sí mismo más que una medida cautelar, cuya adopción no requiere plena certeza del derecho así protegido ni audiencia de que lo sufre. Es más, la audiencia previa del afectado podría perjudicar la finalidad de esta medida cautelar, lo cual podría terminar por menoscabar el derecho a la tutela efectiva —que también es predicable de los acreedores—, pues la tutela judicial no es tal sin la adopción de medidas cautelares que aseguren la efectividad de la resolución definitiva que pudiera recaer. Además existen dos garantías: el embargo se ordena sobre la base de una apariencia de derecho acreditada documentalmente en un título ejecutivo que hace fe de la existencia de una relación jurídica y de sus caracteres esenciales.

El último problema que, desde la perspectiva del art. 24 CE, suscitaban los órganos judiciales se refiere a la posibilidad de que el cliente de la entidad de crédito sea emplazado por edictos, lo que conducirá normalmente a que no comparezca. Si bien es evidente que este modo de proceder abre riesgos de indefensión para el deudor, este problema tiene una alcance más general y es, en rigor, ajeno al precepto que es objeto de las presentes cuestiones de inconstitucionalidad (Fundamento Jurídico 10º).

3º. Protección de los intereses económicos de consumidores y usuarios (art. 51,1 CE)

Por último, y en lo que respecta a la presunta vulneración del art. 51,1 CE que obliga a los poderes públicos a garantizar la defensa de los consumidores y usuarios, el T.C. recuerda que este precepto enuncia un principio rector de la política social y económica, y no un derecho fundamental. Sólo un entendimiento desviado de la nueva redacción del art. 1435 LEC —que con toda evidencia ha aumentado las garantías del deudor respecto de las que tenía en la situación anterior— podría llegar a considerarlo contradictorio con las normas establecidas por la LGDCU: así, por ejemplo, si se entendiera que el pacto de liquidez que aquél precepto prevé conllevara una inversión de la carga de la prueba explícitamente prohibida por el art. 10,1, nº 8 LGDCU. Pero, como ya hemos dicho, esta interpretación del párrafo 4º del art. 1435 LEC se apartaba del recto sentido de la disposición, que se limitaba a estimar como líquida la cantidad que figurase en el saldo bancario a los solos efectos de permitir el acceso al juicio ejecutivo, pero no a estimar veraz, y ni siquiera probada, la cantidad determinada unilateralmente por la entidad de crédito. Asimismo, resultaba claro también que el pacto que autorizaba el art. 1435 LEC-1881 y hoy el art. 572.2 LEC puede ser plasmado de distintas formas, todas las cuales deberán cumplir los requisitos de claridad, documentación y buena fe que explicitan los diversos preceptos de la LGDCU.

Resulta, pues, meridiano, concluye el T.C., que «ni el párrafo 4º del art. 1435 LEC *per se*, considerando aisladamente el precepto que enuncia su primer inciso, ni tampoco en cuanto se integra en la estructura peculiar del juicio ejecutivo, contradice en modo alguno las determinaciones dictadas por el legislador para la protección, entre otros, de los usuarios de los servicios bancarios, ni niega o coarta las facultades judiciales para guardar y hacer guardar tales determinaciones» (Fundamento Jurídico 12º, *in fine*).

4.25.4. El pacto liquidatorio como cláusula abusiva

Como ya hemos señalado, este tipo de pacto liquidatorio puede incluirse en todo tipo de contratos. Pero sólo podría analizarse si tiene o no carácter abusivo en aquellos contratos en los que concurra, de una parte, un empresario (se considera tal «a toda persona física o jurídica que actúa en el marco de su actividad empresarial o profesional, ya sea pública o privada» —art. 4 TRLGDCU—) y, de otra, un consumidor o usuario («personas físicas que actúen con un propósito ajeno a su actividad comercial, empresarial, oficio o profesión» —art. 3 TRLGDCU—). Y, además, la estipulación no esté negociada individualmente y que, en contra de las exigencias de la buena fe, causen, en perjuicio del consumidor y usuario, un desequilibrio importante de los derechos y obligaciones de las partes que se deriven del contrato —art. 82 TRLGDCU—).

En estos casos, la cláusula que incluye el pacto de liquidación unilateral de la deuda por parte del acreedor ha sido declarada válida y eficaz por el Tribunal Supremo.

Así la sentencia del 16 de diciembre de 2009 (Roj: STS 8466/2009) referente a una acción de cesación de cláusulas abusivas de contratos bancarios interpuesta por la OCU establece: «el denominado "pacto de liquidez" —o "de liquidación" — es válido porque es un pacto procesal para acreditar uno de los requisitos procesales del despacho de ejecución, cual es la liquidez o determinación de la deuda, y, por consiguiente, para poder formular la reclamación judicial de la misma —sentencias de 30 de abril y 2 noviembre de 2002, 7 de mayo 2003, 21 de julio y 4 de noviembre de 2005; artículos 520.1, 550.1.4º, 572.2 y 573.1.3º LEC—. Esta es la finalidad del pacto —despacho de ejecución— y, por lo tanto, no obsta a la impugnación de la cantidad expresada en la certificación bancaria mediante la oposición correspondiente y sin alterar las normas en materia de carga de prueba. La previsión legal es clara y excusa de cualquier otra información contractual al respecto, y así lo han venido entendiendo los Tribunales, por lo que no se infringen los artículos 2.1, d) y 10.1.a) de la LGDCU, ni su disp. adic. 1ª, apartado 14ª (hoy sustituidos por los correspondientes del TRLGDCU)».

También se ha llegado a plantear si la cláusula contractual que de acuerdo con lo establecido en el art. 129,2 LH, permite al acreedor acudir a la venta extrajudicial es abusiva. Y dentro de esta venta, se exige la existencia del pacto liquidatorio y el documento fehaciente de liquidación.

La STS 483/2016, de 14 de julio (Roj: STS 3412/2016) reconoce que el art. 129 LH, al regular la ejecución notarial de la hipoteca, en su redacción actual dota de facultades al consumidor para poder hacer valer ante los tribunales la nulidad de las cláusulas abusivas, con suspensión automática del procedimiento de ejecución», cosa que no ocurría hasta las modificaciones introducidas por la Ley 1/2013, de 14 de mayo y Ley 19/2015, de 13 de julio. Pero tampoco en el procedimiento de ejecución judicial antes de la Ley 1/2013.

A nuestros efectos lo importante es la valoración que hace el TS respecto al si esta cláusula tiene o no el carácter de abusiva. Y para ello distingue la situación legal vigente de la anterior a las Leyes 1/2013 y 19/2015 que han modificado la redacción del art. 129 LH. Lo que hace de la siguiente forma: «Conviene advertir que el eventual carácter abusivo de la cláusula que permitía acudir al procedimiento de venta extrajudicial del art. 129 LH, dependía del contenido de la regulación de esta norma. Bajo la aplicación de la regulación originaria, no se preveía el control de las cláusulas abusivas, mientras que tras las reformas introducidas por la Ley 1/2013, de 14 de mayo, y sobre todo la Ley 19/2015, de 13 de julio, sí. En las ejecuciones anteriores, el juicio valorativo que el Tribunal de Justicia encomienda a los tribunales nacionales sobre, en la concreta situación enjuiciada, en qué medida sería prácticamente imposible o excesivamente difícil aplicar la protección conferida por la Directiva 93/13 [STJUE de 10 de septiembre de 2014 (asunto C-34/13, Kusionová)], debería realizarse en atención a las insuficientes posibilidades de control de la abusividad de las cláusulas que preveía en ese momento el art. 129 LH, y por ello sería negativo. Mientras que en las ejecuciones abiertas bajo el régimen actual, aunque provinieran de la misma cláusula, la valoración debería realizarse conforme a las posibilidades de control de las cláusulas abusivas que ahora se prevén en el propio art. 129 LH» (Motivo TERCERO.5). Por tanto, se concluye que con la redacción vigente del art. 129 LH, la cláusula que permite al acreedor acudir a la venta extrajudicial NO es abusiva.

4.25.5. Supuestos en los que se exige documento fehaciente de liquidación

4.25.5.1. Ejecución dineraria

Como señala VEGAS TORRES (2005, p. 109), «mediante la ejecución dineraria se trata de aplicar, directa o indirectamente, sanciones genéricas o, dicho de otra forma menos técnica, se pretende obtener del sujeto pasivo de la ejecución —ejecutado— cantidades de dinero destinadas al sujeto activo del proceso de ejecución —ejecutante— con el fin de reparar una lesión injusta sufrida por este último». Esto implica que la deuda esté vencida, sea exigible y por cantidad determinada o líquida.

En efecto, de acuerdo con el art. 572.1 LEC, *para el despacho de la ejecución se considerará líquida toda cantidad de dinero determinada, que se exprese en el título con letras, cifras o guarismos comprensibles. En caso de disconformidad entre distintas expresiones de cantidad, prevalecerá la que conste con letras. No será preciso, sin embargo, al efecto de despachar ejecución, que sea líquida la cantidad que el ejecutante solicite por los intereses que se pudieran devengar durante la ejecución y por las costas que ésta origine.*

Pero continúa el número 2 de este mismo precepto: *También podrá despacharse ejecución por el importe del saldo resultante de operaciones derivadas de contratos formalizados en escritura pública o en póliza intervenida por corredor de comercio colegiado, siempre que se haya pactado en el título que la cantidad exigible en caso de ejecución será la resultante de la liquidación efectuada por el acreedor en la forma convenida por las partes en el propio título ejecutivo.*

En este caso, sólo se despachará la ejecución si el acreedor acredita haber notificado previamente al ejecutado y al fiador, si lo hubiere, la cantidad exigible resultante de la liquidación.

Por su parte, el art. 573 LEC establece:

1. En los casos a que se refiere el apartado segundo del artículo anterior, a la demanda ejecutiva deberán acompañarse, además del título ejecutivo y de los documentos a que se refiere el artículo 550, los siguientes:

1.º El documento o documentos en que se exprese el saldo resultante de la liquidación efectuada por el acreedor, así como el extracto de las partidas de cargo y abono y las correspondientes a la aplicación de intereses que determinan el saldo concreto por el que se pide el despacho de la ejecución.

*2.º El **documento fehaciente** que acredite haberse practicado la liquidación en la forma pactada por las partes en el título ejecutivo.*

3.º El documento que acredite haberse notificado al deudor y al fiador, si lo hubiere, la cantidad exigible.

2. También podrán acompañarse a la demanda, cuando el ejecutante lo considere conveniente, los justificantes de las diversas partidas de cargo y abono.

3. Si el acreedor tuviera duda sobre la realidad o exigibilidad de alguna partida o sobre su efectiva cuantía, podrá pedir el despacho de la ejecución por la cantidad que le resulta indubitada y reservar la reclamación del resto para el proceso declarativo que corresponda, que podrá ser simultáneo a la ejecución.

Observamos así, que cabe ejecución dineraria cuando la cantidad no esté determinada *ab inicio* pero que, a partir de los datos del propio título ejecutivo, pueda determinarse. Para que la cantidad exigible sea líquida se requerirá la existencia en el mismo de un «pacto liquidatorio» en virtud del cual se acuerde «que la cantidad exigible en caso de ejecución será la resultante de la liquidación efectuada por el acreedor en la forma convenida por las partes en el propio título ejecutivo». Pero, además, se requerirá «el *documento fehaciente* que acredite haberse practicado la liquidación en la forma pactada por las partes en el título ejecutivo».

Por último, el art. 574 LEC establece que:

1. El ejecutante expresará en la demanda ejecutiva las operaciones de cálculo que arrojan como saldo la cantidad determinada por la que pide el despacho de la ejecución en los siguientes casos:

1.º Cuando la cantidad que reclama provenga de un préstamo o crédito en el que se hubiera pactado un interés variable.

2.º Cuando la cantidad reclamada provenga de un préstamo o crédito en el que sea preciso ajustar las paridades de distintas monedas y sus respectivos tipos de interés.

2. En todos los casos anteriores será de aplicación lo dispuesto en los números segundo y tercero del apartado primero del artículo anterior y en los apartados segundo y tercero de dicho artículo.

Esto significa que en los préstamos y créditos a interés variable y en los que sean en divisas, sin perjuicio de otros requisitos, también es exigible el *documento fehaciente de liquidación*.

De acuerdo con los arts. 572.1 y 573,1.2° LEC, son tres los requisitos para que pueda ser utilizado el procedimiento especial de liquidación y determinación de la deuda al que nos estamos refiriendo:

1°. Que se trate de contratos (antes, con el art. 1435,4 LEC-1881, otorgados por entidades de crédito, ahorro y financiación).

2°. Que el contrato haya sido formalizado en escritura pública autorizada por Notario o en póliza intervenida por Corredor de Comercio Colegiado (hoy por Notario).

3°. Que se haya pactado expresamente en el título que la cantidad exigible en caso de ejecución será la resultante de la liquidación efectuada por el acreedor en la forma convenida por las partes en el propio título ejecutivo.

A) Contratos en general. La liquidez del contrato de préstamo

En cuanto al primero de los requisitos, ya hemos señalado la sustancial modificación que supuso el art. 1.435 LEC-1881, tras su reforma en 1984, con respecto al régimen de la OM de 1950 que circunscribía la aplicación del pacto de liquidez a los contratos de crédito en los que por esencia la obligación del acreditado es ilíquida como consecuencia de su facultad de disponer de las cantidades que considere convenientes dentro del límite pactado. Es claro que con la redacción del art. 1435 LEC-1881 este pacto era válido en cualquier contrato mercantil otorgado por entidades de crédito tanto si la cantidad exigible era por esencia ilíquida como ocurre en los contratos de crédito, de descuento o en los de afianzamiento como a los que a priori, por su naturaleza real como es el caso del préstamo, conllevarían, en principio, una obligación líquida, aunque como veremos más adelante en la práctica esto no sea así.

Hoy el art. 572.1 habla de «operaciones derivadas de contratos formalizados en escritura pública o en póliza intervenida» por lo que ya ni se circunscribe a contratos con entidades de crédito, ni siquiera a contratos mercantiles. Es por tanto aplicable a todo contrato y cabe entre todo tipo de deudores y acreedores.

Nosotros (NIETO CAROL: 1995, p. 5), de acuerdo con un amplio sector de la doctrina, consideramos que para despacharse ejecución era y es necesario completar el título ejecutivo que contenga el contrato de préstamo con el *documento fehaciente* al que hacía mención el párrafo 4° del art. 1435 LEC 1881 y hoy los arts. 572.1 y 573,1.2° LEC. Y ello por varias razones:

1ª. Como ya hemos señalado, el art. 1435 LEC-1881 hablaba claramente de *contratos mercantiles* por lo que no había que presumir que el legislador quiso decir cosa distinta de la que realmente dijo (*in claris interpretatio non fit*). Por más que sea dicho artículo una norma sucesora de las anteriores ya vistas, no es en ningún caso repetición de las mismas, sino que más bien al contrario, ha intentado modificar el régimen existente hasta ese momento como se deduce del trámite legislativo.

Hoy ya ni siquiera se circunscribe a los contratos mercantiles sino que se extiende a todo tipo de contrato.

2ª. El segundo aspecto que debemos plantearnos es si del préstamo se deriva una deuda líquida. Si entendemos que existe tal cuando se disponga de un guarismo o cifra concreta o de los datos fijos necesarios para su obtención, podemos convenir que el elemento esencial para determinar la liquidez será que el contrato contenga todos los datos para calcular la deuda exigible y ello dependerá en gran medida de ante qué tipo de préstamo nos encontremos y de los actos de ejecución del mismo posteriores a la celebración del contrato.

Así en los llamados préstamos simples, esto es, en los que se establece una única amortización al vencimiento, sería fácil *a priori* determinar la cantidad exigible siempre que se hubiera pactado un interés fijo y no se hubiera producido ninguna amortización anticipada, posibilidad ésta que contempla en todos los préstamos, o se hayan pagado los intereses en fechas distintas a las pactadas, porque en estos casos habría que saber cuándo para calcular los intereses de demora. Por el contrario, no habrá deuda líquida en los casos en los que se haya pactado un interés variable porque no figurarán en el propio título los distintos tipos a aplicar, o el pago de cantidades constantes comprensivas de capital e intereses (método francés), o amortizaciones parciales y pago periódico de intereses, en los que los hechos posteriores al contrato determinan la determinación de la deuda. En este mismo sentido VEGAS TORRES (2005, p. 113).

Por tanto, no debe confundirse que el préstamo sea un contrato de naturaleza *real* con que de él se derive una deuda líquida porque si bien es cierto que la cantidad entregada consta en el documento a diferencia del contrato de apertura de crédito (contrato *consensual*), no lo es menos que los actos posteriores destinados a la amortización del principal del préstamo y al pago de intereses, sólo constan en la contabilidad de la entidad acreedora al igual que en el contrato de apertura de crédito.

Por otra parte, ni el contrato de préstamo bancario tiene una naturaleza tan netamente *real* como se deriva del art. 1740 CC ni el de apertura de crédito tan *consensual*. En efecto, ya decía el maestro GARRIGUES (1975, p. 205) que el préstamo bancario es en cierta forma consensual. Pero es que, además, la variedad contractual y de la propia operatoria bancaria hace que cada vez haya menos distinciones entre una y otra figura jurídica. Así, en los préstamos a promotor (o autopromotor) la entrega del numerario no se hace al prestatario en la fecha del contrato sino a medida que va evolucionando la obra constructiva. Por otra parte, existen contratos denominados *créditos de disposición única* en los que como su propio nombre indica, se realiza la entrega en el momento del perfeccionamiento e incluso llegan a pactarse reducciones periódicas del límite que funcionan como amortización de capital, o se determinan ingresos también periódicos de cantidades que coinciden con el importe de cuotas comprensivas de capital e intereses, con lo que estos contratos funcionan más como préstamos que como créditos. En definitiva, que en la vida práctica hay créditos que funcionan como préstamos y viceversa.

En todo caso, la jurisprudencia reconoce que en el título deben constar todos los datos necesarios para determinar cuál es la cantidad exigible y aunque consten los *elementos de cálculo* (capital, tiempo, tipo de interés, comisiones, etc.) lo más probable es que no consten los *elementos de hecho* (si se han efectuado los pagos en los vencimientos pactados, si se han imputado correctamente los pagos anticipados, etc.) que determinan la adecuación o no de la liquidación a lo realmente acontecido.

De lo hasta aquí dicho podemos concluir que dada la complejidad en muchos casos de los cálculos financieros, y la riqueza y variedad contractual y de la propia operatoria contractual, se hace necesaria en la práctica el documento fehaciente de liquidación en la mayoría de las operaciones bancarias y, por tanto, también en los préstamos.

3ª. Por si esto fuera poco, no debemos olvidar que la Exposición de Motivos de la Ley de reforma (Ley 34/1984) expresaba su intención de dar una mayor protección a los clientes en general y no sólo a los acreditados. En este mismo sentido se dirigía la enmienda (número 539) del Grupo Socialista de la que derivó la redacción del precepto que nos ocupa al decir que tenía por finalidad mejorar la redacción y «reforzar la posición jurídica del deudor [...] », lo que se consigue, desde luego, cuando la cantidad líquida exigible se determina con la intervención de un fedatario público perito en la materia y no de forma unilateral por la entidad acreedora.

4ª. Un último argumento nos lo proporcionaba la STC 14/1992. En su Fundamento Jurídico 8º señala que «nada resulta más alejado del texto legal que el despacho automático del mandamiento de ejecución» sino que por el contrario el Juez debe «efectuar el examen inicial que exige el art. 1440 LEC [1881], control judicial que incluye el particular de la liquidez (art. 1467,2 *in fine*). La realización de dicho control no requiere del Juez conocimientos contables, de matemática financiera o incluso de informática, como se declara en alguno de los Autos de planteamiento». «El art. 1435 no solamente no impide al Juez ese control inicial, ni lo relega a un examen impracticable o imposible, sino que le ofrece la posibilidad de contar con el imprescindible *auxilio técnico*». Nosotros consideramos que careciendo de los conocimientos a que hace mención la sentencia y dada la complejidad antes apuntada, es claro que este auxilio técnico será necesario en todo caso y no sólo en los contratos de apertura de crédito.

Esto hoy es perfectamente aplicable a toda ejecución dineraria.

En definitiva, y con esto concluyo este apartado, debía considerarse necesario el documento fehaciente del entonces art. 1435,4 LEC-1881 en todo tipo de contrato bancario ya que dicho precepto, a diferencia de la OM de 1950, no hacía distinción y por tanto era también de aplicación a los contratos de naturaleza real porque de ellos no se deriva necesariamente una deuda líquida y porque, además, con la intervención de un fedatario perito en la materia se refuerza la posición del deudor que gozaba así de unas mayores garantías y se le facilitaba al Juez un imprescindible *auxilio técnico* que le permitía realizar el examen previo necesario para despachar o no el mandamiento de embargo. Y hoy más a la vista de los arts. 572.1 y 573,1.2º LEC, ya que se habla en general de «operaciones derivadas de contratos» sin hacer mención alguna a las entidades de crédito.

B) Título ejecutivo

El segundo requisito para la aplicación de este peculiar sistema de liquidación es que el contrato haya sido formalizado en escritura pública autorizada por Notario o en póliza intervenida por Corredor de Comercio Colegiado, hoy Notario. Como señala ORTIZ NAVACERRADA (1992, p. 156 y 157), «el ordenamiento positivo ha dotado de eficacia ejecutiva a determinados y tasados documentos de una presunción legal de responsabilidad». Tal reconocimiento legal se apoya en dos factores determinantes que parecen ineludibles a la luz de principios elementales de justicia: «que el título proceda de sujeto legitimado para comprometer ejecutivamente el patrimonio sobre que se pretende proyectar la ejecución y, correlativamente, que tal origen legitimador conste con autenticidad. Aquel sujeto —obviando ahora el marco administrativo— no puede ser otro que el Juez, investido de poder de ejecución, o el titular de poder de disposición sobre el patrimonio en cuestión; la autenticidad exige intervención de Fedatario Público o reconocimiento ante Juez por el titular expresado».

En el caso de las escrituras y las pólizas intervenidas por Notario, es claro que la presunción de responsabilidad que la Ley les incorpora a efectos ejecutivos se asienta en el principio de legitimidad antes visto ya que la efectiva procedencia del deudor queda autenticada por Fedatario Público.

C) Pacto expreso

El art. 572.2 LEC exige que *se haya pactado en el título que la cantidad exigible en caso de ejecución será la resultante de la liquidación efectuada por el acreedor en la forma convenida por las partes en el propio título ejecutivo.*

Precepto que es muy similar a su antecedente legislativo (art. 1435,4 LEC-1881) que exigía que se hubiera pactado en el título que la cantidad exigible en caso de ejecución sería la resultante de la liquidación efectuada por el acreedor en la forma convenida por las partes en el propio título ejecutivo.

Como señalaba el fundamento jurídico 12º de la Sent. T.C. 14/1992, de 10 de febrero, este pacto puede ser plasmado de distintas formas, «todas las cuales deberán cumplir los requisitos de claridad, documentación y buena fe [que explicitan los diversos preceptos de la Ley 26/1984] ». En todo caso el Juez puede y debe denegar el despacho de ejecución si la cláusula que permite al acreedor (la Sent habla de «Entidad de crédito») realizar unilateralmente la liquidación no reúne los requisitos mencionados, y por supuesto, en los casos en que no se ha incluido dicho pacto.

Consideramos que de ser incluido el pacto, cosa que ocurre hoy en casi todos los contratos bancarios, éste debe respetarse. Así, con independencia de que pueda considerarse o no la deuda derivada del contrato de préstamo como líquida, si se incluye la cláusula en virtud de la cual la cantidad exigible en caso de ejecución será la especificada en certificación expedida por la Entidad acreedora, teniéndose ésta por líquida siempre que conste en documento fehaciente que acredite haberse practicado la liquidación en la forma pactada por las partes en el título ejecutivo, deberá considerarse dicho documento fehaciente como elemento integrador del título ejecutivo de manera que no podrá despacharse ejecución si no se presenta.

Mayor problema plantea el caso poco habitual pero posible en el que la póliza de préstamo no incluya de forma expresa el pacto liquidatorio. En estos casos al Juez se le plantean dos posibilidades:

1ª) No despachar la ejecución por iliquidez de la deuda (art. 552,1 LEC, *si el tribunal entendiese que no concurren los presupuestos y requisitos legalmente exigidos para el despacho de la ejecución, dictará auto denegando el despacho de la ejecución) aunque se le aporte el documento fehaciente, ya que éste no está amparado por un pacto incluido por las partes en el título ejecutivo. En este caso deberá determinarse en un juicio declarativo ordinario la cantidad exigible.*

2ª) Despachar dicha ejecución si se le aporta un documento fehaciente liquidatorio que le permita al Juez verificar la liquidez de la deuda. No olvidemos, como dice CAMARA MINGO (1987, p. 1.112) que «la liquidez, que ha de predicarse de la deuda más no del documento (póliza mercantil), es un requisito cuya existencia ha de verificar el Juez antes de admitir a trámite la demanda (art. 1440 LEC-1881) pero no se acredita necesariamente de una determinada manera sino que depende del caso concreto, de los hechos expuestos en la demanda de cada caso particular».

Pero en este caso tal documento liquidatorio será fehaciente por la intervención de un Notario, y acreditará que la cantidad exigible ha sido liquidada de acuerdo con lo pactado por las partes si dicho Fedatario incluye ese juicio en el documento, pero *en ningún caso será el documento fehaciente al que se refiere el art. 573,1,2º LEC* para el que falta uno de los requisitos, cual es el de la inclusión expresa en el título ejecutivo del pacto liquidatorio (art. 572.2).

4.25.5.2. Ejecución de bienes hipotecados o pignorados

Como señalaba VEGAS TORRES (2005, p. 287), el acreedor que tiene un crédito asegurado con prenda o hipoteca —como cualquier otro acreedor, tenga o no garantía real y con título ejecutivo o sin él— puede obtener la tutela judicial de su derecho acudiendo al proceso declarativo ordinario que corresponda y, una vez obtenida en él sentencia favorable, pedir su ejecución. «Ahora bien, para las acreedores hipotecarios y pignoraticios —y, esta vez, sólo para ellos— la LEC prevé un *cauce procesal especial* que les permite obtener una rápida satisfacción de su derecho mediante una actividad jurisdiccional ejecutiva *limitada a la realización de la garantía* (enajenación del bien hipotecado o de la cosa dada en prenda, exclusivamente). Este especial cauce procesal está regulado en los arts. 681 y siguientes de la LEC, que parten de la aplicación de las normas generales en materia de ejecución forzosa, estableciendo a continuación determinadas especialidades de suficiente entidad como para dar a este procedimiento una configuración muy particular, que lo distancia notablemente, en aspectos relevantes, de la ejecución ordinaria por deudas de dinero».

En efecto, de acuerdo con el art. 681.1 LEC la *acción para exigir el pago de deudas garantizadas por prenda o hipoteca podrá ejercitarse directamente contra los bienes pignorados o hipotecados, sujetando su ejercicio a lo dispuesto en este título [Título IV. De la ejecución dineraria], con las especialidades que se establecen en el presente capítulo [V. De las particularidades de la ejecución sobre bienes hipotecados o pignorados]* ».

Por su parte, el art. 685.1 LEC establece que la demanda ejecutiva deberá dirigirse frente al deudor y, en su caso, frente al hipotecante no deudor o frente al tercer poseedor de los bienes hipotecados, siempre que este último hubiese acreditado al acreedor la adquisición de dichos bienes.

2. A la demanda se acompañarán el título o títulos de crédito, revestidos de los requisitos que esta Ley exige para el despacho de la ejecución, así como los demás documentos a que se refieren el artículo 550 y, en sus respectivos casos, los artículos 573 y 574 de la presente Ley.

En caso de ejecución sobre bienes hipotecados o sobre bienes en régimen de prenda sin desplazamiento, si no pudiese presentarse el título inscrito, deberá acompañarse con el que se presente certificación del Registro que acredite la inscripción y subsistencia de la hipoteca.

3. A los efectos del procedimiento regulado en el presente capítulo se considerará título suficiente para despachar ejecución el documento privado de constitución de la hipoteca naval inscrito en el Registro de Bienes Muebles conforme a lo dispuesto en el artículo 128 de la Ley de Navegación Marítima. De acuerdo con este último precepto (Ley 14/2014, de 24 de julio, de Navegación Marítima), para que la hipoteca naval quede válidamente constituida podrá ser otorgada en escritura pública, en póliza intervenida por notario o en documento privado y deberá inscribirse en el Registro de Bienes Muebles. Vemos como el art. 685.2 LEC se remite a los arts. 573 y 574 del mismo cuerpo legal.

Debe señalarse que la constitución de hipoteca naval en documento privado es incomprensible. Primero porque es contraria al principio general de titulación pública del art. 73 de la propia Ley de Hipoteca Naval *(1. La inscripción en el Registro se practicará en virtud de escritura pública, póliza intervenida por notario, resolución judicial firme o documento administrativo expedido por funcionario con facultades suficientes por razón de su cargo.*

2. El notario español o cónsul de España en el extranjero que autorice una escritura pública o intervenga una póliza relativa a buques, embarcaciones o artefactos navales deberá obtener de la Sección de Buques del Registro de Bienes Muebles, con carácter previo al otorgamiento, la oportuna información sobre la situación de dominio y cargas y deberá presentarla, directamente o por testimonio, en la forma y por los medios que reglamentariamente se establezcan).

También es contrario a lo establecido en el art. 118 (Forma, adquisición de la propiedad y eficacia frente a terceros) de la misma Ley *(1. El contrato de compraventa de buque constará por escrito.*

2. El comprador adquiere la propiedad del buque mediante su entrega.

3. Para que produzca efecto frente a terceros, deberá inscribirse en el Registro de Bienes Muebles, formalizándose en escritura pública o en cualquiera de los otros documentos previstos en el artículo 73.

4. En los supuestos en que las partes pretendan elevar el contrato a escritura pública u otorgarlo en cualquiera de los otros documentos previstos en el artículo 73, con carácter previo a su protocolización, el notario o cónsul deberá obtener del Registro de Bienes Muebles la oportuna información sobre la situación de dominio y cargas, en la forma y por los medios que reglamentariamente se establezcan).

4.25.5.3. Venta extrajudicial notarial de bien inmueble hipotecado

La venta extrajudicial está regulada por el art. 129 LH cuya redacción se debe al art. 3.3 de la Ley 1/2013, de 14 de mayo, de medidas para reforzar la protección a los deudores hipotecarios, reestructuración de deuda y alquiler social. Posteriormente, las letras a) y f) del art. 129.2 LH han sido objeto de modificación por la disposición final 3 de la Ley 19/2015, de 13 de julio, de medidas de reforma administrativa en el ámbito de la Administración de Justicia y del Registro Civil, con entrada en vigor el 15 de octubre de 2015.

La venta extrajudicial (notarial) de bienes hipotecados está regulada, como ya se ha dicho, en el art. 129 LH pero la LEC tendrá carácter supletorio en todo aquello que no se regule en la Ley y en el Reglamento Hipotecario, y en todo caso será de aplicación lo dispuesto en el artículo 579.2 LEC (especialidades en el supuesto de adjudicación de la vivienda habitual hipotecada, cuando el remate aprobado fuera insuficiente para lograr la completa satisfacción del derecho del ejecutante).

El art. 129.2.c) LH, después de decir que

> la venta extrajudicial sólo podrá aplicarse a las hipotecas constituidas en garantía de obligaciones cuya cuantía aparezca inicialmente determinada, de sus intereses ordinarios y de demora liquidados de conformidad con lo previsto en el título y con las limitaciones señaladas en el artículo 114, continúa señalando que en el caso de que la cantidad prestada esté inicialmente determinada pero el contrato de préstamo garantizado prevea el reembolso progresivo del capital a la solicitud de venta extrajudicial deberá acompañarse documento en el que consten las amortizaciones realizadas y sus fechas, y el documento fehaciente que acredite haberse practicado la liquidación en la forma pactada por las partes en la escritura de constitución de hipoteca. En cualquier caso en que se hubieran pactado intereses variables, a la solicitud de venta extrajudicial, se deberá acompañar el documento fehaciente que acredite haberse practicado la liquidación en la forma pactada por las partes en la escritura de constitución de hipoteca.

La primera parte de este precepto es transcripción literal de lo establecido en el art. 235.1 RH. A este último respecto señalaba GÓMEZ-FERRER (2009, pp. 71 y 72), que plantea duda la utilización del adverbio «inicialmente», «pues puede referirse tanto al momento en que se convierte la venta extrajudicial ante notario, en cuyo caso la cuantía aparezca determinada en la escritura de constitución de hipoteca, como el requerimiento con que se inicia en las formalidades».

Esta autor entiende que «la determinación debe serlo en el momento de iniciación de las formalidades de la venta extrajudicial» puesto que «nada impide al acreedor que en su día pueda obtener un título suficiente que concrete la deuda y le permita acudir a la ejecución por este procedimiento».

Como señalan TORIBIOS FUENTES y CALVACHE MARTÍNEZ (2016, p. 1.172), la interpretación literal de este precepto nos llevaría a excluir las hipotecas de máximo y con ellas todas las hipotecas en garantía de cuentas de crédito, puesto que su cuantía no resulta del propio título de constitución. La RDGRN de 17 de septiembre de 2012 establece que «el procedimiento de venta extrajudicial no es directamente aplicable respecto de hipotecas de máximo, ni tampoco respecto de las hipotecas en garantía de cuentas corrientes reguladas en el artículo 153 de la Ley Hipotecaria, sin perjuicio de que sí pudiera acudirse al procedimiento extrajudicial si consta posteriormente en el Registro de la Propiedad la determinación de la cuantía a través de la nota marginal de los artículos 143 de la Ley Hipotecaria (*cuando se contraiga la obligación futura o se cumpla la condición suspensiva, de que trata el párrafo primero del artículo anterior* [la hipoteca constituida para la seguridad de una obligación futura o sujeta a condiciones suspensivas inscritas, surtirá efecto, contra tercero, desde su inscripción, si la obligación llega a contraerse o la condición a cumplirse], *podrán los interesados hacerlo constar así por medio de una nota al margen de la inscripción hipotecaria*) y 238 de su Reglamento».

De acuerdo con estos autores, «la generalidad de la doctrina entiende que la exigencia de que la obligación ha de estar inicialmente determinada ha de ir referida no al momento de la constitución de la hipoteca, sino al de su realización, por lo que puede utilizarse este procedimiento en las hipotecas de máximo (LÓPEZ LIZ, 1999, 77; LANZAS GALVACHE, 1995, 840, y GÓMEZ-FERRER, 2009, 72). Así se deduce del artículo 236.a) RH al exigir que se aporte "la cantidad exacta objeto de la reclamación en el momento del requerimiento". Es contundente la RDGRN 8-2-2001 (RJ 2001, 2149) al declarar que, aunque se trate de una hipoteca de máximo, sí es posible pactar este procedimiento de ejecución, pues nada impide que el acreedor, en su día, pueda obtener un título suficiente que concrete la deuda y le permita acudir a la ejecución por ese procedimiento. También es muy clara la RDGRN 11-2-1998 (RJ 1998, 1113) al decir que la determinación exacta de la obligación sólo es necesaria en el momento de la ejecución, así pues, no hay por qué excluir de este procedimiento a obligaciones de cuantía incierta o indeterminada, objeto, por ejemplo, de hipotecas de máximo, si en el momento del requerimiento inicial la cuantía ha quedado determinada. En el mismo sentido se pronuncian las RRDGRN 6-10-1994 (RJ 1994, 7655), 9-10-1997 (RJ 1997, 7366), 24-8-1998 (RJ 1998, 6585) y 17-5-2001 (RJ 2001, 4797) ».

Por otra parte, la determinación de la cuantía, si se ha incluido en la escritura de préstamo con garantía hipotecaria, el pacto de liquidez del artículo 572.2 LEC, se produce mediante el documento fehaciente que acredite haberse practicado la liquidación en la forma pactada por las partes en el en dicha escritura. Por eso, a mi juicio, si se considera que la determinación de la cuantía exigible debe ser en el momento de la realización de la hipoteca no habría razón para excluir de la venta extrajudicial las hipotecas de máximo y con ellas todas las hipotecas en garantía de cuentas de crédito, siempre que exista este documento fehaciente de liquidación; y ello sin la nota marginal de los arts. 143 LH y 238 RH, para la cual es impensable la colaboración del deudor.

En cualquier caso en que se hubieran pactado intereses variables, a la solicitud de venta extrajudicial, se deberá acompañar el *documento fehaciente* que acredite haberse practicado la liquidación en la forma pactada por las partes en la escritura de constitución de hipoteca (*sic*). La expresión «escritura de constitución de hipoteca» es incorrecta. El pacto de liquidez afecta a la determinación de la cantidad exigible consecuencia de la obligación —el préstamo—, no a la garantía hipotecaria. Es más, podría haber escritura de constitución de hipoteca en garantía de un préstamo ya existente y obviamente en esta no figuraría el pacto de liquidación]

Por tanto, sólo quedarían excluidos de la exigencia de documento fehaciente que acredite la correcta liquidación, los llamados «préstamos simples», esto es, los que se amortizan en su totalidad al vencimiento.

Esto se deduce de la expresión «reembolso progresivo de capital»; por tanto, se exige dicho documento fehaciente en las ventas extrajudiciales referentes a hipotecas en garantía de préstamos que se reembolsan mediante cuotas constantes comprensivas de capital e intereses —método de amortización francés— (que es el sistema más comúnmente utilizado), de los que se reembolsen mediante cuotas de capital constante —método de amortización italiano—, así como los de cuotas de capital e intereses crecientes —método de amortización mediante cuotas en progresión geométrica o aritmética—.

Se excluyen así de la exigencia del documento fehaciente en los «préstamos simples» porque se considera que en estos casos puede llegarse a la cantidad líquida exigible, en expresión de algunas sentencias, «con una simple operación aritmética y en base a los datos proporcionados por el título».

Habría bastante que discutir respecto a qué es y qué no es una «simple operación aritmética» y, sobre todo, que el problema no es tanto la configuración del método de amortización como la propia «vida del préstamo», esto es, han podido haber amortizaciones parciales, devengo de intereses de demora por impago de los intereses ordinarios en las fechas de liquidación, etc.

Y, además, se exige el documento fehaciente en todos los préstamos a interés variable. incluidos los llamados «préstamos simples». Por tanto, cuando se hayan pactado intereses variables es indiferente el método amortización.

Por otra parte, en el hipotético e improbable caso en la práctica bancaria de un préstamo de amortización al vencimiento y tipo de interés fijo en el que *se hubiera incluido el pacto de liquidez*, éste debe respetarse. Así, con independencia de que pueda considerarse o no la deuda derivada del contrato de préstamo como líquida y con independencia de que NO lo exija el art. 129.2.c), si se incluye la cláusula en virtud de la cual la cantidad exigible en caso de ejecución será la especificada en certificación expedida por la Entidad acreedora, teniéndose ésta por líquida siempre que conste en documento fehaciente que acredite haberse practicado la liquidación en la forma pactada por las partes en el instrumento público, deberá considerarse necesario que se acompañe a la solicitud de venta extrajudicial dicho documento fehaciente.

Mayor problema plantea el caso poco habitual pero posible en el que el instrumento público de préstamo *no incluya de forma expresa el pacto liquidatorio*. En este caso NO podría autorizarse el documento fehaciente de liquidación del art. 129.2.c) LH y del art. 218 RN, pero SÍ podría autorizarse un *acta de liquidación* al amparo del art. 219 RN. De acuerdo con este precepto, «los notarios, a requerimiento de parte interesada, podrán autorizar actas de liquidación relativas a cualesquiera cuentas o contratos no comprendidos en el artículo anterior. Esta clase de actas, según el alcance del requerimiento, deberán contener los apuntes contables y el saldo final, así como la expresión de las condiciones en que se ha practicado la liquidación.

Estas actas de liquidación se acomodarán a los requisitos formales, materiales y de registro, establecidos en el artículo anterior, con las especialidades derivadas del requerimiento».

Este instrumento será un «documento fehaciente» habida cuenta que está autorizado por un Notario y acreditará que la cantidad exigible ha sido liquidada de acuerdo con lo pactado por las partes y, además, dará fe, si así se hace constar, que el saldo que consta en la certificación expedida por la Entidad acreedora coincide con el que figura en la cuenta abierta al deudor, pero *en ningún caso será el documento fehaciente del art. 573.1.2º LEC ni el del art. 129.2.c) LH* ya que le falta uno de los requisitos esenciales, cual es el de la inclusión expresa en el título ejecutivo del pacto liquidatorio.

4.25.5.4. Venta extrajudicial notarial de bien mueble hipotecado o pignorado sin desplazamiento

La Sección 2ª («Venta extrajudicial) de la LHMPSD —arts. 86 y ss.— se ha modificado por la disposición final 13.1 de la Ley 15/2015, de 2 de julio.

De acuerdo con el art. 87 de esta norma, *el procedimiento extrajudicial se ajustará necesariamente a las siguientes reglas: [...]*

2.ª Se iniciará por un requerimiento dirigido por el acreedor al Notario que, previo el cumplimiento de los requisitos de este artículo, proceda a la venta de los bienes en pública subasta.

En el requerimiento hará constar el acreedor la cantidad exacta que sea objeto de la reclamación, por principal e intereses, y la causa del vencimiento, entregando al Notario el título o títulos de su crédito, revestidos de todos los requisitos exigidos por la Ley de Enjuiciamiento Civil, para que tengan carácter ejecutivo».

Como se observa, aunque se habla de «cantidad exacta», luego se exige aportarle al Notario los títulos de crédito ejecutivos revestidos de los requisitos exigidos para ello por la LEC. Y como ya hemos visto, los arts. 572.2 y 573,1.2º LEC, *podrá despacharse ejecución por el importe del saldo resultante de operaciones derivadas de contratos formalizados en escritura pública o en póliza intervenida por corredor de comercio colegiado, siempre que se haya pactado en el título que la cantidad exigible en caso de ejecución será la resultante de la liquidación efectuada por el acreedor en la forma convenida por las partes en el propio título ejecutivo, debiendo acompañarse a la demanda ejecutiva por saldo de cuenta, además del documento o documentos en que se exprese el saldo resultante de la liquidación efectuada por el acreedor, así como el extracto de las partidas de cargo y abono y las correspondientes a la aplicación de intereses que determinan el saldo concreto por el que se pide el despacho de la ejecución, [...] el documento fehaciente que acredite haberse practicado la liquidación en la forma pactada por las partes en el título ejecutivo.*

Al hablar del tema de la liquidez de la deuda, con buen criterio, a mi juicio, dado que a tenor de la disp. adic. tercera LHMPSD, *en el caso de insuficiencia de los preceptos de esta Ley se aplicarán subsidiariamente los de la legislación hipotecaria en cuanto sean compatibles y con lo prevenido en los artículos anteriores,* ADAN DOMENECH (2015, pp. 27 y 28) apela al artículo 129.2.c) LH. Y concluye que «de acuerdo con las directrices de este precepto señalado, y conforme a la aplicación supletoria de la legislación hipotecaria a la venta extrajudicial mobiliaria, puede admitirse la incoación de este proceso por cantidades determinadas conforme a lo pactado por las partes. Esta es, asimismo, la postura que ha adoptado la DGRN» citando las resoluciones de 4 de noviembre de 2010 (RJ 2011\2461 y de 2 de septiembre de 2005 (RJ 2005\6928).

4.25.6. Alcance y naturaleza de la intervención del Notario

Tanto el art. 573.1.2° LEC como el art. 129.2.c) LH establecen que debe acreditarse que se ha practicado la liquidación en la forma pactada por las partes en el título ejecutivo/escritura de hipoteca (para mejor decir, escritura de préstamo hipotecario).

Este es el requisito que lógicamente ha suscitado más problemas planteándose qué significa que el fedatario *acredite* esta circunstancia. Entramos así en el estudio de uno de los aspectos más controvertidos del precepto en cuestión que es el alcance de la intervención del Notario.

Las distintas posturas doctrinales en cuanto a cual debía ser el papel del fedatario público actuante ya se decantaron a raíz de la modificación del art. 1.435 de la LEC-1881, hoy derogada y que, como ya hemos dicho, es el antecedente de los arts. 572.2 y 573.1.2° LEC vigente y del art. 129.2.c) LH.

Entonces estas posturas se agrupaban en formalistas y materiales, y dentro de estas últimas, las maximalistas que pedían una auditoría de la cuenta y las de los que consideraban (y consideramos) que era suficiente con analizar los aspectos formales de la contabilidad, esto es, que el saldo resultante se ajusta a los movimientos contables y que el cálculo de intereses y comisiones es acorde con lo pactado en el título ejecutivo (*vid.* NIETO CAROL: 1992, p. 7).

Un numeroso grupo de autores entendían que el examen del fedatario debía limitarse a «la comprobación de que los cálculos están bien realizados, en función de los tipos de interés y comisiones pactados y de que el saldo se ajusta al movimiento de cargos y abonos, tomando como base los asientos que aparezcan y su fecha de valoración». Nosotros considerábamos esta última postura más acorde con el propio precepto y desde luego más próxima a la realidad. Es claro que con la reforma del art. 1435 LEC-1881 se había buscado una mayor garantía para el deudor. No en vano la enmienda del Grupo Socialista a la que se debía la redacción definitiva de este artículo tenía como finalidad «reforzar la posición jurídica del deudor, evitando que la determinación del saldo quede al solo arbitrio de la entidad acreedora con dos mecanismos: la revisión por parte del fedatario y la coincidencia del saldo con la contabilidad». Nos alejamos así de una postura *formalista* que no obligaría al fedatario a entrar en el contenido de la liquidación. Pero aceptando la necesidad de revisión del fedatario nos queda delimitar cuales son los extremos que deben ser examinados por éste.

No cabe duda que un análisis pormenorizado de la cuenta realizando una verdadera auditoría nos daría una idea mucho más completa sobre la exactitud del saldo. Ahora bien, no estimo esta postura la más correcta por las siguientes razones:

1. La práctica de una verdadera auditoría conllevaría un tiempo excesivo que redundaría en perjuicio del acreedor y del deudor (que debería pagar más intereses de demora), así como de la propia rapidez y agilidad que presiden el juicio ejecutivo. Ello sin perjuicio de que los fedatarios no somos, por razón del cargo, auditores.

2. Para el cotejo de toda la documentación habría que contar con la colaboración del deudor, lo cual es impensable.

3. La propia LEC-1881 establecía y hoy establece la vigente, dentro del juicio ejecutivo un período probatorio en el cual tenía y tiene cabida, si es menester, una investigación más profunda de la documentación, sin perjuicio del posible proceso declarativo posterior.

4. Cabe añadir como ha hecho DURAN BRUJAS (1984, p. 123) que «una interpretación gramatical del texto del art. 1435 no permite llegar a otra conclusión, ya que, por un lado, evita utilizar la palabra *auditoría* u otra equivalente que obligaría a un estudio más profundo, limitándose a hablar de acreditar que "la liquidación se ha efectuado en la forma..."; según el Diccionario de la Real Academia de la Lengua, el vocablo *liquidar*, entre otras acepciones, significa textualmente hacer el ajuste formal de una cuenta».

Hoy hay que entender que el examen del Notario debe limitarse a la comprobación de que los cálculos están bien realizados, en función de los tipos de interés y comisiones pactados y de que el saldo se ajusta al movimiento de cargos y abonos, tomando como base los asientos que aparezcan y su fecha de valoración. Así se deduce del precepto correspondiente del Reglamento Notarial (Redacción RD 45/2007, de 19 de enero). Concretamente el art. 218.4° establece que *con los documentos contables presentados, el notario comprobará si la liquidación se ha practicado, a su juicio, en la forma pactada por las partes en el título ejecutivo.*

No puede pedir más documentos y, desde luego, la entidad de crédito no le proporcionará los soportes documentales de cada apunte contable. Tampoco se contará con la colaboración del deudor por lo que cualquier «auditoría» queda descartada.

Otro de los aspectos que fue objeto de controversia fue el referente a quien debía ser el que realizase ese juicio de valor respecto a que la liquidación se había realizado de acuerdo con lo pactado en el título ejecutivo. Nosotros hemos venido dando por hecho que debía ser *el propio fedatario*, opinión ésta que era mayoritaria dentro de la doctrina y la que mantuvo también la jurisprudencia. Sin embargo había opiniones en contrario. Así un grupo reducido de autores consideraba que el documento fehaciente podía limitarse a incorporar la opinión de un tercero que según el propio fedatario, fuera un experto en la materia.

Por mi parte me adherí (1992, p. 8) a la opinión del sector mayoritario de la doctrina y de la jurisprudencia que consideraba que debía ser el propio fedatario quien realizase el peritaje. Y ello por las siguientes razones:

1ª. Esta es la interpretación más coherente con la voluntad del legislador. Como hemos dicho anteriormente, la enmienda del Grupo Socialista que da la definitiva redacción al art. 1435 tenía como finalidad «reforzar la posición jurídica del deudor» para lo cual uno de los mecanismos introducidos fue «*la revisión por parte del fedatario*» de la liquidación realizada por la entidad acreedora. Y ya sabemos que el art. 1435 LEC-1881 es el antecedente de los arts. 571.2 y 573.1.2° LEC.

Probablemente el legislador pretendía que en el documento fehaciente se diese fe de dos cosas: la coincidencia del saldo entre la certificación y la cuenta abierta al deudor y la correcta liquidación de la deuda exigible. Lo que ocurre es que así como de la primera se puede dar fe ya que es un hecho que puede constatar el fedatario, no ocurre lo mismo con la segunda que implica un juicio de valor, una pericia, en tanto en cuanto es necesaria la realización de unos cálculos financieros e incluso de una interpretación del clausulado del contrato.

2ª. Coherentemente con esta voluntad del legislador de dar mayores garantías al deudor podemos sostener que esto se consigue con la intervención de un fedatario público como perito independiente ajeno a cualquier interés. De esta forma y dado que el fedatario se implica personalmente al acreditar que la liquidación realizada por la entidad acreedora es correcta y no deja a juicio de un tercero tal apreciación, el deudor tiene las garantías que se derivan de la actuación de un perito no *afecto* al acreedor y, sin perjuicio de los posibles errores de hecho del fedatario que puedan motivar la oposición alegando pluspetición, queda relevado de la carga de buscar un perito contradictorio para cerciorarse de tal liquidación.

Por su parte, el juzgador cuenta con un peritaje, un *auxilio técnico* en expresión de la Sent. 14/192 del T.C., del que a priori puede fiarse y así centrarse en el estudio de los restantes motivos de la *litis* que le serán más próximos y para los que está más preparado sin tener que entrar en temas contables y de cálculo financiero no siempre de fácil comprensión para el jurista no avezado en estas materias.

Hoy esto no parece discutible. Así se deduce del RN cuyo art. 218.3º dice: *el notario deberá comprobar, y expresar en el documento fehaciente, que en el título ejecutivo las partes acordaron emplear el procedimiento establecido en el artículo 572.2 de la Ley de Enjuiciamiento Civil para fijar la cuantía líquida de la deuda.*

Y el art. 218.4º RN establece que *con los documentos contables presentados, el notario comprobará si la liquidación se ha practicado, a su juicio, en la forma pactada por las partes en el título ejecutivo.*

Luego continúa diciendo: si el saldo fuere correcto, el *notario* hará constar por diligencia el resultado de *su* comprobación.

De lo visto podemos concluir respecto a la *naturaleza de la actuación notarial* que no es una actuación puramente fedataria: aunque da fe de la legitimidad de las firmas de los apoderados de la entidad de crédito y, lo que es más importante, de la inclusión en el contrato de préstamo del «pacto de liquidez», el *contenido sustancial* de este instrumento que es el control de, nada más y nada menos, que el importe que reclama el acreedor es el que se deriva de las condiciones pactadas en el título ejecutivo, es «pericial», «técnica», «valorativa», propia de una actuación profesional distinta de la fedataria pero, obviamente, susceptible de responsabilidad profesional.

4.25.7. Forma del documento fehaciente de liquidación

El instrumentos notarial que debe adoptar este documento fehaciente de liquidación es el de *acta notarial.* Y ello por las siguientes razones:

1ª. Ubicación de su regulación en el Reglamento Notarial

Efectivamente, la subsección 6ª denominada «Documento fehaciente de liquidación» está incluida en la Sección 4.ª denominada «*Actas notariales*», del Cap. II («Del instrumento público»), del Tít. IV («Del instrumento público») del Reglamento Notarial.

2ª. Las menciones que se hacen en los artículos del Reglamento Notarial

Así en el art. 218.1 RN, al decirse que el requerimiento podrá efectuarse por carta dirigida al Notario, continúa señalando: *quien legitimará la firma del remitente e incorporará al acta.*

Igualmente la mención en el 4.c) del mismo artículo: *Que el saldo especificado en la certificación expedida por la entidad acreedora, que se incorporará al acta de liquidación, coincide con el que aparece en la cuenta abierta al deudor.*

Por su parte, el art. 219 RN, ubicado en la misma subsección, señala en su párrafo primero que *los notarios, a requerimiento de parte interesada, podrán autorizar actas de liquidación. Y continúa diciendo: Esta clase de actas, según el alcance del requerimiento, deberán contener los apuntes contables y el saldo final, así como la expresión de las condi-ciones en que se ha practicado la liquidación».*

Y el párrafo segundo señala: *Estas actas de liquidación se acomodarán a los requisitos formales, materiales y de registro, establecidos en el artículo anterior, con las especialidades derivadas del requerimiento».*

3ª. Sustancial y conceptual

La actuación del Notario consistente en comprobaciones y en un juicio de valor, así como la incorporación al instrumento notarial de la documentación aportada. Rige así el «principio de autoría» por lo que, obviamente, el documento fehaciente de liquida-ción sólo puede ser un «documento protocolar».

Y esta forma documental es, a mi juicio, esencial, por lo que en las ejecuciones ex-trajudiciales hipotecarias que el Notario no puede aceptar documentos fehacientes de liquidación que no adopte esta forma documental.

La alternativa que se ve pero que se rechaza es su incorporación al Libro Indicador. Y ello porque existe una confusión entre el «documento fehaciente de liquidación» y la «certificación de saldo». De acuerdo con el art. 264 RN, «los notarios llevarán un Libro Indicador. La sección segunda de este libro se llevará mediante la incorpora-ción de hojas numeradas en las que se reproduzcan los documentos testimoniados que constituyen su ámbito. Esta sección comprenderá los testimonios por exhibición, de vigencia de leyes, de legitimación de firmas, *las certificaciones de saldo* y de asiento que se realicen en soporte papel».

Como ya hemos señalado en otro lugar (NIETO CAROL: 2011, p. 930), la de-nominación «certificación de saldo» viene de los antecedentes históricos del art. 1435 LEC-1881, cuya redacción era de 1984, que luego pasa a la vigente LEC (arts. 572.2 y 573.1.2º). La Orden Ministerial de 21 de abril de 1950 disponía que en las pólizas de crédito intervenidas por Agente de Cambio y Bolsa o Corredor Colegiado de Comercio otorgadas por Bancos, Cajas de Ahorro o Sociedades de crédito, podía convenirse que la determinación del saldo del crédito al día de su vencimiento, reali-zada por la entidad acreedora, haría fe en juicio, considerándose líquida la cantidad certificada por el Banco en tal concepto, siempre que dicha certificación hubiera sido también intervenida por fedatario público mercantil, quien haría constar en la dili-gencia que extendía la coincidencia del saldo certificado por la entidad acreedora con el que resulte de la cuenta corriente abierta al deudor en los libros de contabilidad de la misma. Así, la determinación de la cantidad líquida quedaba completamente en manos de la entidad acreedora dejando que la actividad del fedatario mercantil, al constatar la coincidencia entre el saldo certificado y el saldo de la cuenta, fuese una mera cuestión de hecho que se ofrecía a la evidencia del mismo, a la vista de la do-cumentación presentada por la entidad acreedora. No se exigía, por tanto, dictamen alguno del fedatario acerca de la determinación del saldo de la cuenta, sino simplemente la manifestación fehaciente de coincidencia entre el saldo expresado por la entidad financiera en su certificación y el que resulta de la cuenta que ésta tiene abierta a nombre de su cliente. Tras la nueva redacción del art. 1435 de la LEC-1881 pasó a distinguirse entre el «documento fehaciente de liquidación», en el que a la fe de coincidencia se le unía el juicio de valor de la correcta liquidación y la «certificación de saldo» en la que el fedatario se limitaba a dar fe de la coincidencia entre el saldo que constaba en la certificación bancaria y el que figuraba en la contabilidad de la entidad de crédito. Esta última se utilizaba en las reclamaciones de descubiertos en cuenta corriente y su única finalidad era no tener que incorporar la contabilidad a la demanda. En estos supuestos no cabía realizar un «documento fehaciente de liquidación» porque faltaba uno de los presupuestos de hecho: la existencia de un contrato debidamente intervenido por fedatario público.

La DGRN considera que el acta notarial es el único documento notarial posible a los efectos del art. 573.1.2º LEC tras la entrada en vigor del RD 45/2007, de 19 de enero y que no es posible realizar certificaciones de saldo de las establecidas en el RCorr (Resolución en Consulta de 25 noviembre 2009). Sin perjuicio de señalar que tales certificaciones no se encontraban reguladas en el RCorr, obviamente participamos de esta opinión.

Por último, este *documento fehaciente de liquidación* debe estar extendido en papel timbrado, y deberán aplicarse las reglas generales que resultan del artículo 31.1 del Real Decreto Legislativo 1/1993, de 24 de septiembre, por el que se aprueba el Texto Refundido de la Ley del Impuesto sobre Transmisiones Patrimoniales y Actos Jurídicos Documentados, y del artículo 154 RN (RDGRN de 17 de septiembre de 2012).

4.25.8. *Contenido del documento fehaciente de liquidación*

Lo encontramos en el art. 218 RN en su redacción dada por Real Decreto 45/2007, de 19 de enero al decir: *Cuando para despachar ejecución por el importe del saldo resultante de las operaciones derivadas de contratos formalizados en escritura pública o en póliza intervenida, conforme al artículo 572.2 de la Ley de Enjuiciamiento Civil, sea necesario acompañar a la demanda ejecutiva, además del título ejecutivo el documento fehaciente que acredite haberse practicado la liquidación en la forma pactada por las partes en dicho título, tal como establece el artículo 573.1.2.ª de la Ley de Enjuiciamiento Civil, el notario lo hará constar mediante documento fehaciente en el que se exprese la liquidación, que se regirá por las normas generales y especialmente, por las siguientes:*

4.25.8.1. Requerimiento

De acuerdo con el número 1.º del art. 218 RN, el requerimiento *podrá efectuarse mediante carta dirigida al notario quien legitimará la firma del remitente e incorporará al acta.*

Algún autor (FERNÁNDEZ DE SENESPLEDA, I., IZQUIERDO BLANCO, P., SERRA RODRÍGUEZ, A. y SOLER SOLÉ, G.: 2014, p. 177) se ha planteado que no hay juicio de capacidad, pero no hace falta; esto habría que planteárselo en la solicitud de venta extrajudicial (o en la demanda ejecutiva, lo que competerá al Juez). Pero aquí, el contenido esencial de este documento es el «juicio pericial», a lo sumo podría exigirse un «interés legítimo» que obviamente se da.

4.25.8.2. Documentación a aportar

La entidad acreedora entregará o remitirá al notario:

1. *El título con efectos ejecutivos de la escritura pública o de la póliza intervenida que haya de servir de título para la ejecución o, en su caso, testimonio notarial de dichos documentos, salvo que el contenido del título ejecutivo resulte de su Protocolo o Libro-Registro.*

Parece obvio que para comprobar la adecuación de los cálculos al contenido del título ejecutivo se entregue éste. Pero, también parece razonable que el acreedor no quiera desprenderse del mismo, por lo que será suficiente un testimonio. Y, lógicamente, si la escritura está en el Protocolo del Notario o la póliza intervenida en su Libro-Registro, no hace falta ni una cosa ni la otra.

2. *Una certificación por ella expedida, en la que se especifique el saldo exigible al deudor.*

En definitiva, la cantidad que exige el acreedor y que debe ser objeto de comprobación por el Notario.

3. *Los extractos contables correspondientes, debidamente firmados, que permitan al notario efectuar las verificaciones técnicas oportunas.*

Aquí no se pide, al igual que en la certificación, que se legitimen las firmas; no se hace necesario porque toda esta documentación acompaña al requerimiento que viene debidamente firmado y cuya firma o firmas sí habrá que legitimar. Ahora bien, sí se exige que vayan firmados y eso porque alguien debe responsabilizarse de su veracidad. No olvidemos que la contabilidad de la entidad acreedora se llevará por medios informáticos y, además, la cuenta de cada préstamo es interna sin reflejo como tal en su contabilidad real. Y ello, porque en el supuesto más habitual de un acreedor que sea entidad de crédito, los apuntes contables del abono del principal y del cargo de las cuotas de capital y de intereses se harán en la cuenta corriente (o de ahorro) del deudor, y aparecerán mezclados con el resto de cargos (recibos, transferencias emitidas...) y abonos (nóminas, transferencias recibidas...). Por eso, en todos los contratos de préstamo bancario, sin perjuicio de la cuenta corriente del cliente para el abono y los cargos, hay un número de préstamo que también se identifica, entre otros datos, por el código de oficina de la entidad de crédito.

Cosa distinta son los contratos de apertura de crédito bancario en cuenta corriente que, aunque con un código para distinguirlos de las cuentas corrientes bancarias, tienen un número único que lo identifica con el mismo número de dígitos que el de dicha cuenta corriente.

Por otra parte, obsérvese que se dice «los *extractos contables* correspondientes, [...], que permitan al notario efectuar las verificaciones técnicas oportunas». Por tanto, si el Notario no los considera suficientes para realizar su verificación, deberá solicitar los que considere necesarios y, en otro caso, negarse a autorizar el documento fehaciente. Aquí podemos incluir la práctica de entregar sólo los movimientos contables desde que el deudor ha dejado de pagar las cuotas en lugar de hacerlo desde el inicio del contrato.

4. *Si en el contrato no se hubieren reflejado, de forma explícita, los tipos de interés o comisiones aplicables, la entidad requirente deberá acreditar al notario cuáles han sido estos, haciéndose constar todo ello en el acta de liquidación.* Esto sólo puede ocurrir cuando los tipos de interés o las comisiones son variables.

Por tanto, se exige una certificación adicional con los tipos de interés o comisiones aplicados a cada período. Ahora bien, el RN habla de «acreditar» lo que significa que no parece suficiente con decir cuáles han sido. Si el tipo de referencia es, como es regla general, uno de los tipos oficiales, bastará con decir el BOE en el que está publicado. Y si son de mercado, habrá que acreditarlo a través de la agencia correspondiente (Reuters, Bridge-Telerate...).

Y continúa el precepto reglamentario diciendo que *quedará incorporada al documento fehaciente la certificación del saldo y se insertará o unirá testimonio literal o en relación de los documentos contables que han servido para su determinación.*

Personalmente creo que lo más «práctico» y seguro para el Notario es incorporar todos los documentos contables recibidos o, si así lo prefiere el acreedor, testimonio literal de los mismos; así quedan en el Protocolo todos los antecedentes para lo que pueda pasar en el futuro.

4.25.8.3. Comprobaciones a realizar por el Notario

Las comprobaciones a realizar son las siguientes:

1ª. *Inclusión* en el título ejecutivo del *pacto liquidatorio*.

El notario deberá comprobar, y expresar en el documento fehaciente, que en el título ejecutivo las partes acordaron emplear el procedimiento establecido en el artículo 572.2 LEC y en el art. 129.2.c) LH para fijar la cuantía líquida de la deuda.

2ª. Con los documentos contables presentados el notario *comprobará si la liquidación se ha practicado, a su juicio, en la forma pactada por las partes* en el título ejecutivo.

Como ya hemos dicho, estamos ante un «juicio técnico» y, por tanto, susceptible de error. Pero no es una constatación de un hecho, de una manifestación o de un consentimiento de lo que se puede dar fe. Por eso debe expresar claramente que, «a su juicio», la liquidación realizada por la parte acreedora es correcta.

4.25.8.4. Menciones obligatorias a realizar en el documento fehaciente

Si el saldo fuere correcto, el notario hará constar por *diligencia el resultado de su comprobación*, expresando:

a) *Los datos y referencias que permitan identificar a las personas interesadas, al título ejecutivo y a la documentación examinada por el notario*. Esto se consigue incorporando al documento fehaciente testimonio del título ejecutivo y toda la documentación contable o testimonio de la misma.

b) *Que, a su juicio, la liquidación se ha efectuado conforme a lo pactado por las partes en el título ejecutivo.*

Asimismo podrá hacer constar cualquier *precisión* de carácter *jurídico, contable o financiero* que el notario estime oportuno. Aquí debemos referirnos a advertencias al Juez para que decida al respecto dentro del proceso de ejecución dineraria. Pero para la venta extrajudicial no hay esa «revisión judicial» por lo que hay que tener aún más cuidado si cabe.

Precisiones de *carácter jurídico*:

– Así, p.e., la advertencia de la utilización para el cálculo de los intereses *del año comercial (360 días) frente al año natural (365/366 días)*. Obviamente está pactado pero en los casos de ejecución dineraria debe ser el Juez si admite esta cláusula de cálculo de los intereses o la considera abusiva.

– *Vencimiento anticipado*. Recordemos que ello exige que se hayan impagado, al menos, tres cuotas periódicas o su importe equivalente (art. 693.2 LEC redacción dada por la Ley 1/2013: *Podrá reclamarse la totalidad de lo adeudado por capital y por intereses si se hubiese convenido el vencimiento total en caso de falta de pago de, al menos, tres plazos mensuales sin cumplir el deudor su obligación de pago o un número de cuotas tal que suponga que el deudor ha incumplido su obligación por un plazo, al menos, equivalente a tres meses, y este convenio constase en la escritura de constitución*). No obstante, a pesar de ello, nos encontramos con una jurisprudencia del Tribunal Supremo, cuando menos «discutible» que inaplica este precepto (por considerar una cláusula con esta misma redacción como abusiva cuando concurren consumidores o usuarios).

En todo caso es claro que, si la entidad ha considerado anticipadamente vencido el préstamo, este hecho afectará a la liquidación ya que implica tanto la exigibilidad de todo el capital pendiente como el devengo de unos intereses de demora a partir de ese momento.

– Calculo de *intereses de demora*: el tipo máximo legal es del triple del interés legal del dinero (art. 114, tercer párrafo LH redacción dada por Ley 1/2013) en los préstamos para adquisición de vivienda habitual garantizados con hipoteca sobre la misma vivienda, a pesar de haberse pactado uno superior. Y no pueden capitalizarse los intereses de demora a los que les afecta este límite legal. Sin embargo, aunque contrariando toda la jurisprudencia anterior, el Tribunal Supremo, a partir de la sent. de 22 de abril de 2015, ha fijado una regla «precisa». En el fallo «se fija como doctrina jurisprudencial que en los contratos de préstamo sin garantía real concertados con consumidores, es abusiva la cláusula no negociada que fija un interés de demora que suponga un incremento de más de dos puntos porcentuales respecto del interés remuneratorio pactado», siguiendo el criterio previsto en el art. 576 de la Ley de Enjuiciamiento Civil para la fijación del interés de mora procesal (cuya lectura aconsejo para darse cuenta de lo que es lo que algunos denominan, «creación judicial del derecho propia de aquellas sentencias que parecen leyes»).

Precisiones de carácter contable:

Por ejemplo, cuando algunos de los cargos o abonos se han realizado en «fechas valor» distintas de las que deberían haberse hecho. Esto, obviamente, sólo es aplicable a las operaciones bancarias donde en contabilidad puede distinguirse «fecha de contabilización» de «fecha valor».

Hay que tener en cuenta que en los préstamos, una cosa es la cuenta corriente abierta a nombre del deudor, que tiene su reflejo en la contabilidad de la entidad de crédito y donde se produce el abono del principal y los cargos de las comisiones, de las cuotas de amortización e intereses y, en su caso, de los de intereses de demora y otra distinta la «cuenta del préstamo», que es una cuenta interna donde se refleja: el abono del capital prestado, el cargo de las comisiones y de los intereses ordinarios y de demora devengados y su consiguiente abono si es que efectivamente se pagan. Pero no tiene reflejo «externo», esto es, en la contabilidad de la entidad de crédito.

Precisiones de carácter financiero:

Entiendo que se refiere a las de carácter «calculatorio»; por ejemplo, cuando no se han capitalizado los intereses a pesar de que el título lo permita, o el hecho de no haberse cobrado intereses de demora o haberse hecho a tipos inferiores a los pactados, o simples errores de cálculo o de redondeo en beneficio del deudor. Por eso, a veces en lugar de decir que la liquidación se ha efectuado «conforme a lo pactado por las partes», se podría decir «dentro de los límites pactados por las partes».

Recalquemos que se refiere errores o cálculos realizados en beneficio del deudor porque no tendría sentido que en estos casos se exigiese su rectificación en perjuicio del de éste o se negase la realización del documento fehaciente cuando el acreedor renuncia a reclamarlas y prefiere poder ejercer la acción con mayor celeridad.

c) Que el saldo especificado en la certificación expedida por la entidad acreedora, que se incorporará al acta de liquidación, coincide con el que aparece en la cuenta abierta al deudor.

Aquí el RN comete un error (del que somos responsables los que participamos en la redacción de este precepto, entre ellos quien suscribe). Estamos hablando de comienzos del año 2000 que fue cuando se empezó a preparar la modificación del RN y cuyo texto definitivo data de julio de ese año aunque viera la luz en enero de 2007 (con algunas sustanciales modificaciones pero que no afectaron a este respecto). En aquellas fechas del año 2000 ya estaba aprobada la vigente LEC (Ley 1/2000) aunque entró en vigor un año después de su publicación el BOE y, por tanto, el 8 de enero de 2001.

Pero «pesaban» mucho los entonces casi 14 años de vigencia del art. 1.435, párr. 4º LEC-1881. Este precepto exigía del fedatario público dos cosas: que acreditase haberse practicado la liquidación en la forma pactada por las partes en el título ejecutivo y que el saldo coincidía con el que aparecía en la cuenta abierta al deudor.

Pero el vigente art. 573.1.2º LEC, sólo exige que el documento fehaciente «acredite haberse practicado la liquidación en la forma pactada por las partes en el título ejecutivo» y no dice nada de la coincidencia del saldo, cosa, por otra parte, innecesaria ya que se aportará e incorporará al mismo testimonios tanto del certificado de la entidad de crédito como del extracto de la cuenta.

No obstante, puede y debe cumplirse esta exigencia que es una obviedad y no tiene más trascendencia.

d) Que el documento fehaciente comprensivo de la liquidación se extiende a los efectos previstos en los artículos 572.2 y 573.1.2.º de la Ley de Enjuiciamiento Civil. Entiendo que hoy habrá que añadir, también, a los efectos del artículo 129.2.c) LH. Como sabemos, la redacción de este precepto de la LH (2013) es posterior a la modificación del RN (2007) por lo que no pudo estar contemplado en éste.

Este mención es más que un mero «requisito formal» porque así nos permite distinguir este documento fehaciente de liquidación de las actas de liquidación que recoge el art. 219 RN y que no induzca a error a ningún Juez, ya que estas últimas pueden realizarse respecto al títulos no ejecutivos.

En efecto, a tenor de este precepto *los notarios, a requerimiento de parte interesada, podrán autorizar actas de liquidación relativas a cualesquiera cuentas o contratos no comprendidos en el artículo anterior. Esta clase de actas, según el alcance del requerimiento, deberán contener los apuntes contables y el saldo final, así como la expresión de las condiciones en que se ha practicado la liquidación. Estas actas de liquidación se acomodarán a los requisitos formales, materiales y de registro, establecidos en el artículo anterior, con las especialidades derivadas del requerimiento.*

Obsérvese cómo dice «relativas a cualesquiera cuentas o contratos *no* comprendidos en el artículo anterior», por tanto, contratos que *no* estén «formalizados en escritura pública o en póliza intervenida».

4.26. LAS COPIAS

4.26.1. Sus clases

Artículo 221, párrafo 1º RN: *Se consideran escrituras públicas, además de la matriz, las copias de esta misma expedidas con las formalidades de derecho. Igualmente, tendrán el mismo valor las copias de pólizas incorporadas al protocolo. Las copias deberán reproducir o trasladar fielmente el contenido de la matriz o póliza. Los documentos incorporados a la matriz podrán hacerse constar en la copia por relación o transcripción.*

Artículo 221, párrafo 2º RN: *Las copias autorizadas pueden ser totales o parciales, pudiendo constar en soporte papel o electrónico. Las copias autorizadas en soporte papel deberán estar signadas y firmadas por el notario que las expide; si estuvieran en soporte electrónico, deberán estar autorizadas con la firma electrónica reconocida del notario que la expide.*

Artículo 224.2 RN: *Los notarios darán también copias simples sin efectos de copia autorizada, pero solamente a petición de parte con derecho a ésta. En ningún caso podrá hacerse constar en la copia simple la firma de los otorgantes. Se habilita al Consejo General del Notariado para que establezca las características del papel para copia simple que deberá ser utilizado en su expedición, teniendo carácter de ingreso corporativo las cantidades que dicho Consejo obtenga por su utilización. A tal fin, el Consejo por sí o a través de los Colegios Notariales deberá proveer a los notarios de dicho papel.*

Artículo 17.1. 4º LN (en su redacción actual, dada por la ley 46/2006): *Es primera copia el traslado de la escritura matriz que tiene derecho a obtener por primera vez cada uno de los otorgantes. A los efectos del artículo 517.2.4° de la Ley 1/2000 de 7 de enero, de Enjuiciamiento Civil, se considerará título ejecutivo aquella copia que el interesado solicite que se expida con tal carácter. Expedida dicha copia el Notario insertará mediante nota en la matriz su fecha de expedición e interesado que la solicitó.*

Artículo 237 RN: *Es copia parcial la que expide el notario a instancia de parte legitimada para solicitarla reproduciendo o trasladando parte de la matriz, atendido su contenido, el requerimiento y el interés del solicitante.*

Se omitirá cuanto no interese al peticionario, en las copias extendidas para el legatario o la persona a cuyo favor haya alguna disposición, no siendo albacea o contador; y en los testamentos mancomunados cuanto sea disposición especial del cónyuge que sobreviva.

En toda copia parcial se hará constar, bajo la responsabilidad del Notario, que en lo omitido no hay nada que amplíe, restrinja, modifique o condicione lo inserto, sin perjuicio de que también pueda hacerse extracto o relación breve de aquello.

Artículo 225 RN: *Las copias de testamentos solicitadas por las Administraciones públicas, con ocasión de expedientes o informes sobre solvencia, o en procedimientos de apremio sobre bienes de determinadas personas a las que el testamento reconozca derechos hereditarios, se expedirán sólo parcialmente, limitadas a las cláusulas patrimoniales en las que aquellas sean beneficiarias, y previa justificación fehaciente del fallecimiento del testador y de la existencia de los citados expedientes y procedimientos.*

Las notificaciones previstas en el artículo 223 del Código Civil se efectuarán mediante testimonio en relación relativo a la designación de tutores.

Definición. Las copias son reproducciones o traslados del contenido de un instrumento público, hechos por el notario encargado del protocolo al que pertenecen, y cuya función es permitir que el documento pueda ser utilizado y despliegue su eficacia en el tráfico jurídico, toda vez que en el sistema notarial español los originales permanecen en el protocolo y por lo tanto están excluidos de la circulación.

Ni la Ley Orgánica del Notariado ni el Reglamento Notarial definen lo que es una copia, lo cual dan por sobreentendido, pero el Reglamento le asigna expresamente el mismo valor que la escritura pública y señala los elementos que la caracterizan y permiten distinguirla de figuras afines.

El original reproducido debe cumplir el doble requisito de ser un documento notarial y de estar incorporado al protocolo, es decir escritura, acta, o póliza, siempre que, en el caso de esta última, esté incorporada al protocolo y no al libro-registro; si la póliza está incorporada al libro-registro, su reproducción no es una copia, sino un testimonio, al igual que no son copias en sentido jurídico las reproducciones de documentos no notariales, ni las de otros documentos notariales no incorporados al protocolo. Así, por ejemplo, no puede considerarse copia la reproducción, aun cuando esté compulsada por el notario, de una copia autorizada; tal reproducción tendrá la consideración de testimonio, pero nunca la de copia autorizada ni por lo tanto los efectos propios de esta última.

La expedición de la copia debe ser hecha por notario competente y cumpliendo con las formalidades legales, cuestiones éstas que son objeto de estudio en los epígrafes 4.26.3 y 4.26.5 respectivamente.

El contenido del original debe reproducirse fielmente, lo cual es obvio. También es obvio que en la copia debe constar no sólo el texto de la matriz propiamente dicha, sino también el contenido de los documentos unidos a la misma; la forma de llevar a cabo esto último se abordará en el epígrafe 4.26.5 relativo a los requisitos de la expedición de las copias.

Clases. Las copias se pueden clasificar atendiendo a distintos criterios, como se desprende de los preceptos transcritos.

A) **Según las formalidades de su expedición**, podemos empezar clasificando las copias en autorizadas y simples. Son autorizadas las copias con cuya expedición el notario se responsabiliza de su autenticidad y coincidencia con la matriz, haciéndolo constar así expresamente en la suscripción o pie de copia y autorizándolas con su signo, firma, rúbrica y sello, o con su firma electrónica; son las únicas que producen efectos jurídicos. Las copias simples son reproducciones de la matriz que carecen de todos los elementos de la autorización notarial, salvo el sello, no tienen garantía de coincidencia con su original ni eficacia jurídica, sino únicamente valor informativo.

B) **Según el soporte material que las contiene**, las copias autorizadas pueden constar en papel, autorizadas con el signo, firma y rúbrica manuscritos del notario; o electrónicas, es decir incorporadas a un archivo informático y autorizadas con la firma electrónica reconocida del notario.

C) **Según su contenido**, las copias pueden ser totales, cuando reproducen íntegramente el contenido de la matriz y sus documentos unidos; o parciales, cuando reproducen sólo parte de dicho contenido. Una copia puede ser parcial por dos razones:

a) porque así lo haya pedido el solicitante, aun cuando tuviere derecho a pedir una copia total (caso previsto en el artículo 237 RN citado).

b) porque el interés legítimo del solicitante no se extienda a conocer todo el contenido de una escritura, sino sólo una parte del mismo (caso previsto también en general en el artículo 237 RN, y para un supuesto concreto en el 225 RN). En estos supuestos el que se le expida copia parcial no es potestativo para el interesado, sino que éste es el único tipo de copia que se le puede facilitar.

D) En el ámbito de las copias autorizadas también se distingue entre las **primeras y segundas y posteriores copias**, y entre **copias con valor ejecutivo y las que no lo tienen**. Hasta la entrada en vigor de la Ley 46/2006 (1 de diciembre de 2006), que dio su actual redacción al artículo 17 de la Ley del Notariado, ambas distinciones estaban estrechamente relacionadas, ya que las primeras copias tenían siempre efectos ejecutivos, y las segundas y posteriores podían tenerlos o no tenerlos. Actualmente, ya no existe esa relación entre ambas clasificaciones, de manera que la diferencia entre las primeras copias y las segundas y posteriores radica únicamente en el orden cronológico de su expedición, sin que afecte al valor jurídico de las mismas, salvo que se trate de copias expedidas antes del 1 de diciembre de 2006, en cuyo caso unas y otras mantienen distinto valor jurídico, como se verá en el siguiente epígrafe.

4.26.2. Valor Jurídico

Artículo 233 RN. *A los efectos del artículo 517.2.4° de la Ley 1/2000, de 7 de enero, de Enjuiciamiento Civil, se considerará título ejecutivo aquella copia que el interesado solicite que se le expida con tal carácter. Expedida dicha copia el notario insertará mediante nota en la matriz su fecha de expedición e interesado que la pidió. En todo caso, en la copia de toda escritura que contenga obligación exigible en juicio, deberá hacerse constar si se expide o no con eficacia ejecutiva y, en su caso y de tener este carácter, que con anterioridad no se le ha expedido copia con eficacia ejecutiva.*

Expedida una copia con eficacia ejecutiva sólo podrá obtener nueva copia con tal eficacia el mismo interesado con sujeción a lo dispuesto en el artículo 517.2.4° de la Ley de Enjuiciamiento Civil.

Si se expidiere sin tal requisito segunda o posterior copia de escritura que contuviere tal obligación, se hará constar en la suscripción que la copia carece de efectos ejecutivos.

Con excepción del juicio ejecutivo y de la regulación del Timbre, todas las copias expedidas por Notario competente se considerarán con igual valor, sin más limitación que la derivada del artículo 1220 del Código Civil cuando fueren impugnadas en el juicio declarativo correspondiente, por los trámites de los artículos 597 y 599 de la Ley de Enjuiciamiento Civil.

Artículo 234, párrafos 1° y 2° RN: *Cuando los otorgantes de una escritura en cuya virtud pueda exigirse de ellos ejecutivamente el cumplimiento de una obligación o sus sucesores estén conformes con la expedición de segundas o posteriores copias, comparecerán ante el Notario que legalmente tenga en su poder el protocolo, el cual extenderá en la matriz de que se trate una nota suscrita por dichos otorgantes, sus sucesores o quienes los representen y por el propio Notario, en la que se haga constar dicha conformidad.*

La conformidad puede mostrarse también en otro documento auténtico o en la forma prevenida en el artículo 230, haciéndose de ello referencia en la nota.

La nota se insertará en la copia que se expida.

Artículo 238 RN: *Las primeras copias se expedirán siempre expresando el carácter de tales, y lo mismo se hará con las segundas o posteriores.*

Cada vez que se expidan segundas o posteriores copias se anotarán éstas del mismo modo prescrito para las primeras, y se insertarán antes de la suscripción todas las notas que aparezcan en la escritura matriz.

También se mencionará el mandamiento judicial en cuya virtud se expidiesen las segundas o posteriores copias.

Artículo 239 RN. *Cuando se expidan segundas o posteriores copias, la numeración ordenada se hará por el Notario con relación a las obtenidas por cada interesado.*

Artículo 240 RN. *El notario podrá no expresar el carácter o numeración de las copias:*

a) En las de los poderes y testamentos.

b) En las de las transmisiones de dominio si no hubiere precios o sumas aplazados.

c) En las de los negocios jurídicos que no contengan obligación exigible en juicio ejecutivo.

De las actas notariales, se expedirán a los interesados, signadas, firmadas y rubricadas, cuantas copias pidiesen, sin determinar su calidad de primeras, segundas, etcétera, y en la clase de papel sellado que corresponda, sin perjuicio de los requisitos exigidos para determinadas clases de actas.

En cuanto al artículo 517.2 de la LEC establece que sólo tendrán aparejada ejecución los siguientes títulos*: «............4º Las escrituras públicas con tal que sea primera copia; o si es segunda que esté dada en virtud de mandamiento judicial y con citación de la persona a quien deba perjudicar, o de su causante, o que se expida con la conformidad de todas las partes».*

Artículo 17 bis LN, en la medida en que regula las copias electrónicas: *«1. Los instrumentos públicos a que se refiere el artículo 17 de esta Ley, no perderán este carácter por el solo hecho de estar redactados en soporte electrónico con la firma electrónica avanzada del notario... obtenida... de conformidad con la Ley reguladora del uso de firma electrónica por parte de notarios y demás normas complementarias.*

2. Reglamentariamente se regularán los requisitos indispensables para la autorización o intervención y conservación del instrumento público electrónico en lo no previsto en este artículo.

En todo caso, la autorización o intervención notarial del documento público electrónico ha de estar sujeta a las mismas garantías y requisitos que la de todo documento público notarial y producirá los mismos efectos.

En consecuencia:

....

b) Los documentos públicos autorizados por notario en soporte electrónico, al igual que los autorizados sobre papel, gozan de fe pública y su contenido se presume veraz e íntegro de acuerdo con lo dispuesto en ésta u otras leyes.

3. Las copias autorizadas de las matrices podrán expedirse y remitirse electrónicamente, con firma electrónica avanzada, por el notario autorizante de la matriz o por quien le sustituya legalmente. Dichas copias sólo podrán expedirse para su remisión a otro notario o a un registrador o a cualquier órgano de las Administraciones pública o jurisdiccional, siempre en el ámbito de su respectiva competencia y por razón de su oficio. Las copias simples electrónicas podrán remitirse a cualquier interesado cuando su identidad e interés legítimo le consten fehacientemente al notario.

4. Si las copias autorizadas, expedidas electrónicamente, se trasladan a papel, para que conserven la autenticidad y garantía notarial, dicho traslado deberá hacerlo el notario a quien se le hubieren remitido.

5. Las copias electrónicas se entenderán siempre expedidas por el notario autorizante del documento matriz y no perderán su carácter, valor y efectos por el hecho de que su traslado a papel lo realice el notario al que se le hubiesen enviado, el cual signará, firmará y rubricará el documento haciendo constar su carácter y procedencia.

6. También podrán los registradores de la propiedad y mercantiles, así como los órganos de las Administraciones públicas y jurisdiccionales, trasladar a soporte papel las copias autorizadas electrónicas que hubiesen recibido, a los únicos y exclusivos efectos de incorporarlas a los expedientes o archivos que correspondan por razón de su oficio, en el ámbito de su respectiva competencia.

7. Las copias electrónicas sólo serán válidas para la concreta finalidad para la que fueron solicitadas, lo que deberá hacerse constar expresamente en cada copia indicando dicha finalidad.

8. En lo no previsto en esta norma, la expedición de la copia electrónica queda sujeta a lo previsto para las copias autorizadas en la Ley notarial y en su Reglamento.

Artículo 224.4 RN (Se omite un párrafo relativo a la validez temporal de las copias electrónicas que ha sido declarado nulo por STS): *4. Las copias electrónicas, autorizadas y simples, se entenderán siempre expedidas a todos los efectos incluso el arancelario por el notario titular del protocolo del que formen parte las correspondientes matrices y no perderán su carácter, valor y efectos por el hecho de que su traslado a papel lo realice el notario al que se le hubiese enviado. Dichas copias sólo podrán expedirse para su remisión a otro notario o a un registrador o a cualquier órgano judicial o de las Administraciones Públicas, siempre en el ámbito de su respectiva competencia y por razón de su oficio. El notario que expida la copia autorizada electrónica será el mismo que la remita.*

En la expedición de las copias autorizadas electrónicas se hará constar expresamente la finalidad para la que se expide, siendo sólo válidas para dicha finalidad, y su destinatario, debiendo dejarse constancia de estas circunstancias por nota en la matriz.

El traslado a papel de las copias autorizadas expedidas electrónicamente, cuando así se requiera, sólo podrá hacerlo el notario al que se le hubiesen remitido, para que conserven la autenticidad y garantía notarial. Dicho traslado se extenderá en folios timbrados de papel de uso exclusivo notarial, con expresión de su nombre, apellidos y residencia, notario que expide la copia, fecha de su expedición y de traslado a papel y números de los folios que comprende, bajo su firma, sello y rúbrica.

El notario destinatario de una copia autorizada electrónica podrá, según su finalidad:

1º Incorporar a la matriz por él autorizada el traslado a papel aquélla, haciéndolo constar en el cuerpo de la escritura o acta o en diligencia correspondiente.

2º Trasladarla a soporte papel en los términos indicados, dejando constancia en el Libro Indicador, mediante nota expresiva del nombre, apellidos y residencia del notario autorizante de la copia electrónica, su fecha y número de protocolo, así como los folios en que se extiende el traslado y su fecha.

3º Reseñar su contenido en lo legalmente procedente en la escritura o acta matriz o póliza intervenida.

Una vez realizado el traslado a papel, el notario remitirá telemáticamente al que hubiese expedido la copia electrónica, el traslado a papel, para que aquel lo haga constar por nota en la matriz.

La coincidencia de la copia autorizada expedida electrónicamente, con el original matriz, será responsabilidad del notario que la expide electrónicamente, titular del protocolo del que forma parte la correspondiente matriz. La responsabilidad de la coincidencia de la copia autorizada electrónica con la trasladada al papel será responsabilidad del notario que ha realizado dicho traslado.

La Dirección General de los Registros y del Notariado podrá determinar el formato telemático en que deba expedirse la copia autorizada electrónica, utilizando para ello criterios de seguridad.

En lo que se refiere al valor de las copias, éstas producen todos los efectos jurídicos del documento protocolar original que reproducen; de hecho, el documento original, en el Derecho español, queda incorporado al protocolo notarial de forma permanente y no puede circular, por lo que sólo puede desplegar su eficacia en el tráfico jurídico a través de sus copias, siempre, claro está, que se trate de copias autorizadas, que son las únicas en cuya expedición el notario se responsabiliza de su coincidencia exacta con el original. Las copias simples, como se ha dicho, tienen un valor meramente informativo, y serán objeto de estudio en el epígrafe 4.26.8 de esta obra.

Copias con valor de título ejecutivo. Entrando en el valor jurídico de las copias autorizadas, hay que distinguir entre las copias con efectos ejecutivos y las que no los tienen. En primer lugar, debe decirse que es una diferencia que sólo tiene trascendencia procesal, ya que a todos los demás efectos las copias autorizadas tienen todas el mismo valor, como dice expresamente el último párrafo del artículo 233 RN, antes reseñado, cuya redacción actual le ha sido dada por el RD 45/2007 de 19 de enero.

Dicho esto, y prescindiendo de los motivos por los que históricamente no se ha atribuido el mismo valor ejecutivo a todas las copias autorizadas, lo cierto es que la vigente Ley de Enjuiciamiento Civil de 2000, como hemos visto, mantiene la distinción de efectos entre las primeras y las segundas copias, siguiendo el criterio de la anterior ley de 1881 (y de la de 1855) de conferir fuerza ejecutiva sólo a las primeras (de las cuales cada otorgante tenía derecho a obtener una, con arreglo al artículo 17 LN), y a las segundas o posteriores sólo si se cumplen ciertos requisitos. La modificación operada por la ley 46/2006 al dar nueva redacción al artículo 17 LN, ha consistido en mantener la diferencia de fuerza ejecutiva entre las distintas copias, pero flexibilizando un poco el sistema, al seguir dando derecho a cada otorgante a una sola con valor ejecutivo, pero permitiéndole elegir a cuál de las copias que obtiene quiere atribuir ese valor, sin que la copia ejecutiva haya de ser necesariamente la primera, como ocurría hasta la reforma de 2006; de manera que ahora es perfectamente posible para el interesado obtener una primera copia carente de valor ejecutivo procesal, pero con todos los demás efectos de la escritura pública, incluido el de ser un título inscribible, y reservarse la posibilidad de obtener una copia con fuerza ejecutiva para el caso de necesitar presentarla en juicio en un momento posterior. Es de señalar además que la nueva redacción del artículo 17 deroga implícitamente o al menos modifica de forma sustancial el artículo 18 LN, que prohibía la expedición de segundas o posteriores copias, salvo que sea con mandamiento judicial, o que se trate de actos unilaterales o haya conformidad de todos los interesados, si bien su rigor literal había sido suavizado por los reglamentos notariales, ya desde 1874.

El artículo 233.1º RN vigente, desarrollando el artículo 17.1.4º LN, dispone que en las copias con eficacia ejecutiva se haga constar que el mismo interesado no ha obtenido previamente otra copia con tal carácter. Ello parece algo superfluo y la omisión de esta mención expresa no debería ser obstáculo para despachar ejecución, toda vez que con arreglo al artículo 244 del Reglamento debe dejarse constancia por nota en la matriz de la expedición de cada copia, de manera que si con posterioridad se expide otra, en ella aparecerá transcrita la nota de expedición de las anteriores, con lo cual del propio texto de una copia autorizada siempre se debe deducir con exactitud qué interesados han obtenido ya copia con valor ejecutivo y cuáles no; además, en los casos en que conste expresamente que se trata de primera copia, hay una imposibilidad lógica de que se haya expedido otra anterior para el mismo interesado, ni con valor ejecutivo ni sin él; la cuestión es especialmente relevante cuando se presentan para despachar ejecución primeras copias expedidas antes de la entrada en vigor de la Ley 46/2006, ya que en ellas constará sólo su carácter de primera copia, lo que les atribuía efectos ejecutivos *per se* con arreglo a la legislación entonces vigente, que no exigía la mención de que la copia tenía valor ejecutivo, ni la de que no se había expedido otra copia con valor ejecutivo a favor del mismo interesado, menciones que habrían sido superfluas. Por ello, debe entenderse que cualquier copia expedida antes del 1 de diciembre de 2006 con el carácter de primera copia, lleva aparejada fuerza ejecutiva, sin que se deba exigir ninguna indicación expresa al respecto.

Como se ha visto, una vez obtenida por un interesado una copia con valor ejecutivo, para obtener otra con el mismo carácter necesita, o bien un mandamiento judicial en ese sentido, para cuya obtención es necesario citar a la otra parte, o bien recabar el consentimiento de todos los otorgantes, que podrá prestarse ad hoc mediante la comparecencia ante notario que regula el artículo 234 del Reglamento Notarial, o por medio de cualquier documento público, que puede ser incluso la misma escritura cuya copia se solicita, si en ella se incluye una cláusula por la que una de las partes presta de antemano la conformidad a que la otra obtenga copias con valor ejecutivo.

En cuanto a la distinción entre primeras copias y segundas y posteriores, si bien sigue vigente, como se ha visto, ha quedado reducida a tener un significado meramente cronológico, una vez que la ley 46/2006 ha suprimido el carácter necesariamente ejecutivo de la primera copia. La dispensa de la mención del carácter de primera o segunda copia en los documentos enumerados en el artículo 240 del Reglamento Notarial, no modificado en la reforma de 2007, documentos que no son susceptibles de constituir título ejecutivo, era coherente con el sistema anterior, en que las primeras copias llevaban aparejada ejecución.

Cuanto se ha dicho es aplicable a todas las copias autorizadas, ya sean totales o parciales, y tanto si están expedidas en soporte papel o en soporte electrónico, si bien hay que hacer algunas matizaciones en lo que se refiere a estas últimas.

Valor de las copias electrónicas. Las copias autorizadas electrónicas tienen en principio el mismo valor que las expedidas en papel, y pueden utilizarse por el funcionario destinatario, ya sea manteniéndolas en su formato original de archivo informático o bien trasladándolas a soporte papel, pero les afectan dos limitaciones:

1. Sólo se pueden expedir para su remisión a los funcionarios y autoridades a que se refiere el artículo 17bis.3 LN, pero no para su remisión a particulares, lo que sólo se admite para las copias simples electrónicas.

2. Sólo sirven para una finalidad concreta, aquélla para la que fueron solicitadas; así, por ejemplo, la copia electrónica de un poder remitida a un notario para el otorgamiento de una determinada escritura a autorizar por el notario destinatario, sólo servirá para ese otorgamiento, aunque el poder no se agote con el mismo, y no para que el apoderado obtenga un traslado a papel y pueda usarlo indefinidamente, lo que sólo será posible si la copia electrónica se solicita expresamente con esa finalidad. Y del mismo modo, la copia electrónica de una compraventa remitida al registro de la propiedad sólo servirá para la inscripción de las fincas transmitidas, pero no servirá como título ejecutivo en un proceso judicial.

A este respecto, es de destacar la RDGRN de 17 de julio de 2017, que niega la posibilidad de que un notario autorice un documento haciendo uso del traslado a papel de la copia electrónica de un poder efectuado por un notario diferente, considerando que dicho traslado no tiene el mismo valor que una copia autorizada ni puede circular como tal en el tráfico jurídico. Como quiera que de la resolución citada no resulta cuál era la finalidad con la que se expidió la copia electrónica en cuestión, su doctrina no se puede generalizar, ya que si bien está en consonancia con el artículo 17bis LN si se trata de copia electrónica de un poder expedida con la finalidad de que el notario destinatario autorice documentos públicos en uso del mismo, no parece que deba extenderse a otros supuestos, como por ejemplo, aquéllos en que la finalidad de la copia electrónica sea precisamente su entrega al apoderado.

4.26.3. Quién puede expedirlas

Artículo 31 LN: *«Sólo el Notario a cuyo cargo esté legalmente el protocolo podrá dar copias de él».*

Artículo 222 RN: *«Sólo el notario en cuyo poder se halle legalmente el protocolo, estará facultado para expedir copias u otros traslados o exhibirlo a los interesados.*

Ni de oficio ni a instancia de parte interesada decretarán los Tribunales que los Secretarios judiciales extiendan, por diligencia o testimonio, copias de actas, escrituras matrices y pólizas, sino que bajo su responsabilidad las exigirán del notario que deba darlas, con arreglo a la Ley del Notariado y el presente Reglamento, es decir, justificando ante el notario, y a juicio de éste con la documentación necesaria, el derecho de los interesados a obtenerlas, y siempre que la finalidad de la petición sea la prescrita en el artículo 256 de la Ley de Enjuiciamiento Civil. Para los cotejos o los reconocimientos de estas copias se observará lo dispuesto en el artículo 32 de la Ley».

Artículo 223 RN: «*Para expedir primeras o posteriores copias, con arreglo al artículo 31 de la Ley, se entiende que el protocolo está legalmente en poder del titular de la Notaría, de su sustituto o del Archivero de protocolos, en su caso*».

De todo ello resulta que las copias sólo pueden ser expedidas por el notario titular del protocolo, que será el mismo autorizante si continúa en la misma notaría; en caso contrario su sucesor o, tratándose de protocolos de más de veinticinco años de antigüedad o correspondientes a notarías amortizadas, el notario archivero del distrito; obviamente, en los casos de ausencia o licencia reglamentaria, o en general cualquier otro de imposibilidad material del notario titular del protocolo, será competente para expedir las copias el notario que sea legalmente sustituto de este último,

4.26.4. Quién tiene derecho a obtenerlas

Artículo 224.1 RN: «*Además de cada uno de los otorgantes, según el artículo 17 de la Ley, tienen derecho a obtener copia, en cualquier tiempo, todas las personas a cuyo favor resulte de la escritura o póliza incorporada al protocolo algún derecho, ya sea directamente, ya adquirido por acto distinto de ella, y quienes acrediten, a juicio del notario, tener interés legítimo en el documento*».

Del artículo 224.1 RN resultan tres grupos de personas con derecho a copia: a) los otorgantes; b) personas a cuyo favor resulte algún derecho derivado del documento en cuestión; c) personas que tengan a juicio del notario interés legítimo.

Acreditación del derecho a copia. Antes de entrar en el estudio de cada uno de estos tres grupos, procede destacar brevemente las disposiciones de carácter formal contenidas en los artículos 229 y 230 RN, que son aplicables a todas las personas con derecho a copia.

Artículo 229 RN: «*Todo el que solicite copia de algún acta o escritura a nombre de quien pueda legalmente obtenerla, acreditará ante el Notario que haya de expedirla el derecho o la representación legal o voluntaria que para ello ostente*»..

Artículo 230 RN: «*Podrá pedirse copia por carta u otra comunicación dirigida al notario, y si a éste consta la autenticidad de la solicitud o aparece la firma legitimada y, en su caso, legalizada, expedirá la copia para entregarla a la persona designada o remitirla por correo y certificada al solicitante, sin responsabilidad por la remisión*»..

En primer lugar, es obvio que quien solicite una copia debe identificarse debidamente. Si el solicitante no es el propio interesado, sino un representante del mismo, debe acreditar el título del que deriva su representación, conforme señala el artículo 229.

La petición de copia puede hacerse compareciendo personalmente en la notaría, o bien por los medios indicados en el artículo 230 RN.

No es admisible la solicitud hecha por medios que no acreditan la identidad del solicitante, como el telegrama o burofax (RDGRN 24-11-2008, entre otras). Al amparo del artículo 230 y aunque éste no mencione el supuesto literalmente, es admisible que la solicitud se haga ante un notario distinto de aquél que debe emitir la copia; el procedimiento para ello ha sido regulado en la 1ª Circular del Consejo General del Notariado sobre Firma Electrónica Avanzada Notarial (FEAN), conforme a la cual el notario ante el que se ha formulado la petición, enviará al que debe expedir la copia comunicación electrónica, autorizada con su firma electrónica avanzada, en la que afirmará, bajo su responsabilidad, tener a la vista la petición del solicitante, debidamente identificado, así como toda la documentación aportada en prueba de su derecho a la copia pedida. Ello no significa que la apreciación del interés legítimo corresponda al notario ante el que se hace la solicitud, sino que sigue siendo responsabilidad del titular del protocolo, el cual formará su juicio a la vista de las afirmaciones del otro notario, que tienen carácter fehaciente, sobre la identidad del solicitante y la existencia y contenido de los documentos que se le han exhibido.

La petición de copia debe indicar la fecha de la copia que se solicita, sin que sean admisibles peticiones genéricas, o que impongan al notario la carga de investigar el protocolo (RDGRN 6-7-2006, entre otras).

Otorgantes. Entrando en el estudio de los distintos grupos de personas con derecho a copia, en primer lugar están los otorgantes del documento. Ello es obvio, por lo que se refiere a quienes han intervenido en nombre propio en el mismo, ya sea personalmente o por medio de representante legal o voluntario, toda vez que lo hecho por éste es imputable al representado a todos los efectos. Por el contrario, quienes hayan intervenido en el documento en nombre de otra persona, ya sea como apoderados, como representantes legales o como representantes orgánicos de personas jurídicas, no tienen sin más derecho a obtener copias del mismo, sino que deberán acreditar que siguen ostentando la representación de la persona en nombre de la cual actuaron, conforme a la regla general del artículo 229 RN; independientemente de ello, los representantes podrían tener derecho a copia de documentos suscritos por ellos en nombre de otra persona, no ya por su condición de representantes, sino como interesados en nombre propio, si tuvieran un interés legítimo derivado de su relación interna con el representado.

Una vez fallecido el otorgante, sus herederos, como sucesores a título universal, tienen sin duda derecho a obtener copias de cualquier documento otorgado por el causante, incluidos los apoderamientos conferidos por este último, aunque necesariamente se encuentren revocados por su fallecimiento (RDGRN 17-2-2006).

Sin embargo, si se trata de legitimarios, legatarios de parte alícuota o de cosa determinada, o en general de otros interesados en la sucesión distintos de los herederos, no pueden invocar el mismo derecho que tendría el otorgante en vida, si bien podrían obtener copia si, en base a las circunstancias del caso, entraran en alguno de los otros dos grupos de personas legitimadas para ello.

Titulares de derechos derivados del documento. El segundo grupo de personas con derecho a copia es el de quienes, sin ser otorgantes del documento, son titulares de algún derecho que se derive del mismo; así, el dueño de una finca podrá pedir copia de la cancelación de una hipoteca recayente sobre su propiedad, aunque él no haya intervenido en la operación; los que tengan algún derecho de retracto legal podrán obtener copia de una escritura en la que se realice una transmisión que haga nacer un derecho de retracto a su favor, si bien la copia deberá estar limitada a los extremos que sean relevantes para el ejercicio de sus derechos, por lo que a menudo habrá de ser parcial.

Los artículos 226 y 227 RN contienen algunas reglas especiales sobre personas titulares de derechos derivados del documento cuya copia se solicita, cuando se trata de testamentos y de poderes.

Artículo 226 RN: «*En vida del otorgante, sólo éste o su apoderado especial podrán obtener copia del testamento.*

Fallecido el testador, tendrán derecho a copia:

Los herederos instituidos, los legatarios, albaceas, contadores partidores, administradores y demás personas a quienes en el testamento se reconozca algún derecho o facultad.

Las personas que, de no existir el testamento o ser nulo, serían llamados en todo o en parte en la herencia del causante en virtud de un testamento anterior o de las reglas de la sucesión intestada, incluidos, en su caso, el Estado o la Comunidad Autónoma con derecho a suceder.

Los legitimarios.

Las copias de testamentos revocados sólo podrán ser expedidas a los efectos limitados de acreditar su contenido, dejando constancia expresa de su falta de vigor».

Artículo 227 RN: «*El mandatario sólo podrá obtener copias del poder si del mismo o de otro documento resulta autorizado para ello; y también de la escritura en que aparezca la revocación, omitiéndose por el Notario cuanto sea ajeno a ella.*

Lo dispuesto en el párrafo anterior será aplicable a los consentimientos, generales o especiales, prestados por un cónyuge al otro, y a su revocación.

El cónyuge autorizado para obtener copias del poder o del consentimiento que le hubiere conferido el otro, hará constar, bajo su responsabilidad, en cualquier solicitud de aquéllas, que no media entre los cónyuges separación legal, aunque sólo sea en virtud de medidas provisionales, ni tampoco separación de hecho.

De los poderes o consentimientos recíprocos entre dos o más personas sólo se podrán expedir copias cuando lo soliciten, actuando de consuno, todos los otorgantes, salvo que en el propio documento o en otro posterior esté autorizado alguno de ellos para obtenerlas».

Por lo que se refiere a las copias de testamentos, debe señalarse, como ya se ha visto al tratar de las copias parciales, que el artículo 237 RN matiza que la copia que tienen derecho a solicitar algunos de los interesados en la sucesión debe ser parcial.

En cuanto al caso de las personas que tendrían derecho a suceder ab intestato, incluido en el artículo 226, es de señalar que no se trata de todos los llamados legalmente a la sucesión intestada, sino que sólo pueden obtener copia del testamento los que realmente heredarían en el caso concreto; así, por ejemplo, no puede pedir copia de un testamento el nieto del testador, si vive el padre o madre del solicitante hijo de dicho testador, o el hermano del testador viviendo el cónyuge; admitir lo contrario, implicaría de hecho atribuir siempre derecho a copia de cualquier testamento a todos los parientes del testador hasta el cuarto grado, e incluso al Estado (RDGRN 18-4-2006).

La enumeración de personas con derecho a copia del testamento contenida en el artículo 226 RN, en el pasado se consideró exhaustiva, entendiéndose que quienes no estuvieran incluidos en alguna de las categorías mencionadas en el precepto no tenían derecho a copia del testamento en ningún caso. Más recientemente, a partir de la RD-GRN de 6-4-1984, ha prevalecido el criterio de considerar que la del artículo 226 es una lista de personas que tienen en todo caso derecho a copia, sin tener que acreditar nada más, pero no excluye que haya otras que también puedan tenerlo conforme a las reglas generales del interés legítimo, de las que se tratará en el siguiente epígrafe. De hecho, el propio RN, en el artículo 225 ya citado en relación con las copias parciales, da por supuesto el derecho a copia del testamento por personas distintas de las enumeradas en el artículo 226 RN.

En cuanto a los poderes, las reglas especiales del artículo 227 RN consisten en cautelas derivadas de la importancia que tiene la copia autorizada del poder como título legitimador de la actuación del apoderado y como prueba de vigencia del mismo poder, por lo que se trata de evitar la expedición de copias de poderes que podrían haber sido revocados o que, sin haberlo sido expresamente, el poderdante no desea que se sigan utilizando. Teniendo en cuenta estas precauciones, también es aplicable a los poderes la doctrina general del interés legítimo, por lo que el artículo 227 no excluye la posibilidad de que se puedan expedir copias de poderes en otros casos, como se verá en el epígrafe correspondiente.

Titulares de interés legítimo. El tercer grupo de quienes tienen derecho a copia conforme al artículo 224 RN son quienes, acrediten, a juicio del notario, tener interés legítimo en el documento, y ello es objeto de estudio en el siguiente epígrafe.

4.26.4.1. Concepto de interés legítimo

La tercera categoría de personas que tienen derecho a copia de un documento, sin ser otorgantes y sin que se derive del mismo algún derecho a su favor, es, conforme al artículo 224.1 RN la de quienes acrediten, a juicio del notario, interés legítimo.

A la hora de definir el interés legítimo para la obtención de una copia, se trata de compaginar, conforme viene afirmando la DGRN, tres principios: 1) El secreto del protocolo; 2) La necesidad de defender el derecho a obtener copia de documentos de quienes tengan un interés jurídicamente relevante en el negocio documentado; y 3) Los posibles perjuicios que se puedan derivar para los interesados.

Por ello, el notario debe hacer un juicio ponderado en el que tenga en cuenta la importancia respectiva de estos tres elementos contrapuestos dadas las circunstancias de cada caso concreto. Es obvio que el criterio del notario no puede ser arbitrario, ni es inapelable, y de hecho, contra su negativa a expedir copia cabe interponer recurso de queja, como se verá en el epígrafe 4.26.6, en el que se examinará la existencia o falta de interés legítimo conforme a la doctrina de la DGRN en supuestos concretos, seleccionados por su especial importancia o por plantearse con gran frecuencia, dentro de la casuística potencialmente ilimitada del tema.

La cuestión clave a valorar es qué debe entenderse por interés legítimo; éste no es, desde luego, una simple curiosidad o interés en sentido vulgar, sino que ha de ser un interés jurídicamente relevante y con la suficiente entidad como para prevalecer sobre el principio del secreto del protocolo y además debe derivar de factores intrínsecos al documento y no ajenos a su objeto. La DGRN ha ido perfilando el concepto de interés legítimo en innumerables resoluciones y siguiendo su doctrina más reciente (Res. de 10-12-2003 y 20-9-2007) se puede decir que hay interés legítimo «cuando el conocimiento del contenido del documento notarial sirve razonablemente para ejercitar con eficacia un derecho o facultad reconocido al peticionario por el ordenamiento jurídico, que guarde relación directa y concreta con el documento o sirva para facilitar de forma ostensible un derecho o facultad igualmente relacionado con la escritura».

Se trata de un concepto jurídico que no es susceptible de una determinación más precisa, y al ser prácticamente infinita e imposible de concretar exhaustivamente a priori la variedad de casos en que se puede invocar un interés legítimo, su valoración en cada supuesto concreto ha de hacerse teniendo en cuenta las circunstancias concurrentes, lo que ha dado lugar a una abundante jurisprudencia de resoluciones de la DGRN, a la que se hará referencia en el epígrafe 4.26.6.

4.26.4.2. Copias expedidas en virtud de mandato judicial

La solicitud de una copia al notario titular del protocolo a veces no se hace por un interesado ni personalmente, ni por ninguno de los medios vistos en el epígrafe 4.26.4, sino por un Juez o Tribunal, en cuyo caso se habla de solicitud de copia por mandato judicial.

El conducto formal del mandamiento judicial puede amparar peticiones de copia de muy diferente naturaleza y dirigidas a distintos fines.

1º) Solicitudes que proceden de alguno de los otorgantes de una escritura o de sus herederos, que por lo tanto estarían legitimados sin ninguna duda para obtener la copia directamente del notario, pero que, habiendo obtenido con anterioridad una copia con valor ejecutivo, y deseando otra con el mismo carácter, a falta de conformidad de los demás interesados no tienen más remedio que solicitarla por mandamiento judicial, como se ha visto en el epígrafe 4.26.2. Éste es el supuesto regulado en el artículo 235 RN, que a su vez distingue entre dos casos, según que la solicitud se haga o no ante el mismo órgano judicial que conoce de los autos a los que la copia deba aportarse, estableciendo procedimientos diferentes para uno y otro supuesto:

Artículo 235 RN: «*Para la obtención de segundas o posteriores copias, cuando sea necesario mandamiento judicial, el interesado deberá solicitarla del Juez de primera instancia del distrito donde radique el protocolo, o del Juez que en su caso conozca de los autos a que la copia debe aportarse. En este último caso se procederá según lo dispuesto en la ley procesal correspondiente.*

Cuando la copia no se solicite del Juez que actúe en pleito o causa, el interesado que la reclame deberá presentar un escrito, sin necesidad de Letrado ni Procurador, expresando el documento de que se trata, la razón de pedirla, y el protocolo donde se encuentre. El Juez, dentro de una audiencia, dará traslado al Ministerio Fiscal cuando no deban ser citados los demás interesados en el documento, por ignorarse su paradero o por estar ausentes del pueblo donde radique la Notaría o Archivo de protocolos correspondientes. Cuando los interesados deban ser citados, lo serán dentro de los tres días siguientes a la presentación del escrito incoando el procedimiento.

Transcurridos otros tres días con o sin impugnación del Fiscal o de los interesados citados, el Juez resolverá, expidiendo en su caso, dentro del tercer día, el oportuno mandamiento al Notario o Archivero».

2º) Solicitudes procedentes de una de las partes en un proceso. Se trata de que uno de los litigantes desea aportar como prueba la copia de una escritura; en estos casos la copia se solicita con un fin probatorio y no se pretende, o en todo caso es irrelevante, que tenga valor ejecutivo, valor que por otra parte no podría tener si el que la solicita no es uno de los otorgantes. En estos supuestos, el mandamiento judicial no es más que un vehículo formal para una petición que procede del interesado y que sólo se le puede atribuir a este último y no a la autoridad judicial; por ello el notario deberá valorar si en el peticionario concurren los requisitos para tener derecho a copia con arreglo al artículo 224.1 RN, antes transcrito —exactamente igual que si la petición se hubiera realizado directamente por el interesado sin intervención judicial—, y denegar la petición si no se cumplen tales requisitos.

A estos supuestos se refiere el artículo 222. 2º RN: «*Ni de oficio ni a instancia de parte interesada decretarán los Tribunales que los Secretarios judiciales extiendan, por diligencia o testimonio, copias de actas, escrituras matrices y pólizas, sino que bajo su responsabilidad las exigirán del notario que deba darlas, con arreglo a la Ley del Notariado y el presente Reglamento, es decir, justificando ante el notario, y a juicio de éste con la documentación necesaria, el derecho de los interesados a obtenerlas, y siempre que la finalidad de la petición sea la prescrita en el artículo 256 de la Ley de Enjuiciamiento Civil. Para los cotejos o los reconocimientos de estas copias se observará lo dispuesto en el artículo 32 de la Ley*».

Ello es coherente con lo previsto en el artículo 265 LEC, relativo a los documentos que deben acompañarse a la demanda y a la contestación, que en su apartado segundo dice lo siguiente:

«*2. Sólo cuando las partes, al presentar su demanda o contestación, no puedan disponer de los documentos, medios e instrumentos a que se refieren los tres primeros números del apartado anterior, podrán designar el archivo, protocolo o lugar en que se encuentren, o el registro, libro registro, actuaciones o expediente del que se pretenda obtener una certificación.*

Si lo que pretenda aportarse al proceso se encontrara en archivo, protocolo, expediente o registro del que se puedan pedir y obtener copias fehacientes, se entenderá que el actor dispone de ello y deberá acompañarlo a la demanda, sin que pueda limitarse a efectuar la designación a que se refiere el párrafo anterior».

La única particularidad de carácter formal existente cuando se produce una denegación de copia en estos supuestos, es la contenida en el artículo 232 RN, según el cual:

«*Cuando por algún Juez o Tribunal se ordenare al Notario la expedición de una copia que éste no pueda librar con arreglo a las leyes y Reglamentos, lo hará saber, con exposición de la razón legal que para ello tenga, a la Autoridad judicial de quien emane el mandamiento, y lo pondrá en conocimiento de la Dirección General*».

3º) Solicitudes formuladas de oficio por la autoridad judicial por considerar de interés para un proceso la aportación de la copia. En estos supuestos el peticionario ya no es un particular interesado, cuyo derecho a copia deba ser valorado por el notario, sino la propia autoridad judicial, por lo que la copia debe ser expedida en cumplimiento del deber general de colaboración con la Administración de Justicia. El caso se puede dar en un procedimiento penal, civil o de cualquier otra índole, pero lo que caracteriza el supuesto y lo distingue del caso anterior es que aquí la decisión de solicitar la copia para aportarla a la causa la adopta el propio Juez o Tribunal en interés de la resolución del proceso, independientemente de la voluntad de las partes, mientras que en el supuesto anterior el órgano judicial se limita a trasladar al notario la petición de parte, sin hacer al respecto valoración alguna. Así pues, es perfectamente posible que, por ejemplo, el notario tenga que denegar la expedición de una copia pedida por una de las partes en virtud de mandamiento judicial en un proceso civil, por carecer de interés legítimo, y que el juez a continuación, para mejor proveer, solicite de nuevo la misma copia, que en este caso deberá ser expedida.

Sobre la distinción entre estos dos últimos supuestos se pueden ver numerosas RR DGRN, como, por ejemplo, la de 16-8-1982.

4.26.5. Requisitos formales de la expedición de las copias

Artículo 236.1º RN: «*Las copias se encabezarán con el número que en el protocolo tenga la matriz, y han de ser literalmente reproducción de ella tal como aparezca después de las correcciones hechas, sin que haya de consignarse el particular referente a la salvadura de las mismas*».

Es obvio que la copia debe reproducir fielmente la matriz, de la que constituye un traslado. De ahí que el artículo 1220 CC disponga: «*Las copias de los documentos públicos de que exista matriz o protocolo, impugnadas por aquellos a quienes perjudiquen, sólo tendrán fuerza probatoria cuando hayan sido debidamente cotejadas. Si resultare alguna variante entre la matriz y la copia, se estará al contenido de la primera*».

Reproducción de documentos unidos. Cuando haya documentos unidos a la matriz, según el artículo 221.1º RN, in fine, podrán hacerse constar en la copia por relación o transcripción.

El artículo 236.3º RN aborda el problema de la expedición de copias cuando en la matriz figuran incorporados documentos que por sus características físicas sean de imposible reproducción.

Dice dicho precepto: «*Cuando existan en la matriz como documentos complementarios de una escritura o acta los documentos a que se refiere el artículo 214, en la copia hará constar simplemente el Notario que la expida, que hay un plano, fotografía, dibujo, etcétera, como documento complementario o unido, con el número que le corresponda. Si el interesado en la expedición de la copia o en el ejercicio de los derechos que de ella deriven presenta una reproducción del documento de que se trate, el Notario, previo cotejo y caso de coincidencia, hará constar en dicha reproducción por diligencia que corresponde al documento de que se trate y sus circunstancias en el protocolo*».

Contenido del pie de copia. Artículo 241 RN *«En el pie o suscripción de la copia se hará constar, además de las circunstancias expresadas en los artículos 233, 238 y 244, su correspondencia con el protocolo, el concepto en que la tiene quien la expide, si no es el mismo autorizante; la persona a cuya instancia se libra y, en su caso, el fundamento de su interés legítimo, el número de pliegos, o folios, clase, serie y numeración, lugar y fecha, e irán autorizadas con el signo, firma, rúbrica y sello del notario, que rubricará todas las hojas, en las que constará su sello.*

Igualmente se reseñarán, rubricarán y sellarán el folio o pliego que se agregue a la copia para la consignación de notas por los Registros y oficinas públicas.

En las copias de testamentos no pedidas por el otorgante o apoderado especial se hará mención de haberse acreditado al notario o constarle de ciencia propia el fallecimiento del testador y, en su caso, el parentesco de los peticionarios o su derecho a obtenerlas, caso de que no resulte justificado en el testamento.

Cuando se trate de copias autorizadas de pólizas expedidas al efecto de su ejecución, además de las menciones previstas en el primer párrafo de este artículo, se hará constar al pie que las mismas coinciden exactamente con el original, entendiéndose así cumplido el requisito de conformidad de la póliza a que hace referencia el artículo 517.2.5º de la Ley de Enjuiciamiento Civil, todo ello sin perjuicio de acompañar, si así se hubiera pactado, la certificación a que se refiere el artículo 572.2 de la Ley de Enjuiciamiento Civil.

Tanto en el pie de copia de escrituras y actas como en los testimonios, además de su sello, el notario impondrá el sello de seguridad creado a tal efecto por el Consejo General del Notariado».

Las circunstancias a que se refieren los tres artículos citados en el primer párrafo del artículo 241 RN transcrito son, como ya se ha visto, las relativas a si se trata de primera o segunda copia, y de si tiene o no valor ejecutivo.

Prohibición de enmiendas. Artículo 243 RN: *«Las copias en soporte papel no podrán contener interpolaciones, tachaduras, raspaduras o enmiendas, ni siquiera en su pie o suscripción. Cuando fueran advertidos errores u omisiones, se subsanarán mediante diligencia posterior autorizada de igual modo que la copia, haciendo constar, además, por nota al margen de ésta, la rectificación»*.

La redacción actual de este precepto le ha sido dada por el RD 45/2007, con la finalidad de dificultar las falsificaciones; en la versión anterior estaban permitidos los interlineados, enmiendas y raspaduras, siempre que se salvaran antes de la firma del notario, y hay que tener en cuenta que las copias expedidas antes de la entrada en vigor de la reforma (30 de enero de 2007) conservan su validez si cumplían con los requisitos formales vigentes al tiempo de su expedición.

Artículo 247 RN: «*Las copias y testimonios deben extenderse en caracteres perfectamente legibles, pudiendo escribirse a mano, a máquina o por cualquier medio de reproducción, sin otra limitación que la impuesta por la facilidad de su lectura, el decoro de su aspecto y su buena conservación.*

En su expedición se observarán las disposiciones relativas a líneas y sílabas que para las matrices contiene el artículo 155 de este Reglamento».

Supuestos especiales. Los artículos 228 y 242 RN contienen disposiciones específicas para las copias de dos tipos concretos de documentos.

Artículo 228 RN: «*Cuando se trate de copias de testamentos autorizados por los Párrocos de Cataluña, no se librarán las copias, aunque se trate se segundas o ulteriores, sin la previa protocolización de la matriz con arreglo a la legislación civil que corresponde*».

Artículo 242 RN: «*Las copias que se expidan de los poderes para cobrar haberes pasivos llevarán después del signo y firma del notario, la del otorgante, legitimada por el propio Notario autorizante o su sustituto o sucesor*».

La finalidad de este último precepto es sin duda la de acreditar que el poderdante sigue viviendo en una fecha determinada y evitar que se sigan cobrando haberes pasivos en nombre de personas fallecidas, por lo que debe entenderse referido sólo a las copias que se expidan con posterioridad a la fecha del otorgamiento; por otra parte la eficacia de la cautela es cuestionable, ya que es imposible eliminar por completo el riesgo de que el poderdante haya fallecido después de la expedición de la copia y antes de su utilización por el apoderado.

Notas de expedición. En cuanto a las notas de expedición de copia, que deben consignarse en la matriz, están reguladas en los dos preceptos siguientes:

Artículo 244 RN: «*Al pie o margen de la matriz o en la siguiente si no quedase espacio, se anotará la expedición de la copia, haciendo constar su clase, carácter, persona para quien se ha expedido, fecha y número de los pliegos o folios, autorizándose la nota con media firma del notario.*

Se harán constar por nota en matriz, a solicitud de los interesados o cuando al notario le conste, las circunstancias de haberse pagado los impuestos y los datos de inscripción en el registro correspondiente».

Artículo 245 RN: «*Cuando en la misma fecha se expidieran varias copias primeras, segundas o posteriores del mismo documento, se registrará la expedición de todas en una sola nota*».

Los plazos para la expedición de las copias se regulan en el artículo 249.1 RN: «*Las copias deberán ser libradas por los notarios en el plazo más breve posible, dando preferencia a las más urgentes. En todo caso deberá expedirse en los cinco días hábiles posteriores a la autorización*».

Expedición obligatoria de copia electrónica. En cuanto a los requisitos formales de las copias electrónicas, ya se han estudiado al final del epígrafe 4.26.2, al examinar esta clase de copias, pero es necesario hacer referencia ahora a un supuesto muy importante en que la expedición de copia en formato electrónico tiene carácter obligatorio para el notario, salvo imposibilidad técnica o dispensa expresa de los otorgantes.

Conforme al artículo 249.2 RN: «*Tratándose de copias autorizadas que contengan actos susceptibles de inscripción en el Registro de la Propiedad o en el Registro Mercantil, de conformidad con el artículo 112 de la Ley 24/2001, de 27 de diciembre, a salvo de que el interesado manifieste lo contrario deberán presentarse telemáticamente.*

En consecuencia, el notario deberá expedir y remitir la copia autorizada electrónica en el plazo más breve posible y, en todo caso, en el mismo día de autorización de la matriz o, en su defecto, en el día hábil siguiente. Se exceptúa el supuesto de imposibilidad técnica del que deberá quedar constancia en la copia que se expida en soporte papel de la causa o causas que justifican esa imposibilidad, en cuyo caso podrá presentarse mediante telefax en los términos previstos en el apartado siguiente. El notario deberá hacer constar en la matriz mediante diligencia la fecha y hora del acuse de recibo digital del Registro correspondiente, sin perjuicio de hacer constar tales extremos, en su caso, en el Libro Indicador.

El notario será responsable de los daños y perjuicios que se cause al interesado como consecuencia del retraso en la expedición de copia electrónica y su presentación telemática, excepto en los supuestos de imposibilidad técnica».

El mismo artículo, en su epígrafe 3 regula otro sistema de presentación, por medio de telefax, que tiene carácter subsidiario y en el cual lo que se presenta no es una copia sino una comunicación que incluye los datos esenciales del documento, para posibilitar la práctica de un asiento de presentación provisional:

Artículo 249.3 RN: «*A salvo de lo dispuesto en el apartado precedente, el notario podrá remitir por telefax el mismo día del otorgamiento al registro de la Propiedad competente comunicación sellada y suscrita, en su caso, de haber autorizado escritura susceptible de ser inscrita por la que se adquieran los bienes inmuebles o se constituya un derecho real sobre ellos, y en los demás casos en que lo solicite algún otorgante, o lo considere conveniente el notario. En su caso, el notario será responsable de los daños y perjuicios que se causen como consecuencia de la presentación telemática de cualquier título relativo al mismo bien y derecho con anterioridad a la presentación por telefax de la comunicación, a salvo de que se hubiera utilizado esta vía por imposibilidad técnica o como consecuencia de que así lo hubiera solicitado el interesado. Dicha comunicación dará lugar al correspondiente asiento de presentación y en ella constarán testimoniados en relación, al menos, los siguientes datos:*

a) *La fecha de la escritura matriz y su número de protocolo*

b) *La identidad de los otorgantes y el concepto en el que intervienen.*

c) *El derecho a que se refiera el título que se pretende inscribir.*

d) *La reseña identificadora del inmueble haciendo constar su naturaleza y el término municipal de su situación, con expresión de su referencia catastral y, según los casos, del sitio o lugar en que se hallare si es rústica, nombre de la localidad, calle, plaza o barrio, el número si lo tuviere, y el piso o local, si es urbana, y, salvo en los supuestos de inmatriculación, los datos registrales.*

El notario hará constar en la escritura matriz, o en la copia si ya estuviese expedida ésta, la confirmación de la recepción por el Registrador y su decisión de practicar o no el asiento de presentación, que éste deberá enviar el mismo día o en el siguiente hábil».

Así pues, la expedición de copia electrónica y su envío telemático al registro es obligatorio para el notario, lo que tiene como finalidad asegurar la prioridad registral del documento autorizado.

En el mismo sentido el artículo 196 RN: *Salvo indicación expresa en contrario de los interesados, los documentos susceptibles de inscripción en los Registros de la Propiedad, Mercantiles o de Bienes muebles podrán ser presentados en éstos por vía telemática y con firma electrónica reconocida del notario autorizante, interviniente o responsable del protocolo. El notario deberá inexcusablemente remitir tal documento a través del Sistema de Información central del Consejo General del Notariado debidamente conectado con el Sistema de Información corporativo del Colegio de Registradores de la Propiedad y Mercantiles de España.*

El notario deberá dejar constancia de ello en la matriz así como, en su caso, de la correspondiente comunicación del registro destinatario.

Esta regla será de aplicación respecto de los documentos susceptibles de inscripción en otros Registros Públicos con efectos jurídicos cuando sus Sistemas de Información estén debidamente conectados con el del Consejo General del Notariado.

Como se ve, este último precepto extiende la obligación de presentar telemáticamente copia electrónica a los documentos inscribibles en el Registro de Bienes Muebles.

Lógicamente el notario puede ser dispensado de esta obligación por los interesados, que pueden preferir la presentación por telefax o no desearla en absoluto, dado que en nuestro Derecho la inscripción no es obligatoria como regla general e incluso cuando lo es, como ocurre en materia de Registro Mercantil, sólo se practica a instancia del interesado y nunca de oficio.

El sistema subsidiario de presentación por telefax tiene dos inconvenientes principales con respecto a la presentación telemática, por lo que sólo cuando esta última no sea posible por razones técnicas es aconsejable su utilización.

En primer lugar, el asiento de presentación que se practica en virtud del telefax, es de carácter provisional y debe consolidarse mediante la presentación física del documento en papel dentro de los diez días hábiles siguientes, o de lo contrario caducará (también debe considerarse admisible la consolidación del asiento provisional mediante la presentación posterior de copia electrónica por vía telemática); en cambio, el asiento que se practica con la copia enviada por vía telemática es un asiento de presentación definitivo, que no necesita ser consolidado mediante la presentación del documento en papel y en principio permite practicar directamente la inscripción; en la práctica, sigue siendo necesaria la presentación en papel, aun cuando el documento se haya presentado telemáticamente, cuando está sujeto al ITPyAJD o al ISyD, para acreditar al registro que se ha efectuado la liquidación tributaria preceptiva, en aquéllos casos en que las respectivas Comunidades Autónomas aún no hayan implantado el sistema de presentación y pago de dichos impuestos de forma telemática.

En segundo lugar, cuando se presenta un documento telemáticamente queda constancia en el sistema informático de la hora exacta de la presentación, lo que no ocurre en la presentación por telefax, que carece de un sistema unificado de determinación de la hora, lo que es especialmente importante cuando se presentan documentos después del cierre del libro diario, ya que a la reapertura de éste se asientan todos los documentos llegados fuera de hora, considerándose todos los llegados por vía telemática presentados antes que los llegados por telefax.

En cuanto al plazo de presentación, como se ha visto, en la presentación telemática es el más breve posible y, en todo caso, el mismo día o el inmediato hábil siguiente. Debe entenderse, y en este sentido se ha pronunciado la DGRN, que si por cualquier motivo no se ha hecho la presentación dentro del plazo, puede y debe hacerse con posterioridad. Sin embargo la presentación por telefax debe hacerse el mismo día de la autorización del documento y, dado el carácter excepcional del medio utilizado (comunicación resumida que no incluye todo el contenido de la escritura) y del asiento a que da lugar, no puede considerarse admisible fuera de ese plazo perentorio, si bien debe tenerse en cuenta que si el fax se envía después del cierre del libro diario, lo que sí es admisible, la presentación en el registro tiene lugar al día siguiente, a la hora de apertura del diario.

4.26.6. *Recursos contra la negativa a expedirlas*

Recurso administrativo. Artículo 231 RN: «*Contra la negativa del Notario e expedir una copia, se dará recurso de queja ante la Dirección General, la cual, oyendo al propio Notario y a la Junta directiva del Colegio respectivo, dictará la resolución que proceda.*

Si la resolución fuese ordenando la expedición de la copia, el Notario lo hará constar en las notas de expedición y suscripción de la misma copia».

El derecho a obtener copias de los instrumentos públicos es una materia reglada y, si bien hay supuestos en que las normas dejan a juicio del notario la apreciación del interés legítimo y éste es uno de los llamados conceptos jurídicos indeterminados, ello no significa que se esté dando al notario una facultad discrecional o arbitraria; en consecuencia, la negativa del notario a expedir copia es susceptible de recurso en la vía administrativa, cuya única regulación está contenida en el precepto transcrito, si bien, toda vez que se trata de un recurso administrativo, le es aplicable en lo demás la legislación de procedimiento administrativo.

El recurso de queja por denegación de copia se inicia mediante escrito dirigido a la DGRN; ésta da traslado del recurso al Colegio Notarial al que pertenece el notario en cuestión, el Colegio lo traslada al notario y, a la vista del informe de este último, elabora su propio informe y envía todo el expediente a la Dirección General, la cual dicta una resolución que resuelve el recurso. En la práctica, la DGRN viene admitiendo, en base al principio de economía procesal, los recursos de queja por denegación de copia que se interponen ante el Colegio Notarial, en los que éste remite el expediente a la Dirección una vez recabado el informe del notario y elaborado su propio informe, de manera que el asunto llega a conocimiento del Centro Directivo a falta sólo de su resolución. Contra la resolución que pone fin al recurso, si ésta es desestimatoria, el solicitante de la copia puede interponer recurso de alzada ante el Secretario de Estado de Justicia, cuya resolución pone fin a la vía administrativa, por lo que si también es desestimatoria, el particular afectado podrá acudir a los Tribunales de la Jurisdicción Contencioso-Administrativa.

Legitimación. La legitimación activa para interponer el recurso de queja no plantea en principio problema alguno, ya que la tendrá todo aquél al que se le haya denegado una copia por cualquier notario. En una resolución de la DGRN de 22-4-2008, relativa a una denegación de copia que se había solicitado por medio de un notario distinto del que debía expedirla, acreditando ante el mismo todos los extremos de los que resultaba el derecho a copia del solicitante y enviando el notario receptor de la solicitud una comunicación al titular del protocolo autorizada con firma electrónica avanzada, la DGRN negó, como regla general, legitimación para interponer el recurso al notario ante el que se había hecho la solicitud, ya que independientemente del medio utilizado para hacer llegar la petición al notario titular del protocolo, el solicitante es siempre el particular interesado en la copia; pero en el caso concreto admitió la legitimación del notario intermediario y además estimó el recurso, porque el titular del protocolo basó su negativa no en que el solicitante no tuviera derecho a copia sino en la a su juicio falta de idoneidad del medio empleado para acreditar el derecho del peticionario.

Ejemplos extraídos de la jurisprudencia. Por lo demás, se relacionan a continuación unos pocos casos concretos tratados recientemente por la DGRN que pueden ofrecer especial interés, extraídos de la abundantísima jurisprudencia que históricamente ha venido recayendo sobre esta materia:

El socio de una sociedad capitalista tiene interés legítimo para obtener copias de escrituras otorgadas por la sociedad sólo cuando se trate de actos internos que afectan a la organización o arquitectura social, pero no de las que se formalicen entre la sociedad, a través de sus órganos o apoderados, y terceras personas, ya que el derecho de información del socio, que se podría invocar, tiene un cauce establecido para su ejercicio a través de la junta general, por lo que la negativa a obtener copia no le produce indefensión y, sin embargo, preserva el principio de no injerencia de los socios en la gestión social. (Resoluciones, entre otras, de 17-9-1991 relativa a sociedad anónima, y de 18-12-2008 para sociedad limitada); Este criterio no se ve afectado por el hecho de que el solicitante sea o no socio mayoritario. Esta doctrina parece plenamente justificada en el caso de sociedades capitalistas (sería absurdo que, por ejemplo, cualquiera que compre en bolsa una acción de un banco pudiera pedir copia de todos los préstamos concedidos por ese banco), pero no parece aplicable a las sociedades mercantiles personalistas, ni a otras entidades, como las sociedades civiles, en que los socios responden personalmente de las deudas sociales y de los actos celebrados por los representantes de la sociedad con terceras personas pueden derivarse responsabilidades inmediatas para los socios.

El derecho que tiene cualquier socio a informarse de los actos internos, afectantes a la organización social, le da derecho a obtener copia del acta notarial de junta General (Res. 26-1-2009).

El tercero que ha suscrito con el apoderado de otra persona una escritura en la que se ha invocado un poder puede pedir copia de éste, aun cuando después se le haya revocado, a los solos efectos de complementar su escritura para que ésta despliegue toda su eficacia, por ejemplo para obtener su inscripción en un registro público, siempre que esté acreditado que el apoderado estuvo en posesión de copia autorizada del poder en el acto de la firma de la escritura en cuestión, o que en el poder se le hubiera facultado para obtener copias del mismo (entre otras muchas, Res. 5-6-2006).

También en relación con las copias de poderes, puede obtener copia el apoderado, aunque no se cumplan los requisitos del artículo 227 RN o incluso se le haya revocado el poder, si acredita un interés legítimo derivado de su relación interna con el poderdante (Res. 19-7-2006). Esta doctrina es aplicable también a las copias de escrituras que haya firmado haciendo uso del poder luego revocado, y a las escrituras firmadas por los administradores de sociedades que después hayan cesado en el cargo (Res. 18-6-2008). En todo caso, hay que valorar que no pueda haber perjuicio para el poderdante (Res. 4-12-2008)

Un acreedor no tiene interés legítimo para obtener copias de cualquier escritura otorgada por el deudor, pero sí de la escritura en que este último ha transmitido su posición deudora a otra persona (Res. 26-12-2007).

La Fiscalía Especial para la Prevención y Represión del Tráfico de Drogas, tiene derecho a obtener copias de escrituras que solicite en el ejercicio de sus competencias, en virtud del deber de colaboración de los notarios con la Administración consagrado en el artículo 24 LN. (Res. 29-11-2007).

El interés basado en la simple intención de interponer acciones judiciales contra el otorgante de una escritura no es suficiente para obtener copia de la misma, ya que la negativa no produce indefensión, pudiendo proceder el solicitante con arreglo al artículo 265 LEC. (Res. 14-7-2008, y 13-5-2009 entre otras).

El legatario de cosa determinada tiene derecho a obtener copia del testamento que contiene su legado, pero no de la escritura de compraventa por la que el testador enajenó en vida el bien objeto legado, con lo que este último ha quedado sin efecto (Res. 12-8-2013).

El cónyuge separado de hecho del causante puede obtener copia del testamento, toda vez que necesita conocer su contenido para interponer, en su caso, acciones por preterición. (Res. 17-2-2014).

El legitimario tiene derecho a copia de un testamento revocado (Res. 11-10-2016).

Otra cuestión diferente a la de en qué casos se tiene interés legítimo y en cuales no, es la de la prueba del derecho o situación jurídica en que se ampara el interés legítimo alegado por el solicitante. A este respecto, la DGRN viene declarando que no es necesaria una prueba pública y definitiva, pero sí un principio de prueba o indicio racionalmente seguro de tal derecho o situación jurídica (Res. 7-3-2007).

4.26.7. Expresión en la copia de defectos de la matriz o de limitación de efectos

Defectos de la matriz. Artículo 236 RN, párrafo 2º: «*Si el documento fuere defectuoso por carecer de firma o tener lagunas el texto, se hará constar en caracteres destacados por el subrayado o diverso color o tipo de letra*».

Está claro que si en la matriz falta la firma de alguno de los comparecientes o testigos o si el texto está incompleto, ello debe constar en la copia, sencillamente porque ésta debe reproducir la matriz fielmente, y si en la matriz falta una parte del texto en la copia también faltará, y si debería haber dos firmas y sólo hay una, en la copia el notario hará constar que hay una firma. Lo que pretende el precepto es que el notario al expedir la copia no se limite a transcribir la matriz con sus defectos, sino que además llame la atención del lector sobre ellos de manera que no puedan pasar inadvertidos; de ahí que imponga la utilización de caracteres destacados mediante subrayado, diverso color o tipo de letra, medios de destacar el defecto que no son excluyentes entre sí, sino que se podrán utilizar cumulativamente y que no impiden que el notario utilice además de ellos, cualquier otro medio que considere oportuno para que no pasen desapercibidos.

Los defectos formales de los que puede adolecer una matriz no son sólo los mencionados en el precepto transcrito. Ya se vio en el epígrafe 4.26.5, relativo a los requisitos formales, cómo con arreglo al artículo 236.1º RN, cuando en la matriz hay correcciones, en la copia debe reproducirse el texto de la matriz como haya quedado después de hacerlas, sin referencia alguna a su salvadura; pero lógicamente ello presupone que tales correcciones se han salvado en la matriz en forma reglamentaria; si no es así, la matriz adolece de defectos formales que pueden afectar a su validez y que deben ponerse de manifiesto expresamente al expedir la copia aún con más motivo que la falta de firma o las lagunas en el texto, ya que pueden ser defectos imposibles de detectar incluso por el lector más atento si en la copia no se ponen de manifiesto de forma especial; pensemos por ejemplo en una palabra sobrerraspada en la matriz: la enmienda no se puede ver en la copia, porque en ésta lógicamente la palabra no aparecerá sobrerraspada. Así pues en todos los casos en que en una matriz haya enmiendas, interlineados, tachaduras o cualquier otro tipo de corrección, y no se haya salvado, el notario debe hacerlo constar en caracteres destacados, indicando cuáles son las palabras del texto defectuosamente corregido y las palabras originales, si éstas aún se pueden leer.

Limitaciones sustantivas de eficacia. Artículo 164 RN párrafo 2º. «*Si la representación no resultare suficientemente acreditada a juicio del notario autorizante y todos los comparecientes hicieren constar expresamente su solicitud de que se autorice el instrumento con tal salvedad, el notario reseñará dichos extremos y los medios necesarios para la perfección del juicio de suficiencia. En tal caso, cuando le sean debidamente acreditados, el notario autorizante o su sucesor en el protocolo así lo harán constar por diligencia, expresando en ella su juicio positivo de suficiencia de las facultades expresadas. En todas las copias que se expidan con anterioridad a dicha diligencia el notario hará constar claramente que la representación no ha quedado suficientemente acreditada*».

Artículo 226 RN, último párrafo: «*Las copias de testamentos revocados sólo podrán ser expedidas a los efectos limitados de acreditar su contenido, dejando constancia expresa de su falta de vigor*».

El RD 45/2007 ha introducido estos supuestos, en los que la copia debe contener una advertencia explícita cuando la matriz, aun no adoleciendo de defectos de forma, está incompleta desde el punto de vista sustantivo, requisito que afecta a las copias expedidas a partir del 30 de enero de 2007, fecha de entrada en vigor del citado Decreto, pero no a las expedidas con anterioridad, lo que es importante tener en cuenta ya que estas últimas no contendrán advertencia alguna.

El primer supuesto es el de las copias que se expiden de documentos autorizados sin estar debidamente acreditada la representación de alguno de los otorgantes, y con su eficacia pendiente por lo tanto de dicha acreditación. En tales casos, según el artículo 164 RN, en su redacción dada por el RD 45/2007, el notario debe hacer constar en la copia que la representación no ha quedado suficientemente acreditada. Toda vez que esta circunstancia constará expresamente en la matriz y que el texto de ésta por definición está reproducido en la copia, lo que pretende el precepto en cuestión es evidentemente que la insuficiencia de la representación se destaque de alguna forma especial para evitar que pase inadvertida en una lectura superficial. La cautela parece aquí bastante menos necesaria que en el caso de los defectos formales, porque la falta de acreditación de la representación se detecta con facilidad en una lectura razonablemente diligente.

El segundo supuesto es el de las copias de los testamentos revocados, que deben contener una advertencia expresa de esta última circunstancia, con el fin de que nadie pueda erróneamente considerarlos vigentes. La cautela también en este caso parece excesiva, toda vez que las copias de los testamentos, aun cuando no contengan salvedad ni advertencia alguna, para surtir toda su eficacia como título sucesorio, deben ir acompañadas de certificado del Registro General de Actos de Última Voluntad, que acredite que el testamento en cuestión es el último del causante.

Limitación de efectos de la copia. No todas las copias autorizadas tienen los mismos efectos; ya se ha visto a este respecto en el epígrafe 4.26.2 la distinción entre copias con y sin valor ejecutivo; también se ha visto en dicho epígrafe cómo las copias electrónicas sólo tienen efectos limitados al fin para el que han sido expedidas. Pero independientemente de todo ello hay además algunos casos en los que el interés legítimo de una persona para obtener una copia está limitado a su uso para conseguir un fin concreto; en tales supuestos, los efectos de la copia obtenida deben quedar limitados a ese fin y así se debe hacer constar expresamente en ella. Así, por ejemplo, el que ha adquirido un inmueble en escritura en que el vendedor estuvo representado por un apoderado, que exhibió el poder al notario, pero haciéndose constar en la escritura que se acompañaría a la copia, podrá obtener una copia del poder, incluso si después ha sido revocado, a los solos efectos de completar la representación invocada en su escritura e inscribir el inmueble en el registro de la propiedad (caso del que ya se ha tratado en el epígrafe 4.26.6), y esa copia del poder no podrá servir para nada más; o quien para inscribir su título necesite copias autorizadas de títulos previos, pendientes de inscripción, del inmueble que ha adquirido, podrá obtener tales copias, pero éstas, además de ser parciales (limitadas a lo relativo al inmueble del solicitante), se expedirán con la limitación de que sólo producirán efecto para la inscripción de tal inmueble.

4.26.8. Copias simples

Artículo 224.2 RN: «*Los notarios darán también copias simples sin efectos de copia autorizada, pero solamente a petición de parte con derecho ésta. En ningún caso podrá hacerse constar en la copia simple la firma de los otorgantes. Se habilita al Consejo General del Notariado para que establezca las características del papel para copia simple que deberá ser utilizado en su expedición, teniendo carácter de ingreso corporativo las cantidades que dicho Consejo obtenga por su utilización. A tal fin, el Consejo por sí o a través de los Colegios Notariales deberá proveer a los notarios de dicho papel.*

El Consejo comunicará a la Dirección General de los Registros y del Notariado las ca-racterísticas de dicho papel, así como de sus modificaciones, que se entenderán admitidas si la Dirección no resuelve lo contrario en el plazo de quince días computados desde esa comunicación».

Artículo 224.4 RN: *«En lo relativo a las copias simples electrónicas, éstas podrán re-mitirse a cualquier interesado cuando su identidad e interés legítimo le consten fehacien-temente al notario, utilizando para su envío un procedimiento tecnológico adecuado que garantice su confidencialidad hasta el destinatario»*

Definición y requisitos formales. Las copias simples son reproducciones del con-tenido de una matriz que se expiden sin las garantías de autenticidad y coincidencia con su original que caracterizan a las copias autorizadas, y tienen un valor meramente informativo. Al igual que las copias autorizadas, pueden estar expedidas en soporte pa-pel o en un archivo informático, en cuyo caso se trata de copias simples electrónicas. Al tener valor meramente informativo, carecen de todos los elementos de la autorización notarial, salvo el sello, por lo que no contienen el signo, firma y rúbrica ni, en su caso, la firma electrónica, del notario que las expide. Sin embargo, conforme al artículo 224.2 RN citado, cuando se expiden en soporte papel, debe hacerse en un papel especial, re-quisito que debe entenderse como una garantía, aunque sea parcial, de autenticidad, y como un obstáculo a su posible manipulación; por el mismo motivo, debe entenderse que la copia simple electrónica ha de expedirse en un tipo de archivo informático que no permita al destinatario hacer alteraciones en su contenido.

Derecho a obtenerlas. Como resulta claramente de los preceptos citados, sólo tienen derecho a copia simple de un documento las mismas personas que lo tienen a una copia autorizada; esto es así puesto que la copia simple, aun carente del valor jurídico de la copia autorizada, revela el contenido del protocolo exactamente igual que esta última.

Eficacia de la copia simple en algunos casos. A pesar de su falta de garantías y de valor probatorio, la expedición y utilización de copias simples se ha ido ampliando en la práctica e incluso ha ido adquiriendo al amparo de algunas normas cierta eficacia que supera ampliamente su función en teoría meramente informativa; de estos casos, a continuación, se enumeran algunos de los más importantes:

1. En muchos municipios la copia simple es título idóneo para practicar la liquida-ción del Impuesto Municipal sobre el Incremento de Valor de los Terrenos sin necesidad de ir acompañada de la copia autorizada. En particular, se ha suscrito un convenio entre el Consejo General del Notariado y la Federación Española de Municipios y Provincias, en virtud del cual los ayuntamientos adheridos al mismo admiten la copia simple electrónica enviada por el notario como medio idóneo de presentación a los efectos de este impuesto, si bien la remisión debe

hacerse con la firma electrónica del notario, por lo que en realidad éste asume la responsabilidad de su coincidencia con la matriz.

2. La Ley y el Reglamento del Impuesto de Transmisiones Patrimoniales y Actos Jurídicos Documentados imponen la presentación y archivo de copia simple para la liquidación del impuesto, aunque en este caso la presentación debe ir acompañada de la exhibición de la copia autorizada, que se devuelve al interesado. Ahora bien, también en este caso, hay acuerdos suscritos por el Consejo General del Notariado y diversas Comunidades Autónomas, que permiten al notario realizar la liquidación telemática del impuesto, en cuyo caso no se presenta copia autorizada, sino que la única copia que se aporta de la escritura es una copia simple electrónica, aunque, también en este caso, remitida con la firma electrónica del notario.

3. A efectos procesales se ha atribuido a la copia simple incluso una especie de presunción *iuris tantum* de autenticidad, en el artículo 267 LEC, que en su redacción dada por la Ley 41/2007, de 7 de diciembre dice así:

«Forma de presentación de los documentos públicos.

Cuando sean públicos los documentos que hayan de aportarse conforme a lo dispuesto en el artículo 265, podrán presentarse por copia simple, ya sea en soporte papel o, en su caso, en soporte electrónico a través de imagen digitalizada incorporada como anexo que habrá de ir firmado mediante firma electrónica reconocida y, si se impugnara su autenticidad, podrá llevarse a los autos original, copia o certificación del documento con los requisitos necesarios para que surta sus efectos probatorios».

4. La práctica notarial ha generalizado la entrega de copias simples a modo de cédulas para llevar a cabo las diligencias de notificación y requerimiento en las actas de este tipo, conforme al artículo 202 RN, si bien en este caso la necesidad de que vayan autorizadas al menos con la media firma del notario hace a éste responsable de su coincidencia exacta con la matriz y las dota de una eficacia superior a la de las copias simples propiamente dichas.

4.27. LOS TESTIMONIOS

4.27.1. Concepto

Artículo 17.1 LN, párrafo primero: *«El Notario redactará escrituras matrices, intervendrá pólizas, extenderá y autorizará actas, expedirá copias, testimonios, legitimaciones y legalizaciones y formará protocolos y Libros-Registros de operaciones».*

Artículo 144 RN, último párrafo: *«Los testimonios, certificaciones, legalizaciones y demás documentos notariales que no reciban la denominación de escrituras públicas pó-*

lizas intervenidas o actas, tienen como delimitación, en orden al contenido, la que este Reglamento les asigna».

Definición. El párrafo transcrito del artículo 17.1 contiene la única mención que hace la LN de la figura de los testimonios, salvo las referencias contenidas en algún otro artículo a una clase particular de ellos, los del libro-registro de operaciones, de los que no se va a tratar aquí, por ser objeto del epígrafe 4.28.2 de esta obra. Como se ve, la ley no da definición alguna de lo que es un testimonio; y el RN sólo define, en su artículo 251 como después se verá, una clase determinada de testimonios, los llamados «testimonios por exhibición». El problema que plantea definir el testimonio es que este término se aplica a una variedad de instrumentos públicos muy heterogénea, por lo que una definición que los comprenda a todos ellos ha de ser necesariamente tan genérica, que resulta de muy escasa utilidad, siendo en cambio mucho más práctico definir por separado cada uno de los tipos de testimonios que serán objeto de este capítulo, máxime teniendo en cuenta que el artículo 144, al decir que el contenido de los testimonios es el que delimita como tal el propio Reglamento, advierte de que sólo son testimonios los que el RN regula como tales, lo que parece excluir la existencia de un concepto de testimonio que sea general e independiente de su regulación positiva. Si, por razones puramente doctrinales, queremos definir de alguna manera el testimonio en general, podríamos decir, siguiendo a Giménez Arnau, que es cualquier afirmación escrita, firmada y signada por el notario, que se refiere a un hecho o documento en que el propio notario haya intervenido, o al que sea ajeno siempre que la actuación notarial no se incorpore directamente a su protocolo (GIMÉNEZ-ARNAU, 1976, p. 785-786).

Clases. El RN regula los testimonios en el título IV, capítulo III «De otros documentos notariales», y les dedica cuatro de sus cinco secciones, regulando en la sección restante las legalizaciones que, al fin y al cabo, también constituyen un tipo de testimonio, si bien son objeto de estudio en el epígrafe 4.5.3. de esta obra.

Atendiendo a la clasificación sistemática contenida en el RN, se pueden distinguir tres clases, los testimonios por exhibición, los de vigencia de leyes, y los de legitimación de firmas, distinción ésta que se basa en el objeto del testimonio, es decir en las distintas materias de las que el notario puede dar fe en un testimonio. Si atendemos a la manera en que el notario da fe en los testimonios, éstos se pueden clasificar en literales y en relación, siendo estos últimos objeto del epígrafe 4.27.3.

Cuando el testimonio no se extiende en soporte papel, sino en un archivo informático, nos encontramos ante lo que podríamos llamar ¨testimonios electrónicos». Aunque no hay norma alguna que se refiera expresamente a ellos, no parece que haya ningún obstáculo para aplicar analógicamente las normas de la LN y RN sobre la copia electrónica —al menos en lo que se refiere a los testimonios por exhibición y a los llamados testimonios de vigencia de leyes— y admitir que los notarios puedan librar testimonios consistentes en archivos informáticos, autorizados con su firma electrónica, con las mismas limitaciones establecidas en el artículo 17 bis. 3 LN para las copias electrónicas, es decir que se expidan con una finalidad determinada, quedando limitada a ésta la eficacia del testimonio, y que se dirijan a algún funcionario o autoridad, y no a particulares.

Caracteres comunes. Dada la variedad y la heterogeneidad de las actuaciones notariales que se engloban en el concepto de testimonio en general, tiene poco sentido intentar un estudio de sus características y elementos comunes, sino que es mucho más útil proceder, por separado, al examen de cada una de las clases de testimonio.

Únicamente procede aquí hacer referencia a dos cuestiones generales:

1. La forma de preservar la constancia documental de los testimonios autorizados por cada notario, lo que se lleva a cabo a través del libro-indicador, objeto de estudio en el epígrafe 4.28.3 de esta obra y regulado en el RN en la sección IV del capítulo III, sección que se titula «Disposiciones comunes a las secciones anteriores» y que, por lo tanto, se aplica a todos los testimonios objeto de regulación reglamentaria. Esta sección consta de un solo artículo, el 264, que dice así:

Artículo 264 RN: «*Los notarios llevarán un libro indicador para cada año natural, integrado por dos secciones, en la primera página de cada una de las cuales pondrán nota de apertura y en la final otra de cierre, ambas autorizadas con firma entera.*

La sección primera de este libro se llevará mediante asientos numerados con carácter consecutivo para cada anualidad, autorizados con media firma, que contendrán la fecha y las circunstancias necesarias para la debida identificación de la actuación que motive el asiento.

No será necesaria la inclusión en los supuestos en los que el traslado a papel de una copia electrónica haya quedado incorporado a una escritura o acta matriz, así como de los acuses de recibo digitales que consten por nota en una escritura o acta matriz.

En dicha sección se anotarán:

a) La fecha de traslado a papel de las copias electrónicas indicando la identidad del notario que expide la copia autorizada electrónica, conforme a los párrafos cuarto y quinto del artículo 17 bis de la Ley del Notariado.

b) Los testimonios en soporte papel de las comunicaciones o notificaciones electrónicas recibidas o efectuadas por los notarios conforme a la legislación notarial que se relacionen directamente con un determinado documento autorizado o intervenido.

c) Las legitimaciones de firmas electrónicas reconocidas en los documentos en formato electrónico, previstas en el artículo 261 de este reglamento. En estos casos el notario dejará constancia de la identidad de los particulares cuyas firmas electrónicas reconocidas han sido legitimadas y, en su caso, la fecha de remisión del archivo informático a un registro público y los datos de presentación que sean remitidos por el registrador al notario amparados con su firma electrónica reconocida; cuando tales actuaciones se realicen en la fecha del testimonio se harán constar mediante asiento complementario, con numeración propia, relacionado con el principal.

La sección segunda de este libro se llevará mediante la incorporación de hojas numeradas en las que se reproduzcan los documentos testimoniados que constituyen su ámbito. Esta sección comprenderá los testimonios por exhibición, de vigencia de leyes, de legitimación de firmas, las certificaciones de saldo y de asiento que se realicen en soporte papel.

El Notario podrá, bajo su responsabilidad, excluir la incorporación de los testimonios por exhibición que tengan por objeto documentos suficientemente identificables.

La incorporación de la reproducción al libro indicador presupondrá la dación de fe de coincidencia respecto del testimonio correspondiente por parte del notario.

Transcurrido un año desde el cierre anual de cada una de las secciones el Notario podrá reproducirlas en un archivo informático que garantice su conservación y reproducción, procediendo en tal caso a la destrucción del soporte papel correspondiente».

2. Los requisitos formales de los testimonios se determinan en el artículo 262 RN que, aunque incluido sistemáticamente en la sección dedicada a los testimonios de legitimación de firmas, contiene normas obviamente aplicables a toda clase de testimonios:

Artículo 262 RN: *La diligencia del testimonio se extenderá en el propio documento testimoniado. De no ser posible se unirá a éste un folio de papel exclusivo para documentos notariales en el que se realizará la diligencia, reseñando en el documento testimoniado la numeración del folio que la contiene. En uno y otro caso, si el documento contuviere varios folios objeto de testimonio, sea de exhibición o de legitimación de las firmas que éstos contienen, en todos deberá constar la identificación del folio que contiene la diligencia o la referencia al asiento correspondiente en el Libro Indicador. Si el testimonio se hallare totalmente extendido en folios de papel exclusivo para documentos notariales, bastará con reseñar su numeración en la diligencia.*

Los testimonios por exhibición deberán realizarse en papel de uso exclusivo para documento notarial, salvo que el formato del documento testimoniado lo impida.

En la diligencia de testimonio se hará constar lugar, fecha, signo, firma rubrica y sello del notario y el de seguridad creado por el Consejo General del Notariado. Si el documento constare en el Libro Indicador se reseñará el número que le corresponda.

A pesar del tenor literal del primer inciso del artículo citado, es evidente que la diligencia del testimonio se extenderá en el propio documento testimoniado sólo cuando se trate de legitimaciones de firma, pero no en los testimonios por exhibición, en que lógicamente se extenderá en la reproducción del original. Además, en ambos casos se produce una excepción cuando el testimonio, ya sea por exhibición o de legitimación de firmas, tiene por objeto su incorporación a un instrumento público notarial; en tal caso no es necesario extenderlo en el propio documento testimoniado o en su reproducción, sino que puede hacerse en el cuerpo del instrumento al que se incorpora; este supuesto está contemplado en el artículo siguiente.

Artículo 263 RN: «*También tienen la consideración de testimonios las reproducciones obtenidas por el notario de documentos exhibidos para su incorporación a un instrumento público, así como las legitimaciones de firmas practicadas en el cuerpo de dicho instrumento.*

Dichos testimonios no se incorporarán al Libro Indicador».

4.27.2. Testimonio por exhibición

Artículo 251 RN: *Mediante los testimonios por exhibición los notarios efectúan la reproducción auténtica de los documentos originales que les son exhibidos a tal fin o dan fe de la coincidencia de los soportes gráficos que les son entregados con la realidad que observen.*

El testimonio por exhibición no implica el juicio del notario sobre la autenticidad o autoría del documento testimoniado. Si el original testimoniado fuese a su vez copia de otro documento, el testimonio tampoco implicará la concordancia entre ambos, salvo que el notario la haga constar expresamente.

También podrán ser utilizados estos testimonios para dar fe de la presencia de una persona ante el notario.

Artículo 252 RN: *No podrán ser testimoniados:*

1.° Los documentos matrices que conforman el protocolo, sin más excepciones que las previstas en este Reglamento. Los documentos unidos a una matriz podrán ser objeto de testimonio identificando en éste la matriz a la que se hallan incorporados.

2.° Los redactados en lengua que no sea oficial en el lugar de expedición del testimonio y que el notario desconozca, salvo que les acompañe su traducción oficial.

Los documentos privados que deban ser obligatoriamente presentados ante la Administración Tributaria sólo podrán ser testimoniados cuando conste su presentación.

Artículo 253 RN: *Los notarios podrán testimoniar en soporte papel, bajo su fe, las comunicaciones o notificaciones electrónicas recibidas o efectuadas conforme a la legislación notarial, debiendo almacenar en soporte informático adecuado las procedentes de otros notarios, registradores de la propiedad y mercantiles y otros órganos de la Administración estatal, autonómica, local y judicial.*

La Dirección General de los Registros y del Notariado determinará los soportes en que deba realizarse el almacenamiento y la periodicidad con la que su contenido deba ser trasladado a un soporte nuevo, tecnológicamente adecuado, que garantice en todo momento su conservación y lectura.

Artículo 254 RN: *Cuando en una escritura matriz o en una póliza haya de servir como documento complementario alguno que se halle en el Protocolo o Libro Registro a cargo del notario autorizante o de sus antecesores, podrá éste insertarlo, relacionarlo o reproducirlo total o parcialmente en aquélla, refiriéndose a la correspondiente matriz o asiento sin necesidad de obtener copia o testimonio independiente del mismo, y bastará que así lo haga constar en el original.*

También podrá el notario hacer referencia en el documento que autorice o intervenga a la existencia del documento complementario en el Protocolo o Libro-Registro y reproducirlo únicamente en las copias que expida.

Definición. El primer párrafo del artículo 251 RN citado define el testimonio por exhibición como aquél en que el notario o bien da fe de la coincidencia de la reproducción de un documento con su original o bien asegura la coincidencia de la realidad por él observada con un soporte gráfico que la reproduce. En realidad, el primer supuesto con frecuencia está incluido en el segundo, toda vez que dar fe de la coincidencia de una reproducción con su documento original, cuando aquélla se ha hecho por fotocopia o por medios análogos, es una forma de asegurar la coincidencia de un soporte gráfico con la realidad observada, consistiendo en este caso la realidad observada en un documento. Sin embargo, también es posible reproducir un documento original transcribiendo íntegramente su contenido, en cuyo caso el testimonio será perfectamente válido, pero no tendrá la misma apariencia física que el original testimoniado.

Documentos susceptibles de ser testimoniados. Se puede testimoniar cualquier documento, con las excepciones contenidas en el artículo 252 RN, que se examinarán más adelante, pero deben hacerse algunas consideraciones sobre qué se entiende por documento original, puesto que en la redacción del testimonio el notario debe dejar absolutamente claro en qué consiste el «original» que ha tenido a la vista.

No plantean ningún problema los documentos que de forma inequívoca son originales, como aquéllos que contienen firmas manuscritas, o los documentos de identidad, pasaportes, títulos oficiales, y documentos análogos que aun cuando se hayan confeccionado por medios técnicos muy sofisticados —como es ahora habitual— y contengan firmas, fotografías o imágenes incorporadas electrónicamente, son indudablemente originales y aceptados legalmente como tales a todos los efectos. Pero hay otros documentos cuya condición de originales debe ser matizada. En efecto, puesto que si bien el notario, como dice el párrafo 2º del citado artículo 251 RN, no responde de la autenticidad del documento exhibido, sino sólo de la coincidencia de este último con la reproducción en que el testimonio consiste, debe evitarse que el testimonio induzca a confusión sobre el verdadero carácter del documento que ha visto el notario y en especial debe evitarse crear la falsa apariencia de que el documento exhibido tiene una naturaleza distinta o un valor mayor del que realmente tiene. A continuación vamos a examinar algunos supuestos en que esta cuestión tiene especial importancia:

Testimonios de documentos firmados electrónicamente. En el tráfico jurídico circulan cada vez más documentos oficiales que no llevan firma manuscrita de autoridad o funcionario alguno, sino que han sido firmados electrónicamente por la autoridad emisora; ello es especialmente frecuente en el ámbito de los documentos administrativos, hasta el punto de que, por ejemplo, en la actualidad es raro que aparezcan firmas manuscritas en las licencia urbanísticas; la apariencia física de tales documentos firmados electrónicamente es la misma que la de una fotocopia, o la de cualquier otra reproducción obtenida mecánicamente, por lo que un documento de ese tipo que estuviera manipulado o falsificado tendría el mismo aspecto exterior que si fuera auténtico; por ello, los documentos de carácter oficial firmados electrónicamente contienen un Código Seguro de Verificación (CSV), que permite, accediendo a la página web del organismo emisor, comprobar el contenido auténtico del documento en cuestión. Al testimoniar un documento de estas características, el notario no debería limitarse a indicar la coincidencia de la fotocopia por él realizada con el documento exhibido, sino que debería previamente asegurarse de la autenticidad e integridad del documento que se le ha exhibido, mediante su comprobación a través del CSV y consignarlo así en el testimonio; y en caso de no haber hecho esa comprobación, por no constar en el documento CSV alguno, por imposibilidad técnica o por cualquier otra causa, advertir claramente en el testimonio de esa circunstancia.

Testimonios de fotocopias. No hay ningún inconveniente en que el «original» objeto de testimonio sea una fotocopia o documento recibido por fax o, en general, confeccionado por medios de reproducción mecánica, pero en estos casos debe hacerse constar claramente en el testimonio que el original reproducido es un documento de esa naturaleza.

Testimonios de testimonios. El original objeto de testimonio puede perfectamente ser a su vez un testimonio, y aunque no es imprescindible hacer constar esta circunstancia en el texto del testimonio, toda vez que ello se aprecia con un examen visual medianamente atento, parece aconsejable ponerlo de manifiesto, como una cautela más para evitar confusiones sobre la naturaleza del documento que el notario ha tenido a la vista.

Documentos que no pueden ser testimoniados. El artículo 252 RN se refiere a los documentos que no pueden ser testimoniados. En su apartado 1° incluye los documentos matrices que conforman el protocolo, exceptuando los documentos unidos a la matriz, que sí podrán serlo, pero siempre identificando en el texto del testimonio la matriz a la que están unidos; y dejando a salvo las excepciones previstas en el propio RN. Estas últimas son las contenidas en los artículos 236, párrafo 3° y 246, que se transcriben a continuación:

Artículo 236, párrafo 3° RN: «*Cuando existan en la matriz como documentos complementarios de una escritura o acta los documentos a que se refiere el artículo 214, en la copia hará constar simplemente el Notario que la expida, que hay un plano, fotografía, dibujo, etcétera, como documento complementario o unido, con el número que le corresponda. Si el interesado en la expedición de la copia o en el ejercicio de los derechos que de ella deriven presenta una reproducción del documento de que se trate, el Notario, previo cotejo y caso de coincidencia, hará constar en dicha reproducción por diligencia que corresponde al documento de que se trate y sus circunstancias en el protocolo»*

Artículo 246 RN: «*Asimismo, podrán los Notarios librar testimonios a instancia de los que tuvieren derecho a copia de determinados particulares de las matrices ya literales, en relación o mixtos, conforme al señalamiento hecho por los legítimos interesados, haciendo constar el Notario que la parte no testimoniada no altera, desvirtúa o de algún modo modifica o condiciona la que sea objeto de testimonio; y de existir o no determinados instrumentos en la fecha que se indique y de que aquéllos pudieran pedir copia, haciendo constar en el pie del testimonio el carácter con que se expida»*..

El segundo apartado del artículo 252 RN prohíbe testimoniar los documentos redactados en lengua que no sea oficial en el lugar de expedición del testimonio y que el notario desconozca, salvo que les acompañe su traducción oficial. La finalidad de este precepto no es otra que la de asegurarse de que el notario tiene conocimiento del contenido del documento, con el fin de que no pueda prestarse inadvertidamente a testimoniar documentos que sean contrarios a las leyes, o que por cualquier otro motivo no puedan ser testimoniados legalmente. Ello era perfectamente coherente con un párrafo del artículo 262 RN que se incluyó en la reforma reglamentaria llevada a cabo por el RD 45/2007 de 19 de enero, párrafo que ha sido declarado nulo por STS de 25 de mayo de 2008, y que, entre otras cosas, imponía expresamente al notario el deber de tomar conocimiento del contenido de los documentos testimoniados, a efectos de apreciar el interés legítimo del solicitante y de comprobar que dicho contenido no es contrario a las leyes o al orden público. Aunque el TS haya suprimido el precepto que formulaba expresamente ese deber de comprobación del notario, ha de entenderse que se trata un deber consustancial a la función notarial, tal como está concebida en nuestro ordenamiento jurídico, y una prueba de ello es que sigue vigente el artículo 252.2º RN, que estamos examinando, el cual, al prohibir testimoniar documentos redactados en idioma que el notario no entiende si no van acompañados de traducción oficial, de forma implícita está dando por sentado que el notario no puede testimoniar documentos que sean ilegales, y que por tanto tiene que conocer y entender su contenido para no hacerlo inadvertidamente; si no existiera esta obligación, aun no formulada expresamente, no tendría sentido aquella prohibición. Precisamente porque evitar que se testimonien documentos ilegales es la finalidad de la prohibición del artículo 252.2º RN, su rigor literal ha sido suavizado tanto por la doctrina, como por la jurisprudencia de la DGRN, entendiendo que la prohibición no alcanza a documentos que, aun redactados en lengua no oficial, sean indudablemente títulos académicos, pasaportes, documentos de identidad, o análogos (Res. de 26-4-2010), y siguiendo el mismo criterio, podríamos anadir que, en general, tampoco alcanza a todos aquéllos documentos en los que se pueda apreciar de forma evidente, por las razones que sea y bajo la responsabilidad del notario, que no contienen ningún elemento que hubiera impedido testimoniarlos de haber estado redactados en lengua oficial.

Para acabar con la cuestión de qué documentos pueden ser testimoniados, es de señalar que, conforme al último párrafo del artículo 252 RN, cuando el documento que se pretenda testimoniar deba haber sido presentado ante la Administración Tributaria, no se podrá extender el testimonio si no se acredita dicha presentación.

Testimonios para acreditar la existencia de una persona. Por último, debe hacerse referencia al párrafo 3º del artículo 251 RN, que incluye entre los testimonios por exhibición, aquéllos cuya finalidad es dar fe de la presencia de una persona determinada. En estos testimonios —en que lo que se pretende es dejar constancia de que una persona está viva, o que se encuentra en un determinado lugar en una fecha determinada— es evidente que el notario deberá asegurarse de la identidad de la persona en cuestión, por cualquiera de los medios previstos en el artículo 23 LN para la identificación de los comparecientes en las escrituras públicas.

4.27.3. Testimonio en relación

Definición. El artículo 246 RN, antes transcrito, menciona los testimonios en relación, pero no los define. Se trata de aquellos testimonios en que el notario, en lugar de reproducir gráficamente un documento o transcribir literalmente su contenido, pone de manifiesto ese contenido, pero utilizando sus propias palabras y, normalmente, resumiéndolo. En este tipo de testimonios, la intervención del notario no se limita a la actividad mecánica de garantizar la igualdad del tenor literal de dos textos o de dos representaciones gráficas, sino que implica un juicio sobre el contenido del documento, para determinar cuál es su significado, cuáles son los elementos relevantes para la finalidad del testimonio en cuestión y que por ello deben ser mencionados, y cuáles los que pueden omitirse por no desvirtuar ni condicionar aquéllos.

Ejemplos. Esta figura es muy frecuente en la práctica notarial, y su uso en la redacción de escrituras y actas es tan habitual que muchas veces su condición de testimonio pasa desapercibida. Así, el notario está autorizando un testimonio en relación cada vez que hace referencia a que se le ha exhibido la copia autorizada de unas capitulaciones matrimoniales debidamente inscritas en el Registro Civil, a los efectos de acreditar el régimen económico matrimonial de los otorgantes; o cuando afirma que ha tenido a la vista la copia autorizada de un poder, enuncia resumidamente el objeto del mismo y hace constar que es a su juicio suficiente para el otorgamiento de la escritura de que se trate; en este caso, como ocurre en general en los testimonios en relación, tan importantes como los elementos del poder exhibido que se mencionan en el testimonio son los que se omiten, ya que el notario ha de asegurarse de que éstos no desvirtúen a aquéllos, por ejemplo imponiendo un límite temporal a la vigencia del poder, un límite cuantitativo, o cualquier otro condicionante.

A veces el hecho negativo se convierte en el elemento esencial del testimonio; éste es el caso de los testimonios acreditativos de la inexistencia de un determinado documento en el protocolo, contemplados en el artículo 246 RN, ya citado; o, en las actas de declaración de herederos abintestato, el del testimonio que hace el notario del libro de familia del causante, que no sólo sirve para acreditar la existencia de los hijos de aquél que constan en dicho libro, sino que es también —y muy especialmente— una prueba, aun cuando no irrefutable, de la inexistencia de otros.

Testimonios parciales. No debe confundirse el testimonio en relación —en que el notario resume el contenido del documento original haciendo un juicio sobre sus elementos esenciales, del testimonio parcial por exhibición— en el que transcribe literalmente el documento, pero sólo en parte; sin embargo, ambos tienen en común que el notario, en uno y otro caso, debe asegurarse de que en la parte omitida no hay nada que desvirtúe lo transcrito o relacionado, y así hacerlo constar.

4.27.4. Testimonio de vigencia de leyes

Artículo 255 RN: «*Los notarios podrán expedir testimonios cuyo objeto sea acreditar en el extranjero la legislación vigente en España o el estatuto personal del requirente*».

Si bien se ha discutido la naturaleza jurídica de este tipo de testimonios, y algunos autores prefieren llamarlos «certificaciones de vigencia de leyes» (GIMÉNEZ ARNAU: 1976, p. 817), y considerarlos actas en lugar de testimonios, lo cierto es que el Reglamento Notarial incluye esta figura entre estos últimos, aunque no los regula, sino que se limita a indicar que pueden tener la finalidad, a) de acreditar en el extranjero la legislación vigente en España; o b) de acreditar el estatuto personal del requirente.

La labor del notario en estos casos consiste en primer lugar en formular un juicio sobre las normas aplicables a una determinada situación o relación jurídica, y vigentes, ya sea en el momento de expedir el testimonio, ya sea en una fecha anterior (piénsese por ejemplo en la sucesión mortis causa, en que las normas relevantes pueden no ser las vigentes en el momento actual, sino las que lo estaban a la fecha de fallecimiento del causante); y en segundo lugar en transcribir el texto de tales normas. Por ello se trata de una figura que tiene una doble naturaleza; por un lado la del testimonio propiamente dicho —en la medida en que el notario ha de transcribir normas del ordenamiento positivo—, y por otro la del dictamen jurídico en la medida en que el notario ha de razonar la aplicación de esas normas a una situación o relación jurídica determinada. Este último aspecto de la actuación notarial estará más o menos desarrollado en cada caso, pero en alguna medida siempre estará presente, aunque sólo sea para determinar cuáles son los preceptos cuyo contenido se debe poner de manifiesto y cuáles pueden ser omitidos sin desvirtuar la información sobre la legislación aplicable al caso que el testimonio está llamado a facilitar.

En algunos supuestos, la actuación notarial encaminada a acreditar las normas aplicables a una relación jurídica está regulada expresamente, por lo que no se llevará a cabo por medio de la figura genérica del testimonio de vigencia de leyes, sino a través del documento especial que determine la norma aplicable. Entre ellos se puede mencionar el certificado sucesorio europeo, a que se refiere el artículo 62 del Reglamento UE 650/2012, así como el acta para determinar el régimen económico matrimonial, regulada en el artículo 53 LN, tras la reforma operada por la Ley 15/2015 de Jurisdicción Voluntaria.

4.27.5. *Testimonio de legitimación de firmas en documento privado o en efectos mercantiles. Valor del documento en estos casos*

Los testimonios de legitimación de firmas están regulados en los artículos 256 a 262 RN. Este último, relativo a la forma material de extender el testimonio, ya ha sido estudiado en el epígrafe 4.27.1, por contener disposiciones aplicables a los testimonios en general y no sólo a los de legitimación de firmas.

Artículo 256 RN: «*La legitimación de firmas es un testimonio que acredita el hecho de que una firma ha sido puesta a presencia del notario, o el juicio de éste sobre su pertenencia a persona determinada.*

El notario no asumirá responsabilidad por el contenido del documento cuyas firmas legitime».

Artículo 257 RN: «*La nota de Visto y legitimado, con la fecha y todos los elementos de autorización notariales puestas al pie de cualquier documento oficial, o expedido por funcionario público en el ejercicio de su cargo es testimonio de que el notario considera como auténticas, por conocimiento directo o identidad con otras indubitadas, las firmas de los funcionarios autorizantes, y hallarse éstos, según sus noticias, en el ejercicio de sus cargos a la fecha del documento*».

Artículo 258 RN: «*Sólo podrán ser objeto de testimonios de legitimación de firmas los documentos y las certificaciones que hayan cumplido los requisitos establecidos por la legislación fiscal, siempre que estos documentos no sean de los comprendidos en el artículo 1280 del Código Civil, o en cualquier otro precepto que exija la escritura pública como requisito de existencia o de eficacia. Queda a salvo lo dispuesto en el artículo 207 de este Reglamento*».

No podrán ser objeto de dichos testimonios la prestación unilateral de garantías, ni los contratos de carácter mercantil que el artículo 144 de este Reglamento define como propios de las pólizas cuando exista pluralidad de partes con intereses contrapuestos

Artículo 259 RN: «*El notario podrá basar el testimonio de legitimación en el hecho de haber sido puesta la firma en su presencia, en el reconocimiento hecho en su presencia por el firmante, en su conocimiento personal, en el cotejo con otra firma original legitimada o en el cotejo con otra firma que conste en el protocolo o Libro Registro a su cargo, debiendo reseñar expresamente en la diligencia de testimonio el procedimiento utilizado.*

Dentro del ámbito de los documentos susceptibles de testimonio, sólo podrán ser legitimadas cuando sean puestas o reconocidas en presencia del notario las firmas de letras de cambio y demás documentos de giro, de pólizas de seguro y reaseguro y, en general, las de los documentos utilizados en la práctica comercial o que contengan declaraciones de voluntad».

Artículo 260 RN: «*Si el que hubiere de suscribir un documento que haya de ser legitimado no sabe o no puede firmar, o en cualquier otro supuesto en el que proceda la legitimación de la huella dactilar, el interesado, previa su identificación, imprimirá la huella dactilar en la forma prevenida en el artículo 191 de este Reglamento a presencia del notario, quien lo hará constar así en la diligencia de testimonio*».

Definición. El testimonio de legitimación de firmas es la declaración que hace el notario al pie de un documento de que la firma puesta en el mismo es atribuible a una persona determinada.

Medios de legitimación de firmas. Teniendo en cuenta la causa por la que el notario atribuye la firma a una persona, se pueden distinguir dos clases de testimonios de legitimación de firmas:

1. Aquéllos en que al notario le consta que la firma es de una determinada persona, por haberla puesto en su presencia. En estos supuestos es necesario que el notario haya identificado al firmante por cualquiera de los medios contemplados en el artículo 23 LN, y, aunque no lo exija expresamente ninguno de los preceptos aplicables, parece lógico que se consigne en el testimonio el medio utilizado, por analogía con lo dispuesto para las escrituras públicas, en las que no es admisible que el notario afirme genéricamente haber identificado a los otorgantes, sin precisar cómo.

2. Aquéllos en que la firma no ha sido puesta en presencia del notario, pero éste emite un juicio de autenticidad de la misma, juicio basado en cualquiera de los elementos enumerados en el artículo 259 RN citado, es decir, conocimiento directo de la firma, cotejo con otra firma obrante en el protocolo o libro-registro, cotejo con otra firma legitimada, o reconocimiento del firmante en presencia del notario. En todo caso, el notario debe hacer constar en el testimonio cuál ha sido el método utilizado, salvo en las legitimaciones de firmas de funcionarios en

documentos oficiales, en que el artículo 257 RN considera suficiente, como se ha visto, la fórmula «Visto y legitimado». Cuando se trata del reconocimiento del propio firmante, en ocasiones este reconocimiento debe constar en acta notarial, conforme al artículo 207 RN; se trata del caso, que se examinará más adelante, de documentos en que, conforme a la legislación española, no se podrían legitimar notarialmente las firmas, pero ello se permite excepcionalmente si el documento en cuestión ha de surtir efecto únicamente fuera de España.

En la práctica notarial es frecuente o al menos lo ha sido durante un tiempo, antes de la reforma reglamentaria llevada a cabo por el RD 45/2007, que ha introducido en el artículo 259 RN la enumeración de elementos en que puede basarse el juicio del notario en estos supuestos, la legitimación de una firma por coincidir con la estampada en el D.N.I. del firmante, D.N.I. cuyo original se le exhibe al notario. Si bien este supuesto no está incluido expresamente entre los que menciona el artículo 259.1° RN, y aun cuando la enumeración de este artículo tuviera un carácter no meramente enunciativo, sino limitativo, lo cual es discutible, entiendo que debe admitirse porque, en realidad, este método de legitimación se encuadra en el precepto a través de otros supuestos que sí menciona expresamente, concretamente dos de ellos.

En primer lugar, la firma que consta en el D.N.I. bien podría considerarse equivalente a una firma, si no legitimada en sentido estricto (porque no lo está notarialmente), sí desde luego autenticada de forma oficial, toda vez que ha sido puesta en presencia de un funcionario público, y con todas las garantías que acompañan a la expedición del documento de identidad; no creo que a esto se pueda objetar que en los DD.NN.II. actuales la firma aparece digitalizada y no manuscrita, del mismo modo que está digitalizada la imagen del rostro de su titular, que ya no consiste en una fotografía original adherida al documento; y creo que no se puede objetar, porque si consideráramos que la digitalización de la firma (y por lo tanto también la de la imagen) hace al D.N.I. actual de peor calidad que los documentos que llevan una firma y una fotografía originales (como por ejemplo, el D.N.I. de hace algunos años), no sólo estaríamos afirmando implícitamente que las sucesivas reformas del formato del D.N.I. no han supuesto un aumento, sino más bien una disminución, de la seguridad que proporciona dicho documento identificativo, sino que tendríamos que llegar al absurdo de cuestionar incluso su idoneidad como medio para identificar a las personas, y en particular a los otorgantes de las escrituras públicas.

Pero además, aun cuando se quisiera hacer una interpretación estrictamente literal del artículo 259.1° RN y no se aceptara el argumento anterior, hay que tener en cuenta que dicho precepto permite legitimar firmas por ser conocidas por el notario, y no acota en forma alguna los medios por los que el notario puede haber llegado a ese conocimiento; y entre esos medios —que pueden ser muy variados, porque de lo que se trata es de que proporcionen al notario la certeza racional de que una firma es atribuible a una determinada persona— no hay por qué excluir la observación de la firma reproducida en el documento de identidad.

Al igual que las firmas, también pueden ser legitimadas las huellas dactilares, pero sólo cuando hayan sido puestas en presencia del notario; la huella será preferentemente la de un dedo índice, por aplicación del artículo 191 RN, al que se remite el 260 citado.

Contenido del testimonio de legitimación de firmas. El testimonio de legitimación de firma debe expresar el juicio del notario sobre la autenticidad de la misma, pero puede también incluir una reseña del carácter en que actúa el firmante, si en nombre propio o ajeno y, en este último caso, el título en que se basa su representación. Una modalidad de este supuesto es la contemplada en el artículo 257 RN transcrito, relativo a la legitimación de firmas de funcionarios o autoridades en documentos oficiales; en estos casos no es necesario indicar por qué el notario considera la firma auténtica y al firmante facultado para suscribir el documento, sino que la simple fórmula « visto y legitimado» implica que el notario se ha asegurado de la autenticidad de la firma y de la vigencia del cargo de la autoridad que la ha estampado.

Documentos susceptibles de legitimación de firmas. En cuanto a los documentos que pueden ser objeto de testimonio de legitimación de firmas, la regla general es que lo pueden ser todos, excepto aquéllos prohibidos por el artículo 258 RN. Además, hay algunos documentos cuyas firmas pueden legitimarse, pero sólo si se cumplen algunas condiciones adicionales. En todo caso, el documento cuya firma se pretende legitimar debe haber cumplido los requisitos fiscales a que esté sujeto por razón de su forma o de su contenido; por ejemplo, si está sujeto al ITP y AJD no se pueden legitimar sus firmas si no consta que se ha presentado a la Oficina Liquidadora competente.

Documentos cuyas firmas no pueden ser legitimadas. Conforme al artículo 258 RN no pueden legitimarse las firmas en los siguientes casos:

1. Documentos que contengan negocios jurídicos que hayan de constar en escritura pública, como requisito de existencia o de eficacia, por así exigirlo el artículo 1280 CC o cualquier otro precepto.

2. Documentos que contengan negocios jurídicos que hayan de constar en pólizas, conforme al artículo 144 RN, es decir, por tener carácter mercantil o financiero y ser objeto del tráfico habitual y ordinario de al menos uno de sus otorgantes, ya se trate de documentos contractuales o de prestación unilateral de garantías.

La primera de las prohibiciones tiene una importante excepción, reseñada en el propio artículo 258, al dejar a salvo lo dispuesto en el artículo 207 RN. Se trata de aquellos documentos para los que la ley española requeriría la forma documental de la escritura pública, pero estén destinados a surtir efecto sólo fuera de España y, conforme a la ley extranjera aplicable esa forma documental no sea necesaria, o incluso resulte inadmisible; esto ocurre en los países cuyo sistema jurídico desconoce la función notarial en el sentido que ésta tiene en los países de notariado latino; en aquellos países no tendría eficacia una copia autorizada expedida por un notario español de un documento archivado en su protocolo, sino que es necesaria la aportación del documento original en el que consten las firmas originales de los otorgantes, eso sí, legitimadas notarialmente para asegurar su autenticidad.

En estos casos, el juego de los artículos 258 y 207 RN proporciona un procedimiento que permite cumplir tanto con la ley extranjera aplicable al documento —que exige un testimonio de legitimación de firmas—, como la ley española aplicable a la forma documental que exigiría la escritura pública por ser ésta el medio idóneo para garantizar que el documento cumple ciertos requisitos esenciales, relativos básicamente a la identificación y a la capacidad de los firmantes. Lo que se hace es, por un lado, extender el testimonio de legitimación de firmas en el documento original (y en estos casos las firmas necesariamente han de ser puestas en presencia del notario, o reconocidas ante el notario por el otorgante), y por otro autorizar un acta en la que comparece el otorgante, es identificado por el notario, quien además aprecia su capacidad y, en su caso, su poder de representación, y dicho otorgante declara conocer el contenido del documento y manifiesta su voluntad de que éste produzca los efectos que le sean aplicables conforme a las leyes extranjeras; al acta se incorpora una copia del documento que contiene el testimonio de legitimación de firmas, testimonio en el que a su vez se hace referencia al acta autorizada. Todo ello está regulado en el artículo 207 RN, relativo a las actas de exhibición de documentos, que afirma que este tipo de acta, será utilizable, entre otros supuestos:

«*2. Para hacer constar la existencia de un documento no notarial cuyas firmas legitime el propio Notario autorizante, que vaya a surtir efectos solamente fuera de España en país que prevea o exija dicha forma documental.*

En estas actas, el Notario identificará a los interesados, quienes comparecerán ante él, y en el mismo acto firmarán el documento no notarial o declararán que las firmas estampadas son las suyas, y, en todo caso, que conocen el contenido del documento y que, libre y voluntariamente, quieren que produzca los efectos que le sean aplicables conforme a lo previsto por las leyes extranjeras. El Notario, además, deberá emitir en cuanto le sea posible el juicio de capacidad legal o civil a que se refiere el artículo 156, 8., de este Reglamento, y cumplir lo dispuesto en el mismo respecto de la intervención y representación de los otorgantes.

El documento, o un ejemplar del mismo, original o por fotocopia, quedará incorporado a la matriz del acta en la que se expresara, literalmente o en relación, el texto del testimonio de legitimación.

En dicho texto, a continuación de las firmas legitimadas, se consignarán, abreviadamente, los particulares contenidos en el acta que sean pertinentes».

En relación con la utilización del procedimiento contemplado en el artículo 207.2 RN para la legitimación de firmas en documentos que contengan negocios que deban constar en escritura pública, hay que poner de relieve dos cuestiones importantes:

1ª Cuando el artículo 207 dice que el acta de exhibición de documentos «será utilizable» en estos casos, lo que indica es que dicha acta constituye el instrumento para efectuar la legitimación de firmas en estos casos, no que su uso tenga carácter potestativo; es decir, que para legitimar firmas en ese tipo de documentos es siempre necesario cumplir lo indicado en el artículo 207 y, de lo contrario, no se pueden legitimar (RDGRN de 8-11-2010).

2ª El sistema regulado en el artículo 207 RN sólo se puede utilizar cuando el documento cuyas firmas se pretenda legitimar vaya a surtir efecto únicamente fuera de España, es decir, no es admisible cuando el documento cuya forma —o cuyo contenido sustantivo— sea ilegal conforme a las leyes españolas, pueda, aunque sea por una vía indirecta, llegar a tener algún efecto en España. En este sentido se pronuncia la RDGRN de 6-11-2014, que resolvió una consulta relativa a si es admisible la legitimación de firmas —cumpliendo con lo establecido en el artículo 207 RN— en «contratos de gestación por sustitución» o de «vientre de alquiler» que vayan a tener efecto en el extranjero (contratos que la legislación española no admite). La DGRN niega la posibilidad de esas legitimaciones, toda vez que los nacimientos de hijos de españoles que fueran fruto de esas gestaciones por sustitución tendrían acceso al Registro Civil español, por lo que el documento en cuestión acabaría teniendo —indirectamente— efecto en España.

Documentos redactados en lengua no oficial. Aunque no se diga expresamente en el artículo 258 RN, es evidente que no pueden legitimarse firmas en documentos redactados en lengua no oficial y que no sea conocida por el notario, salvo que vayan acompañados de traducción oficial, al igual que ocurre con los testimonios por exhibición conforme al artículo 252.2º RN; la razón estriba, al igual que en estos últimos, en que el notario necesariamente debe conocer el contenido del documento cuyas firmas legitima, para asegurarse de que no se trata de un documento ilegal o que esté encuadrado en algunas de las categorías que no pueden ser objeto de legitimación. En este sentido se pronuncia la RDGRN de 20-10-2009.

Documentos cuyas firmas pueden legitimarse sólo si se cumplen ciertos requisitos. En cualquier documento que no esté afectado por las prohibiciones anteriores, es posible legitimar notarialmente sus firmas, pero en algunos de ellos, por su especial trascendencia sustantiva, o por producir la legitimación alteraciones en la eficacia del documento, se consideran necesarias unas garantías adicionales y la legitimación sólo se permite cuando el documento se ha firmado en presencia del notario, o, si se ha firmado con anterioridad, cuando la firma ha sido reconocida expresamente como auténtica por su autor ante el notario. Estos supuestos son, además de los que conllevan la autorización del acta prevista en el artículo 207 RN, que ya se han examinado, los contemplados en el artículo 259 párrafo 2º RN, es decir, los de legitimación de firmas en letras de cambio y demás documentos de giro, de pólizas de seguro y reaseguro y, en general, en los documentos utilizados en la práctica comercial o que contengan declaraciones de voluntad.

La necesidad de que en estos casos el firmante del documento comparezca ante el notario, ya sea para firmar, o para reconocer su firma puesta con anterioridad, hace que el testimonio notarial de legitimación de firmas, además de garantizar que una firma es de una determinada persona, asegure que se cumplen otros dos requisitos fundamentales:

a) La capacidad del otorgante. Si bien la legitimación de firmas no garantiza, con carácter general, la capacidad de la persona en el momento de estampar su firma, es evidente que el notario debe abstenerse de intervenir en la formalización de un acto jurídico si le consta que éste no es válido, y por lo tanto no puede legitimar una firma puesta o reconocida en su presencia si, a su juicio, el otorgante no tiene capacidad suficiente en ese momento para suscribir el documento de que se trate, por lo que debe entenderse que la legitimación de una firma puesta en presencia del notario o reconocida ante él, lleva implícito un juicio positivo de capacidad, aunque ello no se consigne expresamente en el testimonio.

b) La voluntad del otorgante del documento de que su firma sea legitimada. Al ser necesaria la intervención personal del firmante ante el notario para que su firma sea legitimada, se evita que tenga lugar la modificación en la eficacia del documento que sería consecuencia de la legitimación de sus firmas, sin el conocimiento y consentimiento expreso del otorgante. Y del efecto de la legitimación de firmas en la eficacia del documento en estos casos, es de lo que se va a tratar a continuación.

c) **Efectos de la legitimación de firmas en la eficacia de documentos mercantiles y documentos que contienen declaraciones de voluntad**. La legitimación de firmas en un documento privado no modifica su eficacia procesal, toda vez que no lo convierte en un título ejecutivo conforme artículo 517 LEC, ni afecta a su validez sustantiva, que será la misma que tendría de por sí aunque las firmas no estuvieran legitimadas.

Sin embargo el testimonio de legitimación da certeza a la fecha del documento conforme al artículo 1227 CC, al implicar que ha sido entregado al notario como funcionario público, es decir acredita la existencia del documento en una fecha determinada —lo que puede tener distinta trascendencia según cada caso concreto— aunque no a efectos de inicio del plazo de prescripción del impuesto a que el documento estuviera sujeto, toda vez que no se puede legitimar la firma si no se ha liquidado el impuesto, como se ha visto, y si se ha legitimado infringiendo esta prohibición, esa legitimación no le atribuye fecha cierta a efectos fiscales (STS de 27 de mayo de 1983).

En definitiva, en caso de cuestionarse la autenticidad o validez de un determinado documento, la legitimación de su firma puede tener trascendencia, en cuanto que acredita la existencia del documento en una fecha determinada, establece una presunción de autenticidad de la firma legitimada —si bien esta presunción se podrá desvirtuar judicialmente por error del notario en la identificación del otorgante—, y, aunque no tiene la función de garantizar la capacidad del otorgante, constituye un elemento de prueba a favor de la misma, toda vez que, como se ha visto, debe entenderse como un presupuesto de la intervención notarial en estos casos. En cuanto al contenido del documento, la legitimación de su firma no garantiza que no se hayan producido alteraciones o manipulaciones posteriores, pero la necesidad de asentar la legitimación en el libro indicador del notario, puede convertir a dicho libro en un elemento de prueba importante del contenido del documento en la fecha de la legitimación, máxime si su constancia en ese libro indicador se ha realizado mediante una reproducción íntegra del mismo.

Estas mismas consideraciones también son aplicables a la legitimación de firmas en efectos mercantiles, con el añadido de que cuando se trata de efectos cambiarios que llevan aparejada ejecución, la legitimación de sus firmas, además de crear, al igual que ocurre para los demás documentos, una presunción de la autenticidad de las mismas, produce el efecto procesal de que, si bien no excluye la posibilidad de que el ejecutado alegue la falsedad de la firma, su alegación no paraliza el embargo (artículo 823.2 LEC).

Legitimación de firmas electrónicas. Por último es de señalar que, además de las firmas estampadas en soporte papel, pueden ser objeto de legitimación notarial, con los mismos efectos, las firmas electrónicas. El procedimiento para llevar a cabo esta legitimación, que lógicamente sólo puede ser presencial, está regulado en el artículo 261 RN:

Artículo 261 RN: *«1. El notario podrá legitimar las firmas electrónicas reconocidas puestas en los documentos en formato electrónico comprendidos en el ámbito del artículo 258. Esta legitimación notarial tendrá el mismo valor que la que efectúe el Notario respecto de documentos en soporte papel. La legitimación notarial de firma electrónica queda sujeta a las siguientes reglas:*

1.ª El notario identificará al signatario y comprobará la vigencia del certificado reconocido en que se base la firma electrónica generada por un dispositivo seguro de creación de firma.

2.ª El notario presenciará la firma por el signatario del archivo informático que contenga el documento.

3.ª La legitimación se hará constar mediante diligencia en formato electrónico, exten-dido por el notario con firma electrónica reconocida.

2. La legitimación a que se refiere el apartado anterior se entenderá sin perjuicio de aquellos otros procedimientos de legitimación, distintos del notarial, previstos en la legisla-ción vigente».

4.28. CONSERVACIÓN DE LOS INSTRUMENTOS PÚBLICOS

4.28.1. El protocolo

4.28.1.1. Concepto

El Notario no es el único funcionario o profesional que crea documentos para terce-ros o custodia documentos de éstos, estando sujetos como los demás (abogados, jueces, secretarios judiciales, gestores, procuradores, etc.) a una diligencia, común a todos ellos, en su custodia y conservación, que viene recogida con carácter general en las normas del Código Civil sobre el depósito (art. 1.758 del Código Civil y ss.) y, en el ámbito puni-tivo, en la regulación de la figura de la infidelidad en la custodia de documentos, en los artículos 413 y siguientes del Código Penal.

Pero junto con estas normas genéricas, para aquellos que ejercen una función públi-ca existen normas específicas con respecto a determinados documentos, que, en el caso del Notario, regulan la formación y conservación del protocolo.

Formación y conservación del protocolo que está incluida, para GONZÁLEZ PA-LOMINO, entre las cuatro funciones sustanciales del notariado: redactar, autorizar, conservar y expedir copias del instrumento público, como por otra parte recoge el pá-rrafo 1 del artículo 17 de la Ley del Notariado

Conservación del instrumento público que el notario materializa mediante su pro-tocolización, actividad no sólo consustancial a la función del Notario, sino exclusiva del mismo; así el artículo 281 del Reglamento Notarial, atribuye la protocolización de toda clase de actos y contratos exclusivamente a los notarios y prohíbe la formación de protocolos a toda entidad o persona que no sea Notario público

Con carácter previo podemos decir que el protocolo se integra, de entre aquellos documentos con los que opera el Notario, con los que reúnen dos características:

– Ser propiedad del Estado, como establece el artículo 36 LN al decir *«Los pro-tocolos pertenecen al Estado. Los Notarios los conservarán, con arreglo a las leyes, como archiveros de los mismos y bajo su responsabilidad»*;

– Carecer de la capacidad o posibilidad de circulación, como preceptúa el artículo 32 LN *«Ni la escritura matriz ni el libro protocolo podrán ser extraídos del edificio en que se custodien, ni aún por decreto judicial u orden superior, salvo para su traslación al archivo correspondiente y en los casos de fuerza mayor»*.

Esta doble limitación excluye, del protocolo y de los deberes especiales con el mismo, a aquellos documentos que el notario crea o posee por su condición de profesional; y aquellos que genera en el ejercicio de su función pública, dotados de fehaciencia, pero nacidos para circular, extraíbles de la Notaría: copias, testimonios, legalizaciones, etc., que son propiedad de particulares y no del Estado (para algunos de éstos, a *grosso modo*, está el libro indicador y la sección B del libro registro de operaciones).

Formación del protocolo parte esencial de la función notarial, como establece el artículo 5 LN, *«Cada Notario formará por sí protocolo»* y el número 1 del artículo 17 de la misma Ley, al enumerar las funciones públicas del notario, estableciendo *«1. El Notario redactará... formará protocolos...»* y exclusiva del mismo, tal y como establece el artículo 281 del R.N.

El artículo 272 del Reglamento Notarial al indicar que *«El protocolo notarial comprenderá los instrumentos públicos y demás documentos incorporados al mismo en cada año, contado desde primero de enero a treinta y uno de diciembre, ambos inclusive, aunque en su transcurso haya vacado la Notaría y se haya nombrado nuevo Notario»*, junto con el párrafo último, del número 1, del citado artículo 17 de la Ley, al señalar *«Se entiende por protocolo la colección ordenada de las escrituras matrices autorizadas durante un año, y se formalizará en uno o más tomos encuadernados, foliados en letra y con los demás requisitos que se determinen en las instrucciones del caso...»* constituyen las dos definiciones legales de protocolo.

Encajando ambas definiciones de protocolo, entre lo preceptuado por la Ley y el Reglamento Notarial y complementándolas, podemos decir que:

EL PROTOCOLO (1) es la colección, (2) en soporte papel y (3) encuadernado, (4) para su conservación perpetua, (5) de las matrices, (6) autorizadas en una notaría no vacante, (7) desde el uno de enero a treinta y uno de diciembre de cada año, (8) ordenadas cronológicamente mediante su numeración correlativa, por el riguroso orden de su autorización y su foliación.

1. Como **colección** lo define el artículo 17 LN ya visto, y nada tenemos que oponer a ello, el protocolo no deja de ser un conjunto de cosas de la misma clase; para nosotros, matrices en papel de instrumentos públicos autorizados por el notario.

2. En **soporte papel**, como hemos dicho antes en la definición, los protocolos son matrices, y como veremos más adelante, matrices que se encuadernan y forman libros; y, por tanto, el protocolo es de papel y siempre de papel.

Si bien es cierto que el artículo 17 bis LN prevé el instrumento público en soporte electrónico, informático o digital, con firma electrónica avanzada; hoy por hoy, no está comprendido en él, el instrumento público matriz; sino solo el instrumento público copia, tal y como resulta de la disposición transitoria 11 de la Ley del Notariado, en la redacción que le dio el artículo 115 de la Ley 24/2001 de 27 de diciembre, al establecer: «*Hasta que los avances tecnológicos hagan posible que la matriz u original del documento notarial se autorice o intervenga y se conserve en soporte electrónico, la regulación del documento público electrónico contenida en este artículo se entenderá aplicable exclusivamente a las copias de las matrices de escrituras y actas así como, en su caso, a la reproducción de las pólizas intervenidas*».

Soporte papel, que como dice el artículo 154 del Reglamento Notarial, lo será timbrado, a lo que hay que añadir de uso exclusivo notarial, creado por la Resolución de la Dirección General de Tributos de fecha 4 de abril de 1.991, B.O. E, de 20 de abril y regulado en cuanto a su composición, en la actualidad, por la Resolución de 13 de junio de 1.994, B.O.E de 20 de junio de 1.994; versión notarial, para dar cumplimiento al art. 31 del R.D. Leg. 1/1993, de 24 de septiembre y sin que impida la incorporación, excepcional y reintegrada, con timbres móviles inutilizados mediante su fechado, de papel común (nº 7 art. 116 del RD 818/1995, de 29 de mayo).

No desvirtúa esta afirmación el hecho de que los índices, que forman parte integrante del protocolo, sean remitidos a las Juntas Directivas telemáticamente, puesto que el mismo artículo 284 del Reglamento Notarial que establece tal obligación, en su párrafo 4º aclara que la incorporación al protocolo del citado índice, al final del año, lo será en soporte papel, al establecer: «*El notario confeccionará un índice en soporte papel para encuadernarlo al final del protocolo, formándose de este modo el índice cronológico del mismo. Dicho índice y su encuadernación deberá efectuarse en el mes de enero de cada año, respecto de los documentos autorizados o intervenidos en el año precedente*»; (artículo que por otra parte mantiene una contradicción con el artículo 276 del propio reglamento, al establecer el primero, el mes de enero como plazo de encuadernación y el segundo, los dos primeros meses del año para la encuadernación.)

3. **Encuadernado**, requisito resultante de ser nuestro protocolo, un protocolo de formación exógena, frente a los de formación endógena, también conocidos en nuestra historia, que no necesitan de este requisito al redactarse sobre un libro ya encuadernado.

La encuadernación del protocolo está regulada en el artículo 276 del Reglamento Notarial, que transcribimos:

«***Artículo 276***

En los dos primeros meses de cada año deberán quedar encuadernados los protocolos en pergamino o en piel; la encuadernación se hará a pasta entera, con una caja de cartón, piel o pergamino, que impida el deterioro de su contenido.

Se pondrán también unas correas para que pueda abrocharse la cubierta exterior.

En el lomo del protocolo se pondrá la siguiente inscripción: "Protocolo. -Año de..." (en guarismo), y expresión de la residencia del Notario...»

A lo anteriormente trascrito, desde un punto de vista aclaratorio o práctico, añadir:

- Sólo puede encuadernarse dentro de la oficina notarial (art. 32 LN).

- Encuadernación a pasta entera, es aquella en el que el lomo y las cubiertas son del mismo material.

- Es importante cumplir rigurosamente las normas de márgenes que establece el artículo 155 del Reglamento Notarial, puesto que esto permitirá, tras la encuadernación, mejor lectura y reproducción posterior.

- La encuadernación debe realizarse mediante procedimientos de unión que permitan abrir el tomo ciento ochenta grados o más, para futuras reproducciones.

- Debe moderarse el grosor de los tomos, para que no dificulte su manipulación posterior.

- Es preferible que la caja de cartón, que debe contener el tomo, sea externa no quedando las tapas del mismo fuera de ella; conserva mejor y al retirarlo de las estanterías queda en su lugar, evitando su pérdida y que se desplacen en los estantes el puesto vacante del tomo sacado, advirtiendo que allí falta uno.

Por último, una reflexión sobre cuya ventaja no tengo un criterio claro: las encuadernaciones de protocolos vienen realizándose por encuadernadores de la libre elección del notario, cuya labor es mas que notable, ya que las encuadernaciones son muy correctas, casi siempre.

Pero cabría la posibilidad de establecer un cuerpo de encuadernadores dependiente orgánicamente del notariado, de su selección y formación, que permitiría aunar al hecho de la encuadernación:

- Una inspección del cumplimiento de los aspectos formales del protocolo, mediante remisión de informes o cuestionarios a los Colegios tras la encuadernación, sobre cumplimiento de márgenes, reintegro de folios, foliación, enmendados en la mismas, etc.,

- Mayor discreción sobre el contenido del protocolo. (Recordar que los encuadernadores deben suscribir los documentos de confidencialidad que establece la Legislación de Protección de Datos)

- Control del cumplimiento por los Notarios de su obligación de encuadernación.

- Unificar materiales, procedimientos de encuadernación y aspecto formal de los tomos, en temas tales, como grosor de los mismos, correas que se despegan o rompen, hebillas que se oxidan o lomos que con el tiempo se pierde lo escrito en ellos.

4. Para su **conservación perpetúa**: los documentos que se integran en el protocolo se conservan, valga la grandilocuencia, a perpetuidad; primero veinticinco años en el archivo de la notaría donde nacieron y después en el archivo general de protocolos, a cargo del archivero general del distrito, tal y como establece el artículo 37 LN y el artículo 291 de su Reglamento.

Labor ésta, que, salvo guerras civiles y desastres naturales, e inclusive, el notariado ha cumplido ejemplarmente.

No existe para el notariado la figura del expurgo de documentos, que para los documentos judiciales regula el RD 937/2003, de 18 de julio y para los documentos administrativos existe mediante una regulación dispersa.

5. De **matrices**: el artículo 144 del Reglamento Notarial en su párrafo primero, establece que son instrumentos públicos «...*las escrituras públicas, las pólizas intervenidas, las actas, y, en general, todo documento que autorice el notario, bien sea original, en certificado, copia o testimonio*». Pues bien, sólo los instrumentos públicos, privados de su capacidad de circulación, esto es, las MATRICES son los que integran el protocolo; los regulados en el artículo 156 y siguientes del Reglamento Notarial para las escrituras y 198 y ss. para las actas, cuya característica fundamental es la del artículo 195 y 198, 8ª de dicho Reglamento, la de contener la firma de los comparecientes, los originales, a los que también se refiere el párrafo tercero, del número 1, del art. 17 de la Ley.

A las matrices, debemos adicionar las pólizas intervenidas, también privadas de capacidad de circulación (artículo 17, número 1, párrafo 6º de la Ley del Notariado), en el caso que se opte, no por incorporación al libro registro sino al protocolo ordinario, posibilidad que contempla el artículo 272 del Reglamento Notarial, incorporación que también se realiza mediante sus originales.

Es pues, nuestro protocolo, un protocolo de **archivo** en el que se incorporan los propios documentos y no de registro, como lo fue en otras épocas, en los que se solo se hacía referencia a ellos.

6. **Autorizadas en una notaría no vacante**, a lo que podemos añadir por su titular, el sustituto de éste y por su sucesor.

El protocolo está vinculado a la notaría, no al notario; buena prueba de ello, es que al cesar el notario en una plaza no se lleva con él el protocolo que formó; y que cuando llega a una plaza nueva, recoge la custodia de los formados por sus antecesores en los últimos veinticinco años y continúa la numeración anual de su antecesor inmediato.

Esto resulta del párrafo 1º del artículo 272 del Reglamento Notarial y del artículo 278 del mismo reglamento, al establecer: «*Puesta la nota a que se refiere el artículo an-*

terior en el protocolo de una Notaría vacante, no podrá incorporarse al mismo ningún otro documento, a no ser por el Notario sucesor en quien la misma vacante hubiese sido provista.

Mientras la Notaría no esté provista definitivamente, todos los documentos autorizados por el Notario sustituto se incorporarán al protocolo de éste».

Incorporándose los instrumentos de una notaría no vacante, al protocolo del notario sustituido, tal y como establece el artículo 53 RN cuando dice: «*Los documentos autorizados por el Notario sustituto se incorporarán al Protocolo o Libro-Registro del Notario sustituido, excepto en los casos de vacante y de la habilitación prevista por el artículo 121 de este Reglamento, en los términos que resultan del mismo.*

El protocolo y el Libro-Registro del Notario sustituido no se trasladarán a la Notaría del sustituto, salvo que éste residiere en distinta población, en cuyo supuesto podrá trasladarlos al domicilio de su Notaría, para su mejor custodia, previa autorización de la Junta Directiva del respectivo Colegio.

Tratándose de sustitución por Notaría vacante, si el sustituto residiere en la misma población, deberá conservar el Protocolo y el Libro-Registro del sustituido, en su propia Notaría o en otro lugar adecuado, cuando así lo autorice con carácter previo la Junta Directiva. Si residiere en población distinta, el Protocolo y el Libro Registro deberán permanecer en lugar adecuado de la población en que estuviere demarcada, sin perjuicio de poder trasladarlos a su Notaría o a otro lugar adecuado, con la finalidad y previa la autorización a que se refiere el párrafo anterior».

7. Desde el uno de enero a treinta y uno de diciembre de cada año.

El protocolo se inicia con la primera matriz autorizada al principio del año natural y concluye con la última autorizada en ese mismo año (excepción hecha de los protocolos reservados), que constituyen respectivamente el número uno de orden de protocolo y el último número correlativo de ese mismo año, tras el cual y en el año siguiente se reiniciará la numeración desde un nuevo número uno; y ello, con independencia de que hayan sido uno o varios los notarios que hayan servido sucesivamente la plaza.

No interrumpiéndose tampoco la numeración anual, por el hecho de que el protocolo se divida en varios tomos, puesto que conforme al artículo 275 RN, el protocolo mantiene pese a ello su unidad y la numeración y la foliación de los instrumentos saltan de un tomo a otro manteniendo su correlación.

8. Ordenadas cronológicamente por su numeración correlativa por el riguroso orden de autorización y foliadas.

Las matrices se numeran, cumpliendo el requisito del número 1 del artículo 156 RN, que será, partiendo del UNO el inmediato siguiente al autorizado previamente, y se fecharán para dar cumplimiento al párrafo segundo del mismo artículo, añadiéndose en ocasiones, por imperativo legal, o por conveniencia a juicio del notario o de alguno de los comparecientes, la hora de su autorización.

La fecha y en su caso la hora del instrumento público tiene una trascendencia especial, aunque queda fuera de este tema, puesto que el artículo 1.218 del Código Civil, le atribuye, a la del documento público, eficacia frente a terceros, determina revocaciones de actos de última voluntad, fija la aplicación de la Ley vigente al instrumento, etc.

Ordenadas por su fecha y número de protocolo la totalidad de los folios, con la excepción de los destinados a recoger las notas de apertura y cierre de año y de tomos, deben foliarse (numerarse), tal y como establece el artículo 275 en su último párrafo del RN.

La obligación de foliar (numerar los folios) en letra que establece el artículo 17 LN es en la actualidad de difícil cumplimiento (aunque ya existen medios mecánicos que lo facilitan), viniendo siendo sustituida por la foliación en guarismo; manteniéndose la práctica de realizarlo en el margen superior derecho del anverso de los folios, mediante numeradores mecánicos. Existe una interpretación, a mi juicio artificiosa, que entiende que la expresión « foliados en letra » del artículo 17 se refiere, a la mención de los folios que debe contener la nota de apertura y cierre de los tomos y de año, pero el que suscribe considera que es más honesto mantener que la redacción del artículo 17 en este apartado, procede del año 1.862, en que los folios del protocolo eran muchísimos menos que en la actualidad, incrementados no sólo por el aumento de la contratación intervenida notarialmente, sino además por los adelantos en las formas de escritura y reproducción de textos y la extensión innecesaria de minutas ajenas, en su redacción, al notariado.

Por último, como veremos más adelante, es nuestro protocolo un protocolo múltiple, al admitir la posibilidad junto al protocolo ordinario, de otro reservado, del especial de protestos y del libro registro de operaciones; frente a otros sistemas, en el que por el protocolo es único.

4.28.1.2. Origen histórico

El origen del protocolo, evidentemente está ligado al origen y a la historia del notariado, si bien el protocolo no tendrá antecedente, hasta que el escribano, empiece a conservar, asiento o resumen del documento que redactaba.

Cuando por el escribano se empezó a conservar en documento aparte las notas que le sirvieron para redactar el documento principal, tenemos el germen del protocolo; y esto, parece que ocurrió a partir del siglo XI, en que las notas se redactaban, en documento aparte, menos costoso de material que en el que se redactaba el documento principal (éste de cuero, aquél de tela, que daría su nombre, proveniente de seda y por evolución a lo que hoy conocemos como cédula).

El segundo gran paso sería cuando se obligó al escribano a conservar estas notas y atribuirles a ellas valor jurídico, parece que ese paso en nuestro Derecho se dio en el Fuero Real, que obligaba a los escribanos a conservar las notas que tomaran para los documentos que redactaban, en precaución de que si el documento se extraviase pudiera ser probado por la nota.

Establecida la obligación de conservar, la obligación de encuadernar apareció posteriormente, en nuestro derecho en la Pragmática de Alcalá de 1.503, en la que se ordenó a los escribanos que sobre un libro, previamente encuadernado, extendiesen notas extensas de las escrituras que redactase. Protocolo **exógeno y de registro**.

Se atribuye a los notarios de Madrid del Siglo XVIII, la práctica de la encuadernación posterior, por la aparición de la obligación de redactar los escritos en papel timbrado, cuya validez caducaba en el año en curso, lo que hacía que la utilización de libros, previamente formados fuera costosa y necesitase de previsión sobre los documentos a autorizar.

Pero fue la Ley del Notariado de 1862, la que estableció el concepto actual de protocolo, ahora ya, **exógeno y de archivo**, recuperando para el Estado la propiedad de éste y de los depósitos de escritura pública en poder de los particulares, que gozaban del concepto de escribano, a través de la figura de los oficios enajenados. En este sentido la Disposición Transitoria Segunda de la Ley del Notariado: «*Los depósitos de escrituras públicas que hoy existieren en poder de particulares pasarán al archivo de las Notarías que el Gobierno designe, previas las formalidades del caso y las indemnizaciones que procedan*».

4.28.1.3. Propiedad del protocolo

El protocolo es propiedad del Estado, así lo establece el artículo 36 de su Ley.

Pero no es propiedad privativa del Estado, es de dominio público, aunque no de uso público, es soporte público para contenidos privados.

Parece que, dentro de las clasificaciones del uso de dominio público, la que más se ajusta al protocolo es la que se conoce como **utilización privativa del dominio público conforme a su afectación**, continente público de contenidos privativos.

El protocolo pasó de manos particulares, los titulares de los oficios enajenados, al dominio público del estado con la Ley Orgánica del Notariado de 1862, que intentó además recuperar, no con gran éxito, los protocolos que se hallaban, hasta entonces, en manos privadas, mediante la expropiación general por imperio de la Ley e indemnizada que estableció la ya citada DT 2ª de la L.N.

La conversión del protocolo en dominio público, constituyó una de las mayores aportaciones de la Ley del Notariado y basta para ello comprobar la diferencia existente entre la integridad y conservación del protocolo tras ella y antes de la misma, periodo del que prácticamente no se conserva nada. (Todavía pueden verse hoy en despachos profesionales, como elemento decorativo, enmarcadas escrituras públicas anteriores a 1862).

4.28.1.4. El secreto del protocolo

El protocolo notarial es secreto; así lo establece el artículo 32 de la Ley del Notariado, párrafo último, al decir: «*Los Notarios no permitirán tampoco sacar de su archivo ningún documento que se halle bajo su custodia por razón de su oficio, ni dejarán examinarlo en todo ni en parte, como ni tampoco el protocolo, no precediendo decreto judicial, sino a las partes interesadas con derecho adquirido, sus herederos o causa-habientes. En los casos, sin embargo, determinados por las leyes, y en virtud de mandamiento judicial, pondrán de manifiesto en sus archivos el protocolo o protocolos a fin de extender en su virtud las diligencias que se hallen acordadas*» y el artículo 274 del Reglamento.

En una primera aproximación, parece que podría deducirse que el secreto del protocolo es una consecuencia del secreto profesional, pero consideramos que no es así.

Secreto de protocolo, secreto profesional y de protección de datos, concurren obligando al notario a su discreción, pero operan en planos distintos, protegiendo bienes jurídicos diferenciados; los dos últimos, el derecho a la intimidad; el primero, la propiedad privada del contenido en un soporte de dominio público.

El secreto profesional y la protección de datos protegen un derecho natural y en nuestro ordenamiento jurídico, además, constitucional (artículo 18 de la Constitución), el derecho a la intimidad, que sin pretender definirlo sí debemos decir con respecto a él, que hace referencia a determinadas actitudes, conductas, relaciones y sus formas, maneras de ser y pensar que se producen en un ámbito reservado o privado, generalmente el domicilio; bien por una sola persona, o bien, por un grupo reducido de ellas e interconectado, generalmente la familia; y al derecho del ciudadano a que no salgan de dicho ámbito o que extraños se introduzcan en él.

La protección de la intimidad se lleva a cabo, principalmente por los ordenamientos jurídicos, mediante la protección del ámbito reservado en el que se desarrolla. Así mediante figuras tales como la inviolabilidad del domicilio, el secreto de la correspondencia y la más modernas, como la protección contra el tratamiento mecanizado o informático de datos personales, puesto que, cuando un hecho o un acto afecto a la intimidad sale de dicho ámbito privado, pierde tal carácter.

El derecho protege de la intromisión física en la esfera privada, bien sea en el domicilio, bien en las comunicaciones, a través de figuras penales; pero protege además esa esfera privada mediante la imposición de obligaciones, a aquellas personas que, poseyendo datos personales de otro, por su tratamiento mecanizado, puedan acceder a perfiles de la misma, que constituyan prácticamente o faciliten una intromisión de su intimidad.

El ámbito entre el secreto profesional y la protección de datos, figuras ambas que protegen la intimidad, se diferencia en los siguientes aspectos:

- Por los sujetos a los que va destinado: el secreto profesional, a lo que tradicionalmente se conoce como profesiones liberales, aquellas que requieren titulación oficial, tienen regulación y para la sociedad tienen cierta consideración de función pública (médicos, psicólogos, notarios, psiquiatras y abogados entre otros, si bien para estos últimos la cuestión adquiere otros matices, puesto que también juega en este ámbito el derecho de defensa. La protección de datos va destinada a cualquier persona que recoja datos personales y pueda darles tratamiento informático o mecanizado.

- Por el objeto: el secreto profesional, tiene como objeto aquellos aspectos de la intimidad de una persona que ésta ni desea comunicar a otro, ni existe obligación legal de que lo haga; pero lo hace por la necesidad que tiene de utilizar un servicio o función profesional. La protección de datos, tiene como objeto circunstancias de una persona, que son públicos o cuando menos conocidos fuera de su intimidad y que está obligado a comunicar, por imperativo legal o contractual a terceros, y cuya acumulación y tratamiento informático, pueden permitir un acceso a la esfera privada de su intimidad.

El notario, por su condición de profesional del derecho y por la relación que mantiene con sus clientes puede ser y es destinatario de aspectos de su intimidad, que éstos sólo le comunican por la necesidad que tienen de su asesoramiento o función y es en este ámbito donde el notario está sujeto al deber de **secreto profesional**. El notario, además como titular-empresario de la oficina notarial, obtiene o traslada datos personales fuera del soporte del protocolo, de sus clientes, obligados ambos por normativa principalmente tributaria, que son tratados y conservados informáticamente, y es este ámbito donde está sujeto a la legislación de **protección de datos**.

Estamos pues en la esfera de la protección de la intimidad, esfera en la que **no** se halla el **secreto de protocolo**. El protocolo no contiene hechos íntimos de una persona, puesto que aún en el caso de que fuera así, su carácter de soporte público le haría perder tal naturaleza, una vez depositados en el mismo (no hay intimidad en el dominio público, por definición).

El secreto del protocolo tiene su razón de ser en la protección de la propiedad privada de su contenido; el protocolo es un soporte público para contenidos de propiedad privada. El protocolo es secreto porque sólo su propietario, que no es ni el notario, ni el Estado, puede permitir el conocimiento por personas ajenas a dicha su propiedad.

Esta razón, excluye (salvo que concurra en ellas otras circunstancias que les atribuya interés legítimo) a personas que aun interviniendo presencialmente en el documento y conociendo su contenido, no podrán tener un acceso posterior al mismo, por ejemplo, testigos y notario autorizante, cuando éste ya no sea el custodio del protocolo en cuestión; e incluye a otras, que no interviniendo presencialmente en el documento y desconociendo su contenido, podrán tener acceso posterior al mismo, por ejemplo, representados legal o voluntariamente y terceros a los que, voluntariamente o legalmente, les nazcan derechos firmes (el titular de un derecho, tiene derecho a su título. Arts. 1.065 Cc y 788 LEC).

Esta distinción entre lo que protege el secreto de protocolo y el secreto profesional es necesaria, puesto que tiene consecuencias en su aplicación práctica, entre ellas, por ejemplo, las siguientes:

- El derecho a la intimidad es un derecho calificado, por nuestra constitución, como un derecho fundamental, que trae como consecuencia inmediata, que su regulación deba realizarse a través de lo que nuestra constitución llama Leyes Orgánicas, las que requieren una mayoría reforzada. Si el secreto de protocolo protegiese tal derecho fundamental, todas las leyes que establecen excepciones a dicho secreto deberían tener tal naturaleza y ninguna la tiene, porque no lo necesitan al delimitar un derecho, que si bien es constitucional, no tiene el carácter de derecho o libertad fundamental, como es el de la propiedad.

- Que el secreto de protocolo, protege una propiedad y no la intimidad, determina, por ejemplo, que el notario no pueda librar copia de un instrumento público a cualquier persona por el hecho de que alegue que dicho contenido está trasladado a un registro público, que ha salido, por ello, de la esfera privada perdiendo su carácter de secreto. El notario no puede librar tal copia por la razón de que ese contenido es propiedad de alguien y sólo con el consentimiento de su titular puede darse traslado.

- La negativa, a declarar por un notario en un proceso judicial, amparándose en el secreto profesional, es resuelta por los órganos jurisdiccionales, tal y como establece el artículo 371 de la Ley de Enjuiciamiento Civil; la negativa del notario a librar copia, es resuelta por la Dirección General de los Registros y del Notariado, según dispone el artículo 231 del R.N.

- No creemos que a lo anterior se oponga el hecho de que la legislación permita, como luego veremos, el acceso total o parcial al contenido de los instrumentos protocolizados a personas o entidades que no sean sus propietarios, puesto que no existe ya propiedad ilimitada, siendo consustancial a la idea moderna de la propiedad privada sus limitaciones y delimitaciones.

4.28.1.4.1. Límites y excepciones

El secreto de protocolo tiene excepciones, respecto de las cuales, lo primero que debemos decir es que están sujetas a reserva de ley y que podemos enumerar en las siguientes:

- El interés legítimo, derivado de la expresión «*partes interesadas*» del párrafo último, del artículo 32 de la Ley del Notariado, que tiene su traducción en la expresión «*y quienes acrediten, a juicio del notario tener interés legítimo en el documento*», que establece el artículo 224 del Reglamento Notarial; al permitir al notario exhibir el protocolo y librar copias a terceros que no son los propietarios del contenido del instrumento.

Aunque ésta es una cuestión, que es tratada en el tema relativo al derecho a copia, sí quiero pronunciarme sobre un supuesto que considero incluido en el mismo; que se diferencia de los demás por el carácter **no rogado** del traslado del contenido, sino de oficio por el propio notario y **por no constituir una obligación legal** del mismo, sino, a lo sumo, deontológica. Y es que no creemos que el notario pueda autorizar un documento de compra-venta, en el que el vendedor ante el propio notario y recordándolo éste, pueda volver a vender lo mismo, sin que el comprador sea advertido de ello por el notario; como tampoco creemos que el notario pueda omitir en la expresión de las cargas que afectan a una finca, la constituida ante él, en el caso de que lo recuerde, cuando no conste inscrita y no la manifieste el titular de la finca, entre otros supuestos; que atribuye a tales adquirentes interés legítimo en un instrumento público e impone al notario, la obligación de su comunicación en lo pertinente.

Aparte de estos intereses legítimos particulares, existen otros de carácter general que son los recogidos en:

- El artículo 110 del Real Decreto-Legislativo 2/2004, de 5 de marzo, por el que se aprueba el texto refundido de la Ley de Haciendas Locales: «*7. Asimismo, los notarios estarán obligados a remitir al ayuntamiento respectivo, dentro de la primera quincena de cada trimestre, relación o índice comprensivo de todos los documentos por ellos autorizados en el trimestre anterior, en los que se contengan hechos, actos o negocios jurídicos que pongan de manifiesto la realización del hecho imponible de este impuesto, con excepción de los actos de última voluntad. También estarán obligados a remitir, dentro del mismo plazo, relación de los documentos privados comprensivos de los mismos hechos, actos o negocios jurídicos, que les hayan sido presentados para conocimiento o legitimación de firmas. Lo prevenido en este apartado se entiende sin perjuicio del deber general de colaboración establecido en la Ley General Tributaria.*

En la relación o índice que remitan los notarios al ayuntamiento, éstos deberán hacer constar la referencia catastral de los bienes inmuebles cuando dicha referencia se corresponda con los que sean objeto de transmisión. Esta obligación será exigible a partir de 1 de abril de 2002...»

–   El artículo 52 del Real Decreto-Legislativo 1/1993 de 24 de septiembre, por el que se aprueba el texto refundido de la Ley del Impuesto Sobre Transmisiones Patrimoniales y Actos Jurídicos Documentados: «*Los notarios están obligados a remitir a las oficinas liquidadoras del impuesto, dentro de la primera quincena de cada trimestre, relación o índice comprensivo de todos los documentos por ellos autorizados en el trimestre anterior, con excepción de los actos de última voluntad, reconocimiento de hijos y demás que determine el Reglamento. También están obligados a remitir, dentro del mismo plazo, relación de los documentos privados comprensivos de contratos sujetos al pago del impuesto que les hayan sido presentados para conocimiento o legitimación de firmas*»

–   El artículo 32.3 de la Ley 29/1987, de 18 de diciembre, sobre el Impuesto de Sucesiones y Donaciones: «*3. Los notarios están obligados a facilitar los datos que les reclamen los organismos de la Administración tributaria acerca de los actos en que hayan intervenido en el ejercicio de sus funciones, y a expedir gratuitamente en el plazo de quince días las copias que aquéllos les pidan de los documentos que autoricen o tengan en su protocolo, salvo cuando se trate de los instrumentos públicos a que se refieren los artículos 34 y 35 de la Ley de 28 de mayo de 1862 y los relativos a cuestiones matrimoniales, con excepción de los referentes al régimen económico de la sociedad conyugal.*

Asimismo, estarán obligados a remitir, dentro de la primera quincena de cada trimestre, relación o índice comprensivo de todos los documentos autorizados en el trimestre anterior que se refieran a actos o contratos que pudieran dar lugar a los incrementos patrimoniales que constituyen el hecho imponible del impuesto. También están obligados a remitir, dentro del mismo plazo, relación de los documentos privados con el contenido indicado que les hayan sido presentados para su conocimiento o legitimación de firmas».

–   El artículo 18 de la Ley 10/2010 de 28 de abril sobre Prevención del Blanqueo de Capitales y de la Financiación del Terrorismo: «*1. Los sujetos obligados comunicarán, por iniciativa propia, al Servicio Ejecutivo de la Comisión de Prevención del Blanqueo de Capitales e Infracciones Monetarias (en adelante, el Servicio Ejecutivo de la Comisión) cualquier hecho u operación, incluso la mera tentativa, respecto al que, tras el examen especial a que se refiere el artículo precedente, exista indicio o certeza de que está relacionado con el blanqueo de capitales o la financiación del terrorismo.*

En particular, se comunicarán al Servicio Ejecutivo de la Comisión las operaciones que, en relación con las actividades señaladas en el artículo 1, muestren una falta de correspondencia ostensible con la naturaleza, volumen de actividad o antecedentes operativos de los clientes, siempre que en el examen especial previsto en el artículo precedente no se aprecie justificación económica, profesional o de negocio para la realización de las operaciones». Incluyendo en su artículo 2 a los notarios entre los sujetos obligados.

(Aunque es una comunicación de dato extra-protocolar y a solicitud expresa y concreta, citamos la del artículo 4.2 de la misma ley, en lo que respecta a los titulares reales de las entidades).

– El modelo 198 activos financieros, que desde el año 2008 se envía a través del Índice Único, tras la publicación de la Orden EHA/3480/2008, de 1 de diciembre

– El número 1 del artículo 6 de la Ley 36/2006, de 29 de noviembre, de Medidas para la Prevención del Fraude Fiscal, que dio nueva redacción al artículo 17 de la Ley del Notariado, al que nos referiremos posteriormente en materia de índices.

– La del artículo 179 del Reglamento Notarial, al establecer:

«Los notarios que autoricen o eleven a escritura pública testamentos en los cuales conste alguna disposición de carácter benéfico o benéfico-docente, o que tenga por objeto fines de interés general, como los de asistencia social, cívicos, educativos, culturales, científicos, deportivos, sanitarios, de cooperación para el desarrollo, de defensa del medio ambiente o de fomento de la economía o de la investigación, de promoción del voluntariado, o cualesquiera otros de naturaleza análoga, remitirán a los órganos administrativos competentes que ejerzan el protectorado sobre las fundaciones creadas para el cumplimiento de dichos fines, una copia simple de la cláusula o cláusulas testamentarias correspondientes, tan luego como llegue a su conocimiento el fallecimiento del testador.

De igual modo los notarios que autoricen o eleven a escritura pública particiones o manifestaciones de herencia fundadas en testamentos que contengan alguna disposición de las expresadas en el párrafo anterior, notificarán mediante acta, a los órganos administrativos competentes a que se refiere el apartado anterior, el texto íntegro del testamento, con cargo a la herencia, siendo responsables, si no lo hicieren, de los perjuicios que puedan ocasionar con su negligencia».

– La obligación que establece la disposición adicional quinta de la Ley 50/2002, de 26 de diciembre, sobre fundaciones, al establecer: *«Los notarios deberán poner en conocimiento del Protectorado el contenido de las escrituras públicas en lo referente a la constitución de las fundaciones y sus modificaciones posteriores, mediante la remisión de copia simple de las citadas escrituras.*

*En el caso de que la fundación haya sido constituida en testamento, la referida obliga-
ción será cumplimentada cuando el notario autorizante tuviere conocimiento del fallecimiento del testador».*

- Las comunicaciones relativas a activos financieros, del artículo 109 de la Ley
  24/1988 y la Orden Ministerial EHA 3480/2008 de 1 de diciembre, que fija
  como cauce para cumplir tal obligación el índice único.

- Los derivados del interés histórico que puedan tener los protocolos de mas de cien
  años, a los que el Decreto de 2 de marzo de 1.945, regulador de la sección histórica
  de los archivos de protocolos, permite el acceso, para su estudio a terceros.

Quedan aparte de estos supuestos, otros que posiblemente no constituyan excepciones al secreto de protocolo, porque en definitiva son comunicaciones entre funcionarios
públicos, pero que en cualquier caso constituyen un traslado total, parcial o en relación
del contenido de un instrumento público, ajeno a la voluntad de su propietario, aunque
en algunos supuestos éste pueda dispensar expresamente al notario de su cumplimiento,
pero sin cuya dispensa el notario está obligado a dicho traslado. Aquí podemos citar:

- Los oficios que resultan del artículo 178 del Reglamento Notarial.

- Los partes testamentarios establecidos en el artículo 3 del Anexo II de dicho
  reglamento.

- Los partes que resultan de las actas de declaración de herederos ab-intestato impuestos en el artículo 209 bis. tercera del Reglamento Notarial.

- La remisión telemática a los libros diarios de los Registros que ordena el número
  2, del artículo 249 del Reglamento Notarial, obligatoria para el notario, pero
  dispensable para el interesado.

- Los traslados al Registro Civil de:

a) los nombramientos de apoderados, que no se extingan por la incapacidad sobrevenida de la poderdante, que establece el art. 46 ter de la Ley del Registro Civil, redacción Ley 1/2009, art. 1, cinco.

b) los nombramientos tutelares, en cumplimiento de lo dispuesto en el párrafo 3º,
del artículo 223 del Código Civil, en la redacción dada por la Ley 41/2003, de 18 de
noviembre.

La comunicación del contenido del protocolo se realiza mediante dos formas, su
traslado a copia y el acceso directo al mismo:

- mediante su traslado a otro soporte papel o electrónico, esto es, a copia del original a utilidad de persona que tenga derecho a ella y cuyo estudio corresponde a
  otro tema y;

- mediante el acceso directo, esto es, por la exhibición de los propios libros del protocolo, que regula el artículo 282 RN, cuando dice: «*Cuando con arreglo al artículo 32 de la Ley proceda que el Notario deje examinar por las partes interesadas con derechos adquiridos, sus herederos o causahabientes, un instrumento contenido en el protocolo, cuidará bajo su más estrecha responsabilidad, que la lectura se limite al documento en que tengan aquéllos interés y que no pueda sufrir el protocolo el menor daño o deterioro, y a tales efectos, el Notario buscará personalmente la escritura señalada y la pondrá de manifiesto a los interesados, no consintiendo se saquen notas o extractos de ella ni que sea hojeado el protocolo, sino en cuanto sea indispensable para la lectura de la matriz de que se trate, debiendo verificarse la exhibición ante dos testigos y extendiéndose de ella la oportuna acta*».

Poco que añadir al anterior artículo, quizá:

- que la expresión «*partes interesadas con derechos adquiridos, sus herederos o causahabientes*», no debe interpretarse de forma distinta a las personas que tengan derecho a copia. Quienes tengan tal derecho, entendemos, tienen derecho al examen directo del protocolo, aunque quizás deba mediar además una razón que justifique que tal acceso directo al protocolo, que no pueda suplirse por la expedición de una copia, lo que queda a juicio del notario, recurrible y motivada.

- El requisito de que en la exhibición del protocolo deben comparecer dos testigos, entendemos que está derogada por la ley de 1 de abril de 1.939.

- La exigencia de acta para la exhibición no lo es sólo para dejar constancia de la misma; sino que debe ser previa a la exhibición, para contener la rogación motivada de tal exhibición y el juicio del notario sobre la licitud o no de dicha solicitud, para que en el caso de que el notario no considere ajustada a derecho dicha petición indique al requirente, en la propia acta de denegación, su derecho a recurrir conforme al artículo 231 RN, reservándose la diligencia posterior, en el caso de que se acceda a dicha exhibición, para dejar constancia de las incidencias de la misma.

- No queremos dejar sin citar, aunque no constituya una forma de acceso al contenido del protocolo, en los términos que aquí nos ocupan, el supuesto contemplado en los artículos 349 y 350 de la LEC, que permite a los peritos calígrafos el examen directo de las firmas estampadas en los protocolos, dado el carácter de indubitadas que la citada ley da a las mismas.

4.28.1.5. El protocolo reservado

La reforma del Código Civil, en materia de filiación de 1981, dejó sin sentido el artículo 35 de la Ley Orgánica del Notariado, por lo que nueve años después, la Ley

18/1990, de 17 de diciembre, suprimió el protocolo reservado de filiaciones naturales y al cambiar el contenido del citado artículo, dejó reducido el ámbito del protocolo reservado a materia testamentaria, la del artículo 34 de la L.N. Otra reforma del Código Civil, la de la Ley 30/1991, al reenviar el artículo 711 de dicho Código, al protocolo corriente (el ordinario) la copia del acta de otorgamiento, ha dejado vacío (si despreciamos la posibilidad de que algún otorgante opte por enviar a dicho protocolo su testamento abierto, que podría incluso entenderse derogada) el protocolo reservado.

Ello no obstante recogemos la redacción del artículo 34 LN «*Los Notarios llevarán un libro reservado en que insertarán con la numeración correspondiente copia de la carpeta de los testamentos y codicilos cerrados, cuyo otorgamiento hubieren autorizado, y los protocolos de los testamentos y codicilos abiertos cuando los testadores lo solicitaren, y remitirán un índice reservado también al Regente de la Audiencia por conducto del Juez de primera instancia, en los términos establecidos en el artículo anterior. No es necesario que haya un libro para cada año*», que junto con lo dispuesto en el artículo 274 del Reglamento Notarial, que transcribimos: «*Los protocolos son secretos. Con los protocolos especialmente reservados de que tratan los artículos 34 y 35 de la Ley se observarán las formalidades descritas para los protocolos generales en la parte que les corresponda, cumpliendo las prescripciones de los citados artículos de la Ley.*

Se encuadernarán al final del año en que se haya autorizado el número 100, o antes, a juicio del Notario, si su volumen lo exigiera, y el rótulo especial del tomo será:

Para los protocolos a que se refiere el artículo 34 de la Ley: "Protocolo reservado testamentario. - Año de..." (en guarismo).

Para los protocolos de que trata el artículo 35 de la Ley: "Protocolo reservado. -Filiaciones. - Año de..." (en guarismos)», constituyen toda la regulación del protocolo reservado.

Con respecto a ello, solo decir:

- Que el protocolo reservado es una figura totalmente en desuso, no solo en la actualidad sino tradicionalmente, posiblemente basada en la confianza de la ciudadanía en la discreción notarial.

- La remisión del artículo 274 RN al 35 LN es un error de la reforma del 2007, puesto que su contenido, como ya hemos dichos, fue modificado en el año 1990.

En definitiva, el protocolo reservado es una figura anacrónica que bien podría desaparecer, como en su día, desapareció el protocolo de la Familia Real.

4.28.1.6. Protocolo de protestos de efectos cambiarios

Antes de la reforma introducida por la Ley 19/1985, de 16 de julio, Cambiaria y del Cheque, que adicionó para el ejercicio de la acción cambiaria de regreso al protesto notarial, la declaración sustitutoria del mismo, el volumen de actas de protestos autorizadas por algunas notarías, era de tal magnitud, que dificultaba gravemente, la numeración y manejo del protocolo ordinario.

Eso hizo que, en el Reglamento del año 1944, se introdujese en el artículo 272, el protocolo especial de protestos, destinado a la incorporación al mismo de las actas de protesto de los efectos cambiarios, con numeración propia, e idénticas normas de formación que el protocolo ordinario, con la salvedad introducida por la RDGRN y de fecha 7 de abril de 1970, de poder ser encuadernados en tela y sin caja de cartón.

Al protocolo especial de protestos, para cuya apertura se requiere autorización, no recurrible, de las Juntas Directivas de los Colegios, se refiere el párrafo último del artículo 272 del R.N., que literalmente transcrito establece: «*Las Juntas directivas de los Colegios Notariales, dando cuenta a la Dirección General, podrán autorizar a los Notarios de aquellas poblaciones en que se autorice habitualmente un número de instrumentos elevado, para abrir, además del protocolo ordinario, uno especial de protestos de letras de cambio y de otros documentos mercantiles, con numeración propia y con apertura y cierre en las mismas fechas indicadas en el párrafo anterior. La Dirección General podrá dar instrucciones especiales sobre la conservación y encuadernación de este protocolo*».

Protocolo especial de protestos, que en la actualidad y tras la referida reforma, es bastante inusual en los despachos notariales, que han vuelto a incorporar dichas actas, dado su escaso número, al protocolo ordinario.

Con respecto a dicho protocolo, solo añadir:

- que entendemos que, para la vuelta al protocolo ordinario, no se requiere autorización, sino sólo comunicación a las Juntas Directivas.

- que la opción y el abandono del protocolo especial de protestos debe hacerse coincidir con el inicio de año natural, y

- que trascurridos más de 30 años desde la reforma del año 85 citada, plazo muy superior a la prescripción de las obligaciones cambiarias y superior a la de las obligaciones en general, no sería descabellado una reforma, que permitiera el expurgo de dichos protocolos especiales de determinada antigüedad, puesto que es difícil que, a la fecha presente, documenten derechos vivos y carecen de valor histórico.

4.28.1.7. Formación y conservación

La formación y conservación del protocolo tiene como objeto asegurar la integridad, inalterabilidad y duración del mismo de forma tal, que las escrituras matrices, no puedan ser modificadas a posterioridad en su contenido, sustraídas, perdidas o sustituidas del o en el archivo notarial y garantizar su perduración en el tiempo, **permitiendo que la alteración de las copias, fortuita o intencionada, quede desvirtuada mediante su cotejo contra el original protocolizado.**

Conservación y custodia del protocolo:

- que es inescindible del cargo de notario, con respecto al protocolo depositado en la notaría en que se sirve (artículo 5 LN) y

- obligatoria con respecto al notario al que corresponda el cargo de archivero (artículo293 del R.N).

La protocolización no deja de ser una forma reglada de ordenación y archivo de documentos con las finalidades antes enunciada.

Aunque buena parte de lo que aquí se va a decir ya está dicho, lo resumiremos desde un punto de vista cronológico y funcional, sin remisión al articulado legal, puesto que éste ya ha sido transcrito anteriormente.

El protocolo se inicia el primer día del año en que se autoriza un instrumento público y se cierra tras el ultimo instrumento autorizado en el año, precedido y seguido, respectivamente de un folio no foliado, que contienen, el primero la nota de apertura y el último la de cierre de año y de tomo, cuyo texto recoge el reglamento y por no haber sido anteriormente citado, reproducimos aquí:

Artículo 273: «*El primer día de cada año se abrirá el protocolo, extendiendo una nota que diga así:*

"Protocolo de los instrumentos públicos correspondientes al año..." (Fecha en letra, firma y rúbrica del Notario).

Una nota análoga pondrá el nuevo Notario en cualquier día del año en que empiece a ejercer el cargo.

El último día del año se cerrará el protocolo con la siguiente nota: "Concluye el protocolo del año de..., que contiene (tantos) instrumentos y (tantos) folios, autorizados durante el mismo en esta Notaría". Y fechará en letra, firmará y rubricará», nota esta última, que debe completarse con la expresión de los instrumentos y folios del último tomo en concreto, para dar cumplimiento al párrafo segundo del artículo 275 del R.N., valiendo a título de ejemplo las siguientes:

«COMIENZA, EN ESTA FECHA, EL PROTOCOLO ORDINARIO DE INSTRUMENTOS PUBLICOS DEL AÑO DOS MIL *. POBLACIÓN, A * DE ENERO DEL AÑO DOS MIL *».

«CONCLUYE, CON ESTA FECHA, EL PROTOCOLO ORDINARIO DE INSTRUMENTOS PUBLICOS DEL AÑO DOS MIL *, QUE COMPRENDE * NUMEROS, * FOLIOS Y * TOMOS, CONTANDO CON EL DEL PRESEN-TE, COMPRENDIENDO ESTE ÚLTIMO, DEL NUMERO * AL NUMERO * Y DESDE EL FOLIO * HASTA EL FOLIO *.

POBLACIÓN, A * DE DICIEMBRE DEL AÑO DOS MIL *».

– Las matrices se acumulan, por el riguroso orden de autorización y en este orden se numeran. A su vez, las matrices deben reflejar los números de los folios de papel de uso exclusivo notarial en el que van extendidas de acuerdo con el art. 154 del RN (no es objeto de este tema, pero consideramos que la única forma correcta y reglamentaria de expresar tal numeración es con la expresión concreta de la serie y números de los folios de que se integra y no con la práctica de em-plear expresiones tales como «el del presente y los ***** siguientes posteriores/ anteriores», puesto que esto puede afectar a la integridad del protocolo, ya que puede permitir la sustitución íntegra de una matriz por otra, sin que por la copia de ella tal sustitución pueda probarse).

– Acumuladas las matrices, todos los folios que las integran son foliados (numera-dos) correlativamente.

– Y cuando la acumulación de matrices alcanza un volumen suficiente, forman un tomo de los que integran el protocolo anual, que se apertura y cierra, en sendos folios no foliados, para contener notas de apertura y cierre de tomo, con texto análogo al de apertura y cierre de protocolo, según preceptúa el párrafo tercero del artículo 275 R.N., tales como:

«COMIENZA, EN FECHA DE HOY, EL * TOMO DEL PROTOCOLO OR-DINARIO DE INSTRUMENTOS PUBLICOS DEL AÑO DOS MIL *.

POBLACIÓN, A * DE * DEL AÑO DOS MIL *».

«CONCLUYE, CON FECHA DE HOY, EL * TOMO DEL PROTOCOLO ORDINARIO DE INSTRUMENTOS PUBLICOS DEL AÑO DOS MIL *, QUE COMPRENDE DEL NUMERO * AL NUMERO * Y DESDE EL FOLIO * HAS-TA EL FOLIO *.

POBLACIÓN, A * DE * DE DOS MIL *».

– Concluido el año, tras la última matriz, como ya se ha dicho, se incluirá en folio no foliado, nota de cierre de tomo y de año y tras él se encuadernan los índices reglamentarios.

– En el lomo de los tomos que integran en protocolo anual se hará constar, junto con el texto reglado, del párrafo tercero del artículo 276 del R.N., en el caso de ser varios, el número de orden de ese tomo con respecto a los demás que integran el año.

Las anteriores normas junto con las reglamentarias referentes a enmendados y formas de subsanaciones, cumplen en conjunto el asegurar la integridad del protocolo y la inalterabilidad de su contenido:

– la expresión de los números de los folios en que se halla contenido un instrumento público y las normas sobre enmendados y subsanaciones, son formas de evitar que el contenido de un instrumento público se altere;

– la numeración, la foliación, las notas de cierre de tomo y año, el índice y la encuadernación garantizan la integridad del protocolo, asegurando ésta además la conservación ordenada del mismo.

Integridad del protocolo, que sólo tiene una excepción, la del desglose de la matriz, cuando ésta sea el objeto del delito, con sustitución en el protocolo de testimonio de la misma, a la que hace referencia el artículo 32 LN.

La encuadernación es a costa del notario autorizante de los instrumentos; la fianza notarial asegura el cumplimiento de tal obligación (artículo 30 RN).

A la conservación contribuye no solo la encuadernación del protocolo, sino la responsabilidad de los notarios encargados de su custodia, que viene establecida en el artículo 279 RN, que literalmente transcrito dice: «*Los Notarios y Archiveros serán responsables de la integridad y conservación de los protocolos.*

En el caso de inutilizarse todo o parte de un protocolo, además de las obligaciones del artículo 39 de la Ley, el Notario tendrá la de comunicarlo a la Junta directiva del Colegio, y ésta a la Dirección. Si el Notario interesado no pudiese cumplir con lo dispuesto en el citado artículo y en el presente, lo verificará cualquier otro de la misma residencia a cuyo conocimiento llegase el hecho. En su defecto, estará obligado a hacerlo el Juez de Primera Instancia o, en su caso, el Municipal:

Si se deteriorasen por falta de diligencia, los Notarios y Archiveros lo repondrán a sus expensas, incurriendo además en responsabilidad disciplinaria.

Si resultase motivo racional para sospechar que hubo delito, se pondrá en conocimiento de los Tribunales a los efectos procedentes».

Es innegable, por otra parte, que incluso con la mayor diligencia en la conservación y custodia del protocolo, éste puede ser objeto de deterioro, destrucción o perdida, total o parcial; supuesto que contempla el artículo 280 RN, que establece dos procedimientos distintos:

- uno de ellos, de carácter obligatorio, de oficio y a instancia del notario titular de la custodia del protocolo, cuyo destino es el determinar el alcance del siniestro, el deterioro del protocolo y el establecimiento de las medidas necesarias para la conservación de los recuperables del mismo;

- el segundo, a instancia de parte interesada, viene constituido por el expediente individual de reconstrucción de un instrumento público deteriorado o perdido. Así los regula, el art. ya citado 280 RN:

«La reconstitución de protocolos notariales deteriorados o destruidos total o parcialmente se ajustará a las siguientes normas:

1.ª El Notario titular y el Delegado de la Junta directiva del Colegio Notarial practicarán una visita extraordinaria a la Notaría y levantarán un acta, haciendo constar:

a) Las circunstancias y extensión del siniestro, en su caso, y daños causados.

b) El número de protocolos o de instrumentos, en su caso, y de libros inutilizados, consignando el mayor número posible de circunstancias y detalles necesarios para que pueda llegarse al conocimiento exacto de cuáles son los documentos o libros deteriorados o inutilizados. En el caso de ser pocos los documentos destruidos, deberá especificarse el número y clase de éstos, y en otro caso, bastará referirse al contenido de los índices. Del acta se remitirá una copia autorizada por ambos Notarios al Colegio Notarial, y la Junta directiva de éste adoptará las medidas de publicidad que estime necesarias para que la destrucción o deterioro de protocolo llegue a conocimiento de los interesados para que éstos puedan incoar el oportuno expediente.

2.ª Los documentos que se hayan salvado deberán encuadernarse aun cuando falten algunos de numeración intermedia, interpolándose, en tal caso, en sustitución de los que falten, una hoja, en la que se hará constar que tales números intermedios desaparecieron o se inutilizaron, haciéndose referencia el acta en que así se acredite. Tal hoja se colocará en el lugar correspondiente al número o números inutilizados, y podrá emplearse una sola hoja para varios números o instrumentos, si éstos fuesen correlativos. En la misma se hará constar por nota suscrita por el Notario el hecho de la reconstitución, cuando ésta se verificare, con expresión de la fecha y número del acta de protocolización.

3.ª Los documentos que no sean susceptibles de encuadernación se conservarán en sendas carpetas, con la numeración que, conforme a los índices, les corresponda dentro del año respectivo.

4.ª Para la reconstitución de cada instrumento público inutilizado, deberá formalizarse un expediente al siguiente tenor:

a) Se incoará mediante instancia de parte interesada o de su representante, y se reconoce personalidad para este objeto a las personas que, de conformidad con lo dispuesto en los ar-

tículos 17 de la Ley de 28 de mayo de 1862, y 224 y siguientes de este Reglamento, tengan derecho a obtener copia autorizada del documento que se trate de reconstruir.

b) La instancia se presentará ante el Notario titular, el cual consignará con certificación, a continuación de la instancia. Lo que resulte del acta expresada en la regla primera en lo que haga relación al instrumento que se trate de reconstituir; también certificará de lo que resulte en los índices respecto del mismo instrumento, y si éstos hubiesen desaparecido, se incorporará certificación de los del Colegio Notarial.

c) El solicitante presentará también los medios de prueba, expresará los nombres de las personas que hayan de declarar y manifestará los nombres y domicilios de las que sepa que tienen su domicilio en España y están interesadas en el documento.

d) Los medios de prueba serán: las copias autorizadas con las formalidades de derecho, las demás copias y los testimonios, los documentos que hagan referencia a las mismas copias o a los originales o sean consecuencia o efecto de unas y otros, los certificados y documentos expedidos en los Registros y oficinas públicas, las declaraciones de los testigos, los informes periciales, la declaración jurada de los interesados o de sus representantes y cualquier otro medio que se estime pertinente.

e) Si se presentare copia del documento inutilizado expedida con las formalidades del derecho, el Notario la remitirá a la Junta directiva del Colegio Notarial, la cual acordará su protocolización si la considera auténtica, después de cotejar el signo, firma y rúbrica con los que obran en el correspondiente libro del mismo o de otro Colegio, consignándose como resultado de tal cotejo una legalización por el Decano y el Secretario del Colegio Notarial a continuación de la copia misma, expresando en ella que se hace para los efectos de protocolización en sustitución del original, y en caso contrario, denegará la protocolización y devolverá el expediente, que podrá ser ampliado con otras pruebas, tramitándose en la forma que se expresa en los apartados siguientes.

f) En los demás casos, el Notario citará, con la mayor urgencia, a los interesados en el documento, señalándoles un plazo no menor a treinta días para que comparezcan en la Notaría. También se citará al Notario autorizante del documento inutilizado, si no fuera el mismo titular, para que remita declaración detallada, autorizada con su signo, firma y sello, o concurra el día que se haya de examinar la prueba.

g) El examen y desarrollo de prueba se consignará en un acta, en la cual el Notario titular hará constar el resultado de las declaraciones y reseñará con detalle las copias y documentos presentados, y si el Notario autorizante del documento fuera el mismo titular de la Notaría hará constar, además, lo que conozca directamente sobre dicho documento. La prueba deberá dirigirse a demostrar el contenido y la forma del instrumento que se trate de reconstruir o los detalles que falten (en los casos de deterioro parcial) y, por tanto, se dirá su clase y se expresará fielmente su contenido. En el desarrollo de la prueba, el Notario que interviene deberá cerciorarse de la firmeza de las declaraciones y requerirá al solicitante y a los declarantes para que manifiesten si conocen el domicilio en España de alguno o algunos de los interesados en el documento que no hubiesen sido citados personalmente, y en tal caso, se les notificará la existencia del expediente y el trámite en que se halle. Al levantar el acta hará constar, razonándolo, el juicio que la prueba le merezca.

h) Todas las citaciones y notificaciones se practicarán con la máxima urgencia, y se expresarán por diligencia en el expediente, bajo la responsabilidad del Notario que lo instruya.

i) Aportada y ultimada la prueba, se remitirá el expediente a la Junta directiva del Colegio Notarial, la cual emitirá informe razonado y, a su vez, lo remitirá al Juzgado de Primera Instancia del partido donde radique la Notaría cuyo protocolo se trate de reconstituir.

j) El Juez de Primera Instancia examinará el expediente, apreciará la prueba que, en caso necesario, podrá ampliar para mejor proveer, y si la encontrase bastante y eficaz, aprobará el expediente y ordenará que se protocolice.

k) La protocolización se concretará al auto judicial y al documento mismo que, según lo acreditado en el expediente, ha de sustituir al original destruido, y los demás documentos del expediente se conservarán en la Notaría en legajo especial al cual se hace referencia al formalizarse la protocolización.

5.ª El instrumento público así reconstituido tendrá la eficacia jurídica correspondiente al original destruido.

6.ª En el caso de que se impugnare por quien justifique interés legítimo la reconstitución del instrumento durante la tramitación del expediente, éste quedará en suspenso hasta que termine el juicio declarativo que el impugnante promueva. Si no se promoviere en el plazo de treinta días, se levantará la suspensión, así como en el caso de caducidad de la instancia.

7.ª Cualquier inexactitud sustantiva en las declaraciones juradas que formulen los interesados o sus representantes, será considerada como falsedad en documento público.

8.ª Los derechos de los Notarios y de los demás funcionarios que intervengan en la reconstitución de protocolos, se regularán por sus respectivos aranceles, reduciéndolos al diez por ciento.

9.ª En su actuación profesional referente a la reconstitución de protocolos, los Notarios quedan exentos de pagar la contribución de utilidades y las cantidades por folio protocolado correspondientes a la Mutualidad Notarial».

Sobre lo anterior, resaltar que el expediente para la reconstrucción de un instrumento en concreto, a instancia de parte, se abrevia y facilita cuando se conserva la copia autorizada del mismo. La proliferación de copias autorizadas electrónicas, para su presentación telemática en los registros públicos competentes y la posibilidad de su recuperación, con la consideración plena de auténticas, desde los archivos informáticos donde se almacenaron, facilitará, en un futuro, notablemente los expedientes de reconstrucción. No obstante, no es frecuente, sino todo lo contrario, la existencia de copias autorizadas electrónicas de testamentos, por lo que la prudencia aconseja entregar a los testadores, en vida de éstos, copia autorizada de dicho instrumento, para facilitar en su caso, la eventual reconstrucción sobre las mismas; siendo más conveniente esta eventual cautela, cuanto más se aleje el contenido del testamento de lo dispuesto en las normas sobre la sucesión *abintestato*.

La conservación o mejor la custodia del protocolo notarial en cuanto a su ubicación también está reglada. Los primeros veinticinco años en el despacho notarial, los siguientes en el archivo general del distrito, como establece el artículo 291 RN.

Ya dijimos que las escrituras matrices no pueden salir del despacho notarial donde están custodiadas, tal y como establece el artículo 32 de la Ley del Notariado, que sólo tiene las siguientes excepciones:

- las citadas en el propio artículo 32 de la Ley del Notariado: el traslado a los archivos correspondientes, la fuerza mayor y el desglose de la matriz por providencia judicial,

- las del artículo 53 del reglamento notarial en el supuesto de sustitución de notarías vacantes y

- las resultantes de la autorización de instrumentos, cuando fuera procedente, fuera del estudio notarial

El traslado del protocolo, tanto al archivo correspondiente, como en el supuesto de la notaría vacante del artículo 53 del reglamento, plantea varias cuestiones:

- una de ellas, es la de quien debe hacerse cargo de los gastos de dicho transporte, la cuestión fue resuelta en resolución de la Dirección General de los Registros y del Notariado de fecha 4 de junio de 2012, quien colocó dichos gastos en el Archivero o en el Notario que recibe el protocolo, en base fundamentalmente a lo dispuesto en el artículo 292 del Reglamento Notarial que habla de por su cuenta y bajo su responsabilidad;:

- otra, la del lugar de recepción, que a consecuencia de lo anterior parece debe ser en el despacho notarial del que entrega; ya que si la responsabilidad y el coste del traslado, es del que recibe, éste será quien deba elegir el medio de transporte y asumir los riesgos del mismo. Será pues el despacho notarial del que entrega, el lugar de suscripción del acta de recepción del protocolo por el que recibe.

Queda dicho, pero reiteramos, que debe entenderse que la responsabilidad de la custodia del protocolo en el traslado debe recaer sobre el que lo realice, su obligado, el que recibe.

4.28.1.8. Archivos de Protocolo

El ejercicio de la fe pública notarial se materializa, indefectiblemente, en el protocolo notarial; y para alcanzar las finalidades jurídicas a que está llamado el protocolo, la legislación notarial aborda una sistemática de archivos del mismo en la que prevalece el objetivo de conservación de dicho protocolo notarial.

Art. 36 LN: Los protocolos pertenecen al Estado. Los Notarios los conservarán, con arreglo a las leyes, como archiveros de los mismos y bajo su responsabilidad.

Este precepto, que conserva su redacción originaria del año 1.862, aborda dos aspectos, el de la propiedad de los protocolos y el de su conservación, objeto ambos de estudio pormenorizado en otros epígrafes de esta obra. Pero el precepto, con ocasión de la obligación de conservación de los protocolos por los notarios, indica el medio en que deben conservarse, que es el de su archivo, de todo lo cual se trata en el presente epígrafe y sub-epígrafes correspondientes.

La LN plasma la concepción del archivo del protocolo notarial como instrumento de conservación del mismo, entroncando con la tradición jurídica española reflejada en el Fuero Real (que impuso a los escribanos la conservación de las notas de las escrituras) y de la Pragmática de Alcalá (que instauró el protocolo).

La legislación notarial y normas complementarias (fundamentalmente entre éstas el Decreto de 2 de marzo de 1.945), contemplan tres tipos de archivos notariales:

– El Archivo de la Notaría.

– El Archivo del Distrito Notarial.

– El Archivo Histórico.

4.28.1.8.1. *Archivo de la Notaría*

Con carácter general, y salvas las excepciones que abordaremos, el denominado Archivo de la Notaría, también denominado archivo particular de la notaría, está formado con los Protocolos, Libros y Ficheros de la notaría con una antigüedad de hasta veinticinco años, comprendiendo no sólo los del Notario autorizante y titular de la notaría, sino también los del Notario o Notarios a los que se ha sucedido en dicha notaría.

Esta regla general se deduce del art. 37 LN, que con ocasión del archivo general (que es el de más de veinticinco años), señala que *Los veinticinco protocolos más modernos formarán el archivo del notario a cuyo cargo esté la Notaría.*

En parecidos términos, el art. 291 RN, y que también trata mayoritariamente del archivo general, señala por exclusión en su párrafo segundo que *Los demás protocolos y libros quedarán formando el Archivo de la Notaría, a cargo del notario que la desempeñe.*

La regla general de temporalidad tiene las siguientes excepciones:

A) Extensiva, de inclusión en el Archivo de la Notaría:

Los protocolos autorizados por el Notario que lleve más de veinticinco años en la misma Notaría serán custodiados y conservados por él, formando parte del Archivo de la Notaría, esto es, de su archivo particular, y todo ello con independencia de la antigüedad de dichos protocolos.

Esta excepción viene establecida en el párrafo tercero del art. 291 RN:

Se exceptúan de lo dispuesto en el párrafo primero de este artículo los casos en que aun viviese el Notario autorizante, que conservará mientras viva todos los protocolos que hubiese autorizado.

Pero la excepción vista, se vuelve a excepcionar, si bien con carácter discrecional de la Junta Directiva, en el último párrafo del art. 291 RN:

Sin embargo, los Notarios podrán solicitar autorización de la Junta directiva para depositar parte de su protocolo en el local del Archivo, siempre que la capacidad y demás circunstancias de éste lo permitan. La Junta resolverá discrecionalmente y, en su caso, fijará las condiciones y obligaciones que estime oportunas.

En los últimos años son frecuentes dichas solicitudes a las Juntas Directivas de los distintos Colegios Notariales, cuyas decisiones, como establece el precepto transcrito son completamente discrecionales, y dependerán en gran medida de la capacidad de recepción y medios de los Archivos de Distrito correspondientes.

En todo caso, cabe estimar que una adecuada exégesis del último precepto transcrito, no faculta al Notario a solicitar de la Junta Directiva el traslado al Archivo del Distrito de los protocolos autorizados por él o por sus antecesores, que tengan una antigüedad inferior a veinticinco años, pese a lo ambiguo de su redacción.

B) Restrictiva, de no inclusión en un Archivo Particular:

Los protocolos de las notarías amortizadas o suprimidas, aun cuando dichos protocolos tengan menos de veinticinco años de antigüedad, formarán parte de los Archivos del Distrito Notarial, como taxativamente establece el último inciso del párrafo primero del art. 291 RN:

Los Archivos generales de protocolos se formarán (...) y con los de las Notarías amortizadas o suprimidas.

La fundamentación de dicho precepto cae por su propio peso: amortizada o suprimida una notaría la forma más certera de velar por la conservación del protocolo, a fin de salvaguardar los efectos que se derivan de éste, es su traslado al Archivo de Distrito, llamado por la ley Archivo General de Protocolos.

No obstante ello, el RN establece importantes excepciones a la obligatoriedad de trasladar al Archivo del Distrito los protocolos con una antigüedad inferior a los veinticinco años de las notarías suprimidas o amortizadas:

1ª) La primera de dichas excepciones la establece el párr. 1º del art. 292 R.N:

Los protocolos de las Notarías amortizadas permanecerán en los respectivos archivos generales y sólo pasarán al archivo de las Notarías creadas en la misma demarcación o en otra posterior si, por razones de servicio, lo dispusiere así la Dirección General.

Para que pueda aplicarse dicha excepción que permite que un protocolo de notaría amortizada pase a formar parte de un archivo particular de otra notaría es necesario, a nuestro entender, la concurrencia cumulativa de los siguientes supuestos: a) Que el protocolo de la notaría amortizada tenga menos de veinticinco años; b) Que la notaría a cuyo archivo particular se "traspase" el protocolo de la notaría amortizada haya sido creada en la misma demarcación notarial que ha suprimido dicha notaría amortizada, o en otra posterior; c) que ambas notarías, la amortizada y la creada, se hallen ubicadas en el territorio de un mismo Distrito Notarial; d) Que exista disposición expresa de la DGRN, adoptada en función del mejor servicio a los ciudadanos, cual es el de la proximidad geográfica de los ciudadanos a los protocolos que otorgaron en su día.

La res. de la DGRN de 21 de noviembre de 1968 señaló que, de la misma forma que, en función del mejor servicio público, la DGRN puede autorizar de conformidad con el art. 292 RN que el protocolo de una notaría suprimida en la demarcación y que se conserva en el Archivo General del Distrito, pueda extraerse del mismo para integrarse en el Archivo particular de una notaría creada en esa demarcación, la misma razón del servicio público puede servir de fundamento a la DGRN para autorizar que el protocolo de una notaría suprimida se conserve en el Archivo particular de otra notaría del mismo distrito, sin necesidad de pasar al Archivo General.

2º) La segunda excepción la regula el párr. 2º del art. 292 RN:

Cuando por virtud de una demarcación notarial, dentro de un mismo distrito notarial, se suprima alguna Notaría y se creen otras, si alguna de éstas fuese desempeñada por el notario de las suprimidas, podrá conservar los protocolos que constituyan su archivo.

La posibilidad que contempla este precepto es completamente facultativa para el Notario en quien concurran las circunstancias exigidas por el precepto, no obstante lo cual, parece plausible estimar que el Notario que quiera usar de dicha facultad de conservación del protocolo procedente de la notaría suprimida y anteriormente desempeñada por él comunique su intención a la Junta Directiva.

Por lo demás, este precepto, que en una primera lectura parece claro y de fácil comprensión, no resuelve algunas dudas que pueden plantearse en su interpretación:

– Si los protocolos a los que se refiere el precepto y que puede conservar, procedentes de la notaría suprimida, son sólo los de una antigüedad inferior a veinticinco años, o también los autorizados por él pero con una antigüedad superior a dichos veinticinco años de edad. La primera solución, llamémosla restrictiva, vendría avalada por el hecho de la excepcionalidad que comporta la conservación por un archivo particular del protocolo de una notaría amortizada, aun habiendo sido autorizado dicho protocolo por el mismo Notario. La segunda, extensiva, resultaría de una interpretación conjunta del párr. 2º del art. 292 RN y del párr. 3º del art. 291 RN, precepto este último que, recordemos, permite la conservación por el Notario de todos los protocolos que hubiese autorizado.

– Si, supuesto que limitemos la posibilidad de conservación en la notaría creada a los protocolos con una antigüedad inferior a la de veinticinco años, dichos protocolos deben ser únicamente los autorizados por el Notario en la notaría amortizada, o deben entenderse comprendidos también los protocolos de antigüedad inferior a veinticinco años autorizados por sus antecesores de la notaría suprimida.

Por último, debemos tratar de dos reglas especiales que contempla el art. 292 RN, y que a diferencia de las anteriores no las contemplamos como excepciones, sino más bien como particularidades:

– La primera viene recogida en el párr. 3º del art. 292 RN:

Cuando con motivo de una demarcación se traslade una Notaría de una población a otra distinta, dentro del mismo distrito, se trasladarán asimismo la totalidad de los protocolos que constituyan su archivo.

Recordemos que la figura de traslado de una notaría de una población a otra distinta se regula en el art. 4 RN, en sede de demarcación notarial.

La figura del traslado de notaría nada tiene que ver con la de amortización de una notaría: una notaría amortizada es una notaría eliminada, mientras que una notaría trasladada implica la conservación de la notaría, que sólo cambia de residencia.

Por lo tanto, en caso de traslado de notaría de una población a otra distinta, cuando se haga efectivo dicho traslado, el Notario que la desempeñe, conservará en su archivo particular el protocolo de hasta veinticinco años de edad de la notaría trasladada, y el que exceda de esa fecha se trasladará al Archivo de Distrito, salvo que pueda conservarlo por concurrir en él las circunstancias establecidas en el párr. 3º del art. 291 RN.

Refiriéndonos a las dos demarcaciones notariales más recientes, la última demarcación notarial, que data del año 2.015, no contempla, que sepamos, salvo error u omisión, ningún caso de traslado de una notaría desde una localidad a otra distinta, y la anterior demarcación notarial aprobada por RD 173/2007, de 9 de febrero, estableció para los casos previstos en el mismo de traslado de notaria de una población a otra distinta en su art. 4.2. lo siguiente:

Los traslados dispuestos en este artículo surtirán efecto cuando vaque la Notaría trasladada, entendiendo por tal, al ser una entre varias, la primera que quede vacante.

Se exceptúa de lo dispuesto en el párrafo anterior, el caso de que el titular de la Notaría trasladada anticipe voluntariamente el traslado, en cuyo caso lo comunicará inmediatamente a la Dirección General de los Registro y del Notariado. A estos efectos, la mayor antigüedad en la plaza determinará la preferencia para el traslado voluntario de la Notaría. El cómputo de antigüedad tendrá lugar, a estos efectos, desde la fecha de toma de posesión de la plaza respectiva, siendo preferente, en caso de igualdad entre ellos, el que tenga el número más bajo del escalafón.

– La segunda regla especial viene recogida en el párr. 4º del art. 292 RN:

El notario que solicite una vacante distinta de la que venga desempeñando, pero dentro de una misma población, con arreglo al párrafo primero del artículo 96 de este Reglamento, con el fin de obtener la nueva categoría asignada a la Notaría por haber sido modificada su clasificación, conservará los protocolos que constituyan su archivo y no se hará cargo de los de la Notaría solicitada.

Si con relación a la regla especial anterior (traslado de notaría de una población a otra distinta en virtud de demarcación notarial) decíamos que sólo había cambio de residencia de la notaría, en el presente supuesto podemos afirmar que lo que no hay es verdadero traslado del Notario, ya que éste permanece en la misma población y concursa sólo para obtener clase, por lo que es lógico que conserve su archivo particular, conforme a las reglas generales, y que no se haga cargo del archivo particular de la notaría solicitada, del que se hará cargo el Notario que desempeñe efectivamente con posterioridad dicha notaría.

Como colofón a este sub-epígrafe, debemos destacar, por su ubicación en el art. 292 RN, la regla de su último párrafo:

Cuando se produzca la vacante de una Notaría, el que deba sustituirla, o el Archivero de Protocolos, en su caso, se harán cargo, por su cuenta y bajo su responsabilidad, de aquellos que respectivamente les corresponda custodiar.

Este precepto, cuya ubicación sistemática en el precepto concreto no es del todo afortunada, contempla el principio de custodia de los protocolos, no sólo para el Notario que deba sustituir una Notaría, sino también para el Notario Archivero, y a los que se les impone la asunción de las responsabilidades derivadas de la custodia como si del titular fuere.

4.28.1.8.2. *Archivo de Distrito*

Concepto y consideraciones generales.

El Archivo del Distrito Notarial, llamado por el RN Archivo General de Protocolos, está formado con carácter general, y salvas las excepciones de que trataremos, con los Protocolos de más de veinticinco años de antigüedad de todas las Notarías demarcadas en dicho Distrito.

Su existencia y ubicación vienen establecidas en el art. 289 RN:

Habrá un Archivo general de protocolos en la cabeza de cada distrito notarial.

La redacción de este precepto superó a la del párr. 1º del art. 37 LN, que, en su redacción originaria de 1.862, establece:

Habrá en cada Audiencia, y bajo su inspección, un archivo general de escrituras públicas.

La observancia de lo establecido en la LN, devino imposible en la práctica, debido a las dificultades materiales y peligros que para la custodia de los protocolos hubiese ocasionado el traslado de los protocolos desde cada notaría a la capital de la Audiencia Territorial respectiva, razón por la que el Decreto-Ley de 8 de Enero de 1.869, que fue dictado con fuerza de ley, estableció que los archivos generales de protocolos se crearan no en las Audiencias, sino en cada Distrito Notarial.

En cuanto a lo que es objeto de conservación y custodia en el Archivo del Distrito Notarial, establece el párr. 1º del art. 291 RN:

Los Archivos generales de protocolos se formarán con los protocolos generales de más de veinticinco años de fecha, con los especiales y libros de que tratan los artículos 34 y 35 de la Ley que cuenten con el mismo tiempo desde que aquéllos se hubiesen cerrado y con los de las Notarías amortizadas o suprimidas.

Con relación a la regla general de antigüedad de más de veinticinco años de los Protocolos para su inclusión en el Archivo General de Protocolos, existen una serie de excepciones, algunas de ellas a su vez nuevamente excepcionadas, establecidas por los arts. 291 y 292 del RN, y que constituyen el negativo de las que se han expuesto anteriormente al tratar del Archivo Particular de la Notaría, por lo que nos remitimos a lo ya expuesto en el sub-epígrafe correspondiente.

La res. de la DGRN de 30 de marzo de 1989 señaló que no cabe admitir como válida la declaración del notario de que debido a la falta de espacio en el local del Archivo General de Tomos del Protocolo correspondiente se encuentran, los que debe entregar, depositados en su despacho; y que no cabe aceptar que haya una situación de prórroga mencionada en el art. 291 RN, toda vez que dicha prórroga debe ser pedida especialmente y concedida por la Junta Directiva del Colegio, careciendo el notario obligado a la entrega de legitimación pasiva.

Y con respecto al contenido material de lo que es objeto de conservación y custodia en el Archivo General, hay que hacer las siguientes precisiones:

a) En cuanto a la remisión a los artículos 34 y 35 de la LN, recordemos que el primero de estos preceptos se refiere al protocolo reservado de testamentos, cuya regulación hoy resulta evidentemente anacrónica por su total desuso, y el segundo precepto se refiere al denominado protocolo reservado de reconocimiento de hijos no matrimoniales cuando el interesado no quisiese que constase el reconocimiento en el registro general, y que fue eliminado tras la modificación del art. 35 de la LN, por la Disposición Adicional de la Ley 18/1990, de 17 de diciembre, sobre reforma del Código Civil en materia de nacionalidad.

b) Es evidente que en el contenido deben entenderse incluidos no sólo los Protocolos propiamente dichos, sino también los Libros-Registros de Operaciones Mercantiles, los especiales de Protestos, los Libros-Indicadores, los archivos de ejemplares originales de las pólizas conforme al sistema anterior, y, en general, todos los demás archivos y libros de la oficina notarial que tengan relación de salvaguarda de aspectos trascendentes de la función notarial. La omisión que se hace en el art. 291 RN de todos estos libros y archivos viene motivada por la antigüedad de su redacción, y en el caso de las operaciones mercantiles ha sido corregida por la regulación de los artículos 272 y 283 del RN.

Titularidad y designación del cargo de Archivero.

Art. 290 RN:

Ninguna persona que no sea Notario podrá tener a su cargo el Archivo de protocolos.

Art. 293 RN:

El cargo de Archivero de protocolos es obligatorio cuando recaiga el nombramiento en el Notario único de cabeza de partido, o en el más moderno en la localidad si fuesen dos o más los residentes en ella, y estará siempre provisto, a no ser que estén vacantes todas las Notarías del punto en que se hallen establecidos los Archivos; pero tan pronto como se provea una, la Dirección General elevará al Ministro de Justicia la correspondiente propuesta para el nombramiento.

Art. 294 RN, párrs. 1º y 2º:

De cada uno de los Archivos generales de protocolos estará encargado un Notario elegido por el Ministro de Justicia, a propuesta de la Dirección General del Ramo, de entre los que residan en el lugar del Archivo. El sustituto del Notario será, en su caso, el sustituto del Archivo. Cuando en la cabeza del distrito notarial exista un solo Notario, que forzosamente ha de ejercer el cargo de Archivero de protocolos, no será necesario que sea nombrado expresamente.

Cuando vacare un Archivo de protocolos se hará cargo del mismo, con carácter interino, mientras no se designe titular por el Ministro de Justicia, el Notario más antiguo en la localidad. Las Juntas directivas, en casos extraordinarios, tendrán facultades para asegurar la prestación del servicio en los Archivos Notariales.

Ubicación, instalación y gestión del Archivo de Distrito Notarial.

Conforme al art. 289 RN, se ha visto que el Archivo general de protocolos estará radicado en la cabeza de cada distrito notarial.

Art. 304 RN:

Los Ayuntamientos facilitarán un local a propósito para el Archivo general de protocolos en la población en que ésta radique.

En donde el Ayuntamiento no facilitase dicho local, o mientras no se consiga de él, lo establecerá el Archivero en el edificio que juzgue conveniente y que ofrezca las oportunidad garantías para el objeto a que se destina.

Los gastos que se ocasionen a los Notarios Archiveros desde el instante en que se incauten de los protocolos, los de inventarios y los demás referentes a la instalación de los Archivos, así como los de entretenimiento y servicio de oficina, serán de su cuenta.

En casos especiales y de interés público, serán de cuenta de los Colegios los gastos de instalación y reparaciones extraordinarias de los Archivos.

Cuando el Ayuntamiento de una cabeza de distrito no proporcionare local adecuado para la instalación del Archivo, la Junta Directiva, a propuesta del Archivero, podrá acordar su traslado a la capital del Colegio, a la de la provincia, o a otra población del territorio del Colegio donde se disponga de local suficiente para la conservación de los protocolos. A tal efecto, las Juntas Directivas podrán construir, adquirir o arrendar edificios en tales poblaciones, a fin de instalar debidamente los Archivos, y solicitar de los Ayuntamientos y Corporaciones públicas la ayuda económica necesaria para ello.

El último párrafo del precepto fue objeto de modificación por el Real Decreto 45/2007, de 19 de enero.

El precepto establece el principio general de la gestión directa del Archivo del Distrito por el Notario Archivero (veremos después la regla especial del párr. 3º del art. 294 RN).

Aunque sólo se refiere a los gastos que debe soportar el Notario Archivero, correlativamente, y de forma proporcional, ha de entenderse que el mismo Notario Archivero hace suyos los honorarios notariales devengados por la expedición de copias de los Protocolos que se hallan bajo su custodia, lo cual tiene su refrendo en el art. 222 RN, conforme al cual, sólo el notario en cuyo poder se halle legalmente el protocolo, estará facultado para expedir copias y otros traslados o exhibirlo a los interesados.

Por lo que se refiere a la prestación de un local por el Ayuntamiento para la instalación del Archivo del Distrito, la casuística de la ubicación concreta de los Archivos de Distrito, es muy diversa, y aún más si se combina con la del Archivo particular del Notario Archivero.

Podemos apuntar, sin afán exhaustivo, los siguientes supuestos:

– Ayuntamientos que, efectivamente, ponen a disposición del Notario Archivero un local para la instalación, bien de la totalidad del Archivo del Distrito, sección moderna (la de menos de cien años) y sección histórica (la de más de cien años), o sólo para una de dichas secciones, frecuentemente la histórica, o además de lo anterior, también facilitan al Notario el local de su oficina notarial, sede de su archivo particular, en este último caso bien de forma gratuita o mediando contrato de arrendamiento.

Como veremos con posterioridad, al tratar del Archivo Histórico, y tras unas décadas de cierta dejadez y falta de auxilio a los Notarios Archiveros, cada vez son más los Ayuntamientos interesados en ofrecer sus dependencias para su depósito en ellos de las secciones históricas de los Archivos de Distrito.

– Ayuntamientos que no proporcionan a los Notarios Archiveros las dependencias adecuadas para la ubicación en ellas de los Archivos de Distrito; en estos casos, corren de cargo del Notario Archivero las decisiones oportunas sobre su instalación y mantenimiento, con las particularidades que para casos singulares establece el art. 304 RN.

Art. 294 RN, párr. 3º:

Sin embargo, en las capitales de Colegio las Juntas directivas organizarán el Archivo general de protocolos del distrito notarial correspondiente, proporcionando local adecuado para su depósito, nombrando y separando el personal auxiliar, satisfaciendo, con cargo a los fondos del Colegio, sus nóminas y los demás gastos que ocasione el servicio, y percibiendo con destino al mismo fondo, los honorarios que corresponda. Para atender al mejor servicio público, propondrá al Ministro de Justicia el nombramiento de un Notario Archivero que podrá ser o no Vocal de la Junta directiva.

Este precepto es específico para los Archivos del Distrito Notarial en cuyo ámbito territorial está la capitalidad del Colegio Notarial, e implica un régimen especial de la gestión de los recursos humanos y materiales, y de los gastos y honorarios devengados, atribuyendo a las Juntas Directivas de los correspondientes Colegios Notariales las facultades de organización de dichos archivos generales de protocolos, e imputando los gastos y los honorarios, a los fondos del Colegio Notarial de que se trate.

Como apunte interesante, hay que hacer referencia a que la Orden del Ministerio de Justicia de 10 de Noviembre de 1.951 por la que se dan normas referentes a los Archivos Generales de Protocolos en las capitales de los Colegios Notariales, estableció la obligatoriedad de la aplicación del párr. 3º del art. 294 RN a aquellos Colegios Notariales que no la habían observado hasta entonces, además de precisar que si había algún sobrante de los ingresos generados por dichos Archivos se destinaría a la mejora de los mismos, e imponiendo a las Juntas Directivas la llevanza de una contabilidad separada para dichos Archivos a efectos estadísticos e informativos.

En los últimos años se ha hecho un ingente esfuerzo por los diferentes Colegios Notariales para dotar de instalaciones adecuadas y de recursos humanos cualificados a estos archivos, cohonestado dicho esfuerzo con una especial sensibilidad de salvaguarda y catalogación de los fondos notariales.

Procedimiento de entrega.

Art. 298 RN:

Los Notarios y sus sustitutos, así como los sustitutos de las Notarías vacantes, entregarán durante el mes de enero de cada año, al Archivo del distrito al que pertenezcan, los protocolos y libros que obren en su poder y que cada año deban depositar en aquél; si no tuvieran ninguno, remitirán en su lugar certificación negativa, expresando el motivo de la no existencia.

Cuando un Notario remitiere al Archivo certificación negativa por llevar veinticinco años de residencia y no corresponder la remisión de acuerdo con el párrafo tercero del artículo 291 de este Reglamento, bastará esta certificación por sí sola, sin que el Notario hubiera de hacer otra alguna en lo sucesivo mientras ocupe la misma Notaría.

Art. 297 RN:

Cuando un Notario se encargue del Archivo de protocolos, extenderá un acta firmada por él mismo y por las personas que le hagan la entrega, acreditando haber recibido todos los protocolos, libros y papeles comprendidos en el inventario general y sus adiciones, expresando las fechas de uno y otras, y en el caso de que después de la última de éstas hayan ingresado otros protocolos y libros, los determinará con las circunstancias exigidas. De dicha acta, que quedará en el Archivo, sacará y remitirá copia literal a la Junta directiva dentro de los quince días siguientes a su fecha.

Es práctica habitual la expedición de acta por triplicado ejemplar, todos ellos firmados por el Notario depositante y por el Notario archivero, y de los cuales: un ejemplar queda en poder del Notario que ha entregado el Protocolo (a modo de salvaguarda de haber cumplido su obligación de entrega y de constancia de la relación de lo entregado), el otro queda para el Archivo, y el otro se remite por el Notario Archivero a la Junta Directiva.

Obligaciones formales de los Notarios Archiveros.

Art. 296 RN:

En todo Archivo de protocolos existirá un inventario de los libros y papeles que lo constituyan, cuyo original quedará en el Archivo, y del que se remitirá copia a la Junta del Colegio Notarial.

Los inventarios de los Archivos contendrán la relación de todos los papeles del mismo, y respecto de los protocolos expresarán el número de éstos, folios de cada volumen, Notario autorizante y años a que corresponda.

Respecto al plazo en que el Notario archivero debe remitir copia del inventario a la Junta del Colegio Notarial, debe entenderse, por analogía con el art. 298 RN, que la frecuencia de esa remisión debe ser anual.

Art. 299 RN:

En el mes de febrero, los Notarios Archiveros o sus sustitutos adicionarán el inventario general que debe existir de su Archivo, con los protocolos, libros y papeles que hayan sido entregados por los Notarios en el mes anterior, expresando respecto a los primeros su número, folios de cada volumen, Notarios autorizantes y años que comprendan.

Art. 300 RN:

Los Archiveros de protocolos, o sus sustitutos, remitirán a las respectivas Juntas directivas, en los ocho primeros días del mes de marzo de cada año, una copia de la adición de inventario a que se refiere el artículo precedente y una relación de los Notarios que no hubiesen cumplido la obligación que les impone el artículo 298. Las Juntas corregirán disciplinariamente a dichos Notarios, sin perjuicio de adoptar los acuerdos conducentes al exacto cumplimiento de lo establecido en el artículo 298, antes citado.

Antes del 1 de abril de cada año remitirán las Juntas a la Dirección General una relación de los Notarios morosos, de las sanciones que les hayan impuesto y de las medidas adoptadas para el cumplimiento de su deber de este servicio.

Régimen de inspección y disciplina.

Art. 295 RN:

Los Notarios Archiveros serán corregidos disciplinariamente por iguales causas y en la misma forma que pueden serlo los Notarios.

Art. 301 RN:

Los Archivos generales de protocolos estarán sujetos a la inspección y vigilancia de las Juntas directivas de los Colegios de Notarios y de la Dirección General, que podrán decretar todas las visitas que estimen convenientes.

Art. 302 RN:

Los Archiveros y Notarios que no cumplan las disposiciones anteriores en los plazos se-
ñalados serán corregidos disciplinariamente por las Juntas directivas por cada falta en que
incurran. La Dirección General impondrá asimismo a las Juntas directivas una corrección
disciplinaria por cada falta que cometieren por incumplimiento de lo prevenido en esta
Sección.

Art. 305 RN:

Las Juntas directivas de los Colegios, por medio de uno de sus individuos o de alguno
de los colegiados, podrán girar visitas de inspección a las Notarías y Archivos del mismo
Colegio, a fin de corregir los defectos u omisiones subsanables en la manera de escribir y
conservar los instrumentos y protocolos y uniformar la práctica, asegurándose del exacto
cumplimiento de las obligaciones notariales en todo el territorio y si hubiere lugar a ello
imponer correcciones disciplinarias.

Art. 306 RN:

La Dirección General ejerce la alta inspección de las Notarías y Archivos y puede decre-
tar cuantas visitas extraordinarias crea convenientes.

Estas visitas podrán practicarse por el Director general, el Subdirector o alguno de los
Oficiales o Auxiliares facultativos o Notarios colegiados, debiendo el funcionario que la
practique ir acompañado de un Secretario, que nombrará dicho Centro directivo.

Al acordarse la práctica de una visita extraordinaria, se expresará si ha de ser general
o especial, designándose, en el primer caso, el periodo de tiempo que ha de abrazar; y en el
segundo, los libros y documentos que han de examinarse o los demás particulares a que se
considere oportuno extender la visita.

Todos los preceptos transcritos entran en la órbita de las competencias de inspección de las Juntas Directivas y de su superior jerárquico que es la Dirección General de
los Registros y del Notariado.

4.28.1.8.3. Archivo Histórico

Concepto y consideraciones generales.

El Archivo Histórico es una sección especial del Archivo General de Protocolos,
formada por los protocolos de más de cien años de antigüedad. A estos fondos frecuentemente se les denomina como la «sección histórica» de los Archivos de Distrito, en
contraposición a la denominada «sección moderna», que, como sabemos es la que se
refiere a los protocolos con una antigüedad superior a los veinticinco años y que no
sobrepasan la de cien años.

La sección de Archivo Histórico fue creada por el Decreto de 2 de marzo de 1.945 por el que se reorganiza la Sección Histórica en los Archivos de Protocolo, publicado en el BOE número 789 de 19 de marzo de 1.945, y que no ha sufrido modificación alguna hasta nuestros días.

Resulta ineludible transcribir algunos párrafos de la exposición de motivos de dicho Decreto, por cuanto que explicitan y fundamentan los motivos de la creación de esta sección:

«Los archivos notariales constituyen un tesoro documental de gran valor histórico-jurídico para el estudio de la evolución que a través de los tiempos han experimentado las más fundamentales materias de Derecho privado. Sus protocolos centenarios constituyen una de las fuentes más genuinas de la historia de España, tanto para el conocimiento de las instituciones como de los hechos y personas que al correr de los siglos han dejado huella en la vida de nuestro pueblo.

La consulta de los archivos, descuidada en el siglo pasado, fue desarrollada en el actual a medida que la investigación se depuraba con un mayor sentido de la crítica histórica. La corriente hacia los mismos, acrecentada con este movimiento, comenzó a dirigirse a los archivos de protocolos, que fueron franqueados a los historiadores.»

«...el enorme volumen alcanzado por los Archivos de Protocolos, continuamente incrementados con nuevas e importantes aportaciones ha revelado que el Cuerpo Notarial, pese a una cuidadosa organización y a las considerables sumas invertidas por algunos de sus organismos, no pueda atender, con sólo sus privativos y limitados medios, un problema de tanta magnitud».

«El presente Decreto....adopta, por otro lado, las medidas pertinentes para llegar en breve término a una adecuada instalación de todos los Archivos Históricos, sin otro móvil que el muy fundado y ferviente anhelo de convertirlos en asequibles y fecundos centros de investigación».

El Decreto de 2 de marzo de 1.945, crea, pues, esta sección histórica, al establecer, en su artículo primero:

De conformidad con lo que dispone el artículo trescientos tres del Reglamento de Organización y Régimen del Notariado se crea en cada Archivo de Protocolos una Sección Histórica, integrada por los que tengan más de cien años de antigüedad.

El régimen de esta sección histórica, es distinto, según el archivo general a que pertenezca, distinguiendo el Decreto:

a) Secciones instaladas por los Colegios Notariales en forma adecuada:

Comprende los protocolos ubicados en el distrito donde está emplazada la capitalidad del Colegio Notarial, y también los protocolos de otros distritos notariales que hubiesen sido trasladados a la capital sede del Colegio Notarial, por no proporcionar el Ayuntamiento local adecuado (ex 304 RN).

Estas secciones se hallan al cargo exclusivo del Colegio Notarial respectivo, con la colaboración técnica del Cuerpo de Archiveros.

b) Secciones correspondientes a capitales de provincia no comprendidas en el apartado anterior.

Estas secciones pasan a integrar, como sección independiente, los Archivos Históricos Provinciales del Estado. Están bajo la dirección y custodia del Notario Archivero, a quien le corresponde la expedición de copias, si bien la dirección y ordenación técnica de los catálogos y servicios se confía al Cuerpo de Archiveros.

c) Secciones históricas existentes en los demás distritos notariales.

Están a cargo del Notario archivero del distrito, quien deberá formar su catálogo bajo la dirección y con el asesoramiento técnico del Cuerpo de Archiveros.

El Decreto de 2 de marzo de 1.945, por lo demás, habla del «Cuerpo de Archiveros, Bibliotecarios y Arqueólogos», concebido por el Decreto, por razón de su época, como un único cuerpo de carácter nacional.

Con el Estado de las Autonomías, se ha sumado al interés de la Administración General del Estado sobre los fondos históricos notariales, el de cada una de las diversas CCAA, que cuentan con su propio personal de Bibliotecarios y Archiveros.

En otros epígrafes de esta obra se trata de la cuestión de la propiedad de los Protocolos.

Baste recordar que el art. 36 LN establece la tajante aseveración de que los protocolos pertenecen al Estado, y que es pacífica en la doctrina la opinión de que, en todo caso, es propiedad del Estado el protocolo o libro como cosa corporal.

El marco competencial básico, viene dado, como no podía ser menos, por la Constitución española, en sus arts. 149.1.28 CE y 149.2 CE. Conforme al primero de ellos, el Estado tiene competencia exclusiva sobre «museos, bibliotecas y archivos de titularidad estatal, sin perjuicio de su gestión por parte de las Comunidades Autónomas». Añade el art. 149.2 CE que, «sin perjuicio de las competencias que podrán asumir las Comunidades Autónomas, el Estado considerará el servicio de la cultura como deber y atribución esencial y facilitará la comunicación cultural entre las Comunidades Autónomas, de acuerdo con ellas».

Pero, obviamente, ello ha generado fricciones entre el Estado y las diversas CCAA, que han sido abordadas por numerosas sentencias del Tribunal Constitucional, relativas a los Archivos Históricos de todo tipo.

A este respecto, son numerosísimas las sentencias del Tribunal Constitucional que abordan estos aspectos:

La STC 17/1991, de 31 de enero, con motivo de que la Generalitat de Cataluña rechazara la competencia del Estado para dictar un reglamento de organización, funcionamiento y personal de los archivos, bibliotecas y museos de titularidad estatal, declaró que la transferencia de la gestión sobre estos archivos no conlleva la atribución de la potestad reglamentaria, pues lo que en su párrafo final establece el art. 149.1.28 CE es la posibilidad de transferir la gestión de los establecimientos citados a las Comunidades Autónomas, y que, una vez hecho, a la Comunidad Autónoma corresponde «la ejecución de la legislación del Estado»; lo que sujeta su gestión a las normas reglamentarias que en desarrollo de su legislación dicte el Estado (FJ 19).

Singular importancia ofrecen los pronunciamientos de la STC 31/2010, de 28 de junio, en relación con la constitucionalidad del art. 127.2 (FJ 73) y de la disposición adicional decimotercera del actual Estatuto de Autonomía de Cataluña (FJ 74). Concluyen que no contradice el art. 149.1.28 CE, en relación con el art. 149.2 CE, que los fondos ubicados en archivos de titularidad estatal se integren en sistemas archivísticos de las Comunidades Autónomas, si esto implica una calificación que sólo añade una sobreprotección a dichos fondos, pero sin incidir en la regulación, disposición o gestión de los fondos documentales ni de los archivos en que se ubican. Esta apreciación fue reiterada en las Sentencias que resolvieron los recursos de inconstitucionalidad promovidos contra la misma disposición adicional decimotercera por el Consejo de Gobierno de la Diputación General de Aragón (STC 46/2010, de 8 de septiembre), el Consejo de Gobierno de la Comunidad Autónoma de les Illes Balears (STC 47/2010, de 8 de septiembre) y la Generalitat de la Comunidad Valenciana (STC 48/2010, de 9 de septiembre).

Archivos Históricos de Distritos Amortizados.

No hay que desconocer que son numerosísimas las secciones históricas de protocolos que radican en localidades que anteriormente fueron cabeza de un distrito notarial, y que con posterioridad ha sido amortizado, no obstante lo cual, los protocolos siguen bajo la custodia del Notario titular de dicha localidad, antigua cabecera del distrito ya amortizado.

Estos archivos generales se encuentran en una situación de irregularidad de facto, pero que debe cohonestarse con su indudable valor histórico, hasta el punto de que los Ayuntamientos de dichas localidades consideran el Archivo general del distrito amortizado, particularmente la sección histórica, como parte de su patrimonio común, manifestando en multitud de ocasiones las autoridades locales su oposición a cualquier proyecto de traslado que la Junta Directiva haya formulado para regularizar la situación, mediante su llevanza al Archivo General del Distrito que corresponda.

Una postura plausible para las Juntas Directivas es la de acordar la creación de Subdelegaciones de archivos con carácter permanente, en las cabeceras de distritos amortizados.

Investigación histórica de los protocolos del Archivo Histórico.

Art. 303 RN:

Dentro de los límites establecidos en el artículo 32 de la Ley del Notariado, los Archiveros de protocolos, en los días y horas hábiles que tengan señalados, deberán facilitar a las personas de notoria competencia en los estudios de investigación histórica la consulta de documentos que cuenten más de cien años de antigüedad y ofrezcan indudable valor para dichos estudios, adoptando en todo caso las medidas necesarias para la conservación de los documentos que estén bajo su custodia.

Este precepto fue redactado por el Decreto de 2 de marzo de 1.945, por el que se organiza la Sección Histórica de los Archivos de Protocolos, y posibilita la supresión del secreto de protocolo para los documentos que cuenten con una antigüedad superior a los cien años, siempre que se acredite su fundamento en necesidades de investigación histórica de personas cualificadas para ello.

Son numerosísimas las resoluciones de la DGRN sobre la interpretación de los límites que impone el artículo 303 RN para levantar el secreto de los protocolos históricos, pivotando todas ellas en la acreditación de la notoria competencia para la investigación histórica, y en que dicha investigación no suponga deterioro alguno al protocolo:

– La res. de la DGRN de 7 de marzo de 1.975 señaló que los notarios Archiveros pueden limitar su obligación de facilitar la interpretación científica de Archivos Históricos de protocolos, mediante la exigencia de adopción de medidas necesarias para su conservación, que serán decididas discrecionalmente por el notario Archivero, si bien serán exigidas de forma objetiva y generalizada equitativamente para todos los investigadores solicitantes; y que las fotocopias a efectos de pura investigación científica, no precisarán de legalización notarial, pero que estos documentos carecen de valor y efecto ejecutivo de las copias que a otros efectos hayan de realizarse de esos mismos protocolos de los Archivos Históricos.

– La res. de la DGRN de 20 de julio de 1.999 reconoce que las precauciones que los Notarios Archiveros deben observar en la expedición de copias autorizadas del archivo histórico deben ser las mismas que para el protocolo del Archivo General, si bien atemperadas por el sentido común y la excepción del secreto de protocolo a favor de los investigadores para los documentos de más de cien años. La resolución dispensó al solicitante de la presentación de la documentación pertinente para la expedición de una copia de un testamento del año 1.744, y ordenó la expedición de dicha copia, habida cuenta del fallecimiento del testador, distinguiendo, no obstante la expedición de copia autorizada de la simple manifestación del contenido del protocolo a través de fotocopia sin otro valor que el de la investigación científica o cultural.

– La res. de la DGRN de 16 de diciembre de 2.002 reitera el secreto del protocolo de menos de cien años de antigüedad, en el sentido de que la aplicación de una ley general (la ley 16/1985) debe ceder ante la existencia de una ley especial reguladora de esta materia, que es la LN y el RN.

4.28.2. El libro-registro

El Libro-Registro se encuentra hoy regulado en los arts. 17.1 LN y 283 RN. La primera reflexión que hay que hacer es terminológica. El redactor reglamentario le ha dado una denominación al Libro-Registro que no es la de la Ley del Notariado. Aunque la subsección 2ª del capítulo IV («De la conservación de los instrumentos públicos») del título IV («Del instrumento público») se titula «Del Libro-Registro», al comienzo del art. 283 lo denomina «Libro-Registro de Operaciones Mercantiles» y salvo en el párrafo 8° y penúltimo que utiliza el término «Libro-Registro de Operaciones», en el resto, lo llama simplemente «Libro-Registro». Le ha añadido pues la expresión «Operaciones Mercantiles». El Código de Comercio lo denomina «Libro-Registro», el Reglamento de Corredores de Comercio siguió, como no podía ser de otra forma, esta denominación aunque en preceptos aislados añadía «de operaciones». Por último la nueva redacción del art. 17.1 LNot utiliza una única vez «Libro-Registro de operaciones» y las restantes «Libro-Registro», pero nunca «Libro-Registro de Operaciones Mercantiles».

Hasta el 1 de diciembre de 2006, fecha en la que entró en vigor la modificación de la Ley del Notariado operada por la Ley 36/2006, de 29 noviembre (BOE 30 de noviembre), su regulación estaba recogida en los arts. 93 y 107 CCom —preceptos hoy todavía vigentes—, en los arts. 32, 33 a 40 del Reglamento para el Régimen interior de los Colegios Oficiales de Corredores de Comercio, de su Consejo General y regulando el ejercicio del cargo de Corredor Colegiado de Comercio, aprobado por Decreto 853/1959, de 27 de mayo (RCorr) —cuya última modificación tuvo lugar por Real Decreto 1251/1997, de 24 de julio—, y en el capítulo III de la OM de 28 de mayo de 1998 (disposiciones 10ª a 15ª). Todas estas normas eran aplicables al Cuerpo único de Notarios tras la integración operada por la Disposición Adicional 24ª de la Ley de Medidas Fiscales, Administrativas y de Orden Social de 28 de diciembre de 1999 tal como se estableció por el RD 1643/2000, de 22 de septiembre y la instrucción de la DGRN de 29 de septiembre de 2000.

Por ello hay que distinguir un régimen legal hasta el 30 de noviembre y otro desde el 1 de diciembre de 2006, habida cuenta que todavía se expiden «certificaciones de asiento» y «certificaciones de conformidad» de los mismos. Y las diferencias son radicales porque hasta que se produce la antedicha modificación lo que circulaban eran los originales de las pólizas intervenidas en tantos ejemplares como partes intervinientes de forma que cada una tenía su original con las firmas de todos los otorgantes y la intervención del Corredor de Comercio Colegiado primero y, luego, tras la integración en un Cuerpo único, la del Notario. Al circular los originales lo que recogía el Libro-Registro era una reproducción aunque, además, se conservaba otro original en el Archivo del fedatario público. Pero el carácter oficial lo tenía sólo el Libro-Registro, porque el Archivo era realmente una colección de originales cuyo valor estaba en los propios documentos intervenidos.

A partir de la modificación de la LN hay un único original que es el que conserva el Notario para conformar el Libro-Registro. Lo que circulan son copias del mismo que en ningún caso pueden llevar las firmas de los otorgantes.

Antes y después de la reforma operada por la Ley 36/2006, la llevanza de un Libro-Registro (al igual que la del Protocolo) como sistema de conservación de los documentos intervenidos por el Notario es una obligación esencial a su función de forma que su no llevanza debe considerarse como una infracción muy grave. Así lo hace la RDGRN de 13 de abril de 2004 al suponer la intervención de documentos contraria a las formas y reglas esenciales con grave perjuicio para los clientes, por cuanto determina privar a los otorgantes de un documento público (las certificaciones expedidas con referencia al Libro-Registro) así como de un título ejecutivo con los graves perjuicios que ello implica.

Distinguiremos uno y otro régimen legal en función de la fecha de entrada en vigor de la modificación legislativa habida cuenta que en función de la fecha del acto o contrato objeto de intervención notarial estará conservado de una forma u otra.

4.28.2.1. Régimen legal hasta el 30 de noviembre de 2006

Art. 93 CCom: Los Agentes colegiados tendrán el carácter de Notarios en cuanto se refiera a la contratación de efectos públicos, valores industriales y mercantiles, mercaderías y demás actos de comercio comprendidos en su oficio, en la plaza respectiva.

Llevarán un libro-registro con arreglo a lo que determina el artículo 27, asentando en él por su orden, separada y diariamente, todas las operaciones en que hubiesen intervenido, pudiendo, además, llevar otros libros con las mismas solemnidades.

Los libros y pólizas de los Agentes colegiados harán fe en juicio.

Art. 32 RCorr: Los corredores de comercio estarán obligados a llevar y conservar un Libro-Registro con los requisitos establecidos en las leyes y en el presente Reglamento. El Libro-Registro tendrá carácter de Registro Oficial en cuanto se refiere a los contratos de efectos públicos, valores industriales y mercantiles, mercaderías y demás actos de comercio en la plaza respectiva.

Con carácter excepcional, y exclusivamente para determinada clase de actos o contratos, la Dirección General del Tesoro y Política Financiera, previo informe del Consejo General, podrá autorizar la llevanza de otros Libros.

El contenido del Libro-Registro no podrá ser revelado por el corredor de comercio salvo en los siguientes casos:

a) Cuando los interesados lo consientan

b) Cuando las leyes lo exijan.

c) A solicitud de la autoridad judicial.

d) A solicitud del Ministerio de Economía y Hacienda, del Consejo General o de los Colegios en el marco de las facultades inspectoras que aquellos tienen encomendadas respecto a las actuaciones de los corredores de comercio. Derogado

Art. 39 RCorr: El Corredor custodiará en su oficina, bajo su responsabilidad, sus Libros-Registro, debiendo realizarse, precisamente en dicha oficina, los cotejos procedentes.

De acuerdo con el artículo 32 RCorr, los Corredores de Comercio y luego los Notarios estaban obligados a llevar y conservar un Libro-Registro donde se recogerían «los actos y contratos intervenidos en su condición de fedatarios públicos», sin perjuicio que la Dirección General del Tesoro y Política Financiera y, tras la integración, la de los Registros y del Notariado, pudiera autorizar, con carácter excepcional, la llevanza de otros libros. Vemos pues que cabía la posibilidad teórica de que hubiera más un Libro-Registro (que tenía su parangón con la posibilidad de llevanza de más de un protocolo recogida en el art. 272 RN) cosa que en la práctica no ocurría.

El artículo 39 RCorr establecía que el Corredor de Comercio (y luego el Notario) custodiaría en su oficina bajo su responsabilidad, sus Libros-Registro, debiendo realizarse precisamente en dicha oficina los cotejos procedentes.

4.28.2.1.1. Forma de llevanza del Libro-Registro

Art. 34 RCorr: Los Libros-Registro de operaciones se llevarán al día, sin dejar espacios en blanco ni hacer interpolaciones, tachaduras, raspaduras o enmiendas. Cuando fueran advertidos errores u omisiones, se extenderán asientos de rectificación o complementarios, con fecha corriente, efectuándose la correspondiente nota al margen del asiento originario.

En los casos de omisión involuntaria de un asiento en el Libro-Registro, el corredor procederá a extender con fecha corriente el correspondiente asiento, haciendo constar en el mismo la omisión padecida y, al final de los asientos del día en que debió haber sido registrada la operación, la oportuna nota de remisión. De cada asiento de omisión se dará cuenta expresa a la Junta Sindical en el correspondiente parte y así lo hará constar en la certificación que expida.

Tratándose de Libros-Registro depositados en el Colegio, los asientos de rectificación y de omisión serán efectuados, a instancia del propio corredor interviniente o de parte interesada, mediante acta, por el miembro de la Junta Sindical que ésta designe, previo acuerdo de la misma, efectuándose en el Libro-Registro correspondiente nota al margen del asiento rectificado o al final de los asientos de la fecha del omitido. Para adoptar dicho acuerdo, la Junta Sindical podrá exigir cuantos documentos e información considere oportuno. Derogado

Art. 35 RCorr: La relación de actuaciones de los corredores de comercio colegiados contenidas en las disposiciones vigentes se incorporarán al Libro-Registro mediante los correspondientes asientos.

Los documentos intervenidos se asentarán en el Libro-Registro por orden cronológico, mediante asientos separados y numerados correlativamente, empezando por el número 1 cada año natural. El paso de un tomo a otro se hará respetando la correlación de números y fechas.

Orden de 28 de mayo de 1998, por la que se desarrollan determinados aspectos del Reglamento para el Régimen interior de los Colegios Oficiales de Corredores de Comercio, de su Consejo General y regulando el ejercicio del cargo de Corredor Colegiado de Comercio (BOE de 9 de junio):

OCTAVO. Hojas indubitadas. Los Corredores deberán formar obligatoriamente su Libro-Registro constituyéndolo por hojas, en las que se efectúen los asientos procedentes, que deberán ser objeto de encuadernación y legalización.

Las hojas que constituyan el Libro Registro estarán dotadas de una referencia indubitada que permita su identificación, ajustándose a los modelos aprobados por el Consejo General de los Colegios Oficiales de Corredores de Comercio, quien las facilitará a los Corredores a través de las respectivas Juntas Sindicales, las que llevarán razón de las entregadas a cada Corredor.

NOVENO. Orden de fechas. Los actos y contratos intervenidos se asentarán en el Libro-Registro por orden cronológico, mediante asientos separados y numerados correlativamente, empezando cada año natural por el número uno. El paso de un tomo a otro se hará respetando la correlación de números y fechas.

Al principio de cada año natural se efectuará una diligencia de apertura de los Libros-Registro y al final del último asiento de cada año natural una diligencia de cierre de los mismos.

DÉCIMO. Asientos y anotaciones. En los asientos se recogerá el total contenido de los actos y contratos intervenidos por los Corredores de Comercio utilizando para ello un procedimiento idóneo de reproducción.

Cuando proceda se podrán realizar anotaciones en las hojas del Libro-Registro que se practicarán manualmente, en forma mecanográfica o utilizando cualquier otro procedimiento de reproducción.

Se considerará procedimiento idóneo de reproducción aquél que permita una lectura normal del documento reproducido y que tenga carácter indeleble.

Desde la Orden del Ministerio de Economía de 24 de julio de 1980 derogada y sustituida a estos efectos por la de 1998, la constitución del Libro-Registro se realizaba mediante hojas dotadas de una referencia indubitada en la que se recogían los asientos y que luego eran objeto de encuadernación y legalización. Estas hojas debían ajustarse a los modelos aprobados por el Consejo General que era quien las facilitaba a los fedatarios públicos a través de los respectivos Colegios, y éstos debían llevar razón de las entregadas a cada uno de aquellos.

Por otra parte, los actos y contratos intervenidos debían asentarse en el Libro-Registro por orden cronológico, mediante asientos separados y numerados correlativamente, empezando cada año natural por el número 1 y respetando la correlación de números y fechas cuando se pase de un tomo a otro. Cada año natural debía efectuarse una «diligencia de apertura» y, al final del último asiento, también de cada año natural, una «diligencia de cierre».

La disposición décima de la OM de 28 de mayo de 1998 establecía en cuanto al contenido de los *asientos* que éstos debían recoger el «total contenido» de los actos y contratos intervenidos, esto es, debía reproducirse en ellos, por cualquier procedimiento idóneo, el contenido «íntegro» del acto o contrato intervenido. Parece claro que lo que se estaba contemplando aquí era el método de reproducción fotográfica (fotostática) del acto o contrato intervenido en la hoja indubitada.

Distintos de los asientos eran las *anotaciones* (por ejemplo, la de firmas anticipadas —art. 33, párrafo tercero RCorr—, la de expedición de certificaciones del Libro-Registro, las de subsanación, remisión...) que podrían practicarse manualmente, en forma mecanográfica, o mediante cualquier otro procedimiento de reproducción.

4.28.1.1.2. Encuadernación del Libro-Registro

Orden de 28 de mayo de 1998, por la que se desarrollan determinados aspectos del Reglamento para el Régimen interior de los Colegios Oficiales de Corredores de Comercio, de su Consejo General y regulando el ejercicio del cargo de Corredor Colegiado de Comercio (BOE de 9 de junio):

UNDÉCIMO. Encuadernación. Las hojas correspondientes a los asientos de un mismo año natural se encuadernarán, en uno o varios tomos, respetando el orden correlativo de folios que se numerarán sólo por el anverso, a partir de la unidad y precedidas de otra sin numerar en la que, mediante diligencia firmada y sellada por el Corredor de Comercio, se hará constar: el número de tomo que constituyen, el número de folios que contenga el tomo, la fecha y número de los asientos de iniciación y de cierre y el número de asientos que comprende el tomo.

Los tomos formados por agrupación de hojas indubitadas se numerarán correlativamente a partir de la unidad. Cada tomo no podrá exceder de seiscientas hojas.

La encuadernación se efectuará por los procedimientos técnicos que impidan que, en un uso normal de los libros, las hojas que los componen puedan llegar a soltarse o separarse del mismo.

Como ya señalábamos antes, el Libro-Registro se conformaba mediante la encuadernación de las hojas indubitadas en las que se recogían los asientos. A este respecto, debían respetarse el orden correlativo de folios que se numeraban sólo por el anverso y a partir de la unidad. Todas las hojas correspondientes a los asientos de un mismo año natural, debían encuadernarse en uno o varios tomos y comenzarían con una hoja sin numerar en la que mediante diligencia firmada y sellada por el Notario, se hacía constar: el número de tomo que constituyen, el número de folios que contenga el tomo, la fecha y número de los asientos de iniciación y de cierre y el número de asientos que comprende el tomo.

Estos tomos, cuyo número de hojas no podía exceder de seiscientas, irían también numerados correlativamente a partir de la unidad y deberían ser encuadernados utilizando los procedimientos técnicos que impidieran que mediante un uso normal pudieran las hojas separarse del mismo.

4.28.2.1.3. Legalización de los Libros-Registro

Orden de 28 de mayo de 1998, por la que se desarrollan determinados aspectos del Reglamento para el Régimen interior de los Colegios Oficiales de Corredores de Comercio, de su Consejo General y regulando el ejercicio del cargo de Corredor Colegiado de Comercio (BOE de 9 de junio):

DUODÉCIMO. Legalización. Los Corredores de Comercio Colegiados presentarán sus Libros-Registro oficiales para su legalización ante la Junta Sindical del Colegio al que pertenezcan, dentro de los cuatro meses siguientes al final de cada año natural, procediéndose por dicha Junta al diligenciado de tales Libros-Registro, por delegación del correspondiente Registrador Mercantil, al que dará cuenta en el plazo de setenta y dos horas desde la práctica de cada diligencia, con indicación del Corredor, clase y número del Libro-Registro, número de folios y, en su caso, número de asientos. En el mes siguiente a la terminación de cada ejercicio, se remitirá por cada Colegio al Registrador correspondiente una relación de todas las diligencias practicadas.

La diligencia de legalización, con el sello del Colegio, firmada por el Síndico Presidente o por el miembro de la Junta Sindical a quien se haya designado al efecto, se extenderá en el primer folio o en hoja sin numerar al principio de cada Libro Registro, indicando el nombre y apellidos del Corredor de Comercio, el número del tomo y el número de folios que contenga el tomo.

El sello del Colegio se pondrá, asimismo, en todos los folios mediante impresión o estampillado. También podrán ser sellados los Libros Registro mediante perforación mecánica de los folios, o por cualquier otro procedimiento que garantice la autenticidad de la legalización.

DECIMOTERCERO. Solicitud de legalización. Los Corredores solicitarán la legalización de su Libro-Registro mediante instancia dirigida al Síndico-Presidente del Colegio Oficial de Corredores de Comercio al que pertenezcan, en la que reflejarán las siguientes circunstancias:

1. El nombre, apellidos y domicilio del Corredor de Comercio solicitante.

2. Relación de los tomos cuya legalización se solicita, con expresión de su número, así como el número de folios u hojas de que se compone cada uno.

3. Fecha de apertura y, en su caso, de cierre del último tomo legalizado.

4. Fecha de la solicitud.

La solicitud, que habrá de estar debidamente firmada y sellada por el Corredor, deberá ser presentada por éste ante la Junta Sindical de su Colegio, por lo menos con quince días de antelación a la fecha en que termine el plazo legal para la práctica de la legalización.

Los Libros-Registro debían presentarse ante el Colegio respectivo «dentro de los cuatro meses siguientes al final de cada año natural», lo que significaba que se legalizaban a la vez todos los tomos correspondientes a un mismo año natural salvo que el fedatario solicitase durante ese mismo plazo la legalización de los tomos ya encuadernados aunque quedasen pendientes otros. Lo que ocurría realmente es que se desplazaba el Síndico-Presidente y el Secretario u otro miembro de la Junta Sindical a los despachos para proceder a esa legalización.

4.28.2.1.4. Sustitución de los Libros-Registro

Art. 35 párr 3º RCorr: *El Ministerio de Economía y Hacienda podrá regular con las debidas garantías la sustitución de los Libros-Registro y Archivos por otros medios técnicos de reproducción y archivo.*

Orden de 28 de mayo de 1998, por la que se desarrollan determinados aspectos del Reglamento para el Régimen interior de los Colegios Oficiales de Corredores de Comercio, de su Consejo General y regulando el ejercicio del cargo de Corredor Colegiado de Comercio (BOE de 9 de junio):

DECIMOCUARTO. Sustitución de los Libros-Registro. Transcurridos siete años des-
de el cierre anual de los Libros-Registro podrá procederse a su sustitución mediante micro-
filmación, por archivos ópticos o informáticos o, en general, cualquier otro soporte técnico
que garantice el conocimiento de su total contenido, su conservación y recuperación.

Para ello se requerirá previa autorización del Consejo General quien juzgará si el pro-
cedimiento técnico escogido ofrece las suficientes garantías.

La modificación del art. 35 RCorr en 1998 introdujo como novedad importante;
la posibilidad de sustituir los Libros-Registro y el Archivo por otros medios técnicos de
reproducción y conservación, siendo necesaria una Orden Ministerial que estableciera
la forma y garantías que debían observarse para realizar esta sustitución. Esto se hizo
a través de la disposición décimocuarta de la OM de 28 de mayo de 1998, si bien hay
que señalar que se restringió esta sustitución a los Libros-Registro y, por tanto, no cabía
aplicarlo al Archivo.

El primer requisito para la sustitución de los Libros-Registro era de orden temporal:
debían transcurrir siete años desde el cierre anual de los mismos.

En cuanto a la forma de implementación, la sustitución podía realizarse mediante
microfilmación, por archivos ópticos o informáticos o, en general, cualquier otro soporte técnico que garantice el conocimiento de su total contenido, su conservación y recuperación. Todo ello requería la previa autorización del Consejo General quien juzgaría
si el procedimiento técnico escogido ofrecía las suficientes garantías.

4.28.2.1.5. Comunicación a las Juntas Directivas

Art. 42 RCorr: Los Corredores que ejerzan su profesión en plaza donde esté establecido
un Colegio presentarán diariamente a la Junta Sindical nota de las operaciones de com-
praventa que hayan intervenido, con expresión de sus cambios o precios, debiendo declarar
también todas los sábados el número y fecha del último asiento anotado en todos y cada uno
de los libros-registro que lleve el último día de la semana que expira en dicho día, aunque
sólo se hayan extendido asientos negativos, con expresión de las notas que se hubiesen con-
signado de subsanación de errores u omisiones. Caso de ser inhábil el sábado, dicha decla-
ración deberá presentarse en el primer día hábil siguiente.

Art. 43 RCorr: Los Corredores que no residan en plazas donde exista Colegio remiti-
rán semanalmente al mismo nota y declaración a que alude el artículo precedente.

Los Síndicos-Presidentes cuidarán bajo su personal responsabilidad, del exacto cumpli-
miento de la obligación impuesta por el presente artículo y por el anterior, sancionando su
incumplimiento con multas comprendidas entre el 0,5 y 2,5 por 100 de la fianza ordina-
ria, por cada día de retraso.

Los artículos 42 y 43 del RCorr exigían que los fedatarios mercantiles remitieran semanalmente a su Colegio nota indicativa de la fecha y número del último asiento de sus Libros-Registro con expresión de los asientos de omisión y de subsanación de errores.

Hasta la OM de 1998 como sistema de inmovilización de las hojas indubitadas previo a su encuadernación estaba la obligatoria llevanza de un *Libro complementario* donde se anotaban los asientos numerados, una breve descripción de su contenido y la numeración de las hojas indubitadas donde constaba reproducido el acto o contrato intervenido. Esta OM sustituyó ese Libro complementario por un índice que debía remitirse a los respectivos Colegios con carácter mensual referente a los asientos efectuados en el mes natural anterior. Este índice debía contener, como mínimo, en relación con cada asiento, su número y fecha, así como la referencia indubitada identificativa de cada una de las hojas que lo integraban. Obsérvese que, a diferencia de lo que ocurre ahora, en la relación de operaciones intervenidas que se recogía en el índice no debían aparecer los contratantes.

4.28.2.1.6. Valor jurídico del Libro-Registro

Art. 93 párr. 3° CCom: Los libros y pólizas de los Agentes colegiados harán fe en juicio.

Art. 32 párr 1° RCorr: Los corredores de comercio estarán obligados a llevar y conservar un Libro-Registro con los requisitos establecidos en las leyes y en el presente Reglamento. El Libro-Registro tendrá carácter de Registro Oficial en cuanto se refiere a los contratos de efectos públicos, valores industriales y mercantiles, mercaderías y demás actos de comercio en la plaza respectiva.

Art. 38 RCorr: Harán fe los libros que lleven los Corredores con arreglo a lo prevenido en los artículos anteriores y las pólizas expedidas por los mismos.

Ya el art. 93 CCom decía que «los libros y pólizas de los Agentes colegiados harán fe en juicio». Por su parte el art. 32 RCorr establecía que «el Libro-Registro tendrá carácter de Registro Oficial» y el art. 38 que «harán fe los libros que lleven los Corredores con arreglo a lo prevenido en los artículos anteriores y las pólizas expedidas por los mismos».

Por otra parte, las certificaciones del Libro-Registro tenían y siguen teniendo el carácter de documento público a tenor de lo dispuesto en el art. 317.2° LEC (antes en el art. 596.2 LEC de 1881).

4.28.2.1.7. Archivo de «terceros ejemplares»

Art. 109 CCom: En los casos en que por conveniencia de las partes se extienda un contrato escrito, el Corredor certificará al pie de los duplicados y conservará el original.

Artículo 49 RCorr: Los corredores de comercio colegiados conservarán archivados los ejemplares de los contratos y documentos a que estén obligados y todos aquéllos que consideren conveniente para la prestación del servicio. Derogado

Orden de 28 de mayo de 1998, por la que se desarrollan determinados aspectos del Reglamento para el Régimen interior de los Colegios Oficiales de Corredores de Comercio, de su Consejo General y regulando el ejercicio del cargo de Corredor Colegiado de Comercio:

DECIMOSEXTO. Archivo. Los Corredores de Comercio Colegiados conservarán debidamente archivados un ejemplar escrito de todos los contratos y documentos intervenidos conforme establece el artículo 49 del Reglamento, en aplicación de lo dispuesto en el artículo 109 del Código de Comercio.

A tal efecto, el Consejo General, bien por instrucciones de orden interno de obligado cumplimiento, bien dentro de la normativa que al efecto se dicte, establecerá las formas más adecuadas para el desarrollo y mejor cumplimiento de esta obligación legal.

Con independencia del Libro-Registro y en cumplimiento de lo establecido en el art. 109 Ccom se conservaba, además, un original, por tanto, debidamente firmado por todas las partes e intervenido por el Notario.

El art. 49 RCorr en su redacción inicial disponía que los Corredores Colegiados de Comercio estaban obligados a conservar archivados los vendíes, notas de intervención y, «*en su caso*, los ejemplares que les correspondan de las pólizas y contratos que se extiendan por triplicado y con su intervención». La flexibilidad de esta norma hizo que prácticamente no existiese un archivo como tal.

La reforma del RCorr de 1997, dio una nueva redacción al art. 49 del mismo estableciendo la necesidad de «conservar archivados los ejemplares de los contratos y documentos a que estén obligados y todos aquellos que consideren conveniente para la prestación del servicio». Por su parte, la disposición decimosexta de la Orden 28 de mayo de 1998, concretaba un poco más, al decir que se «conservarán debidamente archivados un ejemplar escrito de todos los contratos y documentos intervenidos conforme establece el artículo 49 del reglamento, en aplicación del artículo 109 del Código de comercio». A tal efecto el Consejo General bien por instrucción de orden interno de obligado cumplimiento, bien dentro de la normativa que al efecto se dictase, establecería las formas más adecuadas para el desarrollo y mejor cumplimiento de esta obligación legal. No se dictó ninguna instrucción a este respecto.

4.28.2.2. Régimen legal a partir del 1 de diciembre de 2006

Art. 17.1 LN: El Notario conservará en su Libro-Registro o en su protocolo ordinario el original de la póliza, en los términos que reglamentariamente se disponga.

Art. 298 RN: Los notarios estarán obligados a llevar y conservar un Libro-Registro de Operaciones Mercantiles con los requisitos establecidos en las leyes y en el presente Reglamento.

El 1 de diciembre de 2006 es la fecha de entrada en vigor de la Ley 36/2006, sobre Prevención del Fraude Fiscal, de 29 de noviembre de 2006, que modificó los arts. 17, 23 y 24 la LN.

El art. 17.1 LN establece que *el Notario redactará escrituras matrices, intervendrá pólizas, extenderá y autorizará actas, expedirá copias, testimonios, legitimaciones y legalizaciones y formará protocolos y Libros-Registros de operaciones. Sigue diciendo: El Notario conservará en su Libro-Registro o en su protocolo ordinario el original de la póliza, en los términos que reglamentariamente se disponga. A los efectos de lo dispuesto en el artículo 517.2.5.º de la Ley 1/2000, de 7 de enero, de Enjuiciamiento Civil, se considerará título ejecutivo el testimonio expedido por el Notario del original de la póliza debidamente conservada en su Libro-Registro o la copia autorizada de la misma, acompañada de la certificación a que se refiere el artículo 572.2 de la citada Ley.*

Al igual que el protocolo es la colección ordenada de las escrituras matrices autorizadas durante un año, y se formaliza en uno o más tomos encuadernados, foliados y con los demás requisitos que se determinen en las instrucciones del caso, en el Libro-Registro figurarán por su orden, separada y diariamente, todas las operaciones que hubiese intervenido el Notario. Hay que aclarar que los términos «autorizar» e «intervenir» referenciados a documentos son sinónimos (según el Diccionario de la Real Academia de la Lengua Española una de las acepciones de «intervenir» es «interponer su autoridad» y «autorizar», «dicho de un escribano o de un Notario: Dar fe en un documento»).

Como se observa, así como las escrituras autorizadas por el Notario se conservan de una única forma, en el protocolo ordinario, las pólizas intervenidas pueden serlo de dos formas distintas: o en el protocolo ordinario o en el Libro-Registro, si bien esta última es la preferida por el Reglamento que considera la primera como excepcional *(se presume que las pólizas se incorporan al Libro-Registro, salvo que el Notario comunique al Colegio Notarial que opta por incorporarlas al protocolo. Dicha comunicación deberá realizarse en el mes de diciembre para la totalidad del año inmediato posterior, no pudiendo ser modificada durante éste).*

No se alcanza muy bien a entender el porqué de esta dualidad de sistemas de conservación respecto a las pólizas intervenidas. En todo caso, lo que a nosotros compete es estudiar el Libro-Registro, por lo que no haremos mención aquí a esa otra forma de conservación de las pólizas.

El art. 197 RN establece que *podrán ser intervenidas las pólizas que documenten los actos y contratos a que se refiere el artículo 144 de este Reglamento, y reúnan los requisitos y consignen las circunstancias legalmente exigidas, en general o para el contrato que contengan. El Notario sólo intervendrá el original de la póliza que conservará en el Libro-*

Registro de Operaciones y, en su caso, en el protocolo ordinario. Se prohíbe que el Notario se desprenda del original de la póliza, salvo los supuestos legalmente previstos.

El desarrollo reglamentario del régimen legal del Libro-Registro se encuentra en el art. 283 RN cuya redacción deriva del RD 45/2007, de 19 de enero.

4.28.2.2.1. Secciones del Libro-Registro

Art. 298, párr. 1º RN: El Libro-Registro consta de dos Secciones. En la Sección A está constituida por la colección, ordenada por fechas, de las pólizas originales de contratos mercantiles intervenidas durante un año, que habrá de encuadernarse por años en uno o más tomos. A tal fin, se presume que las pólizas se incorporan al Libro Registro, salvo que el notario comunique al Colegio Notarial que opta por incorporarlas al protocolo. Dicha comunicación deberá realizarse en el mes de diciembre, para la totalidad del año inmediato posterior, no pudiendo ser modificada durante éste. En la Sección B se asentarán por orden de fecha y correlativamente las intervenciones de aquellos documentos originales que por su naturaleza no pueda conservarse en poder del notario el original.

De acuerdo con el primer párrafo del art. 283 RN, *los Notarios estarán obligados a llevar y conservar un Libro-Registro de Operaciones Mercantiles con los requisitos establecidos en las leyes y en el presente Reglamento.*

El Libro-Registro consta de dos Secciones A y B (a mi juicio hubiera sido preferible distinguir como se hace con el libro indicador entre sección primera y segunda en lugar de Sección A y B. Al menos por razones meramente «estéticas» ya que la denominación de «Sección B», máxime para el Libro-Registro de un Notario, a mi juicio, no parece la más oportuna):

La *Sección A* está constituida por la colección, ordenada por fechas, de las pólizas originales de contratos mercantiles intervenidas durante un año, que habrá de encuadernarse por años en uno o más tomos.

A tal fin, se presume que las pólizas se incorporan al Libro Registro, salvo que el Notario comunique al Colegio Notarial que opta por incorporarlas al protocolo. Dicha comunicación deberá realizarse en el mes de diciembre, para la totalidad del año inmediato posterior, no pudiendo ser modificada durante éste.

Como parece lógico ya que, a diferencia del sistema anterior, hay un solo ejemplar original del contrato, al menos en teoría, ese único ejemplar es lo que conserva el Notario para conformar el Libro-Registro que es una suerte de protocolo aunque con la diferencia práctica, importante, que en la inmensa mayoría de los casos, el documento viene previamente redactado y, por tanto, con un formato no siempre igual en tamaño, tipo de papel, márgenes, etc. Precisamente por esa diferencia de formatos se optó en la regulación anterior por la conservación mediante reproducción «fotostática» en un «papel indubitado» lo que permitía una homogeneización que facilitaba la encuadernación y se articuló un Archivo donde se conservaba un original esperando el momento propicio para que tras la aproximación material en los formatos físicos de las pólizas el Libro-Registro pudiera formarse con originales.

No obstante, con este nuevo sistema de conservación de originales quedaba un problema importante por resolver. Habida cuenta que hay documentos cuya circulación sólo puede ser en original, como es el caso de los efectos cambiarios (letras, pagarés) y de los avales bancarios, la intervención notarial debía hacerse en el original y la conservación sólo puede ser de una reproducción o mediante anotación en un libro.

Por eso hay una *Sección B* del Libro-Registro en la que se «asentarán por orden de fecha y correlativamente las intervenciones de aquellos documentos originales que por su naturaleza no pueda conservarse en poder del Notario el original».

De acuerdo con el Diccionario de la Real Academia de la Lengua Española, «asentar» es «anotar o poner por escrito algo, para que conste». Nada dice el Reglamento de cómo debe hacerse esa «anotación». Es un contrasentido que el Reglamento recoja para la sección segunda del libro indicador su llevanza por incorporación de hojas numeradas en las que se reproduzcan los documentos testimoniados (art. 264) y no regule esta misma forma de llevanza para una actuación notarial de más trascendencia cual es la intervención de los actos o contratos recogidos en documentos que por su naturaleza circulan en original.

Cabe, por tanto, admitir que se haga relacionando el documento objeto de intervención y la fecha de ésta. Sin embargo, en mi opinión, lo más razonable es «inspirarse» en la regulación anterior del Libro-Registro que se llevaba por «reproducción» de los originales y dado que ya no hay «hojas indubitadas» numeradas, también parece razonable que dichas reproducciones se hagan en papel de los Colegios Notariales. No habría problema alguno en hacerlas en papel timbrado pero eso significaría un mayor coste que se repercutiría sobre el cliente.

Este sistema, además de ser ágil, es más seguro porque va a permitir conservar la totalidad de documento intervenido a modo de testimonio del mismo.

4.28.2.2.2. *Forma de llevanza del Libro-Registro*

Art. 283, párr. 2° RN: Las condiciones de confección, llevanza y conservación del Libro Registro serán las mismas establecidas para el protocolo, en cuanto no se opongan a la naturaleza y requisitos de los documentos incorporados.

Art. 283, párr. 6° RN: Los documentos y, en su caso, asientos a que se refiere el párrafo primero de este artículo se incorporarán o practicarán en el libro-registro por orden cronológico en cada una de sus Secciones numerados correlativamente, empezando cada año natural por el número uno, sin que el cese del Notario y la toma de posesión de su sustituto interrumpa la numeración. El paso de un tomo a otro se hará respetando la correlación de números y fechas.

Art. 283, párr. 7º RN: Al principio de cada año natural se efectuará una diligencia de apertura del libro registro y al final del último documento y, en su caso, asiento de cada año natural una diligencia de cierre.

El art. 283 RN señala que las condiciones de confección, llevanza y conservación del Libro Registro serán las mismas establecidas para el protocolo, en cuanto no se opongan a la naturaleza y requisitos de los documentos incorporados. Sin embargo, en otros párrafos posteriores establece normas adicionales

Conforme al párrafo 6º los documentos y los asientos se incorporarán o practicarán en el Libro-Registro por orden cronológico en cada una de sus Secciones numerados correlativamente, empezando cada año natural por el número uno, sin que el cese del Notario y la toma de posesión de su sustituto interrumpa la numeración. El paso de un tomo a otro se hará respetando la correlación de números y fechas. Al principio de cada año natural se efectuará una diligencia de apertura del Libro-Registro y al final del último documento y, en su caso, asiento de cada año natural una diligencia de cierre. Estas disposiciones son trasunto de las aplicables al protocolo.

La referencia a que «los documentos y, en su caso, asientos a que se refiere el párrafo primero de este artículo se *incorporarán* o *practicarán* en el libro-registro» es, muy correcta. En efecto, en la Sección A del Libro-Registro se *incorporan* los documentos originales que contienen los actos y negocios jurídicos objeto de intervención notarial; exactamente igual que las matrices se *incorporan* al protocolo (art. 272 RN). Por el contrario, en la Sección B se *practican* los «asientos» que recogerán las intervenciones de los documentos originales que no puede conservar el Notario.

Al final del tomo del Libro-Registro correspondiente a la Sección A se expresará el número de pólizas y de folios de que constare. En el tomo relativo a la Sección B se expresará el número de asientos y de folios de que constare.

Sin perjuicio de lo que se dirá más adelante, no hay más normas que regulen la llevanza y confección del Libro-Registro. Por ello hay que calificar la regulación que del Libro-Registro hace el Reglamento Notarial de «parca», por no decir, insuficiente. Las dudas que surgen deben resolverse con la remisión a las normas del protocolo «en cuanto no se opongan a la naturaleza y requisitos de los documentos incorporados», remisión que con carácter general parece insuficiente. Y ello por varias razones.

En primer lugar, no tiene en cuenta la diferencia fundamental entre pólizas y escrituras y es que con independencia de la autoría intelectual, la autoría material de las escrituras es del Notario con un papel perfectamente homogéneo y con sus márgenes más que suficientes de encuadernación, incluso para posteriores notas de expedición de copias. Eso no ocurre con las pólizas en las que cada entidad las diseña como quiere y utiliza el papel de su elección (reciclado, autocopiativo...). Esto dificulta sobremanera tanto la encuadernación como la expedición de «copias» («traslados»), así como la realización de las consiguientes notas de expedición y, en su caso, las posibles de subsanación o remisión si fueran necesarias. Y si bien el art. 197 *quinquies* del RN faculta a «la Dirección General de los Registros y del Notariado para que, mediante Instrucción, pueda establecer o modificar las determinaciones físicas que en cuanto a papel, numeración o forma de redacción, confección y configuración formal, deban tener las pólizas a los efectos del mejor funcionamiento de protocolos y Libros-Registros o para la expedición de copias, testimonios o traslados de las mismas con solos efectos informativos», esa instrucción ni existe ni se la espera.

Por otra parte, la disposición transitoria 2ª del RD 45/2007 estableció que, a los efectos de lo dispuesto en el artículo 197 de este Reglamento respecto de la encuadernación y márgenes de la póliza, durante los dos meses siguientes computados desde la entrada en vigor de este Reglamento bastaría que la póliza se extendiera en papel de modo y manera que permita su encuadernación, transcurrido dicho plazo la póliza debería extenderse cumpliendo lo dispuesto en el artículo 197 de este Reglamento respecto de los márgenes y espacio en su cabecera. Sin embargo, la Comunicación 5/2007 del Consejo General del Notariado consideró que una vez transcurrido ese plazo, la no adaptación de las pólizas a los requisitos reglamentarios no constituye un defecto sustantivo que permita denegar la intervención siempre que el formato permita «de un modo razonable» la encuadernación. O sea, que no se deniega nunca, entre otras cosas porque el perjudicado sería el cliente y no la entidad de crédito.

Esa remisión a las normas que rigen el protocolo tampoco resuelve problema alguno en cuanto a la forma de llevanza de la Sección B del Libro-Registro; a mi juicio, ni siquiera serían de aplicación puesto que se oponen abiertamente a «la naturaleza y requisitos de los documentos» en este caso intervenidos pero no «incorporados». Y ello porque, como ya hemos señalado, la forma de llevanza de esta Sección debería hacerse incorporando testimonios («reproducciones») de los documentos intervenidos lo que la diferencia del protocolo que lo que incorpora son «originales-matrices».

4.28.2.2.3. *Subsanación de errores y omisiones*

Art. 283, párr. 9º RN: Cuando proceda, se podrán realizar anotaciones en las hojas del libro-registro, manualmente, en forma mecanográfica o utilizando cualquier otro procedimiento de reproducción. Las anotaciones deberán autorizarse por el notario con media firma.

Art. 283, párr. 10º RN: El Libro-Registro se llevará al día, sin hacer interpolaciones, tachaduras, raspaduras o enmiendas. Cuando fueran advertidos errores u omisiones, se extenderán asientos de rectificación o complementarios, con fecha corriente, efectuándose la correspondiente nota al margen del asiento originario.

La redacción de este precepto coincide con la literalidad del art. 34, párrafo. 1º RCorr que fue redactado por RD 1251/1997, de 24 de julio y, precisamente por ello, con la redacción de los anteproyectos de modificación del Reglamento Notarial. Su redacción estaba, por tanto, inspirada en un sistema totalmente distinto al actual de conservación del original de la póliza. Precisamente por conservar una reproducción por fotocopia de las pólizas originales cabía que, después de desprenderse de las mismas, se advirtiesen errores u omisiones. Y dado que se «asentaban» las reproducciones de esos documentos intervenidos, podía haber «asientos» de rectificación o complementarios.

Hoy no se puede decir con propiedad que en la Sección A del Libro-Registro haya «asientos» sino documentos «incorporados», exactamente igual que en el protocolo. Por ello se aplicará a la subsanación de pólizas ya incorporadas al Libro-Registro las mismas normas que a la subsanación de matrices del protocolo.

Por su parte, el párrafo 9º establece que «cuando proceda, se podrán realizar anotaciones en las hojas del Libro-Registro, manualmente, en forma mecanográfica o utilizando cualquier otro procedimiento de reproducción. Las anotaciones deberán autorizarse por el Notario con media firma». Esta redacción también constaba en todos los anteproyectos conocidos de reforma reglamentaria y es perfectamente coincidente con la literalidad de la disposición 10ª de la OM de 28 de mayo de 1998, con la salvedad de la autorización con media firma que se añadió en la elaboración de dichos anteproyectos. Por tanto, como en el caso anterior, inspirado en un sistema radicalmente distinto al actual, al menos en lo referente a la Sección A del Libro-Registro, aunque perfectamente aplicables a la Sección B, que podemos asimilar más al régimen legal anterior. En la Sección A las «notas» (por ejemplo la de expedición de testimonio) se hará constar no en «las hojas del Libro-Registro» sino como señala el art. 244 del Reglamento para la expedición de copias autorizadas de las escrituras, «al pie o margen de la matriz o en la siguiente si no quedase espacio»; aquí habría que decir, al final o en un margen de la póliza.

En mi opinión, advertido un error en la redacción de una póliza, si ocurre antes de intervenirla se subsana en el texto de ésta o en la diligencia de intervención. Si es con posterioridad a la intervención notarial y, por tanto, ya consta en el Libro-Registro, cabe, si es posible, hacerlo por «diligencia de subsanación» si es que físicamente hay espacio o puede añadirse un folio. Esta anotación se podrá realizar manualmente o en forma mecanográfica o por otro mecanismo de reproducción (por ejemplo adhiriendo una etiqueta). Sería el caso de la rectificación del número de un DNI, de un apellido, de un número de bastidor o matrícula de un vehículo, una fecha... Obviamente errores materiales.

Otro tipo de errores como la no inclusión, por ejemplo, de algún documento unido, podrían subsanarse de igual forma pero al margen de la limitación de espacio físico en las pólizas, lo mejor es, ahora sí, una anotación con numeración independiente en la que se hace constar por el Notario que mediante la misma se procede a la subsanación del error padecido, que debería completarse con la «nota de remisión» al final o en un margen de la póliza en la que se ha padecido el error. Estaríamos aquí ante el equivalente al acta notarial de subsanación que tiene su número propio de protocolo. Posteriormente habrá que obtener un testimonio de dicha diligencia de subsanación que deberá acompañar al de la póliza inicial.

Los «errores» referentes a elementos esenciales del contrato (por ejemplo el plazo, el tipo de interés...) requerirán el consentimiento expreso de las partes en un nuevo documento contractual y, por tanto, con una nueva intervención que se incorporará al Libro-Registro con la fecha y número correspondiente.

Y todo ello de acuerdo con el art. 197 quater, párrafo 3º RN que declara aplicables a las pólizas intervenidas las disposiciones de la Sección 1ª y 2ª anteriores sobre el instrumento público, a salvo de lo establecido en el art. 152, párrafo 2º (exige que los espacios en blanco queden cubiertos con escritura o, en su defecto, con una línea) y, por tanto, por aplicación del art. 153 RN *(Los errores materiales, las omisiones y los defectos de forma padecidos en los documentos notariales intervivos podrán ser subsanados por el Notario autorizante, su sustituto o sucesor en el protocolo, por propia iniciativa o a instancia de la parte que los hubiera originado o sufrido. Sólo el Notario autorizante podrá subsanar la falta de expresión en el documento de sus juicios de identidad o de capacidad o de otros aspectos de su propia actividad en la autorización. Para realizar la subsanación se atenderá al contexto del documento autorizado y a los inmediatamente anteriores y siguientes, a las escrituras y otros documentos públicos que se tuvieron en cuenta para la autorización y a los que prueben fehacientemente hechos o actos consignados en el documento defectuoso. El Notario autorizante podrá tener en cuenta, además, los juicios por él formulados y los hechos por él percibidos en el acto del otorgamiento.*

La subsanación podrá hacerse por diligencia en la propia escritura matriz o por medio de acta notarial en las que se hará constar el error, la omisión, o el defecto de forma, su causa y la declaración que lo subsane. La diligencia subsanatoria extendida antes de la expedición de ninguna copia no precisará ser trasladada en éstas, bastando transcribir la matriz conforme a su redacción rectificada. En caso de hacerse por acta se dejará constancia de ésta en la escritura subsanada en todo caso y en las copias anteriores que se exhiban al Notario.

Cuando sea imposible realizar la subsanación en la forma anteriormente prevista, se requerirá para efectuarla el consentimiento de los otorgantes o una resolución judicial).

Otro supuesto distinto sería lo que podríamos denominar «error de salto». Habida cuenta que un día pueden otorgarse un número elevado de pólizas que se numeran a posteriori (a diferencia de las escrituras que al firmarse debería constar ya el número de protocolo), podría cometerse un error y producirse un «salto» en la numeración. Aquí el Notario debería hacer la diligencia correspondiente en el número sin contenido haciendo constar que por error ese número no se corresponde con ninguna póliza intervenida.

Reflexión distinta merecen las «omisiones», esto es, el caso más que infrecuente pero posible de que intervenida una póliza no se le hubiera asignado número. Como ya se ha dicho los preceptos ahora contenidos en el Reglamento Notarial proceden de la legislación anterior con un sistema totalmente distinto. Cabía la posibilidad, al menos teórica, que entregados los ejemplares originales de la póliza no hubieran sido registrados. Advertida la omisión y a la vista del ejemplar original con la debida intervención del fedatario (incluso comprobando con el tercer ejemplar del Archivo) se procedía a su reproducción con fecha corriente como «asiento de omisión» realizando la consiguiente «nota de referencia» al final del día en que tuvo lugar la omisión. Las garantías del sistema se completaban con la obligatoria notificación al Colegio respectivo.

Hoy esto no es posible aunque cabría pensar en un error padecido en la propia Notaría porque la póliza jamás sale de ella (*se prohíbe que el Notario se desprenda del original de la póliza* —art. 197, parr. 2º RN—). Ante esta situación, si se advierte de forma casi inmediata (las partes solicitarían su «copia» en fecha próxima al otorgamiento y podrían advertirlo) habría que numerar la póliza con un «bis». Si se produce mucho después o con el Libro-Registro ya encuadernado habría que realizar ese denominado «asiento de omisión» con fecha corriente efectuándose la correspondiente nota al margen en el día en que se debió incorporar la póliza. Pero no sería un «asiento» sino un número de póliza ya que el original de éstas se «incorpora» al Libro-Registro no se «asientan».

Cosa distinta son los errores y las omisiones en asientos de la Sección B del Libro-Registro en los que sí serían de plena aplicación los preceptos vistos y, por tanto, se extenderían asientos de rectificación o complementarios, con fecha corriente, efectuándose la correspondiente nota al margen del asiento originario.

4.28.2.2.4. *Encuadernación del Libro-Registro*

Art. 283, párr. 11º: Los tomos se numerarán correlativamente a partir de la unidad. Cada tomo no podrá exceder de seiscientas hojas.

Art. 283, párr. 12º: La encuadernación se efectuará por los procedimientos técnicos que impidan que, en un uso normal de los libros, las hojas que los componen puedan llegar a soltarse o separarse del mismo.

Art. 283, párr. 13º: Las Secciones A y B del Libro Registro de Operaciones se encuadernarán en tomos separados, dando a cada póliza o asiento el número correlativo que en la respectiva Sección corresponda.

Art. 283, párr. 14º: En todo lo no regulado en este artículo, será de aplicación al Libro Registro Las normas establecidas sobre los aspectos materiales del Protocolo ordinario, incluida las relativas a la confección y remisión de índices, en cuanto lo permita su respectiva naturaleza.

Estos preceptos están inspirados en la regulación anterior recogida en el RCorr y en la Orden de 28 de mayo de 1998. Como ya hemos visto, para el caso de la encuadernación del Libro-Registro es más fácil la aplicación subsidiaria de los preceptos referentes al Protocolo.

4.28.2.2.5. Valor jurídico del Libro-Registro

Art. 283, párr. 3º RN: [el] Libro-Registro tendrá carácter de Registro Oficial.

Este precepto coincide literalmente con el art. 32 RCorr hoy derogado. Esto es lo mismo que decir que su contenido hace fe frente a terceros. Recordemos que el todavía vigente art. 93 CCom establece que «los Libros y pólizas» «harán fe en juicio».

Precisamente por ese carácter de Registro Oficial del Libro-Registro, las certificaciones del mismo tienen el carácter de documento público (art. 317.2º LEC). Ello sin perjuicio del propio carácter de documento público del documento intervenido por el Notario.

4.28.2.2.6. Exteriorización del Libro-Registro

Con carácter general establece el RN que el contenido del Libro-Registro no podrá ser revelado por el Notario salvo en los mismos supuestos que el protocolo. El Notario custodiará en su oficina, bajo su responsabilidad, su Libro-Registro, debiendo realizarse, precisamente en dicha oficina, los cotejos procedentes con los mismos requisitos que se establecen para el cotejo de protocolo.

Por tanto, de acuerdo con el párrafo 3º del art. 32 LN, los Notarios no permitirán examinar el protocolo, *no precediendo decreto judicial, sino a las partes interesadas con derecho adquirido, sus herederos o causa-habientes.*

El acceso al contenido del Libro-Registro es, como en el caso del protocolo, el acceso al contenido de los documentos en él contenidos lo que puede tener lugar de dos formas básicas: por su exhibición y por obtención de «copias» distinguiéndose a este último respecto los «testimonios» (equivale a la copia autorizada de la escritura) y «los traslados con fines simplemente informativos» (es el trasunto de las copias simples de escrituras). Estos últimos pueden obtenerse sólo de las pólizas y no de los «asientos» de la Sección B del Libro-Registro.

4.28.2.2.6.1. Exhibición del Libro-Registro

De acuerdo con el art. 224.3 RN, *los Notarios darán lectura del contenido de documentos de su protocolo a quienes demuestren, a su juicio, interés legítimo*, precepto éste aplicable al Libro-Registro. Entre ellos se encuentran, desde luego, todas las personas a cuyo favor resulte de la póliza algún derecho, ya sea directamente, ya adquirido por acto distinto de ella.

4.28.2.2.6.2. Testimonios del Libro-Registro

Son la reproducción por fotocopia del original del documento en el caso de la Sección A y del asiento en el caso de la Sección B que, a su vez, es otra reproducción del original, al menos de acuerdo con la forma de llevanza que de dicha Sección hemos propuesto aquí. En este último caso el testimonio sería de otro testimonio.

Probablemente en término «testimonio» no fuera el más adecuado. Y ello porque como señala GOMÁ LANZÓN (2007, p. 687), «si el testimonio es un documento que carece de matriz y que se refiere a hechos o juicios realizados por el Notario, casa mal esta denominación para un documento que realmente sí tiene una matriz (si se define matriz, como hace el DRAEL, como "la escritura o instrumento que queda en el oficio o protocolo, para que, en caso de duda, se cotejen el original y los traslados"), que es el original que queda en el Libro-Registro». Sí es apropiado para la Sección B pero no para la Sección A donde se conserva «el original» de la póliza.

De acuerdo con el art. 250 RN., *se expiden previa petición de persona con derecho a solicitarla y en un plazo no superior a diez días hábiles, teniendo derecho a ellos los contratantes u otorgantes, sus causahabientes, sus apoderados con poder bastante y la autoridad judicial, así como las personas a cuyo favor resulte de la póliza o del documento algún derecho, ya sea directamente, ya adquirido por acto distinto de ella y quienes acrediten, a juicio del Notario, tener interés legítimo.*

Obsérvese que el plazo de expedición es distinto al de los cinco días hábiles posteriores al del otorgamiento que establece para las copias autorizadas de escrituras el art. 249 RN.

Los testimonios son expedidos por el Notario respecto de los Libros-Registros de su notaría, por su sustituto, su sucesor, o por el archivero de protocolos tratándose de libros depositados en el archivo del Colegio Notarial.

La expedición del testimonio se hará constar en el asiento del Libro-Registro y con expresión de la persona para quien se haya expedido y la fecha, autorizándose la nota con media firma. Cuando en la misma fecha se expidieran varios testimonios del mismo documento se registrará la expedición de todas en una sola nota.

La nota de expedición podrá realizarse de forma manual o por cualquier otro procedimiento (sello de caucho, pegatina adhesiva...)

En todo testimonio de póliza y, en su caso, de asiento del Libro-Registro se hará constar:

1.º El nombre y apellidos del Notario que lo expide así como, en su caso, el carácter con el que actúe (si lo hace por sustitución o como archivero).

2.º La indicación del solicitante a cuya petición se expide.

3.º La referencia al número y fecha a que corresponde el asiento del Libro-Registro objeto de testimonio.

4.º El contenido literal, total o parcial, o en extracto, del asiento a que se refiera el testimonio, según proceda, pudiendo utilizarse cualquier procedimiento de reproducción.

5.º Su finalidad o no ejecutiva. Si se solicitara con efecto ejecutivo se hará constar en la póliza mediante nota y, asimismo, en el testimonio que dicho interesado no ha solicitado otro con tal carácter.

6.º El lugar, fecha de su expedición, dación de fe pública y signo, firma, rúbrica y sello del Notario.

Los testimonios en extracto acreditan los extremos que en ellas se comprendan, a instancia del solicitante, debiendo el Notario indicar si en lo omitido existe algún elemento que pudiere afectar, modificar o alterar los efectos de los extremos certificados.

En ningún caso incluirán los testimonios firmas de los otorgantes, siendo de aplicación a los mismos, en cuanto sean compatibles con su naturaleza relativas a documentos no matrices, las disposiciones referentes a las copias. Los testimonios se extenderán en folios de papel exclusivo para documentos notariales debiendo superponerse el sello de seguridad. Si no fuera posible expedir testimonio en folio de papel exclusivo notarial, se podrá extender en papel común, en cuyo caso y además de los extremos previstos en este artículo, se firmarán y sellarán todos y cada uno de los folios empleados.

Esta norma probablemente traiga causa en la deseada «homogeneización», al menos para el redactor reglamentario, de escrituras y pólizas. Pero a diferencia de las escrituras que son confeccionadas físicamente por los Notarios y en las que del mismo soporte informático puede salir sin gran esfuerzo la matriz y la copia, y en las que el espacio de firmas está perfectamente delimitado del texto contractual, para obtener las «copias» de las pólizas debe realizarse una auténtica operación de bricolage fotocopiándola sin que aparezcan las firmas de los otorgantes. Y ello sin perjuicio de los riesgos que comporta la manipulación de un documento que contiene las firmas de los otorgantes. Por ello FUGARDO (2008, p. 172), al comparar la entrega de las pólizas en el derecho derogado y en el vigente, en el primer caso la califica de «rápida» y en el segundo de «compleja».

Tratándose de Libros Registros depositados en los Colegios Notariales, los testimonios de las pólizas, serán expedidas por los Notarios Archiveros. Las Juntas Directivas de los Colegios en orden a un mejor cumplimiento de su función podrán disponer que, en Distritos notariales, distintos del de residencia del Colegio, los Libros Registro que tengan en depósito sean custodiados por un Notario en ejercicio en aquellos. Dichas disposiciones de las Juntas Directivas podrán ser revocadas en cualquier momento. Tanto las disposiciones como las revocaciones deberán ser puestas en conocimiento del Consejo General. Los Notarios a quienes se les encomiende la custodia de los Libros Registro estarán facultados para expedir por designación de la Junta Directiva testimonios de los documentos contenidos en los mismos. El importe arancelario a percibir por estos testimonios se considerará ingreso del Colegio.

Especial relevancia tiene la distinción que se deduce del ordinal 5º anterior entre «*testimonios con finalidad ejecutiva*» y «*sin finalidad ejecutiva*». Esta distinción trae causa en que el contenido de la póliza intervenida, aunque, en general, contiene obligaciones dinerarias que el acreedor puede exigir al deudor, no siempre el motivo de disponer del documento es la reclamación de cantidad. Así, por ejemplo, cabe la controversia judicial sobre la interpretación o aplicación de una cláusula contractual o el acceso del contrato al Registro de Bienes Muebles. En ambos casos será necesario un testimonio de la póliza que no tiene por qué tener carácter ejecutivo.

El testimonio expedido por el Notario del original de la póliza debidamente conservada en su Libro-Registro tiene el carácter de título ejecutivo para lo cual debe hacerse constar tanto su finalidad ejecutiva como que no se ha expedido con anterioridad al interesado otro con dicho carácter.

Tema importante es el referente a si puede o no expedirse más de un testimonio con carácter ejecutivo. El antedicho ordinal 5º establece literalmente que deberá expresarse «en el testimonio que dicho interesado *no ha solicitado otro con tal carácter*». De aquí podría deducirse que si se ha solicitado uno no podría obtenerse otro. Pero como señala GOMÁ LANZÓN (2007 (I), p. 688), «demasiado indirecto para imponer una obligación no prevista ni en la ley ni en el mismo reglamento, como en el caso de las copias» (el art. 233, párr. 3º RN establece que *expedida una copia con eficacia ejecutiva sólo podrá obtener nueva copia con tal eficacia el mismo interesado con sujeción a lo dispuesto en el artículo 517.2.4 de la Ley de Enjuiciamiento Civil*).

Efectivamente, un tema de tanta trascendencia como es la consecución de un título ejecutivo ni puede ser materia de reglamento ni puede dejarse a una interpretación indirecta de un requisito que el redactor reglamentario ha introducido sin antecedente legislativo ni apoyo legal alguno y ello por un intento homogeneizador entre póliza y escritura.

El Reglamento Notarial impone una limitación a la obtención de una nueva copia autorizada con eficacia ejecutiva (art. 233) pero eso lo hace citando el art. 517,2.4° LEC que así lo establece. Pero ni esta Ley en su art. 517.2.5° ni la Ley del Notariado en su art. 17.1 párrafo 7° hacen mención alguna ni a la existencia de primeros y sucesivos testimonios ni a la obligatoriedad de que para obtener posteriores testimonios con eficacia ejecutiva deba obtenerse el consentimiento de todas las partes.

Por ello creo que no hay inconveniente alguno para que se pueda obtener más de un testimonio con eficacia ejecutiva por el mismo interesado, si bien sólo en el primero se hará constar que con anterioridad el interesado no ha obtenido otro con dicha eficacia. No hay ninguna norma que limite los testimonios que puede solicitar y obtener el interesado. Y si la ley no limita no debe hacerlo el Notario. Ya será el Juez quien tomará la decisión de despachar o no ejecución cuando se le presente un testimonio con eficacia ejecutiva que no sea el primero, aunque, a mi juicio, no hay razón alguna para que no lo haga. No entiendo muy bien por qué deben ponerse limitaciones al acreedor para reclamar lo que se le adeuda por vía ejecutiva. Lo que evidentemente es impensable es que inicie más una ejecución para reclamar la misma deuda en virtud de varios ejemplares del título ejecutivo.

Y como argumentos en contra no me parecen suficientes que esto no ocurra así ni en las escrituras ni en las pólizas incorporadas al protocolo porque así ha sido siempre hasta la reforma del RN del 2006. Cuando las pólizas circulaban en original algunas entidades de crédito expedían para sí más de un ejemplar que debidamente intervenido conservaban, teniendo de esta forma más de un título ejecutivo para reclamar el impago de una misma obligación. Ni estaba limitado el número de ejemplares originales, ni estaba limitado el número de certificaciones de conformidad que podían expedirse repacto a una misma póliza intervenida. Y no tenemos noticia de que ello causara ningún problema. En todo caso, para mí, el argumento fundamental a favor de la posibilidad de obtener más de un testimonio con eficacia ejecutiva es que ni la LEC ni la propia LN establecen limitación alguna.

Respecto al *valor jurídico* de los testimonios del Libro-Registro hay que decir que son documentos públicos que tienen el mismo valor y eficacia que el documento que reproducen, salvo que las leyes dispongan otra cosa. Ello sin perjuicio del carácter ejecutivo de los testimonios expedidos con ese carácter.

4.28.2.2.6.3. Traslados con solos efectos informativos

El último párrafo del art. 197 RN señala que *intervenida e incorporada la póliza al protocolo o al Libro-Registro de operaciones, el Notario podrá expedir traslados de la mis-*

ma con solos efectos informativos, con sujeción a lo dispuesto en el artículo 224 de este Reglamento respecto de las copias simples. Y de acuerdo con el núm. 2 de este último precepto, los Notarios darán también copias simples sin efectos de copia autorizada, pero solamente a petición de parte con derecho a ésta. En ningún caso podrá hacerse constar en la copia simple la firma de los otorgantes.

Se refieren, por tanto, sólo y exclusivamente a las pólizas y no a un asiento del Libro-Registro y, por ello, nunca podría expedirse de un asiento de la Sección B. Son pues, más que una vía de conocimiento del contenido del Libro-Registro, una forma de acceso al contenido de las pólizas incorporadas a la Sección A de dicho Libro-Registro.

Como su propio nombre indica tienen efectos meramente informativos del contenido de la póliza intervenida sin tener el carácter de documento público.

4.28.2.2.6.4. Certificaciones del Libro-Registro

Como ya hemos señalado, hay una forma de llevanza del Libro-Registro antes del 1 de diciembre de 2006 y otra desde esta fecha. Obviamente debía dejarse clara la forma de exteriorización de los Libros-Registro existentes hasta esa fecha. Por eso, la disposición transitoria segunda del RD 45/2007, de 19 de enero, que modifica el Reglamento Notarial establece: *Las certificaciones de asiento de las pólizas intervenidas con anterioridad a la entrada en vigor de la Ley 36/2006, de 29 de noviembre, de medidas para la prevención de fraude fiscal se regirán por las disposiciones del Real Decreto 1251/1997, de 24 de julio.*

A este precepto debemos hacerle una doble crítica: primera, las certificaciones de asiento no son de las pólizas intervenidas sino del Libro-Registro, que podía recoger no sólo contratos (pólizas mercantiles) sino también «actos» (p.e. notificaciones, documentos fehacientes de liquidación —art. 1435 LEC de 1881 modificada a este respecto en 1984—...); segunda, la remisión debió hacerse al Decreto 853/1959, de 27 de mayo (RCorr) del que el Real Decreto 1251/1997, de 24 de julio es su última modificación.

La certificación de asiento es el documento expedido por el Notario, su sustituto o su sucesor, con referencia al contenido del Libro-Registro que tiene a su cargo, en el que se asevera el contenido de determinado asiento del mismo. Es pues la manifestación del contenido del Libro-Registro, referido a un asiento concreto de éste.

Las certificaciones de asiento pueden ser:

–   Literales o parciales: Las primeras comprenden la totalidad del asiento y las parciales hacen referencia a aquellas partes que el solicitante, en uso de su derecho, requiera, no afectando al resto del contenido del asiento.

- Positivas o negativas: según acrediten que el acto o contrato ha sido intervenido en su día por el Notario y, en consecuencia, consta en su Libro-Registro o, por el contrario, que el Libro-Registro no contiene tal acto o contrato.

- «Certificaciones de conformidad»: a ellas se refería el artículo 1429,6 de la Ley de Enjuiciamiento Civil de 1881 y, luego, el art. 517.2.5º de la LEC vigente que considera entre los títulos que llevan aparejada ejecución «las pólizas de contratos mercantiles firmadas por las partes y por Corredor de Comercio Colegiado —tras la integración de ambos Cuerpos de fedatarios públicos hay que entender Notarios— con tal de que se acompañe certificación en la que dichos Corredores (hoy Notarios) acrediten la conformidad de la póliza con los asientos de su Libro-Registro y la fecha de estos».

Como ya hemos señalado, tras la Ley 36/2006, de 29 noviembre, que da nueva redacción al art. 17.1 LN, este precepto establece que *a los efectos de lo dispuesto en el artículo 517.2.5.º de la Ley 1/2000, de 7 de enero, de Enjuiciamiento Civil, se considerará título ejecutivo el testimonio expedido por el Notario del original de la póliza debidamente conservada en su Libro-Registro o la copia autorizada de la misma, acompañada de la certificación a que se refiere el artículo 572.2 de la citada Ley.*

Redacción que me permito criticar porque una cosa es el título ejecutivo —el testimonio del original de la póliza, art. 517.2.5º LEC o la copia autorizada de la misma, art. 517.2.4º— y otra distinta la acreditación del cumplimiento del requisito de «cantidad líquida» para poder despachar ejecución lo que se hace a través del documento fehaciente de liquidación del art. 573.1.2º LEC. El art. 572.2 no hace mención a certificación alguna sino al pacto de liquidez que debe contener el título ejecutivo para considerar como cantidad exigible la resultante de la liquidación efectuada por el acreedor en la forma pactada por las partes en el propio título ejecutivo.

Como se observa no es *stricto sensu* una certificación del contenido del Libro-Registro sino que lo que se acredita es la «conformidad» de la póliza original intervenida, con el contenido del asiento del Libro-Registro y la fecha de éste.

De acuerdo con el art. 36 RCorr *las certificaciones se expedirán previa petición de persona con derecho a solicitarla y en un plazo no superior a quince días. Y tienen derecho a solicitarla los contratantes u otorgantes, sus causahabientes, sus apoderados con poder bastante y la autoridad judicial.*

Como veremos más adelante, de las certificaciones de asiento (entiendo que también de las de conformidad) hay que dejar constancia en la sección segunda del libro indicador. No obstante, hasta la modificación del RN se dejaba constancia de la expedición de las certificaciones de asiento y de las de conformidad en el propio Libro-Registro, con su fecha y solicitante, lo que, al menos a mí, me parece oportuno seguir haciendo sin perjuicio de la obligada constancia en el libro indicador.

4.28.2.2.6.4.1. Valor jurídico

Las certificaciones del Libro-Registro tienen el carácter de documento público, como así lo disponía el artículo 596,2 LEC de 1881 al incluir en la clasificación de «documentos públicos y solemnes» a *las certificaciones expedidas por los Agentes de Bolsa y Corredores de Comercio, con referencia al Libro registro de sus respectivas operaciones, en los términos y con las solemnidades que prescriben el artículo 64 del Código de Comercio y leyes especiales* y hoy el art. 317.3° de la LEC vigente: *los intervenidos por Corredores de Comercio Colegiados* [hoy Notarios] *y las certificaciones de las operaciones en que hubiesen intervenido, expedidas por ellos con referencia al Libro Registro que deben llevar conforme a Derecho.*

Por tanto, como todo documento público, a tenor de lo dispuesto en el art. 1218 CC, *hacen prueba, aún contra tercero, del hecho que motiva su otorgamiento y de la fecha de este. También harán prueba contra los contratantes y sus causahabientes, en cuanto a las declaraciones que en ellos hubieren hecho los primeros.*

4.28.3. El libro indicador

«El libro indicador es un vestigio del primitivo sistema notarial anterior a la pragmática de Alcalá, en el que los Notarios entregaban a las partes el documento original conservando sólo un resumen de éste (*schaedula*, nota) » (GOMÁ LAZÓN —2007 (II), p. 746—). Luego mantuvo su vigencia respecto a actuaciones notariales que no resultaban protocolizadas (FERNÁNDEZ-TRESGUERRES y FERNÁNDEZ-GOLFÍN —2009, p. 358—). Así, el anterior art. 283 RN lo reservaba para anotar los testimonios de legitimación de firmas de documentos que no se incorporaban al protocolo y los testimonios de exhibición que por el Notario o por el interesado se considerase oportuno.

Habida cuenta que los testimonios carecen de matriz y no forman, por regla general, parte del protocolo, parece razonable guardar alguna noticia de ellos por si se hace necesario confrontar su veracidad, aunque, como señala de su no constancia no pueda deducirse su inautenticidad.

Actualmente se encuentra regulado en el art. 264 RN cuya redacción procede del RD 45/2007, de 19 de enero. De acuerdo con este precepto, los Notarios deben llevar un libro indicador para cada año natural, integrado por dos secciones, en la primera página de cada una de las cuales pondrán nota de apertura y en la final otra de cierre, ambas autorizadas con firma entera.

4.28.3.1. Sección Primera

La sección primera de este libro, creada *ex novo* por el RD 45/2007, de 19 de enero, responde a las exigencias de las nuevas formas documentales que impone las nuevas tecnologías. Se llevará mediante asientos numerados con carácter consecutivo para cada anualidad que contendrán la fecha y las circunstancias necesarias para la debida identificación de la actuación que motive el asiento.

En dicha sección se anotarán:

a) La fecha de traslado a papel de las copias electrónicas indicando la identidad del Notario que expide la copia autorizada electrónica. No será necesaria la inclusión en los supuestos en los que el traslado a papel de una copia electrónica haya quedado incorporado a una escritura o acta matriz.

   No obstante este precepto debe completarse con lo establecido en el art. 224.4 RN por lo que, además del nombre y apellidos del Notario que expide la copia autorizada electrónica habrá que dejar constancia de su residencia, fecha de autorización y número de protocolo, así como fecha de traslado a papel y números de los folios que comprende.

b) Los testimonios en soporte papel de las comunicaciones o notificaciones electrónicas recibidas o efectuadas por los Notarios conforme a la legislación notarial que se relacionen directamente con un determinado documento autorizado o intervenido. Por ejemplo, el testimonio de la obtención del N.I.F. de las sociedades mercantiles o de la inscripción de una escritura en el Registro de la Propiedad o en el Mercantil.

   Quedan exceptuados los acuses de recibo digitales que consten por nota en una escritura o acta matriz.

c) Las legitimaciones de firmas electrónicas reconocidas en los documentos en formato electrónico (previstas en el artículo 261 RN). En estos casos, el Notario dejará constancia de la identidad de los particulares cuyas firmas electrónicas reconocidas han sido legitimadas y, en su caso, la fecha de remisión del archivo informático a un registro público y los datos de presentación que sean remitidos por el registrador al Notario amparados con su firma electrónica reconocida; cuando tales actuaciones se realicen en la fecha del testimonio se harán constar mediante asiento complementario, con numeración propia, relacionado con el principal.

4.28.3.2. Sección Segunda

La sección segunda del libro indicador, que se aproxima más al contenido «clásico» del mismo, se llevará mediante la incorporación de hojas numeradas en las que se reproduzcan los documentos testimoniados: los testimonios por exhibición, de vigencia de leyes, de legitimación de firmas, las certificaciones de saldo y de asiento que se realicen en soporte papel. Vemos, pues, que no son ya simples notas identificativos sino reproducción del documento íntegro.

Podría decirse, al menos de esta sección segunda, que el libro indicador es una colección de fotocopias de testimonios ordenada cronológicamente. (HUERTA TRÓLEZ: 2007, p. 1).

Algún autor ve una cierta incoherencia entre este precepto que exige que las «certificaciones de saldo» se lleven al libro indicador con la exigencia de que los «documentos fehacientes de liquidación» adopten la forma de acta (art. 218 RN). Sin embargo no hay que confundir unas con otros. Las «certificaciones de saldo» que deben incorporarse al libro indicador son las constataciones de coincidencia del saldo exigible que figura en la certificación bancaria con la del extracto de la cuenta de la que se deriva. De dicha comprobación hay que dejar constancia en el original de la certificación bancaria que se devuelve a la entidad de crédito. Es una mera dación de fe de coincidencia sin que implique un juicio de valor respecto a su correcto cálculo. Por eso carece de los efectos de su consideración como «cantidad líquida» para su exigibilidad que otorga la Ley de Enjuiciamiento Civil (arts. 572.2 y 573.1.2º).

La denominación «certificación de saldo» viene de los antecedentes históricos del art. 1435 LEC de 1881, cuya redacción era de 1984, que luego pasa a la vigente LEC (arts. 572.2 y 573.1.2º). La Orden Ministerial de 21 de abril de 1950 disponía que en las pólizas de crédito intervenidas por Agente de Cambio y Bolsa o Corredor Colegiado de Comercio otorgadas por Bancos, Cajas de Ahorro o Sociedades de crédito, podía convenirse que la determinación del saldo del crédito al día de su vencimiento, realizada por la entidad acreedora, haría fe en juicio, considerándose líquida la cantidad certificada por el Banco en tal concepto, siempre que dicha certificación hubiera sido también intervenida por fedatario público mercantil, quien haría constar en la diligencia que extendía la coincidencia del saldo certificado por la entidad acreedora con el que resulte de la cuenta corriente abierta al deudor en los libros de contabilidad de la misma. Así la determinación de la cantidad líquida quedaba completamente en manos de la entidad acreedora dejando que la actividad del fedatario mercantil, al constatar la coincidencia entre el saldo certificado y el saldo de la cuenta, fuese una mera cuestión de hecho que se ofrecía a la evidencia del mismo, a la vista de la documentación presentada por la entidad acreedora. No se exigía, por tanto, dictamen alguno del fedatario acerca de la determinación del saldo de la cuenta, sino simplemente la manifestación fehaciente de coincidencia entre el saldo expresado por la entidad financiera en su certificación y el que resulta de la cuenta que ésta tiene abierta a nombre de su cliente (*vid.* NIETO CAROL, U: «La liquidez en los contratos bancarios. El art. 1435,4 LEC», *Rev. Jurídica LA LEY*, 16 de marzo de 1993). Tras la nueva redacción del art. 1435 de la LEC pasó a distinguirse entre el «documento fehaciente de liquidación», en el que a la fe de coincidencia se le unía el juicio de valor de la correcta liquidación y la «certificación de saldo» en la que el fedatario se limitaba a dar fe de la coincidencia entre el saldo que constaba en la certificación bancaria y el que figuraba en la contabilidad de la entidad de crédito. Esta última se utilizaba en las reclamaciones de descubiertos en cuenta corriente y su única finalidad era no tener que incorporar la contabilidad a la demanda. En estos supuestos no cabía realizar un «documento fehaciente de liquidación» porque faltaba uno de los presupuestos de hecho: la existencia de un contrato debidamente intervenido por fedatario público

Lo que sí puede discutirse es si el lugar más apropiado para estas «certificaciones de saldo» es el libro indicador o su destino más lógico hubiera sido su incorporación a la Sección B del Libro-Registro. De hecho algunos autores (MEJÍAS GÓMEZ: 2008, p. 261) entienden que debe optarse por esta segunda opción.

El Notario puede, bajo su responsabilidad, excluir la incorporación de los testimonios por exhibición que tengan por objeto documentos suficientemente identificables. Así, por ejemplo, el testimonio de DNIs o pasaportes, de una escritura pública o de cualquier documento público que pueda cotejarse con el original, de un título universitario...

Como se observa, la sección primera se lleva por el sistema de anotaciones en asientos consecutivos y la sección segunda mediante incorporación de reproducciones de los documentos testimoniados. Esto último entiendo que se cumple si lo que se reproduce es el propio testimonio que permitirá un mejor cotejo con el testimonio que circula. Por otra parte, no se entiende bien desde el punto de vista práctico por qué los testimonios en soporte papel de comunicaciones o notificaciones electrónicas recibidas, por ir a la sección primera, no pueden incorporarse por reproducción y deben reducirse a la mera anotación.

El penúltimo párrafo del art. 264 RN señala que la incorporación de la reproducción al libro indicador presupone la dación de fe de coincidencia respecto del testimonio correspondiente por parte del Notario. A mi juicio, esto significa que la mera incorporación al libro indicador implica la dación de fe por el Notario de la coincidencia entre el documento original y el testimonio que conserva éste en su libro indicador sin que para ello se exija diligencia alguna ni autorización con firma ni media firma. Esta norma se entiende aplicable a la sección segunda ya que la primera, como ya hemos señalado anteriormente, se lleva por anotaciones.

4.28.3.3. Sustitución y destrucción

Finaliza el art. 264 RN señalando que transcurrido un año desde el cierre anual de cada una de las secciones, el Notario puede reproducirlas en un archivo informático que garantice su conservación y reproducción, procediendo en tal caso a la destrucción del soporte papel correspondiente.

De aquí se deduce que el contenido del libro Indicador «debe ser conservado porque es susceptible de ser reproducido. La finalidad última del libro registro (*sic*) es su reproducción. No es, entonces, un libro auxiliar o de oficina que ha de llevar el notario para el correcto funcionamiento y el buen orden de su despacho. Es un libro que ha de ser llevado de modo tal —primero físico y después, si quiere, informático— que garantice su reproducción».

4.29. LOS ÍNDICES NOTARIALES

La Enciclopedia Jurídica define el término Baldufario como «Libro de asiento s o constancias en el cual los escribano s registraban los nombres de las personas, la naturaleza, objeto, fecha y folio de las escrituras celebradas ante ellos». En la enciclopedia Larousse se recoge la misma definición y se añade que en la actualidad sería el equivalente de los Índices Notariales.

El concepto es más antiguo que el del propio notario, que antiguamente venía definido como escribano. Y ello nos da idea de la extraordinaria importancia que para la función notarial representa la existencia de un Índice.

El Protocolo es la relación ordenada de los instrumentos autorizados por el notario, y es, por definición, secreto. El protocolo debe ser conservado en los distintos archivos de forma indefinida, tal y como se aborda en otro lugar de esta obra. Por tanto, la posibilidad de recuperar los documentos, y en consecuencia los derechos en los mismos reconocidos, constituye una necesidad que nace al mismo tiempo que la propia función notarial. De ahí que en la mayor parte de los archivos históricos notariales (Xixona, El Patriarca etc...) es posible que encontremos la ausencia de algunos tomos, sobre todo los anteriores al siglo XV; pero existe una colección bastante completa de **los baldufarios** que sistematizan las matrices notariales.

4.29.1. *Situación anterior al Índice Único Informatizado*

La redacción del art. 33 de la Ley del Notariado de 1862 imponía ya a los notarios la obligación de remisión a través del juzgado de primera instancia dentro de los ocho días primeros de cada mes, de los índices del mes anterior. El Indice contenía exclusivamente la relación de los otorgantes, de los testigos, la fecha y la naturaleza del acto.

No vamos a detenernos en la evolución normativa que el art. 33 de la Ley y los 284 y siguientes del Reglamento han experimentado a lo largo de 150 años hasta el RD 1643/2000 que constituye propiamente la norma que inicia la transformación en esta materia. Pero someramente haremos referencia a que hasta esa fecha existían dos tipos de Índices:

a) Los puramente informativos, que no se incorporaban al protocolo y se remitían a sus destinatarios, siempre Administraciones Públicas

  1. Los fiscales que contenían una relación de los actos y negocios jurídicos que conteniendo alguna cuantía fiscal documentaban, o eran susceptibles de producir, algún hecho imponible.

  2. Los estadísticos, que se remitían por mediación de los Colegios Notariales a la Dirección General, a los efectos de formular la «Estadística» de finalidad preferentemente corporativa, y que posteriormente se publicaba en el Anuario de nuestra Corporación.

b) Los que se incorporaban al protocolo:

  1. Los cronológicos que se incorporaban al final del protocolo además de su remisión mensual a los respectivos colegios notariales y que contenían una relación sucesiva de todos los instrumentos autorizados por un notario durante todo el año.

  2. Los alfabéticos, que se incorporaban al final del protocolo con fines meramente indagatorios, y que contenían ordenados alfabéticamente, la relación de todos los intervinientes en los documentos protocolizados durante un año.

4.29.2. El Índice Único Informatizado Notarial

4.29.2.1. Principios de su desarrollo

Esta situación como hemos dicho, empezó a cambiar en el año 2000, el momento en el que irrumpe dentro de la función notarial la Sociedad de la Información.

Resulta fácil concluir cuáles fueron los factores que forzaron esta transformación:

La necesidad creciente de información estadística por parte de las Administraciones Públicas.

Las nuevas amenazas generadas por la liberalización de los movimientos de capitales y los instrumentos de ingeniería fiscal en la comisión de los delitos de blanqueo de capitales.

La introducción de herramientas a fin de prevenir la aparición de los instrumentos de financiación del terrorismo.

La necesidad de evitar que la ausencia del tratamiento de los datos permitiera que el documento público pudiera constituir, por la vía del transcurso del tiempo, un instrumento para la prescripción de las obligaciones tributarias.

4.29.2.2. Evolución Normativa

a) Como hemos dicho anteriormente la primera norma que implementó el aspecto informático en las comunicaciones notariales viene constituida por el art. 7 del RD 1643/2000. Sin derogar la obligación de las comunicaciones que se contenían en los arts. 284 y 285 del RN, y que ulteriormente serían igualmente modificados, impuso a los notarios la obligación de remitir los Índices informatizados en soportes informáticos o a través de la red telemática que, con las debidas garantías de confidencialidad, proporcione el Consejo General del Notariado. Habida cuenta de que esta norma vendrá luego derogada por el RD 45/2007 no vamos a detenernos más en ella. Pero sí importa resaltar los tres hitos importantes que supuso su publicación:

  – Por primera vez, y ya en el año 2000, se previó el establecimiento de una red telemática notarial que garantizara la confidencialidad en las comunicaciones. Esta Red no vería la luz hasta el año 2003 con el establecimiento de RENO en todas las notarías, y que resulta objeto de estudio en otro capítulo de esta obra.

  – Los Índices en soporte informático pasan a formar parte del propio protocolo notarial.

  – El contenido de los Índices corresponde al Ministerio de Justicia, pero se encuentra delegado en el Consejo General del Notariado el desarrollo del mismo, la determinación de nuevos datos que deban expresarse respecto de cada instrumento, así como la regulación de las características técnicas de elaboración, remisión y conservación de estos Índices. En ese sentido el art. 2 de la Orden del Ministerio de Justicia 469/2003 ya cristalizó la práctica de dicha delegación.

b) El Índice Único Informatizado cobró carta de naturaleza con la publicación de la Ley 24/2001, y la reforma del artículo 17 de la LN, añadido por el art. 115.1 de la dicha Ley de Acompañamiento. En desarrollo de esta norma los artículos 284, 285 y 286 del nuevo RN, cuyo texto definitivo sufrió los avatares que concluirían con la Sentencia de 20 de mayo de 2008.

En esencia, de toda esa regulación podemos extraer el siguiente esquema:

– El Índice Notarial es el instrumento informático que se elabora en cada notaría, cada quince días, debiendo ser remitido a los respectivos Colegios Notariales a los que pertenece cada Notario, dentro de los 7 días siguientes al fin de cada quincena.

– Los Colegios deben remitir inmediatamente tales Índices al Consejo General del Notariado, único titular de los ficheros, quien a través de la Agencia Notarial de Certificación (Ancert) realiza el tratamiento de la información.

- Deben comunicarse tanto las escrituras públicas cuanto las pólizas intervenidas. No así los asientos del Libro Indicador de ninguna de las secciones.

- Independientemente de lo anterior, el Notario elaborará un Índice cronológico, al final de cada período anual, que encuadernará al final del último tomo, a lo largo del mes de enero del año siguiente, debiendo conservar igualmente los archivos informáticos comprensivos de los Índices, en un soporte tecnológicamente seguro. Dicho soporte se encuentra replicado en disco independiente que se conserva en la propia notaria. Ello no obstante se encuentra igualmente replicado en sede electrónica del tratamiento de datos, si bien en forma de acceso exclusivo para cada notario previa su identificación.

- Asimismo, los Colegios deben conservar, por su parte, los Índices bajo su exclusiva responsabilidad.

- Por último, el art. 286 del Reglamento recoge el mandato contenido en el número 3 del art. 17 de la LN. Sin embargo procede recordar que reglamentariamente se viene a consagrar lo que ya era una realidad desde el día 1 de enero de 2004, si bien con la nueva estructura en funcionamiento desde el 1 de enero de 2007 que permitió atender a la necesidad impuesta por el propio artículo reglamentario 286 modificado por el Real Decreto 45/1987 de 19 de enero. Según dicho mandato se ratifica la creación del Índice Único Informatizado que no es más que la agregación de los Índices Informatizados que deben confeccionar y remitir los notarios a sus respectivas Juntas Directivas. Debiendo los Colegios Notariales remitir dichos índices en la tercera semana de cada mes, los del precedente.

4.29.2.3. Estructura

a) Frente a la simple estructura del Índice a la que antes hemos referencia en la LN, el art. 285 del RN impone la obligación de comunicar el número de protocolo, el lugar del otorgamiento, la fecha, nombre y apellidos o denominación social de todos los otorgantes o requirentes y de los testigos cuando los hubiere, y el domicilio de los otorgantes o requirentes, el objeto y la cuantía del documento, y el número de folios que comprende y, en su caso, el nombre del notario autorizante que actúe por sustitución del titular del protocolo. También se expresarán en ellos los datos relativos a la sujeción del documento al turno de reparto, en su caso, y a las aportaciones corporativas. Asimismo en los Índices se expresarán los números de identificación fiscal y la descripción de los medios de pago, cuando deban constar en las escrituras de acuerdo con lo dispuesto en la Ley del Notariado o, en su caso, el incumplimiento de la obligación de comunicación del número de identificación fiscal al notario o la negativa de la identificación de los medios de pago o a aportar la declaración previa del movimiento de los medios de pago cuando ésta resultara preceptiva de conformidad con la normativa de prevención del blanqueo de capitales. Igualmente, en los Índices se expresará la referencia catastral de los inmuebles, cuando ésta deba constar en las escrituras o, en su caso, el incumplimiento de la obligación de su aportación.

b) No obstante la acumulación de los datos contenida en el art. 285 no se corresponde, ni mucho menos, con el complejo contenido de la herramienta que obliga a los notarios a convertir el contenido literario de las escrituras en campos informatizados que permitan su tratamiento en la forma y con el alcance que luego examinaremos.

c) Empecemos por distinguir entre digitalización e informatización. Lo primero supone simplemente convertir en un formato digital lo que hasta ese momento se encuentra en formato papel, música, etc...

Por el contrario, informatizar significa convertir un contenido semántico analógico en un contenido semántico digital, de manera que los campos puedan ser tratados informáticamente e interrelacionados con otros.

d) El Índice obedece a un esquema de transposición de lo que es la esencia de una escritura pública, que no es otro que el de un oración gramatical. Esa oración podrá ser transitiva (Vendo algo a alguien, Hipoteco algo para alguien, Renuncio a algo, etc..., en general cualquier escritura)   o intransitiva (Manifiesto, protocolizo, etc... en general cualquier acta). En este momento el Índice está compuesto por 403 posibles negocios o actos jurídicos, divididos en 19 grupos.

El primer grupo viene referido a Actos de Orden Familiar y Personal y se articula en 16 apartados

El segundo a Testamentos y Disposiciones de Ultima Voluntad, con 7.

El tercero Contratos por razón de matrimonio y actos relativos a uniones o separaciones de hecho, con 18

El cuarto Actos que implican modificación física sobre las fincas, con 19.

El quinto contratos traslativos sobre todo tipo de bienes y derechos, con 19

El sexto contratos de arrendamiento y cesiones de uso, con 14.

El séptimo donaciones y transmisiones gratuitas intervivos, con 8.

El octavo pactos acumulables a negocios jurídicos principales, independientes o no, con 10.

El noveno actos urbanísticos, con 7.

El décimo referido a otros actos y contratos, como opciones de compra, cesiones de créditos, etc. hasta 32

El décimo primero, herencias, con 10

El duodécimo, créditos, préstamos y garantías hipotecarias, con 29.

El decimotercero cartas de pago y cancelaciones, con 10

El decimocuarto, apoderamientos, con 17.

El decimoquinto, protestos, con 1

El decimosexto, actas con 49

El decimoséptimo, pólizas y otros documentos mercantiles sujetos al antiguo arancel de corredores, con 29,

El decimoctavo, entidades sin personalidad jurídica, con 18

Y el decimonoveno entidades con personalidad jurídica, con 90

Es de resaltar que el grupo décimo presenta un carácter parasitario, es decir, se contienen en él negocios como la condición resolutoria, el pacto de retro, etc... que no tienen entidad por si solos, sino que deben ser complementarios de un negocio principal con el que aparecen enumerados.

e) Partiendo de esos posibles subgrupos, una misma escritura puede contener uno o varios sujetos, unos o varios objetos y uno o varios actos jurídicos. El Índice permite la versatilidad de ir identificando por negocios jurídicos los distintos sujetos y los distintos objetos sobre los que el negocio verse. El Índice fue concebido partiendo de una identificación de los sujetos, que realizan un negocio jurídico y éste define la necesidad o no de un objeto que cierra el cuadro de diálogo. Desgraciadamente esa simplificación chocó con una limitación temporal impuesta por la Administración que obligó a que se asentara el sujeto (persona física o jurídica, y en cualquier caso la consignación de la identidad de los representantes), el objeto (finca, valor, derecho y su identificación), y por último el acto que interrelaciona al primero con el segundo. Es de esperar que en un futuro se pueda redefinir el algoritmo y simplificar la laboriosa preparación actual.

f) Para concluir este apartado señalemos que el primer formato del actual Índice Único fue aprobado por el Consejo General del Notariado en el otoño del año 2006. Desde entonces el Índice ha incrementado el número de actos en 55, debidamente aprobados por el Consejo General del Notariado en virtud de la delegación anteriormente examinada.

g) Pero importa también resaltar que, si bien el contenido del Índice debe ajustarse y el Notario está obligado, bajo su responsabilidad, a cumplimentar la totalidad de los campos que vienen configurados como obligatorios en la propia plantilla del acto jurídico que se trate de asentar, no es menos cierto que el Índice no pretende ser una trasposición completa del contenido de la escritura. Pretende simplemente recoger los datos cuya interrelación pueda resultar conveniente o necesaria para alguno de los fines lícitos a los que luego haremos referencia. Pero no pretende la consignación de aquellos datos en los que, por su falta de fiabilidad, por su irrelevancia o porque otros sujetos obligados puedan proporcionarlos no resulte necesario que se consignen. Por ejemplo, la T.A.E de los préstamos hipotecarios o personales es algo que aparece en la escritura; pero sobre el cual, desde un primer momento nos dimos cuenta de que su consignación, en tanto que dato variable, podría producir disfunciones en la extrapolación económica o estadística de los datos del Índice. Y por tanto fue suprimida. O lo mismo con los modos en las donaciones, o las reservas de la facultad de disposición también en las donaciones. Y un largo etc... cuya enumeración excede con mucho el contenido de esta obra.

4.29.2.4. Utilidades

Entre los años 2006 al 2017 el número de consultas realizadas al Índice único por Jueces, Fiscales y Policía es de 161.601.

Las realizadas por la Agencia Tributaria ha sido de 133.649.

Y en cuanto al Índice Único, el número de documentos grabados es de 115.202.197.

El número de actos jurídicos es de 153.648.925.

El número de personas físicas identificadas es de 36.540.159 y el de personas jurídicas 3.162.870.

Examinándolo en detalle:

a) Desde el punto de vista estadístico el Índice proporciona la información a la base de datos publicitada por la web *www.cienotariado.org*. Una de las más fiables en materia inmobiliaria. Por otro lado, el portal de información inmobiliaria, por el momento de acceso exclusivo a los notarios, proporciona información sobre los precios medios de las compras clasificado por distritos postales.

b) Desde el punto de vista de los organismos de prevención de blanqueo de capitales la OCP (Oficina de Control y Prevención del Blanqueo de Capitales) ha puesto en conocimiento de los organismos competentes más de 5.000 operaciones sospechosas de blanqueo, gran parte de las cuales se han judicializado. E igualmente esencial para el Órgano de Control Tributario.

c) En cuanto a la propia utilidad para los notarios el Índice Único nos permite dar cumplimiento a nuestras necesidades de suministro de información de forma no atomizada: Los Índices Fiscales a las Comunidades Autónomas, el Índice de ausencia del Número de Identificación Fiscal, el Índice de Actos Sujetos al Impuesto Municipal sobre el Incremento de Valor de los Terrenos de Naturaleza Urbana, el Índice de cumplimentación de Operaciones en las que intervienen

Sociedades (Modelo 198), Cambios de titularidad catastral, o las Comunicaciones a la Comisión Nacional del Mercado de Valores son algunos, los más destacados, pero no los únicos, de las distintas obligaciones impuestas a los notarios y que resultan por esta vía cumplimentadas.

PARTE 3ª
ACTUACIONES NOTARIALES

5. ACTUACIÓN NOTARIAL EN MATERIA MATRIMONIAL

Esta materia se encuentra regulada básicamente en el Código Civil, Ley 20/2011 de 21 de julio del Registro Civil, Reglamento del Registro Civil de 14 de noviembre de 1958 y Ley del Notariado en la redacción dada por la Ley 15/2015 de Jurisdicción Voluntaria.

La novedad de la competencia del Notario en esta materia ha sido introducida por la Ley de Jurisdicción Voluntaria que ha modificado, entre otras, la Ley del Notariado y la Ley del Registro Civil de 2011, la cual, tras sucesivas prórrogas, entrará en vigor el 30 de junio de 2020, para la totalidad de sus normas (salvo nueva prórroga).

En efecto, la redacción original de la L.R.C. 20/2011 estableció en su Disposición Final Décima su entrada en vigor, salvo algunas disposiciones, a los tres años de su publicación en el BOE, lo que hubiese sucedido el 22 de Julio de 2014, pero luego sucesivamente se fue retrasando su entrada en vigor:

- a 15 de julio de 2015, por la disposición adicional 19 del Real Decreto-ley 8/2014, de 4 de julio y por la disposición adicional 20 de la Ley 18/2014, de 15 de octubre.

- a 30 de Junio de 2017, por la disposición final 4ª.12 de la Ley de Jurisdicción voluntaria de 15/2015, de 2 de julio.

- a 30 de Junio de 2018, por la disposición final 4ª.12 de la Ley 15/2015, de 2 de julio, en la redacción dada por el art. único.4 de la Ley 4/2017, de 28 de junio de modificación de la Ley Jurisdicción Voluntaria.

- a 30 de Junio de 2020, por la disposición final 1 de la Ley 5/2018, de 11 de junio.

En materia de matrimonio la competencia del Notario no se limita a su celebración sino que, a partir de la entrada en vigor de la Ley del Registro Civil de 2011, podrá otorgar el Acta previa para acreditar la aptitud para contraer matrimonio.

5.1. EL ACTA PREVIA AL MATRIMONIO

(Sólo a partir de la entrada en vigor de la LRC de 2011)

Normativa

Esta materia está regulada por el artículo 51 del Código Civil, artículo 58 L.R.C. de 2011 y artículo 51 de la Ley del Notariado cuya entrada en vigor quedó pospuesta a la entrada en vigor de la Ley 20/2011 de 21 de julio, del Registro Civil y que, tras sucesivas prórrogas, entrará en vigor el 30 de junio de 2020 (D.F. 10ª de la LRC de 2011, en la redacción dada por la Disposición Final Primera de la Ley 5/2018 de 11 de junio).

El propio artículo 51 LN establece una jerarquía de normas al señalar que este Acta se ajustará al artículo 58 LRC de 2011, que entendemos debe ser completado con el Reglamento Registro Civil de 1958 en la medida en que no sea incompatible con la nueva ley y, en lo no previsto, por la L.N. que debe ser completada también por el Reglamento Notarial.

Objeto del Acta o Expediente

El Acta o expediente previo al matrimonio tiene la finalidad de acreditar el cumplimiento de los requisitos de capacidad para contraer matrimonio de ambos contrayentes y de la inexistencia de impedimentos o su dispensa o cualquier género de obstáculos para contraer matrimonio (art. 56 CC). Pero además también es objeto de este Acta o expediente, como veremos, la constatación de que existe un verdadero consentimiento matrimonial y la ausencia de vicios en tal consentimiento.

Además, también es objeto de este Acta o expediente previo la determinación del régimen económico matrimonial y, en su caso, la vecindad civil (art. 58.6 LRC). En realidad la vecindad civil es un presupuesto para la determinación del régimen económico matrimonial, por lo que hay que entender que solo habrá que determinar la vecindad civil en cuanto sea necesario para fijar aquél. De aquí que el artículo 58.6 LRC diga «en su caso».

5.1.1. Competencia

Corresponde al Notario autorizar el Acta previa al matrimonio, si bien en concurrencia con otros funcionarios que también pueden instruir un expediente con el mismo objeto como son: el Letrado de la Administración de Justicia (Secretario judicial), el Encargado del Registro Civil del domicilio de los contrayentes y el funcionario diplomático o consular encargado del Registro Civil, si los contrayentes residen en el extranjero (art. 51 CC).

La competencia de los LAJ está limitada a los que presten servicios en el Registro Civil en el partido judicial elegido por los contrayentes para que se celebre el matrimonio y si hubiere mas de uno será competente el que hubiere tramitado el expediente

(Instrucción de la Secretaria de la Administración de Justicia 4/2015 de 11 de noviembre).

El Acta o expediente es necesario para contraer matrimonio civil y matrimonio en forma religiosa distinta del matrimonio canónico, porque para éste bastará que sea la propia Iglesia Católica la que tramite el expediente con arreglo a lo dispuesto en los Acuerdos entre el Estado Español y la Santa Sede (art. 58.bis LRC).

Parece que el artículo 58.bis.1. LRC deja abierta la puerta a que también se pueda tramitar el expediente previo al matrimonio por los ministros competentes del culto para otras religiones con las que haya «Acuerdos de cooperación del Estado» con tales confesiones religiosas, si bien yo no tengo conocimiento de ninguno. Es más, las disposiciones finales quinta, sexta y séptima de la LJV, modifican los acuerdos con las comunidades religiosas Evangélicas, Judías e Islámicas de España, determinando la necesidad de tramitar el Acta o expediente previo ante los funcionarios competentes del Estado a los que nos referiremos a continuación.

Notario hábil

Será Notario hábil el correspondiente al domicilio de, al menos, uno de los contrayentes (arts. 51 CC, 51 LN y 58.2 LRC de 2011).

Si dentro del término municipal existen demarcadas varias notarías, el interesado puede elegir Notario libremente entre ellos, al no estar sujeta esta materia al turno de reparto, pero la libertad no se extiende a los Notarios de términos municipales o distritos colindantes.

El Notario deberá expresar en el Acta su juicio acerca de su competencia para esta actuación.

Como se ve, la competencia para la instrucción de este Acta o expediente corresponde, no solo a diversas categorías de funcionarios alternativamente, sino a diversos funcionarios dentro de cada categoría. Por ello, es factible la iniciación de un mismo expediente ante varios funcionarios, ya que hoy por hoy no hay medio de saber si el expediente o Acta ha sido ya incoado ante algún otro funcionario competente. Esto con el problema añadido de que, ante la negativa de un funcionario, se trate de iniciar otro procedimiento ante funcionario distinto.

Se hace imprescindible que, al menos a nivel notarial, se organice un sistema de comunicación de la iniciación de este tipo de Actas, de modo similar al que se ha arbitrado para las Actas de Notoriedad de declaración de herederos ab intestato, añadiendo que lo ideal sería que tal comunicación se extendiese no solo a los Notarios, sino también a todos los funcionarios competentes en esta materia.

Esta materia de colisión de expedientes está tratada en el artículo 6 de la LJV al decir que si se tramiten simultáneamente dos o más expedientes con idéntico objeto, proseguirá la tramitación del primero y se acordará el archivo de los demás y esto será aplicable también a los expedientes tramitados por Notarios y Registradores que sean competentes. Añade que no se podrá iniciar o continuar la tramitación de un expediente de jurisdicción voluntaria sobre un objeto que esté siendo sustanciado en un proceso jurisdiccional, debiéndose proceder al archivo del expediente y remisión al juzgado de las actuaciones realizadas. Solo se acordará la suspensión cuando exista un proceso jurisdiccional contencioso cuya resolución pudiese afectarle.

Acreditación del domicilio de los contrayentes

Para acreditar el domicilio se podrá utilizar cualquier medio de prueba admitido en derecho, si bien, yo considero que preferentemente debe acudirse al certificado de empadronamiento y al D.N.I. por analogía con lo dispuesto en el artículo 209.bis RN para las actas de notoriedad de declaración de herederos y, desde luego, a otras pruebas, como la tarjeta de residencia, censo electoral, tener casa abierta, tener en el lugar un establecimiento mercantil y a pruebas negativas, como carecer de casa abierta, ausencia de permisos de residencia, informes policiales adversos...

En este punto la Resolución a la Consulta a la DGRN de fecha 9 de junio de 2005 resume la doctrina reiterada de la DG en esta materia, señalando que el concepto de domicilio es el definido «*en el artículo 40 CC que identifica domicilio con residencia habitual*». Añade que «*en esta materia de la prueba del domicilio a los efectos de la autorización del matrimonio no ha de ser contemplada con criterios demasiado rígidos que coartarían indebidamente el ius nubendi...*» y continúa diciendo«*... conforme a la artículo 16 de la ley 7/1985, de 2 de abril... los datos del padrón municipal constituyen la prueba de la residencia y del domicilio habitual en el municipio*». No obstante lo anterior, añade que la prueba de la residencia y domicilio es «*libre*» salvo que una norma imponga otra cosa.

Competencia en materia internacional

No tenemos en nuestro país normas de derecho internacional privado que regulen ni el acta o expediente previo matrimonial, ni la celebración del matrimonio.

Las únicas normas relativas a la forma de celebración, son los artículos 49 y 50 CC que establecen:

Artículo 49. *Cualquier español podrá contraer matrimonio dentro o fuera de España: 1.º En la forma regulada en este Código. 2.º En la forma religiosa legalmente prevista. También podrá contraer matrimonio fuera de España con arreglo a la forma establecida por la ley del lugar de celebración.*

Artículo 50. *Si ambos contrayentes son extranjeros, podrá celebrarse el matrimonio en España con arreglo a la forma prescrita para los españoles o cumpliendo la establecida por la ley personal de cualquiera de ellos.*

En conclusión, un español solo puede contraer matrimonio en España en la forma establecida por el CC o en forma religiosa; por tanto dentro de España no podrá acogerse a una forma extranjera. Fuera de España podrá acogerse a la forma de la Lex loci.

Si los dos cónyuges son extranjeros podrán celebrar matrimonio en España de la misma forma que los españoles o conforme a su ley personal. El matrimonio de extranjeros en España será inscribible en el Registro Civil Español, conforme al artículo 9 de la LRC de 2011, según el cual: «*En el Registro Civil constarán los hechos y actos inscribibles que afectan a los españoles y los referidos a extranjeros, acaecidos en territorio español*».

El Código solo se refiere de manera expresa a la forma de celebración, no al expediente previo, pero debemos entender que la remisión abarca ambas cosas. Ahora bien, para la tramitación de este expediente o Acta previos al matrimonio es necesario que haya algún punto de conexión, esto es, nacionalidad española o residencia en España de, al menos, uno de los cónyuges. Así lo reconoció la Resolución DGRN de fecha 29 de agosto de 1992, que admitió el matrimonio en España, conforme a la ley española de dos extranjeros, uno de los cuales era residente en España y tramitándose el expediente previo por funcionario español.

Esto nos lleva a que si ambos contrayentes son extranjeros y con residencia en el extranjero, no hay punto de conexión que permita la tramitación del Acta o expediente previo.

Pero una cosa es la tramitación del acta o expediente previos y otra la celebración misma del matrimonio. Así las cosas, ¿podría celebrarse el matrimonio en España entre extranjeros no residentes? El artículo 50 lo permite, tanto en forma española, como acogiéndose a la forma de la ley personal de cualquiera de ellos o en forma religiosa.

Personalmente lo veo factible si es en forma religiosa católica con el expediente tramitado conforme a lo dispuesto en los Acuerdos con la Santa Sede o bien, por los cónsules o funcionarios competentes del Estado extranjero en España y con arreglo a la forma y competencias de su país, e incluso lo veo posible por una confesión religiosa cuyo matrimonio sea considerado valido según la ley del país extranjero.

Pero entiendo que no puede celebrarse por funcionario español, pues si no se puede autorizar el expediente previo, no se podrá celebrar el matrimonio. En este sentido la Resolución Circular 29 de julio de 2005 (BOE nº 188, de 8 agosto) y la Consulta DGRN de 23 de diciembre de 2004.

Finalmente, la Consulta DGRN de 20 de abril 2006 considera nulo por aplicación del artículo 73.3 CC, el matrimonio contraído por un espanol y un extranjero en una

Representación Diplomática o Consular acreditada en España, añadiendo que será válido el de extranjeros, si así lo admite la ley personal de cualquiera de ellos.

Esta interesante resolución comienza precisando que los españoles pueden contraer matrimonio en el extranjero con arreglo a la «Lex Loci» o conforme a la forma civil o religiosa prevista en el ordenamiento jurídico español. Si se opta por el matrimonio en forma civil del Derecho español, deberá celebrarse ante la Autoridad Consular española. Pero para que esto sea posible deben concurrir los siguientes requisitos:

- Que al menos uno de los cónyuges sea nacional español, pues los Cónsules no pueden celebrar matrimonio entre dos extranjeros (Consulta 18 marzo 2002), ni instruir el expediente previo al matrimonio de dos extranjeros.

- Que al menos uno de los contrayentes esté domiciliado en la demarcación consular correspondiente.

- Finalmente que el Estado receptor del Cónsul no se oponga a que se celebren matrimonios en su domicilio (art. 5.f del Convenio de Viena de Relaciones Consulares de 24 de abril de 1963), por lo que hay países que no reconocen a los Cónsules extranjeros facultades para celebrar matrimonios en ningún caso o condicionado a que uno de los cónyuges sea nacional de dicho país. Esto conduce a que en España sean nulos por el artículo 73.3 CC los matrimonios de extranjero/a y español/a en los Consulados extranjeros acreditados en España.

Por esta misma razón, los Cónsules españoles deben de abstenerse de autorizar matrimonios entre personas de mismo sexo, en el caso que a ello se opongan las leyes del Estado receptor, abstención que se hace extensiva al otorgamiento de un poder especial para celebrar matrimonio aunque sea en España.

5.1.2. Procedimiento

A. REQUERIMIENTO AL NOTARIO

El artículo 51.2 LN dice que: «*La solicitud, tramitación y autorización del acta se ajustarán a lo dispuesto en el artículo 58 de la Ley 20/2011, de 21 de julio, del Registro Civil y, en lo no previsto, en esta Ley*» (Ley del Notariado). Por tanto, a salvo lo expresamente establecido en la LRC, esta materia se regirá por la Ley del Notariado y por su Reglamento Notarial.

El requerimiento al Notario para la iniciación del acta debe ser efectuado por **ambos** contrayentes y, además, de manera **personal**.

Si el domicilio de los contrayentes es distinto y no corresponde a la competencia del mismo Notario, tendrán que elegir de común acuerdo un mismo Notario para la tramitación del Acta.

Si no pueden comparecer ambos contrayentes ante el Notario elegido para instar la iniciación del acta, podrá actuar uno de ellos con poder especial del otro para ello o bien, apoderar a un tercero también a través de poder especial. Este poder es distinto del poder para contraer el matrimonio, aunque no vemos inconveniente en que ambos poderes consten en un mismo instrumento público, con tal de que estén perfectamente diferenciados.

El poder especial para el requerimiento al Notario deberá contener todas las declaraciones personales que debe hacer el contrayente, según el artículo 240 RRC y concordantes, y cuya certeza solo puede asegurar el propio interesado. En este sentido la Resolución DGRN de fecha 19 de diciembre de 1995, relativa a un Acta de declaración de herederos ab intestato, estableció que la certeza de los hechos en que se basaba la propia declaración de herederos debe hacerla el propio requirente, no pudiéndose hacer por apoderado; criterio éste que entendemos plenamente válido para esta materia.

Finalmente también encontramos posible la actuación del contrayente correspondiente al domicilio del Notario elegido y que el otro ratifique posteriormente ante el mismo u otro Notario (vide art. 242 RRC).

Hay que precisar que esta representación solo comprende el requerimiento inicial, ya que se necesita de nuevo intervención personal para otras actuaciones posteriores (en especial la audiencia reservada), que tendrán que realizarse ante el mismo Notario que recibe el requerimiento inicial o ante el Notario que sea competente en el domicilio del otro contrayente (vide arts. 242 y 246 RRC).

Contenido del requerimiento inicial

El requerimiento inicial debe contener los siguientes datos (arts. 12 y 240 RRC):

- La identidad de los contrayentes, que según el artículo 12 RRC son: nombre, apellidos, D.N.I., nacionalidad y edad, naturaleza (que yo identifico con lugar y fecha de nacimiento). Considero, que salvo la identidad, no son imprescindibles los demás (el propio artículo 12 RRC dice «a ser posible»), pero estimo muy conveniente citarlos. Además, el lugar y fecha de nacimiento, el nombre de los padres y los datos de inscripción en el Registro Civil, vendrán en el Libro de Familia o Certificación de nacimiento a la que nos referiremos.

- Nombre y apellidos de los padres (a ser posible).

- Profesión, domicilio y vecindad civil de los contrayentes (éstos dos últimos son necesarios para fundamentar la competencia del Notario y para la determinación del régimen económico matrimonial).

- En su caso, nombre y apellidos del cónyuge o cónyuges anteriores y la fecha de disolución del matrimonio anterior.

- La declaración de que no existe impedimento para el matrimonio.

- El Notario que autorizará el matrimonio, si es distinto del que tramita el Acta o, en su caso, el Juez, Alcalde o Concejal que lo celebrará.

- El pueblo o pueblos en que hubiesen residido o estado domiciliados los contrayentes en los últimos dos años (lo que tendrá su trascendencia para la publicación de Edictos o no).

Capacidad

El Notario debe comprobar la capacidad de los requirentes a pesar de que se trata de un Acta.

De conformidad con nuestro derecho conflictual, la capacidad matrimonial se rige por la ley personal de los contrayentes que es la determinada por su nacionalidad (art. 9.1 CC). Dentro de la capacidad matrimonial se engloba, no solo la capacidad natural para contraer matrimonio o prestar el consentimiento matrimonial, sino también la ausencia de impedimentos, puntos éstos sobre los que volveremos más adelante.

Como decimos, la capacidad se ha de apreciar en base a ley nacional del contrayente, pero esta aplicación tiene el límite del orden público, lo que ha excluido la aplicación de leyes extranjeras que contienen disposiciones manifiestamente contrarias al orden público internacional español, entre las que podemos destacar:

- leyes extranjeras que admiten matrimonios poligámicos.

- leyes extranjeras que prohíben contraer matrimonios entre personas de distintas religiones.

- leyes extranjeras que impiden el matrimonio entre transexual con persona de su mismo sexo biológico, pero de distinto sexo legal por no reconocer el cambio de sexo declarado judicialmente en España.

- leyes extranjeras que admiten el matrimonio entre niños

- leyes extranjeras que admiten el matrimonio sin necesidad de voluntad libre y real prestada por los contrayentes o aun en contra de la voluntad d elos mismos. (Resolución-Circular DGRN de 29 de julio de 2005)

La misma Resolución-Circular ha admitido el matrimonio celebrado entre español y extranjero o entre extranjeros residentes en España del mismo sexo, señalando que será válido por aplicación de la ley material española, aunque la legislación nacional del extranjero no permita o no reconozca la validez de tales matrimonios.

De todos modos volveremos más tarde sobre este punto, pudiendo en caso de dudas solicitar ayudas o dictámenes médicos.

Documentos complementarios.

Con estos datos, añade el artículo 241 RRC, que se presentará la prueba del nacimiento de los contrayentes, por lo que habrá que exigir la Certificación de Nacimiento o el Libro de Familia.

Además deberá acreditarse el estado civil de los contrayentes:

- Si son solteros, la acreditación será la declaración responsable (señalando el artículo 363 RRC que: «*Ningún órgano oficial... podrá exigir otros medios de prueba*») o el Acta de Notoriedad.

- Si alguno es viudo, habrá que aportar certificado de matrimonio anterior y Certificado de defunción del premuerto.

- Si alguno es divorciado, certificado del matrimonio anterior y sentencia de divorcio inscrita en el Registro Civil, lo que se solucionará en la práctica con certificación de matrimonio en la que conste anotado el divorcio.

- Si alguno es emancipado, debe aportar su emancipación inscrita en el Registro Civil o Certificación de este mismo Registro en que así conste.

- Si hay dispensa de algún impedimento matrimonial habrá que aportar el documento que acredite tal dispensa, que será la resolución judicial pertinente

Si uno o ambos contrayentes son extranjeros, su certificado de nacimiento y los documentos que aporten como probatorios de su estado de soltería, viudedad o divorcio deben cumplir los requisitos de apostilla o legalización pertinentes.

En este punto hay que mencionar el Tratado de Atenas de 15 de septiembre de 1977, que dispensa a los países firmantes de la legalización de los documentos exclusivamente referidos al Estado Civil, capacidad y situación familiar de las personas físicas, además del Convenio de Viena de 8 de septiembre de 1976 sobre los certificados plurilingües. Los paises firmantes del Tratado de Atenas son: Austria, España, Francia, Grecia, Italia, Luxemburgo, Países Bajos, Polonia, Portugal y Turquia.

Se ha planteado también (por José Clemente Vázquez López y Carlos Jiménez) la conveniencia de solicitar también un certificado de antecedentes penales para excluir el impedimento de muerte dolosa de cónyuge o pareja. En general me parece excesivo, pero en algún caso concreto podría ser muy conveniente, por lo que la mención de este punto me parece muy acertada.

Cuestión: ¿puede probarse la viudedad o el divorcio solo por la declaración responsable del interesado efectuada en documento público?

La Instrucción DGRN de 22 de febrero de 1974, en cuanto a la acreditación de estado de viudedad dice que hay que distinguir dos hechos: uno positivo, la disolución del vínculo anterior y otro negativo, que no ha contraído nuevas nupcias. El primero se acreditará por el certificado de defunción del cónyuge y el segundo por declaración responsable, como la soltería.

El art. 241 RRC exige la *«prueba de la disolución de los anteriores vínculos»*.

Pero en nuestro derecho hay múltiples casos en que la prueba de tales estados es la declaración responsable del interesado en documento público, lo que recoge el propio artículo 363 RRC, el cual añade que no se pueden exigir otros medios de prueba, señalando literalmente: *«el estado de soltero, viudo o divorciado (se acredita) por declaración jurada o afirmación solemne del propio sujeto o por acta de notoriedad. Ningún órgano oficial, ante quien la vida se acredite por comparecencia del sujeto o el estado de soltero, viudo o divorciado por aquella manifestación podrá exigir otros medios de prueba, sin perjuicio de la investigación de oficio que proceda en caso de duda fundada»*.

Y el artículo 159 R.N.: *«Las circunstancias relativas al estado de cada compareciente se expresarán diciendo si es soltero, casado, separado judicialmente, viudo o divorciado. También podrá hacerse constar a instancia de los interesados su situación de unión o separación de hecho... Las circunstancias a que se refiere este artículo se harán constar por el notario por lo que resulte de las manifestaciones de los comparecientes»*.

¿Se podría probar la viudedad o divorcio solo por manifestación responsable? No me atrevo a dar una solución drástica a esta cuestión. Entiendo que el Notario debe tener el convencimiento cierto de la veracidad de los hechos mencionados. En definitiva es el responsable de la regularidad del expediente. En este sentido el Notario puede pedir cualquier prueba complementaria de las aportadas, como declaraciones de testigos, certificaciones de matrimonio que vengan indicadas en certificaciones de nacimiento, etc. Solo a él en cada caso le corresponderá asumir la responsabilidad de considerar probado los hechos pertinentes.

Para acreditar el domicilio se debe pedir certificado de empadronamiento, siendo conveniente que abarque los dos últimos años por la publicidad de Edictos o proclamas.

El artículo 240 RRC dice que *«el escrito será firmado por un testigo a ruego del contrayente que no pueda hacerlo»*.

Se está refiriendo al escrito de iniciación del expediente que no es necesario en el caso de la intervención Notarial. Pero si alguno de los contrayentes no sabe o no puede firmar, yo me inclinaría por aplicar en este punto nuestro Reglamento Notarial y por solicitar la presencia y firma de dos testigos y teniendo en cuenta el régimen de inhabilidades establecido por nuestro Reglamento Notarial.

Finalmente cabe apuntar que la nueva Ley 20/2011 configura al Registro Civil como una base de datos única, con acceso a la información registral por la Administración en el ejercicio de sus funciones públicas (Exposición motivos IV), lo que ratifica el artículo 80 LRC al decir que la publicidad se realizará: *«Mediante el acceso de las*

Administraciones y funcionarios públicos, en el ejercicio de sus funciones y bajo su responsabilidad, a los datos que consten en el Registro Civil». Si en base a esto, se permite en un futuro el acceso a los datos del Registro Civil por parte del Notario, no será necesaria la presentación de Certificaciones, puesto que será el propio Notario quien las obtenga con dicho acceso directo.

B. AUDIENCIA RESERVADA

Este es un trámite fundamental y a él se refieren los artículos 58.5 LRC y 246 RRC, precisando el primero de ellos que el LAJ, Notario o Encargado del Registro Civil, oirá a ambos contrayentes reservadamente y por separado, para cerciorarse de su capacidad y de la inexistencia de cualquier impedimento. Asimismo, se podrán solicitar los informes y practicar las diligencias pertinentes, sean o no propuestas por los requirentes, para acreditar el estado, capacidad o domicilio de los contrayentes o cualesquiera otros extremos necesarios para apreciar la validez de su consentimiento y la veracidad del matrimonio.

El artículo 246 RRC habla de impedimentos de ligamen o de cualquier otro obstáculo legal para la celebración del matrimonio.

Por separado y personalmente

La audiencia reservada debe practicarse por separado y personalmente. La expresión por separado parece clara y se opone a efectuarla con los dos contrayentes a la vez.

Además la audiencia debe realizarse personalmente, lo que excluye que pueda realizarse por medio de poder. No obstante, el artículo 246 RRC permite que la audiencia del contrayente no domiciliado en la demarcación del Instructor pueda practicarse ante el Registro Civil del domicilio de aquél. Por ello, si uno de los contrayentes reside en un lugar distinto, donde no alcanza la competencia territorial del Notario actuante, estimo que también puede practicarse ante otro Notario que sea competente por razón del territorio y el resultado de la misma trasladarse a un Acta, cuya copia será enviada al Notario que tramite el Acta previa al matrimonio. Esto tiene el inconveniente que el Notario responsable del expediente no ha podido ver y oír personalmente a este contrayente, lo que puede dificultar su toma de decisiones y su convencimiento de que no existe obstáculo alguno para la celebración del matrimonio. En todo caso, opino que el Notario que podemos llamar principal, no está vinculado a la actuación de su compañero y puede aceptar el Acta que recoja tal audiencia reservada o solicitar pruebas o documentos complementarios, si tiene duda alguna o incluso, me atrevo a decir, que puede rechazar totalmente sus conclusiones y ello porque al Notario que llamamos principal corresponde la responsabilidad de declarar la ausencia total de impedimentos para el matrimonio.

Fondo o contenido

En cuanto al fondo o contenido de esta Audiencia reservada, entiendo que trasciende la mera comprobación de la capacidad matrimonial de los contrayentes, que ya ha sido inicialmente comprobada por el Notario al aceptar el requerimiento. Ahora se trata de comprobar además el consentimiento matrimonial, esto es, averiguar si realmente se quiere contraer un matrimonio y si los contrayentes tienen un mínimo de madurez para comprender los deberes, derechos y consecuencias del matrimonio.

Estudiaremos separadamente los diversos puntos en los que debe centrarse esta Audiencia reservada.

a) Capacidad o existencia de deficiencias o anomalías psíquicas

En cuanto a la capacidad misma, si el Notario aprecia que alguno de los contrayentes está afectado por deficiencias o anomalías psíquicas deberá consultar los Libros del Registro Civil para comprobar que no hay sentencia que limite su capacidad y recabará dictamen facultativo. El artículo 245 RRC habla de dictamen del Médico del Registro Civil o su sustituto, pero no veo inconveniente a que el Notario recabe informe de cualquier facultativo que considere oportuno, no estando vinculado, a mi juicio, exclusivamente por el dictamen del Médico forense, cuerpo éste en el que se han integrado los funcionarios del Cuerpo de Médicos del Registro Civil.

Lo más habitual será que haya que consultar al médico que habitualmente trata al contrayente afectado por las dudas de capacidad. Este facultativo será el más capacitado para dar su opinión sobre la capacidad o incapacidad del contrayente. El problema será si este médico no se presta a suscribir un informe sobre la capacidad del interesado, como desgraciadamente he sufrido en algún caso. Rivero Sánchez-Covisa propone acudir a la designación de perito por el Colegio Notarial por el procedimiento del artículo 50 LN. Me parece correcto, pero no obligatorio. Lo importante será hallar un dictamen facultativo sobre el contrayente, pudiendo ser admisible el del facultativo que presenten los propios interesados.

Se plantea la interesante cuestión de si el dictamen del médico es vinculante para el Notario. La mayoría de los tratadistas se inclinan por la respuesta negativa, dado que no hay norma que lo imponga y me sumo a ellos. Pero en la práctica lo habitual será seguir la recomendación del dictamen médico. De todos modos, si el Notario no está convencido con los resultados del dictamen médico, nada le impide solicitar una segunda o tercera opinión, eligiendo el propio Notario al facultativo. Entendemos que el artículo 245 RRC ampara la práctica de cualesquiera pruebas propuestas o «acordadas de oficio» para acreditar la capacidad de los contrayentes.

Punto muy problemático es la capacidad para contraer matrimonio de los incapacitados judicialmente. Debemos partir de la base de que la declaración judicial de incapacidad no determina directa y necesariamente la incapacidad para contraer matrimonio. A lo que obliga es a exigir un dictamen facultativo sobre la aptitud para contraer matrimonio, pero en base a un dictamen favorable podría autorizarse la celebración de matrimonio sin necesidad de modificación de la sentencia de incapacitación. Existen múltiples resoluciones al respecto que autorizan su celebración, como también las hay en sentido contrario según los casos. Encarna Serna Meroño y Rivero Sánchez-Covisa hacen una buena exposición de gran número de ellas entre las que podemos citar Resoluciones DGRN de 18 de marzo de 1994 (6ª), 1 de diciembre de 1987, 17 de enero de 2007, 18 de diciembre de 2008 (3ª), 13 de febrero de 2013, entre otras.

En cualquier caso, el dictamen desfavorable del Notario deberá ser motivado y expresar, en su caso, con claridad la falta de capacidad o el impedimento que concurra (art. 586 LRC de 2011). El Notario procederá al cierre del Acta y los interesados podrán recurrir ante la Dirección General de los Registros y del Notariado, sometiéndose al régimen de recursos previsto por la LRC (art. 58.7 LRC). Este recurso viene regulado en los artículos 85 y ss. LRC y se podrá interponer ante la Dirección General de los Registros y del Notariado, en el plazo de un mes. A su vez las resoluciones de la DGRN podrán ser impugnados ante el Juzgado de Primera Instancia de la capital de provincia del domicilio del recurrente.

En cuanto a la capacidad de los extranjeros, nuestro código civil dice que se regirá por su ley personal, esto es, por la de su nacionalidad (art. 9.1 CC). En general no creo que se planteen problemas cuando se trata de países de nuestro entorno, pero en todo caso no podemos olvidar la limitación del orden público, como ocurriría si tales países autorizaran el matrimonio a personas de edad inferior a la señalada en nuestro CC.

b) Impedimentos para el matrimonio y su dispensa

Los impedimentos para el matrimonio están regulados en los artículos 46 y ss. del CC. Se basan en la edad, parentesco, vínculo matrimonial anterior y condena por delito relacionado con la muerte del cónyuge o pareja anterior.

Artículo 46: *No pueden contraer matrimonio: 1.º Los menores de edad no emancipados. 2.º Los que estén ligados con vínculo matrimonial.*

Artículo 47: *Tampoco pueden contraer matrimonio entre sí: 1. Los parientes en línea recta por consanguinidad o adopción. 2. Los colaterales por consanguinidad hasta el tercer grado. 3. Los condenados por haber tenido participación en la muerte dolosa del cónyuge o persona con la que hubiera estado unida por análoga relación de afectividad a la conyugal.*

Los impedimentos son tradicionalmente clasificados en dos grupos:

- absolutos, que imposibilitan el matrimonio con cualquier persona. Son la edad y el vínculo matrimonial anterior.

– y relativos, que lo imposibilitan solo con relación a algunas personas. Son el parentesco y la muerte dolosa del cónyuge de cualquiera de ellos.

Destacar que ya no cabe la emancipación por matrimonio y que el parentesco es por consanguineidad o adopción, no por afinidad.

En cuanto a la condena por delito, ya nos hemos referido a la posibilidad de solicitar Certificado de antecedentes penales, si tenemos alguna duda sobre el tema, aunque estimo que no con carácter general.

En cuanto a la dispensa de los impedimentos, el artículo 48 dice: *El Juez podrá dispensar, con justa causa y a instancia de parte, mediante resolución previa dictada en expediente de jurisdicción voluntaria, los impedimentos de muerte dolosa del cónyuge o persona con la que hubiera estado unida por análoga relación de afectividad a la conyugal y de parentesco de grado tercero entre colaterales. La dispensa ulterior convalida, desde su celebración, el matrimonio cuya nulidad no haya sido instada judicialmente por alguna de las partes.*

No cabe la dispensa del impedimento de la edad, pues requiere emancipación previa y ésta a su vez exige 16 años, ni el vínculo matrimonial anterior, ni el parentesco consanguíneo o adoptivo en línea recta o hasta el segundo grado colateral.

La dispensa está regulada en los artículos 81 al 84 de la Ley de Jurisdicción voluntaria y artículos 260 y ss. del RRC. El expediente de dispensa es exclusivamente judicial. Será competente el Juez de Primera Instancia del domicilio o, en su defecto, de la residencia de cualquiera de los contrayentes y se inicia a instancia del contrayente en quien concurra el impedimento para el matrimonio. La solicitud expresará los motivos de índole particular, familiar o social en la que se basa y se acompañarán los documentos y antecedentes necesarios que acrediten la concurrencia de la justa causa exigida por el Código Civil para que proceda la dispensa y, en su caso, la proposición de prueba, cuya práctica se acordará por el Juez. Si se tratara del impedimento de parentesco, en la solicitud se expresará, con claridad el árbol genealógico de los contrayentes. Para la dispensa del impedimento de muerte dolosa del cónyuge anterior deberá citarse, además, al Ministerio Fiscal. La tramitación será reservada y nunca se exigirá diligencia desproporcionada a la urgencia del caso (art. 261 RRC). Se practicarán las pruebas que hubieren sido propuestas y acordadas y el Juez resolverá concediendo o denegando la dispensa. La dispensa se acreditará por el Testimonio de la resolución judicial que expedirá el LAJ.

Según el artículo 247 RRC, si el Ministerio Fiscal o cualquier particular tiene conocimiento de cualquier impedimento u obstáculo para la celebración de un matrimonio, está obligado a denunciarlo, obligación ésta que incumbe especialmente a los Notarios como funcionarios públicos que somos.

C) Consentimiento matrimonial. Matrimonio por conveniencia

Como decíamos anteriormente la audiencia reservada trata de averiguar no solo la capacidad matrimonial de los contrayentes, sino si éstos realmente quieren contraer matrimonio (consentimiento matrimonial) y si tienen un mínimo de madurez para comprender los deberes, derechos y consecuencias del matrimonio.

En cuanto a este último punto, es difícil dar criterios concretos de actuación, sobre todo porque la concepción del matrimonio ha evolucionado mucho y sigue haciéndolo y lo que podría haber sido considerado como estructura básica del matrimonio para nuestros padres, no lo es hoy en día. Entiendo que la idea fundamental en este punto es la palabra «madurez» y que en ningún caso podemos pretender que los contrayentes tengan la misma concepción del matrimonio que nosotros mismos.

Además se debe comprobar la auténtica voluntad de contraer matrimonio, excluyendo las posibles finalidades espurias de tal matrimonio, como pueden ser la adquisición de nacionalidad o residencia, la obtención de una pensión, la adquisición de derechos hereditarios o los beneficios fiscales de la herencia y tantas otras.

Quizá el punto más delicado deriva de si uno de los contrayentes es extranjero y el Notario sospecha de que se trate de un matrimonio de conveniencia para la obtención de la nacionalidad o residencia en nuestro país. La cuestión no tiene respuesta clara, habiendo que valorar cada caso concreto los indicios que justifiquen o demuestren una previa relación, como viajes o estancias previas de uno u otro contrayente en España o en el extranjero, declaraciones de testigos, etc., pudiéndose solicitar de cualquier autoridad los informes que se consideren convenientes.

En este punto no podemos dejar mencionar la Resolución del Consejo de la UE de 4 de diciembre de 1997, D.O.C.E. C 382 de 16 de diciembre de 1197 sobre la lucha contra los matrimonios fraudulentos de la que destacamos lo siguiente:

Los factores que pueden permitir que se presuma que un matrimonio es fraudulento son, en particular: el no mantenimiento de la vida en común; la ausencia de una contribución adecuada a las responsabilidades derivadas del matrimonio; el hecho de que los cónyuges no se hayan conocido antes del matrimonio; el hecho de que los cónyuges se equivoquen sobre sus respectivos datos (nombre, dirección, nacionalidad, trabajo), sobre las circunstancias en que se conocieron o sobre otros datos de carácter personal relacionados con ellos; el hecho de que los cónyuges no hablen una lengua comprensible para ambos; el hecho de que se haya entregado una cantidad monetaria para que se celebre el matrimonio (a excepción de las cantidades entregadas en concepto de dote, en el caso de los nacionales de terceros países en los cuales la aportación de una dote sea práctica normal); el hecho de que el historial de uno de los cónyuges revele matrimonios fraudulentos anteriores o irregularidades en materia de residencia.

En este marco, dichos factores pueden desprenderse de: declaraciones de los interesados o de terceras personas, informaciones que procedan de documentos escritos, o de datos obtenidos durante una investigación.

En nuestro país encontramos la Instrucción de 9 de enero de 1995 (Boe 25 enero) la cual expone que, aunque estos matrimonios fraudulentos pueden ser corregidos a posteriori a través de una acción de nulidad que puede ser ejercitada por el Ministerio Fiscal, es indudable que lo deseable es que a priori se tomen las cautelas oportunas para evitar estos matrimonios nulos, para lo cual dicta normas para los tramites de Audiencia reservada y por separado, en los términos ya expuestos y apunta a que el Ministerio Fiscal puede tener un papel activo y denunciar cualquier impedimento u obstáculo que le conste.

Más importancia tiene la Instrucción de La DGRN de 31 de enero de 2006 (Boe 17 febrero) que describe los matrimonios de complacencia señalando que sus objetivos más usuales son: Adquirir de modo acelerado la nacionalidad española, lograr un permiso de residencia en España o la reagrupación familiar de nacionales de terceros Estados.

Continua diciendo que el consentimiento de los esposos es el elemento esencial del matrimonio, entendido este como un consentimiento dirigido a crear una comunidad de vida entre los esposos con la finalidad de asumir los fines propios y específicos de la unión en matrimonio. El matrimonio simulado es inválido lo que produce nulidad ipso iure, sin perjuicio de la declaración judicial. El derecho fundamental de la persona al matrimonio no ampara los matrimonios simulados por ser falsos matrimonios, por ello se debe evitar primero su celebración y, en caso de que hayan sido celebrados, impedir su inscripción en el Registro Civil.

Los problemas que plantean los matrimonios de complacencia, son: a) precisar la Ley estatal aplicable a los mismos, pues en la inmensa mayoría de los supuestos habrá un ciudadano extranjero, b) y en el caso de que dicha Ley sea la Ley española, es necesario precisar los criterios adecuados para probar o demostrar que el matrimonio que se pretende celebrar y/o inscribir en el Registro Civil español, es un «matrimonio simulado»

En Derecho Internacional Privado español no existe una sola y única Ley estatal que determina cuáles son los requisitos para que el matrimonio sea válido y pueda acceder al Registro Civil español. Las normas de conflicto deben determinar separadamente: a) La Ley aplicable a la capacidad matrimonial; b) La Ley aplicable al consentimiento matrimonial; c) La Ley aplicable a la forma de celebración del matrimonio. En derecho español el consentimiento se ha de regir por la ley personal del contrayente, esto es, por la de su nacionalidad y esta ley determinará si el consentimiento prestado es no un auténtico consentimiento matrimonial.

Así, si uno de los contrayentes es español, deberá examinarse la verdadera intención matrimonial a través del contrayente español y si este no es verdadero consentimiento, el matrimonio no puede ser válido.

Si ambos contrayentes son extranjeros, no se puede aplicar la ley española y la autenticidad del consentimiento se regirá por la ley extranjera, pero si ésta admite la validez del matrimonio a pesar de que el consentimiento sea ficticio o simulado, la autoridad española no aplicará la ley extranjera por ser contraria al orden público internacional español (art. 12.3 CC) y en su lugar aplicará el derecho material español.

Este control de la capacidad y consentimiento matrimoniales debe realizarse fundamentalmente a través de la audiencia reservada que normalmente tiene lugar antes del matrimonio, pero puede ser posterior al mismo y antes de la inscripción, dentro del expediente que tendrá que realizar el encargado del Registro civil cuando el matrimonio se haya celebrado en el extranjero.

Añade que normalmente no habrá pruebas directas de la voluntad simulada, por lo que procede acudir al sistema de las presunciones judiciales (art. 386 LEC) de modo que «a partir de un hecho admitido o probado», se puede «presumir la certeza» (...), de otro hecho, si entre el admitido o demostrado y el presunto existe un enlace preciso y directo según las reglas del criterio humano». La aplicación de la LEC encuentra apoyo en el artículo 4 de la misma que la considera de aplicación supletoria en los procesos no civiles y en el artículo 16 RRC que declara de aplicación supletoria las normas de la jurisdicción voluntaria, respecto de las cuales, a su vez, son supletorias las del procedimiento ordinario.

Las «presunciones homini» constituyen, en defecto de pruebas directas, un mecanismo legal que permite deducir, a partir de ciertos datos o indicios (hecho base), la existencia de un «hecho presunto», esto es, la concurrencia o no de un auténtico consentimiento matrimonial según la Ley española.

A modo orientativo señala que los datos básicos de los que cabe inferir la simulación del consentimiento matrimonial son dos: a) el desconocimiento por parte de uno o ambos contrayentes de los «datos personales y/o familiares básicos» del otro y b) la inexistencia de relaciones previas entre los contrayentes.

a) Como datos personales y familiares se señalan: fecha y lugar de nacimiento, domicilio, profesión, aficiones relevantes, hábitos notorios, y nacionalidad del otro contrayente, anteriores matrimonios, número y datos básicos de identidad de los familiares más próximos de uno y otro (hijos no comunes, padres, hermanos), así como las circunstancias de hecho en que se conocieron los contrayentes.

Como datos personales accesorios cabe citar: conocimiento personal de los familiares del otro contrayente (no de su existencia y datos básicos de identidad, como nombres o edades) y hechos de la vida pasada de ambos contrayentes.

b) La existencia de relaciones personales entre los propios contrayentes pueden derivarse de visitas a España o al país extranjero del otro contrayente, o bien relaciones epistolares o telefónicas o por Internet. El hecho probado de que los contrayentes conviven juntos en el momento presente o tienen un hijo común es un dato suficiente que acredita la existencia de «relaciones personales». El hecho de que los contrayentes no hablen una lengua que ambos comprenden es un mero indicio de que las relaciones personales son especialmente difíciles, pero no imposibles.

Son indicios de que no hay auténticas relaciones personales: si uno de los cónyuges ha tenido matrimonios simulados anteriores, si se ha entregado una cantidad monetaria para que se celebre el matrimonio (salvo la dote cuando haya costumbre de ello).

Como hechos no relevantes, pero que en concurrencia con otras circunstancias pueden formar la convicción del funcionario en sentido positivo o negativo se citan: Que un contrayente extranjero resida en España sin la documentación exigida por la legislación de extranjería; que los contrayentes no convivan juntos sin circunstancias que lo impidan; que un contrayente no aporte bienes o recursos económicos al matrimonio, mientras que el otro contrayente aporte todos; que se hayan conocido pocos meses o semanas antes del enlace; que exista una diferencia significativa de edad entre los contrayentes.

Continua diciendo que la presunción de la buena fe y el derecho al matrimonio hacen necesario que el Encargado del Registro Civil alcance una «certeza moral plena» de hallarse en presencia de un matrimonio simulado para acordar la denegación de la autorización del matrimonio o de su inscripción, por ello, si la convicción de la simulación no es plena, el matrimonio deberá autorizarse o inscribirse.

Finaliza señalando que el funcionario debe incluir en su resolución, de modo expreso, el razonamiento en virtud del cual dicha Autoridad ha establecido la presunción y frente a ella los contrayentes o persona legitimada puede practicar prueba en contrario o instar la inscripción del matrimonio posteriormente si surgen datos relevantes, puesto que en el Registro Civil no rige el principio de cosa juzgada.

En todo caso debe tenerse en cuenta la Circular de la DGRN de 6 de marzo de 2016 que establece un cuestionario orientativo. Este debe hacerse de manera personal y reservada, no siendo posible rellenarlo por medio de apoderado. Si algún contrayente no puede acudir al Notario competente, debe hacerse ante otro Notario territorialmente competente, quien, entiendo, deberá documentarlo a través de un acta que deberá suscribir el contrayente interesado y a la que se incorporará el cuestionario mismo. Posteriormente tal acta se hará llegar al Notario instructor del expediente matrimonial, quien deberá hacer constar en su propio expediente haberse cumplido este trámite.

El cuestionario debidamente cumplimentado y firmado por los contrayentes, deberá quedar incorporado al acta de requerimiento aunque estimo más oportuno no trasladarlo a las copias por su carácter reservado. No me parece adecuado que el Notario se limite a hacer constar en el Acta que ha realizado el cuestionario sin dejar constancia de las preguntas y respuestas, porque tal cuestionario puede ser pieza fundamental en un eventual proceso judicial posterior.

Si el contrayente no supiese o pudiese firmar, estimo que se podrá usar la figura de los testigos instrumentales que lo hagan por el interesado, los cuales acreditarán la manifestación del contrayente de que el cuestionario recoge sus respuestas, debiendo estampar el interesado su huella dactilar como prueba de su autoría.

C. EDICTOS O PROCLAMAS

El CC no menciona la necesidad de Edictos y LRC solo se refiere a ellos para determinar su caducidad pasado un año como veremos seguidamente. Solo el art. 243 RRC recoge la necesidad de la publicación de Edictos o proclamas por espacio de 15 días en las poblaciones en cuya demarcación hubiesen residido o estado domiciliados los interesados en los últimos DOS años y que tengan menos de 25.000 habitantes de derecho, según el último censo oficial, o bien, que correspondan a la circunscripción de un Consulado español con menos de 25.000 personas en el Registro de Matricula.

Matizaciones:

– El dato de la residencia o domicilio deberá ser proporcionado por el o los Certificados de empadronamiento.

– Poblaciones de menos de 25.000 habitantes según el último censo del Instituto Nacional de Estadística.

– Si se trata de poblaciones en el extranjero, habrá que acudir al Registro de Matricula Consular. Por tanto, se tendrá en cuenta, no el número total de habitantes, sino el número de españoles incluidos en el censo. Los datos habrá que consultarlos directamente en el Consulado o en la Dirección General de Registros y del Notariado.

– Si el contrayente ha estado domiciliado en varias poblaciones durante tal tiempo (2 años), estimo que habrá de publicarse Edictos en todas las poblaciones en que haya residido.

– Si solo uno de los contrayentes hubiese estado domiciliado en tales poblaciones, estimo que habrá que cumplir los dos requisitos, la publicación y las diligencias sustitutorias que se dirán. Rivero Sánchez-Covisa señala que la práctica de los Registros Civiles ha sido realizar la diligencia sustitutoria en todo caso y, además, publicar los Edictos si alguno de los contrayentes ha residido en población de menos de 25.000 habitantes durante los últimos dos años.

– En cuanto a los días del plazo, el artículo 32 de la LRC de 1957 establecía que a efectos del Registro Civil son hábiles todos los días y horas del año. La nueva Ley no contiene previsión al respecto, por lo que Carlos Jiménez propone aplicar las reglas de la Ley de Procedimiento Administrativo para la cual los días son hábiles, posición con la que estoy totalmente de acuerdo.

Contenido de los EDICTOS

El artículo 243 RRC se remite a las indicaciones determinadas por el artículo 240 RRC, por lo que me remito al apartado «Contenido del requerimiento inicial» que hemos visto anteriormente.

Básicamente se publica el propósito del casamiento y se requiere a los que tuviesen noticia de algún impedimento para que lo denuncien. Los Edictos deberán estar expuestos por espacio de 15 días en el tablón de anuncios del Registro Civil o en las Oficinas Consulares de España en el extranjero (art. 243 RRC).

Con la entrada en vigor la nueva LRC, se reorganizan las oficinas del Registro Civil creándose una oficina central, otras en cada una de las capitales de las Comunidades Autónomas o ciudades con Estatuto de Autonomía, además de otras por cada 500.000 habitantes y finalmente otras que se consideren necesarias o convenientes, pero el hecho será que desaparecerán muchas oficinas municipales por lo que entendemos que las publicaciones serán en los tablones de anuncios de los Ayuntamientos, ya que estos se configuran como oficinas de apoyo para presentar documentación relativa al Registro Civil, según el art. 20.3 LRC de 2011, si bien Carlos Jiménez entiende más bien que las publicaciones deben ser en el Tablón de anuncios del Juzgado de Paz o incluso apunta la posibilidad de que lo sea en la oficina del funcionario que tramita el expediente, puntualización que me parece muy acertada, aunque no me atrevería a publicar solo en Tablón de Anuncios de la Notaría.

La denuncia de los posibles impedimentos, deberá hacerse en la Notaria o bien, en las oficinas de los Registros civiles mientras éstas subsistan. No creo que si la publicación llega a efectuarse en los Tablones de los Ayuntamientos éstos se presten a recibir las denuncias, sino más bien la remitirán a la Notaria.

En todo caso, el Edicto, debidamente expuesto, se devolverá por quien corresponda, sea encargado de Registro Civil o Secretario de Ayuntamiento, con diligencia de haber estado expuesto durante el plazo de 15 días y, en su caso, de haberse recibido alguna denuncia.

Entendemos que, caso de haberse recibido alguna denuncia, el Notario puede (y me atrevo a decir «debe») practicar las pruebas y diligencias que considere pertinentes para esclarecer para aclarar los términos de la denuncia, incluso hacer publicaciones complementarias, en cuyo caso deberá señalar su plazo de exposición, si bien yo estimo que sería prudente fijar el mismo plazo de 15 días que señala el Reglamento para la publicación principal.

Dispensa de edictos (art. 260 y ss. RRC)

El RRC trata conjuntamente la dispensa de impedimentos y la dispensa de Edictos o proclamas. Ambos requieren justa causa suficientemente probada, un principio de prueba del impedimento y debe entenderse también de la justa causa de la dispensa de edictos alegada y también en ambos casos el solicitante debe acreditar los motivos de índole particular, familiar o social que invoque.

Pero es preciso distinguirlos. Entendemos que la dispensa de impedimentos requiere un procedimiento judicial, al que nos hemos referido con anterioridad al hablar de los impedimentos, mientras que la dispensa de Edictos la puede resolver el Encargado que instruye el expediente del matrimonio (art. 262 RRC), por lo que entendemos que ahora lo puede resolver el Notario.

En consecuencia, la dispensa de edictos debe ser solicitada al Notario, alegando las razones en que se funde y los documentos o pruebas pertinentes para su fundamentación. El Notario debe resolver en resolución motivada accediendo o denegando tal pretensión.

Contra la resolución del Notario, los interesados podrán interponer recurso en el plazo de un mes, ante la Dirección General de los Registros y del Notariado, sometiéndose al régimen de recursos previsto por la LRC (art. 85 y ss. LRC).

Ausencia de edictos. Prueba testifical sustitutoria

En los casos en que no proceden los Edictos por haber residido los contrayentes en los dos últimos años en poblaciones de más de 25.000 habitantes, así como en los casos de dispensa de publicaciones de edictos o de matrimonio secreto, será necesario practicar un trámite complementario de audiencia de, al menos, un pariente, amigo o allegado de uno u otro de los contrayentes, elegido por el instructor, que deberá manifestar su convencimiento de que el matrimonio proyectado no incurre en prohibición legal alguna (art. 244 RRC).

La manifestación debe ser bajo pena de falsedad en documento público, delito éste que ha desaparecido del Código penal, por lo que su inclusión no es muy afortunada, aunque se sigue utilizando en multitud de formularios.

Los declarantes o testigos serán elegidos por el Notario entre los propuestos por los interesados. Estimo conveniente que lo habitual sean dos testigos porque es el número exigido en Actas de Notoriedad de herederos y solo en casos excepcionales utilizar la posibilidad que ofrece el artículo 244 RRC de que sea solo un testigo.

Caducidad de los Edictos o diligencias sustitutorias

Pasado un año desde la publicación de los edictos, de su dispensa o de las diligencias sustitutorias, sin que se celebre el matrimonio habrá que realizar nueva publicación o diligencias (art. 58.5 in fine LRC).

Entendemos que este plazo de caducidad determina la necesidad de repetir las publicaciones o diligencias sustitutorias, pero no determina la caducidad del expediente mismo, sin perjuicio de que el Notario pueda e incluso deba, practicar otras actuaciones que juzgue necesarias. En este sentido sería conveniente que el Notario comprobase si han variado algunos elementos determinantes de la capacidad o del régimen económico matrimonial, tales como la nacionalidad o la vecindad civil de los contrayentes.

Finalmente apuntar que el plazo de seis meses que fija el artículo 58 bis 2, para la resolución que contenga el juicio matrimonial, sí parece determinar la caducidad total del Acta o expediente, pues habla en términos generales sin limitar la caducidad a *«nueva publicación o diligencias»*.

Otras pruebas

El artículo 58.5 LRC dice que el Letrado de la Administración de Justicia, Notario o Encargado del Registro Civil podrán solicitar los informes y practicar las diligencias pertinentes, sean o no propuestas por los requirentes, para acreditar el estado, capacidad o domicilio de los contrayentes o cualesquiera otros extremos necesarios para apreciar la validez de su consentimiento y la veracidad del matrimonio.

Añade el artículo 245 RRC que mientras se tramitan los edictos o diligencias sustitutorias, el Notario puede practicar las pruebas que estime oportunas hayan sido propuestas por los interesados o acuerde de oficio, relativas a acreditar el estado, capacidad o domicilio de los contrayentes o cualquiera otros extremos necesarios.

D. FINALIZACIÓN DEL ACTA

a) Juicio favorable o no al matrimonio

Realizadas todas las actuaciones, se finalizará el Acta o dictará resolución haciendo constar si concurren o no en los contrayentes los requisitos necesarios para contraer matrimonio, la determinación del régimen matrimonial que resulte aplicable y, en su caso, la vecindad civil de los contrayentes. La resolución habrá de ser motivada y expresar claramente, en su caso, la falta de capacidad o el impedimento que concurra (art. 58.6 LRC de 2011); puntos estos que veremos a continuación.

Juicio desfavorable. Si el Acta del Notario o el expediente del Letrado de Administración de Justicia o Encargado de Registro Civil fuera desfavorable a la celebración del matrimonio, la resolución habrá de ser motivada y expresar claramente, la falta de capacidad o el impedimento que concurra (art. 58.6 LRC de 2011). La resolución expresará, además, los recursos que contra la misma procedan, órgano administrativo o judicial ante el que hubieran de presentarse y plazo para interponerlos, sin perjuicio de que los interesados puedan ejercitar cualquier otro que estimen oportuno (art. 88.3 Ley 39/2015 LPACAP).

Se procederá al cierre del Acta o expediente y los interesados podrán recurrir ante la Dirección General de los Registros y del Notariado en el plazo de un mes y que deberá resolverse en el plazo de seis meses, transcurridos los cuales sin haberse dictado y notificado resolución, se entenderá desestimada y abierta vía judicial correspondiente (Arts. 58.7 y 85 y ss. LRC de 2011). El objeto del recurso es precisamente el juicio emitido por el Notario sobre la capacidad de los contrayentes y la ausencia de impedimentos.

A su vez, las resoluciones y actos de la Dirección General de los Registros y del Notariado podrán ser impugnados ante el Juzgado de Primera Instancia de la capital de provincia del domicilio del recurrente, de conformidad con lo previsto en el artículo 781 bis de la Ley 1/2000, de 7 de enero, de Enjuiciamiento Civil (art. 87 LRC).

Naturalmente el expediente o Acta puede terminarse por otras circunstancias como desistimiento o muerte de alguno de los contrayentes, revocación del poder para contraer matrimonio, o falta de colaboración de los interesados en la aportación de documentación o de pruebas exigidas por el Notario.

En materia de desistimiento y caducidad del Acta o expediente entendemos aplicables los artículos 93 y ss. de la LPACAP (por remisión de la DF1ª de la LRC de 2011 y remisión a ésta del art. 51,2 LN) que permite, por un lado, el desistimiento y, por otro, regula la caducidad del acta o expediente.

En el caso de desistimiento, entendemos basta que lo sea por parte de uno solo de los interesados.

La caducidad tendrá lugar cuando se produzca la paralización del expediente por inactividad del interesado transcurridos tres meses, si bien debe comunicarse al mismo interesado y hacerlo constar por diligencia en el Acta o expediente. Añade el artículo 95.1, in fine y 2, LPACAP que: «*Contra la resolución que declare la caducidad procederán los recursos pertinentes*». «*No podrá acordarse la caducidad por la simple inactividad del interesado en la cumplimentación de trámites, siempre que no sean indispensables para dictar resolución. Dicha inactividad no tendrá otro efecto que la pérdida de su derecho al referido trámite*».

En este sentido la Resolución DGRN de 3 de octubre de 2005 determinó que falta de la acreditación de la residencia en España es importante para acreditar si se trata de un matrimonio de complacencia pero no puede fundamentar por sí sola el archivo del expediente. Y la Resolución DGRN de 25 octubre 2005 estableció que la negativa de un contrayente a celebrar el trámite de audiencia sí justifica el resultado negativo del expediente.

Parece que no hay obstáculo a la iniciación de un nuevo expediente o Acta cuando aparezcan nuevos datos o pruebas o desaparezca algún obstáculo y así se solicite por interesado. En este nuevo expediente o Acta podrán valer los actos y trámites cuyo contenido se hubiera mantenido igual de no haberse producido la caducidad, pero deberán cumplimentarse los tramites de alegaciones, proposición de prueba y audiencia al interesado (art. 95.3 LPACAP).

Finalmente apuntar que, si el Notario aprecia que algunos de los actos o conductas de que ha tenido conocimiento en la tramitación de este expediente pudieran ser constitutivos de delito, podrá (más bien deberá) ponerlos en conocimiento del Ministerio Fiscal para que practique las diligencias y actuaciones que considere oportunas.

Juicio favorable. Si el Acta fuera favorable a la celebración del matrimonio éste podrá celebrarse ante el mismo Notario (art. 52 LN), aunque si los contrayentes lo solicitan, podrá celebrarse ante otro Notario, Juez de Paz, Alcalde o Concejal en quien éste delegue.

También podrá celebrarse ante otras personas, como el caso de matrimonio en forma religiosa no católica o en el extranjero, tanto en forma religiosa como en la forma establecida en el lugar de su celebración.

Religión católica. Si el matrimonio se celebra conforme la religión católica deberá tramitarse un expediente conforme las normas de derecho canónico, pero no habrá que tramitar expediente ante Notario o Letrado de Administración de Justicia o Encargado de Registro Civil, ya que la inscripción del matrimonio se practicará con la simple presentación de certificación eclesiástica de la existencia de matrimonio.

Así el artículo VI del Acuerdo entre el Estado español y la Santa Sede sobre asuntos jurídicos, firmado el 3 de enero de 1979 en la Ciudad del Vaticano establece:1) «*El Estado reconoce los efectos civiles al matrimonio celebrado según las normas del Derecho Canónico. Los efectos civiles del matrimonio canónico se producen desde su celebración. Para el pleno reconocimiento de los mismos, será necesaria la inscripción en el Registro Civil, que se practicará con la simple presentación de certificación eclesiástica de la existencia del matrimonio*».

Religión no católica. Si el matrimonio se celebra en forma religiosa no católica por religiones de notorio arraigo en España, inscritas en el Registro de Entidades Religiosas, sí deberá tramitarse un acta previa matrimonial ante Notario o un expediente ante Letrado de Administración de Justicia o Encargado de Registro Civil, quienes expedirán dos copias del Acta o resolución acreditativa de la capacidad matrimonial, que se deberán entregar al Ministro del Culto encargado de la celebración del matrimonio, que deberá tener lugar antes de seis meses desde la fecha del Acta o resolución y con dos testigos mayores de edad. Se deberá poner diligencia de la celebración del matrimonio en las dos copias, entregando una a los contrayentes y conservando la otra.

En este sentido las Leyes 24, 25 y 26/1992 de 10 de noviembre que regulan los Acuerdos de Cooperación del Estado con la Federación de Entidades Religiosas Evangélicas, Federación de Comunidades Israelitas y Comisión Islámica, todas ellas de España. Aunque sea de escasa trascendencia matizaremos que las dos primeras leyes exigen el expediente o Acta previos al matrimonio, mientras que la última solo lo exige para la inscripción en el Registro Civil español, por lo cabría un expediente posterior al matrimonio tramitado por el Encargado del Registro Civil.

Fuera de España. La celebración del matrimonio fuera de España corresponderá al funcionario diplomático o consular encargado del Registro Civil en el extranjero, quien también podrá tramitar el expediente previo si uno de los contrayentes reside en el extranjero.

También podrá celebrarse el matrimonio en el extranjero tanto en forma religiosa como en la forma establecida en el lugar de su celebración, para el cual deberá tramitarse el correspondiente expediente o Acta Notarial. En este caso, es posible que se exija un **certificado de capacidad matrimonial**, el cual será expedido por el Notario o funcionario en base al Acta o expediente tramitado (art. 58.12 LRC de 2011). Obviamente para poder tramitarse tal expediente ante Notario es necesario que al menos uno de los contrayentes tenga su domicilio en España, en un lugar donde el Notario sea competente para actuar.

La Orden del Ministerio de Justicia de 26 de mayo de 1988 (Boe 7 junio) aprobó el modelo de certificado plurilingüe de capacidad matrimonial, a que se refiere el artículo 252 RRC, el cual tendrá una duración de seis meses de su fecha.

La Instrucción de la DGRN de fecha 21 de febrero de 1997 aconsejó entregar a los interesados, junto con el Certificado de Capacidad Matrimonial, un testimonio del expediente tramitado y de su resolución final al objeto de facilitar la posterior inscripción del matrimonio en el Registro Consular.

Si el matrimonio se celebra en el extranjero sin tramitarse el Acta o expediente, corresponderá exclusivamente al Encargado del Registro Civil del lugar de celebración, la tramitación del expediente posterior, previo a la inscripción del matrimonio.

b) Régimen Económico Matrimonial

El artículo 58.6 LRC de 2011, dentro del expediente matrimonial, se refiere también a la determinación del régimen económico matrimonial que resulte aplicable y en su caso, la vecindad civil de los contrayentes, al tiempo que el artículo 60 LRC de 2011 establece que junto a la inscripción de matrimonio se inscribirá el régimen económico matrimonial legal o pactado que rija el matrimonio y los pactos, resoluciones judiciales o demás hechos que puedan afectar al mismo.

El Notario deberá, por tanto, determinar el régimen económico matrimonial por el que se va a regir el matrimonio, lo que implicará en la mayoría de las ocasiones la necesidad de determinar la vecindad civil de los contrayentes.

En consecuencia, si hay capitulaciones matrimoniales se hará constar el régimen que resulte de las mismas, no estando de más la exigencia por parte del Notario a los contrayentes de que manifiesten que no existen otras capitulaciones posteriores que modifiquen las presentadas.

En defecto de capítulos, el Notario deberá determinar la vecindad civil y residencia habitual de los contrayentes por lo que resulte de los documentos presentados y de sus manifestaciones, al objeto de determinar el régimen económico matrimonial aplicable al caso, de conformidad con el artículo 16.3 CC en relación con el art. 9.2 CC.

En este punto hay que tener en cuenta que, una vez terminada el Acta o expediente, puede transcurrir hasta un año o seis meses si se trata de matrimonio religioso no católico, antes de la celebración del matrimonio mismo, plazo durante el cual pueden variar algunas circunstancias como nacionalidad, vecindad civil o residencia habitual de alguno o de los dos contrayentes que puedan influir en el régimen económico matrimonial.

Por ello, se hace necesario que el Notario o funcionario que autoriza el matrimonio pregunte a los contrayentes si ha habido alguna variación en las circunstancias que determinan el régimen económico matrimonial e incluso si han celebrado nuevas capitulaciones después de la tramitación del Acta previa al matrimonio.

Quizá no sea mala práctica el incluir en el Acta previa al matrimonio una advertencia a los futuros contrayentes relativa a su obligación de hacer constar cualquier alteración en sus circunstancias previas que pudieran alterar el régimen económico del matrimonio proyectado.

¿Qué hacer si al tiempo del matrimonio ha cambiado alguna circunstancia que da lugar a la variación del régimen económico matrimonial con respecto al fijado en el expediente previo? Si el expediente previo lo ha tramitado el propio Notario celebrante del matrimonio, creo que lo procedente será rectificar el Acta previa al matrimonio mediante Diligencia. Si no lo ha tramitado, realmente creo que también; entiendo, con Carlos Jiménez, que no puede rectificarse en la escritura de matrimonio y menos aún, dejarlo como estaba, esto es, erróneo. Si esto provoca retrasos indeseados para los interesados, se les puede ofrecer la posibilidad de otorgar instantáneamente, antes del matrimonio capitulaciones matrimoniales y fijar claramente el régimen económico.

Derecho extranjero. Finalmente hay que apuntar que ley rectora de los efectos del matrimonio puede ser una ley extranjera, lo cual puede suceder, según nuestro artículo 9.2 CC por tener ambos cónyuges la nacionalidad extranjera (ley personal); o por pactarlo así en documento autentico antes del matrimonio, eligiendo la ley personal o de la residencia habitual de cualquiera de ellos; o por estar en el extranjero la residencia habitual común inmediatamente posterior al matrimonio o el lugar de celebración del mismo. Todos estos casos pueden llevar a la aplicación de la ley extranjera como reguladora de los efectos del matrimonio y determinar la aplicación del régimen económico matrimonial extranjero.

Pero el Notario no tiene obligación de conocer el derecho extranjero con lo cual creemos que cumplirá remitiéndose únicamente al régimen económico matrimonial que resulte aplicable según la legislación extranjera rectora de los efectos del matrimonio. De todos modos no podemos olvidar que la Ley 29/2015 de 30 de julio de cooperación jurídica internacional en materia civil establece un sistema de consulta para informar sobre la vigencia y contenido de la legislación extranjera, incluido su sentido y alcance e interpretación jurisprudencial. Su artículo 35 prevé que el Notario pueda solicitar información del derecho extranjero a la autoridad central española (Ministerio de Justicia), la cual hará llegar la solicitud a las autoridades competentes del Estado requerido. No tengo conocimiento de la agilidad y rapidez de este procedimiento, pero es un recurso legal que hay que mencionar y al que recurrir, caso de ser necesario.

No obstante lo señalado, a partir del 29 de enero de 2019, en que será de aplicación el *Reglamento (UE) 2016/1103 del Consejo de 24 de junio de 2016, por el que se establece una cooperación reforzada en el ámbito de la competencia, la ley aplicable, el reconocimiento y la ejecución de resoluciones en materia de regímenes económicos matrimoniales*, los criterios del artículo 9.2 CC quedarán sustituidos para los matrimonios con elementos internacionales, por los establecidos en los artículos 20 y ss. de dicho Reglamento que resumidamente son: en primer lugar se aplicará la ley elegida en acuerdo escrito, fechado y firmado por los contrayentes, entre la ley de la residencia habitual o de la nacionalidad de uno o de los dos contrayentes; en defecto de elección, por la ley del Estado de la primera residencia habitual común de los cónyuges; en su defecto, por la ley del Estado de la nacionalidad común de los cónyuges; en su defecto, por la ley del Estado con el que los cónyuges tengan una relación más estrecha en el momento de la celebración del matrimonio. En un momento posterior estudiaremos con más detalle este Reglamento de próxima aplicación en nuestro país y que nos obligará a cambiar alguno de los clásicos puntos de conexión que venimos utilizando.

c) Copias. Deberán expedirse dos copias del Acta, una para cada contrayente (art. 56.8 LRC).

Si el matrimonio va a celebrarse en la forma religiosa prevista por las iglesias, confesiones, comunidades religiosas o federaciones de las mismas que, inscritas en el Registro de Entidades Religiosas, hayan obtenido el reconocimiento de notorio arraigo en España, el Notario o Funcionario expedirá también dos copias que deberán entregarse al Ministro del culto que celebre el matrimonio, el cual extenderá en las dos copias diligencia expresiva de la celebración del matrimonio, entregando una a los contrayentes y conservará la otra como acta de la celebración en el archivo del oficiante o de la entidad religiosa a la que representa como ministro de culto (art. 58 bis.2 in fine LRC).

Pero además, deberá expedirse otra copia cuando el matrimonio vaya a celebrarlo otra persona distinta del Notario autorizante del Acta, la cual se remitirá al oficiante elegido (art. 52,2 LN). Entiendo que deberá determinarse lo más concretamente posible el destinatario de este Acta que será el oficiante propuesto por los contrayentes para la celebración del matrimonio, debiendo evitar destinatarios demasiado genéricos. Así, si conocemos nombre y apellidos debemos hacerlo constar. Si no es así, al menos su cargo y lugar de desempeño del mismo, evitando destinatarios demasiado imprecisos que permitan a los contrayentes una elección posterior y discrecional del celebrante.

E. MATRIMONIO EN PELIGRO DE MUERTE

El matrimonio en peligro de muerte está recogido en los siguientes artículos:

Artículo 52 CC: *El matrimonio en peligro de muerte no requerirá para su celebración la previa tramitación del acta o expediente matrimonial, pero sí la presencia, en su celebración, de dos testigos mayores de edad y, cuando el peligro de muerte derive de enfermedad o estado físico de alguno de los contrayentes, dictamen médico sobre su capacidad para la prestación del consentimiento y la gravedad de la situación, salvo imposibilidad acreditada, sin perjuicio de lo establecido en el artículo 65.*

Artículo 65 CC (y en términos muy similares el artículo 58.10 LRC): *En los casos en que el matrimonio se hubiere celebrado sin haberse tramitado el correspondiente expediente o acta previa, si éste fuera necesario, el Secretario judicial, Notario, o el funcionario diplomático o consular Encargado del Registro Civil que lo haya celebrado, antes de realizar las actuaciones que procedan para su inscripción, deberá comprobar si concurren los requisitos legales para su validez, mediante la tramitación del acta o expediente al que se refiere este artículo.*

Si la celebración del matrimonio hubiera sido realizada ante autoridad o persona competente distinta de las indicadas en el párrafo anterior, el acta de aquélla se remitirá al Encargado del Registro Civil del lugar de celebración para que proceda a la comprobación de los requisitos de validez, mediante el expediente correspondiente. Efectuada esa comprobación, el Encargado del Registro Civil procederá a su inscripción.

Artículo 52.3 LN: *Si el matrimonio se celebrase en peligro de muerte, el Notario otorgará escritura pública donde se recoja la prestación del consentimiento matrimonial, previo dictamen médico sobre su aptitud para prestar éste y sobre la gravedad de la situación cuando el riesgo se derive de enfermedad o estado físico de alguno de los contrayentes, salvo imposibilidad acreditada. Con posterioridad, el Notario procederá a la tramitación del acta de comprobación de los requisitos de validez del matrimonio.*

En consecuencia, caso de peligro de muerte, el Notario puede otorgar escritura de matrimonio, para tramitar posteriormente el expediente matrimonial, siempre antes de la inscripción.

Se exige previo dictamen médico sobre la aptitud del contrayente para prestar el consentimiento y sobre la gravedad de la situación, salvo imposibilidad acreditada. (art. 52.3 LN).

Punto de especial consideración en este matrimonio es la competencia del Notario. La competencia para la celebración del matrimonio depende de que sea hábil en el lugar mismo de tal celebración y la competencia para el otorgamiento del Acta posterior de comprobación de la validez del matrimonio corresponde al mismo Notario que lo ha celebrado. Entendemos con Rivero Sánchez-Covisa, que si el Notario celebrante no puede otorgar el Acta posterior de comprobación por muerte, jubilación, traslado o casos similares, debe efectuarla el Notario sustituto a quien corresponda según las reglas del R.N.

Si el matrimonio ha sido celebrado por LAJ o Funcionario diplomático o consular Encargado del Registro Civil en el extranjero, corresponde a estos mismos la tramitación del expediente posterior de comprobación. Solo si el matrimonio ha sido celebrado por autoridad o persona competente distinta de las anteriores, tal expediente corresponderá al Encargado del Registro Civil del lugar de la celebración del matrimonio.

Llegados a este punto, dos problemas interesantes plantea Rivero Sánchez-Covisa: la entrega de la copia a los interesados y la remisión telemática al Registro Civil.

En cuanto al primero de ellos, entiende que no debe privarse a los contrayentes copia de su escritura de matrimonio, por lo que debe entregarse una copia a cada uno, si bien con una advertencia de que el matrimonio ha sido celebrado en peligro de muerte y «está pendiente de la tramitación del acta acreditativa de los requisitos de validez de dicho matrimonio». Realmente no me gusta la idea de entregar copia de la escritura de matrimonio sin la tramitación del acta que puede dar resultado negativo, pero creo que tiene razón y no podemos privar a los interesados del documento acreditativo de la celebración del matrimonio, siquiera pendiente de inscripción y por tanto de producción de efectos respectos de terceros.

En cuanto al segundo problema, remisión de copia telemática al Registro Civil, coincido totalmente con él al proponer que se remita al Registro Civil una copia de la escritura de matrimonio, no para su inscripción, lo que no es posible sin tramitar el Acta o expediente, sino para su anotación. En efecto, el artículo 40.3 LRC dice que: «*Pueden ser objeto de anotación los siguientes hechos y actos: 2.º El hecho cuya inscripción no pueda extenderse por no resultar, en alguno de sus extremos, legalmente acreditado*», y el artículo 40.2.: «*Las anotaciones registrales se extenderán a petición del Ministerio Fiscal o de cualquier interesado*».

La anotación, añade Rivero Sánchez-Covisa, cumple una función informativa a terceros y puede advertir de cara a la celebración de futuros matrimonios en cuanto al impedimento de ligamen.

Una vez terminada el Acta posterior de comprobación de la validez del matrimonio deberá ser remitida al Registro Civil para la inscripción del matrimonio o la anulación de la anotación, según sea positiva o negativa. A este Acta deberá incorporarse el dictamen médico en el caso de que no haya sido posible tenerlo con carácter previo a la celebración del matrimonio, debiendo acreditarse la imposibilidad de su obtención previa.

5.2. ESCRITURA PÚBLICA DE CELEBRACIÓN DE MATRIMONIO

Regula esta materia el artículo 52 L.J.V. cuya entrada en vigor quedó pospuesta a la entrada en vigencia de la Ley 20/2011 de 21 de julio, del Registro Civil y que, tras sucesivas prórrogas, entrará en vigor el 30 de junio de 2020 (D.F. 21ª de la LJV y D.F. 10ª de la LRC de 2011 en la redacción dada por la Ley 5/2018 de 11 de junio).

No obstante lo anterior, La Disposición Transitoria cuarta de la LJV permite la celebración del matrimonio ante Notario, aunque no la tramitación del Acta o expediente previo, que corresponderá al Encargado del Registro Civil y ello desde la entrada en vigor de la propia LJV, que tuvo lugar el 23 de julio de 2015.

Este comentario se referirá a la nueva normativa que entrará en vigor a partir del 30 de junio de 2020 (salvo nueva prórroga).

Dispone el artículo 52 LN: «*1. Si el acta fuera favorable a la celebración del matrimonio, este se llevará a cabo ante el Notario que haya intervenido en la tramitación de aquélla mediante el otorgamiento de escritura pública en la que hará constar todas las circunstancias establecidas en la Ley del Registro Civil y su reglamento.*

2. Cuando los contrayentes, en la solicitud inicial o durante la tramitación del acta, hayan solicitado que la prestación del consentimiento se realice ante Juez de Paz, Alcalde o Concejal en quien este delegue u otro Notario, se remitirá copia del acta al oficiante elegido, el cual se limitará a celebrar el matrimonio y levantará acta u otorgará escritura pública, según proceda, con todos los requisitos legalmente exigidos.

3. Si el matrimonio se celebrase en peligro de muerte, el Notario otorgará escritura pública donde se recoja la prestación del consentimiento matrimonial, previo dictamen médico sobre su aptitud para prestar éste y sobre la gravedad de la situación cuando el riesgo se derive de enfermedad o estado físico de alguno de los contrayentes, salvo imposibilidad acreditada. Con posterioridad, el Notario procederá a la tramitación del acta de comprobación de los requisitos de validez del matrimonio».

5.2.1. Competencia

A. Competencia funcional

La competencia para la celebración del matrimonio corresponde según el artículo 51 CC y 58.8 y 9 LRC de 2011:

1º) Al Juez de Paz o Alcalde del municipio donde se celebre el matrimonio o concejal en quien éste delegue.

2.º) Al Secretario judicial o Notario libremente elegido por ambos contrayentes que sea competente en el lugar de celebración.

3.º) Al funcionario diplomático o consular Encargado del Registro Civil en el extranjero.

Pero la elección de uno u otro funcionario competente no es totalmente libre sino que depende de quien ha tramitado el expediente matrimonial. Así:

– si el expediente ha sido tramitado por el Secretario Judicial (hoy LAJ), solo podrá celebrarse el matrimonio ante mismo u otro Secretario Judicial, o ante el Juez de Paz, Alcalde o Concejal en quien delegue, a elección de los contrayentes.

– si el expediente ha sido tramitado por el Encargado del Registro Civil, solo podrá celebrarse el matrimonio ante el Juez de Paz, Alcalde o Concejal en quien delegue, que designen los contrayentes.

– si el expediente ha sido tramitado por el Notario, solo podrá celebrarse el matrimonio ante mismo u otro Notario, o ante el Juez de Paz, Alcalde o Concejal en quien delegue, entiendo que también a elección de los contrayentes.

– si el expediente ha sido tramitado por el funcionario diplomático o consular Encargado del Registro Civil en el extranjero, solo podrá celebrarse el matrimonio ante mismo funcionario u otro distinto, o ante el Juez de Paz, Alcalde o Concejal en quien delegue, a elección de los contrayentes.

Realmente no se comprende el por qué estas limitaciones, máxime teniendo en cuenta que durante el periodo transitorio los Notarios hemos podido celebrar matrimonios cuyos expedientes previos habían sido tramitados por el Registro Civil, por lo que no parece existir una causa de fondo para estas limitaciones. Tampoco se entiende que los funcionarios Encargados del Registro Civil, que pueden tramitar el expediente previo, no puedan celebrar el matrimonio. Quizá en el futuro se dicten unas normas interpretativas que suavicen estas limitaciones, pero hasta ese momento, parece que a ellas nos debemos atener.

La solicitud para la celebración del matrimonio ante un Notario distinto al autorizante del Acta o Juez de Paz, Alcalde o Concejal en quien este delegue, debe ser hecha, según el artículo 52 LN: «*en la solicitud inicial o durante la tramitación del acta*». No obstante entiendo, con Rivero Sánchez-Covisa, que también podrá hacerse en un momento posterior y documentarse en diligencia o nueva acta complementaria posterior, pero siempre otorgada ante el mismo Notario que tramitó el Acta previa.

B. Competencia territorial

Obviamente el funcionario que celebre el matrimonio debe tener competencia para actuar en el lugar de la celebración del mismo. En el caso de los Notarios este punto se regirá por las normas contenidas en nuestro Reglamento Notarial, debiendo destacarse que en esta materia no se ha extendido la competencia a los Notarios de los distritos colindantes, como sucede para otros expedientes.

Por lo demás, los contrayentes son libres de elegir cualquier lugar para la celebración de su matrimonio, incluso en el extranjero, sea ante el funcionario diplomático o consular español, en cuyo caso se ajustará a las formalidades de nuestra legislación, sea con arreglo a la forma establecida por la ley del lugar de la celebración. Para esto último, si la «Lex loci» exige la presentación de un certificado de capacidad matrimonial, el artículo 252 R.R.C. establece que una vez concluido el expediente con resolución favorable, el Instructor les entregue un Certificado a tal efecto, el cual tendrá una validez limitada a seis meses de su fecha.

De la misma manera que puede celebrarse un matrimonio de españoles en el extranjero, también es posible que dos extranjeros celebren matrimonio en España, conforme a la forma prescrita para los españoles o cumpliendo la establecida por la ley personal de cualquiera de ellos (art. 50 CC), y ello sin que sea necesario que cualquiera de ellos tenga residencia en España. En este caso será necesario, aunque no lo diga expresamente la Ley, que se obtenga un Certificado de capacidad matrimonial de los contrayentes de conformidad con su Ley extranjera.

Además, de conformidad con los artículos 65 CC y 58.10 LRC, si el matrimonio de extranjeros es celebrado por Secretario, Notario o Funcionario diplomático o consular Encargado del Registro Civil y no se ha tramitado expediente o Acta previos, éste funcionario antes de proceder a su inscripción, deberá tramitar un expediente o Acta para comprobar que concurren los requisitos legales para su validez. Si el matrimonio se ha celebrado ante autoridad o persona competente distinta de los anteriores, el Acta de la celebración será enviada al Encargado del Registro Civil del lugar de la celebración, quien deberá incoar un expediente para comprobar si el matrimonio reúne los requisitos de validez pertinentes. Efectuada la comprobación, procederá a inscribir el matrimonio.

Finalmente señalar que el artículo 53 CC salva la validez del matrimonio en los casos de falta de competencia o de nombramiento del funcionario que celebre el matrimonio si éste ejercía sus funciones públicamente y hay buena fe por parte de uno de los cónyuges.

C. Local de la celebración

En cuanto al lugar concreto o local mismo de la celebración del matrimonio, hay que hacer referencia a la Resolución de la D.G.R.N. de fecha 14 de junio de 2017, dictada en recurso de alzada contra un acuerdo de la Junta Directiva del Colegio Notarial de Albacete.

Dicha Resolución expone que tradicionalmente el matrimonio civil venia atribuido a los Jueces y posteriormente se extendió a los Alcaldes y, por delegación, a los Concejales, limitándoles los lugares de celebración a las sedes oficiales o locales del Ayuntamiento, respectivamente. Posteriormente la Instrucción de 13 (sic) de enero de 2013 (aunque debe referirse al 10-enero-2013) permitió la celebración de matrimonios en locales distintos, pero solo para los Alcaldes y Concejales, por tratarse éstos de cargos electivos de naturaleza política, pero sin extender este criterio a otros funcionarios. Por ello, los Jueces y por extensión los Notarios y Letrados de la Administración de Justicia no podrán celebrar matrimonio fuera de sus respectivas sedes. Termina afirmando que los Colegios Notariales son sedes oficiales y por ello sí se pueden celebrar en ellas matrimonios siempre que reúnan las condiciones adecuadas de decoro y funcionalidad, además de los elementos técnicos necesarios para el cumplimiento de las obligaciones notariales: expedición inmediata de copia, comunicación al Registro Civil, etc., y, por supuesto, sea autorizado tal uso por la Junta Directiva.

Por lo demás, en cuanto a los días y horas para la celebración del matrimonio, el artículo 249 R.R.C. establece para los encargados del Registro Civil, que la celebración se llevará a cabo cuando lo permitan las necesidades del servicio, en el día y hora elegidos por los contrayentes, por lo que parece que debe tratarse de días y horas laborables. Yo creo que en este punto debemos regirnos por nuestro R.N. y, por consiguiente, respetar nuestros horarios, sin que pueda exigirse la celebración en días festivos o fuera del horario laboral.

D. Derecho transitorio

Hasta la entrada en vigor de la LRC de 2011, que tendrá lugar el 30 de junio de 2020, la Disposición Transitoria Cuarta, apartado 2º, de la LJV permite la celebración del matrimonio a los Notarios, aunque no la tramitación del expediente previo que continuará a cargo de los encargados del Registro Civil.

Como aclaración o desarrollo de esta norma, la Circular 1/2015 de 21 de julio de 2015 del Consejo General del Notariado, ratificada por una Instrucción de la D.G.R.N. de fecha 3 de agosto de 2015 entendieron que a partir del 23 de junio de 2015 y hasta el 30 de junio de 2017, posteriormente prorrogado hasta el 30 junio de 2018, los Notarios son competentes para celebrar matrimonios si bien el expediente matrimonial ha de ser tramitado previamente por el Encargado del Registro Civil. Este expediente previo se debe tramitar conforme a la Ley del Registro Civil de 1957 y su Reglamento de 1958.

La competencia del Notario es compartida con las demás autoridades citadas en la Disposición Transitoria 4ª de la L.J.V. esto es, el Juez Encargado del Registro Civil y los Jueces de Paz, por delegación de aquél, el Alcalde del municipio donde se celebre el matrimonio o concejal en quien éste delegue, el Secretario judicial y el funcionario diplomático o consular Encargado del Registro Civil en el extranjero. El Notario debe ser competente en el lugar de celebración y será libremente elegido por ambos contrayentes, por lo que requiere solicitud expresa por los contrayentes al tramitar el expediente previo.

Tal Circular e Instrucción dictan unas normas para la celebración del matrimonio y contenido de la escritura de entre las que destacamos que debe constar el día y hora de celebración del matrimonio, la declaración del Notario sobre su propia competencia y a la escritura se debe incorporar el testimonio de la Resolución del Juez Encargado del Registro Civil aprobatoria del expediente de capacidad matrimonial. En la escritura se podrá hacer constar el reconocimiento de los hijos habidos antes del matrimonio (con las matizaciones que haremos posteriormente), pero ningún otro acto o negocio jurídico. Si el matrimonio se celebra por poder, se deberá reseñar de la forma ordinaria incluyendo juicio de suficiencia del artículo 98 de la Ley 24/2001 de 27 de diciembre y deberá quedar incorporada a la matriz la copia de la escritura de poder.

Añade que el mismo día de la celebración del matrimonio deberá entregarse copia autorizada a cada uno de los contrayentes y remitirse por medios telemáticos copia autorizada electrónica al Registro Civil para su inscripción. Dado que no está aún implementado el sistema de copia electrónica para los Registros civiles habrá que remitir «a través de medios fehacientes (por ejemplo correo, certificado con acuse de recibo)» copia autorizada de la celebración del matrimonio, dejando constancia mediante nota al margen de la matriz de su cumplimiento.

Quizá el punto más interesante sería resaltar que a partir del 30 junio de 2020, los Notarios solo podremos celebrar matrimonios cuyo expediente previo haya sido tramitado por Notario, como hemos señalado anteriormente en la letra A de este apartado, si bien, como derecho transitorio, sí podremos celebrar aquellos matrimonios cuyo expediente se haya iniciado ante el Encargado del Registro Civil antes del 30 de junio de 2020 y se haya solicitado expresamente la celebración ante Notario.

Se presenta la cuestión de si durante este periodo transitorio y hasta el 30 de junio de 2020, podría el Notario celebrar el matrimonio en peligro de muerte. La respuesta ha de ser negativa pues la competencia para celebrar matrimonios por el Notario durante este periodo transitorio deriva de la Disposición Transitoria Cuarta, apartado 2º, de la LJV, que únicamente se refiere a los matrimonios que han sido autorizados en un expediente previo tramitado por el Encargado del Registro Civil. A ello debemos añadir que este tipo de matrimonios requieren la tramitación de un expediente posterior para comprobación de los requisitos del matrimonio efectuada por el propio funcionario celebrante, lo que no puede realizar el Notario hasta que entre en vigor la LRC de 2011, esto es, hasta el 30 de junio de 2020.

5.2.2. Procedimiento

5.2.3. Contenido del instrumento

Cuando el matrimonio se celebra ante Notario, el instrumento público adecuado para hacerlo constar es la escritura pública, ya que en ella se contienen las declaraciones de voluntad de los contrayentes. Cuando se celebra ante otras autoridades se formaliza en Acta y así lo recoge el artículo 58.8 L.R.C. de 2011.

a) Acta Previa. Aunque nada diga la Ley, parece claro que si el Acta previa a la celebración del matrimonio no ha sido autorizada por el Notario a quien corresponde la celebración del matrimonio, la primera medida de éste ha de ser el examen de dicha Acta al objeto de comprobar que no existen obstáculos para esta actuación.

Quizá el punto más interesante es si debe protocolizarse este Acta en la escritura de matrimonio o no. Yo entiendo que basta reseñar sus datos sin necesidad de incorporarla al protocolo, porque ya obra en los archivos de un Notario y caso de ser necesario podría obtenerse una copia autorizada de la misma.

Esto enlaza con otra cuestión que es si debe remitirse o no copia de este Acta previa al Registro Civil, cuando después de celebrarse el matrimonio, haya que hacer la comunicación pertinente al Registro Civil. Mi opinión es negativa aunque trataremos este punto más adelante al hablar de la copia y de su remisión al Registro Civil.

b) Contenido de la escritura. La principal especialidad es que debe constar no solo la fecha, sino también la hora y el lugar de la celebración del matrimonio, por aplicación del artículo 156,2º R.N. y 258 R.R.C.

En cuanto al lugar, puede plantearse si basta señalar la población en general o es necesario aportar datos más concretos, como calle, numero y piso. El artículo 258 R.R.C. dice que deben constar en la inscripción la hora, fecha y «sitio» en que se celebre. Estimo que la palabra «sitio» parece indicar algo más concreto que la población o termino municipal, por lo que debería especificarse calle y número, o al menos, que se otorga en el despacho del Notario.

Entendemos que el Notario también debe examinar su propia competencia y dejar constancia de ello en la escritura, de conformidad con la Circular del Consejo 1/2015.

Por lo demás, la escritura debe ser redactada conforme a las normas ordinarias, identificando a los contrayentes y testigos que se dirán.

El artículo 58 C.C. exige que se lean los artículos 66, 67 y 68 del CC y después se preguntará a cada uno de los contrayentes si consiente en contraer matrimonio con el otro y si efectivamente lo contrae en este acto y, respondiendo ambos afirmativamente, declarará que los mismos quedan unidos en matrimonio.

La normativa no exige que el Notario haga ninguna otra advertencia, quizá entendiendo que tales advertencias u observaciones corresponden más bien al expediente previo matrimonial. En este punto varios comentaristas (Emma Sánchez, Carlos Jiménez) apuntan que sería conveniente informar a los contrayentes de las normas del régimen económico matrimonial primario, a cuya opinión me sumo, debiendo asegurarse que no han variado las circunstancias que han determinado la fijación del régimen económico matrimonial que consta en el expediente previo. Si realmente tales circunstancias han variado y, en consecuencia debe aplicarse un régimen matrimonial distinto, entiendo que debería hacerse una actualización del Acta o expediente previo, ofreciendo también la posibilidad del otorgamiento de capitulaciones matrimoniales para zanjar de manera clara la cuestión. Los casos que den lugar a esa variación de circunstancias determinantes del régimen matrimonial pueden ser múltiples, como cambio de nacionalidad de uno o de los dos cónyuges, cambio de vecindad civil de uno o de los dos cónyuges, cambio de residencia habitual común de los cónyuges inmediatamente posterior al matrimonio respecto a la que se tenían proyectada al tramitar el expediente matrimonial, etc. Volveremos más tarde sobre esta importante cuestión.

Finalmente mencionar que el artículo 258 RRC hace referencia al interprete en el caso de que sea necesaria su intervención, debiéndose expresar en la inscripción la identidad del intérprete, el idioma en que se celebra el matrimonio y el contrayente a quien se traduce. La actuación del intérprete debe estar regida por lo que determina al efecto nuestro Reglamento Notarial ya que no hay normas específicas al respecto y el derecho notarial es supletorio para toda esta actuación.

c) Régimen económico matrimonial

La escritura de matrimonio no es lugar adecuado para pactar ningún régimen matrimonial, lo que deberá llevarse a efecto en capitulaciones matrimoniales en escritura aparte.

Dicho esto y aunque nada dice la Ley, entiendo que lo correcto será mencionar en la escritura el régimen matrimonial a que se sujeta el matrimonio y resulta del Acta previa, solicitando de los contrayentes se ratifiquen en el mismo o en las circunstancias que determinaron su fijación.

Con esto lograremos, de una parte su constancia para la inscripción en el Registro Civil, sin perjuicio de que si el régimen matrimonial deriva de pactos en capitulaciones, habrá que acompañar éstas al Registro Civil para su inscripción, no bastando la mera mención en la escritura de celebración de matrimonio.

Por otra parte, la ratificación por los cónyuges de la persistencia de las circunstancias que han dado lugar a la fijación del régimen matrimonial en el Acta previa al matrimonio, añadirá seguridad a su constancia en el Registro Civil. Tampoco estará de más la manifestación de los contrayentes de que no han otorgado capitulaciones matrimoniales o no han modificado las otorgadas que constan el Acta previa al matrimonio.

Realmente el problema más interesante es si han variado las circunstancias que determinaron la fijación del régimen matrimonial en el Acta previa. Entiendo que la determinación del régimen económico matrimonial corresponde al Acta previa y si concurren nuevos hechos que dan lugar a un cambio de régimen, hay que hacer frente a esta circunstancia y modificar dicha Acta previa. Si ésta ha sido tramitada por el mismo Notario, en la práctica será fácil hacer una diligencia de modificación o un Acta complementaria. Si el Acta previa no ha sido otorgada por el mismo Notario, entiendo que también deberá ser modificada, lo que puede dar lugar a molestias y retrasos en la práctica a los que habrá que hacer frente.

Quizá lo más adecuado y aconsejable sería que los contrayentes otorgaran capitulaciones matrimoniales pactando el régimen que consideren más apropiado aunque sea remitiéndose al legal, pero obviamente esto no lo podemos imponer y siempre dependerá de la voluntad de los interesados.

d) Reconocimiento de hijos

El artículo 254 R.R.C dice que: «*Si en el acta civil de celebración los contrayentes reconocen hijos habidos por ellos antes del matrimonio, deberán manifestar los datos de las inscripciones de nacimiento para promover las correspondientes notas marginales*».

En relación con este punto el artículo 186 R.R.C dice que: «*Son documentos públicos aptos para el reconocimiento la escritura pública, el acta civil de la celebración del matrimonio de los padres, el expediente de inscripción de nacimiento fuera de plazo, las capitulaciones matrimoniales y el acto de conciliación*».

Parece, por tanto, que sí puede hacerse un auténtico reconocimiento de hijos en la escritura de matrimonio, siempre que se trate de reconocimiento por ambos contrayentes o por uno de ellos cuando conste ya determinada la filiación respecto del otro. Pero, dicho esto, estimo que tal escritura de celebración de matrimonio no es el lugar más adecuado para el reconocimiento que debería constar en documento independiente.

Lo que sí obliga el artículo 254 RRC primeramente citado, es a mencionar en la escritura de matrimonio la identificación de los hijos ya reconocidos por los cónyuges, al efecto de hacer constar en la inscripción de nacimiento de los hijos que los padres han contraído matrimonio.

A tal efecto debemos solicitar el Libro de Filiación o certificados de nacimiento de los hijos y mencionar en la escritura de matrimonio los datos de inscripción de los hijos.

e) Testigos

La normativa exige la presencia y firma de dos testigos. (art. 62 CC y 58.8L.R.C). No vemos inconveniente alguno en que firme un número mayor, si así lo desean los contrayentes.

Los testigos deben ser mayores de edad, aunque este requisito no lo mencionan los artículos art. 62 CC y 58.8 L.R.C. La mayoría de edad es una obviedad porque es el momento en que se adquiere plena capacidad de obrar. Además, el artículo 57 CC en su redacción actual y hasta que entre en vigor el 30 de junio de 2020 su nueva redacción dada por la LJV, habla de testigos mayores de edad.

Sí se exige expresamente la mayoría de edad para el matrimonio celebrado en forma religiosa por los artículos 60 CC y 58, bis LRC de 2011 y para el matrimonio en peligro de muerte por el artículo 52 CC.

Quizá alguna duda podría plantearse con los menores emancipados ya que se les asimila a los mayores con ciertas limitaciones que conocemos, entre las que no se encuentra ser testigos en general. Pero, en mi opinión, no son aptos para ser testigos en la celebración del matrimonio, dados los términos de los artículos 57 CC (redacción de la Ley 35/1994), 52 y 60 CC y 58, bis LRC de 2011.

Entendemos que los testigos sí deben poder firmar, ya que lo exige el artículo 62 CC y 58.8 LRC de 2011.

También entendemos que a los testigos no les afecta ninguna causa de inidoneidad o de incapacidad. No se trata de los testigos instrumentales a que se refiere nuestro Reglamento Notarial y pueden ser testigos los parientes cercanos de los contrayentes.

Eso sí, podría ocurrir que los contrayentes o alguno de ellos no supiere o pudiese firmar, en cuyo caso entiendo que deberían aplicarse las reglas ordinarias del R.N. para estos casos: dos testigos que firmen por el o los que no sepan o puedan hacerlo. A estos testigos sí se les aplicarían las reglas de incapacidad o inidoneidad previstas en nuestro Reglamento. Entiendo que no habría problema en que los mismos testigos del matrimonio fueran a la vez testigos instrumentales, pero aplicándoseles en este caso las reglas de incapacidad repetidas.

La falta de testigos determina la nulidad del matrimonio de conformidad con el artículo 73.3º CC, salvo el caso de matrimonio en peligro de muerte, con las matizaciones que señalaremos posteriormente al hablar de este caso especial de matrimonio

f) Nulidad del matrimonio por falta de requisitos formales

El artículo 73 CC señala las causas de nulidad del matrimonio señalando como tales la falta de consentimiento matrimonial, el celebrado por personas a que se refieren los artículos 46 y 47 CC. (menores, ligados por vinculo anterior, parientes y condenados por atentar contra el cónyuge o pareja), salvo casos de dispensa, el contraído sin la intervención de funcionario o testigos, el celebrado por error en la persona o cualidades personales del otro contrayente, o el contraído por coacción o miedo grave.

Vemos que no incluye como causa de nulidad la omisión de algún requisito formal como fecha y hora o lugar, o por falta de la lectura de los citados artículos del CC.

No sucede lo mismo si faltan los testigos, en cuyo caso el matrimonio será nulo.

Finalmente como anteriormente ya se apuntó, que el artículo 53 CC salva la validez del matrimonio en los casos de falta de competencia o de nombramiento del funcionario que celebre el matrimonio si éste ejercía sus funciones públicamente y hay buena fe por parte de uno de los cónyuges.

g) Copia a otorgantes y al Registro Civil

El Artículo 62, 2º párrafo CC dice: *«Extendida el acta o autorizada la escritura pública, se remitirá por el autorizante copia acreditativa de la celebración del matrimonio al Registro Civil competente, para su inscripción, previa calificación por el Encargado del mismo»* y en el mismo sentido el artículo 58.8. párrafo 3º LRC 2011 dice: *«Extendida el acta o autorizada la escritura pública, se entregará a cada uno de los contrayentes copia acreditativa de la celebración del matrimonio y se remitirá por el autorizante, en el mismo día y por medios telemáticos, testimonio o copia autorizada electrónica del documento al Registro Civil para su inscripción, previa calificación del Encargado del Registro Civil».*

Por tanto, hay que expedir una copia autorizada para cada contrayente y, el mismo día, enviar una electrónica al Registro Civil para su inscripción. Esta celeridad que exige la legislación siempre «me llama la atención». Además, exige que la copia sea electrónica sin preocuparse previamente de que esté implementado en los Registros Civiles un sistema para su recepción telemática. El deseo del legislador va por delante de la realidad en algunos casos. Parece claro, pues, que por el momento deberemos remitirla por correo certificado hasta que el sistema de envío electrónico esté operativo.

En todo caso, la obligación de remitir copia al Registro Civil debe predicarse de todos los matrimonios que se celebren en territorio nacional, no solo de los matrimonios de españoles, sino también cuando los contrayentes sean extranjeros. En este sentido, el artículo 9 de la LRC de 2011 establece que: *«En el Registro Civil constarán los hechos y actos inscribibles que afectan a los españoles y los referidos a extranjeros, acaecidos en territorio español».*

La cuestión más interesante es si, además de la copia autorizada de la celebración del matrimonio, hay que remitir copia del Acta previa. Carlos Jiménez, siguiendo a Rivero Sánchez-Covisa han entendido que sí en base a los artículos 58.5 LRC que dice: «*De la realización de todas estas actuaciones se dejará constancia en el acta o expediente, archivándose junto con los documentos previos a la inscripción de matrimonio*» y 259 RRC que dice: «*Todas las actuaciones y documentos previos a la inscripción de matrimonio se archivarán en el legajo de la Sección correspondiente*».

En consecuencia, añade el primero de ellos que, si el Acta previa ha sido tramitada por el mismo Notario celebrante, basta obtener una copia autorizada electrónica de tal acta previa y enviarla al Registro Civil como archivo adjunto a la copia de la celebración del matrimonio y en el caso de haber sido tramitada por otro Notario, habrá que trasladar la copia electrónica a papel, hacer un testimonio electrónico de ese traslado a papel y remitirlo al Registro, también como archivo adjunto a la copia de la celebración del matrimonio.

En verdad esta es la postura más prudente y segura y con la que no nos equivocamos. Pero me voy a permitir discrepar al considerar que ningún artículo nos obliga a remitir al Registro Civil copia del Acta previa. Es cierto que en los dos artículos citados se dice que «se archivarán» las actuaciones y documentos previos, pero entiendo que ya están archivadas estas actuaciones precisamente en el protocolo del Notario que la ha tramitado. La necesidad de constancia del régimen económico matrimonial no es obstáculo, porque entiendo que debe trasladarse a la escritura de celebración del matrimonio según resulte de la misma Acta previa y de las indagaciones del Notario celebrante, como se ha visto en el apartado correspondiente. Por lo demás, el Acta previa ha sido juzgada correcta por el Notario autorizante de la misma y calificada de nuevo por el Notario celebrante del matrimonio, porque ya hemos dicho que éste debe comprobar su corrección y regularidad. Considerar que debe ser de nuevo calificada por el Encargado del Registro Civil me parece excesivo y entender que debe guardarse en los archivos del Registro Civil me parece redundante, porque ya consta en un archivo público como es el protocolo notarial.

Como argumento jurídico para apoyar mi criterio citaré la Disposiciones Finales quinta, sexta y séptima de la LJV, por las que se aprueba el Acuerdo de Cooperación del Estado con la Federación de Entidades Religiosas Evangélicas de España, con la Federación de Comunidades Israelitas de España y con la Comisión Islámica de España. En ellas se señala, mediante una redacción muy similar, que una vez celebrado el matrimonio, el ministro de culto oficiante extenderá certificación de la celebración del mismo, con los requisitos necesarios para su inscripción y las menciones de identidad de los testigos y de las circunstancias del acta o expediente previo que necesariamente incluirán el nombre y apellidos del Secretario judicial, Notario, Encargado del Registro Civil o funcionario diplomático o consular que la hubiera extendido, la fecha y número de protocolo en su caso y esta certificación se remitirá por medios electrónicos, junto con la certificación acreditativa de la condición de ministro de culto, dentro del plazo de cinco días al Encargado del Registro Civil competente para su inscripción. Igualmente extenderá en las dos copias del acta o resolución diligencia expresiva de la celebración del matrimonio entregando una a los contrayentes y conservará la otra como acta de la celebración en el archivo del oficiante o de la entidad religiosa a la que representa como ministro de culto.

En ningún caso exige que se remita al Registro Civil copia del Acta o expediente previo al matrimonio, sino que un ejemplar se devuelva a los interesados con diligencia de la celebración del matrimonio y otro se guarde en los archivos de la entidad religiosa. No parece lógico que, si no se exige la remisión del Acta previa en estos casos, se exija al matrimonio celebrado por Notario.

Si para la inscripción del matrimonio de estas religiones solo se exige certificación con los datos básicos del otorgamiento del Acta o expediente previos, creo que lo mismo debe ser aplicado para el matrimonio ante Notario.

En suma, en mi opinión, basta con que se relacione en la escritura de matrimonio el nombre, apellidos y residencia del funcionario autorizante del Acta previa, la fecha y número de protocolo, además del régimen económico matrimonial que resulte de tal acta previa.

En todo caso, supongo que recibiremos en un futuro no muy lejano instrucciones al respecto para unificar la práctica.

h) Copia al extranjero

El Convenio de Atenas de 15 de septiembre de 1977, ratificado por España el 27 de enero de 1981 exime de legalización o formalidad equivalente (Apostilla) los documentos que se refieran al Estado Civil, incluidos los extendidos para la celebración del matrimonio o formalización de un acto del estado civil. Por tanto, la escritura de matrimonio no necesitará legalización o apostilla para ser utilizada en los países firmantes del convenio, a saber, Austria, España, Francia, Grecia, Italia, Luxemburgo, Países Bajos, Polonia, Portugal y Turquía.

Para los demás países deberá llevar la correspondiente apostilla o legalización.

i) Inscripción en el Registro Civil

El artículo 59 L.R.C. se refiere a la inscripción del matrimonio al señalar lo siguiente: «*1. El matrimonio cuyos requisitos se hayan constatado y celebrado según el procedimiento previsto en el artículo 58 se inscribirá en los registros individuales de los contrayentes. 2. El matrimonio celebrado ante autoridad extranjera accederá al Registro Civil español mediante la inscripción de la certificación correspondiente, siempre que tenga eficacia con arreglo a lo previsto en la presente Ley. 3. El matrimonio celebrado en España en forma religiosa accederá al Registro Civil mediante la inscripción de la certificación emitida por el ministro de culto, conforme a lo previsto en el artículo 63 del Código Civil».*

Así pues, el matrimonio se inscribe en base a la Escritura, Acta, Certificación extranjera o Certificación del ministro del culto competente para la celebración del matrimonio.

Obviamente el Encargado del Registro deberá realizar una labor de control de legalidad, esto es, comprobará que se han cumplido los trámites pertinentes y la regularidad de los documentos presentados. A este respecto el artículo 13 LRC dice: *«Los Encargados del Registro Civil comprobarán de oficio la realidad y legalidad de los hechos y actos cuya inscripción se pretende, según resulte de los documentos que los acrediten y certifiquen, examinando en todo caso la legalidad y exactitud de dichos documentos...»* y artículo 30: *«El Encargado de la Oficina del Registro Civil ante el que se solicita la inscripción deberá controlar la legalidad de las formas extrínsecas del documento, la validez de los actos y la realidad de los hechos contenidos en éste...Si el Encargado de la Oficina del Registro Civil tuviere fundadas dudas sobre la legalidad de los documentos, sobre la veracidad de los hechos o sobre la exactitud de las declaraciones, realizará antes de extender la inscripción, y en el plazo de diez días, las comprobaciones oportunas. Si de la verificación de los documentos y declaraciones efectuadas se dedujera una contradicción esencial entre el Registro y la realidad, el Encargado del Registro Civil lo pondrá en conocimiento del Ministerio Fiscal y lo advertirá a los interesados».*.

De estos artículos se deduce que el Encargado del Registro Civil tiene facultades calificatorias muy amplias, tanto que parece que no le vincula el juicio de capacidad que ha hecho el Notario o funcionario que ha tramitado el Acta previa y, si tiene dudas fundadas sobre algún punto, puede y más aún, entiendo que debe paralizar la inscripción y ponerlo en conocimiento del fiscal. Especialmente entiendo que esto puede suceder cuando sus dudas se centran en la simulación de un matrimonio.

j) Efectos de la Inscripción en el Registro Civil

Dispone el artículo 59.5 LRC que: *«La inscripción hace fe del matrimonio y de la fecha y lugar en que se contrae y produce el pleno reconocimiento de los efectos civiles del mismo frente a terceros de buena fe».*

Pero el matrimonio produce efectos inter partes desde que se contrae, al señalar el art. 61 CC que *«El matrimonio produce efectos civiles desde su celebración. Para el pleno reconocimiento de los mismos será necesaria su inscripción en el Registro Civil. El matrimonio no inscrito no perjudicará los derechos adquiridos de buena fe por terceras personas».*

Por tanto, la inscripción hace fe del hecho, fecha y lugar del matrimonio. Pero la inscripción no es constitutiva, sino solo necesaria para su oposición a terceros.

FORMAS ESPECIALES DE CELEBRACIÓN DE MATRIMONIO

1. Matrimonio por poder

Regulado en el artículo 55 CC que dice: «*Uno de los contrayentes podrá contraer matrimonio por apoderado, a quien tendrá que haber concedido poder especial en forma auténtica, siendo siempre necesaria la asistencia personal del otro contrayente.*

En el poder se determinará la persona con quien ha de celebrarse el matrimonio, con expresión de las circunstancias personales precisas para establecer su identidad, debiendo apreciar su validez el Secretario judicial, Notario, Encargado del Registro Civil o funcionario que tramite el acta o expediente matrimonial previo al matrimonio.

El poder se extinguirá por la revocación del poderdante, por la renuncia del apoderado o por la muerte de cualquiera de ellos. En caso de revocación por el poderdante bastará su manifestación en forma auténtica antes de la celebración del matrimonio. La revocación se notificará de inmediato al Secretario judicial, Notario, Encargado del Registro Civil o funcionario que tramite el acta o expediente previo al matrimonio, y si ya estuviera finalizado a quien vaya a celebrarlo».

El artículo 55 CC permite la celebración del matrimonio por poder pero exige la presencia personal de, al menos, un contrayente. El poder será «especial» para celebrar el matrimonio con una persona determinada, con expresión de las circunstancias personales precisas para establecer su identidad. El poder debe reseñarse en la escritura y emitirse el habitual juicio de suficiencia por parte del Notario autorizante o funcionario que celebre el matrimonio. Igualmente el apoderado deberá manifestar, bajo su responsabilidad, que el poderdante continúa con plena capacidad jurídica y que no le han sido revocadas las facultades conferidas.

Conviene destacar que el párrafo 2º del artículo 55 CC exige que el funcionario que tramite el acta o expediente previo al matrimonio «deba apreciar la validez» del poder, por lo que deberá hacerse constar en tal acta o expediente previo al matrimonio la intención de celebrar el matrimonio por poder y exhibirlo para su calificación por este funcionario, sin perjuicio de su calificación posterior por el funcionario autorizante del matrimonio. Esto impide que se aporte de manera directa ante el Notario o funcionario celebrante, sin haber tenido constancia previa de tal apoderamiento.

La normativa no exige que se incorpore el documento mismo, pero la Circular 1/2015 del Consejo General del Notariado sí lo exige, lo cual es muy razonable porque con esta incorporación se retira la copia autorizada del tráfico jurídico, además de que se trata de un poder especial cuya única finalidad es el otorgamiento del matrimonio.

Si el poder es un documento extranjero habrá que comprobar la equivalencia del funcionario autorizante y de las formalidades del mismo. Si el poder contiene una mera legitimación de firmas debe rechazarse, salvo que tal sea la forma habitual de autorización del país extranjero de que se trate (notariado de tipo anglosajón) y que al menos contenga juicio notarial de identificación y de capacidad.

El artículo 55 CC se refiere también a su revocación que deberá efectuarse en forma autentica y antes de la celebración del matrimonio. La revocación deberá notificarse al Notario o funcionario que tramite el Acta o expediente previos al matrimonio y, si ya estuviese terminado, al funcionario que vaya a celebrarlo. También se refiere tal artículo a la renuncia del apoderado y a la muerte del poderdante que obviamente también extinguen el poder.

El problema se presentaría si antes de la celebración del matrimonio se tiene constancia o al menos indicios de la revocación aunque no en forma auténtica. Lo más prudente sería suspender la celebración hasta aclarar tal cuestión.

En este sentido una Resolución de 7 junio 2005 (Boe 165 de 12 de julio), confirmó la resolución del Encargado del Registro Civil consular de no inscribir un matrimonio por poder celebrado conforme a la «lex loci», por considerar que el poder había sido revocado con anterioridad, si bien solo por escrito remitido por fax y por no haber verdadero consentimiento matrimonial, tratándose de un matrimonio de complacencia. Considera que el Encargado del Registro Civil consular está legitimado para evaluar la posible revocación del poder.

Por otra parte, la Consulta DGRN de 20 de abril 2006, ya mencionada, señala que los Cónsules españoles en el extranjero deben abstenerse de otorgar poderes para contraer matrimonio en el caso de que el matrimonio mismo esté vetado por las leyes del Estado receptor,

2. Matrimonio en peligro de muerte

Viene regulado en el artículo 52 del CC, cuyo párrafo 2° dice: «*El matrimonio en peligro de muerte no requerirá para su celebración la previa tramitación del acta o expediente matrimonial, pero sí la presencia, en su celebración, de dos testigos mayores de edad y, cuando el peligro de muerte derive de enfermedad o estado físico de alguno de los contrayentes, dictamen médico sobre su capacidad para la prestación del consentimiento y la gravedad de la situación, salvo imposibilidad acreditada, sin perjuicio de lo establecido en el artículo 65*».

Y el artículo 52.3 LN dice que: «*3. Si el matrimonio se celebrase en peligro de muerte, el Notario otorgará escritura pública donde se recoja la prestación del consentimiento matrimonial, previo dictamen médico sobre su aptitud para prestar éste y sobre la gravedad de la situación cuando el riesgo se derive de enfermedad o estado físico de alguno de los contrayentes, salvo imposibilidad acreditada. Con posterioridad, el Notario procederá a la tramitación del acta de comprobación de los requisitos de validez del matrimonio*».

Los funcionarios competentes para la celebración de esta forma especial de matrimonio son los habituales, El Juez de Paz, Alcalde o Concejal en quien delegue, Secretario judicial, Notario o funcionario diplomático o consular Encargado del Registro

Civil en el extranjero, a los que hay que añadir el Oficial o Jefe superior inmediato respecto de los militares en campaña y el Capitán o Comandante respecto de los matrimonios que se celebren a bordo de nave o aeronave, según determina el artículo 52, 2º y 3º CC.

No se exige que tales funcionarios tengan competencia territorial en el domicilio de alguno de los contrayentes, como tampoco se exige para el matrimonio en general, pero sí es necesario que el Notario sea competente por razón del lugar de celebración del matrimonio.

La tramitación del Acta o expediente de capacidad matrimonial, que en este caso será posterior al matrimonio, corresponde al funcionario celebrante si éste es Secretario judicial, Notario o funcionario diplomático o consular Encargado del Registro Civil en el extranjero y en este caso sí puede resultar distinto del que le hubiera correspondido conforme a la reglas generales, porque puede no ser competente en el domicilio de ninguno de los contrayentes.

Caso de que el celebrante no sea ninguno de los señalados anteriormente, esto es, Oficial o Jefe militar o Capitán o Comandante de buque o aeronave, el expediente deberá tramitado por el Encargado del Registro Civil del lugar de la celebración del matrimonio a quien se deberá remitir el Acta de su celebración.

La especialidad es que se puede celebrar el matrimonio sin el Acta o expediente previo al matrimonio, el cual se tendrá que tramitar después, pero en todo caso antes de realizar las actuaciones necesarias para su inscripción.

Como requisito formal, se exige:

– la presencia de dos testigos (en este caso el artículo 52 CC señala expresamente que deben ser mayores de edad)

– y dictamen médico sobre la capacidad para prestar el consentimiento y sobre la gravedad de la situación, si el peligro de muerte deriva de la enfermedad o estado físico de alguno de los contrayentes. Este último requisito, el dictamen médico, viene también recogido en el artículo 52 L.N., aunque no el de los testigos.

En caso de «imposibilidad acreditada» se podrá prescindir del dictamen médico, pero se duda de si tal excepción se puede predicar también de los testigos. La redacción anterior del artículo 52 CC, debida a la Ley 35/1994, hacía posible el matrimonio en peligro de muerte sin la presencia de testigos en caso de imposibilidad acreditada, por lo que entendemos que en este último supuesto se podría prescindir tanto de dictamen médico como de testigos, aunque realmente tendría que tratarse de un caso muy excepcional el de no poder encontrar a dos personas mayores de edad que se presten a actuar de testigos.

Nada dice la legislación de qué se entiende por peligro de muerte, pero conviene precisar que debe ser un peligro objetivo, real y no el que pueda derivar de realizar una actividad arriesgada.

Esta forma de matrimonio en peligro de muerte puede ser utilizada por extranjeros en España, aunque ninguno de ellos tenga residencia en nuestro país, como señala Rivero Sánchez-Covisa, citando la interesante Resolución DGRN de 29 de agosto de 1992.

3. Matrimonio secreto

El artículo 54 CC señala que: «*Cuando concurra causa grave suficientemente probada, el Ministro de Justicia podrá autorizar el matrimonio secreto. En este caso, el expediente se tramitará reservadamente, sin la publicación de edictos o proclamas*».

Y el artículo 64 CC dice: «*Para el reconocimiento del matrimonio secreto basta su inscripción en el libro especial del Registro Civil Central, pero no perjudicará los derechos adquiridos de buena fe por terceras personas sino desde su publicación en el Registro Civil ordinario*».

En consecuencia, la especialidad de este matrimonio radica en la publicidad que se ha de dar al mismo, que es reservada. El Acta o expediente previo no llevará publicidad y por tanto no habrá publicaciones de edictos o proclamas y la inscripción será en un libro especial.

Viene regulado en los artículos 267 y ss. RRC de los que se desprende que la decisión de autorizar el matrimonio secreto corresponde al Ministro de Justicia, a propuesta de la Dirección General, si bien deberá ser solicitada por uno o ambos contrayentes y debe estar fundada en causa grave.

El acta del matrimonio, sin producir asiento alguno en los libros de inscripciones, será remitida original, inmediata y reservadamente al Registro Central (art. 267 RRC). La inscripción es secreta pero cualquiera de los cónyuges puede examinarla, por sí o por mandatario con poder especial.

Todos los que intervienen en la celebración o inscripción de este matrimonio están obligados a guardar secreto, incluso ambos contrayentes, mientras no consientan ambos su divulgación.

La solicitud de publicación podrá presentarse ante cualquier Registro y deberá ser hecha por ambos cónyuges, salvo fallecimiento de uno de ellos, lo que deberá probarse.

5.3. ACTA DE NOTORIEDAD PARA LA CONSTANCIA DEL RÉGIMEN ECONÓMICO MATRIMONIAL LEGAL

Según el artículo 60 LRC de 2011, en las inscripciones de matrimonio se deberá hacer constar el régimen económico matrimonial legal o el pactado, pero para los matrimonios ya inscritos en los que no conste el régimen matrimonial, podrá solicitarse su constancia por medio del Acta de notoriedad a que se refiere el artículo 53 LN y a la que vamos a referirnos.

Así dispone el artículo 60 LRC de 2011: «*Para hacer constar en el Registro Civil expresamente el régimen económico legal aplicable a un matrimonio ya inscrito cuando aquél no constase con anterioridad y no se aporten escrituras de capitulaciones será necesaria la tramitación de un acta de notoriedad*».

Y señala el artículo 53 LN: «*1. Quienes deseen hacer constar expresamente en el Registro Civil el régimen económico matrimonial legal que corresponda a su matrimonio cuando este no constare con anterioridad deberán solicitar la tramitación de un acta de notoriedad al Notario con residencia en cualquiera de los domicilios conyugales que hubieran tenido, o en el domicilio o residencia habitual de cualquiera de los cónyuges, o donde estuvieran la mayor parte de sus bienes o donde desarrollen su actividad laboral o empresarial, a elección del requirente. También podrá elegir a un Notario de un distrito colindante a los anteriores.*

2. La solicitud de inicio del acta deberá ir acompañada de los documentos acreditativos de identidad y domicilio del requirente. Deberá acreditarse con información del Registro Civil la inexistencia de un régimen económico matrimonial inscrito.

Los solicitantes deberán aseverar la certeza de los hechos positivos y negativos en que se deba fundar el acta, aportarán la documentación que estimen conveniente para la determinación de los hechos y deberán acompañar los documentos acreditativos de su vecindad civil en el momento de contraer matrimonio y, en caso de no poder hacerlo, deberán ofrecer información de, al menos, dos testigos que aseguren la realidad de los hechos de los que se derive la aplicación del régimen económico matrimonial legal.

3. Ultimadas las anteriores diligencias, el Notario hará constar su juicio de conjunto sobre si quedan acreditados por notoriedad los hechos y, si considera suficientemente acreditado el régimen económico legal del matrimonio, remitirá, en el mismo día y por medios telemáticos, copia electrónica del acta al Registro Civil correspondiente. En caso contrario, el Notario cerrará igualmente el acta y los interesados no conformes podrán ejercer su derecho en el juicio que corresponda».

5.3.1. Competencia

Para este Acta es competente el Notariado en exclusiva, sin que se comparta con ningún otro funcionario.

Podrá elegirse a cualquier Notario con residencia en:

- cualquiera de los domicilios conyugales que hubiese tenido el matrimonio,
- el domicilio o residencia habitual de cualquiera de los cónyuges,
- el lugar donde estén ubicados la mayor parte de sus bienes,
- el lugar donde desarrollen su actividad laboral o profesional,
- el distrito colindante de cualquiera de los anteriores.

La elección es completamente discrecional por el requirente, por lo que en este punto la normativa se aparta de otros casos en que los criterios de competencia guardan un orden de preferencia. Parece que con esto se pretende fomentar la libre elección de Notario.

El Notario deberá examinar y hacer constar en el Acta su propio juicio de competencia y las razones en las que se basa, debiendo dejar incorporados a la misma los documentos o las pruebas de las que resulte su competencia.

A continuación comentaremos los citados criterios de competencia notarial.

1. **Domicilio conyugal. Domicilio o residencia habitual de cualquiera de los cónyuges.**

    Al domicilio y residencia se refiere el artículo 40 CC y al domicilio conyugal el art. 70 del CC, aunque estos artículos nos aclaran poco.

    En principio parece que ambos se refieren al lugar donde está centrada la vida familiar o la vida personal de los interesados. No creo que dentro de este concepto esté comprendido el domicilio fiscal que se refiere más bien a la actividad profesional o empresarial del interesado, lo cual encajaría mejor en el punto 3 (el lugar donde desarrollen su actividad laboral o profesional) que también puede usarse como criterio de competencia.

    Este domicilio familiar o personal podrá acreditarse mediante el D.N.I. o Certificado de empadronamiento.

2. **Lugar donde estén ubicados la mayor parte de sus bienes.**

    Este criterio de competencia recuerda el admitido para el Acta de declaración de Herederos Ab Intestato que hace referencia a la «mayor parte de su patrimonio». No cabe duda que se pretende legitimar al Notario del lugar donde más necesaria será el Acta, por estar allí ubicados los bienes más importantes.

El problema se presenta con la frase «la mayor parte», porque literalmente obligaría al Notario a tener una idea de la totalidad del patrimonio de los interesados, lo que solo podría tener lugar presentando la última Declaración de Patrimonio. No creo que sea necesario llegar a tanto, aunque sí habría que acreditar que se poseen en tal lugar bienes de importancia y ello presentando escrituras o notas registrales, si se trata de inmuebles o Certificados bancarios, si se trata de cuentas o productos financieros. Lo que sí será imprescindible es alguna prueba documental de la existencia y ubicación de tales bienes.

No creo que baste la simple manifestación a tal efecto del interesado sin aportar ninguna prueba documental, porque equivaldría a concederle libertad para elegir Notario casi sin límite alguno.

3. **Lugar donde desarrollen su actividad laboral o profesional.**

La acreditación de este lugar podrá hacerse mediante certificado de la Agencia tributaria que acredite el domicilio fiscal o de la Seguridad Social que acredite el domicilio laboral o el centro de trabajo o certificado del empleador que certifique el lugar donde presta sus servicios, sin ser esta enumeración exhaustiva.

4. **El distrito colindante de cualquiera de los anteriores.**

Dos son las cuestiones clásicas que se presentan con este criterio:

– Si es competente otro Notario del mismo distrito pero con residencia en otro lugar distinto de los citados anteriormente. La literalidad del precepto induce a pensar que no, pero la lógica más elemental parece admitir tal competencia. Además no podemos olvidar que la jurisdicción notarial se extiende al Distrito donde está demarcada la Notaria, salvo casos de habilitación, como dispone el artículo 3 LN, por lo que cualquier actuación notarial dentro del Distrito es válida, sin perjuicio en su caso de correcciones disciplinarias.

Debemos concluir, a mi juicio sin duda alguna, que es competente cualquier Notario del Distrito donde se ubique el lugar que determine la competencia notarial según los criterios anteriores.

– Si el distrito colindante tiene que pertenecer al mismo Colegio Notarial que el lugar de competencia resultante de los criterios anteriores.

La normativa no lo exige y yo soy de la opinión de que no importa que se trate de colegios diferentes y ello porque el criterio general es extender el número de Notarios con competencia para esta actuación, porque si la norma no lo exige, no debemos restringir la libertad de los ciudadanos en la elección de Notario y, finalmente, porque se pueden dar casos en la práctica que el Notario del distrito colindante de otro Colegio está físicamente mucho más cercano que cualquier otro Notario.

No obstante no quiero ocultar que parece que la opinión del Consejo es la contraria, pero añadiré que, si es así, debería exponerlo claramente y mientras tanto veo correcto que se extienda la competencia al Notario colindante aunque pertenezca a otro Colegio Notarial.

Finalmente también es clásica la cuestión de qué ocurre en los casos en que el Notario requerido no considera justificada la notoriedad pretendida: ¿puede el interesado dirigirse a otro Notario con la misma pretensión?

Mi opinión personal es que tajantemente NO y ello porque, de admitir lo contrario, nos podemos encontrar con un interesado que vaya probando Notario tras Notario, aprendiendo de las negativas y con la posibilidad de utilizar dudosas «mañas» para conseguir lo pretendido.

El problema es que, por el momento, no tenemos medio de conocer que ha sido instado este procedimiento ante otro Notario. Se impone, por tanto, un sistema de comunicación de iniciación de este procedimiento similar al de Actas de Notoriedad para declaración de herederos ab intestato y con comunicación entre todos los Colegios Notariales, porque no podemos olvidar que la amplitud de criterios de competencia estudiados puede dirigirnos a distintos Colegios Notariales.

5.3.2. Procedimiento

Interés legítimo. El procedimiento se inicia a solicitud del interesado acompañada de la documentación que se dirá a continuación. Obviamente el requirente deberá tener interés en el hecho cuya notoriedad se pretende acreditar, lo cual es requisito común para todas las Actas.

Estudiaremos separadamente quienes pueden tener interés legítimo:

1. Ambos cónyuges. Será el caso más típico y evidente. Si no hay matrimonio y se trata de parejas de hecho, entiendo que no tienen interés legítimo alguno porque no existe régimen económico matrimonial.

2. Uno solo de los cónyuges. Entiendo que sí puede tener interés legítimo y ello aunque esté viudo, separado o divorciado de su consorte.

En este caso y sin ninguna duda, habrá que citar a su consorte o exconsorte para que acuda a hacer las manifestaciones oportunas y, si éste estuviese difunto, entiendo que habrá que citar a sus herederos, otorgándoles un plazo razonable para comparecer y hacer las manifestaciones o presentar los documentos o pruebas oportunas. El plazo podría ser de 20 días o de un mes.

Esto nos plantea el problema del domicilio del otro consorte o exconsorte cuando no sea conocido, lo cual nos obligaría a publicaciones de Edictos en los Tablones de anuncios de Ayuntamientos e incluso en periódicos.

En los Edictos deberá fijarse no solo el plazo para la comparecencia sino también la advertencia de que, de no comparecer, se entenderá que consiente en la pretensión del requirente.

3. Apoderado. Entiendo que sí es posible el requerimiento por medio de apoderado ya sea especial para el caso o general, con facultades que se estimen suficientes, pero con la siguiente matización.

El requirente tiene que manifestar bajo su responsabilidad ser cierto el hecho sometido a notoriedad, como en todas las Actas de este tipo. Esa manifestación no puede hacerse por medio de apoderado general porque son manifestaciones de conocimientos personales que no tiene el apoderado. Por eso, será necesario que el requirente haga personalmente estas manifestaciones las cuales pueden ir en el propio cuerpo del poder especial, por diligencia a continuación del Acta o en otro documento aparte.

Sobre este punto, la Resolución de la DG, Sistema Notarial, de fecha 19 diciembre 1995, es clara: Se puede hacer por medio de apoderado el requerimiento al Notario, también la enumeración de los hechos que se consideren necesarios o convenientes para el buen fin del Acta y la aportación de los documentos pertinentes, pero la afirmación misma de la certeza de tales hechos solo puede hacerla el interesado personalmente.

Por ello, si se va a efectuar el requerimiento por apoderado lo aconsejable sería un poder especial para el caso en el que se incluyan las afirmaciones del poderdante sobre la certeza de los hechos sometidos a la notoriedad.

4. Herederos de ambos o de uno de los cónyuges.

Creo que también pueden tener un claro interés legítimo en el otorgamiento de este acta. Piénsese la diferencia que hay para determinar el caudal hereditario si una adquisición ha sido hecha para la comunidad o para el patrimonio privativo de uno de los cónyuges.

5. Acreedores.

Este es el caso más delicado. Debo confesar que he pasado de una opinión positiva a una negativa.

Estimaba que en casos singulares, los acreedores también podían tener interés legítimo en este Acta. Pero debían probar expresamente tal interés concreto, no bastando su carácter genérico de acreedores, esto es, probar su crédito y la importancia de la fijación del régimen económico matrimonial para su cobro.

Citaba un ejemplo: un acreedor de uno solo de los cónyuges tiene interés en probar el carácter privativo del deudor de un inmueble que está inscrito con carácter presuntivamente ganancial. Es obvio que la presunción de gananciabilidad puede ser destruida mediante prueba en contra y estimaba que este expediente podría ser la prueba idónea.

Naturalmente surgían algunos puntos que resolver como los siguientes:

–   ¿Es necesario que el deudor haya fallecido o también se podría instar por el acreedor en vida del cónyuge deudor? Realmente no veía obstáculo para instarlo aun en vida del cónyuge deudor, porque es evidente que éste no tendrá mucho interés en solucionar la cuestión al acreedor y no parece lógico que la inacción del cónyuge afectado pueda paralizar los derechos de cobro del acreedor.

–   indudablemente habría que citar a ambos cónyuges para que aleguen lo que consideren oportuno o a sus herederos en su caso, lo que planteará problemas de identidades y de domicilios de notificación, lo cual sería un problema pero no un obstáculo insalvable para la marcha del expediente.

Sinceramente hoy veo demasiado aventurada esta opinión, sobre todo por la redacción del propio artículo 53 LN al decir *«Quienes deseen hacer constar expresamente en el Registro Civil el régimen económico matrimonial legal que corresponda a su matrimonio…»*. Este *«su»* me ha hecho cambiar de opinión, porque parece claro que se refiere al matrimonio de los solicitantes, no a cualquier matrimonio. Este *«su»* no obstaculiza el requerimiento por los herederos, porque son continuadores de la personalidad de los causantes, pero entiendo que sí impide su ejercicio por otros terceros.

De todos modos, me atrevo a dejar escritas estas ideas para que puedan causar debate doctrinal.

Documentación a aportar

El requirente deberá aportar la siguiente documentación:

–   documentos de identidad y domicilio del requirente. Estimo que será necesario presentar Certificado de Empadronamiento o D.N.I. para acreditar domicilio, sin perjuicio de otros medios de prueba, de manera similar a las Actas de Notoriedad para declaración de herederos ab intestato.

–   Certificación de Matrimonio del Registro Civil en la que no conste inscrito ningún régimen económico matrimonial. Si en un futuro se pone en funcionamiento el sistema de consulta telemática directa del contenido del Registro Civil por parte de los Notarios, bastará la consulta que efectúe el Notario.

–   Aportarán la documentación que estimen conveniente para la acreditación de los hechos en que se funda el Acta y especialmente los documentos que acrediten la vecindad civil de los cónyuges en el momento de contraer matrimonio.

–   Dos testigos, que entiendo solo son imprescindibles cuando alguno o algunos de los hechos citados anteriormente no pueden ser acreditados de manera documental. De todos modos no está de más exigir siempre dos testigos por analogía con lo establecido en las Actas Notoriedad para declaración de herederos ab intestato, entendiendo por la misma razón, que pueden ser parientes, incluso cercanos, de los contrayentes, siempre que no tengan interés directo en la declaración.

5.3.3. Contenido del instrumento

A. Aseveración de la certeza de los hechos

El requirente deberá aseverar la certeza de los hechos positivos y negativos en que se funda el Acta.

Estos hechos dependerán del punto de conexión que determine la Ley que va a regir los efectos del matrimonio y, como segundo paso, el propio régimen matrimonial.

Entiendo que los hechos básicos serán los siguientes, que se derivan del artículo 9.2 y 3 CC, sin que esta enumeración sea exhaustiva sino meramente enunciativa:

– La nacionalidad y vecindad civil de los cónyuges al tiempo de la celebración del matrimonio.

– El hecho de que han otorgado o no capitulaciones matrimoniales antes o después del matrimonio, admitidas por la ley personal o de la residencia habitual de cualquiera de ellos.

– El hecho de que han elegido o no en documento público antes de la celebración del matrimonio, la ley personal o de la residencia habitual de cualquiera de ellos, para regir los efectos de su matrimonio.

– La residencia habitual común inmediatamente posterior a la celebración del matrimonio.

– El lugar de la celebración del matrimonio.

Estudiaremos estos hechos y los posibles problemas que nos pueden plantear:

1) La nacionalidad y vecindad civil de los cónyuges al tiempo de la celebración del matrimonio.

En principio no parece que la manifestación y acreditación de la nacionalidad pueda plantearnos muchos problemas, especialmente si se ha tramitado un expediente matrimonial o si se ha celebrado el matrimonio en España, porque debe constar en el expediente matrimonial.

Sin embargo en algún caso aislado, especialmente cuando se trate de extranjeros, puede ocurrir que de lugar a problemas, porque hay personas que tienen varias nacionalidades, a veces como situación de derecho (cuando hay Tratado de doble nacionalidad) o como situación de hecho (ostenta varias nacionalidades y cada una de ellas ignora o no reconoce la existencia de las otras).

Yo creo que en estas situaciones debemos acogernos a lo que establezca el expediente previo a la celebración del matrimonio y los propios documentos de celebración del mismo matrimonio.

Y lo mismo puede decirse de la vecindad civil. Habrá que estar a lo que resulte del expediente matrimonial o del Certificado de Matrimonio.

Si este expediente o el documento de celebración de matrimonio no es correcto y el interesado alega que hay error o falsedad, entendemos que no debemos seguir con el expediente hasta que se aclare tal error o falsedad por las autoridades oportunas, porque el objeto de este expediente no es determinar la nacionalidad o vecindad del interesado al momento del matrimonio, sino que éste es un dato que debe serle dado y acreditado como base para la fijación del régimen matrimonial.

Me explicaré. ¿Corresponde al Notario mediante este Acta afirmar que la nacionalidad o vecindad civil del interesado que consta en el Certificado o expediente matrimonial es errónea y que la correcta es otra? Yo no lo veo. Esto deberá rectificarse por el funcionario pertinente o por la Autoridad Judicial.

Eso sí, si el expediente matrimonial previo o el Certificado de Matrimonio no dice nada, podemos admitir las manifestaciones y pruebas que nos presente el interesado y que no sean contradictorias con aquellos.

2) El hecho de que han otorgado o no capitulaciones matrimoniales antes o después del matrimonio.

Entiendo que esta manifestación es fundamental. Si hay contrato matrimonial, solo habrá que acreditar la existencia, legalidad y regularidad del régimen matrimonial pactado en el mismo para concluir el expediente.

Se puede plantear la cuestión de si este expediente se puede utilizar también para acreditar la existencia de un régimen matrimonial pactado en capitulaciones u otro documento válido en el lugar de su otorgamiento, cuando existan dificultades de prueba o de validez de tal documento. Estoy pensando, por ejemplo, en matrimonios de extranjeros celebrados en su país o en colonias de su país, que después han adquirido la nacionalidad española y nada consta en nuestro Registro Civil del primitivo contrato matrimonial. No creo que este expediente pueda ser adecuado para ello. El artículo 60 LRC dice: «cuando... **no se aporten** escrituras de capitulaciones» y el artículo 53 LN: «1. Quienes deseen hacer constar expresamente en el Registro Civil el régimen económico matrimonial **legal** que corresponda a su matrimonio...», por lo que el régimen matrimonial que determine este procedimiento que nos ocupa solo puede ser el legal. Como consecuencia, la aparición de unas capitulaciones matrimoniales o documento válido según la «lex loci» o según la ley aplicable a los efectos del matrimonio, que determine un régimen económico matrimonial pactado, bastará para dar por terminado el expediente.

El caso más normal será que manifiesten que no hay contrato matrimonial alguno, que lo prueben mediante la ausencia de mención alguna en la Certificación de Matrimonio y que se continúe el expediente.

3) El hecho de que han elegido o no, en documento publico antes de la celebración del matrimonio, la ley personal o de la residencia habitual de cualquiera de ellos para regir los efectos de su matrimonio

Igual que el caso anterior, lo más normal será que manifiesten que no han efectuado elección alguna y que se continúe el expediente.

Pero eventualmente puede que sí se haya efectuado elección. En este caso debemos comprobar la regularidad de tal elección, esto es:

– Que se ha hecho antes del matrimonio. Como el documento tiene que ser público, tendrá una fecha auténtica y no parece que este requisito pueda causar ningún problema.

Quizá podría plantearse si debe tener una antigüedad máxima de 1 año por aplicación del artículo 1334 CC. Si la Ley que va a regir los efectos del matrimonio es la española, no me cabe duda de que tal plazo deberá ser observado. Si la ley aplicable no es la española, entiendo que todo dependerá de qué establece la legislación extranjera aplicable.

Por otro lado estimo perfectamente admisible el pacto efectuado en el mismo momento de la celebración del matrimonio, lo cual es frecuente en algunos países.

– Que se ha hecho en documento público. Este documento básicamente será la escritura publica, pero ¿cabría admitir otro tipo de documento público?

Si la Ley que va a regir los efectos del matrimonio es la española, es difícil admitir otro tipo de documento público, porque el artículo 1315 CC habla de capitulaciones matrimoniales que es típico documento notarial. Podría ocurrir que se hubiera hecho constar en el expediente matrimonial previo, tanto el tramitado por Notario como el tramitado por funcionario competente distinto, pero estimo que éste no es el lugar adecuado para que tal manifestación surta efecto y no veo tampoco que pueda tener efectos la declaración al respecto efectuada en vía judicial o administrativa.

Pero si la ley que rige los efectos del matrimonio no es la española, sí que puede otorgarse eficacia a un documento público distinto del notarial, si la ley aplicable así lo reconoce. De hecho hay países en que el régimen matrimonial se puede pactar ante el funcionario que celebra el matrimonio en el mismo momento del mismo.

– Que la elección haya sido la ley personal o de la residencia habitual de cualquiera de los cónyuges. No se permite opción por otra normativa. Evidentemente los cónyuges pueden pactar cualquier régimen matrimonial que consideren conveniente pero para ello deberán acudir a las habituales capitulaciones matrimoniales, no a esta opción.

4) La residencia habitual común inmediatamente posterior a la celebración del matrimonio

Puede plantear algún problema la determinación de la «residencia habitual» inmediatamente posterior al matrimonio.

¿Qué debemos entender por «residencia habitual»? ¿La residencia legalmente obtenida que en ocasiones requiere algún periodo mínimo de estancia en el país? ¿o vale cualquier «estancia» o «domicilio accidental»?

Yo me inclino por esto último. Me explicaré. Lo ideal sería que justificasen la residencia de ambos cónyuges con todos los papeles en regla, pero en casos límite yo admitiría la acreditación de una estancia o domicilio accidental en un país determinado, siempre que haya alguna prueba de ello y los cónyuges tuviesen una voluntad de permanencia en el lugar, aunque no pudiesen presentar un auténtico certificado de residencia para ambos.

Comprendo que esto es muy delicado y que depende del criterio de cada Notario, pero me estoy limitando a manifestar mi opinión al respecto.

5) El lugar de la celebración del matrimonio

Cuando ninguno de los puntos de conexión anteriores puede ser aplicado, llegamos a éste último.

Es difícil que éste punto de conexión nos pueda plantear dudas pero, aun así, se me ocurre que contraigan matrimonio en un buque o aeronave durante su navegación. Yo me inclino a entender que el lugar será el del Estado de abanderamiento del buque o aeronave mientras esté en navegación, pero no si está amarrado en puerto o estacionado en aeropuerto, en cuyo caso el lugar será el del Estado con soberanía en el puerto o aeropuerto, salvo quizá si el buque o aeronave son militares, en cuyo caso siempre es el Estado de abanderamiento del buque o aeronave, pero no me voy a extender más en estos casos que son «de película».

No tan de película sería el caso de contraer matrimonio en la embajada de un país extranjero. Entiendo que en tal caso el lugar de celebración es el Estado al que pertenece la Embajada, ya que éstas gozan de extraterritorialidad.

Más problema sería la celebración del matrimonio en el Consulado y no en la Embajada, pues aquellos no gozan de la extraterritorialidad. De todos modos me inclinaría por la misma solución, pues es clara la voluntad de los contrayentes de celebrar el matrimonio al amparo de la legislación del país del consulado.

Punto de especial consideración es el de los nacionales españoles, con distinta vecindad civil, que contraen matrimonio en el extranjero y fijan su primera residencia habitual inmediatamente posterior al matrimonio en el extranjero. La legislación aplicable es en todo caso la española por aplicación del artículo 16.3, aunque las distintas vecindades civiles de los contrayentes nos plantean el problema de qué legislación civil foral o común será aplicable, cuando no hay elección de una ellas en documento publico o capitulaciones matrimoniales. Nuestro Código Civil resuelve la cuestión aplicando la normativa del propio Código, lo cual podrá ser criticable pero resuelve la cuestión.

B. Prueba documental o por testigos

Pero no basta que el requirente manifieste los hechos a los que nos hemos referido, será necesario que los justifique con los documentos pertinentes y, en su defecto, deberá ofrecer la información de al menos dos testigos.

El texto legal habla de los documentos acreditativos de su vecindad civil y es cierto que en la mayoría de los casos se tratará de esta cuestión, pero tal acreditación deberá ser para cualquiera de los puntos de conexión mencionados, no solo para la vecindad civil.

Ante la falta de documentación, se admite la declaración de, al menos, dos testigos. Es cierto que en muchos casos habrá que recurrir a ellos, pero conviene que la notoriedad no se base únicamente en testigos y se exija siempre algún principio de prueba por escrito y no lo confiemos todo a la declaración testifical. Yo siempre trato de que la declaración testifical sea un «a mayor abundamiento» y no la base de la notoriedad. Claro es que al cliente le es más fácil presentar testigos que presentar papeles, pero no lo podemos confiar todo a la prueba testifical.

Aunque no resulta expresamente de la regulación legal, estimo que sería conveniente la presencia de dos testigos siempre y ello por analogía con el acta de declaración de herederos abintestato del artículo 209-bis RN.

Estimo también que los testigos podrán ser los parientes de los cónyuges por las mismas razones que pueden serlo en las citadas actas de declaración de herederos: son los que más conocimiento tienen de los hechos y circunstancias personales de los cónyuges y que son necesarios para declarar la notoriedad.

Prueba de la vecindad civil

El artículo 14 CC determina cómo se adquiere la vecindad civil y a él debemos ceñirnos. Conforme al mismo:

El nacimiento determina la adquisición de la vecindad civil de los padres.

Si los padres tienen distinta vecindad civil, el nacido adquirirá la vecindad civil del primer progenitor que se determine.

En su defecto, la del lugar de nacimiento.

En último término adquirirá la vecindad común.

En la adopción, si el adoptado es menor no emancipado, adquirirá la vecindad de los padres.

Ambos padres o el que ejerza la patria potestad podrán atribuir a su hijo o adoptado la vecindad civil de cualquiera de ellos dentro de los seis meses al nacimiento o adopción.

En todo caso, el hijo desde los 14 años y hasta un año después de la emancipación, podrá optar por la vecindad civil del nacimiento o la última vecindad civil de cualquiera de sus padres.

El matrimonio no altera la vecindad civil, pero un cónyuge podrá optar por la vecindad civil del otro en cualquier momento siempre que no estén separados legalmente o de hecho.

La vecindad civil se adquiere:

- por residencia continuada durante dos años manifestando su voluntad ante el encargado del Registro Civil.
- por residencia continuada durante 10 años sin declaración en contra también ante el encargado del Registro Civil.

Tales declaraciones no necesitan ser reiteradas y en caso de duda prevalecerá la vecindad civil del lugar del nacimiento.

Por consiguiente:

En ocasiones la vecindad civil proviene de una declaración de voluntad al efecto, hecha ante el encargado del Registro Civil, en cuyo caso deberemos exigir que se aporte el Certificado del Registro Civil pertinente.

En otras ocasiones la vecindad deriva de determinado hechos (nacimiento o vecindad durante determinado tiempo), en cuyo caso habrá que acreditar tales hechos.

Finalmente, existe un criterio residual que establece el punto 6 del art. 14 CC al señalar que en caso de duda prevalecerá la vecindad civil que corresponda al lugar de nacimiento.

Tampoco debemos omitir la presunción legal establecida en el artículo 68 de la LRC de 1957 que se traslada al artículo 69 de la LRC de 2011, señalando este último «*Sin perjuicio de lo dispuesto en el Código Civil y en tanto no conste la extranjería de los padres, se presumen españoles los nacidos en territorio español de padres también nacidos en España. La misma presunción rige para la vecindad*».

En cuanto a los testigos, nos remitimos a lo expuesto anteriormente en el punto B.

C. Suspensión y cierre provisional

En la tramitación de este acta puede concurrir alguna causa de suspensión o cierre provisional. Estoy pensando básicamente en el caso de que el Notario exija algún documento o prueba adicional para la que se precise la colaboración de los interesados y éstos demoren excesivamente su actuación o simplemente no la efectúen. Considero que pasado un tiempo prudencial, ante la inacción de los interesados, el Notario debe cerrar el acta haciendo constar su causa y sin perjuicio de ser abierta de nuevo en el futuro, si los interesados se deciden finalmente a actuar y ello porque, en mi opinión, no puede quedarse un documento notarial abierto indefinidamente en espera de que los interesados se decidan a obtener el documento o practicar la actuación solicitada. Si, finalmente, los interesados actúan no veo problema en retomar de nuevo el procedimiento, abriendo una nueva acta que explique que es continuación de la anterior. Estas ideas proceden de la experiencia personal de un Acta de notoriedad iniciada por mí en la que exigí una ratificación que, teóricamente, se iba a efectuar en pocos días y se demoró más de dos años.

D. Terminación del acta

Objeto del Acta. Para empezar debemos precisar que el objeto de la notoriedad es la declaración del régimen económico **legal** del matrimonio, no del régimen matrimonial pactado. Esto se deduce de la regulación legislativa, ya que el artículo 60.2 de la LRC de 2011 en su versión primitiva decía que «*2. Se inscribirán las actas por las que se declare la notoriedad del régimen económico matrimonial legal o pactado*», mientras que la versión dada por la propia L.J.V. establece: «*Para hacer constar en el Registro Civil expresamente el régimen económico legal aplicable a un matrimonio ya inscrito cuando aquél no constase con anterioridad y no se aporten escrituras de capitulaciones será necesaria la tramitación de un acta de notoriedad*». Por tanto, si se aportan capitulaciones, ya no es aplicable el Acta de Notoriedad; punto este al que ya hemos hecho referencia.

Como consecuencia de lo anterior, si se presenta en el expediente un contrato matrimonial ante Notario o ante funcionario competente en el país de que se trate, por el que se haya pactado un determinado régimen económico matrimonial, el Notario debe dar por finalizada el Acta sin declaración de notoriedad.

Evidentemente dicho contrato no constará en el Registro Civil, porque en caso contrario hubiera aparecido en la Certificación de Matrimonio del Registro Civil que hay que presentar al inicio del procedimiento.

En tal caso y en mi opinión, el Notario debe examinar la autenticidad y formalidades de tal contrato matrimonial y, si lo considera correcto, dar por terminada el acta por existir un régimen económico matrimonial paccionado.

Esta posibilidad puede parecer sencilla cuando se aporte la clara y típica escritura de capitulaciones matrimoniales otorgada ante Notario español o incluso un Notario extranjero del ámbito del notariado latino, pero puede que se complique cuando se presente un documento otorgado en el extranjero y quizá por funcionarios distintos del Notariado latino pero con competencia sobre esta materia según la legislación de su propio país; todo lo cual deberá ser comprobado por el Notario español autorizante de acta que nos ocupa.

Verificada la autenticidad y regularidad del contrato matrimonial, entiendo que el Notario debe cerrar el Acta haciendo constar la existencia de este documento y presentarlo al Registro Civil correspondiente para su inscripción, acompañado de una copia del Acta tramitada.

Dejando a un lado el supuesto anterior y practicadas todas las actuaciones y pruebas, el acta puede terminar positiva o negativamente, esto es, declarando o no la notoriedad pretendida.

a) Sin declaración de notoriedad

Los casos pueden ser múltiples, como

- comparecencia del otro cónyuge o de sus herederos, negando los hechos o manifestaciones del requirente.

- simplemente que el Notario no vea acreditados suficientemente los hechos o manifestaciones alegadas o que aprecie elementos o pruebas contradictorias.

En este caso, una vez recogidas las manifestaciones, documentación o pruebas contradictorias, habría que cerrar el acta, haciendo constar que no se declara la notoriedad pretendida y que, aunque nada dice la ley, queda a salvo el derecho de los interesados de entablar el procedimiento judicial oportuno en defensa de sus intereses. No habrá que remitir copia alguna al Registro Civil al no haber tenido éxito el procedimiento.

La ley no prevé, y personalmente no creo que quepa, recurso ante la Dirección General contra la decisión del Notario de no declarar la notoriedad pretendida. Podrá haber recurso contra la denegación de funciones del Notario, en su caso, o recurso de queja contra una actuación que se considere irregular, pero entiendo que no cabrá recurrir contra el fondo de su decisión.

b) Con declaración de notoriedad

Lo habitual será que el Acta termine declarando la notoriedad de los hechos alegados y, consecuentemente, el reconocimiento por el Notario de un determinado régimen económico matrimonial. En tal caso, el mismo día, habrá que remitir copia electrónica al Registro Civil correspondiente al lugar de la celebración del matrimonio. Si la remisión electrónica no es posible por no estar implementado el sistema como sucede en la actualidad, lo procedente será acudir al sistema tradicional de remitir copia papel por certificado con acuse de recibo.

No querría finalizar estas líneas sin aludir a los siguientes puntos:

1. PARTE de iniciación del acta.

¿Seria conveniente remitir al Registro Civil copia del acta que termine con una declaración negativa? Con esto se conseguiría evitar cualquier otra Acta levantada por otro Notario con la misma finalidad.

Personalmente no creo que ésta sea la solución más adecuada. Primero porque no tengo claro que exista algún tipo de asiento en el Registro Civil adecuado para la indicación de este Acta negativa, por lo que tengo importantes dudas de que se hiciese constar en el Registro Civil. Segundo, porque creo que la solución más adecuada a este problema estriba en la llevanza por los Colegios Notariales de un registro similar al de las Actas de declaración de herederos ab intestato y mandar un parte cada vez que se inicie un procedimiento de este tipo. Creo que nosotros mismos (el cuerpo notarial) debemos tratar de solucionar el problema para evitar la posibilidad de que se vaya requiriendo a un Notario tras otro hasta que uno declare la notoriedad pretendida.

2. En la mayoría de los casos se firmará el requerimiento inicial cuando ya se disponga de toda la documentación y declaraciones de testigos preparadas, por lo que en el mismo momento se podrá declarar la notoriedad bajo un mismo número de protocolo. Insisto en que será la mayoría de los casos, porque en la práctica no se admitirá el requerimiento o bien se animará al requirente a que desista del mismo, cuando se aprecie que no se va a declarar la notoriedad pretendida.

No obstante puede haber casos en que el Acta se dilate en el tiempo porque haya que hacer notificaciones o practicar pruebas, en cuyo caso estimo que la notoriedad se deberá otorgar con número de protocolo independiente y el día que corresponda al momento de su terminación, de conformidad con el artículo 209 in fine del R.N.

3. El asiento que se practicará en el Registro Civil será un asiento de inscripción, no de indicación, del régimen matrimonial. En efecto, el artículo 39.1 L.R.C. de 2011 dice:

> «1. La inscripción es la modalidad de asiento a través de la cual acceden al Registro Civil los hechos y actos relativos al estado civil de las personas y aquellos otros determinados por esta Ley».

Esto tiene como consecuencia que en el Registro Civil se inscribirán todos los pactos que constituyan el régimen económico matrimonial y no una mera al referencia a las capitulaciones matrimoniales que lo contengan, si bien, si el régimen matrimonial es uno de los regulados en alguna disposición legal, no será necesaria la transcripción de tales normas que ya constan el los textos legales correspondientes.

Esto nos lleva al siguiente problema: si el régimen matrimonial aplicable es el regulado en una legislación extranjera ¿debe el Notario determinar detalladamente las normas por las que se rige?

Estimo que no debe ser así. El Notario no está obligado a conocer la legislación extranjera y no se le puede exigir que haga una exposición detallada de las normas extranjeras aplicables al caso. Bastará que se remita a la legislación correspondiente, si bien considero conveniente que se indiquen las líneas básicas del régimen matrimonial aplicable.

APLICACIÓN DEL ACTA DEL ARTÍCULO 53 LN A MATRIMONIOS EN EL ÁMBITO INTERNACIONAL

El acta del artículo 53 LN que estamos tratando puede ser utilizada, no solo para determinar el régimen matrimonial legal de los matrimonios de españoles, sino también de aquellos matrimonios en los que uno o incluso los dos cónyuges sean extranjeros. Este Acta puede ser necesaria para los casos en que el matrimonio deba inscribirse en el Registro Civil español, si no consta el Régimen matrimonial, pero incluso no vemos inconveniente para que pueda ser utilizada aunque no se tenga intención de inscribir el matrimonio en España.

Para poder utilizar este Acta es necesario que el Notario tenga competencia internacional la cual, mientras no sea aplicable el Reglamento (UE) 2016/1103 del Consejo, de 24 de junio de 2016, que será el 29 de enero de 2019, viene determinada por la LOPJ, a la que se remite la LJV.

Dispone el artículo 21 LOPJ que: «*Los Tribunales civiles españoles conocerán de las pretensiones que se susciten en territorio español con arreglo a lo establecido en los tratados y convenios internacionales en los que España sea parte, en las normas de la Unión Europea y en las leyes españolas*».

Es de destacar que se antepone a las leyes españolas, lo establecido en los tratados y en las normas de la Unión Europea.

El artículo 22.bis.1 LOPJ señala que los Tribunales españoles serán competentes cuando las partes se hayan sometido expresa o tácitamente a ellos, aunque solo en aquellas materias en que una ley permita expresamente la sumisión. Continua diciendo que no surtirán efectos los acuerdos que atribuyan competencia a los Tribunales españoles si son contrarios a lo establecido en el artículo 22 quáter, que en su apartado c) regula la materia que nos ocupa o si excluyen la competencia de los Tribunales españoles cuando estos son exclusivamente competentes.

En resumen, la sumisión voluntaria a los Tribunales españoles está limitada a determinados puntos de conexión.

El artículo 22.ter.1. señala que, a falta de sumisión expresa, los Tribunales españoles son competentes cuando el demandado tenga su domicilio en España o cuando así venga determinado por los puntos de conexión que determinan los artículos 22 quáter y 22 quinquies.

El artículo 22.quater, c) señala que también serán competentes los Tribunales españoles en materia de relaciones personales y patrimoniales entre cónyuges, nulidad matrimonial, separación y divorcio y sus modificaciones, siempre que ningún otro Tribunal extranjero tenga competencia, cuando ambos cónyuges posean residencia habitual en España al tiempo de la interposición de la demanda o cuando hayan tenido en España su última residencia habitual y uno de ellos resida allí, o cuando España sea la residencia habitual del demandado, o, en caso de demanda de mutuo acuerdo, cuando en España resida uno de los cónyuges, o cuando el demandante lleve al menos un año de residencia habitual en España desde la interposición de la demanda, o cuando el demandante sea español y tenga su residencia habitual en España al menos seis meses antes de la interposición de la demanda, así como cuando ambos cónyuges tengan nacionalidad española.

En definitiva, teniendo en cuenta que el requerimiento al Notario del artículo 53 LN normalmente se efectuará por ambos cónyuges, habrá sometimiento expreso o al menos tácito, a la jurisdicción notarial y por tanto será competente, si concurre alguno de los siguientes puntos de conexión: nacionalidad española de ambos cónyuges (independientemente de la residencia habitual), residencia habitual en España de al menos uno de los cónyuges (independientemente de la nacionalidad).

Por su parte, el artículo 9 de la LJV se remite a la LOPJ antes vista, al decir que: «*Los órganos judiciales españoles serán competentes para conocer los expedientes de jurisdicción voluntaria suscitados en los casos internacionales, cuando concurran los foros de competencia internacional recogidos en los Tratados y otras normas internacionales en vigor para España. En los supuestos no regulados por tales Tratados y otras normas internacionales, la competencia vendrá determinada por la concurrencia de los foros de competencia internacional recogidos en la Ley Orgánica del Poder Judicial*».

Añade el artículo 9.2 LJV que si los órganos judiciales españoles fueran competentes pero no fuera posible concretar el territorialmente competente, lo será aquél correspondiente al lugar donde los actos de jurisdicción voluntaria deban producir sus efectos principales o el de su ejecución.

La ley que se aplica será la determinada por el artículo 9.2 CC: «*Los efectos del matrimonio se regirán por la ley personal común de los cónyuges al tiempo de contraerlo; en defecto de esta ley, por la ley personal o de la residencia habitual de cualquiera de ellos, elegida por ambos en documento auténtico otorgado antes de la celebración del matrimonio; a falta de esta elección, por la ley de la residencia habitual común inmediatamente posterior a la celebración, y, a falta de dicha residencia, por la del lugar de celebración del matrimonio*».

La redacción de este artículo se debe a la Ley Orgánica 11/2003, de 29 de septiembre, si bien la redacción de fondo la dio la Ley 11/1990, de 15 de octubre. Hasta esa fecha, los puntos de conexión eran la ley nacional común de los cónyuges y, en su defecto la ley del marido al tiempo de la celebración del matrimonio. Este último criterio está claramente en contra de la igualdad de sexos establecida en la Constitución, que entró en vigor el 29 de diciembre de 1978. Por ello, el problema se planteó en el periodo intermedio en que estaba vigente la Constitución, pero no se había reformado el Código Civil.

En relación a este punto, la Resolución de la DG de 15 de marzo de 2017 resume la situación legal sobre el régimen económico matrimonial aplicable a los matrimonios con diferente ley personal y ausencia de pacto diferenciando:

- matrimonios contraídos hasta el 28 de diciembre de 1978 (día antes de la entrada en vigor de la Constitución de 1978): se aplicará la ley nacional del marido al tiempo de la celebración del matrimonio.

- matrimonios contraídos desde el 29 de diciembre de 1978 (día de la entrada en vigor de la Constitución de 1978), hasta el 6 de noviembre de 1990 (día anterior a la entrada en vigor de la Ley 15/1990 que modificó el artículo 9 CC): ha de tenerse en cuenta la Sentencia del TC nº 30/2002 que declaró inconstitucional la regulación del CC, tras la entrada en vigor de la Constitución. En este momento la situación no es clara y hay un vacío legal no resuelto por la jurisprudencia. Esta Resolución se remite a su vez a la Resolución de 9 de julio de 2014, según la cual habrá que estarse a la voluntad acreditada de ambos contrayentes de determinar la Ley que resulte aplicable a su régimen económico matrimonial desde el inicio y, en defecto de voluntad común, será necesaria sentencia judicial.

Hay que aclarar que la determinación por ambos contrayentes no es de libre elección y únicamente podrán elegir la correspondiente al marido al tiempo de la celebración (que a pesar de su inconstitucionalidad es elegida por ambos) o la de la residencia habitual común inmediatamente posterior al matrimonio) que es el criterio legal supletorio ajustado a la Constitución a partir de 1990).

- matrimonios contraídos desde el 27 de noviembre de 1990 en adelante: se aplicará el régimen económico matrimonial que corresponda a la residencia habitual común inmediatamente posterior al matrimonio y, a falta de ella, a la del lugar de celebración del matrimonio.

Finalmente hay que insistir en que a partir del 29 de enero de 2019, será aplicable el Reglamento (UE) 2016/1103 del Consejo, de 24 de junio de 2016, por el que se establece una cooperación reforzada en el ámbito de la competencia, la ley aplicable, el reconocimiento y la ejecución de resoluciones en materia de regímenes económicos matrimoniales, el cual tiene prevalencia sobre las normas internas españolas.

REGLAMENTO (UE) 2016/1103 del Consejo, de 24 de junio de 2016, por el que se establece una cooperación reforzada en el ámbito de la competencia, la ley aplicable, el reconocimiento y la ejecución de resoluciones en materia de regímenes económicos matrimoniales.

Según su artículo 70, entrará en vigor el 14 de julio de 2016, y será aplicable a partir del 29 de enero de 2019.

Los Estados miembros que han establecido entre sí una cooperación reforzada en esta materia son Bélgica, Bulgaria, la República Checa, Grecia, Alemania, España, Francia, Croacia, Italia, Luxemburgo, Malta, los Países Bajos, Austria, Portugal, Eslovenia, Finlandia y Suecia, a los que se unió Chipre.

Su artículo 70 in fine dice que «*el Reglamento será obligatorio en todos sus elementos y directamente aplicable en los Estados miembros participantes*».

Derecho transitorio. Como derecho transitorio el artículo 69 precisa que «*el presente Reglamento solo será aplicable a las acciones judiciales ejercitadas, a los documentos públicos formalizados o registrados y a las transacciones judiciales aprobadas o celebradas a partir del 29 de enero de 2019*». No obstante, si las acciones se han ejercitado en el Estado miembro antes, las resoluciones dictadas después «*serán reconocidas y ejecutadas*» de conformidad con el Reglamento, siempre que las normas de competencia se ajusten al mismo. Las disposiciones del Reglamente relativas a la ley aplicable solo valdrán para los cónyuges que hayan celebrado su matrimonio o que hayan especificado la ley aplicable al régimen económico matrimonial después del 29 de enero de 2019.

Por consiguiente, a los matrimonios anteriores a tal fecha, 29 de enero de 2019, hayan hecho o no pactos sobre su régimen matrimonial, no les afecta el Reglamento y continúan rigiéndose por las mismas normas. Pero si quieren pactar después de tal fecha, deben ajustarse al presente Reglamento.

Ámbito de aplicación. Su artículo 1º determina su ámbito de aplicación señalando que se aplica a los regímenes económicos matrimoniales.

Pero este concepto de régimen económico matrimonial es muy amplio pues abarca todo el «*conjunto de normas relativas a las relaciones patrimoniales entre los cónyuges y con terceros, como resultado del matrimonio o de su disolución*», como señala su artículo

3, y no sólo el mero régimen económico matrimonial, como puede ser el de gananciales, separación, participación o cualquier otro, sino también el llamado régimen matrimonial primario, las consecuencias patrimoniales de la disolución y, en general, todas las relaciones patrimoniales entre los cónyuges y con terceros.

En este sentido el Considerando 18 dice que el ámbito de aplicación del presente Reglamento debe incluir todos los aspectos de Derecho civil de los regímenes económicos matrimoniales, relacionados con la administración y liquidación del régimen y abarca no solo las normas imperativas para los cónyuges, sino también las normas opcionales que los cónyuges puedan acordar y no solo las capitulaciones matrimoniales, sino también toda relación patrimonial, entre los cónyuges y en sus relaciones con terceros, que resulte directamente del vínculo matrimonial o de su disolución.

Materias excluidas. No obstante el artículo 1.2 dice que quedan excluidas: la capacidad jurídica de los cónyuges; la existencia, validez y reconocimiento del matrimonio; las obligaciones de alimentos; la sucesión por causa de muerte de uno de los cónyuges; la seguridad social; la transmisión de los derechos de pensión de jubilación o de invalidez devengados durante el matrimonio y que no hayan dado lugar a ingresos en forma de pensión durante este, entre otros.

En cuanto a la capacidad jurídica, el Considerando 20 precisa que no se excluyen y por tanto entran en el ámbito de este Reglamento, las facultades y derechos de los cónyuges con respecto a su patrimonio, bien entre sí, bien con relación a terceros, lo que entiendo se refiere al llamado «poder de disposición».

Las obligaciones de alimentos se rigen por el Reglamento UE 4/2009 del Consejo de 18 de diciembre de 2008 (Bruselas III), relativo a la competencia, la ley aplicable, el reconocimiento y la ejecución de las resoluciones y la cooperación en materia de obligaciones de alimentos que se aplica a partir del 18 de junio de 2011 (salvo excepciones).

La sucesión por causa de muerte se rige por el Reglamento UE 650/2012 del Parlamento Europeo y del Consejo, de 4 de julio de 2012 (Reglamento Europeo de Sucesiones).

La transmisión o ajuste de los derechos de pensión de jubilación o de invalidez devengados durante el matrimonio y que no hayan dado lugar a ingresos en forma de pensión durante este, queda excluida del Reglamento pero no «*la cuestión de la clasificación de los activos de pensiones, los importes que ya se hayan abonado a uno de los cónyuges durante el matrimonio y la posible compensación que se concedería en caso de pensiones suscritas con bienes comunes*», según el Considerando 23.

Definiciones. Órgano jurisdiccional. El Artículo 3 establece algunas definiciones de entre las que destacamos el «Órgano jurisdiccional» que lo define como: «*toda autoridad judicial y todas las demás autoridades y profesionales del Derecho con competencias en materia de regímenes económicos matrimoniales y que ejerzan funciones jurisdic-*

cionales o que actúen por delegación de poderes de una autoridad judicial o bajo su control, siempre que dichas otras autoridades y profesionales del Derecho ofrezcan garantías en lo que respecta a su imparcialidad y al derecho de todas las partes a ser oídas, y que sus resoluciones, adoptadas con arreglo al Derecho del Estado miembro en el que actúan: a) puedan ser objeto de recurso o revisión ante la autoridad judicial; b) tengan una fuerza y unos efectos similares a los de la resolución de una autoridad judicial sobre la misma materia».

Así pues, de manera similar a lo establecido en el Reglamento Europeo de Sucesiones, los Notarios, en determinadas materias, tenemos el carácter de «Órgano Jurisdiccional» en cuanto que ejercemos unas funciones por delegación de un órgano jurisdiccional. Estas materias y en relación al tema que nos ocupa, son las Actas del artículo 53 LN para la determinación del régimen matrimonial legal y los Convenios de separación en las escrituras de separación y divorcio, en los supuestos en que somos competentes, esto es, con mutuo acuerdo y sin menores o incapacitados reguladas en los artículos 54 y 55 LN.

En el mismo sentido el Considerando 29 establece que: «A efectos del presente Reglamento, el término "órgano jurisdiccional" debe entenderse en un sentido amplio, que incluye no solo a los órganos jurisdiccionales en el sentido estricto de la palabra, que ejercen funciones judiciales, sino también, por ejemplo, a los notarios de algunos Estados miembros que, en determinadas cuestiones del régimen económico matrimonial, ejercen funciones judiciales del mismo modo que los órganos jurisdiccionales, así como los notarios y los profesionales del Derecho que, en algunos Estados miembros, ejercen funciones judiciales en materia de régimen económico matrimonial por delegación de poderes de un órgano jurisdiccional. Todos los órganos jurisdiccionales, tal como se definen en el presente Reglamento, deben regirse por las normas de competencia establecidas en el mismo. Por el contrario, el término "órgano jurisdiccional" no debe incluir a las autoridades no judiciales de un Estado miembro facultadas con arreglo al Derecho nacional para resolver las cuestiones relativas al régimen económico matrimonial, como los notarios en la mayoría de los Estados miembros cuando, como suele ser el caso, no ejercen funciones judiciales».

El Considerando 30: «El presente Reglamento debe permitir a todos los notarios competentes en materia de régimen económico matrimonial en los Estados miembros ejercer esas competencias. La sujeción de los notarios de un Estado miembro a las normas de competencia establecidas en el presente Reglamento debe depender de si están o no incluidos en la definición de "órgano jurisdiccional" a los efectos del presente Reglamento».

Y el Considerando 31: «Los actos expedidos por los notarios en materia de régimen económico matrimonial en los Estados miembros deben circular de conformidad con el presente Reglamento. Cuando los notarios ejerzan funciones jurisdiccionales, deben estar obligados por las normas de competencia establecidas en el presente Reglamento, y las resoluciones que dicten deben circular de acuerdo con las disposiciones del presente Reglamento sobre el reconocimiento, la fuerza ejecutiva y la ejecución de las resoluciones. Cuando los *notarios no ejerzan funciones jurisdiccionales, no deben estar obligados por dichas normas de competencia, y los documentos públicos que expidan deben circular de acuerdo con las disposiciones del presente Reglamento relativas a los documentos públicos».*

Junto a tal actividad jurisdiccional, los Notarios también desempeñamos nuestras actividades como fedatarios sin carácter jurisdiccional, cuando las partes requieren nuestra actuación de manera extrajudicial. A esta labor se refiere el Considerando 39: *«El presente Reglamento no debe obstar a que las partes resuelvan amistosa y extrajudicialmente el asunto relativo al régimen económico matrimonial, por ejemplo ante un notario, en el Estado miembro de su elección, en caso de que ello sea posible en virtud de la ley de dicho Estado miembro».*

COMPETENCIA INTERNACIONAL

Las reglas o puntos de conexión para determinar la competencia de los Órganos Jurisdiccionales de los Estados miembros vienen fijadas en los artículos 4 y ss. del Reglamento. Estas reglas determinan la competencia de los Estados, no de los órganos internos de cada Estado, que se regirán por sus propias normas internas.

En primer lugar, el Reglamento se ocupa de la competencia para el ámbito objetivo regulado en este reglamento, cuando está relacionado con dos materias concretas, la sucesión y la separación, divorcio y nulidad del matrimonio, quizá basándose en las ideas de que serán los casos más frecuentes y de que es más adecuado no fraccionar la resolución de los conflictos por temas de economía procesal.

Sucesión. Así, en caso de fallecimiento de uno de los cónyuges, si un órgano jurisdiccional de un Estado miembro conoce de la sucesión en aplicación del Reglamento (UE) 650/2012, los órganos del mismo Estado serán competentes para resolver sobre el régimen económico matrimonial en conexión con esa sucesión (art. 4). Como sabemos, el Reglamento Europeo de Sucesiones atribuye la competencia al Estado de la última residencia habitual del causante, salvo que hubiese un vínculo más estrecho con otro Estado o el causante hubiese elegido otro foro dentro de los límites y con las formalidades exigidas.

Separación, divorcio, nulidad. En análogo sentido, en caso de divorcio, separación judicial o anulación del matrimonio en virtud del Reglamento (CE) 2201/2003 (Bruselas II-bis), los órganos jurisdiccionales del Estado miembro ante los que se hubiese interpuesto la demanda, serán competentes para resolver sobre el régimen económico matrimonial que surja en conexión con dicha demanda (art. 5.1).

Acuerdo. No obstante, el artículo 5.2 permite el acuerdo de elección de los cónyuges cuando tal elección: a) sea un órgano jurisdiccional de un Estado miembro en el que el demandante resida habitualmente y haya residido durante al menos un año inmediatamente antes de la fecha de interposición de la demanda, b) sea un órgano jurisdiccional de un Estado miembro del que el demandante sea nacional y en el que resida habitualmente y haya residido durante al menos seis meses inmediatamente antes de la fecha de interposición de la demanda, c) sea un órgano jurisdiccional de un Estado miembro que deba resolver en los casos de conversión de la separación judicial en divorcio o en los casos de competencia residual.

Si este acuerdo de elección se celebra antes de que se requiera al órgano jurisdiccional que resuelva sobre el régimen económico matrimonial, dicho acuerdo deberá ser por escrito, fechado y firmado por las partes. Se considera escrito si se hace por medios electrónicos y con un registro duradero.

A falta de acuerdo y de conexión con separación, divorcio, nulidad o sucesión. Cuando no hay conexión con una sucesión, ni con caso de nulidad, separación o divorcio, ni hay elección, se aplican supletoriamente los puntos de conexión del artículo 6, que dice que serán competentes los Órganos Jurisdiccionales del Estado miembro siguientes:

a) de la residencia habitual de los cónyuges en el momento de la interposición de la demanda, o, en su defecto,

b) de la última residencia habitual de los cónyuges, siempre que uno de ellos aún resida allí en el momento de la interposición de la demanda, o, en su defecto,

c) de la residencia habitual del demandado en el momento de la interposición de la demanda, o, en su defecto,

d) de la nacionalidad común de los cónyuges en el momento de la interposición de la demanda.

Los puntos de conexión no son alternativos, sino por su orden, de modo que solo se aplica el siguiente en defecto del anterior.

Elección del Órgano jurisdiccional del Estado de la ley aplicable al fondo o del lugar de celebración del matrimonio. En los casos en que se aplique el artículo 6 (por tanto, no es posible en los casos de conexión con sucesión, nulidad, separación o divorcio), los cónyuges podrán elegir el Órgano jurisdiccional del Estado cuya ley sea aplicable al fondo en virtud del artículo 22 (Elección de ley aplicable) o artículo 26,1, a) o b) (en defecto de elección: ley de la primera residencia habitual o nacionalidad común) o del lugar de la celebración del matrimonio, para resolver las cuestiones sobre régimen económico matrimonial (art. 7). Este acuerdo deberá expresarse por escrito, fechado y firmado o por efectuado por medios electrónicos con registro duradero.

Según el artículo 8 también será competente el Órgano jurisdiccional del Estado cuya ley sea aplicable al fondo en virtud del artículo 22 o artículo 26,1, a) o b) ante el que comparezca el demandado, aunque esta regla no será de aplicación si la comparecencia tuviere por objeto impugnar la competencia, ni en los casos regulados por el artículo 4 o el artículo 5, apartado 1.

Según el artículo 9, si un órgano jurisdiccional del Estado miembro competente considera que en su Derecho internacional privado no está reconocido el matrimonio en cuestión, podrá inhibirse. En tal caso las partes podrán elegir otro que sea competente y, en caso contrario, recaerá en los órganos de otro Estado conforme a los artículos 6 u 8.

El artículo 10, recoge la competencia subsidiaria, cuando ningún Estado sea competente o se hayan inhibido, podrá ser competente el Órgano del Estado miembro del lugar del inmueble, aunque solo para resolver el asunto del bien inmueble de que se trate.

Finalmente el artículo 11, establece la competencia, con carácter excepcional, de los Órganos jurisdiccionales de cualquier Estado miembro, si ninguno fuera competente o se inhibiesen, pero el asunto deberá tener una conexión suficiente con el Estado miembro del órgano jurisdiccional que vaya a conocer de él.

Competencia Notarial. Toda esta complicación de puntos de conexión para determinar la competencia del Órgano jurisdiccional se simplifica si tiene que actuar el Notario, porque, como sabemos, solo puede actuar cuando hay acuerdo entre ambos cónyuges, por lo que solo le serán aplicables los casos en que haya acuerdo de elección válido o se aplique, en defecto de acuerdo, los criterios del artículo 6.a), b) o d), esto es, residencia habitual común en España, o última residencia habitual común en España, residiendo en España uno de ellos, o nacionalidad Española de ambos, todo ello en el momento del requerimiento.

Finalmente señalar que el Órgano Jurisdiccional deberá comprobar de oficio su propia competencia y hacerlo constar así en su resolución o declararse de oficio incompetente, si llega a tal conclusión (art. 15).

LEY APLICABLE

Una vez hemos estudiado los Órganos Jurisdiccionales de los Estados miembros que son competentes en materia de regímenes económicos matrimoniales, vamos a entrar en el estudio de la Ley aplicable al fondo de esta materia.

Debemos recordar que el concepto régimen económico matrimonial es muy amplio y abarca el conjunto de normas relativas a las relaciones patrimoniales entre los cónyuges y con terceros, como resultado del matrimonio o de su disolución (art. 3), o como señala el Considerando 18, «*no solo las normas imperativas para los cónyuges, sino también las normas opcionales que los cónyuges puedan acordar... Incluye no solo las capitulaciones matrimoniales..., sino también toda relación patrimonial, entre los cónyuges y en sus relaciones con terceros, que resulte directamente del vínculo matrimonial o de su disolución*».

El Reglamento es de aplicación universal, señalando el artículo 20 que: *«La ley que se determine aplicable en virtud del presente Reglamento se aplicará aunque no sea la de un Estado miembro»* y en el mismo sentido el Considerando 44: *«La ley determinada en virtud del presente Reglamento debe aplicarse aun cuando no sea la ley de un Estado miembro»*.

La ley aplicable al Régimen económico matrimonial lo es para *«todos los bienes incluidos en dicho régimen, con independencia de donde los bienes estén situados»* (art. 21). El Considerando 43 abunda en esta idea al señalar que: *«Por motivos de seguridad jurídica y para evitar la fragmentación del régimen económico matrimonial, la ley aplicable debe regular el régimen económico matrimonial en su conjunto, es decir, la totalidad del patrimonio de ese régimen, con independencia de la naturaleza de los bienes y de si los bienes están situados en otro Estado miembro o en un tercer Estado»*.

No obstante, la ley señalada por el Reglamento no se aplicará en un Estado si entra en colisión con el orden público o con las leyes de policía del foro que *«son disposiciones cuya observancia considera esencial un Estado miembro para salvaguardar sus intereses públicos, tales como su organización política, social o económica»*, según los artículos 30 y 31.

En cuanto al cambio de ley aplicable, su no retroactividad y la salvaguarda de derechos de los terceros, el Considerando *46* dice que: *«... no debe cambiarse la ley aplicable al régimen económico matrimonial sin la manifestación expresa de la voluntad de las partes. El cambio decidido por los cónyuges no debe surtir efectos retroactivos, salvo disposición contraria expresa por su parte. En todo caso, no podrá perjudicar los derechos de terceros»*. Todo ello lo fundamenta el mismo Considerando en la seguridad jurídica.

A. Elección de Ley

La ley por la que se van a regir las relaciones económico matrimoniales puede ser elegida por las partes, si bien tal elección está limitada a la Ley determinada por ciertos puntos de conexión que veremos. En defecto de elección, el Reglamento determina la ley que será aplicable (arts. 22 y 26).

Antes de continuar adelante vamos a hacer una precisión en cuanto al derecho interno. Nuestro artículo 9.2 CC nos permite la elección de la ley aplicable al matrimonio, pero parece que solo antes de celebrar el matrimonio, al decir: *«Los efectos del matrimonio se regirán por la ley personal común de los cónyuges al tiempo de contraerlo; en defecto de esta ley, por la ley personal o de la residencia habitual de cualquiera de ellos, elegida por ambos en documento auténtico otorgado antes de la celebración del matrimonio...»*.

Obviamente podemos cambiar el régimen económico matrimonial concreto, pero parece que no la ley por la que se rige el matrimonio. En este sentido el Reglamento es más permisivo y permite cambiar la propia Ley reguladora de los efectos del matrimonio. Ahora bien, el Reglamento no modifica nuestro régimen interno, pues solo regula el conflicto internacional. En este sentido el artículo 35 del Reglamento establece que no se aplica a los conflictos internos de leyes.

El artículo 22 del Reglamento establece que: «*Los cónyuges o futuros cónyuges podrán designar o cambiar de común acuerdo la ley aplicable a su régimen económico matrimonial, siempre que se trate de una de las siguientes leyes:*

a) la ley del Estado en el que los cónyuges o futuros cónyuges, o uno de ellos, tengan su residencia habitual en el momento de la celebración del acuerdo, o

b) la ley del Estado de la nacionalidad de cualquiera de los cónyuges o futuros cónyuges en el momento en que se celebre el acuerdo».

En consonancia con este artículo, el Considerando 45 establece que los cónyuges pueden hacer la elección antes, en el momento o durante el matrimonio y que la elección será entre las leyes que tengan una «*estrecha conexión en razón de su residencia habitual o de su nacionalidad*».

La elección es totalmente libre entre las señaladas, pero no se permite elegir otra Ley distinta a las citadas.

El Reglamento no establece normas para la acreditación de la residencia o de la nacionalidad, por lo que debe efectuarse por las reglas ordinarias, si bien debe estar referida al momento del acuerdo de elección.

En cuanto a los efectos del cambio de Ley aplicable, señalar que, en principio, el cambio no tiene efectos retroactivos pero es posible atribuirle voluntariamente eficacia retroactiva, aunque no en perjuicio de tercero. En este sentido el artículo 22.2 y 3 señalan que: «*2. Salvo acuerdo en contrario de los cónyuges, todo cambio de la ley aplicable al régimen económico matrimonial efectuado durante el matrimonio solo surtirá efectos en el futuro. 3. Ningún cambio retroactivo de la ley aplicable efectuado en virtud del apartado 2 afectará negativamente a los derechos de terceros derivados de dicha ley*».

El Reglamento no dicta normas para los casos de doble o múltiple nacionalidad. Carlos Jiménez dice que se podrá elegir cualquiera de las nacionalidades, ya que el Reglamento podría haber limitado la elección a la nacionalidad que efectivamente se estuviera utilizando o establecer cualquier otro criterio, pero no lo ha hecho. Nuestro Código Civil trata de esta cuestión en el artículo 9.9 CC, pero coincido con Carlos Jiménez en que no es aplicable esta norma de derecho interno.

La elección de la Ley aplicable se refiere al derecho material del Estado de que se trate, excluyendo sus normas de derecho internacional privado, pues queda excluido el reenvío en el artículo 32. Esto es congruente con el deseo de seguridad jurídica que proclama el Reglamento en los Considerandos 43 y 46.

La cuestión más difícil de resolver es la siguiente: ¿hasta dónde llega la libertad de elección en los Estados que tengan distintos regímenes jurídicos como es el caso de España? ¿Se puede elegir uno de los regímenes jurídicos internos o se ha de elegir la Ley del Estado en su totalidad y será ésta la que determine el régimen jurídico interno aplicable según sus normas de conflicto internas?

El Reglamento en sus artículos 33 y 34 se remite a las normas internas del Estado para resolver tal conflicto de leyes y solo establece normas especiales para los casos de ausencia de normas internas de conflicto de leyes. Por ello entiendo, junto con Carlos Jiménez, que los cónyuges solo podrán elegir la aplicación del ordenamiento jurídico español en su conjunto y, dentro del mismo, se aplicarán las normas de derecho interregional españolas. Sólo en el caso de que la elección se haga antes del matrimonio, las normas internas españolas permiten la elección de «*la ley personal o de la residencia habitual de cualquiera de ellos, elegida por ambos en documento auténtico otorgado antes de la celebración del matrimonio (art. 9.2 CC)*».

Requisitos formales del acuerdo de elección de Ley aplicable

El artículo 23 exige que el acuerdo de elección de la Ley aplicable se haga por escrito, fechado y firmado por ambos cónyuges, aunque también se admite que se efectúe por medios electrónicos, siempre que haya un registro duradero del acuerdo.

Pero «*si la ley del Estado miembro en el que ambos cónyuges tengan su residencia habitual en el momento de la celebración del acuerdo establece requisitos formales adicionales para las capitulaciones matrimoniales, dichos requisitos serán de aplicación*» (art. 23.2).

«*Si los cónyuges tienen su residencia habitual en distintos Estados miembros en el momento de la celebración del acuerdo y las leyes de ambos Estados disponen requisitos formales diferentes para las capitulaciones matrimoniales, el acuerdo será formalmente válido si cumple los requisitos de una de las dos leyes*» (art. 23.3). Y si solo uno de los cónyuges tiene su residencia habitual en un Estado miembro, deben cumplirse los requisitos formales adicionales que exija la Ley de este Estado (art. 23.4).

Por tanto, en general no se exige escritura pública, pero en el caso de España tendrá que cumplirse el requisito formal de la escritura pública que exige la normativa española.

Requisitos formales de las capitulaciones matrimoniales

El artículo 25 exige para la validez formal de las capitulaciones matrimoniales los mismos requisitos vistos para la elección de ley aplicable: que se haga por escrito, fechado y firmado por ambos cónyuges, aunque también se admite que se efectúe por medios electrónicos, siempre que haya un registro duradero del acuerdo. También exige que se cumplan los requisitos formales establecidos por la Ley del Estado miembro de residencia de los dos cónyuges o de uno de ellos

Pero añade un requisito más: «*Si la ley aplicable al régimen económico matrimonial impone requisitos formales adicionales, dichos requisitos serán de aplicación*» (art. 25.3).

En cuanto a la validez material del propio acuerdo de elección de la Ley aplicable al matrimonio, el artículo 24 dice que: «*La existencia y la validez de un acuerdo sobre la elección de la ley o de sus disposiciones se determinarán con arreglo a la ley que sería aplicable en virtud del artículo 22 si el acuerdo o la disposición fueran válidos*».

Su párrafo segundo contiene una particularidad en el caso de que un cónyuge defienda que no ha dado su consentimiento al pacto, pues podrá invocar la ley del país donde tenga su residencia habitual en el momento de la reclamación ante el órgano jurisdiccional, si de las circunstancias resulta que no sería razonable determinar el efecto de su conducta de conformidad con la ley especificada en el apartado 1, esto es, la Ley que se aplique al matrimonio según el convenio.

Esta ley de su residencia habitual solo regirá para determinar la validez o no de su consentimiento, pero obviamente puede dar lugar a la invalidación total del convenio por falta de consentimiento.

B. Ley aplicable en defecto de elección por las partes

Viene regulada en el artículo 26: En defecto de un acuerdo de elección, la ley aplicable al régimen económico matrimonial será la ley del Estado:

a) de la primera residencia habitual común de los cónyuges tras la celebración del matrimonio, o, en su defecto,

b) de la nacionalidad común de los cónyuges en el momento de la celebración del matrimonio, o, en su defecto,

c) con la que ambos cónyuges tengan la conexión más estrecha en el momento de la celebración del matrimonio, teniendo en cuenta todas las circunstancias.

Por tanto, varia el criterio dado por nuestro artículo 9.2 CC, cuyo orden, recordamos esquemáticamente es el siguiente: Ley personal común (nacionalidad común); elección antes del matrimonio entre la ley de la nacionalidad o residencia habitual de un cónyuge; residencia habitual común inmediata al matrimonio; lugar celebración matrimonio.

Añade nuestro artículo 9.3 CC que el pacto de régimen económico matrimonial en sentido estricto, puede hacerse si lo permite la Ley que rige los efectos del matrimonio o la de la nacionalidad o residencia habitual de cualquiera de los cónyuges al tiempo de su otorgamiento. Por tanto, con un criterio más rígido que el Reglamento, permite el cambio de régimen matrimonial en sentido estricto, pero no el de la Ley que rige los efectos del matrimonio.

Es claro el cambio de criterio prioritario del Reglamento que establece como tales, la elección y la residencia habitual, en vez del criterio prioritario del CC que es la nacionalidad y no tiene en cuenta el criterio del lugar de celebración del matrimonio.

El artículo 26 continúa haciendo algunas precisiones en su párrafo 2: Si los cónyuges tienen más de una nacionalidad común en el momento de la celebración del matrimonio, solo se aplicarán el criterio de la residencia habitual común y, en su defecto, el de la conexión más estrecha. Se excluye, por tanto, el criterio de la nacionalidad, posiblemente para evitar imprecisiones, ya que insistimos en que uno de los principios prioritarios del Reglamento es la seguridad jurídica.

El párrafo 3 del artículo 26 contiene una regla muy específica y excepcional para evitar los casos en que la primera residencia habitual común no tuvo gran duración y vinculación para los cónyuges y sí la tuvo la residencia en otro Estado, señalando que: «*a modo de excepción y a instancia de cualquiera de los cónyuges, la autoridad judicial que tenga competencia para resolver sobre el régimen económico matrimonial podrá decidir que la ley de un Estado distinto*» de la primera residencia habitual común «*regirá el régimen económico matrimonial si el demandante demuestra que: a) los cónyuges tuvieron su última residencia habitual común en ese otro Estado durante un período de tiempo considerablemente más largo que en el Estado*» de la primera residencia habitual común «*y b) ambos cónyuges se basaron en la ley de ese otro Estado para organizar o planificar sus relaciones patrimoniales*».

Esta nueva Ley se aplicará desde la celebración del matrimonio, a menos que un cónyuge no esté de acuerdo, en cuyo caso se aplicará desde la residencia habitual en el Estado cuya Ley se aplica.

Este cambio no perjudicará a terceros y tal cambio de ley aplicable no tendrá lugar si se han otorgado capitulaciones matrimoniales, lo cual es lógico pues el criterio de la libre elección tiene prioridad según el Reglamento, si bien con las limitaciones mencionadas.

¿Basta otorgar cualquier tipo de capitulaciones para que se excluya la posibilidad de este cambio? Entendemos que no es así, porque la norma debe entender por capitulaciones el acuerdo sobre la Ley aplicable a todos los efectos del matrimonio.

Ámbito de aplicación de la Ley aplicable

Ya hemos apuntado que el concepto régimen económico matrimonial es muy amplio y abarca todo el conjunto de normas relativas a las relaciones patrimoniales entre los cónyuges y con terceros, como resultado del matrimonio o de su disolución.

El artículo 27 determina más concretamente tal ámbito de aplicación de la ley aplicable que regulará «entre otros» (sin ánimo exhaustivo) lo siguiente:

a) la clasificación de los bienes de uno o ambos cónyuges en diferentes categorías durante la vigencia y después del matrimonio;

b) la transferencia de bienes de una categoría a otra;

c) la responsabilidad de uno de los cónyuges por las obligaciones y deudas del otro cónyuge;

d) las facultades, derechos y obligaciones de cualquiera de los cónyuges o de ambos con respecto al patrimonio;

e) la disolución del régimen económico matrimonial y el reparto, la distribución o la liquidación del patrimonio;

f) los efectos patrimoniales del régimen económico matrimonial sobre la relación jurídica entre uno de los cónyuges y un tercero, y

g) la validez material de las capitulaciones matrimoniales.

No obstante el Reglamento se preocupa de la protección a los terceros y el artículo 28 establece que la ley aplicable al régimen económico matrimonial no podrá ser invocada frente a un tercero que litigue con cualquiera de los cónyuges, salvo que el tercero conociera o, actuando con la debida diligencia, debiera haber tenido conocimiento de dicha ley.

Se considerará que el tercero conoce la ley aplicable al régimen económico matrimonial, si dicha ley es la que se aplica a la transacción entre los cónyuges y el tercero; o la Ley de la residencia habitual del cónyuge contratante y tercero; o la Ley del Estado del inmueble.

También se considera que el tercero conoce la ley aplicable al régimen matrimonial si los cónyuges hubieran divulgado o registrado el régimen matrimonial de conformidad con lo establecido en la Ley del Estado aplicable a la transacción; o de la residencia habitual del cónyuge y tercero; o del lugar del inmueble.

En el caso de que la ley aplicable al régimen económico matrimonial no pueda ser invocada por uno de los cónyuges ante un tercero conforme a lo expuesto, los efectos del régimen económico matrimonial frente a dicho tercero se regirán: a) por la ley del Estado aplicable a la transacción, b) en el caso de inmuebles o de los bienes o derechos registrados, por la ley del Estado en el que se halle el bien inmueble o en el que estén registrados los bienes o derechos.

Estados plurilegislativos

El Reglamento prevé la posibilidad de Estados con diversos regímenes jurídicos dentro de los mismos.

En primer lugar el Reglamento señala en su artículo 35 que no es aplicable a los conflictos de leyes internos al señalar: «*Los Estados miembros que comprendan varias unidades territoriales con sus propias normas en materia de regímenes económicos matrimoniales no estarán obligados a aplicar el presente Reglamento a los conflictos de leyes que se planteen entre dichas unidades territoriales exclusivamente*».

Por tanto, este reglamento no afecta a los conflictos de leyes que puedan surgir por la coexistencia de distintas legislaciones civiles en el territorio nacional que se seguirán resolviendo por los artículos 13 y ss. del CC.

Aparte de ello, el Reglamento trata esta materia en los artículos 33 y ss.

El artículo 33 contempla los conflictos territoriales de leyes, esto es, los que surgen en los Estados con varias unidades territoriales que tienen sus propias normas jurídicas. Para estos casos serán las normas de internas de conflicto de leyes de dicho Estado las que determinen la unidad territorial cuyas normas se aplicarán.

Si no existen tales normas, la referencia a residencia habitual se entenderá efectuada a la unidad territorial donde los cónyuges tengan su residencia habitual. La referencia a la nacionalidad se entenderá hecha a la unidad territorial donde los cónyuges tengan una conexión más estrecha.

El artículo 34 contempla los conflictos interpersonales de leyes, esto es, los que surgen en un Estado que tiene varios regímenes jurídicos o conjunto de normas aplicables a diferentes categorías de personas. En este caso la referencia a la ley de dicho Estado se entenderá como una referencia al régimen jurídico o conjunto de normas determinado por las normas vigentes en tal Estado. En defecto de tales normas, se aplicará el régimen jurídico con el que los cónyuges tengan una conexión más estrecha.

En lo referente a España se aplicarán las normas internas de vecindad civil y derecho interregional.

Cuando se trate de extranjeros que no tienen vecindad civil, habrá que acudir al criterio de la conexión más estrecha que nos conducirá al lugar de su residencia habitual y a la aplicación de la normativa de tal territorio.

RECONOCIMIENTO, FUERZA EJECUTIVA Y EJECUCIÓN DE RESOLUCIONES

Esta materia está regulada en el capítulo IV, artículos 36 y ss. del Reglamento, debiendo destacarse que solo se aplican a los Estados que han suscrito este Reglamento, señalando el artículo 36.1 que: «*Las resoluciones dictadas en un Estado miembro serán reconocidas en los demás Estados miembros sin necesidad de seguir procedimiento alguno*».

Distingue entre reconocimiento (arts. 36 a 41) y fuerza ejecutiva (arts. 42 a 57).

En materia de reconocimiento hay que distinguir entre reconocimiento incidental y reconocimiento principal. El reconocimiento incidental es el que debe hacer un funcionario o autoridad de un Estado para practicar una actuación que deriva de tal documento extranjero.

En cuanto a este reconocimiento incidental el art. 36 dice que: «*Las resoluciones dictadas en un Estado miembro serán reconocidas en los demás Estados miembros sin necesidad de seguir procedimiento alguno*».

Por tanto, el reconocimiento incidental es directo y no se necesita ningún procedimiento. Si la decisión de un Órgano jurisdiccional de un Estado miembro dependiere de la decisión sobre el reconocimiento incidental de una resolución extranjera, dicho Órgano jurisdiccional será competente para conocer de este reconocimiento (art. 36.3).

Por su parte el reconocimiento principal es una declaración que sirve para fijar claramente la autenticidad de la resolución y pueda ser utilizada en cualquier actuación, tenga o no fuerza ejecutiva y que ha de ser solicitada por parte interesada (art. 36.2).

El artículo 37 enumera los motivos de denegación del reconocimiento y que parece que se refiere a ambos tipos de reconocimiento ya que no distingue. Son los siguientes:

a) si el reconocimiento fuere manifiestamente contrario al orden público del Estado miembro en que se solicita;

b) cuando la resolución se haya dictado en rebeldía del demandado, si no se le hubiere notificado la demanda con tiempo suficiente para preparar su defensa, salvo que el demandado no hubiera recurrido cuando hubiera podido hacerlo;

c) si la resolución fuere inconciliable con una resolución dictada en un procedimiento entre las mismas partes en el Estado miembro en el que se solicita el reconocimiento;

d) si la resolución fuere inconciliable con otra resolución dictada en otro Estado miembro o no, con el mismo objeto y entre las mismas partes, cuando esta última resolución reúna las condiciones necesarias para su reconocimiento en el Estado miembro en el que se solicita el reconocimiento.

Las autoridades y funcionarios, incluidos Notarios y Registradores, a los que se solicite el reconocimiento, incluso incidental, deben comprobar que no concurren los casos de denegación. Esto no obstante, los Notarios solo podremos apreciar la concurrencia del motivo denegatorio del orden público, ya que los demás deberán ser alegados en un procedimiento, aunque se podría solicitar al interesado una manifestación sobre la ausencia de tales motivos de denegación de reconocimiento.

Sí debería suspenderse el reconocimiento, si la resolución extranjera ha sido objeto de recurso ordinario en el Estado miembro de origen (art. 41).

Pero en ningún caso se puede controlar la competencia del Órgano jurisdiccional del Estado de origen, ni siquiera alegando excepción de orden público (art. 39), ni ser objeto de revisión en cuanto al fondo (art. 40).

Los documentos que contengan las resoluciones extranjeras dictadas en el marco de este Reglamento no requieren legalización o apostilla, según el artículo 61, estando aquí comprendidas: el Acta del artículo 53 LN y los convenios matrimoniales que regulan aspectos patrimoniales, incorporados a las escrituras de separación y divorcio.

Pero conviene hacer la siguiente precisión: el Reglamento será aplicable a partir del 29 de enero de 2019. Por tanto, hasta esa fecha, no rige esta norma y solo los acuerdos o resoluciones de nulidad, separación y divorcio estarán amparados por la exención de la apostilla en base al artículo 52 del Reglamento 2201/2003 (Bruselas II-bis), no así los acuerdos relativos a aspectos patrimoniales o régimen económico matrimonial, hasta que entre en vigor el Reglamento que comentamos.

Reconocimiento de resoluciones extranjeras en el derecho interno

En nuestro derecho interno, el reconocimiento de resoluciones extranjeras en materia de Jurisdicción Voluntaria en términos generales, viene regulado en los artículos 9 y ss. LJV.

No obstante, las normas del Reglamento se aplican con carácter preferente a las normas internas. Por ello las resoluciones extranjeras en materias del Reglamento se rigen enteramente por el propio reglamento y no por la LJV, pero solo a partir de su entrada en vigor (29 enero 2019) y solo para los países firmantes del Reglamento 2016/1103.

Así podemos concluir en que toda resolución extranjera sobre materias de este Reglamento (regímenes económico matrimoniales), si no tiene fuerza ejecutiva, será reconocida incidentalmente sin ningún procedimiento especial, con el límite del orden público. No puede denegarse el reconocimiento incidental por incompetencia manifiesta del órgano extranjero que la dictó o por infracción de los derechos de defensa, salvo que no se le hubiere notificado la demanda con tiempo para preparar la defensa o el demandado no hubiere recurrido cuando podía hacerlo.

Además, a instancia de parte puede ser reconocida a título principal a través de un procedimiento.

Si la resolución extranjera tiene fuerza ejecutiva necesita un procedimiento especial de reconocimiento previsto en el Reglamento.

Hasta la entrada en vigor del Reglamento 2016/1103 o si se trata de resoluciones de Estados no firmantes, el reconocimiento de decisiones dictadas por órganos extranjeros en esta materia de regímenes económico matrimoniales, se regirá por los artículos 9 y ss. LJV.

Establece el artículo 12 LJV.: «*Los actos de jurisdicción voluntaria acordados por las autoridades extranjeras que sean firmes surtirán efectos en España y accederán a los registros públicos españoles previa superación de su reconocimiento conforme a lo dispuesto en la legislación vigente. El órgano judicial español o el Encargado del registro público competente lo será también para otorgar, de modo incidental, el reconocimiento en España de los actos de jurisdicción voluntaria acordados por las autoridades extranjeras. No será necesario recurrir a ningún procedimiento específico previo*».

El reconocimiento solo podrá ser denegado si hubiera sido acordado por autoridad extranjera manifiestamente incompetente, o con manifiesta infracción de los derechos de defensa de cualquiera de los implicados, o contrario al orden público español o implicara la violación de un derecho fundamental o libertad pública de nuestro ordenamiento jurídico (art. 12.3 LJV).

La inscripción en Registros españoles será posible si ha obtenido el exequátur o ha sido reconocida incidentalmente en España o podrá ser inscrita por el Encargado del registro correspondiente, si verifica la concurrencia de los requisitos exigidos para ello. Hasta entonces sólo podrá ser objeto de anotación preventiva (artículo 11 LJV).

5.4. ESCRITURA DE SEPARACIÓN Y DIVORCIO MATRIMONIAL

La competencia de los Notarios en materia de separación y el divorcio matrimonial ha sido una novedad introducida por la Ley 15/2015 de Jurisdicción Voluntaria.

Esta materia está tratada básicamente en los artículos 81 y ss. del CC, en el artículo 54 L.N. según la redacción dada por la misma L.J.V.

Pero la competencia de los Notarios en esta materia no se limita a los nacionales españoles, sino que también pueden ejercer estas funciones cuando se trata de extranjeros, materia ésta que está regulada por el Reglamento 2201/2003 del Consejo, de 27 de noviembre de 2003 en cuanto a la competencia, reconocimiento y ejecución de resoluciones judiciales en materia matrimonial y de responsabilidad parental (BRUSELAS II-bis) y por el Reglamento 1259/2010 del Consejo, de 20 de diciembre de 2010 sobre la Ley aplicable al divorcio y separación judicial (ROMA III), además de nuestra Ley Orgánica de 6/1985 de 6 de julio, del Poder Judicial.

Estudiaremos conjuntamente la separación y el divorcio.

5.4.1. Competencia para la separación y divorcio

Comenzaremos a estudiar las normas del derecho interno español sobre esta materia de separación y divorcio.

En cuanto a la **separación**, dispone el artículo 82 CC.: «*1. Los cónyuges podrán acordar su separación de mutuo acuerdo transcurridos tres meses desde la celebración del matrimonio mediante la formulación de un convenio regulador ante el Secretario judicial o en escritura pública ante Notario, en el que, junto a la voluntad inequívoca de separarse, determinarán las medidas que hayan de regular los efectos derivados de la separación en los términos establecidos en el artículo 90. Los funcionarios diplomáticos o consulares, en ejercicio de las funciones notariales que tienen atribuidas, no podrán autorizar la escritura pública de separación.*

Los cónyuges deberán intervenir en el otorgamiento de modo personal, sin perjuicio de que deban estar asistidos por Letrado en ejercicio, prestando su consentimiento ante el Secretario judicial o Notario. Igualmente los hijos mayores o menores emancipados deberán otorgar el consentimiento ante el Secretario judicial o Notario respecto de las medidas que les afecten por carecer de ingresos propios y convivir en el domicilio familiar.

2. No será de aplicación lo dispuesto en este artículo cuando existan hijos menores no emancipados o con la capacidad modificada judicialmente que dependan de sus progenitores».

En cuanto al **divorcio**, el artículo 87 CC se remite a las mismas normas del artículo 82 CC al decir que: «*Los cónyuges también podrán acordar su divorcio de mutuo acuerdo mediante la formulación de un convenio regulador ante el Secretario judicial o en escritura pública ante Notario, en la forma y con el contenido regulado en el artículo 82, debiendo concurrir los mismos requisitos y circunstancias exigidas en él. Los funcionarios diplomáticos o consulares, en ejercicio de las funciones notariales que tienen atribuidas, no podrán autorizar la escritura pública de divorcio*».

Por su parte, el artículo 54 LN establece que: «*1. Los cónyuges, cuando no tuvieren hijos menores no emancipados o con la capacidad modificada judicialmente que dependan de ellos, podrán acordar su separación matrimonial o divorcio de mutuo acuerdo, mediante la formulación de un convenio regulador en escritura pública. Deberán prestar su consentimiento ante el Notario del último domicilio común o el del domicilio o residencia habitual de cualquiera de los solicitantes.*

2. Los cónyuges deberán estar asistidos en el otorgamiento de la escritura pública de Letrado en ejercicio.

3. La solicitud, tramitación y otorgamiento de la escritura pública se ajustarán a lo dispuesto en el Código Civil y en esta ley».

Competencia funcional

Cuando haya hijos menores no emancipados o con la capacidad modificada judicialmente que dependan de sus progenitores, la competencia corresponde exclusivamente al Juzgado. A este caso hay que asimilar el supuesto de que la esposa esté embarazada, pues el concebido se tiene por nacido para todos los efectos que le sean favorables (art. 29 CC).

Fuera de tales casos, son competentes para la separación matrimonial, los Secretarios Judiciales (o Letrados de la Administración de Justicia) y los Notarios y no lo son los Funcionarios Diplomáticos o Consulares, aunque éstos tienen asignadas las funciones notariales en sus respectivas sedes.

Competencia territorial

La elección de Notario no es totalmente libre, sino que viene determinada por el domicilio de los interesados, lo que es congruente con lo dispuesto en el artículo 2.2 LJV: *«En los expedientes de jurisdicción voluntaria la competencia territorial vendrá fijada por el precepto correspondiente en cada caso, sin que quepa modificarla por sumisión expresa o tácita».*

Así, el artículo 54 L.N. establece que será competente el Notario del último domicilio común de los solicitantes o el del domicilio o residencia habitual de cualquiera de ellos.

En cuanto a la distinción entre domicilio y residencia, diremos que el Código Civil en su artículo 40 prácticamente los equipara, al decir que *«el domicilio de las personas naturales es el lugar de su residencia habitual y, en su caso, el que determine la Ley de Enjuiciamiento Civil».*

No obstante, el domicilio responde más a un concepto jurídico y la residencia a una situación de hecho.

La residencia habitual de cualquiera de los cónyuges se acreditará de la forma ordinaria, esto es, según lo que conste en el D.N.I., o con Certificado de empadronamiento, sin perjuicio de poder exigir otros medios de prueba, si se considera necesario. En cuanto al domicilio común, puede surgir alguna duda si no coinciden los domicilios de ambos cónyuges en tales documentos, pero en la práctica no creo que plantee problemas, porque con asegurarnos que somos competentes respecto uno de los cónyuges parece que estará solucionado el problema. No obstante, no cabe duda de que debe darse preferencia a la acreditación del domicilio familiar común, sobre la acreditación de la residencia habitual fáctica de cualquiera de los cónyuges.

Si se trata de extranjeros, deberán acreditar residencia administrativa en España mediante el Certificado de Registro de Ciudadano de la Unión (si se trata de miembro de UE) o tarjeta de residencia correspondiente o bien con la Resolución de Concesión de Residencia, en los que consta no solo la autorización para residir en España, sino también el domicilio.

El Notario deberá examinar de oficio su propia competencia y hacerlo constar así en el documento que autorice, de conformidad con el artículo 13 LJV: «*Las disposiciones de este Capítulo se aplicarán a todos los expedientes de jurisdicción voluntaria en lo que no se opongan a las normas que específicamente regulen las actuaciones de que se trate*», y artículo 16 LJV: «*Presentada la solicitud de iniciación del expediente, el Secretario judicial examinará de oficio si se cumplen las normas en materia de competencia objetiva y territorial*». Si el Notario no se considerase competente deberá indicar el órgano que estima competente para conocer del expediente (art. 16.2 LJV).

Conflictos de competencias

Esta materia de colisión de expedientes está tratada en el artículo 6 de la LJV al decir que si se tramiten simultáneamente dos o más expedientes con idéntico objeto, proseguirá la tramitación del primero que se hubiera iniciado y se acordará el archivo de los demás y esto será aplicable también a los expedientes tramitados por Notarios y Registradores en las materias en que sean competentes. Añade que no se podrá iniciar o continuar la tramitación de un expediente de jurisdicción voluntaria sobre un objeto que esté siendo sustanciado en un proceso jurisdiccional, debiéndose proceder al archivo del expediente y remisión al juzgado de las actuaciones realizadas. Solo se acordará la suspensión cuando exista un proceso jurisdiccional contencioso cuya resolución pudiese afectarle.

El problema es que no existe un sistema de comunicación entre todos los funcionarios que son competentes para tramitar la separación o el divorcio, por lo que solo podemos conocer la existencia de un procedimiento abierto sobre la misma materia por la declaración de los propios interesados. Esto nos lleva a dos conclusiones. En primer lugar se hace necesario exigir una declaración explicita de los interesados de que no existe ningún procedimiento de separación o divorcio entre ellos abierto ante el Juzgado, ni ante Letrado de la Administración de Justicia, ni ante otro Notario o funcionario que pueda resultar competente (recordemos que es posible la intervención de funcionarios extranjeros en esta materia cuando hay elementos transnacionales).

La segunda conclusión es que se hace necesario establecer un sistema de comunicación entre todos los funcionarios competentes para formar un registro en el que poder consultar si se ha iniciado un trámite de separación o divorcio. Estimo imprescindible que, al menos, el colectivo Notarial establezca un sistema similar al de las Actas de Notoriedad de Declaración de herederos Ab intestato a estos fines.

5.4.2. Procedimiento

A. REQUISITOS

De la lectura del artículo 82 CC se deducen gran cantidad de requisitos:

- Actuación de mutuo acuerdo.
- Comparecencia «*de modo personal*»
- Asistencia de Letrado en ejercicio.
- Que hayan transcurrido 3 meses desde la celebración del matrimonio.
- Que se formule Convenio Regulador.
- Que no existan hijos menores no emancipados
- Que no existan hijos mayores con la capacidad modificada judicialmente que dependan de sus progenitores.
- Que si existen hijos mayores o menores emancipados que carezcan de ingresos propios y convivan en el domicilio conyugal, presten el consentimiento respecto de las medidas que les afecten.

Examinaremos a continuación algunos de tales requisitos:

1. Actuación de mutuo acuerdo

En primer lugar, decir que es necesario acreditar la celebración e inscripción del matrimonio mediante la exhibición de Certificación del registro Civil o del Libro de Familia. Este requisito viene exigido por el artículo 777,2 L.E.C.

El requisito del mutuo acuerdo no parece que nos vaya a plantear problemas, pues si hay la más mínima discrepancia entre las partes sobre la separación misma o algún punto del convenio debemos negar la autorización y deberá acudirse a la separación judicial a que se refiere el artículo 81 CC; lo cual es congruente con la actividad notarial que está presidida por la idea de ausencia de controversia entre las partes.

2. Comparecencia «*de modo personal*»

En principio, la comparecencia personal excluye la comparecencia a través de poder. Parece adecuado que un acto tan personal como la separación no pueda otorgarse mediante un poder general, por muy amplios que sean los términos del mismo, pero lo que no es tan comprensible es que no se pueda otorgar mediante un poder especialísimo que incluya también los términos del convenio que se pacte, convirtiendo al apoderado en un mero «nuntius». No podemos olvidar que otro acto tan personal como éste, el matrimonio, sí puede ser celebrado por poder, siquiera poder especial.

No obstante, la Resolución de la DGRN de 7 de junio de 2016 ha dejado muy claro en sus conclusiones que «el otorgamiento de la escritura de divorcio será siempre personal y simultánea» como requisito exigido por el foro.

Por tanto, la citada resolución llega a más, no solo deben comparecer personalmente (sin posibilidad de hacerlo por apoderado), sino que además su comparecencia ha de ser «simultánea».

Coincido plenamente con Carlos Jiménez Gallego en que no se acaba de comprender este requisito de la simultaneidad. Además, el propio artículo 777.2 L.E.C. dice: *«Admitida la solicitud de separación o divorcio, el Secretario judicial citará a los cónyuges, dentro de los tres días siguientes, para que se ratifiquen por separado en su petición»*, por lo que en sede judicial sí se admite la ratificación separada siquiera en el breve plazo de 3 días.

Esta rigidez en la simultaneidad de la comparecencia, unida a la imposibilidad del uso de poder, ni siquiera poder especialísimo, puede dar lugar a problemas en casos de extrema dificultad en la actuación conjunta.

Yo me atrevo a pensar, con Carlos Jiménez Gallego, que la decisión de la DG se refiere a excluir los otorgamientos sucesivos en casos de mera conveniencia de los cónyuges, pero no en supuestos en los que hay razón objetiva que justifique tal otorgamiento separado (prisión, orden judicial de alejamiento, internamiento en la UVI), pues ello nos conduciría a privar a un ciudadano de su derecho legítimo a obtener una separación o divorcio que le están reconocidos por la Ley.

En todo caso, la decisión de la DG es clara y a ella debemos atenernos.

En cuanto a la posibilidad de la representación legal, hay que excluirla totalmente debido al carácter personalísimo del consentimiento en la separación o divorcio. No obstante, José Manuel Vara González y Juan Pérez Hereza citan la STC 311/2000 de 18 de diciembre que reconoció legitimación al tutor de un incapacitado para interponer demanda de separación matrimonial, pero esto fue un caso absolutamente excepcional, con unos presupuestos de hecho muy especiales, aparte de que queda absolutamente fuera de la competencia notarial.

3. Asistencia de Letrado en ejercicio

Viene exigido por los artículos 82 CC para la separación, 87 CC para el divorcio por remisión al anterior y 54 LN.

Parece claro que basta un solo Letrado para asistir a ambos cónyuges si así lo desean.

El Letrado deberá estar en ejercicio y debe acreditarse, si no le consta al Notario. En este sentido es aconsejable hacer constar su número de colegiado. Si hay un solo Letrado deberá indicarse que asiste a los dos cónyuges y, si hay más de uno, se deberá indicar a cuál de los comparecientes asiste cada uno, aunque tampoco veo inconveniente a que se manifieste que los dos o más Letrados asisten conjuntamente a ambos cónyuges, quienes por su parte deberán asumir tal asistencia.

Estimo que el Letrado debe firmar la escritura, como acreditativo de su presencia y asesoramiento a las partes, aunque no parece ser un requisito absolutamente necesario.

No entraremos en la cuestión de la justificación o no de la presencia de Letrado en los casos que nos ocupan. Solo decir que la función de tales Letrados no es tanto la defensa de una o de las dos partes, sino más bien la de asesoramiento a las partes. Pero este asesoramiento no limita ni sustituye en modo alguno el asesoramiento a que está obligado el Notario y al control que exige a éste último, no solo la Ley y el Reglamento Notarial en general, sino también el artículo 90.2 CC que, recordamos, dice: «*Cuando los cónyuges formalizasen los acuerdos ante el Secretario judicial o Notario y éstos considerasen que, a su juicio, alguno de ellos pudiera ser dañoso o gravemente perjudicial para uno de los cónyuges o para los hijos mayores o menores emancipados afectados, lo advertirán a los otorgantes y darán por terminado el expediente*».

La asistencia de Letrado es un requisito formal que se exige para la separación o divorcio, de manera que su falta determina la ineficacia de tales actos y no podrán ser objeto de inscripción en el Registro Civil. El convenio firmado sin la asistencia de Letrado podrá valer como acuerdo inter partes pero no será una auténtica separación matrimonial o divorcio por falta de un requisito formal.

Algo similar podríamos decir si uno de los cónyuges no reconoce para sí la asistencia del Letrado. Faltaría un requisito formal y debemos negar el otorgamiento.

4. Que hayan transcurrido 3 meses desde la celebración del matrimonio

No debe plantear problema alguno. Puede ser constatado en base al Certificado de Matrimonio o Libro de Familia que es preciso aportar.

Mencionar que en el ámbito judicial el artículo 81,2° CC permite a uno solo de los cónyuges la interposición de la demanda, sin esperar el transcurso de tres meses, «*cuando se acredite la existencia de un riesgo para la vida, la integridad física, la libertad, la integridad moral o libertad e indemnidad sexual del cónyuge demandante o de los hijos de ambos o de cualquiera de los miembros del matrimonio*». Pero entendemos que este precepto no es aplicable al caso de la separación ante Notario, aparte del hecho de que sería difícil que en los casos citados concurriese mutuo acuerdo de los cónyuges.

Volveremos sobre este requisito al hablar de las separaciones o divorcios con elementos transfronterizos, pues este requisito es considerado por la Resolución de 7 junio 2016 como requisito ligado a la Ley aplicable y no procedimental, por lo que se puede prescindir de él, si no lo exige la Ley aplicable al fondo.

5. Que se formule Convenio Regulador

El contenido del convenio regulador viene determinado por el artículo 90 CC y debe referirse al menos a los siguientes puntos:

- La atribución del uso de la vivienda y ajuar familiar.
- La contribución a las cargas del matrimonio y alimentos, así como sus bases de actualización y garantías en su caso.
- La liquidación, cuando proceda, del régimen económico del matrimonio.
- La pensión que conforme al artículo 97 correspondiere satisfacer, en su caso, a uno de los cónyuges.

El mismo artículo 90 CC también se refiere al cuidado de los hijos sujetos a la patria potestad de ambos, el ejercicio de ésta y, en su caso, el régimen de comunicación y estancia de los hijos con el progenitor que no viva habitualmente con ellos y al régimen de visitas y comunicación de los nietos con sus abuelos, pero dado que los Notarios no somos competentes cuando hay hijos menores, estas materias no constarán en los convenios que documentemos.

El Notario debe comprobar que se hace referencia a todos estos puntos, aunque sea para decir que no procede su regulación por la causa que fundamente su ausencia, como ocurre en los casos en que no hay vivienda familiar o no procede el pago de pensión compensatoria.

En cuanto a la liquidación del régimen matrimonial, puede posponerse a un momento o a un documento posterior, pero conviene hacer referencia a este hecho.

Lo dicho es el contenido mínimo del convenio regulador que debe controlar el Notario, pero no se excluyen otros pactos distintos a los mencionados, siempre que estén relacionados o conexos con la liquidación del régimen matrimonial. No se pueden admitir otros actos o negocios jurídicos que no estén directamente relacionados con la separación o divorcio o la liquidación del régimen matrimonial. La distinción entre unos y otros no será siempre fácil pero podemos guiarnos por las numerosas resoluciones de la DG sobre materias contenidas en los convenios matrimoniales aprobados judicialmente, en las que admitía o rechazaba su inscripción. En términos generales la DG establece como doctrina reiterada en su Resolución de 9 de septiembre de 2015 que: *«sólo pueden acceder al Registro por este medio del convenio regulador negocios jurídicos relativos al procedimiento judicial de liquidación de la sociedad conyugal y de las relaciones patrimoniales entre los cónyuges que tengan una causa familiar»*.

De una manera más concreta citaremos:

- Admite el convenio para inscribir adjudicaciones de bienes adquiridos en consideración a la vida en común por ambos cónyuges y los relativos a la vivienda familiar, aunque sea propiedad de uno de los cónyuges o haya sido adquirida antes de casarse. (Resoluciones 11 de abril de 2012 y 9 de septiembre de 2015).

- No es inscribible un convenio regulador de divorcio, por el que uno de los ex-cónyuges vende al otro la mitad indivisa de una vivienda, pactándose que el documento deberá ser elevado a escritura pública. (Resolución 5 septiembre 2012)

- los cónyuges pueden transmitirse bienes privativos con ocasión de la liquidación de los bienes gananciales en el convenio regulador, pero solo cuando sea imprescindible para la liquidación de los bienes comunes, de modo que la causa exclusiva de dicha transmisión sea la de posibilitar la liquidación de los bienes comunes. No es posible la transmisión de una vivienda privativa de la esposa, que la había adquirido estando soltera y sin que conste que haya habido préstamo hipotecario para su adquisición que se hubiera pagado, al menos en parte, constante el matrimonio. (R. 30 de junio de 2015).

- El convenio no es vehículo adecuado para inscribir declaraciones de obra nueva (R. 24 de octubre de 2016).

6. Control Notarial o control de lesividad. El Notario debe constatar que el convenio regulador trata las materias señaladas, pero en esta materia el artículo 90.2.parrafo 2º del CC le obliga a más. Así el artículo 90.2.parrafo 3º CC dice que: «*Cuando los cónyuges formalizasen los acuerdos ante el Secretario judicial o Notario y éstos considerasen que, a su juicio, alguno de ellos pudiera ser dañoso o gravemente perjudicial para uno de los cónyuges o para los hijos mayores o menores emancipados afectados, lo advertirán a los otorgantes y darán por terminado el expediente. En este caso, los cónyuges sólo podrán acudir ante el Juez para la aprobación de la propuesta de convenio regulador*».

Este artículo obliga al Notario a un control o calificación del contenido del convenio regulador que tiene como finalidad evitar un grave perjuicio para alguno de los cónyuges o hijos mayores o emancipados. Este control excede del control de legalidad a que sí estamos acostumbrados los Notarios y debiendo extenderse al fondo del propio convenio, lo que ya no es tan habitual en nuestra actuación.

En sede judicial, el artículo 777,7 y 8 LEC permite al Juez no aprobar en todo o parte el convenio y conceder a los interesados un plazo para modificar los puntos no aprobados por el Tribunal, pudiendo finalmente el Juez resolver lo que considere procedente, siendo el Auto que acuerde alguna medida no propuesta por los cónyuges, recurrible en apelación. Claramente estas medidas no pueden tener lugar en sede Notarial.

¿Cuál ha de ser, pues, la actuación del Notario en este control de lesividad?

Una primera posición podría ser: el Notario debe comprobar que no hay infracción de ninguna norma imperativa o ausencia de alguna formalidad esencial y, caso contrario, negar autorización. En lo demás solo se limitará a advertir las cláusulas que considera lesivas y otorgar en todo caso la separación o el divorcio. No parece ser esta la literalidad del artículo 90, que exige incluso que el Notario dé por terminado el expediente y remita a los interesados al Juzgado.

Por su parte, José Manuel Vara González y Juan Pérez Hereza señalan que las ideas básicas que deben presidir el control de lesividad son las siguientes:

- Una mínima intervención en el convenio, pues no se deben generar conflictos donde hay un acuerdo, más aun si no hay menores ni incapacitados que deban ser protegidos.

- para apreciar el carácter dañoso o gravemente perjudicial de un acuerdo se deben tener en cuenta aspectos objetivos, más que subjetivos sobre el beneficio económico que tal acuerdo pueda suponer para una parte en detrimento de la otra.

- en el ámbito patrimonial debe primar la libertad contractual, pues mantener que un cónyuge es más débil puede ir contra el principio de igualdad consagrado en la Constitución. Añaden que el control de lesividad debe quedar reducido a aquellos pactos que excluyen derechos indisponibles para los esposos e hijos mayores dependientes (ej. alimentos).

Carlos Jiménez en este punto de control de lesividad, opina que hay que asegurarse que el cónyuge que pudiera resultar perjudicado tiene conocimiento de lo que podría obtener y no obtiene y comprobar que un cónyuge no se está aprovechando del otro, obteniendo ventajas que no le corresponderían según la ley.

En mi opinión, es difícil pronunciarse sobre este delicado punto que tiene que conciliar la libertad de contratar con la evitación de abusos y perjuicios.

En principio entiendo que ante una cláusula dudosa nuestra primera obligación es asegurarnos que el posible perjudicado entiende perfectamente las consecuencias de ella y debe pedir una explicación que la justifique, aunque solo sea de manera relativa. Puede solicitar a los interesados que maticen o determinen más claramente en el convenio las consecuencias negativas de tal cláusula, o efectuarlo el Notario mismo como una reserva y advertencia más. Si aun así no queda convencido, el Notario tiene la obligación de negar su autorización y remitir a los interesados al Juzgado. En tal caso no se autorizará la escritura y me parece muy buena idea la que propone Carlos Jiménez y apuntan también José Manuel Vara González y Juan Pérez Hereza, de redactar un oficio explicando su actuación, lo que puede servir también para salvar la responsabilidad del Notario por denegación de funciones.

José Manuel Vara González y Juan Pérez Hereza hacen un loable estudio del contenido del convenio regulador, cuya lectura recomendamos, examinando pactos concretos y expresando su opinión y la postura jurisprudencial sobre la posibilidad o no de incluir tales pactos en el convenio. Expondremos muy esquemáticamente tales ideas.

– Pactos sobre las relaciones personales entre los cónyuges y sus hijos mayores de edad o con otros parientes.

No son admisibles pactos por los que un cónyuge se obliga a residir o no residir en determinada población, región o Estado; los pactos por los que uno de los cónyuges se obliga frente al otro a no acoger a alguno o a todos los hijos en su domicilio, o a no acoger a una ulterior pareja o a otros parientes o terceros en su domicilio. Atentan contra la libertad de residencia y la libertad de los cónyuges e hijos mayores de establecer libremente sus relaciones familiares.

Sí sería admisible la obligación de un cónyuge de acoger en su propia residencia a un hijo o hijos hasta su independencia económica o durante un plazo.

– Pactos sobre uso de vivienda: la regla general es que el uso de la vivienda familiar suele atribuirse a los hijos menores de edad, pero es posible pacto en contra (art. 96 CC) incluso con menores, por lo que con más razón será admisible en pacto en contra, habiendo solo mayores de edad. Si la vivienda está hipotecada, el pago de las cuotas corresponde al régimen económico matrimonial y no a las obligaciones de alimentos, y los gastos del uso de la vivienda son a cargo del cónyuge usuario, sin consideración a quién sea el titular del dominio.

De asignarse el uso de la vivienda al cónyuge no titular de la misma debería expresarse la causa de la atribución: como prestación alimenticia, como prestación compensatoria, o en consideración a que su interés es el más necesitado de protección (art. 96,3º CC).

De asignarse el uso de la vivienda a los mayores por plazo indefinido, estaríamos más bien ante una liberalidad y debería documentarse en escritura aparte con aceptación de los interesados. De ser la asignación bajo condición, deberían determinarse claramente causas objetivas para el cumplimiento de la condición, ya que expresiones como «*hasta que hayan alcanzado independencia económica*», dejan gran indeterminación y pueden dar lugar a un pleito.

Señalan los repetidos autores la conveniencia de valorar económicamente el uso de la vivienda como contribución en especie a los alimentos de los hijos, aunque la falta de tal dato no puede ser base para negar la autorización por el Notario.

– Pactos sobre alimentos a hijos mayores de edad. La ausencia de pactos sobre prestaciones de alimentos a hijos mayores de edad no puede impedir al Notario la firma del convenio, por no ser éste un requisito esencial. Además tal ausencia de pactos no quiere decir que no existan pactos exteriores al convenio, sino que simplemente los cónyuges no dispondrán de título ejecutivo para su reclamación judicial.

En cambio el pacto por el que los cónyuges se eximen de prestar alimentos a los hijos, cualquiera que sea su justificación (como disponer de prestaciones de otros familiares o entidades), debe dar lugar a la denegación de las funciones notariales por ser tal cláusula contraria a la naturaleza misma del deber de alimentos.

En cuanto a la cuantía de las prestaciones, al no ser un dato objetivo, el Notario no podrá negar su actuación por considerar lesiva por escasa la cuantía de la pensión pactada para el cónyuge o los hijos. Incluso en el caso de desigualdad acentuada de las pensiones de los cónyuges a favor de los hijos, el control de lesividad debe quedar fuera de la apreciación del Notario, dado que puede basarse en la diferencia de caudales de los progenitores (artículo 145 CC).

El pacto por el que se estipule que la pensión alimenticia se pague directamente por el cónyuge deudor a los hijos o a un tercero en interés de los hijos, no solo es válido sino muy pertinente, para evitar el riesgo de que el cónyuge no pagador exija que se le abonen las prestaciones en favor de los hijos que le corresponderían legalmente, evitando además que tales pagos sean considerados como prestaciones gratuitas.

El pacto por el que uno solo de los cónyuges o cada uno de ellos con independencia del otro, deba hacer frente a una posible reclamación de alimentos de los hijos, es contrario a la mancomunidad establecida en el artículo 145.1 CC, por lo que debe ser rechazado.

Los pactos por los que se entrega un capital en efectivo o determinados bienes en pago de pensiones o alimentos, son válidas, aunque deben hacerse en la forma documental que corresponda (escritura pública, si se trata de inmuebles) y debe determinarse claramente la causa de la atribución, la cual será onerosa y no gratuita.

– Los pactos por los que se atribuye a uno de los cónyuges la representación procesal de los hijos para reclamar frente al otro progenitor, no pueden admitirse, ya que con la mayor edad cesa la representación de los hijos por los padres y se sustituye la voluntad personalísima de los hijos en un convenio en el que no son parte.

7. Examen especial de la pensión compensatoria

Viene regulada en los siguientes artículos:

El artículo 97 CC que: *«El cónyuge al que la separación o el divorcio produzca un desequilibrio económico en relación con la posición del otro, que implique un empeoramiento en su situación anterior en el matrimonio, tendrá derecho a una compensación que podrá consistir en una pensión temporal o por tiempo indefinido, o en una prestación única, según se determine en el convenio regulador o en la sentencia...»*

«... En la resolución judicial o en el convenio regulador formalizado ante el Secretario judicial o el Notario se fijarán la periodicidad, la forma de pago, las bases para actualizar la pensión, la duración o el momento de cese y las garantías para su efectividad».

Artículo 99 CC: «*En cualquier momento podrá convenirse la sustitución de la pensión fijada judicialmente o por convenio regulador formalizado conforme al artículo 97 por la constitución de una renta vitalicia, el usufructo de determinados bienes o la entrega de un capital en bienes o en dinero*».

Artículo 100 CC: «*Fijada la pensión y las bases de su actualización en la sentencia de separación o de divorcio, sólo podrá ser modificada por alteraciones en la fortuna de uno u otro cónyuge que así lo aconsejen.*

La pensión y las bases de actualización fijadas en el convenio regulador formalizado ante el Secretario judicial o Notario podrán modificarse mediante nuevo convenio, sujeto a los mismos requisitos exigidos en este Código».

Artículo 101 CC: «*El derecho a la pensión se extingue por el cese de la causa que lo motivó, por contraer el acreedor nuevo matrimonio o por vivir maritalmente con otra persona.*

El derecho a la pensión no se extingue por el solo hecho de la muerte del deudor. No obstante, los herederos de éste podrán solicitar del Juez la reducción o supresión de aquélla, si el caudal hereditario no pudiera satisfacer las necesidades de la deuda o afectara a sus derechos en la legítima».

Es, por tanto, una prestación que debe hacer un cónyuge a otro como consecuencia del desequilibrio económico o empeoramiento que sufre un cónyuge con ocasión de una separación o divorcio con respecto a la situación económica mantenida durante el periodo de matrimonio.

Su naturaleza es la de un derecho de crédito de tipo económico que tiene su origen en la Ley.

Es fundamental para su estudio partir de la base de que la pensión compensatoria es distinta de la obligación de alimentos y como consecuencia es disponible, negociable y renunciable y no exige que el cónyuge que la reciba esté en una situación de necesidad, sino puede incluso proceder aunque tal cónyuge disponga de recursos propios. Puede incluso renunciarse anticipadamente y en este sentido la STS, Civil sección 1 del 10 de octubre de 2008 (ROJ: **STS 5995/2008**) Recurso: 1923/2002, que determina que la pensión compensatoria es renunciable pero no el derecho de alimentos, que se mantiene mientras subsiste el vínculo matrimonial.

Esto trae como consecuencia que la mayoría de los pactos sobre la pensión compensatoria son admisibles y difícilmente se puede apreciar en ellos indicios de lesividad al efecto de denegar las funciones notariales.

Para apreciar el desequilibrio patrimonial hay que tener en cuenta las circunstancias existentes en el momento de la separación o divorcio, no siendo admisible pactos que traten de referirlas a otros instantes futuros. No obstante las circunstancias futuras pueden dar lugar a la modificación de la pensión (art. 100 CC).

Forma de pago de la pensión compensatoria. El artículo 97 CC dice que podrá consistir *«en una pensión temporal o por tiempo indefinido o en una prestación única»*

Será válido el pacto que establece un límite temporal a la pensión. También el que establece el límite en el cumplimiento de una condición, si bien se deben evitar condiciones que no sean suficientemente objetivas y cuya constatación de su cumplimiento o no, pueda dar lugar a una disputa (hasta que los hijos alcancen independencia económica, hasta que los hijos acaben sus estudios). Quizá en estos casos de dificultades de apreciación del cumplimiento de la condición, puede añadirse un término temporal (hasta que los hijos acaben sus estudios y en todo caso dentro de cinco años).

La fijación de condiciones como: mientras viva el acreedor o deudor son especialmente adecuadas. La condición de: mientras no contraiga nuevo matrimonio o viva maritalmente con otra persona el acreedor, son también especialmente adecuadas porque las recoge el código (art. 101 CC) como causa de extinción, aunque la prueba de la convivencia marital puede ser problemática.

También será válida la pensión por tiempo indefinido, porque lo admite el precepto legal, en cuyo caso no está de más advertir que durará mientras viva el cónyuge acreedor o contraiga nuevo matrimonio o viva maritalmente con otra persona (art. 101 CC), pero no se extingue por muerte del deudor, sino que pasará a sus herederos, si bien éstos podrán solicitar reducción o suspensión de conformidad con el artículo 101.2º CC, si el caudal hereditario no fuera suficiente o afectara a las legítimas. Lo que no es aconsejable es no hacer mención alguna sobre la duración de la pensión.

El artículo 97 CC admite también la entrega de una cantidad única y aunque no recoja otras formas de pago, entendemos que será válida cualquier otro medio, como la transmisión de un usufructo, un uso temporal o vitalicio, una propiedad mobiliaria o inmobiliaria y otros, pero en estos casos habrá que emplear la formalidad adecuada a tal transmisión, como es la escritura pública, si se trata de inmuebles.

También es admisible el pacto por el que el pago de la pensión compensatoria que corresponde a un cónyuge, sea abonada a los hijos o a un tercero, debiéndose hacer constar claramente que tal pago se hace en concepto de pensión compensatoria y no de mera liberalidad a los hijos o tercero.

Igualmente será posible su renuncia no solo en el propio convenio regulador sino también con anterioridad, en capitulaciones matrimoniales o en pactos preventivos de la separación o divorcio. No obstante lo dicho, es muy aconsejable mencionarla en el convenio, aunque solo sea para decir que se renuncia a ella en el acto o que se renunció a la misma en acuerdo previo, lo que se ratifica en el propio convenio. La insistencia en que ratifique la renuncia en la misma escritura de separación o divorcio es porque hay jurisprudencia reacia a admitir la renuncia anticipada, por lo que es muy conveniente tal ratificación de la renuncia, una vez consumado el derecho a obtener la pensión.

Son admisibles los pactos de actualización de la pensión, especialmente si lo son referidos a alguno de los índices oficiales. Y de conformidad con el artículo 99 CC será válida en cualquier momento la sustitución de la pensión por la constitución de una renta vitalicia, el usufructo de determinados bienes o la entrega de un capital en efectivo.

Garantías: Son admisibles las garantías que los interesados consideren convenientes para asegurar el cumplimiento de las obligaciones contraídas en el convenio (art. 97 in fine CC).

8. Los hijos

Hijos comunes o no. La primera cuestión que se nos plantea es a qué hijos se refiere la norma, si solo a los hijos comunes o también a los hijos habidos con otros matrimonios o parejas. La cuestión no es baladí, porque algunos acuerdos como los relativos a pensión económica o al uso de la vivienda familiar, entre otros, pueden afectar también a los últimos. Pero parece claro que la norma solo se refiere a los hijos comunes, pues ni las disposiciones actuales ni las anteriores hacen referencia alguna a los hijos no comunes. No obstante esta opinión no es unánime.

Lo que parece claro es que el convenio no debe contener disposiciones relativas a los hijos no comunes y si las contiene, se deberá solicitar a los interesados y al Letrado asesor que las retire. No hay inconveniente en que tales acuerdos se plasmen en otro documento separado, pero no deben formar parte de la escritura de separación o divorcio, que tiene un contenido típico.

Acreditación de ausencia de hijos. La segunda cuestión es si la ausencia de hijos debe o no acreditarse. Todos sabemos la dificultad de la acreditación de los hechos negativos y de la conveniencia de que en el Registro Civil se hiciera una referencia a los hijos en la inscripción de matrimonio o de nacimiento de los padres, pero esto no ocurre por el momento. Entiendo que no está de más pedir el Libro de Familia para acreditar que no hay hijos, pero estimo que la única prueba está en la declaración responsable de los padres y ésta nos debe bastar. Por el contrario Carlos Jiménez estima que la mera manifestación no debe ser suficiente. Entiendo que esta es una postura muy prudente, pero me inclino por la admisión de la declaración responsable de los padres sobre la ausencia de hijos como prueba suficiente, salvo que haya indicios de lo contrario, en cuyo caso estimo procedente pruebas complementarias, especialmente testificales de parientes cercanos.

La declaración de ausencia de hijos debe ser completada con la declaración de la esposa de que no se encuentra encinta, ratificada por el esposo, bastando también ambas declaraciones responsables, salvo evidencias en contra.

El problema se plantea si ambos manifiestan que el concebido no es del otro cónyuge. Carlos Jiménez dice que es imprudente actuar hasta que se produzca el nacimiento y la filiación haya quedado inscrita en el Registro Civil y, por tanto, los cónyuges deberán acudir al Juzgado si no quieren esperar el nacimiento del hijo.

Realmente no sé qué postura tomar en este caso. Pero la opinión de Carlos Jiménez de esperar al nacimiento del hijo y su inscripción en el Registro Civil me parece la más prudente. Una vez inscrito en el Registro Civil gozará de la presunción de exactitud (art. 16 LRC) y de la eficacia probatoria (art. 17 LRC) de los asientos registrales y estaremos ante el caso ordinario de un hijo no común. Con esto evitamos la posibilidad remota (o no tanto) de que el presunto padre se lo piense mejor y no reconozca al recién nacido, en cuyo caso jugarían las presunciones de los artículos 116 y ss. del CC, siendo en este caso el marido el que tendría que destruir la presunción mediante una prueba en contrario. En mi opinión este supuesto difiere del anterior sobre la ausencia de hijos, porque aquí hay una presunción legal en contra de lo manifestado por las partes, lo que no ocurre en el caso de ausencia de hijos. Esto justifica, no solo una mayor prudencia, sino también que la mera manifestación no baste para destruir la presunción legal a favor de la paternidad.

Hijos mayores con la capacidad modificada judicialmente. En cuanto a los hijos mayores con la capacidad modificada judicialmente que dependan de sus progenitores, entiendo que deben darse cumulativamente los dos requisitos y basta que se manifieste que existen tal clase de hijos para que el Notario deniegue la autorización de la separación o divorcio.

El problema se presenta si se declara que existen hijos con capacidad modificada judicialmente, pero se alega que no dependen de los progenitores. Habrá que analizar en tales casos la sentencia de incapacitación, el nombramiento de tutor o curador y la razón de su no dependencia de los progenitores, debiendo oír, no solo a los cónyuges que solicitan la separación o divorcio, sino también a los tutores o curadores. La verdad es que se me hace extraño este supuesto porque lo habitual será que en un caso de incapacidad de hijo, se prorrogue la patria potestad de los padres. Pero hay que reconocer que es posible la pérdida de la patria potestad sobre el incapacitado, el nombramiento de tutores o curadores que no sean los padres y finalmente que el incapacitado tenga patrimonio suficiente para su sustento o bien, que a pesar de su incapacidad, pueda desempeñar un trabajo retribuido.

La expresión «que dependan de sus progenitores» es bastante vaga. Primeramente señalar que no se predica de los hijos menores, sino solo de los que tienen capacidad modificada judicialmente, esto es, los menores dependan o no de sus progenitores, excluyen la intervención notarial.

Segundo, esta dependencia de los progenitores ¿se refiere solo al aspecto económico o también al físico (habitar y recibir los cuidados de los progenitores) o incluso al jurídico (ser sus representantes legales como titulares de la patria potestad prorrogada o curadores)? En mi opinión se refiere a todo. Entiendo que los estos hijos «dependen» de sus padres si éstos se encuentran en cualquiera de los supuestos mencionados, esto es, no es suficiente para declarar la competencia notarial que los cónyuges aleguen que el hijo discapacitado vive con ellos pero tiene fondos propios, o incluso que vive fuera del hogar familiar con fondos propios aunque los cónyuges siguen ostentando la patria potestad prorrogada. En todos casos y en mi opinión, debemos inhibirnos en favor del Juzgado que según entiendo deberá adoptar las medidas oportunas de protección del discapacitado como dar traslado al Ministerio fiscal.

Si existen hijos incapacitados de hecho que no han sido incapacitados judicialmente, estoy de acuerdo con la tesis general de que hay que abstenerse de otorgar la separación o el divorcio e incluso comunicarlo al Ministerio Fiscal en base al artículo 230 CC, entre otros. El problema estriba en que solo con conoceremos este hecho si espontáneamente nos lo manifiestan los cónyuges. Por ello no será mala idea que preguntemos a los cónyuges requirentes si tienen hijos mayores con algún grado de incapacidad y que recojamos en la escritura su respuesta negativa.

En este punto el problema principal surgirá si existe una declaración administrativa de cierto grado de incapacidad, la cual es muy frecuente que se obtenga para gozar de ciertos privilegios fiscales e incluso ayudas económicas. Si las incapacidad o deficiencia es meramente física, no nos afecta al caso, ya que la normativa que nos ocupa habla de «*capacidad modificada judicialmente*» que parece obvio se refiere a capacidad psíquica no motora, aunque estos hijos podrían encajar en los «mayores o menores emancipados» que por carecer de ingresos propios y convivir en el domicilio familiar deban prestar consentimiento a las medidas que les afecten.

El problema se presentará si la declaración administrativa determina cierto grado de incapacidad psíquica, aunque no exista incapacitación judicial. En este punto, entiendo que José Manuel Vara González y Juan Pérez Hereza están muy acertados cuando afirman que «*en el ámbito notarial la situación hace tránsito a un problema de juicio de capacidad*». En efecto entiendo, junto a dichos autores, que el Notario debe examinar al presunto incapaz y decidir si, a su juicio, tiene capacidad mental suficiente para entender el divorcio de sus padres y la trascendencia de sus consecuencias y efectos. Creo que sería excesivo suponer, solo a la vista de la declaración administrativa, que el hijo es incapaz y remitir a los interesados al juzgado y ello, porque incluso podría ocurrir que en un eventual juicio de incapacitación, el Juez no viese motivo para tal y rechazase la pretensión de incapacitación. Así pues, si no hay incapacitación judicial, hay una presunción de capacidad incluso con tal declaración administrativa de minusvalía psíquica, y el Notario debe examinar al presunto incapaz y formular un juicio de capacidad como estamos a acostumbrados a efectuar en cualquier otorgamiento. Si el resultado de este juicio es negativo por no poder alcanzarse la plena certeza de capacidad, negar la autorización y remitir a los interesados a la separación o divorcio judicial.

Hijos mayores o menores emancipados dependientes y convivientes. En cuanto a los hijos mayores o menores emancipados que carezcan de ingresos propios y conviven en el domicilio conyugal, comentaremos lo siguiente:

Primero que se trata de requisitos cumulativos, esto es, tienen que concurrir los dos para que se precise su consentimiento. La ausencia de ingresos propios puede probarse por la mera manifestación responsable de los cónyuges y del hijo que deberá prestar el consentimiento. Realmente lo que debería preocuparnos es la manifestación en contrario, esto es, que los requirentes manifiesten que algún hijo convive con ellos pero que dispone de ingresos propios «suficientes» para su sustento. Destaco la palabra suficientes porque la estimo básica, esto es, aunque no lo diga la Ley, los ingresos propios deben ser suficientes, porque si son ínfimos y no le garantizan poderse mantener por sí mismo, debemos insistir en que preste el consentimiento. Yo exigiría aquí algún medio de prueba complementario de la manifestación de los requirentes que apoye la realidad de los ingresos y su suficiencia, quizá nóminas o certificado de empresa o seguridad social sobre su retribución. Más problema será decidir qué entendemos por suficiente. En este punto sí admitiría la manifestación de los requirentes si la retribución supera el salario mínimo interprofesional. Me parece que no podemos llegar a más, siquiera tal salario es un mínimo.

El hecho de la convivencia tampoco puede plantear graves problemas. Al igual que en el caso anterior, lo que debe preocuparnos es que no convivan, pues si lo hacen, deberá exigirse su consentimiento. La convivencia o no, puede probarse por Certificado de Empadronamiento que determine quienes están empadronados en el mismo domicilio. Yo, en principio, admitiría la mera manifestación de los cónyuges acerca de que no convive con ellos ningún mayor de edad, a no ser que existan dudas, en cuyo caso exigiría tal Certificado de Empadronamiento o pruebas complementarias.

Otra cuestión es si los hijos convivientes y sin ingresos tienen que comparecer siempre para prestar su consentimiento o solo cuando haya medidas que les afecten. Mi opinión es que tienen comparecer siempre, aunque la Ley no lo diga de manera tan clara. Por lo pronto hay una medida que les va a afectar siempre que es la atribución del uso de la vivienda y ajuar familiar. Además, la pensión que corresponda satisfacer por un cónyuge a favor del otro, es una medida que difícilmente podemos asegurar que no les va a afectar en absoluto, tanto si conserva el uso de la vivienda familiar el pagador como si lo es el beneficiario. Y tratar de juzgar si tal o cual medida les afecta o no, excede del ámbito de la actuación Notarial para entrar en el ámbito judicial. En todo caso, si el convenio contiene determinadas prestaciones o asignaciones a alguno de los hijos mayores, parece claro que el hijo interesado deberá comparecer a consentirlas y, en caso contrario, denegar la autorización, cualesquiera que sean las manifestaciones de los padres sobre la dependencia o no del hijo.

Lo que sí encontramos posible es que el hijo se limite a prestar el consentimiento a algunas medidas concretas, manifestando en la escritura que su consentimiento se ciñe a tales medidas, porque entiende que las demás no le afectan. En tal caso no es el Notario el que juzga si estas medidas le afectan o no, sino el propio interesado, que luego no podrá reclamar en contra de sus propios actos.

La cuestión más espinosa es si la falta de consentimiento de un hijo que reúna las características de conviviente y sin ingresos, puede bloquear la escritura. José Manuel Vara González y Juan Pérez Hereza se inclinan por la idea de que si el hijo mayor dependiente y conviviente no quiere comparecer, o se niega a firmar la escritura o formula reservas, el Notario debe denegar su actuación y remitir a los interesados al Juzgado y yo me sumo a esta opinión.

El consentimiento del hijo conviviente y sin ingresos ha de ser personal, pero estimo que también puede darse por medio de apoderado, aunque no baste el poder general, sino que ha de ser un poder especial que debe incluir el texto íntegro del convenio, para que quede claro que todas las disposiciones del convenio son conocidas por el hijo, tanto las que le afectan para consentirlas, como las que no le afectan, al menos para que, respecto de éstas, pueda claramente comprobar que, a su juicio, no le afectan.

En cuanto a la simultaneidad de la prestación del consentimiento por el hijo o hijos afectados, ni la normativa ni la Resolución de la DGRN de 7 de junio 2016, dicen que deba ser simultánea al consentimiento de los cónyuges a la separación o divorcio, por lo que podrá otorgarse en un momento posterior. Esto, aunque posible, es muy arriesgado porque puede dejarnos con la escritura firmada y pendiente del consentimiento del hijo o hijos largo tiempo. Todos hemos sufrido situaciones similares. Yo solo lo admitiría en casos extremos y con justificación razonable, pero dejando muy claro que toda la escritura está pendiente de la condición suspensiva de tal consentimiento y que solo se remitirá copia al Registro Civil cuando se cumpla la condición y adquiera plena eficacia, haciendo las advertencias oportunas.

B. FORMA: Escritura pública

El artículo 49 LN dice: «*Los Notarios intervendrán en los expedientes especiales autorizando actas o escrituras públicas:*

1.º Cuando el expediente tenga por objeto la declaración de voluntad de quien lo inste o la realización de un acto jurídico que implique prestación de consentimiento, el Notario autorizará una escritura pública.

2.º Cuando el expediente tenga por objeto la constatación o verificación de un hecho, la percepción del mismo, así como sus juicios o calificaciones, el Notario procederá a extender y autorizar un acta».

De este artículo y de los artículos 82 y 87 CC se deduce claramente que la forma documental para autorizar una separación o divorcio ante Notario es la escritura pública.

Esto trae como consecuencia que tanto la separación como el divorcio normalmente se tramitarán en unidad de acto, como consecuencia de la comparecencia ante el Notario de los cónyuges, el o los Letrados y, en su caso, los hijos mayores o menores emancipados que han de dar el consentimiento. No tendrán lugar las medidas provisionales que para las separaciones o divorcios en sede judicial establecen los artículos 102 y ss. CC y esto no solo por la celeridad del documento Notarial, sino también porque el Notario carece de facultades para imponer medidas coercitivas a los cónyuges en defecto de los acuerdos convenidos entre ellos.

A la escritura se incorporará el Convenio acordado por los cónyuges y, en su caso, las garantías reales o personales pactadas para asegurar el cumplimiento del convenio.

C. INSCRIPCIÓN EN EL REGISTRO CIVIL

Viene regulada por el artículo 61 L.R.C. de 2011 que establece: *«El Secretario judicial del Juzgado o Tribunal que hubiera dictado la resolución judicial firme de separación, nulidad o divorcio deberá remitir en el mismo día o al siguiente hábil y por medios electrónicos testimonio de la misma a la Oficina General del Registro Civil, la cual practicará de forma inmediata la correspondiente inscripción. Las resoluciones judiciales que resuelvan sobre la nulidad, separación y divorcio podrán ser objeto de anotación hasta que adquieran firmeza.*

La misma obligación tendrá el Notario que hubiera autorizado la escritura pública formalizando un convenio regulador de separación o divorcio».

Por el momento y como sabemos, no está implementado el sistema de remisión telemática por lo que habrá que acudir al tradicional de remisión de copia por correo con aviso de recibo.

D. EFECTOS DE LA SEPARACIÓN Y DIVORCIO

Según el artículo 83 y 89 CC, los efectos de la separación o divorcio ante Notario se producirán desde la manifestación del consentimiento de ambos cónyuges otorgado en escritura pública, si bien hasta la inscripción en el Registro Civil, no se producirán efectos respecto de terceros de buena fe.

El artículo 83 CC, en concordancia con el artículo 102 CC, añade que la sentencia de separación o el otorgamiento de la escritura pública del convenio regulador que determine la separación, producen la suspensión de la vida común de los casados y cesa la posibilidad de vincular bienes del otro cónyuge en el ejercicio de la potestad doméstica, lo que no estaría de más insertarlo en la escritura como advertencia.

Además, según el artículo 95 CC la escritura que formalice el convenio regulador producirá, respecto de los bienes del matrimonio, la disolución o extinción del régimen económico matrimonial y aprobará su liquidación si hubiera mutuo acuerdo entre los cónyuges al respecto.

Otro de los efectos muy importantes es la revocación de los poderes entre cónyuges al señalar el artículo 102 CC que: «*Admitida la demanda de nulidad, separación o divorcio, se producen, por ministerio de la Ley, los siguientes efectos:... 2. Quedan revocados los consentimientos y poderes que cualquiera de los cónyuges hubiera otorgado al otro*».

Personalmente esta revocación es una de las cuestiones que más me preocupa en la práctica diaria, porque, al examinar un poder de un cónyuge a otro, no se nos puede olvidar que, si lo otorgaron en estado de casados y ahora están separados o divorciados, hay que entender que el poder está revocado por ministerio de la Ley. Entiendo que ello es así, aunque después haya habido reconciliación.

No estaría de más preguntar a los cónyuges si existen poderes de uno a otro y efectuar una revocación expresa, con remisión de partes de revocación a los Notarios autorizantes.

E. LA RECONCILIACIÓN

Señala el Artículo 84 CC que: *La reconciliación pone término al procedimiento de separación y deja sin efecto ulterior lo resuelto en él, pero ambos cónyuges separadamente deberán ponerlo en conocimiento del Juez que entienda o haya entendido en el litigio. Ello no obstante, mediante resolución judicial, serán mantenidas o modificadas las medidas adoptadas en relación a los hijos, cuando exista causa que lo justifique.*

Cuando la separación hubiere tenido lugar sin intervención judicial, en la forma prevista en el artículo 82, la reconciliación deberá formalizase en escritura pública o acta de manifestaciones.

La reconciliación deberá inscribirse, para su eficacia frente a terceros, en el Registro Civil correspondiente».

A pesar de la dicción del artículo 84 CC, hemos de entender que la reconciliación debe otorgarse en escritura pública y no en Acta de Manifestaciones, por ser aquél el instrumento adecuado para recoger declaraciones de voluntad. Hemos de entender que el Acta de Manifestaciones queda reservada a otros funcionarios que hayan podido intervenir en la separación, como los Letrados de la Administración de Justicia.

Hay que tener en cuenta que la reconciliación solo procede en los casos de separación, no de divorcio, aunque los divorciados pueden volver a casarse entre sí. En este sentido, el Artículo 88 CC dice que: «*La reconciliación posterior al divorcio no produce efectos legales, si bien los divorciados podrán contraer entre sí nuevo matrimonio*».

Quizá la cuestión más interesante es si la reconciliación tiene que ser necesariamente ante el mismo Notario que decretó la separación o puede elegirse otro que sea competente conforme al artículo 54 LN. El artículo 84 CC refiriéndose a la separación en sede judicial, remite para la reconciliación al Juez «*que entienda o haya entendido en el litigio*». Pero la LN no dice nada al respecto, por lo que parece que es admisible que se otorgue ante el mismo u otro Notario, siempre que sea competente para actuar según el propio artículo 54 LN, esto es: el Notario del último domicilio común o el del domicilio o residencia habitual de cualquiera de los solicitantes. Así lo entienden también José Manuel Vara González y Juan Pérez Hereza.

Por otra parte, los cónyuges separados pueden acudir al divorcio por vía judicial, o mediante LAJ (Secretario Judicial) o cualquier Notario que sea competente, sin necesidad de que sea el mismo que les otorgó la separación.

F. COMPETENCIA INTERNACIONAL. REGLAMENTOS EUROPEOS

La proliferación de matrimonios entre nacionales de diversos países es una realidad creciente en nuestros días, por lo que es inevitable que se presenten al Notario casos de separación y divorcio con elementos internacionales.

La normativa europea sobre separación y divorcio viene regulada básicamente por:

- el Reglamento (CE) 2201/2003 de 27 de noviembre de 2003, en cuanto a la competencia, reconocimiento y ejecución de las resoluciones judiciales en materia matrimonial y de responsabilidad parental (Bruselas II-bis), aplicable desde el 1 de marzo de 2005.

- el Reglamento (CE) 1259/2010 de 20 de diciembre de 2010, en cuanto a la Ley aplicable al divorcio y a la separación judicial (Roma III), aplicable desde el 21 de junio de 2012.

- el Reglamento (CE) 4/2009 de 18 de diciembre de 2008, en cuanto a la competencia, la Ley aplicable, el reconocimiento y ejecución de las resoluciones y la cooperación en materia de obligaciones de alimentos (Bruselas III), aplicable a partir del 18 de junio de 2011.

La Resolución de la DGRN (sistema notarial) de 7 de junio 2016, resume la actuación Notarial y, en mi opinión, es de imprescindible lectura, si bien sus puntos principales serán objeto de comentario más adelante.

1. El Reglamento 2201/2003 de 27 de noviembre de 2003, en cuanto a la competencia, reconocimiento y ejecución de las resoluciones judiciales en materia matrimonial y de responsabilidad parental (Bruselas II-bis)

Regula la competencia y reconocimiento de las resoluciones en esta materia de separación y divorcio.

Su entrada en vigor tuvo lugar el 1 de agosto de 2004 y es aplicable desde 1 de marzo de 2005, según su artículo 72 (salvo los artículos 67 a 70 que se aplican desde 1 agosto 2004).

Es obligatorio y directamente aplicable a los estados miembros (art. 72), excepto Dinamarca (Considerando 31).

No regula la ley aplicable al fondo de la nulidad, separación o divorcio, que está reservada al Reglamento 1259/2010 (Roma III).

Tampoco regula la ley aplicable al fondo de las obligaciones de alimentos que están reguladas por el Reglamento 4/2009 (Bruselas III). (Considerando 11).

Es importante destacar que a diferencia del Reglamento Europeo de sucesiones 650/2012 que se remite a la legislación del Estado para determinar la competencia de las distintas legislaciones dentro del mismo, el Reglamento que nos ocupa reconoce la existencia de territorios dentro del mismo Estado que tienen ordenamientos jurídicos propios. Así el artículo 66 establece: *Por lo que se refiere a un Estado miembro en el que se apliquen en entidades territoriales diferentes dos o más ordenamientos jurídicos o conjuntos de normas relativos a las cuestiones reguladas por el presente Reglamento:*

a) toda referencia a la residencia habitual en ese Estado miembro se entenderá como una referencia a la residencia habitual en una unidad territorial;

b) toda referencia a la nacionalidad, o en el caso del Reino Unido al «domicile», se entenderá como una referencia a la unidad territorial designada por la legislación de ese Estado;

c) toda referencia a la autoridad de un Estado miembro se entenderá como una referencia a la autoridad de la unidad territorial en cuestión de ese Estado;

d) toda referencia a las normas del Estado miembro requerido se entenderá como una referencia a las normas de la unidad territorial en la que se pretende la competencia, el reconocimiento o la ejecución.

El artículo 2 hace una serie de precisiones terminológicas. En este sentido conviene aclarar que los Notarios españoles somos considerados *«Órganos jurisdiccionales»* y *«Jueces»* en cuanto que tenemos competencia en las materias que regula este reglamento, aunque no será así si la Ley española no nos ha conferido competencias equivalentes. En resumen, tenemos la consideración de «Órganos jurisdiccionales» y «Jueces» respecto de separación y divorcio, pero no respecto de nulidad de matrimonio.

Igualmente, las escrituras de separación y divorcio tendrán la consideración de «*resoluciones judiciales*», en cuanto que están dictadas por un órgano competente de un Estado miembro.

Competencia de los Órganos jurisdiccionales de los Estados miembros

El Reglamento 2201/2003 se aplica por los órganos jurisdiccionales de los Estados miembros, con independencia de la nacionalidad de los sujetos afectados o de su residencia, siempre que tales autoridades sean competentes según las reglas del propio Reglamento.

La competencia de los Órganos jurisdiccionales se determina por los criterios de residencia habitual y nacionalidad.

La materia está regulada en el artículo 3 del Reglamento, conforme al cual en los asuntos relativos al divorcio, la separación judicial y la nulidad matrimonial son competentes los órganos jurisdiccionales del Estado miembro:

a) en cuyo territorio se encuentre:

– la residencia habitual de los cónyuges,

– el último lugar de residencia habitual de los cónyuges, siempre que uno de ellos aún resida allí, o

– la residencia habitual del demandado, o

– en caso de demanda conjunta, la residencia habitual de uno de los cónyuges, o

– la residencia habitual del demandante si ha residido allí durante al menos un año inmediatamente antes de la presentación de la demanda, o

– la residencia habitual del demandante, en caso de que haya residido allí al menos los seis meses inmediatamente anteriores a la presentación de la demanda y es nacional del Estado miembro en cuestión o, en el caso del Reino Unido e Irlanda, tenga allí su «domicile»;

b) de la nacionalidad de ambos cónyuges o, en el caso del Reino Unido y de Irlanda, del «domicile» común.

A esto se puede añadir, según el artículo 5, que el órgano jurisdiccional del Estado miembro que hubiere dictado una resolución sobre la separación judicial será asimismo competente para la conversión de dicha resolución en divorcio, si la ley de dicho Estado miembro lo prevé.

Finalmente, como expresamente establece la Resolución D.G.R.N. de 7 de junio de 2016 (sistema notarial), la aplicación de los foros recogidos en el artículo 22 quater c) de la L.O.P.J. queda reducida al solo caso en el que ningún Tribunal de un Estado miembro disponga de competencia con arreglo al Reglamento Bruselas II-bis (art. 7); en tal caso la competencia se determinará con arreglo a las leyes del Estado miembro ante el que se presenta la demanda.

Competencia de Notario español

Como sabemos, el Notario español solo tiene competencia en esta materia de separación o divorcio cuando hay acuerdo entre los dos cónyuges. Por ello, los únicos casos en los que el Notario español será competente para actuar son los siguientes:

1. Que sea España la residencia habitual de los cónyuges en el momento de otorgarse la escritura de separación o divorcio

2. Que sea España la última residencia habitual de los cónyuges (aunque ahora no lo fuera), siempre que uno de ellos aun resida en España, en el momento de la escritura.

3. Que sea España la residencia habitual de uno cualquiera de los cónyuges.

4. Que los dos cónyuges tengan nacionalidad española (aunque cualquiera de ellos pueda ostentar además otras nacionalidades).

En base al artículo 17 del Reglamento 2201/2003, el Notario deberá apreciar y declarar su propia competencia, haciéndolo constar así en la misma escritura.

Igualmente los cónyuges deberán hacer constar que no se está en una situación de litispendencia regulada en el artículo 19 del Reglamento, esto es, que no se ha presentado demanda de divorcio, separación o nulidad del matrimonio ante cualquier órgano jurisdiccional. Si la hubiere, el Notario suspenderá de oficio el procedimiento hasta que se determine la competencia del primer órgano jurisdiccional. Cuando se establezca la competencia de éste, se inhibirá en favor del mismo.

No serán aplicables a la separación o divorcio las medidas provisionales o cautelares a que se refiere el artículo 20 del Reglamento, que habrán de ser solicitadas ante el Juez. En el caso del divorcio ante Notario, dado que es de mutuo acuerdo, no será normal la necesidad de adoptar este tipo de medidas, pero no obstante: «*En caso de urgencia, las disposiciones del presente Reglamento no impedirán que los órganos jurisdiccionales de un Estado miembro adopten medidas provisionales o cautelares previstas en su propia legislación en relación con personas o bienes presentes en dicho Estado miembro, aun cuando, en virtud del presente Reglamento, un órgano jurisdiccional de otro Estado miembro fuere competente para conocer sobre el fondo*» (art. 20.1 Rgto).

Todos estos puntos están recogidos en la Resolución DGRN de 7 de junio de 2016.

Como vemos no se permite a los cónyuges acordar voluntariamente el sometimiento a la competencia de una autoridad, sino que tienen que acogerse a alguno de los puntos de conexión señalados, quizá para evitar que puedan elegir la ley del Estado que les resulte más atractiva o conveniente.

Pero esta regla, no expresada claramente en el Reglamento 2201, queda muy limitada por el Reglamento 1259/2010 (Roma III), ya que en su artículo 5 permite a los cónyuges elegir la ley aplicable a su separación o divorcio entre: 1) la Ley del Estado de residencia habitual en el momento del convenio, 2) la Ley del Estado de la última residencia habitual de los cónyuges, siempre que uno de ellos la conserve en el momento del convenio, 3) la Ley del Estado de nacionalidad de uno de los cónyuges en el momento del convenio y 4) la Ley del foro.

Tal amplitud de puntos de conexión para determinar la competencia puede dar lugar a que sean competentes las autoridades de distintos Estados. A este conflicto se refiere el artículo 19 que da preferencia a la autoridad que primero haya conocido de la demanda, declarando que el segundo Órgano jurisdiccional suspenda la demanda y se inhiba a favor del primero, si este ha resultado ser competente.

En relación con esto, la Resolución DGRN de 7 de junio de 2016 obliga a que los cónyuges manifiesten que no se encuentran en una situación de litispendencia regulada en el citado artículo 19, como ya hemos apuntado, y ello porque no existen mecanismos internacionales de coordinación notarial o notarial y judicial.

Requisitos «procedimentales» y «sustantivos»

Antes de continuar, es importante distinguir los requisitos «procedimentales» de los «sustantivos».

Los primeros, a los que la Resolución de 7 de junio de 2016 llama también «instrumentales», se rigen por la ley del foro; en el caso de Notario español la Ley española y siempre deben ser cumplidos por el Notario. Los requisitos sustantivos son los que rigen el fondo y dependen de la ley aplicable al caso concreto.

La Resolución 7 de junio de 2016 considera como requisitos instrumentales, la asistencia obligatoria de Letrado y la aprobación del convenio regulador. También es de cumplimiento obligatorio por el Notario la limitación a matrimonios sin hijos o mayores de edad sin dependencia económica. Finalmente el Notario debe apreciar la limitación del «orden público» en la que se comprende la salvaguardia de los principios constitucionales, fundamentalmente la igualdad del hombre y la mujer.

Por el contrario, añade la citada Resolución que el transcurso del plazo de tres meses del artículo 82 CC, queda ligado a la ley aplicable, en cuanto requisito no procedimental o sustantivo.

Por su parte, Carlos Jiménez considera también como requisitos procedimentales: el mutuo acuerdo, la comparecencia personal, la aportación de convenio regulador, la exigencia de consentimiento de los hijos mayores convivientes y con dependencia económica respecto de las medidas que les afecten. Y como requisitos sustantivos o vinculados a la ley material: además del plazo de tres meses, la exigencia de que el convenio se ajuste al artículo 90 CC.

Determinación por el Notario de la ley aplicable al divorcio y separación

El Notario, una vez ha comprobado que es competente para la tramitación de la separación o divorcio, debe determinar la Ley aplicable al fondo.

Esta materia está regulada por el Reglamento 1259/2010 (Roma III) en cuyo estudio vamos a entrar.

2. El Reglamento (CE) 1259/2010 de 20 de diciembre de 2010, en cuanto a la Ley aplicable al divorcio y a la separación judicial (Roma III)

Su entrada en vigor tuvo lugar el 30 de diciembre de 2010 y es aplicable desde 21 de junio de 2012, según su artículo 21 (salvo el artículo 17 que se aplica desde 21 junio 2011).

Es obligatorio y directamente aplicable a los Estados miembros (Considerando 8, in fine).

El Reglamento entiende como «órgano jurisdiccional» toda autoridad de los Estados miembros participantes con competencia en las materias incluidas en su ámbito de aplicación (art. 3.2 y Considerando 13). Como los Notarios somos competentes en materia de separación y divorcio, este Reglamento es de aplicación imperativa para estos funcionarios.

La aplicación del Reglamento es de carácter universal, esto es, la Ley designada por el Reglamento se aplicará aunque no sea la de un Estado miembro (art. 4). También el Considerando 14 se refiere a esta cuestión señalando que la Ley elegida por los cónyuges o la ley aplicable a falta de elección, debe ser aplicable aunque no sea la de un Estado miembro.

Ámbito de aplicación

El Reglamento se aplica a la separación y al divorcio, pero no a la nulidad del matrimonio (art. 1).

Tampoco se aplica a las siguientes materias: la capacidad jurídica de las personas físicas; la existencia, validez o reconocimiento de un matrimonio; la nulidad matrimonial; el nombre y apellidos de los cónyuges; las consecuencias patrimoniales del matrimonio; la responsabilidad parental; las obligaciones alimentarias y los fideicomisos o sucesiones.

Debemos señalar que las consecuencias patrimoniales del matrimonio se regirán por el momento por las normas de derecho interno de cada país (en nuestro caso por los artículos 9.2 y 3 del CC), hasta que entre en vigor el Reglamento (UE) 2016/1103 del Consejo, de 24 de junio de 2016, sobre regímenes económicos matrimoniales que será aplicable a partir del 29 de enero de 2019.

Por su parte, las obligaciones de alimentos se rigen por el Reglamento (UE) 4/2009 del Consejo, de 18 de diciembre de 2008.

El Notario debe comprobar la Ley aplicable al caso en base a los artículos 5 a 8 del Reglamento, en cuyo estudio vamos a entrar.

Derecho a elegir la Ley aplicable

Los cónyuges pueden elegir la ley aplicable a su separación o divorcio, siempre que sea una de las siguientes leyes (art. 5):

a) La Ley del Estado en que los cónyuges tengan su residencia habitual en el momento de la celebración del convenio.

b) La Ley del Estado del último lugar de residencia habitual de los cónyuges, siempre que uno de ellos aún resida allí en el momento de la celebración del convenio.

c) La Ley del Estado de la nacionalidad de uno de los cónyuges en el momento de la celebración del convenio.

d) La Ley del foro.

Añade el artículo 5, en su punto 2: que el convenio por el que se designe la ley aplicable podrá celebrarse y modificarse en cualquier momento, pero a más tardar en la fecha en que se interponga la demanda ante un órgano jurisdiccional.

Y el punto 3: Que si la ley del foro así lo establece, los cónyuges también podrán designar la ley aplicable ante el órgano jurisdiccional en el curso del procedimiento. En tal caso, el órgano jurisdiccional registrará la designación de conformidad con la ley del foro.

El artículo 7, establece que el convenio se hará por escrito y estará fechado y firmado por ambos cónyuges; se considera hecho por escrito si se efectúa por medios electrónicos y con un registro duradero. Añade que si la Legislación del Estado miembro de la residencia habitual de ambos cónyuges al tiempo de firmarse el convenio establece requisitos formales adicionales, éstos habrán de cumplirse. Y si los Estados miembros de residencia habitual de ambos cónyuges establecen requisitos formales distintos, el convenio será válido si se cumplen los de cualquiera de ellos. Recalcaremos que debe tratarse de un Estado miembro. Si los requisitos formales adicionales vienen exigidos por un Estado no miembro, aunque sea el de residencia de ambos cónyuges, no tiene necesidad de observarse.

De conformidad con el artículo 17 del Reglamento, el Estado Español ha comunicado a la Comisión los requisitos formales adicionales para los convenios sobre elección de ley aplicable, a saber: la elección de ley aplicable debe concluirse en un documento público con fuerza ejecutiva (ante un Notario Público) o un documento auténtico (documento cuya fecha y firma por las partes sean inequívocas, aunque no sea un documento notarial). Además, los cónyuges no pueden designar la aplicable ante el Órgano jurisdiccional en el curso del procedimiento.

Esto trae como consecuencia que los cónyuges pueden elegir la ley aplicable a la separación o divorcio en escritura otorgada inmediatamente antes del otorgamiento de la escritura de tales actos y remitir copia de la misma al Registro Civil, junto con la escritura de separación o divorcio. La elección más adecuada, cuando sea posible, será la de la Ley española, que evita la aplicación de la legislación extranjera.

Normativa subsidiaria aplicable a falta de convenio

Según el artículo 8, a falta de convenio, la separación y divorcio se regirán por la Ley del Estado:

a) en que los cónyuges tengan su residencia habitual en el momento de la interposición de la demanda o, en su defecto,

b) en que los cónyuges hayan tenido su última residencia habitual, siempre que el período de residencia no haya finalizado más de un año antes de la interposición de la demanda, y que uno de ellos aún resida allí en el momento de la interposición de la demanda o, en su defecto;

c) de la nacionalidad de ambos cónyuges en el momento de la interposición de la demanda o, en su defecto,

d) ante cuyos órganos jurisdiccionales se interponga la demanda (ley del foro).

En caso de conversión de la separación judicial en divorcio, el artículo 9 prevé que la ley aplicable a éste será la que se haya aplicado a la separación, salvo que las partes hayan convenido otra cosa de conformidad con el artículo 5. Si esta conversión no está prevista en la Ley aplicable, habrá que remitirse de nuevo a las reglas generales, esto es, al pacto y en su defecto a los criterios del artículo 8.

Como se ve, estos criterios son por orden de preferencia, no alternativos, de modo que solo puede aplicarse el siguiente en defecto del anterior. Y ello a diferencia de los criterios de elección (art. 5) en que los cónyuges pueden acogerse a cualquiera de ellos.

El artículo 10 facilita la aplicación del divorcio o separación al señalar que: «cuando la ley aplicable con arreglo a los artículos 5 u 8 no contemple el divorcio o no conceda a uno de los cónyuges, por motivos de sexo, igualdad de acceso al divorcio o a la separación judicial, se aplicará la ley del foro».

Se excluye el reenvío, señalando el artículo 11 que la remisión a las normas de un país excluyen la aplicación de sus normas de derecho internacional privado.

Se reconoce el límite del orden público en el artículo 12.

3. Actuación del Notario

En la repetida Resolución 7 junio 2016, está perfectamente determinada la actuación del Notario ante un caso de separación o divorcio con elementos transnacionales. Esta será la siguiente:

Primeramente deberá determinar su propia competencia de oficio.

Establecida su competencia, el Notario deberá realizar un juicio acerca de la ley aplicable. Este juicio implicará la determinación de la residencia habitual de los esposos y en su defecto la nacionalidad.

La prueba que se precise no conduce a un acta de notoriedad sino que debe convencer al Notario en la formulación de su juicio.

Por lo tanto, la escritura de separación o divorcio notarial habrá de determinar en primer lugar, si existe un pacto sobre la ley aplicable y si éste se basa en alguno de los puntos de conexión señalados o bien, si no existe pacto al respecto.

En el primer caso, deberá ser aplicable lo pactado, aunque conduzca a la ley de un Estado no participante e incluso no europeo.

El contenido de la ley aplicable según el pacto deberá ser probado.

Para su prueba se puede utilizar el mecanismo contenido en los artículos 35 y 36 de la ley 29/2015, de 30 de junio de la cooperación jurídica internacional en materia civil: El primero regula la petición de información por parte de los funcionarios españoles y el segundo las peticiones recibidas del extranjero.

En defecto de pacto, deberán aplicase los criterios del artículo 8 vistos anteriormente y por su orden de preferencia, no de manera alternativa, ya que cada punto o criterio de conexión se aplica en defecto del anterior.

El último criterio se remite a la Ley del órgano ante el que se realiza la petición, esto es, la Ley española.

Si el Notario tiene que aplicar una ley extranjera debe tener en cuenta la limitación del Orden Público, pudiendo llegar a excluir la aplicación de una disposición de la ley extranjera si esta es incompatible con el Orden Público (art. 12). En este punto hay que poner especial cuidado en temas como la discriminación por razón de sexo, creencias religiosas y en general disposiciones contra los principios básicos establecidos en la Constitución Española. Si por razón del Orden Público el Notario niega su actuación, la repetida Resolución añade que la negativa se ha notificar a la DG (ex artículo 232 RN).

El Notario también tendrá que tener en cuenta los requisitos instrumentales o procedimentales vinculados al foro a que nos hemos referido, como la intervención de Letrado y el convenio regulador, además del sometimiento a los principios constitucionales, aunque el plazo de los tres meses está ligado a la ley aplicable, por lo que puede prescindirse de él, si lo admite la ley reguladora del fondo.

Acreditación documental del matrimonio ante Notario español

Ya hemos dicho al hablar de la escritura de separación y divorcio que es necesario acreditar la celebración e inscripción del matrimonio mediante la exhibición de Certificación de inscripción del matrimonio en el Registro Civil y, en su caso, de nacimiento de los hijos. Este requisito viene exigido por los artículos 770 y 777,2 L.E.C.

Pero cuando se trata de matrimonios extranjeros y la competencia del Notario se determina por el criterio de la residencia habitual en España, la repetida Resolución 7-6-2016 considera que esta exigencia puede plantear algún problema, porque si el matrimonio ha sido contraído fuera de España y no son españoles, el matrimonio no constará inscrito en el Registro Civil.

En estos casos y para garantizar la tutela judicial efectiva, la DGRN considera suficiente la presentación de Certificado de empadronamiento de los cónyuges extranjeros y certificación registral expedida por las autoridades extranjeras competentes de que se ha celebrado el matrimonio, la cual deberá provista de la Apostilla o legalización cuando sea necesaria, debiendo recordar aquí que el Tratado de Atenas la excluye si se trata de acreditar el estado civil y para los países firmantes del Tratado.

Si el matrimonio se ha celebrado en el extranjero pero uno de los cónyuges es español, deberá constar inscrito en el Registro Civil español y en tal caso se exigirá Certificación Registral, sea del Registro Consular, sea del Registro Civil Central.

Inscripción del divorcio autorizado por Notario español en el Registro Civil Central

La Resolución DGRN de 7 de junio de 2016 (sistema notarial) establece que cuando se ha autorizado una escritura pública notarial de divorcio de extranjeros cuyo matrimonio no está inscrito en el Registro Civil español, el Notario debe remitir de oficio al Registro Civil Central copia de la escritura de divorcio y de la documentación acreditativa del matrimonio y de la identidad de los otorgantes para que se practique la inscripción del matrimonio como soporte de la de divorcio.

Hay que matizar que la citada Resolución solo habla de divorcio, pero entendemos que lo mismo habrá que hacer cuando se trate de separación.

4. Reconocimiento internacional de la separación o divorcio notarial

El reconocimiento internacional de las escrituras notariales de separación y divorcio otorgadas conforme a las normas vistas, deriva de los siguientes artículos:

Artículo 21.1 del Rgto 2201/2003 (Bruselas II-bis). *Las resoluciones dictadas en un Estado miembro serán reconocidas en los demás Estados miembros sin necesidad de recurrir a procedimiento alguno.*

Artículo 25 del Rgto 2201/2003. *No podrá negarse el reconocimiento de una resolución de divorcio, de separación judicial o de nulidad matrimonial alegando que el Derecho del Estado miembro requerido no autorizaría el divorcio, la separación judicial o la nulidad matrimonial basándose en los mismos hechos.*

Artículo 26 del Rgto 2201/2003. *La resolución no podrá en ningún caso ser objeto de una revisión en cuanto al fondo.*

A este respecto el artículo 39 del Rgto 2201/2003 regula la expedición de un Certificado para acreditar las resoluciones en materia matrimonial remitiéndose al ANEXO I del propio Reglamento.

La Disposición final vigésima segunda, punto 1, de la Ley 1/2000, de 7 de enero, de Enjuiciamiento Civil, introducida por la Ley 19/2006 de 5 de junio, establece en materia judicial: *1. La certificación judicial relativa a las resoluciones judiciales en materia matrimonial y en materia de responsabilidad parental, prevista en el artículo 39 del Reglamento (CE) n.º 2201/2003, se expedirá de forma separada y mediante providencia, cumplimentando el formulario correspondiente que figura en los anexos I y II del reglamento citado.*

Pero nada dice respecto de las escrituras autorizadas por Notario. Por ello cuando se le solicite al Notario la expedición de tal Certificado, lo efectuará siguiendo las reglas generales establecidas en otros reglamentos, esto es, incorporando copia a la matriz, de manera que circulará el original de tal certificado, de manera similar al Certificado Sucesorio Europeo.

Si se pide la expedición del Certificado con posterioridad, el Notario entregará también el original, pero deberá autorizar un Acta a la que se incorporará una copia de tal Certificado y pondrá en la matriz de la escritura de separación o divorcio una nota de referencia a este Acta que refleje la emisión del Certificado.

Añadir que no será necesario exequator, ni legalización alguna para tal Certificado (art. 52), como ha confirmado la Resolución DGRN de 27 de julio 2012 (BOE 5 octubre).

6. ACTUACIÓN NOTARIAL EN MATERIA DE SUCESIONES

6.1. INTRODUCCIÓN

6.1.1. Preliminar

Una de las más importantes áreas del quehacer notarial es el derecho de sucesiones. El notario interviene en todos las fases o momentos de la dinámica sucesoria. Así:

a) Conforma el título sucesorio, esté sustentado en últimas voluntades (testamento o contrato sucesorio en determinados derechos civiles de CCAA) o constituye el título declarativo de los llamados «ex lege» en la sucesión intestada y ahora también el denominado certificado sucesorio europeo..Tiene también atribuidas las competencias para las declaraciones de herederos intestadas (excepto a favor del Estado y otras administraciones públicas) a través de actas dotadas de regulación especial que se examinan en el apartado 4.24.13 de esta obra.

b) Establece con rango de escritura pública la manifestación de herencia, partición o protocolización del cuaderno particional, integrando el título sucesorio con las circunstancias previas y subsiguientes a la apertura de la sucesión, determinando el conjunto de bienes, derechos y obligaciones que constituyen el patrimonio del causante y adjudicándolos a quien corresponde. Y todo ello en una forma documental pública, fehaciente, con efectos respecto de terceros y que es título público inscribible en cualquier registro jurídico, administrativo o privado.

c) Acciona en la fases intermedias de herencia yacente y comunidad hereditaria delimitando cuestiones tales como la aceptación de la herencia, en todas sus modalidades (pura y simple, previo derecho a deliberar y a beneficio de inventario) y renuncia a la herencia. Aspecto este reforzado por la Ley 15/2015, de Jurisdicción Voluntaria (LJV) que introduce el requerimiento para aceptar o repudiar el llamamiento con efectos civiles decisivos, regula el procedimiento notarial para la formación de inventario en la aceptación a beneficio de inventario o en el ejercicio del derecho a deliberar y prevé el nombramiento de contador partidor dativo bajo la órbita notarial a instancia de sucesores que representen, al menos, el 50% del haber hereditario.

d) Y finalmente, aunque no asunto menor, el Notario contribuye decisivamente a la seguridad y eficacia de la sucesión, sirviendo como canal abierto para la información y comprobación de los títulos sucesorios mediante la operativa del Registro de Actos de Últimas Voluntades. Además, corrobora los eventuales seguros que pudiera tener contratados el causante a fin de que los beneficiarios puedan instar el cobro de las indemnizaciones, a través del Registro de Contratos de Seguros.

6.1.2. Ley de Jurisdicción Voluntaria y derechos civiles propios de las CCAA

Dogmáticamente, la LJV y sus secuelas en la LN sólo se proyecta sobre el medio instrumental, procesal o de procedimiento para la tramitación de aspectos sustantivos. De acuerdo con tal principio, la nueva normativa no debería incidir sobre los derechos civiles propios de determinadas CCAA.

Ahora bien, lo dogmáticamente diáfano, no lo es tanto en la realidad, porque interaccionan los siguientes factores:

a) La legislación de derecho civil propio de las CCAA incide de manera inevitable sobre el cauce o procedimiento, porque la regulación sustantiva civil precisa del medio o cauce adjetivo para su ejecución, lo que de suyo conlleva al menos una referencia.

b) Dicho propio derecho civil contiene instituciones que no son equivalentes a las instituciones del derecho civil estatal, indicado su desenvolvimiento instrumental por las mismas, por lo que no parece que puedan dichas instituciones resultar afectas por la LJV.

c) Y, finalmente, la naturaleza de "zona gris" del ámbito de la jurisdicción voluntaria, de manera que es posible y ocurre en la práctica que determinados aspectos sujetos en el ámbito estatal a competencia jurisdiccional hasta la LJV, estén en determinadas CCAA absolutamente desjudicializados con anterioridad a la misma, por lo que puede que no sea preciso desjudicializarlos ni atribuir la competencia a otras autoridades públicas.

En cualquier caso, debemos de partir del al art. 149.1 de la Constitución, de acuerdo con el cual:

– Según el número 6 corresponde al Estado la competencia exclusiva en materia de legislación procesal, sin perjuicio de las necesarias especialidades que en este orden se deriven de las particularidades del derecho sustantivo de las CCAA.

– Conforme al número 8, las reglas relativas a la ordenación de los registros e instrumentos públicos corresponden en todo caso al Estado, sin perjuicio de la conservación, modificación y desarrollo por las Comunidades Autónomas de los derechos civiles, forales o especiales, allí donde existan.

Pues bien, el legislador no fue ignorante ante la cuestión y, así, referencia inexcusable es la disposición adicional primera de la LJV que literalmente dice: «*Disposición adicional primera. Referencias al Código Civil. Las referencias realizadas en esta Ley al*

Código Civil deberán entenderse realizadas, en su caso, también a las leyes civiles forales o especiales allí donde existan.»

En fin, apuntar la cuestión es bastante en esta sede.

6.2. INTERVENCIÓN EN LOS TÍTULOS SUCESORIOS: TESTAMENTOS

6.2.1. *Testamento cerrado: presentación, adveración, apertura y protocolización*

6.2.1.1. Introducción y regulación

El testamento cerrado sólo puede otorgarse ante notario (art. 707 del CC). Desde el momento de su otorgamiento el CC regula en los arts. 711 a 714 las fases, una vez otorgado, de conservación, apertura y protocolización. El procedimiento de apertura y protocolización está regulado en los arts. 57 a 60 de la LN.

Y es que, ante todo, debe advertirse que el otorgamiento ante notario del testamento cerrado no es tal, se trata de un acta notarial que no convierte en documento público al escrito contenido en la cubierta cerrada. De ahí la necesidad de adveración, apertura y protocolización del mismo, abierta la sucesión del testador.

Advertir que junto a la forma ordinaria notarial de otorgamiento del testamento cerrado existe la posibilidad del testamento cerrado marítimo (art. 722 del CC) y el otorgado en país extranjero ante funcionario diplomático o consular de España que ejerza funciones en el lugar de otorgamiento (art. 734 del CC). Todos ellos quedan sujetos al presente régimen de adveración y protocolización.

6.2.1.2. Referencia a la conservación del testamento cerrado una vez autorizado por el Notario

El art. 711 del CC faculta al otorgante para conservar en su poder el testamento, encomendar su guarda a persona de su confianza o depositarlo en poder del Notario autorizante para que lo guarde en su archivo.

Pues bien, en éste último caso, añade el segundo párrafo del precepto que *"el Notario dará recibo al testador y hará constar en su protocolo corriente, al margen o a continuación de la copia del acta de otorgamiento, que queda el testamento en su poder. Si lo retirare después el testador, firmará un recibo a continuación de dicha nota".*

En todo caso, dicho depósito parece que hoy debe reconducirse al régimen general previsto en los arts. 216 y 217 del RN, lo que de suyo conlleva acta específica, de tal forma que no parece que sea bastante la simple nota al margen o a continuación de la copia del acta de otorgamiento. Ello supone mayores garantías tanto para el otorgante como para la conservación en el protocolo notarial.

6.2.1.3. Presentación, adveración y protocolización del testamento cerrado

6.2.1.3.1. *Presentación*

6.2.1.3.1.1. Presentación: obligación legal por el tenedor. Consecuencias del incumplimiento. Actuación notarial para exigirla

La presentación es ajena a la intervención notarial, salvo que el testamento hubiese sido dejado en depósito al propio notario. Es un deber que incumbe al tenedor del mismo y del que se ocupan los arts. 712 y 713 del CC que establecen:

«*Artículo 712.*

1. La persona que tenga en su poder un testamento cerrado deberá presentarlo ante Notario competente en los diez días siguientes a aquel en que tenga conocimiento del fallecimiento del testador.

2. El Notario autorizante de un testamento cerrado, constituido en depositario del mismo por el testador, deberá comunicar, en los diez días siguientes a que tenga conocimiento de su fallecimiento, la existencia del testamento al cónyuge sobreviviente, a los descendientes y a los ascendientes del testador y, en defecto de éstos, a los parientes colaterales hasta el cuarto grado.

3. En los dos supuestos anteriores, de no conocer la identidad o domicilio de estas personas, o si se ignorase su existencia, el Notario deberá dar la publicidad que determine la legislación notarial.

El incumplimiento de este deber, así como el de la presentación del testamento por quien lo tenga en su poder o por el Notario, le hará responsable de los daños y perjuicios causados.

Artículo 713.

El que con dolo deje de presentar el testamento cerrado que obre en su poder dentro del plazo fijado en el artículo anterior, además de la responsabilidad que en él se determina, perderá todo derecho a la herencia, si lo tuviere como heredero abintestato o como heredero o legatario por testamento.

En esta misma pena incurrirán el que sustrajere dolosamente el testamento cerrado del domicilio del testador o de la persona que lo tenga en guarda o depósito y el que lo oculte, rompa o inutilice de otro modo, sin perjuicio de la responsabilidad criminal que proceda».

En congruencia con el mandato del art. 712 del CC, añade el segundo apartado del art. 57 de la LN que: *"Si transcurridos diez días desde el fallecimiento del otorgante, el testamento no fuera presentado conforme a lo previsto en el Código Civil, cualquier interesado podrá solicitar al Notario que requiera a la persona que tenga en su poder un testamento cerrado para que lo presente ante él. Deberán acreditarse los datos identificativos del causante y, mediante información del Registro Civil y del Registro General de Actos de Última Voluntad, el fallecimiento del otorgante y si ha otorgado otras disposiciones testamentarias. Si fuese extraño a la familia del fallecido, además, deberá expresar y acreditar en la solicitud la razón por la que crea tener interés en la presentación del testamento".*

Pues bien, si requerido notarialmente el destinatario del requerimiento no presenta el testamento transcurridos tres meses, procede el archivo del expediente y cierre del acta, sin perjuicio de las acciones judiciales que correspondan a los interesados. Así se desprende el apartado 5 del art. 57 de la LN.

6.2.1.3.1.2. Competencia notarial exclusiva para la adveración y protocolización. Reparto competencial interno y libertad de elección limitada. Naturaleza obligatoria de la prestación de la función notarial. Apertura del expediente

La competencia para su presentación, adveración y protocolización es exclusivamente notarial, ni compartida ni alternativa con otro funcionario. Al respecto, el apartado 1 del art. 57 de la LN establece los criterios alternativos de reparto competencial interno entre notarios, cuya elección es facultativa por el presentante.

Dice el apartado 1 del art. 57 de la LN que: *"La presentación, adveración, apertura y protocolización de los testamentos cerrados se efectuará ante Notario competente para actuar en el lugar en que hubiera tenido el causante su último domicilio o residencia habitual, o donde estuviere la mayor parte de su patrimonio, con independencia de su naturaleza de conformidad con la ley aplicable, o en el lugar en que hubiera fallecido, siempre que estuvieran en España, a elección del solicitante. También podrá elegir a un Notario de un distrito colindante a los anteriores. En defecto de todos ellos, será competente el Notario del lugar del domicilio del requirente".*

Por tanto:

a) El tenedor del testamento cerrado puede elegir notario atendiendo a múltiples puntos de conexión. Y no sólo los competentes de acuerdo a los puntos de conexión, sino también los de distritos notariales colindantes.

b) La atribución de competencia residual al notario correspondiente al domicilio del requirente debe calificarse de superflua, habida cuenta de la imposibilidad de que no sea de aplicación ninguno de los anteriores.

En cualquier caso, debemos añadir que, siendo competente el notario requerido por el presentante de acuerdo a los puntos de conexión, la actuación notarial parece inexcusable para el notario.

El notario requerido, apreciará la capacidad y legitimación del requirente y procederá a abrir el correspondiente expediente, que se concreta, en el ejercicio de la función notarial, en un acta. En este punto, la normativa no es lo clara que se desearía. Puede ser un acta a la que deba asignarse «ab initio» un número de protocolo o un mero requerimiento «a buen fin». En mi opinión, debe ser un acta con número de protocolo desde su inicio, de manera que quede constancia en el protocolo notarial, sin perjuicio de que, si no llega a buen término (adveración y protocolización), se proceda al reintegro al requirente del testamento aportado. Al respecto, es sumamente aconsejable establecerlo expresamente en el requerimiento, así como que el reintegro quede sujeto a la constancia de la actuación practicada.

En todo caso, obviamente, deberá aportarse al notario el certificado de defunción y del registro de actos de últimas voluntades. En mi opinión, el hecho que conste otorgado otro testamento posterior en dicho registro no es impedimento para la tramitación del expediente, aunque en todo caso debe constar tal circunstancia, especialmente si concluye mediante su protocolización en la diligencia en la que se procede a la misma.

6.2.1.3.1.3. Carácter del presentador: interesado o mero tenedor. Archivo del expediente por ausencia de interesados

Compelido por deber legal el tenedor del testamento a su presentación ante notario competente, puede ser que el presentante no tenga ningún interés adicional al mero cumplimiento de la obligación legal. En tal caso, y enlazando con el último párrafo del apartado anterior, el notario requerido queda sujeto imperativamente a las búsqueda de «interesados».

Al efecto, disponen los apartados 3, 4 y 5 del art. 57 de la LN que:

«3. Cuando comparezca ante Notario quien tenga en su poder un testamento cerrado en cumplimiento del deber establecido en el artículo 712 del Código Civil y manifestara no tener interés en la adveración y protocolización del testamento, el Notario requerirá a quienes pudieran tener interés en la herencia, de acuerdo con lo manifestado por el compareciente, y, en todo caso si le fueran conocidos, al cónyuge sobreviviente, a los descendientes y a los ascendientes del testador y, en defecto de éstos, a los parientes colaterales hasta el cuarto grado para que promuevan el expediente ante Notario competente, si les interesase.

Cuando cualesquiera de los interesados fuera menor o persona con capacidad modificada judicialmente y careciera de representante legal, el Notario comunicará esta circunstancia al Ministerio Fiscal para que inste la designación de un defensor judicial.

4. Si se ignorase la identidad o domicilio de estas personas, el Notario dará publicidad del expediente en los tablones de anuncios de los Ayuntamientos correspondientes al último domicilio o residencia habitual del causante, al del lugar del fallecimiento si fuera distinto y donde radiquen la mayor parte de sus bienes, sin perjuicio de la posibilidad de utilizar otros medios adicionales de comunicación. Los anuncios deberán estar expuestos durante el plazo de un mes.

5. Transcurridos tres meses desde que se realizaron los requerimientos o desde la finalización del plazo de la última exposición del anuncio sin que se haya presentado el testamento, a pesar del requerimiento, o sin que ningún interesado haya promovido el expediente, se archivará el mismo, sin perjuicio de reanudarlo a solicitud de cualquier interesado».

Pues bien, añadir que:

a) La noción de interesado es muy amplia, comprende cualquier persona que respecto del testador pueda considerarse como tal en su sucesión, sea por ser presunto llamado en el testamento, sea por ser legitimario, sea porque de no haber testamento fuera llamado «ab intestato», sea porque en testamento anterior tuviera algún derecho, o, sencillamente, por ser pariente próximo.

b) Queda impuesto el Notario, si el presentante no es interesado, a determinadas actuaciones obligatorias, además de las potestativas adicionales que considere.

Especial referencia merece la cuestión de la actuación notarial en caso de que resulte infructuosa la pesquisa de interesados y el presentador no estuviese interesado en su adveración y protocolización. En tal caso, de acuerdo al apartado 5 del art. 57, *«transcurridos tres meses desde que se realizaron los requerimientos o desde la finalización del plazo de la última exposición del anuncio sin que se haya presentado el testamento, a pesar del requerimiento, o sin que ningún interesado haya promovido el expediente, se archivará el mismo, sin perjuicio de reanudarlo a solicitud de cualquier interesado».*

Estamos pues ante un supuesto de archivo del expediente y cierre del acta, sin perjuicio de su eventual reanudación a instancia de cualquier ulterior interesado. Ello implica a mi juicio la devolución del testamento cerrado al presentante sin práctica alguna de actuaciones de apertura, ni de adveración, ni de protocolización.

6.2.1.3.2. Adveración

Salvo los supuestos de cierre anticipado del expediente, se inicia la fase propiamente de adveración que comienza por el trámite de adveración al que se refiere el art. 58 de la LN al decir:

«1. Quien presente el testamento u otro interesado, podrá solicitar al Notario para que, una vez acreditado el fallecimiento del testador, cite para la fecha más próxima posible al Notario autorizante del testamento, si fuera distinto, y, en su caso, a los testigos instrumentales que hubieran intervenido en el otorgamiento.

2. Los testigos citados, que hubiesen comparecido en el día señalado, serán examinados y se les pondrá de manifiesto el pliego cerrado para que lo examinen y declaren bajo juramento o promesa si reconocen como legítimas la firma y rúbrica que con su nombre aparecen en él, y si lo hallan en el mismo estado que tenía cuando pusieron su firma.

3. Cuando no comparezca alguno o algunos de los citados, se preguntará a los demás si vieron que éstos pusieron su firma y rúbrica. El Notario podrá acordar, si lo considera necesario, el cotejo de letras y otras diligencias conducentes a la averiguación de la autenticidad de las firmas de los no comparecidos y del fallecido».

Pues bien, a mi criterio, aunque del precepto se desprende que tiene carácter potestativa dicha actuación y además a instancia del interesado, más conforme es entender que dichas diligencias deben practicarse con carácter general salvo imposibilidad.

Pero además, el Notario debe comprobar que en su otorgamiento ante el Notario se han cumplido las formalidades prescritas en los arts. 707 a 709 del CC, cuya infracción acarrea sanción de nulidad de acuerdo al art. 715 del CC. En concreto, debe verificar que en su otorgamiento se han observado las prescripciones del art. 707 del CC al decir que:

«En el otorgamiento del testamento cerrado se observarán las solemnidades siguientes:

1.ª El papel que contenga el testamento se pondrá dentro de una cubierta, cerrada y sellada de suerte que no pueda extraerse aquél sin romper ésta.

2.ª El testador comparecerá con el testamento cerrado y sellado, o lo cerrará y sellará en el acto, ante el Notario que haya de autorizarlo.

3.ª En presencia del Notario, manifestará el testador por sí, o por medio del intérprete previsto en el artículo 684, que el pliego que presenta contiene su testamento, expresando si se halla escrito y firmado por él o si está escrito de mano ajena o por cualquier medio mecánico y firmado al final y en todas sus hojas por él o por otra persona a su ruego.

4.ª Sobre la cubierta del testamento extenderá el Notario la correspondiente acta de su otorgamiento, expresando el número y la marca de los sellos con que está cerrado, y dando fe del conocimiento del testador o de haberse identificado su persona en la forma prevenida en los artículos 685 y 686, y de hallarse, a su juicio, el testador con la capacidad legal necesaria para otorgar testamento.

5.ª Extendida y leída el acta, la firmará el testador que pueda hacerlo y, en su caso, las personas que deban concurrir, y la autorizará el Notario con su signo y firma.

Si el testador declara que no sabe o no puede firmar, lo hará por él y a su ruego uno de los dos testigos idóneos que en este caso deben concurrir.

6.ª También se expresará en el acta esta circunstancia, además del lugar, hora, día, mes y año del otorgamiento.

7.ª Concurrirán al acto de otorgamiento dos testigos idóneos, si así lo solicitan el testador o el Notario».

Además, debe tenerse bien presente en esta fase el art. 742 del CC al decir que:

«Se presume revocado el testamento cerrado que aparezca en el domicilio del testador con las cubiertas rotas o los sellos quebrantados, o borradas, raspadas o enmendadas las firmas que lo autoricen.

Este testamento será, sin embargo, válido cuando se probare haber ocurrido el desperfecto sin voluntad ni conocimiento del testador, o hallándose éste en estado de demencia; pero si apareciere rota la cubierta o quebrantados los sellos, será necesario probar además la autenticidad del testamento para su validez.

Si el testamento se encontrare en poder de otra persona, se entenderá que el vicio procede de ella y no será aquél válido como no se pruebe su autenticidad, si estuvieren rota la cubierta o quebrantados los sellos; y si una y otros se hallaren íntegros, pero con las firmas borradas, raspadas o enmendadas, será válido el testamento, como no se justifique haber sido entregado el pliego en esta forma por el mismo testador».

Por tanto, la fase de adveración comprende:

a) Una calificación del notario del otorgamiento del testamento cerrado, lo que de suyo implica disponer de una copia autorizada de la copia autorizada del acta de otorgamiento, valga la redundancia. Al respecto, debe tenerse en cuenta que de acuerdo al art. 715 del CC contempla el supuesto de conversión del testamento cerrado nulo en ológrafo, si se cumplen las condiciones propias de este testamento.

b) Una calificación del notario del sobre que contenga el testamento cerrado a efectos de discernir sobre su posible revocación o no de acuerdo al art. 742 del CC.

c) Las actuaciones ya dichas previstas en el art. 58 de la LN.

Si el expediente no superara esta fase, procede el archivo del mismo y cierre del acta y el reintegro del testamento cerrado al presentante o interesado requirente, si bien, a mi juicio, debe hacerse constar en el mismo, de alguna forma que no afecte al documento, el expediente iniciado y su terminación anticipada, todo ello de acuerdo al art. 60.2 de la LN que dice:

« 2. Cuando el Notario concluya que el testamento no reúne las solemnidades prescritas por la ley o que, a su juicio no quedó acreditada la autenticidad del pliego, lo hará constar así, cerrará el acta y no autorizará la protocolización del testamento».

Todo ello debe hacerse constar mediante las correspondientes diligencias.

6.2.1.3.3. Apertura y lectura

Superada con éxito la fase de adveración, procede la apertura y lectura del testamento cerrado y, al efecto, establece el art. 59 de la LN que:

«1. Practicadas las diligencias a que se refiere el artículo anterior, y resultando de ellas que en el otorgamiento del testamento se han guardado las solemnidades prescritas por la ley, el Notario abrirá el pliego y leerá en voz alta la disposición testamentaria, a no ser que contenga disposición del testador ordenando que alguna o algunas cláusulas queden reservadas y secretas hasta cierta época, en cuyo caso la lectura se limitará a las demás cláusulas de la disposición testamentaria.

2. Los parientes del testador u otras personas en quienes pueda presumirse algún interés podrán presenciar la apertura del pliego y lectura del testamento, si lo tienen por conveniente, sin permitirles que se opongan a la práctica de la diligencia por ningún motivo, aunque presenten otro testamento posterior».

Debe pues el notario citar para la apertura y lectura a las personas que puedan presumirse interesadas en el testamento. Al respecto puede servir de orientación el elenco que relaciona el apartado 57.3 de la LN antes reseñado, además de que si hubiera testamento anterior, los llamados a la sucesión en el mismo.

La presencia es meramente voluntaria para los interesados, pero remarca el precepto que carecen de legitimación para impedir la diligencia de lectura. Lectura que comprenderá todo el testamento, salvo que de su tenor resulten instrucciones contrarias por el testador.

6.2.1.3.4. Terminación ordinaria del expediente: protocolización. Terminación anticipada negativa sin protocolización. Tutela jurisdiccional en ambos supuestos

Consumadas todas las fases del expediente, indica el apartado 1 del art. 60 de la LN que: *"Cumplidos los anteriores trámites, el Notario extenderá acta de protocolización, de acuerdo con la presente Ley y su reglamento de ejecución".*

El reglamento al que se refiere el precepto es el RN, que regula la materia en los arts. 211 y siguientes.

La terminación anticipada negativa, a la que ya hemos hecho referencia, ya sea por falta de interesado o adveración fallida a juicio del notario, queda sujeta a lo dispuesto en el art. 60.2 que supone archivo del expediente y cierre del acta sin protocolización.

En todo caso, los interesados no conformes podrán ejercer su derecho en el juicio que corresponda.

6.2.2. *Testamento ológrafo: presentación, adveración, apertura y protocolización*

6.2.2.1. Introducción y regulación

El testamento ológrafo se caracteriza por dos notas: una positiva —la autografía— y otra negativa —la no intervención de funcionario autorizante y testigos—. Sus principales ventajas son el carácter secreto del testamento, economía y sobre todo, como decía SÁNCHEZ ROMÁN es manifestación suprema de la libertad de testar; pero son más sus inconvenientes: por su secreto puede quedar desconocido si no se toma razón en el Registro de Actos de Últimas Voluntades, riesgo de extravío o destrucción, riesgo de buen fin en cuanto a su contenido al no contar con el auxilio del notario o un experto en derecho y queda sujeto a su adveración, protocolización y plazo de caducidad,

Su regulación la encontramos en los arts. 678 y 688 a 693 del CC y 61, 62 y 63 de la LN. Su otorgamiento ajeno a la órbita notarial explica que el propio CC desarrolle la adveración y protocolización del mismo que deben ser integradas con los citados arts. de la LN.

Advertir que la propia idiosincrasia del testamento ológrafo determina un especial rigor en su adveración y protocolización y que debe cumplir, además de la forma íntegra manuscrita, los requisitos del art. 688 del CC cuando dice:

«El testamento ológrafo solo podrá otorgarse por personas mayores de edad.

Para que sea válido este testamento deberá estar escrito todo él y firmado por el testador, con expresión del año, mes y día en que se otorgue.

Si contuviese palabras tachadas, enmendadas o entre renglones, las salvará el testador bajo su firma.

Los extranjeros podrán otorgar testamento ológrafo en su propio idioma».

El procedimiento de adveración y protocolización del testamento ológrafo es competencia exclusiva notarial.

6.2.2.2. Presentación, caducidad, adveración y protocolización del testamento ológrafo

6.2.2.2.1. Presentación, plazo de caducidad. Obligación legal por el tenedor, consecuencias del incumplimiento. Actuación notarial para exigirla

Dispone el art. 689 del CC que: *"El testamento ológrafo deberá protocolizarse, presentándolo, en los cinco años siguientes al fallecimiento del testador, ante Notario. Este extenderá el acta de protocolización de conformidad con la legislación notarial."*

Por tanto, está sujeto a un plazo de caducidad de cinco años desde el fallecimiento del testador, lo que explica que solicitada la actuación notarial, la misma debe denegarse si se insta transcurridos dicho plazo como indica el art. 61.4 de la LN. Al respecto en mi opinión no hay ni siquiera apertura del expediente, pero procede lo haga constar el notario por escrito, justificando la causa de su denegación, notificarlo al solicitante y conservar el mismo.

La presentación es ajena a la intervención notarial. Es un deber que incumbe al tenedor del mismo y del que se ocupa el art. 690 del CC que dice:

"La persona que tenga en su poder un testamento ológrafo deberá presentarlo ante Notario competente en los diez días siguientes a aquel en que tenga conocimiento del fallecimiento del testador. El incumplimiento de este deber le hará responsable de los daños y perjuicios que haya causado.

También podrá presentarlo cualquiera que tenga interés en el testamento como heredero, legatario, albacea o en cualquier otro concepto".

Sin embargo, y a diferencia del testamento cerrado (art. 713 del CC), el incumplimiento doloso de dicho deber de presentación no es causa de exclusión legal en la sucesión

En congruencia con el mandato del art. 690 del CC, dice el art. 61.2 de la LN que: *"Si transcurridos diez días desde el fallecimiento del otorgante, el testamento no fuera presentado conforme a lo previsto en el Código Civil, cualquier interesado podrá solicitar al Notario que requiera a la persona que tenga en su poder un testamento ológrafo para que lo presente ante él. Deberán acreditarse los datos identificativos del causante y, mediante información del Registro Civil y del Registro General de Actos de Última Voluntad, el fallecimiento del otorgante y si ha otorgado otras disposiciones testamentarias. Si fuese extraño a la familia del fallecido, además, deberá expresar en la solicitud la razón por la que crea tener interés en la presentación del testamento".*

Por tanto, en mi opinión, caso de instar la actuación notarial persona que no tiene en su poder el testamento, el inicio del expediente consiste en el requerimiento dicho, a instancias de cualquier interesado requerir a la persona que se considere pueda tener el testamento en su poder para la presentación. Para instar dicha actuación considera el precepto legitimado a cualquier familiar del fallecido, además de a cualquier persona que alegue interés legítimo a juicio del notario.

Pues bien, si requerido notarialmente el destinatario del requerimiento no presenta el testamento, procede el archivo del expediente y cierre del acta, sin perjuicio de las acciones judiciales que correspondan a los interesados.

6.2.2.2.2. Competencia notarial exclusiva para la adveración y protocolización. Reparto competencial interno y libertad de elección limitada. Naturaleza obligatoria de la prestación de la función notarial. Apertura del expediente

La competencia para su presentación, adveración y protocolización es exclusivamente notarial, ni compartida ni alternativa con otro funcionario. Al respecto, el apartado 1 del art. 61 de la LN establece los criterios alternativos de reparto competencial interno entre notarios, cuya elección es facultativa por el presentante.

Dice el apartado 1 del art. 61 de la LN que: *"La presentación, adveración, apertura y protocolización de los testamentos ológrafos se efectuará ante Notario competente para actuar en el lugar en que hubiera tenido el causante su último domicilio o residencia habitual, o donde estuviere la mayor parte de su patrimonio, con independencia de su naturaleza de conformidad con la ley aplicable, o en el lugar en que hubiera fallecido, siempre que estuvieran en España, a elección del solicitante. También podrá elegir a un Notario de un distrito colindante a los anteriores. En defecto de todos ellos, será competente el Notario del lugar del domicilio del requirente".*

Por tanto:

a) El tenedor del testamento ológrafo puede elegir notario atendiendo a múltiples puntos de conexión. Y no sólo los competentes de acuerdo a los puntos de conexión, sino también los de distritos notariales colindantes.

b) La atribución de competencia residual al notario correspondiente al domicilio del requirente debe calificarse de superflua, habida cuenta de la imposibilidad de que no sea de aplicación ninguno de los anteriores.

En cualquier caso, debemos añadir que, siendo competente el notario requerido por el presentante de acuerdo a los puntos de conexión, la actuación notarial parece inexcusable para el notario.

El notario requerido, apreciará la capacidad y legitimación del requirente (amén de comprobar que no han transcurrido cinco años del fallecimiento del causante) y procederá a abrir el correspondiente expediente, que se concreta, en el ejercicio de la función notarial, en un acta. En este punto, la normativa no es lo clara que se desearía. Puede ser un acta a la que deba asignarse "ab initio" un número de protocolo o un mero requerimiento "a buen fin". En mi opinión, debe ser un acta con número de protocolo desde su inicio, de manera que quede constancia en el protocolo notarial, sin perjuicio de que, si no llega a buen término (adveración y protocolización), se proceda al reintegro al requirente del testamento aportado. Al respecto, es sumamente aconsejable establecerlo expresamente en el requerimiento, así como que el reintegro quede sujeto a la constancia de la actuación practicada.

En todo caso, obviamente, deberá aportarse al notario el certificado de defunción y del registro de actos de últimas voluntades. En mi opinión, el hecho que conste otorgado otro testamento posterior en dicho registro no es impedimento para la tramitación del expediente, aunque en todo caso debe constar tal circunstancia, especialmente si concluye mediante su protocolización en la diligencia en la que se procede a la misma.

6.2.2.2.3. Carácter del presentador: interesado o mero tenedor. Archivo del expediente por ausencia de interesados. Vigencia del testamento ológrafo aunque se verifique tal supuesto

Compelido por deber legal el tenedor del testamento a su presentación ante notario competente, puede ser que el presentante no tenga ningún interés adicional al mero cumplimiento de la obligación legal. En tal caso dispone el art. 61.3 de la LN que: *"Cuando comparezca ante Notario quien tenga en su poder un testamento ológrafo en cumplimiento del deber establecido en el artículo 690 del Código Civil y manifestara no tener interés en la adveración y protocolización del testamento, el Notario procederá conforme a lo establecido en el apartado 3 del artículo 57".*

Y, al efecto, dicen el art. 57.3. y sus secuelas inevitables, los apartado 4 y 5 del mismo art. de la LN, que:

"3. Cuando comparezca ante Notario quien tenga en su poder un testamento cerrado en cumplimiento del deber establecido en el artículo 712 del Código Civil y manifestara no tener interés en la adveración y protocolización del testamento, el Notario requerirá a quienes pudieran tener interés en la herencia, de acuerdo con lo manifestado por el compareciente, y, en todo caso si le fueran conocidos, al cónyuge sobreviviente, a los descendientes y a los ascendientes del testador y, en defecto de éstos, a los parientes colaterales hasta el cuarto grado para que promuevan el expediente ante Notario competente, si les interesase.

Cuando cualesquiera de los interesados fuera menor o persona con capacidad modificada judicialmente y careciera de representante legal, el Notario comunicará esta circunstancia al Ministerio Fiscal para que inste la designación de un defensor judicial".

4. Si se ignorase la identidad o domicilio de estas personas, el Notario dará publicidad del expediente en los tablones de anuncios de los Ayuntamientos correspondientes al último domicilio o residencia habitual del causante, al del lugar del fallecimiento si fuera distinto y donde radiquen la mayor parte de sus bienes, sin perjuicio de la posibilidad de utilizar otros medios adicionales de comunicación. Los anuncios deberán estar expuestos durante el plazo de un mes.

5. Transcurridos tres meses desde que se realizaron los requerimientos o desde la finalización del plazo de la última exposición del anuncio sin que se haya presentado el testamento, a pesar del requerimiento, o sin que ningún interesado haya promovido el expediente, se archivará el mismo, sin perjuicio de reanudarlo a solicitud de cualquier interesado".

Pues bien, añadir que:

a) La noción de interesado es muy amplia, comprende cualquier persona que respecto del testador pueda considerarse como tal en su sucesión, sea por ser presunto llamado en el testamento, sea por ser legitimario, sea por que de no haber testamento fuera llamado "ab intestato", sea porque en testamento anterior tuviera algún derecho, o, sencillamente, por ser pariente próximo.

b) Queda impuesto el Notario, si el presentante no es interesado, a determinadas actuaciones obligatorias, además de las potestativas adicionales que considere.

Especial referencia merece la cuestión de la actuación notarial en caso de que resulte infructuosa la pesquisa de interesados y el presentador no estuviese interesado en su adveración y protocolización. En tal caso:

a) Ya hemos expuesto que consideramos aplicables las previsiones del apartado 5 del art. 57, con las consecuencias de archivo del expediente y cierre del acta.

b) Ahora bien, indica el propio número 5 del art.57 que, todo ello, sin perjuicio de reanudarlo a solicitud de cualquier interesado.

Pues bien, en este punto debe hacerse referencia a la posible interacción entre el plazo de caducidad del testamento ológrafo de 5 años y el archivo del expediente y, al respecto, de acuerdo al art. 689 del CC, considero que los parámetros aplicables son los siguientes:

a) La presentación ante notario competente antes del plazo de caducidad de los cinco años desde el fallecimiento supone el cese del plazo de caducidad antes de su vencimiento.

b) En consecuencia, presentado el testamento ante Notario dentro de los cinco años siguientes al fallecimiento del causante, aunque se archive el expediente y se cierre el acta por ausencia de interesado, el testamento ológrafo no puede en ningún caso considerarse caducado: se ha cumplido la presentación en plazo prevista en el art. 689

del CC y queda abierta la posibilidad de reanudación del expediente a solicitud de cualquiera interesado. De todo ello conviene que el notario en el expediente/acta deje constancia.

En todo caso, estamos ante un supuesto de archivo del expediente y cierre del acta, sin perjuicio de su eventual reanudación a instancia de cualquier ulterior interesado. Ello implica a mi juicio la devolución del testamento ológrafo al presentante sin práctica alguna de actuaciones de adveración ni de protocolización.

6.2.2.2.4. Adveración

Iniciado el expediente de forma ordinaria, sin contratiempos que supongan su terminación anticipada, se pasa a la fase de adveración, a la que se refiere el art. 62 de la LN que dispone:

«1. Una vez presentado el testamento ológrafo, a solicitud de quien lo presente o de otro interesado, el Notario deberá requerir para que comparezcan ante él, en el día y hora que señale, el cónyuge sobreviviente, si lo hubiere, los descendientes y ascendientes del testador y, en defecto de unos y otros, los parientes colaterales hasta el cuarto grado.

2. Si se ignorase su identidad o domicilio, el Notario dará publicidad del expediente en los tablones de anuncios de los Ayuntamientos correspondientes al último domicilio o residencia del causante, al del lugar del fallecimiento si fuera distinto y donde radiquen la mayor parte de sus bienes, sin perjuicio de la posibilidad de utilizar otros medios adicionales de comunicación. Los anuncios deberán estar expuestos durante el plazo de un mes.

3. Cuando cualquiera de las referidas personas fuese menor o persona con capacidad modificada judicialmente y carezca de representante legal, el Notario comunicará esta circunstancia al Ministerio Fiscal para que inste la designación de un defensor judicial.

4. Si el solicitante hubiera pedido al Notario la comparecencia de testigos para declarar sobre la autenticidad del testamento, el Notario los citará para que comparezcan ante él en el día y hora que señale.

5. En el día señalado, el Notario abrirá el testamento ológrafo cuando esté en pliego cerrado, lo rubricará en todas sus hojas y serán examinados los testigos. Cuando al menos tres testigos, que conocieran la letra y firma del testador, declarasen que no abrigan duda racional de que fue manuscrito y firmado por él, podrá prescindirse de las declaraciones testificales que faltaren.

A falta de testigos idóneos o si dudan los examinados, el Notario podrá acordar, si lo estima conveniente, que se practique una prueba pericial caligráfica.

6. Los interesados podrán presenciar la práctica de las diligencias y hacer en el acto las observaciones que estimen oportunas sobre la autenticidad del testamento, que, en su caso, serán reflejadas por el Notario en el acta».

Precepto que es ejecución del art. 691 del CC cuando dice que: «Presentado el testamento ológrafo y acreditado el fallecimiento del testador, se procederá a su adveración conforme a la legislación notarial».

Al respecto, apuntar que:

a) El ámbito de personas a citar imperativamente por el número 1 del art. 62 de la LN se circunscribe a los parientes directos a quienes corresponderían derechos como legitimarios o en la sucesión intestada. De constar en el expediente otros testamentos, anteriores o posteriores, entiendo inexcusable la convocatoria a cualquier llamado por los mismos. Está prevista la notificación individual o, subsidiariamente, la edictal.

b) La citación de testigos es aparentemente potestativa para el solicitante del expediente y correlativamente obligatoria para el notario. Sin embargo, de una lectura integradora del precepto, parece que en todo caso es imprescindible la presencia de al menos tres testigos que conozcan la letra y firma del testador y corroboren su autenticidad.

c) De no haber testigos aptos para tal fin, al menos tres, y que corroboren la autenticidad del testamento, debe, no sólo puede, el notario solicitar una prueba pericial caligráfica.

d) La citación a los interesados se refiere a la diligencia de, en su caso, apertura del testamento ológrafo (si consta en un sobre cerrado) y prueba testifical de autenticidad. La práctica de la pericial caligráfica no parece que precise la citación y comparecencia de los interesados, pudiendo emitirse el informe por escrito.

e) La personación de los interesados en la práctica de la diligencia testifical, previa lectura del mismo, les habilita para hacer constar las observaciones pertinentes, que deben hacerse constar en el acta.

f) S se hubiera practicado prueba pericial caligráfica, es a mi criterio aconsejable que el notario cite de nuevo a los interesados para que puedan alegar respecto de su resultado, lo que en derecho consideren, haciéndose constar en el acta.

Además, en tal fase de adveración, debe el notario comprobar que en el testamento concurren los requisitos para su validez según el CC:

a) Que atendiendo a su fecha, el testador fuera mayor de edad.

b) Que reuna los requisitos del art. 688 del CC al decir que:

«El testamento ológrafo solo podrá otorgarse por personas mayores de edad.

Para que sea válido este testamento deberá estar escrito todo él y firmado por el testador, con expresión del año, mes y día en que se otorgue.

Si contuviese palabras tachadas, enmendadas o entre renglones, las salvará el testador bajo su firma.

Los extranjeros podrán otorgar testamento ológrafo en su propio idioma».

Y todo ello con citación de los interesados y haciendo constar en el expediente/acta, las alegaciones que consideren.

6.2.2.2.5. Terminación del expediente/acta: positiva mediante protocolización, negativa por causa denegatoria. Tutela jurisdiccional en ambos caso

6.2.2.2.5.1. Terminación del expediente/acta positiva mediante protocolización

Practicadas las actuaciones de adveración, de considerar probada su autenticidad y concurrir los demás requisitos para su validez, el notario terminará positivamente el expediente, mediante declaración expresa, y cerrará el acta mediante la protocolización del mismo,

Así lo dispone el art. 63 de la LN que en su último párrafo deja a salvo, de lo que conviene dejar constancia expresa en el acta, de que los interesados no conformes podrán ejercer su derecho en el juicio que corresponda.

6.2.2.2.5.2. Terminación del expediente/acta negativa, sin protocolización

Si el expediente/acta fuera negativo a la protocolización del testamento, ya sea en la fase previa a la adveración o como consecuencia de la misma, el notario así lo hará constar en diligencia final, detallando los motivos de la terminación anormal y sin protocolizar el testamento ológrafo (art. 63 de la LN).

En estos supuestos:

a) El notario debe reintegrar el testamento ológrafo presentado al requirente, si bien es inexcusable que, sin alterar el mismo, haga constar que sido objeto de expediente/acta notarial.

b) Cualquier interesado no conforme puede ejercer su derecho en el juicio que corresponda.

6.2.3. Testamento otorgados en forma oral: presentación, adveración, apertura y protocolización

6.2.3.1. Introducción y regulación.

Los arts. 64 y 65 de la LN se refieren con dicho enunciado a dos formas especiales del testamento abierto sin autorización notarial, ante testigos: al testamento en peligro de muerte y en caso de epidemia contemplados en los arts. 700 y 701 del CC al decir:

«*Artículo 700. Si el testador se hallare en peligro inminente de muerte, puede otorgarse el testamento ante cinco testigos idóneos, sin necesidad de Notario.*

Artículo 701. En caso de epidemia puede igualmente otorgarse el testamento sin intervención de Notario ante tres testigos mayores de dieciséis años».

Los arts. 702, 703 y 704 del CC detallan sus requisitos:

«*Artículo 702. En los casos de los dos artículos anteriores se escribirá el testamento, siendo posible; no siéndolo, el testamento valdrá aunque los testigos no sepan escribir*».

«*Artículo 703. El testamento otorgado con arreglo a las disposiciones de los tres artículos anteriores quedará ineficaz si pasaren dos meses desde que el testador haya salido del peligro de muerte, o cesado la epidemia.*

Cuando el testador falleciere en dicho plazo, también quedará ineficaz el testamento si dentro de los tres meses siguientes al fallecimiento no se acude al Notario competente para que lo eleve a escritura pública, ya se haya otorgado por escrito, ya verbalmente».

«*Artículo 704. Los testamentos otorgados sin autorización del Notario serán ineficaces si no se elevan a escritura pública y se protocolizan en la forma prevenida en la legislación notarial*».

Por tanto:

a) Dichos testamentos pueden constar por escrito, sin requisitos especiales, o de forma meramente verbal.

b) Devienen ineficaces transcurridos dos meses desde el cese de la situación de peligro de muerte o epidemia, no siendo necesario realizar ninguna actuación al respecto.

c) Deben adverarse y protocolizarse de acuerdo al procedimiento que establecen los arts. 64 y 65 de la LN, procedimiento que debe iniciarse dentro de los tres meses siguientes al fallecimiento, plazo que es de caducidad.

6.2.3.2. Presentación, caducidad, adveración y protocolización del testamento abierto en peligro de muerte o epidemia

6.2.3.2.1. Presentación, plazo de caducidad

Como se ha indicado, la solicitud debe realizarse dentro de los tres meses siguientes al fallecimiento del testador, en otro caso, no debe admitirse ni iniciarse el expediente/ acta sin perjuicio de justificar el notario la negativa por escrito al requirente.

El art. 64 apartado 2 de la LN considera legitimado para promover el expediente/ acta a cualquier interesado, sin embargo, no hay referencia alguna a obligación legal por los testigo. A mi juicio:

a) Por interesado debemos considerar los considerados como tales a propósito de la protocolización de los testamentos cerrados y ológrafos, con las observaciones realizadas. E incluso se observa un concepto más amplio pues el último inciso del apartado 3 del art. 64 añade que "*si fuese extraño a la familia del fallecido, además, deberá expresar en la solicitud la razón por la que crea tener interés en la presentación del testamento*".

b) Aunque los testigos no quedan sujetos a mandato legal de presentación, se les debe reconocer legitimación para ello.

6.2.3.2.2. *Competencia notarial exclusiva para la adveración y protocolización. Reparto competencial interno y libertad de elección limitada. Naturaleza obligatoria de la prestación de la función notarial. Apertura del expediente*

La competencia para su presentación, adveración y protocolización es exclusivamente notarial, ni compartida ni alternativa con otro funcionario. Al respecto, el apartado 1 del art. 64 de la LN establece los criterios alternativos de reparto competencial interno entre notarios, cuya elección es facultativa por el interesado.

Dice el apartado 1 del art. 64 de la LN que: "*La presentación, adveración, apertura y protocolización de los testamentos otorgados en forma oral se efectuará ante Notario competente para actuar en el lugar en que hubiera tenido el causante su último domicilio o residencia habitual o donde estuviere la mayor parte de su patrimonio, con independencia de su naturaleza de conformidad con la ley aplicable, o en el lugar en que hubiera fallecido, siempre que estuvieran en España, a elección del solicitante. También podrá elegir a un Notario de un distrito colindante a los anteriores. En defecto de todos ellos, será competente el Notario del lugar del domicilio del requirente*".

Por tanto:

a) El interesado puede elegir notario atendiendo a múltiples puntos de conexión. Y no sólo los competentes de acuerdo a los puntos de conexión, sino también los de distritos notariales colindantes.

b) La atribución de competencia residual al notario correspondiente al domicilio del requirente debe calificarse de superflua, habida cuenta de la imposibilidad de que no sea de aplicación ninguno de los anteriores.

En cualquier caso, debemos añadir que, siendo competente el notario requerido por el presentante de acuerdo a los puntos de conexión, la actuación notarial parece inexcusable para el notario.

El notario requerido, apreciará la capacidad y legitimación del requirente y procederá a abrir el correspondiente expediente, que se concreta, en el ejercicio de la función notarial, en un acta. En este punto, la normativa no es lo clara que se desearía. Puede ser un acta a la que deba asignarse «ab initio» un número de protocolo o un mero requerimiento «a buen fin». En mi opinión, debe ser un acta con número de protocolo desde su inicio, de manera que quede constancia en el protocolo notarial, sin perjuicio de que, si no llega a buen término (adveración y protocolización), se proceda al reintegro al requirente del testamento aportado si constara por escrito. Al respecto, es sumamente aconsejable establecerlo expresamente en el requerimiento, así como que el reintegro quede sujeto a la constancia de la actuación practicada.

Añade el apartado 3 del art. 64 de la LN que:

«*Deberán acreditarse los datos identificativos del causante y, mediante información del Registro Civil y del Registro General de Actos de Última Voluntad, el fallecimiento del otorgante y si ha otorgado otras disposiciones testamentarias. Si fuese extraño a la familia del fallecido, además, deberá expresar en la solicitud la razón por la que crea tener interés en la presentación del testamento.*

A la solicitud se acompañará la nota, la memoria o el soporte en el que se encuentre grabada la voz o el audio y el vídeo con las últimas disposiciones del testador, siempre que permita su reproducción, y se hubieran tomado al otorgarse el testamento.

Igualmente se expresarán los nombres de los testigos que deban ser citados por el Notario para que comparezcan ante él a los efectos de su otorgamiento».

En consecuencia:

a) Establecida la legitimación y capacidad del requirente, no habiendo caducado el testamento y aportada la documentación exigida se debe iniciar el expediente/acta.

b) El requirente debe aportar el ejemplar escrito del testamento, si lo hubiere, nota, memoria o soporte de audio o vídeo si lo hubiere e identificar a los testigos, a ser posible, con indicación de su domicilio.

c) De no constar fecha en el testamento, si fuera escrito, o en todo caso de ser verbal deberá indicar la fecha en que se considera otorgado.

c) A mi juicio, debe aportar principio de prueba que el testador al tiempo de otorgar el testamento estaba en peligro de muerte o tiempo de epidemia.

d) La relación de testigos debe comprender al menos el número mínimo exigido en el CC para cada caso, pues así lo exige para la protocolización el apartado 2 del art. 65 de la LN.

6.2.3.2.3. Adveración. Actuaciones a realizar

Esta fase requiere de una especial acción del notario autorizante habida cuenta del contenido incierto del presunto testamento. Al efecto, dicen los apartados 1 y 2 del art. 65 de la LN:

«1. *El Notario, tras aceptar la solicitud, citará a los testigos que hubiere indicado el solicitante, para que comparezcan ante él en el día y hora que se señale. Si el citado como testigo, no compareciese y no alegase causa que justifique su ausencia, el Notario volverá a practicar la citación indicando el día y hora de la nueva comparecencia.*

Cuando la voluntad del testador se hubiere consignado en alguna nota, memoria o soporte magnético o digital duradero, se pondrá de manifiesto a los testigos para que digan si es el mismo que se les leyó o grabó y si reconocen por legítimas sus respectivas firmas y rúbricas, en el caso de haberlas puesto.

2. Son de aplicación las disposiciones establecidas en los artículos anteriores en cuanto a la citación y presencia de aquellas personas que tuvieran interés en la práctica de dichas actuaciones».

Debe por tanto el notario realizar una diligencia de comparecencia con citación de los testigos indicados, citación que debe realizarse si se han indicado sus domicilios por notificación individual a cada un de ellos y, en otro caso, es lo procedente a mi juicio, dada su carácter esencial, recurrir a los medios previstos en los párrafos tercero y cuarto del apartado 2 del art. 56 de la LN para las actas de declaración de herederos intestados. Dicen dichos párrafos:

«*Si se ignorase la identidad o domicilio de alguno de los interesados, el Notario recabará, mediante oficio, el auxilio de los órganos, registros, autoridades públicas y consulares que, por razón de su competencia, tengan archivos o registros relativos a la identidad de las personas o sus domicilios, a fin de que le sea librada la información que solicite, si ello fuera posible.*

Si no lograse averiguar la identidad o el domicilio de alguno de los interesados, el Notario deberá dar publicidad a la tramitación del acta mediante anuncio publicado en el *"Boletín Oficial del Estado" y podrá, si lo considera conveniente, utilizar otros medios adicionales de comunicación. También deberá exponer el anuncio del acta en los tablones de anuncios de los Ayuntamientos correspondientes al último domicilio del causante, al del lugar del fallecimiento, si fuera distinto, o al del lugar donde radiquen la mayor parte de sus bienes inmuebles»*.

Igualmente debe citar, considero que por los mismos medios, a cualquier interesado en la sucesión del testador: legitimarios, llamados en el propio testamento cuya protocolización se pretende, llamados por testamentos anteriores y parientes directos.

Pues bien, en dicha comparecencia debe procederse a la comprobación de la existencia del testamento y, en concreto, de todas y cada una de las circunstancias que detalla el apartado 3 del art. 65 de la LN al decir:

«El Notario reflejará todas las actuaciones en el acta y autorizará la protocolización del testamento, con la calidad de sin perjuicio de tercero, cuando de las declaraciones de los testigos resultaran clara y terminantemente acreditadas las circunstancias siguientes:

1.º Qué concurrió causa legal para el otorgamiento del testamento en forma oral.

2.º Que el testador tuvo el propósito serio y deliberado de otorgar su última disposición.

3.º Que los testigos oyeron simultáneamente de boca del testador todas las disposiciones que quería se tuviesen como su última voluntad, bien lo manifestase de palabra, bien leyendo o dando a leer alguna nota o memoria en que se contuviese.

4.º Que los testigos fueron en el número que exige la ley, según las circunstancias del lugar y tiempo en que se otorgó, y que reúnen las cualidades que se requiere para ser testigo en los testamentos».

Añaden los apartados 4 y 5 del mismo art. que:

«4.- Cuando resulte alguna divergencia en las declaraciones de los testigos, se hará constar así en el acta y tan sólo se protocolizarán como testamentarias aquellas manifestaciones en las que todos estuvieren conformes. Si no lo estuvieren en ninguna de las manifestaciones, se archivará el expediente sin protocolización».

5. Si la última voluntad se hubiere consignado en nota, memoria o soporte magnético o digital duradero, en el acto del otorgamiento, se tendrá como testamento lo que de ella resulte siempre que todos los testigos estén conformes en su autenticidad, aun cuando alguno de ellos no recuerde alguna de sus disposiciones y así se reflejará en el acta de protocolización a la que quedará unida la nota, memoria o soporte magnético o digital duradero».

Por tanto, si el testamento ha sido exclusivamente verbal se admite la reconstrucción parcial del mismo atendiendo a las partes en que todos los testigos son coincidentes.

6.2.3.2.4. *Terminación del expediente/acta: positiva mediante protocoli-zación, negativa por causa denegatoria. Tutela jurisdiccional en ambos caso*

Pues bien, si considera el notario adverado el testamento concluirá el expediente/acta de forma positiva, emitiendo juicio al efecto e insertando el contenido preciso del testamento resultante de la adveración como protocolización del mismo. Ahora bien todo ello con la calidad de sin perjuicio de tercero (inicio del apartado 3 del art. 65 de la LN y quedando en todo caso a salvo los derechos de los interesados para ejercerlos en el juicio que corresponda. Ya hemos indicado que la adveración puede ser parcial, limitada a la parte que se considere auténtica del pretendido testamento.

Por el contrario, si no considera auténtico el testamento pretendido, de acuerdo con el apartado 6 del art. 65 de la LN, el Notario lo hará constar así, cerrará el acta y no autorizará la protocolización del testamento. Igualmente, quedan a salvo los derechos de cualquier interesado a ejercer en el juicio que corresponda.

6.3. ACTUACIONES RESPECTO A LAS INSTITUCIONES DE ALBACEA Y CONTADOR-PARTIDOR

6.3.1. *Competencia notarial común a todos los supuestos. Forma documental de escritura pública*

El art. 66 de la LN regula determinadas actuaciones notariales de jurisdicción voluntaria a propósito de los albaceas y contadores partidores que son objeto de estudio en el presenta apartado 6.3.1.

Pues bien, nota común a todas ellas es que se trata de expedientes en todo caso de competencia notarial, en ocasiones concurrente con los letrados de la administración de justicia y que deben formalizarse en escritura pública. A la competencia notarial se refiere el apartado 2 del art. 66 de la LN al decir: «*Será competente el Notario que tenga su residencia en el lugar en que hubiera tenido el causante su último domicilio o residencia habitual, o donde estuviere la mayor parte de su patrimonio, con independencia de su naturaleza de conformidad con la ley aplicable, o en el lugar en que hubiera fallecido, siempre que estuvieran en España, a elección del solicitante. También podrá elegir a un Notario de un distrito colindante a los anteriores. En defecto de todos ellos, será competente el Notario del lugar del domicilio del requirente*».

Por tanto el principio general de libre elección de notario se conjuga con unos criterios competenciales territoriales que establecen múltiples puntos de conexión, extensible a los distritos notariales colindantes.

6.3.2. *Actuaciones relativas al albacea: aceptación, excusa, renuncia y prórroga*

De acuerdo al art. 91 de la LJV es competencia notarial concurrente con los letrados de la administración de justicia la renuncia al cargo de albacea y la prórroga de su plazo. Además se puede documentar en escritura pública, la excusa o aceptación del cargo (art. 66, apartado 3 de la LN).

En todos estos supuestos, la forma documental notarial idónea es la escritura pública. Pues bien, indicar que:

a) La aceptación puede ser expresa o presunta, como resulta del art. 898 del CC que también se refiere a la excusa al decir: «*El albaceazgo es cargo voluntario, y se entenderá aceptado por el nombrado para desempeñarlo si no se excusa dentro de los seis días siguientes a aquel en que tenga noticia de su nombramiento, o, si éste le era ya conocido, dentro de los seis días siguientes al en que supo la muerte del testador*». Si se pretende aceptar el cargo ante notario, corresponde a éste comprobar que tiene la capacidad suficiente de acuerdo al art. 893 del CC.

b) La excusa al cargo es propiamente la renuncia a la delación antes de su ejercicio. Es puramente voluntaria pero debe comprobar el Notario que se realiza dentro del plazo previsto en el art. anterior.

c) A la renuncia al cargo una vez aceptado expresa o tácitamente se refiere el art. 899 del CC: «*El albacea que acepta el cargo se constituye en la obligación de desempeñarlo; pero lo podrá renunciar alegando causa justa al criterio del Secretario judicial o del Notario*». Por tanto, la misma exige alegar justa causa que debe ser apreciada por el Notario, entiendo que de manera restrictiva en cuanto que aceptado el cargo su ejercicio es obligatorio (el supuesto más evidente es la enfermedad sobrevenida). La diferencia entre excusa previa y renuncia la examina la resolución de la DGRN de 16 de mayo de 2011.

Respecto de la prórroga del albacea, debemos distinguir:

– La prórroga expresa por el testador y la prórroga legal tácita.. A ambas se refiere el art. 905 del CC al decir: «*Si el testador quisiera ampliar el plazo legal, deberá señalar expresamente el de la prórroga. Si no lo hubiese señalado, se entenderá prorrogado el plazo por un año. Si, transcurrida esta prórroga, no se hubiese cumplido todavía la voluntad del testador, podrá el Secretario judicial o el Notario conceder otra por el tiempo que fuere necesario, atendidas las circunstancias del caso*».

– Y junto a las anteriores se puede solicitar una prórroga adicional a los sucesores o directamente por el albacea al letrado de administración de justicia o notario, siendo esta precisamente la que se refiere el art. 661.a) de la LN.

Pues bien, dicen los arts. 904 y 905 del CC:

«*Artículo 904. El albacea, a quien el testador no haya fijado plazo, deberá cumplir su encargo dentro de un año, contado desde su aceptación, o desde que terminen los litigios que se promovieren sobre la validez o nulidad del testamento o de algunas de sus disposiciones*».

«*Artículo 905. Si el testador quisiera ampliar el plazo legal, deberá señalar expresamente el de la prórroga. Si no lo hubiese señalado, se entenderá prorrogado el plazo por un año. Si, transcurrida esta prórroga, no se hubiese cumplido todavía la voluntad del testador, podrá el Secretario judicial o el Notario conceder otra por el tiempo que fuere necesario, atendidas las circunstancias del caso*».

Por tanto, la actuación notarial es a requerimiento del albacea, exige justa causa acreditada y el plazo queda a criterio del notario que podrá realizar actuaciones adicionales como citar a los interesados en la sucesión para apreciar su procedencia y duración. Realmente en este caso, la forma documental más apropiada es la de acta.

Parece a la vista del art. 910 del CC que esta prórroga debe ser solicitada antes del vencimiento del plazo de vigencia del cargo, aunque el art. 905 da pie a considerar que se puede solicitar transcurridas las prórrogas testamentaria o legal tácita.

En esta materia, es de cita obligada la resolución de la DGRN de 18 de marzo de 2015 referida al contador partidor, pero aplicable al albacea en cuanto que la duración y extinción de ambos cargos se rigen por las de los albaceas, al indicar:

a) Que el cargo es voluntario y cabe la aceptación expresa, tácita e incluso impuesta por ministerio de la ley si ha dejado transcurrir el plazo de 6 días sin excusarse.

b) La expresión tener noticia del óbito ha de interpretarse como tener certeza del hecho.

c) El plazo comienza:

– Si el albacea conocía el nombramiento y la muerte del testador: a los seis días del óbito que es el plazo para excusarse.

– Si no conocía el nombramiento, a los 6 días de saberlo, aunque el fallecimiento se hubiese producido hace tiempo.

– Al menos a efectos registrales y sin prejuzgar el criterio definitivo de los tribunales en cada caso, si no resulta del expediente otra cosa, debe atenderse a la fecha de confección del cuaderno-particional.

6.3.3. Actuaciones relativas al contador-partidor.

6.3.3.1. Aceptación, excusa, renuncia y prórroga.

Aunque el art. 66 de la LN sólo hace referencia a la renuncia y prórroga del plazo del contador-partidor, lo cierto es que es unánime la doctrina y la jurisprudencia en entender aplicable al mismo, dada la ausencia de regulación específica, las normas de la institución del albaceazgo en cuestiones como aceptación, excusas, renuncia y plazo. En consecuencia cabe también la excusa y la aceptación expresa en escritura pública.

Y es de aplicación lo expuesto en el apartado anterior, especialmente respecto de la renuncia una vez aceptado el cargo que exige justa causa como reconoce la resolución de la DGRN de 16 de mayo de 2011, aunque el art. 66 de la LN guarda silencio en este punto.

La prórroga puede ser sustanciada tanto respecto del contador-partidor testamentario como respecto del contador-partidor dativo al que pasamos a referirnos.

6.3.3.2. El contador-partidor dativo

6.3.3.2.1. *Nombramiento notarial de contador-partidor dativo*

Dice el art. 1057 del CC:

«El testador podrá encomendar por acto "inter vivos" o "mortis causa" para después de su muerte la simple facultad de hacer la partición a cualquier persona que no sea uno de los coherederos.

No habiendo testamento, contador-partidor en él designado o vacante el cargo, el Secretario judicial o el Notario, a petición de herederos y legatarios que representen, al menos, el 50 por 100 del haber hereditario, y con citación de los demás interesados, si su domicilio fuere conocido, podrá nombrar un contador-partidor dativo, según las reglas que la Ley de Enjuiciamiento Civil y del Notariado establecen para la designación de peritos. La partición así realizada requerirá aprobación del Secretario judicial o del Notario, salvo confirmación expresa de todos los herederos y legatarios.

Lo dispuesto en este artículo y en el anterior se observará aunque entre los coherederos haya algún sujeto a patria potestad, tutela o curatela; pero el contador-partidor deberá en estos casos inventariar los bienes de la herencia, con citación de los representantes legales o curadores de dichas personas».

El segundo párrafo del art. 1057 se refiere al contador partidor dativo como figura intermedia entre el contador partidor de la partición judicial y la extrajudicial. La institución ha carecido de virtualidad práctica, pero la Ley 15/2015, de Jurisdicción

Voluntaria la intenta revitalizar, atribuyendo la competencia y control de su intervención al Notario o al Secretario Judicial, tanto en su nombramiento como en su aprobación.

Nombramiento que notarialmente debe formalizarse en escritura pública (art. 60.1.b) de la LN). Pues bien, es de cita obligada la resolución de la DGRN de 30 de noviembre de 2016 que respecto de esta actuación indica que son obligaciones del Notario: (i) cerciorarse de que la solicitud se formula por herederos y legatarios que representen al menos el 50% del haber hereditario; (ii) que se cite a los demás interesados si su domicilio fuera conocido; (iii) y que la designación del contador partidor se haga conforme previene el citado artículo 50 LN. Este procedimiento notarial "debe quedar bajo la fe pública notarial de exclusiva responsabilidad del notario autorizante (cfr. artículo 17 bis de la Ley del Notariado), pues no hay citación ni emplazamiento a titular alguno de derechos inscritos (cfr. Artículos 18 y 20 de la Ley Hipotecaria)".

Destaca dicha resolución la importancia sobre la citación de los interesados: La citación a los interesados, si su domicilio fuere conocido, constituye un trámite esencial del procedimiento por cuanto su omisión puede generar indefensión (cfr. RR. de 13 y 22 de julio y 27 de octubre de 2016 en relación con el artículo 209 RN). Ahora bien, la concreta y específica forma de realizar dicha notificación debe quedar bajo la fe pública notarial de exclusiva responsabilidad del notario autorizante (cfr. Art. 17 bis LN), pues no hay citación ni emplazamiento a titular alguno de derechos inscritos (cfr. Arts. 18 y 20 LH). En el caso el notario manifiesta que dicha notificación a los interesados con domicilio desconocido, con individualización de quiénes son, se ha realizado por edictos, dándola por buena.

Añadir que:

a) Se exige un 50%, no más de un 50%, lo que puede ocasionar duplicidades sin que la norma establezca regla alguna, que parece debe ser resuelta atendiendo a la prioridad temporal.

b) Respecto de la forma de calcular el 50% entendemos que es indudable que deben incluirse los coherederos y los legatarios de parte alícuota, pero también los legitimarios y los legatarios ordinarios, dado el tenor literal del precepto.

6.3.3.2.2. Aprobación notarial de la partición realizada por el contador-partidor dativo

De acuerdo al art. 92 de la LJV y 66 de la LN es competencia notarial concurrente con los letrados de la administración de justicia la aprobación de la partición realizada por el contador-partidor dativo al que se refiere el segundo párrafo del art. 1057 del CC. No excluye la competencia notarial de la aprobación el hecho que el nombramiento se haya verificado ante letrado de la administración de justicia. Tampoco es preciso que la aprobación se tramite ante el mismo notario que ha realizado el nombramiento, basta con que sea competente de acuerdo a las reglas del art. 66.3 de la LN.

La partición realizada por el contador-partidor dativo tiene distinta naturaleza según la aprobación que recaiga:

– Es contractual cuando recae conformidad de todos los llamados a la sucesión, teniendo el mismo valor que si la hubieran realizado todos ellos.

– Es unilateral cuando se somete a la aprobación del Secretario Judicial o el Notario. En este caso se podría decir que la intervención de uno u otro fedatario suple al testador.

Retornando a la resolución de la DGRN de 30 de noviembre de 2016:

a) Aprobación notarial de la partición (art. 66 LN): (i) Procede cuando no hay confirmación expresa de la partición por todos los herederos y legatarios (art. 1057 CC). (ii) La aprobación notarial constituye un expediente específico de jurisdicción voluntaria que es independiente, (a) tanto del expediente notarial para nombramiento de contador partidor dativo, (b) como de la autorización de la escritura de partición (esta aprobación, dice expresamente la Resolución, es «diferente a la autorización de la escritura de partición»). Ahora bien, la aprobación notarial de la partición realizada por el contador-partidor dativo, si recaída aprobación de la misma es elevada a público en la misma escritura pública, es título legitimador e inscribible de la partición realizada.

b) Sobre la citación de los interesados: La citación a los interesados, si su domicilio fuere conocido, constituye un trámite esencial del procedimiento por cuanto su omisión puede generar indefensión (cfr. RR. de 13 y 22 de julio y 27 de octubre de 2016 en relación con el artículo 209 RN). Ahora bien, la concreta y específica forma de realizar dicha notificación debe quedar bajo la fe pública notarial de exclusiva responsabilidad del notario autorizante (cfr. Art. 17 bis LN), pues no hay citación ni emplazamiento a titular alguno de derechos inscritos (cfr. Arts. 18 y 20 LH). En el caso el notario manifiesta que dicha notificación a los interesados con domicilio desconocido, con individualización de quiénes son, se ha realizado por edictos, dándola por buena.

e) Las adjudicaciones hereditarias o la entrega de legados hecha por el contador partidor se entenderán hechas bajo condición suspensiva (y así se inscribirán si se solicita) mientras no conste la aceptación de los herederos y legatarios.

Debe pues el notario comprobar la regularidad de la participación. Siendo de destacar los siguientes puntos:

a) De haber coherederos sujetos a patria potestad, tutela o curatela, comprobar la citación al inventario de bienes de sus representantes legales o curadores (art. 1057, párrafo 3º).

b) Que se ha formulado vigente el nombramiento.

c) Que su actuación no ha sido arbitraria y que ha respetado:

– La propia voluntad del testador o el título sucesorio intestado.

– En su caso, las legítimas y demás disposiciones imperativas.

– La igualdad cualitativa y cuantitativa de los arts. 1061 y 1062.

– No incurrir en actos dispositivos o extra particionales. Según criterio de la DGRN en resolución de 17 de mayo de 2002 no puede sustituir al cónyuge viudo ni a los herederos en los supuestos de conmutación del usufructo viudal. Tampoco puede habiendo menores o incapacitados aceptar el usufructo universal testamentario del cónyuge viudo en cuanto implica transacción sobre la legítima.

d) Que ha seguido criterios objetivos para la formación del inventario y la valoración de los bienes integrantes del caudal relicto.

El expediente de aprobación puede ser, por tanto, positivo o negativo, quedando a salvo en todo caso el derecho de los perjudicados al ejercicio de las acciones judiciales que consideren procedentes en derecho. Si es negativo, a mi juicio, no se puede intentar de nuevo ante otro notario competente.

6.4. ACTUACIONES RESPECTO A ACEPTACIÓN DE HERENCIA, BENEFICIO DE INVENTARIO Y DERECHO A DELIBERAR

6.4.1. Requerimiento por interesado a heredero para aceptar o repudiar la herencia

La LJV modificó los arts. 1004 y 1005 del CC regulando la interpelación de cualquier interesado en la herencia a el o los herederos para aceptar o repudiar. Actuación pues cuyo ámbito de aplicación se circunscribe al derecho común.

Dicen los arts. 1004 y 1005 del CC:

"Artículo 1004. Hasta pasados nueve días después de la muerte de aquel de cuya herencia se trate, no podrá intentarse acción contra el heredero para que acepte o repudie.

Artículo 1005. Cualquier interesado que acredite su interés en que el heredero acepte o repudie la herencia podrá acudir al Notario para que éste comunique al llamado que tiene un plazo de treinta días naturales para aceptar pura o simplemente, o a beneficio de inventario, o repudiar la herencia. El Notario le indicará, además, que si no manifestare su voluntad en dicho plazo se entenderá aceptada la herencia pura y simplemente".

El CC no establece un plazo o término para su realización, es más, aunque referido en exclusiva a la aceptación a beneficio de inventario, señala el art. 1016 que puede solicitarse «mientras no prescriba la acción para reclamar la herencia», entendiéndose hoy prevalente la que acoge el plazo de 30 años. Pero no puede ignorarse que la aceptación o repudiación no puede permanecer pendiente largo tiempo, pues supone la parálisis del patrimonio del causante y, por ende, de sus relaciones con terceros.

Por ello, los arts. 1004 y 1005 reconocen el derecho a interpelar al llamado como heredero. Y, al respecto, al menos apuntar que:

a) Por terceros deben entenderse en sentido amplio, tanto como otros llamados a la sucesión por cualquier título, como acreedores del causante y del heredero, incluido el contador partidor como reconoce la resolución de la DGRN de 19 de julio de 2016.

b) Los efectos del requerimiento previsto en el art. 1005 del CC son extraordinariamente enérgicos: la inacción del requerido durante treinta días conlleva la aceptación pura y simple.

c) El medio documental idóneo es el acta de requerimiento.

6.4.2. Inventario para acogerse a la aceptación a beneficio de inventario y derecho a deliberar

6.4.2.1. Aceptación pura y simple, derecho de deliberar y aceptación a beneficio de inventario

6.4.2.1.1. Regla general: aceptación pura y simple con confusión de patrimonios y responsabilidad ilimitada del heredero

El efecto general de la aceptación de la herencia pura y simplemente es la adquisición de la cualidad de heredero y además con carácter retroactivo. Ello determina que devenga titular de un haz de derechos y obligaciones, tanto personales como patrimoniales. Desde este último punto de vista, determina la confusión de patrimonios del causante y del heredero y la responsabilidad ilimitada por las deudas del causante ("ultra vires"), de acuerdo al art. 1003 del CC.

Sin embargo, junto a dicho régimen general, el CC contempla dos supuestos especiales: la aceptación a beneficio de inventario y el derecho de deliberar antes de aceptar o repudiar la herencia.

6.4.2.1.2. Concepto de beneficio de inventario: casos en que procede, requisitos y efectos

Es la facultad concedida por la ley a los herederos para aceptar la herencia, con la modalidad de no responder ilimitadamente de las obligaciones del difunto, sino hasta donde alcance el valor de los bienes hereditarios adjudicados. Y así:

a) Es un auténtico heredero, pero su responsabilidad es «intra vires» (hasta donde alcancen el valor de los bienes de la herencia y circunscrita a los mismos).

b) El patrimonio hereditario no se confunde con el del heredero, sino es un patrimonio separado sujeto a un especial régimen de gestión.

Puede derivarse por disposición de la ley o por voluntad del herederos:

– Por disposición de la Ley: son los casos del menor no emancipado (166), los sujetos a tutela (272.1), el Estado, y el supuesto del art. 1021.

– Por voluntad del heredero al que se refiere el art. 1010.

En cuanto a sus requisitos son tanto temporales, formales y la necesaria formación de inventario de acuerdo a los arts. 1011, 1012, 1013, 1014, 1015, 1016 y 1017. La sanción por inobservancia de los requisitos, determina que la aceptación sea considerada pura y simple tal y como resulta del art. 1018.

El efecto fundamental es la responsabilidad del heredero «intra vires» (hasta donde alcancen el valor de los bienes de la herencia y circunscrita a los mismos) y la no confusión de patrimonios a la vista del art. 1023.

No obstante, debe advertirse que:

a) La aceptación a beneficio de inventario conlleva necesariamente la puesta del patrimonio hereditario en administración en tanto se procede a su inventario, realización y liquidación para satisfacer a los acreedores. Liquidación que salvo valores negociables que coticen en un mercado secundario donde se pueden realizar en el mismo, debe realizarse mediante subasta notarial, salvo que todos los herederos, acreedores y legatarios acuerden por unanimidad otra cosa.

b) El art. 1024 contempla determinados supuestos de pérdida del beneficio de inventario, pérdida del beneficio de inventario que determina la consideración del heredero como aceptante pura y simplemente.

6.4.2.1.3.   El derecho a deliberar para aceptar o repudiar la herencia

Es la facultad concedida por la ley al heredero para examinar, dentro de cierto tiempo, el estado de la herencia, antes de decidirse por la aceptación o repudiación de la misma: derivado, como el beneficio de inventario, del D° Romano, ha pasado al CC que en su párrafo 2° del art. 1010 CC formula el principio de que todo heredero «puede pedir la formación de inventario antes de aceptar o repudiar la herencia, para deliberar sobre este punto»

Este derecho presupone también la formación del inventario y las disposiciones del CC ya examinadas relativas al tiempo en que puede solicitarse el beneficio (arts. 1014 a

1016), plazo para hacerse el inventario (a. 1017) y a la sanción de la inobservancia de las prescripciones legales (art. 1018) que son de aplicación al derecho de deliberar.

Los efectos fundamentales de derecho de deliberar se reducen, según los arts. 1019 y 1120, a que:

(I) El heredero que haga uso del mismo, debe manifestar ante Notario dentro de los 30 días contados desde el siguiente en que hubiere concluido el inventario, si acepta o repudia la herencia. Pasados dichos 30 días sin hacer tal manifestación se entiende que acepta pura y simplemente.

(II) Y en todo caso, el Notario a instancia de parte interesada, podrá adoptar las provisiones necesarias durante la formación del inventario y hasta la aceptación de la herencia a la administración y custodia de los bienes hereditarios.

6.4.2.2. Regulación en la LN de la formación de inventario

6.4.2.2.1. *Competencia notarial, forma documental idónea e iniciación*

La formación del inventario para la aceptación por tal concepto o el ejercicio del derecho a deliberar es actualmente competencia notarial de acuerdo al art. 1011 del CC, con la única excepción de lo dispuesto en el art. siguiente. Dicen los arts. 1011 y 1012:

«Artículo 1011. La declaración de hacer uso del beneficio de inventario deberá hacerse ante Notario.

Artículo 1012. Si el heredero a que se refiere el artículo anterior se hallare en país extranjero, podrá hacer dicha declaración ante el Agente diplomático o consular de España que esté habilitado para ejercer las funciones de Notario en el lugar del otorgamiento».

De acuerdo con el art. 67.1 de la LN es *«competente para la formación de inventario de los bienes y derechos del causante a los efectos de aceptar o repudiar la herencia por los llamados a ella, el Notario con residencia en el lugar en que hubiera tenido el causante su último domicilio o residencia habitual, o donde estuviere la mayor parte de su patrimonio, con independencia de su naturaleza de conformidad con la ley aplicable, o en el lugar en que hubiera fallecido, siempre que estuvieran en España, a elección del solicitante. También podrá elegir a un Notario de un distrito colindante a los anteriores. En defecto de todos ellos, será competente el Notario del lugar del domicilio del requirente».*

La forma documental notarial idónea es el acta de formación del inventario, sin perjuicio que para la aceptación a beneficio de inventario previa o la aceptación o renuncia consecuencia del derecho a deliberar el instrumento público notarial adecuado sea la escritura pública.

De acuerdo al art. 67.2 de la LN: «*El heredero que solicite la formación de inventario deberá presentar su título de sucesión hereditaria y deberá acreditar al Notario o bien comprobar éste mediante información del Registro Civil y del Registro General de Actos de Última Voluntad el fallecimiento del otorgante y la existencia de disposiciones testamentarias*». Añadir que de acuerdo al art. 1007 del CC en caso de coherederos, cada uno es libre para aceptarla pura y simplemente, a beneficio de inventario, hacer uso del derecho de deliberar o renunciarla.

Ello plantea el problema de la eventual concurrencia de requerimientos para la formación de inventario, sin que la cuestión esté resuelta por pronunciamiento legal.

En cualquier caso es fundamental so pena de considerarse aceptante pura y simplemente de la herencia la observación de las reglas de los arts. 1014, 1015 y 1016 del CC:

«*Artículo 1014. El heredero que tenga en su poder la herencia o parte de ella y quiera utilizar el beneficio de inventario o el derecho de deliberar, deberá comunicarlo ante Notario y pedir en el plazo de treinta días a contar desde aquél en que supiere ser tal heredero la formación de inventario notarial con citación a los acreedores y legatarios para que acudan a presenciarlo si les conviniere.*

Artículo 1015. Cuando el heredero no tenga en su poder la herencia o parte de ella, ni haya practicado gestión alguna como tal heredero, el plazo expresado en el artículo anterior se contará desde el día siguiente a aquel en que expire el plazo que se le hubiese fijado para aceptar o repudiar la herencia conforme al artículo 1005, o desde el día en que la hubiese aceptado o hubiera gestionado como heredero.

Artículo 1016. Fuera de los casos a que se refieren los dos anteriores artículos, si no se hubiere presentado ninguna demanda contra el heredero, podrá éste aceptar a beneficio de inventario, o con el derecho de deliberar, mientras no prescriba la acción para reclamar la herencia».

6.4.2.2.2. *Citación a acreedores y legatarios*

Iniciado el requerimiento, procede la citación a acreedores y legatarios en los términos que establece el apartado 3 de la LN al decir: "*Aceptado el requerimiento, el Notario deberá citar a los acreedores y legatarios para que acudan, si les conviniera, a presenciar el inventario. Si se ignorase su identidad o domicilio, el Notario dará publicidad del expediente en los tablones de anuncios de los Ayuntamientos correspondientes al último domicilio o residencia habitual del causante, al del lugar del fallecimiento si fuera distinto y donde radiquen la mayor parte de sus bienes, sin perjuicio de la posibilidad de utilizar otros medios adicionales de comunicación. Los anuncios deberán estar expuestos durante el plazo de un mes*".

Desde el inicio mismo del requerimiento es de aplicación lo dispuesto en el art. 1020 del CC: «*Durante la formación del inventario y hasta la aceptación de la herencia, a instancia de parte, el Notario podrá adoptar las provisiones necesarias para la administración y custodia de los bienes hereditarios con arreglo a lo que se prescribe en este Código y en la legislación notarial*».

6.4.2.2.3. Formación del inventario

A la formación del inventario se refieren los apartados 1, 2 y 3 del art. 68 de la LN al decir que:

«*1. El inventario comenzará dentro de los treinta días de la citación de los acreedores y legatarios.*

2. El inventario contendrá relación de los bienes del causante, así como las escrituras, documentos y papeles de importancia que se encuentren, referidos a bienes muebles e inmuebles. De los bienes inmuebles inscritos en el Registro de la Propiedad, se aportarán o se obtendrán por el Notario certificaciones de dominio y cargas. Del metálico y valores mobiliarios depositados en entidades financieras, se aportará certificación o documento expedido por la entidad depositaria, y si dichos valores estuvieran sometidos a cotización oficial, se incluirá su valoración a fecha determinada. Si por la naturaleza de los bienes considerasen los interesados necesaria la intervención de peritos para su valoración, los designará el Notario con arreglo a lo dispuesto en esta Ley.

3. El pasivo incluirá relación circunstanciada de las deudas y obligaciones así como de los plazos para su cumplimiento, solicitándose de los acreedores indicación actualizada de la cuantía de las mismas, así como de la circunstancia de estar alguna vencida y no satisfecha. No recibiéndose por parte de los acreedores respuesta, se incluirá por entero la cuantía de la deuda u obligación».

En cuanto al plazo, el último apartado 4 del art. 68 de la LN aclara la regla del art. 1017 del CC al decir: «*El inventario deberá concluir dentro de los sesenta días a contar desde su comienzo. Si por justa causa se considerase insuficiente el plazo de sesenta días, podrá el Notario prorrogar el mismo hasta el máximo de un año. Terminado el inventario, se cerrará y protocolizará el acta. Quedarán a salvo en todo caso los derechos de terceros*».

Concluido el inventario, se cerrará el acta:

– Si el inventario se ha formado en el ejercicio de deliberar, debe el heredero manifestarse en escritura pública si acepta pura o simplemente o en uso del beneficio de inventario o la repudia. Transcurrido dicho plazo sin mediar declaración de expresa ante notario, se considera que la acepta pura y simplemente.

– Si ya ha hecho uso del beneficio de inventario previamente o lo hace al cierre como consecuencia del derecho de deliberar, debe ajustarse en la liquidación de la herencia a las reglas que en tal sentido establece el CC.

6.5. CERTIFICADO EUROPEO DE SUCESIONES

6.5.1. *Referencia al Reglamento de la UE 650/2012*

En el ámbito del Derecho Internacional Privado, la legislación interna española (art. 9.8 del CC) ha quedado superada respecto de las sucesiones abiertas a partir del 17 de agosto de 2015, fecha de entrada en vigor del Reglamento Europeo número 650/2012 por dicha norma de la UE, como recuerda la Resolución de la DGRN de 29 de julio de 2015. Así dicho Reglamento desplaza la aplicación del art. 9.8, siendo de destacar los siguientes aspectos:

a) El Reglamento se aplica únicamente a las sucesiones en las que se plantea cuestión acerca de la posible aplicación entre legislaciones de dos o más Estados, esto es, de sucesiones que tengan repercusiones transfronterizas o carácter internacional en todo el territorio de la Unión Europea, si bien tres países de la Unión Europea, Gran Bretaña, Irlanda y Dinamarca, quedan fuera de su ámbito de aplicación.

b) Ahora bien, concurriendo tal componente transnacional es de aplicación universal a las sucesiones de personas nacionales de cualquier Estado.

c) Las disposiciones del Reglamento se aplicarán a la sucesión de las personas que fallezcan el 17 de agosto de 2015 o después de esa fecha.

d) En su art. 23.2 b) incluye con claridad, entre los elementos de la ley aplicable a las sucesiones mortis causa, los derechos del cónyuge viudo, en las herencias internacionales a partir del 17 de agosto de 2015.

e) La ley aplicable con carácter general para regir las sucesiones con repercusiones transfronterizas será la del Estado en el que el causante tuviera su residencia habitual en el momento de su fallecimiento. Como excepciones a la aplicación de la residencia habitual debemos citar las siguientes:

- Que el fallecido tenga un vínculo más estrecho con un Estado diferente al de su última residencia habitual.

- La *professio iuris*, o sea, elección expresa de la Ley aplicable en testamento, pudiendo elegir no la de su residencia sino la de su nacionalidad en el momento de realizar la elección o en el momento de su fallecimiento. La misma debe de ser indubitada, siendo muy aconsejable la opción en el documento de últimas voluntades.

La resolución de la DGRN de 15 de junio de 2016 con afán didáctico establece los siguientes criterios prácticos:

a) La aplicación universal del Reglamento incluso respecto de nacionales de terceros estados y la aplicación preferente del mismo sobre el art. 9.3 del CC.

b) La professio iuris debe hacerse expresamente y en forma de disposición «mortis causa» o habrá de resultar de los términos de una disposición de ese tipo. Y, además conforme al considerando 40 cabe la elección de una ley aun cuando la ley elegida no prevea la elección de ley en materia sucesoria, siempre que pueda inferirse del acto que la persona comprendió lo que está haciendo y consistió en ello.

c) Y si es así constante la aplicación del Reglamento con más razón debe predicarse una interpretación flexible de su disposición transitoria –artículo 83– redactada con la finalidad de que los ciudadanos europeos, pese a los tres años dados para la aplicación de la norma, no se sorprendan con las modificaciones que la misma introduce en sus tradiciones jurídicas cuando hubieran dispuesto con anteriordad a su aplicación, la forma en que debía llevarse a cabo su sucesión *(vid.* considerando 80). Por ello, si una disposición «mortis causa» se realizara antes del 17 de agosto de 2015 con arreglo a la ley que el causante podría haber elegido de conformidad con el presente Reglamento, se considerará que dicha ley ha sido elegida como ley aplicable a la sucesión (artículo 83.4).

d) Finalmente, aborda la cuestión de si es posible la división de títulos testamentarios, para el patrimonio en España y otros Estados. Pues bien, conforme al Reglamento la sucesión es única y comprende la totalidad de los bienes muebles e inmuebles del causante (con claridad, inciso primero del artículo 23) por lo que estas disposiciones testamentarias simpliciter, que tanto facilitaron las sucesiones de los causantes británico en España en su día deben ser erradicadas de la práctica testamentaria notarial posterior al 17 de agosto de 2015.

6.5.2. El certificado sucesorio europeo

6.5.2.1. Concepto y regulación en el Reglamento de la UE

Calvo Vidal lo define como «el documento público, estrictamente europeo, que tiene por objeto la constatación y fijación de los hechos sobre cuya base puede ser fundada la declaración de la condición de herederos, legatario, ejecutor testamentario o administrador de la herencia y el contenido de sus derechos y facultades, para la acreditación de los mimos en un Estado miembro distinto al de su expedición».

El Certificado Sucesorio Europeo está regulado en los arts. 62 a 73 del Reglamento Sucesorio Europeo de cuyo contenido destacamos aquí:

(I) Puede expedirse en relación a un elemento de la sucesión (como la aceptación) o referirse a toda ella.

(II) La expedición sobre un elemento no impide que se expida otro después sobre más elementos. La expedición requiere el otorgamiento del acto que después se documenta (no al revés, el certificado no tiene más sustancia que el acto que documenta). Es por eso que, a diferencia de lo que ahora ocurre, la sucesión de un solo heredero precisará documento público si se pretende la expedición del certificado, por ejemplo.

(III) El Notario competente para expedir el certificado es el que sustancia la sucesión. La expedición del mismo viene siempre motivada por la petición de los interesados.

(IV) Los certificados circulan mediante copia. La copia la puede solicitar un interesado (peticionario o persona a cuyo favor se reconozca un derecho) o cualquier persona con interés legítimo (esté interés se debe valorar como concepto autónomo comunitario, no interno).

6.5.2.2. Regulación interna. Actuación notarial

La regulación interna del certificado sucesorio europeo la encontramos en la disposición final vigésima sexta de la Ley 29/2015, de cooperación jurídica internacional en materia civil, apartados 11 al 17. Hasta el 13 hace referencia al certificado sucesorio europeo a expedir por la autoridad judicial en caso de haberse sustanciado la sucesión en dicha sede y a partir del 14 ante el notario correspondiente.

Pues bien, respecto de la actuación notarial, señalamos los siguientes aspectos:

a) Carácter rogado que debe iniciarse por solicitud, con carácter preferente mediante el formulario previsto en el artículo 65.2 del mismo Reglamento.

b) Competencia del notario que declare la sucesión o alguno de sus elementos o a quien legalmente le sustituya o suceda en su protocolo, la expedición del certificado previsto en el artículo 62 del Reglamento (UE) n.º 650/2012, debiendo para ello usar el formulario al que se refiere el artículo 67 del mismo Reglamento.

c) Carácter de documento público y constancia: la expedición del certificado sucesorio europeo, que tendrá el carácter de documento público conforme al artículo 17 de la Ley del Notariado de 28 de mayo de 1862, se dejará constancia mediante nota en la matriz de la escritura que sustancie el acto o negocio, a la que se incorporará el original del certificado, entregándose copia auténtica al solicitante. Si no fuera posible la incorporación a la matriz, se relacionará, mediante nota, el acta posterior a la que deberá ser incorporado el original del certificado.

d) Rectificación, modificación o anulación del certificado sucesorio europeo emitido por notario: Corresponderá al notario en cuyo protocolo se encuentre, la rectificación del certificado sucesorio europeo en caso de ser observado en él un error material, así como la modificación o anulación previstas en el artículo 71.1 del Reglamento (UE) n.º 650/2012. En todo caso, conforme al artículo 71.3 del Reglamento (UE) n.º 650/2012, el notario comunicará sin demora, a todas las personas a las que se entregaron copias auténticas del certificado en virtud del artículo 70.1, cualquier rectificación, modificación o anulación del mismo.

e) Recurso y tutela jurisdiccional:

– Las decisiones adoptadas por un notario relativas a un certificado sucesorio europeo podrán ser recurridas por quien tenga interés legítimo conforme a los artículos 63.1 y 65 del Reglamento (UE) n.º 650/2012.

– La negativa de un notario a rectificar, modificar, anular o expedir un certificado sucesorio europeo podrá ser recurrida por quien tenga interés legítimo conforme a los artículos 71 y 73 apartado 1, letra a) del Reglamento (UE) n.º 650/2012.

– El recurso, en única instancia, contra las decisiones a las que se refieren las reglas 1.ª y 2.ª de este apartado será interpuesto directamente ante el juez de Primera Instancia del lugar de residencia oficial del notario, y se sustanciará por los trámites del juicio verbal.

f) Efectos del recurso.

– Si, como consecuencia del recurso resulta acreditado que el certificado sucesorio europeo expedido no responde a la realidad, el órgano judicial competente ordenará que el notario emisor lo rectifique, modifique o anule según la resolución judicial recaída.

– Si, como consecuencia del recurso resulta acreditado que la negativa a expedir el certificado sucesorio europeo era injustificada, el órgano judicial competente expedirá el certificado o garantizará que el notario emisor vuelva a examinar el caso y tome una nueva decisión acorde con la resolución judicial recaída.

– En todo caso, deberá constar en la matriz de la escritura que sustancie el acto o negocio y en la del acta de protocolización del certificado sucesorio europeo emitido, nota de la rectificación, modificación o anulación realizadas, así como de la interposición del recurso y de la resolución judicial recaída en el mismo.

6.5.3. Catálogo de formularios del Reglamento Europeo número 650/2012

Siguiendo en este punto, la web www.notariosyregistradores.com, se publicó Reglamento de ejecución (UE) Nº 1329/2014 de la comisión 9 de diciembre de 2014 por el que se establecen los formularios mencionados en el Reglamento de Sucesiones (Diario oficial de la Unión Europea de 16/12/2014).

Tipos de formularios:

a) El formulario que deberá utilizarse para la certificación relativa a una resolución en materia de sucesiones a que se refiere el artículo 46, apartado 3, letra b), del Reglamento (UE) no 650/2012 será el que se establece en el anexo 1 como formulario I.

b) El formulario que deberá utilizarse para la certificación relativa a un documento público en materia de sucesiones a que se refiere el artículo 59, apartado 1, y el artículo 60, apartado 2, del Reglamento (UE) no 650/2012 será el que se establece en el anexo 2 como formulario II.

c) El formulario que deberá utilizarse para la certificación relativa a una transacción judicial en materia de sucesiones a que se refiere el artículo 61, apartado 2, del Reglamento (UE) no 650/2012 será el que se establece en el anexo 3 como formulario III.

d) El formulario que deberá utilizarse para la solicitud de un certificado sucesorio europeo a que se refiere el artículo 65, apartado 2, del Reglamento (UE) no 650/2012 será el que se establece en el anexo 4 como formulario IV.

e) El formulario que deberá utilizarse para el certificado sucesorio europeo a que se refiere el artículo 67, apartado 1, del Reglamento (UE) no 650/2012 será el que se establece en el anexo 5 como formulario V.

7. ACTUACIÓN NOTARIAL EN MATERIA DE OBLIGACIONES

7.1. EL OFRECIMIENTO DE PAGO

Artículo 69 de la Ley Orgánica del Notariado

1. El ofrecimiento de pago y la consignación de los bienes de que se trata podrán efectuarse ante Notario.

2. El que promueva expediente expresará los datos y circunstancias de identificación de los interesados en la obligación a que se refiera el ofrecimiento de pago o la consignación, el domicilio en que puedan ser hallados así como las razones de la actuación, todo lo relativo al objeto del pago o la consignación y su puesta a disposición del Notario.

3. Cuando los bienes consignados consistan en dinero, valores e instrumentos financieros, en sentido amplio, serán depositados por el Notario necesariamente en la Entidad financiera colaboradora de la Administración de Justicia.

Si fueran de distinta naturaleza a los indicados en el apartado anterior, el Notario dispondrá su depósito o encargará su custodia a establecimiento adecuado a tal fin, asegurándose de que se adoptan las medidas necesarias para su conservación, que quedará adecuadamente justificado por diligencia en el acta.

4. El Notario notificará a los interesados la existencia del ofrecimiento de pago o la consignación, a los efectos de que en el plazo de diez días hábiles acepten el pago, retiren la consignación debida o realicen las alegaciones que consideren oportunas.

Si el acreedor contestara al requerimiento aceptando el pago o lo consignado en plazo, el Notario le hará entrega del bien haciendo constar en el acta tal circunstancia, dando por finalizado el expediente.

Si transcurrido dicho plazo no procediera a retirarla, no realizara ninguna alegación o se negara a recibirla, se procederá a la devolución de lo consignado sin más trámites y se archivará el expediente.

7.1.1. Consideraciones conjuntas al ofrecimiento de pago y la consignación

Para una adecuada comprensión del ofrecimiento de pago y la consignación, hay que tener en cuenta, además del contenido del artículo antes transcrito, la regulación sustantiva civil, prevista en los artículos 1156 y siguientes del CC (también modificados por la LJV), así como el procedimiento judicial de consignación, contenido en los artículos 98 y 99 de la LJV.

Se trata por tanto de una **competencia compartida en el ámbito judicial y notarial**.

Antes de abordar el estudio individualizado de cada figura, resulta conveniente realizar una serie de consideraciones conjuntas a ambas, pues las dos son un mecanismo íntimamente relacionado entre sí a fin de lograr la liberación de las obligaciones del deudor.

Puede haber ofrecimiento de pago sin consignación, pero no consignación sin previo ofrecimiento de pago (salvo las excepciones previstas en el artículo 1176 del CC, como se verá), de tal manera que se puede afirmar, si bien entraré más adelante en detalles, que el ofrecimiento de pago es un mecanismo que utiliza el deudor para evitar que su obligación de pago entre en mora, mientras que la consignación es la vía que nuestro ordenamiento jurídico prevé para el pago de las obligaciones, en ambos casos, cuando el acreedor se niega a cobrar o realiza actuaciones tendentes a obstaculizar el pago, de manera que al deudor le resulta imposible hacer efectiva la prestación. Con el ofrecimiento de pago el deudor quiere dejar constancia de que no es él el que entra en mora (mora solvendi), sino el acreedor (mora accipiendi), mientras que con la consignación el deudor pretende extinguir la relación obligatoria y quedar liberado de ésta.

Es en las obligaciones positivas de dar o entregar donde esta institución encuentra su verdadero campo de aplicación, mientras que en las de hacer o no hacer, por su propia naturaleza, no resulta posible, en principio, acudir a este mecanismo, teniéndose que buscar otras vías para su extinción cuando para su cumplimiento sea necesaria la cooperación del acreedor. Como se verá más adelante, puede tener sentido acudir al ofrecimiento de pago en una obligación de hacer o no hacer, pero no tanto a la consignación.

Por su propia definición, el pago implica la extinción de la obligación para el deudor y la satisfacción del crédito para el acreedor, de manera que ambos (satisfacción del acreedor y liberación del deudor), son dos intereses jurídicamente protegidos que responden a dos derechos, del acreedor y deudor, que tienen la particularidad de que concurren en un mismo momento: el del pago.

Centrándonos en el derecho a la liberación, repito, es obvio que no solo es el acreedor el que tiene interés en que se cumpla la obligación, sino que pueden existir circunstancias en las que también interese al deudor el quedar definitivamente liberado de la deuda, y no en pocas ocasiones: porque la deuda produzca intereses, porque esté obligado a entregar un cuerpo cierto y ello exija velar con su conservación, para liberar a su fiador .por ejemplo. Es más, tal y como menciona BELTRÁN DE HEREDIA (1956, p. 471), el fundamento y la razón de ser del ofrecimiento de pago y la consignación es la idea de que el deudor no solo tiene interés, sino derecho a liberarse de la obligación, y por tanto el medio supletorio al interés del deudor sería el ofrecimiento de pago y posterior consignación, cumpliendo una función similar a la que desde el punto de vista activo de la relación obligatoria, presenta la ejecución forzosa.

Y puede ocurrir que el deudor no pueda llevar a cabo su prestación sin que el acreedor coopere. Esa falta de cooperación del acreedor es el presupuesto para que se produzca la figura doctrinalmente creada de la «Mora accipiendi» o «Mora credendi», a la que me refiero a continuación.

7.1.1.1. La mora del acreedor

Jurisprudencialmente, tres son los requisitos básicos para apreciar la mora del acreedor (STS de 30 de marzo y 17 de mayo de 1996, entre otras), que son:

- La existencia de una obligación vencida para cuyo cumplimiento haga falta el concurso del acreedor.
- La realización por el deudor de todo lo conducente a la ejecución de la prestación.
- La falta de cooperación por parte del acreedor, sin justificación legal alguna, al cumplimiento de la obligación.

El primer requisito es el presupuesto necesario para poder acudir a las figuras que estamos estudiando, el segundo y tercero son los que trata de dejar acreditados el deudor mediante el ofrecimiento de pago, y la consignación, que sigue al ofrecimiento de pago, es el mecanismo que el deudor emplea para pagar.

Los efectos inmediatos que se derivan de la aparición de la mora accipiendi son los siguientes:

- El propio retraso del acreedor en recibir excluye la consideración de moroso en lo que se refiere al deudor, lo que implica que no podrán generarse intereses en su contra.
- Impide la declaración autorizada del artículo 1124.2 del CC esto es, la facultad del acreedor de exigir el cumplimiento o la resolución de la obligación, en ambos casos con abono de intereses o resarcimiento de daños, con la consecuencias de toda índole que ello tiene en la relación obligatoria y sobre las que no me extenderé ahora.
- Desde que comienza el retraso del acreedor, el que lo ha provocado soporta el riesgo de pérdida o deterioro de la cosa cierta y determinada que sea objeto de deuda.

– Abre la puerta a que el deudor quede libre de la relación obligatoria mediante la consignación.

7.1.1.2. Distinción con el Acta Notarial de Depósito

Establece el artículo 216 del RN que *«los Notarios pueden recibir en depósito los objetos, valores, documentos y cantidades que se les confíen, bien como prenda de contratos, bien para su custodia.*

La admisión de depósitos es voluntaria por parte del Notario, quien podrá imponer condiciones al depositante, salvo que el depósito notarial se halle establecido en alguna ley, en cuyo caso se estará a lo que en ella se disponga .

El Notario rechazará todo depósito que pretenda constituirse en garantía de un acto o contrato contrario a las leyes o al orden público».

Como puede apreciarse de la simple lectura del artículo 216 del RN y su confrontación con el artículo 69 de la LN, la diferencia fundamental es que **las actas de depósito tienen carácter voluntario para el Notario**, mientras que **las actas de ofrecimiento de pago y consignación tienen carácter de obligatorias para el Notario.**

Por otra parte, la finalidad de ambas actas es totalmente distinta: en las actas de depósito se trata de solicitar del Notario la custodia del bien depositado, o bien de utilizar el depósito para hacer las funciones de garantía prendaria en una obligación, mientras que como ha quedado dicho, en las actas de ofrecimiento de pago o consignación, se trata de dejar constancia de la actitud no cooperativa del acreedor, que impide que el deudor cumpla con su obligación y, en último término, de pagar la deuda derivada de la obligación contraída.

Ello no obstante, la regulación reglamentaria del depósito notarial sin duda puede y debe servir de complemento de la regulación contenida en la LN sobre el ofrecimiento de pago y la consignación

7.1.2. *Requisitos del ofrecimiento de pago*

Para proceder a la consignación de la cosa debida es requisito indispensable que el deudor, con carácter previo, ofrezca al acreedor la prestación que constituya la obligación. Este trámite es esencial para la causa del artículo 1176.1º del CC es decir, cuando el acreedor se niega sin razón a admitir el pago y demás supuestos asimilables a éste.

Se trata de una declaración de voluntad dirigida al acreedor, por la que el deudor manifiesta su firme decisión de cumplir inmediatamente la obligación, ofrecimiento que constituye ese paso previo, necesario, para la consignación, y que no extingue la obligación por no implicar la realización de la prestación, pero que de forma independiente va a provocar que se produzca la situación de «mora accipiendi» en el acreedor, declaración que si bien no permite al deudor que quede liberado, impide que se le dé un trato de moroso. A todo ello me he referido con anterioridad.

Donde quiero detenerme ahora es en los requisitos propios de ofrecimiento de pago, pues para que se produzcan los efectos buscados por el deudor y previstos en el artículo 1176 del CC es preciso que:

- Sea incondicional, lo que no obsta para que en las obligaciones recíprocas se condicione el ofrecimiento y la propia disponibilidad de lo consignado posteriormente al cumplimiento de la otra parte.

- Ha de hacerse al acreedor o a su apoderado, necesariamente. Puede dirigirse también a otros interesados en el cumplimiento de la obligación, pero en ningún caso puede prescindir del acreedor.

- Tiene que ser hecho en el momento oportuno y no antes, y en el lugar adecuado (esta cuestión es controvertida a la luz de la nueva regulación de la LN)

- La prestación ofrecida ha de ser íntegra e idéntica a la que constituye el objeto de la obligación, incluidos los accesorios a la misma.

- Se discute si basta un ofrecimiento verbal o simple anuncio de la voluntad de pagar al acreedor, o si se requiere una oferta real, con exhibición del objeto de la prestación. También me detendré en ello más adelante.

El ofrecimiento de pago y el anuncio de consignación pueden contenerse en un mismo acto, con el fin de ahorrar tiempo y trámites. El artículo 69 de la LN no menciona el anuncio de consignación, pero no cabe duda de que antes de la consignación, ésta debe ser debidamente anunciada. Decía que el ofrecimiento y anuncio de consignación pueden contenerse en un mismo acto es decir, un ofrecimiento acompañado subsidiariamente del anuncio de que, si no es atendido, se procederá a la consignación.

Paso a continuación a centrarme en los aspectos particulares y sobre todo prácticos desde el punto de vista notarial, del ofrecimiento de pago.

7.1.2.1. Forma documental y competencia notarial

La forma documental adecuada es el **acta notarial**. Como acabo de anticipar, es una cuestión controvertida si el ofrecimiento de pago ha de ser exclusivamente verbal, o ha de tener también un contenido real. De ser esto así, de tener carácter real, **el acta notarial en la que conste el ofrecimiento de pago debe ser complementada inmediatamente con un acta de depósito** (de obligatoria admisión), pues se trata de que por parte del Notario se recoja el depósito de la prestación debida (y ofrecida) por el deudor, y en relación con dicho depósito, de dejar constancia de la actitud del acreedor para con la prestación debida, aceptándola o no.

Tal y como pone de manifiesto LORA TAMAYO VILLACIEROS (2015, p. 905), el RN ya se ocupaba de estos ofrecimientos reales en el artículo 200: «*Serán también materia de las actas de presencia: 1. La entrega de documentos, efectos, dinero u otras cosas, así como los ofrecimientos de pago. El texto de estas actas comprenderá, en lo pertinente, la transcripción del documento entregado, la descripción completa de la cosa, la naturaleza, características y notas individuales de los efectos*».

En mi opinión, esto debe ser así. Los importantes efectos que hemos visto que se derivan de acreditar que se dan los requisitos para poner al acreedor en mora, y el hecho de ser el presupuesto previo para la consignación o pago, hacen que debe quedar de manera indubitada acreditado que el deudor tiene voluntad de pagar en el momento oportuno, en el lugar adecuado y de manera incondicional, y la mejor manera de que eso se produzca es poniendo el bien debido inmediatamente a disposición del acreedor.

Considero que atribuir los efectos del ofrecimiento de pago a la mera declaración de voluntad del deudor tendente a pagar, si bien aun constando fehacientemente, es una interpretación demasiado benévola para el deudor, aun incluso asumiendo que el «favor debitori» es un principio inspirador de nuestro ordenamiento jurídico-privado.

En cuanto a la **competencia notarial**, el artículo 69 de la LN no establece limitación alguna de competencia, por lo que rige el principio de **libre elección del Notario**, pudiendo instarse el acta de ofrecimiento de pago ante cualquier Notario. Así se manifestó también en las notas orientativas recibidas del Consejo General del Notariado previas a la entrada en vigor de esta ley.

Sin embargo, esto ha sido discutido por no pocos autores, como el ya mencionado LORA TAMAYO VILLACIEROS (2015, p. 907), quien considera que el ofrecimiento de pago o la consignación no pueden realizarse en un lugar diferente del que conforme a la Ley o a lo pactado corresponda, puesto que se haría más gravoso para el acreedor la aceptación del ofrecimiento o del bien consignado, y en definitiva no se ajustaría a las disposiciones que regulan el pago. Entiende el mencionado autor (Notario), que la finalidad del ofrecimiento de pago y de la consignación es realizar el pago al acreedor, y siendo que el pago y el lugar donde ha de hacerse está sustantivamente regulado en el artículo 1171 del CC, no puede la regulación que estamos estudiando de la LN establecer cosa distinta, máxime teniendo en cuenta que el artículo 1177 del CC expresa que «*la consignación será ineficaz si no se ajusta estrictamente a las disposiciones que regulan el pago*».

Particularmente, y aun reconociendo que los argumentos expuestos son muy válidos, entiendo que la regulación es muy clara al respecto y que la propia LJV, cuando quiere establecer un criterio competencial, lo hace sin lugar a dudas, como en su artículo 98, que precisamente se refiere también a la consignación, al decir: «*Será competente el Juzgado de Primera Instancia correspondiente al lugar en que deba cumplirse la obligación y, si pudiera cumplirse en distintos lugares, cualquiera de ellos a elección del solicitante. En su defecto, será competente el del domicilio del deudor*».

No considero que se pueda aplicar una sanción nada menos que de nulidad o ineficacia a un ofrecimiento de pago o una consignación que se han hecho conforme a la regulación especial de la materia (Ley Orgánica del Notariado), ante el Notario que libremente designe el deudor. Eso nos llevaría a una situación de inseguridad jurídica muy evidente, y la vieja máxima de «*in claris non fit interpretatio*» a mi entender, sigue plenamente vigente. Todo ello, por supuesto, siempre que estemos hablando de un ofrecimiento de pago o consignación sobre «*dinero, valores e instrumentos financieros, en sentido amplio*» (cito literalmente la norma), o bienes fácilmente transportables. Es evidente que si se trata de bienes que no es posible trasportar y dejar en depósito al Notario, sino que lo que se hace es ponerlos a su disposición, ha de hacerse ante Notario que sea competente en el lugar donde se encuentren los bienes.

Ello no obstante, comparto las críticas, y quizás esa «liberalización» en la elección del Notario en esta institución concreta, no aporte más que confusión y sobre todo una confrontación con la regulación sobre el pago completamente innecesaria.

7.1.2.2. Sujetos del ofrecimiento de pago

En relación al **requirente del acta**, es evidente que puede realizar el ofrecimiento de pago el deudor, siempre que concurra en su persona la capacidad suficiente para llevar a cabo los actos dispositivos de la cosa que se consigna. Entiendo que también puede ser requirente un tercero, pues, a falta de regulación específica en la materia, acudiendo a las normas que tratan el pago, vemos que el artículo 1158 del CC prevé que un tercero puede realizar el pago, *ya lo conozca y lo apruebe, ya lo ignore el deudor*, incluso aunque lo verifique contra la expresa voluntad de éste. Puesto que cualquier tercero puede pagar, también puede realizar el pago por consignación (con el previo ofrecimiento de pago) en aquellos casos en que es lícito sustituirse en el pago de una deuda, pues, de no admitirse esto, se desnaturalizaría el fin que persigue la consignación, que en último término es el pago. Piénsese en la posibilidad de que haya personas interesadas en que se produzca el pago que no sean necesariamente deudores, como puede ser un fiador.

En cuanto a los **destinatarios del ofrecimiento de pago**, hemos visto que el artículo 69 de la LN habla de que se notificará «*a los interesados*», mientras que acudiendo a la regulación sustantiva, nuevamente se ve una disparidad, pues el artículo 1176 del CC habla únicamente de «*acreedor*». Según lo que establece el artículo 69 de la LN, ¿puede considerarse que un ofrecimiento no está bien hecho si no se ha notificado a todos los interesados en el cumplimiento de la obligación? (por ejemplo, codeudores, fiadores, acreedores solidarios). No comparto en absoluto esta tesis, pues no es lo que dice la norma, y además supondría hacer tremendamente gravoso el mecanismo del ofrecimiento de pago y la consignación para el deudor que, por otra parte, puede no tener medio alguno de conocer con certeza cuáles son todos los interesados en el cumplimiento de la obligación. Tampoco dice el artículo 69 de la LN que deba de notificarse necesariamente *a todos* los interesados, y pensemos que la iniciación del procedimiento de consignación requiere la negativa o rechazo del acreedor a recibir el pago, no del resto de interesados, que es indiferente en estos momentos. En todo caso, volveré sobre la materia cuando me refiera al anuncio de consignación.

7.1.2.3. La obligación sobre la que se ofrece el pago

También hemos mencionado ya que las **obligaciones de dar** son las que encajan de forma más natural en el ofrecimiento de pago, y por ende, las obligaciones de hacer que traduzcan en un «dar».

Sobre las obligaciones de hacer que no se concreten en un «dar», y tratándose de aquéllas en las que es necesaria la cooperación del acreedor, no parece que sea posible que tenga lugar la consignación con los efectos que estamos estudiando. Sí puede ser interesante, atendiendo a las circunstancias de caso, que se requiera al Notario para que proceda al ofrecimiento de pago, en el sentido de que el deudor pone de manifiesto y hace saber al acreedor que está en disposición de cumplir con la obligación asumida, y que para ello necesita la cooperación del deudor. Esto, por la propia naturaleza de la obligación de hacer, no va a producir nunca el efecto del pago liberador en el deudor, y no es para eso para lo que se concibió la consignación notarial en la LJV, pero sí puede tener trascendencia a los efectos de valorar quién ha incurrido en mora (deudor o acreedor), y quién, dentro del derecho que le asiste, a su vez está haciendo todo lo que está en su mano para que la otra parte pueda hacer efectivo su derecho que es, como se ha dicho y según el caso, el de cobrar el crédito (acreedor), o quedar liberado de la deuda (deudor). Asumido el protagonismo que puede tener en este tipo de obligaciones el ofrecimiento de pago, hemos de concluir que será necesariamente solo verbal, pues es una obligación (la de hacer), cuyo objeto no puede ser entregado ni depositado ante Notario.

En el requerimiento debe describirse la obligación. A efectos prácticos, y teniendo en cuenta que ha de identificarse con el máximo detalle la obligación, puede resultar útil **incorporar un testimonio del negocio jurídico del que surge la obligación**, siempre y cuando, lógicamente, se cumpla con los requisitos reglamentariamente exigidos, sobre todo en materia fiscal.

Tras la descripción de la obligación sobre la que se ofrece el pago, procede otra descripción: la del bien entregado al Notario en consignación. A esto me dedicaré con mucho más detalle más adelante, cuando trate la consignación. Baste decir ahora que, si consideramos que el ofrecimiento de pago ha de ser real y no solo verbal, el bien objeto de consignación ha de ser, en el momento del ofrecimiento, objeto de depósito ante Notario. Creo, como ya he dicho antes, que el ofrecimiento ha de ser real, pues lo contrario podría hacer crear la apariencia de que el deudor esté dispuesto a cumplir cuando en realidad no es así.

7.1.2.4. La notificación al acreedor o a los interesados

Se estudiarán también más adelante las posibles actitudes del acreedor ante la notificación practicada, así como las actuaciones posteriores del Notario después de la rogación notarial.

En este apartado me detendré, por ser quizás lo más propio del ofrecimiento de pago, en la notificación al acreedor o los interesados, ya que es la primera actuación que debe acometer el Notario una vez es requerido, y requisito imprescindible para que posteriormente puede tener lugar la consignación.

La notificación ha de realizarse en el **domicilio del acreedor** o los interesados, que lo debe facilitar el requirente. No cabe duda de que aquí sí que es trascendente la competencia notarial, por cuanto si el Notario no es territorialmente competente en el domicilio del acreedor, la notificación debe realizarle a través del compañero competente. En ningún caso puede realizarse el envío por correo, pues daría lugar a una situación de clara indefensión del requerido, ante la brevedad de los plazos que tiene para contestar, si tuviera que desplazarse hasta una notaría distinta de aquellas existentes allí donde tiene su domicilio.

La regulación es la genérica de las **actas de notificación y requerimiento**, contenida en los artículos 202 y siguientes del RN, con la única particularidad de que el plazo previsto de dos días hábiles, aquí decae ante la regulación específica de este procedimiento, según la cual el plazo de contestación se amplía hasta los diez días hábiles.

7.1.3. Supuestos en los que no es necesario el ofrecimiento de pago

Establece el artículo 1176.2 del CC que «*la consignación por sí sola producirá el mismo efecto cuando se haga estando el acreedor ausente en el lugar en donde el pago deba realizarse, o cuando esté impedido para recibirlo en el momento en que deba hacerse, y cuando varias personas pretendan tener derecho a cobrar, sea el acreedor desconocido, o se haya extraviado el título que lleve incorporada la obligación.*

En todo caso, procederá la consignación en todos aquellos supuestos en que el cumplimiento de la obligación se haga más gravoso al deudor por causas no imputables al mismo»

Se trata por tanto de una serie de supuestos en los que se puede acudir directamente al mecanismo de la consignación, sin necesidad de verificarse previamente el ofrecimiento de pago. Me centraré brevemente en ellos.

En efecto, si el acreedor está ausente, no es factible para el deudor obtener los resultados propios del ofrecimiento de pago. Ha sido la doctrina y la jurisprudencia las que han precisado este concepto, para entenderlo como «la falta de presencia del acreedor en el lugar en donde el pago deba realizarse» (STS de 25 de noviembre de 1965). Son situaciones en las que la no presencia del acreedor constituye una cuestión de hecho, y no la ausencia en sentido técnico regulada en los artículos 181 y siguientes del CC. Pues, en este último caso, el ausente ya tendría señalado un representante. No es relevante tampoco si existe o no culpabilidad en el acreedor de su falta de presencia, o si le es a él imputable. Basta la mera ausencia en el lugar en el que deba realizarse el pago. Probar esta ausencia por parte del deudor para no tener que practicar el ofrecimiento de pago, puede llegar a ser problemático, pues a él le corresponde aportar los medios de prueba suficientes para constatar esta ausencia.

No resulta nada clara la expresión «*cuando esté impedido para recibirlo* (el acreedor) *en el momento en que deba hacerse*». Se trata de un concepto jurídico indeterminado que puede dar lugar a muchas dudas en su interpretación. Antes de entrar en vigor la LJV se hablaba de «incapacitado», aunque tampoco se debía interpretar en el sentido técnico de incapacitación judicial, pues de ser así, al igual que lo que se ha tratado antes con el ausente, se le habría nombrado un representante con el que en su caso practicar el ofrecimiento de pago.

Si son varias las personas que pretenden tener derecho de crédito, es necesario determinar quién de ellas es el verdadero acreedor y para ello acudir al juicio correspondiente. Es un supuesto que se puede equiparar al del acreedor desconocido, que también se contempla en el artículo. Basta con que varios pretendan tener algún derecho a cobrar sobre la cosa objeto de la prestación, para que el deudor pueda optar por la consignación, sin necesidad de previo ofrecimiento de pago. Tal y como dice SCAEVOLA (1957, pp. 1008 y ss.), la pretensión ha de haber tenido alguna consistencia mayor que la mera reclamación de la cosa debida. Se trata de situaciones en las que al deudor le sean desconocidas las personas que tienen derecho al cobro. Si la contienda sobre el derecho de crédito está en una situación judicial, es evidente que existe una incertidumbre que le da derecho a acudir directamente a la consignación, y de fácil prueba. Si es extrajudicial, parece lógico esperar de parte del deudor que haya empleado una diligencia normal a fin de superar la incertidumbre.

Sigue refiriéndose el artículo al supuesto de «*extravío del título que lleve incorporada la obligación*», expresión mucho más clara que la anterior de «*extravío del título de la obligación*», que ha quedado modificada por la LJV, y quedando por tanto claro que se refiere no a cualquier título del que resulte la existencia de la obligación, sino únicamente a los títulos que lleven obligación incorporada es decir, los títulos valores, y que en consecuencia han de presentarse para su cobro. El deudor no puede arriesgarse a pagar si el acreedor ha extraviado el título, pues podría encontrarse con la situación de haber satisfecho la obligación y que luego otra persona presentara el documento de pago.

Y por último, la expresión «*procederá la consignación en todos aquellos supuestos en que el cumplimiento de la obligación se haga más gravoso al deudor por causas no imputables al mismo*», también incorporada en la reciente reforma, responde a la opinión de la doctrina mayoritaria, que entendía que la relación de supuestos del art. 1176.2 de CC no era exhaustiva sino un «*números apertus*», susceptible de ampliarse según el principio general que informa el mecanismo de la consignación es decir, evitar que el cumplimiento de la obligación se haga más difícil al deudor por una causa no imputable al mismo. Nuevamente, nos encontraremos con el difícil obstáculo de la prueba, y habrá de interpretarse con cautela para no producir indefensión, pero esta vez en el acreedor.

7.2. LA CONSIGNACIÓN

Artículo 69 de la Ley Orgánica del Notariado

1. El ofrecimiento de pago y la consignación de los bienes de que se trata podrán efectuarse ante Notario.

2. El que promueva expediente expresará los datos y circunstancias de identificación de los interesados en la obligación a que se refiera el ofrecimiento de pago o la consignación, el domicilio en que puedan ser hallados así como las razones de la actuación, todo lo relativo al objeto del pago o la consignación y su puesta a disposición del Notario.

3. Cuando los bienes consignados consistan en dinero, valores e instrumentos financieros, en sentido amplio, serán depositados por el Notario necesariamente en la Entidad financiera colaboradora de la Administración de Justicia.

Si fueran de distinta naturaleza a los indicados en el apartado anterior, el Notario dispondrá su depósito o encargará su custodia a establecimiento adecuado a tal fin, asegurándose de que se adoptan las medidas necesarias para su conservación, que quedará adecuadamente justificado por diligencia en el acta.

4. El Notario notificará a los interesados la existencia del ofrecimiento de pago o la consignación, a los efectos de que en el plazo de diez días hábiles acepten el pago, retiren la consignación debida o realicen las alegaciones que consideren oportunas.

Si el acreedor contestara al requerimiento aceptando el pago o lo consignado en plazo, el Notario le hará entrega del bien haciendo constar en el acta tal circunstancia, dando por finalizado el expediente.

Si transcurrido dicho plazo no procediera a retirarla, no realizara ninguna alegación o se negara a recibirla, se procederá a la devolución de lo consignado sin más trámites y se archivará el expediente

Como no puede ser de otra manera, la consignación ya ha sido en buena medida estudiada en el epígrafe anterior, al tratarse de un mecanismo íntimamente relacionado con el ofrecimiento de pago. Se puede definir como el medio coactivo que dispone el deudor frente al acreedor, para satisfacer su interés en el cumplimiento de una obligación. Es el mecanismo para liberarse de la deuda, de su condición de deudor, cuando el acreedor no coopere, se niegue o sea imposible hacer efectiva la prestación.

Más brevemente, la STS de 12 de noviembre de 1973 establece que «la consignación es la vía que nuestro Ordenamiento prevé para el pago de las obligaciones cuando el acreedor se niega a cobrar».

Con el fin de no resultar reiterativo, me referiré a una serie de cuestiones que no he tratado detalladamente en el epígrafe anterior, cuestiones en las que antes me he remitido para su estudio ahora.

En lo que se refiere a la forma documental, la competencia notarial, los sujetos, la descripción de la obligación y la notificación al acreedor, me remito íntegramente a lo dicho en el epígrafe anterior, centrándome ahora en el anuncio de consignación, el objeto consignado, la obligación de custodia del bien y la posibles actitudes del acreedor, por ser quizás más específicas de la consignación propiamente dicha, aunque reitero que difícilmente deslindables del ofrecimiento de pago. Como también dije anteriormente, puede haber ofrecimiento de pago sin depósito del bien objeto de la obligación o consignación, pero no así consignación sin ofrecimiento previo de pago (salvo los supuestos del art. 1176.2 del CC). Y como también expuse, aunque es admisible el ofrecimiento de pago sin consignación, en la práctica lo habitual es que el ofrecimiento de pago se haga de manera simultánea con el anuncio de consignación y que, si no hay consignación en ese momento, el ofrecimiento de pago sí que vaya asociado al depósito de los bienes ante Notario, a disposición del acreedor, con la consiguiente obligación de custodia del fedatario, pues es la mejor manera de que quede indubitadamente acreditada la verdadera voluntad solutoria del deudor. Terminaré refiriéndome a las posibles actitudes del acreedor ante el ofrecimiento de pago y la consignación.

7.2.1. El anuncio de consignación

El artículo 69 de la LN no se refiere directamente al anuncio de la consignación, porque hay que reiterar que no es lo mismo que el ofrecimiento de pago (por cuanto puede hacerse el ofrecimiento de pago y no mencionar la consignación, ni tan siquiera para anunciarla).

Sin embargo, el artículo 99.1, párrafo segundo, de la LJV, relativo a la consignación judicial, sí que se refiere a ella al establecer que *«Asimismo (*el deudor*) deberá acreditar haber efectuado el ofrecimiento de pago, si procediera, y en todo caso el anuncio de la consignación al acreedor y demás interesados en la obligación»*. Por lo tanto, no cabe ninguna duda de que el legislador en ningún caso asimila el ofrecimiento de pago al anuncio de consignación, ya que se refiere a la necesidad de haber practicado tanto uno como el otro.

Esta omisión del legislador no creo que justifique que el Notario pudiera no exigir la previa acreditación del anuncio de consignación, siendo como es que está contemplada en la normativa referida al pago *(art. 1177 CC:«para que la consignación de la cosa debida libere al obligado, deberá ser previamente anunciada a las personas interesadas en el cumplimiento de la obligación»)* y también en el mencionado artículo relativo a la consignación judicial. Desde luego la omisión no es clarificadora y sería deseable que se completara el artículo. Quizás el legislador consideró que estaba suficientemente clara la necesidad de documentar el anuncio de consignación, dado que así consta en la normativa antes mencionada, y por eso no la menciona en el artículo 69 de la LN. En todo caso, parece fuera de duda que el Notario debe asegurarse de que se ha practicado adecuadamente el anuncio de consignación.

Otra vez se plantea aquí a quién debe hacerse el anuncio de consignación. El artículo 69 de la LN dice que el ofrecimiento de pago y la consignación debe realizarse *«a los interesados»,* mientras que el artículo 1176 del CC, sobre el pago, se refiere *al acreedor.* Por su parte, el artículo 1177 del CC, ya específicamente sobre consignación, dice que el anuncio de ésta debe realizarse *«a las personas interesadas en el cumplimiento de la obligación»*, mientras que el artículo 99 de la LJV, sobre consignación judicial, dice que deberá acreditarse el anuncio *«al acreedor y demás interesados en la obligación»*.

Debo referirme otra vez a mi reflexión sobre los destinatarios del ofrecimiento de pago, pues en este caso una figura y otra (ofrecimiento de pago y anuncio de consignación) responde a un mismo bien jurídicamente protegido y por tanto su tratamiento es idéntico. No considero que se pueda entender que no está bien hecho un anuncio de consignación que se ha dirigido a todos los acreedores, solo porque faltara algún otro interesado en el cumplimiento de la obligación (codeudores, fiadores u otros garantes, codeudores solidarios). Además, cuando se habla de interesados en el cumplimiento, en ninguna norma se dice que necesariamente deban ser todos los interesados en el cumplimiento los que hayan de ser notificados. Me parece que sería demasiado gravoso para con el deudor, que además puede no tener posibilidad de conocer quiénes son todos los interesados en el cumplimiento de la obligación. De hecho, la doctrina viene a entender que no se puede exigir al deudor un esfuerzo excesivo, y que bastaría anunciar la consignación a las personas que razonablemente puedan tener interés en el cumplimiento de la obligación. Lo que es indudable es que, **si hay varios acreedores, el anuncio de consignación debe realizarse a todos ellos.**

El anuncio de la consignación debe realizarse por cualquier medio tal que quede constancia en derecho, cosa que ha de verificar el Notario encargado de tramitar el expediente de ofrecimiento de pago y consignación (por supuesto el propio Notario puede hacerlo si no le consta que se ha hecho con anterioridad), y no hay inconveniente en que se realice conjuntamente con el ofrecimiento de pago. De hecho, suele ser lo más habitual, por economía procesal, de trámites y de plazos. Si lo que se nos pide es tramitar únicamente la consignación, deberemos asegurarnos también de que se ha practicado el ofrecimiento de pago. No impone la norma que el ofrecimiento de pago se haya hecho en sede notarial para poder proceder a la consignación, también en sede notarial. El Notario deberá verificar que éste se ha producido adecuadamente, por cualquier medio que quede constancia en derecho, pero para ello, qué duda cabe que será mayor la seguridad que tendremos de que eso ha sido así si el interesado ha optado también por el conducto notarial en el ofrecimiento de pago, empleando el mecanismo del acta de notificación y requerimiento, que sin duda nos ofrece mayores garantías que otros procedimientos que tuviéramos que valorar.

No se prevé que haya de transcurrir un determinado plazo desde el anuncio de consignación hasta que ésta tenga lugar. Por lo tanto, una vez pasados los diez días hábiles que se le dan de plazo al acreedor en el ofrecimiento de pago, la consignación puede realizarse inmediatamente después de su anuncio.

Sobre el contenido del anuncio, la descripción de la obligación y la notificación a los interesados, me remito a lo expuesto anteriormente sobre el ofrecimiento de pago. Quiero detenerme ahora en los bienes objeto de consignación.

7.2.2. *Descripción del bien objeto de consignación y obligación de custodia*

Dada la brevedad con la que se regula esta materia en el proceso de la consignación, necesariamente tendremos que acudir a la regulación existente en el RN sobre las actas de depósito para solventar las posibles dudas que se planteen.

El bien entregado al Notario debe ser profusamente descrito, tanto si se trata de un depósito que sigue al ofrecimiento de pago, como si se trata del anuncio de consignación, así como también, lógicamente, en el propio acto de la consignación. Si se trata de *«dinero, valores o instrumentos financieros en sentido amplio* (artículo 69 de la LN)*»*, estamos ante el caso menos conflictivo de todos dentro del proceso consignatorio. Deberá describirse el bien y **el Notario lo depositará en la Entidad Financiera colaboradora de la Administración de Justicia**. Es la llamada «cuenta de consignaciones». En estos momentos, se trata de la cuenta que tiene abierta cada Notario en el Banco Santander para ese exclusivo fin, que es la misma Entidad Colaboradora con la Administración de Justicia para las consignaciones judiciales.

Si son bienes de distinta naturaleza, muebles o inmuebles, se pondrán las cosas a disposición del Notario, ya entregándoselos (si son bienes muebles fácilmente transportables), ya **poniendo a disposición del Notario los medios oportunos para que éste pueda entrar en posesión de los bienes**. El caso más sencillo es el de entregar al Notario las llaves de un inmueble, de manera que pueda facilitárselas al acreedor que quiera recibir la prestación.

Esta última no es una cuestión menor, ni mucho menos, dado que a partir del momento en que el Notario recibe el bien en depósito o los medios para tomar efectivamente posesión de él, nada menos que asume una obligación de custodia sobre el mismo. Siguiendo a ALBALADEJO y a PUIG BRUTAU, aunque tratando de la consignación judicial, se trataría de que para consignar la entrega material, es suficiente que la autoridad judicial (en este caso el Notario), la tenga bajo el poder de su voluntad. De ahí que se haya cambiado en la LJV la redacción del artículo 1178 del CC, que ya no habla de «depositar», sino de «poner las cosas a disposición del Notario». El Notario debe adoptar todas las cautelas para cerciorarse de que se ha puesto el bien efectivamente a su disposición, que esa puesta a disposición del bien lo es en exclusiva del Notario o de las personas que él conoce y acepta (por ejemplo, personal encargado del mantenimiento de la mercancía), que los bienes puestos a su disposición están en un adecuado estado de conservación y se han adoptado las medidas para que así sea, y finalmente, que el Notario en todo momento puede inspeccionar los bienes consignados, mostrárselos al acreedor y en último término, entregárselos en pago. Hemos de pensar que pueden darse situaciones ciertamente delicadas sobre las que se pida al Notario asumir responsabilidades muy importantes sobre custodia y conservación del bien. Piénsese por ejemplo en contenedores del puerto, aunque sobre esta materia hay un expediente con una regulación específica en la ley de Navegación Marítima.

No en vano, se recomienda desde el Consejo General del Notariado la contratación por parte del Notario de un **seguro que pueda cubrir posibles siniestros en relación con los bienes depositados o cuya custodia se le encomienda**. Hay que recalcar que en este caso la aceptación del depósito o puesta a disposición del bien no es voluntaria, como en el acta de depósito, sino que es obligatoria.

7.2.3. *Posibles actitudes del acreedor ante el ofrecimiento de pago y consignación*

Partiendo de que el ofrecimiento de pago tenga carácter real y por tanto el bien debido está a disposición del Notario, y siguiendo la dicción del artículo 69 de la LN, el acreedor, en el plazo de diez días hábiles, puede no comparecer en la notaría, comparecer para cobrar, o comparecer para hacer alegaciones y no cobrar. De todo ello se deberá dejar constancia en el acta por medio de diligencia, previa identificación (huelga decirlo) del acreedor o en su caso de su representante, y apreciación de su interés legítimo y capacidad. Puede ocurrir que el cobro se haya condicionado a la entrega por parte del acreedor del título que incorpore la obligación (título valor), o a la cancelación de la garantía. Tanto en un caso como en otro, el Notario deberá encargarse de verificar el cumplimiento de dichas condiciones y así hacerlo constar en el acta, con independencia de que esa cancelación de la garantía exija una forma documental distinta de la propia acta de depósito.

7.2.3.1. Comparecencia del acreedor o interesados

Si comparece y acepta la prestación consignada, **el Notario le hará entrega del bien**, quedando extinguida la obligación, pero siempre utilizando la forma documental adecuada. Si es un inmueble, por ejemplo, entiendo que no se puede considerar que se ha entregado el bien por la mera explicación que figure en la diligencia del acta, sino que habrá que acudirse al oportuno otorgamiento de la escritura pública. Quizás sería conveniente que el Notario tuviera la cautela de que en la propia rogación, el deudor apoderara al acreedor para que en caso de aceptar la prestación pudiera, por sí solo, otorgar la escritura de compraventa

Si quien comparece no es el acreedor, pero sí un interesado en la obligación, podrá realizar las alegaciones o manifestaciones oportunas, de las que quedarán constancia en el acta, sin que por supuesto pueda retirar el objeto consignado. Su intervención no paralizará el procedimiento de consignación, sin perjuicio de que pueda tener los efectos que oportunamente se consideren por quien corresponda.

7.2.3.2. Incomparecencia o negativa al cobro

Si lo que ocurre es que transcurren los diez días hábiles desde el ofrecimiento de pago sin que acreedor comparezca, o comparece pero se niega a cobrar, igualmente se dejará constancia en el acta de esta circunstancia y de las alegaciones, y se cerrará, no sin antes plasmar que **los bienes depositados quedan nuevamente a disposición del requirente, con la consiguiente relevación de responsabilidad para el Notario**. Para ello sería muy conveniente que en el momento en que se describen los bienes que son depositados o puestos a disposición del Notario, se establezca con meridiana claridad que por el mero transcurso del plazo de diez días hábiles sin la comparecencia del destinatario de la notificación para cobrar, o si comparece pero se niega a cobrar, quedará extinguido el depósito y cesada la responsabilidad del fedatario, de tal manera que sea el requirente el que se interese por si efectivamente se ha procedido al pago o ha transcurrido el plazo sin que éste haya tenido lugar. La mera expresión legal de «*se procederá a la devolución de lo consignado sin más trámites y se archivará el expediente*» creo que debe ser completada por la praxis notarial para evitar situaciones comprometidas en los despachos. Por supuesto, la restitución solo puede hacerse al deudor, si sigue siendo dueño del bien consignado o tiene el poder de disposición sobre ellas. En ningún caso a otro codeudor.

Si el Notario que recibió el depósito o la consignación ya no tiene a su cargo (por traslado, jubilación o fallecimiento) el protocolo bajo el que se instrumentó, dicha restitución no compete a aquel Notario, sino a su sustituto o sucesor en el protocolo. En idéntico sentido, el hecho de hacerse cargo un nuevo Notario del protocolo en que consta un acta de depósito, no exime a éste de su obligación de continuar con el depósito (RDGRN 4 julio 2002). Esto, referido al depósito, es plenamente aplicable a la consignación.

Un supuesto muy interesante podría plantearse en el caso de que, una vez aceptado el depósito por parte del Notario, no se consiga notificar al acreedor por los medios ordinarios previstos en los artículos 202 y siguientes del RN. No veo completamente resuelto que se pueda considerar que es admisible utilizar la comunicación por edictos prevista en el artículo 156 de la Ley de Enjuiciamiento Civil. En ningún sitio se dice expresamente, y desde luego no en la regulación especial sobre actas de notificación y requerimiento, como se ha dicho contenida en los artículos 202 siguientes del RN. No me cansaré de insistir en la gran responsabilidad con la que se puede encontrar un Notario una vez acepta determinados bienes en depósito, y piénsese que hasta que no se consiga la notificación, no empiezan a contar los diez días hábiles a partir de los cuales se puede restituir el bien, y por tanto el Notario sigue siendo responsable de su custodia.

Por ello, puede ser conveniente dejar constancia en la propia recepción del depósito o consignación, de en qué condiciones se entiende intentada suficientemente la notificación por parte del Notario (ahí se puede mencionar incluso la publicación en edictos), a los efectos de poder restituir el bien al deudor/propietario. No veo que se incumpla en absoluto la obligación de aceptar el depósito por parte del Notario, y son condiciones que son explicitadas y aceptadas por el deudor.

En ese mismo sentido, también considero admisible que en determinadas condiciones (por la naturaleza del bien objeto de la prestación, por la posible dificultad en notificar al acreedor, o por otras similares que el Notario pueda apreciar), prefiera separar el ofrecimiento de pago del depósito, de manera que no acepte este último hasta que no haya podido practicarse la notificación.

Hay que recordar, sobre estas dos últimas recomendaciones, que los artículos 216 y 217 del RN, que tratan las actas de depósito, establecen que el Notario puede imponer condiciones al depositante (art. 216), e incluso que «*en dicha acta* (de depósito) *se consignarán las condiciones propuestas por el Notario y aceptadas por el depositante para la constitución y devolución del depósito* ». (art. 217). No creo que ello vaya en contra del carácter obligatorio que tiene el expediente de ofrecimiento de pago y consignación para el Notario, sino que se trata de clarificar las condiciones que van a regir el depósito o puesta a disposición de los bienes al Notario y sobre todo, en su caso, la restitución de los mismos, cosa que aportará seguridad al proceso y a todos los interesados en él.

7.2.4. Crítica y posible mejora del procedimiento

No sería de extrañar que el procedimiento analizado no se utilice tanto como quisiéramos los Notarios, y ello porque, aunque es evidente que aporta agilidad y rapidez frente a la consignación judicial, solo se consigue el efecto buscado por el deudor en el caso de que el acreedor comparezca y acepte el pago. Si esto no es así, al deudor se le restituirá el objeto consignado, sin que el intento de consignación realizado le suponga alguna ventaja en la consecución de los fines perseguidos. Probablemente tendría que acudir nuevamente a la figura de la consignación, pero esta vez judicial.

Y ello es así porque, a diferencia de lo que ocurre en la consignación notarial, en el caso de la consignación judicial, si el acreedor no comparece o no acepta el pago, puede el deudor solicitar ante al juzgado el mantenimiento de la consignación para que el juez decida si se ha procedido efectivamente al pago, cosa que no ocurre en la consignación notarial.

Por ello, sería muy conveniente complementar la regulación prevista en la LJV sobre la consignación notarial, en el sentido de permitir que, una vez intentada y sin que el acreedor haya querido cobrar, pueda solicitarse a la autoridad judicial que se pronuncie sobre si la consignación notarial ha estado bien hecha y por tanto el pago verificado.

7.3. RECLAMACIÓN DE DEUDAS DINERARIAS NO CONTRADICHAS

Artículo 70 de la Ley Orgánica del Notariado

1. El acreedor que pretenda el pago de una deuda dineraria de naturaleza civil o mercantil, cualquiera que sea su cuantía y origen, líquida, determinada, vencida y exigible, podrá solicitar de Notario con residencia en el domicilio del deudor consignado en el documento que acredite la deuda o el documentalmente demostrado, o en la residencia habitual del deudor o en el lugar en que el deudor pudiera ser hallado, que requiera a éste de pago, cuando la deuda, se acredite en la forma documental, que a juicio del Notario sea indubitada. La deuda habrá de desglosar necesariamente principal, intereses remuneratorios y de demora aplicados.

No podrán reclamarse mediante este expediente:

a) Las deudas que se funden en un contrato entre un empresario o profesional y un consumidor o usuario.

b) Las basadas en el artículo 21 de la Ley 49/1960, de 21 de julio, de Propiedad Horizontal.

c) Las deudas de alimentos en las que estén interesados menores o personas con la capacidad modificada judicialmente, ni las que recaigan sobre materias indisponibles u operaciones sujetas a autorización judicial.

d) Las reclamaciones en la que esté concernida una Administración Publica.

2. A tal efecto, se autorizará acta notarial, que recogerá las siguientes circunstancias: la identidad de acreedor y deudor; el domicilio de ambos, según fueron consignados en el documento que origina la reclamación, salvo que documentalmente se acredite su modificación, en cuyo caso deberán ser consignados ambos y el origen, naturaleza y cuantía de la deuda. También se acompañará al acta el documento o documentos que constituyan el título de la reclamación.

El Notario no aceptará la solicitud si se tratara de alguna de las reclamaciones excluidas, faltara alguno de los datos o documentos anteriores o no fuera competente.

3. Una vez aceptada la solicitud del acreedor y comprobada la concurrencia de los requisitos previstos en los apartados anteriores, el Notario requerirá al deudor para que, en el plazo de veinte días hábiles, pague al peticionario.

Si el deudor no pudiere ser localizado en alguno de los domicilios posibles acreditados en el acta o no se pudiere hacer entrega del requerimiento, el Notario dará por terminada su actuación, haciendo constar tal circunstancia y quedando a salvo el ejercicio del derecho del acreedor por vía judicial.

5. Se tendrá por realizado válidamente el requerimiento al deudor si es localizado y efectivamente requerido por el Notario, aunque rehusare hacerse cargo de la documentación que lo acompaña, que quedará a su disposición en la Notaría. También será válido el requerimiento realizado a cualquier empleado, familiar o persona con la que conviva el deudor, siempre que sea mayor de edad, cuando se encuentre en su domicilio, debiendo el Notario advertir al receptor que está obligado a entregar el requerimiento a su destinatario o a darle aviso si sabe su paradero. Si el requerimiento se hiciere en el lugar de trabajo no ocasional del destinatario, en ausencia de éste, se efectuará a la persona que estuviere a cargo de la dependencia destinada a recibir documentos u objetos.

En caso de que el destinatario sea una persona jurídica el Notario entenderá la diligencia con la persona mayor de edad que se encontrare en el domicilio señalado en el documento anteriormente expresado y que forme parte del órgano de administración, que acredite ser representante con facultades suficientes o que a juicio del Notario actúe notoriamente como persona encargada por la persona jurídica de recibir requerimientos o notificaciones fehacientes en su interés.

Artículo 71 de la Ley Orgánica del Notariado

1. Una vez practicado el requerimiento, si el deudor compareciere ante el Notario requirente y pagare íntegramente la deuda dentro del plazo de veinte días hábiles siguientes, se hará constar así por diligencia en el acta, que tendrá el carácter de carta de pago. En tal caso el Notario procederá, sin demora a hacer entrega de la cantidad abonada al acreedor en la forma que éste hubiera solicitado.

Si el deudor pagare directamente al acreedor, y en el plazo establecido, acredita esta circunstancia, con confirmación expresa por el acreedor, el Notario cerrará el acta, dando por terminada la actuación.

Si no hubiera confirmación expresa por el acreedor en el plazo previsto para el pago, el Notario cerrará, asimismo, el acta, quedando abierta la vía judicial.

2. Si el deudor compareciera ante el Notario para formular oposición, se recogerán los motivos que fundamenta ésta, haciéndolo constar por diligencia. Una vez comunicada tal circunstancia al acreedor, se pondrá fin a la actuación notarial, quedando a salvo los derechos de aquel para la reclamación de la deuda en la vía judicial.

Cuando se hubiere requerido a varios deudores por una única deuda, la oposición de uno podrá dar lugar al fin de la actuación notarial respecto de todos, si la causa fuere concurrente, haciendo constar los pagos que hubieran podido realizar alguno de ellos.

3. Si en el plazo establecido el deudor no compareciere o no alegare motivos de oposición, el Notario dejará constancia de dicha circunstancia.

En este caso, el acta será documento que llevara aparejada ejecución a los efectos del número 9.º del apartado 2 del artículo 517 de la Ley de Enjuiciamiento Civil. Dicha ejecución se tramitará conforme a lo establecido para los títulos ejecutivos extrajudiciales.

7.3.1. Concepto, antecedentes y relación con el expediente judicial

Los artículos 70 y 71, arriba relacionados, regulan el que se ha venido a denominar «el proceso monitorio notarial», si bien no estamos realmente ante un proceso, como se verá a lo largo de este trabajo.

En su versión judicial, el monitorio es un proceso especial destinado a la creación de un título ejecutivo, siempre y cuando no haya habido contradicción es decir, cuando el deudor, que habrá sido debidamente notificado, no se haya opuesto a la reclamación. Se puede apreciar por tanto que **los dos elementos fundamentales son la efectiva notificación al deudor y que éste, habiendo tenido oportunidad de oponerse, no lo ha hecho**. Se trata de obtener un título ejecutivo de la manera más rápida posible, siempre y cuando no se esté mermando la posibilidad y capacidad del deudor de oponerse y alegar lo que tenga por conveniente. Se pretende tutelar los derechos del acreedor (el primero, a ver satisfecho su crédito), al tiempo que minorar la carga de trabajo de los juzgados y tribunales. Todo ello, reitero (es fundamental), siempre y cuando no existan dudas acerca de que el deudor ha tenido conocimiento de la reclamación y, aunque sea tácitamente, la ha aceptado, o no ha formulado oposición. Si a este respecto existe alguna duda, el proceso no puede seguir adelante, pues en ningún caso puede dejarse al deudor en una situación de indefensión, cosa que iría contra los más elementales pilares de nuestro sistema jurídico-privado, que no puede dejar de ser ganantista de derechos. Se persigue, en suma, evitar un juicio declarativo en aquellos casos en los que no hay, o se entiende que no hay, controversia, sino únicamente una negativa injustificada al pago.

En la actualidad en el proceso judicial, tras la ley 13/2009, de 3 de noviembre, de reforma de la legislación procesal para la implantación de la nueva Oficina Judicial, la carga de la tramitación corresponde al letrado de la Administración de Justicia (antiguos secretarios judiciales), encontrándose regulado en los artículos 812 a 818 de la LEC. La intervención del juez casi únicamente se limita al supuesto de posible existencia de condiciones abusivas en la contratación, en cuyo caso decidirá al respecto.

El proceso monitorio no se reguló en nuestro país hasta el año 2000 (ley 1/2000, de 7 de enero, de Enjuiciamiento Civil), y si bien inicialmente se limitó la cuantía máxima para acudir a él a treinta mil euros, no tardó en elevarse con la mencionada ley 13/2009, a doscientos cincuenta mil euros para, poco después, con la ley 37/2011, de 10 de octubre, de medidas de agilización procesal, suprimirse el límite cuantitativo. Finalmente, y como hemos visto, la ley 15/2015 de 2 de julio, de la Jurisdicción Voluntaria, introduce en la LN los artículos 70 y 71 antes transcritos, que regulan no un proceso propiamente (no es un cauce jurisdiccional para resolver un litigio), pero sí permiten obtener una carta de pago voluntaria o un título de ejecución extrajudicial.

La novedad consiste en que el requerimiento practicado en los casos y con las condiciones establecidas en estos artículos, puede terminar con la obtención de un título ejecutivo a los efectos previstos en el artículo 517 de la LEC, sin necesidad de acudir al proceso monitorio judicial, con un considerable ahorro de tiempo. **Es el acreedor el que decide si acudir al juzgado o al Notario**. No cabe duda de que resulta enormemente ventajoso acudir al «proceso» notarial, sobre todo por la agilidad en la obtención del título ejecutivo (y cuando se trata de cobrar un crédito, hacerlo cuanto antes, o tener título ejecutivo cuanto antes, es absolutamente fundamental). Sin embargo esta afirmación puede y debe ser matizada, fundamentalmente porque no se puede acudir en todos los casos a esta figura tramitada ante Notario, y porque enervar los efectos buscados con ella es muy fácil para el deudor. En todo ello me detendré más adelante.

Evidentemente, no es una novedad que pueda acudirse al Notario para reclamar una deuda. Ahí están los artículos 202 a 206 del RN, que regulan las actas de notificación y requerimiento y que indudablemente pueden ser de gran utilidad a la hora de reclamar una deuda es cuestiones tales como:

- – Acreditar la interrupción de la prescripción (art. 1973 del CC).
- – Acreditar el ofrecimiento de pago, con los efectos vistos en los apartados 7.1 y 7.2 de este trabajo.
- – Permitir la deducción del IVA no cobrado por parte de empresarios o profesionales cuya factura ha resultado impagada (art. 80.3 de le Ley del IVA).

Pero la cuestión es que esa reclamación de la deuda tramitada ante Notario, una vez queda constancia de que el deudor ha tenido conocimiento de ella, y que pudiéndose haber opuesto no lo ha hecho, terminará de manera ágil y rápida con un título de ejecución para el acreedor, configurándose así como una alternativa real a la reclamación judicial de deudas líquidas, vencidas e impagadas.

Una vez concluida la actuación notarial sin que conste oposición por parte del deudor, y cumplidos los requisitos que el Notario debe exigir (fundamentalmente el soporte documental de la deuda y la exigibilidad de ésta, la identidad y legitimidad del acreedor, la adecuada notificación y la falta de oposición), **el acreedor obtendrá un título extrajudicial que le permitirá acudir directamente a la ejecución**, sin haber pasado antes por la vía judicial. Estamos ante una de las grandes novedades de la LJV, que responde perfectamente al espíritu y finalidad de ésta, que no es otro que atender más adecuadamente a las necesidades de atención y servicios jurídicos de los ciudadanos, con una mayor agilidad y desjudicializando en la medida de lo posible los expedientes en los que no exista contradicción para, al mismo tiempo, reducir la carga de trabajo de los juzgados y tribunales.

Se ha planteado que este «proceso» supone atribuir al Notario excesivas competencias, dándole facultades decisorias y funciones casi jurisdiccionales. No estoy de acuerdo. Que el juicio de un Notario vertido en el ejercicio de sus funciones y plasmado en un documento notarial puede tener evidentes y trascendentales consecuencias en el tráfico jurídico no es algo nuevo, ni mucho menos, y en este caso no está haciendo algo diferente a lo que es esencial a la función notarial, pues se trata de dejar constancia de su juicio de identidad y capacidad del requirente, de la suficiencia del soporte documental alegado, de la exigibilidad de la deuda, de que la notificación ha sido adecuadamente practicada y de que no ha habido contradicción. Lo que ocurre es que, si esto es así, la ley le atribuye a esta realidad unos efectos que hasta ahora solo se podían obtener acudiendo a los juzgados y tribunales. Por eso **no se entiende que la misma ley que crea la figura, seguidamente la mutile hasta el punto de reducir sensiblemente su utilidad.** Y ello no solo por los supuestos en los que queda excluida la posibilidad de acudir al monitorio «notarial», sino porque el éxito del procedimiento queda completamente en manos del deudor, al que le bastará sencillamente oponerse para frustrar las intenciones del acreedor. Y que esa oposición sea manifiestamente injustificada, infundada o incluso impregnada de mala fe, no tiene ninguna consecuencia para él, ni siquiera en el proceso judicial al que necesariamente aboca a quien quiere obtener la satisfacción del crédito. Ésas son las grandes debilidades de esta prometedora novedad, como se verá a lo largo de este trabajo.

Si la actuación notarial no concluye con la obtención por parte del acreedor del deseado título ejecutivo, éste deberá reclamar judicialmente la deuda, pudiendo incluso promover un monitorio judicial

7.3.2. *Supuestos excluidos*

Estudiaremos por separado los cuatro supuestos, en los que no se podrá presentar reclamación mediante este expediente. Empezaré por los tres casos menos controvertidos, para terminar con el que ha suscitado más debate:

– *«Reclamaciones en la que esté concernida una Administración Pública».*

Es lógico. La Administración tiene sus propios cauces y procedimientos, y el Notario limita su actuación al ámbito extrajudicial, sin involucrarse en la esfera administrativa. Sí que puede resultar interesante aclarar hasta dónde alcanza el concepto de «Administración Pública». En este sentido, FRANCISCO ROSALES (Notario), en su estudio sobre el procedimiento monitorio notarial, asevera que aunque no sean propiamente «Administración Pública», ciertas entidades como partidos políticos o sindicatos, sí pueden considerarse parte de la organización estatal, máxime teniendo en cuenta su reconocimiento constitucional, y sin embargo, no parece que respecto de estos entes sea aplicable la excepción expresada. Algo similar pasaría con ciertas entidades calificadas legalmente como corporaciones; así por ejemplo los colegios profesionales, las comunidades de regantes o las cámaras oficiales de comercio, industria y navegación. La jurisprudencia se ha mostrado dubitativa sobre su condición y naturaleza de Administraciones Públicas, pero en todo caso, el mencionado autor considera que estas corporaciones, aunque puedan tener la condición de persona jurídico-pública, no son Administración Pública en el sentido que estamos estudiando del artículo 70.1 de la Ley del Notariado, y por tanto no deben entenderse excluidas del ámbito de aplicación de éste.

– *«Deudas de alimentos en las que estén interesados menores o personas con la capacidad modificada judicialmente, ni las que recaigan sobre materias indisponibles u operaciones sujetas a autorización judicial»*

La redacción de esta exclusión no es afortunada, ya que, como apunta BARRIO DEL OLMO (2015, p. 973), no queda claro si se refiere a todas las reclamaciones en las que intervengan menores o personas con la capacidad modificada judicialmente, o solamente las relativas a reclamaciones de alimentos. Considera la citada autora, y estoy de acuerdo con ella, que la restricción no debe entenderse de manera amplia, por cuanto si no lo establece así la norma reguladora, no hay razón para que una persona menor de edad o con la capacidad judicialmente modificada (lógicamente debidamente representada), no pueda acudir a este instrumento (en una deuda que no sea de alimentos), que lo que persigue es la rápida satisfacción del crédito al acreedor. Creo que la excepción ha de interpretarse restrictivamente, que por otra parte no deja de ser una interpretación literal, al referirse la norma al deudas de alimentos, en las que (además, debe entenderse), estén interesadas personas menores o con la capacidad modificada judicialmente.

Por otra parte, como la norma no distingue, la reclamación puede referirse tanto a alimentos legales, como a una demanda de alimentos que provenga de una relación contractual, como puede ser una renta vitalicia o una cesión de bienes a cambio de alimentos.

Que no actúe el Notario en materias indisponibles o sujetas a autorización judicial es evidente, pues excedería de las funciones del Notario y como se ha dicho, ni estamos ante un proceso jurisdiccional, ni el Notario tiene facultades decisorias al respecto, y menos en materias no disponibles o sobre las que se requiera autorización judicial. Además, ello es coherente con el espíritu que informa toda la Ley de Jurisdicción Voluntaria. Solamente aclarar en este sentido, que una materia puede ser indisponible (cuestiones matrimoniales por ejemplo, tal y como establece el art. 1814 del CC), pero no así una reclamación derivada de ella, como una pensión compensatoria entre cónyuges, sobre la que entiendo que no habría obstáculo para la reclamación ante Notario.

–   *«Deudas basadas en el artículo 21 de la Ley 49/1960, de 21 de julio, de Propiedad Horizontal»*

En este caso el proceso tiene una regulación especial, no rigiéndose por las normas generales que regulan el monitorio en la LEC.

El proceso monitorio para la reclamaciones dinerarias de las comunidades de propietarios se introdujo por primera vez con el artículo 17 de la ley 8/1999, de 6 de abril, de reforma de la Ley de Propiedad Horizontal, que dio nueva redacción al artículo 21 de la ley 49/1960, de 21 de julio, sobre Propiedad Horizontal. Posteriormente la Disposición Final 1.ª de la Ley 1/2000, 7 enero, de Enjuiciamiento Civil, dio otra vez nueva redacción a dicho artículo, en el sentido de incorporar una serie de especialidades respecto del procedimiento monitorio ordinario, que justifican esta exclusión respecto de la actuación notarial.

–   *«Deudas que se funden en un contrato entre un empresario o profesional y un consumidor o usuario»*

Es absolutamente necesario precisar y matizar esta exclusión, pues tal y como aparece redactada, podría aplicarse a un porcentaje de las reclamaciones tal, que dejara el expediente notarial para una utilización poco menos que residual. Dicho de otro modo:

no podría aplicarse a la mayor parte de las deudas que se vienen reclamando a través de un proceso monitorio judicial.

Antes de entrar en el análisis de este punto, resulta imprescindible repasar el concepto que legalmente podemos encontrar de empresario y consumidor.

No existe una definición legal como tal de «empresario». Lo más parecido a una definición la encontramos en el art. 5 de la ley del IVA, que establece que son actividades empresariales *«las que impliquen la ordenación por cuenta propia de factores de producción materiales y humanos o de uno de ellos, con la finalidad de intervenir en la producción o distribución de bienes o servicios. En particular, tienen esta consideración las actividades extractivas, de fabricación, comercio y prestación de servicios, incluidas las de artesanía, agrícolas, forestales, ganaderas, pesqueras, de construcción, mineras y el ejercicio de profesiones liberales y artísticas»*, y también en el artículo 4 del texto refundido de la Ley General para la Defensa de los Consumidores y Usuarios, aprobado por Real Decreto Legislativo 17/2007, de 16 de noviembre (TRLDCU) que establece que empresario o profesional es *«toda persona física o jurídica, ya sea privada o pública, que actúe directamente o a través de otra persona en su nombre o siguiendo sus instrucciones, con un propósito relacionado con su actividad comercial, empresarial, oficio o profesión».*

Por su parte, el artículo 3 del TRLDCU, establece que *«...son consumidores y usuarios las personas físicas que actúen con un propósito ajeno a su actividad comercial, empresarial, oficio o profesión. Son también consumidores a efectos de esta norma las personas jurídicas y las entidades sin personalidad jurídica que actúen sin ánimo de lucro en un ámbito ajeno a una actividad comercial o empresarial».*

De la sola lectura de estos artículos entiendo que se pueden extraer varias conclusiones:

- El artículo 70 de la LN, lo que trata de evitar es que las empresas que se dedican a la contratación en masa puedan abusar de este monitorio notarial, y beneficiarse de su celeridad y sus ventajas. Es decir, que se pueda aplicar de manera genérica a contratos en los que se encuentra el consumidor «en una situación de inferioridad respecto del profesional, en relación tanto a su nivel de información como a su capacidad de negociar, situación que le lleva a adherirse a la condiciones redactadas de antemano por el profesional sin poder influir en el contenido de éstas» (lo entrecomillado está extraído de la sentencia del TJUE de 3 de septiembre de 2015.

- Lo determinante no es la condición de empresario o profesional del requirente, sino la condición de consumidor o usuario del requerido.

Por lo tanto, en base a lo anterior, se puede afirmar que **puede utilizarse el expediente notarial para reclamar deudas surgidas de relaciones entre particulares,**

entre empresarios o entre empresarios y particulares, cuando éstos son los acreedores.

Dicho lo cual, el paso siguiente, antes de valorar el Notario si procede o no su actuación, es determinar cuándo estamos ante un consumidor, cosa que puede resultar harto compleja. Se trata de que el Notario, para poder actuar, tenga la certeza de que el deudor no es un consumidor o usuario, y ya sabemos que probar un hecho negativo es complicado. Probarlo, en unos casos será sencillo, pero en otros será poco menos que una «*prueba diabólia*», y el Notarío actuará básicamente en base a las manifestaciones del requirente, pues todo lo demás no dejarán de ser indicios (salvo casos muy evidentes), sin perjuicio de que el deudor en su momento, dentro del plazo que se le concede, pueda alegar su condición de consumidor o usuario. Vuelvo al inicio de este apartado: si el Notario debe abstenerse de actuar cuando tenga indicios de que el deudor tiene la condición de consumidor o usuario, y si éste, basta con serlo (o con decir que lo es), para que el expediente se cierre sin la obtención del título ejecutivo por parte del acreedor, resulta que prácticamente **el legislador está sentenciando de muerte a una figura que acaba de nacer**. Éste es uno de los grandes obstáculos para que la reclamación de deudas no contradichas ante Notario pueda asentarse en la práctica y servir a los fines buscados.

Tal y como afirma EDUARDO AMAT en su estudio denominado «Procedimiento monitorio notarial», la exclusión de este tipo de deudas del cauce del expediente notarial sería un contrasentido con el espíritu de la LJV, cuya pretensión mayor es descongestionar los sobrecargados órganos jurisdiccionales. Interpretando literalmente la redacción legal de esta excepción, las motivaciones que inspiran toda la LJV quedarían desautorizadas, dado que la mayor parte de las deudas reclamadas en un procedimiento monitorio deberían seguir demandándose en vía judicial, ya saturada en la jurisdicción civil precisamente por este tipo de reclamaciones

Si de lo que se trata es de que no sirva la figura como instrumento para ser empleado en ejecución de contratos abusivos, bastaba con haber concedido facultades al Notario para denegar su actuación si entendía que así podía ocurrir, sin perjuicio de la ulterior posibilidad de ser apreciado en sede judicial. Algo así como lo que se establece en el artículo 129.2 de la LH, en sede de ejecución extrajudicial, cuando se establece que:

«Cuando el Notario considerase que alguna de la cláusulas del préstamo hipotecario que constituya el fundamento del venta extrajudicial o que hubiese determinado la cantidad exigible pudiera tener carácter abusivo, lo pondrá en conocimiento del deudor, acreedor y en su caso, avalista e hipotecante no deudor, a los efectos oportunos.

En todo caso, el Notario suspenderá la venta extrajudicial cuando cualquiera de las partes acredite haber planteado ante el juez que sea competente, conforme a lo establecido en el artículo 684 de la Ley de Enjuiciamiento Civil, el carácter abusivo de dichas cláusulas contractuales.

La cuestión sobre dicho carácter abusivo se sustanciará por los trámites y con los efectos previstos para la causa de oposición regulada en el apartado 4 del artículo 695.1 de la Ley de Enjuiciamiento Civil.

Una vez sustanciada la cuestión, y siempre que no se trate de una cláusula abusiva que constituya el fundamento de la ejecución, el Notario podrá proseguir la venta extrajudicial a requerimiento del acreedor»

Es decir, hubiera parecido más acorde con la finalidad de la LJV, prever un sistema similar al establecido en el artículo antes transcrito, antes que directamente excluir la aplicación del expediente notarial a todas la reclamaciones en las que el deudor será un consumidor o usuario, con independencia de que haya o no cláusulas abusivas. Un sistema que contempla una doble garantía en esta materia, pues el Notario suspenderá su actuación tanto si él mismo aprecia la existencia de alguna cláusula abusiva, como cuando cualquiera de las partes acredite haber planteado ante el juez el carácter abusivo de dichas cláusulas contractuales. Todo ello sin perjuicio de que posteriormente, incluso en sede de ejecución del título, nuevamente el deudor podría alegar la existencia de cláusulas abusivas.

El problema es que **tal y como está la redacción de la norma, siempre que el deudor sea un consumidor o usuario, defender la posible actuación del Notario se basa solo en una interpretación de la norma, contraria a la literalidad de ésta.** Interpretaciones muy loables, razonadas y con las que estoy de acuerdo, pero que no dejan de ser interpretaciones o quizás, más bien, sugerencias de *«lege ferenda»*. Y por tanto en estos casos no cabe más que acudir a la variante judicial, en la que por cierto, a la luz de lo establecido en el artículo 815 de la LEC, el juez apreciara la existencia de cláusulas abusivas, *«acordando, bien la improcedencia de la pretensión, bien la continuación del procedimiento sin aplicación de las consideradas abusivas».*

En estas condiciones, sin una reforma legislativa, la figura que estamos estudiando y las ventajas que de ella se derivan, quedan muy seriamente dañadas.

7.3.3. *Actuación notarial*

Una vez examinadas las generalidades de monitorio notarial, y si llegamos a la conclusión de que no estamos antes uno de los supuestos exclusivos, vamos a estudiar ahora los distintos puntos que abarca la actuación del Notario.

7.3.3.1. Competencia territorial

Lo primero que debe hacer el Notario es examinar su propia competencia. Siguiendo la literalidad de la norma, es competente:

– El Notario con residencia (despacho profesional, se entiende) en el domicilio del deudor, si así consta en el documento que acredita la deuda o en otro («documentalmente demostrado»). Hay que entender como tal un documento que haya consentido el deudor.

– El Notario competente para actuar en el lugar de residencia del deudor. Es destacable que se diferencia entre el domicilio del deudor y su residencia habitual, puesto que pueden no coincidir.

– El Notario competente en el lugar en el que el deudor pueda ser hallado.

Es decir, cualquiera de los tres criterios es válido, y corresponde al requirente acudir al Notario que considere competente en función de cuál sea el más apto para que el deudor sea efectivamente notificado. Es decir, se trata de foros competenciales alternativos.

Llama la atención que la competencia notarial gira en torno a dónde se encuentra el deudor, y no el acreedor, que es el que supuestamente se está viendo perjudicado por la falta de pago, no previendo legislador que el acreedor pudiera acudir al Notario de su elección el cual, por la propia operativa de las actas de requerimiento, a su vez requeriría al compañero competente en función de dónde se encuentre el deudor, para entregarle la notificación.

Para evitar este indudable trastorno para el acreedor, en la práctica, no es necesario que el acreedor se desplace hasta la Notaría territorialmente competente según los criterios antes mencionados. Si el acreedor acude a un Notario que no es territorialmente competente (por ser el más cercano al domicilio del acreedor, por ejemplo), éste podrá recoger el requerimiento y la documentación aportada por éste, y a su vez requerir telemáticamente al Notario territorialmente competente, que será el que apreciará la legitimidad de la pretensión, la documentación aportada, la exigibilidad de la deuda, practicará la notificación y cerrará el acta en la forma procedente, según se haya podido consumar la notificación o no, y según cuál haya sido la actitud del deudor una vez notificado.

Pero en todo caso **es el acreedor el que debe señalar los domicilios en los cuales ha de intentarse la notificación**, pues la actuación notarial no abarca la de averiguación de domicilios o de los lugares donde puede practicarse la notificación. Es el acreedor el que debe establecer los lugares donde notificar, y puede incluso en el mismo acta señalarlos con carácter sucesivo es decir, primero que se intente en un lugar y si no se consigue en otro. Puede también solicitarse a un Notario territorialmente competente en función del domicilio señalado, que intente la notificación, y si no la consigue, que requiera a otro compañero para que a su vez la intente en otro lugar, al no ser el primero competente en éste.

Lo importante es señalar que las posibilidades son amplias y flexibles, y eso, junto con el sistema de conexión entre Notarios por vía telemática, hace que la determinación del Notario competente no es en absoluto un obstáculo para que el acreedor vea satisfecha su pretensión de actuación notarial.

En todo caso, al tema de los domicilios me dedicaré con más detenimiento cuando trate la práctica de la notificación.

7.3.3.2. Identificación del requirente

Ya centrados en la actuación notarial, procede primeramente, tal y como establece la norma, que el Notario deje constancia en el acta de la identidad del acreedor y, si actúa representado, de la suficiencia de la representación.

No me voy a extender en este punto sobre algo tan inherente a la función notarial como el juicio de identidad y la suficiencia de la representación, pero sí quiero detenerme en que considero que **en este caso no se debe admitir la figura del mandatario verbal.**

Tal y como establece la resolución de la Dirección General de los Registros y del Notariado de 9 de mayo de 1968, se debe distinguir entre actas de notificación y requerimiento que no pretenden unos efectos jurídicos concretos, sino que se agotan en finalidades simplemente prácticas, de aquéllas que persiguen sobre todo un efecto jurídico determinado en las normas legales correspondientes, bien sea para la conservación de los derechos del propio requirente, como requisito para el ejercicio de derechos potestativos de aquél, o aquéllas que imponen una obligación o carga en el notificado, abriendo para éste un plazo preclusivo de caducidad para el ejercicio de un derecho potestativo propio. Para las primeras sí se admite la figura del mandatario verbal, no así para las segundas.

Efectivamente, la intervención de una persona en representación de otra, sin justificar la suficiencia de la representación, generaría desde luego una serie de efectos importantes y hasta invasivos en la esfera del deudor/notificado por parte de alguien que no ha acreditado su representación y por tanto el interés legítimo, cosa que un Notario no puede aceptar, máxime cuando esa insuficiencia en la representación no puede ser aceptada y consentida por el resto de otorgantes en el instrumento público, que es el requisito de cautela mínima que adoptamos para aceptar dicha intervención.

7.3.3.3. Documentación a aportar

Establece la norma que el requirente deberá acreditar «*la forma documental que a juicio del Notario, sea indubitada*».

No existe en este caso una relación de documentos admisibles, como sí ocurre en la regulación de la versión judicial, que resulta mucho más detallada (art. 812 de la LEC).

En este artículo se distinguen dos posibilidades: el documento consentido por el deudor, que puede ser bilateral o unilateral, y el documento unilateral, que es generado por el acreedor, con ciertas condiciones. En concreto se habla de «documentos firmados por el deudor o con su sello, impronta o marca o con cualquier otra señal, física o electrónica» y en el punto segundo de este mismo artículo se hace referencia a «facturas, albaranes de entrega, certificaciones, telegramas, telefax o cualesquiera otros documentos que, aun unilateralmente creados por el acreedor, sean de los que habitualmente documentan los créditos y deudas en relaciones de la clase que aparezca existente entre acreedor y deudor».

Dada la imprecisión con la que está redactado el art. 70 de la LN, debe entenderse que todos los documentos antes relacionados, a los que se hace referencia en la LEC, son aptos para admitir la reclamación en el monitorio notarial y, en ese sentido, un documento creado unilateralmente por el acreedor, como una factura o albarán, sería suficiente para iniciar el expediente notarial, siempre que fuera de los que habitualmente acreditan las deudas en la clase de relaciones existentes entre acreedor y deudor. Es más, es discutible que la enumeración de la LEC pueda considerase como un «*númerus clausus*», pero no lo es así en la regulación en la LN, que permitiría incluso admitir otros soportes documentales distintos de los contemplados para el procedimiento judicial, pues tal es la amplitud con la que se ha regulado la materia en la LN, si a juicio del Notario la deuda resulta suficientemente documentada.

El Notario, en el caso de admitir la solicitud, no emitirá un juicio sobre la autenticidad de la deuda, ni sobre el derecho del acreedor, sino que se limita a expresar su juicio sobre el carácter indubitado o no del documento del que resulta de deuda. Tal y como apunta BARRIO DEL OLMO (2015, p. 968), el Notario debe realizar una valoración de la prueba integral y de conjunto, pronunciándose razonablemente y según la reglas de la lógica humana sobre si el documento presentado es suficiente o no para aceptar el requerimiento (resolución de la DGRN de 6 de mayo de 2013). De lo que se trata, en un sistema documental como el nuestro, es de que **el acreedor presente al Notario una prueba documental de la deuda reclamada, no de su derecho a la reclamación, pues no es cuestión del Notario resolver sobre el fondo del asunto.**

Tal documento puede ser un documento público, aunque pueda parecer un contrasentido pues, como tal documento público, lleva aparejada ejecución. Sin embargo, la práctica demuestra que al acreedor, aun teniendo su deuda documentada en un documento público, puede resultarle interesante acudir al expediente monitorio.

Y por supuesto puede ser un documento privado, pero en este caso, teniendo en cuenta que el Notario deberá incorporarlo al acta, debe de haberse cumplido con las obligaciones tributarias, y que así conste en el propio documento.

En definitiva, en base a los criterios generales expuestos, el Notario debe hacer un juicio sobre si la deuda está suficientemente documentada, en base a las reglas de la buena lógica y de la práctica civil o mercantil, entre los documentos que habitualmente se emplean para este tipo de obligaciones. No resultaría adecuado hacer una enumeración casuística de documentos, que además nunca sería exhaustiva, máxime si reparamos en que en nuestro derecho rige el principio de libertad de formas, que hace que incluso la relación obligacional pueda tener un origen verbal entre deudor y acreedor.

Pero, aun admitiendo que la obligación pueda basarse en un contrato verbal, siempre tendrá el acreedor que aportar un soporte documental que justifique su existencia, o la reclamación de la misma al deudor en un momento anterior. La mera manifestación del acreedor no es bastante para incoar el acta.

Es discutida la cuestión de si se debe admitir una fotocopia de documento, para iniciar el expediente notarial. La mayoría de los autores consideran que no, dados los trascendentales efectos que confiere la legislación a este tipo de acta tramitada ante Notario. Yo no sería tan tajante, y creo que debe ser cada Notario el que valore la suficiencia del documento aportado según las circunstancias de caso concreto, incluso tratándose de una fotocopia. En el ámbito judicial, y aunque la jurisprudencia no es pacífica, se han admitido las fotocopias, y el propio artículo 812 de la LEC, en la enumeración que hace de soportes documentales, incluye albaranes de entrega o telefaxes (un telefax al fin y al cabo es un fotocopia). Si el Notario no entra a decidir sobre el derecho del acreedor sino solo sobre la existencia de la deuda, no veo, por ejemplo, que un albarán de entrega, o una carta escrita unilateralmente por el acreedor y remitida al deudor, tengan más «calidad» documental que un documento que conste firmado por ambas partes y remitido por fax (es decir, una fotocopia). Habrá que estar al caso concreto y valorar el documento en cada momento y según las condiciones que concurran, o por poner un caso, si esa fotocopia es en la que se basa toda la reclamación o es solo uno más de los documentos a valorar. Piénsese, para terminar este apartado, que el Notario no puede concluir el acta si no ha sido debidamente notificada, y que el deudor, si el soporte documental es endeble, basta con que manifiesta esto (o cualquier otra cosa), para que no se obtenga el título ejecutivo por parte del requirente.

7.3.3.4. Requisitos de la deuda

Antes de entrar ya en la notificación y una vez el Notario ha examinado que no estamos ante un supuesto excluido, ha calificado su propia competencia, ha identificado al acreedor y ha aceptado el soporte documental que justifica la deuda (de todo ello hay que dejar constancia en el acta), procede que la deuda en sí cumpla con una serie de condiciones, necesarias para seguir adelante con el expediente.

Siguiendo la dicción literal de la norma, la deuda debe tener las siguientes características:

- Puede ser de origen civil o mercantil. Aquí lo se está haciendo es excluir otros posibles orígenes de la deuda, como pudiera ser un ilícito penal o una deuda en el ámbito laboral. Y, como ocurre en el ámbito judicial, no hay límite cuantitativo para acudir al monitorio tramitado ante Notario.

- Ha de estar expresada en dinero, no pudiendo der deudas de otra índole, aunque se trate de bienes fungibles. No hay razón para denegar la actuación en caso de que la deuda esté fijada en moneda de curso legal extranjera, siempre que el deudor disponga de la divisa para realizar el pago directamente en la misma o que se trate de moneda extranjera sujeta a cotización oficial.

- Ha de ser una deuda vencida y exigible. Evidentemente, tiene que haber vencido el plazo de cumplimiento dado al deudor, y su exigibilidad no puede depender del cumplimiento de una condición, de un hecho incierto o de un hecho pasado que los interesados ignoren (art. 1113 CC). Siendo esto así, el acreedor solo puede reclamar el pago de una deuda vencida anticipadamente cuando pueda probar el hecho que justifica el vencimiento anticipado (art. 1129 del CC). Ni que decir tiene que en este caso el Notario ha de ser especialmente prudente y constarle con certeza que se da la causa de vencimiento anticipado, para calificar esta deuda como exigible.

- La deuda ha de ser líquida y determinada, con lo que se están excluyendo reclamaciones indemnizatorias o de valor, que requieren una previa determinación judicial. Tampoco parece que se puedan admitir reclamaciones basadas en una cláusula penal, dado que éstas son moderables por los Tribunales. Quiero detenerme en este punto, en el de la liquidez de la deuda.

Establece el art. 70 de la LN que la deuda habrá de desglosar necesariamente principal, intereses remuneratorios y de demora aplicados, lo que exigirá su determinación. Tal y como ha señalado repetidamente el Tribunal Supremo, «cantidad líquida» es toda aquella cuya determinación depende de un mera operación aritmética sin necesidad de que deban verificarse otros datos o elementos probatorios. Así, será liquida la deuda nacida de un contrato del tracto sucesivo, siempre que pueda determinarse mediante sencillas operaciones aritméticas, o la deuda nacida de un contrato de arrendamiento en virtud de la aplicación de la renta al período de tiempo durante el que se devenga dicha deuda, o incluso un contrato de préstamo a tipo fijo sin amortizaciones anticipadas.

Pero en otros casos, en contratos de préstamo a tipo variable, en contratos de apertura de crédito, préstamos con sistemas de amortización sucesivos e intereses fraccionados, o préstamos en los que ha habido amortizaciones anticipadas y otros muchos casos en los que se requiera una liquidación que exceda de una mera operación matemática, se plantea la posibilidad de tramitar en expediente notarial monitorio la reclamación de deudas derivadas de los mismos.

En estos supuestos, el Notario deberá comprobar que la liquidación se realiza por el acreedor dentro de los límites contractuales, lo que exigirá la exhibición del documento contractual en el que el deudor consiente que la deuda será liquidada por el acreedor, en los términos previstos por el artículo 573.2 de la LEC. No es que el Notario deba entrar en el detalle de si la liquidación se ha practicado matemáticamente en los términos pactados, como se nos puede requerir que hagamos en un contrato bancario liquidado por la entidad acreedora, sino que se limitará a comprobar que se han aplicado los tipos de interés convenidos y fundamentalmente, deberá comprobar que el deudor le confirió la facultad de liquidar unilateralmente la deuda al acreedor, y esa seguridad solo la podremos tener si se trata de un contrato contenido en escritura pública o póliza notarialmente intervenida. En caso contrario, no tendremos la seguridad de que el deudor ha consentido y sabido las consecuencias del «pacto de liquidez», y tratándose de un requisito esencial y previo a aceptar el requerimiento (que la deuda sea líquida), entiendo que el Notario deberá denegar su actuación

7.3.3.5. Notificación al deudor

Llegamos al elemento nuclear del llamado «proceso» monitorio notarial. La notificación al deudor. Si ésta se realiza con éxito, podrá conformarse el título ejecutivo (siempre y cuando no se formule oposición). Si no se consigue practicar la notificación, en ningún caso el acreedor podrá disponer de él.

La notificación está íntimamente relacionada con el domicilio del deudor, que es el criterio más frecuente para determinar la competencia del Notario. Como hemos visto en el apartado dedicado a este punto, el domicilio donde deberá practicarse la notificación lo señala el acreedor, marcando así quién es el Notario competente, aunque sea lógicamente el Notario el que deberá examinar su propia competencia. Pero este domicilio que señala el acreedor, pues el Notario no realiza una labor de búsqueda, debe quedar suficientemente documentado, y así hacerse constar en el acta. Dos menciones al respecto encontramos en el art. 70.1 de la LN:

«el acreedor . podrá solicitar de Notario con residencia en el domicilio del deudor consignado en el documento que acredite la deuda o el documentalmente demostrado .», y en el párrafo siguiente »se autorizará acta notarial, que recogerá las siguientes circunstancias: la identidad de acreedor y deudor; el domicilio de ambos, según fueron consignados en el documento que origina la reclamación, salvo que documentalmente se acredite su modificación, en cuyo caso deberán ser consignados ambos ... »

Vemos que se parte de una presunción de que el domicilio indicado en el documento del que resulte la deuda coincide con el real del deudor, presunción que podrá ser desvirtuada por el propio requirente, demostrando documentalmente que el domicilio del deudor es otro, o por lo que el propio Notario llegue a conocer durante la práctica del requerimiento.

Cuando se habla de domicilio «documentalmente demostrado», al no distinguir la norma, entiendo que se refiere tanto al domicilio civil (centro de la vida social o familiar), como al domicilio electivo, es decir, el que se haya pactado específicamente para las notificaciones que se realicen derivadas de una relación obligatoria concreta.

Tal y como apunta FRANCISCO ROSALES en su estudio sobre el procedimiento monitorio notarial, se impone al requirente la carga de justificar que el domicilio reflejado en el documento que acredite la deuda no coincide con el real (el documentalmente demostrado). La redacción legal, al prever que si se demuestra documentalmente la modificación del domicilio del deudor «deberán ser consignados ambos», podría llevar a pensar que, aun en el caso de que se demuestre documentalmente que el domicilio del deudor sea distinto al fijado en el documento del que resulte la deuda, el Notario puede apreciar su competencia con base en cualquiera de los dos domicilios. Personalmente, considero que así como en otros aspectos del expediente el Notario puede y debe realizar valoraciones (por ejemplo, al admitir los documentos presentados por el requirente como justificativos de la existencia de la deuda), en la cuestión del domicilio, es el acreedor el que debe determinar con claridad indubitada dónde requiere al Notario para practicar la notificación, sin que éste tenga que entrar en valoraciones, teniendo en cuenta como se vio en su momento, que la norma es muy flexible y permite que el acreedor puede señalar varios domicilios alternativa o sucesivamente, y que en función de eso pueden ser varios los Notarios competentes, cosa que es fácil que ocurra cuando hay una pluralidad de deudores.

Sigue diciendo FRANCISCO ROSALES, sobre la manera de demostrar que el domicilio del deudor es distinto del que indica el documento que acredite la deuda, que esta forma de demostrarlo debe ser documental, lo que remite al cásico padrón municipal, sin descartar que existan otros medios de prueba sobre la base de que la vecindad administrativa no siempre coincide con el domicilio civil o lugar de residencia habitual, como aquellos a los que se refiere el artículo 155.3 de la LEC, según el cual:

«*A efectos de actos de comunicación, podrá designarse como domicilio el que aparezca en el padrón o el que conste oficialmente a otros efectos, así como el que aparezca en Registro Oficial o en publicaciones de Colegios profesionales, cuando se tratare, respectivamente, de empresas y otras entidades o de personas que ejerzan profesión para la que deban colegiarse obligatoriamente. También podrá designarse como domicilio, a los referidos efectos, el lugar en que se desarrolle actividad profesional o laboral no ocasional*».

Centrados ya en lo que es propiamente la notificación, aunque el artículo 70 de la LN no diga nada al respecto, es muy evidente que ésta **debe practicarse personalmente por el Notario, y no mediante la remisión de la cédula de notificación por correo certificado, y ello por lo siguiente:**

- Estas notificaciones son lo que autores como RODRÍGUEZ ADRADOS (1988, pp. 142 y 143) han denominado «notificaciones cualificadas», que persiguen un efecto jurídico determinado en las normas que específicamente lo regulan. Por lo tanto, no es de aplicación el criterio general de actas de notificación y requerimiento según el cual el Notario puede decidir discrecionalmente acudir al envío postal con acuse de recibo siempre que de una norma legal no resulte lo contrario (pues en este caso la hay), y tampoco puede utilizarse el envío postal como medio supletorio previsto en el artículo 202.6 del RN, cuando el Notario no haya podido entregar la cédula.

- La ley atribuye al silencio del deudor unas consecuencias y una calificación tales, que es capital tener la seguridad de que ha sido informado de la tramitación del expediente y de los efectos de su falta de oposición.

- También en el proceso monitorio judicial, el requerimiento de pago al deudor se practica mediante entrega personal (artículo 161 de la LEC), habiéndose rechazado doctrinal y jurisprudencialmente la notificación en vía edictal, salvo para la reclamación de deudas de la comunidad de propietarios.

- Y el argumento que considero más importante, para evitar colocar al deudor en una situación de indefensión. El TC en numerosas sentencias se ha pronunciado sobre la trascendencia de los actos de comunicación para garantizar el principio de contradicción, parte esencial del contenido del derecho reconocido en el artículo 24 de la CE, derecho a la tutela judicial efectiva. Ello impone a los órganos judiciales y a los operadores jurídicos un especial deber de diligencia en la realización de dichos actos, para asegurar su recepción por los destinatarios, dándoles así la oportunidad de defenderse. Lógicamente, la actuación notarial en esta materia no puede ser ajena a ese principio fundamental.

Asentado que la notificación debe ser personal, la forma documental es la de un acta de notificación y requerimiento de las reguladas en los arts. 202 a 206 del RN, si bien con unas especialidades que a continuación examinaremos en lo que se refiere a la práctica se la notificación. No me parece relevante la discusión sobre si estamos ante una notificación, un requerimiento o ambas, por cuanto al fin y al cabo la forma documental es la misma. Es evidente que se trata de dar a conocer al deudor una información más que de un requerimiento de pago (aunque el deudor puede pagar al Notario), pues el Notario no requiere de pago al deudor, sino que le informa de un requerimiento de pago realizado por el acreedor, así como de las consecuencias que tendrá el impago y la falta de oposición.

Persona con quien se entiende la notificación

Como acabo de decir, la norma que estamos estudiando presenta particularidades en este punto respecto de la regulación general de las actas de notificación y requerimiento previstas en el RN. Es de aplicación lo dispuesto en el artículo 206 del RN, que establece que: «*Las notificaciones o requerimientos previstos por las Leyes o Reglamentos sin especificar sus requisitos o trámites se practicarán en la forma que determinen los artículos precedentes. Pero cuando aquellas normas establezcan una regulación específica o señalen requisitos o trámites distintos en cuanto a domicilio, lugar, personas con quienes deban entenderse las diligencias, o cualesquiera otros, se estará a lo especialmente dispuesto en tales normas, sin que sean aplicables las reglas del artículo 202 y concordantes de este Reglamento*».

La norma que nos ocupa es más restrictiva que la contenida para otras notificaciones como las de la venta extrajudicial (art. 236 c) del RH), y no solo por la enumeración de las personas a quienes se puede hacer la notificación, sino porque establece como edad mínima la mayoría de edad, y no los 14 años, como ocurre en dicho art. 236 del RH, o el 161 de la LEC. Tampoco en estos artículos se exige que la persona que recibe la cédula acredite ser representante con facultades suficientes, como sí se hace en el art. 70.5 de la LN, que estamos estudiando.

Seguiremos el siguiente esquema de las personas con las que se puede practicar la notificación, pues ha de entenderse que solo se puede practicar con ellas y no con otras, dada la trascendencia que se le atribuye a dicha notificación. En este punto no se puede aplicar supletoriamente la regulación del art. 202 del RN, pues los requisitos de la notificación están específicamente regulados por la ley que estamos estudiando (véase nuevamente el art. 206 del RN):

– Si el deudor es **persona física**, se entenderá realizada la notificación mediante su entrega a cualquier empleado, familiar o persona que conviva con el deudor, siempre que sean mayores de edad y se encuentren en el domicilio. Si es en el lugar de trabajo, se efectuará a la persona que estuviese a cargo de la dependencia destinada a recibir documentos u objetos. Esta última mención es sin duda poco afortunada por imprecisa, pues no se sabe muy bien en un centro de trabajo quién es esa persona «a cargo de la dependencia destinada a recibir documentos u objetos». No parece claro a quién entregar la notificación, y esas circunstancias es difícil considerar que está bien hecha. Parece que se está pensando en una especie de registro de entrada, que en la mayoría de las ocasiones no existe. La redacción del artículo 161.3.II de la EC es mucho más acertada al establecer que

> *«si la comunicación se dirigiere al lugar de trabajo no ocasional del destinatario, en ausencia de éste, la entrega se efectuará a persona que manifieste conocer a aquél o, si existiere dependencia encargada de recibir documentos u objetos, a quien estuviere a cargo de ella».*

– Si el deudor es **persona jurídica**, se efectuará la notificación a la persona mayor de edad que se encontrare en el domicilio señalado en el documento anteriormente expresado y que forme parte del órgano de administración, que acredite ser representante con facultades suficientes o que a juicio del Notario actúe notoriamente como persona encargada por la persona jurídica de recibir requerimientos o notificaciones fehacientes en su interés. Nuevamente la última mención del artículo es imprecisa y dificulta la práctica de la notificación, no sabiéndose con claridad quién «actúa notoriamente como persona encargada por la persona jurídica de recibir requerimientos o notificaciones fehacientes en su interés», y más con esa matización de que esa persona debe encargarse de recibir notificaciones «fechacientes» (¿solo fehacientes hay que entender?) y «en su interés» (no se entiende qué es recibir notificaciones en interés de la persona).

Por otra parte, aunque le norma no lo diga, ha de entenderse que también puede practicarse la notificación no solo con la persona que forme parte del órgano de administración (representante orgánico), sino también con un apoderado o representante voluntario, que acredite tener facultades suficientes.

En esa misma línea de argumentación, tampoco hay razón para que no se pueda entregar la notificación al representante legal o voluntario de una persona física, que acredite facultades suficientes. No lo menciona el artículo, que se refiere solo a representantes de personas jurídicas, pero la posibilidad de practicar la notificación con el representante de una persona física deriva de la misma esencia de la representación.

– Si la notificación, atendiendo a las instrucciones del requirente, se practica no en el domicilio del deudor, sino en el lugar en que pudiera ser hallado, considero que no se puede aplicar analógicamente la posibilidad de practicar la notificación a las personas mencionadas en los apartados anteriores, sino que habrá de realizarse al deudor personalmente, y debidamente identificado, pues fuera del domicilio, que es donde se desarrolla la vida personal y social del deudor, no hay razón para presumir las relaciones existentes entre el destinatario de la notificación y la persona con la que efectivamente se practica, que haga considerar probable y obligado que la segunda se la entregue al primero.

El sistema de notificación merece a mi entender los siguientes breves comentarios, a modo de conclusión:

Primero, todo lo que no sea practicar la notificación en el domicilio del deudor, la dificulta extraordinariamente, pues fuera de él, o se le entrega la cédula personalmente, o se hace muy difícil entregársela a las personas a las que se refiere el artículo «en el lugar de trabajo no ocasional».

Segundo, la notificación a personas jurídicas también se dificulta de manera innecesaria, pues es muy habitual, cuando se intenta practicar una notificación a una persona jurídica, que no se encuentre en la dirección a la que nos dirigimos a un representante orgánico o voluntario para recibirla. Y si se encuentra, además tiene que estar en disposición de enseñar el título que acredite sus facultades representativas, y que quiera hacerlo.

Sinceramente, para regular la notificación de esa manera, siendo como es el elemento esencial del procedimiento, bastaba con haber hecho una remisión a los artículos 202 a 206 del RN, pues los notarios llevamos muchos años practicando notificaciones en aplicación de estos artículos, con una praxis y una jurisprudencia ya muy depurada, y la nueva regulación probablemente dé bastante problemas. Y si se trataba de contemplar una regulación especial en la materia, se podía haber acudido al sistema y a los artículos sobre la notificación previstos en la LEC, como se ha visto, más precisos que los de la LN.

Contenido de la diligencia de notificación

El fedatario hará saber su condición de Notario y el objeto de su presencia (art. 202.3 del RN), y dejará constancia del lugar y de la forma en que se ha practicado la notificación, que será mediante entrega de la cédula al deudor o a cualquiera de las personas antes mencionadas. En este último caso, deberá informarles de la obligación que tienen de entregársela al destinatario. Se indicará también la identidad de la persona con la que se haya entendido la diligencia y en su caso su relación con el destinatario, y se incluirá también el requerimiento al deudor para que, en el plazo de veinte días hábiles, pague al peticionario.

Tal y como establece literalmente el artículo, «*si el deudor no pudiese ser localizado en alguno de los domicilios posibles acreditados en el acta o no se pudiere hacer entrega del requerimiento*», también lo consignará el Notario en la diligencia y, en tal caso, cerrará el acta, quedando a salvo el derecho del acreedor a acudir a la vía judicial.

Dos últimas cuestiones resultan relevantes para terminar con este apartado, que además incluyen una cierta novedad con respecto a la regulación general prevista en el RN para la práctica de notificaciones y requerimientos:

La primera, que «*se tendrá por realizado válidamente el requerimiento al deudor si es localizado y efectivamente requerido por el Notario, aunque rehusare hacerse cargo de la documentación que lo acompaña, que quedará su disposición en la Notaría*». Si se da este supuesto, el Notario deberá advertir al deudor y recoger en la diligencia tanto esa advertencia, como que la notificación se entiende válidamente practicada. En el artículo 203 del RN se establece que «*Cuando el interesado, su representante o persona con quien se haya entendido la diligencia se negare a recoger la cédula o prestase resistencia activa o pasiva a su recepción, se hará constar así, y se tendrá por realizada la notificación»*. Se puede apreciar que en el RN la negativa a recibir la notificación hace que ésta se entienda bien practicada, si quien se niega a recibirla es tanto el propio requerido como su representante o persona con quien se haya entendido la diligencia. Sin embargo, en la LN, esa negativa a recibir la notificación sólo hace que se entienda bien practicada si quien se niega es el propio deudor. Hay quien interpreta que no hacer referencia al representante en la LN es un lapsus del legislador, pues va contra la propia esencia de la figura de la representación. Yo no lo veo tan claro, y me inclino más bien por considerar que la ley ha querido que la notificación se entienda realizada si la conducta obstativa la protagoniza únicamente el deudor, y no su representante, cosa que considero que puede perfectamente hacer el legislador, pues se trata de atribuir una consecuencia legal a una conducta, y se puede, por los motivos que aprecie el legislador, regular así respecto de una persona (el deudor) y no de otra (su representante). Hacer una interpretación extensiva en esta materia, contra la literalidad de la norma, lo considero arriesgado.

La segunda, que considera la doctrina más cualificada, entre la que está la varias veces citada BARRIO DEL OLMO (2015, p. 992), que cualquier persona con quien se entienda la diligencia, y no solo cuando se notifique al deudor fuera de su domicilio o se practique con un representante de éste, debe ser identificada por el notario conforme a la legislación notarial, pues aunque los artículos 192 y 198.1.5 del RN establecen con carácter general que no es necesario identificar al requerido o notificado, esta previsión tiene su justificación en que la identificación en las actas se concibe de forma más laxa, salvo que *«la naturaleza del acta exija la identificación del notificado o requerido»*. En el caso que estamos estudiando, la notificación puede entrañar importantes consecuencias para el deudor si no comparece, y por tanto es importante que el Notario deje constancia en la diligencia de que ha sido debidamente identificado, o si éste no ha podido o querido ser identificado. **Es indudablemente muy conveniente que el deudor sea identificado por el Notario**, y que de esa identificación se deje constancia en el acta. Si el requerido acepta recibir la cédula pero no colabora con la identificación (cosa que es fácil de imaginar, pues ni ha promovido la intervención notarial ni está interesado en el éxito de ésta), no creo que el Notario deba cerrar el acta, pero deberá dejar constancia de esta circunstancia. Lo deseable es la completa identificación, pero entiendo que considerar que la notificación no se ha practicado si el deudor rehúsa ser identificado sería incoherente con lo que se establece en el mismo artículo, cuando dice que si el deudor no acepta recibir la documentación, la notificación se entiende practicada. Sería atribuir a una conducta del deudor, que lo que busca es obstaculizar la notificación, precisamente la consecuencia jurídica por él perseguida.

Diversas resoluciones de la DGRN avalan en parte lo contenido en la líneas precedentes, como la de 30 de junio de 2015, relativo al procedimiento de venta extrajudicial, que declara que solo si queda acreditado bajo la fe del notario que el destinatario tiene cabal conocimiento del contenido y fecha del requerimiento de pago es admisible considerar practicada la diligencia y llevado a cabo el trámite en términos que no violenten sus derechos constitucionales, y la resolución de 17 de septiembre de 2012, también relativa a dicho procedimiento, que dispone que fuera del domicilio designado por el deudor, «las trascendentales consecuencias jurídicas que se derivan del requerimiento exigen la previa identificación en forma del deudor»

7.3.3.6. Posibles conductas del deudor

Una vez practicada la notificación, empieza a contar el plazo de veinte días hábiles concedidos al deudor para que pague la deuda.

Lo primero que cabe estacar es que se trata de días hábiles, y por tanto debe entenderse que no cuentan los sábados, ya que a la LJV se aplica supletoriamente la LEC, y en ella los sábados son considerados inhábiles (art. 130 de la LEC).

Tampoco debe contarse como hábil del mes de agosto, al ser judicialmente inhábil. Durante el mes de agosto se podrán aceptar y realizar requerimientos, pero no computa para el plazo de los veinte días que estamos tratando.

Siguiendo el esquema del art. 71 de la LN, el deudor puede adoptar una de las siguientes posturas:

Pagar la deuda

Si el deudor paga, se dejará constancia del pago en el acta, sobre la que el artículo sigue diciendo que «tendrá el carácter de carta de pago», aunque según la legislación notarial un acta propiamente no puede documentar una carta de pago.

El pago puede hacerse directamente al acreedor, pero en este caso, el pago debe ser confirmado por éste, para que el Notario cierre el acta.

O puede hacerse el pago al Notario quien, procederá *«sin demora»* a hacer entrega de la cantidad abonada al acreedor en la forma que éste hubiera solicitado. A tal fin, es conveniente que, a la hora de hacer el requerimiento, el acreedor facilite al Notario un número de cuenta para que una vez se pague, sea como sea que se haya hecho el pago, pueda el Notario autorizante hacer una transferencia a esta cuenta, de manera que quede constancia de la entrega, y se pueda cerrar el acta.

Sobre la manera de hacer el pago, hay que tener en cuenta que si el pago es en metálico, será de aplicación el art. 7 de la ley 7/2012 de 29 de octubre, sobre prevención del fraude fiscal, que impide pagar en efectivo las operaciones en las que alguna de las partes intervinientes actúe en calidad de empresario o profesional, con un importe igual o superior a 2.500 euros. Y si el pago es en moneda metálica, billetes de banco o cheques al portador, el Notario antes de aceptarlo, debe exigir la presentación del modelo de declaración S-1 cuando se superen los 10.000 euros y procedan del extranjero, o 100.000 euros cuando el movimiento tenga lugar dentro del territorio nacional. Si se hace mediante transferencia, habrá que aportarse justificante de la misma y, antes de cerrar el acta, cerciorarse mediante intervención del acreedor, de que éste la ha recibido en el plazo de veinte días hábiles. Y algo parecido pasa si el pago se hace mediante títulos valores, que en sí mismo no son un medio de pago, si no comparece el acreedor para decir que efectivamente ha cobrado el título en plazo y lo acepta (no se le puede obligar a aceptarlos en pago, ex art. 1170.2 del CC), o por manifestación del propio Notario, si a él se le ha hecho el pago, una vez comprueba efectivamente el cobro del dinero para, a continuación, y siempre en el plazo de los veinte días hábiles, remitirle la suma al acreedor. Lógicamente todas estas circunstancias pueden dificultar que el dinero llegue al acreedor en plazo.

El pago ante el Notario constituye un depósito accesorio a otra actuación notarial y por tanto obligatorio. No provoca en sí un acta, ni como tal se debe instrumentar, sino que es consecuencia de la obligatoriedad de la prestación de la función. En todo caso sí que sería conveniente, si el pago se realiza al Notario y sobre todo si es con títulos valores, que éste deje constancia en la propia acta que documenta el expediente monitorio, de las condiciones de este «depósito», es decir, de en qué casos se entenderá pagada la deuda, y de los supuestos en los que procederá la restitución del depósito. Se me ocurre, por ejemplo, el supuesto en el que haya una pluralidad de deudores y unos pagan al Notario mientras que otros formulan oposición. Dado que no podrá concluir el acta con el pago completo al acreedor ni con la obtención por éste del título ejecutivo, procedería por parte del Notario la restitución a los que pagaron, y para eso es muy interesante que la propia diligencia en la que se documenta al pago, se informe de cuándo, cómo y de qué manera ésta tendría lugar la restitución de lo pagado al pagador, si se diera el caso.

Por otra parte, el Notario no podrá aceptar un pago parcial, a no ser que haya sido expresamente autorizado para ello por el acreedor, de lo que deberá dejarse constancia en el acta, y el cual lógicamente por la diferencia, podrá acudir a un nuevo «proceso» monitorio, ante Notario o judicialmente. Esto es importante preverlo en el caso de deudas mancomunadas, aunque aquí realmente no hay un pago parcial, pues aunque el acreedor no cobre la totalidad de la deuda, el deudor no está obligado a pagarla toda, sino solo la parte que le corresponda.

En cuanto a quién puede hacer el pago, me remito al punto «7.1.2.2» de este trabajo, en el que se estudia quién pude hacer el ofrecimiento de pago, pues lo que se aplica es la normativa general del Código Civil sobre el pago y por tanto, éste pude hacerlo el deudor, o cualquier otra persona *«tenga o no interés en el cumplimiento de la obligación, ya lo conozca y lo apruebe, o ya lo ignore el deudor»* (art. 1158 del CC), con las consecuencias que un caso u otro tiene para las relaciones que se entablan entre pagador y deudor, y que son profusamente estudiadas en la institución del pago, estudios a los que nuevamente me remito. En todo caso, el que paga debe ser identificado por el Notario, quien, caso de no ser el deudor, indagará sobre su relación con éste.

Formular oposición

El deudor, en ese mismo plazo de veinte días hábiles, puede comparecer para formular oposición. Por supuesto el Notario deberá identificarle y realizar el habitual juicio de capacidad o, si actúa en representación del deudor, el juicio de suficiencia sobre sus facultades representativas.

El deudor deberá fundamentar su oposición, no siendo válido que se oponga sin más, aunque el Notario no entrará a valorar si la oposición es justificada o no, o si sus manifestaciones son falsas o inexactas, pues eso ya deberá ser valorado en sede judicial. El artículo 71.3 habla únicamente de que constarán los «*motivos de oposición*».

Una vez esto ocurra, el Notario comunicará al acreedor la oposición y se pondrá fin a la actuación notarial. Esto es lo que dice la norma, aunque la praxis notarial lo que aconseja es que primero se plasme la oposición del deudor, después se cierre el acta, y por último se le comunique al acreedor mediante la remisión de la copia autorizada.

El último inciso del párrafo segundo del artículo 71 se refiere a la pluralidad de deudores. Ante la reclamación del acreedor en caso de pluralidad de deudores, sólo la oposición por uno de ellos de excepciones comunes a todos (entendidas como aquéllas «*que se derivan de la naturaleza de la obligación,* ex art. 1148 CC*»*), da lugar a que concluya la actuación notarial respecto de todos los codeudores.

No comparecer, o hacerlo pero no formular oposición

En estos casos (el segundo es bastante hipotético, pues no parece probable que el deudor vaya a comparecer sin formular oposición), el Notario cerrará el acta, dejando constancia de todo lo anterior en la correspondiente diligencia, a extender una vez hayan pasado los veinte días hábiles concedidos al deudor para verificar el pago.

Esta incomparecencia, o comparecencia sin formular oposición, es la que tiene por efecto la culminación del expediente y la obtención por parte del acreedor del título ejecutivo, sin necesidad de que medie solicitud de éste ni expresa declaración del Notario en tal sentido, pues es la ley la que establece expresamente tal efecto.

El acreedor ha tiene ya un título ejecutivo, cuya ejecución se proseguirá conforme a lo dispuesto para la de las sentencias judiciales, produce efecto de cosa juzgada, y contra la que el deudor sólo podrá formular oposición en los términos previstos en los artículos 556 y 557 de la LEC.

7.3.4. *Conclusiones y crítica*

La reclamación de deudas dinerarias no contradichas, una de las grandes novedades de la LJV, estaba llamado a ser, desde el punto de vista de la práctica notarial, uno de los expedientes que más se utilizaran en el día a día de nuestros despachos, dada la gran cantidad de reclamaciones que se vienen presentando en los últimos años en los juzgados empleado este procedimiento.

Su regulación en la LN y la atribución de las competencias al Notario que se han estudiado, por otra parte, encajan a la perfección con el espíritu informador de toda la LJV. Para ilustrar esta afirmación, basta con examinar algún fragmento del preámbulo de esta norma:

– «Resulta constitucionalmente admisible que, en virtud de razones de oportunidad política o de utilidad práctica, la ley encomiende a otros órganos públicos, diferentes de los órganos jurisdiccionales, la tutela de determinados derechos que hasta el momento actual estaban incardinados en la esfera de la jurisdicción voluntaria y que no afectan directamente a derechos fundamentales o suponen afectación de intereses de menores o personas que deben ser especialmente protegidas, y así se ha hecho en la presente Ley»

– La LJV «opta por atribuir el conocimiento de un número significativo de los asuntos que tradicionalmente se incluían bajo la rúbrica de la jurisdicción voluntaria a operadores jurídicos no investidos de potestad jurisdiccional, tales como Secretarios Judiciales, Notarios y Registradores de la Propiedad y Mercantiles, compartiendo con carácter general la competencia para su conocimiento. Estos profesionales, que aúnan la condición de juristas y de titulares de la fe pública, reúnen sobrada capacidad para actuar, con plena efectividad y sin merma de garantías, en algunos de los actos de jurisdicción voluntaria que hasta ahora se encomendaban a los jueces»

Es decir, del «proceso monitorio» se esperaba que fuera el «buque insignia» de la LJV para los Notarios, como trámite ágil, de costes razonables, sencillo, operativo, que respondiera a necesidades reales de la ciudadanía, y al mismo tiempo sirviera para descongestionar los juzgados y tribunales.

Dos años y medio después de entrar en vigor la ley, no hay más que ver las estadísticas de contratación notarial para comprobar que esto no ha sido así, y que, de momento, se está desaprovechando una gran oportunidad de articular una institución que podría ser enormemente práctica.

Las razones de este poco éxito son básicamente dos:

En primer lugar, que queden excluidas «las deudas que se funden en un contrato entre un empresario o profesional y un consumidor y usuario». Interpretaciones muy interesantes de la norma aparte (pero al fin y al cabo solo interpretaciones), lo cierto es que, como hemos visto en el apartado correspondiente, la dicción literal de la norma hace que un porcentaje elevadísimo de reclamaciones ya no puede acudir a la vía notarial, porque en ellas intervendrá un consumidor o usuario. Pero es que es peor aún que eso: el Notario en muchos casos es muy difícil que llegue a tener la certeza de que el deudor no es un consumidor. Se tratará de probar un hecho negativo en base sobre todo a indicios y manifestaciones del acreedor. Y si para autorizar el acta el Notario debe tener la seguridad de que el deudor no es un consumidor o usuario, en no pocas ocasiones denegará su intervención.

Y en segundo lugar, tal y como afirma el catedrático de derecho procesal DON JOSÉ BONET NAVARRO, la reclamación en vía notarial presenta debilidades frente a las múltiples alternativas judiciales para reclamar créditos, sobre todo por dejar de forma prácticamente incondicionada en manos del deudor la operatividad y utilidad del trámite. Tal y como dice el citado autor, el monitorio de los arts. 70 y 71 de la LN podrá ser económicamente algo más conveniente que otras posibilidades de reclamación, y presumiblemente más rápido, pero su debilidad fundamentalmente estriba en que está más expuesto a su fracaso ante la reacción del deudor. Y ello es así porque, según el art. 71.1 de la LN, el deudor cuenta con la posibilidad de poner fin a la actuación notarial solamente aportando motivos que funden la oposición, sin necesidad, por no imponerse sanción ni consecuencia negativa alguna en caso contrario, de que tengan soporte legal verdadero ni correspondencia alguna con la realidad. Esto supone que la viabilidad práctica del procedimiento que nos ocupa resulta cuanto menos endeble, pues dependerá de la benevolencia, el miedo, la ignorancia o la vergüenza del deudor que le puedan aconsejar oponerse o no oponerse. Y tampoco se prevé que una oposición irreal o infundada llegue a tener consecuencias negativas para el deudor, al exigirse meramente la aportación de motivos de oposición. Puede afirmarse, concluye BONET NAVARRO, que queda en manos del deudor la viabilidad y utilidad práctica del procedimiento de los arts. 70 y 71 de la LN, por cuanto no se requiere acreditar los motivos de oposición mediante documentos ni cualquier otro medio de prueba. Para fundar una oposición bastará, según los casos, con negar los hechos constitutivos de la obligación requerida o también afirmando hechos impeditivos, extintivos o excluyentes de la obligación que da soporte al crédito requerido. Aunque las posibilidades de defensa son amplias, el problema no es tanto esto como que un deudor temerario o falsario difícilmente sufrirá consecuencias negativas por su actitud, ni condena en costas, ni siquiera vinculación de sus motivos para delimitar el ámbito de oposición en un eventual juicio ulterior. Una benevolencia legislativa que configura un procedimiento muy endeble, cuya viabilidad queda en manos del deudor.

En definitiva, en mi opinión, se trata de un instrumento bien concebido en su origen, pero mal ejecutado. Esperemos que futuras reformas legislativas hagan posible su viabilidad y utilización en mucho mayor medida de lo que ha ocurrido hasta la fecha.

8. ACTUACIÓN NOTARIAL EN MATERIA DE MOVIMIENTOS DE CAPITAL E INVERSIONES EXTERIORES

8.1. RÉGIMEN JURÍDICO DE LOS MOVIMIENTOS DE CAPITAL

8.1.1. Derecho Comunitario y Derecho Interno

Las inversiones exteriores no tienen en el Derecho Comunitario un tratamiento autónomo sino que forman parte de los «movimientos de capital». El Tratado de Roma de 25 de marzo de 1957 constitutivo de la, hoy, Unión Europea establece como fundamento de la misma cuatro libertades: libertad de circulación de personas, de mercancías, de servicios y de capitales.

El principio de libertad de movimientos de capitales, con o derecho originario de la comunidad europea, estuvo muy matizado por cuanto la supresión progresiva de las restricciones a los movimientos de capital entre los Estados miembros se realizaría en la media necesaria para el buen funcionamiento del mercado común; para los movimientos de capital con Estados no miembros sólo se preveía una mera coordinación de políticas entre los Estados. Los capitales siempre han sido un factor productivo de gran movilidad, propensos a movimientos especulativos que pueden alterar la estabilidad financiera. Por ello, a diferencia de la circulación de mercancías y servicios y de sus pagos que pronto quedaron liberalizados, los movimientos de capital estuvieron sujetos a limitaciones y controles por la mayor parte de Países.

El desarrollo de la libertad debía hacerse a través de Directivas, lo que tuvo lugar mediante las de 11 de mayo de 1960 y de 18 de diciembre de 1962. Tras las turbulencias sufridas por el sistema monetario internacional en los años setenta fue el Acta Única Europea de 1986 la que dio un definitivo impulso a la libertad total de circulación de capitales como objetivo imprescindible para lograr el mercado interior. El Consejo, a propuesta de la Comisión, aprobó la Directiva 88/361/CEE de 24 de junio de 1988, que entró en vigor el 1 de julio de 1990. La Directiva liberaliza con carácter general los movimientos de capitales entre residentes en los Estados miembros y promueve que las restricciones frente a terceros se supriman paulatinamente hasta alcanzar la misma amplitud. Esta Directiva es interesante porque, dado que no hay definición europea de los movimientos de capital, se utiliza a título indicativo la nomenclatura de su Anexo 1.

El Tratado de Funcionamiento de la Unión Europea (TFUE) regula esta libertad en sus artículos 63 a 66. Y disponen:

CAPÍTULO 4 CAPITAL Y PAGOS

Artículo 63 (antiguo artículo 56 TCE)

1. En el marco de las disposiciones del presente capítulo, quedan prohibidas todas las restricciones a los movimientos de capitales entre Estados miembros y entre Estados miembros y terceros países.

2. En el marco de las disposiciones del presente capítulo, quedan prohibidas cualesquiera restricciones sobre los pagos entre Estados miembros y entre Estados miembros y terceros países.

Artículo 64 (antiguo artículo 57 TCE)

1. Lo dispuesto en el artículo 63 se entenderá sin perjuicio de la aplicación a terceros países de las restricciones que existan el 31 de diciembre de 1993 de conformidad con el Derecho nacional o con el Derecho de la Unión en materia de movimientos de capitales, con destino a terceros países o procedentes de ellos, que supongan inversiones directas, incluidas las inmobiliarias, el establecimiento, la prestación de servicios financieros o la admisión de valores en los mercados de capitales. Respecto de las restricciones existentes en virtud de la legislación nacional en Bulgaria, Estonia y Hungría, la fecha aplicable será el 31 de diciembre de 1999.

2. Aunque procurando alcanzar el objetivo de la libre circulación de capitales entre Estados miembros y terceros países en el mayor grado posible, y sin perjuicio de lo dispuesto en los demás capítulos de los Tratados, el Parlamento Europeo y el Consejo, con arreglo al procedimiento legislativo ordinario, adoptarán medidas relativas a los movimientos de capitales, con destino a terceros países o procedentes de ellos, que supongan inversiones directas, incluidas las inmobiliarias, el establecimiento, la prestación de servicios financieros o la admisión de valores en los mercados de capitales.

3. No obstante lo dispuesto en el apartado 2, sólo el Consejo, con arreglo a un procedimiento legislativo especial, por unanimidad y previa consulta al Parlamento Europeo, podrá establecer medidas que supongan un retroceso en el Derecho de la Unión respecto de la liberalización de los movimientos de capitales con destino a terceros países o procedentes de ellos.

Artículo 65 (antiguo artículo 58 TCE)

1. Lo dispuesto en el artículo 63 se aplicará sin perjuicio del derecho de los Estados miembros a:

a) aplicar las disposiciones pertinentes de su Derecho fiscal que distingan entre contribuyentes cuya situación difiera con respecto a su lugar de residencia o con respecto a los lugares donde esté invertido su capital;

b) adoptar las medidas necesarias para impedir las infracciones a su Derecho y normativas nacionales, en particular en materia fiscal y de supervisión prudencial de entidades *financieras, establecer procedimientos de declaración de movimientos de capitales a efectos de información administrativa o estadística o tomar medidas justificadas por razones de orden público o de seguridad pública.*

2. Las disposiciones del presente capítulo no serán obstáculo para la aplicación de restricciones del derecho de establecimiento compatibles con los Tratados.

3. Las medidas y procedimientos a que se hace referencia en los apartados 1 y 2 no deberán constituir ni un medio de discriminación arbitraria ni una restricción encubierta de la libre circulación de capitales y pagos tal y como la define el artículo 63.

4. A falta de medidas de aplicación del apartado 3 del artículo 64, la Comisión o, a falta de una decisión de la Comisión dentro de un período de tres meses a partir de la solicitud del Estado miembro interesado, el Consejo, podrá adoptar una decisión que declare que las medidas fiscales restrictivas adoptadas por un Estado miembro con respecto a uno o varios terceros países deben considerarse compatibles con los Tratados en la medida en que las justifique uno de los objetivos de la Unión y sean compatibles con el correcto funcionamiento del mercado interior. El Consejo se pronunciará por unanimidad a instancia de un Estado miembro.

Artículo 66 (antiguo artículo 59 TCE)

Cuando en circunstancias excepcionales los movimientos de capitales con destino a terceros países o procedentes de ellos causen, o amenacen causar, dificultades graves para el funcionamiento de la unión económica y monetaria, el Consejo, a propuesta de la Comisión y previa consulta al Banco Central Europeo, podrá adoptar respecto a terceros países, por un plazo que no sea superior a seis meses, las medidas de salvaguardia estrictamente necesarias.

Esto es,

1) Libertad de movimientos de capital y de pagos como principio de la Unión Europea.

2) Respecto de terceros países, hay posibilidad de restricciones (art. 64) o aplicación de cláusula de salvaguarda restringiendo temporalmente los movimientos en circunstancias excepcionales (art. 66).

3) Respecto de los Estados miembros, éstos tienen derecho a adoptar medidas de control que impidan fraude fiscal, que permitan la supervisión de las entidades financieras, que obliguen a formalizar declaraciones de los movimientos de capital a efectos de información administrativa o estadística y otras medidas justificadas por razones de orden público o seguridad pública.

En Derecho interno siempre se ha mantenido una regulación doble: la específica para las Inversiones extranjeras hoy unificada con las inversiones españolas en el exterior en el mismo texto normativo y la genérica de control de cambios.

El control de cambios español estuvo formado por una Ley marco, la Ley 40/1979 de 10 de diciembre, que en sí ni prohibía ni restringía ninguna operación sino que facultó al Gobierno para que mediante la reglamentación de control de cambios prohibiera, sometiera a autorización previa, verificación, declaración u otro tipo de control administrativo una serie de actos. El Gobierno por Real Decreto 2402/1980 de 10 de octubre impuso la necesidad de obtener autorización previa para casi todas las transacciones con el exterior, si bien a lo largo del tiempo y a través de Decretos, Órdenes Ministeriales, Resoluciones de la llamada Dirección General de Transacciones Exteriores y Circulares, fue autorizando con carácter general determinadas operaciones siempre que cumplieran los requisitos impuestos en la norma de liberalización.

La legislación española de inversiones extranjeras tenía y tiene otro propósito, que es la regulación de la adquisición por parte de extranjeros de determinados bienes y derechos de contenido económico situados en España, con independencia del sistema de cobros y pagos de estas adquisiciones. Esos pagos debían efectuarse conforme al sistema de pagos muy restrictivo del control de cambios. De ahí la gran complejidad del sistema.

Mientras las operaciones exteriores estuvieron sujetas a regímenes de previa autorización, verificación previa, declaraciones previas, no convertibilidad de la moneda, cobros y pagos exteriores por vía bancaria obligatoria, etc, bastó el régimen del control de cambios y el de inversiones extranjeras para el seguimiento y control administrativo de las mismas, por las autoridades administrativas o el propio Banco de España.

La liberalización de los movimientos de capital y entre ellas las inversiones del o al extranjero ha traído consigo que otros grupos normativos aparezcan ahora como primordiales: la lucha contra la defraudación fiscal y la lucha contra el delito a través del control administrativo del blanqueo de capitales y su castigo penal.

Con lo cual, en la actualidad nos encontramos con que la aplicación práctica y real del régimen de las inversiones extranjeras debe tener en cuenta cuatro bloques de normas jurídicas: Transacciones exteriores, Inversiones extranjeras en España, Régimen fiscal de la Renta de No residentes y Legislación de Blanqueo de capitales.

Respecto del régimen fiscal, hemos de poner de relieve la importancia que cobra la cooperación internacional para evitar la evasión fiscal; con este fin se firmó el Acuerdo entre España y los EEUU para la mejora del cumplimiento fiscal internacional y la implementación de la Foreign Account Tax Compliance Act-FATCA (Ley de cumplimiento tributario de cuentas extranjeras), el 14 de mayo de 2013; y posteriormente se suscribió el Acuerdo Multilateral entre Autoridades Competentes de 29 de octubre de 2014 para el intercambio automático de información sobre cuentas financieras; establece la obligación de las instituciones financieras de identificar la residencia fiscal de los titulares de las cuentas financieras, cuentas cuya titularidad o control corresponda a residentes en países o jurisdicciones firmantes y de suministrar información a las autoridades para que intercambien dicha información. Posteriormente, el 9 de diciembre de 2014 se aprobó la Directiva 2014/107/UE del Consejo, que modifica la Directiva 2011/16/UE por lo que se refiere a la obligatoriedad del intercambio automático de información en el ámbito de la fiscalidad. Dicha norma amplía el ámbito de la información que los Estados miembros están obligados a intercambiar entre sí, alineando dichas obligaciones con las contenidas en el «Estándar para el Intercambio Automático de Información sobre Cuentas Financieras en Materia Tributaria». De esta manera, se iguala el alcance de la cooperación administrativa entre Estados miembros y terceros Estados. Todo ello se ha desarrollado mediante RD 1021/2015 de 13 de noviembre y Orden HAP/1695/2016 de 25 de octubre y se ha aprobado el modelo fiscal 289.

8.1.2. Principio general de libertad de movimientos de capital

La libertad de movimientos de capital se desarrolla en España con una norma meramente administrativa, con la promulgación del RD 1816/1991, dictado en desarrollo de la ley 40/1979 de 10 de diciembre de control de cambio que facultaba al Gobierno a establecer normas de restricción o control, lo que habría servido para situaciones de prohibición como de libertad. Pues bien, el RD 1816/1991 estableció ya la plena libertad de movimientos de capital. Ha sido la vigente Ley 19/2003 de 4 de julio la que confiere rango de ley a dicho principio de libertad de transacciones con el exterior y movimientos de pago.

El régimen jurídico de las transacciones exteriores, en realidad, no se predica de aquellas que se realizan con extranjero sino entre residente y no residente, sean unos u otros españoles o extranjeros. El punto de conexión para la aplicación de la legislación de transacciones exteriores y de las inversiones extranjeras es que el acto o negocio jurídico se realice entre residentes y no residentes.

Principios básicos del control de cambios español:

1. *Libertad de transacciones exteriores.* El artículo 1.2 de la Ley dispone que: «*Son libres cualesquiera actos, negocios, transacciones y operaciones entre residentes y no residentes que supongan o de cuyo cumplimiento puedan derivarse cobros y pagos exteriores, así como las transferencias de o al exterior y las variaciones en cuentas o posiciones financiera deudoras o acreedoras frente al exterior, sin más limitaciones que las dispuestas en esta Ley y en la legislación sectorial específica*».

Libertad plena y absoluta de las transacciones exteriores y de los cobros, pagos y transferencias derivados de las mismas. Quedan liberalizadas las propias operaciones financieras, en las que el dinero, por así decirlo, es el sujeto de la operación como los cobros y pagos.

Se aplica no sólo con residentes en otros países UE o del Espacio Económico Europeo sino que alcanza a las efectuadas con residentes en terceros países, incluso los países o territorios considerados como paraíso fiscal.

Implica la inexistencia de autorización o verificación previa, pero con posibilidad de declaraciones previas o posteriores a la propia operación o a los cobros y pagos derivados de la misma.

Ausencia de justificación documental previa; no hay que comunicar ni presentar previamente ningún documento justificativo de la operación; no obstante, la base documental de la operación debe existir y debe conservarse porque lo que sí que cabe son las comprobaciones a posteriori.

Ausencia de requisito fiscal; esto es, la realización de cobros, pagos o transferencias al exterior por rendimientos de la inversión o producto de la liquidación de la inversión no está Condicionada, al pago de los impuestos derivados del rendimiento o de la liquidación. Naturalmente, habrá que pagarlos. De ahí que surja la figura del retenedor, importantísima en materia de Renta de No residentes. Así el artículo 17.1 del RD 1816/1991 dispone que «*La liberalización de los pagos de residentes a no residentes y de las transferencias al exterior a que se refiere el artículo 1 del presente real decreto se entenderá sin perjuicio del necesario cumplimiento de las obligaciones fiscales que, en su caso, correspondan al acto, transacción o negocio jurídico principal del que dichos pagos o transferencias deriven, de conformidad con la normas vigentes aplicables*».

2. *Exigencia de utilización como regla general de la vía bancaria para la ejecución de los cobros, pagos y transferencias* con el exterior.

3. *Obligación del residente de declarar los datos relativos a las operaciones, cobros, pagos o transferencias*, con determinadas franquicias.

4. Facultad de las *autoridades de requerir con posterioridad información relativa a las operaciones exteriores* realizadas por los residentes, bien con carácter general para determinadas operaciones, cobros, pagos o transferencias o con carácter individual.

Estos actos, negocios y operaciones deben ser comunicados a efectos administrativos o estadísticos al Banco de España o al Ministerio de Economía y Competitividad, bien por la persona física o jurídica, residente o no residente, que haya intervenido en los mismos o por las entidades de crédito, empresas de inversión u otros intermediarios financieros cuando realicen operaciones por cuenta de sus clientes.

En resumen, principio general de libertad de transacciones *por cualquier concepto*, importación o exportación de mercancías, sus pagos y su financiación, remesas de trabajadores, traslado de domicilio, inversión financiera, préstamos, inversiones de cartera, inmobiliarias, pagos y transferencias de todo tipo. Son libres pero sujetas a información según cada caso.

Este régimen de plena libertad de movimientos de capital tiene las **excepciones admitidas por el Derecho comunitario** y que recogen los artículos 4, 5, 6 y 7 de la Ley 7/2003: aplicación de Cláusulas de Salvaguardia para circunstancias excepcionales en relación con movimientos de capital con terceros países que causen o amenacen causar dificultades en el funcionamiento de la unión económica o financiera en las que el Consejo puede adoptar medidas transitorias de salvaguardia prohibiendo o limitando tales movimientos; aplicación de restricciones acordadas por el Gobierno en aplicación de medidas adoptadas por otros organismos internacionales (la ONU por ejemplo) o la aplicación de medidas relativas a movimientos de capitales con terceros países que supongan inversiones directas, inmobiliarias, servicios financieros o admisión de valores en mercados de capitales (art. 66 antes 59 y art. 64 antes 57). O en materia de prevención y bloqueo de fondos y activos financieros en materia de terrorismo (art. 75 antes 60). Se someten los actos al requisito de la autorización previa del Gobierno.

Específicamente dispone el artículo 7: Suspensión del régimen de liberalización: «*El Gobierno podrá acordar la suspensión del régimen de liberalización establecido en esta ley cuando se trate de actos, negocios, transacciones u operaciones que, por su naturaleza, forma o Condiciones de realización, afecten o puedan afectar a actividades relacionadas, aunque sólo sea de modo ocasional, con el ejercicio de poder público, o actividades directamente relacionadas con la defensa nacional, o a actividades que afecten o puedan afectar al orden público, seguridad pública y salud pública. Tal suspensión determinará el sometimiento de ulteriores operaciones a la obtención de autorización administrativa, de acuerdo con lo señalado en el artículo 6*».

Finalmente, la Ley 12/2003 de 21 de mayo de prevención y bloqueo de la financiación del terrorismo permite a la Comisión de Vigilancia de Actividades de Financiación del Terrorismo la facultad de acordar el bloqueo de los saldos, cuentas y posiciones a nombre de personas o entidades vinculadas a organizaciones terroristas en cualquier entidad financiera. Se prohíbe realizar cualquier movimiento, transferencia, transacción de capitales o activos financieros.

8.1.3. *Obligaciones de Declaración. Formulario ETE (Estadística Transacciones Exteriores)*

Una de las obligaciones que asumen las partes, residentes o no residentes, que intervienen en operaciones exteriores es la de declararlas a las autoridades españolas del Ministerio de Economía o del Banco de España. La declaración puede referirse a la propia transacción u operación o al pago o transferencia que de ella derive. Las declaraciones pueden realizarse directamente al Ministerio o al Banco de España, o indirectamente a tales Autoridades a través de las entidades registradas o del Notario autorizante. Las declaraciones pueden ser previas o posteriores al acto o pago. Deben realizarlas, según los casos, los residentes o los no residentes. Así:

- la declaración derivada de movimientos de capital debe formularla el residente que intervenga en la misma o en cobro o pago derivados; por ejemplo el modelo B3 de pagos en metálico debe presentarlo el residente pero debe entregar al no residente su correspondiente ejemplar; o el formulario ETE que veremos a continuación.

- las declaraciones derivadas de la entrada y salida de territorio español con billetes bancarios y los movimientos de tales billetes dentro del territorio español, que debe realizar el viajero que entra o sale o la persona que mueve los billetes dentro de España en el modelo S1, sean residentes o no residentes.

- las declaraciones derivadas de las inversiones extranjeras en España, que deben realizarlas los inversores no residentes.

- las declaraciones derivadas de las inversiones españolas en el extranjero, que deben realizarlas los inversores residentes en España.

También hay declaraciones meramente fiscales como el modelo 720 dirigido a la Agencia Tributaria, que deben formularlo los residentes fiscales en España. Es meramente informativo a Hacienda de las cuentas en entidades financieras situadas en el extranjero, los valores, derechos, seguros y rentas depositados, gestionados u obtenidas en el extranjero y los bienes inmuebles o derechos sobre los mismos situados en el extranjero.

Veremos en cada momento estas declaraciones más detenidamente. Sin embargo, por su carácter general, examinamos ahora el llamado formulario ETE.

El llamado formulario ETE se encuentra regulado por la *Circular 4/2012, de 25 de abril, del Banco de España* sobre normas para la comunicación por los residentes en España de las transacciones económicas y los saldos de activos y pasivos financieros con el exterior. Tiene su origen en la modificación llevada a cabo por el Real Decreto 1360/2011 de 7 de octubre y la Orden EHA/2670 2011 de 7 de octubre, en el RD 1816/1991 de 20 de diciembre y en la Orden de 27 de diciembre de 1991.

Atendiendo a las modificaciones europeas en materia de pagos transfronterizos se establece un nuevo sistema de declaración de las operaciones de cobros y pagos exteriores al Banco de España por los proveedores de servicios de pago (entidades registradas, entidades de pago, de dinero electrónico, Correos, etc); dichos proveedores de servicios de pago sólo proporcionan los datos cuando su recopilación no incide en el tratamiento automatizado; por tanto, parte de la información sobre cobros y pagos exteriores que antes se facilitaba por los proveedores de servicios de pago ahora se obtiene a través de

su declaración directa por los residentes que efectúen las operaciones exteriores, todo ello a los fines estadísticos, fiscales y administrativos.

Deroga la Circular 6/2000 referente a los préstamos y créditos, el NOF o número de operación financiera que desaparece y unifica las diversas declaraciones que debían hacerse en materia de cuentas bancarias, préstamos, etc (DD, CC, PE). Veamos la regulación:

Personas obligadas a informar: Quedan sometidas a la obligación de informar al Banco de España las personas físicas residentes en España y las personas jurídicas (públicas o privadas) domiciliadas en España que realicen transacciones con no residentes o mantengan activos o pasivos frente al exterior. No están incluidas en esta obligación los proveedores de servicios de pago inscritos en los registros oficiales del Banco de España —entidades registradas—. Esta obligación es del residente en España, no es del No residente ni del Notario que intervenga, en su caso, en la operación, aunque puede informar o advertir de ello al residente.

Actos o negocios jurídicos que se declaran: Se declaran todos los actos, negocios y operaciones que supongan o de cuyo cumplimiento puedan derivarse cobros, pagos y o transferencias exteriores así como variaciones en cuentas o posiciones financieras deudoras o acreedoras.

Contenido de la información: Se informa al Banco de España de las situaciones y movimientos siguientes:

Operaciones por cuenta propia con no residentes sea cual sea la naturaleza e independientemente de cómo se liquiden, es decir, bien se liquiden mediante transferencias exteriores, a través de abonos o adeudos en cuentas bancarias o cuentas interempresa, por compensación o mediante entrega de efectivo.

Saldos y variaciones de activos o pasivos frente al exterior, cualquiera que sea la forma en la que se materialicen (cuentas en entidades bancarias o financieras, cuentas interempresas, depósito de efectivo o de valores, participaciones en el capital, instrumentos representativos de deuda, instrumentos financieros derivados, inmuebles, etc.

Modelo y forma de la declaración: La información debe remitirse al Departamento de Estadística del Banco de España, por medios telemáticos, de conformidad con los formatos y requisitos de la Circular. No cabe envío en papel, sólo por vía telemática con el correspondiente certificado electrónico reconocido. Una vez cumplimentada la declaración, el sistema establece una validación previa por el declarante y superada remite la declaración al Banco de España para su tramitación cuyo resultado puede ser Correcta o con Errores, proporcionándose detalle de los mismos para su corrección.

Conceptos a declarar: El formulario ETE agrupa los conceptos en un primer nivel en ocho grupos:

1. Acciones, otras formas de participación en el capital y sus rendimientos.

2. Valores negociables depositados en entidades no residentes y emisiones negociables del declarante en el exterior.

3. Operaciones de financiación materializados en valores como obligaciones, pagarés, bonos, que no sean negociables en bolsa o mercados secundarios. Son emisiones privadas, certificados de depósitos no negociables, etc

4. Prestamos de valores, compra/venta de activos con pacto de recompra (repos, dobles simultáneas), cesiones temporales de activos etc.

5. Préstamos y créditos financieros independientemente de como se instrumenten, tanto los recibidos de no residentes como los concedidos a no residentes. Depósitos, cuentas corrientes, de ahorro o a plazo en entidades de crédito no residentes, así como cuentas ínter empresa o de centralización de tesorería con no residentes distintos de las entidades de crédito.

6. Adquisición por residentes de inmuebles en el exterior de no residentes; transmisión por residentes a no residentes de inmuebles en España —suelos, terrenos y construcciones—.

7. Derivados financieros: Opciones (warrants) y contratos a término, como futuros y swaps. Inversiones o liquidaciones por el declarante residente en mercados organizados extranjeros o derivados emitidos por no residentes, inversiones y desinversiones de no residentes en derivados emitidos por residentes declarantes, permutas financieras, etc.

8. Créditos comerciales ligados a operaciones de importación/exportación de mercancías y servicios, incluidos los aplazamientos y anticipos. Y cualquier liquidación por operaciones no detalladas en los epígrafes anteriores, como comisiones, impuestos, indemnizaciones de seguros.

Periodicidad y excepciones a la obligación de declarar: No se trata de declaración operación por operación sino que en función del importe de las transacciones con no residentes realizadas durante el año anterior y el saldo de activos y pasivos frente al exterior a 31 de diciembre del año anterior, las declaraciones deben presentarse en los plazos que se indican seguidamente. Para conocer la frecuencia de la declaración para un año concreto deben realizarse los siguientes cálculos:

Suma de todos los cobros y los pagos de todas las operaciones por cuenta propia realizadas el año anterior con no residentes, sea cual sea su concepto e independientemente de cómo se hubiesen liquidado.

Suma de los activos o pasivos frente al exterior a 31 de diciembre del año anterior.

La suma que resulte superior de las dos anteriores es la que determina la periodicidad de la declaración:

Mensualmente: Si la suma es igual o superior a 300 millones de euros, el formulario ETE debe presentarse mensualmente, dentro de los 20 días siguientes al fin de cada mes.

Trimestralmente: Si la suma es igual o superior a 100 millones de euros e inferiores a 300 millones de euros, el formulario ETE debe presentarse con periodicidad trimestral, dentro de los 20 días siguientes al fin de cada trimestre natural.

Anualmente y sin resumir: Si la suma es igual o superior a 50 millones de euros e inferior a 100 millones de euros, el formulario ETE debe presentarse con periodicidad anual, y no más tarde del 20 de enero del año siguiente.

Anualmente, pero resumida: Si la suma es igual o superior a 1 millón de euros e inferior a 50 millones de euros, el formulario ETE debe presentarse también con periodicidad anual no más tarde del 20 de enero del año siguiente pero la declaración puede efectuarse de forma resumida conteniendo exclusivamente los saldos inicial y final de activos y pasivos exteriores, la suma total de las operaciones de cobro y la suma total de las operaciones de pago del periodo declarado. Salvo que el propio Banco de España requiera al residente declarante la realice sin resumir.

Exenta de presentar: Si la suma es inferior a 1 millón de euros, la declaración sólo se enviará a requerimiento expreso del Banco de España en un plazo máximo de dos meses desde la fecha de solicitud. Esto es, si la suma de las operaciones declarables es inferior al millón de euros nada hay que declarar, salvo requerimiento expreso del Banco de España.

En todo caso, el Banco de España puede requerir a los titulares cuyas declaraciones afecten de manera relevante a determinadas rúbricas de las estadísticas exteriores o del Protocolo de Déficit Excesivo (PDE) para que efectúen declaraciones con mayor frecuencia.

En el primer año en que se realicen operaciones declarables, los residentes deben presentar la declaración a partir del momento en que se excedan de los límites indicados. Así lo establece la Norma Tercera Punto 4: Aquellos residentes que no habiendo alcanzado los límites de declaración los superaran a lo largo del año corriente quedarán obligados a presentar las declaraciones con la periodicidad que corresponda, a partir del momento en que dichos límites se excedan.

Una vez el residente haya alcanzado la cuantía que determina la periodicidad del envío, en la declaración ETE han de incluirse todas las operaciones habidas durante el periodo, independientemente de la cuantía individual que tengan, sin exenciones. Las cuantías se cuentan por su importe bruto, de modo que comisiones, cargos, impuestos pagados o cobrados a no residentes también cuentan, aunque se incluyen en la declaración en apartado distinto del importe de la operación principal. La cuantía se expresa en euros, y si la operación está expresada en otra moneda tomándose el valor correspon diente al cambio que corresponda en la fecha en que se haya realizado la operación o si se trata de saldos el cambio el último día hábil del mes.

En definitiva, como se ve, **no es una declaración operación por operación** sino de la totalidad de las operaciones del año efectuadas por residente en España que tengan componente exterior, más concretamente la apertura y movimientos de las cuentas de residente en el extranjero, los préstamos de todo tipo con el exterior, propiedades inmobiliarias en el exterior, propiedades de empresas, rentas, depósitos bancarios, etc.

8.1.4. Traslado de billetes o monedas

8.1.4.1. Entrada o salida de España

El régimen de entrada y salida de España de medios de pago al portador, billetes, moneda o cheque bancario al portador se encuentra regulado en la OM 1439/2006 de 3 de mayo que se dictó en desarrollo de la Ley de Prevención del Blanqueo de Capitales de 1993.

La Ley 19/2003 de 4 de julio sobre el régimen jurídico de los movimientos de capitales modificó la Ley de Blanqueo de Capitales de 1993, trasladando al ámbito de la prevención del blanqueo una cuestión que hasta entonces había estado enmarcada dentro del control de cambios. La regulaba el artículo 4 del RD 1816/1991 que curiosamente en este punto no ha sido derogado formalmente. La OM de 2006 (en régimen de blanqueo) sí deroga formalmente en este punto la OM de 27 de diciembre de 1991, de desarrollo del RD 1816/1991.

La entrada en territorio nacional o la salida de él, de moneda metálica, billetes de banco y cheques bancarios al portador o cualquier medio físico, incluidos los electrónicos concebido para ser utilizado como medio de pago **es Libre, pero con la obligación de declararlos cuando su importe sea igual o superior a 10.000 euros** o su contravalor en moneda extranjera, por persona y viaje, por la persona física que realice el movimiento. Se aplica a los billetes euros y billetes extranjeros, y a los documentos indicados se expresen en euros o en cualquier otra moneda.

Este régimen no se aplica a las personas físicas que actúen por cuenta de empresas que ejerzan actividades de transporte profesional de dinero debidamente autorizadas e inscritas en el Ministerio del Interior.

La obligación de declarar se realiza mediante el modelo S-1 debidamente cumplimentado y firmado:

– Se aplica al viajero particular, español o extranjero, residente o no residente en España. Tanto si actúa por su propia cuenta como si actúa por cuenta de un tercero sea éste persona física o jurídica. El declarante es una persona física que realiza la entrada/

salida por su propia cuenta o por cuenta de un tercero, persona física o jurídica. El modelo solicita la indicación de la persona portadora del dinero, de la persona titular del mismo si no es la propia portadora, la fecha del movimiento, identificación de la cuantía de dinero o cheque, el origen de los fondos, entendiendo por tal el título o negocio jurídico que legitima dicha tenencia, como rendimiento del trabajo, actividad comercial, venta de valores, venta de inmueble, gestión de fondos, etc; y también el destino finalidad como inversión, adquisición de bienes, gastos personales, etc., país y localidad de partida y de llegada.

– No se aplica a los cheques personales ni cheques bancarios nominativos ni las tarjetas de crédito o débito nominativas. Sí se aplica cheques de viaje, pagarés, órdenes de pago extendidos al portador o a la orden de un beneficiario ficticio o incluso en blanco, esto es, con omisión del nombre del beneficiario.

En cualquier caso de entrada o salida, haya o no servicio de aduana en el paso fronterizo, el portador de los medios de pago puede presentar telemáticamente la declaración suscrita con firma electrónica reconocida en el página web de la AEAT. No obstante, la página permite cumplimentarlo también aunque no se disponga de firma electrónica, realizándose a través de una clave o pin de acceso que proporciona la propia AEAT. Sirve para el caso concreto, esto es, para la salida/entrada en determinada fecha. El sistema presenta en pantalla la declaración validada con un código electrónico indicando fecha y hora de presentación. La declaración validada se imprime y será firmada por el declarante acompañándose junto con los medios de pago.

Si la entrada/salida se realiza por paso fronterizo en que existan Servicios de Aduanas permanentes, el portador declarará los medios de pago transportados sin necesidad de requerimiento mediante la presentación del modelo S-1 con carácter previo a cualquier actividad fiscalizadora de la Administración; tales servicios diligencian el modelo devolviendo una copia al interesado que debe guardar acompañando a los medios de pago.

Si la entrada en territorio español procedente de un Estado miembro de la Unión Europea se realiza por paso fronterizo en que no existen Servicios de Aduanas permanentes, el portador debe haber declarado con carácter previo los medios de pago a transportar mediante el modelo S-1 ante la AEAT.

Si la salida del territorio español con destino a un Estado miembro de la Unión Europea se realiza por paso fronterizo en que no existen Servicios de Aduanas permanentes, el portador debe haber declarado con carácter previo los medios de pago mediante la presentación del modelo S-1 en las Dependencias Provinciales de Aduanas o en las Administraciones de Aduanas de la AEAT, quienes diligencian la declaración, devolviendo copia al interesado.

En caso de salida del territorio español, también puede declararse el S-1 ante las entidades de crédito registradas cuando todo o parte del dinero se haya obtenido con cargo en cuenta del cliente en la entidad. La entidad diligencia el modelo devolviendo copia al interesado.

La AEAT informa que cuando el viajero que ha formulado por Internet el modelo S-1 proceda a entrar a territorio español por paso fronterizo procediendo de un país no perteneciente a la UE debe presentar el modelo al personal de los Servicios de Aduanas permanentes o no y a falta de ellos debe dirigirse a la Guardia Civil en funciones de resguardo aduanero quien diligenciará el mismo devolviendo copia al interesado. Igualmente, indica que si cuando procede a entrar no ha formulado por Internet el modelo puede obtener en papel un modelo S-1 en blanco, cumplimentarlo, firmarlo y entregarlo al Servicio de aduanas o a la guardia civil en funciones de resguardo aduanero. Lo mismo en caso de que el viajero vaya a salir del territorio y vaya a un País no perteneciente a la UE, pues se le facilita el modelo en papel y lo entrega cumplimentado y firmado al servicio de aduanas o a la guardia civil.

En caso de omisión de la declaración o falta de veracidad en la misma, Aduanas o los Cuerpos y Fuerzas de seguridad del Estado intervendrán la totalidad de los medios de pago, pudiendo pedirse la no intervención de mil euros como mínimo de supervivencia. Además puede imponerse sanción de multa cuyas cuantías son muy importantes (600 euros mínimo hasta la totalidad de los fondos si hay intención clara de ocultarlos o no se aclara el origen de los mismos)

En caso de movimiento interior y salida subsiguiente por importes iguales o superiores a cien mil euros, se puede realizar una declaración unificada S1 en donde conste un movimiento interior de 100.000 euros y su posterior salida, declaración a realizar antes del movimiento interno. Lo mismo en caso de entrada en España y movimiento por territorio nacional por importe igual o superior a cien mil euros, cabe declaración unificada siempre que no varíen los datos que deban ser declarados.

8.1.4.2. Traslado dentro de España

La misma OM de 2006 regula el movimiento físico dentro del territorio nacional de medios de pago al portador, entendiendo por movimiento cualquier cambio de lugar o posición que se verifique en el exterior del domicilio del tenedor de los medios de pago. Pues bien, si se sale de casa con moneda, billetes o cheques bancarios al portador por importe igual o superior a 100.000 euros se debe acompañarlos con el modelo S-1 antes visto. El traslado dentro de España de moneda metálica, billetes de banco y cheques bancarios al portador o cualquier medio físico, incluidos los electrónicos concebido para ser utilizado como medio de pago **es libre, con obligación de declaración cuando el importe sea igual o superior a 100.000 euros**.

De modo que con carácter previo al movimiento de dichos medios de pago en la cuantía indicada el portador —residente o no residente— debe cumplimentar, firmar y presentar el S-1 en las dependencias provinciales de aduanas, que diligencian el impreso y devuelven al interesado. Puede formalizarse la declaración en la entidad de crédito registrada que hayan sido objeto de cargo o vayan a ser objeto de abono. Lo mismo, cumplimenta y firma y se sella por la entidad. Las entidades ya lo comunican al Sepblanc. El régimen es el mismo señalado para la entrada o salida de España: cualquier persona, española o extranjera, residente o no residente, comunicación por cada traslado, fecha, país y ciudad de procedencia y destino, etc. Este documento como veremos después es muy importante si el dinero va a ser utilizado como medio de pago de alguna operación de compra o inversión.

Cuando la operación otorgada ante Notario o intervenida por Notario contenga pagos en metálico por importe igual o superior a cien mil euros debe exhibirse al mismo el correspondiente modelo S-1 de declaración. Así lo dispone el artículo 5 de la OM 114/2008 de 29 de enero:

Artículo 5. Comunicación de operaciones relativas a movimiento de medios de pago.

Los notarios deberán solicitar que les sea exhibida, para su incorporación al protocolo, la declaración de movimiento de medios de pago materializada en el modelo de declaración S-1 cuando el pago de la operación que autorizan se realice, o se haya realizado con anterioridad, en moneda metálica, billetes de banco o cheques bancarios al portador denominados en moneda nacional o en cualquier otra moneda o cualquier medio físico, incluidos los electrónicos, concebido para ser utilizado como medio de pago, por importe igual o superior a 100.000 euros, conforme a lo establecido en la Orden EHA/1439/2006, de 3 de mayo, reguladora de la declaración de movimientos de medios de pago en el ámbito de la prevención del blanqueo de capitales. Los notarios estarán obligados a comunicar al Servicio Ejecutivo las operaciones en que no les sea exhibida la declaración de movimiento de medios de pago materializada en el formulario S-1 citado.

Esta obligación la circunscribe el artículo 24 de la Ley del Notariado a las escrituras relativas a bienes inmuebles, de modo que en esas escrituras la declaración S-1 debe incorporarse a la matriz y si no se aporta, el Notario debe hacer constar esta circunstancia y lo comunicará al órgano correspondiente del Consejo General del Notariado (la OCP). Estimo que la misma actuación debe realizar el Notario en las demás escrituras aunque no se refieran a inmueble en que haya pagos, confesados o de contado, por cantidad igual o superior a los cien mil euros, dada la amplitud de la Orden de 2008 y el objetivo de prevención de blanqueo.

8.1.5. Residentes y no residentes. Residencia fiscal. Acreditación de la residencia y no residencia

8.1.5.1. Residencia administrativa y residencia fiscal

El criterio utilizado por el control de cambios y las inversiones extranjeras para establecer su ámbito de aplicación es el de la residencia del titular. Su determinación se encuentra en el artículo 2 de la Ley 19/2003 de 4 de julio sobre régimen jurídico de los movimientos de capitales y de las transacciones económicas con el exterior. Dispone dicha ley en su artículo 1.2: «*Son libres cualesquiera actos, negocios, transacciones y operaciones entre residentes y no residentes...*»:

Artículo 2 Definiciones de residencia y no residencia

1. A los efectos de lo dispuesto en el artículo anterior, se consideran:

A) «*Residentes*»:

a) *Las personas físicas que residan habitualmente en España, salvo lo dispuesto en el párrafo b) correspondiente al epígrafe de «No residentes».*

b) *Los diplomáticos españoles acreditados en el extranjero y el personal español que preste servicios en embajadas y consulados españoles o en organizaciones internacionales en el extranjero.*

c) *Las personas jurídicas con domicilio social en España.*

d) *Las sucursales y los establecimientos permanentes en territorio español de personas físicas o jurídicas residentes en el extranjero.*

e) *Otros que se determinen reglamentariamente en casos análogos.*

B) «*No residentes*»:

a) *Las personas físicas que tengan su residencia habitual en territorio extranjero, salvo lo dispuesto en el párrafo b) correspondiente al epígrafe de «Residentes».*

b) *Los diplomáticos extranjeros acreditados ante el Gobierno español y el personal extranjero que preste servicios en embajadas y consulados extranjeros o en organizaciones internacionales en España.*

c) *Las personas jurídicas con domicilio social en el extranjero.*

d) *Las sucursales y los establecimientos permanentes en el extranjero de personas físicas o jurídicas residentes en España.*

e) *Otros que se determinen reglamentariamente en casos análogos.*

2. Por residencia habitual se entenderá lo establecido en la normativa fiscal con las adaptaciones que reglamentariamente se determinen.

3. *La condición de residente o no residente, a los efectos de esta ley, se acreditará en la forma que reglamentariamente se establezca*

Son, pues, residentes, las personas físicas que residan habitualmente en España, los diplomáticos españoles acreditados en el extranjero y el personal español que preste sus servicios en embajadas, consulados o en organismos internacionales en el extranjero, las personas jurídicas domiciliadas en España y las sucursales o establecimientos permanentes en territorio español de personas físicas o jurídicas residentes en el extranjero.

Son no residentes, las personas físicas que tengan su residencia habitual en territorio extranjero, los diplomáticos extranjeros acreditados en España y el personal extranjero que preste sus servicios en embajadas o consulados extranjeros u organizaciones internacionales en España, las personas jurídicas con domicilio social en el extranjero y las sucursales y los establecimientos permanentes en el extranjero de personas físicas o jurídicas residentes en España.

Dada la total convertibilidad de la peseta, desde el RD 1816/1991, quedó sin sentido desde esa fecha y después efectivamente quedó formalmente derogada la disposición de la Ley 40/1979 respecto del llamado patrimonio interior del no residente y del patrimonio exterior del residente. Esto es, se consideraba residente al no residente respecto del patrimonio constituido en España con anterioridad; y se consideraba no residente al residente respecto del patrimonio constituido fuera de España durante su residencia en el extranjero.

Es residente quien tenga la residencia habitual en España y no residente el que la tenga en el extranjero y añade este artículo 2,2 que por residencia habitual se entenderá lo establecido por la normativa fiscal, con las adaptaciones que reglamentariamente se determinen. Hay un acercamiento a Hacienda. La reforma de octubre de 2011 del RD 1816/1991 añade como medios de acreditar la residencia el certificado fiscal español y la no residencia el certificado fiscal extranjero.

A efectos fiscales, el artículo 9 de la Ley 35/2006 del IRPF dispone que se entiende que el contribuyente tiene su residencia habitual en territorio español cuando se dé cualquiera de las siguientes circunstancias:

a) Que permanezca más de 183 días, durante el año natural, en territorio español. Para determinar este período de permanencia en territorio español se computarán las ausencias esporádicas, salvo que el contribuyente acredite su residencia fiscal en otro país. En el supuesto de países o territorios considerados como paraíso fiscal, la Administración tributaria podrá exigir que se pruebe la permanencia en éste durante 183 días en el año natural...//...

b) Que radique en España el núcleo principal o la base de sus actividades o intereses económicos, de forma directa o indirecta.

Se presumirá, salvo prueba en contrario, que el contribuyente tiene su residencia habitual en territorio español cuando, de acuerdo con los criterios anteriores, resida habitualmente en España el cónyuge no separado legalmente y los hijos menores de edad que dependan de aquél.

Al igual que en el Reglamento Europeo de Sucesiones, se tiene más en cuenta el aspecto familiar que el laboral o profesional. Si residen en España el cónyuge y los hijos se presume residente. Si radica aquí el núcleo de su actividad económica también es residente fiscal en España o si permanece más de 183 días al año en España.

La **residencia fiscal toma en cuenta una situación de hecho**, de permanencia, difícil justificar a priori en el campo de la actuación notarial. Es distinto cuando se trata de un expediente administrativo o un contencioso ante los Tribunales en que se aporta ya toda clase de prueba. Es una situación jurídica fiscal que deriva de los meros hechos, sin que requiera un expediente administrativo para su constatación.

Por el contrario, **la autorización de residencia es una situación jurídico administrativa** que se acredita mediante determinado documento, como veremos y deriva de una solicitud y expediente administrativo; más fácil de utilizar en el ámbito notarial. La autorización de residencia temporal en España se extingue por permanecer fuera de España más de seis meses en un año, tras el oportuno procedimiento administrativo que así lo constate (en caso de residencia de larga duración se extingue en caso de permanecer fuera de la UE más de doce meses); el extranjero que tiene permiso de residencia en vigor y exhibe su documentación en regla puede considerarse con seguridad residente fiscal. Si se trata de ciudadano comunitario deriva de su solicitud expresa.

Para emitir un certificado negativo de residencia expedido por el Ministerio del Interior se comprueba en la base de datos que efectivamente a tal persona concreta no se le ha expedido o ya ha extinguido la concedida en su día; esto es, se trata de una situación jurídico administrativa que se alcanza o se pierde a través de un procedimiento administrativo concreto o de una solicitud o renuncia expresa.

Para emitir un certificado de residencia fiscal, la autoridad fiscal comprobará sus declaraciones fiscales en España, pero la declaración fiscal ha podido omitirse y seguir siendo residente fiscal, por cualquier motivo, por ejemplo no llegar al mínimo exento. La administración hará las comprobaciones correspondientes y pueden aportarse toda clase de pruebas (por ejemplo, gastos de vivienda, recibos de colegios, etc).

En materia de sociedades, la Ley 27/2014 de 27 de noviembre del Impuesto sobre Sociedades, establece en su artículo 8 lo siguiente:

Artículo 8. Residencia y domicilio fiscal.

1. Se considerarán residentes en territorio español las entidades en las que concurra alguno de los siguientes requisitos:

a) Que se hubieran constituido conforme a las leyes españolas.

b) Que tengan su domicilio social en territorio español.

c) Que tengan su sede de dirección efectiva en territorio español.

A estos efectos, se entenderá que una entidad tiene su sede de dirección efectiva en territorio español cuando en él radique la dirección y control del conjunto de sus actividades. La Administración tributaria podrá presumir que una entidad radicada en algún país o territorio de nula tributación, según lo previsto en el apartado 2 de la Disposición adicional primera de la Ley 36/2006, de 29 de noviembre, de medidas para la prevención del fraude fiscal, o calificado como paraíso fiscal, según lo previsto en el apartado 1 de la referida disposición, tiene su residencia en territorio español cuando sus activos principales, directa o indirectamente, consistan en bienes situados o derechos que se cumplan o ejerciten en territorio español, o cuando su actividad principal se desarrolle en éste, salvo que dicha entidad acredite que su dirección y efectiva gestión tienen lugar en aquel país o territorio, así como que la constitución y operativa de la entidad responde a motivos económicos válidos y razones empresariales sustantivas distintas de la gestión de valores u otros activos.

La solicitud de un certificado de residente fiscal puede hacerse de forma presencial en la Delegación de Hacienda correspondiente al domicilio fiscal del interesado a través de web de la AEAT mediante firma electrónica o clave pin.

La Orden EHA 3316/2010 de 17 de diciembre por la que se aprueban los modelos 210, 211 y 213, en su Disposición Adicional Segunda regula los Certificados de residencia fiscal en España. Los regula para las personas sujetas al IRPF y al IS (Impuesto Sociedades). Deben utilizarse cuando se deba acreditar la residencia fiscal en España ante las administraciones Tributarias de otros países o ante pagadores u otros operadores económicos con el exterior. Y también se utilizan para acreditar la sujeción al IRPF o al IS por los vendedores transmitentes mediante contraprestación de un bien inmueble situado en España, a efectos de evitar la retención del 3% del precio o contraprestación, en tales casos se puede solicitar, además, que se consigne expresamente «Está sujeto al Impuesto sobre la Renta de las Personas Físicas o Está sujeto al Impuesto sobre Sociedades».

Se expiden en el plazo máximo de diez días hábiles siguientes a la solicitud o en el mismo plazo se deniegan, en su caso. Se pueden aportar los documentos y justificantes de su condición de residente fiscal con el fin de probar la residencia.

En resumen, residencia administrativa y residencia fiscal son conceptos distintos, pero cercanos. Pueden coincidir o no simultáneamente. Nótese la extrema importancia que tiene la residencia fiscal: obliga al contribuyente por obligación personal a tributar en España por toda la renta obtenida en cualquier parte del mundo, sin perjuicio de aplicación de los Convenios de Doble Imposición.

Respecto de las personas físicas extranjeras:

A efectos de la legislación de extranjería, son residentes quienes disfruten de una autorización de residencia siendo extranjeros no comunitarios y los que siendo comunitarios hayan obtenido el certificado de registro de ciudadanos de la Unión. No lo son quienes permanezcan en España en situación de estancia o se encuentren en otras situaciones administrativas para las que no se reconozca la condición de residente (estudiante, etc)

A efectos de le legislación fiscal, son residentes quienes tengan aquí su vida con su familia o permanezcan en España más de 183 días.

A efectos de la legislación de inversiones extranjeras y movimiento de capital, son residentes quienes sean residentes a efectos de extranjería y quienes sean residentes a efectos fiscales.

8.1.5.2. Acreditación de la residencia/no residencia

Establece el artículo 2.3 de la Ley 19/2003 que: «*La condición de residente o no residente, a efectos de esta Ley, se acreditará en la forma que reglamentariamente se establezca*».

Y el artículo 2 del RD 1816/1991, modificado parcialmente en 2011, establece la forma de acreditar la residencia o no residencia en los distintos casos.

Los españoles se presumen residentes en España. Lo normal es que los ciudadanos extranjeros, sean comunitarios o no, residan en el extranjero, pero no existe en nuestra legislación una presunción en tal sentido. Por tanto, respecto de los ciudadanos extranjeros, sean comunitarios o no, debe acreditarse tanto su residencia como su no residencia en España. Igual ocurre con las empresas españolas o las extranjeras.

8.1.5.3. Personas físicas residentes

El artículo 2.2 del RD 1816/1991 dispone: «*La condición de residente en España deberá acreditarse de la siguiente forma:*

a) Las personas físicas de nacionalidad extranjera, mediante la tarjeta o carné individual de autorización de residencia o cualquier otro documento público en el que conste la concesión de la autorización de residencia por la autoridad competente.

Nada obstará a la condición de residente de la persona física extranjera, a efectos de la Ley 19/2003, y del presente real decreto mientras dure su autorización de residencia, el que tenga además domicilio en el extranjero. En tal caso se entenderá que tiene su residencia

*principal en España, salvo que hubiera hecho devolución del carné o tarjeta de autoriza-
ción de residencia.*

*Alternativamente, las personas físicas de nacionalidad extranjera podrán acreditar su
condición de residente mediante certificación de residencia fiscal expedida por las autoridades fiscales españolas.*

*b) Los establecimientos y sucursales en territorio español de personas jurídicas extranje-
ras o de personas físicas residentes en el extranjero, mediante cualquier documento público
en el que consten los datos correspondientes a su constitución, de acuerdo con la legislación
española, o certificado de inscripción en el Registro Mercantil.*

*c) Las personas físicas de nacionalidad española y las personas jurídicas domiciliadas
en España se presumirán residentes en España, salvo prueba en contrario.*

A. Españoles. Los españoles se presumen residentes en España. No hay que acreditar nada más que la nacionalidad de la persona con su documento de identidad. Si el
ciudadano español tiene doble nacionalidad, estaremos a la documentación que aporte
y que en su caso sea la efectiva (por ejemplo un ciudadano de país iberoamericano). En
este mismo sentido de presunción de residencia el artículo 3.2 de la OM 28 de mayo
2001 en materia de inversiones extranjeras.

B. Ciudadanos comunitarios. A estos efectos, a los ciudadanos extranjeros comunitarios debemos añadir los ciudadanos de los países del Espacio Económico Europeo
(EEE) como Noruega, Islandia, Liechtenstein y, además, Suiza.

*Los ciudadanos de la UE, o del EEE y de Suiza y sus familiares nacionales de terceros
Estados* pueden permanecer en España en situación de «estancia», esto es, permanencia inferior a tres meses para lo que no requieren requisito alguno más que la posesión
del pasaporte o documento de identidad en vigor. Es irrelevante su finalidad (turismo,
búsqueda de empleo, estudios, etc). Y son «no residentes».

Si pretenden residir por un periodo superior a tres meses en España, deben solicitar
ante la Oficina de Extranjeros (en su defecto, Comisaría de Policía correspondiente) de
la provincia donde pretendan permanecer o fijar su residencia, su inscripción en el Registro Central de Extranjeros, en modelo oficial adjuntando su pasaporte o Documento
de identidad válido y en vigor (si dicho documento estuviera caducado, deberá aportar
copia de éste y de la solicitud de renovación). Presentada su solicitud, y previo abono de
la tasa correspondiente, se les entrega de inmediato un Certificado de registro de Ciudadano de la Unión en donde consta su nombre, nacionalidad, domicilio, NIE y fecha
de registro; desde ese momento se considera que son residentes en España.

**Acreditan su residencia: 1/con ese Certificado y su identidad con el Pasapor-
te o Carta de Identidad de su nacionalidad; o 2/con el Certificado de Residencia**

Fiscal expedido por las autoridades fiscales españolas, ya visto. Pueden utilizar cualquiera de ellos («Alternativamente»).

C. Ciudadanos extranjeros extracomunitarios. A efectos del control de cambios y de inversiones extranjeras, los extranjeros no comunitarios acreditan su residencia en España mediante **cualquiera** de los siguientes documentos:

1. Tarjeta o carné individual de autorización de residencia o cualquier otro documento público en el que conste la concesión de la autorización de residencia por la autoridad competente —Ministerio del Interior—. Nada obsta a la condición de residente de la persona física extranjera, mientras dure su autorización de residencia, el que tenga además domicilio en el extranjero. En tal caso se entenderá que tiene su residencia principal en España, salvo que hubiera hecho devolución del carné o tarjeta de autorización de residencia.

2. Mediante certificación de residencia fiscal expedida por las autoridades fiscales españolas.

Tratándose de la tarjeta o carné de autorización de residencia, inicialmente se conceden por plazo de dos años, renovable; dos meses antes del vencimiento del plazo de duración de la residencia, el titular debe solicitar su renovación, entendiéndose que esa solicitud de renovación prorroga la validez de la autorización anterior hasta la resolución del procedimiento. También se prorroga hasta la resolución del procedimiento en el supuesto en que la solicitud se presentase **dentro de los noventa días naturales posteriores** a la fecha de expiración de la anterior autorización, sin perjuicio del correspondiente procedimiento sancionador. En el supuesto de que la administración no resuelva en el plazo de tres meses desde la presentación de la solicitud **se entiende que la resolución es favorable**. (artículos 51, 71 y 109 Reglamento Extranjería). Como el Notario no sabrá si le ha sido denegada la solicitud, es conveniente consignar en la escritura la declaración del extranjero de no haber recibido comunicación denegatoria de la autoridad administrativa española.

Si el plazo de duración de la autorización de residencia del extranjero hubiera transcurrido **sin solicitar renovación, debe considerarse al extranjero como no residente**. Al igual que en los demás casos de extinción, como renuncia expresa o tácita, permanencia por más de seis meses en el extranjero, etc.

8.1.5.4. Personas físicas no residentes

Establece el artículo 2.3 del RD 1816/1991, reformado en 2011: «*La condición de no residente deberá acreditarse de la siguiente forma:*

a) *Las personas físicas españolas, mediante certificación de la autoridad consular española expedida con una antelación máxima de dos meses, que acredite su inscripción en el Registro de Matrícula del Consulado o Sección Consular de la Embajada correspondiente.*

b) *Las personas físicas extranjeras, mediante certificación negativa de residencia expedida por la autoridad competente con antelación máxima de dos meses.*

c) *Alternativamente, las personas físicas españolas o extranjeras podrán acreditar su condición de no residentes mediante certificación expedida por las autoridades fiscales del país de residencia o bien mediante una declaración en la que manifiesten que son residentes fiscales en otro Estado y que no disponen de establecimiento permanente en España, y asuman el compromiso de comunicar cualquier alteración de dichas circunstancias».*

El inversor puede acreditar la no residencia por cualquiera de los medios posibles, a su elección, sin que exista preferencia entre ellas.

8.1.5.4.1. Españoles

Si el ciudadano español declara que no tiene residencia en España debe acreditarlo para destruir la presunción. Y se acredita con cualquiera de los siguientes documentos:

1. Certificación de la autoridad consular española expedida con una antelación máxima de dos meses, que acredite su inscripción en el Registro de Matrícula del Consulado o Sección Consular de la Embajada correspondiente.

2. Certificación expedida por las autoridades fiscales del País o territorio de su residencia habitual.

3. Declaración en que manifieste que es residente fiscal en otro Estado, identificando al mismo, que no dispone de establecimiento permanente en España y asume el compromiso de comunicar cualquier alteración de dichas circunstancias a la autoridad fiscal competente.

La Orden de 28 de mayo de 2001 en materia de inversiones extranjeras en su artículo 3 señala que la acreditación de la condición de no residente se realizará en la forma señalada por el RD 1816/1991 y añade para las personas físicas españolas dos medios más:

4. Para inversiones extranjeras, cuando se trate de personas físicas españolas y no sea posible obtener la certificación de la autoridad consular española, ya sea porque no hay previa inscripción o por cualquier otra circunstancia, la acreditación de la condición de no residente se realizará, por razones de urgencia, mediante la presentación de fotocopia del pasaporte o documento nacional de identidad y declaración escrita de su condición de no residente, a los que se añadirán cualesquiera otros medios de prueba admitidos en derecho presentados por los interesados. En estos supuestos, cuando se

trate de personas físicas españolas residentes en otros Estados miembros de la Unión Europea o en otros Estados partes en el Acuerdo sobre el Espacio Económico Europeo, bastará con la presentación de fotocopia de la tarjeta de residencia de nacional de un Estado miembro de la Unión Europea o documento equivalente, así como declaración escrita de su condición de no residente en España. En todo caso, el inversor deberá obtener la certificación de la autoridad consular española y remitir a la Dirección General de Comercio e Inversiones copia sellada administrativamente de la misma, tan pronto como sea obtenida y siempre en un plazo no superior a un mes a contar desde la fecha de notificación de la certificación. Nótese que a diferencia de los extranjeros no residentes para el mismo caso, al español se le pide además de la mera declaración algún elemento de prueba de la no residencia para quebrar la presunción de residencia en España de los españoles.

5. Para inversiones extranjeras y personas físicas españolas, mediante certificación o escrito bancario que acredite que los importes destinados al pago de la inversión proceden de una cuenta de no residente abierta en una oficina operante en España de una entidad de depósito inscrita en los Registros Oficiales del Banco de España (en adelante, «Entidades registradas») a nombre del titular de la inversión. Dicha acreditación podrá tener reflejo en la diligencia bancaria de conformidad del cheque si se utilizase este medio de pago. No es necesario legitimar la firma del representante del Banco (Resolución 22 octubre 2001).

Como vemos, la acreditación de la no residencia del inversor español no residente ha quedado muy simplificada tras la modificación operada en 2011 en el RD 1816/1991: basta declaración de que tiene residencia fiscal en otro país, que actúa directamente y que se compromete a comunicar cualquier alteración de estas circunstancias. Todo ello puede constar expresamente como Manifestación del propio Inversor en las escrituras o pólizas notariales, sin más.

8.1.5.4.2. *Ciudadanos extranjeros comunitarios y extracomunitarios*

A los efectos del control de cambios e inversiones extranjeras tanto los ciudadanos comunitarios como los no comunitarios acreditan su condición jurídica de no residentes en España mediante los cinco siguientes medios:

1. Certificación negativa de residencia expedida por la autoridad competente —Ministerio del Interior— con antelación máxima de dos meses.

2. Certificación expedida por las autoridades fiscales del país o territorio de residencia.

3. Declaración en que manifiesten que son residentes fiscales en otro Estado, que no disponen de establecimiento permanente en España y asuman el compromiso de comunicar cualquier alteración de dichas circunstancias a la autoridad fiscal competente.

La Orden de 28 de mayo de 2001 en materia de inversiones extranjeras en su artículo 3 señala que la acreditación de la condición de no residente se realizará en la forma señalada por el RD 1816/1991 y añade para las personas físicas españolas dos medios más:

4. Para inversiones extranjeras, cuando se trate de personas físicas extranjeras y no se disponga de la certificación negativa de residencia en el momento de efectuar la declaración se podrá, por razones de urgencia, presentar declaración escrita manifestando la condición de no residente acompañada de fotocopia del pasaporte u otro documento que acredite su nacionalidad extranjera. En todo caso, el inversor deberá obtener la certificación negativa de residencia del Ministerio del Interior y remitir a la Dirección General de Comercio e Inversiones, copia sellada administrativamente de la misma, tan pronto como sea obtenida y siempre en un plazo no superior a un mes a contar desde la fecha de notificación de la certificación.

5. Para inversiones extranjeras y personas físicas extranjeras, mediante certificación o escrito bancario que acredite que los importes destinados al pago de la inversión proceden de una cuenta de no residente abierta en una oficina operante en España de una entidad de depósito inscrita en los Registros Oficiales del Banco de España (en adelante, «Entidades registradas») a nombre del titular de la inversión. Dicha acreditación podrá tener reflejo en la diligencia bancaria de conformidad del cheque si se utilizase este medio de pago. No es necesario que la firma de la certificación o escrito bancario se encuentre legitimada notarialmente. (Resolución DGRN 22 de octubre de 2001)

La acreditación de la no residencia del inversor extranjero no residente **ha quedado muy simplificada** tras la modificación operada en 2011 en el RD 1816/1991: **basta declaración de que tiene residencia fiscal en otro país, que actúa directamente y que se compromete a comunicar cualquier alteración de estas circunstancias**. Todo ello puede constar directamente como Manifestación del propio Inversor en las escrituras o pólizas notariales.

Ya lo estaba para inversiones extranjeras pues conforme al punto 4 anterior basta una mera declaración escrita de no residencia, lo que normalmente se realiza consignándola en la propia escritura y protocolizando una fotocopia del pasaporte o carta de identidad acreditativa de la nacionalidad extranjera. Este procedimiento pide al inversor solicitar el certificado negativo al Ministerio del Interior y obtenido remitirlo a la Dirección General de Comercio e Inversiones. Naturalmente, añado, cuando la inversión a que se refiera deba ser declarada al registro de inversiones.

En cuanto al procedimiento del escrito bancario tiene la ventaja de no exigir la obtención y remisión del certificado negativo de residencia dado que en la cuenta bancaria ya está acreditada la no residencia con dicho certificado. Para usar este procedimiento entiendo que no es preciso que todo el importe de la inversión proceda de esa cuenta de no residente, sino que parte puede proceder de efectivo u otra cuenta. Ahora bien, el inversor ha de ser titular de la cuenta, aunque la comparta con su cónyuge u otras personas.

8.1.5.5. Acreditación de la residencia de las personas jurídicas

Las personas jurídicas domiciliadas en España se presumen residentes en España, salvo prueba en contrario. No es preciso acreditar nada.

Las personas jurídicas domiciliadas en el extranjero son no residentes y acreditan su condición de no residentes mediante documento fehaciente que acredite su naturaleza y domicilio. Así lo dispone el artículo 2.3 del RD 1816/1991: *c) Las personas jurídicas domiciliadas en el extranjero, mediante documento fehaciente que acredite su naturaleza y domicilio.*

Normalmente, será escritura o documento de constitución, certificados de registros o cámaras mercantiles, etc. ¿Cabe el certificado bancario de cuenta de no residente? La OM de 28 de mayo de 2001 en su artículo 3.1.c) lo establece únicamente para las personas físicas españolas o extranjeras. Pero la misma OM lo admite en el artículo 22.4 para las inversiones valores negociables. ¿Y para las demás inversiones, dado que como hemos visto pueden ser titulares de dichas cuentas de no residentes? En principio podría acreditarse, aunque en todo caso deben presentar sus propios documentos de constitución y domiciliación, a efectos de acreditar su existencia y régimen jurídico.

8.1.5.6. Establecimientos y sucursales

8.1.5.6.1. En España de extranjeros

A los efectos de los movimientos de capital, los establecimientos y sucursales en territorio español de personas jurídicas extranjeras o de personas físicas residentes en el extranjero, son residentes y acreditan su residencia en España mediante cualquier documento público en el que consten los datos correspondientes a su constitución, de acuerdo con la legislación española, o certificado de inscripción en el Registro Mercantil. Así el RD 1816/1991 en su artículo 2.2: «*b) Los establecimientos y sucursales en territorio español de personas jurídicas extranjeras o de personas físicas residentes en el extranjero, mediante cualquier documento público en el que consten los datos correspondientes a su constitución, de acuerdo con la legislación española, o certificado de inscripción en el Registro Mercantil».*

En realidad señalan ÁLVAREZ PASTOR Y EGUIDAZU lo que hace el RD 1616/1991 es «distinguir un doble patrimonio de la sociedad extranjera. Por una parte, el que ésta tiene en el extranjero, y por otra, el que tiene situado en España y adscrito a la actividad propia de la sucursal, dando a esta última una autonomía formal para de esta manera facilitar su actividad». Y añaden, de no haber seguido esta ficción estarían sujetos al estatuto de no residentes y «tendrían que cumplirse los requisitos administrativos establecidos para las transacciones entre residentes y no residentes en todos los negocios jurídicos, cobros y pagos que realizaran con los residentes» y su actividad mercantil en España se vería enormemente dificultada.

8.1.5.6.2. En el extranjero de españoles

A los efectos de transacciones exteriores, las sucursales y establecimientos en el extranjero de personas jurídicas españolas o de personas físicas residentes en España tienen la condición jurídica de no residentes y acreditan esa condición mediante certificación del Cónsul español correspondiente de que se hallan constituidos en el país de que se trate. Así lo establece el artículo 2.3 del RD 1816/1991: *«e) Las sucursales y establecimientos en el extranjero de personas jurídicas españolas o de personas físicas residentes en España, mediante certificación del Cónsul español correspondiente de que se hallan constituidos en el país de que se trate.*

8.1.5.7. Diplomáticos

8.1.5.7.1. Españoles acreditados en el extranjero

A efectos de las transacciones exteriores e inversiones españolas, los diplomáticos españoles acreditados en el extranjero y el personal español que preste servicios en Embajadas y Consulados españoles o en Organizaciones internacionales en el extranjero, tienen la condición jurídica de residentes. No precisan justificación pues se presume por su condición de españoles.

8.1.5.7.2. Extranjeros acreditados en España

A efectos de las transacciones exteriores e inversiones extranjeras, los diplomáticos extranjeros acreditados en España y el personal extranjero que preste servicios en Embajadas y Consulados extranjeros o en Organizaciones internacionales en España, tienen la condición jurídica de no residentes y acreditan tal condición mediante tarjeta de identidad expedida por el Ministerio de Asuntos Exteriores.

8.1.5.8. Residencia para inversores

La Ley 14/2013 de apoyo a los emprendedores prevé la posibilidad de solicitar visado primero y después autorización de residencia para inversores para aquellos extranjeros que:

- Realicen una inversión de, al menos, dos millones de euros en títulos de deuda pública o de un millón en acciones o participaciones sociales de sociedades españolas, o de un millón en fondos de inversión constituidos en España o de un millón en depósitos bancarios en entidades financieras españolas.

- Realicen, como persona física o como titular de una persona jurídica extranjera, una adquisición de inmuebles en España con una inversión de, al menos, quinientos mil euros, libre de cargas; pudiendo estar sometida a cargas la parte de la inversión que exceda de dicho importe.

- Inicien un proyecto empresarial acreditado como de interés general.

En relación con la inversión en inmuebles, cabe señalar que el extranjero no residente que se proponga entrar en España con el fin de realizar una inversión significativa puede solicitar un visado o autorización de residencia para inversores. Si no están en España se solicita el visado de residencia. Si ya están en España de forma regular, por ejemplo tenían ya un visado de estancia, se solicita un visado de estancia por un año o una autorización de residencia para dos años. Una vez cumplido el plazo de dos años, la autorización es renovable siempre y cuando se mantenga la inversión y se visite España al menos una vez durante el periodo de residencia. Autoriza a residir y trabajar dentro de todo el territorio español y no requiere residencia efectiva en España, tan solo una visita durante el periodo de residencia.

Para la concesión del visado debe realizar la adquisición de bienes inmuebles (uno o varios) —naturalmente como no residente—. Justificada la inversión obtiene el visado por el plazo de un año. Si desea residir en España durante un periodo superior a un año puede solicitar la autorización de residencia; la autorización inicial es por dos años, renovables por periodos sucesivos de cinco años si se mantienen las Condiciones iniciales, Según la disposición adicional sexta de la Ley, la renovación de las autorizaciones de residencia para inversores extranjeros puede efectuarse aunque existan ausencias superiores a seis meses al año.

Es decir, la residencia para inversores no requiere que su titular permanezca en España durante un periodo mínimo para poder renovarla; por ello, aquellos inversores que lo deseen podrán permanecer en España menos de 183 días conservando su condición de no residentes fiscales.

Esto es, los residentes administrativos por inversión pueden ser residentes fiscales o no residentes fiscales. Y si transmiten los inmuebles se deberá realizar la retención del 3% a menos que al tiempo de la transmisión acrediten con la certificación de la administración tributaria española que son residentes fiscales en España.

8.1.6. Cobros y pagos exteriores

Todos los cobros y pagos entre residentes y no residentes *en euros o en divisas, dentro o fuera del territorio español son libres,* si bien a efectos estadísticos, fiscales o de prevención de blanqueo la legislación ha establecido obligaciones de declaración de los cobros, pagos y transferencias del o al exterior. El sistema de cobros y pagos se caracteriza por las siguientes notas:

a) Exigencia, con carácter general, de realizar las operaciones a través de las Entidades registradas, esto es, Bancos, Cajas, entidades financieras registradas en el Banco de España.

b) Posibilidad, como no podía ser menos, de realizar cobros y pagos directamente en España y en el extranjero entre residentes y no residentes.

c) Obligación de los residentes de declarar los datos según la cuantía y el medio utilizado de pago.

d) Obligación de las entidades registradas a través de las cuales se realicen de información al Banco de España.

e) No exigibilidad de aportación de documentos ante la entidad registrada para ejecutar el cobro o pago de la operación, lo cual no significa que se deban tener y conservar por cuanto las autoridades monetarias españolas pueden solicitar a los residentes toda la información sobre las operaciones realizadas.

Así lo dispone el artículo 5.1 del RD 1816/1991: *Los cobros y pagos entre residentes y no residentes, así como las transferencias al o del exterior, estén cifrados todos ellos en euros o en moneda extranjera, deberán efectuarse a través de un proveedor de servicios de pago inscrito en los Registros oficiales del Banco de España (en adelante, Entidades Registradas), con las excepciones señaladas en los artículos 6 y 7 del presente real decreto.*

Por tanto, como regla general los cobros y pagos deben canalizarse a través de la vía bancaria —entidades registradas—. Y naturalmente caben otras posibilidades, las establecidas en los artículos 6 y 7 de dicho RD, esto es: La utilización de cuentas bancarias titularidad de residentes abiertas en entidades registradas españolas en el extranjero o de entidades bancarias extranjeras abiertas en el extranjero. Esto es, cuentas situadas en el extranjero en entidades españolas o en entidades extranjeras. Y los pagos en efectivo en España o en el extranjero.

8.1.6.1. Cobros y pagos en efectivo entre residentes y no residentes

Dispone el artículo 7.1 del RD 1816/1991:

1. Los cobros y pagos entre residentes y no residentes en moneda metálica, billetes de banco o cheques bancarios al portador, cifrados en pesetas o en divisas, efectuados tanto dentro como fuera del territorio español son libres, si bien quedan sujetos a la obligación de declaración en la forma y con el alcance que se determine.

Y añade el artículo 7 de la OM de 27 de diciembre de 1991:

1. De conformidad con lo dispuesto en el artículo 7.º del Real Decreto 1816/1991, los cobros y pagos entre residentes y no residentes en moneda metálica, billetes de banco y cheques bancarios al portador, cifrados en pesetas o en divisas, son libres y podrán efectuarse sin necesidad de declaración cuando su importe no sea superior a un millón de pesetas.

2. Los cobros y pagos por importe superior a dicha cuantía deberán ser declarados por el residente que los efectúe dentro de los treinta días siguientes a su realización.

Dicha declaración se efectuará a través de una «Entidad registrada» y deberá contener los siguientes datos: Nombre o razón social, domicilio y NIF del residente, nombre o razón social y domicilio del no residente, importe, moneda, medio de pago (con especificación de si se trata de moneda metálica, billetes de banco o cheques bancarios al portador) y concepto por el que se realiza el cobro o pago. Dicha declaración deberá ser firmada por el interesado, manifestando la veracidad de los datos consignados

Y la Resolución de 9 de julio de 1996: **Instrucción 5** *Cobros y pagos en moneda metálica, billetes de banco o cheques bancarios al portador.*

De conformidad con lo dispuesto en el artículo 7.º del Real Decreto 1816/1991, en su redacción dada por el Real Decreto 1638/1996, de 5 de julio, y en el artículo 7.º de la Orden de 27 de diciembre de 1991, cuando un residente efectúe un pago a un no residente o reciba un cobro de un no residente por importe superior a 1.000.000 de pesetas en moneda metálica, billetes de banco o cheques bancarios al portador, cifrados en pesetas o en divisas, efectuados tanto dentro como fuera del territorio español, queda obligado a declarar dicho pago o cobro a través de una Entidad registrada mediante el impreso modelo B3 que consta de cuatro ejemplares, dentro del plazo de los treinta días siguientes a su realización.

Instrucción 6 *Declaración en impreso modelo B3.*

1. En el impreso B3 se reflejarán los siguientes datos:

a) Nombre o razón social, domicilio y NIF del residente, así como nombre, domicilio y NIF, número de pasaporte o documento equivalente del no residente.

b) *Importe global del cobro o pago, con especificación de la clase de medio o medios de pago utilizados, su moneda de denominación y su correspondiente valor.*

c) *Concepto a que deba aplicarse el cobro o el pago correspondiente.*

d) *Indicación, en su caso, de que los medios de pago mencionados han sido previamente importados o exportados.*

La declaración referida contendrá la especificación de que los datos reseñados por el residente son ciertos, con la advertencia de que de no ser así, comete infracción administrativa en los términos previstos en el artículo 10 de la Ley 40/1979, de Régimen Jurídico de Control de Cambios.

2. Dichas declaraciones deberán suscribirse por el residente que efectúe el cobro o el pago, aún cuando dicho residente no fuese el destinatario final del cobro o el responsable último del pago respectivo.

3. Cuando el cobro o el pago tuviese lugar fuera del territorio español, las declaraciones a que se refiere la presente instrucción podrán efectuarse en las oficinas operantes en el extranjero de Entidades registradas, en el mismo impreso y plazo señalados en la instrucción 5.ª

4. La Entidad registrada receptora del impreso modelo B3, lo diligenciará y dará a sus ejemplares el siguiente destino:

Ejemplar 1: Se devolverá al titular residente como justificante de su declaración.

Ejemplar 2: Se remitirá al Banco de España-Servicio Ejecutivo.

Ejemplar 3: Se devolverá al titular residente, quien lo hará seguir al no residente interviniente en el cobro o pago declarado.

Ejemplar 4: Se conservará por la Entidad registrada.

***Instrucción** 7 Abonos en cuentas a nombre de no residentes.*

1. Cuando un no residente pretenda abonar billetes de banco españoles o extranjeros o cheques bancarios al portador cifrados en pesetas o en divisas en cuentas a nombre de no residentes en una Entidad registrada, ordenar la transferencia al exterior del importe o el contravalor de dichos medios de pago, adquirir cheques bancarios, órdenes de pago u otros instrumentos cifrados en divisas o pesetas en una Entidad registrada o efectuar compraventas de billetes contra otros billetes en establecimientos abiertos al público para cambio de moneda, deberá acreditar: a) El cumplimiento de la obligación de declaración de importación a que se refiere la instrucción 2.ª (impreso modelo B1 de importación) cuando los medios de pago hubieran sido importados, o b) El cumplimiento de la obligación de declaración de los pagos efectuados en moneda metálica, billetes de banco o cheques bancarios al portador, a que se refiere la instrucción 5.ª (impreso modelo B3), cuando los citados medios de pago procedan de un cobro recibido de un residente.

2. La entidad registrada y el establecimiento abierto al público para cambio de moneda no podrán efectuar el abono, transferencia o compraventa solicitados hasta tanto el no residente realice la acreditación a que se refiere el párrafo anterior.

3. Una vez efectuada la operación, la Entidad registrada o el establecimiento abierto al público para cambio de moneda estamparán al dorso del modelo B 1 de importación o B3 una diligencia en la que conste la operación efectuada y su importe

Recuerdo que el B1 se suprimió.

Se trata de cobros y pagos en moneda metálica, billetes de banco o cheques bancarios al portador, efectuados *tanto dentro como fuera del territorio español.*

Es libre la realización es estos cobros y pagos entre residentes y no residentes, *si bien el residente en España que realice el pago o reciba el cobro cuando su importe sea superior a Un millón de pesetas o su equivalente en euros 6.010,12 euros, debe declararlo en el plazo de 30 días desde su realización a través de una Entidad registrada en España u oficina de la misma en el extranjero mediante el impreso modelo B-3.* Uno de los ejemplares del modelo B3 ha de entregarse al no residente.

El modelo B3 se obtiene en las entidades registradas o en el Banco de España.

El no residente si ha sido el que ha cobrado en dinero puede necesitar su ejemplar de ese modelo B3 para ingresar el metálico en el Banco o transferirlo al extranjero o pedir a su vez un cheque bancario. Si el residente no declara o si declarando no le entrega el correspondiente ejemplar el no residente no podrá efectuar esas nuevas operaciones con el dinero recibido

El destinatario final de esta declaración es el Banco de España. Su incumplimiento constituye infracción administrativa del residente no declarante.

Los cobros o pagos iguales o inferiores a esa cifra de un millón de pesetas o 6.010,12 euros no se declaran.

Recordemos que cuando la operación que genera pagos en metálico se realiza con algún empresario o profesional nos encontramos con las **limitaciones al pago en efectivo.** Cuando los cobros y pagos se realizan entre particulares son totalmente libres, con obligación de B3 si exceden del millón de pesetas y de presentar el modelo S1 si son iguales o superiores a cien mil euros. Pero si en la operación interviene un empresario o profesional, el artículo 7 de la Ley 7/2012 de prevención y lucha contra el fraude fiscal dispone:

Artículo 7. Limitaciones a los pagos en efectivo.

Uno. Ámbito de aplicación.

1. No podrán pagarse en efectivo las operaciones, en las que alguna de las partes intervinientes actúe en calidad de empresario o profesional, con un importe igual o superior a

2.500 euros o su contravalor en moneda extranjera No obstante, el citado importe será de 15.000 euros o su contravalor en moneda extranjera cuando el pagador sea una persona física que justifique que no tiene su domicilio fiscal en España y no actúe en calidad de empresario o profesional.

Si los pagos en metálico derivan de operaciones en que intervenga un empresario o profesional cuya cuantía total de la operación es inferior a 2.500 euros, los pagos en metálicos son posibles sin necesidad de declaración alguna.

Si los pagos en metálico derivan de operaciones en que intervenga un empresario o profesional cuya cuantía total de la operación es igual o superior a 2.500 euros, los pagos en metálico están prohibidos. No se deben realizar. En la cuantificación de esta cantidad se incluye el IVA, según informa la AEAT.

Sólo en el caso de que el cliente pagador sea una persona física particular no residente y el empresario o profesional residente el que cobra el metálico, la cuantía total de la operación puede subir, pero *siempre inferior a 15.000,00 euros*. La operación no puede alcanzar los quince mil euros; ha de ser siempre inferior.

Para que pueda pagarse la operación en moneda metálica, billetes o cheques bancarios al portador se requiere: que el importe total de la operación, Iva incluido, no alcance los 15.000,00 euros, que el que compra el bien o paga el servicio sea **una persona física que actúe como particular** y justifique que **no es residente fiscal** en España.

Operaciones de cuantía total inferior a 2.500 euros con no residentes, cabe y no hay que declarar nada por el residente.

Operaciones de cuantía total inferior a 15.000 euros con persona física particular no residente pueden ser pagadas en todo o en parte en metálico (por ejemplo, turistas u otros visitantes que no actúen en el ámbito de su empresa o profesión, que compran bienes o pagan servicios en España en metálico a empresarios en España como hoteles, regalos, recuerdos, viajes, inmuebles de escasa cuantía, etc,); en estos casos, si el importe pagado en metálico es igual o inferior al millón de pesetas o 6.010,12 euros ni se declaran por el residente; en cambio si exceden se declara a entidad registrada por el empresario o profesional residente en el modelo B3.

La acreditación de la no residencia debe realizarse al empresario o profesional contraparte de la operación pero si la operación se formaliza ante Notario, éste debe velar por el cumplimiento de la Ley y pedir esta acreditación. La propia AEAT admite que la justificación de la no residencia fiscal puede ser por cualquier medio admitido en derecho como el Pasaporte o Carta de Identidad en donde conste como domicilio el extranjero. Y señala que el cobrador debe conservar dicho justificante durante cinco años. Si la operación se formaliza ante Notario basta la declaración por la que el adquirente manifieste que es residente fiscal en otro Estado, que no dispone de establecimiento permanente en España, y asuma el compromiso de comunicar cualquier alteración de dichas circunstancias.

Esta limitación de cobros y pagos en efectivo igual o por encima de 2.500 euros o de 15.000 euros **se limita al territorio español**. Así lo informa la propia AEAT basada en el artículo 8.1 Código Civil. Por ello, las operaciones realizadas y pagadas fuera del territorio español no se encuentran afectadas por esta limitación. Y añade que, a efectos de prueba, no resulta suficiente la mera alegación por parte de la persona o entidad con domicilio fiscal en territorio español de que el pago se he efectuado en el extranjero. La AEAT podrá exigir que se justifique que los pagos iguales o superiores a 2.500 euros se han satisfecho efectivamente en el extranjero. En concreto, puede exigir que el pagador con domicilio fiscal en territorio español justifique que disponía de efectivo suficiente en el extranjero para efectuar dicho pago o que, en su caso, se ha presentado la declaración sobre movimientos de pago de entrada y salidas del territorio nacional.

8.1.6.2. Cobros y pagos a través de entidades financieras entre residentes y no residentes

Tanto los cobros o transferencias del exterior como los pagos o transferencias al exterior realizadas entre residentes y no residentes son totalmente libres, cualquiera que sea su moneda (euros, dólares, yen, franco suizo, etc) cuantía y concepto, realizados a través de entidades registradas son libres. Pero con obligación de declaración a las Autoridades españolas y al Banco de España por las propias entidades registradas y por el propio de residente que reciba el cobro o realice el pago. La obligación de las entidades registradas la regula la **Circular 1/2012 de 29 de febrero** y la del residente la **Circular 4/2012, de 25 de abril (ETE), ambas del Banco de España.**

El RD 1360/2011 de 7 de octubre y la Orden EHA 2670/2011 de 7 de octubre han establecido el nuevo sistema de declaración de las operaciones de cobros y pagos exteriores al Banco de España por las entidades registradas debido al Reglamento comunitario 924/2009 de 16 de septiembre de 2009 relativo a los pagos transfronterizos en la Unión Europea, cuya reforma suprime la obligación de las entidades financieras de facilitar a las autoridades información de la que no disponen de forma automática e informatizada. De este modo se suprime el deber de las entidades registradas de exigir a sus clientes los datos que completen la información de las operaciones en que intervienen para remitirla posteriormente al Banco de España. Ahora son los clientes residentes los que deben informar directamente al Banco de España conforme a la ya referida Circular 4/2012 del Banco de España. Reitero que la obligación de informar recae sobre el «residente» que recibe un cobro o transferencia del exterior o realiza un pago o transferencia al exterior. No recae sobre el «no residente».

Tras esa modificación el artículo 5 del RD y de la OM dicen:

Del RD 1816/1991

1. Los cobros y pagos entre residentes y no residentes, así como las transferencias al o del exterior, estén cifrados todos ellos en euros o en moneda extranjera, deberán efectuarse a través de un proveedor de servicios de pago inscrito en los Registros oficiales del Banco de España (en adelante, Entidades Registradas), con las excepciones señaladas en los artículos 6 y 7 del presente real decreto.

2. En el caso de los cobros y pagos transfronterizos ordenados o recibidos por residentes en los que intervenga un proveedor de servicios de pago de otro Estado Miembro de la Unión Europea a los que sea de aplicación el Reglamento (CE) 924/2009, de 16 de septiembre, relativo a los Pagos Transfronterizos en la Comunidad o, en los casos de abonos y adeudos en cuentas de clientes no residentes, las Entidades Registradas facilitarán, en la forma y con el alcance que determine el Ministro de Economía y Hacienda, y dentro de los treinta días siguientes a cada mes natural, la información relativa a los cobros, pagos o transferencias exteriores en que intervengan, a los efectos de seguimiento administrativo, fiscal y estadístico de las operaciones. Sólo se solicitará información que pueda recopilarse de manera automática, sin incidir en el tratamiento directo automatizado de los pagos.

3. En los restantes casos de cobros y pagos y transferencias previstos en el apartado 1, las Entidades Registradas facilitarán, en la forma y con el alcance que determine el Ministro de Economía y Hacienda, y dentro de los treinta días siguientes a cada mes natural, información relativa a los cobros, pagos o transferencias exteriores en que intervengan a los efectos de seguimiento administrativo, fiscal y estadístico de las operaciones

De la Orden:

«1. Los cobros y pagos entre residentes y no residentes y las transferencias del o al extranjero efectuadas de conformidad con lo dispuesto en el artículo 5 del Real Decreto 1816/1991, están sujetos a la obligación de declarar los datos relativos a la operación por las Entidades Registradas.

2. En el caso de los cobros y pagos transfronterizos ordenados o recibidos por residentes en los que intervenga un proveedor de servicios de pago de otro Estado Miembro de la Unión Europea a los que sea de aplicación el Reglamento (CE) 924/2009, de 16 de septiembre, relativo a los Pagos Transfronterizos en la Comunidad o, en los casos de abonos y adeudos en cuentas de clientes no residentes, las Entidades Registradas facilitarán de manera automatizada a los órganos competentes de la Administración del Estado y al Banco de España la información relativa a los cobros, pagos o transferencias exteriores en que intervengan. El Banco de España determinará el procedimiento y frecuencia de la información a remitir por las Entidades Registradas a dicho organismo, que incluirá el nombre o razón social y NIF del residente, importe, moneda y país de origen o destino del cobro, pago o transferencia, información de la cuenta de adeudo y abono y aquellos otros datos disponibles que se determinen, siempre y cuando su recopilación no incida en el tratamiento directo automa-tizado de los pagos y pueda realizarse de manera totalmente automática.

En los restantes casos de cobros y pagos transfronterizos, las Entidades Registradas facili-tarán de manera automatizada a los órganos competentes de la Administración del Estado y al Banco de España la información disponible relativa a los cobros, pagos o transferencias exteriores en que intervengan. El Banco de España determinará el procedimiento y fre-cuencia de la información a remitir por las Entidades Registradas a dicho organismo, que incluirá, al menos, el nombre o razón social y NIF del residente, importe, moneda y país de origen o destino del cobro, pago o transferencia y datos de la cuenta de adeudo y abono.

3. El incumplimiento por las Entidades Registradas de las obligaciones de información señaladas en los apartados anteriores o la falta de veracidad de la información facilita-da puede ser constitutiva de infracción, conforme a lo dispuesto en el artículo 8 de la Ley 19/2003, de 4 de julio, sobre régimen jurídico de los movimientos de capitales y de las transacciones económicas con el exterior».

La obligación de comunicación de las entidades registradas al Banco de España está regulada en la Circular 1/2012 de 29 de febrero que ha derogado la conocida Circular 15/1992 —veinte años—. Esta Circular dispone que **no se comunican las operacio-nes cuando su importe es igual o inferior a 50.000,00 euros** (cincuenta mil) y no constituyan pagos fraccionados. La información a suministrar por la entidad registrada al Banco de España es la siguiente: identificación del cliente, nombre con su NIF, deno-minación social con CIF, país de residencia del no residente, importe, moneda, país de origen o destino, cuenta de adeudo o abono u otros datos disponibles cuya recopilación pueda hacerse de forma automática.

La persona que vaya a efectuar un pago o transferencia realizará la misma en la for-ma ordinaria señalando los datos antes referidos Ya no hay una declaración expresa a la entidad registrada sino el procedimiento ordinario de efectuar un pago o transferencia a través de banco. Además, siendo residente el que realiza el pago o recibe el cobro deberá cumplimentar el modelo ETE cuando alcance las cuantías de la Circular 4/2012.

8.1.6.3. Cobros y pagos por compensación

Los cobros y pagos entre residente y no residente efectuados bien directamente bien por compensación son totalmente libres. Así se expresa el artículo 1 del RD 1816/1991 que dice: La liberalización de los actos, negocios, transacciones y operaciones se extien-de a «*los cobros y pagos exteriores efectuados bien directamente bien por compensación...*»

Son libres pero con obligación de declaración en el formulario ETE por el residente según cuantías globales y plazos.

8.1.7. Cuentas bancarias

8.1.7.1. Cuentas bancarias de no residentes abiertas en España

Disponen los artículos 9 y 10 de la OM de 27 de diciembre de 1991:

Artículo 9:

1. Las «Entidades registradas» podrán abrir en su libros cuentas a la vista, de ahorro o a plazo denominadas en pesetas a nombre de personas físicas o jurídicas no residentes y movilizar las mismas libremente, sin perjuicio de lo dispuesto en el artículo 5.º de la presente Orden. No obstante, las «Entidades registradas», en el momento de la apertura, harán constar la condición de no residente del titular y consignarán, a efectos de identificación de la cuenta, el número de pasaporte o número de identidad válido en su país de origen.

2. La «Entidad registrada» queda obligada a requerir del titular de la cuenta de que se trate que en el plazo de quince días desde su apertura le haga entrega de la documentación acreditativa de la no residencia, en los términos previstos en el artículo 2.º4 del Real Decreto 1816/1991, sobre Transacciones Económicas con el Exterior.

3. El titular de la cuenta deberá, además, confirmar cada dos años, en la forma indicada en el párrafo anterior, la continuidad de su condición de no residente. Si el titular de la cuenta adquiriese la condición de residente deberá comunicarlo a la «Entidad registrada» para que ésta modifique la condición de la cuenta, que pasará a ser titular residente, con señalamiento del NIF de que se trate.

Si el titular de la cuenta no confirmase, dentro del plazo debido, su continuidad como no residente, la «Entidad registrada» le requerirá para que así lo haga en el plazo de tres meses; transcurrido dicho plazo sin que el titular haya cumplimentado dicho requisito, aplicará a dicha cuenta las medidas previstas en el artículo 15 del Real Decreto 338/1990, de 9 de marzo, por el que se regula la composición y la forma de utilización del NIF, hasta tanto el titular facilite su NIF o demuestre que la no confirmación de su condición de no residente se ha debido a causas especiales.

Artículo 10

Los no residentes que pretendan efectuar abonos en cuentas a nombre de no residentes abiertas en entidades registradas o adquirir cheques bancarios, órdenes de pago u otros instrumentos, cifrados en pesetas o en divisas, mediante la entrega de billetes de banco, españoles o extranjeros, o cheques bancarios al portador cifrados en pesetas o en divisas, o transferir al extranjero el importe de dichos medios de pago o su contravalor, deberán acreditar su origen, de conformidad con lo dispuesto en los artículos 4.º, 1, y 7.º de la presente Orden.

A igual obligación quedan sometidos los no residentes que pretendan efectuar compraventa de billetes por otros billetes en establecimientos abiertos al público para cambio de moneda.

Sin la justificación de la importación o pago de que se trate, la entidad registrada y el establecimiento abierto al público para cambio de moneda no podrán efectuar las operaciones de referencia

Y añade la Circular 1/2012 del Banco de España en su Norma Sexta:

Identificación de los clientes en las cuentas abiertas en entidades de depósito en España.

1. En el momento de la apertura de cuentas a la vista, de ahorro o a plazo por clientes, las entidades de depósito deberán identificar al titular de la cuenta en euros o en divisas y harán constar su condición de residente en España o no residente.

2. La acreditación de dicha condición deberá realizarse en la forma prevista en el artículo 2º del Real Decreto 1816/1991, de 20 de diciembre, sobre transacciones económicas con el exterior.

3. Las entidades modificarán la calificación de las cuentas afectadas cuando tengan constancia de que se han producido cambios en la condición de residentes o de no residentes en España de los clientes titulares de las mismas.

El RD 338/1990 de 9 de marzo ha sido derogado por el Real Decreto 1065/2007 de 27 de julio.

Las personas físicas o jurídicas no residentes en España pueden abrir cuentas en las Entidades registradas situadas en España, a la vista, de ahorro, o a plazo, en euros o en divisas. Esta apertura es libre. Igualmente es libre los movimientos de dichas cuentas si bien con determinadas obligaciones de información.

Apertura.

El cliente debe identificarse con su Pasaporte o documento de identidad nacional y justificar su residencia fuera de España mediante el certificado de no residente expedido por el Ministerio del Interior. Si la cuenta se abre con varios titulares, todos ellos deben ser no residentes. Si no se puede aportar este certificado en el momento de abrir la cuenta, cabe aportarlo dentro de los 15 días siguientes a la apertura de la misma y cada dos años la entidad está obligada a requerir al titular para que acredite la continuidad de su condición de no residente en el plazo de 3 meses.

La condición de no residente, a estos efectos, puede acreditarse ante la entidad financiera que corresponda a través de un certificado de residencia fiscal expedido por las autoridades fiscales del país de residencia o bien mediante una declaración de residencia fiscal ajustada a modelo (art. 28 RD 1065/2007). La Orden EHA 3496/2011 de 15 de diciembre, modificada en 2016, señala en su artículo único que en caso de apertura de cuentas la declaración **puede aportarse en el plazo de un mes desde la apertura**. Se realiza en el impreso anexo III del modelo fiscal 291 o en los formularios de residencia publicados por la OCDE en su portal de Internet para el sistema estandarizado de intercambio automático de información de cuentas financieras.

Las Entidades financieras aplicarán las medidas de diligencia previstas en la Ley de Blanqueo en materia de política de clientes. Suelen pedir una carta de presentación de su Banco local o un justificante de ingresos. Si finalmente abren la cuenta se firma el correspondiente contrato con las Condiciones que se acuerden (interés, plazo, cheques, etc).

Titular de estas cuentas pueden ser también las sociedades y demás personas no residentes. Deben acreditar su condición de no residente y renovarlas en los mismos plazos vistos. Los bancos solicitan información precisa de la empresa, actividad comercial, facturación, domicilio social, motivo de la apertura de la cuenta, datos de identificación de las personas físicas autorizadas a operar en la cuenta, titularidad real, estructura accionarial o de control

Movilización.

La movilización de la cuenta por el titular no residente es libre. No obstante, el no residente tiene la obligación de acreditar el origen de los billetes de banco por importe superior a un millón de pesetas o 6.010.12 euros si con ellos pretende hacer abono en la cuenta, transferirlos al exterior u obtener un cheque bancario al portador. (art. 10 OM 27 diciembre 1991). El artículo 10 dispone que el no residente tiene que acreditar el origen de los billetes en estos tres casos dice «de conformidad con lo dispuesto en los artículos 4.1 y 7 de la presente Orden».

El artículo 4.1 está derogado por la Orden EHA/1439/2006 de 3 de mayo que regula la declaración de movimientos de medios de pago. Inicialmente este artículo era coherente con la redacción original del artículo 4. 1 que hablaba de la obligación del viajero, fuera residente o no residente, de efectuar a su entrada en territorio español de un declaración del metálico que portaran mediante el oportuno modelo B1 cuando el importe fuese superior a un millón de pesetas. Ahora La Orden 1439/2006 obliga al portador del metálico, sea residente o no residente al entrar en territorio español a formular declaración mediante el modelo S1 cuando el importe es igual o superior a diez mil euros. En cualquier caso, tendrá que aportar el S1 de entrada, aunque sea inferior a los diez mil euros si quiere ingresar más de un millón de pesetas.

El artículo 7 se refiere al modelo B3 de declaración de pagos entre residentes y no residentes que debe cumplimentar y remitir al Banco de España a través de las entidades registradas el residente entregando copia del mismo al no residente. El modelo B3 es coherente porque mantiene la misma cantidad de un millón de pesetas.

En caso de cambio de residencia a España, el titular está obligado a obtener su correspondiente NIE y comunicarlo a la entidad, la cual modificará la naturaleza de la cuenta.

Según el artículo 14.1 f) de la Ley sobre la Renta de no Residentes, los rendimientos de estas cuentas están exentos del impuesto.

La Circular 1/2012 del Banco de España ha derogado la Circular 1/1994 que regulaba estas cuentas, con efectos de 1 de enero de 2014. Era esa Circular de 1994 la que disponía la necesidad de poder notarial para movilizar la cuenta salvo para el cónyuge o familiar en primer grado del titular persona física. Hoy la movilización de estas cuentas sigue las reglas ordinarias.

Mediante Real Decreto Ley 19/2017 de 24 de noviembre, convalidado por Acuerdo del Congreso de Diputados el 13 de diciembre siguiente, y como transposición de la Directiva 2014/92/UE, se regulan **las cuentas de pago básicas,** que son aquellas cuentas de pago, identificadas como tales, denominadas en euros, abiertas en una entidad de crédito que permiten prestar, al menos, los servicios recogidos en su artículo 8, que son el depósito de fondos, retirada de dinero en efectivo en las oficinas de la entidad o en cajeros de la UE, adeudos domiciliados, pagos mediante uso de tarjetas y on line dentro de la UE y realizar transferencias dentro de la UE, presenciales y on line.

Trata de garantizar el acceso universal a una cuenta bancaria básica, que se configura como un producto financiero estandarizado que están obligadas a ofrecer todas las entidades de crédito, con pocas excepciones y que se rigen por las disposiciones de ese RD pero también por la normativa ordinaria bancaria.

Sólo pueden ser titulares las personas físicas que actúen con un propósito ajeno a su actividad comercial, empresarial, oficio o profesión, que: a/residan legalmente en la Unión Europea, incluidos los que no tengan domicilio fijo; b/sean solicitantes de asilo; c/no tengan un permiso de residencia pero su expulsión sea imposible por razones jurídicas o de hecho.

Como se observa y a nuestros efectos, se tratará normalmente de personas no residentes en España: extranjeros nacionales de cualquier país pero residentes en la UE, ni siquiera residentes en la UE pero solicitantes de asilo y residentes de hecho en España sin permiso de residencia.

Es una cuenta de apertura obligatoria para la entidad de crédito si se le solicita, aunque existen causas válidas de denegación, como son la de disponer en España ya de una cuenta que permita los servicios básicos contemplados en el artículo 8, por razones de blanqueo de capitales o de seguridad nacional u orden público. Las comisiones de apertura y mantenimiento tienen un máximo fijado por el Ministerio de Economía.

8.1.7.2. Cuentas de residentes abiertas en el extranjero

Establece el artículo 6 del RD 1816/1991, modificado en 2011, que: «*Es libre la apertura y mantenimiento por residentes de cuentas denominadas en euros o en divisas en oficinas operantes en el extranjero tanto de Entidades Registradas como de entidades ban-carias o de crédito extranjeras, así como los cobros y pagos entre residentes y no residentes mediante abonos o adeudos en dichas cuentas*

Lo reitera el artículo 6 de la OM de 27 de diciembre de 1991, modificado por la OM 2670/2011 de 7 de octubre:

1. De conformidad con lo dispuesto en el artículo 6 del Real Decreto 1816/1991, es li-bre la apertura y mantenimiento, por residentes en España, de cuentas a la vista, de ahorro o a plazo, denominadas en euros o en divisas, en oficinas operantes en el extranjero, tanto de «Entidades registradas», como de otras Entidades bancarias o de crédito.

La apertura y movilización por residentes en España de cuentas en oficinas operan-tes en el extranjero de Entidades registradas en oficinas operantes en el extranjero de entidades bancarias o de crédito es libre.

El residente titular de la cuenta debe informar al Banco de España mediante el for-mulario ETE, según cuantías y plazos como hemos visto. Desde el punto de vista fiscal deben formular la declaración, en su caso, mediante el modelo 720.

Los saldos de estas cuentas pueden utilizarse para pagos de inversiones españolas en el exterior o cualquier otra operación comercial, financiera, gastos personales, turismo, etc.

8.2. INVERSIONES EXTRANJERAS EN ESPAÑA

8.2.1. *Régimen administrativo. Libertad de las Inversiones*

8.2.1.1. Normativa

Las Inversiones extranjeras en España se encuentran reguladas por las siguientes normas:

La Ley 18/1992 de 1 de julio por la que se establecen determinadas inversiones ex-tranjeras en España. El Real Decreto 664/1999 de 23 de abril, sobre inversiones exterio-res. La Orden de 28 de mayo de 2001 por la que se establecen los procedimientos apli-cables a las declaraciones de inversiones exteriores. Varias disposiciones respecto de las declaraciones de inversiones extranjeras en valores negociables y su comunicación por vía telemática. Y la Resolución de 27 de julio de 2016 de la Dirección General de Co-mercio Internacional e Inversiones por la que se aprueban los modelos de declaración.

El régimen jurídico de las inversiones extranjeras ha ido evolucionando de manera gradual hacia la total liberalización vigente en la actualidad. El primer Texto refundido de las disposiciones sobre Inversiones Extranjeras en España fue el aprobado por Decreto 3021/1974 de 31 de octubre que refunde las disposiciones dispersas anteriores de diverso rango y las sistematiza. Establece como forma de control de las mismas el de autorización administrativa previa, como forma de aportación liberalizada la aportación dineraria exterior, exige autorización previa para la utilización de aportación dineraria interior. Exigía autorización administrativa para inversiones en sociedades cuando la participación extranjera excediera del 50 por ciento del capital de la sociedad. En inmuebles se exigía autorización administrativa para la adquisición de toda clase de inmuebles por personas jurídicas extranjeras; respecto de los extranjeros personas físicas no residentes sólo en caso de fincas rústicas, solares y más de tres viviendas en un mismo inmueble y era libre la adquisición de villas, chalets y en general viviendas de uso familiar. No obstante, resoluciones de la entonces DGTE concedieron autorizaciones generales para determinados actos, entre ellas la muy aplicada Resolución de 30 de julio de 1975 que concedió autorización general a personas físicas extranjeras no residentes para adquirir parcelas hasta cinco mil metros cuadrados. Las inversiones debían formalizarse con carácter general ante Notario, debía justificarse la aportación exterior con certificación bancaria y la no residencia del inversor.

Para adecuar la normativa española al ordenamiento jurídico comunitario, la Ley 47/1985 de 27 de diciembre delegó en el Gobierno la facultad de dictar normas con rango de Ley sobre determinadas materias, entre ellas las disposiciones sobre inversiones extranjeras. Se realiza mediante el Real Decreto Legislativo 1265/1986 de 27 de junio. Mantiene la misma normativa aproximadamente pero sustituye las autorizaciones previas por verificaciones previas. Mantiene la formalización notarial, con carácter general y la justificación de la aportación exterior mediante certificación bancaria y de la no residencia.

La transposición al derecho interno de la Directiva 88/361/CEE obligaba a modificar el régimen jurídico de las inversiones extranjeras. La modificación se hace a través de dos bloques normativos: La Ley 18/1992 de 1 de julio y el RD 671/1992 de 2 de julio. La modificación conceptual más importante es el cambio del sujeto inversor; hasta entonces la calificación del sujeto inversor estaba basada en la nacionalidad del inversor y en la localización, dentro o fuera de España, de los medios con que se efectuaba la inversión; a partir de 1992, la calificación del sujeto inversor pasa a estar basada únicamente en la residencia del inversor.

La Ley es muy breve, dejándose la regulación concreta de las inversiones extranjeras en un escalón inferior de jerarquía mediante Real Decreto. La Ley contiene dos importantes disposiciones, una la determinación de los sectores con regulación específica y otra la derogación, por razones de rango normativo, de la Ley de Inversiones Extranjeras en España cuyo texto articulado, como hemos visto, fue aprobado por Real Decreto Legislativo 1265/1986 de 37 de junio.

El RD 671/1992, hoy derogado, amplió el régimen de liberalización de las inversiones, exigiendo verificación administrativa previa para determinadas inversiones; y mantuvo dos normas: En el artículo 17, la obligatoriedad de formalización ante Notario de las inversiones extranjeras. Los Notarios y Registradores de la Propiedad y Mercantiles con carácter previo al ejercicio de sus funciones debían exigir a los particulares la presentación de los documentos acreditativos de los requisitos (verificación si procediera) así como la justificación de la condición de no residente y la justificación de la forma de aportación, usualmente la dineraria. Y en el artículo 18, relativo a los cobros y pagos de las inversiones extranjeras, respecto de los que se remitía a los artículos 5, 6 y 7 del RD 1816/1991, esto es, los generales, a través de entidades registradas, cuentas de residentes en el extranjero y pagos en efectivo,

8.2.1.2. Principio de liberalización

En la actualidad el régimen jurídico de las inversiones extranjeras se encuentra recogido en el RD 664/1999 que en un solo texto normativo contiene la regulación de las inversiones extranjeras en España y de las inversiones españolas en el exterior.

Las inversiones extranjeras son actos de adquisición de bienes o derechos situados en España, realizados por personas físicas o jurídicas, españolas o extranjeras, no residentes en España. Estos actos, contratos y operaciones mantienen el régimen jurídico civil y mercantil que corresponda conforme a la legislación española, incluidas las reglas de derecho internacional privado.

Las características del régimen de inversión extranjera en España pueden resumirse del siguiente modo:

a) Las inversiones extranjeras en España están liberalizadas como regla general; hay muy pocas restricciones que seguidamente veremos.

b) Obligatoriedad de declaración al registro de inversiones de ciertas inversiones extranjeras ya realizadas, no de todas; y obligación de declaración previa de los proyectos de inversión que procedan de paraíso fiscal.

c) Obligatoriedad de declaración del carácter de no residente en España del inversor.

d) Pagos dinerarios entre las partes en la forma ordinaria, sin especialidad alguna por razón de inversión extranjera. Justificación de aportación o de identificación de los medios de pago, siempre en la forma ordinaria conforme a la legislación material aplicable; sin que la reglamentación de inversiones extranjeras añada requisito o declaración adicional alguna.

e) Formalización documental de la inversión en la manera ordinaria, conforme a la legislación material aplicable; y posterior inscripción registral en los registros mercantiles o de la propiedad, todo ello en la forma ordinaria, con supresión expresa de la obligatoriedad del control específico de notarios y registradores de los dos requisitos que exigía la legislación anterior: residencia del inversor y justificación de medio de pago.

f) El titular de la inversión es titular de los derechos y obligaciones derivados de la misma, en todos los aspectos mercantiles y civiles. Tendrá la condición de socio de una sociedad o será propietario de un inmueble, pudiéndolo destinar a uso propio, arrendamiento o cualquier otra actividad, cumpliendo los requisitos materiales de todo ello. Dispone de plena libertad de liquidación de la inversión y libertad de destino del importe de la desinversión, especialmente derecho de repatriación de intereses, dividendos, beneficios y producto de la desinversión, sin requisitos administrativos ni fiscales previos, aunque con obligación de cumplimiento de las obligaciones fiscales.

España, como otros muchos países, ha suscrito Tratados de Protección de Inversiones que tratan de prevenir las consecuencias de riesgos no comerciales, como expropiaciones, nacionalizaciones, conflictos armados, falta de convertibilidad de monedas etc para los inversores nacionales; establecen de ordinario un sistema de arbitraje internacional para la resolución de los conflictos entre el inversor y las autoridades del país en que se invierte.

g) La formalización de las inversiones ante Notario no es obligatoria salvo en los casos en que la legislación de la operación imponga la formalización notarial con carácter constitutivo u obligatorio, como en materia de constitución y funcionamiento de las sociedades, donación de inmuebles, etc. No obstante al regular la obligación de declaración el RD dispone que el notario debe remitir al registro de inversiones la información sobre las operaciones intervenidas por él cuando su intervención sea consecuencia del régimen jurídico de la inversión o sea consecuencia de «acuerdo convencional de las partes».

8.2.2. Suspensión del régimen de liberalización

Las inversiones exteriores se hallan totalmente liberalizadas sin que existan, en principio, controles administrativos previos. Pero la legislación regula la posibilidad de que el Consejo de Ministros acuerde la suspensión de este régimen de liberalización y el propio RD ya establece tal suspensión en actividades relacionadas con defensa nacional y adquisición de inmuebles de destino diplomático.

Así lo disponen los artículos 1, 10 y 11 del RD 664/1999 y su Disposición Adicional Tercera.

Artículo 1.1. En el presente Real Decreto se establece el régimen jurídico de las inversiones extranjeras en España y de las españolas en el exterior, quedando liberalizadas las citadas inversiones, así como su liquidación

Las disposiciones contenidas en el presente Real Decreto se entenderán sin perjuicio de los regímenes especiales que afecten a las inversiones extranjeras en España establecidos en legislaciones sectoriales específicas, y, en particular, en materia de transporte aéreo, radio, minerales y materias primas minerales de interés estratégico y derechos mineros, televisión, juego, telecomunicaciones, seguridad privada, fabricación, comercio o distribución de armas y explosivos de uso civil y actividades relacionadas con la Defensa Nacional.

En los supuestos anteriores, las inversiones se ajustarán a los requisitos exigidos por los órganos administrativos competentes fijados en dichas normas. Una vez cumplidos los requisitos dispuestos en la mencionada legislación sectorial, deberá estarse a lo previsto en el presente Real Decreto.

Artículo 10 Suspensión del régimen de liberalización

1. El Consejo de Ministros, a propuesta del Ministro de Economía y Hacienda y, en su caso, del titular del Departamento competente por razón de la materia, y previo informe de la Junta de Inversiones Exteriores, podrá acordar, de forma motivada, con carácter general o particular, la suspensión del régimen de liberalización establecido en el presente Real Decreto y siempre que las inversiones por su naturaleza, forma o Condiciones de realización, afecten o puedan afectar a actividades relacionadas, aunque sólo sea de modo ocasional, con el ejercicio de poder público, o a actividades que afecten o puedan afectar al orden público, seguridad y salud públicas.

2. Una vez suspendido el régimen de liberalización, el inversor afectado deberá solicitar autorización administrativa previa respecto de las operaciones de inversión que, a partir del momento de la notificación de la suspensión, se propusiera realizar.

La solicitud de autorización se dirigirá al Director general de Política Comercial e Inversiones Exteriores, correspondiendo su resolución al Consejo de Ministros a propuesta del Ministro de Economía y Hacienda y, en su caso, del titular del Departamento competente por razón de la materia y previo informe de la Junta de Inversiones Exteriores.

Transcurridos seis meses desde el día de la fecha en que la solicitud haya tenido entrada en cualquiera de los registros del órgano administrativo competente para resolver, sin que haya recaído resolución expresa se producirán los efectos previstos en el artículo 43.2 de la Ley 30/1992, de 26 de noviembre, de Régimen Jurídico de las Administraciones Públicas y del Procedimiento Administrativo Común.

3. Las inversiones autorizadas de acuerdo con el apartado anterior deberán realizarse dentro del plazo que específicamente hubiere señalado la autorización o, en su defecto, en el de seis meses; transcurrido el plazo sin haberse realizado la inversión, se entenderá caduca-da la autorización, salvo que se obtenga prórroga.

Artículo 11 Suspensión del régimen general de inversiones extranjeras en España en actividades directamente relacionadas con la defensa nacional

1. El régimen de liberalización establecido en el presente Real Decreto queda suspendi-do respecto de las inversiones extranjeras en España en actividades directamente relaciona-das con la Defensa Nacional, tales como las que se destinen a la producción o comercio de armas, municiones, explosivos y material de guerra.

En el caso de sociedades cotizadas en Bolsa de Valores que desarrollen estas actividades, únicamente requerirán autorización las adquisiciones por no residentes superiores al 5 por 100 del capital social de la sociedad española, o las que, sin alcanzar este porcentaje, per-mitan al inversor formar parte, directa o indirectamente, de su órgano de administración, todo ello de conformidad con lo previsto en el Real Decreto 377/1991, de 15 de marzo, sobre comunicaciones de participaciones significativas en sociedades cotizadas y de adquisi-ciones por éstas de acciones propias.

2. Las solicitudes de autorización se regirán por lo dispuesto en los apartados 2 y 3 del artículo anterior, con las especialidades siguientes:

a) Las solicitudes se dirigirán al órgano administrativo correspondiente del Ministerio de Defensa.

b) La resolución corresponderá al Consejo de Ministros a propuesta del Ministro de Defensa y previo informe de la Junta de Inversiones Exteriores.

3. Cualquier alteración de las Condiciones de las inversiones autorizadas conforme al apartado anterior, quedará sujeta nuevamente a dicho procedimiento de autorización previa.

Cuando el órgano administrativo correspondiente del Ministerio de Defensa considere que las modificaciones son de escasa relevancia, procederá a autorizarlas directamente

Y añade la Disposición Adicional Tercera:

Tercera. Régimen de autorización previa a las adquisiciones de inmuebles de destino diplomático de Estados no miembros de la Unión Europea

1. Requerirán autorización administrativa previa las inversiones, directas o indirectas, que realicen en España los Estados no miembros de la Unión Europea para la adquisición de bienes inmuebles destinados a sus Representaciones Diplomáticas o Consulares, salvo que exista un Acuerdo para liberalizarlas en régimen de reciprocidad.

2. Las solicitudes de autorización se regirán por lo dispuesto en los apartados 2 y 3 del artículo 10 del presente Real Decreto con las especialidades siguientes:

a) *Las solicitudes se dirigirán al órgano administrativo correspondiente del Ministerio de Asuntos Exteriores.*

b) *La resolución corresponderá al Consejo de Ministros a propuesta del Ministro de Asuntos Exteriores y previo informe de la Junta de Inversiones Exteriores.*

3. *Cualquier alteración de las Condiciones de las inversiones autorizadas conforme al apartado anterior quedará sujeta nuevamente al procedimiento de autorización previa.*

Cuando el órgano administrativo correspondiente del Ministerio de Asuntos Exteriores considere que las modificaciones son de escasa relevancia, procederá a autorizarlas directamente.

El régimen de liberalización puede ser suspendido por acuerdo expreso y motivado del Consejo de Ministros, en cuyo caso se deberá solicitar autorización administrativa previa respecto de las operaciones de inversión que se fueran a realizar. El propio RD ya dispone dos suspensiones:

La primera en el artículo 11 que suspende la liberalización respecto de las inversiones extranjeras **en actividades directamente relacionadas con la Defensa Nacional**, tales como las que se destinen a la producción o comercio de armas, municiones, explosivos y material de guerra. Las inversiones en esta materia requieren autorización administrativa previa del Consejo de Ministros. Por excepción, sólo requieren autorización previa las inversiones extranjeras en sociedades españolas cotizadas que se dediquen a esas actividades superiores al 5% del capital social de la sociedad española o las que sin alcanzar este porcentaje permitan al inversor formar parte directa o indirectamente de su órgano de administración. El RD 377/1991 ha sido derogado y sustituido por el RD 1362/2007 de 19 de octubre. **Esta suspensión afecta a las personas, empresas y entidades de soberanía extranjera, incluso de la Unión Europea y asimilados** (artículo Único.2 de la Ley 18/1992).

La segunda es la adquisición de **inmueble con destino diplomático de Estados no miembros de la Unión Europea** (Embajadas, Consulados, viviendas para el personal, etc), que requieren autorización administrativa previa del Consejo de Ministros, canalizada a través del Ministerio de Asuntos Exteriores, salvo que exista acuerdo de liberalizarlas en régimen de reciprocidad.

El procedimiento de suspensión y el procedimiento de solicitud de la correspondiente autorización administrativa en tales casos se encuentra recogido en los artículos 10 y 11 de la Orden de 28 de mayo de 2001. Respecto de este régimen una observación en cuanto a los efectos del silencio administrativo.

La Ley 19/2003 sobre régimen de los movimientos de capital establece en el artículo 6.2. que si transcurrido el plazo máximo en que deba dictarse y notificarse la autorización, no se produjera resolución expresa, se entiende que la operación no es autorizada.

El silencio es negativo, la solicitud se desestima. Por el contrario, el RD 664/1999 sobre inversiones exteriores el artículo 10.2 dispone para el caso de que no haya recaído resolución expresa los efectos del artículo 43.2 de la Ley 30/1992 de procedimiento administrativo en su redacción original que establecía el silencio positivo (art. 11.3 OM 28 mayo 2001); cabría mantener que cada regulación tiene su ámbito de aplicación; una, movimientos de capital y otra, inversiones extranjeras; sin embargo estimo preferible entender que la Ley 19/2003 ha modificado en este punto el RD. La norma del RD rompía la regulación anterior de 1992 la cual había establecido para la autorización previa el régimen del silencio negativo y para la verificación previa el silencio positivo, lo que era lógico.

En relación con el valor de los negocios jurídicos efectuados sin la autorización administrativa previa en los casos en que fuera necesaria debemos recordar que bajo la vigencia de la legislación de inversiones extranjeras de 1974 y 1986, éstas declaran nulos conforme al artículo 6 párrafos 3 y 4 del CC, los actos contrarios a las mismas y los realizados en fraude de ley. Ni la legislación de 1992 ni la actual contienen disposición semejante.

La Ley 19/2003 sobre régimen de los movimientos de capital establece que son infracciones muy graves la realización de operaciones prohibidas o suspendidas sin la preceptiva autorización administrativa previa y sanciona estas conductas con multa mínima de treinta mil euros y máxima del tanto del contenido económico de la operación, infracciones que prescriben a los cinco años desde que se hubiesen cometido (arts. 8, 9 y 11).

Ahora bien, ¿qué ocurre con esas operaciones que carecen de la autorización administrativa previa, desde un punto de vista civil? La doctrina más autorizada expresa la opinión de que nos encontramos ante un negocio incompleto, al que le falta un elemento, válido pero que adolece de un defecto de eficacia frente a terceros, aunque cabe que llegue a obtener toda la eficacia buscada por las partes mediante la obtención de la autorización administrativa. (Núñez Lagos, Inversiones extranjeras 1984, pp. 323 y siguientes).

Este mismo problema en relación con la legislación de zonas restringidas lo abordaremos más adelante.

En la jurisprudencia de nuestro Tribunal Supremo sólo he encontrado tres sentencias con relación a esta cuestión, las tres relativas a bienes inmuebles. No he encontrado en relación a sociedades. Y son:

Sentencia TS de 15 de diciembre de 1989 (Roj STS 7376/1989)

El pleito trata de un primer contrato privado de compra de un terreno de más de dos hectáreas en Marbella en 1982 por un alemán no residente, casado con una española y afincado en Marbella; el mismo vendedor vuelve a vender en 1984 a una sociedad, ahora en escritura pública, terrenos en Marbella incluyendo el antes vendido en documento privado, escritura que se inscribe en el registro. El alemán, primer comprador, reclama al vendedor y a la sociedad compradora el reconocimiento de su propiedad, la elevación a escritura pública del contrato de 1982 y la nulidad de la segunda venta. El vendedor y la sociedad reconvienen, entre otras cosas, impugnando la primera venta privada alegando la nulidad de la misma al no haber obtenido la autorización administrativa exigida por la legislación de inversiones extranjeras de 1974. La Audiencia, confirmando parcialmente la sentencia del Juzgado de 1ª Instancia, declara válido el contrato de 1982 y condena a elevarlo a público. El TS no da lugar al recurso señalando la condición de cuasi-residente del alemán comprador, reconoce la disposición de la ley que establecía la nulidad de pleno derecho de los actos contrarios a dicha legislación pero indica que dicha nulidad debe quedar reservada para aquellos actos realizados de espalda por completo a la regulación legal pero no para aquellos otros en que con posterioridad se observó ese trámite, consiguiéndose así convalidar subsanándose la inicial situación contraria a la legislación, que fue lo que ocurrió.

Y el TS señala: que toda la legislación en torno a los movimientos de capital, inversiones y control de cambios es puramente coyuntural, estando encaminada como parte de la política económica a conseguir una mayor apertura exterior de la economía española y la mejora en su grado de competitividad, de manera que la legislación se ha ido caracterizando por un índice de continuada liberalización, lo que lleva a la conclusión de que en materia de adquisición de bienes por extranjeros sus normas deben ser interpretadas con criterio restrictivo. Si bien se produce causa de nulidad de pleno derecho cuando se produce un acto contrario a la normativa sobre inversiones extranjeras, ello no obstante esa causa de nulidad puede subsanarse mediante convalidación posterior obteniendo la correspondiente autorización.

Sentencia TS de 23 de febrero de 1993 (Roj STS 19049/1993)

El pleito trata de un contrato privado de compra en 1980 de unos terrenos en Mallorca por una sociedad extranjera alemana en el que la compradora solicita judicialmente la elevación a escritura pública del contrato, el cual estaba ejecutado por la entrega de la finca y el pago del precio. El vendedor alegaba que el precio no lo había pagado la sociedad alemana sino otras personas (no había certificación bancaria de la aportación dineraria) y la nulidad del contrato conforme al artículo 6.3 del CC por infracción de la Ley de Inversiones de 1974 que disponía la nulidad de los actos realizados en su contravención. El Juzgado estima la demanda y ordena la elevación a público del contrato de compra. La Audiencia en apelación confirma la sentencia del Juzgado. El TS no da lugar al recurso de casación.

El TS declara que no cabe acoger la tesis del recurrente sobre la nulidad del contrato en función de la contravención de normas de autorización administrativa pues **los requisitos administrativos actúan al momento del otorgamiento de la escritura pública** y no al previo contrato de compraventa que vincula a las partes y cuya elevación a pública se pretende; señala los requisitos de la certificación bancaria y finaliza diciendo que los requisitos administrativos deberá justificar y acreditar la entidad actora al momento del otorgamiento de la escritura de compraventa —la letra en negrita es mía—.

Recuerdo que esas fechas las inversiones extranjeras en inmuebles debían formalizarse obligatoriamente en escritura pública, acreditando con certificación bancaria la aportación dineraria exterior. Y conforme a la Ley de 1974 las personas jurídicas extranjeras precisaban de autorización administrativa previa para la adquisición de inmuebles de cualquier naturaleza, pues cualquier adquisición se consideraba actividad empresarial (art. 23 Rgto 1974).

Sentencia TS de 20 de junio de 1998 (STS Roj 4129/1998)

El pleito trata de un contrato de venta en 1979 de un piso vivienda y plaza de garaje en Madrid a la República Socialista de Checoslovaquia. El precio se abonó en su totalidad y la Embajada compradora tomó posesión de los inmuebles, consignándose una cláusula por la que el vendedor se comprometía a devolver a la compradora la totalidad del precio en el caso de que la Embajada de Checoslovaquia no obtuviese del Gobierno Español la autorización necesaria para la compra del inmueble. Diez años después, en 1989, el vendedor promovió juicio contra Checoslovaquia alegando que la demandada no había obtenido todavía la autorización y solicitaba la nulidad absoluta del contrato por carecer de uno de los requisitos esenciales para su viabilidad cual es la autorización especial de Gobierno Español, a adoptar en Consejo de Ministros. Tanto el Juzgado como la Audiencia de Madrid desestiman la demanda. El vendedor recurre en casación alegando infracción del artículo 6.3 del Código Civil sobre actos contrarios a normas prohibitivas al no aplicarlo.

Durante la sustanciación del proceso desapareció la República Socialista de Checoslovaquia, también la República Federativa Checa y Eslovaca, pasando finalmente el inmueble a la República Eslovaca. En esta materia y tratándose de inmueble para servicio de la embajada y siendo el adquirente un Estado que no formaba parte de la UE la autorización estaba sujeta al principio de reciprocidad siendo que la República Socialista de Checoslovaquia prohibía la adquisición por extranjeros de bienes inmuebles; en febrero de 1991 el Ministerio de Asuntos Exteriores informa al Juzgado que dadas las conversaciones entre los Estados en materia de reciprocidad estimaban próximamente quedaría regularizado el asunto. Tras la oportuna tramitación, el 5 de noviembre de 1993 el Consejo de Ministros autorizó la adquisición.

El TS no da lugar al recurso. Señala que el contrato no sólo fue perfeccionado sino consumado en la misma fecha de celebración, las dos partes conocían plenamente que era necesaria la autorización del Gobierno Español para la total eficacia del mismo y por ello pactaron la devolución del precio en caso de que no se obtuviese la autorización, que finalmente fue obtenida por lo que el defecto quedó subsanado y cumplido el requisito administrativo, para cuya obtención, además, no se había establecido plazo; la solicitud de nulidad evidencia un ostensible propósito especulativo toda vez que el retraso en la obtención de la autorización (que no fue imputable a la Embajada compradora que la había solicitado inmediatamente) no le ha causado al vendedor perjuicio alguno.

Y declara que la legislación sobre el control de cambios y sobre inversión extranjera en España es singular y excepcional en función de circunstancias político-sociales y económicas de carácter específicamente coyuntural y que sus dictados proyectan sobre los negocios puramente civiles la necesidad de cumplir unos requisitos meramente contingentes cuando estos negocios jurídico cumplen los requisitos sustantivos prevenidos en el Código Civil. Añade que el tema de las inversiones extranjeras en España ha ido evolucionando, cuando se trata de adquisición de inmuebles urbanos no afectos a la defensa nacional ni a actividades empresariales, hacia criterios de gran permisividad en la concesión de las correspondientes autorizaciones administrativas.

¿Qué pensar? Expreso mi opinión sobre esta cuestión del siguiente modo:

a/ Los casos en que es necesaria la autorización administrativa previa en la actualidad son muy escasos y, además, muy graves. No dependen ya de circunstancias sociales o económicas. Están establecidos por las autoridades comunitarias como medidas excepcionales o por el Gobierno en relación con la defensa nacional, el orden público, la seguridad pública y la salud pública.

b/ El Notario no debe autorizar escritura o intervenir póliza sin que se disponga de la autorización previa cuando sea preceptiva, cualquiera que sea la opinión que mantenga sobre la eficacia de la operación carente de la misma. Se desprende del artículo 16.1.c) de la OM de 28 de mayo de 2001 reguladora del procedimiento de declaración de inversiones.

8.2.3. Sujetos de las inversiones extranjeras

Artículo 2. Sujetos de la inversión extranjera.

1. Pueden ser titulares de inversiones extranjeras en España:

a) Las personas físicas no residentes en España, entendiéndose por tales los españoles o extranjeros, domiciliados en el extranjero o que tengan allí su residencia principal.

b)   Las personas jurídicas domiciliadas en el extranjero, así como las entidades públicas de soberanía extranjera.

2, Las personas físicas de nacionalidad española y las personas jurídicas domiciliadas en España se presumirán residentes en España salvo prueba en contrario.

El criterio para calificar como extranjera determinada inversión no es la nacionalidad sino la residencia en España o fuera de ella. Si reside en España serán inversiones internas ordinarias mientras que si el inversor reside fuera serán inversiones extranjeras. En principio, no hay distinción alguna por la nacionalidad o lugar de residencia en el extranjero del sujeto inversor; salvo como veremos para los residentes en paraísos fiscales.

Pueden ser sujetos de las inversiones extranjeras:

1) Las personas físicas no residentes en España, entendiéndose por tales los españoles o extranjeros domiciliados en el extranjero o que tengan allí su residencia principal. Y ello con independencia de la ubicación en España o en el extranjero de todo o parte de su patrimonio. Acreditan su condición de no residentes en las formas anteriormente indicadas. La adquisición puede ser a título individual o conforme al régimen matrimonial en su caso; también en comunidad ordinaria en los porcentajes que libremente pacten; o en nuda propiedad y usufructo respectivamente, etc. La adquisición podrá ser además en parte inversión extranjera y en parte inversión doméstica, según los comuneros o herederos por ejemplo.

2) Las personas jurídicas domiciliadas en el extranjero. Acreditan su condición de no residentes en la forma indicada, normalmente documento fehaciente de donde resulte su naturaleza y domicilio. Según la **Resolución de 27 de febrero de 2014** de la DGRN habrá que utilizar el criterio de la equivalencia, esto es, basta el traslado que haga el notario de la escritura de constitución, poder, etc. siempre que lo tome de un documento equivalente al español, esto es, un documento extranjero que debe estar autorizado por quien tenga atribuida en su país la competencia de otorgar fe pública, y que el autorizante de fe de la identidad del otorgante así como de su capacidad, todo ello en función del derecho extranjero aplicable. La existencia y validez puede acreditarse por certificación del registro mercantil extranjero.

Normalmente serán sociedades u otras entidades con ánimo de lucro. Pero cabe también que sean inversores extranjeros las entidades sin ánimo de lucro como las asociaciones y las fundaciones. Respecto de las **Asociaciones privadas,** la Ley Orgánica 1/2002 de 22 de marzo, reguladora del Derecho de Asociación establece en su artículo 24 que las asociaciones extranjeras que desarrollen actividades en España, de forma estable o duradera, deben establecer una delegación en territorio español que se inscribirá en el registro nacional de asociaciones (véase el RD 949/2015 de 23 de octubre por el que se aprueba el Reglamento del Registro Nacional de Asociaciones en su artículo 63)

El artículo 7 de la Ley 50/2002 de 26 de diciembre de Fundaciones establece que las **Fundaciones extranjeras** que pretendan ejercer sus actividades de forma estable en España deberán mantener una delegación en territorio español, que será su domicilio, e inscribirse en el registro de Fundaciones competente en función del ámbito territorial en que desarrollen principalmente sus actividades. La inscripción podrá denegarse cuando no se acredite que ha sido válidamente constituida con arreglo a su ley nacional así como cuando los fines no sean de interés general con arreglo al ordenamiento jurídico español. La **Resolución de la DGRN de 24 de enero de 2008** entiende que el mero hecho de adquirir un inmueble sito en España implica operar de modo estable en España y exige con carácter previo a la inscripción del inmueble en el registro de la propiedad a favor de la Fundación extranjera, que ésta quede inscrita en el registro de fundaciones. Se trataba de una Fundación panameña y muy probablemente sus fines eran meramente de «interés privado» tanto por el fin conservación de activos y gestión del patrimonio como por los beneficiarios, los padres de los fundadores y al fallecimiento de éstos, a los propios fundadores.

Además, la persona jurídica inversora debe cumplir los requerimientos de la Ley de Blanqueo de Capitales y la manifestación de titularidad real. Nótese también que el impreso de declaración de inversión solicita los datos de los propietarios en último término de la persona jurídica inversora con mayor participación siempre que ésta supere el diez por ciento.

3) Las entidades públicas de soberanía extranjera, acreditan su condición de no residentes en España, mediante el documento fehaciente que acredite su naturaleza y domicilio en el extranjero. Normalmente se utilizará un sistema mixto de acreditación por notoriedad de la entidad (por ejemplo un País extranjero heredero abintestato) complementado con el poder y demás documentos que aporte su representante.

Las inversiones realizadas por estas entidades de soberanía extranjera también están liberalizadas, sean o no de Países comunitarios y asimilados, como si fueran personas jurídicas privadas, con las excepciones también generales de los inmuebles de destino diplomático o inversiones en armamento.

No son inversores extranjeros, los establecimientos o sucursales en España de no residentes ni las sociedades españolas con participación extranjera; en la legislación anterior lo eran cuando invertían en otras sociedades españolas. Ahora no lo son. Sin embargo, podrán ser requeridos con carácter general o particular a presentar una Memoria anual relativa al desarrollo de la inversión (modelo D-4). Se les contempla únicamente como objeto de la inversión no como sujetos de una nueva inversión (artículo 4.4. RD 664/99 y 31 de la OM 2001).

El cambio de domicilio de las personas jurídicas o el traslado de residencia de las personas físicas de España al extranjero o viceversa produce el efecto de cambiar la calificación de una inversión como española en el exterior o extranjera en España y determina la obligación de presentar en el Registro de Inversiones las declaraciones correspondientes, de inversión o desinversión, en su caso, dentro del plazo de seis meses desde el cambio.

Respecto de las inversiones extranjeras en España, cuando se pasa de residente a no residente, las inversiones en España pasan de ser inversiones domésticas a inversiones extranjeras declarables conforme a las reglas generales. Y cuando se pasa de ser no residente a residente las inversiones en España pierden esa condición y habrá que declarar la liquidación en la forma ordinaria.

8.2.4. Medios o Aportación

Dispone el artículo 1.3 del RD 664/1999:

Con independencia de la clase de aportación en que se materialicen las inversiones exteriores, los cobros y pagos derivados de las reguladas por el presente Real Decreto se efectuarán conforme a los procedimientos establecidos en el Real Decreto 1816/1991 de 20 de diciembre sobre transacciones económicas con el exterior y sus disposiciones de desarrollo.

El RD no se refiere a las aportaciones con las que los inversores efectúan sus inversiones. Lo hace el artículo 5 de la OM de 28 de mayo de 2001 para indicar que las inversiones exteriores podrán realizarse mediante cualquier forma de aportación sea dineraria o no dineraria y añade que cuando la aportación se realice por medio de activos que constituyan o den lugar a inversiones españolas en el exterior o extranjeras en España implicará la obligación de realizar las declaraciones de inversión o de liquidación de inversión que procedan.

Significa que están admitidas todas las clases de aportaciones, todo ello está liberalizado e, incluso, que no son necesarias para conceptuar una adquisición como inversión extranjera. O dicho de otra manera, también son inversiones las adquisiciones a título gratuito, inter vivos o mortis causa, casos en que no hay aportación. Así lo recoge el artículo 7 de la OM de 28 de mayo de 2001 al señalar que la adquisición por no residentes de inversiones extranjeras en los supuestos de transmisiones lucrativas inter vivos o mortis causa quedarán sometidas a las Condiciones y requisitos establecidos por el Real Decreto 664/1999 y por la presente Orden.

Si la aportación para una inversión supone una desinversión de otra o similar, señala el precepto que hay que realizar las declaraciones de inversión o desinversión que proceda. Por ejemplo, un no residente propietario de un inmueble que lo aporta en la constitución de una sociedad limitada española. Si la adquisición del inmueble fue declarada en su día por su cuantía o procedencia, ahora habrá que declarar la liquidación; si no fue declarada porque en su momento no era necesario lógicamente nada hay ahora que declarar aunque el inmueble ya supere la cuantía de los 3.005.060,52 euros. El aportante tendrá que declarar su participación en la constitución de la sociedad limitada.

Las más usuales son las aportaciones dinerarias. Con dinero propio o con dinero recibido por un crédito o préstamo personal o hipotecario de banco o entidad financiera o de un tercero residente o no residente, entidades de refinanciación, subrogación hipotecaria, etc. O con aportaciones no dinerarias, por ejemplo aportación de equipo capital, maquinaria, utillaje, asistencia técnica, patentes, licencias de fabricación, etc. Y naturalmente cabe operaciones de inversión con aportaciones mixtas, dinerarias y no dinerarias.

Lo que claramente dispone este precepto y quiero ahora subrayar es que los cobros y pagos de las inversiones extranjeras se realizan por los mismos procedimientos generales. Lo que significa eso, los mismos requisitos, el mismo modo, la misma obligación de declaración o no declaración. **La normativa de inversiones extranjeras desde 1999 no exige la acreditación de los medios de pago dinerarios,** sea pague como se pague. No lo exige ni el RD 664/1999 ni la O de 28 de mayo de 1981 cuyo artículo 16 especifica pormenorizadamente qué documentación hay que acompañar a la declaración de inversión y como es de ver no aparece la justificación dineraria de los medios de pago.

A veces se ha escrito que tal justificación la exige el RD 1816/1991. Ya hemos visto que no es así. Ni cuando se paga la inversión con cargo a una cuenta de no residente en España, ni cuando se paga con una transferencia a cuenta de residente, ni cuando se paga en efectivo. Habrá que hacer las declaraciones que en su caso correspondan (formulario ETE para residentes y B3 para residentes con entrega de copia al no residente o S-1). Únicamente el artículo 4.2 del RD 1816/1991 —durante la vigencia de la legislación de inversiones que disponía la obligación de justificación de los medios de pago— después de indicar que la entrada de moneda o billetes en España era libre, decía que si el no residente viajero desease efectuar alguna operación que, de acuerdo con las normas sobre transacciones con el exterior o sobre inversiones extranjeras en España, requieran la acreditación del origen de los citados medios de pago, tendrán obligación de declararlos. Y fue mediante el B1. Hoy todo ello ha quedado derogado respecto de las inversiones extranjeras por las disposiciones posteriores.

Ello no obstante, la ley aplicable a la operación puede exigir la justificación de la aportación dineraria como en la constitución o ampliación de capital de las sociedades mercantiles capitalistas. No hay variación respecto de las inversiones internas; en ambos casos hay que justificar la aportación dineraria. En definitiva, la regulación de 1974 y 1986 establecieron la obligatoriedad de la justificación del medio de pago dinerario porque sólo tenía derecho de transferencia al exterior de los beneficios o productos de la liquidación de la inversión quien hubiera invertido con aportación exterior, especialmente aportación dineraria exterior; también se exigió para los casos en que el inversor podía utilizar pesetas interiores pues su utilización sólo estaba admitida en casos concretos previa autorización. La utilización de los saldos de las cuentas extranjeras de pesetas ordinarias nunca requirió la justificación de la aportación dineraria. La regulación de 1992, ya dentro de un régimen de convertibilidad, mantuvo la exigencia de la acreditación de la aportación dineraria —no ya exterior o interior que era indiferente— por otra razón: control de que las formas de pago fueran las reguladas y declaradas B1, B3, o procedencia de cuentas de no residentes en España o en el extranjero de entidades registradas. Todo ello ha desaparecido definitivamente tras el RD 664/1999 que deroga la reglamentación anterior de 1992.

8.2.5. Inversiones objeto de Declaración. Formulario. Declaración previa. Declaración posterior

El RD 664/1999 tras establecer la liberalización de las inversiones extranjeras realiza una clasificación y descripción de las mismas **a los únicos efectos de regular seguidamente la obligación de declaración**. El artículo 3 de dicho R.D. dispone «Objeto de las inversiones extranjeras»

Las inversiones extranjeras en España, a los efectos establecidos en el artículo siguiente, podrán llevarse a efecto a través de cualquiera de las siguientes operaciones:

a) *Participación en sociedades españolas.*

Se entienden comprendidas bajo esta modalidad tanto la constitución de la sociedad, como la suscripción y adquisición total o parcial de sus acciones o asunción de participaciones sociales. Asimismo, quedan también incluidos en el presente apartado la adquisición de valores tales como derechos de suscripción de acciones, obligaciones convertibles en acciones u otros valores análogos que por su naturaleza den derecho a la participación en el capital, así como cualquier negocio jurídico en virtud del cual se adquieran derechos políticos.

b) *La constitución y ampliación de la dotación de sucursales.*

c) *La suscripción y adquisición de valores negociables representativos de empréstitos emitidos por residentes.*

d) *La participación en fondos de inversión, inscritos en los Registros de la Comisión Nacional del Mercado de Valores.*

e) *La adquisición de bienes inmuebles sitos en España, cuyo importe total supere los 500.000.000 de pesetas, o su contravalor en euros o cuando, con independencia de su importe, proceda de paraísos fiscales, entendiéndose por tales, los países y territorios relacionados en el artículo único del Real Decreto 1080/1991, de 5 de julio.*

f) *La constitución, formalización o participación en contratos de cuentas en participación, fundaciones, agrupaciones de interés económico, cooperativas y comunidades* *de bienes, cuando el valor total correspondiente a la participación de los inversores extranjeros sea superior a 500.000.000 de pesetas, o su contravalor en euros o cuando, con independencia de su importe, proceda de paraísos fiscales, entendiéndose por tales los países y territorios relacionados en el artículo único del Real Decreto 1080/1991, de 5 de julio*

Y añade el artículo 4 del RD 664/1999: *Artículo 4. Declaración.*

1. Las inversiones extranjeras en España, y su liquidación, serán declaradas al Registro de Inversiones del Ministerio de Economía y Hacienda, con una finalidad administrativa, estadística o económica.

2. La obligación de declaración a que se refiere el apartado anterior se ajustará a las siguientes reglas;

a) Si la declaración tiene por objeto una inversión que proceda de paraísos fiscales, entendiéndose por tales los territorios o países previstos en el Real Decreto 1080/1991, de 5 de julio, el titular de la misma deberá efectuarla con carácter previo a la realización de la inversión. Esta declaración se entenderá sin perjuicio de la que hay que efectuar con posterioridad a la realización de la inversión, conforme a la letra siguiente No obstante, se exceptuará de la declaración previa los casos siguientes: 1. Las inversiones en valores negociables ya sean emitidos u ofertados públicamente ya sean negociados en un mercado secundario oficial o no, así como las participaciones en fondos de inversión inscritos en los Registros de la Comisión Nacional del Mercado de Valores. 2. Cuando la participación extranjera no supere el 50 por 100 del capital de la sociedad española destinataria de la inversión.

b) La declaración posterior a la realización de la inversión se ajustará a las reglas siguientes:

1.º) Con carácter general, la inversión será declarada por el titular no residente. Adicionalmente, cuando la operación haya sido intervenida por fedatario público español, ya sea como consecuencia de su régimen jurídico o por acuerdo convencional de las partes, aquél remitirá al Registro de Inversiones información sobre dichas operaciones en el plazo y con el contenido que se establezca en las normas de desarrollo del presente Real Decreto

2.º) Con carácter especial, regirán las reglas siguientes: 1.ª Si se tratase de inversiones efectuadas en valores negociables, ya sean emitidos u ofertados públicamente, ya sean negociados en un mercado secundario oficial o no, estarán obligadas a declarar las empresas de servicios de inversión, entidades de crédito u otras entidades financieras que, de acuerdo con la Ley 24/1988, de 28 de julio, del Mercado de Valores, tengan como actividades propias el depósito o la administración de valores representados mediante anotaciones en cuenta objeto de la inversión, o cuya intervención sea preceptiva para la suscripción o transmisión de valores, de acuerdo con las normas que les sean de aplicación 2.ª Cuando se trate de inversiones efectuadas en valores no negociados en mercados secundarios, pero las partes ha yan depositado o registrado tales valores voluntariamente, el sujeto obligado a realizar tal declaración será la entidad depositaria o administradora de los mismos, salvo que hubiera intervenido una sociedad, agencia de valores o una entidad de crédito en la operación, en cuyo caso le corresponderá efectuar la declaración a una de estas. Tratándose de acciones nominativas, el sujeto obligado a declarar será la sociedad española objeto de inversión, una vez que tenga conocimiento de la transmisión a través de la inscripción correspondiente en el libro-registro, de conformidad con lo previsto en el artículo 56 del texto refundido de la Ley de Sociedades Anónimas, aprobado por el Real Decreto legislativo 1564/1989, de 22 de diciembre 3.ª Las operaciones de inversión en fondos de inversión españoles deberán ser declaradas por la sociedad gestora del mismo.

3. La forma y plazo para efectuar las declaraciones se determinarán en las normas de desarrollo del presente Real Decreto. Igualmente, los inversores extranjeros remitirán a la Dirección General de Política Comercial e Inversiones Exteriores, las comunicaciones a que se refiere el Real Decreto 377/1991, de 15 de marzo, sobre comunicaciones de participaciones significativas en sociedades cotizadas y de adquisiciones por éstas de acciones propias. No obstante, podrá establecerse la remisión de dichas declaraciones a través de la Comisión Nacional del Mercado de Valores en la forma y plazos que se determine en las disposiciones de aplicación del presente Real Decreto

Las inversiones extranjeras en España y su liquidación deben declararse al registro de Inversiones del Ministerio de Economía y Competitividad, con una mera finalidad administrativa, estadística o económica.

Se declaran las inversiones «declarables» determinadas en el artículo 3; las demás inversiones son inversiones liberalizadas incluidas en el artículo 1 del RD que no se declaran.

La declaración ordinaria es la que se realiza con posterioridad a la inversión. Hay un caso en que es preciso realizar una declaración del proyecto de inversión: cuando procede de paraíso fiscal.

Las inversiones más usuales, se declaran en los siguientes modelos:

DP-1 declaración previa de inversión procedente de paraíso fiscal en sociedades, sucursales y otras formas de inversión

D-1A declaración de inversión extranjera en sociedades, sucursales y otras formas de inversión

D-1B declaración de liquidación de inversión extranjera en sociedades, sucursales y otras formas de inversión.

DP-2 declaración previa de inversión procedente de paraíso fiscal en inmuebles.

D-2A declaración de inversión extranjera en inmuebles.

D-2B declaración de liquidación de inversión extranjera en inmuebles.

Los modelos de la declaración previa tienen dos ejemplares, uno para el registro de inversiones y otro para el titular del proyecto de inversión. Los modelos de la declaración posterior tienen tres ejemplares, el ejemplar 1 para el registro de inversiones, el ejemplar 2 para el obligado a declarar o el Notario y el ejemplar 3 para el titular de la inversión.

Para efectuar las declaraciones al registro de inversiones extranjeras solamente pueden emplearse los formularios preimpresos disponibles en el Ministerio de Economía y Competitividad y en las Direcciones Territoriales o Provinciales o los programas informáticos de ayuda que la Subdirección General de Comercio Internacional pone a disposición de los usuarios a través de la sede electrónica: https://sede.comercio.gob.es.

Se trata del **programa AFORIX** que se descarga en el ordenador y permite cumplimentar las declaraciones de inversiones más frecuentes.

La Resolución de 27 de julio de 2016 obliga a que las declaraciones se presenten por vía telemática utilizando el programa Aforix. Y excepcionalmente en el caso de que el titular de la inversión sea una persona física se podrá utilizar además de los modelos obtenidos mediante el programa Aforix, los preimpresos disponibles en el ministerio o en las delegaciones territoriales o provinciales.

El sistema Aforix permite obtener los modelos, cumplimentarlos y hacer la presentación telemática al registro de inversiones. El problema práctico reside en que es preciso que la declaración sea firmada electrónicamente por el inversor o su representante empleando un certificado electrónico emitido por una entidad certificadora reconocida por la Administración española. Firmado electrónicamente por el inversor, el cliente o gestor debe remitirlo al Notario, si éste ha intervenido en la operación, para que a su vez lo firme electrónicamente. Hecho esto, se remite telemáticamente al registro de inversiones.

Tratándose de inversor persona física —si es un inversor ocasional no traerá un certificado electrónico reconocido por la administración española— cabe utilizar los modelos preimpresos, pero es más sencillo utilizar los propios modelos obtenidos de Aforix. El programa permite su edición y la obtención de los tres ejemplares. Bajados a papel se firman por el inversor y por el notario y se remiten al registro de inversiones en papel a través de cualquier registro general de la administración (correos, delegaciones territoriales, etc).

Declaración previa

Los proyectos de inversión que procedan de paraíso fiscal deben ser declarados al registro de inversiones; se declaran con carácter previo a la inversión, sin perjuicio de que una vez realizada la inversión se comuniquen en la forma ordinaria. Efectuada la

declaración previa del proyecto de inversión, ésta tiene una validez de seis meses contados desde la declaración; si no se materializa la inversión en ese plazo y se desea efectuarla definitivamente habrá de presentarse una nueva declaración previa.

No obstante, según el artículo 13 de la OM 28 de mayo 2001 no es precisa esta declaración previa aun cuando la inversión proceda de paraíso fiscal en los siguientes casos:

a) Que se trate de inversiones procedentes de adquisiciones mortis causa o gratuitas inter vivos.

b) Que se trate de inversiones en valores negociables emitidos u ofertados pública-mente o negociados en un mercado secundario, oficial o no.

c) Que se trate de inversiones en fondos de inversión.

d) Que la participación extranjera en la sociedad española «no supere el 50% del capital de sociedad destinataria de la inversión», ni con anterioridad a la inversión ni como consecuencia de la misma aclara el artículo 13 de la OM de 28 de mayo de 2001. Esta excepción será difícil de apreciar en sociedades con las acciones al portador o con muchos socios. Será el inversor que proyecte la inversión quien deberá cerciorarse soli-citando la oportuna información a la administración social quien sobre la base del libro registro de acciones nominativas o el libro de socios en las sociedades limitadas podrá aportar los datos. Cuando se formalice la operación sin haber efectuado la declaración previa sobre la base de esta excepción es conveniente consignar en la escritura una decla-ración de los otorgantes en el sentido de que entienden aplicable la excepción.

e) Que se trate de liquidación de inversiones extranjeras.

El obligado a realizar la declaración es únicamente el titular de la inversión proyec-tada. Se comunica en los modelos DP1 (sociedades, sucursales y otras formas) y DP2 (inmuebles), sin que sea preciso aportar ningún documento de acreditación de nada. Han de presentarse al registro de inversiones, con anterioridad a la realización de la inversión, pero sin plazo mínimo; basta que sea anterior, incluso un minuto. La decla-ración es obligatoria.

Cuál sea el propósito de esa declaración no es fácil de comprender. No hay plazo pre-vio para efectuar la declaración de inversión por lo que puede ocurrir que se formalice la declaración posterior antes de que las autoridades reciban físicamente el documento de la declaración previa en el registro de inversiones; los datos a aportar son escasos con lo que poco podrán apreciar y aunque la examinen con detenimiento, las autoridades españolas no pueden suspender la inversión por el mero hecho de esta procedencia de paraíso fiscal. Pueden hacerlo pero por el procedimiento del artículo 10, antes visto: decisión motivada del consejo de Ministros. Álvarez Pastor y Eguidazu subrayan «la falta de rigor y precisión con que aparece diseñada» esta declaración previa.

La omisión de la declaración previa será constitutiva de infracción administrativa, es infracción leve castigada con multa y amonestación privada. Pero no impide que el documento que la formalice despliegue sus plenos efectos, entre ellos, su inscripción en el Registro Mercantil o de la Propiedad.

Declaración posterior en el plazo de un mes

La declaración de operaciones de inversión y liquidación deben dirigirse al Registro de Inversiones del Ministerio de Economía y Competitividad **en el plazo máximo de un mes contado de la fecha de realización de la inversión**, tomándose como tal la fecha de formalización ante Notario si la operación ha sido intervenida por él, la fecha en que hubiera intervenido la operación la sociedad o agencia de valores o entidad de crédito, la fecha de inscripción de los accionistas en la adquisición de acciones nominativas y en general la fecha que figure en el documento acreditativo del negocio jurídico realizado.

El incumplimiento de la obligación de declarar constituye una infracción (Disposición Adicional 2ª), calificada de leve sancionable con multa y amonestación privada (artículo 8 y 9 de la Ley 19/2003). Su omisión no impide que el documento que la formalice despliegue sus plenos efectos, entre ellos, su inscripción en el Registro Mercantil o de la Propiedad. La **Resolución de la DGRN de 25 de agosto de 1998** resuelve que no incumbe al registrador el control del cumplimiento de la obligación de declarar la inversión al registro de inversiones extranjeras.

Los procedimientos de declaración respecto de los valores negociables, acciones de sociedades cotizadas y fondos de inversión se realiza por las entidades depositarias o administradoras, liquidadoras de las operaciones del mercado en la forma que determina la Orden de 28 de mayo de 2001.

Nos vamos a referir seguidamente a las declaraciones en sociedades, sucursales, otras formas de inversión e inmuebles.

El procedimiento se recoge en el artículo 17. 3 y 4 de la OM de 28 de mayo de 2001 para las inversiones en sociedades no cotizadas, sucursales y otras formas de inversión. Y dispone:

3. Si de acuerdo con lo establecido en el artículo 4.2.b) 1.o del Real Decreto 664/1999, la obligación de declarar corresponde al titular no residente, éste cumplimentará el modelo impreso D-1A y lo suscribirá, adjuntando los documentos a que se refiere el artículo 16 de la presente Orden que sean necesarios en cada caso. En el momento de presentación de la declaración, el titular obtendrá los ejemplares 2 y 3 debidamente sellados que servirán de prueba de que la inversión ha sido declarada.

4. Si la operación de inversión es intervenida o autorizada por fedatario público español, bien sea porque así lo exige la regulación del régimen jurídico de la operación de que se trate, o bien porque, aun no requiriéndose esta intervención, así lo acuerden las partes, se procederá en la forma siguiente. El obligado a declarar la operación de inversión será el titular no residente, pero éste podrá presentar por sí mismo la declaración debidamente cumplimentada y suscrita o bien podrá, a su elección, cumplimentar y suscribir el modelo impreso de la declaración al objeto de interesar del fedatario que presente la declaración. En este último caso, tras haber intervenido o autorizado el documento, el fedatario deberá exigir la presentación de los documentos acreditativos de las circunstancias a que se refiere el artículo anterior, a los efectos de la exactitud de la declaración.

En este caso, el fedatario incorporará el ejemplar 2 del modelo impreso de declaración D-1A a su protocolo o Libro-Registro. En el momento de presentación de la declaración, el fedatario obtendrá el ejemplar 3 debidamente sellado, y lo remitirá al inversor en el plazo máximo de cinco días.

Los fedatarios públicos españoles que intervengan o autoricen las operaciones de inversión a que se refiere el presente artículo remitirán a la Dirección General de Comercio e Inversiones, mediante escrito, en los meses de enero y julio de cada año, una relación de aquellas operaciones intervenidas durante el semestre precedente respecto a las cuales no se haya interesado del fedatario la presentación de la declaración referida. Los datos a consignar en esta relación serán el número de protocolo o Libro-Registro, fecha de realización de la inversión, número de identificación fiscal (NIF) y razón social de la entidad objeto de inversión o liquidación, así como los titulares de la operación realizada y su importe.

Y el artículo 19.1 de la misma Orden respecto de las declaraciones en inmuebles dispone: *En estas operaciones de inversión el obligado a declarar es el titular no residente si bien, si la operación fuera formalizada por fedatario público español, aquél podrá optar, a su elección, por presentar directamente la declaración o bien interesar del fedatario público la presentación, actuando de acuerdo con las reglas contenidas en los apartados 3 y 4 respectivamente del artículo 17 de la presente Orden.*

Al formulario de declaración el titular debe acompañar determinados documentos o entregarlos al Notario para que éste los acompañe. Y son, según el artículo 16 de la Orden:

a) La acreditación de la no residencia.

b) La documentación que acredite el cumplimiento de la legislación sectorial; basta que así lo consigne en el casillero correspondiente y conserve tal documentación a requerimiento de la Dirección General de Comercio e Inversiones.

c) En caso de suspensión del régimen de liberalización, la autorización correspondiente.

d) Cuando se trate de casos en que hubiera sido necesaria la declaración previa, aportar el número de la declaración previa haciéndolo constar en el modelo de declaración.

e) Tratándose de «otras inversiones» como cuentas en participación, fundaciones, comunidades de bienes, cooperativas, agrupaciones de interés económico, memoria sucinta de las características de la inversión.

En resumen el procedimiento es el siguiente:

Si tramita el inversor titular de la inversión directamente porque la operación se ha realizado sin intervención notarial, el titular es el que debe comunicarla directamente al registro de inversiones acompañando los documentos que pide el artículo 16.

Si tramita el inversor titular de la inversión directamente porque aunque la operación se haya realizado con intervención notarial, el titular no interesa del Notario que presente la declaración, en esos casos es el titular el que debe comunicarla directamente al registro de inversiones, bien acompañando los documentos que pide el artículo 16 o una copia simple de la escritura en donde ya constaran dichos documentos testimoniados o incorporados en original.

El Notario al formalizar la operación habrá pedido con carácter previo toda la documentación necesaria para documentar la operación correctamente y la habrá protocolizado o testimoniado. Es un claro error de la Orden decir que «tras haber intervenido o autorizado el documento el fedatario deberá exigir la presentación de los documentos acreditativos de las circunstancias a que se refiere el artículo anterior (el 16) a los efectos de la exactitud de la declaración». No conozco a ningún notario que las pida después de firmar porque lo importante no es la exactitud de la declaración sino la corrección de la operación.

Si el titular no interesa del Notario remita la declaración, el Notario no hará por ahora nada más. Sino que mediante escrito en los meses de enero y julio de cada año remitirá a la Dirección General de Comercio e Inversiones una relación de aquellas operaciones intervenidas durante el semestre precedente respecto de las cuales no se haya interesado del fedatario la presentación de la declaración referida. Los datos a remitir son el número de protocolo o libro registro, fecha, NIF y razón social de la entidad objeto de la inversión así como los titulares de la operación y su importe.

Si el inversor interesa del Notario interviniente en la operación de inversión, el inversor debe cumplimentar y suscribir el modelo impreso de declaración. El Notario para autorizar la escritura o póliza habrá solicitado la documentación oportuna que constará en el propio documento directamente o como anexo. Por ello acompañará una copia simple de la escritura en donde ya constarán las circunstancias del artículo 16. Incorpora el ejemplar 2 del modelo. Presenta los ejemplares 1 y 3 y éste debidamente sellado lo remite al cliente en el plazo máximo de cinco días desde la presentación de la declaración, lo que se hace de ordinario cosiéndola a la copia autorizada del documento para que el cliente disponga de ella con la escritura ya totalmente tramitada de impuestos y registro o al recogerla si él mismo se encarga de tales trámites. Corresponde al inversor decidir si la declaración le presenta él directamente o lo hace a su petición el Notario para quien será obligatorio.

8.2.6. Procedencia de un paraíso fiscal

Para comprender el concepto de «procedencia de paraíso fiscal» es muy esclarecedor el artículo 7.2. del derogado RD 671/1992 que estableció el régimen de verificación previa administrativa para las inversiones directas cuando con independencia de la cuantía la inversión fuese efectuada por «personas residentes o domiciliadas en los países o territorios calificados como paraísos fiscales de acuerdo con el Real Decreto 1080/1991 de 5 de julio». Esto es, una inversión procede de paraíso fiscal cuando el inversor, persona física o jurídica reside o está domiciliada en un país o territorio considerado como paraíso fiscal.

La inversión se califica de extranjera por la residencia en el extranjero del inversor. Una inversión extranjera en España procede de paraíso fiscal cuando la realiza un no residente que se encuentre domiciliado en un País o territorio declarado Paraíso Fiscal. La calificación de una operación como inversión extranjera **depende de la residencia del titular y no de la procedencia del dinero** o aportación.

Así lo ha entendido la **Resolución de 14 de octubre de 1998** de la DGRN (BOE 264 de 4 de noviembre). Se trataba de una compraventa entre no residentes formalizada en España en la que el registrador suspende la inscripción por no acreditarse mediante copia del pasaporte en el que conste el lugar de expedición del mismo, la no procedencia de la inversión de un paraíso fiscal. Solicita el pasaporte para comprobar el domicilio o residencia del titular. La DG entiende que el registrador no puede exigir copia del pasaporte del adquirente; indica que en materia de residencia la única exigencia impuesta por la legislación de inversiones extranjeras es la demostración de la no residencia en España y no de la residencia en un Estado extranjero concreto, pero recuerda que conforme al artículo 51 del Reglamento Hipotecario y a la legislación notarial **es requisito determinar el domicilio o residencia habitual del compareciente, lo que no se cumple consignando un «domicilio accidental».** Y añade que de tal circunstancia —la manifestación del domicilio o residencia habitual— puede derivarse la procedencia de la inversión de los llamados paraísos fiscales y consiguiente aplicación del régimen legal correspondiente, pero es una cuestión no planteada en el recurso.

Nótese que era aplicable el RD de 1992 que en estos casos exigía verificación previa, lo cual debía controlarse por notarios y registradores; en la actualidad se trata de una mera declaración previa y a posteriori que no es susceptible de calificación registral.

Lo que ocurre en la práctica es que lo que está regulado es la acreditación de la no residencia en España, y no la residencia en otro país o territorio. Habrá que estar a lo que resulte de los documentos oficiales de identificación de la persona, pasaporte, carta de identidad, poder, lugar de constitución de la sociedad, del domicilio o de la legislación aplicable a la sociedad.

Así procederá de paraíso fiscal cuando el sujeto inversor resida en país o territorio paraíso fiscal o cuando la sociedad se haya constituido conforme a la legislación de paraíso fiscal, se haya constituido en el paraíso fiscal o tenga su domicilio en paraíso fiscal.

Respecto de las personas físicas cabe solicitar conforme al artículo 2.3 c), redactado por RD 1360/2011: certificado de residencia fiscal del país en donde manifiesta que reside o bien declaración del interesado en la misma escritura en la que manifieste que es residente en el país o territorio que sea con su especificación, que no actúa a través de establecimiento permanente en España y que asume el compromiso de comunicar a las autoridades españolas cualquier alteración de estas circunstancias.

Por ello, si del pasaporte resulta nacional de un país paraíso fiscal y manifiesta que reside en el mismo o en otro paraíso fiscal: se le considera como tal residente en paraíso fiscal y se realiza la declaración previa de inversión. Pero si manifiesta residir en país no paraíso fiscal: cabe el certificado de residencia fiscal expedido por las autoridades fiscales del país de residencia o la mera manifestación. Se le considera no residente en paraíso fiscal y no se formula la declaración previa. Aconsejable: Aportar el certificado de residencia fiscal del país donde manifieste residir.

Si del pasaporte resulta nacional de un país no paraíso fiscal pero manifiesta que reside en paraíso fiscal: se consigna la manifestación, se le considera como residente en paraíso fiscal y se realiza la declaración previa de inversión.

El **Listado de los países y territorios calificados como Paraíso Fiscal** se encuentra en el RD 1080/1991. Según el criterio de la Dirección General de Tributos de diciembre de 2014 han salido de la lista original de paraísos fiscales quince países o territorios, por el hecho de tener suscrito con España un acuerdo de intercambio de información en materia tributaria o un convenio para evitar la doble imposición con cláusula de intercambio de información. Desde febrero de 2003 han salido de la lista original los siguientes países o territorios en las fechas de entrada en vigor de los convenios con España: Andorra, las Antillas Holandesas que han desaparecido por pasar a formar parte directamente o indirectamente de los Países Bajos y ahora son San Martín, Curaçao, Saba, San Eustaquio y Bonaire), Aruba, Chipre, Emiratos Arabes Unidos, Hong Kong, Las Bahamas, Barbados, Jamaica, Malta, Trinidad Tobago, Luxemburgo, Panamá, San Marino y Singapur. Estos Convenios y sus fechas pueden consultarse en la página web de la AEAT.

El **Sultanato de Omán** ha dejado de tener la consideración de Paraíso fiscal a partir de la fecha de entrada en vigor del Convenio entre España y Omán de fecha 30 de abril de 2014, lo que ha tenido lugar el 19 de septiembre de 2015. Así lo ha informado la Subdirección General de Ordenación Legal y Asistencia Jurídica de Dirección General de Tributos en comunicación de 3 de noviembre de 2015, accesible a través de la página web de la AEAT.

Los países y territorios a los que actualmente cabe atribuir el carácter de Paraíso fiscal son los que cito seguidamente conforme al artículo 1 del RD 1080/1991:

1. Emirato del Estado de Bahréin.

2. Sultanato de Brunei.

3. Gibraltar.

4. Anguilla.

5. Antigua y Barbuda.

6. Bermuda.

7. Islas Caimanes.

8. Islas Cook.

9. República de Dominica.

10. Granada.

11. Fiji.

12. Islas de Guernesey y de Jersey (Islas del Canal).

13. Islas Malvinas.

14. Isla de Man.

15. Islas Marianas.

16. Mauricio.

17. Monserrat.

18. República de Naurú.

19. Islas Salomón.

20. San Vicente y las Granadinas.

21. Santa Lucia.

22. Islas Turks y Caicos.

23. República de Vanuatu.

24. Islas Vírgenes Británicas.

25. Islas Vírgenes de Estados Unidos de América.

26. Reino Hachemita de Jordania.

27. República Libanesa.

28. República de Liberia.

29. Principado de Liechtenstein.

30. Macao.

31. Principado de Mónaco.

32. República de Seychelles.

A nivel internacional no existe una definición clara de que se entiende por paraíso fiscal; en principio son países o territorios que carecen de impuestos directos o son muy bajos, falta de transparencia e información fiscal a los demás países de residencia de los inversores, o las inversiones carecen de actividad efectiva en el territorio paraíso fiscal.

La OCDE ha elaborado listas de paraísos fiscales; en 2009 publicó un informe de progreso que se componía de una primera lista llamada lista blanca de países o territorios que aplican efectivamente acuerdos de intercambio de información, lista gris de países que han adoptado el compromiso de información y lista negra de países que no habían hecho compromiso alguno.

La Unión Europea ha redactado en junio de 2015 una lista de jurisdicciones de terceros países no cooperativas en materia fiscal, compuesta por treinta países o territorios. Esta lista recoge los países o territorios considerados como paraísos fiscales en al menos 10 de los estados miembros.

Otras instituciones u organismos como el GAFI han publicado sus listas, incluso hay una lista comparativa de las distintas listas.

Hasta que las autoridades españolas dispongan otra cosa, a efectos fiscales, de inversiones extranjeras y blanqueo de capitales habrá que estar a la lista del RD 1080/1991, excluyendo de ella los países antes indicados que han salido y sin perjuicio de que en materia de blanqueo esos países o territorios, aunque ya fuera de la condición de paraíso fiscal, puedan seguir siendo considerados como jurisdicciones de riesgo.

8.2.7. *Inversiones en sociedades españolas*

Cuando un inversor extranjero pretende hacer negocios en España no es indispensable que directamente realice ya una inversión; se puede tener presencia en España sin ni siquiera estar físicamente, a través de acuerdos de distribución, contrato de agencia o de comisión, establecimiento de franquicias. También cabe asociarse con otros empresarios ya establecidos (joint ventures), crear una oficina de representación, etc.

Probablemente, si las cosas van bien, se producirá la adquisición, total o parcial, de una sociedad española ya existente, la creación de una empresa nueva, una filial o una sucursal.

El artículo 3 del RD 664/1999 dispone que las inversiones extranjeras en España, a efectos de la declaración de inversiones, puede llevarse a efecto a través de cualesquiera de las siguientes operaciones:

a. Participación en sociedades españolas.

Se entienden comprendidas bajo esta modalidad tanto la constitución de la sociedad, como la suscripción y adquisición total o parcial de sus acciones o asunción de participaciones sociales. Asimismo, quedan también incluidos en el presente apartado la adquisición de valores tales como derechos de suscripción de acciones, obligaciones convertibles en acciones u otros valores análogos que por su naturaleza den derecho a la participación en el capital, así como cualquier negocio jurídico en virtud del cual se adquieran derechos políticos.

Las sociedades españolas en cuyo capital pueden participar los inversores extranjeros son todas las admitidas en derecho, tanto capitalistas como personalistas, civiles o mercantiles. Anónimas, Limitadas, comanditaria simple o por acciones, colectiva, Nueva empresa, sociedad Agraria de Transformación. Las sociedades españolas anónimas pueden o no cotizar en bolsa o mercados de valores españoles o extranjeros.

Si se trata de anónimas, las acciones pueden ser nominativas, al portador, privilegiadas, sin derecho de voto, rescatables, etc.

La participación en una sociedad española por el inversor puede adoptar cualquier forma admitida en derecho por la cual el inversor adquiera acciones o participaciones sociales. Comprende los casos de constitución o creación de la sociedad española; el inversor puede constituir o fundar directamente una sociedad española, con otros socios o de forma unipersonal; la sociedad puede ser totalmente extranjera pues no hay límite o restricción al porcentaje de participación, esto es, los inversores extranjeros pueden tener el total control de forma directa o indirecta de la sociedad española.

Comprende los casos en que el inversor adquiere acciones o participaciones sociales por cualquier título, usualmente compraventa o adquisición onerosa en mercado organizado o fuera de él.

Comprende los casos de aumento de capital, canje de acciones u otras operaciones por la que se adquieren acciones o participaciones sociales.

Comprende la adquisición de derechos de suscripción de acciones, de adquisición de obligaciones convertibles en acciones o de adquisición de valores análogos que por su naturaleza den derecho a la participación en el capital. Respecto a estos últimos valores análogos, Álvarez Pastor y Eguidazu señalan que no es fácil encontrar en el ámbito del derecho de sociedades supuestos que den lugar a lo que la norma quiere indicar; tal vez —añaden— el legislador esté pensando en otros supuestos del derecho de obligaciones, como pueden ser determinadas garantías incorporadas a títulos o documentos públicos que pudieran generar indirectamente el derecho a la suscripción o adquisición de acciones en una determinada sociedad.

Comprende la adquisición de derechos políticos (por ejemplo usufructo o prenda en sociedad cuyos estatutos confieran el derecho de voto al usufructuario o acreedor pignoraticio) o directamente préstamo o cesión de acciones (en realidad venta con pacto de readquisición), así como los pactos obligacionales por los que se cedan derechos de voto. Estos pactos de cesión de voto son de dudosa validez legal pues pueden violentar dos principios del derecho de sociedades, el de proporcionalidad entre capital y derecho de voto —votar sin arriesgar capital— y el de indivisibilidad de la acción como expresión de la cualidad de socio.

La aportación dineraria es la más frecuente. Debe hacerse en moneda nacional (euro), pero cabe la aportación de moneda extranjera que sea convertible, admitida a cotización oficial; también cabría otra moneda directamente no convertible pero que lo sea a través de otra intermedia (normalmente el dólar usa).

Caben también las aportaciones no dinerarias; no cabe la aportación de trabajo o servicios. Las aportaciones no dinerarias han de ser de bienes o derechos de naturaleza patrimonial, susceptibles de valoración económica con criterios objetivos, es decir, criterios contables generalmente admitidos, enajenables, susceptibles de apropiación y de ser convertidos en dinero. Se incluyen la aportación de bienes muebles —vehículos, maquinaria, etc—, inmuebles, créditos, empresa o establecimiento mercantil, derechos de propiedad industrial —patentes, marcas, licencias, etc—, aportación de Know how, que se refiere a cualquier tipo de conocimiento o experiencia técnica, esto es, conocimientos secretos u ocultos llamados secretos industriales, rama de actividad, arrendamiento de local, aportación de acciones o participaciones de otras empresas.

El medio de pago dinerario en materia de constitución o ampliación de capital en sociedades españolas ha de acreditarse conforme a la normativa común interna: certificado de depósito bancario o entrega al Notario para que éste lo constituya.

El socio inversor tiene derecho a liquidar su inversión de forma total o parcial en cualquier momento. Las operaciones desinversión comprenden la transmisión de acciones y participaciones sociales, la reducción de capital, la separación de socio no residente o la disolución y liquidación de la sociedad.

Todas las inversiones en sociedades se declaran a posteriori en el registro de inversiones extranjeras. La Orden Ministerial de 28 de mayo de 2001 distingue entre las sociedades anónimas cotizadas y las demás sociedades. Las declaraciones de inversión en sociedades anónimas cotizadas o que esté prevista su cotización con folleto de emisión verificado y registrado en la Comisión Nacional del Mercado de Valores se realizan por las entidades depositarias o administradoras de los valores o, en su caso, por la entidad gestora del mercando secundario. Forman parte de las llamadas inversiones de cartera.

Las declaraciones de inversión respecto de las demás sociedades se realiza por el titular de la inversión o la sociedad española objeto de la inversión cuyo capital esté representado por acciones nominativas, una vez tenga conocimiento de la transmisión a través de la inscripción correspondiente en el Libro registro. La declaración se realiza mediante el modelo D-1A, que es el modelo general. Y se realiza en la forma ordinaria. Directamente o con intervención notarial.

Si la inversión procede de residente en paraíso fiscal debe comunicarse con carácter previo salvo que la participación extranjera en la sociedad española destinataria de la inversión no supere el 50 por ciento del capital social, ni con anterioridad a la inversión ni con posterioridad (art. 13.1 b OM 2001).

Esto es, se declaran las constituciones de sociedad, las donaciones o sucesiones (sin aportación); se declara el aumento de capital cualquiera que sea la forma en que se haya efectuado, aportación dineraria, no dineraria, compensación de crédito, con cargo a reservas (sin aportación); se declara la compraventa de participaciones sociales aunque su pago se haya realizado en el exterior, entre residente y no residentes o entre no residentes.

Las liquidaciones de las inversiones en sociedades se declaran todas con el modelo D-1B, tanto si la liquidación es total como si es parcial, en el plazo de un mes desde la formalización de la desinversión. El titular puede cumplimentar un solo modelo D-1B por cada liquidación aunque se refiera a varios documentos D-1A de inversión en la misma sociedad española.

En caso de transmisión entre no residentes de las acciones o participaciones sociales de la sociedad española, el transmitente debe cumplimentar un modelo D-1B de liquidación y el adquirente un modelo D-1A de inversión. La presentación no es preciso que sea simultánea puesto que los obligados a declarar son personas distintas.

Tratándose de la adquisición de derechos de suscripción, obligaciones convertibles en acciones u otros análogos que den derecho a participar en el capital debe declararse inicialmente la adquisición de estos derechos en el plazo de un mes desde la adquisición en el modelo ordinario D-1A. Llegado el momento, debe declararse también la adquisición efectiva de las acciones o participaciones sociales derivadas del ejercicio de esos derechos en el plazo de un mes, declaración que debe ir acompañada de la correspondiente liquidación de la inversión en los derechos indicados en el modelo D-1B y presentar ambas simultáneamente (artículo 18.6 OM 28/05/2001)

Una vez constituidas las sociedades, las inversiones que realicen esas sociedades en España no son inversiones extranjeras cualquiera que sea el porcentaje de participación extranjera en su capital, sino que son inversiones domésticas. Pero las sociedades pueden ser requeridas con carácter general o particular para presentar a las autoridades una memoria anual relativa al desarrollo de la inversión.

8.2.8. Sucursales

Comprende tanto la creación como la ampliación de la dotación de las sucursales.

Para formalizar la escritura de constitución de la Sucursal no es preciso aportar certificado de denominación sino que las sucursales utilizan, en principio, su propio nombre con la designación de Sucursal en España, sin perjuicio de que puedan adoptar otro.

Su creación, modificación y ampliación es totalmente libre. Se declaran todas al registro de inversiones cualquiera que sea la cuantía o la persona física o jurídica no residente que la constituye. También es preciso formular la declaración previa si la inversión procede de paraíso fiscal.

Se formaliza la escritura de constitución de la sucursal mediante el correspondiente acuerdo del órgano competente de la sociedad matriz, especificando la denominación, domicilio en España, objeto y designación de uno o más representantes permanentes de la sucursal. Debe constar también la dotación.

El Consulado español en el país extranjero de residencia de la sociedad debe certificar que la sociedad matriz está constituida conforme a las leyes de su país.

Debe obtener el C.I.F e inscribirse en el Registro Mercantil que corresponda al domicilio.

Una vez constituidas, las sucursales en España tienen la condición jurídica de residentes y sus propias inversiones ya no son extranjeras sino interiores o domésticas. Las autoridades pueden solicitarles una memoria anual del desarrollo de la inversión.

8.2.9. Inversiones de cartera

Son las siguientes:

1. Inversiones en acciones de sociedades españolas cotizadas (en España o en el extranjero), o en derechos de suscripción u otros análogos que den derecho a participar en el capital cualquiera que sea el lugar de emisión y adquisición.

2. Inversiones en valores negociables representativos de empréstitos emitidos por residentes (bonos, obligaciones convertibles o no convertibles u otros análogos (rendimiento implícito o explícito). No es inversión extranjera la adquisición de valores librados singularmente por residentes; aunque es transacción exterior que se conceptúa como préstamo o crédito de no residente a residente.

3. Inversiones en fondos de inversión colectiva debidamente constituidos según la legislación española por residentes e inscritos en los registros de la Comisión Nacional del Mercado de Valores.

Se declaran todas las inversiones cualquiera que se su cuantía y su procedencia incluidas las que procedan de residentes en paraísos fiscales. Con carácter previo, las procedentes de paraíso fiscal, excepto las inversiones antes señaladas.

Una vez realizadas las inversiones, deben ser comunicadas al registro de inversiones extranjeras mediante los modelos A1 y A2. Las comunican según los casos las Entidades depositarias o administradoras de los valores representados mediante anotaciones en cuenta o aquellas otras que sin ser depositarias o administradoras liquiden las operaciones de compra y venta. Se comunican mensualmente los flujos, esto es, las compras de valores bursátiles en el mercado, las realizadas fuera de él, incluso entre no residentes en el extranjero que deben ser comunicadas por el miembro del mercado que intervenga la operación, los desdoblamientos o agrupaciones de acciones; las suscripciones de capital realizadas con la sociedad emisora por la entidad o agente que tramite o liquide la suscripción; el cambio de domicilio, etc. Respecto de los fondos de inversión, la declara la sociedad gestora del fondo.

Además hay una información sobre saldos a 31 de diciembre, que se realiza anualmente. Las realizan las sociedades gestoras, administradoras, depositarias de los títulos, indicadas.

Todo ello se regula en la OM de 28 de mayo de 2001, en la Resolución de 31 de mayo de 2001 de la Dirección General de Comercio e Inversiones, en la Orden ECO/755/2003 de 23 de marzo, que regula la remisión por vía telemática, en la Resolución de 26 de marzo de 2003 de la citada Dirección General y en la Circular 3/2013 de 29 de julio del Banco de España sobre declaración de operaciones y saldos en valores negociables.

Además, el titular de la inversión extranjera debe presentar a la Comisión Nacional del Mercado de Valores y ésta se encarga de transmitir la información al Registro de inversiones sus adquisiciones y liquidaciones, en los casos previstos en el RD 1362/2007 de 19 de octubre que desarrolla la Ley de Mercado de Valores relativa a la comunicación de participaciones significativas; en las sociedades cotizadas el accionista que adquiera o transmita acciones debe comunicar a la sociedad y a la Comisión Nacional del Mercado de Valores la proporción de derechos de voto que quede en su poder cuando esa proporción alcance, supere o se reduzca por debajo de los umbrales del 3%, 5%, 10%, 15%, 20%, 25%, 30%, 35%, 40%, 45%, 50%, 60%, 70%, 80% y 90%. Estos porcentajes quedan sustituidos por el 1% y sus sucesivos múltiplos cuando el titular de la inversión tenga su residencia en paraíso fiscal, o en un país o territorio de nula tributación o con el que no exista efectivo intercambio de información tributaria.

8.2.10. Otras formas de inversión

Tienen la consideración de inversiones extranjeras declarables las siguientes operaciones: La constitución, formalización o participación en contratos de cuentas en participación, fundaciones, agrupaciones de interés económico, cooperativas y comunidades de bienes, cuando el valor correspondiente a la participación de los inversores extranjeros sea superior a 3.005.060,52 euros o cuando con independencia de su importe proceda de paraísos fiscales.

Estas «otras formas de Inversión» constituyen numerus clausus. Una vez realizada la inversión, se declaran por el titular directamente o con la colaboración notarial en la forma ordinaria cuando sobrepasan el valor o proceden de paraíso fiscal.

8.2.11. Inversiones en inmuebles

8.2.11.1. Concepto

Las inversiones en Inmuebles han sido vistas siempre por el legislador con prevención pues el territorio es la base física del Estado en donde se ejerce la soberanía nacional. La legislación española de inversiones extranjeras no ha contenido una definición de lo que deba entenderse por inversión en inmuebles. De acuerdo con el anexo explicativo de la Directiva 88/361/CEE comprenderá toda adquisición de bienes inmuebles o derechos reales sobre los mismos con excepción de la Hipoteca y demás formas de garantía real inmobiliaria que se rigen por las normas sobre avales y garantías.

Comprende tanto las fincas rústicas como las urbanas, sean parcelas, terrenos o solares cualquiera que sea la calificación urbanística; comprende las edificaciones, sean locales y naves comerciales, industriales o agrícolas, viviendas, apartamentos, garajes, trasteros, sus elementos comunes. También las villas y chalets, viviendas unifamiliares aisladas o en conjunto urbanístico, o casas de campo en rústicas. Dentro de este amplio concepto, ÁLVAREZ y EGUIDAZU excluyen las minas, las aguas y las concesiones administrativas.

Pueden ser titulares de estas inversiones todos los inversores en general. No hay límite al número de inmuebles que puede adquirir un mismo inversor, en un solo acto o en varias veces. Ni tampoco al valor de los inmuebles adquiridos. Ni límite al destino vacacional, residencial o comercial o especulativo de la inversión inmobiliaria.

La adquisición de acciones o participaciones sociales de sociedades cuyos activos estén formados en al menos el 50% por inmuebles (artículo 314 TRLMV) es una inversión extranjera en sociedad española, no una inversión inmobiliaria, aunque sea otro el tratamiento fiscal.

La inversión inmobiliaria abarca cualquier acto de adquisición de inmueble. La desinversión comprende todo título de transmisión o extinción. Tratándose de inmuebles, comprende la adquisición de la propiedad, usufructo, uso, habitación, servidumbre predial, vuelo y superficie, derechos de aprovechamiento por turno de la Ley 4/2012 de 6 de julio si se hubiesen constituido como derecho real, el tanteo y retracto convencional constituidos como derechos reales.

Los actos de inversión extranjera comprenden todos los modos de adquirir el dominio y los demás derechos reales sobre bienes inmuebles, incluyendo la herencia, la donación, la construcción propia, etc.

8.2.11.2. Régimen administrativo

Las inversiones extranjeras en inmuebles están plena y totalmente liberalizadas, suprimiéndose los supuestos de verificación o autorización administrativa previa. Subsisten, sin embargo, dos excepciones, los inmuebles sitos en zonas estratégicas para la Defensa Nacional, en que se requiere previa autorización militar e inscripción registral obligatoria y la adquisición de inmuebles de destino diplomático de Estados no miembros de la Unión Europea, que requieren autorización previa del Consejo de Ministros, salvo acuerdo de reciprocidad (DA 3ª)

Por ello, cualquiera que sea la cuantía de la operación, la forma de pago, aplazamiento o no, garantía, tipo de inmueble, número de inmueble, superficie o extensión del terreno, etc, la inversión está liberalizada, sin perjuicio de la obligación de declaración al registro de inversiones extranjeras en dos casos concretos.

Las inversiones extranjeras en inmuebles siguen el régimen general de forma de las operaciones domésticas o interiores, libertad de forma; usualmente se formalizan mediante escritura pública otorgada ante Notario español, la cual confiere a la misma los efectos propios de la misma: legitimación para el tráfico, adquisición por traditio, ejecutividad de las deudas, valor de prueba de hechos y declaraciones, registrabilidad, etc.

Los extranjeros no residentes en España, además de la obligación de obtener el NIE o el NIF, a efectos de sus relaciones con la Administración Tributaria deben designar un representante con domicilio en territorio español cuando lo establezca la normativa del tributo o cuando por las características de la operación o actividad realizada o por la cuantía, así lo requiera la Administración, nombramiento que debe comunicarse a la Administración tributaria en el plazo de dos meses desde que se hubiere otorgado comunicando además la aceptación del apoderado representante. El representante del no residente que actúa sin establecimiento permanente no es responsable solidario de la deuda tributaria (art. 9 TRLINR).

8.2.11.3. Declaración de la Inversión según valor del inmueble o procedencia de paraíso fiscal

Sólo se declaran dos tipos de inversiones en inmuebles:

La primera es la adquisición de inmuebles sitos en España cuyo importe total supere los quinientos millones de pesetas o 3.005.060,52 euros. Es una declaración a posteriori.

Debe tenerse en cuenta el precio o valor con el IVA. El IVA no es precio sino impuesto fiscal del comprador. La **Resolución de la DGRN de 9 de julio de 2009** en relación con la identificación de los medios de pago señala que deben entenderse el precio y el IVA asimilados a los efectos de quedar sujetas al mismo régimen jurídico; argumenta que el vendedor ostenta dos créditos contra el comprador, el precio y el importe de la repercusión del IVA que una vez cobrados por el vendedor se integran en su patrimonio quedando al alcance de los propios acreedores y ello con independencia de la obligación tributaria de ingresar el Iva en la Hacienda Pública, cuya efectividad dependerá de sus propios saldos fiscales.

Se tiene en cuenta el precio declarado por las partes en la escritura o el valor declarado o proceda declarar en el Impuesto sobre Sucesiones y Donaciones o en la obra nueva. Respecto de la valoración del o de los inmuebles habrá que estar al valor asignado por las partes en el documento contractual para saber el valor de la inversión. Si se nota una gran infravaloración en atención al valor del Impuesto Bienes Inmuebles y las reglas dadas por las Comunidades autónomas creo que al Notario le incumbe advertir de que se puede incurrir en responsabilidad por incumplimiento de la obligación de declarar; insisto en que es mera declaración al registro de inversiones.

El valor a tener en cuenta es el total de la operación concreta; la escritura puede contener varios inmuebles de la misma o distinta clase. Es el valor de la operación, comprenda ésta uno o varios inmuebles. Incluso aunque haya aplazamiento de pago y la cantidad entregada de contado no alcance la franquicia. Habrá que comunicar igualmente pues el valor de la operación es superior. En cualquier caso la operación en sí está liberalizada y es meramente un problema de declaración a posteriori. Es preferible declarar de más que de menos. Si la operación comprende varios inmuebles (vivienda, garaje, trastero, varias parcelas, etc), a mi juicio se suma el valor de la totalidad de ellas. Lo normal es que así se haga cuando la adquisición responda a una finalidad económica unitaria (vivienda y anejos) y realizar tantas escrituras u operaciones individuales cuando así lo sean.

Si compran varios en pro indiviso o los esposos en régimen de gananciales o de separación., entiendo que no se cuenta por cabezas sino que se toma el valor total de la operación en inmuebles. La razón es que se regula la desinversión parcial por cambio de uno o varios de los titulares de una inversión pro indiviso.

Si compran usufructo y nuda propiedad distintas personas, lo mismo, no por cabezas sino por el valor de la operación.

Dispone la OM de 2001 que en caso de transmisión de bienes inmuebles entre no residentes se cumplimenta un modelo impreso D2A por el adquirente y un modelo impreso D2B por el transmitente. Esto es en teoría; muchas veces no será posible porque si la anterior adquisición no fue declarada por razón de la cuantía ahora bastará declarar la inversión del nuevo adquirente si ésta supera la cuantía. O al revés, que fuera declarada en su día y que ahora no sea de obligatoria declaración de inversión por cuantía actual. Se declarará la desinversión y ya está.

El segundo tipo de inversión que se declara es **la adquisición de inmuebles sitos en España cuando, con independencia de su importe, proceda de paraísos fiscales**, entendiéndose por tales, los países y territorios relacionados en el RD 1080/1991 de 5 de julio.

En estos casos, la reglamentación de inversiones extranjeras dispone de dos declaraciones, una con carácter previo a la realización de la inversión que debe realizar el propio titular, y dos, la declaración posterior en la misma forma que hemos referido.

La declaración previa a la propia realización de la inversión cuando ésta procede de paraíso fiscal que debe realizar el titular queda dispensada en las adquisiciones por título de herencia o donación. En ellas, aunque el heredero o legatario o donatario resida en paraíso fiscal no procede la declaración previa (art. 7 OM 2001). Tampoco es precisa esa declaración previa en los casos de liquidación de la inversión, como en la venta que realice el titular residente en paraíso fiscal.

La declaración previa se realiza en el modelo DP-2 que consta de dos ejemplares, uno para la Dirección General y otro para el propio titular, el cual remite el primero y retiene debidamente sellado el segundo como prueba de la declaración del proyecto de inversión. Esta declaración tiene un plazo de validez de seis meses, debiendo materializarse la inversión en ese plazo, trascurrido el cual debe presentarse una nueva.

En uno y en otro caso, una vez realizada la inversión, ésta debe ser declarada en el plazo de un mes desde su formalización por el titular no residente o el notario en la forma ordinaria. A efectos registrales, la calificación no alcanza al cumplimiento de las obligaciones de declaración por parte de titular de la inversión o del Notario. (Resolución DGRN de 4 de enero de 1993)

8.2.11.4. Identificación de los medios de pago

La obligatoriedad de la identificación de los medios de pago ha venido impuesta por la prevención del fraude fiscal en el sector inmobiliario. Con tal fin, la Ley 36/2006 de 29 de noviembre de medidas para la prevención del fraude fiscal viene a dar nueva redacción al artículo 24 de la Ley del Notariado y 254-3 de la Ley Hipotecaria en la siguiente forma:

Art. 24 Ley del Notariado: «... En las escrituras relativas a actos o contratos por los que se declaren, transmitan, graven, modifiquen o extingan a título oneroso el dominio y demás derechos reales sobre bienes inmuebles se identificarán, en cuanto la prestación consistiere en todo o en parte en dinero o signo que lo represente, los medios de pago empleados por las partes. A tal fin, y sin perjuicio de su ulterior desarrollo reglamentario, deberá identificarse si el precio se recibió con anterioridad o en el momento del otorgamiento de la escritura, su cuantía, así como si se efectuó en metálico, cheque, bancario o no, y, en su caso, nominativo o al portador, otro instrumento de giro o bien mediante transferencia bancaria.

Igualmente en las escrituras públicas citadas, el Notario deberá incorporar la declaración previa del movimiento de los medios de pago aportada por los comparecientes cuando procede presentar ésta en los términos previstos en la legislación de prevención del blanqueo de capitales. Si no se aportase dicha declaración por el obligado a ello, el notario hará constar esta circunstancia en la escritura y lo comunicará al órgano correspondiente del Consejo General del Notariado.

Art. 254-3 Ley Hipotecaria: No se practicará ninguna inscripción en el Registro de la Propiedad relativa a actos o contratos por los que se declaren, constituyan transmitan, graven, modifiquen o extingan a título oneroso el dominio y demás derechos reales sobre bienes inmuebles, cuando el precio o contraposición consista, en todo o en parte, en dinero o signo que lo represente, si el fedatario público hubiere hecho constar en la escritura la negativa de los comparecientes a identificar, en todo o en parte, los datos o documentos relativos a los medios de pago empleados.

Las escrituras a las que se refiere el número anterior se entenderán aquejadas de un defecto subsanable, que sólo se entenderá subsanada cuando se presente ante el Registro de la Propiedad escritura en la que se identifiquen los medios de pago.

En las inversiones inmobiliarias exteriores, la identificación del medio de pago dinerario debe efectuarse en la misma forma que en las inversiones inmobiliarias interiores, con la excepción a mi juicio y como después veremos respecto de las transmisiones efectuadas en el exterior, documentadas en España ante Notario, con pago en el exterior entre no residentes.

En la redacción de la escritura pública quedará constancia por las manifestaciones de los comparecientes o por los documentos que se aporten y protocolicen la forma de pago: confesado, de contado o aplazado y, además, el medio de pago utilizado en la forma ordinaria;

En metálico, el adquirente inversor puede pagar libremente, sin tener que acreditar la procedencia del dinero a efectos de las inversiones extranjeras. Debe formalizar el modelo B3 si su vendedor es residente en España y el importe del pago es superior a un millón de pesetas a efectos del control de cambios. Y si el importe es igual o superior a Cien mil euros debe aportar el modelo S1, declaración previa del movimiento de los medios de pago. Si no se aportase dicha declaración el Notario hará constar dicha circunstancia en la escritura y lo comunicará al Consejo General del Notariado. Nótese que este modelo S1 se refiere también a los cheques bancarios al portador, han se sumarse todos los importes. Y que la omisión del S1 no produce el cierre registral. El pago en metálico puede realizarse en España o en el extranjero.

Cheque personal nominativo o al portador, se identifican en la forma ordinaria; normalmente serán de cuenta de no residente en España, pero también puede proceder de cuenta en el extranjero. Y según el importe de 50.000 euros se comunica su cobro por la entidad registrada o banco al cobrarlos el residente.

Cheque bancario nominativo u otros instrumentos de giro, se identifican en la forma ordinaria. Normalmente procederán de una cuenta de no residente. Y según el importe de 50.000 euros se comunica su cobro por la entidad registrada o banco.

Cheque bancario al portador, se identifican en la forma ordinaria; debe señalarse la cuenta de procedencia y prestar atención porque este cheque debe estar declarado en el modelo S1 si según la suma de cuantía se alcanzan los cien mil euros.

Transferencia o domiciliación, se consignarán los datos en la forma ordinaria. Y se realizará la declaración al Banco de España por el banco o entidad registrada si el importe es superior a 50.000 euros.

En la práctica ocurren más cosas: hay que cancelar una hipoteca previa o un embargo para lo que se prepara un cheque bancario nominativo para la Entidad acreedora que retiene el comprador hasta la firma de la cancelación. O que existen deudas pendientes por la contribución, por gastos de comunidad o por los propios gastos externos de tramitación de la cancelación o pagos a terceros intermediarios. Todo ello produce el efecto de que cheques se expiden a favor de personas distintas de los vendedores o que el comprador retiene pagos en metálico. La escritura debe recoger todas estas circunstancias. No hay problema en ello ni tratándose de adquirentes no residentes. Lo mismo ocurre si hubiera alguna compensación. Los cobros y pagos entre residentes y no residentes son libres pero con las declaraciones en la forma ordinaria: via bancaria o B-3 si supera el límite de los 6.010,12 euros, sea el residente el propio vendedor o el agente inmobiliario o el gestor que tramita.

8.2.11.5. Liquidación de la inversión inmobiliaria. Plusvalía Municipal. Retención del 3 por ciento

El inversor puede liquidar su inversión transmitiendo el inmueble a una tercera persona. Es la desinversión, que habrá que declarar en la medida que estuviese o no declarada la inversión que se liquida. Si la inversión inicial fue declarada porque excedió en su día de la cuantía o porque procedía de residente en paraíso fiscal, habrá que declarar ahora la desinversión cualquiera que sea la cuantía de la desinversión. Si la inversión inicial no fue declarada, nada hay que declarar ahora, cualquiera que sea la cuantía de la desinversión. Caben desinversiones parciales por cambio de parte de las personas adquirentes o transmisión de parte de los inmuebles. Se declara en la forma ordinaria, o titular o Notario.

El no residente transmitente adquiere el precio y con él podrá hacer lo que desee. Gastarlo en España, volverlo a invertir en España o transferirlo libremente al extranjero. Pero en cualquier caso, deberá cumplir sus obligaciones tributarias: declarar la ganancia patrimonial y liquidar el Impuesto sobre el Incremento de Valor de los Terrenos de Naturaleza Urbana.

Plusvalía municipal

Es un Impuesto municipal que grava la transmisión de la propiedad de terreno urbano o la constitución por transmisión o reserva de usufructo sobre el mismo. Se produce el devengo en el momento de la transmisión o constitución y se liquida en el plazo de 30 días hábiles mediante declaración al Ayuntamiento o autoliquidación.

Es sujeto pasivo del Impuesto municipal sobre el Incremento de Valor de los Terrenos de naturaleza urbana, en los casos de transmisión onerosa, la persona física o jurídica, español o extranjero, residente o no residente en España, que transmita el terreno urbano.

No obstante, cuando el transmitente es una persona física, español o extranjera, no residente fiscal en España, la ley fiscal ha creado la figura del sustituto del contribuyente para el adquirente o comprador. Así dispone el artículo 106.2 del Texto refundido de la Ley reguladora de las Haciendas Locales aprobado por R.D. Legislativo 2/2004 de 4 de marzo según el cual en las transmisiones de terrenos o en la constitución o transmisión de derechos reales de goce limitativos del dominio a título oneroso tiene la consideración de sujeto pasivo sustituto del contribuyente la persona física o jurídica que adquiera el terreno o a cuyo favor se constituya o transmita el derecho real de que se trate cuando el contribuyente sea una persona física no residente en España.

El sustituto del contribuyente es la persona adquirente que por imposición de la ley y en lugar del contribuyente está obligada a realizar el pago, a realizar la **obligación tributaria principal y las obligaciones formales por dicho impuesto**, sin perjuicio de la repetición frente al sujeto pasivo o contribuyente principal.

Es el adquirente el que debe afrontar las obligaciones formales de presentación en plazo, notificación, etc así como de realizar el pago efectivo, aunque el contribuyente sigue siendo el vendedor transmitente. Por ello es muy conveniente que el adquirente calcule previamente el importe de la misma y lo retenga antes de efectuar el pago total de la operación a su vendedor, evitando que éste se desentienda de su obligación de abonar la plusvalía.

Retención fiscal del 3%

En caso de transmisión de inmueble sito en España por parte de un no residente fiscal, el adquirente está obligado a retener e ingresar el 3 por ciento o a efectuar el ingreso a cuenta correspondiente de la contraprestación acordada, en concepto de pago a cuenta del Impuesto sobre la Renta de no residentes. El artículo 25 de la LRNS establece:

2. Tratándose de transmisiones de bienes inmuebles situados en territorio español por contribuyentes que actúen sin establecimiento permanente, el adquirente estará obligado a retener e ingresar el 3 por ciento, o a efectuar el ingreso a cuenta correspondiente, de la contraprestación acordada, en concepto de pago a cuenta del impuesto correspondiente a aquéllos.

No procederá el ingreso a cuenta a que se refiere este apartado en los casos de aportación de bienes inmuebles, en la constitución o aumento de capitales de sociedades residentes en territorio español.

Sin perjuicio de las sanciones que pudieran corresponder por la infracción en que se hubiera incurrido, si la retención o el ingreso a cuenta no se hubiesen ingresado, los bienes transmitidos quedarán afectos al pago del importe que resulte menor entre dicha retención o ingreso a cuenta y el impuesto correspondiente.

Y el artículo 14 del Reglamento dispone:

Retención o Ingreso a cuenta en la adquisición de bienes inmuebles.

1. En los supuestos de transmisiones de bienes inmuebles situados en territorio español por contribuyentes del Impuesto sobre la Renta de no Residentes que actúen sin mediación de establecimiento permanente, el adquirente estará obligado a retener e ingresar el 3 por ciento, o a efectuar el ingreso a cuenta correspondiente, de la contraprestación acordada, en concepto de pago a cuenta del Impuesto sobre la Renta de no Residentes correspondiente a aquellos.

2. El adquirente no tendrá la obligación de retener o de efectuar el ingreso a cuenta en los siguientes casos:

a) Cuando el transmitente acredite su sujeción al Impuesto sobre la Renta de las Personas Físicas o al Impuesto sobre Sociedades mediante certificación expedida por el órgano competente de la Administración tributaria.

b) En los casos de aportación de bienes inmuebles, en la constitución o aumento de capitales de sociedades residentes en territorio español.

3. El obligado a retener o ingresar a cuenta deberá presentar declaración ante la Delegación o Administración de la Agencia Estatal de Administración Tributaria en cuyo ámbito territorial se encuentre ubicado el inmueble e ingresar el importe de la retención o ingreso a cuenta correspondiente en el Tesoro Público, en el plazo de un mes a partir de la fecha de la transmisión.

4. El contribuyente no residente en territorio español deberá declarar, e ingresar en su caso, el impuesto definitivo, compensando en la cuota el importe retenido o ingresado a cuenta por el adquirente, en el plazo de tres meses contados a partir del término del plazo establecido para el ingreso de la retención.

La Administración tributaria procederá, en su caso, previas las comprobaciones que sean necesarias, a la devolución al contribuyente del exceso retenido o ingresado a cuenta.

5. Si la retención o el ingreso a cuenta referido anteriormente no se hubiesen ingresado, los bienes transmitidos quedarán afectos al pago del importe que resulte menor entre dicha retención o ingreso a cuenta y el impuesto correspondiente, y el registrador de la propiedad así lo hará constar por nota al margen de la inscripción respectiva, señalando la cantidad de que responda la finca. Esta nota se cancelará, en su caso, por caducidad o mediante la presentación de la carta de pago o certificación administrativa que acredite la no sujeción o la prescripción de la deuda.

El transmitente puede ser español o extranjero, persona física o jurídica, pero siempre ha de ser no residente fiscal. Por ello, no hay obligación de practicar retención *cuando el transmitente acredite su sujeción al Impuesto sobre la renta de las personas físicas o al Impuesto sobre sociedades mediante certificación expedida por el órgano competente de la administración tributaria.* Esta Certificación se expide por la Administración o Delegación de la Agencia Estatal de la Administración tributaria del domicilio fiscal del transmitente, aunque se puede presentar en cualquier otra y debe expedirse en el plazo máximo de 10 días hábiles siguientes. Se regula en la Disposición Adicional Segunda de la Orden EHA 3316/2010 de 17 de diciembre. Es una certificación de sujeción al Impuesto sobre la Renta de las Personas Físicas o al Impuesto sobre Sociedades. Son dos los tipos de Certificados el ordinario y el de Convenio, éste se emite para acreditar la condición de residente fiscal a efectos de las disposiciones de Convenio para evitar la doble imposición. Y el ordinario se puede pedir con el añadido de que: Está sujeto al Impuesto sobre la Renta de las Personas Físicas o al Impuesto sobre Sociedades.

La retención no tiene lugar en los casos de aportación de inmuebles en la constitución o aumento de capital de sociedades residentes en España. Se aplica a los casos de transmisión en que exista contraprestación en dinero.

El adquirente obligado a retener debe presentar ante la Delegación o Administración de la Agencia Estatal Tributaria correspondiente el lugar de situación del inmueble el correspondiente **modelo 211** e ingresar su importe, todo ello en el plazo de un mes desde la transmisión y entregar al transmitente copia del ingreso. El transmitente no residente fiscal debe declarar e ingresar en su caso la cuota diferencial si la hubiera, en el plazo de tres meses a partir del término del plazo establecido para el ingreso de la retención o solicitar la devolución del exceso, mediante el **modelo 210**.

En caso de falta de ingreso de la retención o del pago a cuenta, aunque haya habido retención, *el inmueble transmitido queda afecto al pago del importe que resulte menor entre dicha retención o pago a cuenta y el impuesto correspondiente; el Registrador así lo hará constar por nota al margen de la inscripción respectiva señalando la cantidad de que responda la finca.* Lo que genera la afección fiscal no es no haber efectuado la retención, sino la falta de ingreso del dinero, se haya hecho o no la retención.

Si el ingreso se ha efectuado y se acredita al registro con el correspondiente modelo cumplimentado y sellado, la adquisición se inscribe sin afección; de lo contrario, el inmueble queda afecto al pago de la retención o del propio impuesto. La afección implica que la Administración en caso de impago puede embargar el inmueble y solicitar del adquirente la menor de las dos cantidades indicadas y de no pagar éste, subastar el inmueble. El adquirente que paga por el no residente vendedor o que pierde el inmueble tiene acción contra éste por reembolso o enriquecimiento injusto. Lo que es problemático si se ha marchado ya de España.

La nota de afección tiene mero carácter informativo, su finalidad es proteger el derecho de cobro de la Hacienda Pública impidiendo la aparición de un tercero protegido por la fe pública registral. Esta nota se cancelará, en su caso, por caducidad o mediante la presentación de la carta de pago o certificación administrativa que acredite la no sujeción o la prescripción de la deuda. La afección fiscal no tiene plazo pero sí la nota de afección que es de cinco años conforme al artículo 122.4 Reglamento del Impuesto sobre Transmisiones Patrimoniales,

Dada la importancia de la retención y afección fiscal en caso de omitir el pago de lo retenido considero imprescindible para no realizar la retención la presentación del Certificado de Residencia Fiscal, de modo que deberá realizarse siempre tal retención si no se dispone del mismo y de la documentación resulta probable que sea no residente en España. Porque si finalmente fuera residente en realidad no pasa nada. Se ha discutido si lo procedente en esos casos es solicitar la devolución de ingresos indebidos u otro procedimiento. El TEAC entiende que lo procedente es que en la declaración del IRPF del contribuyente —que era residente aunque por no haberlo acreditado con la certificación se le practicó la retención— se recoja la ganancia patrimonial obtenida en la transmisión y a su vez se deduzca la retención o ingreso a cuenta que le hayan practicado.

Así lo ha determinado, en unificación de criterio, la **Resolución 00/2943/2013 del Tribunal Económico Administrativo Central de 6 de febrero de 2014**; establece como criterio que si en el momento de efectuarse la transmisión de un inmueble situado en territorio español, el transmitente no acredita ante el adquirente su sujeción al Impuesto sobre la Renta de las Personas Físicas o el Impuesto sobre Sociedades mediante

Certificación expedida por el órgano competente de la Administración tributaria, el adquirente viene obligado a retener e ingresar el 3 por ciento o a efectuar el ingreso a cuenta correspondientes, de la contraprestación acordada, en concepto de pago a cuenta del Impuesto sobre la Renta de No Residentes. Si con posterioridad se aportase esa certificación, ello no determinará el derecho a la devolución de ingresos indebidos a la retención efectuada, pues fue una retención debida, esto es, procedente por exigida por la normativa del impuesto. Y ello sin perjuicio, en su caso, del derecho a una devolución derivada de la normativa de cada tributo (artículo 99.8 de la Ley 35/2006 IRPF). Por tanto, si se retuvo porque no se acreditó la residencia fiscal, no cabe reclamación de ingresos indebidos sino que al ser residente fiscal en su declaración ordinaria del IRPF por la ganancia patrimonial deducirá el importe de lo retenido.

8.2.11.6. Transmisión entre No Residentes

Este caso es doble. Por un lado es una inversión extranjera en España que sigue las reglas generales de liberalización y de declaración. Por otro lado, es una desinversión en España que sigue las reglas generales, de liberalización de la operación y declaración. Lo mismo respecto de retención y Plusvalía.

Las Transmisiones entre no residentes de inmuebles en España con pago del precio en España o en el extranjero son libres. Para el adquirente será una nueva inversión inmobiliaria declarable si procede por cuantía o por residencia en paraíso fiscal. Para el transmitente será una liquidación o desinversión declarable si la inicial realizada por él lo fue en su día. En la declaración de inversión del modelo se consiga «sin aportación».

La transmisión puede efectuarse en España o en el extranjero y pagarse en España o en el extranjero. **Los pagos entre no residentes están excluidos del control de cambios**; el artículo 1.2 de la Ley 19/2003 se refiere a las transacciones y pagos entre residentes y no residentes. Desde el punto de vista interno del control de cambios, todos esos pagos le son ajenos, aunque naturalmente desde el punto de vista material debe cumplir la norma de fondo de la transmisión: efectivo, billetes, cheques, etc

El pago realizado fuera de España entre no residentes es totalmente libre, queda fuera del régimen de control de cambios español. Esto que acabo de expresar viene de lejos. La transmisión de inversiones extranjeras en España, especialmente de inmuebles, con pago en el exterior ha quedado siempre fuera del régimen de control de cambios. Ya la ley de 1974 declaró libres las transmisiones entre no residentes en el extranjero y con pago en el exterior, manteniéndose la obligatoriedad de intervención notarial cuando el nuevo adquirente inversor deseare que su inversión fuera declarada al registro de inversiones extranjeras (sin esa inscripción no podía al desinvertir repatriar su inversión); la ley de 1986 y la legislación de 1992 en su artículo 25 cambian de postura y aun manteniendo que los pagos son ajenos al sistema de control de cambios, establecen que el nuevo inversor adquirente debe someterse a los mismos requisitos que tendría que cumplir si la transmisión se efectuase en España entre un residente y un no residente, con excepción de la justificación del medio de pago. Esto es, el nuevo adquirente debía cumplir la verificación previa, si hubiera sido necesaria, la intervención notarial y la inscripción en el registro de inversiones en la forma ordinaria, salvo la justificación del medio de pago. Aunque se hubiera efectuado en el extranjero debía formalizarse en España con intervención notarial.

La misma Dirección General de los Registros y del Notariado en Circular de 27 de abril de 1993 reconocía que no era preciso justificar el origen de los fondos en las transmisiones efectuadas en el extranjero entre no residentes en España con pago en el exterior.

La cuestión no la plantea el RD 664/1999 específicamente porque no hace falta. No hay que justificar el medio de pago en ningún caso por la sola razón de la inversión; y la tramitación en estos casos es la misma general: declaración previa si reside en paraíso fiscal el nuevo adquirente y declaración posterior en los casos y forma ordinaria. Ni es precisa la intervención notarial, por lo que cabe una inversión extranjera formalizada en el exterior, incluso privadamente.

Ahora bien, aun siendo esto así, cabe preguntarse qué ocurre cuando se formalice en España ante Notario español la **transmisión efectuada en el extranjero entre no residentes con pago en el extranjero,** porque así lo desee el adquirente. En concreto, cabe preguntarse si es precisa o no la identificación del medio de pago dinerario, conforme al artículo 24 de la Ley del Notariado y 177 de su Reglamento.

Relacionada con esta cuestión está la **Resolución de 20 de enero de 2011 de la DGRN;** se refiere a la venta de una participación indivisa de varios inmuebles sitos en España propiedad de un menor venezolano que contaba con la autorización judicial del Juez venezolano, el cual impuso que el precio debía entregarse mediante cheque nominativo y depositarse en un organismo de control venezolano. La escritura notarial se otorgó en Venezuela conforme a las formas documentales de dicho país, y aquí en España se formalizó un acta notarial de protocolización, sin que constara la forma de pago. La DG no entra a valorar la falta de identificación del medio de pago al desistir del defecto el Registrador. La escritura venezolana se otorgó el 10 de octubre de 2008, momento en que estuvo vigente la versión dura de la identificación del medio de pago (fecha y testimonio del cheque).

A mi juicio, cuando el pago se ha efectuado en el exterior entre no residentes con anterioridad a la formalización en España no es precisa la identificación de los medios de pago.

Es verdad que la dicción literal de los preceptos indicados no distingue por el lugar de pago de la operación ni por la condición de nacionalidad o residencia de los sujetos intervinientes, pero no lo es menos que la finalidad de la redacción dada a dichos preceptos es fiscal o tributaria; tiene su origen en las medidas de prevención del fraude fiscal adoptadas por la Ley 36/2006 de 29 de noviembre y de su lectura se desprende esta finalidad de prevención, facilitando datos a las autoridades tributarias españolas. La misma AEAT en relación con las limitaciones de pago en metálico indica que esa legislación sólo es aplicable a los pagos efectuados dentro del territorio español y siempre está pensando en una persona que tenga residencia fiscal en España.

Podría pensarse que las autoridades tributarias están interesadas en estas transmisiones por cuanto que por esas operaciones se devengan impuestos en España o las propias personas no residentes están sujetas al Impuesto sobre la Renta de No Residentes. Sin embargo, a mi juicio:

Si el pago se ha realizado en el exterior entre no residentes con anterioridad a la formalización ante notario, mediante billetes o efectivo, sea euros, moneda local u otra libremente aceptada por las partes, nada habrá que identificar cualquiera que sea la cuantía; recuerdo que no habrá modelo S1.

Si estas mismas personas se han pagado en el exterior mediante transferencia o cheque con anterioridad a la formalización, bastará esa declaración de las partes añadiendo que se han ingresado o cobrado en el exterior. Nada obsta a que si han conservado copia de las transferencias o los cheques se consignen sus datos en la escritura; pero no es obligatorio.

Por el contrario, si todavía faltase algún pago en España de contado mediante entrega de cheque de entidad financiera española o realización de transferencia con intervención de cuenta en España, entonces sí habrá que identificar ese medio de pago satisfecho en España en la forma ordinaria porque no se ha realizado en el exterior totalmente —entre no residentes con pago en el exterior—.

El examen, control y fiscalización de las cuentas existentes en el extranjero de no residentes, incluso de entidades españolas, corresponde a las autoridades tributarias de ese país; no corresponde a las autoridades españolas, cuando además el sujeto interviniente no es residente en España.

8.3. ALGUNOS CASOS CONCRETOS

8.3.1. Viviendas de protección oficial

Los **extranjeros residentes** tienen derecho a acceder al sistema público de ayudas en materia de vivienda. Así lo dispone el artículo 13 de la Ley de Extranjería (modificada en 2009):

Artículo 13 Derechos en materia de vivienda

Los extranjeros residentes tienen derecho a acceder a los sistemas públicos de ayudas en materia de vivienda en los términos que establezcan las leyes y las Administraciones competentes. En todo caso, los extranjeros residentes de larga duración tienen derecho a dichas ayudas en las mismas Condiciones que los españoles

La residencia de larga duración autoriza a residir y trabajar en España indefinidamente en las mismas Condiciones que los españoles; la residencia de larga duración es la que se obtiene después de haber residido legalmente de forma continuada en territorio español durante cinco años.

La regulación de estas viviendas es competencia de las Comunidades Autónomas y a dicha regulación habrá que estar. Las de promoción pública se adjudican mediante procedimientos públicos regulados. Las de promoción privada son de venta libre sin procedimiento reglado. Ahora bien, todas exigen que su destino sea el de residencia habitual y permanente.

En general puede decirse que los extranjeros extracomunitarios no residentes no pueden adquirir inicialmente las viviendas de protección oficial puesto que deben destinarse a residencia habitual y permanente, sin que puedan adquirirla como vivienda de temporada. Los comunitarios pueden adquirirla pero deben hacerse residentes en España.

En segunda transmisión dentro del periodo de vigencia del régimen de protección oficial, los extranjeros no residentes extracomunitarios tampoco podrán salvo que la destinen a residencia habitual y permanente de ellos mismos como uso propio solicitando y obteniendo la residencia o la destinen a uso de residentes en España a quienes cedan el disfrute de la vivienda mediante arrendamiento u otro título.

8.3.2. Anticipos a promotor por compra

La compra a un promotor de una vivienda en construcción en la que se haya solicitado pagos anticipados, obliga a éste a garantizar el importe mediante aval bancario. La compra en construcción está totalmente liberalizada. El adquirente no residente goza de los mismos derechos que el consumidor residente.

Estos pagos anticipados no se declaran ahora por el comprador sino que se esperará hasta la formalización de la inversión mediante el otorgamiento de la escritura de compra o documento privado de compra en el que se declarará con el modelo D-2A, siempre naturalmente que se alcance la cuantía antes indicada o el adquirente resida en paraíso fiscal. Lo mismo ocurre si la adquisición no se realiza directamente al promotor sino a un cesionario residente. Así lo dispone el artículo 19.2 de la OM de 28 de mayo de 2001.

8.3.3. Obra nueva

El mismo artículo 19 en su punto 3 dispone que:

3. La realización de obras nuevas y ampliaciones de las mismas, reformas y mejoras, susceptibles de inscripción en el Registro de la Propiedad, sobre inmuebles objeto de inversión extranjera deberán declararse al Registro de Inversiones mediante el modelo impreso D-2A en el plazo de los tres meses siguientes a la finalización de la obra, salvo que antes del transcurso de ese plazo se hubiere formalizado la operación ante fedatario público, en cuyo caso la declaración por el titular no residente deberá efectuarse en el plazo del mes siguiente a la fecha de formalización

El Inversor como propietario tiene la facultad de realizar nuevas construcciones o ampliaciones en su propiedad, de conformidad con la normativa urbanística aplicable. La declaración de obra nueva, salvo en inmuebles sujetos a defensa nacional como después veremos, es totalmente libre desde el punto de vista del control de cambios y las inversiones exteriores. No hay importes que justificar ni siquiera que identificar.

En cuanto a la declaración al registro de inversiones, habrá que declararlas si el inversor al formalizar la obra nueva reside en paraíso fiscal, aunque no residiera en el momento de adquisición del terreno cualquiera que sea la cuantía. Incluso mediante dos declaraciones, una por adquisición y cambio de domicilio a paraíso fiscal y otra por la obra nueva.

También habrá de declararla si por razón de cuantía la propia obra excede de los quinientos millones de pesetas o 3.005.060,52 euros o si sumada al valor actual del terreno, el total inmueble excede de dicho valor, dado que a fin de cuentas será dueño de un inmueble cuyo valor excede de la cuantía.

Por tanto, si no se llega a esa cuantía o no residen en paraíso fiscal el titular, nada habrá que declarar al registro de inversiones. Si se supera la cuantía o se procede de paraíso fiscal, habrá que declarar la obra nueva al registro de inversiones. En escritura la obra nueva puede declarase en construcción o terminada. Si se declara terminada, se debe declarar al registro de inversiones dentro de los tres meses siguientes a la terminación; si se declara en construcción debe declarase al registro de inversiones en el plazo de tres meses desde la formalización.

Respecto de las obras nuevas llamadas «antigüas», que se declaran al amparo del artículo 28.4 del Texto Refundido de la Ley del Suelo, la **Resolución de 24 de julio de 2001 de la DGRN** manteniendo un criterio flexible determinó que no es preciso acreditar la aportación dineraria exterior invertida en la construcción aun cuando por la fecha de finalización de la obra fuera necesaria su justificación conforme a la legislación vigente en ese momento —todas las anteriores a mayo de 1999—.

8.3.4. Cambio de solar por obra

El contrato de cambio de solar por obra se encuentra totalmente liberalizado; para el cedente del solar no residente se tratará de la liquidación de su inversión que deberá declarar siempre que su adquisición haya sido declarada. Una vez finalizada la obra por el adquirente del solar constructor, éste declara la misma y transmite la parte de obra pactada. En ese momento de la transmisión, habrá que aplicar las reglas generales de declaración previa o a posteriori de la misma.

8.3.5. Derecho de superficie y de vuelo

La adquisición por no residente del derecho de superficie como derecho a construir en suelo ajeno y mantener la obra durante un plazo con reversión al concedente a su extinción es una operación liberalizada.

No obstante, puede constituir una actividad empresarial del adquirente que no podrá realizar el extranjero extracomunitario no residente; tendrá que obtener una autorización de residencia para actividad lucrativa lo que le exigirá acreditar el proyecto de trabajo por cuenta propia, inversión, creación de empleo, etc.

Si se trata de la adquisición del derecho de vuelo para la construir una vivienda ampliando el inmueble con una nueva construcción en planta, seguida de la declaración de obra y su integración en la propiedad horizontal, la operación es totalmente libre y en su caso por cuantía o procedencia habrá que declarar la adquisición del derecho y la obra nueva en la forma ordinaria.

8.3.6. Aplazamiento de pago. Condición resolutoria. Resolución del contrato

Las compraventas en que intervengan como vendedor o comprador algún no residente pueden contemplar el pacto de aplazamiento de pago.

Con anterioridad a la legislación vigente, el aplazamiento de pago del precio por el vendedor (normalmente el Promotor) residente a su comprador no residente suponía la concesión de un crédito sujeto a autorización previa; en la actualidad, toda esta materia se encuentra liberalizada; el vendedor puede libremente conceder aplazamiento de pago del precio sin limitación alguna cualquiera que sea el comprador y éste puede pagar el precio aplazado con cualquier dinero de su propiedad incluso con el rendimiento del propio inmueble, esto es, con las rentas que obtenga por arrendar, por ejemplo unos meses de verano el apartamento adquirido en la playa.

El aplazamiento de pago está totalmente liberalizado aunque se instrumente en letras de cambio, pudiendo también libremente descontarlas el vendedor.

En garantía del precio aplazado es frecuente que las partes pacten el establecimiento de la condición resolutoria expresa regulada en el artículo 1504 del Código Civil. Es totalmente libre dicho pacto.

En caso de ejercicio de la facultad resolutoria del artículo 1.504 o del general artículo 1.124 del Código Civil y sin perjuicio de sus requisitos civiles, ocurre que si el Inversor es el comprador que ha incumplido la resolución de la venta produce una liquidación de su inversión. La escritura voluntaria de resolución por acuerdo o la sentencia judicial que finalice el procedimiento dará lugar a la resolución del contrato, lo que habrá que declarar al registro en la forma ordinaria, como desinversión, siempre que por su cuantía o procedencia de paraíso fiscal hubiera sido objeto de declaración la inversión.

Si el no residente es el vendedor, tras el cumplimiento de los requisitos civiles, recuperará su adquisición con la obligación de declaración si procede de tal readquisición. La devolución de la parte del precio que proceda por la resolución del contrato deberá hacerse por vía bancaria o en efectivo en la forma ordinaria de pagos y cobros entre residentes y no residentes.

8.3.7. Permuta de inmuebles

No es frecuente la permuta como inversión extranjera; en la actualidad, la permuta está totalmente liberalizada. Únicamente habrá que seguir las reglas ordinarias de declaración de inversión o de desinversión. También es posible permutar un inmueble sito en España por otro situado en territorio extranjero, lo que, en su caso, también será inversión española en el exterior. Puede haber o no complemento en metálico.

8.3.8. Promesa de venta. Opción de compra. Retractos

La formalización de un precontrato o promesa de venta de un inmueble a una persona no residente está totalmente liberalizada; ni siquiera sería una inversión extranjera, aunque mediase ya un pago entraríamos en el régimen general de pagos de las transacciones exteriores. Formalizada la venta, entonces será ya una inversión que se declara, en su caso, en la forma ordinaria.

Tratándose de una opción de compra de inmuebles a favor de no residente, incluso como pacto dentro de un arrendamiento, tanto si se configura como derecho real o como mero derecho personal se trata de operaciones totalmente liberalizadas; sólo si se configura la opción como derecho real podría declarase en sí; en todo caso, sea personal o real, deberá declararse caso de ejercicio de la misma en la forma ordinaria. Lo mismo en caso de retracto convencional.

Respecto de los retractos legales, el no residente que civilmente tenga a su favor derecho de retracto (colindantes, comunero, etc) podrá ejercitarlo en la forma ordinaria, pues la adquisición es totalmente libre, con obligación de declaración si procede. Si el inmueble que se adquiere está situado en zona restringida habrá que cumplir con dicha legislación.

En caso de compraventa con pacto de retro, el derecho que se reserva durante un tiempo a su favor el vendedor no residente de un inmueble para readquirirlo, es un mero pacto de la compraventa, totalmente liberalizado; deberá declarase la liquidación de la inversión en su caso y la posterior readquisición, también en su caso. Si es el adquirente con pacto de retro el no residente, también está totalmente liberalizada la operación, con la obligación de declaración de la inversión, en su caso.

8.3.9. Dación en pago de deudas

La dación de un inmueble en pago de una deuda realizada por un no residente a residente constituye una desinversión; la dación de un inmueble en pago de una deuda realizada por un residente a un no residente constituye una inversión. Todo ello liberalizado y sujeto a declaración, en su caso, en la forma ordinaria.

8.3.10. Aeronave

La adquisición por un extranjero no residente de un aeronave española no es una inversión extranjera sino una exportación dado que el artículo 19 de la Ley 48/1960 de Navegación Aérea —reformada en 2011— dispone:

Artículo 19

La aeronave matriculada en España dejará de ser española si legalmente se enajenara a persona que no disfrute de la nacionalidad española o de algún país miembro del Espacio Económico Europeo, o no tenga su residencia habitual o un establecimiento permanente en territorio español, o la aeronave fuera matriculada válidamente en país extranjero.

En estos supuestos, se cancelará la matrícula de la aeronave en el Registro de Matrícula de Aeronaves del Estado español.

Se matriculan en España las aeronaves pertenecientes a personas físicas o jurídicas españolas, comunitarias o de países EEE y las pertenecientes a residentes habituales en España de terceros países.

8.3.11. *Embarcaciones deportivas y demás buques civiles*

Los buques de la Armada quedan al margen de la normativa interna que diremos y su abanderamiento se produce en virtud de la respectiva Orden Ministerial que lo incluye en la Lista Oficial de Buques de la Armada, donde igualmente se encuentran los buques del Servicio de Vigilancia Aduanera, dada su condición de buques auxiliares de la Marina de Guerra.

En cuanto a la flota civil, el texto refundido de la Ley de Puertos del Estado y de la Marina Mercante aprobado por RD 2/2011 de 5 de septiembre, dispone en su artículo 9 que se considera flota civil española: a) la flota mercante nacional; b) la flota pesquera nacional; c) los buques de recreo y deportivos nacionales y d) los demás buques españoles no incluidos en las letras anteriores, esto es, cualquier embarcación, plataforma o artefacto flotante, con o sin desplazamiento, apto para la navegación.

El artículo 252 del mismo texto refundido establece que:

Artículo 252 Abanderamiento de buques

__1.__ Los buques debidamente registrados y abanderados en España tendrán a todos los efectos la nacionalidad española.

__2.__ Estarán facultadas para obtener el registro y el abanderamiento de buques civiles las personas físicas o jurídicas residentes o domiciliadas en España u otros Estados pertenecientes al Espacio Económico Europeo siempre que, en este último supuesto, designen un representante en España.

Si los buques a los que se refiere el párrafo anterior estuvieran dedicados a la navegación de recreo o deportiva sin finalidad mercantil, no será necesario el requisito de residencia, siendo suficiente la designación de un representante en España.

Por navegación de recreo o deportiva, se entiende aquella cuyo objeto exclusivo sea el recreo, la práctica del deporte sin propósito lucrativo o la pesca no profesional, por su propietario o por otras personas que puedan llevarla a cabo, mediante arrendamiento, contrato de pasaje, cesión o por cualquier otro título, siempre que en estos casos el buque o embarcación no sea utilizado por más de 12 personas, sin contar con su tripulación.

__3.__ Los buques civiles españoles podrán ser abanderados provisionalmente en el extranjero y los extranjeros en España, en aquellos casos en los que se determine reglamentariamente

Esto es, los buques mercantes y los buques pesqueros deben pertenecer a personas físicas o jurídicas residentes o domiciliadas en España u otros países pertenecientes al Espacio Económico Europeo, siempre que, en este último supuesto, designen un representante en España. Los no residentes en el espacio EEE no pueden mantener abanderado el buque en España, manteniéndose como buque español; lo que debe realizar es la compra del buque y su matriculación en otro país, dejando el barco de ser español.

Las embarcaciones deportivas abanderadas en España pueden adquirirse libremente por extranjeros, sean o no residentes y continúan siendo embarcaciones españolas. La compra no es una inversión extranjera declarable sino que debe cumplir las normas generales de las transacciones exteriores. Y precisan el nombramiento de un representante residente.

En materia de compraventa de embarcaciones deportivas hay que tener en cuenta el régimen fiscal aplicable a cada caso particular, lo que no es fácil de dilucidar. Habrá que considerar nacionalidad y residencia de vendedor y comprador, condición de empresario del transmitente, embarcación española o extranjera, matriculada en país comunitario o país tercero, haya pagado el IVA inicial o no, permanezca habitualmente en puerto español, etc.

8.3.12. Amarres en puertos deportivos

En España existen Puertos de interés general de competencia estatal en el pueden existir dársenas pesqueras y dársenas deportivas, con amarres gestionados directamente por las autoridades del puerto o cedidos en concesión. También existen Puertos de competencia autonómica, son los demás puertos comerciales, puertos pesqueros y puertos deportivos. Las distintas comunidades autónomas han dictado Leyes específicas.

Inicialmente los Puertos deportivos se regularon por Ley 55/1969 de 36 de abril sobre puertos deportivos y su reglamento de 1980, que fueron derogados por la Ley de Puertos de 1992, la cual no se refirió a ellos. Esta Ley de 1992 ha sido sustituida por la vigente Ley de Puertos del Estado y de la Marina Mercante aprobado por RD 2/2011 de 5 de septiembre.

Nos vamos a referir unitariamente a todos los casos, esto es, que los amarres sean comercializados por el concesionario dentro de una dársena deportiva de un Puerto de competencia estatal o de un Puerto de competencia autonómica o se trate directamente de un puerto deportivo construido en concesión. Habrá que ver en cada caso la normativa administrativa aplicable.

El puerto deportivo o la marina deportiva dentro de ellos se construye o acondiciona por los concesionarios; quienes explotan el puerto o la marina durante el periodo de vigencia de la concesión. Tales concesionarios ceden el uso de los amarres en virtud de contrato por el cual el adquirente recibe el derecho de usar un amarre durante el tiempo restante de la concesión u otro menor pactado a cambio de un canon o precio así como del pago de los gastos correspondientes, además de los consumos de agua y electricidad, tasas portuarias, etc. Se concede el uso preferente de un amarre concreto o del que se le asigne en cada momento, si este derecho se lo ha reservado el concesionario para optimizar la explotación.

El derecho de uso preferente implica que en los períodos que el amarre no está ocupado por la embarcación del titular, el concesionario mantiene el derecho para hacer uso del mismo en su propio beneficio.

Para el caso de transmisión del uso preferente del amarre por parte del titular a un tercero que desee adquirirlo, suele estar pactado con el concesionario derechos de tanteo o retracto en su favor o haberse éste reservado dar su autorización previa. Estos pactos establecidos en la primera transmisión del derecho de uso preferente habrá que cumplirlos en la venta posterior del derecho de uso preferente.

La adquisición por no residente del uso preferente de amarres en puertos deportivos, marinas o dársenas de puertos es totalmente libre; se trata de un derecho de uso inscribible en el registro de la propiedad, transmisible inter vivos y perfectamente heredable.

La constitución de hipotecas sobre los amarres normalmente en garantía de préstamos para financiar la propia adquisición de los mismos, debe estar autorizada previamente por la Autoridad Portuaria; esa autorización puede ser individual pero también cabe una autorización general siempre que se cumplan los requisitos impuestos por la propia autoridad portuaria al concederla.

El uso de un amarre en tránsito es un mero gasto de estancia del no residente, sujeto al régimen general de pagos, con la limitación de pagos en efectivo al tener la concesionaria del puerto o marina la condición de empresario.

Distinto a todo lo anterior, son los casos de entidades deportivas o Club marítimo titulares de la concesión de los amarres, los cuales son atribuidos exclusivamente a sus socios, mediante pago de cuotas, por acuerdos internos en uso preferente, que no se puede transmitir, ceder ni heredar. Incluso la falta de uso genera la pérdida del mismo. En estos casos, el no residente habrá de adquirir la condición de socio de la entidad en la forma estatutaria, no habrá inversión extranjera en inmueble, sino adquisición de la condición de socio, transacción exterior liberalizada.

8.3.13. *Arrendamiento de inmuebles*

En esta materia importa la nacionalidad más que la residencia. El arrendamiento de Inmueble sito en España a favor de persona física o jurídica no residente no constituye una inversión extranjera.

Debemos distinguir los arrendamientos sujetos al Código Civil, de los sujetos a la Ley de Arrendamientos Urbanos y los sujetos a la Ley de Arrendamientos Rústicos. Partimos de un arrendador residente en España.

Los arrendamientos regulados por el Código Civil no tienen restricción alguna para los extranjeros sean residentes o no residentes en España. Únicamente si el arrendatario es no residente como la operación genera cobros y pagos exteriores podrá estar sujeta a la obligación de comunicación ETE por el arrendador residente. En su caso habrá de cumplirse por el arrendador la normativa de las comunidades autónomas sobre arrendamiento turístico (viviendas amuebladas y equipadas del artículo 5 e) de la Ley de Arrendamientos Urbanos).

La Ley 28/1994 de 24 de noviembre de Arrendamientos Urbanos tampoco contiene ninguna restricción para que los extranjeros, sean residentes o no residentes, sean inquilinos o arrendatarios. Los extranjeros cualquiera que sea su residencia pueden ser inquilinos de viviendas, garajes, locales y demás sin limitación. Los residentes, normalmente de arrendamiento de vivienda permanente (art. 2) mientras que los no residentes las de temporada —arrendamiento para uso distinto del de vivienda— (art. 3). Alquilar a una persona sin residencia administrativa en España no es problema jurídico sino que podrá ser, en su caso, un problema de solvencia.

En cuanto a los arrendamientos rústicos, el artículo 9.7 de la Ley 49/2003 de 26 de noviembre sobre Arrendamientos Rústicos, modificada en 2005, dispone:

7. No podrán ser arrendatarios las personas y entidades extranjeras. Se exceptúan, no obstante:

a) Las personas físicas y jurídicas y otras entidades nacionales de los Estados miembros de la Unión Europea, del Espacio Económico Europeo, y de países con los que exista un convenio internacional que extienda el régimen jurídico previsto para los ciudadanos de los Estados mencionados.

b) Las personas físicas que carezcan de la nacionalidad española, que no estén excluidas del ámbito de aplicación de la Ley Orgánica 4/2000, de 11 de enero, sobre derechos y libertades de los extranjeros en España y su integración social, y que se encuentren autorizadas a permanecer en España en situación de residencia permanente, de acuerdo con dicha Ley Orgánica y su desarrollo reglamentario.

c) Las personas jurídicas y otras entidades nacionales de los demás Estados que apliquen a los españoles el principio de reciprocidad en esta materia

Por tanto, en principio los extranjeros sean personas físicas o jurídicos no pueden ser arrendatarios de fincas rústicas sometidas a la Ley de Arrendamientos Rústicos. Se trata de una prohibición de contratar. Este principio prohibitivo tiene varias excepciones. Veamos.

La primera afecta a los extranjeros nacionales de Estados miembros de la Unión Europea, del Espacio Económico europeo y suizos. Con Suiza se firmó el Convenio de 21 de junio de 1979. Parece que también debe incluirse en este epígrafe a los familiares extracomunitarios de nacionales de Estados miembros de la Unión Europea, del EEE y Suizos pues gozan de los mismos derechos que sus familiares comunitarios. Estos extranjeros pueden ser arrendatarios agrícolas, esto es, autónomos por cuenta propia, y por tanto residentes en España.

Dentro de esta misma excepción se encuentran las personas jurídicas y otras entidades de nacionalidad de un país de la Unión y del EEE. El citado Convenio con Suiza no extiende la libertad de establecimiento a las personas jurídicas, por lo que las sociedades suizas no podrán ser arrendatarios de fincas rústicas en España, salvo que se acredite un régimen de reciprocidad.

La segunda afecta a los extranjeros extracomunitarios que hayan accedido a la situación de residencia permanente de acuerdo con lo previsto en la legislación de extranjería. La residencia permanente autoriza a residir en España indefinidamente y trabajar en igualdad de Condiciones que los españoles.

Los extranjeros extracomunitarios que no hayan accedido a la residencia permanente, es decir, que se encuentren en residencia temporal o mera estancia o incluso en situación de no regular únicamente no pueden ser arrendatarios rústicos, salvo naturalmente que exista un Tratado internacional que reconozca a favor de los extranjeros de una concreta nacionalidad igual trato que a los españoles.

La tercera excepción se refiere a las personas jurídicas y entidades de nacionalidad extranjera de los demás Estados que apliquen a los españoles el principio de reciprocidad en esta materia. El régimen de reciprocidad es complicado de acreditar.

8.3.14. Inmueble adquirido por reducción de capital y disolución de sociedades

En los casos de reducción de capital con devolución del valor de las aportaciones, cumplidos los requisitos mercantiles (acuerdo social reforzado, voto de socios no igualitarios, protección de acreedores, etc), si se materializa en la adjudicación de inmueble al socio no residente, constituye para él una inversión extranjera liberalizada, sujeta al régimen ordinario de declaraciones. Lo mismo en caso de reducción de capital por separación del socio con adjudicación de inmueble o de reparto de dividendos entre socios con pago total o parcialmente en inmueble de la sociedad.

En los casos de disolución de sociedad en que la cuota del socio no residente no se satisface en dinero sino en inmueble nos encontramos con una operación totalmente liberalizada que tendrá que cumplir los requisitos mercantiles oportunos —acuerdo social, consentimiento del socio, etc). Desde el punto de vista de las inversiones extranjeras es una operación libre sujeta a declaración si procede en la forma ordinaria.

8.3.15. Herencias de sociedades y de inmuebles

La adquisición de acciones y participaciones sociales de una sociedad española o de inmueble sito en España por un español o extranjero no residente en virtud de sucesión mortis causa constituye un caso de Inversión extranjera en España. Habrá que aplicar toda la regulación jurídico civil que corresponda, especialmente el Reglamento (UE) número 650/2012, denominado Reglamento Sucesorio Europeo en estos casos de sucesiones transfronterizas.

Puede adquirirse a título de herencia o de legado, por vía de testamento, pacto sucesorio o intestada.

Ha de tratarse de la herencia a favor de una persona no residente. Normalmente será una persona física pero puede ser una persona jurídica domiciliada en el extranjero o incluso un País extranjero, por ejemplo en caso de herencia intestada de causante extranjero. No importa que el País pertenezca a la Unión Europea o no

Tratándose de causante residente y sucesor no residente, nos encontramos ante una inversión extranjera. Tratándose de causante no residente y sucesor residente nos encontramos ante una desinversión. Tratándose de causante y sucesor no residentes nos encontramos ante una desinversión y ante una inversión extranjera. Todo ello liberalizado.

Las reglas de declaración de las inversiones son las generales; las adquisiciones mortis causa de acciones y participaciones sociales se declaran todas al registro de inversiones. En materia de inmuebles, se declaran las adquisiciones mortis causa cuando el importe declarado para el Impuesto de Sucesiones por los inmuebles superen la cifra de quinientos millones de pesetas o 3.005.060,52 euros o cuando cualquiera que sea la cuantía el adquirente resida en un País o territorio considerado como Paraíso fiscal.

No hay declaración previa antes de la aceptación de la herencia o legado aunque el adquirente resida en paraíso fiscal, y así lo reconoce el artículo 7 de la OM de 28 de mayo de 2001.

Las desinversiones sólo se declaran cuando la inversión que se liquida hubiera estado ya declarada. Esto es, si por cuantía o procedencia no correspondió en su día declarar la inversión, ahora al desinvertir nada hay que declarar.

8.3.16. Donaciones de sociedades y de inmuebles

La adquisición de acciones y participaciones sociales de sociedades españolas y de inmuebles situados en territorio español por un inversor extranjero en virtud de donación de inmueble constituye un caso de Inversión extranjera.

La donación de inmuebles debe además otorgarse en escritura pública. Y puede contener todos los pactos posibles, reservas de usufructo, conjuntos y sucesivos, prohibición de disponer, reserva, reversión, etc. con arreglo a la ley material de la misma, según nacionalidad y residencia de donante y donatario. La donación de acciones y participación sociales sigue el régimen general.

Se trata de operaciones totalmente liberalizadas se realicen entre no residentes como entre residentes y no residentes.

Las declaraciones en la forma ordinaria; las donaciones de acciones y participaciones sociales se declaran todas al registro de inversiones. En materia de inmuebles, se declaran las donaciones cuando el importe declarado para el Impuesto de Sucesiones y Donaciones por los inmuebles superen la cifra de quinientos millones de pesetas o 3.005.060,52 euros o cuando cualquiera que sea la cuantía el adquirente resida en un País o territorio considerado como Paraíso fiscal. No hay declaración previa antes de la donación aunque el donatario resida en paraíso fiscal, y así lo reconoce el artículo 7 de la OM de 28 de mayo de 2001.

Las desinversiones sólo se declaran cuando la inversión que se liquida hubiera estado ya declarada. Esto es, si por cuantía o procedencia no correspondió en su día declarar la inversión, ahora al desinvertir nada hay que declarar.

8.4. SECTORES ESPECÍFICOS

En materia de los llamados sectores específicos, el artículo 1.2 del RD 664/1999 establece que:

«Artículo 1. 2 «Las disposiciones contenidas en el presente Real Decreto se entenderán sin perjuicio de los regímenes especiales que afecten a las inversiones extranjeras en España establecidos en legislaciones sectoriales específicas y en particular en materia de transporte aéreo, radio, minerales y materias primas minerales de interés estratégico y derechos mineros, televisión, juego, telecomunicaciones, seguridad privada, fabricación, comercio o distribución de armas y explosivos de uso civil y actividades relacionadas con la Defensa Nacional.

En los supuestos anteriores, las inversiones se ajustarán a los requisitos exigidos por los órganos administrativos competentes fijados en dichas normas. Una vez cumplidos los requisitos dispuestos en la mencionada legislación sectorial deberá estarse a lo previsto en el presente Real Decreto».

Ello significa que las inversiones extranjeras realizadas en estos sectores deben ser objeto de justificación de la no residencia del inversor, de las declaraciones previas, en su caso, y de las declaraciones posteriores en la forma ordinaria. Y, además, hay que cumplir los requisitos que impongan las normas sectoriales, tales como autorizaciones previas, declaraciones responsables, capacitaciones técnicas y económicas, solvencia empresarial, etc.

La Ley vigente de Inversiones Extranjeras —La Ley 18/1992 de 1 de julio— dispone en su artículo único:

Artículo único

1. *A efectos de las inversiones extranjeras en España constituyen sectores con regulación específica en materia de derecho de establecimiento los siguientes:*

   Juego.

   Actividades directamente relacionadas con la defensa nacional.

   Televisión.

   Radio.

   Transporte Aéreo.

2. *Lo anterior no será de aplicación a los residentes en un Estado miembro de la Comunidad Económica Europea, salvo por lo que se refiere a las actividades de producción o comercio de armas o relativas a materias de defensa nacional.*

3. *Reglamentariamente se podrá establecer un régimen especial en relación con el desarrollo por extranjeros de actividades que participen, incluso a título personal, en el ejercicio de autoridad pública. Asimismo, se podrá establecer reglamentariamente un régimen especial en relación con el régimen de extranjeros por razones de orden público, seguridad y salud pública*

El precepto de la Ley establece los sectores con legislación sectorial específica que pormenoriza el RD 664/1999 y que veremos seguidamente. Mantiene un cierto confusionismo entre movimientos de capital e inversiones extranjeras y el derecho de establecimiento. El derecho de establecimiento en España de personas extranjeras, incluida la prestación de servicios, está recogido en el Tratado de Funcionamiento de la Unión Europea en los artículos 49 y siguientes, los cuales predican estas libertades de los nacionales de los países comunitarios con independencia del país de su residencia, comunitario o no; mientras que la libertad de movimientos de capital se atribuye a los residentes en los países miembros de la Unión Europea. Señalan Álvarez Pastor y Eguidazu que la ambigüedad que la Ley mantiene podemos encontrarla en la dificultad de deslinde de ambas libertades en algunos casos donde una y otra se superponen.

Subrayo, pues, que en esta materia no basta la consideración de la residencia del inversor sino también su nacionalidad; todo ello según resulte de la legislación sectorial específica.

Las restricciones que pudieran contener las disposiciones sectoriales no son aplicables a los inversores residentes en países de la UE, salvo Defensa Nacional.

El régimen de estas inversiones será de liberalización o de restricción según establezca la normativa propia de cada sector. Adviértase que fue el artículo 26 del RD 671/1992 (derogado) el que mantuvo la necesidad de autorización administrativa del Consejo de Ministros para las inversiones extranjeras en estos sectores, por lo que derogado dicho RD resulta inicialmente un régimen de liberalización, salvo lo que expresamente disponga la norma sectorial.

8.4.1. Defensa nacional

El sector relacionado con la Defensa nacional es el que corresponde a la fabricación, comercio y distribución de armas, artículos pirotécnicos, cartuchería y explosivos.

Conforme al artículo 11 del RD 664/1999, las inversiones extranjeras, directas o indirectas, en sociedades españolas que tengan por objeto estas actividades **requieren siempre autorización del Consejo de Ministros,** cualquiera que sea el porcentaje de participación del inversor en el capital social de la sociedad y cualquiera que sea la residencia de la persona física o jurídica extranjera inversora, **incluso a los residentes en países de la Unión Europea.** No obstante, tratándose de sociedades españolas que coticen en Bolsa, únicamente requerirán la autorización las adquisiciones por no residentes superiores al 5% del capital social o las que sin alcanzar este porcentaje permitan al inversor formar parte del órgano de administración. El RD 1362/2007 de 19 de octubre, en materia de transparencia regula, entre otras, la obligación de información al mercado: el accionista que adquiera o transmita acciones debe notificar a la entidad emisora y a la Comisión Nacional del Mercado de valores— la proporción de derechos de voto que queden en su poder como resultado de esas operaciones de compra o venta cuando alcance los umbrales del 3%, 5%, 10%, 15% 20%, 25%, 30%, etc. Con ello el mercado se hace una idea del grado de participación de los principales accionistas de la sociedad anónima cotizada.

Las empresas del sector de armas y explosivos sean personas físicas o jurídicas precisan en sí de autorización administrativa para ejercer la actividad,

La Ley Orgánica 4/2015 de 30 de marzo de protección de la seguridad ciudadana en su artículo 29.2 dispone que la fabricación, comercio y distribución de armas, artículos pirotécnicos, cartuchería y explosivos constituye sector con regulación específica en materia de establecimiento en los términos previstos por la legislación sobre inversiones extranjeras en España.

El Reglamento de Explosivos aprobado por RD 130/2017, que deroga el de 1998, reitera en su artículo 3.2 que estas actividades constituyen sector específico y que las inversiones extranjeras deben ajustarse a los requisitos y Condiciones del RD 664/1999. En parecidos términos se pronuncia el artículo 10.3 del Reglamento de Armas aprobado por RD 137/1993.

8.4.2. Juego

En principio, la Unión europea no ostenta competencias directas sobre el juego, siendo éstas nacionales conforme a su sistema constitucional. Sin perjuicio de que la prestación de los servicios de juego está incluida en el marco de la libertad de prestación de servicios y de establecimiento.

La regulación estatal del Juego está recogida en el vigente Real Decreto Ley 16/1977 de 25 de febrero que cambió sustancialmente la regulación pasando de un sistema de prohibición absoluta a otro permisivo. Durante muchos años el régimen del juego ha sufrido pocos cambios; sin embargo la aparición de las apuestas y juegos a través de Internet ha exigido una modernización de la regulación del juego a nivel estatal que se ha realizado mediante la Ley 13/2011 de 27 de mayo de regulación del juego.

Las loterías de ámbito estatal están reservadas a los operadores señalados por la ley, su comercialización exige autorización del Ministerio de Economía. El ejercicio de las demás actividades de juego no reservadas queda sometido a la obtención de un título habilitante que son o licencias o autorizaciones de actividades de juego, quedando prohibida toda actividad de juego que no disponga de su título habilitante.

El artículo 13.1 de la Ley 13/2011 de regulación del juego, en su párrafo cuarto dispone que: «*La participación directa o indirecta de capital no comunitario tendrá como límite lo establecido en la legislación vigente sobre inversiones extranjeras en España*».

El RD 664/1999 incluye el juego entre los sectores específicos y no establece límite alguno en la participación extranjera no comunitaria en el sector del juego. Era el RD 671/1992, el que exigía autorización administrativa para la participación no comunitaria en el juego. Derogado el mismo por el RD 664/1999, la participación extranjera está totalmente liberalizada, sea comunitaria o no comunitaria. Pero naturalmente la empresa operadora debe obtener el título habilitante y cumplir toda la normativa del juego.

Sigue vigente el RD 2110/1998 de 2 de octubre que aprueba el Reglamento de Máquinas recreativas y de azar que en su artículo 25 señala que la participación de capital extranjero en las empresas con esta actividad debe ajustarse a la normativa de inversiones extranjeras y como hemos visto liberalizada.

El Reglamento del Bingo aprobado por Orden de 9 de enero de 1979, modificada por Orden de 4 de octubre de 2002, en su artículo 8 dispone que la participación extranjera en estas empresas ha de ajustarse a la normativa sobre inversiones extranjeras, hoy liberalizada.

En materia de Casinos de juego, debemos remitirnos a la normativa autonómica que como regla general establece que la explotación de los Casinos lo sea a través de un concurso público a favor de sociedad anónima española o de otra nacionalidad comunitaria, de acciones nominativas y objeto único y que la participación extranjera en dicha sociedad se ajusta a lo establecido en la legislación en materia de inversiones exteriores. Esto es, la sociedad puede estar participada por capital extranjero, comunitario o no, libremente.

8.4.3. Minerales estratégicos

La Ley 25/2009 de 22 de diciembre de libre acceso a actividades, llamada ley Omnibus, en su artículo 17 ha derogado los artículos de la Ley de Minas, que regulaban la titularidad de los derechos mineros, dejándolos sin contenido. Por ello han quedado suprimidas todas las restricciones.

8.4.4. Transporte aéreo

El transporte aéreo se encuentra regulado en la Ley 48/1960 de 21 de julio de Navegación Aérea. Sus artículos 73 y siguientes disponen:

Artículo 73

Las concesiones de servicios regulares por líneas determinadas o por redes de rutas se otorgarán a empresas de nacionalidad española y mediante concurso público, salvo por razones de interés nacional o de la propia explotación del transporte, apreciadas en Consejo de Ministros, que aconsejen otra cosa.

Artículo 74

Los concesionarios habrán de ser españoles, poseer medios económicos y técnicos suficientes y asegurar, con garantía bastante, el pago de las responsabilidades que se originen con ocasión de los servicios durante el tiempo de la concesión.

Cuando el concesionario de un servicio regular sea una persona jurídica, deberán ser igualmente españoles, al menos, las tres cuartas partes de su capital y de sus administradores.

Artículo 75

Si el capital de una Empresa concesionaria estuviese representado por acciones, los títulos serán nominativos.

Artículo 79

El tráfico no regular podrá ser ejercido por empresas individuales o colectivas, sean o no concesionarias de otro tráfico, previa autorización del Ministerio del Aire y bajo su inspección.

Las autorizaciones tendrán un plazo de vigencia no inferior a un año ni mayor de diez, pudiendo ser prorrogadas.

Artículo 80

Para que el Ministerio del Aire otorgue la autorización a que se refiere el artículo anterior será necesario que la empresa solicitante cumpla las Condiciones siguientes:

- *1.ª Que el solicitante sea español y, si se trata de empresa colectiva, que su capital sea íntegramente nacional o que la participación de capital extranjero no exceda del 25 por 100 de aquél. Las sociedades anónimas emitirán nominativamente todos sus títulos.*

- *2.ª Acreditar que se dispone del material que en cada caso se fije para la prestación del servicio.*

- *3.ª Depositar una fianza cuya cuantía se determinará en cada caso por la Dirección General de Aviación Civil.*

- *4.ª Que el personal directivo y de vuelo de la Empresa sea español y reúna las Condiciones exigidas en esta Ley.*

Artículo 83

Las aeronaves extranjeras no podrán efectuar transporte de cabotaje.

Artículo 88

Los servicios aéreos españoles para el tráfico internacional, de carácter regular, se establecerán mediante convenios con los Estados interesados. Los permisos o concesiones a empresas extranjeras para efectuar ese mismo tráfico se otorgarán normalmente bajo el principio de reciprocidad y sin perjuicio para los servicios nacionales.

Las aeronaves extranjeras de tráfico no regular necesitarán autorización para cada servicio o viaje.

Artículo 91

Cuando lo aconsejen circunstancias especiales, el Gobierno podrá modificar el porcentaje de participación extranjera en las Empresas de tráfico aéreo a que se refiere este capítulo

El tráfico regular aeronáutico exige concesión administrativa; el concesionario persona física debe ser español o residente en País UE; tratándose de un concesionario persona jurídica, debe ser de titularidad de españoles o de residentes en países comunitarios al menos tres cuartas partes de su capital y de sus administradores. No puede ser concesionario de transporte aéreo regular, un extranjero no residente en la UE ni una sociedad nacional de un país no comunitario. Pero pueden constituir una sociedad española o comunitaria, participando en ella hasta en un veinticinco por ciento.

Para el tráfico no regular basta autorización ministerial pero se mantiene el mismo límite indicado de capital. En todo caso, el Gobierno puede modificar este porcentaje de participación extranjera (art. 73,80 y 91 Ley 48/1960 de 21 de julio de Navegación Aérea).

8.4.5. Seguridad privada

Su régimen jurídico se encuentra en la Ley 4/2014 de 4 de abril, de Seguridad Privada. El Reglamento de la Ley no se ha publicado todavía —enero 2018— por lo que sigue el anterior de 1994. Su artículo 23 dispone:

Artículo 23 Consideración de sector específico.

1. Las empresas de seguridad privada tienen la consideración de sector económico con regulación específica en materia de derecho de establecimiento.

2. Cuando el Consejo de Ministros, con arreglo a lo dispuesto en la normativa sobre inversiones extranjeras, suspenda el régimen de liberalización de los movimientos de capital, la autorización previa de inversiones de capital extranjero en empresas de seguridad privada exigirá, en todo caso, informe previo del Ministerio del Interior.

3. Las empresas de seguridad privada en las que se hubieran realizado inversiones de capital extranjero estarán obligadas a comunicar al Ministerio del Interior todo cambio que se produzca en las mismas, en relación con lo establecido en el artículo 21.1.c).

4. Las limitaciones establecidas en los dos apartados precedentes no son de aplicación a las personas físicas nacionales de los Estados miembros de la Unión Europea ni a las empresas constituidas de conformidad con la legislación de un Estado miembro y cuya sede social, administración central o centro de actividad principal se encuentre dentro de la Unión Europea.

Y el artículo 21.1 establece que las empresas de seguridad privada deberán cumplir las siguientes obligaciones:

c) Comunicar al Registro Nacional o autonómico correspondiente todo cambio que se produzca en cuanto a su forma jurídica, denominación, número de identificación fiscal, domicilio, delegaciones, ámbito territorial de actuación, representantes legales, estatutos, titularidad de las acciones y participaciones sociales, y toda variación que sobrevenga en la composición de los órganos de administración, gestión, representación y dirección de las empresas.

Las inversiones extranjeras en sociedades españolas dedicadas a la Seguridad Privada están liberalizadas; si alguna vez la liberalización fuera suspendida se requeriría autorización ministerial salvo para inversiones nacionales de países comunitarios y para empresas constituidas de conformidad con la legislación de un Estado miembro siempre que su sede social, administración central o centro de actividad se encuentre en la UE.

La propia empresa de seguridad privada en la que se hubiera realizado la inversión de capital extranjero debe comunicarlo al Ministerio del Interior a través de la Dirección General de Policía así como toda variación que afecte a la titularidad de tales inversiones.

La prestación de servicios de seguridad privada en España exige autorización administrativa previa, por razón de la materia, salvo la prestación de los servicios de central de alarma en que basta declaración responsable. Se deben inscribir en el correspondiente registro administrativo del Ministerio del Interior o Comunidades Autónomas. Los servicios que comprende la seguridad privada pueden ser prestados por personas físicas o jurídicas, de nacionalidad española o de otros países de la Unión Europea o del Espacio Económico Europeo. Las empresas de seguridad privada no españolas autorizadas para la prestación de servicios de seguridad por la normativa de los otros Estados miembros UE o EEE habrán de inscribirse en el registro administrativo estatal o de la comunidad autónoma.

Los representantes de las empresas de seguridad privada deben ser personas físicas residentes en el territorio de alguno de los Estados miembros de la UE o del EEE.

8.4.6. Telecomunicaciones

Su régimen jurídico se encuentra en la actualidad en la Ley 9/2014 de 9 de Mayo, General de Telecomunicaciones.

Las redes, servicios, instalaciones y equipos necesarios para la defensa nacional se reservan al Estado, teniendo competencia en ello el Ministerio de Industria, Energía y Turismo, con la debida coordinación con el Ministerio de Defensa. Además, para garantizar la defensa nacional o la seguridad pública el Estado puede asumir la gestión directa de redes de telecomunicaciones y servicios, de forma excepcional y transitoria.

La explotación de las redes y la prestación de los servicios de comunicaciones electrónicas se realizar en régimen de libre competencia. El inicio de la explotación de una red o un servicio de telecomunicaciones electrónicas debe ser comunicado con anterioridad a su inicio al registro de operadores del Ministerio de Industria, Energía y Turismo.

La explotación de una red o un servicio de telecomunicaciones electrónicas a terceros o el servicio de instalación y mantenimiento de equipos y sistemas de telecomunicaciones por extranjeros se regula en los artículos 6 y 59 de la Ley.

Establece el artículo 6:

Artículo 6 Requisitos exigibles para la explotación de las redes y la prestación de los servicios de comunicaciones electrónicas.

1. Podrán explotar redes y prestar servicios de comunicaciones electrónicas a terceros las personas físicas o jurídicas nacionales de un Estado miembro de la Unión Europea o de otra nacionalidad, cuando, en el segundo caso, así esté previsto en los acuerdos internacionales que vinculen al Reino de España. Para el resto de personas físicas o jurídicas, el Gobierno podrá autorizar excepciones de carácter general o particular a la regla anterior.

Establece el artículo 59:

Artículo 59. Condiciones que deben cumplir las instalaciones e instaladores.

2. La prestación a terceros de servicios de instalación o mantenimiento de equipos o sistemas de telecomunicación se realizará en régimen de libre competencia sin más limitaciones que las establecidas en esta Ley y su normativa de desarrollo. Podrán prestar servicios de instalación o mantenimiento de equipos o sistemas de telecomunicación las personas físicas o jurídicas nacionales de un Estado miembro de la Unión Europea o con otra nacionalidad, cuando, en el segundo caso, así esté previsto en los acuerdos internacionales que vinculen al Reino de España. Para el resto de personas físicas o jurídicas, el Gobierno podrá autorizar excepciones de carácter general o particular a la regla anterior.

Para explotar redes, prestar servicios de comunicaciones electrónicas o servicios de instalación y mantenimiento de equipos o sistemas de telecomunicación se precisa ser persona física o jurídica española o comunitaria. Para el resto de extranjeros, es preciso acuerdo internacional entre Estados, por ejemplo los países del EEE, o autorización general o particular del Gobierno.

8.4.7. Radio y televisión

El régimen jurídico de radio y televisión se encuentra en la actualidad en la Ley 7/2010 de 31 de marzo, General de la Comunicación audiovisual, la cual ha derogado la ley reguladora del Estatuto de Radio y Televisión, la ley de televisiones privadas, la ley del tercer canal de televisión, etc, manteniéndose la Ley 17/2006 de 5 de junio de Radio y Televisión de Titularidad Estatal que regula el servicio público de radio y televisión de titularidad estatal en régimen de gestión directa.

El inicio de la actividad de prestación de los servicios de comunicación audiovisual, radiofónico, televisivos y conexos requiere la previa comunicación fehaciente a la Autoridad audiovisual competente y, además, si se utilizan ondas hertzianas terrestres se precisa licencia previa otorgada mediante concurso. Estas licencias son temporales (15 años), renovables, transmisibles y susceptibles de ser arrendadas pasados dos años desde su adjudicación con autorización administrativa de la transmisión.

Para ser titular de una licencia en caso de persona física debe ostentar la nacionalidad española o de un Estado miembro del EEE o la de cualquier otro Estado que, de acuerdo, con su normativa interna, reconozca este derecho a los españoles.

Para ser titular de una licencia en caso de persona jurídica, debe tener su domicilio social en un estado miembro del EEE o en cualquier Estado que de acuerdo con su normativa interna reconozca este derecho a las empresas españolas.

En el caso de personas jurídicas, las inversiones en su capital social de personas físicas o jurídicas nacionales de países que no sean miembros del EEE, deberán cumplir el principio de reciprocidad. Además, la participación individual de una persona física o jurídica nacional de países que no sean miembros del EEE no podrá superar directa o indirectamente el 25% del capital social. Y el total de las participaciones en una misma persona jurídica de diversas personas físicas o jurídicas de nacionales de países que no sean miembros del EEE deberá ser inferior al 50% del capital social. Por tanto, hay tres límites, reciprocidad, 25% individual y 50% total. Aplicables normalmente a la constitución de sociedades, adquisición de acciones o participaciones y aumentos de capital en sociedades españolas.

8.5. ZONAS DE ACCESO RESTRINGIDO A LA PROPIEDAD POR EXTRANJEROS

La Ley Orgánica 5/2005 de 17 de noviembre de la Defensa Nacional en su artículo 30 dispone que en las zonas del territorio nacional consideradas de interés para la defensa en las que se encuentren constituidas o se constituyan zonas de seguridad de instalaciones declaradas de interés militar, así como en aquellas en que las exigencias de la defensa o el interés del Estado lo aconsejen, podrán limitarse los derechos sobre los bienes propiedad de nacionales y extranjeros situados en ellas, de acuerdo con lo que se determine por Ley.

Esta materia se rige por la Ley 8/1975, de 12 de marzo de Zonas e Instalaciones de Interés para la Defensa Nacional, su Reglamento aprobado por RD 689/1978 de 10 de febrero y por la Orden del Ministerio de Justicia de 21 de octubre de 1983.

Regulan tres tipos de zonas, las zonas de interés para la Defensa Nacional que se fijan por Decreto que determina las limitaciones aplicables, las zonas de seguridad de instalaciones militares o de instalaciones civiles de interés militar, que limitan los usos del territorio próximo a las mismas exigiéndose autorización militar para los mismos y las zonas de acceso restringido a la propiedad por parte de extranjeros que examinamos a continuación. Las limitaciones de las dos primeras afectan a todos, españoles y extranjeros. Estas zonas son compatibles, de modo que un determinado inmueble puede estar sujeto a la zona de acceso restringido por parte de extranjeros y próxima a una instalación militar.

Según el artículo 4 de la Ley se denominan zonas de acceso restringido a la propiedad por parte de extranjeros aquellas en que por exigencias de la Defensa nacional o del libre ejercicio de las potestades soberanas del Estado, resulte conveniente prohibir, limitar o condicionar la adquisición de la propiedad y demás derechos reales sobre bienes inmuebles por personas físicas o jurídicas de nacionalidad o bajo el control extranjero.

En las zonas de acceso restringido a la propiedad por parte de extranjeros, **las adquisiciones de bienes y derechos inmobiliarios por extranjeros están sujetas a dos requisitos: obtener previa autorización militar; e inscribir de forma obligatoria la adquisición en el Registro de la Propiedad.**

8.5.1. *Personas a quienes afectan las limitaciones de la Ley*

Las normas sobre zonas de acceso restringido a la propiedad se aplican a los extranjeros. Sean **personas físicas o sean personas jurídicas**. Y muy importante **se aplican tanto si son residentes en España como no residentes**. Esto es, esta normativa es independiente de la de Inversiones extranjeras en España, de manera que si el extranjero es, además, no residente en España habrá que aplicar cumulativamente ambas.

No obstante, existe una excepción respecto de los ciudadanos y personas jurídicas comunitarias. Personas físicas o personas jurídicas nacionales de países integrantes de la Unión Europea. Indica Lucas Fernández que si aplicamos las mismas razones por las que se excluyen a los comunitarios tendremos que concluir que también deben quedar exentos los ciudadanos y personas jurídicas nacionales de países miembros del EEE (Noruega, Liechtenstein e Islandia) y Suiza. El artículo 4 del Tratado EEE establece como principio el de no discriminación por razón de nacionalidad. A Suiza se aplica ese mismo principio pero sólo a sus ciudadanos, no así a sus empresas (Acuerdo UE-Suiza de 1999 sobre libre circulación de personas que establece el principio de no discriminación por razón de nacionalidad).

Como es lógico esta excepción no se encontraba inicialmente en la Ley sino que fue introducida posteriormente mediante una Disposición Adicional 1ª, punto 1 que establece:

Disposición Final Primera

1. Las limitaciones que para la adquisición de la propiedad y demás derechos reales sobre bienes inmuebles, así como para la realización de obras y edificaciones de cualquier clase, son de aplicación en los territorios declarados, o que se declaren, zonas de acceso res-

tringido a la propiedad por parte de extranjeros, en virtud de las previsiones contenidas en las disposiciones que integran el capítulo III, no regirán respecto de las personas físicas que ostenten la nacionalidad de un Estado miembro de la Comunidad Económica Europea; tratándose de personas jurídicas que ostenten dicha nacionalidad, el aludido régimen será de aplicación en los mismos términos que se prevé respecto de las personas jurídicas españolas.

La segunda excepción se presenta en relación con las personas jurídicas, de acuerdo con la doctrina del control. La Ley **se aplica incluso a las personas jurídicas españolas o comunitarias** cuando su capital pertenezca a personas físicas o jurídicas extranjeras no comunitarias en proporción superior al 50% o cuando, aun no siendo así, los socios extranjeros no comunitarios tengan una posición de dominio o prevalencia en la empresa que les permita una influencia decisiva en la gestión social (sociedad administrada por socio extranjero extracomunitario). Así el artículo 19 de la Ley dispone

Artículo diecinueve. 1. Será exigible la autorización militar en todos los casos que previene el artículo anterior a las Sociedades Españolas cuando su capital pertenezca a personas físicas o jurídicas extranjeras, no nacionales de un Estado miembro de la Comunidad Económica Europea, en proporción superior al 50 por 100, o cuando aun no siendo así, los socios extranjeros no comunitarios tengan una situación de dominio o prevalencia en la empresa, derivada de cualquier circunstancia que permita comprobar la existencia de una influencia decisiva de los mismos en la gestión de la Sociedad; dicha comprobación se verificará conforme al procedimiento que reglamentariamente se establezca. 2. El cómputo del porcentaje de inversión extranjera a que se hace referencia en el apartado anterior se llevará a cabo conforme a los criterios establecidos en la vigente normativa sobre Inversiones Extranjeras en España.

El Reglamento de Inversiones extranjeras del año 1974 al que se remite el reglamento de zonas ha sido totalmente derogado y no existe el sistema de Listas de sociedades españolas participadas. Ya una Circular de la Dirección General de los Registros y del Notariado de 15 de julio de 1976 indicaba que ni los notarios ni registradores podrían exigir declaración ni comprobación alguna sobre el extremo relativo a la participación extranjera en sociedades españolas no incluidas en las listas previstas en el artículo 32 del reglamento de inversiones extranjeras de 1974. Como hemos visto antes las sociedades españolas con participación extranjera no son sujetos de inversiones extranjeras, y las inversiones efectuadas por sociedades comunitarias están liberalizadas aunque estén controladas por extracomunitarios.

Pero, ¿cuándo solicitar la autorización previa militar tratándose de sociedades españolas y más cuándo se trate de sociedades comunitarias? A mi juicio, bastará una declaración responsable o manifestación del representante de la entidad bajo su responsabilidad, acerca de que el capital de la entidad no pertenece a personas físicas o jurídicas extranjeras no nacionales de la UE, de países EEE, en proporción superior al 50% ni que los socios extranjeros no nacionales de la UE, o de países EEE ostentan una situación de dominio o prevalencia en la sociedad.

El artículo 45 del Rgto dispone: *Si alguna sociedad española, sujeta al requisito de la autorización militar conforme a lo previsto en el artículo 39, realizase cualquiera de los actos enumerados en el artículo 37 sin haber obtenido dicha autorización previa, una vez comprobada la circunstancia de su exigibilidad, se aplicará lo dispuesto en el artículo 44, sin perjuicio de las sanciones a que hubiere lugar conforme a los previsto en el Capítulo II de el título III de este Reglamento.*

Esto es, no se modifica el estado jurídico y de hecho pero las propiedades pueden ser objeto de expropiación, sin derecho de reversión, decidiendo posteriormente el Estado acerca del destino del inmueble, sea conservarlo o enajenarlo con arreglo a las leyes.

La aplicación de la Ley, a mi juicio, también alcanza a los casos en que la persona extracomunitaria adquiere la titularidad de las participaciones sociales de una persona jurídica española que a su vez sea titular de bien inmueble situado en zona restringida cuando se de el mismo requisito de control de la sociedad cuyas acciones o participaciones adquiere. Por razón de fraude de Ley. Si no puedes comprar sin autorización un inmueble tampoco puedes comprar la sociedad española titular del inmueble, sin autorización militar. En tales casos, la propiedad del inmueble en la sociedad española se mantendrá en la forma ordinaria si bien la sociedad deberá transmitir el inmueble o soportar el ejercicio de la expropiación forzosa.

8.5.2. Determinación de las Zonas sujetas a la Ley

Artículo dieciséis. En las zonas de acceso restringido a la propiedad por parte de extranjeros, a que se refiere el artículo cuarto de esta Ley, la extensión total de los bienes inmuebles pertenecientes en propiedad o gravados con derechos reales a favor de personas físicas o jurídicas extranjeras no podrá exceder del quince por ciento de su superficie, computado y distribuido en cada zona en la forma que reglamentariamente se determine. Sin perjuicio de lo dispuesto en el artículo siguiente, quedará fuera del ámbito de aplicación de esta capítulo y, por consiguiente, no se incluirá en el cómputo la superficie ocupada por los actuales núcleos urbanos de poblaciones no fronterizas o sus zonas urbanizadas o de ensanche actuales, y las futuras, siempre que consten en planes aprobados conforme a lo establecido en la legislación urbanística, que hayan sido informados favorablemente por el Ministerio militar correspondiente, circunstancia que se hará constar en el acto de aprobación.

Artículo diecisiete. La determinación y delimitación de estas zonas y la fijación del porcentaje máximo de propiedades y otros derechos reales en favor de extranjeros dentro de cada una de ellas, porcentaje que en ningún caso podrá exceder del límite señalado en el artículo anterior, se realizará por Decreto aprobado en Consejo de Ministros, a propuesta de la Junta de Defensa Nacional e iniciativa del Ministerio militar interesado. Excepcionalmente, con la misma forma e idénticos requisitos, podrá disponer el Gobierno, por razones similares, hacer extensivas las disposiciones de este capítulo de la Ley a determinadas poblaciones no fronterizas, o a sus zonas de ensanche, o fijar un límite máximo de superficie por adquirente.

Ha sido el Reglamento de la Ley en su artículo 32 y en el anexo II el que ha fijado estas zonas. Tales zonas son:

Territorios insulares, que comprende la totalidad de las islas e islotes de soberanía española en los que el porcentaje máximo de propiedad por parte de extranjeros es del 0,00% para Islas o islotes de superficie inferior a Formentera (82,8 km2); para islas de igual o superior superficie es el 15%. Por ello en las islas o islotes del Norte de África (Peñón de Vélez de la Gomera, Islote de San Antonio, Peñón de Alhucemas e Islas Chafarinas) el porcentaje es del 0,00%.

En la zona de Cartagena (Punta Negra en Águilas en la provincia de Murcia hasta Cabo Cervera en término de Torrevieja en la provincia de Alicante), en la zona fronteriza con Portugal, en la zona de Galicia (la totalidad de las costas gallegas) y en la zona fronteriza con Francia ese porcentaje es del 15%, salvo en el enclave de Llivia que es 0,00%; en la zona del Estrecho de Gibraltar y en la zona de la Bahía de Cádiz el porcentaje es del 10% (éstas dos zonas son continuas desde la desembocadura del río Guadalquivir hasta la del río Guadiaro en la costa mediterránea de Cádiz cerca de Sotogrande); y el porcentaje en Ceuta y Melilla es del 5%.

La relación de los términos municipales insulares y peninsulares que están incluidos en zonas de acceso restringido se encuentra en el anexo II de la Orden de 21 de octubre de 1983.

El cómputo de porcentajes se realiza por islas y en cada una de ellas por términos municipales; el quince por ciento de cada término municipal; y ninguno de dichos términos es fronterizo. En los términos municipales peninsulares, si son fronterizos o de litoral se computa separadamente la franja de frontera o costa en una profundidad de un kilómetro y la zona interior del término. Y se establecen reglas de cómputo en materia de copropiedad, propiedad horizontal, servidumbre, etc. Todo este cómputo debe realizarlo la autoridad militar a cuyo fin se ha creado el Censo de Propiedades extranjeras, se lleva por fichas y planos y se obliga a los Registradores de la Propiedad a remitir a la autoridad militar información sobre las adquisiciones sujetas a la ley.

Queda excluida del cómputo porque queda fuera del ámbito de aplicación de este capítulo de la Ley y, por tanto, también está exceptuada de autorización militar e inscripción registral obligatoria la superficie ocupada por los núcleos urbanos de poblaciones no fronterizas. La Ley comprende directamente los inmuebles urbanos calificados como tales por las normas urbanísticas con anterioridad al 14 de abril de 1978, así como las zonas urbanizadas o de ensanche en aquella fecha 1978; para que los terrenos que hayan sido calificados como urbanos con posterioridad a esa fecha queden excluidos de la Ley y, por tanto, del cómputo es preciso que los planes urbanísticos aprobados conforme a la legislación urbanística dispongan de informe favorable del Ministerio de Defensa, estando obligados los Ayuntamientos a informar si el plan aprobado dispone de informe favorable de Defensa. Si el plan urbanístico no dispone del informe favorable, el extranjero debe solicitar la autorización previa a su adquisición e inscribir su título. Por tanto, en los términos municipales no fronterizos se puede adquirir libremente inmuebles situados en suelo urbano consolidado en 1978 o con plan aprobado por el Municipio con informe militar favorable. Es fronteriza la población situada en término municipal colindante el término municipal con la frontera aunque la población en sí esté alejada de la misma.

A estos fines, los notarios y registradores exigirán que los certificados urbanísticos expedidos por los Ayuntamientos se hagan constar las limitaciones existentes sobre los terrenos de que se trate impuestas por el Ministerio de Defensa o en su caso, la no existencia de tales limitaciones (artículo 40.1 Rgto).

En caso de que notoriamente se tenga conocimiento personal y exacto de que un inmueble se encuentra en zona exceptuada por ser casco o núcleo de población no fronteriza, puede prescindirse de esa certificación municipal, tal y como declararon las Resoluciones de la **DGRN de 27 y 28 de marzo y 13 de junio de 1979**. Por ejemplo, del propio registro puede resultar ya de forma indubitada por certificaciones anteriores.

8.5.3. Índice de adquisiciones inmobiliarias

El artículo 22 de la Ley prevé la creación en el Ministerio del Ejército, hoy Defensa, de un Censo de propiedades extranjeras cuya organización, régimen y relación con el registro de la propiedad se determinará reglamentariamente.

Y el artículo 43 del Reglamento dispone: *1. A cada uno de los términos municipales que total o parcialmente estén incluidos en alguna de las zonas de acceso restringido a la propiedad, se le abrirá un fichero particular en el que, además del correspondiente plano general; descriptivo, en su caso, de las zonas costera o fronteriza e interior, y de sus respectivas superficies totales, se incorporarán, mediante fichas, los datos proporcionados por las Autoridades regionales del Ejército de Tierra, las cuales, a su vez, los recibirán de los Registradores de la Propiedad. 2. El fichero particular de cada término se completará con una ficha resumen en la que, mediante el sistema de doble columna, se anotarán los aumentos o reducciones de superficie computables con arreglo al presente Reglamento.*

Ha sido la Orden de 21 de octubre de 1983 la que ha desarrollado esta cuestión.

Los registradores deben remitir mensualmente a las Capitanías Generales de la región la oportuna ficha expresiva de los datos que solicita la Orden respecto cada transmisión o construcción; en los casos de hipoteca, tanteo, retracto u opción se comunican cuando por el ejercicio o ejecución de esos derechos se produzca la enajenación, derechos que se habrán constituido con la oportuna autorización previa.

En los registros de la propiedad con terrenos sometidos a esta Ley se encuentran los planos de las zonas que pueden ser consultados a instancia de los particulares.

8.5.4. Autorización militar previa

Artículo dieciocho. *En las zonas de acceso restringido a la propiedad por parte de extranjeros, quedan sujetos al requisito de la autorización militar, tramitada en la forma que reglamentariamente se determine:*

a) La adquisición, cualquiera que sea su título, por parte de personas físicas o jurídicas extranjeras, de propiedad sobre fincas rústicas o urbanas, con o sin edificaciones, o de obras o construcciones de cualquier clase.

b) La constitución, transmisión y modificación de hipotecas, censos, servidumbres y demás derechos reales sobre fincas, a favor de personas extranjeras.

c) La construcción de obras o edificaciones de cualquier clase, así como la adquisición de derechos sobre autorizaciones concedidas y no ejecutadas, cuando los peticionarios sean extranjeros.

Se exceptúan de lo dispuesto en este artículo los centros y zonas que se declaren de interés turístico nacional en los que, conforme a lo previsto en la Ley ciento noventa y siete/mil novecientos sesenta y tres, de veintiocho de diciembre, se considerará concedida la correspondiente autorización militar con las limitaciones que por imperativos de la Defensa Nacional pueda establecer el Ministerio militar afectado en su preceptiva autorización previa a tal declaración.

La validez de los actos a que se refiere el presente artículo, cuando tengan por objeto fincas situadas en estos centros y zonas de interés turístico nacional, quedará siempre sujeta al cumplimiento de las limitaciones mencionadas en el párrafo anterior.

Artículo veintidós. *Será aplicable a las zonas de acceso restringido a la propiedad por parte de extranjeros lo dispuesto en el artículo sexto de esta Ley en cuanto a responsabilidad, vigilancia y tramitación de solicitudes por las autoridades militares, entendiéndose por tales, a estos efectos, las correspondientes del Ministerio del Ejército, en el cual se creará un Censo de Propiedades Extranjeras cuya organización, régimen y relación con el Registro de la Propiedad se determinarán reglamentariamente.*

Artículo veintiséis.   Dentro de los límites máximos previstos en los artículos dieciséis y diecisiete, el otorgamiento o denegación de las autorizaciones previstas en este capítulo se hará siempre de acuerdo can la finalidad que motiva las limitaciones y restricciones que en él se imponen, a cuyo efecto el Ministerio del Ejército, o las autoridades regionales en quienes delegue, apreciarán libremente las circunstancias que concurren en cada caso. La tramitación y resolución de las solicitudes de autorización se efectuará de acuerdo con lo preceptuado en el Decreto mil cuatrocientos ocho/mil novecientos sesenta y seis, de dos de junio.

La exigencia de autorización militar previa tiene lugar cuando el adquirente de la propiedad o derecho real sobre inmueble no exento situado en zona de acceso restringido ostenta nacionalidad extracomunitaria o se trata de sociedad española o comunitaria controlada por extracomunitarios. Pero obsérvese que es exigible aunque el transmitente sea un extracomunitario. Es decir, no hay cesión de autorización sino que cada adquirente debe solicitar y obtener la suya propia.

La exigencia de autorización militar previa afecta a los bienes inmuebles, sean rústicos o urbanos, terrenos, parcelas, solares o estén edificados, viviendas, locales, trasteros, y en general a cualquier obra o construcción situadas en dichas zonas. El artículo 37 del reglamento reproduce la Ley. No son descripciones técnicas sino amplias para abarcar cualquier clase de terreno o construcción sea cual sea.

Se aplica a los actos de adquisición por cualquier título de la propiedad o cuota indivisa sobre dichos inmuebles; la construcción de obras nuevas exigirá una nueva autorización distinta de la inicial para la adquisición; la constitución, transmisión y modificación de hipotecas, censos, servidumbres y demás derechos reales sobre fincas. También en los casos de opción, tanteo y retracto, los cuales precisan de autorización previa y de inscripción registral obligatoria si bien no se comunican por el registro a la Autoridad militar mientras no se produzca la adquisición definitiva, como hemos visto.

Respecto de los arrendamientos, sean rústicos o urbanos, inscritos o no, a mi juicio no entran en la necesidad de autorización militar. Los arrendamientos rústicos en principio están prohibidos, como hemos señalado a nacionales extracomunitarios salvo el principio de reciprocidad.

Si el título de adquisición es mortis causa, universal o particular, cualquiera que sea, el extranjero extracomunitario adquirente debe solicitar la autorización militar o proceder a la enajenación del inmueble como después veremos.

Las autorizaciones corresponde concederlas al Ministerio de Defensa (Dirección General de Infraestructuras —RD 998/2017 de 24 de noviembre art. 7.2 h)—, solicitándose mediante instancia con datos personales, tiempo y lugar de permanencia en España, nacionalidad y cualesquiera otros que el interesado considere oportuno acompañado del certificado de conducta y antecedentes penales expedido por las autoridades competentes del lugar de su residencia, croquis de situación del inmueble a determinadas escalas y memoria de la obra o construcción, en su caso; si fuera persona jurídica, escritura de constitución así como certificación expedida por la persona a quien corresponda la administración y representación de la misma relativa a la participación de socios extranjeros en el capital y en los órganos sociales (arts. 79 y siguientes del Rgto). La documentación se cursa a través de la Capitanía General y el Ministro concederá o denegará en el plazo máximo de cuatro meses desde la presentación (2 meses en Capitanía y 2 meses en el Ministerio). El Ministro puede delegar la concesión de autorizaciones relativas a solicitudes de autorización para terrenos que no rebasen los 2.000 metros cuadrados de superficie, lo que no tendrá lugar cuando el solicitante sea ya titular de terrenos cuya superficie unida a la que desea adquirir rebase la extensión mencionada (art. 82 Rgto).

La autorización no es automática ni objetiva sino que las autoridades «*apreciarán libremente las circunstancias que concurren en cada caso*» según dispone la Ley en su artículo 26.

No obstante, la denegación es susceptible del oportuno recurso contencioso-administrativo. Por ejemplo, por falta de motivación de la denegación.

8.5.5. Centros y zonas de interés turístico nacional

Quedan incluidos en el cómputo y en la obligación de inscripción registral, pero excluidos de la autorización militar previa, los terrenos situados en los llamados Centros y Zonas de Interés Turístico Nacional. La Ley 197/1963 de 28 de diciembre sobre Centros y Zonas de Interés Turístico Nacional consideraba concedida la autorización militar para los inmuebles incluidos en dichos Centros y Zonas —la aprobación administrativa de esos centros y zonas llevaba la autorización militar genérica—. Aunque la legislación sobre Centros y Zonas de Interés Turístico ha sido derogada, sus efectos no desaparecen, de modo que los inmuebles situados en ellas quedan exceptuados de la necesidad de solicitar la autorización militar (Resolución DGRN de 28 de enero de 2004).

Pero sigue siendo obligatoria la inscripción en el registro de la propiedad. Estos Centros y Zonas tuvieron por orientación la promoción turística de la montaña (Huesca, Sierra Nevada, Navacerrada) y determinadas zonas litorales ajenas en esas fechas al boom turístico (Mar Menor, Huelva, Cádiz, Canarias).

8.5.6. Actuación notarial y registral. Otorgamiento del negocio bajo condición suspensiva

Artículo veinte. A los efectos establecidos en los artículos anteriores, los Notarios y Registradores de la Propiedad deberán exigir de los interesados el acreditamiento de la oportuna autorización militar, con carácter previo al otorgamiento o inscripción, respectivamente, de los instrumentos públicos relativos a los actos o contratos de transmisión del dominio o constitución de derechos reales a que dichos preceptos se refieren. El artículo 40 del Reglamento reproduce la Ley.

Los notarios deben exigir la justificación de la autorización militar antes del otorgamiento de la escritura; y los registradores deben exigir que conste en el documento notarial tal justificación. Igualmente en caso de acceso de documentos administrativos o judiciales el registrador deberá exigirla.

La doctrina se ha planteado si cabe el otorgamiento de la escritura después de la solicitud pero antes de la obtención, o incluso antes de la solicitud, si bien dejando condicionada suspensivamente la eficacia de la escritura a la obtención de la autorización.

Parte de la doctrina se ha mostrado favorable a esa posibilidad; es evidente que las partes han de poder obligarse inicialmente de alguna manera, por ejemplo con una promesa de venta o similar, pero ello exige la prestación de un nuevo consentimiento negocial que se intenta evitar mediante la figura de la «condición suspensiva». El negocio en todos sus elementos está configurado plenamente, a falta de la autorización. Lo que ocurre es que en la práctica eso no es así, sino que usualmente el contrato ya se ha ejecutado en parte, pues se entrega parte del precio, la posesión, etc. Y en todo caso como hemos visto, la autorización puede ser lícitamente denegada.

La DGRN en **Resolución de 20 de octubre de 1980** concluyó que no es inscribible una escritura otorgada bajo la condición suspensiva de obtener la autorización. Lo reiteró otra de 13 de marzo de 1981. Y más recientemente otra **Resolución de 5 de marzo de 2015.** Esta última señala que las partes no pueden poner en condición accidental del negocio jurídico aquello que la propia Ley exige para la eficacia del mismo, que en ámbito notarial y registral sería una vía fácil de burlar las exigencias legales. En el caso concreto, no se dejaba en suspenso la eficacia del contrato pues había traspaso posesorio, entrega de gran parte del precio y el resto aplazado garantizado con condición resolutoria. Añade la Resolución que no puede pretenderse que la autorización únicamente deba exigirse al transmitirse el dominio y hacer depender dicho momento precisamente de la obtención de la autorización. Por ello concluye que la autorización debería haberse exigido ya en el mismo momento del otorgamiento de la escritura.

A mi juicio, en esta cuestión hay dos cosas distintas. Una es si cabe un negocio jurídico sometido a condición suspensiva considerando como tal un requisito legal, lo que es discutible en el ámbito doctrinal y jurisdiccional; y otra distinta cuál deba ser la actuación del notario en este punto, con independencia de la opinión que se pueda mantener acerca de la posibilidad del otorgamiento bajo condición. Y en ese ámbito la DGRN ha señalado que el notario debe cumplir en sus propios términos el artículo 20 de la Ley y no permitir el otorgamiento de la escritura sin la autorización previa. El artículo 20 nada tiene que ver con la conducta de los interesados ni con la eficacia del negocio jurídico. Sino con la conducta de notarios y registradores. No cabe, pues, escritura sin autorización militar con advertencias notariales en el sentido de la necesidad de obtención de la misma admitidas por el adquirente ni sujetar a condición suspensiva la eficacia de la misma.

8.5.7. Inscripción en el Registro de la Propiedad

La obligatoriedad de inscripción registral se encuentra establecida en el artículo 21 de la Ley y 41 del Reglamento.

Artículo veintiuno.

Deberán necesariamente inscribirse en el Registro de la Propiedad los actos y contratos por los que se establezcan, reconozcan, transmitan, justifiquen o extingan, en favor de personas físicas o jurídicas extranjeras, el dominio u otros derechos reales sobre bienes inmuebles sitos en las zonas restringidas.

Deberán también inscribirse las concesiones administrativas sobre los bienes citados, otorgados a favor de las referidas personas extranjeras.

La falta de inscripción de los títulos indicados que se otorguen a partir de la entrada en vigor de esta Ley, dentro de los dieciocho meses siguientes a sus respectivas fechas, determinará la nulidad de pleno derecho de los mencionados actos y concesiones, de lo cual deberán hacer advertencia expresa los notarios autorizantes en las correspondientes escrituras.

En los casos en que, sin culpa del adquirente, los referidos títulos estén pendientes de la liquidación del Impuesto de Transmisiones o de cualquier otra formalidad que impida la inscripción, el plazo a que se refiere el párrafo anterior se ampliará a veinticuatro meses.

El Reglamento corrige como dice Lucas Fernández la palabra errónea de la Ley «justifiquen» por «modifiquen».

Inicialmente podría considerarse como que la inscripción de estos actos es constitutiva, mientras que el título no se inscriba no nace el derecho; lo que ocurre es que las inscripciones que la doctrina incluye como constitutivas por ejemplo hipoteca o superficie se refieren a situaciones jurídicas inmateriales mientras que la exigencia de publicidad registral, aquí, es de mero control del acto por la autoridad militar a efectos de la defensa nacional. Tampoco habría plazo para la inscripción en las constitutivas ordinarias. Por ello se ha matizado que es inscripción condicionante, por lo que pasado el plazo debería procederse a nuevo otorgamiento.

Para Lucas Fernández y Núñez Lagos nos encontramos con que el negocio adquisitivo se encuentra incompleto; en palabras de Rivas Martínez para el nacimiento a la vida jurídica no basta con la declaración de voluntad negocial instrumentada en la escritura pública. El camino a recorrer es todavía un poco más largo ha de llegar felizmente al Registro de la Propiedad.

Notemos que la Ley se refiere a los negocios jurídicos que han obtenido la preceptiva autorización previa militar —lo da por entendido— y establece la obligatoriedad de inscripción en el registro de la propiedad, de lo cual expresamente deben advertir los notarios en las escrituras, incluso aunque los inmuebles no estén inmatriculados.

La falta de inscripción en el plazo de 18 o 24 meses señala la Ley que determinará la nulidad de «pleno derecho de los mencionados actos». Pese a los términos literales del precepto es muy dudoso que se trate de una verdadera nulidad. A mi juicio, no habrá nunca nulidad. La obligatoriedad de inscripción de estos negocios jurídicos no fue una novedad de la Ley, ya venía impuesta por la legislación previa, la Ley de 12 de mayo de 1960 y sin plazo. La novedad de la Ley fue poner plazo.

El sistema de la Ley opera sobre la base de las comunicaciones que debe realizar el registro de la propiedad a la autoridad militar sobre las adquisiciones y transmisiones a los efectos de que aquélla pueda controlar el límite de propiedad de extranjeros extracomunitarios en cada zona. Así establecido, es claro que la inscripción es necesaria para que el sistema funcione adecuadamente. La obligatoriedad de la inscripción no opera porque el legislador desee que los extranjeros extracomunitarios gocen necesariamente de los beneficios del sistema registral español mientras que para los españoles y comunitarios le parezca suficiente con que ellos lo decidan libremente. No busca intervenir en la esfera privada del adquirente sino impedir que el sistema de control militar no pueda ejercitarse correctamente. Parece evidente que el sistema legal no es satisfactorio, la notificación obligatoria de que se ha ejecutado la autorización militar por la adquisición efectiva del inmueble podría articularse de otra forma. Hoy es impensable que sea nula por falta de inscripción una adquisición con autorización militar ya ejecutada.

También deben ser supuestos de inscripción obligatoria —no incluidos en la norma específicamente— las transmisiones de inmuebles de ciudadanos extracomunitarios a españoles o comunitarios. Estas transmisiones no requieren autorización militar. Si no se comunicaran de forma obligatoria estas operaciones, el sistema de porcentaje en cada zona no podrá calcularse adecuadamente. Dicho esto, es claro que la transmisión a un español es de obligatoria inscripción registral pero su omisión ni puede ser causa ni de nulidad ni de expropiación.

En el caso en que se presente el título pasado el plazo de 18 o 24 meses, a mi juicio, éste debe poder inscribirse. Porque la ley no dice lo contrario sino que en el artículo 20 lo que dice es que el registrador de la propiedad debe exigir la justificación de la autorización militar con carácter previo a la inscripción. Si la autoridad militar no ha considerado contrario a los intereses de la defensa nacional determinada operación, una vez ejecutada ésta debe comunicarse a la autoridad militar a través del registro de la propiedad aunque sea de forma tardía. ¿Y no le pasa nada por la inscripción tardía al adquirente? Pues a mi juicio, además de las sanciones pecuniarias que puedan corresponderle conforme al artículo 91 del Reglamento, puede incurrir en responsabilidad en caso de que por su culpa o negligencia se haya causado perjuicio a terceras personas.

Hoy día, con la obligatoriedad de presentación a inscripción de todos los documentos notariales, salvo petición expresa en contrario (lo que en este caso no parece posible) el problema será menor. Pero ¿qué pasa con las fincas no inmatriculadas en el registro de la propiedad? Pues el adquirente deberá realizar lo necesario para tal inmatriculación dentro de plazo, pero naturalmente podrá obtenerse la inscripción pasados los plazos, sin por ello la adquisición con autorización militar concedida pase a ser nula.

8.5.8. Adquisiciones mortis causa. Adquisición de nacionalidad extracomunitaria con pérdida de la española. Disolución de sociedad

Artículo veinticinco.   Cuando la adquisición de fincas o la constitución de derechos reales sobre las mismas a favor de extranjeros se verifique por título hereditario universal o singular, los interesados deberán solicitar la autorización exigida por el artículo dieciocho de esta Ley en el plazo de tres meses, o preceder a la enajenación de los bienes en el término de un año, contados ambos desde que el adquirente pudo ejercitar legalmente sus facultades como titular del dominio o del derecho real de que se trate. Transcurrido el plazo de un año sin haberlo enajenado, o el mismo plazo contado a partir de la fecha en que se negó la autorización solicitada, el Ministerio del Ejército podrá proceder a la expropiación forzosa con arreglo a lo previsto en el párrafo segundo del artículo veintitrés.

El Reglamento en su artículo 46.3 añade que «*Iguales plazos y consecuencias serán aplicables a los casos en que un súbdito español pierda esta nacionalidad y cuando por disolución de sociedad se adjudiquen derechos reales sobre bienes inmuebles a un titular extranjero*».

Recuerdo que la autorización militar debe ser solicitada aun cuando el causante fuera un extranjero extracomunitario que ya hubiera obtenido su propia autorización, siempre que el sucesor desee permanecer en la titularidad del inmueble. Si no lo desea, puede otorgarse la escritura de entrega de legado, adjudicación o partición de herencia sin necesidad de autorización, aunque debe transmitir en el plazo de un año, incluso a un extracomunitario, el cual deberá obtener su propia autorización.

Transcurrido el plazo de un año sin haberlo enajenado o el mismo plazo desde que se le denegó la autorización solicitada, el Ministerio de Defensa puede proceder a la expropiación forzosa; mientras no se expropie, el extracomunitario será dueño o titular del derecho real sobre el inmueble con todos sus derechos y obligaciones, incluido como es lógico el de enajenarlo.

Entiende Núñez Lagos que el plazo indicado, siendo varios los herederos, se cuenta desde la partición de la herencia, que es la que concede al extranjero su titularidad concreta sobre el inmueble.

El régimen visto lo amplia el reglamento a los casos de pérdida de la nacionalidad española y a los casos de disolución de sociedad. Por analogía LUCAS FERNANDEZ estima se debe aplicar a los casos de disolución de sociedad de gananciales u otros regímenes matrimoniales de comunidad con adjudicación a extracomunitario del inmueble sito en zona restringida siempre que la disolución se produzca por causas ajenas a la voluntad conjunta (por ejemplo, fallecimiento, nulidad de matrimonio)

8.5.9. *Prescripción adquisitiva*

Se encuentra regulada en el artículo 27 de la Ley y 48 del Reglamento.

Artículo veintisiete. En las zonas de acceso restringido a la propiedad por parte de extranjeros, a que se refiere el presente capítulo, éstos no podrán adquirir, por prescripción, el dominio y otros derechos reales sobre bienes inmuebles.

Tanto Lucas Fernández como Núñez Lagos interpretan que la prohibición alcanza, sin duda, a la usucapión extraordinaria; respecto de la ordinaria no ven inconveniente alguno en que la prescripción opere cuando exista un justo título y con carácter previo al mismo se haya obtenido la autorización militar.

Según entiendo, y aunque no lo diga expresamente, el precepto parte de que el poseedor en concepto de dueño no ha obtenido la autorización militar. Comprende tanto a la prescripción ordinaria —con título— como a la extraordinaria, y en ambos casos sin autorización militar.

A mi juicio, este precepto es importante porque constituye fuerte argumento a favor de la ineficacia del negocio jurídico realizado sin autorización militar. Ni siquiera el transcurso del tiempo sana la adquisición sin autorización militar. Para adquirir se necesita autorización militar, con título o sin título.

8.5.10. *Expropiación forzosa*

Varios preceptos de Ley hacen referencia a la expropiación forzosa, como son:

A) Cuando se sobrepase la proporción de propiedad en una zona:

Artículo veintitrés. Si en alguna de las zonas de acceso restringido a la propiedad por parte de extranjeros se hubiere rebasado ya la proporción del quince por ciento, o la que en su caso fije el Gobierno, conforme a lo dispuesto en el artículo diecisiete de esta Ley, no se modificará el estado jurídico y de hecho de las propiedades que tuvieran adquiridas los extranjeros o Entidades extranjeras. No obstante, previa declaración de utilidad pública, con arreglo a la legislación vigente, podrán ser objeto de expropiación aquellas propiedades que se considere conveniente o necesario adquiera el Estado, para salvaguardar los supremos intereses de la Defensa Nacional, decidiéndose ulteriormente acerca del destino o uso de los inmuebles adquiridos en tal concepto, sea para conservarlos por la Administración, o sea para enajenarlos a españoles, previa la autorización legal correspondiente, con arreglo a lo prevenido en la Ley del Patrimonio del Estado. Cuando se produzca la expropiación a que se refiere el párrafo anterior, no habrá lugar al derecho de reversión previsto en el artículo cincuenta y cuatro de la Ley de Expropiación Forzosa.

B) Cuando las fincas se utilicen para fines contrarios a los intereses de la Defensa Nacional:

Artículo veinticuatro.   Si en el ejercicio de las facultades permanentes de control y vigilancia establecidas en el artículo veintidós en relación con el sexto, ambos de esta Ley, las autoridades militares apreciaran indicios racionales de que las fincas u obras se utilizasen para fines contrarios a los intereses de la Defensa Nacional, podrán someterse a revisión las autorizaciones concedidas. Las propuestas que se formulen con tal motivo servirán de base para acordar las medidas convenientes para hacer cesar dicha situación e incluso, en caso de evidencia, para anular dichas autorizaciones, y decretar la correspondiente declaración de utilidad pública y subsiguiente expropiación, conforme a lo previsto en el párrafo segundo del artículo anterior, sin perjuicio de las sanciones penales y administrativas que pudieran proceder.

C) Cuando el negocio jurídico se hubiera otorgado o la obra o edificación se realizase sin autorización militar:

Artículo veintinueve.

Las infracciones de las disposiciones prohibitivas o limitativas que se contengan en los Decretos por los que se establecen las zonas de interés para la Defensa Nacional al amparo de lo dispuesto en el artículo quinto de esta Ley, así como las que vulneren lo dispuesto en los artículos noveno, once, doce, dieciocho y diecinueve, de la misma, podrán dar lugar al acuerdo de demolición parcial o total, o al de expropiación, según los casos, sin perjuicio de ser sancionadas pecuniariamente según su entidad o importancia objetivas y la intencionalidad de sus autores.

Los acuerdos de demolición o expropiación, que serán de la exclusiva competencia del Ministerio militar correspondiente, así como los de sanción pecuniaria, sólo podrán imponerse mediante la incoación del oportuno procedimiento, en el que preceptivamente se oirá al presunto infractor.

La resolución de los expedientes instruidos por infracciones cometidas con motivo de obras o servicios públicos será de la competencia del Consejo de Ministros.

Es la infracción del artículo 18 de la Ley, esto es, no contar con la correspondiente autorización militar previa.

8.5.11. Eficacia del negocio jurídico otorgado sin la autorización militar

Hasta ahora hemos visto un negocio jurídico con autorización militar previa que se ha inscrito en el registro de la propiedad en plazo o tardíamente pero inscrito.

En los casos en que se haya efectuado una adquisición por extranjero extracomunitario de un inmueble sin la preceptiva autorización cabe preguntarse qué efecto jurídico tiene todo ello.

Para LUCAS FERNANDEZ (Temas sobre Inversiones Extranjeras y control de Cambios, Tomo I, Edersa, 1981, p. 291) la legislación no va dirigida contra la eficacia del mismo acto sino que persigue un resultado lateral de control o vigilancia por la administración militar de la inversión extranjera en determinadas zonas de interés estratégico. Por eso tal legislación (se refiere a la previa de la Ley vigente) no imponía de modo expreso su nulidad y hasta de un modo tácito admitía su validez al señalar una serie de consecuencias al negocio otorgado sin autorización. Y añadía imposición de multas, demolición de obras o expropiación de fincas. Sigue Lucas Fernández diciendo que tras la Ley de Zonas de 12 de marzo de 1975 tales conclusiones deben mantenerse habida cuenta además que ahora ya el artículo 6 del Código Civil dispensa de nulidad cuando la norma establece un efecto distinto para el caso de contravención.

Por ello, a su juicio, los actos realizados sin la autorización militar que exige el artículo 18 de la Ley, de conformidad con el artículo 29 de la misma, son válidos pero según los casos, la obra puede ser demolida total o parcialmente, el terreno o construcción expropiados y el adquirente o titular que operó sin autorización puede ser multado.

LACRUZ BERDEJO Y ÁLVAREZ PASTOR Y EGUIDAZU, citados por Lucas Fernández, entienden que el acto contrario a la norma prohibitiva es nulo, aunque la norma señale a la contravención efectos distintos si éstos no implican la validez del acto.

RIVAS MARTÍNEZ y MIGUEL CALATAYUD, éste citado por aquél, se inclinan por considerar que debe optarse por la validez del negocio celebrado sin la debida autorización militar pues la sanción de nulidad debe reservarse para casos extremos de transgresión sustancial de los esquemas básicos negociales. El negocio no será nulo sino incompleto, aparte de las sanciones; y su eficacia quedará limitada frente a terceros, pero no así en su eficacia inter partes, en cuyo ámbito desplegará sus efectos.

NÚÑEZ LAGOS (Inversiones Extranjeras, Junta de Decanos de los Colegios Notariales de España, 1984, p. 327) opina que la falta de autorización militar exigida para el acceso a la propiedad por parte de extranjeros en zona de acceso restringido no produce la nulidad. En ningún precepto de esta especial legislación se contiene afirmación semejante a la de la Disposición Final Segunda de la Ley de Inversiones Extranjeras, ni tampoco puede deducirse del artículo 6 del Código Civil. Éste deja a salvo de la sanción de nulidad los casos en que las normas establezcan un efecto distinto a la nulidad para los casos de contravención. Y eso es lo que ocurre en la legislación de zonas de acceso restringido que señala como sanción penas pecuniarias o multas, demolición de la obra ejecutada cuando la haya y también la posibilidad de expropiar, pero no la nulidad.

Aclaro que la Ley de Inversiones Extranjeras de 1974 y la de 1986 disponían expresamente que los actos contrarios a dichas leyes o realizados en fraude de ley serían nulos de pleno derecho. Cita Núñez Lagos resoluciones de la dirección general en las que se archiva la actuación contra el notario cuando se ha obtenido con posterioridad la autorización administrativa exigida en su momento por esas disposiciones de inversiones extranjeras.

En resumen, para este sector doctrinal el adquirente sin licencia militar tiene un título de propiedad incompleto, que no puede utilizar en juicio ni en el tráfico jurídico en general; sería una adquisición incompleta pero perfectamente convalidable mediante la obtención aun a posteriori de la autorización militar.

TORRES ROJAS (Miguel Torres Rojas, General Auditor, en la Revista Española de Derecho Militar nº 52 y 54/1989) señala que a su juicio no precisa autorización la opción de compra o la promesa de venta, que se podría autorizar la escritura de compraventa e inscribirla bajo condición suspensiva de autorización militar y que la falta de autorización no produce la nulidad del negocio jurídico que será incompleto y puede ser completado con la posterior autorización.

HERRÁEZ GÓMEZ (Federico Herráez Gómez, Comandante Auditor de la Armada, en la Revista Española de Derecho Militar, 1978) se limita a destacar la obligatoriedad de la obtención de la previa autorización militar.

En el ámbito jurisdiccional, cabe referirse a cinco sentencias del Tribunal Supremo, algunas dictadas sobre la base de la legislación precedente que también exigía autorización militar:

La Sentencia de 3 de noviembre de 1967 reconoce la validez del contrato celebrado sin autorización militar. Contempla un supuesto en que la compradora de la finca era una sociedad anónima española constituida con capital extranjero. La Ley anterior contemplaba sólo el requisito de la previa autorización militar para los extranjeros y no para las sociedades españolas participadas; dado que las limitaciones no se pueden extender sino que hay que interpretarlas restrictivamente, que la sociedad se había constituido legalmente en España previamente y que no se había probado que todo ello fuera en fraude de ley (levantamiento del velo) entiende que el contrato no incidió en nulidad; y añade que, aun cuando así no fuera, tampoco entraría en juego el artículo 4 del Código Civil por establecerse en el Reglamento de 1936 que en caso de incumplimiento de las disposiciones legales, la autoridad gubernativa no sólo puede poner a los contraventores sanciones económicas sino que está facultada para ordenar la demolición de las obras realizadas y la expropiación de las fincas adquiridas.

La Sentencia de 6 de abril de 1973 reconoce igualmente la validez del contrato celebrado sin autorización militar. Se trata de un pleito entre vendedor alemán residente y compradores indonesios residentes en Canarias. El vendedor reclamaba el precio de venta, el adquirente en reconvención pidió la nulidad del contrato pero por otras causas. El Juzgado estima la demanda, la Audiencia la revoca parcialmente y declara nula alguna cláusula del contrato. Y recurre en casación el vendedor. Ocurrió que la petición de nulidad por el vendedor lo fue en casación, lo que no es posible, pero el TS añade que las disposiciones alegadas por el recurrente en casación (legislación de zonas estratégicas) tienen carácter administrativo y a sus órganos corresponde la exigencia de responsabilidades que señale en caso de su incumplimiento.

La Sentencia de 28 de abril de 1978 confirma la nulidad de los negocios jurídicos celebrados sin autorización militar. Se trata de una demanda para elevar a público unos contratos previos privados en la que los demandados vendedores se oponen alegando la nulidad de los contratos por falta de autorización militar. El TS confirma la sentencia de primera instancia que estimó la infracción de normas de orden público que afectan a la defensa del territorio nacional y declara la nulidad de pleno derecho de los documentos privados.

La Sentencia de 30 de septiembre de 1982 confirma la nulidad de los negocios jurídicos celebrados sin autorización militar. Se trataba de un caso de compraventa de parcela y contrato de construcción de un chalet con el propio vendedor promotor. Se declaró que el contrato era nulo de pleno derecho por falta de la autorización militar.

La Sentencia de 27 de abril de 1989 mantiene la nulidad de los negocios jurídicos celebrados sin autorización militar. Se trataba de una compraventa de una parcela de terreno en Ibiza en documento privado con varios pases posteriores y solicitud judicial de elevación a documento público. El TS casó la sentencia impugnada de la Audiencia y declaró que la falta de previa autorización determina la nulidad de pleno derecho del repetido contrato de compraventa a tenor del artículo 6.3 del CC por haber infringido las citadas normas de carácter imperativo.

¿Qué pensar de todo ello? Refiriéndome a los negocios jurídicos de adquisición de inmueble, estimo que si la autorización militar ha sido solicitada y denegada, y no obstante las partes han procedido a la transmisión del inmueble, nos encontramos ante un negocio nulo, conforme al artículo 6 del CC. Dado que es posible que las partes oculten esa circunstancia al Notario, éste nunca debe proceder a formalizar la escritura sin la previa autorización.

En los casos en que esté pendiente de resolución o en que no se haya todavía solicitado la autorización, estimo que el contrato se encuentra en lo que se conoce como «situación jurídica de pendencia» y entre ellas las llamadas situaciones jurídicas viciadas. Si la autorización se deniega el negocio será nulo definitivamente; si se concede la autorización el negocio queda convalidado porque ha desaparecido la causa de impugnabilidad (la falta de autorización), situación que ha sido valorada por la autoridad militar a quien corresponde enjuiciar la conveniencia o inconveniencia de ello. Si la autoridad militar competente entiende admisible la adquisición, el derecho civil privado no debe ir más allá. Sin perjuicio, en su caso, de sanción pecuniaria que proceda por la infracción administrativa.

Mientras tanto o si el adquirente no solicita la autorización, estimo con la doctrina que el negocio no produce efectos frente a terceras personas, incluidas las administraciones públicas por lo que el adquirente no podrá catastrar la finca a su nombre, acudir a los tribunales en ejercicio de acciones civiles y en general ser tenido como dueño por nadie ni por particulares, ni siquiera puede adquirir por usucapión; únicamente frente a su transmitente producirá efectos el negocio pues aquél no podrá ir contra sus propios actos.

A mi juicio, hay una ineficacia relativa del contrato, que es imprescriptible, meramente declarativa, sin perjuicio de que la restitución de las prestaciones entre las partes de la cosa y el precio deba estar sometida al plazo de prescripción de las acciones personales actualmente de cinco años (art. 1964CC). Lo que se soluciona solicitando efectivamente la autorización militar y ateniéndose a su resultado, favorable (validez del contrato) o desfavorable (nulidad del mismo).

En todo caso, el Ministerio de Defensa podrá ejercitar la facultad expropiatoria adquiriendo el inmueble para conservarlo o transmitirlo posteriormente.

8.5.12. *Brexit*

La salida del Reino Unido de la Unión Europea de forma definitiva el 31 de diciembre de 2020 producirá efectos en esta materia. Estos efectos dependerán de lo que finalmente se acuerde, lo que en este momento desconocemos.

Hasta la fecha indicada de 31 de diciembre de 2020, los ciudadanos británicos son extranjeros comunitarios que quedan excluidos de estas restricciones. Pasado el plazo, habrá que estar a lo pactado entre la UE y Reino Unido; sin embargo parece evidente por seguridad jurídica que las adquisiciones realizadas previamente por los ciudadanos británicos se mantendrán tal y como están. Para las futuras adquisiciones o las futuras obras nuevas, tendrán la consideración de extracomunitarios para los que será necesaria la autorización militar, salvo que se acuerde un régimen parecido o similar a los ciudadanos del Espacio Económico Europeo o Suiza o se introduzca alguna otra consideración.

Esperemos que el Ministerio de Defensa y el de Justicia dicten en su momento alguna disposición en torno a la inclusión o no en el límite de cada zona de las propiedades de titulares británicos, su obligación de inscripción registral, la comunicación por los registros correspondientes de las propiedades inscritas a favor de dichos titulares, etc. Probablemente no ocurra nada de eso sino que se mantendrán en la forma ordinaria sus actuales propiedades y en el momento de una nueva transmisión por fallecimiento o venta, entrará el inmueble en el sistema legal restrictivo a partir de ese momento según la condición del adquirente.

8.5.13. Inmuebles en Ceuta y Melilla

La disposición final segunda de la Ley 8/1975 de zonas establece que: *«Con independencia de lo dispuesto en esta ley y sin perjuicio de su aplicación a los territorios españoles del Norte de África, el Gobierno queda expresamente facultado para dictar con relación a los mismos, las normas especiales que las necesidades de la Defensa Nacional aconsejaren según las circunstancias de cada momento y, entre aquéllas, la exigencia de autorización del Consejo de Ministros en todos los casos de transmisión o gravamen de la propiedad de bienes inmuebles, cualquiera que sea la nacionalidad del adquirente.*

El Reglamento de Zonas de 1978 en su versión original de la disposición final primera dispuso para los inmuebles situados en los territorios españoles del Norte de África la exigencia de previa autorización del Consejo de Ministros para los actos contenidos en los artículos 37 y 46 del propio Reglamento cuando el adquirente sea extranjero o español nacionalizado, autorización que respecto de los extranjeros sustituía a la autorización militar. La reforma de esta disposición en 1982 extendió la exigencia de autorización del Consejo de Ministros cualquiera que sea la nacionalidad del adquirente, esto es, la amplió a los españoles de origen. Y finalmente la reforma de 1989 desconcentra en los Delegados del Gobierno de Ceuta y Melilla la autorización para la transmisión de la propiedad y la construcción de obras y en el Ministro de Defensa las autorizaciones de construcción dentro del perímetro de seguridad de las instalaciones militares o civiles de interés militar.

Los territorios españoles del Norte de África son las Islas Chafarinas, Alhucemas, Alborán y Peñón de Vélez de la Gomera, en todas estas islas el porcentaje de adquisición de bienes por extranjeros es de cero, y el resto de territorios son las Ciudades de Ceuta y Melilla en que el porcentaje de adquisición por extranjeros es del 5%.

La exigencia de autorización previa afecta a españoles, comunitarios y nacionales de EEE así como a los demás extranjeros extracomunitarios. La **Resolución de 19 de octubre de 2017** de la Dirección General de los Registros y del Notariado concluye que la Disposición Adicional de la Ley de Zonas que excluye las limitaciones de la ley a los extranjeros comunitarios, operada por la Ley 31/1990 no ha derogado la Disposición Final Primera del Reglamento de 1978 en su redacción vigente de 1989 aunque sea de fecha posterior, 1990, a la misma.

La concesión de autorización compete al Consejo de Ministros que la tiene desconcentrada en los Delegados del Gobierno de Ceuta y Melilla, sustituyendo a la de carácter militar, si el adquirente es extranjero no comunitario. En caso de extranjero no comunitario, previamente a la decisión de autorización, debe informar preceptivamente el Ministerio de Defensa.

La inscripción en el registro de la propiedad es obligatoria cuando adquieran los extranjeros no comunitarios.

8.6. DONACIONES DE DINERO

Las donaciones de dinero, normalmente de padres a hijos, han proliferado en los últimos años en España, por el hecho de su favorable tratamiento fiscal en la normativa de determinadas Comunidades Autónomas. Este hecho unido al traslado de muchos hijos al extranjero por estudios, formación o trabajo, obliga al Notario a estudiar el régimen no sólo civil sino el fiscal y administrativo.

Nos referimos en lo sucesivo a donaciones que se formalizan en España. Veamos:

1. Donación de residente a residente de dinero situado en el extranjero, por ejemplo transfiriendo un dinero depositado en una cuenta extranjera de residente. Es una donación que sigue las reglas ordinarias de derecho civil y fiscal aplicables. La donación es libre pero sujeta al pago del Impuesto por obligación personal del donatario debiendo presentar autoliquidación en la comunidad autónoma en donde sea el donatario residente fiscal habitual.

2. Donación de no residente a residente de dinero sito en España o sito en el extranjero. Es una operación totalmente libre. En estos casos, el donatario tributa en España por obligación personal en la comunidad autónoma en donde sea el donatario residente fiscal habitual.

3. Donación de residente a no residente de dinero situado en España. Es una donación que sigue las reglas de derecho civil ordinarias. Estando el dinero situado en España en el momento de realizar la donación, la operación está sujeta al pago del impuesto en España, siendo sujeto pasivo el donatario no residente. El donatario debe tributar

en España por obligación real. La recaudación compete al Estado, y la normativa fiscal aplicable será la de la Comunidad Autónoma en la que haya estado situado el dinero (vg. dinero depositado en cuenta abierta en España) cuando el donatario sea residente UE o la normativa general del Estado cuando el donatario sea residente fuera de la UE. Cuenta la Comunidad Autónoma em donde haya estado situado el dinero el mayor número de días del periodo de los cinco años inmediatos anteriores. Así resulta de la Disposición adicional segunda. Uno. 1 e) de la Ley del Impuesto sobre Sucesiones y Donaciones.

4. Donación de residente a no residente de dinero situado en el extranjero. Es una donación totalmente libre que sigue las reglas de derecho civil ordinarias. Y será una operación no sujeta al Impuesto de donaciones español. Por ejemplo transfiriendo al donatario no residente un dinero depositado en una cuenta extranjera de residente. El donante residente puede estar sujeto a comunicación a través del formulario ETE por el residente.

8.7. PRÉSTAMOS Y CRÉDITOS

Los préstamos entre residentes y no residentes están totalmente liberalizados. No precisan autorización ni verificación. No se trata de inversiones extranjeras sino de transacciones exteriores liberalizadas y reguladas por las normas generales del régimen jurídico de los movimientos de capitales, la Ley 19/2003 de 4 de julio y disposiciones de desarrollo.

Dentro de este concepto se encuentran los préstamos o créditos comerciales derivados de operaciones de importación o exportación de bienes o servicios, los préstamos financieros, los préstamos particulares y los llamados préstamos participativos.

Comprenden los préstamos propiamente dichos, los créditos, líneas de crédito, los aplazamientos de pago y cualquier otra figura jurídica por la que resulte acreedor o deudor un no residente como facilidades de pago al proveedor, cualquiera que sea la forma en que se instrumente, póliza, letra de cambio, pagaré, escritura y cualquiera que sea la moneda en que se concedan, euros, dólares, francos suizos, yenes, etc. o con cláusula multidivisa.

Pueden ser a corto, medio o largo plazo. Pueden ser simples o con toda clase de garantía personal (aval o fianza) o de garantía real, como toda clase de prendas, hipotecas, mobiliario o inmobiliaria, y anticresis.

Es indiferente el destino del préstamo o crédito, sea crédito al consumo, para financiar la adquisición de inmueble, para financiar la importación o exportación de bienes y servicios, financiar nuevos proyectos empresariales, etc.

La concesión del préstamo y los movimientos de capital que resultan de su operativa a lo largo de los años debe declararse al Banco de España, en su caso, conforme al formulario ETE. Como hemos indicado ya no existe el sistema de comunicación de operación por operación a través del NOF o número de operación financiera.

Su régimen jurídico es el general, civil o mercantil que corresponda, incluido el régimen de protección de consumidores, en su caso. Por tanto, su importe, tipo de interés, revisión, divisa, plazo de amortización, comisiones, etc, siguen las reglas generales civiles o mercantiles, incluida la regulación del crédito al consumo.

El Notario que autorice la escritura o intervenga la póliza deberá controlar únicamente la condición de residente o no residente de las partes contratantes, a efectos de que por ellos puedan cumplirse sus obligaciones derivadas de la legislación de movimientos de capital.

Tratamos seguidamente su régimen administrativo.

8.7.1. Préstamos participativos

Nos referimos a los préstamos realizados por una sociedad, o en general, un prestamista residente en el extranjero a una sociedad española.

Los préstamos participativos o préstamos inversión son una forma de financiación de las empresas, a medio camino entre un préstamo a largo plazo normal y la participación directa en el capital social de la empresa. Se caracterizan por el hecho de que la entidad prestamista participa en la evolución de la empresa financiada. Son préstamos destinados a crear o mantener vínculos duraderos entre prestamista y prestatario, por ejemplo, préstamos de matriz a filial, préstamos a empresa participada o préstamos que se vinculan a una participación en los beneficios del prestatario.

Puede convenirse a favor del prestamista una opción de convertir el dinero prestado a la empresa en capital pasando a ser socio de la misma, fijando de manera anticipada el porcentaje de participación futura y demás circunstancias de la operación si definitivamente se decide ejercitar la opción. Son utilizados por las llamadas empresas emergentes o «startup».

Estos préstamos están regulados por el artículo 20 del Real Decreto-Ley 7/1996 de 7 de junio de medidas urgentes de carácter fiscal y de fomento y liberalización de la actividad económica que dispone su punto Uno:

Artículo 20. Préstamos participativos.

Uno. Se considerarán préstamos participativos aquéllos que tengan las siguientes características:

a) La entidad prestamista percibirá un interés variable que se determinará en función de la evolución de la actividad de la empresa prestataria. El criterio para determinar dicha evolución podrá ser: el beneficio neto, el volumen de negocio, el patrimonio total o cualquier otro que libremente acuerden las partes contratantes. Además, podrán acordar un interés fijo con independencia de la evolución de la actividad.

b) Las partes contratantes podrán acordar una cláusula penalizadora para el caso de amortización anticipada. En todo caso, el prestatario sólo podrá amortizar anticipadamente el préstamo participativo si dicha amortización se compensa con una ampliación de igual cuantía de sus fondos propios y siempre que éste no provenga de la actualización de activos.

c) Los préstamos participativos en orden a la prelación de créditos, se situarán después de los acreedores comunes.

d) Los préstamos participativos tendrán la consideración de fondos propios a los efectos de la legislación mercantil.

Se trata de préstamos en los que se acuerda un interés variable en función del índice pactado que puede ir acompañado por un tipo de interés fijo; se limita la posibilidad de cancelación anticipada, dado que son fondos propios, en protección de los acreedores por lo que sólo se permite compensando la cancelación con un aumento de capital. Tienen un rango de exigibilidad subordinado a los demás créditos ordinarios, es decir, se ponen sólo delante de los socios de la empresa financiada.

La Directiva del Consejo 88/361/CEE los consideró como inversión directa, y por ello el RD de 1992 de inversiones extranjeras los consideró como tales inversiones extranjeras directas y los sujetó al trámite de verificación previa.

En la actualidad, no son considerados como inversiones directas en la modalidad de participación en sociedades pues no están contemplados en el artículo 3 a) del RD 664/1999. Ni tampoco en la letra f) del mismo artículo que contiene las llamadas «otras formas de inversión» como las «cuentas en participación», pues este epígrafe f) es de similar redacción a las «otras formas de inversión» del RD de 1992 en la que estaban incluidos no como «otras formas de inversión» sino como verdaderas «inversiones directas».

Naturalmente, si como consecuencia de los vínculos entre prestamista y prestatario, el préstamo se compensa posteriormente en una ampliación de capital o se ejecuta un pacto de compra o adquisición de acciones, entonces habrá una inversión extranjera declarable en la forma ordinaria como «participación en sociedades españolas».

Desde el punto de vista del régimen administrativo están totalmente liberalizados. Estos préstamos se declararán, en su caso, en la forma ordinaria a través del formulario ETE, por el prestatario residente.

8.7.2. Prestamos entre no residentes. Préstamos de Entidades financieras extranjeras

Los préstamos o créditos entre no residentes particulares realizados en territorio español o en el extranjero están totalmente liberalizados; en realidad no afectan al régimen de control de cambios o transacciones con el exterior porque son totalmente exteriores. Incluso aunque estén garantizados con hipoteca. Como ya dispuso la Directiva 88/361/CEE la constitución de hipoteca sobre inmuebles no está incluida en las inversiones inmobiliarias sino que su régimen jurídico es el del préstamo o crédito que garantiza. El inmueble hipotecado podrá ser del propio deudor no residente o de un tercero, sea residente o no residente.

Los préstamos entre no residentes aunque se otorguen en España no están sujetos a declaración alguna ni tampoco al formulario ETE.

Entre estos préstamos se encuentran los concedidos por las **Entidades financieras extranjeras que actúan directamente** en España, sin sucursal. Pueden ser comunitarias o no comunitarias. Y tienen la condición jurídica de no residentes en España.

Las entidades de crédito autorizadas en otro Estado miembro de la Unión Europea pueden realizar en España, en régimen de libre prestación de servicios, las actividades que gozan de reconocimiento mutuo dentro de la Unión, como es la concesión de préstamos o créditos; pero deben inscribirse obligatoriamente en el registro correspondiente del Banco de España, tras el oportuno procedimiento en el que la autoridad supervisora de la entidad de crédito extranjera comunica al Banco de España las actividades que la entidad está autorizada a ejercer.

Las entidades de crédito autorizadas en un Estado no miembro de la Unión Europea no pueden operar en España en régimen de libre prestación de servicios sin sucursal abierta sin la autorización previa del Banco de España.

Pues bien, estas Entidades financieras extranjeras cuando actúan en régimen de libre prestación de servicios tienen la condición jurídica de no residentes. Conceden préstamos a no residentes, usualmente nacionales de los países en donde están implantadas, para financiar la compra de inmuebles en España que se ofrecen en garantía hipotecaria. Estos préstamos están totalmente liberalizados, más que ello, son ajenos al régimen de control de cambios español por ser los sujetos intervinientes no residentes. Tan sólo por el concepto de constitución de hipoteca tendrán que ajustarse a la normativa hipotecaria española.

Puesto que son, aunque extranjeras, entidades de crédito que operan legalmente en España, en ningún caso están incluidas en la Ley 2/2009 de 31 de mayo sobre contratación con los consumidores de préstamos o créditos hipotecarios, cuyo artículo 1.2 establece que lo dispuesto en esta Ley no será de aplicación cuando las actividades previstas en el apartado anterior sean prestadas por entidades de crédito.

Los préstamos a no residentes, aunque se garanticen con hipoteca en España, no están incluidos en el régimen de protección de la clientela bancaria de la Orden EHA 2899/2011 de 28 de octubre, cuyo artículo 2 establece que la presente Orden será de aplicación a los servicios bancarios dirigidos o prestados a clientes o potenciales clientes en territorio español por entidades de crédito españolas o sucursales de entidades de crédito extranjeras.

En estos casos, es importante verificar la **identificación de la Entidad de crédito extranjera y su registro como tal en el Banco de España**, con su número de registro.

8.7.3. Préstamos de residentes a no residentes

8.7.3.1. Préstamos particulares o privados

Nos referimos a los préstamos o créditos concedidos por particulares residentes a favor de no residentes. Sean meramente personales, hipotecarios o con otra forma de garantía real son totalmente libres.

8.7.3.2. Prestamos de Bancos o Cajas

Igualmente, los préstamos o créditos concedidos por Entidades registradas a favor de no residentes, sean personas físicas o jurídicas. Son los normales de Banco o Caja español a favor de no residentes. Sean meramente personales, hipotecarios o con otra forma de garantía personal o real son totalmente libres.

Se les aplica toda la normativa de protección del cliente bancario en como si el prestatario fuera persona física residente. La Orden EHA 2899/2011 de 28 de octubre, de transparencia y protección del cliente de servicios bancarios, en su artículo 2 relativa al ámbito de aplicación dispone que será de aplicación a los servicios bancarios dirigidos o prestados a clientes o clientes potenciales en territorio español por entidades de crédito españolas o sucursales de entidades de crédito extranjeras. Tramitado y concedido en España el préstamo a cliente no residente se aplica la misma normativa de protección: oferta vinculante, Fiper, etc.

8.7.3.3. Préstamos de Sucursales en España de entidades financieras extranjeras

Los préstamos o créditos concedidos por Sucursales en España de entidades de crédito extranjeras están igualmente liberalizados. Si el cliente es persona física, tales sucursales tienen la misma obligación de cumplir toda la normativa sobre protección del cliente de los servicios bancarios como si fuera una Entidad registrada española.

Estas Sucursales tienen la condición de residentes en España y la liberalización es aplicable tanto a las sucursales de entidades de países de la Unión Europea como de países extracomunitarios.

La actuación en España de las sucursales de entidades de crédito no comunitarias requiere autorización del Banco de España (artículo 6 de la Ley 10/2014 de 26 de junio y correspondientes del Real Decreto 84/2015 de 123 de febrero). Las entidades de crédito autorizadas en otro Estado miembro de la Unión pueden realizar en España mediante la creación de una sucursal las actividades reconocidas mutuamente como es la concesión de préstamos, pero deben inscribirse en el registro correspondiente del Banco de España. La página web del Banco de España dispone de información sobre las sucursales autorizadas o inscritas que pueden operar en España.

Estas sucursales de entidades de crédito extranjeras son muy activas en la captación de crédito al consumo. A ellas se les aplica toda la normativa de protección del consumidor.

Téngase en cuenta que la propia creación de la Sucursal será inversión extranjera directa.

8.7.3.4. Préstamos sujetos a la Ley 2/2009 de 31 de marzo

Los préstamos o créditos concedidos por las sociedades o empresarios personas físicas sujetos a la Ley 2/2009 de 31 de marzo por la que se regula la contratación con los consumidores de préstamos o créditos hipotecarios y de servicios de intermediación a favor de personas físicas o jurídicas no residentes en España están totalmente liberalizados. Naturalmente, sujetos a todos los requisitos de la referida Ley, como inscripción registro público, seguro, oferta vinculante, etc.

8.7.4. *Préstamos de no residentes a residentes*

La obtención de financiación exterior de las empresas y particulares residentes se encuentra totalmente liberalizada. Pueden acudir al crédito en el exterior por cualquier concepto. Estos préstamos han quedado totalmente liberalizados desde el RD 1816/1991, sin sujeción a restricción o limitación alguna.

Son libres las Condiciones de dichos préstamos y su finalidad; las partes pueden modificarlos, prorrogarlos o cancelarlos anticipadamente según lo convenido o lo que convengan. Los cobros y pagos derivados siguen las reglas generales, normalmente a través de la vía bancaria. La importancia de estos préstamos, incluidos los financieros y comerciales hizo que su declaración fuera obligatoria al Banco de España, incorporando el Número de Operación Financiera. En la actualidad, todo ello se declara a través del formulario ETE por el prestatario residente.

Si el préstamo o crédito se incorpora a un título o documento susceptible de endoso o negociación se plantea el problema de distinguir el préstamo propiamente dicho de la inversión de cartera que se efectúa mediante la suscripción o adquisición de empréstitos emitidos por residentes del artículo 3 c del RD 664/1999. Hoy está todo ello liberalizado por lo que se tratará de realizar correctamente las declaraciones, una formulario ETE, otra declaración de inversión extranjera.

La Orden de 28 de mayo de 2001 en su artículo 21 1 b) regula como inversión extranjera las Inversiones en valores negociables representativos de empréstitos emitidos por residentes, tales como bonos y obligaciones convertibles o no en acciones, pagarés y cualesquiera otros análogos, cualquiera que sea el lugar de su emisión y adquisición. Y añade seguidamente que el concepto de valor negociable «se caracteriza por su negociabilidad en términos de un mercado secundario organizado y su agrupación en emisiones. No tendrá la consideración de inversión extrajera en valores negociables la adquisición de valores librados singularmente cuya adquisición adopta la forma de préstamo financiero o en cuya emisión no concurran las circunstancias propias de los valores negociables...»

Finalmente, y en otro orden de cosas, también es libre la obtención por personas físicas o jurídicas residentes en España de préstamos, incluso hipotecarios, de Entidades financieras extranjeras que actúen en régimen de libre competencia, tanto se formalicen en España o en el extranjero. Por ejemplo para financiar la compra de inmuebles sitos en el exterior. Están sujetas a la declaración, en su caso, a través del formulario ETE.

8.7.5. *Fianzas o avales, hipotecas y otras garantías*

La prestación de garantías personales, como la fianza o el aval o reales como la hipoteca y prenda en todas sus modalidades o la anticresis no generan en sí mismas movimientos de capitales; sólo en caso de ejecución de la garantía podrán dar lugar a inversiones extranjeras según el adjudicatario de las participaciones o acciones pignoradas o el inmueble hipotecado.

Las garantías como elementos accesorios de la obligación principal, siguen el régimen administrativo de ellas, es decir, la prestación de garantías entre residentes y no residentes está totalmente liberalizada. Las conceda las personales una persona residente o no residente o las otorgue las reales directamente el deudor residente o no residente o un tercero residente o no residente.

En caso de ejecución de las garantías reales como la prenda de las participaciones sociales o acciones o la hipoteca de inmueble, si el adjudicatario es un no residente en

España, en ese momento estará realizando una inversión extranjera en España, de participaciones sociales totalmente libre pero que deberá declarar al registro de inversiones o inmobiliaria también totalmente libre que según cuantía o procedencia también deberá declarar.

8.8. INVERSIONES ESPAÑOLAS EN EL EXTERIOR

Se rigen por el mismo RD 664/1999 de 23 de abril y su declaración por la misma Orden de 28 de mayo de 2001.

Las inversiones españolas en el exterior son las realizadas por personas físicas o jurídicas residentes en España, mediante la participación en sociedades extranjeras, creación de sucursales o ampliación, suscripción de valores negociables representativos de empréstitos emitidos por no residentes, la participación en fondos de inversión extranjeros, la adquisición de inmuebles sitos en el extranjero, participación en fundaciones, cooperativas, agrupaciones de interés económico, etc.

La normativa impone al inversor residente la obligación de declarar sus inversiones al Registro de Inversiones del Ministerio de Economía y Hacienda en el plazo de un mes desde su realización directamente o a través de las entidades financieras intermediarias, salvo que se trate de inmuebles de valor inferior a doscientos cincuenta millones de pesetas o equivalencia en euros 1.502.530,26 que no que se encuentren situados en territorios declarados paraísos fiscales, pues de estarlo debe realizarse una declaración previa a la inversión y otra posterior. O de fundaciones cooperativas, comunidades, agrupaciones de interés económico con el mismo límite de valor y destino en paraíso fiscal.

Las inversiones se declaran dentro del mes siguiente a la fecha de su realización directamente por los titulares de las mismas o tratándose de valores negociables por las entidades registradas, empresas de inversión y similares siempre residentes a través de las cuales se canalice la inversión exterior. Los modelos D5A, D5B, D7A y D7B según sea inversiones directas u otras formas o de inmuebles. Se acompaña el documento acreditativo de la residencia en España, fotocopia del DNI, NIF o NIE, copia del negocio jurídico de inversión en el extranjero y, en su caso si procede, declaración previa y autorización administrativa.

Los inversores residentes realizan los pagos derivados de estas inversiones por los procedimientos ordinarios vistos de pagos entre residentes y no residentes, especialmente a través de las cuentas en el extranjero de entidades de crédito españolas o extranjeras, mediante adeudos en dichas cuentas.

La actividad notarial en esta materia se encamina normalmente a la formalización de Poderes adecuados al fin de la inversión, testimonio de documentos de las personas jurídicas residentes inversoras y testimonio de datos registrales, etc.

Los inversores deben recordar su obligación fiscal de declarar a Hacienda sus posiciones en el exterior a través del **Modelo 720.** Es meramente informativa, se presenta por vía telemática obligatoriamente, declarándose tres grupos de bienes o derechos: 1/ cuentas bancarias en el extranjero; 2/valores, acciones, seguros o rentas vitalicias, depositados, gestionados u obtenidas en el extranjero; y 3/los inmuebles y derechos sobre inmuebles en el extranjero; declaración que no hay que presentar cuando no se superen los 50.000 euros de valor por cada conjunto de bienes o valores. Modelo, por otro lado muy cuestionado por lo excesivo de las multas en caso de incumplimiento o de omisión de datos y que afecta grandemente a los extranjeros residentes fiscales en España.

9. ACTUACIÓN NOTARIAL EN MATERIA DE CONDICIONES GENERALES Y CONTRATOS CON CONSUMIDORES Y USUARIOS

9.1. CONDICIONES GENERALES DE LA CONTRATACIÓN

9.1.1. Concepto y ámbito de aplicación

Ser encuentran reguladas por la Ley 7/1998, de 13 de abril, sobre condiciones generales de la contratación (LCGC) cuya entrada en vigor se produjo veinte días después de su publicación en el BOE del 14 de abril (disposición final tercera) y, por tanto, el día 4 de mayo de 1998.

Dentro del capítulo primero de la Ley, dedicado a las disposiciones generales, el artículo 1 delimita el ámbito de aplicación *objetivo* de la Ley. Define las condiciones generales de la contratación diciendo que son «las cláusulas predispuestas cuya incorporación al contrato sea impuesta por una de las partes, con independencia de la autoría material de las mismas, de su apariencia externa, de su extensión y de cualesquiera otras circunstancias, habiendo sido redactadas con la finalidad de ser incorporadas a una pluralidad de contratos».

De este precepto se deducen los elementos que caracterizan las condiciones generales y que son los siguientes:

a) *Contractualidad.* Se habla de «cláusulas» y se opta así por el criterio contractual que considera las condiciones generales meras cláusulas contractuales y fundamenta su validez en el hecho de haber sido aceptadas por el adherente frente al criterio normativista que las considera normas derivando de este carácter su obligatoriedad. Además se dice que las condiciones generales deben haber sido redactadas «con la finalidad de ser incorporadas a una pluralidad de *contratos*».

b) *Predisposición.* Esto implica que las condiciones se han elaborado de manera unilateral por el predisponente. Parece evidente que la formulación por escrito de las condiciones generales pone de manifiesto la predisposición de las mismas, máxime si están impresas o han sido «redactadas con arreglo a minuta». A efectos de la predisposición, es indiferente que el predisponente sea o no autor material de las condiciones generales, tal como se especifica en el artículo 1 de la Ley.

c) *Imposición.* Esta característica se deduce del artículo 1 de la Ley cuando dice que su «incorporación al contrato sea impuesta por una de las partes», que se decía con otras palabras en el entonces artículo 10.2 LGDCU (*cuya aplicación no puede evitar el consumidor o usuario, siempre que quiera obtener el bien o servicio de que se trate*).

Hay pues imposición cuando las condiciones no han sido negociadas entre los contratantes de forma que el adherente no ha podido influir en su contenido. Este es el requisito que explica el control del contenido de las cláusulas generales. Como señala ALFARO (2002, p. 112), «la predisposición, impide que funcionen correctamente los controles e incentivos que permiten predecir, en la generalidad los casos, que el contenido de los contratos es, normalmente, justo». Se entiende que los contratos tienen un contenido «justo» porque si un contratante lo sintiera como injusto, simplemente, rechazaría firmarlo. En los contratos de adhesión, la predisposición de su contenido por el empresario le permite incluir una regulación que no se atrevería a incluir en un contrato negociado individualmente.

d) *Generalidad.* Existe tal cuando las condiciones generales han sido redactadas para ser incorporadas «*a una pluralidad* de contratos» y, como señala BERCOVITZ (1999, p. 28), en efecto lo hayan sido. Añade que no basta con la incorporación a un solo contrato de los otorgados por el profesional predisponente. «Es preciso que se incorporen a varios de los contratos que otorgue, aunque no sean todos los de una clase o tipo, o que pertenezcan a diversas clases o tipos de los contratos que otorgue, aunque ello sea únicamente con varios clientes, o con uno solo». La pluralidad de contratos de ser debe referirse a un único profesional predisponente; no sería condición general la cláusula predispuesta que se incorpora a diversos contratos otorgados cada uno por un profesional distinto.

Respecto al ámbito *subjetivo* de la Ley, y como ya señalábamos antes, ésta es de aplicación a todos los contratos que contengan condiciones generales, celebrados entre un profesional («predisponente») y cualquier persona física o jurídica («adherente»). Por tanto, se aplicará a aquellos contratos celebrados entre un profesional, sea persona física o jurídica, que actúe dentro de su actividad profesional o empresarial, pública o privada, y a todo adherente sea éste persona física, profesional o consumidor o persona jurídica.

El inciso final del apartado tercero del art. 2 LCGC (*el adherente podrá ser también un profesional, sin necesidad de que actúe en el marco de su actividad*), «aclara aunque no era necesario, que la consideración del empresario como adherente de condiciones generales, se produce lo mismo si actúa en cuanto profesional como si actúa fuera del marco de la actividad. Fuera del marco del ámbito profesional, el adherente podría ser un consumidor y producirse, por consiguiente, la especial protección brindada a estos últimos» DIEZ-PICAZO Y PONCE DE LEON (2002, p. 144).

BÁDENAS (199, p. 88) define el adherente como «aquella persona que con la finalidad de obtener un bien o la prestación de un servicio se ve en la necesidad de tener que concluir un contrato por medio de condiciones generales, que han sido predispuestas por el otro contratante (predisponente)»

Se excluye del ámbito de aplicación de esta Ley los contratos administrativos, los contratos de trabajo, los de constitución de sociedades, los que regulan relaciones familiares y los contratos sucesorios, así como las condiciones generales que reflejen disposiciones de los convenios internacionales en los que España sea parte y las que vengan reguladas específicamente por una disposición legal o administrativa de carácter general que sea de aplicación obligatoria para los contratantes.

Por último, en cuanto a su ámbito de aplicación *territorial*, esta Ley también se aplica a aquellos contratos en los que, aun sometidos a la legislación extranjera, la adhesión se haya realizado en España por quien tiene en su territorio la residencia habitual y ello en virtud del convenio firmado en Roma el 19 de junio de 1980 ratificado por Instrumento de 7 de mayo de 1993 (BOE 19 de julio).

9.1.2. Requisitos de incorporación

Para que las condiciones generales pasen a formar parte del contrato, se exige que ello sea aceptado por el adherente y el contrato se firme por todos los contratantes. Como señala DURANY (2002, p. 282), este precepto exige para la incorporación de las condiciones generales la prestación conjunta de *dos consentimientos*, cuyos objetos son distintos, a saber, la aceptación de la incorporación de las condiciones generales, por un lado, y la firma del contrato, por otro. Entiende este autor que «se puede afirmar sin ambages que en este punto el redactor la ley perdió el control del texto, y no sabía bien lo que decía o quería decir, pues el art. 7.1.a) señala, en cambio a las condiciones generales como objeto de la firma: «no quedarán incorporadas (...) las (...) condiciones generales (...) cuando no hayan sido firmadas, cuando sea necesario, en los términos resultantes del artículo 5». Lo que sitúa al lector en un estado de cierta perplejidad, pues no le queda claro entonces si son las condiciones generales o el contrato lo que debe ser firmado». La solución para este autor es dar prevalencia a lo prescrito en el artículo 5, pues en definitiva el artículo 7.1.a) se remite a él.

El artículo 5.1 exige, además, que en todo contrato se haga referencia a las condiciones generales incorporadas. Por otra parte, no podrá entenderse que ha habido aceptación de la incorporación de las condiciones generales al contrato, cuando el predisponente no haya informado expresamente al adherente acerca de su existencia y no le haya facilitado un ejemplar de las mismas.

Este precepto también establece cuándo deben ser consideradas incorporadas las condiciones generales en los supuestos en los que el contrato no deba formalizarse por escrito, así como en los supuestos de contratación telefónica o electrónica.

Por último, dentro de este artículo 5, se recogen como requisitos de incorporación lo que entendemos son más bien de contenido, concretamente la necesidad de que la redacción de las cláusulas generales se ajuste a los criterios de transparencia, claridad, concreción y sencillez.

Como señala Javier PAGADOR LÓPEZ (1998, p. 7), «destaca, dentro de este precepto [5.4 LCGC], la yuxtaposición del sustantivo transparencia a los de concreción, claridad y sencillez, cuyo significado no se comprende fácilmente, dado que la transparencia es, en rigor, el resultado de la concreción, claridad y sencillez».

Es lo que Luis DÍEZ-PICAZO (1996, p. 38) denomina requisito de «asequibilidad» de la redacción de las condiciones generales: «La protección de los adherentes exige que éstos puedan comprender estas reglas que pueden vincularles. No es admisible que tengan una redacción incomprensible para personas del nivel cultural que a los adherentes se supone. No puede establecerse una redacción que sólo pueda comprender los expertos en Derecho».

No quedarán incorporadas al contrato, a tenor del art. 7 LCGC, las siguientes condiciones generales:

a) *Las que el adherente no haya tenido oportunidad real de conocer de manera completa al tiempo de la celebración del contrato, o cuando no hayan sido firmadas, cuando esto sea necesario.*

b) *Las que sean ilegibles, ambiguas, oscuras e incomprensibles, salvo, en cuanto a éstas últimas, que hubieren sido expresamente aceptadas por escrito por el adherente y se ajusten a la normativa específica que discipline en su ámbito la necesaria transparencia de las cláusulas contenidas en el contrato.*

Esta referencia a la «normativa específica» se ejemplificó en el debate parlamentario precisamente con las normas de transparencia bancaria, incluso con cita expresa a la Orden de 5 de mayo de 1994 sobre transparencia de las condiciones financieras de los préstamos hipotecarios (Cortes Generales, Diario de Sesiones, Congreso de los Diputados, Comisión de Justicia e Interior, 1998, núm. 370, pp. 10.897, 10901 y 10.908 y Cortes Generales, Diario de Sesiones, Senado, 11 de marzo de 1998, p. 3.554).

Como señala GONZÁLEZ PACANOWSKA (1999, p. 243), esta remisión a la normativa específica resulta perturbadora. «Primero, porque si se pretende dar solución a lo que parece inevitable en contratos con gran complejidad técnica, justificando un contenido contractual que se expresa en términos que sólo están al alcance de especialistas, no se ha logrado». Dicha regulación, de cuyo valor normativo «inter privatos» se puede legítimamente dudar, supone en muchas ocasiones un reenvío a lo «claro, concreto y comprensible».

Y en segundo lugar, supone un intento de concretar el nivel de transparencia y resolver «la tensión entre el lenguaje «accesible a cualquiera», y la complejidad económica y jurídica del propio contenido contractual. Difícil misión. Pero, en último término, como la propia normativa específica nos demuestra, se vuelve a los conceptos generales y se hace gravitar el riesgo de la falta de comprensión sobre aquel a cuya iniciativa se introducen las condiciones generales en el contrato».

Serán nulas de pleno derecho las condiciones generales que contradigan en perjuicio del adherente lo dispuesto en esta Ley o en cualquier otra norma imperativa o prohibitiva, salvo que en ellas se establezca un efecto distinto para el caso de contravención.

La nulidad de las condiciones generales o su no incorporación al contrato, no determinará la ineficacia total del mismo si éste puede subsistir sin tales cláusulas. La parte del contrato afectada por la no incorporación o por la nulidad se integrará con arreglo a lo dispuesto por el artículo 1258 del Código Civil y demás disposiciones en materia de interpretación contenidas en el mismo.

9.1.3. *Actuación del Notario*

De acuerdo con el art. 23.1 LCGC, *los Notarios y Registradores de la Propiedad y Mercantiles advertirán en el ámbito de sus respectivas competencias de la aplicabilidad de esta Ley, tanto en sus aspectos generales como en cada caso concreto sometido a su intervención.*

Encontramos aquí un primer mandato común a Notarios y Registradores en el ámbito de sus respectivas competencias. No obstante, habida cuenta que las actuaciones de unos y otros profesionales se producen en distintos momentos, «advertir» en el sentido de «avisar» o «prevenir» es más propi de la fase previa o simultánea al perfeccionamiento del contrato, y, por tanto, parece más propia de la actuación notarial que de la registral ya que esta última tiene lugar una vez perfeccionado e, incluso, consumado el contrato, sin perjuicio de que esta última tiene un ámbito más limitado.

MADRIDEJOS (1999, p. 602) entiende que el término «advertirán» no resulta muy adecuado ya que la labor notarial nunca puede reducirse a una simple advertencia sobre la existencia y posible aplicabilidad de la Ley de Condiciones Generales a modo de añadido ritual a la escritura sino que la labor notarial, «porque así lo exige la legislación específica y es consustancial a la función», debe ir más allá, informando «en profundidad a las partes no sólo de la existencia sino también de su contenido y de las consecuencias que la aplicación de esta Ley, y de las demás que procedan dentro de nuestro ordenamiento jurídico, puedan producir en cada caso».

Pero hay que recordar que el propio RN utiliza la expresión «advertir» en varias ocasiones; así, en los arts. 172 cuando falten circunstancias necesarias en actos o contratos sujetos a inscripción, 193 respecto a la advertencia del derecho que les asiste a leer por sí la escritura y, de forma más específica, en el 194: *los Notarios harán de palabra, en el acta del otorgamiento de los instrumentos que autoricen, las reservas y advertencias legales establecidas en los Códigos Civil y de Comercio, Ley Hipotecaria y su Reglamento y en otras leyes especiales, haciéndolo constar en esta o parecida forma: «Se hicieron a los comparecientes las reservas y advertencias legales». Esto no obstante, se consignarán en el documento aquellas advertencias que requieran una contestación inmediata de uno de los comparecientes y aquellas otras en que por su importancia deban, a juicio del Notario, detallarse expresamente, bien para mayor y más permanente instrucción de las partes, bien para salvaguardia de la responsabilidad del propio Notario.*

Por ello, no es de extrañar que, en gran medida, la principal consecuencia directa del art. 23.1 LCGC es que en las escrituras se añade la referencia a la aplicabilidad de esta Ley, como fórmula rituaria, ya que este precepto nada añade a las obligaciones que de siempre han tenido los Notarios de informar a los otorgantes del contenido y alcance del acto o contrato que van a otorgar derivadas del ya comentado art. 147 RN (*El Notario redactará el instrumento público conforme a la voluntad común de los otorgantes, la cual deberá indagar, interpretar y adecuar al ordenamiento jurídico, e informará a aquéllos del valor y alcance de su redacción [...] Sin mengua de su imparcialidad; el Notario insistirá en informar a una de las partes respecto de las cláusulas propuestas por la otra y prestará asistencia especial al otorgante necesitado de ella*).

Tampoco parece muy afortunada la determinación del contenido de la advertencia de la aplicación de la Ley «tanto en sus aspectos generales como en cada caso concreto sometido a su intervención». No cabe duda que en lo que se refiera al acto o contrato concreto objeto de la autorización notarial, el deber de informar y advertir adquiere toda su amplitud en aplicación del deber genérico de información que tiene el Notario.

Más difícil es entender qué se quiere decir con eso de «sus aspectos generales» salvo que se pretenda que a toda persona que se acerque a una Notaría se le dé una disertación sobre el contenido de la Ley de Condiciones Generales. Tal vez fuera esa la intención de los redactores del Proyecto de Ley a la vista de lo que se dice en la Memoria justificativa del mismo: «Este deber de información, que corresponde a los profesionales ejercientes de funciones públicas, no debe confundirse con la información de las condiciones generales que corresponde al predisponente de las mismas; el primero va referido a la aplicación en general de la Ley y la segunda se refiere a las concretas estipulaciones que puedan constituir condiciones generales». Por mi parte entiendo que en su actuación el Notario debe informar y, en su caso, advertir, sobre las consecuencias «concretas» de la aplicación de dicha Ley al específico acto o contrato objeto de autorización. Otra cosa al margen de ilusoria sería absolutamente inútil.

Por su parte, el núm. 2 de esta art. 23 LCGC, establece que *los Notarios, en el ejercicio profesional de su función pública, velarán por el cumplimiento, en los documentos que autoricen, de los requisitos de incorporación a que se refieren los artículos 5 y 7 de esta Ley. Igualmente advertirán de la obligatoriedad de la inscripción de las condiciones generales en los casos legalmente establecidos.*

Este precepto normativo ya concreta su contenido obligacional exclusivamente a los Notarios cosa lógica porque se centra en la fase previa o simultánea al perfeccionamiento. Sin embargo, comienza con una aclaración innecesaria ya que la obligación que se impone respecto al cumplimiento de los requisitos de incorporación en los documentos que autorice el Notario «en el ejercicio profesional de su función pública», nos llevaría a preguntarnos si acaso éste puede «autorizar» algún documento si no es precisamente en su condición de fedatario público.

La primera obligación que se impone a los Notarios es velar por el cumplimiento de los requisitos de incorporación a que se refieren los artículos 5.º y 7.º de la LCGC antes señalados.

Como señala J. PAGADOR (1998, p. 9), la LCGC no exige en ningún caso que las condiciones generales sean firmadas por todos los contratantes para que pasen a formar parte del contrato. En los que se formalicen por escrito, que son los que serán objeto de autorización o intervención por Notario, se considerarán incorporadas cuando el adherente conozca su existencia y pueda conocer su contenido y, además, manifieste su conformidad con que el contrato se rija por ellas.

Para lo primero se exige que el predisponente facilite al adherente un ejemplar de las condiciones generales bien mediante su inserción en el propio contrato o bien mediante su incorporación a un documento independiente que le habrá de ser entregado. Y para que el adherente manifieste su conformidad con la incorporación de las condiciones generales al contrato, deberá incluirse en éste una referencia a aquéllas que deberá ser suscrita por todos los contratantes, con independencia de que las condiciones generales aparezcan recogidas en el documento contractual o en un texto o documento separado o complementario. Por eso el art. 5.1.1º exige no que se firmen las «condiciones generales» sino el «contrato».

La exigencia para el Notario es clara: debe asegurarse que el adherente conoce y acepta las condiciones generales porque éstas se contienen en la escritura o en la póliza que va a otorgarse o manifiesta haberlas recibido y se recoge en cualquiera de los dos instrumentos públicos vistos ese hecho y su consentimiento a que el contrato se rija por las mismas.

Por último, dentro de este artículo 5, se recoge como requisito de incorporación la exigencia de que la redacción de las cláusulas generales se ajuste a los criterios de transparencia, claridad, concreción y sencillez, exigencia ya recogida con carácter general para todo el contenido del documento público en el art. 148 RN (Los instrumentos públicos deberán redactarse necesariamente [...] empleando en ellos estilo claro, puro, preciso, sin frases ni término alguno oscuros ni ambiguos...). Por ello no parece suficiente, por no decir que a veces es contraproducente, la lectura íntegra por el Notario del instrumento público que se va a otorgar por las partes tal como se exige en el art. 193 RN. Una explicación, incluso abreviada, es más «clarificadora» para las partes que han de prestar su consentimiento que el «sufrir» el requisito rituario de una lectura íntegra cuya principal consecuencia es que tras la tercera cláusula los comparecientes sólo quieren firmar e irse de la Notaría. Por eso la modificación experimentada por el art. 193 RN mediante RD 45/2007, de 19 de enero, se añadió que *a los efectos del art. 25 de la Ley del Notariado, y con independencia del procedimiento de lectura, se entenderá que ésta es íntegra cuando el Notario hubiera comunicado el contenido del instrumento con la extensión necesaria para el cabal conocimiento de su alcance y efectos, atendidas las circunstancias de los comparecientes.*

Por su parte, el art. 23.2 LCGC señala que los Notarios «advertirán de la obligatoriedad de la inscripción de las condiciones generales en los casos legalmente establecidos». Este precepto parece lógico si bien hasta la fecha carece de la más mínima eficacia práctica ya que si bien a tenor del art. 11.2 el Gobierno «podrá imponer la inscripción obligatoria en el Registro de las Condiciones Generales en determinados sectores específicos de la contratación», esto todavía no ha ocurrido. En los demás casos la inscripción es voluntaria por lo que carecería de sentido advertir a la parte predisponente de esa posibilidad.

Igualmente, tal como establece el art. 23.3 LCGC, *el Notario hará constar en el contrato el carácter de condiciones generales de las cláusulas que tengan esta naturaleza y que figuren previamente inscritas en el Registro de Condiciones Generales de la Contratación, o la manifestación en contrario de los contratantes.*

Este precepto experimentó una modificación importante en el trámite parlamentario. El texto del Proyecto de Ley decía: «En todo caso, el Notario hará constar en el contrato el carácter de condiciones generales de las cláusulas que tengan este carácter». Al margen de la reiteración del término «carácter», esta redacción planteaba un problema práctico al Notario ya que tendría que enjuiciar si determinadas cláusulas incluidas en un instrumento público eran o no generales. Los requisitos de «predisposición» e «imposición» serían fáciles de establecer (éste sería el caso de redacción de la escritura según minuta) pero no así la «generalidad» ya que podría darse la circunstancia de que aunque tales condiciones fueran utilizadas por la parte empresarial en una pluralidad de contratos, el que fuera a ser objeto de autorización fuese el primero que se le presentase al fedatario. Tal vez por ello, la redacción definitiva de la Ley exige dos condiciones: que tengan la naturaleza de condición general y que figuren previamente inscritas en el Registro de Condiciones Generales de la Contratación. Este último hecho es de fácil constatación e implica, desde luego, el carácter de condición general de las cláusulas allí inscritas.

Para considerar una cláusula como «condición general» de la parte profesional inscrita en el Registro deberá, por una parte, estarlo por ese mismo profesional y no otro, aunque sea idéntica. Y ello porque, precisamente, el sistema de llevanza del Registro es el de «folio personal» tal como señala el art. 8 del Reglamento del Registro de Condiciones Generales de la Contratación aprobado por RD 1828/1999, de 3 de diciembre. De esta forma, «las condiciones generales se inscribirán, clasificarán y consultarán por razón del predisponente». Y dentro de las del mismo predisponente se clasificarán por razón de la materia asignando a cada una la denominación o nombre identificativo que, en su caso, hubiera utilizado a aquél. Porque el hecho de que una condición sea general para un empresario no significa que también lo sea para otro.

En cuanto a la manifestación en contrario por las partes respecto al carácter de condición general de una cláusula, MADRIDEJOS (1999, p. 608) entiende que debe ser bilateral y que si procede de una sola de las partes el Notario deberá mantener la advertencia relativa a la existencia de condiciones generales, «aunque la prudencia aconseja que recoja también la manifestación unilateral discordante». Pero es difícil obtener esa manifestación bilateral ya que el adherente puede afirmar que determinadas cláusulas le han sido impuestas, pero nunca podrá decir que la condición es general si solo ha concluido un contrato con el predisponente.

Pero una vez más hay que reiterar que la constancia del carácter de condición general en el instrumento público, tal y como exige la Ley, se reducirá, en la práctica, a la inclusión de una fórmula rituaria en la escritura pública o en la póliza. Lo realmente importante no es si las cláusulas son o no generales, cosa que a efectos de aplicación de las normas, en última instancia, sería materia de apreciación judicial, sino que en su actuación el Notario busque el mayor equilibrio contractual y, por supuesto, que en ningún caso se incluyan cláusulas abusivas, sea o no consumidor el adherente.

Por último, hay que reiterar que, en todo caso, haya o no condiciones generales, el Notario, por aplicación del art. 147 RN, deberá consignar en el texto del documento que aquél ha sido redactado conforme a minuta y, si le constare, la parte de quien procede ésta y si la misma obedece a condiciones generales de su contratación.

Podemos concluir que la norma contenida en el art. 23 LCGC es inútil por imprecisa y, además, porque el resto del ordenamiento jurídico y la propia naturaleza de la función fedataria que desempeñan Notarios va mucho más allá que la LCGC. A este precepto se le podría aplicar lo que J. PAGADOR (1998, p. 22) dice respecto a la Ley en su conjunto: «no aporta absolutamente nada a nuestro Derecho»; en nuestro caso, no aporta nada al papel que el ordenamiento jurídico otorga al Notario en el control de las condiciones generales.

9.2. CONTRATOS CON CONSUMIDORES Y USUARIOS

Históricamente en nuestro Derecho se reguló la contratación con consumidores y usuarios a través de la Ley 26/1984, de 19 de julio, General para la Defensa de los Consumidores y Usuarios (LGDCU). La LCGC de 1998 dio nueva redacción al art. 10 LGDCU e introdujo en esta norma el art. 10 bis y la disposición adicional primera regulando las cláusulas abusivas. La LGDCU ha sido derogada y sustituida por el Real Decreto Legislativo 1/2007, de 16 de noviembre, por el que se aprueba el texto refundido de la Ley General para la Defensa de los Consumidores y Usuarios y otras leyes complementarias (TRLGDCU).

De acuerdo con el art. 1 TRLGDCU, en desarrollo del artículo 51.1 y 2 de la Constitución española que, de acuerdo con el artículo 53.3 de la misma, tiene el carácter de principio informador del ordenamiento jurídico, esta norma tiene por objeto establecer el régimen jurídico de protección de los consumidores y usuarios en el ámbito de las competencias del Estado.

Es de aplicación a las relaciones entre consumidores o usuarios y empresarios, entendiéndose por los primeros las personas físicas o jurídicas que actúan en un ámbito ajeno a una actividad empresarial o profesional, en la redacción del art. 3 vigente hasta su reforma por la Ley 3/2014, de 27 de marzo y, a partir de ella, «las personas físicas que actúen con un propósito ajeno a su actividad comercial, empresarial, oficio o profesión», si bien, *son también consumidores a efectos de esta norma las personas jurídicas y las entidades sin personalidad jurídica que actúen sin ánimo de lucro en un ámbito ajeno a una actividad comercial o empresarial.*

Por otra parte se considera empresario a «toda persona física o jurídica que actúa en el marco de su actividad empresarial o profesional, ya sea pública o privada» (art. 4 TRLCU en su redacción anterior) y hoy, tras la reforma del TRLCU por la Ley 3/2014, «toda persona física o jurídica, ya sea privada o pública, que actúe directamente o a través de otra persona en su nombre o siguiendo sus instrucciones, con un propósito relacionado con su actividad comercial, empresarial, oficio o profesión».

Observamos un cambio en la definición de consumidor y usuario del TRLGDCU respecto a la dada por la versión original de la LGDCU: «personas físicas o jurídicas que adquieren, utilizan o disfrutan como destinatarios finales, bienes muebles o inmuebles, productos, servicios, actividades, funciones, cualquiera que sea la naturaleza pública o privada, individual o colectiva de quienes los producen, facilitan, suministran o expiden. No tendrán la consideración de consumidores o usuarios quienes, sin constituirse en destinatarios finales, adquieran, almacenen, utilicen o consuman bienes o servicios, con el fin de integrarlos en procesos de producción, transformación, comercialización o prestación a terceros». De aquí se deducía que el elemento fundamental que caracterizaba la noción de consumidor era la de ser destinatario final del bien o servicio y aunque no lo dijera la definición legal era claro que esta adquisición, utilización o disfrute se producía en el mercado, de manera que no había consumo frente a la Administración cuando ésta actuaba sometida al Derecho Administrativo, ni cuando se producían actuaciones fuera de las condiciones de mercado, es decir, en condiciones especiales en atención, por ejemplo, a la relación laboral existente entre cliente y empresa como es el caso de los préstamos a interés inferior al de mercado que conceden las entidades de crédito a sus empleados (así el art. 2 n1 2 de la Directiva 87/102/CEE sobre crédito al consumo entonces vigente permitía a los Estados miembros excluir de su ámbito de aplicación los créditos que se concedían a tipos de interés inferiores a los de mercado y que no se ofrecían al público en general. Hoy están excluidos directamente por el art. 2.2.g) de la vigente Directiva 2008/48/CE y en coherencia con ello por el art. 3.g) LCCC). Resta añadir que aunque tampoco lo decía la definición legal sólo había consumidores cuando enfrente había empresarios ya que carecería de sentido someter a régimen especial las relaciones entre particulares.

La definición del art. 3 vigente hasta su reforma por la Ley 3/2014, ponía el acento en la actuación «en un ámbito ajeno a una actividad empresarial o profesional». Tal como señalaba la Exposición de Motivos del TRLGDCU, este concepto «se adapta a la terminología comunitaria, pero respeta las peculiaridades de nuestro ordenamiento jurídico en relación con las "personas jurídicas"». Y aclara que el consumidor y usuario, definido en la ley, «es la persona física o jurídica que actúa en un ámbito ajeno a una actividad empresarial o profesional. Esto es, que interviene en las relaciones de consumo con fines privados, contratando bienes y servicios como destinatario final, sin incorporarlos, ni directa, ni indirectamente, en procesos de producción, comercialización o prestación a terceros», de forma que se pretende cohonestar ambas definiciones.

Es totalmente indiferente que el consumidor sea persona física o jurídica si bien sólo son imaginables estas últimas como consumidores en el sentido que le da la Ley cuando, «sin finalidad de lucro, transmitan a título gratuito los bienes y servicios adquiridos (como p.e. fundaciones o asociaciones que adquieren bienes o servicios para que sean utilizados por los miembros de la entidad)» (BERCOVITZ —1984, p. 32—). En este sentido el legislador español se ha separado del concepto doctrinal de consumidor como persona física así como del concepto utilizado por las Directivas comunitarias ya que una de las razones fundamentales que justifican la protección del consumidor estriba en que, a diferencia de los empresarios, carecen de una organización que les permite «autoprotegerse». Luego, en la LCC-1995 y en la vigente LCCC y por coherencia con las sucesivas Directivas de Crédito al consumo, se ha definido consumidor como persona física.

Entre los derechos básicos de los consumidores y usuarios recogidos en el art. 8 TRLCU están: «b) La protección de sus legítimos intereses económicos y sociales; en particular, frente a la inclusión de cláusulas abusivas en los contratos», «d) La información correcta sobre los diferentes bienes o servicios [...]» y «f) La protección de sus derechos mediante procedimientos eficaces, en especial ante situaciones de inferioridad, subordinación e indefensión».

9.2.1. Cláusulas no negociadas individualmente.

9.2.1.1. Concepto

Dentro del Libro segundo («Contratos y garantías») del TRLCU se contiene el Título II («Condiciones generales y cláusulas abusivas») que regula las «Cláusulas no negociadas individualmente» (Capítulo I) y las «Cláusulas abusivas» (Capítulo II).

El TRLGDCU no define qué se entiende por «cláusulas no negociadas individualmente» pero la propia nomenclatura de la norma lo equipara a veces a «condiciones generales». Como hemos visto para la denominación del Título II del Libro segundo utiliza esta última expresión y para el Capítulo I la otra.

El propio art. 80 TRLGDCU hace dos veces alusión a requisitos para los casos de contratación telefónica o electrónica «con condiciones generales», lo que nos daría la idea de identidad de conceptos.

No obstante, sí cabe la hipótesis de cláusulas que pese a no haberse negociado individualmente con el consumidor no sean *stricto sensu* condiciones generales de la contratación por no haber sido redactadas con la finalidad de incorporarse a una pluralidad de contratos, tal y como exige el art. 1 LCGC. Estaríamos así ante una cláusula impuesta por el empresario para un contrato en particular con un consumidor. Esto ocurre en ocasiones en la contratación bancaria.

Como señala SERRA RODRÍGUEZ (2013, p. 3), la diferencia entre una condición general y una cláusula no negociada individualmente es la nota de uniformidad que ha de concurrir en la primera y no necesariamente en la segunda.

Esta distinción parece también deducirse del art. 3.2 Directiva 93/13/CEE de cláusulas abusivas al decir: *se considerará que una cláusula no se ha negociado individualmente cuando haya sido redactada previamente y el consumidor no haya podido influir sobre su contenido, en particular en el caso de los contratos de adhesión.* Se dan, por tanto, las notas de predisposición e imposición unilateral por el empresario.

9.2.1.2. Requisitos

En los contratos con consumidores y usuarios que utilicen cláusulas no negociadas individualmente, aquéllas deberán cumplir los siguientes requisitos (art. 80.1 TRLGDCU):

a) Concreción, claridad y sencillez en la redacción, con posibilidad de comprensión directa, sin reenvíos a textos o documentos que no se faciliten previa o simultáneamente a la conclusión del contrato, y a los que, en todo caso, deberá hacerse referencia expresa en el documento contractual.

b) Accesibilidad y legibilidad, de forma que permita al consumidor y usuario el conocimiento previo a la celebración del contrato sobre su existencia y contenido. «En ningún caso se entenderá cumplido este requisito si el tamaño de la letra del contrato fuere inferior a milímetro y medio o el insuficiente contraste con el fondo hiciese dificultosa la lectura (Este último párrafo ha sido incluido por la Ley 3/2014, de 27 de marzo).

La accesibilidad ya se halla en cierta forma exigida en la letra anterior del precepto al no admitirse «reenvíos a textos o documentos que no se faciliten previa o simultáneamente a la conclusión del contrato...» y debe ponerse en relación con la forma de contratación empleada (por escrito, en forma oral o telefónica o electrónicamente).

c) Buena fe y justo equilibrio entre los derechos y obligaciones de las partes, lo que en todo caso excluye la utilización de cláusulas abusivas.

El art. 80.1.a) TRLGDCU (coincidente con el art. 10.1.a LGDCU) establece una serie de requisitos iniciales que algún autor (ALFARO AGUILA-REAL —1991, p. 189—) ha llamado *de inclusión* por ser requisitos que ha de cumplir quien utilice condiciones generales para garantizarse su incorporación al contrato y cumplen una función de transparencia, en el sentido de dotar al cliente de la información necesaria para que pueda adoptar una decisión plenamente consciente. Se enmarcan en la tendencia del Derecho contractual de los últimos tiempos dirigida a formalizar la celebración de los contratos con finalidad protectora de la libertad de decisión negocial de los consumidores. Desde luego estos requisitos se solapan en gran medida con los requisitos de incorporación previstos con carácter general para las condiciones generales de la contratación (art. 5 LCGC).

A estos efectos dicho precepto exige a las condiciones generales «concreción, claridad y sencillez en la redacción con posibilidad de comprensión directa, sin reenvíos a textos o documentos que no se faciliten previa o simultáneamente a la conclusión del contrato y a los que, en todo caso, deberá hacerse referencia expresa en el documento contractual».

Como señala PERTIÑEZ VÍLCHEZ (2011, p. 697), «estos requisitos son distintas manifestaciones de un concepto más amplio, el de transparencia. El deber de transparencia en la redacción de las cláusulas no negociadas individualmente surge como correlato de la facultad de predisposición del contenido contractual reconocida al empresario: si el empresario puede predisponer unilateralmente el contenido del contrato, la buena fe le impone un deber de *hablar claro*».

Estos requisitos pueden sintetizarse de la siguiente forma:

11. Que en el documento contractual figuren las condiciones no negociadas individualmente con el consumidor o una referencia expresa al documento donde éstas se encuentren (en este último caso sí que parece que podamos identificarlas como condiciones generales).

21. Que se entregue al consumidor una copia de dichas condiciones, bien el propio documento contractual, bien el documento a que se refiere éste.

31. Que las condiciones estén redactadas de forma legible, concreta, sencilla y comprensible.

La legibilidad debe entenderse como perceptibilidad directa, esto es, que el consumidor «se pueda percatar fácilmente se su existencia y de su contenido con un solo golpe de vista, bien porque se encuentre ubicada en un lugar preferente del documento contractual, o bien porque, aun colocada en un ángulo del mismo, se emplee por el empresario un tipo de letra lo suficientemente grande como para poder ser vista y leída sin dificultad por un usuario medio» (Sent. A.P. de Toledo de 31 de diciembre de 1993).

Las cláusulas pueden no cumplir este requisito de legibilidad por «el tamaño microscópico de la letra, por su inusual tipografía, por tener un color no suficientemente contrastado con el fondo de papel, por la deficiente calidad de la impresión o incluso por su inclusión en un lugar recóndito del documento contractual». Por lo que se refiere al tamaño de la letra, se exige como requisito básico que las cláusulas pueden ser leídas sin esfuerzo extraordinario y sin necesidad de utilizar instrumentos ópticos de aumento especiales por una persona normal. A este respecto puede señalarse lo establecido en la Sentencia del Tribunal Supremo de 5 julio 1997: «... que el texto sea elegible y comprensible, es decir, que no esté en letra tan pequeña que sea difícil darse cuenta y que se entienda por persona de tipo medio. Lo cual no ocurre en el presente caso, en que la letra es tan diminuta y el texto tan breve, que la compradora difícilmente puede leerlo y comprenderlo».

Con la exigencia de «concreción», señala PAGADOR (1996, p. 221), se trata de impedir que el predisponente obtenga ventajas adicionales e injustificadas a consecuencia de la vaguedad o imprecisión con que se redacta una o varias cláusulas, especialmente cuando éstas están destinadas a imponer obligaciones al adherente en favor del predisponente.

Mediante el requisito de comprensibilidad se trata de posibilitar un fácil y directo conocimiento del alcance de las condiciones generales por parte del adherente (sent. A.P. de Barcelona de 2 de junio de 1993), es decir, que las condiciones del contrato sean perfectamente comprensibles para el consumidor (sent. A.P. de Oviedo de 22 de enero de 1993). No debe atenderse a las circunstancias concurrentes en cada adherente concreto, sino que el patrón vendrá dado por «cualquier persona de mediana diligencia» o adherente «medio» (sent. A.P. de Toledo de 31 de diciembre de 1993).

Por otra parte, el art. 80.1.c) TRLGDCU (al igual que hacía el art. 10.1.c) LGD-CU) exige otro requisito a las condiciones no negociadas individualmente con los consumidores que afecta a su *contenido*. Deben ser acordes con la *buena fe* y el *justo equilibrio de las prestaciones* añadiendo que esto «en todo caso excluye la utilización de cláusulas abusivas».

La *buena fe* a la que hace mención el TRLGDCU (y antes la LGDCU) significa, a juicio de ALFARO (1991, p. 82), «un mandato a los jueces para que fiscalicen las condiciones generales [en nuestro caso, las "condiciones no negociadas individualmente"] comparándolas con el Derecho dispositivo. Más exactamente, el juez deberá comparar la regulación que sería aplicable a dicho supuesto de no existir tal condición general. [...] Si entre el contenido de la condición general y el derecho que resultaría aplicable existe una discrepancia que no está justificada por las especialidades del contrato específicamente celebrado, el juez deberá declarar la nulidad de dicha cláusula por ser contraria a la buena fe y sustituirla por el Derecho que se pretendía derogar».

Siguiendo a DÍAZ ALABART (2000, pp. 63 y ss.), la buena fe junto con la autonomía de la voluntad son los dos principios fundamentales del derecho de obligaciones. La formulación legal del principio de buena fe puede hacerse estableciendo la conducta que en el caso corresponda al contratante, pero la mayor parte de los casos aparece como una cláusula general o abierta, que no contiene sino el mandato genérico del legislador para que en determinado ámbito se aplique dicha buena fe. Esto último determina que es el juez quien en cada caso habrá de concretar el principio abstracto a las circunstancias del supuesto de que se trate.

Concluye la Prof. DÍAZ ALABART que «la buena fe ha de responder necesariamente a un concepto muy genérico, pues su esencia es la de un conjunto de reglas de conducta que habrá de adecuarse a la situación concreta que contemplemos». «Son reglas de conducta no escritas y, sin embargo, resultan conocidas por todos, puesto que obedece a unos principios éticos, los de la sociedad de que se trate. Actuar conforme a la buena fe es el actuar correcto, leal, honesto, de los contratantes. Implica poder confiar —cuando las circunstancias lo hacen razonable— que los co-contratantes también actúan con esa misma corrección o lealtad». Se trata de «una fórmula elástica que impone a cada una de las partes una conducta honrada y concienciada a fin de que no resulten afectados los legítimos intereses de la otra»

Como señala CARRASCO PERERA (2010, p. 796), no es fácil precisar si estos dos paradigmas «contrariedad a la buena fe» y «desequilibrio importante de derechos y obligaciones» desempeñan funciones autónomas o son redundantes entre sí.

Finaliza el art. 80 TRLCU señalando en su punto 2 que «cuando se ejerciten acciones individuales, en caso de duda sobre el sentido de una cláusula prevalecerá la interpretación más favorable al consumidor». Si bien la regla de interpretación más favorable, en este caso, al consumidor, sería coincidente con la de art. 6.2 LCGC en favor del adherente, tendría aquí cabida para los supuestos ya señalados de cláusulas no negociadas individualmente que no sean condiciones generales, lo que parece recalcarse al limitar esta interpretación para las acciones individuales que pueda ejercer el consumidor.

9.2.1.3. Actuación del Notario

De acuerdo con el art. 81.2 TRLGDCU, los *Notarios y los Registradores de la Propiedad y Mercantiles, en el ejercicio profesional de sus respectivas funciones públicas, informarán a los consumidores y usuarios en los asuntos propios de su especialidad y competencia.*

Nos remitimos a este respecto a lo ya dicho para la norma de igual contenido recogida en la LCGC.

9.2.2. Cláusulas abusivas

9.2.2.1. Concepto

De acuerdo con el art. 82 TRLCU, *se considerarán cláusulas abusivas todas aquellas estipulaciones no negociadas individualmente y todas aquéllas prácticas no consentidas expresamente que, en contra de las exigencias de la buena fe causen, en perjuicio del consumidor y usuario, un desequilibrio importante de los derechos y obligaciones de las partes que se deriven del contrato.*

La regulación de las cláusulas abusivas con consumidores y usuarios se introduce en nuestro Derecho con la transposición de la Directiva 93/13/CEE del Consejo, de 5 de abril de 1993, sobre las Cláusulas Abusivas en los Contratos celebrados con Consumidores (en adelante Directiva 93/13/CEE). Esto tiene lugar a través de la introducción del art. 10 bis y de una disposición adicional primera a la LGDCU (todo ello recogido hoy en el TRLCU), lo que se hizo mediante la Ley 7/1998, de 13 de abril, de Condiciones Generales de la Contratación.

Pero no hay que confundir condiciones generales de la contratación con condiciones abusivas, aunque es el propio legislador el que provoca, en parte, cierta confusión ya que la Exposición de Motivos de la LCGC comienza señalando que ésta «tiene por objeto la transposición de la Directiva 93/13/CEE, del Consejo, de 5 de abril de 1993, sobre cláusulas abusivas en los contratos celebrados con consumidores, así como la regulación de las condiciones generales de la contratación». Da a entender que la transposición de la norma comunitaria es lo sustancial y la regulación de las condiciones generales lo adjetivo. Y, si bien, en el párrafo cuarto de la Exposición de Motivos se pretende distinguir lo que son cláusulas abusivas de lo que son condiciones generales de la contratación, señalando que ambos conceptos no tienen por qué coincidir, cosa que es evidente, hay que señalar que en el resto de la misma y la propia forma de trasponer la Directiva, se produce una cierta confusión entre unas y otras.

Porque una cosa es la regulación de las condiciones generales de los contratos, respecto a la cual ya existían anteproyectos anteriores que se remontan a los años 80, habiendo sido el último de 1991 y, por tanto, anteriores a la propia Directiva y otra efectivamente distinta es la transposición de la norma comunitaria de condiciones abusivas en los contratos celebrados con consumidores (que ya se hizo con retraso —la fecha límite era el 31 de diciembre de 1994—). Esta última, como su propio nombre indica, tiene un objeto mucho más restringido, en la medida que afecta sólo a contratos celebrados con consumidores, mientras que la LCGC afecta a todo tipo de contrato sea o no consumidor el adherente. Es obvio que no todas las condiciones generales son abusivas y que una cláusula puede ser abusiva y no tener el carácter de general.

De acuerdo con la sent. TJUE de 14 de marzo de 2013, el art. 3.1 Directiva 93/13/CEE cuyo contenido es muy similar al art. 82 TRLGDCU debe interpretarse en el sentido de que el concepto de «desequilibrio importante» en detrimento del consumidor debe apreciarse mediante:

- Un análisis de las normas nacionales aplicables a falta de acuerdo entre las partes, para determinar si —y, en su caso, en qué medida— el contrato deja al consumidor en una situación jurídica menos favorable que la prevista por el Derecho nacional vigente.

- Un examen de la situación jurídica en la que se encuentra dicho consumidor en función de los medios de que dispone con arreglo a la normativa nacional para que cese el uso de cláusulas abusivas.

Para determinar si se causa el desequilibrio «pese a las exigencias de la buena fe», debe comprobarse si el profesional, tratando de manera leal y equitativa con el consumidor, podía estimar razonablemente que éste aceptaría la cláusula en cuestión en el marco de una negociación individual.

El hecho de que ciertos elementos de una cláusula o que una cláusula aislada se haya negociado individualmente no excluirá la aplicación de las normas sobre cláusulas abusivas al resto del contrato.

La carga de la prueba de que una determinada cláusula ha sido negociada individualmente compete al empresario.

Continúa señalando el art. 82.3 TRLGDCU *que el carácter abusivo de una cláusula se apreciará teniendo en cuenta la naturaleza de los bienes o servicios objeto del contrato y considerando todas las circunstancias concurrentes en el momento de su celebración, así como todas las demás cláusulas del contrato o de otro del que éste dependa.* De ello resulta que, en este contexto, tal como señala la sentencia antes referida en relación con el art. 4.1 Directiva 93/13/CEE cuyo tenor literal es análogo, deben apreciarse también las consecuencias que dicha cláusula puede tener en el marco del Derecho aplicable al contrato, lo que implica un examen del sistema jurídico nacional [para garantizar o cerciorarse que el citado consumidor no esté vinculado por la mencionada cláusula] (párrafos 70 y 71).

9.2.2.2. Tipos de cláusulas abusivas

El art. 82.4 TRLGDCU señala que, en todo caso, son abusivas las cláusulas que, conforme a lo dispuesto en los arts. 85 a 90, ambos inclusive:

a) vinculen el contrato a la voluntad del empresario,

b) limiten los derechos del consumidor y usuario,

c) determinen la falta de reciprocidad en el contrato,

d) impongan al consumidor y usuario garantías desproporcionadas o le impongan indebidamente la carga de la prueba,

e) resulten desproporcionadas en relación con el perfeccionamiento y ejecución del contrato, o

f) contravengan las reglas sobre competencia y derecho aplicable.

Como señala PIPAÓN (2009, p. 174), es destacable la ampliación de las de las causas por las que podemos reconocer una cláusula abusiva en la redacción de este precepto en relación con derogado artículo 10 bis de la LGDCU, que fue posteriormente modificado por la Ley 44/2006, de 29 diciembre, de mejora de la protección de los consumidores y usuarios.

CARRASCO PERERA (2002, pp. 787 y ss.) las clasifica en «cláusulas negras» y «cláusulas grises». Las «cláusulas negras» son «cláusulas contractuales cuya nulidad resulta sin más de la sola contrastación literal de su tenor con la regla aplicable. En tales casos, no resulta posible y necesaria ninguna ponderación adicional de intereses, ni es legítimo realizar una labor de contextualización de la cláusula en el resto del contrato, ni considerar las circunstancias concurrentes a la celebración de aquel ni la naturaleza de los bienes o servicios».

Las «cláusulas grises» «se corresponden con alguno de los *nichos* específicos de los artículos 85 a 90 TRLCU que, a diferencia de los que describen "cláusulas negras", están construidos decisivamente sobre el empleo de conceptos jurídicos indeterminados, que requieren de una concreción ulterior por el juzgador, en virtud de una consideración contextual de la cláusula y de una valoración sobre la base de principios. Los mandatos legales no pueden ser directamente *contrastados* con la cláusula examinada, sino *concretados ad hoc* en función de todas las circunstancias que constituyen el contexto del caso».

A) Cláusulas abusivas por vincular el contrato a la voluntad del empresario

De acuerdo con el art. 85 TRLGDCU, *las cláusulas que vinculen cualquier aspecto del contrato a la voluntad del empresario serán abusivas y, en todo caso, las siguientes:*

1. Las cláusulas que reserven al empresario que contrata con el consumidor y usuario un plazo excesivamente largo o insuficientemente determinado para aceptar o rechazar una oferta contractual o satisfacer la prestación debida.

2. Las cláusulas que prevean la prórroga automática de un contrato de duración determinada si el consumidor y usuario no se manifiesta en contra, fijando una fecha límite que no permita de manera efectiva al consumidor y usuario manifestar su voluntad de no prorrogarlo.

3. Las cláusulas que reserven a favor del empresario facultades de interpretación o modificación unilateral del contrato, salvo, en este último caso, que concurran motivos válidos especificados en el contrato.

En los contratos referidos a servicios financieros lo establecido en el párrafo anterior se entenderá sin perjuicio de las cláusulas por las que el empresario se reserve la facultad de modificar sin previo aviso el tipo de interés adeudado por el consumidor o al consumidor, así como el importe de otros gastos relacionados con los servicios financieros, cuando aquéllos se encuentren adaptados a un índice, siempre que se trate de índices legales y se describa el modo de variación del tipo, o en otros casos de razón válida, a condición de que el empresario esté obligado a informar de ello en el más breve plazo a los otros contratantes y éstos puedan resolver inmediatamente el contrato sin penalización alguna.

Igualmente podrán modificarse unilateralmente las condiciones de un contrato de servicios financieros de duración indeterminada por los motivos válidos expresados en él, siempre que el empresario esté obligado a informar al consumidor y usuario con antelación razonable y éste tenga la facultad de resolver el contrato, o, en su caso, rescindir unilateralmente, sin previo aviso en el supuesto de razón válida, a condición de que el empresario informe de ello inmediatamente a los demás contratantes.

4. Las cláusulas que autoricen al empresario a resolver anticipadamente un contrato de duración determinada, si al consumidor y usuario no se le reconoce la misma facultad, o las que le faculten a resolver los contratos de duración indefinida en un plazo desproporcionadamente breve o sin previa notificación con antelación razonable.

Lo previsto en este párrafo no afecta a las cláusulas en las que se prevea la resolución del contrato por incumplimiento o por motivos graves, ajenos a la voluntad de las partes, que alteren las circunstancias que motivaron la celebración del contrato.

5. Las cláusulas que determinen la vinculación incondicionada del consumidor y usuario al contrato aún cuando el empresario no hubiera cumplido con sus obligaciones.

6. Las cláusulas que supongan la imposición de una indemnización desproporcionadamente alta, al consumidor y usuario que no cumpla sus obligaciones.

7. Las cláusulas que supongan la supeditación a una condición cuya realización dependa únicamente de la voluntad del empresario para el cumplimiento de las prestaciones, cuando al consumidor y usuario se le haya exigido un compromiso firme.

8. Las cláusulas que supongan la consignación de fechas de entrega meramente indicativas condicionadas a la voluntad del empresario.

9. Las cláusulas que determinen la exclusión o limitación de la obligación del empresario de respetar los acuerdos o compromisos adquiridos por sus mandatarios o representantes o supeditar sus compromisos al cumplimiento de determinadas formalidades.

10. Las cláusulas que prevean la estipulación del precio en el momento de la entrega del bien o servicio o las que otorguen al empresario la facultad de aumentar el precio final sobre el convenido, sin que en ambos casos existan razones objetivas y sin reconocer al consumidor y usuario el derecho a resolver el contrato si el precio final resulta muy superior al inicialmente estipulado.

Lo establecido en el párrafo anterior se entenderá sin perjuicio de la adaptación de precios a un índice, siempre que tales índices sean legales y que en el contrato se describa explícitamente el modo de variación del precio.

11. Las cláusulas que supongan la concesión al empresario del derecho a determinar si el bien o servicio se ajusta a lo estipulado en el contrato.

B) Cláusulas abusivas por limitar los derechos básicos del consumidor y usuario

A tenor del art. 86, *en cualquier caso serán abusivas las cláusulas que limiten o priven al consumidor y usuario de los derechos reconocidos por normas dispositivas o imperativas y, en particular, aquellas estipulaciones que prevean:*

1. La exclusión o limitación de forma inadecuada de los derechos legales del consumidor y usuario por incumplimiento total o parcial o cumplimiento defectuoso del empresario.

En particular las cláusulas que modifiquen, en perjuicio del consumidor y usuario, las normas legales sobre conformidad con el contrato de los bienes o servicios puestos a su disposición o limiten el derecho del consumidor y usuario a la indemnización por los daños y perjuicios ocasionados por dicha falta de conformidad.

2. La exclusión o limitación de la responsabilidad del empresario en el cumplimiento del contrato, por los daños o por la muerte o por las lesiones causadas al consumidor y usuario por una acción u omisión de aquél.

3. La liberación de responsabilidad del empresario por cesión del contrato a tercero, sin consentimiento del deudor, si puede engendrar merma de las garantías de éste.

4. La privación o restricción al consumidor y usuario de las facultades de compensación de créditos, retención o consignación.

5. La limitación o exclusión de la facultad del consumidor y usuario de resolver el contrato por incumplimiento del empresario.

6. La imposición de renuncias a la entrega de documento acreditativo de la operación.

7. La imposición de cualquier otra renuncia o limitación de los derechos del consumidor y usuario.

C) Cláusulas abusivas por falta de reciprocidad

Se recogen en el art. 87: *Son abusivas las cláusulas que determinen la falta de reciprocidad en el contrato, contraria a la buena fe, en perjuicio del consumidor y usuario y, en particular:*

1. La imposición de obligaciones al consumidor y usuario para el cumplimiento de todos sus deberes y contraprestaciones, aun cuando el empresario no hubiere cumplido los suyos.

2. La retención de cantidades abonadas por el consumidor y usuario por renuncia, sin contemplar la indemnización por una cantidad equivalente si renuncia el empresario.

3. La autorización al empresario para resolver el contrato discrecionalmente, si al consumidor y usuario no se le reconoce la misma facultad.

4. La posibilidad de que el empresario se quede con las cantidades abonadas en concepto de prestaciones aún no efectuadas cuando sea él mismo quien resuelva el contrato.

5. Las estipulaciones que prevean el redondeo al alza en el tiempo consumido o en el precio de los bienes o servicios o cualquier otra estipulación que prevea el cobro por productos o servicios no efectivamente usados o consumidos de manera efectiva.

En aquellos sectores en los que el inicio del servicio conlleve indisolublemente unido un coste para las empresas o los profesionales no repercutido en el precio, no se considerará abusiva la facturación por separado de tales costes, cuando se adecuen al servicio efectivamente prestado.

6. Las estipulaciones que impongan obstáculos onerosos o desproporcionados para el ejercicio de los derechos reconocidos al consumidor y usuario en el contrato, en particular en los contratos de prestación de servicios o suministro de productos de tracto sucesivo o continuado, la imposición de plazos de duración excesiva, la renuncia o el establecimiento de limitaciones que excluyan u obstaculicen el derecho del consumidor y usuario a poner fin a estos contratos, así como la obstaculización al ejercicio de este derecho a través del procedimiento pactado, cual es el caso de las que prevean la imposición de formalidades distintas de las previstas para contratar o la pérdida de las cantidades abonadas por adelantado, el abono de cantidades por servicios no prestados efectivamente, la atribución al empresario de la facultad de ejecución unilateral de las cláusulas penales que se hubieran fijado contractualmente o la fijación de indemnizaciones que no se correspondan con los daños efectivamente causados.

D) Cláusulas abusivas sobre garantías

De acuerdo con el art. 88, *en todo caso se consideraran abusivas las cláusulas que supongan:*

1. La imposición de garantías desproporcionadas al riesgo asumido.

Se presumirá que no existe desproporción en los contratos de financiación o de garantías pactadas por entidades financieras que se ajusten a su normativa específica.

2. La imposición de la carga de la prueba en perjuicio del consumidor y usuario en los casos en que debería corresponder a la otra parte contratante.

3. La imposición al consumidor de la carga de la prueba sobre el incumplimiento, total o parcial, del empresario proveedor a distancia de servicios financieros de las obligaciones impuestas por la normativa específica sobre la materia.

E) Cláusulas abusivas que afectan al perfeccionamiento y ejecución del contrato

A tenor del art. 88, *en todo caso tienen la consideración de cláusulas abusivas:*

1. Las declaraciones de recepción o conformidad sobre hechos ficticios, y las declaraciones de adhesión del consumidor y usuario a cláusulas de las cuales no ha tenido la oportunidad de tomar conocimiento real antes de la celebración del contrato.

2. La transmisión al consumidor y usuario de las consecuencias económicas de errores administrativos o de gestión que no le sean imputables.

3. La imposición al consumidor de los gastos de documentación y tramitación que por ley corresponda al empresario. En particular, en la compraventa de viviendas:

> a) *La estipulación de que el consumidor ha de cargar con los gastos derivados de la preparación de la titulación que por su naturaleza correspondan al empresario (obra nueva, propiedad horizontal, hipotecas para financiar su construcción o su división y cancelación).*

> b) *La estipulación que obligue al consumidor a subrogarse en la hipoteca del empresario o imponga penalizaciones en los supuestos de no subrogación.*

> c) *La estipulación que imponga al consumidor el pago de tributos en los que el sujeto pasivo es el empresario.*

d) La estipulación que imponga al consumidor los gastos derivados del establecimiento de los accesos a los suministros generales de la vivienda, cuando ésta deba ser entregada en condiciones de habitabilidad.

4. La imposición al consumidor y usuario de bienes y servicios complementarios o accesorios no solicitados.

5. Los incrementos de precio por servicios accesorios, financiación, aplazamientos, recargos, indemnización o penalizaciones que no correspondan a prestaciones adicionales susceptibles de ser aceptados o rechazados en cada caso expresados con la debida claridad o separación.

6. La negativa expresa al cumplimiento de las obligaciones o prestaciones propias del empresario, con reenvío automático a procedimientos administrativos o judiciales de reclamación.

7. La imposición de condiciones de crédito que para los descubiertos en cuenta corriente superen los límites que se contienen en el artículo 19.4 de la Ley 7/1995, de 23 de marzo, de Crédito al Consumo.

8. La previsión de pactos de renuncia o transacción respecto al derecho del consumidor y usuario a la elección de fedatario competente según la ley para autorizar el documento público en que inicial o ulteriormente haya de formalizarse el contrato.

F) Cláusulas abusivas sobre competencia y derecho aplicable

Se recogen en el art. 90. *Son, asimismo, abusivas las cláusulas que establezcan:*

1. La sumisión a arbitrajes distintos del arbitraje de consumo, salvo que se trate de órganos de arbitraje institucionales creados por normas legales para un sector o un supuesto específico.

2. La previsión de pactos de sumisión expresa a Juez o Tribunal distinto del que corresponda al domicilio del consumidor y usuario, al lugar del cumplimiento de la obligación o aquél en que se encuentre el bien si éste fuera inmueble.

3. La sumisión del contrato a un Derecho extranjero con respecto al lugar donde el consumidor y usuario emita su declaración negocial o donde el empresario desarrolle la actividad dirigida a la promoción de contratos de igual o similar naturaleza.

Por último, en virtud de lo dispuesto en el art. 91, *las cláusulas abusivas referidas a la modificación unilateral de los contratos, a la resolución anticipada de los contratos de duración indefinida y al incremento del precio de bienes y servicios, no se aplicarán a los contratos relativos a valores, con independencia de su forma de representación, instrumentos financieros y otros bienes y servicios cuyo precio esté vinculado a una cotización, índice bursátil, o un tipo del mercado financiero que el empresario no controle, ni a los contratos de compraventa de divisas, cheques de viaje o giros postales internacionales en divisas.*

9.2.2.3. Actuación del Notario

De acuerdo con el art. 84 TRLGDCU, *los Notarios y los Registradores de la Propiedad y Mercantiles, en el ejercicio profesional de sus respectivas funciones públicas, no
autorizarán ni inscribirán aquellos contratos o negocios jurídicos en los que se pretenda la
inclusión de cláusulas declaradas nulas por abusivas en sentencia inscrita en el Registro de
Condiciones Generales de la Contratación.*

El Notario por vocación, por convicción y, también, por obligación legal, debe dotar de la máxima seguridad jurídica todos los actos y negocios jurídicos que autoriza o
interviene. Por ello, es el principal interesado en que no haya cláusulas abusivas. Pero
para ello hay que tener claro qué cláusulas lo son. Y para esto, hasta la fecha, sólo tiene
el recurso a un Registro de Condiciones Generales que, dicho sea con todo respecto, es
inútil para ello.

Y como referencia, además de una Ley repleta de conceptos jurídicos indeterminados, tiene la jurisprudencia que es «diversa» (cada Tribunal dice una cosa distinta)
y «cambiante» (los Tribunales no están vinculados por sus propias resoluciones). Y
no faltan sentencias en las que el propio Tribunal Supremo crea cláusulas abusivas por
falta de transparencia (que no se contemplan ni en el TRLGDCU ni en la Directiva de
Cláusulas Abusivas de 1993).

En definitiva, el Notario está atado de pies y manos y cuando su función es dar seguridad jurídica, empieza por pedirla para su propia actuación.

Pero lo que el Notario no puede hacer es sustituir a los Jueces. El art. 83 TRLGDCU
establece que *el Juez, previa audiencia de las partes, declarará la nulidad de las cláusulas
abusivas incluidas en el contrato...* No puede así excluir de su autorización una cláusula
que él pueda percibir como abusiva si no hay certeza de ello por jurisprudencia reiterada
del Tribunal Supremo. Y, obviamente, tampoco puede sustituir al legislador y aplicar lo
que uno pueda considerar abusivo, porque el Notario está para cumplir la Ley y no para
crearla.

Esto puede cambiar ya que la disposición final sexta del Proyecto de Ley de Crédito
Inmobiliario, modifica el TRLGDCU y concretamente su art. 84 al señalar que *los
notarios y los registradores de la propiedad y mercantiles, en el ejercicio profesional de sus
respectivas funciones públicas, no autorizarán ni inscribirán aquellos contratos o negocios
jurídicos en los que se pretenda la inclusión de cláusulas que sean contrarias a normas imperativas o prohibitivas o hubieran sido declaradas nulas por abusivas en sentencia del
Tribunal Supremo con valor de jurisprudencia o por sentencia firme inscrita en el Registro
de Condiciones Generales de la Contratación*

Aquí se amplía ya no sólo a las sentencias inscritas en el Registro de Condiciones Generales sino también a las sentencias del Tribunal Supremo con valor de jurisprudencia, aunque hay que entender que estas también se inscribirán.

También se amplían las sentencias objeto de inscripción. Así la disposición final segunda modifica el apartado 4 del art. 11 LGDCU señalando que *serán objeto de inscripción las ejecutorias en que se recojan sentencias firmes estimatorias de cualquiera de las acciones a que se refiere el apartado anterior. Obligatoriamente se remitirán al Registro de Condiciones Generales las sentencias firmes dictadas en acciones colectivas o individuales por las que se declare la nulidad, cesación o retractación en la utilización de condiciones generales abusivas.*

10. ACTUACIÓN DEL NOTARIO EN MATERIA DE PRÉSTAMOS Y CRÉDITOS HIPOTECARIOS

10.1. CONSIDERACIONES PREVIAS

En este epígrafe vamos a estudiar la normativa que regula determinados créditos hipotecarios, concretamente, la de los préstamos y créditos con garantía de hipoteca inmobiliaria para adquisición de vivienda y el papel encomendado a los Notarios en este tipo de contratos. Me refiero a los regulados en el capítulo II, arts. 19 a 32 la Orden EHA/2899/2011, de 28 de octubre, de transparencia y protección del cliente de servicios bancarios (Orden EHA/2899/2011).

Como señala ALCALÁ DÍAZ (2013; pp. 29 y ss.), en la normativa reguladora del mercado hipotecario en relación con los titulares de créditos hipotecarios, pueden distinguirse dos etapas claramente diferenciadas: las normas dictadas hasta el año 2011, en las que el legislador tenía como objetivo dinamizar y flexibilizar el mercado hipotecario. En esta primera etapa se pretende agilizar la contratación de «productos financieros» por lo que se suprimen controles administrativos.

Aquí se puede incluir la Ley 41/2007, de 7 de diciembre, por la que se modifica la Ley 2/1981, de 25 de marzo, de regulación del mercado hipotecario y de otras normas del sistema hipotecario y financiero, de regulación de las hipotecas inversas y el seguro de dependencia y por la que se establece determinada norma tributaria, así como la Orden EHA/1718/2010, de 10 de junio, de regulación y control de la publicidad de los servicios y productos bancarios. También la Ley 2/2009, de 31 de marzo, por la que se regula la contratación con los consumidores de préstamos o créditos hipotecarios y de servicios de intermediación para la celebración de contratos de préstamo o crédito en la que, por el contrario, se refuerzan los niveles de información y algunos de los controles en su formalización.

Hay que dejar constancia que aquí, como es muy frecuente, se está haciendo un uso incorrecto de la expresión «mercado hipotecario». Este mercado «tiene por objeto la negociación de los títulos emitidos por determinadas entidades con la cobertura de los créditos hipotecarios concedidos por las mismas» (NIETO CAROL: 2009; p. 3). Se utiliza una expresión propia del «lenguaje vulgar» como «mercado de hipotecas», cuando lo correcto es hablar de «mercado del crédito hipotecario». La entidades de crédito y los establecimientos financieros de crédito lo que conceden son «préstamos o créditos», en este caso, con garantía hipotecaria. La «hipoteca», en sentido «técnicolegal», la constituyen los titulares de los derechos sobre bienes inmuebles para garantizar esos créditos.

Una segunda etapa está marcada por la crisis económica y financiera con su proyección en el ámbito hipotecario. Esta fase se inicia en 2011, y se percibe cómo el legislador procura incrementar la transparencia en este tipo de contratos y se intentan paliar los efectos de la crisis estableciéndose vías para evitar las ejecuciones hipotecarias, proteger al deudor en caso de iniciado el proceso de ejecución y su suspensión en caso de deudores sin recursos en caso de ejecución de vivienda habitual.

Aquí se incluyen las siguientes normas: la Ley 2/2011, de 4 de marzo, de Economía sostenible, en la que se regula por primera vez el llamado *crédito responsable*; la Orden EHA/2899/2011, de 28 de octubre, de transparencia y protección del cliente de servicios bancarios, en cuyo desarrollo se dictó la Circular 5/2012, de 27 de junio, del Banco de España, sobre transparencia de los servicios bancarios y responsabilidad en la concesión de préstamos, en el que además de desarrollar lo anterior se incrementan notablemente las normas de transparencia. Por otra parte, el RDLey 8/2011, de 1 de julio, de medidas de apoyo a los deudores hipotecarios, de control del gasto público y cancelación de deudas con empresas y autónomos contraídas por las entidades locales, de fomento de la actividad empresarial e impulso de la rehabilitación y de simplificación administrativas; el RDLey 6/2012, de 9 de marzo, de medidas urgentes de protección de deudores hipotecarios sin recursos, y, por último, el RDLey 27/2012, de 15 de noviembre, de medidas urgentes para reforzar la protección a los deudores hipotecarios. También hay que incluir la Ley 1/2013, de 14 de mayo, de medidas para reforzar la protección a los deudores hipotecarios, reestructuración de la deuda y alquiler social.

Como se desprende de la exposición de motivos de la Orden EHA/2899/2011, la norma aborda, entre otras cosas, el desarrollo específico de la normativa de transparencia del préstamo hipotecario para la adquisición de vivienda a efectos de sustituir la regulación anterior, de 1994 (Orden Ministerial de 5 de mayo de 1994 de Transparencia de las condiciones financieras de los préstamos hipotecarios). «El nuevo sistema de transparencia, en línea con la normativa ya aprobada de crédito al consumo y con la normativa proyectada en el ámbito europeo, se diseña sobre una serie de requerimientos de información unificada tanto de carácter precontractual como contractual. Se añaden adicionalmente, otras herramientas más específicas, como la difusión de una Guía informativa adaptada a este producto que permitirá profundizar en la necesaria educación financiera de los clientes. También se refuerza específicamente la transparencia en lo que se refiere a determinados servicios: las cláusulas suelo o techo y los instrumentos financieros de cobertura del tipo de interés. La existencia de ambos servicios vinculada a los préstamos hipotecarios ya estaba prevista en el ordenamiento, y esta orden no viene sino a reforzar al máximo las obligaciones transparencia y difusión de información relevante, que el cliente debe ponderar antes de su contratación». A esto hay que añadirle, el desarrollo de la normativa de transparencia referente a la hipoteca inversa previsto en la disposición adicional primera de la Ley 41/2007, de 7 de diciembre, por la que se modifica la Ley 2/1981, de 25 de marzo, de Regulación del Mercado Hipotecario y otras normas del sistema hipotecario y financiero, de regulación de las hipotecas inversas y el seguro de dependencia y por la que se establece determinada norma tributaria, como se observa, con cierto retraso.

Y, finalmente, la norma también regula los que serán tipos de interés oficiales conforme a la habilitación incluida en el ya mencionado artículo 48.2 LDIEC, hoy sustituido y derogado por el art. 5 LOSSEC. La modificación responde en este punto a la necesidad de adaptar los tipos de referencia a una integración de los mercados a escala europea y nacional cada vez mayor y a la necesidad de aumentar las alternativas de elección de tipos, al tiempo que se ajustan estos al coste real de obtención de recursos por las entidades de crédito.

Como se observa, ya se menciona que la regulación del régimen de transparencia se hace «en línea con la normativa ya aprobada de crédito al consumo y con la normativa proyectada en el ámbito europeo». Hoy, esto último ha dejado de ser un proyecto para ser una norma: la Directiva 2014/17/UE del Parlamento Europeo y del Consejo de 4 de febrero de 2014, sobre los contratos de crédito celebrados con los consumidores para bienes inmuebles de uso residencial y por la que se modifican las Directivas 2008/48/CE y 2013/36/UE y el Reglamento (UE) n° 1093/2010. Su transposición debía realizarse antes del 21 de marzo de 2016 por lo que, entiendo, hoy es ya de aplicación directa.

Como señala A.J. TAPIA HERMIDA (2014; pp. 338-339), «esta directiva persigue una doble finalidad:

a) Una finalidad inmediata, que consiste en establecer un marco común de algunos aspectos de las disposiciones nacionales aplicables a aquellos contratos de crédito al consumo que estén garantizados mediante hipoteca de otro tipo de garantía, en relación con bienes de uso residencial.

b) Y una finalidad mediata, que consiste en servir de base para elaborar un sistema completo de regulación de estos contratos tanto en sus aspectos objetivos o funcionales, como es el de la suscripción de aquellos contratos (con especial atención a la obligación de llevar a cabo una evaluación de la solvencia del deudor/consumidor antes de concederle el crédito); como en sus aspectos subjetivos, como es el de las empresas que intervienen en dichos contratos frente al consumidor (comprendidos los intermediarios de crédito, los representantes designados y las entidades no crediticias), estableciendo a tal efecto determinados requisitos en materia prudencial y de supervisión».

Su Considerando (3) justifica así la necesidad de esta norma de la siguiente forma: «la crisis financiera ha demostrado que el comportamiento irresponsable de los participantes en el mercado puede socavar los cimientos del sistema financiero, lo que debilita la confianza de todos los interesados, en particular los consumidores, y puede tener graves consecuencias sociales y económicas. Numerosos consumidores han perdido la confianza en el sector financiero y los prestatarios han experimentado cada vez más dificultades para hacer frente a sus préstamos, provocando un aumento de los impagos y las ventas forzosas. Como consecuencia de ello, el G-20 encargó al Consejo de Estabilidad Financiera que estableciera principios sobre criterios de suscripción correctos con respecto a bienes inmuebles de uso residencial».

Se pretende, igualmente, «para facilitar la emergencia de un mercado interior con un funcionamiento satisfactorio y un elevado grado de protección de los consumidores en lo que respecta a los contratos de crédito para bienes inmuebles, y para garantizar que los consumidores que busquen celebrar tales contratos puedan hacerlo con la confianza de que las entidades con las que entablen relación se comportan de manera profesional y responsable», establecer un marco jurídico adecuadamente armonizado a escala de la Unión en una serie de ámbitos. En fin, como señala el Considerando (6), «la presente Directiva debe desarrollar por consiguiente un mercado interior más transparente, eficiente y competitivo mediante unos contratos de crédito coherentes, flexibles y equitativos en materia de bienes inmuebles, promoviendo a la vez la sostenibilidad de la concesión y la contratación de préstamos, así como la inclusión financiera, y proporcionando, por tanto, un nivel elevado de protección a los consumidores».

10.2. ÁMBITO DE APLICACIÓN

El art. 19.1 Orden EHA/2899/2011, establece el ámbito de aplicación de esta normativa de transparencia de la siguiente forma: *este capítulo será de aplicación a los servicios bancarios de crédito y préstamo hipotecario, en adelante préstamos, celebrados con un cliente, persona física, en los que la hipoteca recaiga sobre una vivienda o cuya finalidad sea adquirir o conservar derechos de propiedad sobre terrenos o edificios construidos o por construir.*

Se presumirán sujetos a esta orden los préstamos concedidos con garantía hipotecaria sobre viviendas situadas en territorio español, otorgados a personas físicas residentes en España.

Como se observa, respecto al **elemento subjetivo,** se limita a aquellos en los que el prestatario es una persona física, sin aludir a su condición de consumidor. Y ello, a diferencia de la Directiva 2014/17/UE cuyo art. 1 establece que *la presente Directiva establece un marco común en relación con ciertos aspectos de las disposiciones legales, regla-*

mentarias y administrativas de los Estados miembros aplicables a aquellos contratos relativos a créditos al consumo que estén garantizados mediante hipoteca u otro tipo de garantía, en relación con bienes inmuebles de uso residencial [...]

Y su art. 4 establece que *a los efectos de la presente Directiva se entenderá por:*

1) «consumidor»: todo consumidor según se define en el artículo 3, letra a), de la Directiva 2008/48/CE, esto es, persona física que, en las operaciones reguladas por la presente Directiva, actúa con fines que están al margen de su actividad comercial o profesional.

Por su parte, el Considerando (12) de la Directiva 2014/17/UE señala que «la definición de "consumidor" debe incluir a las personas físicas que actúen con fines ajenos a sus actividades comerciales o empresariales o a su profesión. No obstante, en el caso de los contratos con doble finalidad, si el contrato se celebra con un objeto en parte relacionado y en parte no relacionado con las actividades comerciales o empresariales o con la profesión de la persona en cuestión y dichas actividades comerciales o empresariales, o dicha profesión son tan limitadas que no predominan en el contexto general del contrato, dicha persona debe ser considerada un consumidor».

Luego ese mismo art. 19.1 Orden EHA/2899/2011 delimita el **ámbito objetivo** de aplicación a aquellos préstamos o créditos *en los que la hipoteca recaiga sobre una vivienda o cuya finalidad sea adquirir o conservar derechos de propiedad sobre terrenos o edificios construidos o por construir.*

Obsérvese que se utiliza la conjunción disyuntiva «o» por lo que hay que entender que se aplica a:

- Por un lado, a los préstamos o créditos «en los que la hipoteca recaiga sobre una vivienda»;

- Y, por otro, a aquellos que no teniendo garantía hipotecaria su «finalidad sea adquirir o conservar derechos de propiedad sobre terrenos o edificios construidos o por construir». Así, p.e. contratos de refinanciación u otros contratos de crédito que ayuden al propietario de la totalidad o de una parte de un bien inmueble a conservar derechos sobre bienes inmuebles o fincas o los de financiación para la adquisición de derechos sobre terrenos (para construir) o edificios ya construidos o por construir.

Lo que es perfectamente coherente con el art. 3 de la Directiva 2014/17/UE: *La presente Directiva se aplicará a:*

a) los contratos de crédito garantizados por una hipoteca o por otra garantía comparable comúnmente utilizada en un Estado miembro sobre bienes inmuebles de uso residencial, o garantizados por un derecho relativo a un bien inmueble de uso residencial, y

b) los contratos de crédito cuya finalidad sea adquirir o conservar derechos de propiedad sobre fincas o edificios construidos o por construir.

El Considerando (15) de la misma es muy clarificador: «El objetivo de la presente Directiva consiste en garantizar que todos los consumidores que concluyan los contratos de crédito para bienes inmuebles disfruten de un elevado grado de protección. Procede, por tanto, que se aplique a los créditos garantizados mediante bienes inmuebles, con independencia de la finalidad del crédito, a los contratos de refinanciación u otros contratos de crédito que ayuden al propietario de la totalidad o de una parte de un bien inmueble a conservar derechos sobre bienes inmuebles o fincas, y a los créditos utilizados para adquirir bienes inmuebles en algunos Estados miembros, incluidos los que no requieren el reembolso del capital, o, salvo si los Estados miembros han establecido un marco alternativo adecuado, a los que tienen como finalidad proporcionar financiación temporal en el lapso de tiempo comprendido entre la venta de un bien inmueble y la compra de otro, así como a los créditos garantizados destinados a la renovación de bienes inmuebles para uso residencial».

Todo esto me hace concluir que la Orden EHA/2899/2011 se está aplicando sólo parcialmente porque se está haciendo, por inercia, sólo en los préstamos con garantía de hipotecaria de vivienda.

Como se observa, nuestro régimen vigente, siguiendo la normativa europea, desborda el anterior régimen de la derogada OM 5 de mayo de 1994. En efecto, de acuerdo con el art. 1.1 de la misma, ésta era de aplicación a los préstamos con garantía hipotecaria, cuando concurrieran simultáneamente las siguientes circunstancias:

1. Que se trate de un préstamo hipotecario y la hipoteca recaiga sobre una vivienda.

Por tanto, sólo aquellos contratos que tuvieran naturaleza jurídica de préstamos y necesariamente garantizados por hipoteca. Quedaban excluidos aquéllos que sin tener este tipo de garantía se destinen a la adquisición de una vivienda.

2. Que el prestatario sea persona física. Aquí no hay variaciones.

3. Que el importe del préstamo solicitado sea igual o inferior a 25 millones de pesetas (ciento cincuenta mil euros) o su equivalente en divisas.

Hoy ha desaparecido ese límite cuantitativo.

10.3. INFORMACIÓN PRECONTRACTUAL

La Orden EHA/2899/2011 sigue respecto a los préstamos y créditos con garantía hipotecaria el mismo esquema que para el resto de los contratos de financiación y que, por otra parte, sigue también la normativa de crédito al consumo, tanto europea como española: se exige una información precontractual, una información contractual y luego una información en la fase de ejecución del contrato.

En la fase precontractual y sin perjuicio de la aplicación general de lo relativo a la publicidad (art. 5 Orden EHA/2899/2011: *Toda la publicidad de las entidades de crédito referida a los servicios bancarios deberá ser clara, objetiva y no engañosa, conforme a lo previsto en la Orden EHA/1718/2010, de 11 de junio, de regulación y control de la publicidad de los servicios y productos bancarios y en la Circular 6/2010, de 28 de septiembre, del Banco de España, a entidades de crédito y entidades de pago, sobre publicidad de los servicios y productos bancarios)*, nos encontramos con determinadas peculiaridades: La primera es que se le encarga al Banco de España la elaboración de una Guía de acceso al préstamo y crédito hipotecario.

La segunda, que a diferencia del crédito al consumo donde hay una información «resumida y concentrada» en la Ficha Europea Normalizada (FEN), aquí hay dos fichas informativas: una previa más genérica (la Ficha de Información Previa —FIPRE—) y otra específica con las condiciones concretas para ese cliente determinado y con mayor grado de información (Ficha de Información Personalizada —FIPER—) que se parece a la FEN. Y al igual que ocurre en el crédito bancario al consumo (art. 8 LCCC), el cliente podrá solicitar a la entidad la entrega de una oferta vinculante.

10.3.1. Guía de acceso al préstamo hipotecario

De acuerdo con el art. 20.1 Orden EHA/2899/2011, *el Banco de España elaborará una «Guía de Acceso al Préstamo Hipotecario», con la finalidad de que quienes demanden servicios bancarios de préstamo hipotecario dispongan, con carácter previo a la formalización de los mismos, de información adecuada para adoptar sus decisiones de financiación.*

La guía estará disponible en todos los establecimientos comerciales de las entidades de crédito, en sus páginas electrónicas y en la página electrónica del Banco de España y deberá hallarse a disposición de los clientes, en cualquier momento y gratuitamente.

A pesar de este precepto y de su entrada en vigor seis meses después de la publicación en el BOE de la Orden EHA/2899/2011 (por tanto el 29 de abril de 2012), dicha guía no se publicó y la disposición adicional tercera de la Ley 1/2013, de 14 de mayo, de medidas para reforzar la protección a los deudores hipotecarios, reestructuración de deuda y alquiler social, tuvo que establecer: «En el plazo de dos meses desde la aprobación de esta Ley, el Banco de España publicará la "Guía de Acceso al Préstamo Hipotecario" a la que se refiere el artículo 20 de la Orden EHA/2899/2011, de 28 de octubre, de transparencia y protección del cliente de servicios bancarios».

Este plazo sí se cumplió y desde julio de 2013 está disponible en la página web del Banco de España (http://www.bde.es/f/webbde/Secciones/Publicaciones/Folletos/Fic/Guia_hipotecaria_2013.pdf).

El contenido de la Guía que, obviamente aquí no vamos a reproducir, se estructura en 12 capítulos y 9 anexos.

En los capítulos se describe lo que son los préstamos y los créditos hipotecarios, sus características, finalidad y tipologías, las garantías que debe dar el prestatario —la hipotecaria—, sin perjuicio de la responsabilidad universal del deudor. Se explica también la ejecución de esta garantía así como las daciones en pago.

En cuanto al préstamo se habla de su importe y la moneda en la que se entrega y del porcentaje que éste representa respecto al valor de tasación del inmueble, así como de la consideración para su determinación del nivel de ingresos del prestatario.

Luego se analizan aspectos como el plazo de duración y los tipos de interés: tipos fijos y tipos variables, los tipos de interés de referencia oficiales, el redondeo, el uso de los «suelos» y de los «techos», los riesgos de los tipos de interés variables, su cobertura y la tasa anual equivalente (TAE).

Seguidamente se abordan los sistemas de amortización, las comisiones (de apertura, por cambio de moneda, por emisión de cheque bancario, por subrogación por cambio de deudor, compensación por desistimiento y compensación por riesgo de tipo de interés) y los gastos anejos: tasación, seguros, gestiones administrativas, notarios, registros e impuestos.

En cuanto a la tramitación de los préstamos se explica la información previa al contrato (FIPRE, FIPER y oferta vinculante), incluida una referencia al préstamo responsable, así como la información en el caso de subrogación de un préstamo al promotor de la vivienda.

En cuanto a la formalización contractual se hace mención a los productos vinculados, al contenido del contrato, la intervención del Notario, la inscripción en el Registro de la Propiedad y su trascendencia, así como las implicaciones fiscales de la formalización del préstamo.

Por último, se analizan las relaciones posteriores a la formalización del préstamo, las liquidaciones periódicas y modificaciones del tipo de interés, las liquidaciones ordinarias y por morosidad y otras notificaciones como las de modificación del tipo de interés. En cuanto a las modificaciones del préstamo se analiza la novación, la subrogación por cambio de acreedor, la amortización parcial anticipada, la cancelación anticipada y la cancelación registral de la hipoteca.

Y entre estas relaciones posteriores está la situación de impago, la responsabilidad del deudor en este caso, la dación en pago, la ejecución hipotecaria, y la protección de los deudores hipotecarios sin recursos. También se analizan los sistemas extrajudiciales de resolución de discrepancias entre las entidades y sus clientes.

Los Anejos son los siguientes: I. Productos de cobertura del tipo de interés en préstamos a interés variable; II. Préstamo responsable; III. Información de promotores; IV. Cuadro resumen de comisiones y compensaciones aplicables en caso de amortización anticipada o cancelación; V. Ficha de Información Precontractual (FIPRE); VI. Ficha de Información Personalizada (FIPER); VII. Información sobre comisiones y tipos de interés más habituales en préstamos hipotecarios; VIII. Obligaciones del Notario y IX. Expresión manuscrita de advertencia de los riesgos del contrato (artículo 6 de la Ley 1/2013).

10.3.2. *Ficha de Información Precontractual (FIPRE)*

Como ya hemos señalado anteriormente hay dos documentos de información precontractual: la FIPRE y la FIPER.

De acuerdo con el art. 21 Orden EHA/2899/2011, *las entidades de crédito deberán proporcionar a los clientes que soliciten cualquiera de estos servicios, información clara y suficiente sobre los préstamos que ofertan. Esta información, que será gratuita y tendrá carácter orientativo, se facilitará mediante la Ficha de Información Precontractual (FIPRE) que figura en el anexo I y estará a disposición de los clientes de préstamos, de forma gratuita, en todos los canales de comercialización utilizados por la entidad.*

De acuerdo con el citado Anexo I la información contenida en la FIPER comienza con un texto introductorio del siguiente tenor: «El presente documento se extiende el [fecha corriente] en respuesta a su solicitud de información, y no conlleva para [nombre de la entidad] la obligación de concederle un préstamo. La información incorporada tiene carácter meramente orientativo. Se ha elaborado basándose en las condiciones actuales del mercado. La oferta personalizada posterior puede diferir en función de la variación de dichas condiciones o como resultado de la obtención de la información sobre sus preferencias y condiciones financieras».

Como se observa se deja claro que la información que se entrega ha sido preparada a solicitud del cliente, tiene mero carácter orientativo y está basada en las condiciones del mercado de ese momento por lo que la oferta personalizada podría diferir. Y, en todo caso, no conlleva para la entidad la obligación de concederle un préstamo hipotecario.

Precisamente, de acuerdo con el Anejo 3 Circ. B.E. 5/2012, la información que se debe resaltar ante los clientes en ese texto introductorio de la FIPRE son las expresiones: «El presente documento no conlleva para [nombre de la entidad] la obligación de concederle un préstamo» y «La oferta personalizada posterior puede diferir».

Después, la información contenida en la FIPRE se estructura de la siguiente forma según ese Anexo I, debiendo destacarse a tenor del citado Anejo 3 Circ. B.E. 5/2012:

Sección «1. ENTIDAD DE CRÉDITO».

Aquí se incluye la identidad, el número de teléfono, el domicilio social y la dirección de página electrónica de la entidad de crédito, que serán los que correspondan a la sede social de ésta. También se indicará la autoridad competente para la supervisión de los servicios bancarios de préstamo hipotecario y los datos de contacto del servicio de atención al cliente de la entidad.

De conformidad con el artículo 7 de la Ley 22/2007, de 11 de julio, sobre comercialización a distancia de servicios financieros destinados a los consumidores, si la operación se ofrece a distancia, la entidad indicará, en su caso, el nombre y la dirección geográfica de su representante en el Estado miembro de residencia del cliente, así el nombre del Registro Mercantil en el que está inscrita, así como su número de inscripción u otro medio equivalente de identificación en ese registro.

Sección «2. CARACTERÍSTICAS PRINCIPALES DEL PRÉSTAMO».

Aquí se incluye el «importe máximo de préstamo disponible en relación con el valor del bien inmueble» que es el ratio préstamo-valor de tasación (LTV), acompañado de un ejemplo significativo.

Se consignará la «finalidad» para la que se concede el préstamo, por ejemplo, adquisición de vivienda habitual, rehabilitación u obtención de financiación para otros fines.

Se indicará el tipo de préstamo y de forma clara la forma en que se reembolsarán el capital y los intereses durante su vigencia del préstamo, esto es, plazo de amortización y periodicidad de los pagos (reembolsos constantes, crecientes o decrecientes).

Si el préstamo es en una moneda distinta del euro se consignará expresamente, y se advertirá con claridad que, como consecuencia de esta circunstancia, la cuota mensual puede variar. Adicionalmente, se incluirá información sobre la fórmula utilizada para calcular los diferenciales de tipo de cambio y la periodicidad de su ajuste.

Si existiera algún límite al alza o a la baja del tipo de cambio o cualquier otro tipo de instrumento que limite la variabilidad del mismo y cuya contratación sea un requisito para obtener el préstamo en las condiciones indicadas, deberá especificarse de forma destacada en esta sección.

Debe *destacarse* el importe máximo del préstamo disponible en relación con el valor del bien inmueble, el tipo de préstamo y, en su caso, la circunstancia de tratarse de un préstamo en divisa.

Sección «3. TIPO DE INTERÉS».

Aquí se expresará la clase del tipo de interés, esto es, si es fijo, variable o variable limitado y, en su caso, los periodos en los que el tipo aplicado consistirá en cada una de estas clases. Se señalará también la periodicidad de las revisiones del tipo variable y variable limitado.

El nivel del tipo de interés variable y variable limitado se expresará como un índice de referencia más un diferencial, si fuera el caso.

También se especificará de forma destacada la existencia de límites a la baja (suelos) o al alza (techos) del tipo de interés variable limitado o de cualquier otro tipo de instrumento que limite la variabilidad del tipo de interés.

Debe *destacarse* la clase y nivel del tipo de interés aplicable. Cuando existan límites a la baja (suelos) o al alza (techos) del tipo de interés variable, o cualquier otro tipo de instrumento que limite la variabilidad del tipo de interés, se resaltará esta circunstancia, así como:

– la duración de esa cobertura frente a la variabilidad del tipo de interés, la prima que se ha de pagar y, en su caso, la forma de cálculo del coste de su cancelación anticipada;

– siempre que la cobertura, cualquiera que sea su modalidad, no se limite exclusivamente a proteger al prestatario frente al alza de los tipos de interés, se resaltará tal circunstancia.

Sección «4. VINCULACIONES Y GASTOS PREPARATORIOS».

Se incluirán todos aquellos productos o servicios que han de ser contratados conjuntamente con el préstamo para poder obtenerlo en las condiciones ofrecidas. También se incluirá cualquier requisito que habrá de cumplirse para obtener el préstamo en las condiciones indicadas, tales como ser menor de una determinada edad o pertenecer a un determinado grupo de la población.

También deben indicarse los gastos preparatorios de la operación, tales como comprobación de la situación registral del inmueble, u otros que se considerarán a cargo del cliente aun cuando el préstamo no llegue a otorgarse. En particular, deberá indicarse si resulta exigible la tasación del inmueble y a cargo de quién serán los gastos de la misma. También se indicará que la entidad está obligada a aceptar cualquier tasación aportada por el cliente, siempre que esté certificada por un tasador homologado y no haya caducado, no pudiendo cargar ningún gasto adicional por las comprobaciones que, en su caso, realice sobre dicha tasación.

En los préstamos cuya finalidad sea la adquisición de vivienda deberá hacerse constar el derecho que asiste al cliente para designar, de mutuo acuerdo con la entidad de crédito, la persona o entidad que vaya a llevar a cabo la tasación del inmueble, la que se vaya a encargar de la gestión administrativa de la operación (gestoría), así como de la entidad aseguradora que, en su caso, vaya a cubrir las contingencias que la entidad exija para la formalización del préstamo.

Aquí se *destacará* tanto el listado de productos o servicios vinculados para obtener el préstamo en las condiciones ofrecidas como los gastos preparatorios.

Sección «5. TASA ANUAL EQUIVALENTE Y COSTE TOTAL DEL PRÉSTAMO».

En este epígrafe se hará constar que «la TAE es el coste total del préstamo expresado en forma de porcentaje anual», que sirve para ayudar «a comparar las diferentes ofertas» y que «la TAE aplicable a su préstamo es [TAE] » y «comprende: - Tipo de interés. -Otros componentes de la TAE. - Coste total del préstamo en términos absolutos».

Se añadirá que «el cálculo de la TAE y del coste total del préstamo se basan en los siguientes supuestos: Importe. Tipo de interés. Otros supuestos».

El cálculo de la TAE y el coste total del préstamo se basará en un ejemplo representativo elaborado por la entidad en función de lo que se considera un préstamo habitual en el mercado.

Dentro del concepto de «coste total del préstamo» se incluyen todos los gastos, incluidos los intereses, las comisiones, los impuestos y cualquier otro tipo de gastos que el cliente deba pagar en relación con el contrato de préstamo y que sean conocidos por la entidad, con excepción de los gastos de notaría. El coste de todos los servicios accesorios relacionados con el contrato de préstamo, en particular las primas de seguro, se incluye asimismo en este concepto si la obtención del préstamo en las condiciones ofrecidas está condicionada a la prestación de tales servicios.

Aquí debe *destacarse* la frase «La TAE aplicable a su préstamo es [TAE] ».

Sección «6. AMORTIZACIÓN ANTICIPADA».

Si la amortización anticipada del préstamo, total o parcial, conlleva la exigencia de compensación a la entidad deberá reflejarse en términos de porcentaje sobre el capital amortizado.

En este apartado debe *destacarse* la compensación por riesgo de tipo de interés, si ha lugar.

10.3.3. *Ficha de Información Personalizada (FIPER)*

Por su parte, el art. 22 Orden EHA/2899/2011, obliga a que las entidades de crédito, una vez que el cliente haya facilitado la información que se precise sobre sus necesidades de financiación, su situación financiera y sus preferencias, proporcionen *a éste la información personalizada que resulte necesaria para dar respuesta a su demanda de crédito, de forma que le permita comparar los préstamos disponibles en el mercado, valorar sus implicaciones y adoptar una decisión fundada sobre si debe o no suscribir el contrato.*

Esta información se facilitará mediante la Ficha de Información Personalizada (FIPER) que figura en el anexo II.

Esta Ficha se entregará a todos los clientes de préstamos, de forma gratuita, con la debida antelación y, en todo caso, antes de que el cliente quede vinculado por cualquier contrato u oferta.

Esta FIPER está inspirada, primeramente, en la Ficha Europea de Información Normalizada (FEIN) que consta en la Recomendación 2001/193/CE de la Comisión, de 1 de marzo de 2001, relativa a la información precontractual que debe suministrarse a los consumidores por los prestamistas de créditos vivienda (D.O. L 69 de 10 de marzo de 2001) y, después, en la FEIN que constaba en la Propuesta de Directiva sobre los contratos de crédito celebrados con los consumidores para bienes inmuebles de uso residencial, hoy ya definitivamente aprobada. El art. 14.5 Directiva 2014/17/UE establece que *los Estados miembros que, antes del 20 de marzo de 2014, hayan aplicado una ficha de información que satisfaga requisitos de información equivalentes a los expuestos en el anexo II podrán seguir utilizándola a los efectos del presente artículo hasta el 21 de marzo de 2019; este es, a mi juicio, el caso de España.*

De acuerdo con el citado Anexo II Orden EHA/2899/2011, la información contenida en la FIPER comienza con un texto introductorio del siguiente tenor: «El presente documento se extiende el [fecha corriente] en respuesta a su solicitud de información, y no conlleva para [nombre de la entidad] la obligación de concederle un préstamo hipotecario. Se ha elaborado basándose en la información que usted, [nombre del cliente], ha facilitado hasta la fecha, así como en las actuales condiciones del mercado financiero. La información que sigue será válida hasta el [fecha de validez]. Después de esa fecha, puede variar con arreglo a las condiciones del mercado».

Como se observa, se deja claro que la información que se entrega ha sido preparada a solicitud del cliente, basándose en la información proporcionada por él, que tiene una fecha a partir de la cual puede variar y no conlleva para la entidad la obligación de concederle un préstamo hipotecario.

La fecha de validez debe figurar debidamente destacada.

La información contenida en la FIPRE se estructura de la siguiente forma según ese Anexo II, debiendo destacarse a tenor del citado Anejo 3 Circ. B.E. 5/2012:

Sección «1. ENTIDAD DE CRÉDITO».

La identidad, el número de teléfono, el domicilio social y la dirección de la página electrónica de la entidad de crédito serán los que correspondan a la sede social de ésta. Se indicará la autoridad competente para la supervisión de los servicios bancarios de préstamo hipotecario.

De conformidad con el artículo 7 de la Ley 22/2007, de 11 de julio, sobre comercialización a distancia de servicios financieros destinados a los consumidores, si la operación se ofrece a distancia, la entidad indicará, en su caso, el nombre y la dirección geográfica de su representante en el Estado miembro de residencia del cliente, así como el nombre del Registro Mercantil en el que está inscrito, así como su número de inscripción u otro medio equivalente de identificación en ese registro.

La FEIN que consta en el anexo II de la Directiva 2014/17/UE incluye aquí la referencia a si se están prestando o no servicios de asesoramiento y, en este caso: «Tras analizar sus necesidades y circunstancias, recomendamos que suscriba este crédito/No le recomendamos ningún crédito en concreto. Sin embargo, basándonos en sus respuestas a algunas de la preguntas, le damos información sobre este crédito para que pueda tomar su propia decisión».

Sección «2. CARACTERÍSTICAS PRINCIPALES DEL PRÉSTAMO».

Se señala el importe y la moneda del préstamo, así como su duración en años o meses, según proceda. Si la duración del préstamo puede variar durante la vigencia del contrato, la entidad explicará cuándo y en qué circunstancias puede ocurrir.

En la descripción de la clase de préstamo se indicará claramente de qué forma se reembolsarán el capital y los intereses durante la vigencia del mismo (esto es, reembolsos constantes, crecientes o decrecientes). En la parte B del anexo II de la Directiva 2014/17/UE, donde se establecen las instrucciones para cumplimentar la FEIN se señalan como posibles «tipos de crédito»: «crédito hipotecario, préstamo vivienda, tarjeta de crédito con garantía». En la práctica española es infrecuente el crédito hipotecario e inexistente la tarjeta de crédito con garantía.

En esta sección de la FIPER también se indicará si el tipo de interés es fijo, variable o variable limitado y, en su caso, los periodos en los que el tipo aplicado consistirá en cada una de estas clases. Se señalará también la periodicidad de las revisiones del tipo variable y variable limitado. Asimismo, se explicará la fórmula utilizada para revisar el tipo de interés. La entidad indicará además dónde hallar información adicional sobre los índices o los tipos utilizados en la fórmula.

El nivel del tipo de interés variable y variable limitado se expresará como un índice de referencia más un diferencial, si fuera el caso. Se especificará de forma destacada la existencia de límites a la baja (suelos) o al alza (techos) del tipo de interés variable limitado, o de cualquier otro tipo de instrumento que limite la variabilidad del tipo de interés.

Si la moneda del préstamo es diferente de la moneda nacional, la entidad incluirá información sobre la fórmula utilizada para calcular los diferenciales de tipo de cambio y la periodicidad de su ajuste. La FEIN que consta en el anexo II de la Directiva 2014/17/UE, hace aquí especial énfasis en los préstamos concertados en moneda extranjera. Así se hace constar expresamente: «Por ejemplo, si el valor del/de la [moneda nacional del prestatario] disminuyera en un 20% con respecto al/a la [moneda del crédito], el valor de su préstamo aumentaría a [insértese el importe en la moneda nacional del prestatario]. El incremento podría ser incluso superior si el valor del/de la [moneda nacional del prestatario] disminuye en más del 20%».

«El valor máximo de su préstamo será [insértese el importe en la moneda nacional del prestatario] ».»Recibirá una advertencia si el importe del crédito alcanza [insértese el importe en la moneda nacional del prestatario] ». « (Si ha lugar) Tendrá usted ocasión de ejercer su [insértese derecho a renegociar el préstamo en moneda extranjera o derecho a convertir el préstamo en [moneda correspondiente], indicando las condiciones aplicables] ».

También debe indicarse en la FIPER el «importe total a reembolsar» que será igual a la suma del importe del préstamo y el coste total del mismo. Dentro de este concepto se incluyen todos los gastos, incluidos los intereses, las comisiones, los impuestos y cualquier otro tipo de gastos que el cliente deba pagar en relación con el contrato de préstamo y que sean conocidos por la entidad, con excepción de los gastos de notaría. El coste de los servicios accesorios relacionados con el contrato de préstamo, en particular las primas de seguro, se incluye asimismo en este concepto si la obtención del préstamo en las condiciones ofrecidas está condicionada a la celebración de estos contratos de servicios.

Si se tratase de un préstamo en divisa o a tipo de interés variable, se calculará el importe total a reembolsar con el supuesto de que el tipo de interés o de cambio se mantiene constante durante todo el período al nivel de la fecha más próxima a la de la emisión de la FIPER.

Otra de las menciones es el «importe máximo de préstamo disponible en relación con el valor del bien inmueble» que representa el ratio préstamo-valor de tasación (conocido como LTV). Este ratio irá acompañado de un ejemplo significativo en valor absoluto del importe máximo que puede tomarse en préstamo para un determinado valor de un bien inmueble.

Por último, se hará constar qué garantías se exigen para la obtención del préstamo. A este respecto, en la parte B del anexo II de la Directiva 2014/17/UE, donde se establecen las instrucciones para cumplimentar la FEIN se señala: «Si el crédito va a estar garantizado mediante una hipoteca sobre el bien inmueble u otra garantía comparable, o mediante un derecho relativo a un bien inmueble, el prestamista así lo señalará a la atención del consumidor. Si ha lugar, el prestamista también indicará el valor del inmueble u otra garantía que se ha tomado como hipótesis para preparar la ficha de información». Queda así patente cómo la Directiva se aplica a todas las operaciones de financiación para la adquisición o conservación de bienes de uso residencial estén o no garantizadas con hipoteca ya que está admitiendo implícitamente la inexistencia de este tipo de garantía.

Deberá *destacarse* la frase «el presente préstamo no se expresa en [moneda nacional]», así como el tipo de préstamo, la clase de tipo de interés aplicable y, en su caso, la garantía.

Sección «3. TIPO DE INTERÉS».

Aquí se hará constar que la TAE es el coste total del préstamo expresado en forma de porcentaje anual y que para ayudar a comparar las diferentes ofertas. Se explicita la TAE del préstamo y que comprende el tipo de interés [valor en porcentaje o en tipo de referencia más diferencial si se tratase de un tipo variable o variable limitado] y el resto de los componentes de la TAE.

Se especificará, asimismo, de forma destacada la existencia de límites a la baja (suelos) o al alza (techos) del tipo de interés variable limitado o de cualquier otro tipo de instrumento que limite la variabilidad del tipo de interés.

Debe *destacarse* la frase «la TAE aplicable a su préstamo es [TAE]». Cuando existan límites a la baja (suelos) o al alza (techos) del tipo de interés variable, o cualquier otro tipo de instrumento que limite la variabilidad del tipo de interés, se resaltará esta circunstancia.

La FEIN que consta en el anexo II de la Directiva 2014/17/UE, denomina este epígrafe «Tipo de interés y otros gastos». Se hace especial referencia al pago de una tasa por registrar la hipoteca.

Por otro lado, en la parte B del anexo II de la Directiva 2014/17/UE, donde se establecen las instrucciones para cumplimentar la FEIN se señala que «el tipo de interés se mencionará en forma porcentual. Si el tipo de interés es variable y se basa en un tipo de referencia, el prestamista podrá, si lo desea, indicar el tipo de interés mediante un tipo de referencia y un valor porcentual que represente el diferencial del prestamista. Estará obligado a indicar, en cambio, el valor del tipo de referencia vigente el día en que extienda la FEIN. Si el tipo de interés es variable, la información incluirá: a) las hipótesis empleadas para el cálculo de la TAE; b) si procede, los límites aplicables al alza o a la baja; y c) una advertencia que indique que la variación del tipo puede afectar al nivel efectivo de la TAE. Para llamar la atención del consumidor, la advertencia se resaltará utilizando caracteres tipográficos de mayor tamaño y figurará de manera destacada en el cuerpo principal de la FEIN. La advertencia irá acompañada de un ejemplo ilustrativo sobre la TAE. Si la variación del tipo deudor tiene un límite al alza, se supondrá en el ejemplo que el tipo deudor aumenta en la primera ocasión en que tal aumento sea posible al nivel máximo previsto en el contrato de crédito. Si no hay límites al alza, el ejemplo ilustrará la TAE al tipo deudor más elevado de los últimos 20 años como mínimo, o, si solo se dispone de los datos subyacentes utilizados para el cálculo del tipo deudor para un período inferior a 20 años, del período más largo para el cual tales datos estén disponibles, sobre la base del máximo valor de cualquier tipo de referencia externo empleado para el cálculo del tipo deudor si ha lugar o el máximo valor de un tipo de referencia especificado por una autoridad competente o por la ABE —Asociación de Banca Europea— en caso de que el prestamista no utilice un tipo de referencia externo. Este requisito no se aplicará a los contratos de crédito en los que el tipo deudor sea fijo durante un período inicial pertinente, de varios años, y pueda fijarse luego para otro período mediante negociación entre el prestamista y el consumidor. Para los contratos de crédito en los que el tipo deudor sea fijo durante un período inicial pertinente, de varios años, y pueda fijarse luego para otro período mediante negociación entre el prestamista y el consumidor, la información incluirá una advertencia que indique que la TAE se calcula sobre la base del tipo deudor aplicable durante el período inicial.

Sección «4. PERIODICIDAD Y NÚMERO DE PAGOS».

Si los pagos van a realizarse de forma periódica, se indicará la periodicidad (p.ej., mensualmente). Si la periodicidad de los pagos no fuera a ser constante, se explicará claramente al cliente las diferentes periodicidades. El número de pagos indicado abarcará todo el periodo de vigencia del préstamo.

Sección «5. IMPORTE DE CADA CUOTA HIPOTECARIA».

Se indicará claramente la moneda en que vaya expresado el préstamo.

Si el importe de la cuota hipotecaria puede variar debido a que el tipo de interés de referencia fuera variable o a que el préstamo estuviera denominado en divisa, se utilizará como referencia para el cálculo de esta cuota el tipo de interés o tipo de cambio del día más próximo a la fecha de emisión de la FIPER. Adicionalmente se consignará cuándo y con cuánta periodicidad variará posteriormente.

Si el importe de las cuotas puede variar durante la vigencia del préstamo, pero se mantiene fijo durante un determinado periodo inicial, la entidad especificará el periodo durante el cual el importe inicial de la cuota seguirá siendo válido, y cuándo y con qué periodicidad variará posteriormente.

Si el tipo de interés aplicable fuera variable o variable limitado, la entidad incluirá ejemplos numéricos que indiquen claramente de qué modo los cambios en el pertinente tipo de interés de referencia afectarán al importe de las cuotas. Estos ejemplos de variación del tipo de interés serán realistas y simétricos, y ofrecerán siempre información sobre los efectos de supuestos desfavorables. En particular, se incluirá la siguiente información y sus efectos sobre la cuota hipotecaria:

    a) variación experimentada por el tipo de interés de referencia durante los últimos dos años en términos de la diferencia entre el valor máximo y el mínimo alcanzado en dicho período;

b) valores máximo y mínimo alcanzados por dicho tipo durante los últimos quince años, o el plazo máximo disponible si es menor, y las fechas en que tales valores se alcanzaron;

c) el importe de la cuota que resultaría de calcularla con dichos tipos mínimo y máximo o, si los hubiera, con los límites a la baja y/o al alza que se establecieran para el préstamo. A este respecto hay que recordar que el art. 26.2 Orden EHA/2899/2011 establece que en el caso de préstamos concedidos a tipo de interés variable, se adjuntará a la Ficha de Información Personalizada, en un documento separado, una referencia especial a las cuotas periódicas a satisfacer por el cliente en diferentes escenarios de evolución de los tipos de interés. A estos efectos, se presentarán al menos tres cuotas de amortización, calculadas mediante el empleo de los niveles máximos, medios y mínimos que los tipos de referencia hayan presentado durante los últimos quince años o el plazo máximo disponible si es menor.

Si la moneda del préstamo no es el euro, la entidad incluirá ejemplos numéricos que indiquen claramente de qué modo los cambios en el pertinente tipo de cambio afectarán al importe de las cuotas. Estos ejemplos de variación del tipo de cambio serán realistas y simétricos, y ofrecerán siempre información sobre los efectos de supuestos desfavorables. En particular, se incluirá la siguiente información y sus efectos sobre la cuota hipotecaria:

a) variación experimentada por el tipo de cambio de referencia durante los últimos dos años en términos de la diferencia entre el valor máximo y el mínimo alcanzado en dicho período;

b) valores máximo y mínimo alcanzados por dicho tipo durante los últimos quince años y las fechas en que tales valores se alcanzaron;

c) el importe de la cuota que resultaría de calcularla con dichos tipos mínimo y máximo o, si los hubiera, con los límites a la baja y/o al alza que se establecieran para el préstamo.

Cuando la moneda utilizada para el pago de las cuotas difiera de la moneda del préstamo, se indicará con claridad el tipo de cambio que vaya a aplicarse. Dicha indicación incluirá el nombre del organismo encargado de publicar el tipo de cambio aplicable y el momento de cálculo de éste.

Aquí debe *destacarse* la moneda, así como, en su caso, las cuotas hipotecarias calculadas en diferentes escenarios de evolución del tipo de interés cuando el préstamo aplica un tipo de interés variable o variable limitado, y el tipo de cambio que se utilizará para la conversión del reembolso en la moneda del préstamo a moneda nacional.

La FEIN regulada en la Directiva 2014/17/UE, hace aquí especial énfasis en advertencias y riegos que en la FIPER constan al final y agrupadas. Así: «Dado que [este préstamo/una parte de este préstamo] es un préstamo de solo intereses, tendrá que tomar disposiciones específicas para reembolsar la cantidad de [insértese el importe del préstamo que es solo de intereses] que adeudará al finalizar la vigencia del crédito. No olvide añadir a la cuota indicada cualesquiera pagos extraordinarios que deba realizar». «El tipo de interés de [una parte de] este préstamo es variable. Esto significa que el importe de sus cuotas puede aumentar o disminuir. Por ejemplo, si el tipo de interés aumentase a [situación descrita en la parte B], sus cuotas podrían aumentar a [insértese el importe de la cuota correspondiente a esa situación] ». «El valor del importe que tiene que reembolsar en [moneda nacional del prestatario] cada [periodicidad de las cuotas] puede variar». «Sus pagos podrían incrementarse hasta [insértese el importe máximo en la moneda nacional del prestatario] cada [insértese el período] ». «Por ejemplo, si el valor del/de la [moneda nacional del prestatario] disminuyera en un 20% con respecto al/a la [moneda del crédito], tendría usted que pagar [insértese el importe en la moneda nacional del prestatario] adicionales cada [insértese período]. Sus pagos podrían incrementarse en una cantidad muy superior a esta». «El tipo de cambio utilizado para la conversión del reembolso en [moneda del crédito] a [moneda nacional del prestatario] será el publicado por [nombre del organismo encargado de la publicación del tipo de cambio] el [fecha], o se calculará el [fecha] utilizando [insértese el nombre del valor de referencia o el método de cálculo] ».

Sección «6. TABLA DE AMORTIZACIONES».

Si el interés puede variar durante la vigencia del préstamo, la entidad indicará, tras la referencia al tipo de interés, el periodo durante el cual será válido el tipo de interés inicial.

La tabla que ha de insertarse en esta sección contendrá las siguientes columnas: «fecha de amortización», «importe de la cuota hipotecaria», «intereses a abonar en cada cuota hipotecaria», «otros costes incluidos en la cuota hipotecaria» (si procede), «capital amortizado en cada cuota» y «capital pendiente después de cada cuota hipotecaria».

La información sobre el primer año de reembolso se facilitará por cuota hipotecaria, con inclusión de un subtotal para cada una de las columnas al final del primer año. En los restantes años, la información podrá facilitarse para el conjunto del año. Al final de la tabla figurará una fila para el total general, que reflejará los importes totales de cada columna. Se destacará claramente el importe total abonado por el cliente (esto es, el importe total de la columna «importe de la cuota hipotecaria»), identificándolo como tal.

Si el tipo de interés está sujeto a revisión y se desconoce el importe de la cuota tras cada revisión, la entidad podrá indicar en la tabla el mismo importe de cuota para toda la duración del préstamo. En este caso, la entidad llamará la atención del cliente, diferenciando para ello visualmente los importes conocidos de los hipotéticos (p.ej., utilizando caracteres tipográficos, bordes o sombreado diferentes). Se incluirá también un texto claramente legible que explique en relación con qué periodos pueden variar los importes recogidos en la tabla, y por qué razón.

Debe *destacarse* la advertencia sobre la variabilidad de las cuotas, en su caso.

En la FEIN recogida en el anexo II de la Directiva 2014/17/UE, este epígrafe se denomina «Tabla ilustrativa de reembolso».

Sección «7. VINCULACIONES Y OTROS COSTES»

En esta sección, la entidad indicará las vinculaciones pertinentes, tales como la obligatoriedad de contratar cualquier servicio con la misma entidad o con otra. Por cada obligación, la entidad especificará frente a quién se asume y en qué plazo debe satisfacerse.

La entidad enumerará también cada coste por categoría, indicando su importe, a quién ha de abonarse y en qué momento. Si se desconoce el importe, la entidad facilitará una posible horquilla o indicará cómo va a calcularse.

Por último se incluye una advertencia: «asegúrese de que tiene conocimiento de todos los demás tributos y costes (p.ej., gastos notariales) conexos al préstamo».

En esta sección deben *destacarse* las obligaciones que, en su caso, deberá cumplir el cliente para beneficiarse de las condiciones del préstamo descritas en la ficha, así como las palabras «las condiciones de préstamo descritas, incluido el tipo de interés aplicable, pueden variar en caso de incumplimiento de las citadas obligaciones». También se resaltarán, si los hubiese, todos los costes no incluidos en las cuotas periódicas, tanto los que deban abonarse una sola vez como los que deban abonarse periódicamente, y la advertencia «Asegúrese de que tiene conocimiento de todos los demás tributos y costes (p. ej., gastos notariales) conexos al préstamo».

En la FEIN recogida en la Directiva 2014/17/UE este epígrafe se denomina «Otras obligaciones».

Sección «8. AMORTIZACIÓN ANTICIPADA».

La entidad indicará en qué condiciones puede amortizarse total o parcialmente el préstamo y los trámites que debe realizar el cliente para solicitar la amortización anticipada.

Si la amortización anticipada conlleva compensación para la entidad, ésta indicará el importe como porcentaje del capital amortizado o en caso de que dependa de otros factores se indicará la forma de cálculo de la compensación. La entidad facilitará al menos dos ejemplos ilustrativos con el fin de mostrar al cliente el importe de los gastos de amortización anticipada según distintas hipótesis posibles.

Debe *destacarse* la frase «Este préstamo puede amortizarse anticipadamente, total o parcialmente», así como las condiciones exigidas para tal amortización anticipada.

En la FEIN este epígrafe se denomina «Reembolso anticipado».

Sección «9. DERECHO DE SUBROGACIÓN».

Aquí la entidad informa al cliente de su capacidad unilateral para subrogar su préstamo hipotecario conforme a lo previsto en la Ley 2/1994, de 30 de marzo, sobre Subrogación y Modificación de Préstamos Hipotecarios.

En la FEIN que consta en el anexo II de la Directiva 2014/17/UE, este epígrafe se denomina «Elementos de flexibilidad». Y además de la subrogación incluye otra figura no contemplada en nuestro Derecho: la «transferencia del préstamo a otro inmueble».

Sección «10. DEPARTAMENTO DE ATENCIÓN AL CLIENTE».

En esta sección se proporcionan los datos del Departamento de Atención al Cliente: nombre, dirección geográfica, número de teléfono, correo electrónico, persona de contacto y sus datos (potestativo). Y los del Defensor del cliente: nombre, dirección geográfica, número de teléfono, correo electrónico, persona de contacto y sus datos (también facultativo).

En la FEIN regulada en la Directiva 2014/17/UE, se unen esta sección y la siguiente bajo un único epígrafe denominado «Reclamaciones». Es interesante destacar que en el caso de los contratos de crédito con consumidores residentes en otro Estado miembro, el prestamista informará de la existencia de la red FIN-NET (http://ec.europa.eu/internal_market/fin-net/) que es una Red para la Resolución de Litigios Financieros. FIN-NET ayuda a los consumidores a resolver reclamaciones transfronterizas en el ámbito de los servicios financieros a través de un mecanismo que les permite contactar con órganos de resolución extrajudicial de reclamaciones.

Sección «11. SERVICIO DE RECLAMACIONES DEL BANCO DE ESPAÑA».

Se incluye el teléfono, dirección postal y página web del Banco de España.

Sección «12. INCUMPLIMIENTO DE LOS COMPROMISOS VINCULADOS AL PRÉSTAMO: CONSECUENCIAS PARA EL CLIENTE ».

Si el incumplimiento de alguna de las obligaciones que incumben al cliente en relación con el préstamo puede acarrearle consecuencias financieras o jurídicas, la entidad describe en esta sección los diferentes supuestos (p.ej., tipos de interés de demora, incumplimiento de las vinculaciones especificadas en la Sección 7).

La entidad también especificará de forma clara y fácilmente comprensible las sanciones o las consecuencias a que puede dar lugar cada uno de estos supuestos. Se expresarán de forma destacada las consecuencias graves, especialmente, los efectos de la ejecución hipotecaria y de la responsabilidad ilimitada del cliente.

Por último, se añade: «Si tiene dificultades para efectuar sus pagos [periodicidad], póngase en contacto con nosotros a la mayor brevedad posible para estudiar posibles soluciones».

Aquí deberán *destacarse* las consecuencias financieras y/o jurídicas derivadas del incumplimiento.

Sección «13. INFORMACIÓN ADICIONAL, EN EL CASO DE VENTAS A DISTANCIA».

Cuando proceda, en la presente sección se incluirá una cláusula que estipule la legislación aplicable al contrato de préstamo y la jurisdicción competente, así como la lengua en la que está la información y la documentación contractual y con la que se comunicarán en el futuro con el cliente.

Sección «14. RIESGOS Y ADVERTENCIAS».

Aquí se incluyen los siguientes riesgos y advertencias:

–   «Sus ingresos pueden variar. Asegúrese de que si sus ingresos disminuyen aún seguirá pudiendo hacer frente a sus cuotas hipotecarias [periodicidad].

–   Tiene usted derecho a examinar el proyecto de documento contractual en el despacho del notario autorizante, con la antelación de 3 días hábiles previos a su formalización ante el mismo».

Y, si ha lugar:

–   «Puede usted perder su vivienda si no efectúa sus pagos puntualmente.

–   Responde usted ante [nombre de la entidad] del pago del préstamo no sólo con su vivienda sino con todos sus bienes presentes y futuros.

–   Debe tener en cuenta el hecho de que el tipo de interés de este préstamo no permanece fijo durante todo su período de vigencia.

–   Debe tener en cuenta el hecho de que el tipo de interés de este préstamo a pesar de ser variable nunca se beneficiará de descensos del tipo de interés de referencia por debajo del [límite mínimo del tipo de interés variable limitado].

–   El presente préstamo no se expresa en euros. Tenga en cuenta que el importe en euros que necesitará para pagar cada cuota variará en función del tipo de cambio de [moneda del préstamo/euro].

–   Este es un préstamo de solo intereses. Ello quiere decir que, durante su vigencia, necesitará reunir capital suficiente para reembolsar el importe del préstamo en la fecha de vencimiento». Este método de amortización no es utilizado en la práctica bancaria española.

Por último, se señala que, al margen de lo recogido en la presente ficha, tendrá que pagar otros tributos y gastos, p.ej., gastos notariales».

Se resaltarán todos los riesgos y advertencias que la entidad haga constar como tales.

En la FEIN regulada por la Directiva 2014/17/UE, no se incluye un epígrafe con los riesgos y advertencias sino que se van repartiendo entre las secciones correspondientes. Por el contrario se introduce otra sección bajo la denominación «otros derechos del prestatario» donde se incluye el llamado «período de reflexión» regulado en el art. 14.6 Directiva 2014/17/UE y otro bajo la denominación «Supervisor» donde se determina éste.

Por otro lado, tal y como señala el art. 22.3 Orden EHA/2899/2011, toda información adicional que la entidad facilite al cliente figurará en un documento separado, que deberá adjuntarse a la Ficha de Información Personalizada. Y más en concreto, como veremos más adelante, la FIPER puede llevar un anejo en los supuestos de existencia de instrumentos de cobertura de tipo de interés (art. 24) o de cláusulas suelo o techo (art. 25 Orden EHA/2899/2011).

Por último, de acuerdo con el apartado 2 del art. 24 y el art. 25 Orden EHA/2899/2011, cuando existan límites a la baja (suelos) o al alza (techos) del tipo de interés variable, o cualquier otro tipo de instrumento que limite la variabilidad del tipo de interés, esta información debe recogerse en un *anejo a la Ficha de Información Personalizada* (FIPER) se indicará de forma *destacada*, a tenor del Anejo 3 Circ. B.E. 5/2012:

En el caso de préstamos en que se hubieran establecido límites a la variación del tipo de interés, como cláusulas suelo o techo, se recogerá en un anexo a la Ficha de Información Personalizada, el tipo de interés mínimo y máximo a aplicar y la cuota de amortización máxima y mínima.

10.3.4. Oferta Vinculante

Una vez que el cliente y la entidad hayan mostrado su voluntad de contratar un préstamo hipotecario, se disponga de la tasación correspondiente del inmueble y se hayan efectuado las oportunas comprobaciones sobre su situación registral y sobre la capacidad financiera del cliente, éste, a tenor de lo dispuesto en el art. 23 Orden EHA/2899/2011, podrá solicitar a la entidad la entrega de una oferta vinculante.

Esta oferta vinculante se facilitará mediante una Ficha de Información Personaliza-da como la que figura en el Anexo II de la Orden en la que, adicionalmente, se especifi-cará que se trata de una oferta vinculante y el plazo de vigencia de dicha oferta que, salvo que medien circunstancias extraordinarias o no imputables a la entidad, no será inferior a catorce días naturales desde su fecha de entrega

Si la oferta vinculante se hace al mismo tiempo que se entrega la Ficha de Informa-ción Personalizada y coincide íntegramente en cuanto a su contenido, podrá facilitarse al cliente en un único documento.

Toda información adicional que la entidad facilite al cliente en la oferta vinculante figurará en un documento separado, que deberá adjuntarse a la Ficha de Información Personalizada.

Esta oferta vinculante tiene su inspiración en la obligación que, a tenor del art. 8 LCCC, tiene todo prestamista que ofrezca un crédito a un consumidor, si éste así lo solicita, de entregarle un documento con todas las condiciones del crédito como oferta vinculante en los términos idénticos a lo establecido en el artículo 10 LCCC para la información previa al contrato, y que deberá mantener durante un plazo mínimo de catorce días naturales desde su entrega, salvo que medien circunstancias extraordinarias o no imputables a él. El precedente más inmediato, en la legislación interna, de este art. 8 LCCC, debe buscarse en el art. 16 de su antecedente normativo, la ya derogada Ley 7/1995, de 23 de marzo, de Crédito al Consumo. Y responde a la voluntad del Legislador nacional porque ni lo contemplaba la entonces vigente Directiva 87/102/CEE ni lo contemplan las Directivas 2008/48/CE y 2014/17/UE. Y en el ámbito de los préstamos hipotecarios se encontraba ya regulada en la hoy derogada OM de 5 de mayo de 1994.

Esta previsión normativa no hace sino atribuir al consumidor una mera facultad, facilitándole, si así lo desea, la obtención de un documento «en firme» donde se deta-llen, íntegramente, todos los elementos que conforman la proposición contractual a fin de poder compararla sosegadamente con las de otras entidades y contando con un plazo mínimo suficiente para realizar la referida comparación sin temor a que las condiciones varíen.

10.3.5. Información adicional sobre instrumentos de cobertura del riesgo de tipo de interés

De acuerdo con la Exposición de Motivos de la Ley 36/2003, de 11 de noviembre, de medidas de reforma económica, uno de los ámbitos que requerían de urgente actua-ción era el mercado hipotecario, que gracias a su intenso desarrollo, se decía entonces, ha facilitado el acceso de muchas familias a una vivienda en propiedad. «No obstante, resulta conveniente adoptar medidas para promover la competencia y atemperar la exposición de los prestatarios a los riesgos de tipos de interés, propios del mercado financiero. Para ello, se avanza en la facilitación y abaratamiento de las operaciones de novación y subrogación hipotecaria y se promueve el desarrollo y difusión de nuevos productos de aseguramiento de los riesgos de tipos de interés».

Para esto último, el art. 19 de esta Ley, bajo la denominación «Instrumentos de cobertura del riesgo de tipo de interés de los préstamos hipotecarios», estableció lo siguiente: *Las entidades de crédito informarán a sus deudores hipotecarios con los que hayan suscrito préstamos a tipo de interés variable, sobre los instrumentos, productos o sistemas de cobertura del riesgo de incremento del tipo de interés que tengan disponibles. La contratación de la citada cobertura no supondrá la modificación del contrato de préstamo hipotecario original.*

El número 2 de este artículo obligaba a tales entidades en los siguientes términos: *Las entidades [ ] ofrecerán a quienes soliciten préstamos hipotecarios a tipo de interés variable al menos un instrumento, producto o sistema de cobertura del riesgo de incremento del tipo de interés.*

Las características de dicho instrumento, producto o sistema de cobertura se harán constar en las ofertas vinculantes y en los demás documentos informativos previstos en las normas de ordenación y disciplina relativas a la transparencia de préstamos hipotecarios, dictadas al amparo de lo previsto en el artículo 48.2 de la Ley 26/1988, de 29 de julio, de Disciplina e Intervención de las Entidades de crédito.

Lo dispuesto en este apartado será de aplicación a las ofertas vinculantes previstas en el artículo 2 de la Ley 2/1994, de 30 de marzo, sobre subrogación y modificación de préstamos hipotecarios.

Cuando entra en vigor este precepto, el Euribor anual hipotecario, que era y es el tipo de referencia más utilizado en la contratación de préstamos hipotecarios en España, estaba en torno a 2,388% (diciembre de 2003) permaneciendo más o menos estable durante los años 2004 y 2005. Durante el 2006 subió desde un 2,833% en enero hasta el 3,921% en diciembre. Desde enero de 2007 (4,064%) a septiembre de 2008 (5,384%) siguió subiendo pero en diciembre de ese mismo año había bajado casi dos puntos porcentuales respecto al antedicho mes (3,452%) y poco más de un año después, en marzo de 2010, el Euribor estaba en el 1,215%. Desde entonces empieza a subir ligeramente hasta superar el 2,000% en abril de 2011. En enero de 2012 vuelve a situarse por debajo del 2% (1,837%) y en diciembre de ese año se sitúa en el 0,549% y desde entonces ha ido disminuyendo de forma continua (diciembre de 2014: 0,329%; diciembre de 2015: -0,060%; diciembre de 2016: -0,080%; diciembre de 2017: -0,186%).

En definitiva, que esta norma entra en vigor en una fase de tipos de intereses decrecientes y luego más o menos constantes. En esos momentos la contratación de esos instrumentos de cobertura de tipos de interés pudo proteger a los prestatarios de posibles subidas durante un corto espacio de tiempo. Pero a partir de diciembre de 2008 lo que han hecho es hacer sufrir pérdidas en mayor o menor cuantía en función del instrumento utilizado. Alguna responsabilidad tendrá en todo ello el legislador.

No sé si consciente o no de ese error, se modifican los párrafos 1º y 2º de ese número 2 del art. 19 mediante la disposición adicional quinta de la LOSSEC. Ahora se dice que *ofrecerán a quienes soliciten préstamos hipotecarios a tipo de interés variable al menos un instrumento, producto o sistema de cobertura del riesgo de incremento del tipo de interés, siempre que este resulte adecuado para el cliente, de conformidad con lo establecido en el artículo 79 bis de la Ley 24/1988, de 28 de julio, del Mercado de Valores.* Este último precepto recogía las obligaciones de información para con el cliente, información que debería ser imparcial, clara y no engañosa, comprensible Además, debían darse las orientaciones y advertencias apropiadas sobre los riesgos asociados a tales instrumento. y, en particular, debía destacarse que se trata de un producto no adecuado para inversores no profesionales debido a su complejidad. Hoy estas obligaciones se encuentran recogidas en los arts. 208 a 214 del Real Decreto Legislativo 4/2015, de 23 de octubre, por el que se aprueba el texto refundido de la Ley del Mercado de Valores.

Por otro lado, deberá solicitarse al cliente, incluidos en su caso los clientes potenciales, que faciliten información sobre sus conocimientos y experiencia en el ámbito de este instrumento de cobertura, con la finalidad de que la entidad pueda evaluar si es adecuado para el cliente. La entidad entregará una copia al cliente del documento que recoja la evaluación realizada.

En fin, que se adopten todas las garantías hoy exigibles en estos casos y que deberían haberse impuesto en su momento.

Continúa diciendo el párrafo 2º del art. 19.2 de la Ley 36/2003, que *las características de dicho instrumento, producto o sistema de cobertura se harán constar en las ofertas vinculantes y en los demás documentos informativos previstos en las normas de ordenación y disciplina relativas a la transparencia de préstamos hipotecarios, dictadas al amparo de lo previsto en el entonces vigente artículo 48.2 LDIEC, hoy derogado y sustituido por el art. 5 LOSSEC. Este párrafo, lógicamente, adapta la referencias que hacía la Ley al régimen de transparencia vigente.*

Los instrumentos de cobertura de tipos de interés utilizados en la práctica española son dos: los *caps* y los *swaps*.

El *cap* es una opción de tipos de interés por la que el prestatario puede garantizarse de las posibles subidas del tipo de interés por encima de un determinado nivel, por un período determinado y a cambio de un precio que se denominado «prima». Así el prestatario adquiere el derecho ante la entidad de crédito (dentro de la duración) a que en cada una de las fechas de liquidación fijadas se la pague la diferencia, si es positiva, entre el tipo de interés que se ha obligado a pagar en el préstamo hipotecario y el tipo máximo fijado en la opción y ello calculado para un importe nocional teórico que suele coincidir en cada fecha con el principal del préstamo pendiente.

Por ejemplo, supongamos que el Euríbor está fijado en el 0,60% y contratamos un *cap* con un techo del 2%. Como referencia de cálculo el importe nominal del préstamo supongamos que sea de 150.000 euros y que la entidad de crédito calcula una prima anual de 2.000 euros. Si los tipos de interés se mantienen por debajo del techo fijado el prestatario sólo deberá pagar la prima anual del contrato y no percibirá cantidad alguna. Sin embargo, si el Euribor sube hasta el 2,30%, el prestatario, adquirente de la opción, percibiría el 0,30% de 150.000 euros y, por tanto, 450 euros.

Es infrecuente, aunque cabría contratarse de forma simultánea un tipo máximo *cap* y un tipo mínimo *floor*. Este tipo de coberturas, conocidas como *collar* establecen una banda de fluctuación y se instrumentan como compra de una opción y venta de otra por lo que la prima final será menor que cuando sólo se contrata un *cap*.

Por su parte, el *swap* es una permuta de tipos de interés (de ahí su nombre: *interest rate swap*). Consiste, en el caso que nos ocupa, en intercambiar un tipo de interés variable por un tipo fijo, de forma que el prestatario pagará a la entidad de crédito (en virtud del contrato de *swap*) un tipo de interés fijo (sobre el capital contratado que se hace coincidir con el importe pendiente del préstamo) y percibirá de la entidad un tipo variable sobre esa misma cantidad. Viene definido en el modelo de contrato marco de operaciones financieras redactado por la Asociación Española de Banca Privada como «aquella operación por la que las partes acuerdan intercambiarse entre sí pagos de cantidades resultantes de aplicar un tipo fijo y un tipo variable sobre un importe nominal y durante un periodo de duración acordada».

Esto significa que si los tipos de interés suben por encima del interés fijo pactado en el swap el prestatario pagará cantidades inferiores que si estuviera aplicándose el tipo variable pactado en el préstamo. Pero si los intereses bajan, seguirá pagando las mismas cantidades y no se verá beneficiado por las bajadas del tipo de interés. Esto se complica sobremanera para el contratante dado que la cancelación anticipada del *swap* puede significar grandes desembolsos mayores a medida que bajen más los tipos de interés de mercado.

Por ejemplo, si se permuta un tipo de interés de Euribor anual más 2% (con un Euribor vigente del 1%) por un tipo fijo del 4%. El cliente pagará intereses a este tipo fijo aunque el tipo de referencia suba al 3% o baje al 0,40%.

De acuerdo con el art. 24 Orden EHA/2899/2011, en relación con cualquier sistema de cobertura de tipo interés que se comercialice vinculado a un préstamo concedido por la propia entidad, se informará al cliente de:

a) La naturaleza del instrumento de cobertura, si se trata de un límite al alza del tipo de interés, o si se trata de otro tipo de instrumento de cobertura ya sea porque el límite al alza vaya acompañado de un límite a la baja, o por cualquier otra característica, en cuyo caso se indicará expresamente que el producto no se limita a proteger al cliente frente al alza de tipos.

Por tanto, debe concretarse qué tipo de cobertura se concierta, si es un cap (límite al alza), un collar (límite al alza y a la baja) o un swap (se paga siempre un tipo fijo), así como cualquier otra característica.

b) Su duración y, en su caso, las condiciones para su prórroga o renovación.

c) En función de la naturaleza del instrumento, si fuera el caso:

1.º la obligatoriedad del pago de una prima, y su importe.

Se debe expresar la necesidad de pagar una prima como ocurre con el cap y con el collar y su importe.

2.º las potenciales liquidaciones periódicas del instrumento, producto o sistema de cobertura, teniendo en cuenta diversos escenarios de tipos de interés que respondan a la evolución histórica del tipo de referencia, destacando la posibilidad de que las mismas pueden ser negativas.

Esto ocurre con los swaps. Se exige especialmente, como en otros casos, de pagos futuros, establecer varios escenarios posibles a la vista de la evolución pasada de los tipos de referencia, advirtiendo expresamente que las liquidaciones pueden ser negativas.

3.º la metodología de cálculo del coste asociado a una cancelación anticipada, con referencia a distintos escenarios de tipos de interés que respondan a la evolución histórica del tipo de referencia.

Esto es muy importante porque la cancelación de estos instrumentos de cobertura puede ser muy costosa y así se advierte al cliente de cuáles podrían ser esos costes en función de la evolución de los tipos de referencia.

Por último, también se informará al cliente de *otras características del instrumento, producto o sistema de cobertura que pudiera establecer el Banco de España.* Nada más añade específicamente la Circ. B.E. 5/2012 si bien en el número 7 de su ANEJO 6 (Principios generales aplicables para la concesión de préstamos responsables), establece que «las políticas, métodos y procedimientos de estudio y concesión de préstamos o créditos a la clientela, a que se refiere la norma duodécima de esta Circular, deberán respetar estos principios e incluir al menos» [...]: «Una política sobre la inclusión de cláusulas contractuales y sobre el ofrecimiento de productos financieros de cobertura de los riesgos de elevación de los tipos de interés y de cambio, que incluya procedimientos para resaltar, del modo que mejor reclame la atención del cliente, cualquier estipulación cuyos objetivos o funciones sean diferentes al mero establecimiento de límites superiores o techos a la variación de los citados tipos.

Cuando concurran esos objetivos o funciones diferentes o cuando el producto adopte un grado de complejidad que dificulte su comprensión, será esencial que la entidad extreme la diligencia en las explicaciones que se han de facilitar al cliente al que se ofrezcan, con el fin de que este pueda comprender las características del producto y de que sea capaz de adoptar una decisión informada y evaluar, de acuerdo con sus conocimientos y experiencia, la adecuación del producto ofrecido a sus intereses. A tal fin, recabarán del cliente la información adecuada a sus necesidades y su situación financiera y ajustarán la información que le suministren a los datos así recabados. En el caso de que los productos de cobertura concertados con el cliente supongan el potencial pago por aquel de cantidades diferentes a una mera prima por la existencia del límite superior ya citado (como, por ejemplo, en el caso de swaps de intereses u otros derivados que contemplen tales pagos), la entidad deberá alertar al cliente de tales abonos tan pronto como tenga conocimiento de que pueden producirse con arreglo a lo pactado (y periódicamente mientras concurra tal circunstancia), así como de las posibilidades de que, conforme a lo establecido en el contrato, disponga el cliente para resolver anticipadamente el contrato de cobertura y de los pagos o pérdidas que dicha cancelación pueden ocasionarle».

La información antes señalada se recogerá en un anexo a la Ficha de Información Personalizada.

A estos efectos, no será necesario que en la contratación del sistema de cobertura se produzca una vinculación expresa y formal con el préstamo, siendo suficiente que las partes reconozcan expresamente en dicha contratación que el sistema de cobertura se contrata con esa finalidad respecto de aquél.

Dicha finalidad no podrá observarse, en ningún caso, cuando el importe nocional de la cobertura supere al del préstamo que pretende cubrir. Por el contrario, sí será posible observarla aun cuando el plazo del sistema de cobertura sea superior al del préstamo, siempre que éste sea renovable y su no renovación suponga la cancelación del sistema de cobertura sin coste para el cliente.

10.4. INFORMACIÓN CONTRACTUAL

De acuerdo con el art. 29 Orden EHA/2899/2011, *los documentos contractuales y las escrituras públicas en las que se formalicen los préstamos contendrán, debidamente separadas de las restantes, cláusulas financieras cuyo contenido mínimo se ajustará a la información personalizada prevista en la Ficha de Información Personalizada. Las demás cláusulas de tales documentos contractuales no podrán, en perjuicio del cliente, desvirtuar el contenido de aquellas. En particular, se fijará el tipo de interés aplicable, así como la obligación de notificar al cliente las variaciones experimentadas en ese tipo de interés.*

Conviene reflexionar sobre la referencia que se hace al comienzo del precepto a los «documentos contractuales y las escrituras públicas». Y ello, porque con carácter general, tal y como establece el art. 145 LH, para que las hipotecas voluntarias queden válidamente establecidas, se requiere que se hayan constituido en escritura pública y que la escritura se haya inscrito en el Registro de la Propiedad.

Por ello, entiendo que este precepto hay que ponerlo en relación con el ámbito de aplicación de esta normativa que establece el art. 19 y que, como ya hemos señalado anteriormente, «será de aplicación a los servicios bancarios de crédito y préstamo hipotecario [...] en los que la hipoteca recaiga sobre una vivienda» así como aquellos otros «cuya finalidad sea adquirir o conservar derechos de propiedad sobre terrenos o edificios construidos o por construir».

En el primer caso, habida cuenta que hay garantía hipotecaria, se exige que ésta conste en escritura pública. Pero en el segundo de los casos, al no haberla el «documento contractual» puede ser de carácter privado o público (en este último caso podrá adoptar la forma de póliza intervenida notarialmente, además de la de escritura pública).

En cuanto al contenido del documento contractual establece el art. 7.3 Orden EHA/2899/2011 en relación con las concesiones de crédito y préstamo, que dicho documento debe recoger de forma explícita y clara, sin perjuicio de lo referente al tipo de interés, comisiones y gastos que veremos en su momento, los siguientes extremos:

a) El tipo de interés nominal, la TAE u otra expresión equivalente del coste o remuneración total efectivos en términos de intereses anuales, conforme a lo que a estos efectos establezca el Banco de España teniendo en cuenta, en su caso, el valor pecuniario de toda remuneración en especie.

b) La periodicidad con que se producirá el devengo de intereses, las fechas de devengo y liquidación de los mismos, la fórmula o métodos utilizados para obtener, a partir del tipo de interés nominal o de los otros factores del coste o la remuneración que resulten pertinentes, el importe de los intereses devengados y, en general, cualquier otro dato necesario para el cálculo de dicho importe.

c) Las comisiones y gastos repercutibles que sean de aplicación, con indicación concreta de su concepto, cuantía, fechas de devengo y liquidación, así como, en general, cualquier otro dato necesario para el cálculo del importe de tales conceptos.

d) La duración del préstamo o crédito y, en su caso, la condiciones para su prórroga.

e) Las normas relativas a las fechas valor aplicables.

f) Los derechos y obligaciones que correspondan a la entidad de crédito para la modificación del tipo de interés pactado, o para la modificación de las comisiones o gastos repercutibles aplicados; y los derechos de que, en su caso, goce el cliente cuando se produzca tal modificación.

g) Los derechos y obligaciones del cliente en cuanto a la cancelación del préstamo o al reembolso anticipado del mismo y el coste total que el uso de tales facultades supondría.

h) Las consecuencias para el cliente del incumplimiento de sus obligaciones, especialmente, del impago en caso de crédito o préstamo.

i) Los demás que establezca el Banco de España.

A este respecto la norma décima Circ. B.E. 5/2012 establece las siguientes precisiones:

- En lo relativo a la duración del contrato, se indicarán los gastos que el cliente deba soportar o las compensaciones que haya de recibir, por cualquier concepto, como consecuencia de la finalización de la relación contractual o de su cancelación anticipada, incluidos los reembolsos o compensaciones que puedan corresponderle por los importes ya satisfechos en relación con los servicios o productos que deje de consumir, incluso los correspondientes a productos vinculados que sobrevengan innecesarios como consecuencia de la cancelación; en particular, en el caso de seguros vinculados, se incluirá el derecho del cliente a percibir los extornos de la parte de la prima no consumida.

- En la comunicación previa e individual al cliente de cualquier modificación de condiciones que no resulte más beneficiosa para él y, en particular, para el adeudo de nuevas comisiones o gastos, o para el incremento de las que ya se viniesen devengando, el plazo de preaviso se computará respecto al momento en el que se prevea la aplicación efectiva de las nuevas condiciones contractuales.

- En el caso particular de la modificación del límite de disposición cuando previamente se hubiera producido un incumplimiento por el cliente de sus obligaciones, bastará con que la citada comunicación previa se realice con una antelación no inferior a diez días; ello sin perjuicio, en su caso, del derecho de la entidad a resolver el contrato por razón de ese incumplimiento, de acuerdo con lo que se hubiese pactado en el contrato y la normativa en vigor.

- Cuando se prevea la prórroga del contrato, se especificará la forma y condiciones en que el cliente podrá expresar su consentimiento a la misma. Cuando se conozcan, se detallarán las nuevas condiciones que resultarán de aplicación al producto o servicio una vez prorrogado, o los mecanismos que se utilizarán para su determinación. En cualquier caso, se recogerá la obligación de la entidad de comunicar al cliente los términos exactos de la prórroga. Cuando, en relación con dicha prórroga, se prevea la existencia de algún coste que deba soportar el cliente, el mismo se especificará en el contrato.

– Se detallarán los derechos que, en caso de incumplimiento por el cliente de sus obligaciones, puedan corresponder a la entidad en relación con las garantías que, en su caso, se hubieran aportado, con indicación clara y precisa de los mecanismos y plazos mediante los que podrán hacerse efectivos tales derechos.

Asimismo, en su caso, se harán constar los siguientes extremos:

a) Cuando el contrato se denomine en una moneda distinta del euro, se deberá indicar la forma de conversión a euros de la misma, así como la comisión que, en su caso, se percibirá por esta conversión.

b) Cuando el perfeccionamiento del contrato se hubiera condicionado a la contratación, simultánea o futura, de otros productos o servicios, sean estos bancarios o de otra naturaleza, los mismos se identificarán de forma precisa junto con las condiciones de contratación y, en su caso, de renovación. También se indicará si deben contratarse con algún proveedor concreto o si su contratación es libre, así como su coste, cuando éste sea conocido.

c) En caso de que se haya exigido al cliente la aportación de garantías reales o personales, se indicarán los términos en los que quedarán extinguidas. Los mecanismos y sistemas de resolución de reclamaciones y quejas a los que, en relación con la interpretación, aplicación, cumplimiento y ejecución del contrato, pueda acceder el cliente. En particular, y sin perjuicio del sometimiento de las partes a los juzgados y tribunales que corresponda, se mencionará la posibilidad de acudir al departamento o servicio de atención al cliente y, en su caso, al defensor del cliente de la entidad.

d) Cuando corresponda, el derecho de la entidad a ceder total o parcialmente los derechos u obligaciones dimanantes del contrato, con indicación de las condiciones en que deba realizarse tal cesión, así como de las notificaciones que, en su caso, deban efectuarse al cliente.

En todo caso, los documentos contractuales se redactarán de forma clara y comprensible para el cliente. En particular, el tamaño de la letra minúscula no podrá tener una altura inferior a 1,5 milímetros. El contrato deberá reflejar fielmente todas las estipulaciones necesarias para una correcta regulación de la relación entre el cliente y la entidad, evitará el uso de tecnicismos y, cuando ello no sea posible, explicará adecuadamente el significado de los mismos. No se incluirá en el contrato ningún concepto que resulte innecesario o irrelevante para su correcta aplicación e interpretación.

Por otra parte, *cuando las entidades hubieran hecho entrega al cliente de una oferta vinculante y, por cualquier circunstancia legalmente admisible, se produjera una discrepancia entre las condiciones financieras o de cualquier otra naturaleza que figuren en dicha oferta y las que finalmente se incluyan en el documento contractual definitivo, las entidades vendrán obligadas a advertir clara y expresamente al cliente de dicha discrepancia y a reflejar en el contrato el conocimiento de la misma por el cliente, tal como establece la norma quinta.3 Circ. B.E. 5/2012.*

10.5. OTORGAMIENTO Y ADVERTENCIAS DEL NOTARIO

El artículo 30 Orden EHA/2899/2011, bajo la denominación de «acto de otorgamiento», establece una serie de derechos al otorgante y de obligaciones al Notario y que sigue en cierta medida, aunque ampliado, el contenido de su antecedente el art. 7 de la OM de 5 de mayo de 1994 que tenía la misma denominación.

La palabra acto (del latín, *actus*) es el resultado de hacer y, desde el punto de vista jurídico, es el hecho voluntario y consciente. Y otorgamiento es la prestación del consentimiento o como lo define el Diccionario de la Real Academia Española de la Lengua (22ª edición) en su cuarta acepción como «parte final del documento, especialmente del notarial, en que éste se aprueba, cierra y solemniza».

10.5.1. Libre elección de Notario

El número 1 del art. 30 establece que *en materia de elección de notario se estará a lo dispuesto en el Reglamento Notarial aprobado por Decreto de 2 de junio de 1944 y demás disposiciones aplicables, redacción que coincide literalmente con la de la OM de 5 de mayo de 1994.*

Esta remisión hay que entenderla hecha al art. 126 RN que está dentro de la sección 1ª (denominada «Del derecho a la libre elección de Notario») del capítulo II («Reparto de documentos») del Título Tercero referente a la «función notarial».

Este precepto comienza señalando que aquél que solicite el ejercicio de la función pública notarial *tiene derecho a elegir al notario que se la preste, sin más limitaciones que las previstas en el ordenamiento jurídico, constituyéndose dicho derecho en elemento esencial de una adecuada concurrencia entre aquellos.* Se configura así la libre elección de Notario como un «elemento esencial» de la «libre concurrencia» entre Notarios, aunque yo añadiría que también de la propia prestación de la función.

Tras este principio general el Reglamento establece otro que aunque puede parecer específico lo que hace es reforzar el anterior. En aquellos casos en los que una parte contractual es «profesional» y otra es parte «adherente» se reconoce el derecho de elección de Notario a esta última. Y así se mencionan *las transmisiones onerosas de bienes o derechos realizadas por personas, físicas o jurídicas, que se dediquen a ello habitualmente, o bajo condiciones generales de contratación* y también específicamente «los supuestos de contratación bancaria». En estos casos, continúa el precepto, *el derecho de elección corresponderá al adquirente o cliente de aquellas, quien sin embargo, no podrá imponer notario que carezca de conexión razonable con algunos de los elementos personales o reales del negocio.* Limitación ésta por otra parte lógica porque el cliente no podría elegir un Notario donde la entidad de crédito no tenga oficina o en lugar distinto al que esté ubicado el inmueble objeto de hipoteca.

La última regla que establece el art. 126 RN es que en defecto de normativa específica, *se estará a lo que las partes hubieran pactado y, en último caso, el derecho de elección corresponderá al obligado al pago de la mayor parte de los aranceles.* Siguiendo este último criterio también correspondería el derecho de elección al cliente dado que siempre se repercuten sobre éste todos los gastos.

En refuerzo de lo anterior, el RN continúa estableciendo una obligación a los notarios: *el deber de respetar la libre elección de notario que hagan los interesados, absteniéndose de toda práctica que limite la libertad de elección de una de las partes con abuso derecho o infringiendo las exigencias de la buena fe contractual.*

La Directiva 2014/17/UE en su considerando (9) hace un mención de pasada al tema de la elección de Notario al decir que *en los ámbitos no cubiertos por la presente Directiva, los Estados miembros tienen la libertad de mantener o adoptar disposiciones nacionales. En concreto, deben poder mantener o adoptar disposiciones nacionales en el ámbito del Derecho contractual, en relación con aspectos tales como la validez de los contratos de crédito, el Derecho de propiedad, el registro de la propiedad, la información contractual y, en la medida en que no están reguladas en la presente Directiva, las cuestiones postcontractuales. Se permite a los Estados miembros establecer que las partes puedan elegir de mutuo acuerdo tasador o empresa de tasación o notarios.*

10.5.2. Derecho a examinar el proyecto de escritura pública

El número 2 del art. 30 Orden EHA/2899/2011 reconoce el derecho que tiene el cliente *a examinar el proyecto de escritura pública de formalización del préstamo hipotecario en el despacho del notario al menos durante los tres días hábiles anteriores a su otorgamiento. El cliente podrá renunciar expresamente, ante el notario autorizante, al señalado plazo siempre que el acto de otorgamiento de la escritura pública tenga lugar en la propia notaría.* Esta redacción es exacta a la que se contenía en el art. 7.2 OM de 5 de mayo de 1994.

Vemos así que hay un derecho genérico de examen previo del proyecto de escritura de préstamo hipotecario que se delimita temporalmente en los tres días hábiles anteriores al día del otorgamiento. En la práctica, nadie o casi nadie hace uso de este derecho.

10.5.3. Obligaciones de información del Notario

De acuerdo con el número 3 de este art. 30, en su condición de funcionarios, *los notarios informarán al cliente del valor y alcance de las obligaciones que asume.* Esto lo hace el Notario en el otorgamiento de cualquier documento público: explicar cuál es el contenido de las obligaciones pero también de los correlativos derechos que se derivan para las partes del otorgamiento.

En cualquier caso, deberá:

a) Comprobar si el cliente ha recibido adecuadamente y con la suficiente antelación la Ficha de Información Personalizada y, en su caso, si existen discrepancias entre las condiciones de la oferta vinculante y el documento contractual finalmente suscrito, e informar al cliente tanto de la obligación de la entidad de poner a su disposición la Ficha de Información Personalizada, como de aceptar finalmente las condiciones ofrecidas al cliente en la oferta vinculante dentro del plazo de su vigencia.

La única forma de comprobar la recepción de la FIPER es que lo manifieste el cliente y, desde luego, lo que es o no «suficiente antelación» es bastante subjetivo. Muchas veces la celeridad viene impuesta por el propio cliente quien necesita la financiación con urgencia.

Obviamente debe comprobarse la coincidencia entre el contenido de la FIPER y el de la escritura pública que va a ser objeto de otorgamiento. Cabría plantearse si sería admisible alguna «variación» cuando esta fuese beneficiosa para el cliente, por ejemplo, que el tipo de interés que figurase en la escritura fuera inferior al de la FIPER. Personalmente lo considero admisible; no tendría sentido que unas normas cuyo principal objetivo sea proteger al cliente dotando de mayor transparencia todo el proceso de contratación fueran impedimento para que éste tenga mejores condiciones financieras. La alternativa, que sería que se formulase una nueva FIPER, no me parece de recibo. Y, en definitiva, lo importante es el otorgamiento por las partes del contrato de préstamo.

Mayores dudas me plantea la obligación de «informar al cliente tanto de la obligación de la entidad de poner a su disposición la Ficha de Información Personalizada, como de aceptar finalmente las condiciones ofrecidas al cliente en la oferta vinculante dentro del plazo de su vigencia». El contacto del Notario con el cliente se produce en el momento del otorgamiento, salvo que acudiese a la Notaría con antelación a revisar el proyecto de escritura y, aun así, en este momento, difícilmente contará el Notario con la FIPER que la tiene en sus manos sólo cuando va a firmarse la escritura aunque, obviamente, este sí sería el momento para preguntarle al cliente si dispone de la FIPER y/o de la oferta vinculante y, en caso de respuesta negativa, informarle de su derecho a obtener, preferiblemente, la oferta vinculante.

Y en el momento del otorgamiento sí que podrá informarse de la obligación de la entidad de asumir las condiciones que consten en la FIPER (o, en su caso, en la oferta vinculante).

b) En el caso de préstamos a tipo de interés variable, comprobar si el cliente ha recibido la información prevista en los artículos 24, 25 y 26.

Por tanto, si ha recibido la información adicional exigible cuando hay instrumentos de cobertura de tipos de interés, la información que, en caso de cláusulas suelo y/o techo, debe recogerse en un anexo a la Ficha de Información Personalizada (el tipo de interés mínimo y máximo a aplicar y la cuota de amortización máxima y mínima) y que en los casos de préstamos a interés variable, el tipo de referencia se haya calculado a coste de mercado y no sea susceptible de «influencia por la propia entidad» y que «los datos que sirvan de base al índice o tipo sean agregados de acuerdo con un procedimiento matemático objetivo» (requisitos que cumplen los tipos de referencia oficiales que son los únicos utilizados en la práctica bancaria española). Además, que se adjunte a la FIPER, en un documento separado, una referencia especial a las cuotas periódicas a satisfacer por el cliente en diferentes escenarios de evolución de los tipos de interés (se presentarán al menos tres cuotas de amortización, calculadas mediante el empleo de los niveles máximos, medios y mínimos que los tipos de referencia hayan presentado durante los últimos quince años o el plazo máximo disponible si es menor).

Y habrá que advertir al cliente *expresamente cuando se dé alguna de las siguientes circunstancias:*

1º Que el tipo de interés de referencia pactado no sea uno de los oficiales a los que se refiere el artículo 27 de la Orden EHA/2899/2011, cosa que hasta la fecha no he visto.

2º Que el tipo de interés aplicable durante el período inicial sea inferior al que resultaría teóricamente de aplicar en dicho período inicial el tipo de interés variable pactado para períodos posteriores.

Esto es lo que se denominaba «tipo de gancho», un tipo de interés inicial inferior al que previsiblemente se aplicará en los sucesivos períodos a la vista de la situación actual del tipo de referencia. Esta «práctica comercial» era más propia de los años 90 y hoy no se ve.

También se advertirá: *3º. Que se hubieran establecido límites a la variación del tipo de interés, como cláusulas suelo o techo. En particular, el notario consignará en la escritura esa circunstancia, advirtiendo expresamente de ello al cliente e informándole, en todo caso, sobre:*

i)   *Los efectos de estos límites ante la variación del tipo de interés de referencia.*

ii)   *Las diferencias entre los límites al alza y a la baja y, de manera especial, si se ha establecido únicamente un límite máximo a la bajada del tipo de interés.*

En definitiva, de la existencia y consecuencias de las cláusulas suelo (sobre todo) y techo.

El Notario también deberá: *c) Informar al cliente de cualquier aumento relevante que pudiera producirse en las cuotas como consecuencia de la aplicación de las cláusulas financieras pactadas. En particular deberá advertir de los efectos que la existencia, en su caso, de períodos de carencia tendría en el importe de las cuotas una vez finalizados tales períodos; así mismo, advertirá de la previsible evolución de las mismas cuando se hubieran pactado cuotas crecientes o cuando se hubiera previsto la posibilidad de interrumpir o posponer la amortización del préstamo.*

Aquí se trata de poner énfasis en los supuestos en los que se pacta un período de carencia de capital o de capital e intereses (denominados por algunos «período de espera»). En estos casos, durante estos períodos, los pagos son mucho menores (o inexistentes si afecta a capital e intereses), produciéndose un cambio importante en las cuantías a pagar cuando empieza a amortizarse capital.

También hay que advertir en los supuestos de cuotas crecientes con independencia de la evolución del tipo de interés; esto es lo que se conoce en matemática financiera como sistemas de amortización por cuotas crecientes en progresión aritmética o geométrica (por ejemplo, que las cuotas mensuales aumenten cada año un 2 por ciento respecto al anterior). No son muy utilizados en la práctica pero sí se ve alguno.

O, en fin, cuando se pacte la posibilidad de «interrumpir» la amortización, esto es, suspender durante un plazo, siempre breve, el pago de las cuotas, o posponerla, por ejemplo, admitiéndose que el cliente realice una amortización final de determinada cuantía (y cuya consecuencia sería la reducción del importe de las cuotas periódicas).

También el Notario debe: *d) Informar al cliente de la eventual obligación de satisfacer a la entidad ciertas cantidades en concepto de compensación por desistimiento o por riesgo de tipo de interés en los términos previstos en los artículos 8 y 9 de la Ley 41/2007, de 7 de diciembre, por la que se modifica la Ley 2/1981, de 25 de marzo, de regulación del mercado hipotecario y otras normas del sistema hipotecario y financiero, de regulación de las hipotecas inversas y el seguro de dependencia y por la que se establece determinada norma tributaria.*

Ya veremos más adelante los supuestos en los que se puede exigir esta compensación.

e) En el caso de que el préstamo no esté denominado en euros, advertir al cliente sobre el riesgo de fluctuación del tipo de cambio.

En definitiva, reiterar las advertencias ya realizadas por la entidad en la FIPER. Que el cliente tome consciencia que puede sufrir un serio quebranto por el hecho de tener que hacer frente a pagos en divisas cuyo coste de adquisición se encarezca por las fluctuaciones del tipo de cambio. Esto es, como lo normal es que sus ingresos sean en euros, si esta moneda se «devalúa», esto es, disminuye su valor respecto a la moneda en que se deben realizar los pagos del préstamo, éstos, calculados en euros, serán muy superiores a los inicialmente pensados.

Por último, el Notario, también debe:

f) Comprobar que ninguna de las cláusulas no financieras del contrato implican para el cliente comisiones o gastos que debieran haberse incluido en las cláusulas financieras.

g) En el caso de hipoteca inversa deberá verificar la existencia del correspondiente asesoramiento independiente. En caso de que la formalización de la hipoteca inversa se realice en contra de la recomendación realizada por el asesoramiento independiente, se deberá advertir de este extremo al cliente.

h) Informar al cliente de los costes exactos de su intervención».

Conviene recordar que tal como ha señalado el párrafo 2 del número 9 STS de 8 de septiembre de 2014 (Roj: STS 3903/2014), al señalar las obligaciones de transparencia de la entidad de crédito, «resulta significativo que la parte recurrida, fuera de probar los anteriores extremos en el curso de la reglamentación predispuesta, descargue el cumplimiento de su propio deber de transparencia en los protocolos notariales de los contratos celebrados. En este sentido debe señalarse, sin perjuicio de la importante función preventiva que los Notarios realizan sobre el control previo de las condiciones generales de la contratación que, conforme a la caracterización y alcance del control de transparencia expuesto, la comprensibilidad real debe inferirse del propio juego o desarrollo de la reglamentación predispuesta, de forma que la lectura de la escritura pública y, en su caso, el contraste de las condiciones financieras de la oferta vinculante con la del respectivo préstamo hipotecario, no suplen, por ello solos, sin protocolo o actuación específica al respecto, el cumplimiento de este especial deber de transparencia».

Al margen de la mención a «la importante función preventiva» que realizan los Notarios, que debe interpretarse como un «guiño» del ponente (y tal vez de la Sala) al Notariado, claramente «molesto» con el Alto Tribunal por varias de sus recientes sentencias, entre ellas la de la cláusula suelo de 9 de mayo de 2013, hay que señalar que, tal como acabamos de ver, la labor del Notario no se limita a la «lectura» de la escritura que contenga el préstamo hipotecario.

De acuerdo con el párrafo tercero del art. 25, LN *los notarios darán fe de haber leído a las partes y a los testigos instrumentales la escritura íntegra o de haberles permitido que la lean, a su elección, antes de que la firmen, y a los de conocimiento lo que a ellos se refiera, y de haber advertido a unos y a otros que tienen el derecho de leerla por sí. Pero hoy, a tenor del párrafo segundo del art. 193 RN, y cuya redacción se debe al RD 45/2007, de 19 de enero, a los efectos del artículo 25 de la Ley del Notariado, y con independencia del procedimiento de lectura, se entenderá que ésta es íntegra cuando el notario hubiera comunicado el contenido del instrumento con la extensión necesaria para el cabal conocimiento de su alcance y efectos, atendidas las circunstancias de los comparecientes.*

Vemos así que la lectura es algo más, es la «comunicación necesaria para el cabal conocimiento de su alcance y efectos». Es decir, que se eleva a rango normativo lo que se hace en la práctica: las escrituras más que leerse se explican. Pero, además, este mismo art. 193 RN exige que se dé fe «de que después de la lectura los comparecientes han hecho constar haber quedado debidamente informados del contenido del instrumento y haber prestado a éste su libre consentimiento». Por tanto, no sólo consta el libre consentimiento sino que, para ello, se requiere estar debidamente «informado» del contenido negocial.

Tampoco podemos olvidar que de acuerdo con el art. 147 RN *el notario redactará el instrumento público conforme a la voluntad común de los otorgantes, la cual deberá indagar, interpretar y adecuar al ordenamiento jurídico, e informará a aquéllos del valor y alcance de su redacción, de conformidad con el artículo 17 bis de la Ley del Notariado. Y añade, en que sin mengua de su imparcialidad, el notario insistirá en informar a una de las partes respecto de las cláusulas de las escrituras y de las pólizas propuestas por la otra, comprobará que no contienen condiciones generales declaradas nulas por sentencia firme e inscrita en el Registro de Condiciones generales y prestará asistencia especial al otorgante necesitado de ella. También asesorará con imparcialidad a las partes y velará por el respeto de los derechos básicos de los consumidores y usuarios. Por tanto, imparcialidad, pero mayor atención a la parte más débil e información y asesoramiento específico a consumidores y usuarios.*

Y, como hemos visto, además de estas obligaciones genéricas del Notario, están las específicas que establece la Orden EHA/2899/2011 y que van mucho más allá. Son de «información» y de «advertencias» específicas. No obstante, sería más que deseable que estas obligaciones contenidas en esta normativa de transparencia tuvieran rango de ley formal; eso daría más fuerza a la actuación notarial y mayor confianza a las partes contractuales.

10.5.4. *Compensaciones por reembolso anticipado*

Al igual que la normativa de crédito al consumo (LCCC) ha introducido un derecho a favor del consumidor a reembolsar de forma anticipada todo o parte del crédito, se ha hecho lo mismo con determinados préstamos hipotecarios. En efecto, a tenor del art. 7 de la Ley 41/2007, en los contratos de crédito o préstamo hipotecario formalizados con posterioridad a la entrada en vigor de esta Ley (9 de diciembre de 2007) y aunque no conste en los mismos la posibilidad de amortización anticipada, *no podrá cobrarse comisión por amortización anticipada total o parcial* cuando concurra alguna de las siguientes circunstancias:

- Que se trate de un préstamo o crédito hipotecario y la hipoteca recaiga sobre una vivienda y el prestatario sea persona física.

- Que el prestatario sea persona jurídica y tribute por el régimen fiscal de empresas de reducida dimensión en el Impuesto sobre Sociedades.

Debemos hacer una reflexión respecto al ámbito de aplicación de la norma. Aquí, como en otras disposiciones de esta misma Ley, el legislador no se ha caracterizado por su precisión. De la literalidad del precepto podría deducirse que estarán exentos de comisión por reembolso anticipado los préstamos hipotecarios en los que la garantía sea una vivienda y el deudor una persona física. Pero si el prestatario es una persona jurídica de reducida dimensión es indiferente el objeto hipotecado.

A mi juicio, la separación del precepto en dos párrafos causa la confusión y deberían ir juntos de forma que el ámbito subjetivo de aplicación fuera persona física o jurídica de reducida dimensión pero con un mismo ámbito objetivo: hipoteca sobre vivienda. Interpretación ésta que es la que se está siguiendo en la práctica. Otra interpretación conduciría al sinsentido de que si el deudor es persona jurídica de reducida dimensión se aplicaría, en todo caso, y si es persona física sólo cuando el objeto hipotecado sea una vivienda.

Como se observa, tal y como señala la exposición de motivos de la Ley 41/2007, esta norma «cambia, en primer lugar, la denominación de la comisión por amortización anticipada por la de compensación al ser ésta más acorde con su naturaleza. En segundo lugar, se divide esta compensación por amortización anticipada entre la compensación que se hace a la entidad por desistir de un contrato y generarle una pérdida por los costes de originación (*sic*) del préstamo, y la compensación por el riesgo de tipo de interés de la entidad cuando se amortiza anticipadamente en coyunturas de bajadas en los tipos de interés. Se introducen dos elementos para que esta segunda compensación guarde relación con la pérdida económica real para la entidad. El primero es el establecimiento de una base de cálculo que refleje de manera más precisa la exposición al riesgo de la entidad. El segundo es la prohibición del cobro de la compensación en aquellos casos en que la amortización genera una ganancia de capital para la entidad prestataria, no teniendo por tanto una motivación económica».

En definitiva, el legislador ha reconocido un derecho de reembolso anticipado al deudor hipotecario (que cumpla las condiciones ya vistas) por lo que prohíbe a la entidad de crédito que perciba cantidad alguna vía comisión ya que no presta servicio alguno si el deudor decide reembolsar anticipadamente; es, simple y llanamente, el ejercicio de un derecho y, por tanto, el cumplimiento de la correlativa obligación del acreedor.

Pero, el legislador, consciente de que ha reconocido un derecho al deudor contrario al principio general de que el plazo se establece en beneficio de ambas partes (arts. 1.125 y sobre todo 1.127 CC), de que está permitiendo que el momento del cumplimento de la obligación se esté dejando a la voluntad de una de las partes y que ello causa un perjuicio a la entidad de crédito, establece una doble «compensación»: una primera genérica, compensación por desistimiento, derivada de los costes directos —art. 8 Ley 41/2007— (p.e. los de tipo administrativo por el reembolso o la no recuperación de los costes iniciales del crédito); y una segunda específica, la compensación por el riesgo de tipo de interés de la entidad cuando se amortiza anticipadamente en coyunturas de bajadas en los tipos de interés —art. 9 Ley 41/2007—. Aquí estaríamos ante el «lucro cesante» que sufre la entidad debido a la necesaria recolocación de los fondos a tipos de interés menores.

En efecto, el artículo 8 Ley 41/2007 establece que en las «cancelaciones subrogatorias y no subrogatorias, totales o parciales, que se produzcan en los créditos o préstamos hipotecarios a los que se refiere el artículo anterior de la presente Ley, la cantidad a percibir por la entidad acreedora en concepto de ***compensación por desistimiento***, no podrá ser superior:

i) al 0,5 por ciento del capital amortizado anticipadamente cuando la amortización anticipada se produzca dentro de los cinco primeros años de vida del crédito o préstamo, o

ii) al 0,25 por ciento del capital amortizado anticipadamente cuando la amortización anticipada se produzca en un momento posterior al indicado en el número anterior».

«Si se hubiese pactado una compensación por desistimiento igual o inferior a la indicada en el apartado anterior, la compensación a percibir por la entidad acreedora será la pactada», continúa el precepto, lo cual es obvio ya que antes se ha dicho que «no podrá ser superior».

Aunque con una terminología, a mi juicio, más que desafortunada, la amortización total o parcial se denomina aquí «cancelación no subrogatoria» total o parcial. Cuando hay una subrogación no hay cancelación, sino que la obligación subsiste pero con otros elementos subjetivos, en este caso que se está refiriendo a la subrogación activa, una nueva entidad de crédito como acreedor. Y una cosa es que el crédito de la entidad inicial se extinga frente al deudor y deba cancelarlo por cobro en su contabilidad pero la relación obligacional subsiste con otros actores. Tampoco hay cancelaciones no subrogatorias; hay simplemente cancelaciones.

También debe criticarse la expresión «cancelación parcial». La amortización puede ser total o parcial pero cancelar significa según el Diccionario de la Real Academia Española de la Lengua, «anular, hacer ineficaz un instrumento público, una inscripción en registro, una nota o una obligación que tenía autoridad o fuerza; acabar de pagar una deuda».

Terminología que vuelve a utilizarse en el art. 9 referente a la **compensación por riesgo de tipo de interés**. De acuerdo con este precepto «en las cancelaciones subrogatorias y no subrogatorias, totales o parciales, de créditos o préstamos hipotecarios que se produzcan dentro de un periodo de revisión de tipos de interés cuya duración pactada sea igual o inferior a doce meses no habrá derecho a percibir por la entidad acreedora cantidad alguna en concepto de compensación por riesgo de tipo de interés». Este elemento temporal hace que, en la práctica, habida cuenta que la variabilidad del tipo de interés suele pactarse con carácter semestral o anual, no sea de aplicación frecuente. Queda así delimitado a los préstamos hipotecarios a tipo de interés fijo (muy infrecuentes en la práctica bancaria española) o, en los que siendo variable, se pacta un número de años a tipo fijo.

En estos supuestos «la compensación por riesgo de tipo de interés será la pactada y dependerá de si la cancelación genera una ganancia o una pérdida de capital a la entidad. Se entenderá por ganancia de capital por exposición al riesgo de tipo de interés la diferencia positiva entre el capital pendiente en el momento de la cancelación anticipada y el valor de mercado del préstamo o crédito. Cuando dicha diferencia arroje un resultado negativo, se entenderá que existe pérdida de capital para la entidad acreedora.

El valor de mercado del préstamo o crédito se calculará como la suma del valor actual de las cuotas pendientes de pago hasta la siguiente revisión del tipo de interés y del valor actual del capital pendiente que quedaría en el momento de la revisión de no producirse la cancelación anticipada. El tipo de interés de actualización será el de mercado aplicable al plazo restante hasta la siguiente revisión. El contrato de préstamo especificará el índice o tipo de interés de referencia que se empleará para calcular el valor de mercado de entre los que determine el Ministro de Economía y Hacienda». Obviamente, en caso de amortización parcial se le aplicará al resultado de la fórmula anterior el porcentaje del capital pendiente que se amortiza.

Téngase en cuenta que en tanto no se produjo este desarrollo reglamentario, el tipo de interés de referencia que se empleó para calcular si existe ganancia de capital, con independencia del plazo residual del préstamo o crédito hipotecario, era el tipo vigente de rendimiento interno en el mercado secundario de la deuda pública con vencimiento residual entre 2 y 6 años, regulado en la Resolución de la Dirección General del Tesoro y Política Financiera, de 5 de diciembre de 1989 (número 2 de la disposición transitoria única de Ley 41/2007).

La Orden EHA/2899/2011, en su art. 28, establece que a los efectos del cálculo del valor de mercado de los préstamos hipotecarios y la consiguiente compensación por riesgo de tipo de interés a los que se refiere el artículo 9.2 de la Ley 41/2007, de 7 de diciembre, se considerarán índices o tipos de interés de referencia, los tipos *Interest Rate Swap* (IRS) a los plazos de 2, 3, 4, 5, 7, 10, 15, 20 y 30 años que publicará el Banco de España y a los que se añadirá un diferencial. Este diferencial se fijará teniendo en cuenta los más comúnmente aplicados para los préstamos hipotecarios para adquisición de vivienda en España a diferentes plazos de amortización.

Se aplicará el tipo de interés de referencia de los anteriores que más se aproxime al plazo del préstamo hipotecario que reste desde la cancelación anticipada hasta la próxima fecha de revisión del tipo de interés.

La forma de cálculo de los índices y tipos anteriores se determinará mediante circular del Banco de España. De acuerdo con la norma decimoquinta Circ. B.E. 5/2012, cada uno de los índices o tipos de referencia antes mencionados se definirá en iguales términos que los previstos en el apartado 5 del anejo 8 de la presente Circular para los *Interest Rate Swap* (IRS) al plazo de cinco años, donde dicho plazo y su identificador se sustituirán por los correspondientes a cada índice o tipo, por tanto, la media simple mensual de los tipos de interés diarios Mid Spot del tipo anual para swap de intereses (expresado porcentualmente) para operaciones denominadas en euros, con vencimiento a cinco años, calculados por la ISDA (*International Swaps and Derivatives Association, Inc.*) y publicados por la agencia Bloomberg en la página ISDAFIX bajo el identificador <EIISDB05 Index> sobre la mención «11.00 AM London a las 12.00 a. m. (CET —*Central European Time*—).

Para el cálculo del valor de mercado del préstamo o crédito que se cancela anticipadamente, el tipo de interés de actualización vendrá dado por el valor del índice o tipo de referencia que corresponda aplicar de conformidad con lo indicado anteriormente, incrementado en un diferencial.

La cuantía de este diferencial será la que resulte de sustraer al tipo medio de los préstamos hipotecarios a más de tres años, para adquisición de vivienda libre, concedidos por las entidades de crédito en España, según se define este en el apartado 1 del anejo 8, el valor del tipo Interest Rate Swap (IRS) al plazo de un año.

Para la realización de los cálculos contemplados en esta Norma, se utilizarán los últimos valores publicados de cada uno de los índices o tipos de referencia, a condición de que todos ellos vengan referidos al mismo mes. Consecuentemente, se utilizarán los valores correspondientes al mes más cercano al de la cancelación anticipada para el que se hayan publicado valores para todos los índices o tipos de referencia que hubieran de tomarse en consideración.

La entidad acreedora no podrá percibir compensación por riesgo de tipo de interés en el caso de que la cancelación del crédito o préstamo genere una ganancia de capital a su favor y el contrato, establece el apartado 4 de este art. 9, «deberá especificar cuál de las dos modalidades siguientes para el cálculo de la compensación por riesgo de tipo de interés será aplicable:

– Un porcentaje fijo establecido en el contrato, que deberá aplicarse sobre el capital pendiente en el momento de la cancelación.

– La pérdida, total o parcial, que la cancelación genere a la entidad, calculada de acuerdo al apartado 2. En este caso, el contrato deberá prever que la entidad compense al prestatario de forma simétrica en caso de que la cancelación genere una ganancia de capital para la entidad. Este último sistema no lo he visto nunca en la práctica.

De todas formas, hay que calcular, en todo caso, si hay ganancia o pérdida de capital para la entidad de crédito, porque la existencia de dicha pérdida es condición *sine qua non* para que haya compensación y, además, límite máximo de la misma.

Veamos un ejemplo: supongamos que a mediados de noviembre de 2012 se ha concertado un préstamo hipotecario de 150.000 euros que se amortiza en el plazo de 15 años (180 meses) mediante cuotas constantes comprensivas de capital e intereses. El tipo de interés es del 5% durante los 4 primeros años, a partir del cual se aplica el Euribor anual más un diferencial del 2 por ciento. El contrato fija una compensación por riesgo de tipo de interés del 5% sobre el capital reembolsado. Se procede a su reembolso anticipado transcurridos dos años, por tanto, en noviembre de 2014.

En este caso durante los 4 primeros años la cuota mensual sería de 1.186,19 euros resultado de aplicar la fórmula que nos proporciona la cuota periódica en un préstamo que se amortiza por el denominado «método francés».

Como hemos señalado, «se entenderá por ganancia de capital por exposición al riesgo de tipo de interés la diferencia positiva entre el capital pendiente en el momento de la cancelación anticipada y el valor de mercado del préstamo o crédito. Si el resultado es negativo es pérdida».

Dos años después el capital pendiente sería de: 135.865,92 euros (valor actual de las 156 cuotas —cuyo importe hemos calculado antes— pendientes de pago).

«El valor de mercado del préstamo o crédito se calculará como la suma del valor actual de las cuotas pendientes de pago hasta la siguiente revisión del tipo de interés y del valor actual del capital pendiente que quedaría en el momento de la revisión de no producirse la cancelación anticipada. El tipo de interés de actualización será el de mercado aplicable al plazo restante hasta la siguiente revisión» y al que se le añadirá un diferencial.

Como quedarían dos años a tipo fijo se utiliza para la actualización el tipo *Interest Rate Swap* (IRS) al plazo de 2 años que publica el Banco de España. A mediados de 2014 el último mes al que vienen referidos los tipos de interés es el de septiembre.

IRS a 2 años septiembre 2014 (BOE 6 de octubre): 0,216%

La cuantía del diferencial será la que resulte de sustraer al tipo medio de los préstamos hipotecarios a más de tres años, para adquisición de vivienda libre, concedidos por las entidades de crédito en España, el valor del tipo *Interest Rate Swap* (IRS) al plazo de un año.

IRPH septiembre 2014 (BOE 18 de octubre): 2,949%

IRS a 1 año septiembre 2014 (BOE 6 de octubre): 0,087%

Por tanto, el diferencial será: 2,862%

y el tipo de actualización (i′): 0,216% + 2,862% = 3,078%

Por tanto, el «valor de mercado» del préstamo es el valor actual de las 24 cuotas restantes hasta la siguiente revisión del tipo de interés (1.186,19 euros), más el valor actual del capital pendiente en el momento de dicha revisión (135.865,92 euros). Hay que entender que ese valor actual se calcula en el momento del reembolso anticipado.

Por tanto,

27.575,74 + 127.872,92 = 155.448,66 euros

27.575,74: es el valor actual en el momento de la amortización de las 24 cuotas mensuales que quedan pendientes de pago hasta el momento en el que se modificaría el tipo de interés de acuerdo con el contrato al tipo de interés calculado para su actualización (i′ = 3,078%).

127.872,92: es el valor actual en el momento de la amortización del capital pendiente (135.865,92 euros) el momento en el que se modificaría el tipo de interés de acuerdo con el contrato al tipo de interés calculado para su actualización (i′ = 3,078%).

Si el capital pendiente en el momento del reembolso anticipado es de:

135.865,92 euros

Y el valor de mercado del préstamo es de:

155.448,66 euros

Hay una pérdida de:

19.582,74 euros

Y la compensación para la entidad, dado que tiene una pérdida de capital, será el 5% del importe reembolsado, esto es:

6.793,30 euros

Que como es inferior al límite máximo de la compensación (la pérdida de capital sufrida por la entidad), será la cantidad final que debería abonar el prestatario por el reembolso anticipado.

Del ejemplo y de esta regulación podemos concluir: No parecen unos cálculos sencillos para «el prestatario medio» (yo añadiría que tampoco para el «representante medio» del prestamista; ni siquiera para el legislador de 2007 que ideó el sistema. Por otra parte, la Ley 41/2007 se remite para el cálculo del valor de mercado a los tipos de actualización que se fijen en Orden del Ministerio de Economía y Hacienda (entonces) que los establece pero dice que hay que añadirles un diferencial que «se fijará teniendo en cuenta los más comúnmente aplicados para los préstamos hipotecarios para adquisición de vivienda en España a diferentes plazos de amortización». Y luego viene la Circ. B.E. 5/2012 que dice cómo se calcula ese diferencial (diferencia entre el IRPH y el IRS a un año), lo que no es coincidente con lo dispuesto en la Orden EHA/2899/2011 por no decir que es completamente distinto y complica aún más los ya de por sí difíciles cálculos. En fin, que no sé si «para este viaje hacían falta estas alforjas».

10.6. LA FIRMA MANUSCRITA DEL ART. 6 DE LA LEY 1/2013, DE 14 DE MAYO

El art. 6 de la Ley 1/2013, de 14 de mayo, de medidas para reforzar la protección a los deudores hipotecarios, bajo la denominación «fortalecimiento de la protección del deudor hipotecario en la comercialización de los préstamos hipotecarios», establece:

1. En la contratación de préstamos hipotecarios a los que se refiere el apartado siguiente se exigirá que la escritura pública incluya, junto a la firma del cliente, una expresión manuscrita, en los términos que determine el Banco de España, por la que el prestatario manifieste que ha sido adecuadamente advertido de los posibles riesgos derivados del contrato.

2. Los contratos que requerirán la citada expresión manuscrita serán aquellos que se suscriban con un prestatario, persona física, en los que la hipoteca recaiga sobre una vivienda o cuya finalidad sea adquirir o conservar derechos de propiedad sobre terrenos o edificios construidos o por construir, en los que concurra alguna de las siguientes circunstancias:

a) que se estipulen limitaciones a la variabilidad del tipo de interés, del tipo de las cláusulas suelo y techo, en los cuales el límite de variabilidad a la baja sea inferior al límite de variabilidad al alza;

b) que lleven asociada la contratación de un instrumento de cobertura del riesgo de tipo de interés, o bien;

c) que se concedan en una o varias divisas

Mediante Comunicación del Consejo General del Notariado de 20 de julio de 2013, cuando esta «expresión» ya había sido publicada en la Guía de Acceso al Préstamo Hipotecario, se informa a los Notarios que el Banco de España en la reunión de su Comité

Ejecutivo de 5 de julio de 2013 había dado cumplimiento a lo dispuesto en el apartado 1 del citado artículo 6. La «expresión» alumbrada por este órgano fue la siguiente:

«Soy conocedor de que mi préstamo hipotecario

i) establece limitaciones [indicar cuál/es: suelos y/o techos] a la variabilidad del tipo de interés;

(ii) lleva asociada la contratación de un instrumento de cobertura del riesgo de tipo de interés [indicar cuál], y

(iii) está concedido en la/s siguiente/s divisa/s [indicar cuál/es].

Además, he sido advertido por la entidad prestamista y por el notario actuante, cada uno dentro de su ámbito de actuación, de los posibles riesgos del contrato y, en particular, de que:

a) el tipo de interés de mi préstamo, a pesar de ser variable, nunca se beneficiará de descensos del tipo de interés de referencia por debajo del [límite mínimo del tipo de interés variable limitado];

b) las eventuales liquidaciones periódicas asociadas al instrumento de cobertura del préstamo pueden ser negativas, y

c) mi préstamo no se expresa en euros y, por lo tanto, el importe en euros que necesitaré para pagar cada cuota variará en función del tipo de cambio de [moneda del préstamo/euro]».

No nos extenderemos en este epígrafe. Baste señalar que, desde el punto de vista estrictamente jurídico, no parece que el Banco de España pueda dictar resoluciones que vinculen a los Notarios y así se tiene que resolver el problema con un acuerdo de su máximo órgano ejecutivo que se comunica al Consejo General del Notariado para que éste se lo haga llegar a los Notarios.

En cuanto a la «expresión» es un poco extensa pudiendo haberse abreviado bastante más. Sus autores son plenamente desconocedores de las dificultades que tiene mucha gente para escribir eso sin olvidar los problemas de las personas de cierta edad y los de los extranjeros, incluso de los nacionalizados. Si además se actúa con intérprete la cosa tiene difícil solución porque quien tiene que escribir de su puño y letra no habla y mucho menos escribe nuestro idioma; tampoco podemos olvidar que alguna persona podría considerar, y con razón, esta exigencia un desprecio a su capacidad intelectual (véase FERNANDEZ MALDONADO: 2014). Y, habida cuenta de ello, como dictar esta «parrafada» implica un número elevado de faltas de ortografía de las que se deja constancia en las copias al incorporar a la matriz el documento escrito y firmado de puño y letra por todos y cada uno de los prestatarios, se opta por que el otorgante tenga a la vista el texto que debe reproducir. Así que, a partir de este momento, se sustituirá «el Notario no me lo leyó» por «el Notario me hizo copiar un texto que no entendí».

Todo ello sin olvidar que a la vista de las obligaciones genéricas de todo Notario y las específicas que impone la Orden EHA/2899/2011, parece claramente innecesario todo esto. Es más, ya se hacen constar las advertencias en la FIPER. Hubiera bastado con haber obligado a incorporar un ejemplar de la FIPER firmado a la escritura pública. Y si el legislador no se fía de esto y quiere que vea el Notario cómo los prestatarios escriben todo ello de su puño y letra, ¿por qué no se fía de que se lo haya leído y explicado cómo es su obligación y que el prestatario ha consentido con dicha cláusula con pleno conocimiento?

Como recuerda GÓMEZ LOZANO (2014; p. 190), esta exigencia de expresión manuscrita «ha sido incorporada a otros instrumentos financieros respecto a los cuales ha quedado demostrada también, entre otras circunstancias, la falta de una información detallada y completa al consumidor sobre el producto contratado» (véase Circ. CNMV 3/2013, de 12 de junio, sobre el desarrollo de determinadas obligaciones de información a los clientes a los que se les prestan servicios de inversión, en relación con la evaluación de la conveniencia e idoneidad de los instrumentos financieros). Pero a este respecto hay que señalar que este tipo de operaciones se mueven en el ámbito de la contratación privada y no hay un fedatario público que tiene la obligación de informar y recabar el consentimiento informado del cliente bancario y al que se le puede y se le debe preguntar, obteniéndose así la respuesta de un profesional independiente y cualificado.

Por último, como señalan CARRASCO PERERA y CORDERO LOBATO (2013; p. 2013), tras la sent. TS de 9 de mayo de 2013 que ha declarado «que la observancia más escrupulosa de los requisitos de información-transparencia impuestos por la normativa imperativa sectorial (OM de 5.5.1994, vigente en el momento de la contratación objeto del proceso, actualmente sustituida por la Orden EHA/2899/2011) no servirá para satisfacer el estándar de transparencia exigido por el juzgador, cuando es manifiesto que éste fue y ha sido el propósito del Ministerio de Economía y del Banco de España. ¿Pero valdrá entonces el cumplimiento mero y simple del requisito casi rutinario exigido por la Ley 1/2013, de que el consumidor haga constar de forma manuscrita que conoce la naturaleza y efectos de la cláusula? ¿Es esto lo que *faltaba* a las entidades demandadas para conseguir alcanzar el estándar de validez? Porque si con tal cosa queda satisfecha la exigencia (¡y no puede ser de otra forma, salvo que se conculque el principio de legalidad!), el empeño de la sentencia es un *non sequitur,* que condena a las entidades demandadas *por nada* y les exige en el futuro acomodarse a una exigencia *que es nada*».

11. LA SUBASTA NOTARIAL

El capítulo V (arts. 72 a 77) de la LN regula el «expediente de subasta notarial».

La subasta notarial era algo ya recogido en nuestro ordenamiento jurídico, aunque falto de desarrollo salvo los supuestos especiales de las subastas en los llamados procedimientos extrajudiciales de venta de bienes inmuebles hipotecados en el RH. En efecto, el art. 1872 CC establece: *El acreedor a quien oportunamente no hubiese sido satisfecho su crédito, podrá proceder por ante Notario a la enajenación de la prenda. Esta enajenación habrá de hacerse precisamente en subasta pública y con citación del deudor y del dueño de la prenda en su caso. Si en la primera subasta no hubiese sido enajenada la prenda, podrá celebrarse una segunda con iguales formalidades; y, si tampoco diere resultado, podrá el acreedor hacerse dueño de la prenda. En este caso estará obligado a dar carta de pago de la totalidad de su crédito.*

Por su parte, el art. 1.482 LEC-1881, dentro del procedimiento de apremio establecía que, *si fueren valores de comercio endosables o títulos al portador emitidos por el Gobierno o por las Sociedades autorizadas para ello, se hará su venta por el Agente Corredor que el Juez designe, uniéndose a los autos nota de la negociación y una notificación de dicho formulario, en el conste haberse hecho aquella al cambio corriente en el día de la venta.*

Respecto a los efectos a los efectos que se coticen en la Bolsa, la elección del Juez deberá recaer en uno de los Agentes de la misma, y donde no hubiere, en un Corredor de comercio. Por eso esta subasta estaba regulada tanto en el Reglamento de Bolsas de 1967 como en el Reglamento de Bolsines de 1969.

Y el art. 635.2 LEC-2000 establece que *si lo embargado fueren acciones o participaciones societarias de cualquier clase, que no coticen en Bolsa, la realización se hará atendiendo a las disposiciones estatutarias y legales sobre enajenación de las acciones o participaciones y, en especial, a los derechos de adquisición preferente.*

A falta de disposiciones especiales, la realización se hará a través de notario o corredor de comercio colegiado.

Por último, el desarrollo de estas subastas se incorporó al RN en la reforma operada por el Real Decreto 45/2007, de 19 de enero, concretamente en el art. 220. Pero este precepto, dedicado a las «Actas de subastas», fue íntegramente anulado por la Sentencia del Tribunal Supremo (Sala 3ª, Sección 6ª) de 20 de mayo de 2008 con el siguiente motivo: «el precepto contiene la regulación de un procedimiento para la dación de fe pública, requerimiento del interesado, comprobación por el Notario, condiciones de la celebración de la subasta, tramitación y resolución diligenciada por el Notario, que como tal es materia sujeta a reserva de ley y no puede ser objeto de regulación reglamentaria sin la necesaria y precisa habilitación legal».

Como señala GONZÁLEZ-MENESES (2015, p. 1.017), «una «subasta», en sí misma, no es más que un procedimiento para conseguir concertar la venta de un bien. Los bienes se pueden vender de forma directa o suscitando una licitación pública. En el primer caso, aunque el vendedor o promotor de la venta puede acudir a diferentes medios de publicidad de su oferta para captar interesados en la adquisición, el cierre de las concretas condiciones por las que se va a llevar a cabo en su caso la compraventa, fundamentalmente el precio, es el resultado de una negociación individual con el interesado correspondiente. En el caso de la subasta, se suscita una competencia entre los interesados, de manera que la operación se cierra con aquel sujeto que haya ofrecido el mejor precio».

«En teoría, la subasta es un procedimiento que debería garantizar la obtención del mejor precio posible para el vendedor. Precisamente por eso, existen normas que hacen obligatoria la subasta como procedimiento de venta en determinados casos, en especial, cuando se trata de una venta promovida por personas que gestionan intereses ajenos: la objetividad de la subasta como mecanismo de obtención del mejor precio posible para un bien en una determinada situación de mercado disiparía cualquier sospecha de discrecionalidad, arbitrariedad o complicidad con el comprador por parte del agente promotor de la venta. Por esta razón las ventas por tutores no se podían concertar por éstos de forma privada sino mediante subasta, los liquidadores de sociedades anónimas sólo podían vender bienes inmuebles sociales mediante subasta y la normativa sobre contratos de los entes públicos impone como regla general el concurso y sólo de forma excepcional y con determinadas cautelas admite la adjudicación directa de los contratos. En casos como éstos (algunos de los cuales ya han desaparecido, porque la normativa en cuestión se ha ido haciendo más laxa) la subasta es —o era— "obligatoria" o "necesaria", en el sentido de que el promotor de una venta sólo podía llevarla a cabo previa la celebración de la correspondiente subasta y a favor precisamente del mejor postor en ésta».

11.1. ÁMBITO DE APLICACIÓN

«La nueva normativa de la ley del notariado pretende ser de aplicación general a todas las que hayan de celebrarse ante notario y serán supletoria de las regulaciones legales especiales» (JIMÉNEZ GALLEGO: 2017, p. 565). Así se desprende del art. 72.1 LN:

Será de **aplicación directa** a *las subastas que se hicieren ante Notario en cumplimiento de una resolución judicial o administrativa, o de cláusula contractual o testamentaria,* *o en ejecución de un laudo arbitral o acuerdo de mediación o bien por pacto especial en instrumento público, o las voluntarias.*

Será de **aplicación subsidiaria** a *las subastas que se hicieren ante Notario en cumplimiento de una disposición legal se regirán por las normas que respectivamente las establezcan y, en su defecto, por las del presente Capítulo.* Este es el caso de la subasta electrónica que se realiza en la venta notarial de bien inmueble hipotecado ya que el art. 129.2, apartados d) in fine, e) y h) que establecen que el régimen jurídico aplicable a la venta extrajudicial está integrado, en primer lugar, por la LH; en segundo lugar, por el RH (arts. 234 a 236), que determinará la forma y personas a las que deban realizarse las notificaciones, el procedimiento de subasta, las cantidades a consignar para tomar parte en la misma, las causas de suspensión, la adjudicación y sus efectos sobre los titulares de derechos o cargas posteriores, así como las personas que hayan de otorgar la escritura de venta y sus formas de representación; en tercer lugar encontramos la LEC, que será de especial aplicación en lo referente a los tipos de subasta y sus condiciones y además tendrá carácter supletorio en todas aquellas materias no reguladas en la Ley y el Reglamento Hipotecario.

Por otra parte, la regulación contenida en estos preceptos de la LN debe completarse, a su vez, con la contenida en la LEC para las subastas electrónicas (art. 72.2 LN: *En todo caso, se aplicarán con carácter supletorio las normas que para las subastas electrónicas se establecen en la legislación procesal siempre que fueren compatibles*).

11.2. CLASES

11.2.1. Obligatorias

El artículo 72.1 LN se refiere a ellas al decir a qué subastas se aplican las normas establecidas en el capítulo V LN: las subastas que se hicieren ante Notario en cumplimiento de una disposición legal, en cumplimiento de una resolución judicial o administrativa, o de cláusula contractual o testamentaria, o en ejecución de un laudo arbitral o acuerdo de mediación o bien por pacto especial en instrumento público.

i) Subastas «en cumplimiento de una disposición legal»: Estas subastas se rigen por las normas que respectivamente las establezcan y, en su defecto, por las del presente capítulo de la LN.

Un caso importante de este tipo es la subasta que prevé el artículo 1872 del Código Civil para la ejecución de la prenda ordinaria. En el caso de mora en el desembolso de las aportaciones sociales pendientes o dividendos pasivos en una sociedad anónima no cotizada, el artículo 84 de la LSC no exige de forma expresa la subasta, hablando sólo de venta de las acciones por medio de fedatario público, pero la doctrina mercantilista más autorizada y la prudencia indican que esta venta a instancia de los administradores sociales debe verificarse necesariamente por el procedimiento de subasta, de manera que este caso encajaría también en este primer apartado del precepto.

En el caso de las subastas de los procedimientos extrajudiciales de ejecución hipotecaria o de ejecución de la prenda sin desplazamiento, también se trata de subastas notariales previstas como obligatorias en disposiciones legales (en ningún caso se podrían ejecutar estas garantías mediante una venta directa de los bienes por el acreedor). Otra cosa es que las normas específicas que regulan estos procedimientos exijan un pacto expreso en el título de constitución de la garantía para que sea posible acudir a esta ejecución notarial, lo que no sucede ni en la prenda ni en el caso de mora del accionista.

«Una cosa es que la subasta sea obligatoria o forzosa como único procedimiento posible para concertar una venta, y otra que la venta en sí misma sea obligatoria o forzosa. El tutor podía estar obligado a celebrar una subasta si quería vender un bien del tutelado, pero la iniciativa y decisión de vender eran suyas. En otros casos, sin embargo, no sólo es obligatoria o forzosa la subasta sino también la propia venta o enajenación. Es lo que sucede en los procedimientos de ejecución forzosa para el pago de deudas, ya tengan por objeto bienes embargados o bienes objeto de una garantía real. En los casos en que la propia venta es forzosa, es decir, el titular de un bien o derecho se ve obligado a vender aunque no quiera, lo normal es que la ley imponga como garantía para ese propietario el procedimiento de subasta. Pero, en cualquier caso, son dos cuestiones diferentes y distinguibles: el carácter forzoso de la venta y el carácter forzoso del procedimiento de subasta» (GONZÁLEZ-MENESES: 2015, p. 1.018).

11.2.2. Voluntarias

Las define indirectamente el art. 77 LN al señalar que *las subastas voluntarias podrán convocarse bajo condiciones particulares incluidas en el pliego de condiciones, debiendo éstas consignarse en el Portal de Subastas. Por ello, el solicitante, en el pliego de condiciones particulares, podrá aumentar, disminuir o suprimir la consignación electrónica previa y tomar cualquier otra determinación análoga a la expresada.*

Son subastas voluntarias todas aquellas que no son obligatorias.

A estas subastas *se aplicarán a las subastas voluntarias las reglas generales contenidas en el presente capítulo, sin sujeción de lo dispuesto en el apartado 3 del artículo 74, referente a la valoración del bien objeto de la subasta (si la valoración no estuviere contractualmente establecida o no hubiera sido suministrada por el solicitante cuando éste pudiera hacerlo por sí mismo, será fijada por perito designado por el Notario conforme a lo dispuesto en esta Ley. El perito comparecerá ante el Notario para entregar su dictamen y ratificarse*

sobre el mismo. Dicha valoración constituirá el tipo de la licitación. No se admitirán postu-
ras por debajo del tipo).

Por tanto, será libre el tipo de licitación y, si así lo desea el requirente, podrán admitirse posturas inferiores a dicho tipo.

11.3. PRESUPUESTOS

11.3.1. Notario competente

Las normas de competencia se aplican sólo para las subastas a celebrar en cumplimiento de una resolución judicial o administrativa.

De acuerdo con el art. 72.3 LN, *si no hubiera nada dispuesto, y la subasta fuera ce-*
lebrada en cumplimiento de una resolución judicial o administrativa, será competente, en
defecto de designación por acuerdo de todos los interesados entre los Notarios con residencia
en el ámbito de competencia de la autoridad judicial o administrativa, el que designe el ti-
tular del bien o derecho subastado o de la mayor parte del mismo, si fueran varios, de entre
los competentes. Si los diversos titulares fueran propietarios por partes iguales, la elección del
Notario corresponderá a aquel que lo fuera con anterioridad. Si no se pudiera determinar a
quién le corresponde la designación del Notario, o si no se comunicara a la autoridad judi-
cial o administrativa por quien corresponda en el plazo de cinco días desde el requerimiento
para efectuarla, se procederá a designar conforme a lo establecido reglamentariamente en-
tre los que resulten competentes.

En los restantes casos, será Notario competente el libremente designado por todos los
interesados. En su defecto y a falta de previsión al respecto, será competente el libremente
designado por el requirente, si fuera un titular del bien o derecho subastado. Si no lo fue-
ra, será competente el Notario hábil en el domicilio o residencia habitual del titular o de
cualquiera de los titulares, si fueran varios, o el de la situación del bien o de la mayor parte
de los bienes, a elección del requirente. También podrá elegir a un Notario de un distrito
colindante a los anteriores.

Por interesados hay que entender, en principio, que «lo serán el promotor del procedimiento en que se ha acordado la subasta y el propietario de la cosa objeto de la misma, así como todas aquellas personas con derechos que se vayan a ver afectados por la subasta» (JIMÉNEZ GALLEGO: 2017, p. 571).

Si no se pudiera determinar a quién le corresponde la designación del Notario, o si no se comunicara a la autoridad judicial o administrativa por quien corresponda en el plazo de cinco días desde el requerimiento para efectuarla, se procederá a designar conforme a lo establecido reglamentariamente entre los que resulten competentes. Habida cuenta que no hay normativa reglamentaria específica, entendemos que se aplicará el sistema de turno previsto en los arts. 128 y 129 RN.

En todas las demás subastas, esto es, en las que no se celebran en cumplimiento de una resolución judicial o administrativa, rige el principio de libre elección por todos los interesados. En caso de falta de acuerdo, *y a falta de previsión al respecto* (cabría, así, la existencia de un pacto o una disposición testamentaria que estableciesen el sistema de designación de Notario), hay que acudir a las reglas de competencia que establece el art. 72.3 LN: en primer lugar, el Notario designado por el requirente siempre que este fuera un titular del bien o derecho subastado. Si no lo fuera, será competente el Notario del domicilio o residencia habitual de cualquiera de los titulares, o el que lo fuera donde esté situado el bien o la mayor parte de los bienes, a elección del requirente.

Por último, *también podrá elegir a un Notario de un distrito colindante a los anteriores* y, a pesar de esta dicción, debemos entender que también puede designarse cualquier Notario del mismo distrito ya que carecería de sentido que se pudiera elegir uno de los distritos colindantes y no del propio distrito notarial.

11.3.2. Requerimiento dirigido al Notario

El expediente se iniciará mediante requerimiento dirigido al Notario. Así se desprende del art. 73.1 LN al decir que *el Notario, a requerimiento de persona legitimada para instar la venta de un bien, mueble o inmueble, o derecho determinado, procederá a convocar la subasta, previo examen de la solicitud, dando fe de la identidad y capacidad de su promotor y de la legitimidad para instarla.*

Este requerimiento adoptará la forma escrita y será realizado por el acreedor ejecutante o su representante legal o voluntario o por el titular del bien o derecho que pretende enajenarlo y entendemos que se formalizará en un acta notarial. Así se deduce del párr. 3º del art. 74.1 LN cuando señala entre los datos que deben constar en el anuncio «el número de protocolo asignado a la apertura del *acta*».

En esta acta, cuando se trate de subastas voluntarias, debe incluirse el pliego de condiciones. Así lo dice el art. 77 LN, según el cual, *las subastas voluntarias podrán convocarse bajo condiciones particulares incluidas en el pliego de condiciones, debiendo éstas consignarse en el Portal de Subastas. Por ello, el solicitante, en el pliego de condiciones particulares, podrá aumentar, disminuir o suprimir la consignación electrónica previa y tomar cualquier otra determinación análoga a la expresada.* Por ejemplo un tipo mínimo de salida o la reserva del derecho a aceptar o no el remate.

11.3.3. *Legitimación del requirente*

Como se deduce del precepto señalado, el Notario está obligado a examinar la solicitud y a asegurarse de la identidad, capacidad y legitimación del promotor de la subasta. A este respecto, si este es el propietario del bien o derecho debe tener plena disponibilidad del mismo ya que se trataría de un acto de riguroso dominio. Cosa distinta es si el promotor es un acreedor, porque en este caso al tratarse de cobrar un crédito estaríamos ante un acto de administración.

En los supuestos en los que la subasta se produce para la satisfacción de un crédito u otro interés análogo, además de la legitimación, hay que acreditar el incumplimiento de la obligación, que la deuda se ha liquidado correctamente y que el deudor ha sido requerido previamente de pago (véase GONZÁLEZ MENESES: 2017, p. 1.028 y 1.029).

11.3.3.1. Objeto de la subasta

A tenor del art. 73.2 LN, *el solicitante acreditará al Notario la propiedad del bien o derecho a subastar o su legitimación para disponer de él, la libertad o estado de cargas del bien o derecho, la situación arrendaticia y posesoria, el estado físico en que se encuentre, obligaciones pendientes, valoración para la subasta y cuantas circunstancias tengan influencia en su valor, así como, en su caso, la representación con que actúe* pero el Notario deberá comprobar el cumplimiento de estos extremos (art. 73.3 LN).

11.3.3.1.1. *Situación física y jurídica*

En cuanto al estado físico, bastará la declaración del solicitante si no hay nada especial que reseñar, aunque la prudencia aconseja realizar un acta notarial de presencia en la que se incorporarían fotografías y, cuando ello fuera posible, un informe pericial.

En cuanto a su situación jurídica, en primer lugar, habrá que comprobar la titularidad y el estado de cargas, lo cual obliga Notario a pedir información registral. En los casos de bienes o derechos no inscritos, será solicitante quien deba acreditar estos extremos en el momento inicial. El Notario también deberá comprobar el estado de deudas que pueden afectar al potencial adquirente como es el caso del IBI y los gastos de comunidad.

Respecto a la situación arrendaticia y posesoria, bastará con la manifestación del requirente (como ocurre en las escrituras que documentan trasmisiones o gravámenes). Obviamente, en la nota registral habrá que comprobar la constancia de los arrendamientos inscritos de bienes inmuebles.

Tratándose de acciones o participaciones sociales, el Notario debería exigir al requirente la presentación de una certificación del órgano encargado de la llevanza del libro registro de socios o de acciones nominativas en el que conste titularidad y cargas.

11.3.3.1.2. Valoración

El art. 73.2 LN exige la acreditación al notario para que éste acepte el requerimiento de la valoración del bien o derecho objeto de la subasta. Sin embargo, del apartado 3 del art. 74, que veremos más adelante, se desprende que la existencia de una valoración previa del bien acreditada al notario no es requisito de la incoación del expediente.

11.4. INICIACIÓN

11.4.1. Comunicación al Registro Público Concursal

De acuerdo con el art. 74.3 LN, *el Notario, tras comprobar el cumplimiento de los anteriores extremos y previa consulta al Registro Público Concursal a los efectos previstos en la legislación especial, aceptará, en su caso, el requerimiento. Si acordare su procedencia, el Notario pondrá en conocimiento del Registro Público Concursal la existencia del expediente con expresa especificación del número de identificación fiscal del titular persona física o jurídica cuyo bien vaya a ser objeto de la subasta. El Registro Público Concursal notificará al Notario que esté conociendo del expediente la práctica de cualquier asiento que se lleve a cabo asociado al número de identificación fiscal notificado a los efectos previstos en la legislación concursal.*

El Notario pondrá en conocimiento del Registro Público Concursal la finalización del expediente cuando la misma se produzca.

El Notario, antes de otorgarse el requerimiento, debe consultar el Registro Público Concursal. Si el titular del bien o derecho ha sido declarado en concurso el expediente de subasta no puede comenzar salvo que así se disponga por el Juez del concurso. Y, una vez aceptado el requerimiento, el primer acto que debe realizar el Notario es, precisamente, la comunicación al Registro Público Concursal de la existencia del expediente de subasta identificando a la persona física o jurídica (NIF) titular del bien objeto de la misma. Esta comunicación se hace por vía telemática, hoy, a través de la web del Colegio de Registradores.

Como se observa, la ley impone a dicho Registro la obligación de información continuada al Notario (también debería darse al Portal de Subastas). Si el titular del bien o derecho subastado es declarado en concurso la tramitación del expediente debe suspenderse salvo que el juez del concurso resuelva lo contrario.

El Notario deberá comunicar al Registro la finalización del expediente de subasta. Si bien la ley no fija un plazo concreto para ello, el precepto dice *cuando la misma se produzca*, por lo que hay que entender que debe ser en el menor plazo posible. Una vez recibida esta comunicación finaliza la obligación del Registro Público concursal de dar información continuada.

11.4.2. Certificación de dominio y cargas

A tenor del art. 74.4 LN, *acordada su celebración, si se tratara de un inmueble o derecho real inscrito en el Registro de la Propiedad o bienes muebles sujetos a un régimen de publicidad registral similar al de aquéllos, el Notario solicitará por procedimientos electrónicos certificación registral de dominio y cargas. El Registrador expedirá la certificación con información continuada por igual medio y hará constar por nota al margen de la finca o derecho esta circunstancia. Esta nota producirá el efecto de indicar la situación de venta en subasta del bien o derecho y caducará a los seis meses de su fecha salvo que con anterioridad el Notario notifique al Registrador el cierre del expediente o su suspensión, en cuyo caso el plazo se computará desde que el Notario notifique su reanudación.*

El Registrador notificará, inmediatamente y de forma telemática, al Notario y al Portal de Subastas de la Agencia Estatal Boletín Oficial del Estado el hecho de haberse presentado otro u otros títulos que afecten o modifiquen la información inicial.

El Portal de Subastas recogerá la información proporcionada por el Registro de modo inmediato para su traslado a los que consulten su contenido.

El siguiente trámite a la comunicación al Registro Público Concursal es la solicitud de la certificación de dominio y cargas al Registro de la propiedad o al de bienes muebles, siempre y cuando los bienes o derechos objeto de la subasta estuvieron inscritos en alguno de estos registros. Esta solicitud debería hacerse por vía telemática sin que sea requisito acompañar el acta de inicio habida cuenta que estará incompleta, aunque en el escrito de solicitud de hacerse mención a esta, su fecha y número de protocolo.

El Registrador expedirá la certificación con información continuada también por vía telemática y hará constar por nota al margen de la finca o derecho esta circunstancia. Esta nota produce el efecto de indicar la situación de venta en subasta del bien o derecho y caducará a los seis meses.

La ley impone al Registro la información continuada que debe remitirse tanto al Notario como al Portal de subastas del BOE, en ambos casos inmediatamente y de forma telemática.

11.4.3. Valoración de los bienes

De acuerdo con el art. 74.3 LN, *si la valoración no estuviere contractualmente esta-blecida o no hubiera sido suministrada por el solicitante cuando éste pudiera hacerlo por sí mismo, será fijada por perito designado por el Notario conforme a lo dispuesto en esta Ley. El perito comparecerá ante el Notario para entregar su dictamen y ratificarse sobre el mismo. Dicha valoración constituirá el tipo de la licitación. No se admitirán posturas por debajo del tipo.*

Este precepto se ubica a continuación del anuncio de la subasta y de la notificación al titular de la cosa y a los titulares de derechos y cargas y otros interesados. No obstante, la valoración debe ser previa habida cuenta que el valor del bien o derecho objeto de la subasta es uno de los datos que debe publicarse en el portal de subastas.

Lo habitual es que la valoración haya sido establecida en el procedimiento judicial o administrativo o por acuerdo de las partes. Si no es así, las reglas de valoración incluidas en este precepto se aplican tanto en los supuestos en los que la decisión de vender se impone al propietario como en los casos en los que la decisión corresponde a este pero se exige que la venta se realice a través del trámite de subasta. Por tanto, estas normas sólo se exceptúan en los casos de subastas voluntarias.

La valoración se hará por un perito designado por el Notario. Para ello será de apli-cación lo establecido en el art. 50 LN (*1. En el mes de enero de cada año se interesará por parte del Decano de cada Colegio Notarial de los distintos Colegios profesionales, de entidades análogas, así como de las Academias e instituciones culturales y científicas que se ocupen del estudio de las materias correspondientes al objeto de la pericia el envío de una lista de colegiados o asociados dispuestos a actuar como peritos, que estará a disposición de los Notarios en el Colegio Notarial. Igualmente podrán solicitar formar parte de esa lista aquellos profesionales que acrediten conocimientos necesarios en la materia correspondien-te, con independencia de su pertenencia o no a un Colegio Profesional. La primera designa-ción de cada lista se efectuará por sorteo realizado en presencia del Decano del Colegio No-tarial, y a partir de ella se efectuarán por el Colegio las siguientes designaciones por orden correlativo conforme sean solicitadas por los Notarios que pertenezcan al mismo. 2. Cuando haya de designarse perito a persona sin título oficial, práctica o entendida en la materia, previa citación de las partes, se realizará la designación por el procedimiento establecido en el apartado anterior, usándose para ello una lista de personas que cada año se solicitará de sindicatos, asociaciones y entidades apropiadas, y que deberá estar integrada por al menos cinco de aquellas personas. Si, por razón de la singularidad de la materia de dictamen, únicamente se dispusiera del nombre de una persona entendida o práctica, se recabará de las partes su consentimiento y sólo si todas lo otorgan se designará perito a esa persona*). Si designado el perito éste renunciara, deberá procederse al nombramiento de otro.

«La valoración del perito se impone a todos, ya sea al propietario del bien o derecho subastado, el solicitante no propietario o cualesquiera titulares de derechos. La ley no ha diseñado un mecanismo para el caso de oposición a esa valoración, a diferencia de lo que ocurre en la ejecución civil (vid. art. 639 LEC). Seguramente es un tal incidente no procede de una actuación notarial» (JIMÉNEZ GALLEGO: 2017, p. 582).

La LN no dice nada sobre los supuestos en los que haya cargas. Si bien en las subastas forzosas habrá purga de los derechos posteriores al derecho del acreedor solicitante de la subasta, los derechos anteriores se mantendrán y el rematante adquirirá el bien con dichas cargas. Por otra parte, en las subastas voluntarias, las cargas no se verán afectadas, ni las anteriores ni las posteriores al inicio de la subasta. A falta de regulación, hay que entender que el perito dará una valoración teniendo en cuenta las mismas.

11.4.4. Anuncio

La subasta es un procedimiento de carácter público y ello exige una publicidad previa. Esta es una de las principales garantías de los que intervienen en el expediente y, en su caso, de los terceros. La publicidad de la subasta se cumple a través de los anuncios.

El art. 74 LN establece:

«1. El anuncio de la convocatoria de la subasta se publicará, además de los lugares designados por el promotor del expediente, en el «Boletín Oficial del Estado».

La convocatoria de la subasta deberá anunciarse con una antelación de, al menos, 24 horas respecto al momento en que se haya de abrir el plazo de presentación de posturas.

El anuncio contendrá únicamente su fecha, el nombre y apellidos del Notario encargado de la subasta, lugar de residencia y número de protocolo asignado a la apertura del acta, y la dirección electrónica que corresponda a la subasta en el Portal de Subastas. En éste se indicarán las condiciones generales y particulares de la subasta y de los bienes a subastar, así como cuantos datos y circunstancias sean relevantes y la cantidad mínima admisible para la licitación en su caso. La certificación registral, tratándose de bienes sujetos a publicidad registral, podrá consultarse a través del Portal de Subastas, que informará de cualquier alteración en su titularidad o estado de cargas. También se indicará, en su caso, la posibilidad de visitar el inmueble objeto de subasta o de examinar con las necesarias garantías el bien mueble o los títulos acreditativos del crédito, si procediera.

Por tanto, hoy, el anuncio de la subasta electrónica tiene un contenido normalizado y se limita a dar una dirección electrónica. Siguiendo ese enlace se accede a una página web en la que aparece el anuncio de la subasta cuyo contenido es el resultado de los datos que el Notario debe cumplimentar necesariamente en la aplicación informática del Portal de Subastas del BOE y que son los siguientes:

– Primer bloque:

Datos del interesado (número de identificación fiscal, nombre, apellidos y dirección del titular de los bienes o derechos) si la subasta es voluntaria y del acreedor y su representante si es una subasta extrajudicial.

– Segundo bloque:

a) Se consignan los datos de la subasta:

Forma de adjudicación: Se podrá elegir la forma de adjudicación de los lotes subastados, si existen dos interesados y se subastan varios lotes, se podrá indicar si la adjudicación de los lotes será conjunta o separada.

Luego se especificará el número de lotes si hay más de uno.

b) Datos del protocolo: número de protocolo y el año del documento.

– Tercer bloque:

Aquí se identifican los datos del bien o bienes y los importes de cada uno de ellos.

a) Cada bien o derecho y su descripción. Se distingue entre bienes muebles, inmuebles o vehículos

Si es inmueble, subtipo (vivienda, local comercial, garaje, trastero, nave industrial, solar, finca rústica, otros), descripción, cargas, inscripción registral, referencia catastral, IDUFIR, certificación registral (CSV), país en el que se encuentra el bien (obviamente España), título jurídico, provincia, población, código postal, dirección, si es o no vivienda habitual del ejecutado, si es o no visitable, situación posesoria y la información adicional que se considere oportuna. También se pueden adjuntar archivos con imágenes con un tamaño máximo de 25 Mb. Sólo son imprescindibles tipo de bien, subtipo de inmueble, descripción, provincia, población y dirección.

b) Datos de los importes: importes relativos a la subasta o a los diferentes lotes que la conforman y, concretamente:

   •   Importe reclamado: importe mínimo que el interesado desea obtener en la subasta

   •   Importe tasación: importe de la tasación del o de los bienes subastados.

   •   Importe de la consignación: importe de la consignación que deberán hacer cuando se realice una puja (5% del valor de tasación de acuerdo con el art. 75.1 regla 4ª LN). En las subastas voluntarias el interesado puede fijar otro importe, incluso el 100% del valor).

   •   Postura mínima: importe de la postura mínima de la subasta.

La fijación de una puja mínima coincidente con el tipo de salida no tiene sentido en una subasta única, cuando este es el sistema obligatorio de adjudicación. Si la subasta fuera voluntaria el requirente podría establecer como condición de la misma un tipo mínimo de salida (subasta al alza) pero en las subastas necesarias esto no parece lo más oportuno.

- Incremento entre posturas: importe del incremento entre posturas de la subasta.

– Cuarto bloque: Aquí se consigna la documentación relativa a la subasta que puede resultar de interés. Deberá consignar como mínimo un archivo.

Yo aquí incluiría en el caso de bienes inmuebles, la certificación registral, la gráfica y descriptiva del catastro, certificación del IBI y de los gastos de comunidad. Si hay acta de presencia y fotos del inmueble también.

En el caso de acciones y participaciones sociales, nota del Registro Mercantil, estatutos de la sociedad, si se dispone de ellos.

Si son vehículos, matrícula y año de matriculación.

Y, en todo caso, el informe de tasación si lo hay.

– Quinto bloque: Cuenta de consignaciones. Todo Notario tiene una cuenta bancaria especial de consignaciones.

11.4.5. Notificaciones

11.4.5.1. Al titular del bien

De acuerdo con el art. 74.2 LN, *el Notario notificará al titular del bien o derecho el contenido del anuncio. También le requerirá para que comparezca en el acta, en defensa de sus intereses.*

La diligencia se practicará bien personalmente, bien mediante envío de carta certificada con acuse de recibo al domicilio fijado registralmente o, en su defecto, en documento público, o tratándose de bienes no registrados, se remitirá al domicilio habitual acreditado. Si el domicilio no fuere conocido, la notificación se realizará mediante edictos.

La diligencia se practicará bien personalmente, bien mediante envío de carta certificada con acuse de recibo o en cualquiera de las formas previstas por la legislación notarial al domicilio fijado registralmente. Tratándose de bienes no registrados, se dirigirá al domicilio habitual acreditado. Si el domicilio no fuere conocido, la notificación se realizará mediante edictos.

La notificación del anuncio exige que el Notario espere a su publicación en el BOE. Esto es lo que se deduce de la interpretación literal del precepto e implica que la subasta empezará antes de que tenga lugar dicha notificación ya que su comienzo es automático

(24 horas después de la publicación), sin que el notario pueda actuar a este respecto. Esto hace aconsejable que la notificación se produzca con anterioridad especificando en la misma la fecha de inicio del procedimiento por parte del notario, esto es, la fecha en la que éste va a activar el procedimiento en la plataforma SIGNO (Sistema Integrado de Gestión del Notariado) haciendo constar que a partir de esa fecha puede producirse la publicación en el BOE (en la práctica entre uno y siete días después) y que la misma estará a su disposición en la notaría. En este mismo sentido parece manifestarse JIMÉNEZ GALLEGO (2017, p. 586).

En cuanto a la forma de la notificación, la norma admite formas alternativas, a libre elección del Notario:

- La **notificación practicada personalmente.** Entiendo que cabe tanto la comparecencia del Notario en el domicilio del titular o la recepción por este en la propia Notaría. En cuanto a la primera, no debe entenderse que la cédula debe entregarse personalmente a la misma persona notificada. «Teniendo en cuenta que se admite libremente la remisión por correo certificado, la diligencia de notificación realizada personalmente por el notario no tendría por qué entenderse personalmente con el propio titular, basta con que se entregue la cédula en el domicilio de éste a la persona que encuentre allí el notario de acuerdo con las normas generales sobre las notificaciones notariales a las que estaría remitiendo el párrafo tercero antes transcrito cuando se refiere a cualquiera de las formas previstas por la legislación notarial» (GONZÁLEZ-MENESES: 2015, p. 1.045).

- También cabe **la remisión de carta certificada con acuse de recibo** al domicilio fijado registralmente o, en su defecto, en documento público, o tratándose de bienes no registrados, se remitirá al domicilio habitual acreditado, debe entenderse que por el promotor del expediente.

Esta notificación por correo certificado al propietario o a los titulares de derechos a que se refiere el último párrafo de esta norma se puede realizar por el Notario que instruye el expediente aun no siendo competente en el lugar de destino de la notificación, y ello por aplicación de las normas generales de las actas de notificación recogidas en el RN. «No obstante, dicho esto, nos parece que, tratándose en especial del titular del bien o derecho no solicitante de la subasta, cualquier precaución es poca, y que —pese al planteamiento alternativo de la norma— la notificación personal (en su caso, con intervención del notario del domicilio del titular) debe intentarse siempre, dando a la notificación por correo y en su caso por edictos un carácter completamente subsidiario, aunque sólo sea por los inconvenientes prácticos derivados de una notificación por correo. Si el destinatario de la carta no se encuentra en el domicilio o se niega a recibirla, se le deja un aviso y se le da un plazo para que pueda pasar por la oficina de Correos a retirar la carta. Mientras tanto, la diligencia notarial de notificación estaría abierta, sin que el propio notario remitente sepa a qué atenerse, acerca de si la notificación ha sido practicada o no. Por esto, siempre será más conveniente que la notificación se intente personalmente por el notario, en su caso, con intervención de un segundo notario que sea competente por razón del territorio». (GONZÁLEZ-MENESES: 2015, p. 1.046).

– En cuanto a la práctica de la diligencia en «*cualquiera de las formas previstas en la legislación notarial*», parece que se está refiriendo a la notificación mediante entrega de la cédula a cualquier persona que se encuentre en el lugar designado y haga constar su identidad. Si nadie se hiciere cargo de la notificación, se hará constar esta circunstancia. Cuando el edificio tenga portero podrá entenderse la diligencia con el mismo tal como establece el art. 202 RN. Tal vez se esté pensando en dejar el camino abierto para otro tipo de comunicaciones como las electrónicas.

– Por último, en cuanto a la notificación **mediante edictos**, sólo se admite en el caso de que el domicilio del notificado no fuere conocido. Lo que no dice la norma es qué tipo de publicidad hay que dar a esos edictos y durante qué tiempo.

11.4.5.2. A los titulares de derechos y cargas

A tenor del art. 74.2 LN, *el Notario comunicará por los mismos medios, en su caso, la celebración de la subasta a los titulares de derechos y de las cargas que figuren en la certificación de dominio, así como a los arrendatarios u ocupantes que consten identificados en la solicitud. Si no pudiera localizarlos, le dará la misma publicidad que la que se prevé para la subasta.*

Como señala GONZÁLEZ-MENESES (2015, p. 1.047), «una notificación como ésta sólo tiene sentido si se trata de titulares de derechos o cargas que pueden verse afectados en su posición por la venta que tenga lugar en virtud de la subasta y por ello tienen interés en conocer que ésta va a tener lugar para, en su caso, participar si lo consideran conveniente para sus derechos. Pero esto es algo que solo tiene sentido en el caso de titulares de derechos que van a resultar "purgados" por efecto de esta venta. Y éste no es, desde luego, el caso respecto de todos los titulares de derechos o cargas que aparecen en la certificación de dominio y cargas (serán purgados sólo los derechos inscritos con posterioridad a la inscripción de la hipoteca o prenda inscribible que se ejecute, e incluso ninguno en aquellos casos en que la subasta no se promueve para la ejecución de una garantía real o un embargo). Por tanto, pese al tenor literal tan categórico de esta norma, parece que esta exigencia de notificación podría relativizarse en atención a esta posible eficacia limitada del expediente (el artículo 659.1 LEC sólo exige notificación a los titulares de cargas o derechos reales que consten en asientos posteriores al del derecho del ejecutante)». Por mi parte, entiendo, que dado que se exige por la norma, lo prudente es hacerla.

11.4.6. Oposición del titular o de un tercero

El art. 74.4 LN prevé la posibilidad de que el titular del bien distinto del solicitante o un tercero que se considere con derecho a ello comparezcan en el expediente oponiéndose a la celebración de la subasta, pero esta oposición no suspende la tramitación del expediente.

El Notario hará constar esa oposición y las razones y documentos que para ello aduzcan con reserva de las acciones que fueran procedentes. La oposición sólo produce la suspensión del procedimiento cuando se justifique la interposición de la correspondiente demanda (hay que entender judicial), procediéndose a su reanudación si no se admitiera ésta.

«En los casos en que se formula una simple oposición sin que se acredite todavía la interposición de una demanda judicial, no parece que baste con que el notario haga constar esa oposición mediante una diligencia extendida en el acta de subasta, sino que también debería comunicar la existencia y contenido de esa diligencia al Portal de Subastas de la AEBOE al efecto de que se incluya en la información a disposición de todos los interesados en la subasta, para que éstos puedan conocer y valorar el riesgo que asumen de participar en una subasta que ha suscitado tal oposición. Lo cual a su vez presupone que esa constancia de oposición con reserva de acciones debería destruir la posible buena fe de los participantes en la subasta respecto de las circunstancias determinantes de esa oposición» (GONZÁLEZ-MENESES: 2015, p. 1.048).

11.5. CELEBRACIÓN DE LA SUBASTA ELECTRÓNICA

11.5.1. Inicio

De acuerdo con el art. 75.1 LN, la subasta electrónica se realizará con sujeción a las siguientes reglas:

1.ª La subasta tendrá lugar en el Portal de Subastas de la Agencia Estatal Boletín Oficial del Estado, a cuyo sistema de gestión estarán conectados los Notarios a través de los sistemas informáticos del Consejo General del Notariado. Todos los intercambios de información que deban realizarse entre los Notarios y el Portal de Subastas se realizarán de manera telemática.

Efectivamente, los notarios estamos conectados con el Portal de Subastas a través de SIGNO (Sistema Integrado de Gestión del Notariado). Es a través de este sistema como se realiza el intercambio y la recepción de información procedente de dicho Portal.

2.ª La subasta se abrirá transcurridas, al menos, 24 horas desde la fecha de publicación del anuncio en el «Boletín Oficial del Estado», una vez haya sido remitida al Portal de Subastas la información necesaria para el comienzo de la misma.

3.ª Una vez abierta la subasta solamente se podrán realizar pujas electrónicas durante, al menos, un plazo de veinte días naturales desde su apertura. Su desarrollo se ajustará, en todo aquello que no se oponga al presente capítulo, a las normas establecidas en la Ley de Enjuiciamiento Civil que le fueren aplicables. En todo caso, el Portal de Subastas informará durante su celebración de la existencia y cuantía de las pujas.

La norma remite en lo aquí no previsto sobre desarrollo de la subasta electrónica a las normas de la LEC. Estas normas se encuentran en los artículos 648 y 649 LEC. El primero de los preceptos tras reiterar las reglas anteriores añade las siguientes reglas:

– *Una vez abierta la subasta solamente se podrán realizar pujas electrónicas con sujeción a las normas de esta Ley en cuanto a tipos de subasta, consignaciones y demás reglas que le fueren aplicables. En todo caso el Portal de Subastas informará durante su celebración de la existencia y cuantía de las pujas.*

– *Para poder participar en la subasta electrónica, los interesados deberán estar dados de alta como usuarios del sistema, accediendo al mismo mediante mecanismos seguros de identificación y firma electrónicos de acuerdo con lo previsto en la Ley 59/2003, de 19 de diciembre, de firma electrónica, de forma que en todo caso exista una plena identificación de los licitadores. El alta se realizará a través del Portal de Subastas mediante mecanismos seguros de identificación y firma electrónicos e incluirá necesariamente todos los datos identificativos del interesado. A los ejecutantes se les identificará de forma que les permita comparecer como postores en las subastas dimanantes del procedimiento de ejecución por ellos iniciado sin necesidad de realizar consignación.*

– *El ejecutante, el ejecutado o el tercer poseedor, si lo hubiere, podrán, bajo su responsabilidad y, en todo caso, a través de la oficina judicial ante la que se siga el procedimiento, enviar al Portal de Subastas toda la información de la que dispongan sobre el bien objeto de licitación, procedente de informes de tasación u otra documentación oficial, obtenida directamente por los órganos judiciales o mediante Notario y que a juicio de aquéllos pueda considerarse de interés para los posibles licitadores.*

– *Las pujas se enviarán telemáticamente a través de sistemas seguros de comunicaciones al Portal de Subastas, que devolverá un acuse técnico, con inclusión de un sello de tiempo, del momento exacto de la recepción de la postura y de su cuantía. El postor deberá también indicar si consiente o no la reserva a que se refiere el párrafo segundo del apartado 1 del artículo 652 y si puja en nombre propio o en nombre de un tercero. Serán admisibles posturas por importe superior, igual o inferior a la más alta ya realizada, entendiéndose en los dos últimos supuestos que consienten desde ese momento la reserva de consignación y serán tenidas en cuenta para el supuesto de que el licitador que haya realizado la puja igual o más alta no consigne finalmente el resto del precio de adquisición. En el caso de que existan posturas por el mismo importe, se preferirá la anterior en el tiempo. El portal de subastas sólo publicará la puja más alta entre las realizadas hasta ese momento.*

Por su parte, el art. 649 LEC establece:

1. *La subasta admitirá posturas durante un plazo de veinte días naturales desde su apertura. La subasta no se cerrará hasta transcurrida una hora desde la realización de la última postura, siempre que ésta fuera superior a la mejor realizada hasta ese momento, aunque ello conlleve la ampliación del plazo inicial de veinte días a que se refiere este artículo por un máximo de 24 horas.*

   En el caso de que el Secretario judicial [Notario] tenga conocimiento de la declaración de concurso del deudor, suspenderá mediante decreto la ejecución y procederá a dejar sin efecto la subasta, aunque ésta ya se hubiera iniciado. Tal circunstancia se comunicará inmediatamente al Portal de Subastas.

2. *La suspensión de la subasta por un periodo superior a quince días llevará consigo la devolución de las consignaciones, retrotrayendo la situación al momento inmediatamente anterior a la publicación del anuncio. La reanudación de la subasta se realizará mediante una nueva publicación del anuncio como si de una nueva subasta se tratase.*

Toda esta normativa no hace referencia alguna a la posibilidad de pujas a calidad de ceder el remate a un tercero lo que sí contemplaba el anulado artículo 220 RN y recoge hoy el art. 647.3 LEC (*Solo el ejecutante o los acreedores posteriores podrán hacer postura reservándose la facultad de ceder el remate a un tercero. La cesión se verificará mediante comparecencia ante el Secretario judicial responsable de la ejecución, con asistencia del cesionario, quien deberá aceptarla, y todo ello previa o simultáneamente al pago o consignación del precio del remate, que deberá hacerse constar documentalmente. Igual facultad corresponderá al ejecutante si solicitase, en los casos previstos, la adjudicación del bien o bienes subastados*). Debemos concluir que tal posibilidad no existe, esto es, los postores pujan por sí y no puede ceder su posición de rematante a un tercero. Opinión contraria mantiene LÓPEZ CANO (2015, p. 399).

Otra cuestión interesante es la inadmisión de posturas por debajo del tipo. De acuerdo con el art. 74.3 LN, *si la valoración no estuviere contractualmente establecida o no hubiera sido suministrada por el solicitante cuando éste pudiera hacerlo por sí mismo, será fijada por perito designado por el Notario conforme a lo dispuesto en esta Ley. El perito comparecerá ante el Notario para entregar su dictamen y ratificarse sobre el mismo. Dicha valoración constituirá el tipo de la licitación. No se admitirán posturas por debajo del tipo.* Se está fijando así una subasta sólo al alza lo que, en la práctica, hace difícilmente viable la misma. Y es, desde luego, contrario a la regulación de la subasta electrónica de bienes muebles (el art. 650 LEC que regula la adjudicación en los supuestos de posturas inferiores al 50% del valor del avalúo) y de bienes inmuebles (el art. 670 LEC regula las posturas inferiores al 70% del valor de salida).

Este requisito del art. 74.3 LN de no admitir posturas por debajo del tipo de salida, que tiene su lógica en el contexto de la LN que no establece unos valores mínimos de adjudicación del bien subastado, plantea serios problemas en los supuestos de venta extrajudicial de acciones y otras formas de participación sociales ya que el art. 635.2 LEC establece que *si lo embargado fueren acciones o participaciones societarias de cualquier clase, que no coticen en Bolsa, la realización se hará atendiendo a las disposiciones estatutarias y legales sobre enajenación de las acciones o participaciones y, en especial, a los derechos de adquisición preferente. A falta de disposiciones especiales, la realización se hará a través de notario o corredor de comercio colegiado.*

Aquí surgiría la duda respecto al ámbito de aplicación del Capítulo V de la LN sobre el expediente de subasta notarial ya que el art. 72.1 establece que *las subastas que se hicieren ante Notario en cumplimiento de una disposición legal se regirán por las normas que respectivamente las establezcan y, en su defecto, por las del presente Capítulo. Las subastas que se hicieren ante Notario en cumplimiento de una resolución judicial o administrativa, o de cláusula contractual o testamentaria, o en ejecución de un laudo arbitral o acuerdo de mediación o bien por pacto especial en instrumento público, o las voluntarias se regirán, asimismo, por las normas del presente Capítulo.*

En estos casos entiendo preferente la aplicación del art. 650 LEC del que se deriva que no hay «postura mínima». Y ello porque no tiene sentido que las subastas judiciales y extrajudiciales en ejecución de garantías reales mobiliarias (como ocurre en las inmobiliarias) no se rijan por los mismos criterios.

Por otra parte, los mismos criterios que sigue la LEC de adjudicación en función del porcentaje del importe de la postura sobre el valor de salida se siguen en el art. 87, regla 6ª LHMPSD (redacción dada por la disposición final 13.3 de la Ley 15/2015, de 2 de julio) para los supuestos de ejecución mediante venta extrajudicial (ADÁN DOMENECH: 2015, pp. 13 y ss.).

> *4.ª Para poder participar en la subasta será necesario estar en posesión de la correspondiente acreditación para intervenir en la misma, tras haber consignado en forma electrónica el 5 por 100 del valor de los bienes o derechos.*

En materia de consignaciones hay que tener en cuenta el Real Decreto 1011/2015, de 6 de noviembre, por el que se regula el procedimiento para formalizar el sistema de consignaciones en sede electrónica de las cantidades necesarias para tomar parte en las subastas judiciales y notariales y la Resolución de 13 de octubre de 2016, conjunta de la Dirección General de la Agencia Estatal de Administración Tributaria, y de la Secretaría General del Tesoro y Política Financiera, por la que se establecen el procedimiento y las condiciones para la participación por vía telemática en procedimientos de enajenación de bienes a través del portal de subastas de la Agencia Estatal Boletín Oficial del Estado, modificada por Resolución de 28 de marzo de 2017.

La regla 4ª finaliza diciendo que *si el solicitante quisiera participar en la subasta no le será exigida la constitución de esa consignación. Tampoco le será exigida a los copropietarios o cotitulares del bien o derecho a subastar.*

11.5.2. Cierre

A tenor del art. 75.2 LN, *en la fecha de cierre de la subasta y a continuación del mismo, el Portal de Subastas remitirá al Notario información certificada de la postura telemática que hubiera resultado vencedora, así como, por orden decreciente de importe y cronológico en el caso de ser este idéntico, de todas las demás que hubieran optado por la reserva de postura.*

El Notario extenderá la correspondiente diligencia en la que hará constar los aspectos de trascendencia jurídica; las reclamaciones que se hubieren presentado y la reserva de los derechos correspondientes ante los Tribunales de Justicia; la identidad del mejor postor y el precio ofrecido por él, las posturas que siguen a la mejor y la identidad de los postores; el juicio del Notario de que en la subasta se han observado las normas legales que la regulan, así como la adjudicación del bien o derecho subastado por el solicitante. El Notario cerrará el acta, haciendo constar en ella que la subasta ha quedado concluida y el bien o derecho adjudicado, procediendo a su protocolización.

Si no concurriere ningún postor, el Notario así lo hará constar, declarará desierta la subasta y acordará el cierre del expediente.

«En la fecha de cierre de la subasta» el Notario recibe en su correo corporativo un mensaje que le advierte del cierre y en la aplicación de SIGNO una certificación de «la postura telemática que hubiera resultado vencedora, así como por orden decreciente de importe y cronológico en el caso de ser éste idéntico, de todas las demás que hubieran optado por la reserva de la postura». De aquí se deduce la posibilidad de posturas de idéntico importe, teniendo preferencia la realizada en primer lugar. Esta referencia es importante para el caso en el que el primer postor no complete su puja.

Como señala GONZÁLEZ-MENESES (2015, p. 1.051), «la subasta que tiene lugar en virtud de estos expedientes notariales de subasta en realidad no es una "subasta notarial". La subasta, en sí misma, se realiza sin intervención del notario. El notario no tiene que hacer un seguimiento de la web donde se desarrolla, ni de las consignaciones para poder participar, ni de las pujas que se van realizando, ni de cuál ha sido la mejor postura y del orden de las restantes posturas. Todo esto, que es lo fundamental de una ceremonia de subasta, está fuera de la competencia y responsabilidad del notario y confiado a un sistema dotado de oficialidad pero que opera fuera del control tanto del notario individual que dirige el expediente como de la corporación notarial.

La intervención del notario tiene lugar en la fase previa a la subasta, siendo su misión fundamental apreciar la legitimación de la persona que promueve el expediente y la legitimidad de su pretensión, así como en la fase subsiguiente al cierre de la subasta».

El precepto continua señalando que, recibida del Portal de Subastas la mencionada certificación, «el notario extenderá la correspondiente diligencia en la que hará constar los aspectos de trascendencia jurídica: las reclamaciones que se hubieran presentado y la reserva de los derechos correspondientes ante los Tribunales de Justicia...». Plantea dudas la referencia a las «reclamaciones». Parecería remitirse a las que menciona el art. 74.4 LN pero la diligencia a la que ahora nos referimos se extiende después del cierre de la subasta y a la vista de la certificación recibida del Portal de Subastas. Por el contrario, las reclamaciones del titular de los bienes o de un tercero interesado en los bienes y la correspondiente reserva expresa de acciones deben hacerse constar mediante una diligencia en el momento en que tiene lugar la correspondiente comparecencia ante él y debe ser notificada al Portal de Subastas para ser incluida en la información a disposición de los postores para que éstos puedan tenerla en cuenta a la hora de formular sus posturas y no puedan alegar buena fe.

La norma continúa exigiendo la constancia de «la identidad del mejor postor y el precio ofrecido por él, las posturas que siguen a la mejor y la identidad de los postores». Respecto al «juicio del notario de que en la subasta se han observado las normas legales que la regulan», como señala GONZÁLEZ-MENESES (2015, p. 1.052), «no tiene demasiado contenido, por cuanto la regulación legal de la subasta electrónica es bastante esquemática, como hemos visto, y la regularidad de dicho proceso electrónico descansa más en la fiabilidad del sistema y aplicación informática correspondiente y en lo certificado por el propio Portal de Subastas que en apreciación alguna por parte del notario interviniente».

También deberá hacerse constar «la adjudicación del bien o derecho subastado por el solicitante». A este respecto hay que señalar que no es del todo correcta esta expresión, ya que la transmisión o atribución de la propiedad del bien o derecho subastado no se produce todavía ya que es necesario pagar la diferencia entre el su postura y el importe de la consignación; y, después, en si caso, se requerirá la consiguiente escritura pública. Por tanto el contenido de la diligencia se limitará a la conservación de quien ha sido mejor postor y su postura.

Este precepto termina diciendo: «El Notario cerrará el acta, haciendo constar en ella que la subasta ha quedado concluida y el bien o derecho adjudicado, procediendo a su protocolización». A este respecto hay que señalar: primero, el Notario hará constar que «la subasta ha quedado concluida», pero, no queda concluido el expediente y, por tanto, no procede a cerrar el acta. Segundo, tampoco es correcta la referencia al «bien o derecho adjudicado» ya que, como hemos dicho anteriormente, no es propiamente adjudicación. Por último, en cuanto a la protocolización del acta, ya hemos dicho que esta formará parte del protocolo notarial desde el momento de su otorgamiento ya que el art. 74.1 LN exige la mención del número de protocolo en el anuncio. Las diligencias posteriores serán objeto de incorporación a dicha acta pero esta queda incorporada al protocolo desde el primer momento.

Concluye este precepto señalando que «si no concurriere ningún postor, el Notario así lo hará constar, declarará desierta la subasta y acordará el cierre del expediente». Como se observa, la LN no contempla la posibilidad de que el acreedor, promotor del expediente de venta en subasta para la satisfacción de su crédito, pueda adjudicarse el bien en caso de quedar desierta la subasta, ya sea por el mismo tipo de la subasta o un determinado porcentaje de éste, ya sea por el importe de la deuda pendiente quedando ésta extinguida. Lo único que puede hacer el acreedor es intervenir en la subasta como postor, en cuyo caso, si resulta el único o mejor postor, podría compensar el precio por él ofrecido —como mínimo, el tipo de subasta— con el importe del crédito existente a su favor, abonando la diferencia, en su caso, al deudor.

Como es evidente, esta regulación genérica de la legislación notarial no es coincidente ni con lo dispuesto en la normativa sobre el procedimiento de venta notarial de bienes hipotecados, ni tampoco con la regulación de la venta notarial de bienes pignorados que, a este respecto, serán de aplicación preferente.

11.5.3. Actuaciones posteriores al cierre

De acuerdo con el art. 75.3 LN, *en diligencias sucesivas se harán constar, en su caso, el pago del resto del precio por el adjudicatario en el plazo de diez días hábiles en la entidad adherida al Portal de Subastas a disposición del Notario; la entrega por el Notario al solicitante o su depósito a disposición judicial o a favor de los interesados de las cantidades que hubiere percibido del adjudicatario; y la devolución de las consignaciones electrónicas hechas para tomar parte en la subasta por personas que no hayan resultado adjudicatarias.*

La devolución de las consignaciones hechas para tomar parte en la subasta por personas que no hayan resultado adjudicatarias, no se efectuará hasta que no se haya abonado el total del precio de la adjudicación si así se hubiera solicitado por parte de los postores.

Si el adjudicatario incumpliere su obligación de entrega de la diferencia del precio entre lo consignado y lo efectivamente rematado, la adjudicación se realizará al segundo o sucesivo mejor postor que hubiera solicitado la reserva de su consignación, perdiendo las consignaciones los incumplidores y dándole a éstas el destino establecido en la Ley de Enjuiciamiento Civil.

No obstante, se procederá a la suspensión provisional del remate o adjudicación hasta que haya transcurrido el plazo establecido para el ejercicio, en su caso, del derecho de adquisición preferente de los socios o, en su caso, de la sociedad.

Como señala este precepto, «en diligencias sucesivas se harán constar, en su caso, el pago del resto del precio por el adjudicatario en el plazo de diez días hábiles en la entidad adherida al Portal de Subastas a disposición del Notario». Tal vez esta expresión no sea del todo correcta ya que esta diferencia deberá expresarse en la cuenta bancaria especial de consignaciones que tiene abierta el Notario. De forma que, cerrada la subasta, el portal de subastas del BOE transferirá a la citada cuenta que con carácter obligatorio debe tener todo notario y que se hace constar en los datos de la aplicación, lo que hace pasados unos días, y se instrumenta a través de un pago realizado por la AEAT a través del Banco de España. La diferencia restante la transferirá directamente el postor a la citada cuenta de consignaciones.

La siguiente referencia, «la entrega por el Notario al solicitante o su depósito a disposición judicial o a favor de los interesados de las cantidades que hubiere percibido del adjudicatario», tampoco es del todo correcta ya que esta entrega se producirá una vez completada por el postor su postura y, en su caso, el ámbito del otorgamiento del oportuno documento público. Es más, me parece que este último es el lugar oportuno, también, para dejar constancia de la transferencia que se realice desde la cuenta de consignaciones del notario a la del solicitante de este.

Y en cuanto a «la devolución de las consignaciones electrónicas hechas para tomar parte en la subasta por personas que no hayan resultado adjudicatarias», ni la hará el notario, ni podrá dejar constancia de ello ya que dicha devolución se hace directamente por el Portal de Subastas a los postores. Como parece lógico, «la devolución de las consignaciones hechas para tomar parte en la subasta por personas que no hayan resultado adjudicatarias no se efectuará hasta que no se haya abonado el total del precio de la adjudicación si así se hubiera solicitado por parte de los postores». Esto exige que los postores deban manifestar su voluntad de «reserva de su consignación» para el caso de que el rematante no abone el importe de su postura. A falta de esta reserva expresa, el Portal de Subastas procederá a la devolución de las consignaciones.

Por otra parte, «si el adjudicatario incumpliere su obligación de entrega de la diferencia del precio entre lo consignado y lo efectivamente rematado, la adjudicación se realizará al segundo o sucesivo mejor postor que hubiera solicitado la reserva de su consignación, perdiendo las consignaciones los incumplidores y dándole a éstas el destino establecido en la ley de enjuiciamiento civil».

Entre los incumplidores se incluyen tanto el mejor postor que no paga el resto del importe de su postura, como todos aquellos sucesivos mejores postores que hayan hecho reserva expresa de su consignación y que tampoco lo hayan hecho. Hay que entender que para los sucesivos adjudicatarios rige el mismo plazo de diez días hábiles para completar el pago de su postura, plazo que deberá computarse desde que reciban la notificación del Notario que les informa que el primer remate ha quedado sin efecto por incumplimiento del anterior mejor postor.

En cuanto al destino de las consignaciones de estos postores, el art. 653.2 LEC, *los depósitos de los rematantes que provocaron la quiebra de la subasta se aplicarán [...] a los fines de la ejecución, con arreglo a lo dispuesto en los artículos 654 y 672, pero el sobrante, si lo hubiere, se entregará a los depositantes. Cuando los depósitos no alcancen a satisfacer el derecho del ejecutante y las costas, se destinarán, en primer lugar, a satisfacer los gastos que origine la nueva subasta y el resto se unirá a las sumas obtenidas en aquélla y se aplicará conforme a lo dispuesto en los artículos 654 y 672. En este último caso, si hubiere sobrante, se entregará al ejecutado hasta completar el precio ofrecido en la subasta y, en su caso, se le compensará de la disminución del precio que se haya producido en el nuevo remate; sólo después de efectuada esta compensación, se devolverá lo que quedare a los depositantes.*

Y de acuerdo con el art. 672.1 LEC, el remanente, si lo hubiere, se retendrá para el pago de quienes tengan su derecho inscrito o anotado con posterioridad al del ejecutante. Si satisfechos estos acreedores, aún existiere sobrante, se entregará al ejecutado o al tercer poseedor. En este último caso, si hubiere sobrante, se entregará al ejecutado hasta completar el precio ofrecido en la subasta y, en su caso, se le compensará de la disminución del precio que se haya producido en el nuevo remate; sólo después de efectuada esta compensación, se devolverá lo que quedare a los depositantes.

Finaliza este art. 75.3 LN señalando que «*no obstante, se procederá a la suspensión provisional del remate o adjudicación hasta que haya transcurrido el plazo establecido para el ejercicio, en su caso, del derecho de adquisición preferente de los socios o, en su caso, de la sociedad*», lo que es una apelación a los arts. 109 (régimen de transmisión forzosa participaciones sociales) y 125 (transmisiones forzosas de acciones) LSC.

11.5.4. Título de propiedad del adjudicatario

De acuerdo con el art. 75.4 LN, *en todos los supuestos en los que la ley exige documento público como requisito de validez o eficacia de la transmisión, subastado el bien o derecho, el titular o su representante, otorgará ante el Notario escritura pública de venta a favor del adjudicatario al tiempo de completar éste el pago del precio. Si el titular o su representante se negare a otorgar escritura de venta, el acta de subasta será título suficiente para solicitar del Tribunal competente el dictado del correspondiente auto teniendo por emitida la decla-*

ración de voluntad, en los términos previstos en el artículo 708 de la Ley de Enjuiciamiento Civil.

En los demás supuestos, la copia autorizada del acta servirá de título al rematante.

Respecto a qué supuestos exigen la forma de escritura pública habría que concretar aquellos en los que la transmisión accede a un Registro Público en los que se exija para ello dicha forma documental (así, bienes inmuebles, buques —art. 73 LNM—. Aeronaves —art. 13 Real Decreto 384/2015, de 22 de mayo, por el que se aprueba el Reglamento de matriculación de aeronaves civiles—) así como la transmisión de acciones y participaciones sociales.

Para el otorgamiento de la escritura pública hará falta el consentimiento el titular del bien lo que es harto difícil. Por ello, el precepto establece que «si el titular o su representante se negaran a otorgar escritura de venta, el acta de subasta será título suficiente para solicitar del Tribunal competente el dictado del correspondiente auto teniendo por emitida la declaración de voluntad, en los términos previstos en el artículo 708 de la Ley de Enjuiciamiento Civil». En estos casos no estamos ante una escritura de compraventa sino de adjudicación en la que la voluntad del vendedor resulta de un auto judicial.

«Cuando habla del titular o su representante, se está haciendo referencia al propietario del bien subastado. En cuanto al representante, puede ser su representante legal (padres, tutor, administrador concursal), o voluntario, sobre la base de un poder general que comprenda la facultad de venta o un poder especial para vender estos bienes, ya sea preexistente o conferido ad hoc para la ocasión. ¿También se está haciendo referencia con ello a un posible poder conferido en el mismo título de constitución de una garantía real a una persona designada por el acreedor o a este mismo, en la línea de lo que hemos visto que prevé la ley para la ejecución hipotecaria notarial? Parece que sí, siempre que ese apoderamiento se haya conferido precisamente en escritura pública (no en una simple póliza intervenida), porque esta norma lo que contempla es el otorgamiento de una escritura pública de venta por el representante. ¿También si se trata de un «pacto» de apoderamiento impuesto unilateralmente por el acreedor como condición general en un contrato de adhesión con un consumidor? ¿Se puede tener, sobre la base de este pacto, a ese apoderado como un verdadero representante a estos efectos del artículo 75.4 LN? Teniendo en cuenta que esta norma de la LN permite ahora esta salida consistente en que el juez dicte un auto teniendo por emitida la declaración de voluntad en los términos previstos en el artículo 708 LEC, quizá se podría ser más riguroso a la hora de apreciar el fundamento de la representación del otorgante de esta escritura» (GONZÁLEZ-MENESES: 2015, pp. 1.060 y 1.061).

La escritura deberá otorgarse ante el mismo Notario que ha tramitado el expediente de subasta, su sustituto o sucesor. Y ello porque el contenido de la escritura exige la afirmación de hechos y actos que sólo pueden serlo por este Notario.

11.6. SUSPENSIÓN DEL EXPEDIENTE

Con carácter general para todo tipo de subastas (voluntarias y obligatorias), el expediente se suspende con la justificación de la interposición de una demanda judicial, reanudándose en el caso de inadmisión de la demanda.

En los supuestos de subastas obligatorias sólo podrán suspenderse en determinados supuestos. En efecto, de acuerdo con el art. 76 LN:

1. La subasta notarial que cause una venta forzosa solo se podrá suspender, y en su caso cerrar el expediente, con base en las siguientes causas:

a) *Cuando se presentare al Notario resolución judicial, aunque no sea firme, justificativa de la inexistencia o extinción de la obligación garantizada y en el caso de bienes o créditos registrables, certificación del registro correspondiente acreditativa de estar cancelada la carga o presentada escritura pública de carta de pago o de la alteración en la situación de titularidad o cargas de la finca.*

El ejecutante deberá consentir expresamente en su continuación pese a la modificación registral del estado de cargas.

El primer supuesto de suspensión es la «resolución judicial» (aunque no sea firme) «justificativa de la inexistencia o extinción de la obligación garantizada». Hay que entender que es la obligación garantizada con el bien o derecho objeto de la subasta.

«Tratándose de bienes o créditos registrables», será suficiente la «certificación del registro correspondiente acreditativa de estar cancelada la carga o presentada escritura pública de carta de pago», que son también medios de acreditar la extinción de la carga o de la obligación garantizada.

Recordemos que para la ejecución hipotecaria judicial el art. 695.1.1ª LEC establece como supuesto de oposición *la extinción de la garantía o de la obligación garantizada, siempre que se presente certificación del Registro expresiva de la cancelación de la hipoteca o, en su caso, de la prenda sin desplazamiento, o escritura pública de carta de pago o de cancelación de la garantía.*

Entiendo que en estos supuestos de «bienes o créditos registrables» también se suspendería la subasta con la resolución judicial antes señalada. Sin perjuicio de la imprudencia que significaría continuar con un expediente de subasta existiendo una resolución judicial que extinga la causa de la venta forzosa, como señala GONZÁLEZ-MENESES (2015, p. 1.063), «hay una razón de interpretación sistemática y lógica:

si, tratándose de bienes registrables, el único medio de suspensión relacionado con la inexistencia o extinción de la obligación es la certificación registral con alguno de los contenidos que indica esta norma, sería absurdo que una escritura pública de carta de pago presentada en el registro suspendiera ya el expediente y no una resolución judicial que podría estar ya presentada en el Registro pero no haber dado lugar todavía al correspondiente asiento cancelatorio o de alteración de la situación registral».

Más dudas plantea que la certificación del registro correspondiente sea acreditativa «de la alteración en la situación de titularidad o cargas de la finca». No se entiende por qué un cambio de titularidad por una transmisión del bien o la constitución de una carga debe suspender el expediente de subasta. Ya habrá una nota marginal de expedición de certificación de dominio y cargas para que los potenciales adquirentes o a favor de quienes se constituyan garantías queden advertidos del riesgo que corren. Queda, eso sí, a voluntad del ejecutante que deberá consentir expresamente en su continuación pese a la modificación registral del estado de cargas.

Tratándose de acciones, participaciones sociales o partes sociales en general, certificación, con firma legitimada notarialmente del administrador o secretario no consejero de la sociedad, acreditativa del asiento de cancelación del derecho real o embargo sobre los derechos del socio.

En este supuesto, existen respectivamente libros-registro de acciones nominativas o de socios con los que se puede acreditar la cancelación del derecho real o del embargo. También podríamos incluir algún otro supuesto como es la acreditación de que las acciones o participaciones objeto de la subasta no son los realmente pignorados o embargados. La referencia al «secretario no consejero», debe interpretarse como que el «secretario-consejero» se incluye en el concepto genérico de «administrador».

También debemos entender aquí aplicable como supuesto de suspensión del expediente de subasta una «resolución judicial, aunque no sea firme, justificativa de la inexistencia o extinción de la obligación garantizada» y también una escritura pública en la que conste la cancelación de la prenda o la extinción de la obligación en cuya garantía se constituye.

b) *Cuando se acredite documentalmente la existencia de causa criminal que pudiere determinar la falsedad del título en virtud del cual se proceda, la invalidez o ilicitud del procedimiento de venta. La suspensión subsistirá hasta el fin del proceso.*

Vemos como en el supuesto de «causa criminal», la suspensión no requiere que haya una resolución judicial sino que se acredite su existencia. Entiendo que no sería suficiente una querella criminal sino que hará falta su admisión. La referencia a «la invalidez o ilicitud del procedimiento de venta» es tan amplia que parece suficiente que la causa penal sea sobre cualquier cuestión que pueda estar relacionada con los presupuestos o trámites del expediente de subasta notarial.

c) *Si se justifica al Notario la declaración de concurso del deudor o la paralización de las acciones de ejecución, en los supuestos previstos en la legislación concursal aunque ya estuvieran publicados los anuncios de la subasta del bien. En este caso solo se alzará la suspensión cuando se acredite, mediante testimonio de la resolución del Juez del concurso, que los bienes o derechos no están afectos, o no son necesarios para la continuidad de la actividad profesional o empresarial del deudor. También se alzará en su caso, cuando se presente la resolución judicial que homologue el acuerdo alcanzado o la escritura pública o la certificación que cierre el expediente junto con su comunicación al Juez competente y al Registro Público Concursal.*

A este respecto hay que recordar el art. 56.1 LEC, según el cual, *los acreedores con garantía real sobre bienes del concursado que resulten necesarios para la continuidad de su actividad profesional o empresarial no podrán iniciar la ejecución o realización forzosa de la garantía hasta que se apruebe un convenio cuyo contenido no afecte al ejercicio de este derecho o trascurra un año desde la declaración de concurso sin que se hubiera producido la apertura de la liquidación. En particular, no se considerarán necesarias para la continuación de la actividad las acciones o participaciones de sociedades destinadas en exclusiva a la tenencia de un activo y del pasivo necesario para su financiación, siempre que la ejecución de la garantía constituida sobre las mismas no suponga causa de resolución o modificación de las relaciones contractuales que permitan al concursado mantener la explotación del activo. Y el art. 57.1 LC: El ejercicio de acciones que se inicie o se reanude conforme a lo previsto en el artículo anterior durante la tramitación del concurso se someterá a la jurisdicción del juez de éste, quien a instancia de parte decidirá sobre su procedencia y, en su caso, acordará su tramitación en pieza separada, acomodando las actuaciones a las normas propias del procedimiento judicial o extrajudicial que corresponda.*

d) *Si se interpusiera demanda de tercería de dominio, acompañando inexcusablemente con ella título de propiedad, anterior a la fecha del título en el que base la subasta. La suspensión subsistirá hasta la resolución de la tercería.*

En el ámbito de la ejecución judicial, hay que recordar el contenido del art. 696 LEC: *1. Para que pueda admitirse la tercería de dominio en los procedimientos a que se refiere este capítulo, deberá acompañarse a la demanda título de propiedad de fecha fehaciente anterior a la de constitución de la garantía. Si se tratare de bienes cuyo dominio fuere susceptible de inscripción en algún Registro, dicho título habrá de estar inscrito a favor del tercerista o de su causante con fecha anterior a la de inscripción de la garantía, lo que se acreditará mediante certificación registral expresiva de la inscripción del título del tercerista o de su causante y certificación de no aparecer extinguido ni cancelado en el Registro el asiento de dominio correspondiente.*

2. La admisión de la demanda de tercería suspenderá la ejecución respecto de los bienes a los que se refiera y, si éstos fueren sólo parte de los comprendidos en la garantía, podrá seguir el procedimiento respecto de los demás, si así lo solicitare el acreedor.

Ahora bien, entiendo que no es posible interponer tercería de dominio o de mejor derecho ante el notario, sino sólo ante un juez. Por ello, si la subasta notarial tiene lugar en el marco de un procedimiento judicial de ejecución (p.e. art. 635 LEC), cabe una tercería de dominio en sentido propio. Cuando no sea así, «la interposición por un tercero de una demanda reivindicatoria o de declaración de dominio admitida por el juez correspondiente y basada en un título de fecha anterior a la del derecho que se ejecuta debería determinar la suspensión del expediente» (GONZÁLEZ-MENESES: 2015, p. 1.066).

> *e) Si se acreditare que se ha iniciado un procedimiento de subasta sobre los mismos bienes o derechos. Siendo notarial, esta acreditación se realizará mediante copia autorizada o notificación de los sistemas informáticos del Consejo General del Notariado. Estos hechos podrán ponerse en conocimiento del Juzgado correspondiente, a juicio del Notario.*

Esta norma parece más que razonable para intentar evitar la concurrencia de expedientes de subasta sobre un mismo bien. En el caso de bienes inmuebles parece más complicado ya que a la vista de la certificación de dominio y cargas y de información continuada del Registro se puede constatar esta concurrencia. Más complicado se antoja evitarla en el supuestos de bienes muebles no registrables.

La prudencia aconseja que en el momento en el que el Notario tenga conocimiento de la tramitación previa de otro expediente de subasta proceda a suspenderla.

«Por otra parte, se habla de una acreditación mediante notificación de los sistemas informáticos del Consejo General del Notariado, pero no se prevé, como sería congruente, la obligación previa de todo notario que admite un requerimiento para la tramitación de un expediente de subasta notarial de realizar la correspondiente notificación a su Colegio o al Consejo General. Parece que esta norma está inspirada en el sistema de las actas de notoriedad de declaración de herederos abintestato, donde también se pretende evitar que sobre una misma sucesión haya declaraciones de diferentes notarios y para ello se prevé la obligación de información al iniciar un acta y la comunicación de oficio por el Colegio Notarial correspondiente a cualquier otro notario que inicie un acta sobre la misma sucesión. Pero extender un sistema de este tipo a los expedientes de subasta notarial no es en absoluto procedente, porque la posible concurrencia de ejecuciones sobre unos mismos bienes es algo que no se puede resolver por la simple prioridad temporal en la incoación, por cuanto lo verdaderamente relevante es la prelación sustantiva de los derechos. De manera que, pretendiendo simplificar las cosas, lo que hace esta norma notarial es generar un verdadero lío» (GONZÁLEZ-MENESES: 2015, pp. 1.067 1.068).

La verdad es que ni el Consejo General ni el Colegio Notarial correspondiente pueden certificar nada ya que la relación con el Portal de Subastas electrónicas del BOE se hace directamente por cada Notario aunque se haga a través de una aplicación informática de SIGNO.

En cuanto al último, puede entenderse como la aplicación del principio general según el cual si el Notario tiene conocimiento de algún hecho que pueda ser constitutivo de delito debe ponerlo en conocimiento de la autoridad judicial.

Continúa el art. 76.2 LN diciendo que *en los casos precedentes, si la causa de la suspensión afectare sólo a parte de los bienes o derechos comprendidos en la venta extrajudicial, podrá seguir el procedimiento respecto de los demás, si así lo solicitare el acreedor o promotor del procedimiento*, lo que parece razonable ya que no va a suspenderse el expediente en su totalidad si la causa de suspensión afecta sólo a determinado bien o derecho.

El art. 76.3 LN sigue señalando: *Para el caso de préstamos o créditos personales, o cualquier otro instrumento de financiación hipotecaria o no hipotecaria, sin perjuicio de lo previsto en su normativa especial, se suspenderá la venta extrajudicial cuando se acredite haber planteado ante el Juez competente el carácter abusivo o no transparente de alguna de las cláusulas que constituya el fundamento de la venta extrajudicial o que hubiese determinado la cantidad exigible. Una vez sustanciada la cuestión y siempre que, de acuerdo con la resolución judicial correspondiente, no se trate de una cláusula abusiva o no transparente que constituya el fundamento de la ejecución o hubiera determinado la cantidad exigible, el Notario podrá proseguir la venta extrajudicial a requerimiento del acreedor o promotor del mismo.*

Este precepto tiene su parangón en materia de venta extrajudicial notarial de bienes inmuebles hipotecados en el art. 129.2.f) LH (redacción dada por disposición final 3 de la Ley 19/2015, de 13 de julio, que entró en vigor el 15 de octubre de 2015), según el cual en todo caso, *el Notario suspenderá la venta extrajudicial cuando cualquiera de las partes acredite haber planteado ante el Juez que sea competente, conforme a lo establecido en el art. 684 LEC, el carácter abusivo de dichas cláusulas contractuales.*

Una vez sustanciada la cuestión, y siempre que no se trate de una cláusula abusiva que constituya el fundamento de la venta o que hubiera determinado la cantidad exigible (p.e. el interés de demora), el Notario podrá proseguir la venta extrajudicial a requerimiento del acreedor.

Obsérvese que el art. 76.3 LN, a diferencia del precepto de la LH no hace mención a que *cuando el Notario considerase que alguna de las cláusulas del préstamo hipotecario que constituya el fundamento de la venta extrajudicial o que hubiese determinado la cantidad exigible pudiera tener carácter abusivo, lo pondrá en conocimiento del deudor, del acreedor y en su caso, del avalista e hipotecante no deudor, a los efectos oportunos.* No obstante, parece más que prudente hacerlo, para que sean los afectados quienes lo planteen ante el Juez competente.

Por otra parte, a tenor del art. 76.4 LN *la suspensión de la subasta por un periodo superior a 15 días llevará consigo la liberación de las consignaciones o devolución de los avales prestados, retrotrayendo la situación al momento inmediatamente anterior a la publicación del anuncio. La reanudación de la subasta se realizará mediante una nueva publicación del anuncio y una nueva petición de información registral como si de una nueva subasta de tratase.*

Este art. 76 LN acaba señalando en su número 5 que *tratándose de bienes registrables, si la reclamación del acreedor y la iniciación de la venta extrajudicial tuvieran su base en alguna causa que no sea el vencimiento del plazo o la falta de pago de intereses o de cualquier otra prestación a que estuviere obligado el deudor, se suspenderá dicho procedimiento siempre que con anterioridad a la subasta se hubiere hecho constar en el Registro de la Propiedad o de bienes muebles la oposición al mismo, formulada en juicio declarativo. A este efecto, el Juez, al mismo tiempo que ordene la anotación preventiva de la demanda, acordará que se notifique al Notario la resolución recaída.*

Como se ve, con carácter especial para las subastes de bienes registrables y sólo en aquellos casos en lo que «la reclamación del acreedor y la iniciación de la venta extra-judicial tuvieran su base en alguna causa que no sea el vencimiento del plazo o la falta de pago de intereses o de cualquier otra prestación a que estuviere obligado el deudor», hay que entender frente al acreedor ya que el vencimiento anticipado podría traer causa en otros incumplimientos (p.e. falta de pago de la prima del seguro de la finca hipote-cada, del IBI o de los gastos de la comunidad), «se suspenderá dicho procedimiento siempre que con anterioridad a la subasta se hubiere hecho constar en el Registro de la Propiedad o de bienes muebles la oposición al mismo, formulada en juicio declarativo».

No queda claro qué debe entenderse por «siempre que con anterioridad a la subasta se hubiere hecho constar en el Registro...». Y ello porque la subasta electrónica no se produce en un momento determinado sino durante un plazo mínimo veinte días; por lo que queda la duda si se refiere a antes de su comienzo o hay que entender antes de su cierre. Lo más prudente y lo más respetuoso con los intereses del ejecutado es poder suspender la subasta antes del cierre; la subasta siempre puede repetirse pero una vez cerrada y habiendo un rematante, la situación es irreversible.

Como concluye GONZÁLEZ-MENESES (2015, pp. 1.067 1.072), «recapitulan-do, el esquema de la posible suspensión del expediente quedaría así:

i)   La regla general, que se aplicaría a todos los expedientes de subasta notarial no comprendidos en el ámbito de alguna de las reglas especiales, es la que se en-cuentra en el artículo 74.4: suspensión si se acredita al notario la interposición de una demanda de oposición a la celebración de la subasta por el titular del bien no solicitante o por un tercero que se considere con derecho a ello, alzándose la suspensión si la demanda no es admitida. Por tanto, la regla general exige la demanda judicial (no hay suspensión sin pasar por el juzgado), pero esa demanda de oposición podría basarse en cualquier motivo, no están tasados los motivos de la oposición.

ii) Para las subastas que causan una venta forzosa, es decir, las que tienen un significado ejecutivo para la satisfacción de un acreedor, hay una regla especial; suspensión sólo por alguna de las causas del artículo 76.1. Esta enunciación de causas por una parte tiene un significado ampliatorio respecto de la regla general, porque hay causas que pueden operar extrajudicialmente, sin necesidad de acreditar una demanda judicial de oposición al expediente (la certificación registral acreditativa de la cancelación de la carga que se ejecuta o de la presentación de la escritura pública de carta de pago, o la certificación de cancelación de la carga en el libro registro de socios o de acciones emitida por el administrador de la sociedad). Pero también tiene un significado restrictivo: una demanda judicial de oposición por el titular o un tercero por cualquier motivo no conlleva la suspensión, incluso si se trata de una demanda de inexistencia o extinción de la obligación garantizada, porque en tal caso no basta con la interposición de la demanda y su admisión, sino que se requiere una sentencia judicial estimatoria aunque todavía no sea firme. La única demanda judicial que de por sí suspende estos expedientes de subasta notarial es la que da lugar a la apertura de una causa criminal (y quizá, como veíamos antes, la demanda de reivindicación o declarativa del dominio basada en un título de fecha anterior al derecho que se está ejecutando).

Esta regla especial para las subastas que causan una venta forzosa tiene a su vez dos subreglas especiales, que amplían las posibilidades de suspensión:

– La regla del artículo 76.3, para la subasta en ejecución de instrumentos de financiación, que admite la suspensión si se acredita una demanda judicial de abusividad o no transparencia de alguna de las cláusulas que constituyen el fundamento de la venta o de la determinación de la cantidad exigible.

– Y la regla del artículo 76.5, para la venta forzosa de bienes registrables por causas distintas del vencimiento de la obligación, el impago de intereses u otras prestaciones debidas al acreedor. En estos casos se restablece la regla general i) con una modalización: basta con formular judicialmente una oposición al expediente notarial por cualquier motivo, siempre y cuando el juez no sólo haya admitido la demanda, sino además haya ordenado su anotación preventiva en el Registro y esta anotación se haya practicado».

12. VENTA EXTRAJUDICIAL NOTARIAL DE BIENES INMUEBLES HIPOTECADOS

12.1. CONSIDERACIONES PREVIAS

El art. 104 LH define la hipoteca al señalar que ésta *sujeta directa o indirectamente los bienes sobre que se impone, cualquiera que sea su poseedor, al cumplimiento de la obligación para cuya seguridad fue constituida*. A su vez, tal y como establece el art. 129 LH, *la acción hipotecaria podrá ejercitarse:*

a) Directamente contra los bienes hipotecados sujetando su ejercicio a lo dispuesto en el Título IV del Libro III de la Ley 1/2000, de 7 de enero, de Enjuiciamiento Civil, con las especialidades que se establecen en su Capítulo V.

b) O mediante la venta extrajudicial del bien hipotecado, conforme al art. 1.858 del Código Civil, siempre que se hubiera pactado en la escritura de constitución de la hipoteca sólo para el caso de falta de pago del capital o de los intereses de la cantidad garantizada.

Esta última es la que va a ser objeto de este epígrafe.

12.2. ANTECEDENTES Y FUNDAMENTO. EVOLUCIÓN LEGISLATIVA

El Código Civil, en su art. 1.872, faculta al acreedor en materia de prendas para, sin necesidad de pactar, proceda ante Notario y mediante doble subasta en su caso, y con citación del dueño, a la enajenación de la cosa pignorada, permitiendo incluso que, por ineficacia de las subastas, se haga el acreedor dueño de la cosa. En virtud de este precepto y por aplicación analógica, una vez publicado el Código Civil, empieza a pactarse en las escrituras de constitución de hipoteca un procedimiento extrajudicial de ejecución.

Esta extensión analógica llevó a una fuerte discusión doctrinal y procesal. La corriente más proclive a su extensión favorecía la masiva incorporación de esta clase de pactos apoyados en el principio de libertad de contratación del art. 1255 CC.

Sin embargo, la Ley Hipotecaria de 16 de diciembre de 1909, que introduce en nuestro Derecho el Procedimiento Judicial Sumario, no se atrevió, en cambio, a recoger el procedimiento extrajudicial. El Reglamento Hipotecario de 1915 estableció las reglas a las que debía ajustarse ese procedimiento respetando la libertad de pactos dentro de tales límites que, fundamentalmente, se concretaban en la exigencia de pacto expreso y que dicho procedimiento no fuere aplicable cuando existiesen terceros posteriores a la inscripción de la hipoteca.

Precisamente por esta última exigencia, este procedimiento extrajudicial no fue operativo. Es la Ley Hipotecaria de 30 de diciembre de 1944 la que dio luz al régimen legal del procedimiento extrajudicial. Así, el art. 129 de esta Ley, tras afirmar que la acción hipotecaria podría ejercitarse directamente contra los bienes hipotecados sujetando su ejercicio al procedimiento judicial sumario del art. 131, agregaba que *además, en la escritura de constitución de la hipoteca podrá válidamente pactarse un procedimiento ejecutivo extrajudicial para hacer efectiva la acción hipotecaria, el cual será aplicable aun en el caso de que existan terceros, con arreglo a los trámites fijados en el Reglamento Hipotecario.*

El texto refundido vigente de 8 de febrero de 1946 que incluye esta Ley completada con la de 31 de diciembre de 1945, incorporó literalmente este art. 129 que, posteriormente, fue modificado por la disposición final 9.4 de la LEC.

El Reglamento vigente aprobado por Decreto de 14 de febrero de 1947 recoge en sus arts. 234, 235 y 236 las reglas y requisitos a los que debe ajustarse este procedimiento. Estos preceptos fueron reformados por el Real Decreto 290/1992, de 27 de febrero, por el que se modifica el Reglamento Hipotecario en materia de ejecución extrajudicial de hipotecas. Como señala su Exposición de Motivos, partiendo del indudable incremento del crédito hipotecario, lo que determina una enorme presión sobre la Administración de Justicia, se hace preciso desviar parte de las ejecuciones hipotecarias del cauce judicial hacia el extrajudicial. Para ello, con objeto de obviar la infuncionalidad del procedimiento extrajudicial ya existente, agilizar las ejecuciones hipotecarias extrajudiciales y remover los obstáculos procedimentales que motivan dicha infuncionalidad, se pretende mejorar este procedimiento, de forma que se arbitra un dispositivo viable, equilibrado y seguro que ofrece un cauce alternativo (extrajudicial) para la satisfacción del derecho del acreedor.

Sin embargo, hoy la venta extrajudicial está regulada por el art. 129 LH cuya redacción se debe al art. 3.3 de la Ley 1/2013, de 14 de mayo, de medidas para reforzar la protección a los deudores hipotecarios, reestructuración de deuda y alquiler social. Como señala la exposición de motivos de esta Ley, « se fortalece en la Ley Hipotecaria el régimen de venta extrajudicial de bienes hipotecados » Por otra parte, añade, « en la venta extrajudicial se introduce la posibilidad de que el Notario pueda suspender la misma cuando las partes acrediten que se ha solicitado al órgano judicial competente, en la forma prevista por el art. 129 de la Ley Hipotecaria, que dicte resolución decretando la improcedencia de dicha venta, por existir cláusulas abusivas en el contrato de préstamo hipotecario, o su continuación sin la aplicación de las cláusulas abusivas. Además, se faculta expresamente al Notario para que advierta a las partes de que alguna cláusula del contrato puede ser abusiva. Dichas modificaciones se adoptan como consecuencia de la Sentencia del Tribunal de Justicia de la Unión Europea de 14 de marzo de 2013, dictada en el asunto por el que se resuelve la cuestión prejudicial planteada por el Juzgado de lo Mercantil n° 3 de Barcelona respecto a la interpretación de la Directiva 93/13/CEE del Consejo, de 5 de abril de 1993».

De esta forma, la venta extrajudicial adquiere rango de ley formal y las disposiciones del RH pasan a tener carácter supletorio respecto a lo establecido en el art. 129 LH y siempre que no sean contrarios al mismo.

Posteriormente, las letras a) y f) del art. 129.2 LH han sido objeto de modificación por la disposición final 3 de la Ley 19/2015, de 13 de julio, de medidas de reforma administrativa en el ámbito de la Administración de Justicia y del Registro Civil, con entrada en vigor el 15 de octubre de 2015.

12.3. RÉGIMEN JURÍDICO APLICABLE

Los apartados d) *in fine*, e) y h) del punto 2 del art. 129 señalan que el régimen jurídico aplicable a la venta extrajudicial está integrado, en primer lugar, por la Ley Hipotecaria; en segundo lugar, por el Reglamento Hipotecario (arts. 234 a 236), que determinará la forma y personas a las que deban realizarse las notificaciones, el procedimiento de subasta, las cantidades a consignar para tomar parte en la misma, las causas de suspensión, la adjudicación y sus efectos sobre los titulares de derechos o cargas posteriores, así como las personas que hayan de otorgar la escritura de venta y sus formas de representación; en tercer lugar encontramos la Ley de Enjuiciamiento Civil, que será de especial aplicación en lo referente a los tipos de subasta y sus condiciones y además tendrá carácter supletorio en todas aquellas materias no reguladas en la Ley y el Reglamento Hipotecario. En todo caso, será de aplicación lo dispuesto en el art. 579.2 LEC, referido al supuesto de que el remate aprobado fuera insuficiente para lograr la completa satisfacción del derecho del ejecutante, en el caso de adjudicación de la vivienda habitual hipotecada.

Este régimen jurídico debe ser completado, en defecto de normas especiales, con las contenidas en el Capítulo V de la Ley del Notariado, referido al Expediente de Subasta Notarial, añadido por la Disposición Final Undécima de la Ley 15/2015, de 2 de julio, de Jurisdicción Voluntaria.

Al no haber sido objeto de modificación la redacción a los arts. 234 a 236 RH para adaptarlos al vigente art. 129 LH y a los preceptos mencionados de la LN, nos encontraremos con numerosas contradicciones a la hora de aplicar la normativa reguladora que, a la espera de dicha modificación, deberemos resolver con la aplicación de las normas establecidas en la LEC y, en su caso, en la LN.

12.4. CARACTERÍSTICAS DE LA VENTA EXTRAJUDICIAL

GÓMEZ FERRER (2009, p. 161 y ss.) ha señalado como características de este procedimiento las siguientes:

1. *Es una forma no judicial de realización de derecho de acreedor.*

A esto reza la denominación de «venta extrajudicial», que se realizará por medio de Notario, como para la prenda prevé el art. 1872 del Código Civil.

2. *Es una forma pactada de hacer efectivo el derecho del acreedor a enajenar el bien hipotecado y obtener la satisfacción de su crédito.*

Hoy la establece expresamente el art. 129.1.b) al decir que la acción hipotecaria podrá ejercitarse «mediante la venta extrajudicial del bien hipotecado, conforme al art. 1.858 del Código Civil, siempre que se hubiera pactado en la escritura de constitución de la hipoteca sólo para el caso de falta de pago del capital o de los intereses de la cantidad garantizada».

3. *Aunque realizada por medio de Notario y no por juez no produce indefensión (art. 24 de la Constitución española)*

«Basta la posibilidad de poder acudir al juicio declarativo que corresponda para que, de acuerdo con la doctrina del Tribunal Constitucional y del Tribunal Supremo, no pueda alegarse del art. 24 de la Constitución española, sino conformidad con la misma».

4. *La venta extrajudicial por medio de Notario constituye un acto de la llamada jurisdicción voluntaria*

Hoy se ve reforzada esta consideración a la vista de la Ley 15/2015, de 2 de julio, de la Jurisdicción Voluntaria cuyo Preámbulo V señala que «conforme con la experiencia de otros países, pero también atendiendo a nuestras concretas necesidades, y en la búsqueda de la optimización de los recursos públicos disponibles, opta por atribuir el conocimiento de un número significativo de los asuntos que tradicionalmente se incluían bajo la rúbrica de la jurisdicción voluntaria a operadores jurídicos no investidos de potestad jurisdiccional, tales como Secretarios judiciales, Notarios y Registradores de la Propiedad y Mercantiles, compartiendo con carácter general la competencia para su conocimiento. Estos profesionales, que aúnan la condición de juristas y de titulares de la fe pública, reúnen sobrada capacidad para actuar, con plena efectividad y sin merma de garantías, en algunos de los actos de jurisdicción voluntaria que hasta ahora se encomendaban a los Jueces. Si bien la máxima garantía de los derechos de la ciudadanía viene dada por la intervención de un Juez, la desjudicialización de determinados supuestos de jurisdicción voluntaria sin contenido jurisdiccional, en los que predominan los elementos de naturaleza administrativa, no pone en riesgo el cumplimiento de las garantías esenciales de tutela de los derechos e intereses afectados.

La solución legal dada es acorde con los postulados de nuestra Carta Magna y, además, oportuna en atención a diferentes factores. El prestigio adquirido a lo largo de los años por estos Cuerpos de funcionarios entre los ciudadanos es un elemento que ayuda a despejar cualquier incógnita sobre su aptitud para intervenir en la tutela administrativa de determinados derechos privados, como protagonistas principales que son de nuestro sistema de fe pública y garantes de la seguridad jurídica, sin olvidar el hecho de que muchos de los actos de jurisdicción voluntaria tienen por objeto obtener la certeza sobre el estado o modo de ser de determinados negocios, situaciones o relaciones jurídicas que dichos profesionales están en inmejorable condición para apreciarlos adecuadamente».

12.5. CONSTITUCIONALIDAD

Como señalan TORIBIOS FUENTES y CALVACHE MARTÍNEZ (2016, p. 1.168), la concepción de esta «venta extrajudicial» en la anterior redacción del art. 129 LH como un «procedimiento de ejecución hipotecaria» dio lugar a la interposición de distintas impugnaciones ante la jurisdicción contencioso-administrativa por inconstitucionalidad sobrevenida de este. Se alegaba vulneración del «monopolio jurisdiccional de las actividades de ejecución» recogido en el art. 117 CE y la violación de la tutela judicial efectiva reconocida en el art. 24 CE. La Sent. de la Sala 3ª del Tribunal Supremo de 23 de octubre de 1995, señaló que «el objeto de este procedimiento es ejecutar ante notario un derecho de hipoteca de origen contractual, no una resolución judicial», extrajudicialidad reconocida, previo acuerdo de las partes, en el párrafo 2.º del art. 129 LH, quedando en todo caso expedito el juicio declarativo ordinario.

Sin embargo, la Sent. de la Sala 1ª del TS de 4 de mayo de 1998, ante la impugnación en la vía civil de la validez de un concreto procedimiento de ejecución extrajudicial, declaró su nulidad por la inconstitucionalidad sobrevenida del art. 129.2 LH si bien, para MIRA ROS (2009, p. 5), la doctrina de las sentencias citadas de la Sala 1.ª del Tribunal Supremo parten de una premisa errónea: atribuir carácter jurisdiccional a una actuación extrajudicial, carente, por definición, de naturaleza procesal, tildando de suplantación judicial lo que no es sino un modo de efectividad contractual ante notario. En el mismo sentido, las SSTS de 20 de abril de 1999, 10 de octubre de 2007 y 14 de julio de 2008, todas ellas referidas a procedimientos iniciados y concluidos antes de la entrada en vigor de la redacción dada al art. 129 LH por la LEC, en las que el Alto Tribunal considera que se conculca por las normas reglamentarias el principio de legalidad establecido por el art. 9 CE en relación con el art. 117.3 CE para las normas de competencia y procedimiento lo que ha sido oportunamente cuestionado por la doctrina (ROCA SASTRE y ROCA-SASTRE MUNICUNILL, LÓPEZ LIZ y PEÑA BERNALDO DE QUIRÓS).

En la redacción del art. 129 LH, tras la modificación operada por la LEC, desapareció toda referencia al «procedimiento ejecutivo extrajudicial» sobre el que recaían las dudas de inconstitucionalidad y, en su lugar, se habla de «venta extrajudicial del bien hipotecado» que «se podrá pactar conforme al art. 1858 del Código Civil... por medio de Notario, con las formalidades establecidas en el Reglamento Hipotecario». Desde esta modificación desaparece la posibilidad de su inaplicación directa por los tribunales y cualquier duda acerca de su adecuación con nuestra Carta Magna sólo se podrá plantear el Tribunal Constitucional mediante la correspondiente cuestión de inconstitucionalidad, cuyo resultado dependerá de la delimitación del principio de reserva jurisdiccional.

La cuestión de la inconstitucionalidad o no de este precepto ha sido contemplada pero sin resolverla por el Tribunal Constitucional. Así, la sentencia de 6 de julio de 2006 no despejó la duda porque no admitió la cuestión de inconstitucionalidad al constatar que el órgano judicial no hacía «explícitas sus dudas acerca de la inconstitucionalidad del precepto cuestionado, sino que se limita a exponer los argumentos de las posiciones doctrinales y, especialmente, jurisprudenciales a favor y en contra de la constitucionalidad del precepto, pero sin tomar partido por ninguna de ellas, y sin expresar, en definitiva, los motivos que alientan su propia duda acerca de dicha constitucionalidad».

Por su parte, la sentencia de 12 de marzo de 2007 se refería a un recurso de amparo por una supuesta vulneración del derecho a la tutela judicial efectiva, que desestima, sin tratar la cuestión, referida a la regulación anterior a la Ley de Enjuiciamiento Civil.

En definitiva, siguiendo la doctrina de la DGRN [*vid.* Resoluciones de 28-5-2001 y 13-2-2004], la habilitación legal para el ejercicio extrajudicial del valor en cambio de un bien es plenamente conforme con nuestra tradición histórica, lo que justifica que esté ampliamente reconocido en numerosos preceptos de nuestro ordenamiento y no solo en relación a derechos de garantía.

12.6. ÁMBITO OBJETIVO DE APLICACIÓN

El primer párrafo del art. 129.2.c) LH establece que *la venta extrajudicial sólo podrá aplicarse a las hipotecas constituidas en garantía de obligaciones cuya cuantía aparezca inicialmente determinada, de sus intereses ordinarios y de demora liquidados de conformidad con lo previsto en el título y con las limitaciones señaladas en el art. 114.* Luego el segundo párrafo hace mención al préstamo garantizado que *prevea el reembolso progresivo del capital.*

La primera parte de este precepto es transcripción literal de lo establecido en el art. 235.1 RH. Señalaba GÓMEZ-FERRER (2009, p. 71 y 72), que «plantea duda la utilización del adverbio «inicialmente», «pues puede referirse tanto al momento en que se convierte la venta extrajudicial ante notario, en cuyo caso la cuantía aparezca determinada en la escritura de constitución de hipoteca, como el requerimiento con que se inicia en las formalidades».

Se inclina porque «la determinación debe serlo en el momento de iniciación de las formalidades de la venta extrajudicial» puesto que «nada impide al acreedor que en su día pueda obtener un título suficiente que concrete la deuda y le permita acudir a la ejecución por este procedimiento».

Por su parte, como señalan TORIBIOS FUENTES y CALVACHE MARTÍNEZ (2016, p. 1.172), la interpretación literal de este precepto nos llevaría a excluir las hipotecas de máximo y con ellas todas las hipotecas en garantía de cuentas de crédito, puesto que su cuantía no resulta del propio título de constitución. La RDGRN de 17 de septiembre de 2012 establece que «el procedimiento de venta extrajudicial no es directamente aplicable respecto de hipotecas de máximo, ni tampoco respecto de las hipotecas en garantía de cuentas corrientes reguladas en el art. 153 de la Ley Hipotecaria, sin perjuicio de que sí pudiera acudirse al procedimiento extrajudicial si consta posteriormente en el Registro de la Propiedad la determinación de la cuantía a través de la nota marginal de los arts. 143 de la Ley Hipotecaria y 238 de su Reglamento».

De acuerdo con estos autores, «la generalidad de la doctrina entiende que la exigencia de que la obligación ha de estar inicialmente determinada ha de ir referida no al momento de la constitución de la hipoteca, sino al de su realización, por lo que puede utilizarse este procedimiento en las hipotecas de máximo (LÓPEZ LIZ, 1999, 77; LANZAS GALVACHE, 1995, 840, y GÓMEZ-FERRER, 2009, 72). Así se deduce del art. 236.a) RH al exigir que se aporte "la cantidad exacta objeto de la reclamación en el momento del requerimiento". Es contundente la RDGRN 8-2-2001 (RJ 2001, 2149) al declarar que, aunque se trate de una hipoteca de máximo, sí es posible pactar este procedimiento de ejecución, pues nada impide que el acreedor, en su día, pueda obtener un título suficiente que concrete la deuda y le permita acudir a la ejecución por ese procedimiento. También es muy clara la RDGRN 11-2-1998 (RJ 1998, 1113) al decir que la determinación exacta de la obligación sólo es necesaria en el momento de la ejecución, así pues, no hay por qué excluir de este procedimiento a obligaciones de cuantía incierta o indeterminada, objeto, por ejemplo, de hipotecas de máximo, si en el momento del requerimiento inicial la cuantía ha quedado determinada. En el mismo sentido se pronuncian las RRDGRN 6-10-1994 (RJ 1994, 7655), 9-10-1997 (RJ 1997, 7366), 24-8-1998 (RJ 1998, 6585) y 17-5-2001 (RJ 2001, 4797)».

Por otra parte, la determinación de la cuantía, si se ha incluido en la escritura de préstamo con garantía hipotecaria el pacto de liquidez del art. 572.2 LEC, se produce mediante el documento fehaciente que acredite haberse practicado la liquidación en la forma pactada por las partes en el en dicha escritura. Por eso, a mi juicio, si se considera que la determinación de la cuantía exigible debe ser en el momento de la realización de la hipoteca no habría razón para excluir de la venta extrajudicial las hipotecas de máximo y con ellas todas las hipotecas en garantía de cuentas de crédito, siempre que exista este documento fehaciente de liquidación; y ello sin la nota marginal de los arts. 143 LH y 238 RH, para la cual es impensable la colaboración del deudor.

GOMÁ LANZÓN (2014, p. 203) excluye expresamente del procedimiento de venta extrajudicial la hipoteca en garantía de cuentas corrientes de crédito concedidas por entidad financiera ya que el deudor no puede alegar error o falsedad o en la fijación del saldo (art. 153 LH). Pero como señala MIRA ROS (2008, p. 2), «algunos arts. de la Ley Hipotecaria, como el art. 153, a propósito de la hipoteca en garantía de cuentas corrientes, todavía va por libre, y en abierta contradicción, por cierto, con las demás normas de la LEC». Por el mismo criterio sería inaplicable la venta extrajudicial al resto de los supuestos porque, de acuerdo con el art. 558.2 que permite la oposición fundada exclusivamente en pluspetición o exceso y «en los casos a que se refieren los arts. 572 y 574, sobre saldos de cuentas e intereses variables, el Secretario judicial encargado de la ejecución, a solicitud del ejecutado, podrá designar mediante diligencia de ordenación perito que, previa provisión de fondos, emita dictamen sobre el importe de la deuda. De este dictamen se dará traslado a ambas partes para que en el plazo común de cinco días presenten sus alegaciones sobre el dictamen emitido. Si ambas partes estuvieran conformes con lo dictaminado o no hubieran presentado alegaciones en el plazo para ello concedido, el Secretario judicial dictará decreto de conformidad con aquel dictamen. Contra este decreto cabrá interponer recurso directo de revisión, sin efectos suspensivos, ante el Tribunal. En caso de controversia o cuando solamente una de las partes hubiera presentado alegaciones, el Secretario judicial señalará día y hora para la celebración de vista ante el Tribunal que hubiera dictado la orden general de ejecución».

12.7. REQUISITOS

12.7.1. *Pacto expreso*

Tal y como establece el art. 129.2.b) LH, *la estipulación en virtud de la cual los otorgantes pacten la sujeción al procedimiento de venta extrajudicial de la hipoteca deberá constar separadamente de las restantes estipulaciones de la escritura y deberá señalar expresamente el carácter, habitual o no, que pretenda atribuirse a la vivienda que se hipoteque. Se presumirá, salvo prueba en contrario, que en el momento de la venta extrajudicial el inmueble es vivienda habitual si así se hubiera hecho constar en la escritura de constitución.* Vemos pues que, primero, debe pactare de forma separada y, además, debe señalarse el carácter habitual o no de la vivienda que se hipoteque.

Así lo establecía ya el art. 234.1 RH: *la tramitación de la ejecución extrajudicial prevista por el art. 129 de la Ley requerirá que en la escritura de constitución de la hipoteca se haya estipulado la sujeción de los otorgantes a este procedimiento*, aunque a pesar de la nueva redacción que de este precepto dio la reforma operada por el Real Decreto de 1992, este requisito ya era exigido antes.

Como señalan TORIBIOS FUENTES y CALVACHE MARTÍNEZ (2016, p. 1.174), «la práctica notarial habitual es la inclusión de este pacto en la propia escritura de constitución de hipoteca, pero puede también pactarse con posterioridad en una escritura complementaria de la anterior, que requerirá el consentimiento de los titulares intermedios o cualesquiera otros terceros que puedan ver perjudicados sus derechos. La tributación de esta escritura de modificación ha sido aclarada por la Consulta de la Dirección General de Tributos de 20-12-2011 (V2966-11): "no estará sujeta a la cuota gradual de la modalidad de actos jurídicos documentados, documentos notariales, por no tener por objeto cantidad o cosa valuable"».

En todo caso, hoy, a la luz del art. 129.2.b) LH, debe concluirse que la existencia de pacto expreso es un requisito esencial para que puede haber venta extrajudicial y, en la práctica, se incluye siempre y de forma separada a la cláusula en la que consta el procedimiento de ejecución judicial.

12.7.2. Contenido de la escritura pública

La escritura de constitución de hipoteca deberá incluir:

1. Precio que sirva de tipo para la subasta.

De acuerdo con el art. 129.2.a) LH, *es necesario que en la escritura de constitución de hipoteca se determine el valor en que los interesados tasan la finca para que sirva de tipo en la subasta. Dicho valor no podrá ser distinto del que, en su caso, se haya fijado para el procedimiento judicial sumario.*

Sin embargo, el art. 3.3 de la Ley 1/2013, de 14 de mayo, introdujo una novedad importante: dicho valor no podía «en ningún caso ser inferior al 75 por cien del valor señalado en la tasación que se hubiere realizado en virtud de lo previsto en la Ley 2/1981, de 25 de marzo, de regulación del mercado hipotecario». Redacción ésta que se modifica por la disposición final 3 de la Ley 19/2015, de 13 de julio, que no entró en vigor hasta el 15 de octubre de 2015, según establecía su disposición final 10, y añadió el inciso «en su caso» al referirse a la tasación quedando redactado de la siguiente forma: *a) El valor en que los interesados tasen la finca para que sirva de tipo en la subasta no podrá ser distinto del que, en su caso, se haya fijado para el procedimiento de ejecución judicial directa, ni podrá en ningún caso ser inferior al 75 por cien del valor señalado en la tasación que, en su caso, se hubiere realizado en virtud de lo previsto en la Ley 2/1981, de 25 de marzo, de regulación del mercado hipotecario.*

Esta expresión «en su caso», da lugar a muchas interpretaciones. La tasación sólo es legalmente exigible para los préstamos y créditos hipotecarios concedidos por entidades y establecimientos financieros de crédito que puedan servir de cobertura a las emisiones de bonos hipotecarios, ser objeto de participaciones hipotecarias o servir para el cálculo del límite de emisión de las cédulas hipotecarias (arts. 7 LMH y 8 RMH). Cabría así interpretar, que en los supuestos en los que las entidades de crédito tengan la intención de emitir este tipo de valores será exigida la tasación y, por tanto, si no se incorpora a la escritura de préstamo o crédito hipotecario la tasación el límite del 75% no existiría.

Sin embargo, hoy se está exigiendo en todos los casos, incluso en las hipotecas entre particulares.

2. Carácter habitual o no de la vivienda hipotecada

Este requisito ha sido impuesto por el art. 129.2.b) LH y trae como causa las especialidades existentes en estos casos tanto en cuanto al tipo de tasación para subasta (art. 129.2.a LH), como a las limitaciones en los intereses de demora (art. 114, párr. 3º LH), así como para los importes de adjudicación al acreedor de la vivienda hipotecada en caso de subasta sin postor como respecto a las peculiaridades en caso de que tal adjudicación se produzca, de acuerdo con lo establecido en el art. 579.2 LEC, como veremos más adelante.

Se presumirá, salvo prueba en contrario, que en el momento de la venta extrajudicial el inmueble es vivienda habitual si así se hubiera hecho constar en la escritura de constitución.

3. Domicilio para la práctica de requerimientos y notificaciones.

La determinación del domicilio, que no podrá ser distinto del fijado para el procedimiento judicial sumario, podrá modificarse posteriormente en la forma establecida en al art. 683 LEC, como veremos seguidamente.

El art. 682.2.2º LEC exige *que, en la misma escritura, conste un domicilio, que fijará el deudor, para la práctica de los requerimientos y de las notificaciones. También podrá fijarse, además, una dirección electrónica a los efectos de recibir las correspondientes notificaciones electrónicas, en cuyo caso será de aplicación lo dispuesto en el párrafo segundo del apartado 1 del art. 660. Y el Registrador hará constar en la inscripción de la hipoteca estas circunstancias.*

Recordemos que de acuerdo con el art. 660.1. LEC: *Las comunicaciones a que se refieren los artículos 657 y 659 se practicarán en el domicilio que conste en el Registro, por correo con acuse de recibo o por otro medio fehaciente.*

A efectos de lo dispuesto en el presente art., cualquier titular registral de un derecho real, carga o gravamen que recaiga sobre un bien podrá hacer constar en el Registro un domicilio en territorio nacional en el que desee ser notificado en caso de ejecución. Esta circunstancia se hará constar por nota al margen de la inscripción del derecho real, carga o gravamen del que sea titular. También podrá hacerse constar una dirección electrónica a efectos de notificaciones. Habiéndose señalado una dirección electrónica se entenderá que se consiente este procedimiento para recibir notificaciones, sin perjuicio de que estas deban realizarse en forma acumulativa y no alternativa a las personales. En este caso, el cómputo de los plazos se realizará a partir del día siguiente de la primera de las notificaciones positivas que se hubiese realizado conforme a las normas procesales o a la Ley 18/2011, de 5 de julio, reguladora del uso de las tecnologías de la información y la comunicación en la Administración de Justicia. El establecimiento o cambio de domicilio o dirección electrónica podrá comunicarse al Registro en cualquiera de las formas y con los efectos referidos en el apartado 2 del art. 683 de esta Ley.

La certificación a la que se refiere el art. 656, ya sea remitida directamente por el Registrador o aportada por el Procurador del ejecutante, deberá expresar la realización de dichas comunicaciones.

En el caso de que el domicilio no constare en el Registro o que la comunicación fuese devuelta por cualquier motivo, el Registrador practicará nueva comunicación mediante edicto, que se insertará en el «Boletín Oficial del Estado.

Por su parte, el art. 683 LEC (en su redacción dada por el art. 1.23 de la Ley 19/2015, de 13 de julio, que entró en vigor el 15 de octubre de 2015) establece que *el deudor y el hipotecante no deudor podrán cambiar el domicilio que hubieren designado para la práctica de requerimientos y notificaciones, sujetándose a las reglas siguientes:*

1.ª Cuando los bienes hipotecados sean inmuebles, no será necesario el consentimiento del acreedor, siempre que el cambio tenga lugar dentro de la misma población que se hubiere designado en la escritura, o de cualquier otra que esté enclavada en el término [municipal] en que radiquen las fincas y que sirva para determinar la competencia del Juzgado.

Para cambiar ese domicilio a punto diferente de los expresados será necesaria la conformidad del acreedor. [...]

En todo caso, será necesario acreditar la notificación fehaciente al acreedor.

Los cambios de domicilio se harán constar en el Registro por nota al margen de la inscripción de hipoteca, bien mediante instancia con firma legitimada notarialmente o ratificada ante el Registrador, bien mediante instancia presentada telemáticamente en el Registro, garantizada con certificado reconocido de firma electrónica, o bien mediante acta notarial.

A efectos de requerimientos y notificaciones, el domicilio de los terceros adquirentes de bienes hipotecados será el que aparezca designado en la inscripción de su adquisición. En todo caso será de aplicación la previsión contenida en el apartado 1 del art. 660 y, por tanto, las comunicaciones deberán hacerse por correo con acuse de recibo o por otro medio fehaciente. Habiéndose señalado una dirección electrónica se entenderá que se consiente este procedimiento para recibir notificaciones, sin perjuicio de que estas deban realizarse en forma acumulativa y no alternativa a las personales.

Cabe que en la escritura de constitución de hipoteca se establezcan dos domicilios, uno para el deudor y otro para el hipotecante (RDGRN de 5 de septiembre de 1998). Y en el caso de dos deudores, puede fijarse un domicilio para cada uno de ellos (RRGRN de 7 de febrero 2001).

La RDGRN de 9 de julio de 2001, si bien, con relación al procedimiento judicial sumario señaló: «la expresión de distintos domicilios puede facilitar en su día el desarrollo del procedimiento de realización de la hipoteca (y así ocurrirá en caso de que deudor e hipotecante no sean la misma persona —Resolución de 5 septiembre 1998—; o en el supuesto de pluralidad de hipotecantes —Resolución de 7 febrero 2001—; y... tratándose de una hipoteca constituida sobre varias fincas o entre las que se distribuye la responsabilidad hipotecaria, ha de tenerse en cuenta que no cabe la ejecución conjunta sobre todas ellas, sino que habrán de ser ejecutadas como fincas diferentes (cfr. arts. 119 a 123 de la Ley Hipotecaria y Resolución de 24 octubre 2000), por lo que no debe haber inconveniente en señalar como domicilio la respectiva finca que haya de ser objeto de la ejecución, máxime si se tiene presente que, de este modo, en los casos como el ahora debatido en que se constituye la hipoteca inicialmente por una sola persona —el promotor—, se puede legítimamente pretender que sea innecesario modificar dicho domicilio una vez que sean trasmitidas posteriormente cada una de las múltiples fincas hipotecadas a personas distintas que asuman la deuda respectiva y se subroga en él la responsabilidad hipotecaria correspondiente».

Lo que no cabe es fijar como domicilio el del acreedor pese a que fue admitido por la STS de 26 de marzo de 1996. Como afirma MONTERO AROCA (2012, p. 375), «para la doctrina está cada vez más claro que si la finalidad de la fijación del domicilio es asegurar que el ejecutado tiene conocimiento de la existencia del proceso de ejecución, la sentencia anterior es contraria a esa finalidad. Por otra parte, una cláusula de este género también podría considerarse como abusiva...» Así lo hizo la STS de 17 junio 2003 («asiste la razón a la recurrente al estimar abusiva la cláusula de fijación de domicilio del deudor en el del acreedor hipotecario o a efectos de notificaciones o requerimientos o en los procedimientos de ejecución hipotecaria, o pues puede producirle una indefensión o al ser desconocedor de los trámites»).

4. La persona que en su día haya de otorgar la escritura de venta de la finca.

De acuerdo con el art. 234 RH, la tramitación de la venta extrajudicial requerirá que en la escritura de constitución de la hipoteca se haya designado *la persona que en su día haya de otorgar la escritura de venta de la finca en representación del hipotecante. A tal efecto podrá designarse al propio acreedor.*

Este requisito responde a la necesidad de que el titular otorgue la venta de la finca si se remata en subasta o se adjudica al acreedor. No es necesario en el procedimiento judicial de ejecución hipotecaria porque el consentimiento del deudor es sustituido por el Juez, de forma que el auto de aprobación del remate sirve de título transmisivo de la finca. Sin embargo, en la venta extrajudicial, la designación del mandatario es tan necesaria que no habiéndose nombrado y negándose el propietario a consentir y otorgar la escritura de transmisión de la finca, no habría medio hábil para consumar el procedimiento.

En realidad, lo que debería haber declarado la norma, simplemente, que es el acreedor quien tiene la legitimación para disponer en ejercicio de su *ius distrahendi*.

Como señala MAGARIÑOS BLANCO (1997, p. 1.012), la designación del art. 234 R.H. tiene una serie de características que no encajan en la figura del mandato ni del apoderamiento: se nombra por el hipotecante y, sin embargo, si la finca se ha transmitido y ha pasado a un tercer poseedor, se inscribirá la escritura final de remate o adjudicación otorgada en nombre de quien ya no es titular; se trata de una designación irrevocable y que no se extingue por fallecimiento del hipotecante, y que si muere el designado acreedor le suceden en el «cargo» sus herederos (Res. DGRN de 2 de junio de 1914, 3 de julio de 1920 y 2 de julio de 1914); y, por último, que la función única del designado es hacer posible la ejecución (ahora diríamos la venta extrajudicial), sin que pese para nada la confianza, que es básica en el mandato, y sin que el nombrado tenga libertad alguna de decisión, lo que la aleja definitivamente del mandato o del poder.

Lo que sucede es que la realización de la hipoteca bajo el control notarial ha de eludir todos aquellos obstáculos que exijan intervención judicial porque se necesite imposición coactiva. Y uno de los recursos más fáciles es acudir a la idea del mandato o representación, con la que se resuelve el problema de la rebeldía del ejecutado, y que es al que el legislador ha acudido normalmente. No es necesario forzar al hipotecante o al titular, basta con utilizar el poder voluntariamente otorgado, «irrevocable» e «inextinguible».

De acuerdo con la RDGRN de 26 de febrero de 2000 (BOE 23 de marzo de 2000), el defecto invocado por el Registrador, «que se centra en la infracción del art. 234 del Reglamento Hipotecario por no haber sido designada en la escritura de constitución de la hipoteca la persona concreta que en su día hubiera de otorgar la escritura de venta, no puede ser confirmado, ya que si se tiene en cuenta el fundamento de dicha exigencia reglamentaria (evitar que la negativa del propietario de la finca hipotecada a otorgar la escritura de enajenación impida la adjudicación de aquélla en el procedimiento especial y se vea obligado el rematante a exigir el otorgamiento en el correspondiente juicio declarativo ordinario), la omisión debatida carece de relevancia en este caso, al haber sido otorgada dicha escritura por la única dueña de las fincas hipotecadas, conforme al propio art. 236.l).1 del Reglamento Hipotecario».

12.8. TRAMITACIÓN

En la tramitación de la venta extrajudicial y de forma similar a la del procedimiento de ejecución hipotecaria, nos encontramos con una primera fase que podemos llamar de iniciación en la que el acreedor acude con su requerimiento al Notario y éste acuerda y lleva a efecto lo procedente; una segunda fase, de ejecución, donde se procede a la venta de la finca y, efectuada ésta, se entra en un tercer período, de finalización, en el que se produce la normalización jurídica tanto de la finca hipotecada como de la situación del acreedor y del deudor.

12.8.1. Iniciación

12.8.1.1. Competencia Notarial

La competencia notarial la determina el propio art. 129.2 LH al decir que *la venta extrajudicial se realizará ante Notario*. Por su parte, el art. 236.1 RH comienza diciendo que la realización extrajudicial de la hipoteca se llevará a cabo ante el Notario hábil para actuar en el lugar donde radique la finca hipotecada.

Como se observa, la competencia es exclusivamente territorial. Con anterioridad a la reforma de 1992 se consideraba lícito el pacto de sumisión expresa a una determinada notaría de las que eran hábiles por razón de la situación de la finca o fincas. Tras desaparecer la sumisión expresa para los juicios ejecutivos en virtud de la Ley 10/1992, de 30 de abril, de Medidas Urgentes de Reforma Procesal, los preceptos del Reglamento Hipotecario hoy vigentes, establecen un orden prelativo en cuanto a quién debe ser el Notario competente para desarrollar el procedimiento extrajudicial.

En efecto, el citado art. 236.1 LH establece que si hubiere más de un Notario hábil para actuar en el lugar donde radique la finca hipotecada, será Notario competente el que corresponda por turno. Cuando sean varias las fincas hipotecadas y radiquen en lugares diferentes, podrá establecerse en la escritura de constitución cuál de ellas determinará la competencia notarial. En su defecto, si no hubiere ese pacto, la competencia notarial vendrá determinada por la finca que haya sido tasada a efectos de subasta con un mayor valor.

12.8.1.2. Requerimiento al Notario

El punto primero del art. 236.a) RH establece que *el procedimiento se iniciará mediante requerimiento dirigido al Notario*. Este requerimiento adoptará la forma escrita y será realizado por el acreedor ejecutante o su representante legal o voluntario.

Dicho requerimiento deberá contener *las circunstancias determinantes de la certeza y exigibilidad del crédito y la cantidad exacta objeto de reclamación en el momento del requerimiento, especificando el importe de cada uno de los conceptos*. Este precepto era paralelo al establecido en la regla 20 del art. 131 LH para el procedimiento judicial sumario.

En cuanto al objeto de la reclamación, deberá expresarse con exactitud la cantidad en euros, tanto del capital reclamado como de los intereses vencidos y no satisfechos, ordinarios y moratorios, y cualesquiera otros pagos o indemnizaciones bajo la condición de que hubieran sido pactados en la escritura de constitución de hipoteca. Un concepto objeto de reclamación que no podrá ser determinado con exactitud será el que se refiere a las costas, ya que estas se liquidarán al final del procedimiento.

12.8.1.2.1. Documentos que acompañan al requerimiento

De acuerdo con el número 2 del art. 236.a) RH, el requirente entregará al Notario los siguientes documentos:

a) *La escritura de constitución de la hipoteca con nota de haberse inscrito. Si no pudiese presentarse la escritura inscrita, deberá acompañarse con la que se presente nota simple del Registro de la Propiedad que refleje la inscripción.*

b) *El documento o documentos que permitan determinar con exactitud el interés, ya sea directamente, ya mediante simples operaciones aritméticas, en los casos de hipoteca en garantía de créditos con interés variable.*

Por su parte, el párrafo 2º del art. 129.2.c) LH establece que *en el caso de que la cantidad prestada esté inicialmente determinada pero el contrato de préstamo garantizado prevea el reembolso progresivo del capital a la solicitud de venta extrajudicial deberá acompañarse un documento en el que consten las amortizaciones realizadas y sus fechas, y el documento fehaciente que acredite haberse practicado la liquidación en la forma pactada por las partes en la escritura de constitución de hipoteca*. Esta última expresión, a mi juicio, no es correcta; habría que decir escritura de préstamo que es en la que constará las condiciones para poder determinar la cantidad exigible y el «pacto liquidatorio» ya que éste es propio de la relación obligacional —el préstamo— y no de la constitución de la garantía —la hipoteca—.

En cualquier caso en que se hubieran pactado intereses variables, a la solicitud de venta extrajudicial, se deberá acompañar el documento fehaciente que acredite haberse practicado la liquidación en la forma pactada por las partes en la escritura de constitución de hipoteca (*sic*).

Por tanto, sólo quedarían excluidos de la exigencia de documento fehaciente que acredite la correcta liquidación, los llamados «préstamos simples», esto es, los que se amortizan en su totalidad al vencimiento.

Esto se deduce de la expresión «reembolso progresivo de capital»: por tanto, se exige dicho documento fehaciente en las ventas extrajudiciales referentes a hipotecas en garantía de préstamos que se reembolsan mediante cuotas constantes comprensivas de capital e intereses —método de amortización francés— (que es el sistema más común-mente utilizado), de los que se reembolsen mediante cuotas de capital constante —mé-todo de amortización italiano—, así como los de cuotas de capital e intereses crecientes —método de amortización mediante cuotas en progresión geométrica o aritmética—.

Se excluyen así de la exigencia del documento fehaciente en los «préstamos sim-ples» porque se considera que en estos casos puede llegarse a la cantidad líquida exigi-ble, en expresión de algunas sentencias, «con una simple operación aritmética y en base a los datos proporcionados por el título».

Habría bastante que discutir respecto a qué es y qué no es una «simple operación aritmética» y, sobre todo, que el problema no es tanto la configuración del método de amortización como la propia «vida del préstamo», esto es, han podido haber amorti-zaciones parciales, devengo de intereses de demora por impago de los intereses ordina-rios en las fechas de liquidación, etc.

Además, se exige el documento fehaciente en todos los préstamos a interés variable. incluidos los llamados «préstamos simples». Por tanto, cuando se hayan pactado inte-reses variables es indiferente el método amortización.

Para entender este precepto y, sobre todo, el alcance del documento fehaciente de liquidación y el papel del Notario en su elaboración debemos ver los antecedentes legis-lativos de este precepto.

El antecedente de este precepto del art. 129 LH es el art. 685.2 LEC referente a la demanda ejecutiva y documentos que han de acompañarse a la misma en la ejecución sobre bienes hipotecados o pignorados, procedimiento regulado en el Cap. V del Tít. IV del Libro III LEC. De acuerdo con el mismo, a la demanda ejecutiva *se acompañarán el título o títulos de crédito, revestidos de los requisitos que esta Ley exige para el despacho de la ejecución, así como los demás documentos a que se refieren el art. 550 y, en sus respectivos casos, los arts. 573 y 574 de la presente Ley.*

A tenor del primero, a la demanda ejecutiva *se acompañarán:*

1.º El título ejecutivo [...]

2.º El poder otorgado a procurador [...]

3.º Los documentos que acrediten los precios o cotizaciones aplicados para el cómputo en dinero de deudas no dinerarias, cuando no se trate de datos oficiales o de público cono-cimiento.

4.º Los demás documentos que la ley exija para el despacho de la ejecución.

Por su parte, de acuerdo con el art. 572 LEC (Cantidad líquida. Ejecución por saldo de operaciones):

1. Para el despacho de la ejecución se considerará líquida toda cantidad de dinero determinada, que se exprese en el título con letras, cifras o guarismos comprensibles. En caso de disconformidad entre distintas expresiones de cantidad, prevalecerá la que conste con letras. No será preciso, sin embargo, al efecto de despachar ejecución, que sea líquida la cantidad que el ejecutante solicite por los intereses que se pudieran devengar durante la ejecución y por las costas que ésta origine.

2. También podrá despacharse ejecución por el importe del saldo resultante de operaciones derivadas de contratos formalizados en escritura pública o en póliza intervenida por corredor de comercio colegiado, siempre que se haya pactado en el título que la cantidad exigible en caso de ejecución será la resultante de la liquidación efectuada por el acreedor en la forma convenida por las partes en el propio título ejecutivo.

En este caso, sólo se despachará la ejecución si el acreedor acredita haber notificado previamente al ejecutado y al fiador, si lo hubiere, la cantidad exigible resultante de la liquidación.

Y el art. 573 LEC (*Documentos que han de acompañarse a la demanda ejecutiva por saldo de cuenta*) establece:

1. En los casos a que se refiere el apartado segundo del art. anterior, a la demanda ejecutiva deberán acompañarse, además del título ejecutivo y de los documentos a que se refiere el art. 550, los siguientes:

1.º El documento o documentos en que se exprese el saldo resultante de la liquidación efectuada por el acreedor, así como el extracto de las partidas de cargo y abono y las correspondientes a la aplicación de intereses que determinan el saldo concreto por el que se pide el despacho de la ejecución.

2.º El documento fehaciente que acredite haberse practicado la liquidación en la forma pactada por las partes en el título ejecutivo.

3.º El documento que acredite haberse notificado al deudor y al fiador, si lo hubiere, la cantidad exigible.

2. También podrán acompañarse a la demanda, cuando el ejecutante lo considere conveniente, los justificantes de las diversas partidas de cargo y abono.

3. Si el acreedor tuviera duda sobre la realidad o exigibilidad de alguna partida o sobre su efectiva cuantía, podrá pedir el despacho de la ejecución por la cantidad que le resulta indubitada y reservar la reclamación del resto para el proceso declarativo que corresponda, que podrá ser simultáneo a la ejecución.

Por último, el art. 574 LEC (*Ejecución en casos de intereses variables*) establece que:

1. El ejecutante expresará en la demanda ejecutiva las operaciones de cálculo que arrojan como saldo la cantidad determinada por la que pide el despacho de la ejecución en los siguientes casos:

1.º Cuando la cantidad que reclama provenga de un préstamo o crédito en el que se hubiera pactado un interés variable.

2.º Cuando la cantidad reclamada provenga de un préstamo o crédito en el que sea preciso ajustar las paridades de distintas monedas y sus respectivos tipos de interés.

2. En todos los casos anteriores será de aplicación lo dispuesto en los números segundo y tercero del apartado primero del art. anterior y en los apartados segundo y tercero de dicho art.

De acuerdo con la RDGRN de 17 de septiembre de 2012 en contestación a la consulta formulada por un Notario del Ilustre Colegio Notarial de Asturias y elevada por éste a la Dirección General, en la venta extrajudicial en los supuestos de hipotecas constituidas en garantía de préstamos con intereses variables, el art. 236-a.2.b) RH, incluye entre los documentos que deben ser entregados por el requirente al Notario para la iniciación del procedimiento «el documento o documentos que permitan determinar con exactitud el interés, ya directamente, ya mediante simples operaciones aritméticas...». Esta exigencia reglamentaria se refiere a las correspondientes publicaciones en el Boletín Oficial del Estado (cfr. Norma sexta bis.3 de la Circular 5/1994 del Banco de España, de 22 de julio), certificaciones del Banco de España o de otra entidad oficial que determinen el valor alcanzado por el índice de referencia en las fechas pactadas en el título para las revisiones del tipo de interés.

Sin perjuicio del error de la DGRN ya que, realmente, era la Norma sexta bis.3 de la Circular 8/1990, de 7 de septiembre, a Entidades de Crédito, sobre transparencia de las operaciones y protección de la clientela, redactada por la Circular 5/1994 del Banco de España, de 22 de julio, hoy hay que entender que esa referencia se hace a la norma decimocuarta (Tipos de interés oficiales) de la Circular 5/2012, de 27 de junio, del Banco de España, a entidades de crédito y proveedores de servicios de pago, sobre transparencia de los servicios bancarios y responsabilidad en la concesión de préstamos

También cabe que en las escrituras de constitución de la hipoteca (*sic*) se hubiere pactado cuáles han de ser esos documentos acreditativos.

En base a dichos documentos el Notario habrá de examinar el requerimiento, y determinar si estima cumplidos todos los requisitos (cfr. art. 236-b del Reglamento Hipotecario), entre los que se incluye la comprobación de la racionalidad y ajuste matemáticos de la cantidad reclamada. En concreto el Notario dispone de los conocimientos matemático-financieros precisos para decidir acerca de la corrección del cálculo que realiza el acreedor respecto de los intereses variables reclamados, como se deduce claramente de la competencia que reglamentariamente viene atribuida a dicho funcionario por los arts. 218 y 219 RN.

En neto contraste con este sistema la LEC permite despachar ejecución respecto de deudas en principio ilíquidas, siempre que se trate de operaciones autorizadas por Notario, y se pacte en el título que la liquidación se hará por el acreedor en la forma convenida en el título ejecutivo. En tales casos a la demanda ejecutiva deberá acompañarse el documento fehaciente que acredite haberse practicado la liquidación en la forma pactada por las partes en el título ejecutivo (cfr. arts. 572 y 573 de la Ley de Enjuiciamiento Civil). Pero es que además, el art. 574.2 de dicho cuerpo legal hace extensible este sistema al caso de que la cantidad reclamada provenga de un préstamo o crédito en el que se hubiera pactado un interés variable, declarando aplicable lo dispuesto en el número segundo del apartado primero del art. 573, que precisamente se refiere al documento fehaciente que acredite haberse practicado la liquidación en la forma pactada por las partes en el título ejecutivo.

Por lo tanto, sigue diciendo la citada RDGRN, resulta de lo expuesto que en el procedimiento extrajudicial de venta de finca hipotecada, en el caso de que la hipoteca se hubiere constituido en garantía de un préstamo con interés variable, se exige tan sólo aportar «el documento o documentos que permitan determinar con exactitud el interés, ya directamente, ya mediante simples operaciones aritméticas...», mientras que en el juicio ejecutivo regulado en la LEC tales reclamaciones exigen acompañar a la demanda ejecutiva el denominado documento fehaciente de liquidación, autorizado por notario. Ello no obsta a que sea posible, y así se hace frecuentemente en la práctica, dar cumplimiento a la exigencia del Reglamento Hipotecario mediante la aportación al requerimiento de un documento fehaciente de liquidación autorizado con las formalidades del art. 218 RN, pero ello no es en modo alguno imprescindible. De este modo el acreedor podría optar por aportar al Notario el acta prevista en el art. 219 RN, ya que se trataría de liquidar un contrato sin la finalidad de despachar ejecución.

Sin embargo, hay que señalar que tras la redacción dada al art. 129.2.c) LH por el art. 3.3 de la Ley 1/2013, de 14 de mayo, el documento fehaciente de liquidación es exigible, como ya hemos señalado, en cualquier tipo de préstamos cuando existan intereses variables. Por tanto, el requisito establecido en el art. 236-a.2.b) RH para *los casos de hipoteca en garantía de créditos con interés variable* de entregar al Notario *el documento o documentos que permitan determinar con exactitud el interés, ya sea directamente, ya mediante simples operaciones aritméticas*, debe ser complementado con el documento fehaciente de liquidación. A mi juicio, pueden ser sustituidos por este porque aquellos deberían haber sido objeto de comprobación por el Notario autorizante de dicho documento fehaciente. Pero, en todo caso, es imprescindible *el documento fehaciente que acredite haberse practicado la liquidación en la forma pactada por las partes en la escritura de constitución de hipoteca* (*sic*).

En cuanto al papel del Notario en la elaboración del documento fehaciente de liquidación, me remito al epígrafe correspondiente de esta obra.

12.8.1.3. Examen y admisión (aceptación) notarial

El art. 236-b) RH comienza diciendo que el Notario examinará el requerimiento y los documentos que lo acompañan y, si estima cumplidos todos los requisitos, solicitará del Registro de la Propiedad certificación. El Notario deberá comprobar en base al requerimiento del acreedor ejecutante acompañado de los documentos arriba referenciados, que se cumplen los requisitos establecidos para la venta extrajudicial. Deberá, pues, comprobar la certeza y exigibilidad del crédito, realizando una función cuasi jurisdiccional, por cuanto ha de apreciar la validez y suficiencia del título y de los documentos anejos. La función que realiza es similar a la que desarrolla el Juez en el proceso de ejecución hipotecaria.

Aunque el Reglamento Hipotecario nada dice de la posible denegación de la admisión del requerimiento y de los documentos que la acompañan, es evidente que si no cumplen los requisitos vistos del art. 129 LH y del art. 236-a), el Notario deberá negarse a tramitar la venta extrajudicial, de forma análoga a lo que hace el Juez, tal como establecía la regla 40 del art. 131 LH para el procedimiento judicial sumario y hoy el art. 552 LEC.

Cuando el Notario ha concluido el examen del requerimiento así como de los documentos que lo acompañan, y todo ello lo considera conforme a Derecho, inicia el acta notarial donde van a constar todos los avatares de la sustanciación del procedimiento extrajudicial.

Por aplicación del art. 551.1, párr. 2º LEC, con carácter previo, el Notario llevará a cabo la oportuna consulta al Registro Público Concursal a los efectos previstos en el apartado 4 del art. 5 bis de la Ley Concursal. De acuerdo con este artículo, el deudor podrá poner en conocimiento del juzgado competente para la declaración de su concurso que ha iniciado negociaciones para alcanzar un acuerdo de refinanciación de los previstos en el art. 71 bis.1 y en la Disposición adicional cuarta o para obtener adhesiones a una propuesta anticipada de convenio en los términos previstos en esta Ley.

En el caso en que solicite un acuerdo extrajudicial de pago, una vez que el mediador concursal propuesto acepte el cargo, el registrador mercantil o notario al que se hubiera solicitado la designación del mediador concursal deberá comunicar, de oficio, la apertura de las negociaciones al juzgado competente para la declaración de concurso y el secretario judicial ordenará la publicación en el Registro Público Concursal del extracto de la resolución por la que se deje constancia de la comunicación presentada por el deudor o, en los supuestos de negociación de un acuerdo extrajudicial de pago, por el notario o por el registrador mercantil, en los términos que reglamentariamente se determinen.

Caso de solicitar expresamente el deudor el carácter reservado de la comunicación de negociaciones, no se ordenará la publicación del extracto de la resolución. El deudor podrá solicitar el levantamiento del carácter reservado de la comunicación en cualquier momento.

Pues bien, el número 4 de este art. 5 bis establece que *desde la presentación de la comunicación no podrán iniciarse ejecuciones judiciales o extrajudiciales de bienes o derechos que resulten necesarios para la continuidad de la actividad profesional o empresarial del deudor, hasta que se produzca alguna de las siguientes circunstancias:*

a) se formalice el acuerdo de refinanciación previsto en el art. 71 bis.1;

b) se dicte la providencia admitiendo a trámite la solicitud de homologación judicial del acuerdo de refinanciación;

c) se adopte el acuerdo extrajudicial de pagos;

d) se hayan obtenido las adhesiones necesarias para la admisión a trámite de una propuesta anticipada de convenio;

e) o tenga lugar la declaración de concurso.

En su comunicación el deudor indicará qué ejecuciones se siguen contra su patrimonio y cuáles de ellas recaen sobre bienes que considere necesarios para la continuidad de su actividad profesional o empresarial, que se harán constar en el decreto por el cual el secretario judicial tenga por efectuada la comunicación del expediente. En caso de controversia sobre el carácter necesario del bien se podrá recurrir aquel decreto ante el juez competente para conocer del concurso.

Las ejecuciones de dichos bienes que estén en tramitación se suspenderán y tampoco podrán iniciarse o, en su caso, quedarán suspendidas las ejecuciones singulares, judiciales o extrajudiciales.

Transcurridos tres meses desde la comunicación al juzgado, el deudor, haya o no alcanzado un acuerdo de refinanciación, o un acuerdo extrajudicial de pagos o las adhesiones necesarias para la admisión a trámite de una propuesta anticipada de convenio, deberá solicitar la declaración de concurso dentro del mes hábil siguiente, a menos que ya lo hubiera solicitado el mediador concursal o no se encontrara en estado de insolvencia.

Por otra parte, si el deudor hipotecante o el hipotecante no deudor se encuentra ya en situación concursal, a tenor de lo establecido en el art. 56.1 LC *los acreedores con garantía real sobre bienes del concursado que resulten necesarios para la continuidad de su actividad profesional o empresarial no podrán iniciar la ejecución o realización forzosa de la garantía hasta que se apruebe un convenio cuyo contenido no afecte al ejercicio de este derecho o trascurra un año desde la declaración de concurso sin que se hubiera producido la apertura de la liquidación.* Corresponderá al juez del concurso determinar si un bien del concursado resulta necesario para la continuidad de la actividad profesional o empresarial del deudor.

En todo caso, la declaración de concurso no afectará a la ejecución de la garantía cuando el concursado tenga la condición de tercer poseedor del bien objeto de ésta.

12.8.1.4. Certificación del Registro de la Propiedad

Cumplimentada esta fase de examen y admisión, el Notario solicitará del Registro de la Propiedad la oportuna certificación.

Comparando el vigente art. 236-b RH con el contenido del art. 235 RH en su redacción anterior a la reforma de 1992 que regulaba el procedimiento extrajudicial, éste último establecía en su regla 30 que la solicitud de la certificación, acompañada del requerimiento de pago, sería realizada por el interesado.

Dos fueron pues las modificaciones introducidas. En primer lugar, se suprimió como requisito previo la exigencia del requerimiento de pago de forma que éste se realiza con posterioridad a la expedición de la certificación del Registro de la Propiedad. Además, y como segunda modificación, en lugar de ser el interesado quien solicitaba al Registrador que expidiera la certificación, a partir de entonces es el Notario.

Por tanto, así como en el régimen anterior a 1992 el procedimiento extrajudicial se iniciaba por un requerimiento notarial de pago hecho al deudor y, en su caso, al tercer poseedor, hoy es el requerimiento que dirige el acreedor ejecutante al Notario acompañado de los documentos pertinentes. Y después del estudio de éstos y considerando por el Notario que se dan por cumplidos todos los requisitos, será este último quien solicite al Registro la certificación.

Dicha certificación deberá comprender los siguientes extremos:

11) Inserción literal de la última inscripción de dominio que se haya practicado y continúe vigente.

21) Inserción literal de la inscripción de la hipoteca en los términos en que esté vigente, esto es, expresión de que se haya subsistente y sin cancelar la hipoteca a favor del acreedor ejecutante.

31) Relación de todos los censos, hipotecas, gravámenes y derechos reales y anotaciones a que estén afectos los bienes.

El Registrador hará constar por nota al margen de la inscripción de la hipoteca, la circunstancia de haberse expedido la referida certificación registral y la fecha de ésta, la iniciación del procedimiento de ejecución y el Notario (nombre, apellidos y residencia) ante el cual el mismo se sigue; y la prevención de que no se entenderá este procedimiento contra los que posteriormente inscriban o anoten cualquier derecho sobre la misma finca.

Como señalaba ROCA SASTRE (1979, p. 1.088), esto no quiere decir que esté prohibido entender este procedimiento con los adquirentes posteriores, pues rige entonces el art. 134 LH. Lo que se quiere significar es que por iniciativa del acreedor no será preciso dirigir el procedimiento contra un nuevo adquirente de la finca ejecutada.

La trascendencia de esta nota se deduce de esta prevención que la misma debe contener, de modo que tiene el mismo alcance que la nota marginal que debe extenderse en caso de procedimiento judicial sumario, a saber, no sólo la de informar a posteriores adquirentes acerca de la existencia del proceso de ejecución, sino también hacer las veces del trámite de notificación o intimación a tales adquirentes. Además, produce el efecto de poder cancelar los asientos posteriores con la expresión genérica de que habla el art. 233 RH que si bien exige que en el auto de adjudicación de bienes se determinen las inscripciones y anotaciones posteriores y las anteriores pospuestas al crédito del actor que hayan de cancelarse, con referencia expresa al número o letra, folio y tomo donde consten, sin que sea suficiente ordenar que se cancelen todas las posteriores a la hipoteca del actor, se exceptúan las practicadas con posterioridad a la extensión de la nota prevenida en el párrafo cuarto de la regla cuarta del art. citado, para cuya cancelación bastará la referida expresión genérica.

12.8.1.5. Requerimiento de pago al deudor y a otros

Una vez realizado el examen previo sin que exista ningún obstáculo, el Notario requerirá el pago del deudor con indicación expresa de la causa y fecha del vencimiento del crédito y de la cantidad reclamada, dándole un plazo de diez días para que realice el pago, y haciendo constar en el mismo que si no lo hace se ejecutarán los bienes y serán de su cuenta los gastos que ello ocasione (art. 236-c RH).

Si el Notario no fuera competente por razón del lugar, practicará el requerimiento por medio de otro Notario que sea territorialmente competente.

Como señala, GOMÁ LANZÓN (2014, p. 204) con razón «un aspecto esencial de la tramitación del procedimiento, digamos el trámite-eje, es el requerimiento al deudor, cuyo rigor es mucho mayor en el procedimiento notarial que los judiciales».

Este requerimiento, como las notificaciones que veremos seguidamente, tienen carácter esencial como se deduce del art. 132 LH al señalar que *a los efectos de las inscripciones y cancelaciones a que den lugar los procedimientos de ejecución directa sobre los bienes hipotecados, la calificación del registrador se extenderá a los extremos siguientes:*

1.º Que se ha demandado y requerido de pago al deudor, hipotecante no deudor y terceros poseedores que tengan inscritos su derecho en el Registro en el momento de expedirse certificación de cargas en el procedimiento.

2.º Que se ha notificado la existencia del procedimiento a los acreedores y terceros cuyo derecho ha sido anotado o inscrito con posterioridad a la hipoteca, a excepción de los que sean posteriores a la nota marginal de expedición de certificación de cargas, respecto de los cuales la nota marginal surtirá los efectos de la notificación [...]

Obsérvese que, aunque parezca una incoherencia, el número 1 del art. 132 LH exige «requerimiento de pago» no sólo al «deudor», cosa lógica, sino también al «hipotecante no deudor» y a los «terceros poseedores» que tengan inscritos su derecho en el Registro en el momento de expedirse certificación de cargas en el procedimiento. Y no es suficiente con poner en su conocimiento el inicio de la venta extrajudicial, habida cuenta que tienen derecho a pagar subrogándose en la posición del acreedor, sino que también hay que requerirles de pago.

El requerimiento al deudor, continúa diciendo el art. 236-c.2, tendrá lugar en el domicilio que, a efectos de aquél, resulte del Registro y se practicará por el Notario, bien personalmente, si se encontrase en él el deudor que haya de ser requerido, o bien al pariente más próximo, familiar o dependientes mayores de 14 años que se hallasen en el mismo. Si no se encontrase nadie en él, al portero o a uno de los vecinos más próximos.

Como señala la RDGRN de 17 de septiembre de 2012 en contestación a la consulta formulada por un Notario del Ilustre Colegio Notarial de Asturias y elevada por éste a la Dirección General, este sistema del Reglamento Hipotecario es más restrictivo que el del Reglamento Notarial y también que el del regulado en la Ley de Enjuiciamiento Civil, que permite, ante la imposibilidad de practicar la notificación personal, acudir a la edictal. Hoy hay que añadir que también lo es respecto al sistema señalado en el art. 74.2 LN que admite la notificación al titular del bien o derecho de la iniciación del expediente, así como todo el contenido de su anuncio y el procedimiento seguido para la fijación del tipo de subasta, bien personalmente, bien mediante envío de carta certificada con acuse de recibo al domicilio fijado registralmente o, en su defecto, en documento público, o tratándose de bienes no registrados, se remitirá al domicilio habitual acreditado. Si el domicilio no fuere conocido, la notificación se realizará mediante edictos.

Por su parte, los arts. 581 y 686 LEC regulan el requerimiento extrajudicial por acta notarial en el seno del juicio ejecutivo en el que se persiguen bienes especialmente hipotecados en términos similares a los del Reglamento Hipotecario y como supletoria de la notificación realizada por el órgano jurisdiccional. En estos casos también se exige que el requerimiento extrajudicial se practique en el domicilio vigente según el Registro.

De lo que no cabe duda es que los criterios respecto a la notificación en la venta extrajudicial están presididos por una idea de protección del deudor, al que se le exige, para que pueda ser utilizado el procedimiento, designar un domicilio en el que necesariamente deberá intentarse la notificación, con lo que se le otorgan medios efectivos para procurarse el conocimiento de la iniciación del acta. No obstante, del art. 234.1.2ª del RH en relación con el art. 683.1.1ª LEC, se deduce claramente que el domicilio también es fijado en interés del acreedor, pues de lo contrario no se entendería que se exija su consentimiento para cambiarlo fuera del territorio de competencia del Juzgado en que radique la finca. Y es igualmente cierto que la exigencia del art. 682.2.2 LEC en cuanto a que se haya señalado por el deudor un domicilio para notificaciones, juega también en beneficio del acreedor, que se ve de esta forma dispensado de averiguar dicho domicilio para demandar al deudor (cfr. arts. 155 y 156 LEC).

Si bien es cierto que nuestro Tribunal Constitucional ha sentado la doctrina, de la que resulta la exigencia «[...] de que el órgano judicial agote los medios que tenga a su alcance para notificar al ejecutado la existencia del proceso en su domicilio real, de modo que, una vez que surjan dudas razonables de que el domicilio señalado en la escritura del préstamo hipotecario y que figura en el Registro sea el domicilio real del ejecutado, le es exigible que intente, en cumplimiento del deber de diligencia que en orden a la realización de los actos de comunicación procesal le impone el art. 24.1 de la Constitución Española, el emplazamiento personal del ejecutado en el domicilio que figure en las actuaciones, distinto del que consta en la escritura de préstamo hipotecario y en el Registro...»* (Sentencia del Tribunal Constitucional 28/2010, de 27 de abril y otras varias como la 245/2006, de 24 de julio).

Sin embargo la aplicación de esta doctrina al procedimiento a la venta extrajudicial la finca hipotecada es más que dudosa si nos atenemos a una serie de consideraciones:

a) En primer lugar, la venta extrajudicial es un procedimiento que sólo procede en virtud de pacto expreso. Por lo tanto, las partes, al aceptarlo, asumen expresamente el desarrollo de su tramitación. Por el contrario, el procedimiento ejecutivo judicial resulta directamente de la ley sin necesidad de pacto, para la efectividad del derecho real de hipoteca.

b) En el procedimiento judicial la imposibilidad de practicar la notificación personal determina la práctica de la edictal, y por tanto la continuación del procedimiento. Mientras que en la venta extrajudicial, la imposibilidad de notificar, determina la conclusión de las actuaciones.

c) No parece por tanto posible extrapolar una carga que se impone al ejecutante y al tribunal en el procedimiento judicial en razón del principio de tutela judicial efectiva que consagra nuestra Constitución, a la venta extrajudicial que tan sólo supone un procedimiento de actuación de un derecho privado que se realiza ante Notario.

d) Mientras que la doctrina constitucional citada aparece construida sin duda alguna en beneficio de los derechos del deudor en el procedimiento judicial, pues la imposibilidad de notificación personal en el domicilio registral conduciría a la notificación edictal, continuando la ejecución, en la venta extrajudicial se produce el efecto contrario, pues la imposibilidad de notificación en el domicilio registral determina el archivo de actuaciones, debiendo acudirse a la vía judicial.

e) Por tanto, la consulta se refiere más bien a si sería posible acudir a otros procedimientos de notificación no contemplados expresamente en la regulación reglamentaria, a los efectos de ampliar el ámbito del procedimiento extrajudicial y disminuir los casos en que se frustra su finalidad.

Por todo ello, concluye la DGRN, no parece procedente extender, por vía analógica, la doctrina constitucional expuesta a esta venta extrajudicial.

Sin embargo, continúa, sí sería posible admitir las notificaciones realizadas en supuestos distintos de los estrictamente contemplados en el Reglamento Hipotecario, a los efectos de permitir la continuación del procedimiento extrajudicial.

En este sentido parece que la regulación reglamentaria ha de ser objeto de interpretación desde el punto de vista teleológico (cfr. art. 3 CC). No cabe duda, según expusimos, que, desde el punto de vista del deudor, la regulación trata de establecer a favor del mismo una garantía, consistente en que éste puede predeterminar, durante todo el tiempo en que esté en vigor el derecho real de hipoteca, un domicilio al que tiene que dirigirse necesariamente el notario e intentar notificarle. Y caso de no hallarlo personalmente, la diligencia se entendería con otro ocupante o con un vecino o portero. Es decir, el deudor, puede precaverse, al aceptar el procedimiento extrajudicial en la escritura de constitución de hipoteca, de un *locus* que reúna, según sus posibilidades, las máximas garantías de que tendrá conocimiento de la existencia del procedimiento, bien porque se le hallará a él mismo en el inmueble, bien porque los ocupantes se lo harán saber, bien porque tal será la actuación de los vecinos o del portero que se prestaren a aceptarla, excluyendo por tanto la aplicación de otros posibles domicilios en los que no habría ocupantes, o los vecinos o el portero le serían de menos confianza.

Al mismo tiempo no puede perderse de vista que la designación del domicilio juega también, en cierta forma, como una carga para el deudor, puesto que las notificaciones realizadas en tal domicilio, aunque no se le practiquen a él personalmente, han de tenerse por válidas. En este sentido la RDGRN —Sistema Notarial— de 13 de enero de 1999 habló, en este caso, de «principios de normalidad» que determinan que la notificación se tenga por hecha si se practica a parientes, portero o vecinos, de manera que la comunicación entra en un ámbito que permite presumirla conocida por el deudor.

Por otra parte, no cabe olvidar la doctrina sentada por la RDGRN —Sistema Notarial— de 5 de julio de 2004 en el sentido de que el procedimiento extrajudicial contiene una especialidad en cuanto a la forma de las notificaciones respecto a lo dispuesto en el art. 202.4 RN. Si bien este último precepto exige que la diligencia se cumplimente mediante la entrega de cédula con media firma al menos que contenga el texto literal de la notificación o requerimiento y exprese el derecho de contestación, el art. 236-c del Reglamento Hipotecario se limita a expresar que *[...] el Notario practicará un requerimiento de pago al deudor indicándole la causa y fecha del vencimiento del crédito y la cantidad reclamada por cada concepto y advirtiéndole que de no pagar en el término de diez días se procederá a la ejecución de los bienes hipotecados, siendo de su cargo los gastos que ello ocasione*, de lo que se deduce que lo esencial no es el medio oral o escrito de comunicación (aunque siempre que sea posible habrá de acompañarse de una entrega real del documento que recoge el contenido del requerimiento), sino que el Notario pueda formar su juicio de que la persona con quien se ha entendido la diligencia quedó verdaderamente enterada del contenido del requerimiento, aunque se negara a hacerse cargo de la cédula.

Pero en cualquier caso la finalidad de la notificación del requerimiento de pago no es otra sino que el deudor pueda evitar la enajenación de la finca pagando la cantidad reclamada, u oponerse al procedimiento en los limitados supuestos que permite el art. 236-ñ) RH, teniendo en cuenta que la remisión del art. 236-o) debe entenderse actualmente al art. 698 LEC. A lo que cabría añadir lo dispuesto en los arts. 56 y 57 LC. A saber:

Art. 56. Paralización de ejecuciones de garantías reales y acciones de recuperación asimiladas.

1. Los acreedores con garantía real sobre bienes del concursado que resulten necesarios para la continuidad de su actividad profesional o empresarial no podrán iniciar la ejecución o realización forzosa de la garantía hasta que se apruebe un convenio cuyo contenido no afecte al ejercicio de este derecho o trascurra un año desde la declaración de concurso sin que se hubiera producido la apertura de la liquidación [...]

2. Las actuaciones ya iniciadas en ejercicio de las acciones a que se refiere el apartado anterior se suspenderán, si no hubiesen sido suspendidas en virtud de lo dispuesto en el art. 5 bis, desde que la declaración del concurso, sea o no firme, conste en el correspondiente procedimiento, aunque ya estuvieran publicados los anuncios de subasta del bien o derecho. Sólo se alzará la suspensión de la ejecución y se ordenará que continúe cuando se incorpore al procedimiento testimonio de la resolución del juez del concurso que declare que los bienes o derechos no son necesarios para la continuidad de la actividad profesional o empresarial del deudor.

3. Durante la paralización de las acciones o la suspensión de las actuaciones y cualquiera que sea el estado de tramitación del concurso, la administración concursal podrá ejercitar la opción prevista en el apartado 2 del art. 155.

4. La declaración de concurso no afectará a la ejecución de la garantía cuando el concursado tenga la condición de tercer poseedor del bien objeto de ésta.

5. *A los efectos de lo dispuesto en este art. y en el anterior, corresponderá al juez del concurso determinar si un bien del concursado resulta necesario para la continuidad de la actividad profesional o empresarial del deudor.*

Art. 57. Inicio o reanudación de ejecuciones de garantías reales.

1. El ejercicio de acciones que se inicie o se reanude conforme a lo previsto en el art. anterior durante la tramitación del concurso se someterá a la jurisdicción del juez de éste, quien a instancia de parte decidirá sobre su procedencia y, en su caso, acordará su tramitación en pieza separada, acomodando las actuaciones a las normas propias del procedimiento judicial o extrajudicial que corresponda.

2. Iniciadas o reanudadas las actuaciones, no podrán ser suspendidas por razón de vicisitudes propias del concurso.

3. Abierta la fase de liquidación, los acreedores que antes de la declaración de concurso no hubieran ejercitado estas acciones perderán el derecho de hacerlo en procedimiento separado. Las actuaciones que hubieran quedado suspendidas como consecuencia de la declaración de concurso se reanudarán, acumulándose al procedimiento de ejecución colectiva como pieza separada.

Resulta por tanto evidente que el domicilio registral no tiene un carácter sacramental, sino simplemente instrumental respecto de los interesados en el procedimiento. Esta idea se ve claramente reforzada si pensamos en el supuesto en que el deudor designó un domicilio de su conveniencia en la escritura pública notarial y en el momento en el que ha de realizarse el requerimiento de pago carece de relación con el inmueble correspondiente, por haberlo enajenado o por otras causas. El extremar el rigorismo en esta exigencia llevaría a la imposibilidad de continuar el procedimiento extrajudicial, aun conviniendo al acreedor o al deudor.

Por ello parece que la finalidad de la regulación reglamentaria (permitir al deudor un eficaz conocimiento de la existencia del procedimiento), se cumpliría si el deudor comparece voluntariamente en la Notaría a los efectos de darse por notificado, como de hecho sucede en la práctica, al pretender el deudor que, por otros medios, tiene noticia de la existencia del procedimiento, reducir en lo posible el devengo de los intereses de demora. Y la misma teleología ha de llevar a admitir una notificación efectivamente realizada al deudor en otro domicilio con idénticas garantías que dicha comparecencia. De este modo, el domicilio pactado no ha de funcionar como un requisito sacramental del procedimiento, sino como un elemento funcional encaminado a posibilitar la efectiva notificación.

Desde tal perspectiva parece interesante contemplar las soluciones alcanzadas por el art. 202.7 RN, previa advertencia de que dicho precepto no es aplicable al caso del que tratamos ni como derecho supletorio por vedarlo el art. 206 RH, ni por vía de analogía, como es la práctica de la notificación en lugar distinto al señalado en el requerimiento.

En efecto, si para el caso de la ordinaria notificación o requerimiento notariales, en los que el domicilio viene determinado por el requirente, se admite la validez de la notificación en otro lugar distinto al señalado siempre que el requerido se preste voluntariamente a ello y sea identificado por el Notario, puesto que en tal caso se cumple la finalidad del acta, igualmente el hecho de la notificación efectiva al deudor sin que existan dudas sobre su identidad cumple con creces la finalidad de la regulación reglamentaria en el procedimiento extrajudicial. Y esta idea ya fue apuntada por la RDGRN (Sistema Notarial) de 13 de enero de 1999, al considerar que «[...] resultando indudable que la finalidad del requerimiento, es que la persona afectada o deudor tenga real y efectivo conocimiento del propio requerimiento de pago y de la existencia del proceso, deberemos convenir en que carecería de todo fundamento cualquier pretensión dirigida a la anulación del procedimiento por defecto en la notificación al haberse practicado al propio deudor fuera del lugar designado para tales fines en el Registro de la Propiedad...»

No sucede lo mismo con otros sistemas de notificación admitidos por el Reglamento Notarial, como la que se realiza por correo certificado con aviso de recibo. Sin embargo, continúa la RDGRN, y dicho sea únicamente como *obiter dicta*, parece que sería admisible que el Notario remitiese por correo certificado aviso al deudor por si, recibiéndolo, le conviniese comparecer personalmente en la Notaría a los efectos de darse por notificado.

Pero además, en el caso del deudor deben tenerse también en cuenta lo que las citadas Resoluciones de 13 de enero de 1999 y 5 de julio de 2004 denominaron «principios de autorresponsabilidad» con los que el derecho reacciona frente a las conductas del deudor que suponen un rechazo o reserva a darse por notificado, con el efecto de tener por efectuada la comunicación cuando la falta de recepción es imputable al requerido, pues de lo contrario se estaría dejando indefenso al acreedor para el ejercicio de sus derechos legítimos a través del procedimiento extrajudicial. No cabe por tanto olvidar que la exigencia del art. 202.7 RN de que el requerido se preste voluntariamente a ser notificado en caso de práctica de la diligencia en lugar distinto al designado, se refiere a la práctica de la diligencia en un lugar distinto al señalado por el requirente. En efecto, el Reglamento Notarial trata de evitar el que la notificación pueda instarse para ser realizada en cualquier lugar o lugar indeterminado, puesto que ello impediría un control por parte del Notario en cuanto a la procedencia del designado, ya que la persona puede encontrarse en diversas situaciones en las que la práctica de la notificación puede ser inconveniente o incluso lesiva para su dignidad, intimidad o derecho al honor. Por ello, los ordinarios requerimientos han de contener la designación de un domicilio, a indicación del requirente, en el que se sustancien las diligencias, cuya conveniencia puede ser juzgada por el Notario, evitándose en todo caso las notificaciones sorpresivas (por ejemplo en la vía pública, en el trascurso de un espectáculo) o que impliquen una búsqueda de la persona, impropia de la función notarial. De ahí que sobre el requirente pese la carga de designar el domicilio al que deberá dirigirse el Notario para conseguir una notificación fructífera en cualquiera de sus formas, para lo cual procurará señalar uno que guarde conexión con el requerido, y que la notificación fuera del mismo sea potestativa para el requerido.

Sin embargo, tal exigencia reglamentaria no es de aplicación en el caso que se consulta, pues el domicilio distinto del registral sería señalado por el acreedor, debiendo referirse la voluntariedad únicamente al requerimiento practicado fuera del lugar designado por el acreedor para intentar el requerimiento, distinto del señalado por el Registro.

Por el contrario, sí que parece esencial, de los requisitos exigidos por el art. 202.7 RN, la identificación del deudor. En efecto cuando éste señala un domicilio en la escritura de hipoteca ello implica para el mismo una manifestación o declaración relativa a que tal lugar le es imputable como centro de actividad, como lugar de unificación, o al menos de conveniencia, para sus relaciones jurídicas. De ahí que el Derecho razonablemente estime que si una persona que se halla en ese domicilio declara ser el deudor, a éste le deben ser imputadas tales declaraciones, al igual que presume la relación del deudor con otros ocupantes, vecinos o porteros según señalamos. Sin embargo fuera de dicho domicilio designado por el deudor lo cierto es que no cabe realizar a éste tal imputación, de manera que las trascendentes consecuencias jurídicas que se derivan del requerimiento exigen la previa identificación en forma del deudor.

Por lo tanto, será admisible la práctica del requerimiento de pago al deudor en domicilio distinto al que figure en el Registro, una vez intentado en éste, siempre que el Notario le identifique por alguno de los procedimientos previstos en el art. 23 LN.

Concluye el art. 263-c) RH que *si no se pudiera practicar el requerimiento en alguna de las formas indicadas, el Notario dará por terminada su actuación y por conclusa el acta, quedando expedita la vía judicial que corresponda.*

12.8.1.6. Notificaciones

Transcurridos diez días desde el requerimiento hecho al deudor sin que éste hubiese sido atendido, se procederá por parte del Notario a la notificación de la iniciación de las actuaciones a la persona a cuyo favor resulte la última inscripción de dominio, si es distinta a la del deudor, así como a los titulares de cargas, gravámenes y asientos posteriores a la hipoteca, por si les interesa intervenir en la subasta o antes del remate pagar el crédito junto con los intereses y gastos.

Dichas notificaciones se efectuarán en los domicilios de los interesados que figuren en el Registro de la Propiedad y en la forma prevista por la legislación notarial. En el caso de que fuesen desconocidos los domicilios o si no fuese posible la notificación por cédula o por correo, o si el Notario dudase de la efectiva recepción de aquélla, se podrá notificar, mediante anuncios, en el tablón del Ayuntamiento y en el Registro de la Propiedad, y si la finca, a efectos de subasta, estuviese valorada en más de cinco millones de pesetas, los anuncios habrán de insertarse en el Boletín Oficial de la Provincia o en el de la Comunidad Autónoma correspondiente. (art. 236.d RH).

Esta notificación podrá realizarla el notario personalmente o mediante remisión de cédula, elaborada por el propio notario y con el contenido reglamentariamente previsto, por correo certificado con acuse de recibo, aun cuando el domicilio del acreedor se encuentre fuera del ámbito de competencia territorial del notario, como así han admitido las RRDGRN de 10 de enero de 2013 (BOE de 14 de febrero de 2013) y 17 de enero de 2013 (BOE de 18 de febrero de 2013), si bien para ello será necesario que conste la entrega efectiva al destinatario por el Servicio de Correos, ya que de lo contrario no puede entenderse cumplimentada de acuerdo con la doctrina del TC (SS núm. 162/2007, de 2 de julio, y núm. 93/2009, de 20 de abril).

Si es necesario acudir a la publicación de anuncios no encontramos en el RH referencia alguna al plazo por el que deberán estar expuestos en el Ayuntamiento y en el Registro de la Propiedad, estimándose por la doctrina mayoritaria que serán los 30 días que determina el art. 236-f) RH. En este sentido GARCÍA GARCÍA (2009, p. 682) y GÓMEZ-FERRER (2009, p. 136).

Estas notificaciones traen causa en la necesidad de proteger al tercer poseedor y a los titulares de derechos reales posteriores a la hipoteca. Debe notificarse al titular del dominio, sea o no el hipotecante y, como señalan TORIBIOS FUENTES y CALVACHE MARTÍNEZ (2016, p. 1.185), «en caso de que no sea la misma persona, deberá notificarse también al hipotecante no deudor si no fue requerido de pago conforme a lo anteriormente visto, puesto que de otro modo puede llegar a desconocer la tramitación de la venta extrajudicial. Piénsese en el caso del hipotecante no deudor que transmitió su propiedad al que es ahora el titular del dominio mediante una compraventa sujeta a condición resolutoria que puede cumplirse durante la tramitación del procedimiento.

Aunque el artículo citado se refiere únicamente al tercer poseedor con derecho inscrito, si el acreedor ejecutante tiene conocimiento de la existencia de un tercer poseedor posterior no inscrito deberá solicitar que se le notifique también a este. La SAP Madrid de 22 de noviembre de 1995 declaró la nulidad de un procedimiento especial del antiguo art. 131 LH al omitirse este trámite». En este mismo sentido GÓMEZ-FERRER (2009, p. 153) al señalar que «parece aconsejable, aunque el Reglamento no lo exija al Notario que, pese a que dicha norma reglamentaria se refiere exclusivamente al tercer poseedor con derecho inscrito, al aceptar el requerimiento el notario se cerciore, por las afirmaciones del requirente, de que el acreedor no conoce la existencia de un tercer poseedor, distinto de aquel que figura en el Registro, pues si lo hubiere y fuera sabedor de ello, parece necesario notificarle en el domicilio que por éste se facilite, por supuesto además de al inscrito, la iniciación de las actuaciones, con el fin de evitar problemas posteriores».

Como ya se ha dicho, además, hay que notificar a «los titulares de derechos posteriores a la hipoteca inscritos con anterioridad a la expedición de la certificación registral pero que, por su rango, deban declararse extinguidos al realizarse el crédito y cancelados sus asientos en el Registro. Pero también habrá que notificar a los titulares de derechos que hayan causado asiento de presentación y aparezcan así en la certificación, en cuanto titulares de una posible carga real [STS 20-11-1995, STC 22-1-2008 y RDGRN 24-8-1981 (RJ 1981, 3271)]».

El art. 225 RH, referido al procedimiento judicial antes regulado en el art. 131 LH, establece que deberá notificarse además *a los acreedores de cargas o derechos reales que hubieren pospuesto unas u otros a la hipoteca del actor, a los anotantes posteriores a la inscripción de dicha hipoteca e incluso a los titulares de desmembraciones del dominio, derechos condicionales o de otros que, por su rango, deben declararse extinguidos al realizarse el crédito y que hubieren inscrito sus derechos con posterioridad a la hipoteca, siempre que figuren en la respectiva certificación del Registro de la Propiedad.*

No habrá que notificar a titulares de cargas y gravámenes anteriores, a titulares de cargas y gravámenes simultáneos porque no son posteriores, ni a los que accedan al Registro después de la certificación de dominio y cargas, ni a titulares de derechos posteriores antepuestos a la hipoteca, ni a los posteriores que traigan su causa en un asiento anterior, puesto que unos y otros quedarán subsistentes (RODRÍGUEZ ADRADOS —1997, p. 312—; ROCA SASTRE -1988, p. 501 y GÓMEZ-FERRER (2009, p. 133).

La RDGRN de 23 de marzo de 2015 (BOE de 17 de abril de 2015) considera que el usufructuario que ha adquirido su derecho con posterioridad a la inscripción del derecho real de hipoteca, pero que lo ha inscrito antes del inicio del procedimiento, es un tercer poseedor de los bienes hipotecados y ha de ser requerido de pago, sin que sea suficiente la notificación posterior.

Si en la certificación del Registro de la Propiedad consta inscrito un contrato de arrendamiento sobre el inmueble objeto del procedimiento debe notificarse también al arrendatario para que tenga conocimiento de él. El vigente art. 74.2 LN recoge estas notificaciones en su texto actual, al exigir que el notario comunique la celebración de la subasta a los titulares de derechos y de las cargas que figuren en la certificación de dominio, así como a los arrendatarios u ocupantes que consten identificados en la solicitud. Si no pudiera localizarlos, le dará la misma publicidad que la que se prevé para la subasta.

En cuanto a las afecciones fiscales incluidas en la certificación, deben recibir el mismo tratamiento que cualquier otra carga, tal y como declaró la RDGRN de 17 de marzo de 1993, que añade que la afección fiscal a que da lugar la constitución de hipoteca tiene el mismo rango registral que la hipoteca y, por tanto, el tratamiento de carga preferente conforme al art. 227 RH. Esta notificación deberá realizarse a la Delegación de la Agencia Tributaria o a la Consejería correspondiente de la Comunidad Autónoma dependiendo de si es un tributo estatal o cedido.

12.8.1.7. Pago de la deuda reclamada

12.8.1.7.1. *Personas que pueden efectuar el pago*

Si la deuda reclama es satisfecha por el propio *deudor* como consecuencia del requerimiento inicial (art. 236-c RH) o en cualquier otro momento antes del remate se darán por terminadas las actuaciones y concluida el acta. El RH se refiere sólo al hipotecante no deudor, así como a los titulares de cargas, gravámenes y asientos posteriores a la hipoteca, pero habría que considerarlo también aplicable al deudor. Así lo establece el art. 236-d.1 RH: *Transcurridos diez días desde el requerimiento sin que éste hubiere sido atendido, el Notario procederá a notificar la iniciación de las actuaciones a la persona a cuyo favor resulte practicada la última inscripción de dominio, si fuese distinta del deudor, así como a los titulares de cargas, gravámenes y asientos posteriores a la hipoteca que se ejecuta, para que puedan, si les conviene, intervenir en la subasta o satisfacer antes del remate el importe del crédito y de los intereses y gastos en la parte asegurada por la hipoteca. También se establece así en el art. 607.7 LEC («en cualquier momento anterior a la aprobación del remate, o de la adjudicación al acreedor, podrá el deudor liberar sus bienes pagando íntegramente lo que se deba al ejecutante por principal, intereses y costas.*

Como señala MONTERO AROCA (2012, pp. 1.002 y 1.003): «1°) Después de la aprobación del remate y antes de la celebración del resto del precio por el rematante, si comparecen el ejecutado pretendiendo pagar, no debe admitírsele ese pago, salvo que se haga de modo condicionado y para el caso de que no se produzca la consignación.

2°) En el caso de que después de la aprobación del remate no se realice la consignación del resto del precio por el rematante, dado que el efecto de ello es que la venta dejará de tener efecto (art. 653.1), nada impide que se realice y admita el pago por el ejecutado».

Si el *tercer poseedor* paga el importe reclamado en la parte que esté garantizado con la hipoteca, el Notario dará por terminada su actuación y por conclusa el acta con la diligencia de haberse efectuado el pago. Dicha acta podrá servir, en su caso, para la cancelación de la hipoteca (Art. 236-e RH). En efecto, si se produce el pago nos hallaremos ante un supuesto de subrogación legal o presunta del art. 1.210 CC, que produce la transmisión de la titularidad del crédito satisfecho, con todos sus derechos anexos, que pasa al tercero que efectuó el pago. Pero como señala RODRÍGUEZ ADRADOS

(1997, p. 135), «esta subrogación de manera alguna puede extenderse a la hipoteca como debiera suceder conforme al art. 1.212 CC porque no cabe entre nosotros la hipoteca de propietario; la hipoteca, por tanto, se extingue; de ahí que este pago produzca efectos cancelatorios, y el artículo disponga que el acta misma pueda servir para su cancelación; "en su caso", advierte el precepto, porque el tercer poseedor puede ser dueño solamente de algunas de las fincas hipotecas».

Como explica GÓMEZ FERRER (2009, p. 138), si tras la hipoteca que se ejecuta no existe ninguna otra hipoteca ni embargo por deuda ajena, en el acta concluida se solicitará, normalmente, por el propietario, la cancelación de la hipoteca. Pero puede suceder que exista otra hipoteca o embargo por deuda ajena. Si el propietario que paga y se subroga solicita y obtiene la cancelación de la hipoteca, los acreedores posteriores avanzan en rango, y deja de figurar en el registro como acreedor preferente, por lo que en el caso de ejecución de esos derechos de rango posterior sólo le quedará como dueño de la finca, no deudor, el derecho al sobrante, sin perjuicio de que conserve acción personal contra el deudor que no cumplió su obligación y motivó la ejecución de la hipoteca. Esta es la razón por la que el acta en que se recogen las formalidades, hasta ese momento, de la venta extrajudicial ante notario podrá servir «en su caso» para la cancelación de la hipoteca, y no «en todo caso». «Si se ejecuta un crédito posterior en rango el propietario podrá perder su propiedad, pero el crédito que satisfizo, con su garantía, continuará subsistente, y garantizado su pago con la hipoteca, pues no va a ser de peor condición el propietario que paga, sin estar obligado a ello, que el que no es propietario, y en tal caso, la hipoteca habrá dejado de ser de propietario» (Véanse RRDGRN de 12 y 16 julio 1999).

De acuerdo con el art. 236-e.2 RH, si el pago fuese verificado por uno de los titulares de las cargas, gravámenes o derechos consignados en el Registro con posterioridad a la hipoteca, el Notario le requerirá para que manifieste si desea proseguir o no las actuaciones. En caso afirmativo, se continuarán éstas, ocupando el que pagó la posición jurídica que correspondía al acreedor satisfecho. En otro caso, se darán por terminadas las actuaciones y por conclusa el acta con la diligencia de haberse efectuado el pago. Dicha acta será título bastante para la consignación en el Registro de la subrogación del pagador en todos los derechos del acreedor satisfecho.

Si el deudor desease realizar el pago directamente al acreedor, incluso la dación en pago, éste deberá desistir del requerimiento inicial y satisfacer las costas causadas hasta ese momento puesto que, en otro caso, el Notario proseguirá con la venta extrajudicial.

12.8.2. Fase de ejecución. La subasta

Tras el período inicial, la venta extrajudicial entra en su fase principal que implica la realización de los bienes del deudor hipotecados para que el crédito del ejecutante quede satisfecho con su importe o con los mismos bienes. Esta realización consiste en la práctica de una subasta entendida como acto de ofrecimiento público de los bienes y adjudicación, en su caso, al mejor postor. A este respecto y de acuerdo con el art. 236-f.1 RH, cumplidos los requisitos vistos, y transcurridos treinta días desde que tuvieron lugar el requerimiento de pago y la última de las notificaciones, se procederá a la subasta ante el Notario.

El vigente art. 129.2.d) establece que *la venta se realizará mediante una sola subasta, de carácter electrónico, que tendrá lugar en el portal de subastas que a tal efecto dispondrá la Agencia Estatal Boletín Oficial del Estado. Los tipos en la subasta y sus condiciones serán, en todo caso, los determinados por la Ley de Enjuiciamiento Civil*. Aunque la letra e) establece que *en el Reglamento Hipotecario se determinará [...] el procedimiento de subasta, las cantidades a consignar para tomar parte en la misma, causas de suspensión, la adjudicación y sus efectos sobre los titulares de derechos o cargas posteriores así como las personas que hayan de otorgar la escritura de venta y sus formas de representación*, entiendo que en materia de la subasta, su anuncio y cantidades a consignar son normas preferentes tanto la LEC como la LN (art. 72. 1, *las subastas que se hicieren ante Notario en cumplimiento de una disposición legal se regirán por las normas que respectivamente las establezcan y, en su defecto, por las del presente Capítulo*).

12.8.2.1. Anuncio de la subasta

La subasta es un procedimiento público y ello exige una publicidad previa. Esta es una de las principales garantías de los que intervienen en la ejecución y de los terceros. La publicidad de la subasta se cumple a través de los anuncios.

12.8.2.1.1. *Requisitos de los anuncios*

Los anuncios de la subasta se encuentran regulados en el art. 236-f) RH, que hoy considero inaplicable por ser contrario al art. 129.2.d) LH (*la venta se realizará mediante una sola subasta, de carácter electrónico, que tendrá lugar en el portal de subastas que a tal efecto dispondrá la Agencia Estatal Boletín Oficial del Estado. Los tipos en la subasta y sus condiciones serán, en todo caso, los determinados por la Ley de Enjuiciamiento Civil*) y a la LEC.

En efecto, de acuerdo con el art. 645 LEC, el Secretario judicial (aquí entiéndase el Notario) ante el que se siga el procedimiento de ejecución ordenará la publicación del anuncio de la convocatoria de la subasta remitiéndose el mismo, con el contenido a que se refiere el artículo siguiente y de forma telemática, al «Boletín Oficial del Estado».

A tenor del art. 646 LEC, el anuncio de la subasta en el «Boletín Oficial Estado» contendrá exclusivamente la fecha del mismo, la Oficina judicial (aquí entiéndase la Notaría) ante la que se sigue el procedimiento de ejecución, su número de identificación y clase, así como la dirección electrónica que corresponda a la subasta en el Portal de Subastas.

En el Portal de Subastas se incorporará, de manera separada para cada una de ellas, el edicto, que incluirá las condiciones generales y particulares de la subasta y de los bienes a subastar, así como cuantos datos y circunstancias sean relevantes para la misma, y necesariamente el avalúo o valoración del bien o bienes objeto de la subasta que sirve de tipo para la misma. Estos datos deberán remitirse al Portal de Subastas de forma que puedan ser tratados electrónicamente por este para facilitar y ordenar la información.

En el edicto y en el Portal de Subastas se hará constar igualmente que se entenderá que todo licitador acepta como bastante la titulación existente o asume su inexistencia, así como las consecuencias de que sus pujas no superen los porcentajes del tipo de la subasta establecidos en el art. 650.

El contenido de la publicidad que se realice por otros medios se acomodará a la naturaleza del medio que, en cada caso, se utilice, procurando la mayor economía de costes, y podrá limitarse a los datos precisos para identificar los bienes o lotes de bienes, el valor de tasación de los mismos, su situación posesoria, así como la dirección electrónica que corresponda a la subasta dentro del Portal de Subastas.

En términos análogos se expresa el art. 74 LN:

1. El anuncio de la convocatoria de la subasta se publicará, además de los lugares designados por el promotor del expediente, en el «Boletín Oficial del Estado».

La convocatoria de la subasta deberá anunciarse con una antelación de, al menos, 24 horas respecto al momento en que se haya de abrir el plazo de presentación de posturas.

El anuncio contendrá únicamente su fecha, el nombre y apellidos del Notario encargado de la subasta, lugar de residencia y número de protocolo asignado a la apertura del acta, y la dirección electrónica que corresponda a la subasta en el Portal de Subastas. En éste se indicarán las condiciones generales y particulares de la subasta y de los bienes a subastar, así como cuantos datos y circunstancias sean relevantes y la cantidad mínima admisible para la licitación en su caso. La certificación registral, tratándose de bienes sujetos a publicidad registral, podrá consultarse a través del Portal de Subastas, que informará de cualquier alteración en su titularidad o estado de cargas. También se indicará, en su caso, la posibilidad de visitar el inmueble objeto de subasta o de examinar con las necesarias garantías el bien mueble o los títulos acreditativos del crédito, si procediera.

Por tanto, hoy, el anuncio de la subasta electrónica tiene un contenido normalizado y se limita a dar una dirección electrónica. Siguiendo ese enlace se accede a una página web en la que aparece el anuncio de la subasta cuyo contenido es el resultado de los datos que el Notario debe cumplimentar necesariamente en la aplicación informática del Portal de Subastas del BOE y que son los siguientes:

– Primer bloque:

Datos del interesado: Número de identificación fiscal de la persona titular de los bienes subastados, nombre, apellidos y dirección.

– Segundo bloque:

a) Se consignan los datos de la subasta:

Forma de adjudicación: Se podrá elegir la forma de adjudicación de los lotes subastados, si existen dos interesados y se subastan varios lotes, se podrá indicar si la adjudicación de los lotes será conjunta o separada.

Luego se especificará el número de lotes si hay más de uno.

A este respecto hay que recordar que de acuerdo con el art. 643.1 LEC, *la subasta tendrá por objeto la venta de uno o varios bienes o lotes de bienes, según lo que resulte más conveniente para el buen fin de la ejecución. La formación de los lotes corresponderá al Secretario Judicial, previa audiencia de las partes. A tal efecto, antes de anunciar la subasta, se emplazará a las partes por cinco días para que aleguen lo que tengan por conveniente sobre la formación de lotes para la subasta.* Entiendo que en la venta extrajudicial habrá que estar al caso concreto pero no cabe dar audiencia a las partes. Si es una vivienda, garaje y/o trastero en un mismo edificio yo haría un lote único

b) Datos del protocolo: número de protocolo y el año del documento.

Como se observa esta exigencia es contraria a lo que dice el art. 236-l.1 RH: *Verificado el remate o la adjudicación y consignado, en su caso, el precio, se procederá a la protocolización del acta...*

Esta ha sido la práctica habitual hasta la fecha pero, como observamos, el art. 74 LN exige como uno de los requisitos «el número de protocolo asignado a la apertura del acta», por lo que entiendo que así debe ser. En esta cuestión nos extenderemos más adelante.

– Tercer bloque:

Aquí se identifican los datos del bien o bienes inmuebles y los importes de cada uno de ellos.

a) Cada inmueble y su descripción: subtipo de inmueble (vivienda, local comercial, garaje, trastero, nave industrial, solar, finca rústica, otros), descripción, cargas, inscripción registral, referencia catastral, IDUFIR, certificación registral (CSV), país en el que se encuentra el bien (obviamente España), título jurídico, provincia, población, código postal, dirección, si es o no vivienda habitual del ejecutado, si es o no visitable, situación posesoria y la información adicional que se considere oportuna. También se pueden adjuntar archivos con imágenes con un tamaño máximo de 25 Mb.

Sólo son imprescindibles subtipo de inmueble, descripción, provincia, población y dirección.

b) Datos de los importes: importes relativos a la subasta o a los diferentes lotes que la conforman y, concretamente:

- Importe reclamado: importe mínimo que el interesado desea obtener en la subasta

- Importe tasación: importe de la tasación del o de los bienes subastados.

- Importe de la consignación: importe de la consignación que deberán hacer cuando se realice una puja (5% del valor de tasación de acuerdo con el art. 647.1.3º LEC coincidente con el art. 75.1 regla 4ª LN).

- Postura mínima: importe de la postura mínima de la subasta.

En la venta extrajudicial de bienes inmuebles no hay «postura mínima». Así se deduce del párrafo 2º del art. 626.2 LEC al decir que *en el edicto y en el Portal de Subastas se hará constar igualmente que se entenderá que todo licitador acepta como bastante la titulación existente o asume su inexistencia, así como las consecuencias de que sus pujas no superen los porcentajes del tipo de la subasta establecidos en el art. 650.* Tampoco se establecía una postura mínima en la tercera subasta regulada en el art. 236-g) LH, si bien, en la primera subasta no se admitía postura alguna que fuera inferior al tipo de salida pactado en la escritura de constitución de hipoteca, ni en la segunda posturas inferiores al tipo de salida que sería el 75% del correspondiente a la primera.

La fijación de una puja mínima coincidente con el tipo de salida no tiene sentido en una subasta única, cuando este es el sistema obligatorio de adjudicación. Si la subasta fuera voluntaria el requirente podría establecer como condición de la misma un tipo mínimo de salida (subasta al alza) pero en las subastas necesarias esto no parece lo más oportuno. En todo caso, lo dispuesto en el art. 74.3 LN respecto a que «no se admitirán posturas por debajo del tipo», no es de aplicación a la venta extrajudicial ya que el art. 129.2.d) LH establece claramente respecto a su realización mediante *una sola subasta, de carácter electrónico [...] Los tipos en la subasta y sus condiciones serán, en todo caso, los determinados por la Ley de En-*

juiciamiento Civil. En este mismo sentido se manifiesta GONZÁLEZ-MENESES (2015, p. 1.020).

· Incremento entre posturas: importe del incremento entre posturas de la subasta.

En nuestro caso este apartado quedaría en blanco.

- Cuarto bloque: Aquí se consigna la documentación relativa a la subasta que puede resultar de interés. Deberá consignar como mínimo un archivo.

Yo aquí incluiría la certificación registral, la gráfica y descriptiva del catastro y el informe de tasación si lo hay.

- Quinto bloque: Cuenta de consignaciones.

Sin perjuicio del anuncio, y como ya hemos señalado, de acuerdo con el art. 236-f.5 RH completado con el art. 74.2 LN, el Notario notificará al titular del bien o derecho el contenido de su anuncio. También le requerirá para que comparezca en el acta, en defensa de sus intereses.

La diligencia se practicará bien personalmente, bien mediante envío de carta certificada con acuse de recibo (este es el sistema que establece el RH) al domicilio fijado registralmente.

El Notario comunicará por los mismos medios, en su caso, la celebración de la subasta a los titulares de derechos y de las cargas que figuren en la certificación de dominio, así como a los arrendatarios u ocupantes que consten identificados en la solicitud. Si no pudiera localizarlos, le dará la misma publicidad que la que se prevé para la subasta.

12.8.2.2. Normas de la subasta electrónica

Como ya hemos señalado, desde la Ley 1/2013 que da nueva redacción al art. 129 LH, *la venta se realizará mediante una sola subasta, de carácter electrónico, que tendrá lugar en el portal de subastas que a tal efecto dispondrá la Agencia Estatal Boletín Oficial del Estado. Los tipos en la subasta y sus condiciones serán, en todo caso, los determinados por la Ley de Enjuiciamiento Civil.*

Hasta la Ley 1/2013 que da nueva redacción al art. 129 LH había, con carácter general, tres subastas. -En la primera subasta el tipo era el pactado en la escritura de constitución de hipoteca. No se admitía postura alguna que sea inferior a dicho tipo. Si no había posturas el acreedor podía pedir, dentro del término de cinco días, la adjudicación de la finca o fincas en pago de su crédito, por el tipo de aquélla, aceptando la subsistencia de las cargas anteriores. -Si el acreedor no hiciese uso de la mencionada facultad, se celebrará la segunda subasta cuyo tipo sería el 75 por 100 del correspondiente a la primera, y sin que pueda admitirse postura inferior al mismo. Si en la segunda subasta tampoco hubiere postura admisible, el acreedor podrá pedir, dentro del término de cinco días, la adjudicación por el tipo de la segunda subasta en las condiciones previstas en el apartado tercero. -Si el acreedor tampoco hiciese uso de este derecho, se celebrará la tercera subasta, sin sujeción a tipo.

Desde el Real Decreto-Ley 6/2012, de 9 de marzo (art. 12), se estableció para los supuestos de ejecución de vivienda habitual su realización a través de una única subasta para la que serviría de tipo el pactado en la escritura de constitución de hipoteca

Hoy, de acuerdo con el art. 648 LEC, la subasta electrónica se realizará con sujeción a las siguientes reglas:

– La subasta tendrá lugar en el Portal dependiente de la Agencia Estatal Boletín Oficial del Estado para la celebración electrónica de subastas a cuyo sistema de gestión tendrán acceso todas las Oficinas judiciales, léase a nuestros efectos, todos los Notarios, lo que así ocurre en la práctica. Todos los intercambios de información que deban realizarse con el Portal de Subastas se realizarán de manera telemática. Cada subasta estará dotada con un número de identificación único (1ª).

– Las pujas se enviarán telemáticamente a través de sistemas seguros de comunicaciones al Portal de Subastas, que devolverá un acuse técnico, con inclusión de un sello de tiempo, del momento exacto de la recepción de la postura y de su cuantía. En ese instante publicará electrónicamente la puja. El postor deberá también indicar si consiente o no la reserva a que se refiere el párrafo segundo del apartado 1 del art. 652 y si puja en nombre propio o en nombre de un tercero. Serán admisibles posturas por importe superior, igual o inferior a la más alta ya realizada, entendiéndose en los dos últimos supuestos que consienten desde ese momento la reserva de consignación y serán tenidas en cuenta para el supuesto de que el licitador que haya realizado la puja igual o más alta no consigne finalmente el resto del precio de adquisición. En el caso de que existan posturas por el mismo importe, se preferirá la anterior en el tiempo (6ª).

12.8.2.3. Condiciones para licitar

Conforme al art. 236-h) RH, en el procedimiento extrajudicial, al igual que exigía en su momento la regla decimocuarta del art. 131 LH en el procedimiento judicial sumario, era necesario cumplir unas determinadas condiciones para tomar parte en las subastas como postor.

De acuerdo con el art. 648 regla 4ª LEC, para poder participar en la subasta electrónica los interesados deberán estar dados de alta como usuarios del sistema, accediendo al mismo mediante mecanismos seguros de identificación y firma electrónicos de acuerdo con lo previsto en la Ley 59/2003, de 19 de diciembre, de firma electrónica, de forma que en todo caso exista una plena identificación de los licitadores. El alta se realizará a través del Portal de Subastas mediante mecanismos seguros de identificación y firma electrónicos e incluirá necesariamente todos los datos identificativos del interesado. A los ejecutantes se les identificará de forma que les permita comparecer como postores en las subastas dimanantes del procedimiento de ejecución por ellos iniciado sin necesidad de realizar consignación.

Por el mero hecho de participar en la subasta se entenderá que los postores aceptan como suficiente la titulación que consta en autos o que no exista titulación y que aceptan, asimismo, subrogarse en las cargas anteriores al crédito por el que se ejecuta, en caso de que el remate se adjudique a su favor (art. 669.2 LEC).

12.8.2.3.1. Consignación previa

El vigente art. 236-h) RH establece que el acreedor podrá concurrir como postor a todas las subastas y no necesitará consignar cantidad alguna para tomar parte en la licitación. Los demás postores, sin excepción, para tomar parte en la subasta sí (en la primera o en la segunda subasta, debían consignar en la Notaría o en el establecimiento destinado al efecto, una cantidad equivalente al 30% del tipo que corresponda. En la tercera subasta, el depósito consistirá en un 20% del tipo de la segunda).

Como ya sabemos, hay una sola subasta y es de aplicación el art. 669.1 LEC, según el cual *para tomar parte en la subasta los postores deberán, previamente, consignar en la forma establecida en el apartado 1 del art. 647, una cantidad equivalente al 5 por ciento del valor que se haya dado a los bienes [...],* al igual que se establece en la regla 4ª del art. 75 LN. Esta norma añade que no le será exigida a los copropietarios o cotitulares del bien a subastar.

Por otra parte, a tenor del art. 647.1 LEC: *Para tomar parte en la subasta los licitadores deberán cumplir los siguientes requisitos:*

1.º Identificarse de forma suficiente.

2.º Declarar que conocen las condiciones generales y particulares de la subasta.

3.º Estar en posesión de la correspondiente acreditación, para lo que será necesario haber consignado el 5 por ciento del valor de los bienes. La consignación se realizará por medios electrónicos a través del Portal de Subastas, que utilizará los servicios telemáticos que la Agencia Estatal de la Administración Tributaria pondrá a su disposición, quien a su vez recibirá los ingresos a través de sus entidades colaboradoras.

12.8.2.3.2. Pujas

De acuerdo con el art. 236-h.3 RH, en las subastas, desde el anuncio hasta su cele-bración, podrán hacerse posturas por escrito en pliego cerrado, acompañando el justi-ficante del depósito previo. Los pliegos se conservarán cerrados por el Notario y serán abiertos al comienzo del acto de licitación, no admitiéndose ya posturas verbales infe-riores a la mayor de aquéllas.

Sin embargo, dado que sistema de subastas ahora es electrónico este precepto no lo considero aplicable y sí el art. 648 LEC cuya regla 2ª establece que *la subasta se abrirá transcurridas, al menos, veinticuatro horas desde la publicación del anuncio en el «Boletín Oficial del Estado», cuando haya sido remitida al Portal de Subastas la información nece-saria para el comienzo de la misma.*

Como ya hemos señalado, la subasta electrónica es un procedimiento «normaliza-do» y automático sobre el que el Notario no puede actuar (salvo suspenderla) una vez que la activa en la conexión que realiza, a través de SIGNO, con el portal de subastas del BOE. Publicado el anuncio en el BOE, lo que tiene lugar entre las 24 y las 48 horas desde la activación realizada por el Notario, dará comienzo la subasta electrónica.

Tras el comienzo de la subasta el sistema procederá automáticamente a hacerla visi-ble en el Portal de Subastas del BOE sin admitir pujas.

La subasta se abrirá transcurridas, al menos, veinticuatro horas desde la publicación del anuncio en el Boletín Oficial del Estado. Una vez abierta la subasta solamente se po-drán realizar pujas electrónicas con sujeción a las normas de esta Ley en cuanto a tipos de subasta, consignaciones y demás reglas que le fueren aplicables. En todo caso el Portal de Subastas informará durante su celebración de la existencia y cuantía de las pujas (regla 3ª).

De acuerdo con la regla 5ª, el ejecutante, el ejecutado o el tercer poseedor, si lo hu-biere, podrán, bajo su responsabilidad y, en todo caso, a través del Notario, enviar al Portal de Subastas toda la información de la que dispongan sobre el bien objeto de lici-tación, procedente de informes de tasación u otra documentación oficial y que, a juicio del Notario, pueda considerarse de interés para los posibles licitadores. A nuestro juicio, al igual que el Secretario judicial en la subasta electrónica judicial, también puede ha-cerlo el propio Notario en la venta extrajudicial.

Las pujas se enviarán telemáticamente a través de sistemas seguros de comunicacio-nes al Portal de Subastas, que devolverá un acuse técnico, con inclusión de un sello de tiempo, del momento exacto de la recepción de la postura y de su cuantía. En ese ins-tante publicará electrónicamente la puja. El postor deberá también indicar si consiente o no la reserva a que se refiere el párrafo segundo del apartado 1 del art. 652 y si puja en nombre propio o en nombre de un tercero. Serán admisibles posturas por importe superior, igual o inferior a la más alta ya realizada, entendiéndose en los dos últimos supuestos que consienten desde ese momento la reserva de consignación y serán tenidas en cuenta para el supuesto de que el licitador que haya realizado la puja igual o más alta no consigne finalmente el resto del precio de adquisición. En el caso de que existan posturas por el mismo importe, se preferirá la anterior en el tiempo (regla 6ª).

A tenor del art. 649.1 LEC, *la subasta admitirá posturas durante un plazo de veinte días naturales desde su apertura. La subasta no se cerrará hasta transcurrida una hora desde de la realización de la última postura, siempre que ésta fuera superior a la mejor realizada hasta ese momento, aunque ello conlleve la ampliación del plazo inicial de veinte días a que se refiere este art. por un máximo de 24 horas.*

Por aplicación del párrafo 2º del artículo anterior, en el caso de que el Notario tenga conocimiento de la declaración de concurso del deudor, suspenderá mediante decreto la ejecución y procederá a dejar sin efecto la subasta, aunque ésta ya se hubiera iniciado. Tal circunstancia se comunicará inmediatamente al Portal de Subastas.

12.8.2.4. Aceptación del remate y consignación del precio

De acuerdo con el arts. 649.3 LEC y 75.2 LN, en la fecha de cierre de la subasta y a continuación del mismo, el Portal de Subastas remitirá al Notario información certificada de la postura telemática que hubiera resultado vencedora, con el nombre, apellidos y dirección electrónica del licitador, así como, por orden decreciente de importe y cronológico en el caso de ser este idéntico, de todas las demás que hubieran optado por la reserva de postura.

El Notario extenderá la correspondiente diligencia en la que hará constar los aspectos de trascendencia jurídica; las reclamaciones que se hubieren presentado y la reserva de los derechos correspondientes ante los Tribunales de Justicia; la identidad del mejor postor y el precio ofrecido por él, las posturas que siguen a la mejor y la identidad de los postores; el juicio del Notario de que en la subasta se han observado las normas legales que la regulan, así como la adjudicación del bien o derecho subastado por el solicitante. El Notario cerrará el acta, haciendo constar en ella que la subasta ha quedado concluida y el bien o derecho adjudicado, procediendo a su protocolización.

Como se observa aquí se produce una coincidencia con lo establecido en el art. 236-l.1 RH (*verificado el remate o la adjudicación y consignado, en su caso, el precio, se procederá a la protocolización del acta...*) pero es contradictorio con lo establecido en el art. 74 LN que exige como uno de los requisitos del anuncio «el número de protocolo asignado a la apertura del acta»; y, obviamente, si tiene número es que ya está en el protocolo y lo único que hay que hacer es realizar las diligencias oportunas incluida la de cierre.

Al margen que hasta la fecha se le daba un número de expediente y se incorporaba al protocolo al cierre del acta, hoy creo que por razones prácticas y por exigirlo así el anuncio de la subasta, me inclino por que se protocolice a su comienzo. Concretamente en la fecha del otorgamiento del requerimiento por el ejecutante. A los Notarios no nos gusta tener un número de protocolo «abierto», pero tampoco tener un otorgamiento y demás diligencias posteriores sin estar «a buen recaudo»; y, sin lugar a dudas, el mejor sitio es el protocolo.

En cuanto a la aprobación del remate, a tenor del art. 670 LEC:

1. Si la mejor postura fuera igual o superior al 70 por ciento del valor por el que el bien hubiere salido a subasta, el Notario responsable de la ejecución, el mismo día o el día siguiente al del cierre de la subasta, aprobará el remate en favor del mejor postor. En el plazo de cuarenta días, el rematante habrá de consignar en la Cuenta de Depósitos y Consignaciones la diferencia entre lo depositado y el precio total del remate.

2. Si fuera el ejecutante quien hiciese la mejor postura igual o superior al 70 por 100 del valor por el que el bien hubiere salido a subasta, aprobado el remate, se procederá por el Notario a la liquidación de lo que se deba por principal, intereses y costas y, notificada esta liquidación, el ejecutante consignará la diferencia, si la hubiere.

3. Si sólo se hicieren posturas superiores al 70 por 100 del valor por el que el bien hubiere salido a subasta, pero ofreciendo pagar a plazos con garantías suficientes, bancarias o hipotecarias, del precio aplazado, se harán saber al ejecutante quien, en los veinte días siguientes, podrá pedir la adjudicación del inmueble por el 70 por 100 del valor de salida. Si el ejecutante no hiciere uso de este derecho, se aprobará el remate en favor de la mejor de aquellas posturas, con las condiciones de pago y garantías ofrecidas en la misma.

4. Cuando la mejor postura ofrecida en la subasta sea inferior al 70 por ciento del valor por el que el bien hubiere salido a subasta, podrá el ejecutado, en el plazo de diez días, presentar tercero que mejore la postura ofreciendo cantidad superior al 70 por ciento del valor de tasación o que, aun inferior a dicho importe, resulte suficiente para lograr la completa satisfacción del derecho del ejecutante.

Transcurrido el indicado plazo sin que el ejecutado realice lo previsto en el párrafo anterior, el ejecutante podrá, en el plazo de cinco días, pedir la adjudicación del inmueble por el 70% de dicho valor o por la cantidad que se le deba por todos los conceptos, siempre que esta cantidad sea superior al sesenta por ciento de su valor de tasación y a la mejor postura.

Cuando el ejecutante no haga uso de esta facultad, se aprobará el remate en favor del mejor postor, siempre que la cantidad que haya ofrecido supere el 50 por ciento del valor de tasación o, siendo inferior, cubra, al menos, la cantidad por la que se haya despachado la ejecución, incluyendo la previsión para intereses y costas.

El art. 670.4 LEC continúa señalando: *Si la mejor postura no cumpliera estos requisitos, el Secretario judicial responsable de la ejecución, oídas las partes, resolverá sobre la aprobación del remate a la vista de las circunstancias del caso y teniendo en cuenta especialmente la conducta del deudor en relación con el cumplimiento de la obligación por la que se procede, las posibilidades de lograr la satisfacción del acreedor mediante la realización de otros bienes, el sacrificio patrimonial que la aprobación del remate suponga para el deudor y el beneficio que de ella obtenga el acreedor. En este último caso, contra el decreto que apruebe el remate cabe recurso directo de revisión ante el Tribunal que dictó la orden general de ejecución. Cuando el Secretario judicial deniegue la aprobación del remate, se procederá con arreglo a lo dispuesto en el art. siguiente [normas para las subastas sin postor].* Entiendo que esta parte del precepto no es aplicable a la venta extrajudicial de forma que si la cantidad ofrecida NO supere el 50 por ciento del valor de tasación o, siendo inferior, no cubra, al menos, la cantidad por la que se haya despachado la ejecución, incluyendo la previsión para intereses y costas y es de aplicación el art. 236-n) RH, esto es, *[...] el Notario dará por terminada la ejecución y cerrará y protocolizará el acta, quedando expedita la vía judicial que corresponda.*

5. Quien resulte adjudicatario del bien inmueble habrá de aceptar la subsistencia de las cargas o gravámenes anteriores, si los hubiere y subrogarse en la responsabilidad derivada de ellos.

6. Cuando se le reclame para constituir la hipoteca a que se refiere el número 12º del art. 107 de la Ley Hipotecaria (*también podrá hipotecarse: [...] El derecho del rematante sobre los inmuebles subastados en un procedimiento judicial. Una vez satisfecho el precio del remate e inscrito el dominio en favor del rematante, la hipoteca subsistirá, recayendo directamente sobre los bienes adjudicados*), el Notario expedirá inmediatamente testimonio del acta de subasta con la aprobación del remate, aun antes de haberse pagado el precio, haciendo constar la finalidad para la que se expide. La solicitud suspenderá el plazo para pagar el precio del remate, que se reanudará una vez entregado el testimonio al solicitante.

7. En cualquier momento anterior a la aprobación del remate o de la adjudicación al ejecutante, podrá el ejecutado liberar sus bienes pagando íntegramente lo que se deba al ejecutante por principal, intereses y costas. En este supuesto, el Notario acordará la suspensión de la subasta o dejará sin efecto la misma, y lo comunicará inmediatamente en ambos casos al Portal de Subastas.

8. Aprobado el remate y consignado, cuando proceda, en la Cuenta de Depósitos y Consignaciones, la diferencia entre lo depositado y el precio total del remate, se producirá la adjudicación.

No obstante, dice el art. 75.3 LN, la devolución de las consignaciones hechas para tomar parte en la subasta por personas que no hayan resultado adjudicatarias, no se efectuará hasta que no se haya abonado el total del precio de la adjudicación si así se hubiera solicitado por parte de los postores.

Si el adjudicatario incumpliere su obligación de entrega de la diferencia del precio entre lo consignado y lo efectivamente rematado, la adjudicación se realizará al segundo o sucesivo mejor postor que hubiera solicitado la reserva de su consignación, perdiendo las consignaciones los incumplidores y dándole a éstas el destino establecido en la Ley de Enjuiciamiento Civil.

En los ocho días siguientes al del remate, consignará el adquirente la diferencia entre lo depositado para tomar parte en la subasta y el total del precio. Si el rematante fuera el mismo acreedor, sólo consignará la diferencia entre el importe del remate y la cantidad a que ascienda el crédito y los intereses asegurados por la hipoteca, sin perjuicio de que, cuando se practique la liquidación de los gastos de la ejecución, se reintegre al acreedor, con lo que haya consignado, del importe de los originados hasta la cantidad asegurada por la hipoteca. Del mismo modo se procederá cuando el acreedor hubiera pedido que se le adjudique la finca o fincas y el importe asegurado por la hipoteca sea inferior al fijado como tipo para la subasta.

En el mismo plazo de los ocho días siguientes al del remate, deberá aceptar la adjudicación el rematante que hubiere hecho la postura por escrito y, en su caso, efectuarse la cesión del remate.

Como ya hemos señalado, la adjudicación a favor del ejecutante o el remate a favor del mismo o de un acreedor posterior, podrá hacerse a calidad de ceder a un tercero. El rematante que ejercitare esta facultad, habrá de verificar esta cesión mediante comparecencia ante el Notario ante el que se celebró la subasta, con la asistencia del cesionario, quien deberá aceptarla. Y todo ello previa o simultáneamente al pago del resto del precio del remate (art. 236-h.4 RH).

12.8.2.4.1. Reserva de consignaciones

De acuerdo con el art. 236-j) RH, las consignaciones de los postores, que no soliciten la devolución y hayan cubierto el tipo de la subasta, se reservarán a fin de que, si el rematante no cumpliese la obligación, pueda rematarse en favor de los que le sigan por el orden de sus respectivas posturas, si así lo consienten. Las cantidades consignadas por éstos se devolverán una vez cumplida la obligación por el adjudicatario.

Si en el plazo fijado no consignase el rematante el complemento del precio, se considerará sin efecto el remate principal y se estimará realizado en favor del postor que le hubiese seguido en el orden de su postura, siempre que se hubiese producido la reserva y la aceptación prevista en el apartado anterior y que la cantidad ofrecida por éste, sumada a las consignaciones perdidas por los rematantes anteriores, alcancen el importe del remate principal fallido.

En términos similares, se expresa el vigente el art. 652.1 LEC que añade que *las devoluciones que procedan con arreglo a lo establecido en el apartado anterior se harán a quien efectuó el depósito con independencia de si hubiere actuado por sí como postor o en nombre de otro*, así como el art. 75.3 LN. Todos los incumplidores perderán las consignaciones, dándole a éstas el destino establecido en la Ley de Enjuiciamiento Civil.

12.8.2.4.2. Destino de los depósitos

Los depósitos constituidos por el rematante y, en su caso, por los postores reservistas, se destinarán, en primer término, a satisfacer los gastos que origine la subasta o subastas posteriores y el resto, si lo hubiere, al pago del crédito, intereses y demás gastos de la ejecución.

En el caso de ser el propio acreedor ejecutante el rematante o adjudicatario, y de no consignar la diferencia entre el precio del remate o de la adjudicación y el importe del crédito y de los intereses asegurados con la hipoteca en el término de ocho días, contados desde que se le notifique la liquidación de esta diferencia, se declarará también sin efecto el remate, pero responderá el acreedor de cuantos gastos originen la subasta o subastas posteriores que sea preciso celebrar, y no tendrá derecho a percibir intereses de su crédito durante el tiempo que se emplee en verificarlas.

Todo ello, lo hará constar el Notario mediante diligencias sucesivas.

12.8.2.4.3. Destino del precio del remate

De acuerdo con el art. 129.2.g) LH, una vez concluido el procedimiento, el Notario expedirá certificación acreditativa del precio del remate y de la deuda pendiente por todos los conceptos, con distinción de la correspondiente a principal, a intereses remuneratorios, a intereses de demora y a costas, todo ello con aplicación de las reglas de imputación contenidas en el art. 654.3 LEC, esto es, se imputará por el siguiente orden: intereses remuneratorios, principal, intereses moratorios y costas. Cualquier controversia sobre las cantidades pendientes determinadas por el Notario será dilucidada por las partes en juicio verbal.

El precio del remate se destinará al pago del acreedor que haya instado su ejecución en la medida garantizada por la hipoteca. El sobrante, si hubiere acreedores posteriores, se consignará en el oportuno establecimiento público quedando afecto a las resultas de dichos créditos. Esta circunstancia se hará constar en el Registro por nota marginal. Si no hubiere acreedores posteriores, el sobrante se entregará al dueño de la finca.

El Notario practicará la liquidación de gastos considerando exclusivamente los honorarios de su actuación y los derivados de los distintos trámites seguidos.

12.8.2.5. Subasta de vivienda habitual del deudor

Desde la entrada en vigor de la Ley 1/2013, de 14 de mayo, por la que se añade un apartado 3 al art. 21 LH, en las escrituras de préstamo hipotecario sobre vivienda debe constar el carácter, habitual o no, que pretenda atribuirse a la vivienda que se hipoteque. A este respecto no distinguimos si es para el deudor o para uno de ellos, si hubiere varios, para cualquier hipotecante no deudor, de forma que se hace constar siempre para quien es vivienda habitual.

Se presumirá, salvo prueba en contrario, que en el momento de la ejecución judicial del inmueble o de la venta extrajudicial, es vivienda habitual si así se hiciera constar en la escritura de constitución.

Si una venta extrajudicial tuviere lugar con un título anterior a esa fecha, tal condición «deberá ser acreditada al notario por la entidad financiera, el deudor o el hipotecante no deudor mediante cualquier medio de prueba, suficiente, admitido en derecho, siendo el más apropiado el certificado de empadronamiento, si bien el principio de prudencia aconseja admitir también la simple manifestación del acreedor ejecutante al respecto. Por este motivo, el notario ha de exigir a la entidad acreedora ejecutante, al efectuar el requerimiento inicial, que manifieste si le consta la consideración como vivienda habitual del deudor del inmueble hipotecado. Además, al realizar el requerimiento de pago al deudor podrá el notario hacer las advertencias al respecto y recoger las manifestaciones que realice sobre su consideración como vivienda habitual y su acreditación» (TORIBIOS FUENTES: 2016, p. 1.200).

12.8.2.5.1. Derecho de liberación

De acuerdo con el art. 693 LEC, *podrá reclamarse la totalidad de lo adeudado por capital y por intereses si se hubiese convenido el vencimiento total en caso de falta de pago de, al menos, tres plazos mensuales sin cumplir el deudor su obligación de pago o un número de cuotas tal que suponga que el deudor ha incumplido su obligación por un plazo, al menos, equivalente a tres meses, y este convenio constase en la escritura de constitución y en el asiento respectivo.*

En este caso, el acreedor podrá solicitar que, sin perjuicio de que la ejecución se despache por la totalidad de la deuda, le comunique al deudor que, antes de que se cierre la subasta, podrá liberar el bien mediante la consignación de la cantidad exacta que por principal e intereses estuviere vencida en la fecha de presentación de la demanda, incrementada, en su caso, con los vencimientos del préstamo y los intereses de demora que se vayan produciendo a lo largo del procedimiento y resulten impagados en todo o en parte. Y, en el caso de que el bien hipotecado fuese la vivienda habitual, el deudor podrá, aun sin el consentimiento del acreedor, liberar el bien mediante la consignación de las cantidades antes dichas.

Liberado un bien por primera vez, podrá liberarse en segunda o ulteriores ocasiones siempre que, al menos, medien tres años entre la fecha de la liberación y la del requerimiento de pago judicial o extrajudicial efectuada por el acreedor.

Como puede observarse, la especialidad, si bien el hipotecado es la vivienda habitual, radica en que lo que normalmente es para facultativo para el acreedor deviene un derecho del deudor. Así, en este caso, el deudor puede liberar el bien consignado las cantidades antes señaladas, sin necesidad de contar con el consentimiento del acreedor (CALVO y CALVO: 2016, p. 583).

12.8.2.5.2. Precio de remate y/o adjudicación al acreedor

En el Real Decreto-ley 6/2012, de 9 de marzo, de medidas urgentes de protección de deudores hipotecarios sin recursos y, concretamente, en su art. 12 se reguló el «procedimiento de ejecución extrajudicial» contra la vivienda habitual del deudor, normativa que hoy entiendo superada tras la nueva regulación de la «venta extrajudicial» del art. 129 LH dada por la Ley 1/2013, de 14 de mayo y subsumida en ésta.

Las peculiaridades de esta subasta fueron entonces, que no hoy, las siguientes:

1. Una única subasta en lugar de tres. Hoy también hay sólo una y electrónica.

2. Adjudicación de la vivienda cuando hubiere posturas iguales o superiores al 70% del valor de tasación. Cuando la mejor postura presentada fuera inferior al 70 por cien del tipo señalado para la subasta, podía el deudor presentar, en el plazo de diez días, tercero que mejore la postura, ofreciendo cantidad superior al 70 por cien del valor de tasación o que, aun inferior a dicho importe, resulte suficiente para lograr la completa satisfacción del derecho del ejecutante.

Transcurrido este plazo sin que el deudor presentase un tercero, el acreedor podía pedir, dentro del término de cinco días, la adjudicación de la finca o fincas por importe igual o superior al 60 por cien del valor de tasación.

Si el acreedor no hiciese uso de esta facultad, se entenderá adjudicada la finca a quien haya presentado la mejor postura, siempre que la cantidad que haya ofrecido supere el 50 por cien del valor de tasación o, siendo inferior, cubra, al menos, la cantidad reclamada por todos los conceptos.

Hoy esto es así también por virtud de lo establecido en el art. 670.4 LEC y por remisión genérica del art. 129 LH a la LEC.

3. Si en el acto de la subasta no hubiere ningún postor, podrá el acreedor, en el plazo de veinte días, pedir la adjudicación de la vivienda por importe igual o superior al 60 por cien del valor de tasación.

Sin embargo, aunque entonces esto fue un avance, entiendo que hoy está superado por lo establecido en el art. 671 LEC. En este caso podrá el acreedor, en el mismo plazo de los veinte días siguientes al del cierre de la subasta, pedir la adjudicación de la vivienda por importe igual al 70 por cien del valor por el que el bien hubiese salido a subasta o si la cantidad que se le deba por todos los conceptos es inferior a ese porcentaje, por el 60 por cien.

12.8.2.5.3. *Remate insuficiente para cubrir la reclamación*

El art. 129 LH, sin perjuicio de declarar de aplicación la LEC con carácter supletorio en todo aquello que no se regule en la Ley y en el Reglamento Hipotecario, establece que, en todo caso, será de aplicación el art. 579.2 de la misma.

De acuerdo con dicho precepto, en el supuesto de adjudicación de la vivienda habitual hipotecada, si el remate aprobado fuera insuficiente para lograr la completa satisfacción del derecho del ejecutante, la ejecución, que no se suspenderá, por la cantidad que reste, se ajustará a las siguientes especialidades:

a) El ejecutado quedará liberado si su responsabilidad queda cubierta, en el plazo de cinco años desde la fecha la aprobación del remate o adjudicación, por el 65 por cien de la cantidad total que entonces quedara pendiente, incrementada exclusivamente en el interés legal del dinero hasta el momento del pago. Quedará liberado en los mismos términos si, no pudiendo satisfacer el 65 por cien dentro del plazo de cinco años, satisficiera el 80 por cien dentro de los diez años. De no concurrir las anteriores circunstancias, podrá el acreedor reclamar la totalidad de lo que se le deba según las estipulaciones contractuales y normas que resulten de aplicación.

b) En el supuesto de que se hubiera aprobado el remate o la adjudicación en favor del ejecutante o de aquél a quien le hubiera cedido su derecho y éstos, o cualquier sociedad de su grupo, dentro del plazo de 10 años desde la aprobación, procedieran a la enajenación de la vivienda, la deuda remanente que corresponda pagar al ejecutado en el momento de la enajenación se verá reducida en un 50 por cien de la plusvalía obtenida en tal venta, para cuyo cálculo se deducirán todos los costes que debidamente acredite el ejecutante.

Si en los plazos antes señalados se produce una ejecución dineraria que exceda del importe por el que el deudor podría quedar liberado según las reglas anteriores, se pondrá a su disposición el remanente. El Secretario judicial encargado de la ejecución hará constar estas circunstancias en el decreto de adjudicación y ordenará practicar el correspondiente asiento de inscripción en el Registro de la Propiedad en relación con lo previsto en la letra b) anterior.

12.8.2.5.4. Viviendas de Protección Oficial

En este tipo de inmuebles se plantea la cuestión respecto a si las comunicaciones, el precio máximo y los derechos de tanteo y retracto son aplicables en su venta extrajudicial por Notario.

TORIBIOS FUENTES y CALVACHE MARTÍNEZ (2016, pp. 1.202 y 1.203) mencionan el informe del Servicio Jurídico de la AEAT, Abogacía del Estado (Boletín de Información y Coordinación, mayo de 2002-mayo de 2007, pp. 285-312) referido a las especialidades de la enajenación forzosa de viviendas de protección pública, cuyas conclusiones quinta y séptima resumen de la siguiente forma:

«Quinta. Los derechos de retracto establecidos por las normas estatales y autonómicas rigen para las enajenaciones mediante subasta en los términos establecidos en ellas. Una vez adjudicada la vivienda, y antes de otorgar la escritura de venta, deberá comunicarse la adjudicación al órgano de la Comunidad Autónoma competente en materia de vivienda. En estos casos, si la normativa autonómica establece que el retracto se ejercerá por el precio máximo de venta reglamentariamente establecido, la Comunidad Autónoma sólo queda obligada a satisfacer dicho precio, aun cuando el de adjudicación fuese superior.

Séptima. En los anuncios de subasta de viviendas de protección pública deberá hacerse constar el régimen de protección al que están sujetas, que constará en la respectiva inscripción registral, así como las limitaciones a las facultades de disposición del adjudicatario y el reconocimiento, en su caso, del derecho de retracto a favor de la Comunidad Autónoma».

Citan, igualmente, la RDGRN de 12 de diciembre de 2007 (BOE de 25 de enero de 2008) que ante un procedimiento de ejecución en el que se subastó una vivienda protegida en Aragón, después de estudiar el caso en relación a la normativa autonómica concreta, concluyó que serán de aplicación al rematante «cuantas obligaciones vengan determinadas por la legislación especial». Es decir que la vivienda seguirá siendo protegida y el adjudicatario seguirá sometido en caso de venta al régimen de precios máximos y demás obligaciones legales.

En cuanto a la prohibición de disponer de las viviendas protegidas recogida en el art. 12.2 del Real Decreto 1186/1998 y en el art. 5 del Real Decreto 2066/2008, de 12 de diciembre, que regula el plan estatal de vivienda y rehabilitación 2009-2012, citan estos autores la RDGRN de 13 de abril de 2012 que «considera que las restricciones legítimamente impuestas deben ser interpretadas de forma restrictiva, sin menoscabo de los intereses que las justifican, y que las limitaciones dispositivas derivadas de la normativa citada no impiden la constitución de hipotecas posteriores a estas ni el ejercicio del derecho de realización de valor esencial en el derecho real de hipoteca. Concluye con la admisibilidad de las enajenaciones forzosas derivadas de los procedimientos de ejecución de estas hipotecas, aún vigente la prohibición de disponer, que solo afecta a las enajenaciones voluntarias, pero no a las forzosas. Aclara, no obstante, que el adjudicatario quedará sujeto a la prohibición de disponer en tanto no se cumplan los requisitos legales previstos en la norma».

12.8.2.6. Subasta sin ningún postor

De acuerdo con el art. 671 LEC, si en la subasta no hubiere ningún postor, podrá el acreedor, en el plazo de los veinte días siguientes al del cierre de la subasta, pedir la adjudicación del bien. Si no se tratare de la vivienda habitual del deudor, el acreedor podrá pedir la adjudicación por el 50 por cien del valor por el que el bien hubiera salido a subasta o por la cantidad que se le deba por todos los conceptos. Si se tratare de la vivienda habitual del deudor, la adjudicación se hará por importe igual al 70 por cien del valor por el que el bien hubiese salido a subasta o si la cantidad que se le deba por todos los conceptos es inferior a ese porcentaje, por el 60 por cien. Se aplicará en todo caso la regla de imputación de pagos contenida en el art. 654.3 LEC y, por tanto, se imputará por el siguiente orden: intereses remuneratorios, principal, intereses moratorios y costas.

Cuando el acreedor, en el plazo de veinte días, no hiciere uso de esa facultad, el Notario dará por terminada la ejecución y cerrará y protocolizará el acta (ya hemos hecho referencia a este tema) quedando expedita la vía judicial que corresponda tal como señala el art. 236.n) RH y el art. 74.2 *in fine* LH (*si no concurriere ningún postor, el Notario así lo hará constar, declarará desierta la subasta y acordará el cierre del expediente*).

12.8.3. Finalización

El período de ejecución del procedimiento extrajudicial termina con la consignación del precio del remate por el adjudicatario o bien con la adjudicación al acreedor. A partir de ese momento entramos en el tercer período, en el que, cumplida la finalidad de la garantía, se normaliza la situación jurídica de la finca del acreedor y del deudor.

De acuerdo con el art. 236-l RH verificado, el remate o la adjudicación y consignado el precio, se procederá a la protocolización del acta y al otorgamiento de la escritura pública por el rematante o el adjudicatario y el dueño de la finca o la persona designada al efecto (su mandatario) que podrá ser el propio acreedor.

12.8.3.1. Protocolización del acta

De acuerdo con el art. 75.2 LN, *en la fecha de cierre de la subasta y a continuación del mismo, el Portal de Subastas remitirá al Notario información certificada de la postura telemática que hubiera resultado vencedora, así como, por orden decreciente de importe y cronológico en el caso de ser este idéntico, de todas las demás que hubieran optado por la reserva de postura.*

El Notario extenderá la correspondiente diligencia en la que hará constar los aspectos de trascendencia jurídica; las reclamaciones que se hubieren presentado y la reserva de los derechos correspondientes ante los Tribunales de Justicia; la identidad del mejor postor y el precio ofrecido por él, las posturas que siguen a la mejor y la identidad de los postores; el juicio del Notario de que en la subasta se han observado las normas legales que la regulan, así como la adjudicación del bien o derecho subastado por el solicitante. El Notario cerrará el acta, haciendo constar en ella que la subasta ha quedado concluida y el bien o derecho adjudicado, procediendo a su protocolización.

Y luego, en diligencias sucesivas se harán constar, en su caso, el pago del resto del precio por el adjudicatario en el plazo de diez días hábiles en la entidad adherida al Portal de Subastas a disposición del Notario; la entrega por el Notario al solicitante o su depósito a disposición judicial o a favor de los interesados de las cantidades que hubiere percibido del adjudicatario; y la devolución de las consignaciones electrónicas hechas para tomar parte en la subasta por personas que no hayan resultado adjudicatarias.

Como ya hemos señalado, el párrafo 3º del art. 74.1 LN, exige que el anuncio contenga el *nombre y apellidos del Notario encargado de la subasta, lugar de residencia y número de protocolo.* Como se observa esta exigencia es contraria a lo que dice el art. 236-l.1 RH: *Verificado el remate o la adjudicación y consignado, en su caso, el precio, se procederá a la protocolización del acta...* Y al propio párrafo 2º del art. 75.2 LN, según el cual *el Notario extenderá la correspondiente diligencia en la que hará constar los aspectos de trascendencia jurídica; [...]. El Notario cerrará el acta, haciendo constar en ella que la subasta ha quedado concluida y el bien o derecho adjudicado, procediendo a su protocolización.*

Esta había sido la práctica habitual hasta la fecha pero, como observamos, el art. 74 LN exige como uno de los requisitos *el número de protocolo asignado a la apertura del acta* aunque se contradice con el artículo siguiente. Hay pues que optar porque ese acta tenga número de protocolo cuando se hace el anuncio o cuando se cierra.

Para llegar a una solución hay que partir de algunas consideraciones:

– No hay ningún supuesto en el RN en el que se dé número de protocolo cuando se cierre el acta. El único supuesto en el que hay apertura y cierre (las actas de notoriedad para declaración de herederos *ab intestato*) hay un número de protocolo para cada una de ellas.

– Al notario no le gusta que haya un otorgamiento y posteriores diligencias y documentación «danzando» y, al menos yo, prefiero que forme parte del protocolo cuanto antes.

– Tampoco nos gusta mucho que haya un instrumento «abierto», habida cuenta del plazo que puede pasar entre la recepción de la notificación de que te corresponde la venta extrajudicial por turno (en plazas pluripersonales), la recepción de la documentación de la entidad acreedora, la firma del requerimiento, la recepción de la certificación de dominio y cargas.

– Tampoco hay que ocultar que el portal de subastas nos obliga a cumplimentar un «campo numérico» y no permite, como hacíamos hasta la fecha, denominarlo como procedimiento número/año.

Por ello, me inclino por no darle número de protocolo a su cierre, sino antes. Ahora la cuestión sería «cuándo»: a la recepción de la documentación de la entidad acreedora, a la firma del requerimiento... Lo primero no me parece lo más oportuno (ni práctico) habida cuenta que hasta que no hay requerimiento y, en la práctica, éste se otorga cuando el Notario ya he revisado la documentación y acepta la iniciación de la venta extrajudicial. En otro caso, abrirá y cerrará el acta declarando la inadmisión de la misma.

12.8.3.2. Otorgamiento de la escritura

De acuerdo con el art. 236-l.1 RH, *verificado el remate o la adjudicación y consignado, en su caso, el precio, se procederá a la protocolización del acta y al otorgamiento de la escritura pública por el rematante o el adjudicatario y el dueño de la finca o la persona designada conforme al art. 234* que requiera como tercera circunstancia que debe constar en la escritura de constitución de hipoteca *la persona que en su día haya de otorgar la escritura de venta de la finca en representación del hipotecante. A tal efecto podrá designarse al propio acreedor.*

Como señala RODRÍGUEZ ADRADOS (1992, p. 323), la necesidad de otorgamiento de la escritura de compraventa o adjudicación es consecuente con el resto del ordenamiento jurídico, pues el acta tiene por objeto constar el cumplimiento de las formalidades «pero no llevar a cabo la enajenación misma o, por lo que no es documento público de la transmisión del dominio o (art. 1.218 CC), ni produce la transmisión instrumental (art. 1462.2 CC), ni es título para la inscripción (art. 3 LH)».

Coherente con este principio, el vigente art. 75.4 LN establece que *en todos los supuestos en los que la ley exige documento público como requisito de validez o eficacia de la transmisión, subastado el bien o derecho, el titular o su representante, otorgará ante el Notario escritura pública de venta a favor del adjudicatario al tiempo de completar éste el pago del precio.*

Esta escritura será unas veces de compraventa, cuando el rematante sea un tercero, o de adjudicación cuando sea a favor del acreedor, al tratarse de una adjudicación en pago total o parcial de la deuda. Cuestión más discutida es la de determinación de la naturaleza de la escritura en los supuestos en los que el rematante es un acreedor y cede su posición a un tercero (art. 236-h.4 RH). GÓMEZ-FERRER (2009, p. 172), siguiendo a RODRÍGUEZ ADRADOS (1992, p. 324), llega a la conclusión de que lo que se hace realmente es una cesión del remate por el tipo que sirvió de base a aquella adjudicación y que, por tanto, «la escritura a favor del cesionario del acreedor que se adjudicó la finca, es también una escritura de compraventa, y no de adjudicación».

La escritura deberá otorgarse ante el mismo Notario que ha tramitado la venta extrajudicial, su sustituto o sucesor. Y ello porque el contenido de la escritura exige la afirmación de hechos y actos que sólo pueden serlo por este Notario. En efecto, como señala el art. 236-l.2 RH, en la escritura se harán constar los trámites y diligencias esenciales practicados en cumplimiento de lo establecido en los artículos anteriores, y, en particular, que se practicaron las notificaciones prevenidas en los arts. 236-c (requerimiento de pago al deudor) y 236-d (notificación al titular del dominio así como a los titulares de cargas, gravámenes y asientos posteriores a la hipoteca); que el importe de la venta o adjudicación fue igual o inferior al importe total garantizado por la hipoteca y, en caso de haberlo superado, que se consignó el sobrante en la forma prevista en el apartado segundo del art. 236-k (en establecimiento público si hubiere acreedores posteriores y si no los hubiere se entregará al dueño de la finca).

De acuerdo con la RDGRN de 26 de febrero de 2000 (BOE de 23 de marzo de 2000), en el «defecto de la nota objeta el Registrador que en la escritura de compraventa calificada no se expresan de manera concreta los requisitos establecidos en el art. 236-k), apartados 1, 2 y 3 del Reglamento Hipotecario, respecto de la constancia del pago, el sobrante, acreedores preferentes y posteriores, gastos y, en definitiva, una auténtica liquidación.

Conforme al art. 236-l.2 del Reglamento Hipotecario, en la escritura pública se harán constar los trámites y diligencias esenciales practicados en cumplimiento de lo establecido en los artículos anteriores. Entre tales diligencias esenciales aquél precepto señala la circunstancia de que el importe de la venta o adjudicación fue [...] inferior al importe total garantizado por la hipoteca y así lo expresa la escritura calificada. En cambio, en ésta no se indica que el precio del remate ha sido pagado al acreedor que instó la ejecución —como resulta del art. 236-k).1 del Reglamento Hipotecario— (ni la retención del dicho precio en favor de quienes hubieran obtenido anotación de embargo sobre el mismo derecho de hipoteca, como ocurre en el presente supuesto, según manifiesta el recurrente en su escrito de recurso), por lo que constituyendo el precio un elemento esencial de la compraventa —aunque sea ésta forzosa (cfr. arts. 1445 del Código Civil y 11 de la Ley Hipotecaria), ha de confirmarse el defecto únicamente en cuanto a este extremo y no así respecto de lo establecido en los apartados 2 y 3 del art. 236-k) del Reglamento Hipotecario, toda vez que resulta de la escritura calificada que no hay sobrante y la liquidación de gastos que ha de practicar el Notario no puede alcanzar la consideración de trámite o requisito esencial que trascienda a la eficacia de la enajenación realizada».

Desde el punto de vista práctico hay que tener en cuenta que al menos algún Registrador está aplicando para la inscripción de la venta extrajudicial los mismos criterios que para la ejecución judicial y, concretamente, el art. 132 LH. *A los efectos de las inscripciones y cancelaciones a que den lugar los procedimientos de ejecución directa sobre los bienes hipotecados, la calificación del registrador se extenderá a los extremos siguientes:*

1.º Que se ha demandado y requerido de pago al deudor, hipotecante no deudor y terceros poseedores que tengan inscritos su derecho en el Registro en el momento de expedirse certificación de cargas en el procedimiento.

2.º Que se ha notificado la existencia del procedimiento a los acreedores y terceros cuyo derecho ha sido anotado o inscrito con posterioridad a la hipoteca, a excepción de los que sean posteriores a la nota marginal de expedición de certificación de cargas, respecto de los cuales la nota marginal surtirá los efectos de la notificación.

3.º Que lo entregado al acreedor en pago del principal del crédito, de los intereses devengados y de las costas causadas, no exceden del límite de la respectiva cobertura hipotecaria.

4.º Que el valor de lo vendido o adjudicado fue igual o inferior al importe total del crédito del actor, o en caso de haberlo superado, que se consignó el exceso en establecimiento público destinado al efecto a disposición de los acreedores posteriores.

Obsérvese, como ya se ha dicho anteriormente, que aunque parezca una incoherencia, el número 1 del art. 132 LH exige «requerimiento de pago» no sólo al deudor, cosa lógica, sino también al hipotecante no deudor y terceros poseedores que tengan inscritos sus derechos en el Registro en el momento de expedirse certificación de cargas en el procedimiento. Por tanto, no es suficiente con decir que se ha puesto en su conocimiento la venta extrajudicial sino también que se les ha requerido de pago.

12.8.3.3. Inscripción en el Registro

De acuerdo con el art. 236-l.3 RH, *la escritura será título bastante para la inscripción a favor del rematante o adjudicatario, así como para la cancelación de la inscripción de la hipoteca ejecutada y de todos los asientos de cargas, gravámenes y derechos consignados en el Registro con posterioridad a ella. Se exceptúan aquellos asientos ordenados por la autoridad judicial de los que resulte que se halla en litigio la vigencia misma de la hipoteca.*

La escritura de venta o adjudicación cumple la misma función que tienen en el procedimiento judicial el testimonio, expedido por el secretario judicial, del decreto de adjudicación, y el mandamiento de cancelación de cargas de los arts. 674 LEC y 133 LH.

Como señalan TORIBIOS FUENTES y CALVACHE MARTÍNEZ (2016, p. 1.195) citando las RRDGRN de 10 de enero (BOE de 14 de febrero) y 17 de enero de 2013 (BOE de 18 de febrero de 2013) «el ejercicio del *ius distrahendi* por vía extrajudicial puede ser opuesto frente a terceros titulares posteriores a pesar de que el segundo inciso del art. 129 LH no haga una referencia expresa a la eficacia en relación a terceros y, por ello, la venta extrajudicial provoca la cancelación de los asientos de terceros titulares de cargas posteriores. El pacto de venta extrajudicial no añade ni quita nada al derecho real de hipoteca. En ningún caso puede limitarse el efecto del pacto de venta extrajudicial de hipoteca puesto que este tiene su cobertura precisamente en su inscripción y por ende en la salvaguardia de los tribunales a dicho asiento».

Por su parte, RODRÍGUEZ ADRADOS (1997, pp. 327 y 329) entiende, con buen criterio, que no se cancelarán las hipotecas de igual rango, ni los derechos posteriores antepuestos a la hipoteca ejecutada, y los privilegios a favor del Estado, aseguradores, comunidad de propietarios en propiedad horizontal y Estatuto de los Trabajadores. Por el contrario, sí se cancelarán los anteriores pospuestos.

12.8.3.4. Posesión judicial del adquirente

Mediante la escritura pública de compraventa o adjudicación se produce no sólo la transmisión del dominio sino también la *traditio* instrumental, esto es, la «posesión de derecho». Pero el Notario no puede entregar la «posesión de hecho» del inmueble al rematante o adjudicatario, de modo que si el propietario ejecutado no entrega la posesión de forma voluntaria habrá que incoar un procedimiento judicial al efecto. Por ello, el art. 236-m) RH establece que el adjudicatario podrá pedir la posesión de los bienes adquiridos al Juez de Primera Instancia del lugar donde radiquen.

Este precepto tenía una cierta similitud con el establecido para el Procedimiento Judicial Sumario en el último párrafo de la regla 170 del art. 131 LH al señalar que *se pondrá en posesión judicial de los bienes al adquirente, si lo solicitase.*

El cauce procesal para la obtención de esta posesión *de hecho*, era tanto para el Procedimiento Judicial como para el extrajudicial es hoy el art. 675 LEC.

Con arreglo a este último precepto, si el adquirente lo solicitara, se le pondrá en posesión del inmueble que no se hallare ocupado. Y si estuviera ocupado, el Secretario judicial acordará de inmediato el lanzamiento cuando el Tribunal haya resuelto, con arreglo a lo previsto en el apartado 2 del art. 661 LEC, que el ocupante u ocupantes no tienen derecho a permanecer en él. Los ocupantes desalojados podrán ejercitar los derechos que crean asistirles en el juicio que corresponda.

De acuerdo con lo dispuesto en el apartado 2 del art. 661, *el ejecutante podrá pedir que, antes de anunciarse la subasta, el Tribunal declare que el ocupante u ocupantes no tienen derecho a permanecer en el inmueble, una vez que éste se haya enajenado en la ejecución. La petición se tramitará con arreglo a lo establecido en el apartado 3 del art. 675 y el Tribunal accederá a ella y hará, por medio de auto no recurrible, la declaración solicitada, cuando el ocupante u ocupantes puedan considerarse de mero hecho o sin título suficiente. En otro caso, declarará, también sin ulterior recurso, que el ocupante u ocupantes tienen derecho a permanecer en el inmueble, dejando a salvo las acciones que pudieran corresponder al futuro adquirente para desalojar a aquéllos. Las declaraciones a que se refiere el párrafo anterior se harán constar en la publicidad de la subasta.*

El adquirente podrá pedir al Tribunal de la ejecución el lanzamiento de quienes, teniendo en cuenta lo ya señalado, puedan considerarse ocupantes de mero hecho o sin título suficiente. La petición deberá efectuarse en el plazo de un año desde la adquisición del inmueble por el rematante o adjudicatario, transcurrido el cual la pretensión de desalojo sólo podrá hacerse valer en el juicio que corresponda y se notificará a los ocupantes indicados por el adquirente, con citación a una vista que señalará el Secretario judicial dentro del plazo de diez días, en la que podrán alegar y probar lo que consideren oportuno respecto de su situación. El Tribunal, por medio de auto, sin ulterior recurso, resolverá sobre el lanzamiento, que decretará en todo caso si el ocupante u ocupantes citados no comparecieren sin justa causa.

El auto que resolviere sobre el lanzamiento de los ocupantes de un inmueble dejará a salvo, cualquiera que fuere su contenido, los derechos de los interesados, que podrán ejercitarse en el juicio que corresponda.

En cuanto a los arrendatarios, el art. 661.1 LEC, aplicable a la venta extrajudicial, establece que *cuando, por la manifestación de bienes del ejecutado, por indicación del ejecutante o de cualquier otro modo, conste en el procedimiento la existencia e identidad de personas, distintas del ejecutado, que ocupen el inmueble embargado, se les notificará la existencia de la ejecución, para que, en el plazo de diez días, presenten ante el Tribunal los títulos que justifiquen su situación.*

En la publicidad de la subasta que se realice en el Portal de Subastas se expresará, con el detalle posible, *la situación posesoria del inmueble o que, por el contrario, se encuentra desocupado, si se acreditase cumplidamente esta circunstancia [...].* La existencia de arrendatarios la puede constatar al notario por aparecer inscrito el contrato en la certificación del Registro de la Propiedad del art. 236-b) RH, por manifestación del acreedor, del deudor o del hipotecante no deudor.

En caso de que el arrendamiento esté inscrito en el Registro de la Propiedad, serán procedentes los trámites a los que seguidamente haremos referencia; si no lo está, al ser este un procedimiento de base registral, su procedencia puede ser discutida.

En el requerimiento del acreedor que inicia la venta extrajudicial se puede recoger la declaración de éste sobre la existencia o no de arrendatarios o terceros ocupantes. Y en el requerimiento de pago al deudor puede requerírsele, además, para que manifieste si el inmueble está arrendado y, si es así, lo acredite. Si existe contrato válido, el notario notificará la venta extrajudicial al arrendatario para que tenga conocimiento de ella y hará constar la situación arrendaticia del inmueble en el anuncio de subasta para los postores tengan en cuenta esta circunstancia.

En caso de arrendamiento válido hay que tener en cuenta dos cuestiones. La primera, la subsistencia del contrato de arrendamiento, distinguiendo si el inmueble está destinado a vivienda o no. En el primer caso, a tenor de lo dispuesto en el art. 13.1 LAU, *si durante los cinco primeros años de duración del contrato, el derecho del arrendador quedara resuelto por [...] la enajenación forzosa derivada de una ejecución hipotecaria [...] el arrendatario tendrá derecho, en todo caso, a continuar en el arrendamiento hasta que se cumplan cinco años, sin perjuicio de la facultad de no renovación prevista en el art. 9,1»*. Y ello en todo caso, eso es, esté o no inscrito el contrato de arrendamiento en el Registro de la Propiedad.

En contratos de duración pactada superior a cinco años, si, transcurridos los cinco primeros años del mismo, el derecho del arrendador quedara resuelto por cualquiera de las circunstancias mencionadas en el párrafo anterior, quedará extinguido el arrendamiento. Se exceptúa el supuesto en que el contrato de arrendamiento haya accedido al Registro de la Propiedad con anterioridad a los derechos determinantes de la resolución del derecho del arrendador. En este caso continuará el arrendamiento por la duración pactada. Por tanto, para que se respete la duración pactada en el contrato de arrendamiento éste debe estar inscrito en el Registro.

Si el inmueble está destinado a uso distinto del de vivienda, los arrendamientos inscritos anteriores a la hipoteca son los únicos que tienen preferencia frente al adjudicatario; en los caso de arrendamientos anteriores no inscritos y en los posteriores, inscritos o no, el adjudicatario de la finca ejecutada tendrá derecho a resolver el arrendamiento.

Como señalan TORIBIOS FUENTES y CALVACHE MARTÍNEZ (2016, p. 1.199), «respecto a los derechos de adquisición preferente del arrendatario, nuestra jurisprudencia los considera aplicables a la venta forzosa [SSTS 17-3-2003 y 4-4-2011, y también en la LAU de 1964 en STS 30-11-1996], de modo que será necesario realizar las comunicaciones relativas al derecho de tanteo y retracto establecidas en el art. 25

LAU en todo caso, si se trata de una vivienda y, si los contratantes no han pactado cosa distinta, también en los arrendamientos de viviendas suntuarias y para uso distinto del de vivienda. En el mismo sentido las RRDGRN 18-5-1993 (RJ 1993, 3929) y 1-10-1999 (RJ 1999, 6903). Por su parte, la STS 24-4-2007 respecto al cómputo del plazo para el ejercicio del derecho de retracto en un procedimiento de ejecución hipotecaria considera que comienza desde la notificación de la adjudicación de la vivienda arrendada».

12.9. SUSPENSIÓN DE LA VENTA EXTRAJUDICIAL

12.9.1. Cláusulas abusivas

A tenor de lo dispuesto en el art. 129.2.f) LH (redacción dada por disposición final 3 de la Ley 19/2015, de 13 de julio, que entró en vigor el 15 de octubre de 2015), *cuando el Notario considerase que alguna de las cláusulas del préstamo hipotecario que constituya el fundamento de la venta extrajudicial o que hubiese determinado la cantidad exigible pudiera tener carácter abusivo, lo pondrá en conocimiento del deudor, del acreedor y en su caso, del avalista e hipotecante no deudor, a los efectos oportunos.*

En todo caso, el Notario suspenderá la venta extrajudicial cuando cualquiera de las partes acredite haber planteado ante el Juez que sea competente, conforme a lo establecido en el art. 684 LEC, el carácter abusivo de dichas cláusulas contractuales.

La cuestión sobre dicho carácter abusivo se sustanciará por los trámites y con los efectos previstos para la causa de oposición regulada en el apartado 4 del art. 695.1 de la Ley de Enjuiciamiento Civil.

Una vez sustanciada la cuestión, y siempre que no se trate de una cláusula abusiva que constituya el fundamento de la venta o que hubiera determinado la cantidad exigible (p.e. el interés de demora), el Notario podrá proseguir la venta extrajudicial a requerimiento del acreedor.

12.9.1.1. La consideración de la cláusula de venta extrajudicial como cláusula no abusiva

Se ha llegado a plantear si la cláusula contractual que de acuerdo con lo establecido en el art. 129 LH, permite al acreedor acudir a la venta extrajudicial es abusiva.

La STS 483/2016, de 14 de julio (Roj: STS 3412/2016) reconoce que el art. 129 LH, al regular la ejecución notarial de la hipoteca, en su redacción actual dota de facultades al consumidor para poder hacer valer ante los tribunales la nulidad de las cláusulas abusivas, con suspensión automática del procedimiento de ejecución», cosa que no ocurría hasta las modificaciones introducidas por la Ley 1/2013, de 14 de mayo y Ley 19/2015, de 13 de julio. Pero tampoco en el procedimiento de ejecución judicial antes de la Ley 1/2013.

A nuestros efectos lo importante es la valoración que hace el TS respecto al si esta cláusula tiene o no el carácter de abusiva. Y para ello distingue la situación legal vigente de la anterior a las Leyes 1/2013 y 19/2015 que han modificado la redacción del art. 129 LH. Lo que hace de la siguiente forma: «Conviene advertir que el eventual carácter abusivo de la cláusula que permitía acudir al procedimiento de venta extrajudicial del art. 129 LH, dependía del contenido de la regulación de esta norma. Bajo la aplicación de la regulación originaria, no se preveía el control de las cláusulas abusivas, mientras que tras las reformas introducidas por la Ley 1/2013, de 14 de mayo, y sobre todo la Ley 19/2015, de 13 de julio, sí. En las ejecuciones anteriores, el juicio valorativo que el Tribunal de Justicia encomienda a los tribunales nacionales sobre, en la concreta situación enjuiciada, en qué medida sería prácticamente imposible o excesivamente difícil aplicar la protección conferida por la Directiva 93/13 [STJUE de 10 de septiembre de 2014 (asunto C-34/13, Kusionová)], debería realizarse en atención a las insuficientes posibilidades de control de la abusividad de las cláusulas que preveía en ese momento el art. 129 LH, y por ello sería negativo. Mientras que en las ejecuciones abiertas bajo el régimen actual, aunque provinieran de la misma cláusula, la valoración debería realizarse conforme a las posibilidades de control de las cláusulas abusivas que ahora se prevén en el propio art. 129 LH» (Motivo TERCERO.5). Por tanto, se concluye que con la redacción vigente del art. 129 LH, la cláusula que permite al acreedor acudir a la venta extrajudicial NO es abusiva.

En cuanto a la situación anterior a las reformas vistas, el TS, respecto al caso objeto de enjuiciamiento señala que sólo se pide la nulidad de la estipulación que contiene la venta extrajudicial, «y no se aducen por el peticionario las cláusulas que habría podido invocar como abusivas, y por ello nulas, para suspender la ejecución y oponerse a ella, y que no pudieron serlo. Que es lo que pondría en evidencia la limitación efectiva y concreta de los derechos del consumidor que le habría ocasionado la cláusula controvertida».

«Vigente el contrato y antes de la ejecución de la garantía hipotecaria, podría tener sentido una demanda en la que sólo se pidiera la declaración de nulidad de una cláusula que habilitaba al acreedor para acudir a la ejecución extrajudicial, en caso de incumplimiento del prestatario, para que cesara su vigencia y por lo tanto no pudiera acudirse a aquel cauce para la ejecución, pero siempre bajo la presuposición de que en su caso se invocaría la existencia de una cláusula abusiva que pudiera advertirse entonces.

«Por eso, en nuestro caso, en atención al contenido de la cláusula cuya declaración de abusividad se pretende, que radica en el desequilibrio que podría suponer para el consumidor, si se acude a la venta extrajudicial, la limitación de garantías en relación con el control de la abusividad de otras cláusulas contractuales, como no se mencionan por la demandante la existencia de estas cláusulas abusivas que no han podido invocarse, debe rechazarse la apreciación de que haya existido una abusividad real» (Motivo TERCERO.6).

12.9.2. *Otras causas*

De acuerdo con el art. 236-ñ) RH, el Notario suspenderá las actuaciones cuando se acredite documentalmente la tramitación de un procedimiento criminal por falsedad del título hipotecario en virtud del cual se proceda, en el caso de que se haya admitido querella, dictado auto de procesamiento o formulado escrito de acusación, o cuando se reciba la comunicación del Registrador de la Propiedad a que se refiere el apartado tercero del art. 236-b), esto es, la presentación en el Registro del título de cancelación de la hipoteca realizada con posterioridad a la nota marginal.

Verificada alguna de las circunstancias vistas, el Notario acordará la suspensión de la ejecución hasta que respectivamente, terminen el procedimiento criminal o el procedimiento registral. La ejecución se reanudará a instancia del ejecutante, si no se declarase la falsedad o se inscribiese la cancelación de la hipoteca.

Este precepto va en la línea del actual art. 697 LEC (*fuera de los casos a que se refieren los dos artículos anteriores —motivos de oposición a la ejecución art. 695 y tercerías de dominio art. 696 LEC—, los procedimientos a que se refiere este capítulo sólo se suspenderán por prejudicialidad penal, cuando se acredite, conforme a lo dispuesto en el art. 569 de esta Ley, la existencia de causa criminal sobre cualquier hecho de apariencia delictiva que determine la falsedad del título, la invalidez o ilicitud del despacho de la ejecución*).

En cuanto a las demás reclamaciones que puedan formular el deudor, los terceros poseedores y los demás interesados, señala el art. 236-o) RH, *se sustanciarán en el juicio declarativo que corresponda. A estos efectos se estará a lo dispuesto, en cuanto sea de aplicación, en los cinco últimos párrafos del art. 132 LH.* Hoy esta referencia al art. 132 LH debe entenderse hecha al art. 698.1 LEC cuyo tenor es parecido: *Cualquier reclamación que el deudor, el tercer poseedor y cualquier interesado puedan formular y que no se halle comprendida en los artículos anteriores, incluso las que versen sobre nulidad del título o sobre el vencimiento, certeza, extinción o cuantía de la deuda, se ventilarán en el juicio que corresponda, sin producir nunca el efecto de suspender ni entorpecer el procedimiento que se establece en el presente capítulo* (procedimiento de apremio).

Por su parte, el art. 76 LN, amplía las causas de suspensión y, en su caso, cerrar el expediente de la subasta:

a) Cuando se presentare al Notario resolución judicial, aunque no sea firme, justificativa de la inexistencia o extinción de la obligación garantizada y en el caso de bienes o créditos registrables, certificación del registro correspondiente acreditativa de estar cancelada la carga o presentada escritura pública de carta de pago o de la alteración en la situación de titularidad o cargas de la finca.

El ejecutante deberá consentir expresamente en su continuación pese a la modificación registral del estado de cargas.

b) Cuando se acredite documentalmente la existencia de causa criminal que pudiere determinar la falsedad del título en virtud del cual se proceda, la invalidez o ilicitud del procedimiento de venta. La suspensión subsistirá hasta el fin del proceso.

c) Si se justifica al Notario la declaración de concurso del deudor o la paralización de las acciones de ejecución, en los supuestos previstos en la legislación concursal aunque ya estuvieran publicados los anuncios de la subasta del bien. En este caso solo se alzará la suspensión cuando se acredite, mediante testimonio de la resolución del Juez del concurso, que los bienes o derechos no están afectos, o no son necesarios para la continuidad de la actividad profesional o empresarial del deudor. También se alzará en su caso, cuando se presente la resolución judicial que homologue el acuerdo alcanzado o la escritura pública o la certificación que cierre el expediente junto con su comunicación al Juez competente y al Registro Público Concursal.

d) Si se interpusiera demanda de tercería de dominio, acompañando inexcusablemente con ella título de propiedad, anterior a la fecha del título en el que base la subasta. La suspensión subsistirá hasta la resolución de la tercería.

e) Si se acreditare que se ha iniciado un procedimiento de subasta sobre los mismos bienes o derechos. Siendo notarial, esta acreditación se realizará mediante copia autorizada o notificación de los sistemas informáticos del Consejo General del Notariado. Estos hechos podrán ponerse en conocimiento del Juzgado correspondiente, a juicio del Notario.

En los casos precedentes, si la causa de la suspensión afectare sólo a parte de los bienes o derechos comprendidos en la venta extrajudicial, podrá seguir el procedimiento respecto de los demás, si así lo solicitare el acreedor o promotor del procedimiento.

Y de acuerdo con el art. 76.4 LN, *la suspensión de la subasta por un periodo superior a 15 días llevará consigo la liberación de las consignaciones [...], retrotrayendo la situación al momento inmediatamente anterior a la publicación del anuncio. La reanudación de la subasta se realizará mediante una nueva publicación del anuncio y una nueva petición de información registral como si de una nueva subasta de tratase.*

Si la reclamación del acreedor y la iniciación de la venta extrajudicial tuvieran su base en alguna causa que no sea el vencimiento del plazo o la falta de pago de intereses o de cualquier otra prestación a que estuviere obligado el deudor, se suspenderá dicho procedimiento siempre que con anterioridad a la subasta se hubiere hecho constar en el Registro de la Propiedad la oposición al mismo, formulada en juicio declarativo. A este efecto, el Juez, al mismo tiempo que ordene la anotación preventiva de la demanda, acordará que se notifique al Notario la resolución recaída (art. 76.5 LN).

Es interesante reflexionar sobre el momento en el que debe producirse la «suspensión de la venta extrajudicial» que es cosa distinta a la «suspensión de la subasta». Y ello porque determinadas causas pueden producirse con posterioridad al remate pero antes del otorgamiento de la escritura de compraventa o de adjudicación al acreedor.

Si bien el art. 76.1 LN dice que *la subasta notarial que cause una venta forzosa solo se podrá suspender, y en su caso cerrar el expediente, con base en las siguientes causas [...]*, sin embargo, el art. 236-ñ) RH, a mi juicio más preciso, dice que *el Notario suspenderá las actuaciones.* Por seguridad del «ejecutado» y por «prudencia profesional» me inclino a pensar que el Notario, producida una de las causas de suspensión no debería autorizar la escritura pública con la que «finaliza» la venta extrajudical, porque, como su propio nombre indica, es una venta y la subasta es sólo un medio de determinación del precio y de selección del adquirente. Y de acuerdo con el art. 236-l) RH *verificado el remate o la adjudicación y consignado el precio, se procederá a la protocolización del acta y al otorgamiento de la escritura pública [...].* Hay que entender así, a mi juicio, el otorgamiento de la escritura pública como la fase final de la venta extrajudicial notarial.

13. EXPEDIENTES NOTARIALES EN MATERIA MERCANTIL

La Ley 15/2015, de 2 de julio, de jurisdicción voluntaria (LJV), ha regulado unas actuaciones notariales en lo que denomina «materia mercantil», que constituyen el contenido del presente epígrafe.

La citada Ley añade un nuevo título, el VII, a la Ley del Notariado (LN), de 28 de mayo de 1862, que titula «Intervención de los notarios en expedientes y actas especiales». Tras establecer unas reglas generales, va desarrollando la materia, siguiendo la clásica ordenación jurídica, distinguiendo las materias de familia, sucesiones, obligaciones, subastas, materia mercantil y conciliación.

Evidentemente los del capítulo VI del Título VII no son los únicos expedientes en que la actuación notarial tiene implicación mercantil, pues los capítulos dedicados a obligaciones, subastas y conciliación son de carácter horizontal y se proyectan tanto sobre cuestiones civiles como mercantiles.

Por otro lado, las actuaciones notariales propias de la jurisdicción voluntaria en una materia como la navegación marítima, tradicionalmente considerada como típicamente mercantil, quedan al margen de la LJV y de la LN y reguladas en la Ley 14/2014, de 24 de julio, de la Navegación Marítima (LNM).

Encuadrados por tanto los expedientes que nos ocupan en las que podríamos denominar materias integrantes del núcleo duro del Derecho Mercantil (títulos valores, depósitos mercantiles y seguros), podemos señalar lo que son notas comunes a todos ellos.

En primer lugar, estos expedientes no son una nueva forma documental notarial a añadir a las ya conocidas (escrituras, actas, testimonios y pólizas), sino que consisten en actas con sucesivas diligencias que de las actuaciones realizadas y de la incorporación de los documentos pertinentes. Ello es así porque los expedientes tienen «por objeto la constatación o verificación de un hecho, la percepción del mismo, así como sus juicios o calificaciones», según el artículo 49 LN. Estas actas se articularán en la práctica mediante el sistema reglamentario de doble acta, previsto para las de notoriedad, que permitirá recoger debidamente el requerimiento, las diligencias y documentación y la conclusión. No obstante, si el expediente finaliza en un plazo breve podrá tramitarse en una sola acta.

En segundo lugar, participan todos estos expedientes del hecho de suponer un encargo al Notariado de una serie de actuaciones nuevas. Esta característica novedosa origina en algunos casos dudas interpretativas, pues la nueva legislación no sólo potencia las facultades de «juicios y calificaciones» que tiene el notario respecto a la función notarial clásica, sino que va un paso más allá, pues prevé nuevas actuaciones notariales que implican valoraciones o decisiones, regladas por supuesto, pero que no suponen meras constataciones de hechos notorios.

Las dificultades interpretativas citadas se incrementarán por la inexistencia de un desarrollo reglamentario que colme las lagunas de los textos legales y la previsible aplicación poco frecuente de los expedientes que aquí son objeto de atención. Efectivamente, los expedientes en materia mercantil pueden llegar a tener con el tiempo una evidente y útil aplicación práctica, pero hoy por hoy no van a ser de aplicación frecuente en la actividad diaria de las notarías, lo que dificultará la aplicación de una práctica consuetudinaria que permita integrar la normativa existente. Evidentemente es un reto para el Notariado conseguir añadir valor a su actuación, respondiendo a las demandas sociales, con rapidez y eficacia, y con un coste razonable, desarrollando esas nuevas actuaciones de forma satisfactoria.

En tercer lugar, la competencia es compartida con los letrados de la Administración de Justicia en los expedientes sobre títulos valores y peritos, y exclusiva notarial para los depósitos mercantiles y venta de objetos depositados. La LJV ha procedido a la desjudicialización, atribuyendo como regla general las competencias de forma alternativa a distintos profesionales jurídicos y así ocurre en los casos arriba indicados de competencia compartida, en los que la tramitación es similar aunque no idéntica. En los depósitos mercantiles la competencia es exclusivamente notarial, pues la nueva ley simplemente se refiere a los depósitos ante notario, para dar algunas reglas especiales, completando la regulación ya establecida para las actas de depósito en el RN.

13.1. ROBO, HURTO, EXTRAVÍO O DESTRUCCIÓN DE TÍTULO VALOR

Artículo 78 LN

1. Estarán legitimados para solicitar del Notario la adopción de las medidas previstas en la legislación mercantil en los casos de robo, hurto, extravío o destrucción de títulos-valores o representación de partes de socio los poseedores legítimos de estos títulos que hubieren sido desposeídos de los mismos o que hubieren sufrido su destrucción o extravío.

2. Será competente para conocer de estos expedientes el Notario del lugar de pago cuando se trate de un título de crédito; del lugar de depósito en el caso de títulos de depósito; o el del lugar del domicilio de la entidad emisora cuando los títulos fueran valores mobiliarios, según proceda.

3. El Notario, tras aceptar la solicitud del legitimado y previo examen de la misma, dando fe de la identidad y apreciando la capacidad del promotor y la legitimidad para instarla, lo comunicará, mediante requerimiento, al emisor de los títulos y, si se tratara de un título cotizable, a la Sociedad Rectora de la Bolsa correspondiente, y solicitará la publicación en la sección correspondiente del «Boletín Oficial del Estado» y en un periódico de gran circulación en su provincia. Tanto en el requerimiento como en los anuncios se citará a quien pueda estar interesado en el procedimiento para que comparezca en la Notaría en el día y hora que se señalen.

4. Si compareciera, el Notario levantará acta de la celebración de la comparecencia y, de conformidad con lo solicitado, instará al promotor del expediente y al emisor de los títulos a que no procedan a su negociación o trasmisión, así como a la suspensión del cumplimiento de la obligación de pago documentada en el título o del pago del capital, intereses o dividendos, o bien al depósito de las mercancías, según proceda en atención al título de que se trate.

5. Sin perjuicio de lo dispuesto en el apartado anterior, cuando se tratase de un título de tradición, no procederá el depósito de las mercancías si fueran de imposible, difícil o muy costosa conservación o corrieran el peligro de sufrir grave deterioro o de disminuir considerablemente de valor. En ese caso, el Notario instará al porteador o al depositario, previa audiencia del tenedor del título, que entregue las mercancías al solicitante si éste hubiera prestado caución suficiente por el valor de las mercancías depositadas más la eventual indemnización de los daños y perjuicios al tenedor del título si se acreditara posteriormente que el solicitante no tenía derecho a la entrega.

6. A petición del solicitante, el Notario podrá nombrar un administrador para el ejercicio de los derechos de asistencia y de voto a las juntas generales y especiales de accionistas correspondientes a los títulos que fueran valores mobiliarios, así como para la impugnación de los acuerdos sociales. La retribución del nombrado correrá a cargo del solicitante.

7. Transcurrido el plazo de seis meses sin que se haya suscitado controversia, el Notario autorizará al que promovió el expediente a cobrar los rendimientos que produzca el título, requiriendo, a su instancia, al emisor para que proceda a su pago.

8. Transcurrido el plazo de un año sin mediar oposición, el Notario requerirá al emisor para que expida los nuevos títulos, que se entregarán al solicitante.

9. En ningún caso procederá la anulación del título o títulos, si el tenedor actual que formule oposición los hubiera adquirido de buena fe conforme a la ley de circulación del propio título.

10. En caso de que no fuera procedente la anulación del título o títulos, quien hubiera sido tenedor legítimo en el momento de la pérdida de la posesión tendrá las acciones civiles o penales que correspondan contra aquella persona que hubiera adquirido de mala fe la posesión del documento.

13.1.1. Competencia

Tanto el CCom como la LCCH encomendaron la tramitación de estos expedientes a los jueces en todos los casos. Hoy la competencia es compartida entre notarios y letrados de la Administración de Justicia, a elección del solicitante. En ambos casos, si se plantea un conflicto o se produce oposición o controversia, por aparecer alguien que alegue ser titular legítimo del documento habrá que acudir al juez. Si comparamos la normativa de la LCCH, hoy derogada por la LJV con la implantada por ésta, observaremos que la primera implantó un sistema de actuación judicial rápido y sumario, dirigido a impedir que el título se pague a tercera persona, al privarle de eficacia por haberse perdido su control, dotando al juez de facultades en consonancia con el ejercicio de la potestad jurisdiccional que tienen encomendado constitucionalmente, mientras que la segunda presenta determinadas imprecisiones e indeterminaciones que originan las lógicas dudas para el intérprete de la norma, circunstancias derivadas del hecho de que ni notarios ni letrados de la Administración de Justicia tienen encomendada la antes dicha potestad jurisdiccional.

El letrado de la Administración de Justicia competente será el del Juzgado de lo Mercantil del lugar de pago, de depósito o del emisor, dependiendo de la clase de título valor de que se trate. Idéntico criterio de competencia territorial se seguirá en el caso del notario, quien deberá examinar de oficio su propia competencia, dejando constancia de ello en la propia acta. Se aprecia gran rigidez en esta adscripción territorial, a diferencia de otros expedientes notariales; en este caso la libertad de elección queda reducida a optar por uno de los varios notarios competentes en los lugares determinados, caso de que los haya. Sí será posible requerir a un notario competente por medio de otro notario no competente para evitar desplazamientos innecesarios del promotor del expediente, pero éste sólo puede ser realizado por el notario competente desde principio a fin.

13.1.2. Finalidad y objeto del expediente

La finalidad es obtener, a corto plazo, la suspensión del pago al tenedor del documento y, a medio plazo, el cobro de rendimientos, la amortización del título y la emisión de uno nuevo. Esta finalidad y el procedimiento para conseguirla nos llevan a calificar este acta como de control y de calificación jurídica en la cual el notario puede verse en la necesidad de tener que realizar juicios, calificaciones o valoraciones e incluso adoptar decisiones, más allá de lo que hasta ahora se ha considerado su función típica.

Muy discutidos entre los mercantilistas han sido los caracteres conceptuales típicos definitorios de su concepto, pero siguiendo a nuestra mejor doctrina jurídica, puede definirse sintéticamente el título valor como aquel documento necesario para el ejercicio del derecho literal y autónomo mencionado en él.

Los documentos objeto del expediente pueden ser muy variados. Como hemos visto al tratar la competencia territorial, distingue la norma, junto con la doctrina mercantilista, entre títulos de crédito, de pago o pecuniarios (letra de cambio, pagaré, cheque, obligaciones), títulos de tradición (resguardos de almacenes generales de depósito) y títulos de participación social (acciones representadas mediante títulos nominativos o al portador). Pese a la equívoca mención de la ley a «representación de partes de socio», hay que descartar como objetos de este expediente a las participaciones de sociedades limitadas u otras sociedades que no se encuentren representadas mediante títulos. El expediente se concretará a las partes de socio incorporadas a títulos valores, por lo que hay que entender excluidas las acciones de sociedades cotizadas en Bolsa, por estar representadas necesariamente mediante anotaciones en cuenta, pero no las de sociedades anónimas no cotizadas que hubieran emitido sus títulos.

También procede la exclusión de los documentos de crédito y efectos al portador, cuya regulación especial contenida en los artículos 547 y siguientes del CCom no ha sido derogada.

En este sentido hay que resaltar la problemática de las acciones de sociedades anónimas representadas mediante títulos al portador, para las cuales resulta dudosa su adscripción al procedimiento del CCom o al de la LJV, cuestión que tiene su importancia, pues el primero deberá ser siempre de tramitación judicial y con un plazo de cinco años hasta su finalización. Entendemos que para estas acciones al portador no resultarán aplicables los trámites del CCom, que se refieren a «documentos de crédito» y no a títulos de participación social y se refieren exclusivamente al pago de rendimientos económicos y a impedir la negociación de los títulos. Tampoco parece de recibo aplicar un régimen distinto a las acciones de sociedades anónimas, por el mero hecho de estar representadas mediante títulos, cuya ley de circulación es distinta. Por tanto el procedimiento que se estudia a continuación es aplicable a las acciones representadas mediante títulos, tanto nominativos como al portador.

Igualmente procede la no aplicación del artículo 78 LN respecto a los conocimientos de embarque, documentos que, a pesar de tener la consideración de títulos valores, tienen un régimen especial en la LNM.

13.1.3. Tramitación

13.1.3.1. Legitimación y solicitud

La legitimación corresponde al poseedor legítimo desposeído, sea dueño, usufructuario, acreedor pignoraticio o depositario, quien podrá actuar por sí o a través de apoderado, no siendo admisible el mandato verbal.

La tramitación del expediente se recogerá bajo la forma documental de acta, haciéndose constar los trámites por diligencias sucesivas.

La solicitud deberá contener los requisitos esenciales para identificar al título, las circunstancias por las que se convirtió en tenedor y las de la posterior desposesión y los medios de prueba para demostrar la verosimilitud de sus alegaciones, declarando asimismo que no ha iniciado ninguna otra tramitación relativa al mismo título.

Como antes se ha indicado, la valoración del notario, a la vista de la solicitud, ha de conducirle al convencimiento de la realidad de la posesión y posterior desposesión y ha de verificarla positivamente, tras una actuación activa y no meramente pasiva, para aceptar dicha solicitud, sin perjuicio de que con posterioridad considere conveniente solicitar al requirente nuevos medios de prueba.

13.1.3.2. Comunicaciones

A pesar de que la LN no contempla más notificación individualizada que la del emisor, el notario deberá realizarla también a todos los obligados al pago, al tenedor del título y a cualquier otro interesado.

Igualmente deberá publicarse obligatoriamente la comunicación a todos los interesados, mediante anuncio en el BOE y en un periódico de gran circulación de la provincia, siendo potestativa la publicación de otros anuncios.

Las notificaciones pueden realizarse mediante comunicación directa por correo certificado con acuse de recibo, por no constituir verdaderos requerimientos, como impropiamente califica la LN, sino simples notificaciones de la existencia del procedimiento, de la posibilidad de comparecer en la notaría para examinar el expediente y realizar alegaciones y de la fecha para una comparecencia de todos los interesados.

13.1.3.3. Comparecencia de los interesados

La citación para la comparecencia es obligatoria, pero la ley no fija plazo para su celebración. A la comparecencia pueden acudir el promotor del expediente y el emisor, como la LN parece estar previendo, pero también cualquier obligado al pago o el tenedor actual o, en fin, cualquier interesado, oponiéndose a lo declarado o no. Igualmente puede asistir uno de todos ellos o incluso ninguno, no impidiendo ello la continuación del expediente. También pueden comparecer para realizar alegaciones, antes o después del día y fecha fijados para la comparecencia, y de forma simultánea o sucesiva, todo lo cual será recogido por el notario mediante las diligencias necesarias.

Tras todo ello el notario deberá pronunciarse sobre lo acontecido hasta este momento y, si ha llegado al convencimiento de que el solicitante tiene razón, ordenará a él y al emisor la no negociación del título y la suspensión del cumplimiento de la obligación de pago o el depósito de las mercancías, según el tipo de título valor objeto del expediente. Ello puede ocurrir si no ha existido oposición o si el compareciente lo ha sido al único efecto de obstaculizar el procedimiento o plantear oposiciones no fundadas, sin ningún principio de prueba, ya que la tramitación no debe suspenderse por la mera declaración de oposición.

Ahora bien, si el compareciente se opone con razones fundadas y aporta principios de prueba, el notario se abstendrá de valorar estos argumentos y lo comunicará al solicitante y al emisor para que puedan ventilar la controversia en instancias jurisdiccionales.

Obviamente en la comparecencia podrá haberse llegado a un acuerdo entre solicitante, emisor y, en su caso, tenedor y obligado al pago, con lo cual concluirá el expediente. Alternativamente también se suspenderá el trámite si se ha admitido demanda o querella por hechos directamente relacionados con el expediente.

13.1.3.4. Decisiones notariales para la conservación de derechos del promotor del expediente

La primera de ellas se refiere a los títulos de tradición o depósito de mercancías y consiste en exceptuar la orden de depósito de éstas, si fuera difícil su conservación o existiera peligro grave de su deterioro. Se trata de una medida de ejecución provisional, por motivo de urgencia, en virtud de la cual el notario ordena al depositario la entrega de las mercancías al solicitante, previa solicitud de éste que deberá prestar caución suficiente, y oído el tenedor del título.

Estos dos últimos incisos deben ser desarrollados del siguiente modo. En primer lugar, la audiencia se refiere a quien realmente tenga la posesión, siempre que sea conocido y hubiera comparecido, por lo que se conocerá su domicilio. Si compareciera en esta audiencia se producirá conflicto y habrá que ir a un juicio declarativo. En segundo lugar, la caución se prestará ante el notario actuante quien fijará su cuantía, que deberá cubrir el valor de las mercancías depositadas más la eventual indemnización por daños y perjuicios, previa valoración de peritos, salvo acuerdo de las partes.

Hay que tener en cuenta, para el caso de resguardos de almacenes generales de depósito que hayan sido dados en prenda, los artículos 196 y 197 del CCom que permiten al acreedor pignoraticio, que no haya percibido el pago al vencimiento de la obligación, una actuación alternativa a la contemplada en el artículo 78LN que estamos considerando. Esta alternativa consiste en que el acreedor puede requerir, sólo para este caso, a la compañía depositaria que enajene lo depositado en cantidad bastante para el pago, con intervención de notario, mediante subasta pública y con arreglo a la legislación notarial.

La segunda decisión del notario para preservar los intereses del solicitante en el expediente se refiere a las acciones de sociedades anónimas y consiste en nombrar un administrador para garantizar el ejercicio de los derechos políticos de asistencia, voto e impugnación de los acuerdos sociales.

La medida se tomará a petición del solicitante, correspondiendo al notario, siguiendo las normas de designación de peritos del artículo 50 LN, el nombramiento del administrador, siendo la retribución de éste a cargo del solicitante.

En la práctica esta medida resultará de escasa aplicación por varios motivos. En primer lugar, es innecesaria en el caso de títulos nominativos, en cuyo caso la legitimación del accionista para el ejercicio de los derechos en cuestión se basa en su inscripción en el libro registro de la sociedad, y, por lo tanto, sólo será aplicable en los escasos supuestos de sociedades cuyas acciones estén representadas mediante títulos al portador, circunstancia además contemplada con claro disfavor por la legislación actual. En segundo lugar, la forma de designación del nombrado lleva a un administrador imparcial, que no tiene por qué ser de la confianza del solicitante, quien sin embargo costea su retribución, pero no controla la manera en que actuará. Demasiadas contradicciones que disuadirán al solicitante de ejercer su derecho de petición, salvo urgencia grave.

13.1.3.5. Efectos y conclusión del expediente

Si la situación planteada no se ha resuelto por la comparecencia ni por circunstancias posteriores la ley anuda determinados efectos al transcurso de dos plazos, siempre que no haya existido ni exista controversia u oposición.

A los seis meses, el notario autorizará al promotor del expediente a cobrar los rendimientos del título, previa su solicitud y previo requerimiento al emisor en este sentido. La ley no fija el «dies a quo» para el cómputo del plazo, que deberá ser aquél en que se recibió por su destinatario la última de las notificaciones para comparecer y alegar, ni tampoco establece la posibilidad de exigir caución por el notario. Como en el caso de la tramitación ante el letrado de la Administración de Justicia sí se establece esta posibilidad, queda abierta la duda sobre si la caución es potestativa del notario o si éste no puede exigirla.

Al año, el notario requerirá al emisor para que expida nuevos títulos, previa amortización de los anteriores como consecuencia del transcurso del plazo sin oposición, siendo el «diez a quo» el mismo citado en el párrafo anterior, si bien la norma no se refiere explícitamente a la declaración de amortización del título. La expedición de nuevos títulos procederá si no se ha producido ya el vencimiento, pues en este último caso lo que procederá es la declaración formal de amortización y de que el obligado al pago lo efectúe al promotor del expediente.

Finalmente en cuanto a la eficacia del expediente se plantean varias cuestiones sustantivas.

Primeramente qué ocurre con las transmisiones del título efectuadas durante la tramitación del expediente por el tenedor que no haya podido tener conocimiento real del mismo y del cual se presume la buena fe. Las transmisiones son válidas, pero el último tenedor cuando presente el título al pago verá denegada su petición por el obligado al pago quien lo habrá realizado ya al promotor del expediente. Sin embargo, no procederá nunca la amortización si el tenedor que hubiera formulado oposición lo hubiera adquirido de buena fe, caso en que el tenedor legítimo tendrá las acciones que sean precisas contra el que lo hubiera adquirido de mala fe, lo cual se dilucidará en juicio declarativo. Este número 9 del artículo 78 LN viene del derogado artículo 87 LCCH que ya había sido criticado por impreciso por la doctrina mercantilista que señalaba que, incluso declarada judicialmente la amortización de la letra, no se privaba totalmente de eficacia al título, pues quedaban salvaguardados los derechos del adquirente de buena fe.

En cuanto a la conclusión del expediente se produce, salvo interrupción por demanda o querella, cuando el emisor expide el nuevo título y se entrega al solicitante o se formula por el notario la declaración de amortización y de obligación de pago a aquél.

También concluirá si la anulación no es posible por la oposición del tenedor actual.

Finalmente, como buena práctica notarial, parece conveniente, si llegan a transcurrir los plazos de seis meses y un año, ir haciendo cierres parciales del expediente hasta llegar a su conclusión definitiva.

13.2. DEPÓSITOS EN MATERIA MERCANTIL

Artículo 79.

1. En todos aquellos casos en que, por disposición legal o pacto, proceda el depósito de bienes muebles, valores o efectos mercantiles, podrá realizarse ante Notario mediante acta de depósito, de conformidad con lo dispuesto en la presente Ley y en su reglamento de ejecución.

2. Si el depósito consistiere en letras de cambio u otros efectos que se pudieran perjudicar por su no presentación en ciertas fechas a la aceptación o al pago, el Notario, a instancias del depositante, podrá proceder a realizar dicha presentación. En caso de serle satisfecho el importe, quedará sustituido el depósito de los efectos por su importe en dinero.

3. En todos los casos en que, por la legislación mercantil, se permita la venta de los bienes o efectos depositados, el Notario, a instancia del depositante o del propio depositario, podrá convocar y proceder a la venta de los bienes. A ese efecto se procederá según lo previsto en esta

Ley para las actas notariales de subasta, y se dará al importe obtenido el destino establecido en la legislación mercantil.

13.2.1. Generalidades

No existen en la regulación normas sobre determinación de competencia territorial ni sobre tramitación de un hipotético expediente en esta materia, pues el artículo 79.1 LN se limita a dar cobertura general a las reglas especiales que cada norma concreta mercantil establece, distinguiendo depósitos efectuados por disposición legal y por pacto.

El depósito se regirá por los artículos 216 y 217 del RN que son objeto de estudio en otro epígrafe de esta publicación y el artículo 79 LN, en sus puntos 2 y 3, simplemente introduce, como especialidades, determinadas actuaciones que, a solicitud del depositante, el notario podrá realizar, estableciendo el régimen de las mismas. Dichas actuaciones previstas en el artículo 79LN no pueden tramitarse ante letrado de Administración de Justicia, ya que lógicamente no existe para ello una previsión similar en la LJV.

13.2.2. Depósitos efectuados por disposición legal

A pesar de estar encuadrado entre los expedientes en materia mercantil, el artículo 79.1 LN parece remitirse a toda clase de depósitos efectuados por disposición legal, como queriendo abarcar la regulación civil y mercantil del contrato de depósito en el CC y en el CCom. Entre esta clase de depósitos citaremos los siguientes:

a) El depósito del testamento cerrado para que el notario lo conserve en su archivo (Artículo 711 CC).

b) El depósito de la fianza efectuado por el arrendador en el supuesto del artículo 27.4 LAU/1994.

c) El depósito de la cantidad adeudada por un propietario (artículo 15.2 LPH).

d) El depósito de mercancías y equipajes transportados por mar del artículo 512 LNM, estudiado en otro epígrafe de esta publicación.

e) El depósito de dinero u otros bienes ante notario, como consignación previa a un ofrecimiento de pago del artículo 69 LN, estudiado igualmente en otro epígrafe de esta publicación.

Este tipo de depósitos impuestos por ley no pueden ser rechazados por el notario, salvo que pretendan constituirse en garantía de un acto o contrato contrario a las leyes o al orden público, o en cumplimiento o ejecución de estos actos y contratos prohibidos, todo ello según el artículo 216 RN.

13.2.3. Depósitos efectuados por pacto

Son los restantes depósitos que pretendan efectuarse ante notario y que pueden ser de objetos, programas informáticos, valores, documentos, cantidades y efectuarse por los particulares, bien como prenda de contratos, bien para su custodia.

Su admisión es voluntaria por parte del notario, quien podrá imponer condiciones al depositante. Deben entenderse comprendidos no sólo los depósitos convenidos entre las partes de un contrato, sino también los efectuados unilateralmente por una sola persona.

13.2.4. Régimen jurídico

Las actas de depósito, a falta de una regulación específica, que prevalecerá en todo caso (como sucede con la consignación previa a un ofrecimiento de pago), se rigen por los artículos 216 y 217 RN, si bien hay que tener siempre en cuenta las regulaciones civil y mercantil del contrato de depósito, contenidas en nuestros Código Civil y de Comercio.

El artículo 713.2 LN permite la presentación a la aceptación o al pago por el notario, siempre a instancia del depositante, en los casos en que el efecto pueda quedar perjudicado por esa falta de presentación. En caso de cobro del efecto, queda sustituido el depósito del efecto por su importe en dinero, en una especie de subrogación real.

El notario deberá justificar al aceptante o al pagador el depósito y la solicitud del depositante respecto a la presentación.

Es una disposición que nos recuerda la figura del depósito administrado del artículo 308 CCom, con sus especiales obligaciones fijadas al depositario y también la obligación de todo depositario de percibir los frutos de la cosa, establecida por el artículo 1170 CC. Consecuencia de todo ello y del principio de buena fe, puede establecerse que el notario que advierta el peligro de que el efecto depositado se perjudique deberá comunicarlo sin demora al depositante, para que éste pueda requerirle a fin de que proceda a la presentación.

13.3. VENTA DE LOS BIENES DEPOSITADOS

La venta de los bienes o efectos depositados la podrá realizar el notario si está permitida por la legislación mercantil, dando al importe obtenido el destino previsto en ella, dependiendo de la norma sustantiva que regule el depósito, y siempre a instancia del depositante o del depositario, no pudiendo proceder de oficio el notario en ningún caso.

Para la venta se procederá con arreglo a lo previsto en la LN para las actas notariales de subasta, tema tratado en otro epígrafe de esta publicación.

Se citan como casos en los que la Ley prevé la subasta de bienes depositados los siguientes:

a) Venta de efectos depositados en almacenes de depósito por el acreedor pignoraticio (artículo 1137 CCom).

b) Venta de acciones en mora por impago de dividendos pasivos (artículo 84 LSC).

c) Venta de títulos representativos de acciones que sustituyan a los anulados (artículo 117.2 LSC).

d) Depósito y venta de mercancías y equipajes en transporte marítimo (artículo 512 LNM), estudiado en otro epígrafe de esta publicación.

e) Venta de efectos que constituyan cargamento del buque, por avería en el caso del artículo 523 LNM.

13.4. NOMBRAMIENTO DE PERITOS EN LOS CONTRATOS DE SEGURO

Artículo 80.

1. Se aplicará el procedimiento regulado en este artículo cuando en el contrato de seguro, conforme a su legislación específica, no haya acuerdo entre los peritos nombrados por el asegurador y el asegurado para determinar los daños producidos, y aquéllos no estén conformes con la designación de un tercero.

2. La competencia para proceder al nombramiento corresponderá al Notario al que acudan de mutuo acuerdo el asegurado y la aseguradora. En defecto de acuerdo, cualquiera entre los que tengan su residencia en el lugar del domicilio o residencia habitual del asegurado o donde se encuentre el objeto de la valoración, a elección del requirente. También podrá elegir a un Notario de un distrito colindante a los anteriores.

3. Podrá promover este expediente cualquiera de las partes del contrato de seguro o ambas conjuntamente.

4. Se iniciará el expediente mediante escrito presentado por cualquiera de los interesados, en que se hará constar el hecho de la discordia de los peritos designados para valorar los daños sufridos, y se solicitará el nombramiento de un tercer perito. Al escrito se acompañará la póliza de seguro y los dictámenes de los peritos.

5. Admitida a trámite la solicitud por el Notario, éste convocará a una comparecencia a fin de que los interesados se pongan de acuerdo en el nombramiento de otro perito; si no hubiere acuerdo, se procederá a nombrarlo con arreglo a lo dispuesto en el artículo 50.

6. Verificado el nombramiento, se hará saber al designado para que manifieste si lo acepta o no, lo que podrá realizar alegando justa causa. Una vez aceptado, se proveerá el consiguiente nombramiento, requiriendo a las partes para que en tres días hagan la provisión de fondos que se considere necesaria, debiendo el perito emitir el dictamen en el plazo previsto por las partes y, en su defecto, en el plazo de treinta días a partir de la aceptación del nombramiento. Emitido el dictamen, se incorporará al acta y se dará por finalizada.

13.4.1. Generalidades

La competencia es compartida entre notarios y letrados de la Administración de Justicia, estando anteriormente reservada en la Ley del Contrato de Seguro (LCS) al juez de primera instancia del lugar en que se hallaren los bienes.

Territorialmente, el letrado de la Administración de Justicia competente será el del domicilio del asegurado. Sin embargo, las partes pueden elegir libremente notario de común acuerdo y, en su defecto, el requirente puede elegir cualquier notario del domicilio del asegurado o del lugar donde se encuentre el objeto de valoración, así como cualquiera del mismo distrito o de distritos notariales colindantes. El notario deberá examinar de oficio su propia competencia, dejando constancia de ello en la propia acta.

Como pueden haber varios asegurados y también puede darse la circunstancia de que asegurador y asegurado promuevan el expediente separadamente, es posible que se inicie el trámite por varios notarios, debiendo tener preferencia el primeramente requerido.

La tramitación del expediente se recogerá bajo la forma documental de acta, haciéndose constar los trámites por diligencias sucesivas.

La regulación de esta materia se recoge además del artículo 80 LN en los artículos 38 y 39 LCS.

13.4.2. Casos en los que procede este expediente

El supuesto de hecho consiste en el desacuerdo entre los peritos designados por asegurador y asegurado para valorar los daños de un siniestro, cuando además tampoco hay acuerdo inicial entre aquéllos para la designación de un perito tercero.

Puede utilizarse este expediente siempre que haya que valorar daños, es decir en los siguientes casos:

a) En toda clase de seguros contra daños, regulados en el título II de la LCS.

b) En materia de seguro de accidentes, pues el artículo 104 LCS se remite al 38 de la misma Ley, en cuanto a determinación del grado de invalidez.

c) En materia de seguros de enfermedad y asistencia sanitaria, en cuanto a valoración de indemnizaciones, pues el artículo 106 LCS se remite a las normas del seguro de accidentes, en cuanto fueran compatibles.

d) En cualquier caso en que haya que aplicar el citado artículo 38 LCS como derecho supletorio, como por ejemplo en los seguros marítimos regulados en la LNM.

13.4.3. Régimen jurídico

13.4.3.1. Tramitación

Las partes serán, en principio, el asegurado y la aseguradora, pudiendo ser promotores del expediente cualquiera de ellas o ambas conjuntamente. En su caso, cabe entender incluido en el término «asegurado» al tomador y, en los seguros de responsabilidad civil al tercero perjudicado. Pueden comparecer las partes por sí o mediante apoderado, no siendo admisible el mandato verbal. A pesar de que el artículo

80.4 LN se refiere a «escrito presentado por cualquiera de los interesados» para iniciar el expediente, no parece que tal escrito sea un requisito esencial para ello, pudiendo entenderse sustituido por la firma del requerimiento con su contenido necesario previsto en la ley.

En el requerimiento se reflejará la discordia entre los peritos y la solicitud de un tercero, acompañándose la póliza de seguro y los dictámenes de aquéllos. El notario examinará toda la documentación para admitir a trámite la solicitud, teniendo en cuenta, respecto a la fehaciencia de los documentos, que se ha de notificar a la otra parte, caso de requerimiento unilateral, por lo que el adverso tendrá la oportunidad de examinar la documentación aportada por su contraparte.

A continuación se citará a las partes para una comparecencia a fin de designar un perito tercero, fijando el plazo para ella el notario, teniendo en cuenta las circunstancias del expediente.

Si hay acuerdo entre las partes se designará al elegido, caso de desacuerdo o incomparecencia se nombrará el perito, mediante solicitud del notario al Colegio Notarial, siguiendo los trámites establecidos en el artículo 50 LN, que reproduce los previstos en el artículo 341 de la Ley de Enjuiciamiento Civil.

Designado el perito, le será comunicado este hecho para que manifieste su aceptación o no; aceptado el cargo se le proveerá del consiguiente nombramiento.

El proceso de designación de perito tercero podrá verse afectado por muy diversas vicisitudes (dificultades en la elaboración de las listas de peritos, inidoneidad del designado para la pericia, no aceptación con o sin justa causa, entre otras), que deberán ser afrontadas por el notario, teniendo en cuentas tres principios básicos. En primer lugar, si no ha habido acuerdo en la comparecencia entre las partes, el nombramiento será efectuado por el notario, que deberá solicitar al Colegio Notarial la designación del perito tercero. En segundo lugar, si el nombramiento inicial se frustra, el notario deberá solicitar del Colegio Notarial una nueva designación. En tercer lugar, si a lo largo del proceso de designación del perito tercero, las partes consiguieran llegar a un acuerdo sobre el particular el notario aceptará dicho acuerdo, tal y como se hubiera hecho de alcanzarlo en la comparecencia previa, siempre y cuando no se haya producido aceptación por el nombrado mediante el procedimiento del artículo 50 LN.

Tras el nombramiento, deberá hacerse provisión de fondos al perito, quien emitirá su dictamen, el cual se incorporará al acta, que se dará por finalizada.

En un expediente de estas características, reviste gran importancia el tratamiento de los costes notariales y periciales, cuestión no contemplada en el artículo ahora examinado, que simplemente se limita a señalar que «las partes hagan provisión de fondos».

En principio, el arancel notarial y los honorarios y gastos del perito corresponderán a ambas partes por mitad, si han sido asegurado y asegurador los promotores del expediente. Si solo una de las partes ha promovido el expediente, dada la indeterminación del artículo 80 LN, que simplemente utiliza el plural «partes», pareciendo contemplar únicamente la solicitud bilateral, habrá que recurrir a lo dispuesto en el artículo 39 LCS, el cual determina que «los honorarios del perito tercero y demás gastos que ocasione la tasación pericial serán de cuenta y cargo por mitad del asegurado y asegurador. No obstante, si cualquiera de las partes hubiera hecho necesaria la peritación por haber mantenido una valoración del daño manifiestamente desproporcionada, será ella la única responsable de dichos gastos».

En definitiva, en el seno del expediente notarial el o los promotores asumirán los gastos notariales y periciales, pero con posibilidad de repercutir, en su caso, a la otra parte la mitad o incluso la totalidad de su importe.

Teniendo en cuenta que lo más frecuente en la práctica probablemente sea el requerimiento único del asegurado, a éste le convendría hacer mención en la solicitud inicial al contenido del antes citado artículo 39 LCS y su reserva de acciones legales en base al mismo, para que, mediante la comunicación del expediente a la aseguradora, ésta pueda conocer dicha circunstancia, sin que quepa alegar desconocimiento por su parte. Obviamente la hipotética reclamación por el promotor de los gastos del expediente contra la otra parte será ajena a la tramitación del acta.

Nada aclara el artículo que se comenta sobre la cuantía de la provisión de fondos que se considere necesaria, cuantía cuya estimación corresponderá al parecer al perito designado. Ni mucho menos sobre qué ocurrirá cuando las partes consideren excesiva la provisión. Incluso, en un libre mercado donde previsiblemente imperará la discrecionalidad en la fijación de tarifas de los peritos, puede ocurrir que, en este tesitura, las partes pretendan rechazar el nombramiento e instar el de otro nuevo perito que, ahora sí, hayan elegido de común acuerdo. Interrogantes abiertos que las buenas prácticas profesionales deberán ayudar a cerrar, ante el silencio normativo. Aunque el período de tiempo transcurrido desde la entrada en vigor de la norma no es excesivo, para una disposición de estas características cuya asimilación por los operadores es lenta, en la práctica la aplicación del expediente parece estar teniendo claros efectos preventivos, en el sentido de fomentar el acuerdo entre las partes para la designación del perito tercero, ante todas las eventualidades expuestas y otras que pudieran derivarse en caso contrario.

13.4.3.2. Efectos

Como ya hemos señalado, emitido el dictamen por el perito tercero en el plazo señalado, se incorporará al acta, que se cerrará, con lo cual termina la regulación del artículo 80 LN, como ley adjetiva que es, debiendo acudir para examinar los efectos de este expediente al antes nombrado artículo 38 LCS, norma sustantiva que dispone en sus párrafos séptimo, octavo y noveno:

«El dictamen de los Peritos, por unanimidad o por mayoría, se notificará a las partes de manera inmediata y en forma indubitada, siendo vinculante para éstas, salvo que se impugne judicialmente por alguna de las partes, dentro del plazo de treinta días, en el caso del asegurador y ciento ochenta en el del asegurado, computados ambos desde la fecha de su notificación. Si no se interpusiere en dichos plazos la correspondiente acción, el dictamen pericial devendrá inatacable.

Si el dictamen de los Peritos fuera impugnado, el asegurador deberá abonar el importe mínimo a que se refiere el artículo diez y ocho (el deducido según las circunstancias conocidas por el asegurador), y si no lo fuera abonará el importe de la indemnización señalada por los Peritos en un plazo de cinco días.

En el supuesto de que por demora del asegurador en el pago del importe de la indemnización devenida inatacable el asegurado se viere obligado a reclamarlo judicialmente, la indemnización correspondiente se verá incrementada con el interés previsto en el artículo veinte (interés legal del dinero incrementado en el cincuenta por cien, que, transcurridos dos años, no podrá ser inferior al veinte por cien), que, en este caso, empezará a devengarse desde que la valoración devino inatacable para el asegurador y, en todo caso, con el importe de los gastos originados al asegurado por el proceso, a cuya indemnización hará expresa condena la sentencia, cualquiera que fuere el procedimiento judicial aplicable».

Por tanto, aunque en el artículo 80 LN no se prevé ningún trámite de notificación a las partes o a alguna de ellas, sí deberá notificarse a ambas partes, dentro del expediente notarial, el dictamen entregado e incorporado al expediente. Si asegurado y asegurador se han personado en el expediente la entrega de las respectivas copias autorizadas surtirá efecto de notificación.

14. ACTUACIONES NOTARIALES EN MATERIA DE NAVEGACIÓN MARÍTIMA

La Ley 14/2014, de 24 de julio, de Navegación Marítima, en adelante LNM, dedica su Título X a las actuaciones notariales en materia de navegación marítima bajo la rúbrica de «Certificación pública de determinados expedientes de derecho marítimo». Está dividido en seis capítulos que contienen 24 artículos, concretamente del 501 al 524.

A lo largo de dichos artículos, la LNM regula cinco expedientes de jurisdicción voluntaria cuya tramitación se ha atribuido fundamentalmente a los notarios, salvo la protesta de mar por incidencias de viaje, que se atribuye a la Capitanía Marítima. Inaugura así la tendencia legislativa a la desjudicialización de la jurisdicción voluntaria, adelantándose en un año a la Ley 15/2015, de 2 de julio, de Jurisdicción Voluntaria.

La tramitación legislativa de estas dos materias —Ley de Navegación Marítima y Ley de Jurisdicción Voluntaria— ha sido paralela. El proceso legislativo de la LNM comenzó en el año 1999 con el nombramiento de una Comisión *ad hoc* de ocho expertos, en el seno de la Sección de Derecho Mercantil de la Comisión General de Codificación, que tuvo el encargo de elaborar el primer «borrador de anteproyecto de la Ley General de Navegación Marítima». Por su parte, la Ley 1/2000, de Enjuiciamiento Civil, en su Disposición Final Decimoctava, ordenaba al gobierno la remisión de un proyecto de ley de jurisdicción voluntaria en el plazo de un año a contar desde la entrada en vigor, aunque el plazo no se cumplió.

La consecuencia de este paralelismo en el tiempo es que los expedientes de jurisdicción voluntaria de derecho marítimo tan pronto se incluían en los anteproyectos y proyectos de ley de navegación marítima como pasaban a los de jurisdicción voluntaria. También fue materia de discusión si los expedientes de derecho marítimo se debían seguir confiando a los jueces o, por el contrario, atribuir su tramitación a los notarios. Finalmente triunfó el criterio legislativo de mantener en la Ley de Jurisdicción Voluntaria aquellos expedientes que se tramitan en sede judicial, por jueces y secretarios judiciales, y regular en las leyes especiales los expedientes —no solo los de derecho marítimo— tramitados por otros funcionarios, notarios y registradores de la propiedad.

La Propuesta de Anteproyecto de la Ley General de Navegación Marítima de 2004 contemplaba algunos de los expedientes hoy regulados, pero atribuidos a la autoridad judicial; de ahí fueron trasladados al Anteproyecto de Ley de Jurisdicción Voluntaria de 2005 y algunos pasaron al Proyecto de Ley de Jurisdicción Voluntaria para Facilitar y Agilizar la Tutela y Garantía de los Derechos de la Persona en Materia Civil y Mercantil de 2006, que fracasó. Simultáneamente se estaba tramitando el Proyecto de Ley de Navegación Marítima de 2006 donde no se contemplaban los expedientes. Con la Propuesta de Anteproyecto de Ley de la Jurisdicción Voluntaria de 2012 se optó por extraer de su articulado todos aquellos expedientes no atribuidos a la Administración de Justicia, Juez o Secretario Judicial. De esta manera pasó su regulación al Proyecto de Ley de Navegación Marítima de 2013, que se publicó en el Boletín Oficial de las Cortes el 29 de noviembre de 2013.

La consecuencia práctica de estas vacilaciones y cambios de rumbo legislativo es que la redacción final del texto del articulado que la LNM dedica a los expedientes notariales ha resultado ser en gran medida una adaptación de última hora, precipitada y mejorable, de unos expedientes que inicialmente estaban pensados para ser tramitados en sede judicial. Parece, en ocasiones, que el legislador se haya limitado a sustituir en un texto pensado para la tramitación en sede judicial la palabra juez por la palabra notario y no haya tenido tiempo para adaptar en profundidad la regulación de los expedientes a la específica terminología, actuación y forma de los documentos notariales.

Se echa en falta en la LNM una remisión específica a la legislación notarial como ley reguladora de la actuación del notario y de la forma de documentar estos expedientes. Esta carencia ha sido suplida por la Ley de Jurisdicción Voluntaria (LJV) que reforma la Ley de 28 de mayo de 1862 del Notariado (LN). El nuevo artículo 49 de la Ley del Notariado establece como forma documental para los expedientes de jurisdicción voluntaria —que denomina especiales— los documentos notariales típicos, actas o escrituras, lo que implica la remisión en bloque a la legislación notarial como norma a la que debe ajustarse la actuación del notario cuando tramita estos expedientes. Así, conforme a los criterios generales de la Ley y Reglamento Notariales, cuando el expediente tenga por objeto la declaración de voluntad de quien lo inste o la realización de un acto jurídico que implique prestación de consentimiento, el notario autorizará una escritura, y cuando tenga por objeto la constatación o verificación de un hecho, la percepción del mismo, así como sus juicios o calificaciones, el Notario procederá a extender y autorizar un acta.

El artículo 50 LN, por su parte, regula la creación de listas de peritos que debe formarse anualmente en cada Colegio Notarial para cuando su designación sea solicitada por los notarios del mismo.

14.1. DISPOSICIONES GENERALES

Artículo 501. Competencia

Para conocer de los expedientes regulados en este título solo será competente un notario, a elección de los interesados, de acuerdo con las disposiciones de esta ley.

Artículo 502. Días y horas hábiles

En los procedimientos relativos al Derecho marítimo serán hábiles todos los días y horas sin excepción.

Artículo 503. Gastos

Los gastos ocasionados en los expedientes regulados en este título serán a cargo del solicitante.

Los gastos ocasionados por peritos serán a cargo de quien los proponga.

Las disposiciones generales, aplicables a todos los expedientes de derecho marítimo, están contenidas en los artículos 501 a 503 LNM, integrantes del Capítulo I del Título X, que lleva por rúbrica «Certificación pública de terminados expedientes de derecho marítimo».

Lo primero que llama la atención es la denominación de «certificación pública» que la LNM utiliza para denominar los expedientes notariales que regula, nombre novedoso que la ley no vuelve a utilizar y que carece de un sentido propio técnico-jurídico en la terminología notarial. Resulta también curioso que la Ley del Notariado, rubrique el Título VII que regula los expedientes de jurisdicción voluntaria tramitados por los notarios como «Intervención de los notarios en expedientes y actas especiales», ya que lo que se pretende es que sean actuaciones que se realicen con carácter normal y ordinario y no especial o extraordinario. Parece por tanto una terminología efecto de la novedad, cuando hubiese sido más sencillo y exacto referirse a ellos como «expedientes notariales de derecho marítimo» o «expedientes notariales de jurisdicción voluntaria».

14.1.1. En materia de competencia notarial, el artículo 501 LNM establece la regla de que solo será competente un notario, a elección de los interesados, para conocer de los expedientes regulados en el Título X. Lo que implica por un lado la competencia exclusiva notarial en materia de expedientes de derecho marítimo salvo que la ley establezca expresamente otra cosa, como es el caso de la protesta de mar en que es competente la Capitanía Marítima y, por otro lado, que solo se podrá tramitar un expediente ante notario que verse sobre el mismo objeto entre los mismos interesados. La cuestión puede suscitarse cuando varios soliciten a diferentes notarios su actuación en el mismo asunto. Entendemos que el primer notario que haya iniciado su actuación deberá ser el que continúe y el, o los posteriores, interrumpir la que a su vez hubiesen iniciado en el momento en que tengan conocimiento de un expediente ya en marcha. Esta solución es la que ya establecía para tales supuestos el artículo 209 bis del Reglamento Notarial para las actas de declaración de herederos abintestato y es la abonada por el artículo 6.1 de la LJV que estable que *«Cuando se tramiten simultáneamente dos o más expedientes con idéntico objeto, proseguirá la tramitación del que primero se hubiera iniciado y se acordará el archivo de los expedientes posteriormente incoados. El régimen jurídico contemplado en el presente apartado para los expedientes de jurisdicción voluntaria será aplicable también a los expedientes tramitados por notarios y registradores en aquellas materias en las que la competencia les venga atribuida concurrentemente con la del secretario judicial».*

El notario, por tanto, lo designan los interesados, lo que nos podría llevar a pensar que pueden elegir notario con total libertad. Esto hay que matizarlo. Alguno de los expedientes regulados en la LNM contiene normas de competencia que habrá que observar. Sin perjuicio de que en los diferentes expedientes analicemos con más detalle la competencia del notario, entendemos que en aquellos casos en que se requiere su presencia física, como es el caso de la tasación pericial de daños del artículo 505 LNM, será competente el que lo sea en el lugar donde se hallen las mercancías o el buque que deben ser examinados. Para la liquidación de la avería gruesa no establece la LNM ninguna regla de competencia. Podría deducirse que cualquier notario puede ser competente; no obstante, es razonable que el notario a quien se acuda valore si se requiere su presencia física en donde se encuentre el buque y las mercancías y en consecuencia acepte o no el requerimiento. En el expediente sobre depósito y venta de mercancías en el transporte marítimo tampoco hay ninguna regla sobre competencia notarial, pero si se opta por la venta de las mercancías en subasta pública habrá que estar a lo dispuesto en el artículo 72.3 de la Ley del Notariado que establece normas de competencia. Siempre resultará seguro optar por notario con residencia en el lugar donde se encuentren las mercancías. El expediente sobre extravío, sustracción o destrucción del conocimiento de embarque contiene una norma sobre competencia notarial en el artículo 516: el del lugar de destino fijado en el conocimiento para la entrega de las mercancías. Y respecto al expediente para la enajenación de efectos mercantiles alterados o averiados, tampoco se contiene ninguna norma en la LNM. La presencia del notario en el lugar donde se encuentren puede ser necesaria para apreciar la necesidad de tasación y venta por el notario, lo que determinará la competencia del mismo. Igualmente es aplicable lo dicho para subasta si la venta de las mercancías se hace en subasta pública.

14.1.2. La regla del artículo 502 LNM señala que todos los días y horas sin excepción se consideran hábiles, lo que tiene importancia a efectos del cómputo de plazos para notificaciones y contestaciones.

14.1.3. Y el artículo 503 LNM se refiere a los gastos, estableciendo que serán del solicitante del expediente y los de los peritos de cargo de quien los proponga, normas que admiten pacto en contrario tanto en el momento del requerimiento como a lo largo del mismo.

14.1.4. En términos generales, como hemos apuntado, el notario deberá suplir la falta de precisión terminológica interpretando el texto y acomodando su actuación a la legislación notarial, reguladora de su función. Es un campo nuevo de actuación y un reto que la sociedad ha confiado a los notarios y, en consecuencia, deberán hacerse todos los esfuerzos por un lado para preservar la seguridad jurídica y, por otro, para lograr la efectividad de estos expedientes, sin perjuicio de su posible mejora en un futuro.

14.2. LA PROTESTA DE MAR POR INCIDENCIAS DE VIAJE

CAPÍTULO II

De la protesta de mar por incidencias del viaje

Artículo 504. Acreditación de las incidencias

1. En los casos en que la legislación aplicable exija que el capitán al llegar al puerto de destino haga constar algunas incidencias del viaje, deberá hacerlo ante la Capitanía Marítima, de acuerdo con lo dispuesto en la ley, y si se tratara de un país extranjero, ante el cónsul español.

Podrá también utilizarse este expediente para acreditar las incidencias cuando el capitán lo considerase conveniente.

2. En el plazo de veinticuatro horas a contar desde su llegada al puerto de destino el capitán deberá entregar una copia de la parte correspondiente del Diario de Navegación y del acta en que hubiera hecho constar las incidencias producidas, así como, en su caso, una copia de la diligencia de protesta de incidencias instruida en un puerto de arribada previo al de destino. Asimismo, deberá entregar una copia del acta de protesta a todos los interesados, que sean conocidos, en los hechos acaecidos y, en su caso, entregará inexcusablemente copia compulsada en el supuesto previsto en el artículo 187.

Artículo 505. Tasación pericial

1. El notario deberá, por iniciativa de los interesados, proceder al examen del buque y de las mercancías que transporta, así como ordenar la tasación de los daños causados.

Para realizar las anteriores diligencias, el notario recibirá declaración de los firmantes del acta o actas levantadas, interesados y consignatarios, si residieren o tuvieren representación en el lugar.

2. La valoración de los daños se realizará por un perito nombrado de común acuerdo por el capitán y los interesados o consignatarios y, en defecto de acuerdo, por el notario.

La LNM ha derogado la regulación de la protesta de mar contenida en el Libro III del Código de Comercio y en los artículos 2131 y siguientes y 2169 a 2174 de la vieja LEC de 1881.

Se da la paradoja de que la protesta de averías era el único expediente de derecho marítimo que al amparo de la legislación anterior podía ser tramitado ante notario, mientras que en la nueva regulación es el único en que la competencia se ha atribuido a la autoridad marítima. En la legislación derogada, la competencia para entender de la protesta de mar estaba atribuida a la autoridad judicial. No obstante, se discutió si el expediente se podía sustanciar ante notario. Una Real Orden de 4 de noviembre de 1912 estimó que dentro del término Autoridad competente que empleaba el artículo 624 del CCo se podía incluir al notario a los efectos de hacer constar fehacientemente la protesta de avería. Y en la práctica se ha realizado ante notario aunque una aislada STS de 6 de noviembre de 1915 entendiera que la competencia era únicamente judicial.

De la protesta de mar por incidencias de viaje se ocupa el Capítulo II del Título X de la LNM, comprensivo de dos artículos, 504 y 505, que recogen sendos expedientes diferentes y descoordinados entre sí: La **acreditación de las incidencias**, y **la tasación de los daños.** El primero se tramita ante la autoridad marítima o el cónsul español y puede tener carácter obligatorio o potestativo; el segundo se tramita ante notario y tiene carácter voluntario.

14.2.1. Acreditación de las incidencias por medio de la protesta de mar

En la concepción tradicional la protesta de mar por averías consistía en una declaración formal que el capitán debía hacer al llegar a puerto ante la autoridad competente en el breve plazo de 24 horas con la finalidad de fijar los hechos ocurridos para descargarse a sí o a su armador de responsabilidad por los mismos, o como requisito procedimental para poder ejercitar acciones de reclamación. Los supuestos en que con arreglo a la legislación derogada procedía hacer la protesta de mar eran los de averías, naufragio, arribada forzosa, abordaje, ataque y despojo de la nave e incumplimiento de presentación de la carga.

En la regulación actual ya no se contemplan los supuestos tradicionales, y se excluye de manera expresa por la LNM la exigencia del cumplimiento de ningún requisito formal para reclamar la indemnización en los casos de abordaje (artículo 344 LNM) o para exigir la contribución a la avería gruesa (artículo 350 LNM). Se mantiene, no obstante, la posibilidad de que el capitán pueda acudir voluntariamente a la protesta de mar como medio de acreditar las incidencias. En cualquier caso, ya que la protesta puede hacerse también de manera potestativa, en caso de duda es aconsejable llevarla a efecto ante la Capitanía Marítima.

La nueva regulación ha significado un cambio de enfoque de la protesta de mar que ha pasado a ser fundamentalmente una exigencia legal impuesta al capitán de comunicar a la autoridad marítima ciertos hechos por motivos de interés general. El artículo 504 LNM se refiere a «*los casos en que la legislación aplicable exija que el capitán al llegar al puerto de destino haga constar algunas incidencias del viaje*», aunque no aclara a que legislación aplicable se refiere: la relativa al contrato de transporte marítimo, a la bandera del buque, al accidente si es que lo habido...

14.2.1.1. Casos en que el capitán está obligado a presentar una protesta de mar

A)   Casos de accidente, contaminación o seguridad de la navegación: El artículo 186 de la LNM impone a los capitanes de los buques nacionales la obligación de comunicar de inmediato y por el medio más rápido posible, a la Capitanía Marítima o autoridad consular más cercana todo «*accidente de navegación ocurrido al buque o causado por él, todo episodio de contaminación producido u observado y cualquier otra novedad extraordinaria y de importancia que afecte a la seguridad de la navegación o del medio ambiente marino*».

«*Asimismo el capitán deberá presentarse dentro de las veinticuatro horas hábiles siguientes a su llegada a puerto nacional ante la Administración Marítima, o ante el Cónsul, si es puerto extranjero, para realizar una declaración sobre los hechos anteriores, con transcripción de la parte pertinente del diario de navegación*».

Se trata de casos que pueden requerir la intervención urgente para el salvamento, la prevención de la contaminación o el aviso o la remoción del peligro para la navegación.

El factor común a estos supuestos es que en todos ellos resulta afectado un interés público. Se exige la comunicación de estos supuestos a la Capitanía Marítima o a la autoridad consular de dos modos: una comunicación por el medio más rápido posible, lo que es posible gracias al desarrollo de los modernos medios de comunicación a bordo que mantienen en contacto permanente a los buques en navegación con tierra y otra mediante comparecencia al llegar a puerto.

B) Casos en que el capitán actúa como autoridad pública: Son los supuestos regulados en los artículos 171 y siguientes LNM bajo la rúbrica «Del capitán» que obligan a éste a recogerlos en el diario de navegación y entregar copia en la Capitanía Marítima o autoridad consular. En todos ellos será aplicable la protesta de mar regulada en el artículo 504 LNM:

– hechos cometidos por personas que se encuentren a bordo durante la navegación y que, a su juicio, pudieran ser constitutivos de infracción penal o administrativa (artículo 177 LNM)

– hechos y actos inscribibles que ocurran durante un viaje marítimo y que afecten al estado civil de las personas embarcadas. En particular se refiere el artículo 178 LNM a los nacimientos, defunciones (con extensión del certificado de defunción e inventario de papeles y pertenencias), y matrimonios celebrados en peligro de muerte. Las actas se extienden por el capitán en el diario de navegación con arreglo a la Ley del Registro Civil.

– Desaparición de personas durante la navegación (artículo 178. 3 LNM).

– Autorización del testamento marítimo, recepción del testamento cerrado y entrega del testamento ológrafo (artículo 179 LNM).

– Lanzamiento del cadáver al mar (artículo 180. 3 LNM).

De todos estos hechos el capitán deberá dejar constancia en el diario de navegación, teniendo valor de documento público los asientos que haga en calidad de autoridad pública, y llegado a puerto la acreditación de estas incidencias se hará mediante una protesta de mar en la forma y plazo establecidos en el artículo 504. 2 de la LNM.

14.2.1.2. Casos en que la protesta de mar es potestativa

Es el caso a que se refiere el artículo 187 LNM que establece que «*1. El capitán podrá levantar una protesta de mar cuando hayan ocurrido hechos de los que pudiera deducirse su responsabilidad. A tal efecto, redactará un acta recogiendo los hechos ocurridos tal como estén anotados en el Diario de Navegación, añadiendo los comentarios que estime oportunos. 2. El acta de protesta se conservará junto con el Diario, y de ella se entregará inexcusablemente copia compulsada a todos los interesados en los hechos ocurridos conforme se dispone en el artículo 87*».

La responsabilidad también puede alcanzar al armador, pues conforme al artículo 149 LNM el armador es responsable ante terceros de los actos y omisiones del capitán y dotación del buque.

Y en general cuando el capitán lo considere conveniente, puede realizar una protesta de mar aunque como hemos dicho en la actualidad ya no se exige la protesta de mar con la finalidad de descargo de responsabilidad del capitán o del armador o como presupuesto para las acciones de reclamación, en los casos tradicionales de averías, abordaje, arribada forzosa, o en cualquier otro en que el capitán lo estime oportuno, puede acudir a la fijación de los hechos levantando un acta de protesta de mar.

14.2.2. *Forma y plazos de realizar la protesta*

Conforme al artículo 504.2 LNM la protesta de mar se hará en el puerto de destino, en 24 horas desde la llegada, en la Capitanía Marítima o consulado español, con entrega de la parte correspondiente del diario de navegación y del acta en que se hubiera hecho constar las incidencias y, si es el caso, copia de la diligencia de protesta que se hubiese instruido en un puerto de arribada previo el de destino.

En la práctica es conveniente que se haga constar por el Capitán en el acta que levante, entre otros aspectos, el buque, el viaje de que se trate, la fecha, la situación, el calado, visibilidad, viento, fuerza, el estado y la velocidad de las mareas o corrientes, una observación general del tiempo, nombre y propiedad de la cosa o persona dañada, el asegurador, fecha en que el armador u otra persona informó del daño y, además de una copia del cuaderno de navegación, los demás libros o documentos pertinentes, descripción de los daños, nombre del perito, práctico o remolcadores que hubiesen intervenido, cómo ocurrió el accidente, testigos, declaración de hechos, y en general cuantos datos puedan aportarse para el esclarecimiento y valoración posterior de las circunstancias del siniestro.

14.2.2.1. ¿Puede hacerse la protesta de mar ante notario?

Se ha suscitado la cuestión de si es posible realizar la protesta de mar ante notario. Algunos autores, como Antonio Quirós de Sas, intentan una interpretación conciliadora y entienden en base al artículo 501 LNM que el notario sería competente para la protesta de mar en los casos en que se acude potestativamente a este expediente.

Entendemos que en los casos en que la protesta de mar es obligatoria por exigirlo algún precepto legal, necesariamente deberá hacerse ante la autoridad marítima y en la forma y plazos establecidos en la ley. A igual conclusión debe llegarse en los casos en que la protesta de mar es potestativa, dada la literalidad del artículo 504 LNM. Ello no obstante, no vemos inconveniente en que se pueda levantar un acta notarial de referencia, con protocolización de los mismos documentos exigidos para la protesta de mar, pero cuidando el notario de no inducir a confusión con una protesta de mar propiamente dicha.

14.2.2.2. Entrega de copia a los interesados

El artículo 504 finaliza diciendo que el Capitán deberá entregar una copia del acta de protesta a todos los interesados, que sean conocidos, en los hechos acaecidos y, en su caso, entregará inexcusablemente copia compulsada en el supuesto previsto en el artículo 187 (hechos de los que pueda deducirse responsabilidad del capitán).

14.2.3. Tasación pericial de daños

El segundo expediente contemplado en el capítulo II es la tasación pericial de daños.

La regulación legal, contenida en el artículo 505, consiste en lo siguiente:

- El notario deberá, por iniciativa de los interesados, proceder al examen del buque y de las mercancías que transporta, así como ordenar la tasación de los daños causados.

- Para realizar las anteriores diligencias, el notario recibirá declaración de los firmantes del acta o actas levantadas, interesados y consignatarios, si residieren o tuvieren representación en el lugar.

- La valoración de los daños se realizará por un perito nombrado de común acuerdo por el capitán y los interesados o consignatarios y, en defecto de acuerdo, por el notario.

Ante la parquedad de la regulación, comentaremos lo que sigue:

1. Este expediente mantiene la lógica de la anterior regulación del artículo 2131 de la LEC en que producido el daño y llegado el buque a puerto, lo procedente era la solicitud de licencia para la apertura de escotillas y la designación por el capitán de un perito que asistiese al acto.

2. Es un expediente potestativo, pues en ningún lugar se dice que el capitán o cualquier interesado deba instalarlo obligatoriamente, ni como requisito para ejercitar ninguna reclamación ni para eximirse de responsabilidad, aunque lógicamente esa será su finalidad.

3. Se trata de un expediente que participa de la naturaleza de un acta mixta de presencia, pues el notario debe inspeccionar el buque y las mercancías, y de referencia en que debe recibir declaraciones de diversas personas. El notario deberá ejercer unas facultades en cierta medida discrecionales para el impulso del expediente. Así el notario podrá o deberá: tomar las medidas necesarias para tasar los daños, solicitar a las partes que designen un perito, dejar constancia en el acta de si se han puesto de acuerdo para su designación, señalarles si lo estima necesario un plazo razonable para ello, puesto que la LNM no lo expresa, así como, si no se ponen de acuerdo, proceder a nombrarlo él mismo. Igualmente entendemos que a la vista de las declaraciones que se hayan hecho, de lo que resulte del acta de protesta de averías levantada ante la Capitanía Marítima y de las circunstancias que se hayan puesto de manifiesto, debe tener la facultad o iniciativa para pedir otras declaraciones o pruebas que estime pertinentes, hayan sido o no propuestas por el requirente o los interesados, facultad que no es extraña a la actuación notarial, por ejemplo, en la regulación de las actas de notoriedad. Todas estas actuaciones deberán ir ordenadamente recogidas en el acta mediante diligencias sucesivas.

4. No hay norma específica de competencia notarial, por lo que será notario competente cualquiera de los que lo sean para actuar en el puerto donde el buque se encuentre, ya que se exige la presencia física del notario para examinar el buque y las mercancías.

5. La actuación del notario puede ser solicitada por todos, algunos o, al menos, uno de los interesados (capitán, porteadores, destinatarios, consignatarios).

6. Presupone este expediente la existencia previa de unas incidencias que se deberán haber hecho constar el acta o actas levantadas por el capitán. Los interesados deberán

aportar al notario copia del acta o actas levantadas por el capitán, o de la protesta de mar ante la Capitanía Marítima, si se hubiese producido, que quedarán incorporadas al acta notarial. A estos efectos hay que recordar que los interesados tienen derecho a obtener copias de esos documentos y del Diario de Navegación como se establece en los artículos 504.2, 187 y 87 de la LNM.

7. El notario, apreciado el interés legítimo del requirente, aceptará el requerimiento y examinará en primer lugar el buque y las mercancías, dejando constancia de lo que resulte de la inspección ocular.

8. Recibirá las declaraciones de las personas que dice el artículo 505: los firmantes del acta o actas levantadas, interesados y consignatarios, si residieran o tuvieran representación en el lugar. La referencia a «consignatarios» parece que debiera referirse a los receptores de las mercancías, a quienes la LNM siempre llama «destinatarios» conforme al artículo 203 que define el contrato de fletamento, y no al consignatario, a quien la ley define en el artículo 319.

9. La valoración de los daños se realizará por un perito nombrado de común acuerdo por el capitán y los interesados o consignatarios y, en defecto de acuerdo, por el notario. Cuando la designación de perito la haga el notario, acudirá al procedimiento regulado en el artículo 50 de la Ley del Notariado. El notario debe, por tanto, recoger en el acta el acuerdo del capitán y los interesados o consignatarios para la designación de perito, o en caso de falta de acuerdo la designación por el propio notario, así como la declaración o informe pericial para lo que podrá incorporar cuantos documentos sean atinentes al caso.

10. Para concluir haremos una reflexión: la LNM no se ocupa sólo de los intereses privados en el comercio marítimo, como hacía el Libro III del CCo, sino que con un criterio más propio del Derecho Público tiene en cuenta otros intereses generales como el medio ambiente marino, la lucha contra la contaminación y la seguridad de la navegación que exigen la comunicación rápida e inmediata a la Capitanía Marítima o autoridad consular de las incidencias graves que pudieran afectarles. Pero sin perjuicio de la exigencia de esa comunicación, nada hubiese obstado para recurrir al notario para la protesta de mar, arribado el buque a puerto, con competencia compartida con la autoridad marítima, si se quiere, y estableciendo la obligación de comunicar a ésta por el notario la protesta levantada.

En todo caso, la competencia notarial para los casos en que la protesta se realiza potestativamente podría haberse admitido perfectamente, con lo que se hubiesen coordinado mejor las dos diferentes actuaciones: la acreditación de las incidencias y la tasación pericial. También en los casos en que la legislación extranjera imponga al capitán la obligación de hacer la protesta de mar podría ser hecha ante notario.

14.3. LIQUIDACIÓN DE LA AVERÍA GRUESA

CAPÍTULO III

De la liquidación de avería gruesa

Artículo 506. Objeto del expediente y legitimación.

En caso de que los interesados en un viaje marítimo no llegasen a un acuerdo para la liquidación privada de la avería gruesa, cualquiera de ellos podrá dirigirse a un notario solicitando se tramite el expediente que se regula a continuación.

Artículo 507. Solicitud y emplazamiento a los interesados.

1. En el escrito de solicitud del expediente de liquidación de avería gruesa deberá expresarse una relación circunstanciada de los hechos acaecidos, gastos y daños producidos y documentos que justifican la petición, así como relación nominal de los interesados.

2. Admitida la solicitud, el notario lo notificará a todos los interesados en el viaje marítimo, en el buque o en el cargamento, instruyéndoles de su derecho a intervenir en la tramitación del expediente.

Artículo 508. Nombramiento e intervención del liquidador.

1. El notario designará un liquidador a efectos de practicar la liquidación.

2. El notario señalará al liquidador un plazo razonable para preparar la liquidación, que deberá fijarse en función de las dificultades del caso y que no podrá exceder de cuatro meses, salvo causa justificada a instancia del propio liquidador.

Todos los interesados están obligados a prestar al liquidador designado la colaboración requerida en orden a la información y documentación.

3. Presentada la liquidación de avería gruesa por el liquidador, o su dictamen negativo a la procedencia de la liquidación, el notario lo pondrá de manifiesto a los interesados, quienes podrán mostrar su acuerdo con él o impugnarlo durante los treinta días siguientes.

Artículo 509. Impugnaciones.

Recibidas las conformidades o las impugnaciones, el notario las trasladará al liquidador, quien vendrá obligado en el plazo de treinta días a emitir dictamen fundamentado sobre su procedencia y, en su caso, las modificaciones de la liquidación original que proponga.

Artículo 510. Aprobación de la liquidación y recurso.

1. El notario, a la vista de los escritos de los interesados y el dictamen del liquidador, dictará resolución motivada aprobando, modificando o rechazando la liquidación.

2. Esta resolución será recurrible con efectos suspensivos ante el Juzgado de lo Mercantil competente. En este caso, admitido el recurso, el secretario judicial designará un nuevo liquidador para que practique la liquidación en la forma y plazos señalados en el artículo

508. Recibidas las impugnaciones de los interesados o transcurrido el plazo de treinta días desde que se les puso de manifiesto la liquidación, el secretario judicial convocará una vista que se celebrará por los trámites del juicio verbal.

Artículo 511. Ejecución.

La resolución firme será título bastante para despachar ejecución contra los interesados que en el plazo de quince días no abonasen la contribución señalada en la decisión, así como contra quienes garantizaron su obligación, en los límites de la garantía prestada.

La LNM regula la avería gruesa en los artículos 347 a 356 (dentro del Título VI, «De los accidentes de la navegación»), y el expediente notarial de liquidación de la avería gruesa en los artículos 506 a 511 (dentro del Título X «Certificación pública de determinados expedientes de derecho marítimo»).

Se ha diseñado un procedimiento complejo y excesivamente largo como vamos a ver pues iniciándose notarialmente, en caso de recurso contra la resolución del notario —sin que en la ley se digan las causas en que se debe basar la oposición— se deben repetir los mismos pasos del procedimiento de liquidación ya realizados por el notario, sólo que ahora bajo la dirección del secretario judicial, para acabar finalmente resolviendo el expediente judicialmente al igual que en el sistema anterior —del que se pretendía salir— mediante los trámites del juicio verbal.

Antes de entrar en el análisis del articulado es preciso destacar el carácter subsidiario del procedimiento notarial de liquidación de la avería gruesa o común (*general average*) respecto de cualquier acuerdo entre los interesados para la liquidación privada de la avería gruesa, que el legislador ha dejado claro en la propia formulación del artículo 506.

Desde esta perspectiva de subsidiariedad, es un hecho constatado en la práctica internacional de la contratación de fletamentos y transportes marítimos la vigencia del uso de cláusulas que tienen por objeto la regulación del régimen de la liquidación de las averías gruesas; esta práctica significa que los interesados se han puesto de acuerdo, de forma previa a la concurrencia de un supuesto de avería gruesa, sobre cómo debe procederse a la liquidación y a qué normas debe ajustarse.

Tanto las Pólizas de tiempo (*time charter*) como las de viaje (*voyage charter*) y los formularios más difundidos de conocimientos de embarque, de *línea regular,* o de navegación *tramp,* incluyen una cláusula relativa a la liquidación de la avería gruesa, denominada *General Average Clause* en la que se establece normalmente el régimen aplicable (Reglas de York y Amberes en cualquiera de sus versiones, normalmente la más reciente) y el lugar en el que debe liquidarse. Lugar que suele ser, dada la vis atractiva de determinadas jurisdicciones, Londres, Hamburgo o Nueva York, en detrimento de otros países, como España.

La interpretación sobre el alcance y eficacia de este tipo de cláusulas contractuales queda sometida a la ley aplicable, que normalmente tampoco suele ser la ley española. Por consiguiente, como reflexión de partida, podemos señalar que el procedimiento que establecen los artículos 506 a 511 LNM no se integra fácilmente en la práctica marítima habitual española, con todos los problemas que de ello puedan derivarse.

A esto cabe añadir el sustancioso negocio que representa para los liquidadores, normalmente radicados en aquellas jurisdicciones, lo que hace pensar que no va a ser fácil que reviertan las liquidaciones de avería gruesa, privadas o notariales, a la jurisdicción española, como sería el deseo de los redactores de la LNM.

Pero si se diese el caso, hoy por hoy poco probable por lo dicho, de que al notario se le requiera para tramitar un expediente de liquidación de avería gruesa, deberá comenzar por valorar o calificar una serie de extremos contenidos en la regulación sustantiva:

1. Si estamos ante un caso de avería gruesa. Conforme al artículo 347 LNM se trata de un daño o gasto extraordinario causado intencionada y razonablemente para la salvación común de los bienes comprometidos en un viaje marítimo con ocasión de estar todos ellos amenazados por un peligro.

Su nombre deriva del hecho de que la avería afecta no sólo al buque o a la carga, sino a ambos, o sea, al grueso de los interesados en la expedición y, por tanto, su liquidación afecta a todos ellos.

El primer paso —primera dificultad— en la actuación notarial deberá ser por tanto la calificación del acto como de avería gruesa. Ha existido la práctica de pretender hacer pasar por avería gruesa lo que es una avería particular con la finalidad de repartir la responsabilidad entre todos los interesados en la expedición.

2. Sólo serán admisibles en la masa activa de avería gruesa los daños o gastos que sean consecuencia directa o previsible del acto de avería.

3. El valor de lo salvado actúa como límite y base para determinar la contribución de cada interesado.

4. Si la situación de peligro que justifica el acto de avería se debe a la culpa de algún interesado en el viaje, todos los daños y gastos serán de su cargo y no contribuirán las partes inocentes, lo que nos plantea si el notario debe emitir un juicio sobre la culpabilidad si el caso se plantea en el expediente, o valorar el juicio que al respecto de tal culpabilidad pueda eventualmente formular el liquidador, quien podría conforme al artículo 508.3 LNM emitir un dictamen negativo a la procedencia de la liquidación basado en que haya habido culpa de algún interesado.

5. El armador tiene derecho de retención sobre las mercancías mientras los interesados no garanticen suficientemente su obligación de contribuir.

Los interesados deberán suscribir un compromiso de resarcimiento de avería en el que se detallen las mercancías y su valor. Este compromiso, si se ha suscrito, formará parte de los documentos que justifican la petición a que se refiere el artículo 507.1 LNM.

6. Dado el carácter subsidiario de la liquidación notarial, es un presupuesto que no haya habido acuerdo entre los interesados para la liquidación privada de la avería gruesa o que, al menos, se haya intentado sin resultado tal liquidación.

Sobre la eficacia de la liquidación privada se pronuncia el artículo 353 LNM al decir que, salvo que en el título que la origina se haya pactado otra cosa, carece de fuerza de obligar para los interesados, quienes podrán discutirla en el procedimiento judicial correspondiente.

Sorprende la literalidad de este artículo que parece contradecir el principio general establecido en el artículo 1258 CC de la plena eficacia vinculante *inter partes* de cualquier contrato, como es la liquidación privada de la avería gruesa. Quizá la única manera de entender la literalidad sea pensar que se refiere a fuerza ejecutiva, no a fuerza de obligar, y que aquella es la que los interesados podrán discutir en el procedimiento judicial correspondiente.

7. El notario deberá también comprobar que el derecho para exigir la contribución a la avería gruesa no haya prescrito por transcurso del plazo de un año señalado en el artículo 355 LNM.

8. Igualmente el notario deberá tener en cuenta si hay pactos sobre la liquidación de la avería gruesa al amparo del artículo 356, que consagra un principio de libertad de pactos sobre las reglas conforme a las que se efectuará la liquidación, siendo aplicable a falta de precisión en otro sentido la versión más reciente de las Reglas de York y Amberes y en su defecto serán aplicables las normas dispuestas legalmente.

De la misma manera podrá haberse pactado la liquidación privada por un liquidador designado por el armador.

14.3.1. Tramitación del expediente

Dicho lo cual, pasemos a ver los trámites del expediente notarial de liquidación de la avería gruesa.

14.3.1.1. Competencia notarial

No establece la LNM ninguna norma acerca de quién sea el notario competente, salvo la genérica del artículo 501 que se limita a establecer que sólo es competente un notario.

Cabe por ello pensar que cualquier notario, aunque no tenga residencia en el lugar donde se encuentran las mercancías o el buque pueda ser competente. De hecho el plazo para exigir la contribución a la avería gruesa prescribe al año de terminar el viaje en que tuvo lugar, conforme al artículo 355 LNM, plazo en el que tanto el buque como las mercancías pueden estar en muy diferentes lugares del puerto de arribada. Entendemos por ello que deberá ser el notario al que se acuda, en base a los hechos acaecidos, gastos y daños producidos y documentos aportados el que deberá juzgar su competencia o inadmitir la solicitud, por ejemplo, si juzga necesario la inspección personal del buque y de las mercancías a efectos de determinar si estamos o no ante una avería gruesa, en cuyo caso necesitará ser competente para actuar en el lugar donde buque o mercancías se encuentren.

En todo caso, lo más conveniente es dirigirse a notario con residencia que tenga conexión razonable con alguno de los elementos personales o materiales del caso.

14.3.1.2. Solicitud

El expediente comienza con un «escrito de solicitud» al notario en que se expresará una relación de los hechos, daños y gastos producidos, se acompañarán los documentos justificativos de la «petición» y una relación nominal de los interesados.

Como dice el artículo 350 LNM, el deber de contribuir a la avería gruesa no está subordinado al cumplimiento de ningún requisito formal a bordo. No obstante, para la determinación de los hechos será necesario tener a la vista e incluso incorporar al acta, copia del diario de navegación y, si se hubiese hecho, de la protesta de mar por incidencias de viaje.

14.3.1.3. Notificación a los interesados

Aceptado el requerimiento, el notario notifica a los interesados a quienes instruye de su derecho a intervenir en la tramitación.

Especial importancia para aceptar el requerimiento habrá que prestar a la relación nominal de los interesados, ya que deberá ser completa y expresar los datos suficientes para que puedan ser notificados. Piénsese en buques de esloras descomunales que transportan cientos de contenedores y que, por tanto, puede haber cientos de interesados y cuya falta de notificación puede constituir un supuesto claro de indefensión.

Cito literalmente a Luis Gómez de Mariaca en el libro Comentarios a la Ley de Navegación Marítima publicado por la Asociación Española de Dº Marítimo: «*Ello (la notificación) no supondría mayor problema si se tratase de una carga a granel con, por ejemplo, una decena de conocimientos de embarque emitidos; pero imaginemos un portacontenedores de 7500 TEUS —Twenty foot equivalent unit— con gran parte de los contenedores con carga en régimen de groupage —cargas consolidadas— escenario al que debemos sumar el eventual factor nacionalidad e idioma de los titulares de dichos conocimientos de embarque. ¿Están las notarías españolas preparadas para afrontar ese reto?»*

En cuanto a la forma de hacer la notificación, siempre que se trate de destinatarios domiciliados en España, el notario seguirá las normas de los artículos 202 y siguientes del Reglamento Notarial.

Cuando la notificación deba hacerse en el extranjero, además, debe tenerse en cuenta las posibilidades abiertas por la reciente Ley 29/2015, de 30 de julio, de Cooperación Jurídica Internacional en Materia Civil, cuyo artículo 28 remite los actos de notificación de documentos extrajudiciales, refiriéndose expresamente a los notariales, a las previsiones del Capítulo II, relativo a la notificación de documentos judiciales, en cuanto les sean aplicables, dada su especial naturaleza. El artículo 20.2, a estos efectos, permite, siempre que no se oponga a la legislación del Estado de destino, que el notario pueda practicar la notificación directamente a los destinatarios por correo postal certificado o medio equivalente con acuse de recibo u otra garantía que permita dejar constancia de su recepción.

No vemos inconveniente en que las notificaciones, y en general las diferentes actuaciones, se hagan en el mismo o en diferentes documentos, siempre que se hagan recíprocas referencias entre ellos. La elección deberá basarse en la mayor claridad documental.

14.3.1.4. Designación de liquidador

A continuación el notario designa liquidador, sin que se especifique en la LNM entre quién debe elegir ni plazo para ello. Por ello será aplicable el procedimiento establecido en el artículo 50 de la Ley del Notariado y solicitar del correspondiente Colegio Notarial la designación de entre los que figuren en la lista formada en el mismo.

Nombrado el perito el notario le señala un plazo razonable en función de las dificultades del caso, no superior a 4 meses salvo causa justificada. La LNM no da ninguna indicación de cómo deba actuar el liquidador y sólo dice que los interesados tienen la obligación de prestar la colaboración requerida en materia de información y documentación.

14.3.1.5. Liquidación, notificación a los interesados e impugnaciones

Los pasos siguientes son: el liquidador realiza su trabajo que es una labor esencialmente técnica de fijación de la masa activa o de acreedores, que serán quienes hayan sufrido el daño o gasto, la masa pasiva o de deudores y la valoración de los distintos elementos: buque, accesorios, mercaderías, fletes..., tras lo cual presenta al notario la liquidación de la avería gruesa o su dictamen negativo a la procedencia de la liquidación. El notario entonces «lo pone de manifiesto», o sea, lo notifica a los interesados quienes pueden impugnar o aceptar en 30 días. El notario «traslada» al liquidador, es decir, le notifica las conformidades o impugnaciones y en otros 30 días éste emite dictamen fundamentado sobre su procedencia, o las modificaciones que proponga.

14.3.1.6. Resolución notarial y firmeza de la misma

El notario a la vista de los «escritos» de los interesados, o sea, las posibles comparecencias u otras formas de contestación fehaciente, y del dictamen del liquidador dicta «resolución motivada» aprobando, modificando o rechazando la liquidación. Entendemos que el notario más que dictar una resolución —término judicial— lo que hace es emitir un juicio, valoración o calificación jurídica declarando la procedencia o improcedencia de la liquidación que hará constar en el acta por medio de una diligencia.

Si nadie recurre la decisión del notario, se convierte en firme y es título suficiente para despachar ejecución contra los interesados que no abonasen la contribución señalada en el plazo de 15 días (artículo 511 LNM). El problema es que no se señala plazo para recurrir y por tanto para saber que la decisión es firme. ¿Cabe entender que el plazo de 15 días para pagar lo es también para recurrir? Es decir, que en 15 días o se recurre o se paga.

Tampoco expresa la LNM las causas para poder recurrir, a saber, que bastará con que algún interesado no esté de acuerdo en la liquidación practicada para que pueda hacerlo.

En todo caso aquí, se recurra o quede firme la decisión del notario, termina su actuación.

14.3.1.7. Recurso ante el Juzgado de lo Mercantil y tramitación ante el letrado de la administración de justicia

Resulta poco convincente el recurso que arbitra la LNM contra el juicio o calificación del notario. Dando por bueno el plazo de 15 días desde la decisión para poder recurrir, cualquier interesado puede hacerlo con efectos suspensivos ante el Juzgado de lo Mercantil competente. En ese caso se pone en marcha otra fase del procedimiento que en realidad es otro procedimiento análogo al notarial (misma forma y plazos del artículo 508) con la diferencia de que se sustituye al notario por el secretario judicial, hoy letrado de la administración de justicia. No se trata de una revisión del expediente tramitado por el notario, lo que no sería correcto encomendar al secretario judicial, que es un fedatario de otro orden, pero en igualdad de condiciones que el notario, sino de la repetición íntegra del expediente. Lo cual nos parece una excesiva dilación del procedimiento y una duplicación del coste, lo que convierte al expediente en disuasorio, en vez de atractivo.

Gráficamente diríamos que el expediente notarial termina, por así decirlo, en una vía muerta y entonces hay que cambiar de tren. Nos subimos ahora al tren del expediente de jurisdicción voluntaria en que el maquinista es el secretario judicial, hoy denominado letrado de la administración de justicia.

De lo actuado por el notario parece que lo único aprovechable en la fase tramitada por el letrado de la administración de justicia será la solicitud de iniciación del expediente hecha al notario con la relación circunstanciada de los hechos acaecidos, daños y gastos producidos, documentos que justifican la petición así como la relación nominal de los interesados (artículo 507 LNM).

14.3.1.8. Impugnación y vista judicial

Realizada la nueva liquidación por el liquidador designado por el letrado de la administración de justicia y comunicada por éste a los interesados, éstos pueden nuevamente mostrar su acuerdo o impugnarla. El letrado de la administración de justicia, a diferencia del notario, no dicta entonces ninguna resolución motivada, sino que, transcurridos 30 días desde que se recibieron las impugnaciones o desde que se puso de manifiesto la liquidación, lo que hace es convocar una vista que se celebra por los trámites del juicio verbal.

La vista terminará con la sentencia que dicte el tribunal (artículo 447 LEC) y será recurrible con arreglo a las normas de la LEC.

14.3.1.9. Conclusión

En conclusión, se ha diseñado un procedimiento de jurisdicción voluntaria extraño que es inicialmente notarial, pero que en un momento dado queda interrumpido de manera abrupta y continuado de manera ya jurisdiccional, como un juicio verbal, pero sustituyendo la fase previa a la vista por la sucesiva actuación —desconectada entre sí— del notario y del secretario judicial. No nos parece un procedimiento razonable ni ágil y presumiblemente no resultará atractivo para los operadores jurídicos y económicos ni servirá para atraer a la jurisdicción nacional las liquidaciones de las averías gruesas.

14.4. DEL DEPOSITO Y VENTA DE MERCANCÍAS Y EQUIPAJES EN EL TRANSPORTE MARÍTIMO

CAPÍTULO IV

Del depósito y venta de mercancías y equipajes en el transporte marítimo

Artículo 512. Ámbito de aplicación y legitimación.

Serán aplicables las disposiciones contenidas en este capítulo cuando la ley aplicable al contrato de fletamento faculte al porteador a solicitar el depósito y venta de las mercancías o equipajes transportados en los casos en que el destinatario no abone el flete, el pasaje o los gastos conexos a su transporte o no se presente para retirar los efectos porteados, así como cuando el transporte no pueda concluir a causa de una circunstancia fortuita sobrevenida durante el viaje, que hiciere imposible, ilegal o prohibida su continuación.

Artículo 513. Solicitud.

1. En la solicitud de depósito y venta se expresarán con claridad los siguientes extremos:

a) Transporte de que se trata, con copia del conocimiento del embarque o título del pasaje.

b) Identidad del destinatario si fuere conocido.

c) Flete, pasaje o gastos reclamados.

d) Descripción de la clase o cantidad de mercancías cuyo depósito se solicita, con su valoración aproximada.

e) Fundamento de la solicitud, sea por impago o por falta de retirada de mercancías.

2. Quien inste el depósito propondrá a las personas o entidades a que se refiere el artículo 626 de la Ley de Enjuiciamiento Civil.

3. Si el impedimento para concluir el transporte se debiere a una circunstancia fortuita sobrevenida durante el viaje, que hiciere imposible, ilegal o prohibida su continuación, deberá acreditarse de forma fehaciente el hecho correspondiente.

Artículo 514. Procedimiento.

1. Admitida a trámite la solicitud, el notario requerirá de pago inmediatamente al destinatario de las mercancías o equipajes que figure en el título presentado. Si este no fuera nominativo no se realizará el requerimiento, salvo que así lo pida el solicitante designando para ello persona determinada.

2. Si el destinatario no fuere hallado, o el requerido no pagara o diera garantía suficiente de pago en el acto del requerimiento o en las cuarenta y ocho horas siguientes, el notario acordará el depósito de la mercancía o equipajes.

3. Practicado el depósito y nombrado el depositario, el notario acordará la tasación y venta por persona o entidad especializada o en pública subasta de los efectos señalados.

La venta de los efectos depositados procederá asimismo cuando presentaren riesgo de deterioro, o cuando por sus condiciones u otras circunstancias, los gastos de conservación o custodia fueran desproporcionados.

4. Con el importe obtenido de la venta se atenderá en primer lugar al pago de los gastos del depósito y los de la subasta, y el remanente se entregará al solicitante en pago del flete o gastos reclamados y hasta ese límite.

Artículo 515. Oposición al pago.

1. Si el titular de las mercancías o equipajes manifestara su oposición al pago en el acto del requerimiento o en las cuarenta y ocho horas siguientes, se depositará el remanente a resultas del juicio correspondiente. En este caso, el titular deberá presentar demanda o iniciar de otro modo el procedimiento judicial o arbitral ante el tribunal competente en el plazo de veinte días si se presentase ante un tribunal español y de treinta días si se presentase ante un tribunal extranjero, en ambos casos a contar desde la manifestación de la oposición.

De no presentarse la demanda en el plazo establecido el notario procederá a entregar el remanente al solicitante de acuerdo con lo establecido en el apartado 4 del artículo anterior.

2. Cuando el depósito se hubiera evitado, o levantado, por la prestación de garantía suficiente por parte del destinatario, este deberá presentar su demanda en el plazo establecido en el apartado anterior que se contará desde su constitución. No haciéndolo así, el notario acordará el pago de lo reclamado con cargo a la garantía establecida.

14.4.1. Consideraciones previas

El expediente de depósito y venta de mercancías y equipajes en el transporte marítimo ya estaba previsto en el artículo 666 del CCom de 1885 que facultaba al capitán para pedir la venta del cargamento para obtener el pago de los fletes, gastos y averías. Su regulación el la Ley de Navegación Marítima como expediente notarial ha suscitado muchas expectativas en el mundo del transporte marítimo de que llegue a ser un sistema ágil que acabe con la disuasoria lentitud de que adolecía el procedimiento judicial antes en vigor.

Dado que el procedimiento persigue en último término que el notario proceda a la venta de unas mercancías o equipajes de un tercero, ajeno a quien lo solicita, deberá extremar la diligencia en la aceptación y tramitación del procedimiento tanto para lograr el resultado deseado como para evitar cualquier responsabilidad.

14.4.2. Supuestos de aplicación

Tres son los supuestos contemplados en el artículo 512 LNM en los que el porteador puede solicitar el depósito y venta de las mercancías y equipajes:

a) cuando el destinatario «no abone el flete, el pasaje o los gastos conexos a su
   transporte»,

b) cuando «no se presente para retirar los efectos porteados»

c) «cuando el transporte no pueda concluir a causa de una circunstancia fortuita
   sobrevenida durante el viaje, que hiciere imposible, ilegal o prohibida su continuación».

14.4.3. Requisito previo

Requisito común y previo a los tres supuestos (falta de pago, falta de retirada de las
mercancías, o arribada forzosa) es que la ley aplicable al contrato de fletamento faculte
al porteador para solicitar el depósito y venta de las mercancías o equipajes transportados.

14.4.3.1. Determinación de la ley aplicable al contrato de fletamento

Lo más frecuente en el transporte marítimo es la concurrencia de elementos de extranjería, por lo que habrá que acudir a las normas de DIP, en particular al Reglamento
593/2008 del Parlamento Europeo y del Consejo, de 17 de junio de 2008, sobre la ley
aplicable a las obligaciones contractuales (ROMA I).

El Reglamento Roma I se aplica a los conflictos de leyes en las obligaciones contractuales en materia civil y mercantil y prevé en el artículo 3, como principio general, la
libertad de elección de la ley aplicable, así como normas específicas para determinados
contratos, como los de transporte de mercancías y de transporte de pasajeros en el artículo 5, en defecto de elección de ley.

Así, con arreglo al artículo 5 del Reglamento 593/2008, en los contratos para el
transporte de mercancías, en defecto de elección, la ley aplicable será la **ley del país
donde el transportista tenga su residencia habitual**, siempre y cuando el lugar de
recepción o el lugar de entrega, o la residencia habitual del remitente, también estén
situados en ese país. Si no se cumplen estos requisitos, se aplicará la ley del país donde
esté situado el lugar de entrega.

En los contratos para el transporte de pasajeros, con arreglo al citado artículo, las
partes podrán elegir como ley aplicable una de las siguientes: la del país donde el pasa-

jero o el transportista tengan su residencia habitual, la del país donde el transportista tenga el lugar de su administración central, o la del país donde se encuentre el lugar de origen o el de destino. En defecto de elección, el contrato se regirá por la ley del país donde el pasajero tenga su residencia habitual, siempre y cuando el lugar de origen o el lugar de destino también estén situados en ese país.

No obstante, en ambos tipos de transporte, si el contrato presenta vínculos manifiestamente más estrechos con un país distinto de los anteriormente indicados, se aplicará la ley de ese otro país.

El requirente al solicitar al notario su actuación debe expresar con claridad con arreglo al artículo 513 de la Ley, entre otros extremos, los relativos al transporte de que se trata con copia del conocimiento de embarque o título de pasaje. Así pues entre los extremos relativos al transporte deberá proporcionar los datos necesarios para que pueda ser determinada la ley aplicable tales como el lugar de residencia habitual del transportista, el lugar de entrega y recepción de las mercancías, la residencia habitual del remitente y demás puntos de conexión enumerados por el Reglamento Roma I.

Es importante a estos efectos el conocimiento de embarque o título de pasaje que debe presentarse el notario ya que, aunque entre las menciones obligatorias que enumera el artículo 248 LNM no figura el pacto sobre la ley aplicable, puede contener todas aquellas menciones o estipulaciones válidamente pactadas por el cargador y el porteador y puede contener otras menciones necesarias o útiles para la determinación de la ley aplicable. Igualmente ocurre con las menciones del billete de pasaje que enumera el artículo 288 LNM.

Es también de ver que el artículo 513 LNM no se refiere a las cartas de porte, a los documentos de transporte multimodal, a los que son aplicables las normas establecidas en la ley para el conocimiento de embarque con arreglo a los artículos 267 y 268, ni tampoco a los transportes en régimen de póliza de fletamento por tiempo o por viaje, que pueden coexistir con conocimiento de embarque, que entendemos deberán igualmente aportarse a falta de conocimiento de embarque.

14.4.3.2. Conocimiento de la Ley extranjera aplicable

Si la ley aplicable es extranjera, el conocimiento o la prueba del Derecho extranjero plantea la cuestión de si el Notario está obligado a conocer en todo caso el Derecho extranjero que sea aplicable al contrato de fletamento, lo cual nos parece una exigencia desmesurada teniendo en cuenta la enorme variedad de posibles legislaciones y la dificultad que puede presentar su conocimiento. Entendemos que deberá ser el solicitante quien aporte la prueba del derecho extranjero aplicable, pero si el notario lo conoce, entonces puede eximir de su acreditación al solicitante. Es decir, sería aplicable el sistema de prueba del Derecho extranjero que los autores llaman de «textura abierta» que se contempla en los arts. .281 y 282 de la LEC.

El Reglamento Notarial, artículo 168, y el Reglamento Hipotecario, artículo 36, se refieren a la prueba del derecho extranjero en los casos en que hay que acreditar la aptitud y la capacidad de los extranjeros que deben otorgar un documento en España y en aquellos otros en que hay que acreditar la observancia de las formas y solemnidades extranjeras de los documentos que han de ser utilizados en España. A estos efectos admiten como medio de prueba la aseveración o informe del Notario, o Cónsul español y del diplomático, Cónsul o funcionario competente del país extranjero, cuyo derecho deba ser aplicado. Por cualquiera de estos medios podrá acreditarse el derecho extranjero y, entendemos, que el notario podrá acudir a cualquiera otro como pueden ser dictámenes o informes de expertos para formar su juicio.

Los notarios españoles pueden acudir a la Red Notarial Europea, incardinada en la Red Judicial Europea, que agrupa a los 22 Estados miembros de la Unión Europea que tienen el sistema de notariado latino-germánico, que permite a los notarios enfrentados a casos transfronterizos obtener información mediante la consulta al interlocutor nacional, quien a su vez la transmite al interlocutor del país cuya legislación se trata de conocer.

La reciente Ley 29/2015, de 30 de julio, de cooperación jurídica internacional en materia civil, trata de la prueba del derecho extranjero y en su artículo 33 se remite a la Ley de Enjuiciamiento Civil y demás disposiciones aplicables en la materia.

14.4.4. ¿Permite el depósito y la venta de las mercancías y equipajes?

Una vez determinada la ley aplicable al contrato de fletamento hay que ver si el contenido de dicha ley permite el depósito y la venta de las mercancías y equipajes.

14.4.4.1. Ley aplicable es el Derecho inglés

La mayoría de los contratos de fletamento están sujetos al Derecho inglés que, en opinión de señalados maritimistas, permite la venta y depósito de mercancías y equipaje.

14.4.4.2. Ley aplicable es la española

Si la Ley aplicable es la española,

A) con arreglo al artículo 237 LNM, ésta permite retener al porteador las mercancías transportadas mientras no perciba el flete, las demoras y demás gastos ocasionados por su transporte, e igualmente permite acudir al expediente de depósito y venta de mercancías y equipajes solicitando a un notario la venta de las mercancías. Pero con las siguientes limitaciones:

– no se podrán ejercitar estos derechos contra el destinatario que no sea el fletador, salvo que en el conocimiento o carta de porte conste la mención de que el flete es pagadero en destino (*«Artículo 237 LNM: Retención y depósito. 1. El porteador tendrá derecho a retener en su poder las mercancías transportadas mientras no perciba el flete, las demoras y demás gastos ocasionados por su transporte. No podrá ejercitar este derecho en contra del destinatario que no sea fletador, salvo que en el conocimiento o carta de porte conste la mención de que el flete es pagadero en destino.*

2. Asimismo podrá acudir al expediente de depósito y venta de mercancías o equipajes solicitando a un notario la venta de las mercancías con la misma limitación en lo referente al destinatario no fletador».).

– no se concede expresamente el derecho de venta de las mercancías para los otros dos supuestos de falta de retirada de los efectos o que viaje no pueda continuar.

B) Para el supuesto de falta de retirada de las mercancías, el artículo 228 LNM permite al porteador almacenar las mercancías hasta su entrega o recurrir al depósito judicial, pero no habla de venta, por lo que, en principio, falta el requisito exigido por el artículo 512 LNM (*«Artículo 228 LNM. Obligación de entrega. El porteador deberá entregar sin demora y conforme a lo pactado, las mercancías transportadas al destinatario legitimado para recibirlas.*

Si éste no se presentase o retrasase la entrega, el porteador podrá, a costa del destinatario, almacenar las mercancías hasta su entrega o recurrir al depósito judicial».).

Vemos que habla de depósito judicial, no notarial, lo cual puede ser debido a inadvertencia o precipitación del legislador al adecuar una norma pensada inicialmente para la intervención judicial. No obstante, la LJV promulgada con posterioridad introduce el artículo 79 de la Ley del Notariado según el cual, en todos aquellos casos en que por disposición legal o pacto proceda el depósito de bienes muebles, valores o efectos mercantiles podrá realizarse ante notario mediante acta de depósito, lo cual nos permite afirmar que, pese a la literalidad del artículo 228 LNM, el depósito por falta de retirada de las mercancías puede hacerse ante notario.

C) Al supuesto de arribada forzosa por causa de circunstancias sobrevenidas durante el viaje que impidan su continuación se refiere el artículo 274 LNM señalando que el porteador podrá arribar al puerto más conveniente al interés común y descargar allí las mercancías, exigiendo al fletador que se haga cargo de ellas en ese lugar. En tal caso, el porteador tendrá derecho al flete en proporción a la distancia recorrida. Entendemos que en este caso, puesto que el porteador tiene derecho a exigir el flete, siquiera sea proporcional, y a entregar las mercancías en lugar distinto al pactado, una vez que acredite el hecho o circunstancia fortuita, el supuesto se reconduce al de falta de pago del flete o al de falta de retirada de las mercancías con las consecuencias vistas para ambos casos.

14.4.4.3. Riesgo de deterioro de los efectos depositados o gastos de conservación o custodia desproporcionados

Modulando los requisitos exigidos en el artículo 512 LNM para que el notario pueda tramitar la venta de los efectos depositados, entendemos que hay una circunstancia más que permitiría al porteador solicitar al notario la venta de las mercancías: nos referimos lo dispuesto en el artículo 514. 3, párrafo 2º LNM que dice que «*La venta de los efectos depositados procederá asimismo cuando presentaren riesgo de deterioro, o cuando por sus condiciones u otras circunstancias, los gastos de conservación o custodia fueren desproporcionados*».

Es una regla de difícil comprensión por su colocación sistemática, pues si se trata de un nuevo caso en que se puede solicitar el depósito y venta de las mercancías, lo lógico hubiese sido colocarla en el artículo 512 y no en el artículo 514 que trata del procedimiento. Por otro lado no tiene sentido insistir en este último artículo en que la venta procederá también en los casos de riesgo de deterioro o de gastos de conservación y custodia desproporcionados pues el procedimiento, una vez en marcha, como establecen los párrafos precedentes del artículo 514, no permite otro modo de ser evitado que el destinatario dé garantía suficiente del pago del flete dentro de las 48 horas de ser requerido. En otro caso se procede, sin remedio, al depósito y venta.

Resulta por tanto una norma redundante e innecesaria en el artículo 514 si no se interpreta en clave de permitir la venta en aquellos otros supuestos en los que no cumpliéndose el requisito de que la legislación aplicable conceda al porteador el derecho a pedir la venta de las mercancías depositadas, sin embargo éstas corren peligro de deterioro o los gastos de conservación y custodia fueran desproporcionados.

14.4.5. *Procedimiento a seguir para el depósito y la venta*

El procedimiento a seguir para el depósito y la venta de las mercancías y equipajes viene establecido en los artículos 513, 514 y 515 LNM:

14.4.5.1. Solicitud

La solicitud deberá hacerse por el porteador ante un notario y en el acta deberá reflejar los extremos que exige el art. 513 LNM.

– Transporte de que se trata con copia del conocimiento de embarque o título del pasaje. En su caso, como antes hemos dicho, documento de transporte multimodal, carta de porte o póliza de fletamento

– Identidad del destinatario si fuere conocido.

– Flete, pasaje o gastos reclamados.

– Descripción de la clase o cantidad de mercancías cuyo depósito se solicita, con una valoración aproximada.

– Fundamento de la solicitud, sea por impago o por falta de retirada de mercancías. Si se trata del caso de que no se pueda continuar el viaje por una circunstancia fortuita sobrevenida, el artículo 513.3 establece que deberá acreditarse de forma fehaciente el hecho correspondiente.

Además, según el art. 513.2 quien inste el depósito propondrá las personas o entidades a que se refiere el artículo 626 de la LEC. Este artículo da una serie de normas para el nombramiento de depositario en los depósitos judiciales, lo que resulta incongruente con la naturaleza notarial del expediente. Habrá que aplicar analógicamente las soluciones que allí se dan en la medida de lo posible y, en todo caso, intentar la seguridad y efectividad del depósito.

14.4.5.2. Procedimiento

El Procedimiento que regula el art. 514 es expeditivo:

– «*Admitida a trámite la solicitud, el notario requerirá de pago inmediatamente al destinatario de las mercancías o equipajes que figure en el título presentado. Si este no fuera nominativo no se realizará el requerimiento, salvo que así lo pida el solicitante designando para ello persona determinada*».

– (Artículo 514.2): «*Si el destinatario no fuera hallado o el requerido no pagara o diese garantía suficiente de pago en el acto del requerimiento o en las 48 horas siguientes, el notario acordará el depósito de la mercancía o equipajes*».

– (Artículo 514.3.§1): «*Practicado el depósito y nombrado el depositario, el notario acordará la tasación y venta por persona o entidad especializada o en pública subasta de los efectos señalados*».

El artículo 514 establece como vemos unas reglas muy breves que requieren comentario:

– Está pensado fundamentalmente en el caso de falta de pago del flete. Entendemos que ello responde a que la LNM sólo reconoce al porteador el derecho de exigir el depósito y la venta en el caso de falta de pago del flete, pero no en los supuestos de falta de retirada de las mercancías o de arribada forzosa. Pero no tiene en cuenta que la legislación aplicable al contrato de fletamento sea otra que la española y pueda contemplar esa posibilidad. Por ello, si el motivo del expediente fuese no presentarse a retirar las mercancías, o la arribada forzosa el requerimiento tendrá ese objeto.

– Designación del tasador: ante el silencio de la LNM habrá que acudir al procedimiento del art. 50 de la Ley del Notariado y solicitar su designación al Colegio Notarial correspondiente.

– En cuanto a la forma de realizar la venta, el notario goza de libertad para decidir si procede a la venta por persona o entidad especializada o en pública subasta, ya que entendemos que son de preferente aplicación las normas establecidas en la LNM, pues conforme al artículo 72 de la Ley notarial las subastas que se hiciesen en cumplimiento de una disposición legal, como es el caso, se regirán por las normas que respectivamente las establezcan y en su defecto por la legislación notarial.

– Si el notario opta por seguir el procedimiento de subasta se seguirá el establecido en los artículos 72 y siguientes de la Ley de 28 de mayo de 1862, del Notariado, en cuanto no contradiga lo establecido en la LNM. Por ello no serán de aplicación las causas de suspensión de la subasta que establece el artículo 76 de la Ley Notarial sino únicamente lo establecido en la LNM.

– En cuanto a la determinación de la competencia notarial nada dice al respecto la LNM, por lo que podría entenderse que cualquier notario podría ser competente. Esto debe ser matizado: el expediente pretende la venta de las mercancías o equipajes, por tanto, si se acude al procedimiento de pública subasta habrá que atender a lo establecido en el artículo 72. 3 de la Ley del Notariado que sí establece normas de competencia: en primer lugar el libremente designado por todos los interesados; en su defecto el designado por el requirente bien libremente, si fuera titular del bien o derecho subastado, que no es el caso, o el que elija entre los notarios que sean hábiles en el domicilio o residencia habitual del titular o cualquiera de los titulares de los bienes subastados, o el de la situación del bien o la mayor parte de los bienes subastados, pudiendo elegir a un notario de distrito colindante a los anteriores. Se suscita la duda de si puede igualmente elegir a notario del mismo distrito aunque de lugar de residencia diferente, dado el tenor literal. En definitiva, siempre será seguro elegir a notario del distrito o distrito colindante del puerto o lugar donde se encuentren las mercancías o equipajes. Esta es la solución de la propuesta de anteproyecto de LGNM, que estimaba competente al juez de donde concluyó el viaje. Entendemos que se puede mantener que si se procede a la venta por persona o entidad especializada, la elección de notario puede recaer en otro distinto.

Esta solución está abonada por el hecho de la supresión de la norma de competencia contenida en la propuesta de LGNM.

14.4.5.3. Destino del importe obtenido

En cuanto al destino del importe de la venta, conforme al artículo 514. 4 LNM,

«Con el importe obtenido de la venta se atenderá en primer lugar al pago de los gastos del depósito y las de la subasta, y el remanente se entregará al solicitante en pago del flete o gastos reclamados y hasta ese límite». Nada se dice de qué hacer con el importe sobrante, el cual corresponderá y deberá ser entregado al titular de las mercancías vendidas.

14.4.5.4. Oposición al pago

El artículo 515 LNM se refiere a la oposición al pago estableciendo que *«Si el titular de las mercancías o equipajes manifestara su oposición al pago en el acto del requerimiento o en las 48 horas siguientes, se depositará el remanente a las resultas del juicio correspondiente».*

El efecto de la oposición no es la paralización del procedimiento de depósito y venta, que solo puede lograrse mediante el pago o prestación de garantía suficiente.

El que se oponga al pago deberá además en plazo de 20 días a contar desde la manifestación de la oposición, o de 30 si el tribunal es extranjero, presentar demanda o iniciar de otro modo el procedimiento judicial o arbitral ante el tribunal competente.

Si no se hace así el notario procederá a entregar el remanente al solicitante

Y si el depósito se hubiera evitado o levantado por la prestación de garantía suficiente por parte del destinatario, igualmente deberá presentar demanda en los plazos dichos a contar desde su constitución y si no se hiciese así el notario acordará el pago de lo reclamado con cargo a la garantía establecida.

14.5. DEL EXPEDIENTE SOBRE EXTRAVÍO, SUSTRACCIÓN O DESTRUCCIÓN DEL CONOCIMIENTO DE EMBARQUE

CAPÍTULO V

Del expediente sobre extravío, sustracción o destrucción del conocimiento de embarque

Artículo 516. Notario competente.

Para conocer del expediente regulado en este capítulo será competente el notario con sede en el lugar de destino fijado en el conocimiento para la entrega de las mercancías.

Artículo 517. Requerimiento del tenedor desposeído.

1. En los casos de extravío, sustracción o destrucción de un conocimiento de embarque, el tenedor desposeído del mismo deberá acudir ante el notario competente, requiriéndole para que inste al porteador a que no se entreguen las mercancías a tercera persona para que el título sea amortizado y que se le reconozca la titularidad del conocimiento de embarque desaparecido.

2. El tenedor desposeído podrá realizar todos los actos tendentes a la conservación de su derecho. También podrá recibir mercancías del porteador una vez llegadas al lugar de destino, siempre que preste caución ante el notario por un importe equivalente al valor de las mercancías recibidas.

Artículo 518. Contenido del requerimiento.

En el requerimiento que el tenedor desposeído haga al notario deberá indicar las menciones del conocimiento a que se refiere el artículo 248, así como las circunstancias en que vino a ser tenedor y las que acompañaron a la desposesión. Asimismo, deberá acompañar los elementos de prueba de que disponga y proponer aquellos otros que puedan servir para fundamentar su derecho.

Artículo 519. Traslado del requerimiento y alegaciones.

Admitido el requerimiento, el notario mediante acta lo notificará al porteador instándole a que, si se presentara tercero alguno a reclamar las mercancías, proceda a su retención y ponga las circunstancias de la presentación en conocimiento del notario. Igual notificación se hará al cargador y, en su caso, endosantes, cuando fueran personas distintas del tenedor y con domicilio conocido. Todos podrán formular ante el notario, dentro de los diez días siguientes, las alegaciones que estimen oportunas.

Artículo 520. Publicación del requerimiento y sobreseimiento.

1. El notario, hechas las averiguaciones solicitadas y las que estime oportunas sobre la veracidad de los hechos y sobre el derecho del tenedor desposeído dentro del plazo señalado en el artículo anterior, procederá inmediatamente a publicar el requerimiento recibido en la sección que corresponda del Boletín Oficial del Estado, fijando un plazo de un mes, desde la fecha de publicación, para que el tenedor del título pueda comparecer y formular oposición.

2. Si de las averiguaciones practicadas o de las alegaciones de los interesados resultase manifiestamente infundado el requerimiento, el notario podrá cerrar el expediente sin realizar la publicación, dejando sin efecto lo solicitado al porteador y procediendo, en su caso, a la devolución de la caución al requirente cuando hubiera restituido las mercancías.

3. Si se presentara tercero reclamando las mercancías y justificara documentalmente su derecho, el porteador pondrá en conocimiento del notario tal circunstancia. El notario incorporará al expediente esa reclamación y su justificación documental, quedando suspendido el expediente durante dos meses, sin que pueda autorizar acta de amortización del conocimiento de embarque sustraído o extraviado. Transcurridos dos meses sin que el tercero acredite que ha sido admitida la demanda judicial en ejercicio de su pretensión, el notario proseguirá la tramitación del expediente.

En caso de que el tercero acredite la admisión de su demanda judicial, el notario declarará concluido el expediente sin autorizar la amortización.

Artículo 521. Amortización del conocimiento.

Transcurrido un mes desde la publicación del requerimiento sin que nadie la contradiga, el notario mediante acta de notoriedad hará constar la amortización del título y se reconocerá al requirente la titularidad del mismo.

Declarada la amortización del conocimiento, no tendrá este ninguna eficacia y el tenedor desposeído cuyo derecho hubiere sido reconocido podrá, en su caso, retirar la caución prestada o exigir al porteador la entrega inmediata de las mercancías, previo pago de los gastos de depósito ocasionados.

Artículo 522. Irreivindicabilidad del conocimiento y acciones de daños y perjuicios. Lo establecido en este capítulo se entenderá sin perjuicio de lo dispuesto en el artículo 254.

La LNM regula el expediente sobre extravío, sustracción o destrucción del conocimiento de embarque en el capítulo V del título X, artículos 516 a 522.

14.5.1. Antecedentes legislativos

La Ley de Enjuiciamiento Civil de 1881, artículos 2159 y 2160, preveían un procedimiento para el supuesto del artículo 713 del CCo: la prestación de fianza por el valor de las mercancías cuando el destinatario solicitase su entrega sin la correspondiente devolución del conocimiento de embarque por extravío u otra justa causa.

Más recientemente, tiene sus precedentes en la Ley Cambiaria y del Cheque (Ley 19/1985, de 16 de julio) que contemplaba el expediente «Del extravío, sustracción o destrucción de la letra», cuya redacción ha seguido muy de cerca el anteproyecto de LGNM, y que ha pasado a la LNM sin cambios notables salvo la atribución de la competencia a los notarios y el párrafo 520.3, que se ha añadido.

En la Propuesta del anteproyecto de LGNM estaba atribuido a la autoridad judicial, y su memoria explicaba que «*Aunque no se trata de un supuesto de hecho excesivamente frecuente en la practica, se ha creído conveniente introducir este procedimiento en la LGNM ... permitiendo al titular del conocimiento de embarque que se ve desposeído del*

*mismo hacer uso de un procedimiento tendente a impedir que las mercancías amparadas
por el documento puedan ser entregadas a otra persona».*

La LJV de 2015 ha derogado los artículos de la Ley Cambiaria y del Cheque que
regulaban el «extravío, sustracción o destrucción de la letra» y ha introducido el artículo 78 de la Ley del Notariado que regula el procedimiento notarial «Del robo, hurto,
extravío o destrucción del título valor» lo cual plantea la posible duda de si, como ley
posterior deroga, al menos parcialmente, lo contenido en la LNM. Entendemos que no
es así por ser la LNM una ley especial que debe aplicarse preferentemente.

14.5.2. *Naturaleza de título-valor del conocimiento de embarque e irreivindicabilidad del conocimiento*

La regulación del expediente se basa en la naturaleza de título-valor que tiene el
conocimiento de embarque que, como tal, incorpora el derecho a las mercancías que
representa y su transmisión produce los mismos efectos que la entrega de las mercancías
(artículo 251 LNM); en consecuencia el porteador deberá entregar las mercancías al
tenedor legítimo del conocimiento original y si se lo entrega a persona no legitimada
responderá frente al tenedor legítimo del conocimiento del valor de las mercancías en
el puerto de destino, sin que pueda limitar la cuantía de la responsabilidad (artículo 252
LNM).

El artículo 522 LNM remite al artículo 254 LNM, que consagra la irreivindicabilidad del conocimiento de embarque estableciendo que cuando una persona sea desposeí-
da por cualquier causa de un conocimiento de embarque, sea al portador o endosable, el
nuevo tenedor que lo hubiera adquirido entre vivos conforme a la ley de circulación del
documento no estará obligado a devolverlo si lo adquirió de buena fe y sin culpa grave.
Quedarán a salvo los derechos y acciones del legítimo titular contra los responsables de
los actos de desposesión ilegítima.

La actuación notarial tiene la eficacia de poder paralizar la entrega de las mercancías
al tenedor del conocimiento de embarque, si se presentase, quien deberá personarse en
el expediente y, en caso de que continúe, presentar una demanda judicial en defensa de
su pretensión con el efecto de interrumpir el expediente notarial (artículo 520.3 LNM).

14.5.3. *Regulación del expediente*

El notario, a lo largo del procedimiento debe emitir una serie de juicios o calificaciones en que basar sus decisiones, no siempre fáciles de formar, como veremos y entre
las que no es la menor el caso en que se presente un solicitante de la tramitación del
expediente y un tenedor del conocimiento de embarque.

14.5.3.1. Forma documental

El expediente deberá tramitarse como acta de notoriedad con arreglo al artículo 209 del Reglamento notarial e iniciarse mediante acta de fecha y número de protocolo correspondiente al día del requerimiento y finalizarse mediante acta de notoriedad cuando se declare la amortización del conocimiento de embarque (artículo 521 LNM).

14.5.3.2. Competencia notarial

El artículo 516 establece que será notario competente el que tenga «sede en el lugar de destino fijado en el conocimiento para la entrega de las mercancías». Un primer problema para que el notario requerido aprecie su propia competencia es que, por definición, el conocimiento de embarque se ha extraviado, destruido o ha sido sustraído, por lo que el requirente no lo tiene en su poder y no se lo puede mostrar al notario, al menos el original. Habrá que acudir a cualquier otro medio de justificar al notario cual es el lugar designado en el conocimiento para la entrega de las mercancías. Puesto que es el porteador, un agente suyo o el propio capitán quienes expiden y firman el conocimiento de embarque (artículo 249 LNM), podrá acudirse a los mismos con tal propósito.

14.5.3.3. Requerimiento del tenedor desposeído

El tenedor desposeído del conocimiento de embarque que se encuentre en uno de los casos previstos en el artículo 517 de la LNM —extravío, sustracción o destrucción— se debe dirigir al notario competente requiriéndole para que inste al porteador a que no se entreguen las mercancías a tercera persona, para que el título sea amortizado y para que se le reconozca la titularidad del conocimiento de embarque desaparecido (artículo 517. 1 LNM).

Se entiende que se dirige al notario cuando el buque está aún en navegación o al menos cuando, llegado a puerto de destino, aún no se han entregado las mercancías por no haberse presentado un tercero, tenedor del conocimiento de embarque. Porque si se hubiese presentado, lo más probable es que el porteador haya entregado ya las mercancías al tenedor y no tendrá objeto la actuación notarial pretendida.

14.5.3.4. Contenido del requerimiento

El contenido del requerimiento viene establecido en el artículo 518 LNM y deberá expresar las menciones del conocimiento a que se refiere el artículo 248 LNM, así como las circunstancias en que vino a ser tenedor y las que acompañaron a la desposesión.

Además deberá acompañar los medios de prueba de que disponga y proponer aquellos otros que puedan servir para fundamentar su derecho.

Nos encontramos con la posible dificultad de que, por definición, el solicitante del expediente ha sido desposeído del conocimiento de embarque; entendemos que todas las menciones importantes debe conocerlas o puede suplirlas por otros medios. En caso de que no se puedan acreditar convenientemente esas circunstancias, se imposibilitaría la prosecución del expediente, por ejemplo si no se pudieran determinar con exactitud las mercancías cuya entrega se pretende impedir.

El notario debe en este estadio tomar la primera decisión acerca de si juzga suficientemente razonable la pretensión del requirente y aceptar o denegar, en consecuencia, el requerimiento.

14.5.3.5. Traslado del requerimiento y alegaciones

Aceptado el requerimiento, señala el artículo 519 LNM, el notario lo notificará mediante acta al porteador, instándole a que si se presentara tercero alguno a reclamar las mercancías, proceda a su retención y ponga las circunstancias de la presentación en conocimiento del notario. Igual notificación se hará al cargador y, en su caso, endosantes, cuando fueran personas distintas del tenedor y con domicilio conocido.

14.5.3.5.1. Actos tendentes a la conservación de su derecho

En este período el tenedor desposeído podrá realizar todos los actos tendentes a la conservación de su derecho. También podrá recibir mercancías del porteador una vez llegadas al lugar de destino, siempre que preste caución ante el notario por un importe equivalente al valor de las mercancías recibidas (artículo 517.2 LNM).

Dos órdenes de cuestiones nos plantea esta posibilidad de entrega de mercancías y caución:

a) en primer lugar, que si el notario es quien debe instar al porteador para que retenga las mercancías, igualmente es quien debe permitir su entrega según las circunstancias del caso;

b) y en segundo lugar la valoración de las mercancías, pues aparte de que no es mención obligada en el conocimiento de embarque ni éste se ha presentado, aunque constara no es seguro que tal valoración sea exacta. Por ello entendemos que el notario deberá proceder a disponer la valoración por medio de perito al efecto.

14.5.3.5.2. *Alegaciones*

Durante el plazo de diez días desde las notificaciones anteriores, el porteador, carga-dor, endosantes y demás personas a quien se haya podido notificar o a quienes se hayan dirigido las averiguaciones solicitadas o las que el notario haya estimado convenientes, podrán hacer las alegaciones oportunas.

14.5.3.6. Nuevo juicio del notario

A partir de este momento, a la vista de lo que resulte de todas las actuaciones segui-das hasta el momento, el notario debe formar el siguiente juicio: o bien califica de ma-nifiestamente infundado el requerimiento y cierra el expediente dejando sin efecto lo solicitado al porteador procediendo, en su caso, a la devolución de la caución al reque-riste cuando hubiese restituido las mercancías, o bien continúa el expediente pasando a la publicación en el Boletín Oficial del Estado a que ahora nos vamos a referir.

Antes de ello queremos resaltar que el notario goza de una gran libertad de iniciativa para formar su juicio, pues conforme con la naturaleza de acta de notoriedad que tiene la tramitación de este expediente, el artículo 520 LNM le permite durante los diez días siguientes a los requerimientos practicados hacer, sin limitación, las averiguaciones que estime oportunas sobre la veracidad de los hechos y sobre el derecho del tenedor des-poseído.

14.5.3.7. Irreivindicabilidad del conocimiento de embarque y protección del tercero de buena fe

Es evidente que el motivo más claro que tiene el notario para considerar manifies-tamente infundado el requerimiento es que se presentase el nuevo tenedor del cono-cimiento de embarque que cumpla las condiciones de tercero protegido del artículo 254, es decir sea un adquirente de buena fe y sin culpa grave, por título inter-vivos y conforme a la ley de circulación del documento (al portador o endosable). El notario deberá conforme al artículo 522 (irreivincabilidad del conocimiento) que deja a salvo lo dispuesto en el artículo 254, concluir el expediente puesto que el tercero no está obli-gado a devolver el conocimiento de embarque, sin perjuicio de los derechos del legítimo titular contra los responsables de los actos de desposesión ilegítima.

Esta forma de finalización del expediente podría parecer contradictoria con la solu-ción contemplada en el artículo 520.3, a que luego nos referiremos, pues si el tercero se presenta una vez publicado el requerimiento en al BOE y «justifica documentalmente su derecho», entonces se ve obligado a presentar demanda judicial.

La ley exige en todo caso que el motivo para que el notario cierre el expediente es que el requerimiento debe ser «manifiestamente infundado», no basta una mera posibilidad o sospecha.

14.5.3.8. Publicación del requerimiento en el BOE

A continuación, el notario, conforme al artículo 520.1 LNM, procederá inmediatamente a publicar el requerimiento recibido en la sección que corresponda del Boletín Oficial del Estado, fijando un plazo de un mes, desde la fecha de la publicación, para que el tenedor del título pueda comparecer y formular oposición.

Transcurrido un mes desde la publicación del requerimiento sin que nadie la contradiga, el notario mediante acta de notoriedad hará constar la amortización del título y se reconocerá al requeriente la titularidad del mismo.

14.5.3.9. Oposición de tercero

La oposición del tercero viene contemplada en el artículo 520.3 LNM que establece que si se presentara tercero reclamando las mercancías y justificara documentalmente su derecho, el porteador pondrá en conocimiento del notario tal circunstancia. El notario incorporará al expediente esa reclamación y su justificación documental, quedando suspendido el expediente durante dos meses, sin que pueda autorizar acta de amortización del conocimiento de embarque sustraído o extraviado. No vemos inconveniente en que el tercero se pueda dirigir directamente al propio notario en vez de al porteador, en cuyo caso el notario debería comunicárselo al porteador.

La única posibilidad que tiene el tercero de concluir el expediente es acreditar que ha sido admitida demanda judicial en ejercicio de su pretensión en cuyo caso el notario declarará concluido el expediente sin autorizar la amortización. En otro caso el notario proseguirá la tramitación del expediente.

¿Qué ocurre si el tercero presenta justificación documental de su derecho pero no presenta demanda judicial? Al cabo de dos meses el notario prosigue la tramitación del expediente en cuyo caso nada dice la LNM, pero debemos entender que el notario podrá concluirlo en ambos sentidos, o sea, declarando la amortización del conocimiento de embarque y reconociendo la titularidad del conocimiento de embarque al requirente, o no. Quizá sea esta una solución más fácil para el tercero poseedor de buena fe, pues le resulta más cómodo esperar dos meses y no entablar le demanda, siempre que confíe en que el notario resolverá el expediente en su favor.

En opinión de Antonio Quirós de Sas, resulta sorprendente que sea el tercero tenedor del título —a quien conforme al artículo 464 del Código Civil se le debe presumir su legítima propiedad— quien deba instar la acción, es más, quien deba conseguir que se la admitan a trámite —estándar superior que le impone la ley— cuando lo lógico parecería que fuese aquel que alegase haber sido desposeído de su título, a quien se le impusiera la carga de reivindicar su propiedad sobre las mercancías. Como hemos dicho, en los primeros pasos del procedimiento, hasta que el notario decide proceder a la publicación del requerimiento, si se presenta el tercero tenedor del conocimiento de embarque, es posible que el notario no acepte el requerimiento o dé por terminado el expediente si lo encuentra manifiestamente infundado. Pero no siendo así o el hecho de la presentación tardía del tercero, tras la publicación en el Boletín Oficial del Estado, puede justificar ese plus de exigencia de la LNM.

14.5.3.10. Documento de transporte multimodal o combinado

Con relación al documento de transporte multimodal o combinado, el artículo 267 LNM establece la aplicabilidad de las normas de la Ley para el conocimiento de embarque.

14.5.3.11. Derechos y acciones del legítimo titular

Finalmente reiterar que con arreglo al artículo 254 de la LNM quedan a salvo los derechos y acciones del legítimo titular contra los responsables de los actos de desposesión ilegítima.

14.6. DE LA ENAJENACIÓN DE EFECTOS MERCANTILES ALTERADOS O AVERIADOS

CAPÍTULO VI

De la enajenación de efectos mercantiles alterados o averiados

Artículo 523. Ámbito de aplicación.

Si los efectos que constituyen el cargamento de un buque, apareciesen alterados, averiados o en peligro de inminente avería, aquel a quien corresponda la conservación de las mercancías bajo su custodia y no hubiere podido obtener instrucciones del titular de aquellas, deberá solicitar a un notario la autorización para la venta en pública subasta o por persona o entidad especializada.

Artículo 524. Valoración pericial. Venta de los efectos.

Presentada la solicitud, en la que se expresará el número y la clase de los efectos que hayan de venderse, el notario nombrará perito que reconozca los géneros.

Acreditado por la declaración pericial el estado de los géneros, si el notario lo considera necesario, ordenará la tasación y venta por persona o entidad especializada o en pública subasta de los efectos señalados. Con el precio obtenido se atenderá, en primer lugar, el pago de los gastos del notario y del perito, y el remanente se entregará al titular de las mercancías.

El último expediente de los regulados en el título X de la LNM es el de enajenación de los efectos mercantiles alterados o averiados. Conforme al artículo 523 LNM si los efectos que constituyen el cargamento de un buque apareciesen alterados, averiados o en peligro de inminente avería, aquel a quien corresponda la conservación de las mercancías bajo su custodia y no hubiese podido obtener instrucciones del titular de aquellas, deberá solicitar a un notario la autorización para la venta en pública subasta o por persona o entidad especializada.

14.6.1. Regulación

Se trata de una regulación aparentemente sencilla en que el notario debe valorar la concurrencia de los tres presupuestos exigibles, lo que ciertamente ya no es tan sencillo. A saber:

–   que al solicitante de la actuación notarial le corresponda la custodia de los efectos,

–   que aparezcan alterados, averiados o en peligro de inminente avería,

–   y que no sea posible obtener instrucciones del titular.

De la apreciación por el notario de la existencia de estos presupuestos resultará la legitimación del solicitante para la enajenación de las mercancías.

Para determinar el estado de los géneros, el notario cuenta con la declaración pericial, cuya designación deberá solicitar al correspondiente Colegio Notarial con arreglo al procedimiento del artículo 50 de la Ley del Notariado. En este expediente lo que prima es la urgencia debida al estado de los géneros o al peligro que corren de averiarse, por lo que no exige la LNM, como hace en el artículo 512, que la ley aplicable al contrato de fletamento permita el depósito y venta de las mercancías.

La LNM no da ninguna indicación para valorar la imposibilidad de obtener instrucciones del titular por parte de quien corresponda la conservación de las mercancías bajo su custodia, por lo que el notario deberá estar a las manifestaciones y acreditaciones que el requirente haga y que a su juicio deben probar suficientemente el hecho. Entendemos que también podrá pedir o practicar cuantas averiguaciones estime procedentes.

Lo mismo debe decirse respecto de la acreditación del hecho de que al requirente le corresponda la custodia de las mercancías, extremo que igualmente deberá probarse.

14.6.2. Notario competente

No se establece ninguna norma de competencia notarial, por lo que debe entenderse que cualquier notario es competente. No obstante, dado que el notario debe valorar la entidad de la alteración o la avería de los géneros, o su riesgo de avería, puede ser conveniente la inspección personal de los mismos por el notario, lo que aconseja acudir a notario competente en el lugar en que se encuentren las mercancías. Si se acude al procedimiento de pública subasta se tendrá en cuenta las normas de competencia notarial establecidas en el artículo 72.3 de la Ley Notarial. Del mismo resulta que siempre es seguro acudir a notario del lugar donde se encuentren las mercancías.

14.6.3. Tasación y venta

Si el notario estima necesaria la venta de los efectos, entonces procede a la tasación y venta de los mismos, designado tasador por el procedimiento del artículo 50 de la Ley del Notariado, y puede elegir entre la venta por persona o entidad especializada, o la venta en pública subasta, en cuyo caso se sujetará al procedimiento de subasta establecido en la Ley del Notariado.

14.6.4. Destino del precio obtenido

En cuanto al destino del precio obtenido, se aplicará, por este orden, al pago de los gastos del notario y del perito, y el remanente se entregará al titular de las mercancías. Puesto que el presupuesto es que no se han podido obtener instrucciones del titular, presumiblemente tarde en aparecer, por lo que el notario conservará el remanente en depósito con arreglo a la legislación notarial hasta que sea posible su entrega.

15. ACTUACIONES NOTARIALES EN MATERIA CATASTRAL

15.1. LA INCORPORACIÓN DE LA INFORMACIÓN GRÁFICA

15.1.1. La Ley 13/2015 LRHC

15.1.1.1. Las líneas directrices de la Ley 13/2015 LRHC

El objetivo perseguido por la Ley 13/2015 LRHC es la incorporación de la información gráfica relativa a los inmuebles a los dos sistemas principales de información territorial: el Catastro y el Registro de la Propiedad.

Para ello la Ley 13/2015 LRHC implementa un sistema de incorporación de la información gráfica basado en las siguientes líneas directrices:

15.1.1.1.1. *Intervención de técnico competente*

Los datos gráficos han de apoyarse en la realidad física inmobiliaria. De ahí que en muchas ocasiones la representación gráfica de un inmueble requiera **la intervención de un técnico competente**

Cuando se aporte una representación gráfica suscrita por técnico competente, el técnico que suscriba la representación gráfica deberá declarar, bajo su responsabilidad, que el trabajo se ha ejecutado cumpliendo las especificaciones técnicas contenidas en la presente resolución, siguiendo la metodología especificada, no estar incurso en causa alguna que le impida o limite el ejercicio legítimo de su profesión o de incompatibilidad legal para su realización, así como el cumplimiento de los siguientes requisitos técnicos (Disposición Séptima, 2, de la Resolución conjunta DGRN-DGC de 20 de octubre de 2015).

15.1.1.1.2. *Cartografía catastral*

La utilización de una base gráfica común constituida por la **cartografía catastral.** No se trata en rigor de coordinar el Catastro con el Registro de la Propiedad —son instituciones con finalidades diferentes— sino de que ambos sistemas empleen la misma cartografía

La utilización de los datos físicos relativos al territorio requiere la utilización de herramientas que hagan posible el manejo de la información sobre el mismo. Este tipo de información ha de atender una serie de requisitos básicos. En primer lugar, la representación del territorio requiere la utilización de puntos y líneas —formato gráfico— que permitan conocer tanto la situación como las relaciones entre las distintas unidades que integran el territorio. Por otra parte, la superficie curva del territorio (la tierra no es plana) requiere establecer un sistema que permita representar de forma plana una superficie esférica. La proyección cartográfica es un sistema de representación gráfica que establece una relación ordenada entre los puntos de la superficie curva de la Tierra y los de una superficie plana (mapa) El resultado de la proyección son los mapas o cartografía (representación plana de una superficie curva) Habida cuenta de que existen varios sistemas de proyección, y que cada uno genera representaciones gráficas diferentes del territorio, se hace necesaria la utilización un único sistema de proyección por los agentes que intervienen en el manejo de la información territorial.

15.1.1.1.3. Incorporación gradual de la información gráfica

La Ley 13/2015 LRHC articula un sistema en el que se impone en algunos casos, con carácter obligatorio (inmatriculación y modificación de fincas inscritas) mientras que en los demás supuestos la incorporación de la información gráfica tiene carácter potestativo

El sistema gradual de incorporación de la información gráfica viene recogido por el artículo 9 b) LH que establece que *siempre que se inmatricule una finca, o se realicen operaciones de parcelación, reparcelación, concentración parcelaria, segregación, división, agrupación o agregación, expropiación forzosa o deslinde que determinen una reordenación de los terrenos, la representación gráfica georreferenciada de la finca que complete su descripción literaria, expresándose, si constaren debidamente acreditadas, las coordenadas georreferenciadas de sus vértices. Asimismo, dicha representación podrá incorporarse con carácter potestativo al tiempo de formalizarse cualquier acto inscribible, o como operación registral específica. En ambos casos se aplicarán los requisitos establecidos en el artículo 199.*

15.1.1.1.4. Consentimiento, auténtico e informado del titular

La incorporación de la información gráfica ha de realizarse con el **consentimiento**, auténtico e informado, de los titulares de los inmuebles a los que la información gráfica se refiere. No se trata de una actuación de oficio del Registro de la Propiedad, habida cuenta del carácter voluntario de la inscripción.

En este sentido, el apartado Séptimo, 1 de la Resolución conjunta DGC-DGRN de 29 de octubre de 2015 establece que para inscribir o incorporar al folio real la representación gráfica alternativa, cuando legalmente proceda, deberá estar aportada y aprobada expresamente por el propietario de la finca o por la autoridad judicial o administrativa que haya tramitado y resuelto el procedimiento pertinente,

15.1.1.2. Entrada en vigor de la Ley 13/2015 LRHC y eficacia derogatoria

15.1.1.2.1. Entrada en vigor de la Ley 13/2015 LRHC

La Ley 13/2015 LRHC entró en vigor el día **1 de noviembre de 2015**.

15.1.1.2.2. La eficacia derogatoria de la Ley 13/2015 LRHC

La Disposición transitoria única de la Ley 13/2015 LRHC establece que todos los procedimientos regulados en el Título VI de la Ley Hipotecaria, así como los derivados de los supuestos de doble inmatriculación que se encuentren iniciados a la fecha de entrada en vigor de la Ley 13/2015, continuarán tramitándose hasta su resolución definitiva conforme a la normativa anterior. A efectos de la inmatriculación a obtener por el procedimiento recogido en el artículo 205 o en el artículo 206, sólo se tendrá dicho procedimiento por iniciado si a la fecha de entrada en vigor de la presente Ley estuviese presentado el título público inmatriculador en el Registro de la propiedad.

La RDGRN 7 de noviembre de 2015, entre otras, desarrolla la eficacia derogatoria expresa de la Ley 13/2015 LRHC estableciendo que Respecto de los procedimientos o medios que se han suprimido, la disposición derogatoria única de la Ley 13/2015 ha derogado expresamente los apartados dos, cinco, seis, siete, ocho, nueve y diez del artículo 53 de la Ley 13/1996, de 30 de diciembre, de Medidas Fiscales, Administrativas y del Orden Social, y por tanto, entre ellos, la posibilidad de inscribir excesos de cabida inferiores a la quinta parte de la cabida inscrita mediante un simple certificado o informe sobre su superficie expedido por técnico competente, o la relativa al acta de presencia y notoriedad, supuestos ambos, ya expresamente derogados, a los que aludía el artículo 298 del Reglamento Hipotecario.

Respecto de su eficacia derogatoria tácita, la misma RDGRN de7 de noviembre de 2015 sienta la importante doctrina, confirmada por otras Resoluciones, que cuando la misma disposición derogatoria única de la Ley 13/2015, de 24 de junio, dispone que «quedan derogadas cuantas normas se opongan a lo previsto en la presente Ley», ha de interpretarse que **deben entenderse tácitamente derogados todos los artículos del Título VI del Reglamento Hipotecario**, los cuales fueron dictados en ejecución del anterior Título VI de la Ley Hipotecaria, pues la nueva redacción legal es en sí misma suficientemente detallada, y basada en principios inspiradores totalmente diferentes de los que dieron cobertura en su día a los artículos reglamentarios que, ahora, por ello, han de entenderse íntegramente derogados a partir del 1 de noviembre de 2015

15.1.2. Estructura del sistema de información gráfica

15.1.2.1. Formato de la representación gráfica

Los sistemas de información territorial —y el Catastro y el Registro de la Propiedad lo son— constituyen a la larga sistemas de comunicación en la medida que la información es comunicación. La información está compuesta de dos elementos básicos: a) el contenido, es decir, aquello sobre lo que se quiere informar. En el caso de la información territorial se trata de la identificación y descripción del territorio y de las unidades que los componen; y b) el formato, esto es, el lenguaje formal en que los datos —el contenido— es intercambiado entre los agentes y los sujetos que manejan y utilizan la información territorial.

El lenguaje formal utilizado para el intercambio de la información territorial puede ser de dos clases:

a) **el formato alfanumérico**: compuesto de letras y números (Un subtipo de formato alfanumérico es el **formato literario**, formado con letras y números que forman palabras con sentido propio)

Un supuesto de lenguaje alfanumérico es el de una referencia catastral: 20025021BC-2123N0001CK, que utiliza letras y números pero que carece de significado como palabra

Un supuesto de formato literario es el caso de la descripción de las fincas en el Registro de la Propiedad: *parcela urbana situada en la calle Helen White número 4 del municipio de Latrapa*

b) el **formato gráfico**: compuesto de puntos, líneas que unen los puntos y polígonos que cierran las líneas y que describen objetos sobre el territorio. Mediante el formato gráfico se identifican y ubican los bienes inmuebles sobre la representación gráfica del territorio, esto es, los mapas o la cartografía, que en el caso de la Ley 13/2015 LRHC está constituida por la cartografía catastral

La cartografía catastral, utiliza el sistema de referencia ETRS89 (European Terrestral Reference System 1989) y en el caso de Canarias el sistema REGCAN95, empleando en ambos casos la Proyección Universal Transversa de Mercator (UTM), de acuerdo con lo dispuesto en el Real Decreto 1071/2007, de 27 de julio, por el que se regula el sistema geodésico de referencia oficial en España. (Disposición Séptima, 2, b) de la Resolución conjunta DGRN-DGC de 20 de octubre de 2015)

Mediante el formato gráfico se pueden obtener, los datos relativos a la forma y a la situación de los bienes inmuebles. La **forma** permite establecer la extensión superficial y los posibles usos del inmueble. La **situación** permite determinar la relación respecto de los demás inmuebles especialmente las relaciones de colindancia

Una vez determinado el formato y la cartografía, hay que establecer un sistema para ubicar cada bien inmueble, esto es, la parte de territorio objeto de un derecho determinado, sobre la representación gráfica del territorio en su conjunto, es decir, sobre la cartografía catastral. Esta técnica se conoce como **georreferenciación**.

15.1.2.2. La georreferenciación

Una vez establecida una cartografía común, hay que utilizar un sistema que permita localizar de forma unívoca los puntos y objetos sobre el mapa. Esta herramienta es la referenciación. Si el mapa es un mapa de la tierra la referenciación se convierte en georreferenciación.

En aras de la simplificación el territorio se puede representar como un rectángulo plano. En principio, sobre esta superficie plana no existe un sistema de referencia que permita determinar la situación de un punto determinado, ni su situación relativa o su distancia respecto de los otros, de tal forma que cada punto es igual que los demás.

Para salvar este inconveniente se puede utilizar como punto de referencia, para determinar ubicaciones y medir distancias, un punto de origen (0) situado en la intersección de dos ejes perpendiculares cuya colocación y situación sobre el plano se determinan previamente. Es el sistema de coordenadas rectangulares o cartesianas en las que el eje horizontal se denomina valor X (abscisas) y el eje vertical se denomina valor Y (ordenadas) de tal modo que el plano queda dividido en una cuadrícula formada por líneas paralelas a cada eje. Mediante este sistema se puede establecer la situación de un punto (P) determinado señalando su distancia (n) respecto de cada eje (P = (n) X (n) Y).

El mismo procedimiento se puede utilizar para establecer ya no sólo la situación sino también la forma de una unidad en el territorio, determinando las coordenadas de los puntos que forman sus vértices, de tal forma que la situación y forma de la parcela quedaría fijada en el territorio de forma indubitada mediante las coordenadas X e Y de sus vértices

15.1.2.3. Los sistemas de representación gráfica en la Ley 13/2015 LRHC

La Ley 13/2015 LRHC articula la representación gráfica de los bienes inmuebles sobre la cartografía catastral que, de este modo, constituye la base gráfica común para la representación de la realidad física inmobiliaria en el proceso de incorporación de la información gráfica al Registro de la Propiedad.

En la medida en que la representación gráfica ha de reflejar fielmente la realidad física inmobiliaria, puede ocurrir que la cartografía catastral coincida con la realidad física inmobiliaria o que, por el contrario, los inmuebles —en este caso las parcelas catastrales— representadas en la base gráfica catastral no se correspondan con la realidad física inmobiliaria.

En el primer caso —correspondencia entre la realidad física inmobiliaria y la cartografía catastral— la incorporación al Registro de la Propiedad de la información gráfica se llevará a cabo utilizando la certificación catastral descriptiva y gráfica descargada de la Sede Electrónica del Catastro.

En el supuesto contrario, es decir, cuando la cartografía catastral no refleje la realidad física inmobiliaria, la incorporación de la información gráfica se hará mediante la utilización de una representación gráfica alternativa.

Así, el artículo 9 b) LH establece que, *para la incorporación de la representación gráfica de la finca al folio real, deberá aportarse junto con el título inscribible la certificación catastral descriptiva y gráfica de la finca, salvo que se trate de uno de los supuestos en los que la ley admita otra representación gráfica georreferenciada alternativa.*

15.1.2.3.1. La certificación catastral descriptiva y gráfica

Las certificaciones descriptivas y gráficas contienen los datos básicos de carácter físico, jurídico y económico del bien inmueble a que se refieren, según consta descrito en el Catastro Inmobiliario, junto con su representación gráfica.

La certificación catastral descriptiva y gráfica está sujeta a la legislación sobre propiedad intelectual. Los derechos de autor corresponden a la Administración General del Estado. La certificación catastral descriptiva y gráfica suministrada es para uso propio del peticionario, comprometiéndose éste, a no utilizarla ni cederla a terceros para fines distintos a los expresados en la solicitud.

La certificación catastral descriptiva y gráfica, en cuanto representación gráfica de una finca registral, completa la descripción literaria de la finca por lo que, con carácter previo a su incorporación al Registro de la Propiedad, ha de establecerse la identidad entre la representación gráfica catastral —la certificación catastral descriptiva y gráfica— y la descripción literaria de la finca registral a la que se refiere.

El artículo 9, b) LH establece que se entenderá que existe correspondencia entre la representación gráfica aportada y la descripción literaria de la finca cuando ambos recintos se refieran básicamente a la misma porción del territorio y las diferencias de cabida, si las hubiera, no excedan del diez por ciento de la cabida inscrita y no impidan la perfecta identificación de la finca inscrita ni su correcta diferenciación respecto de los colindantes.

La RDGRN de 12 de mayo de 2016 ha interpretado este requisito legal sobre las siguientes bases:

a) Lo que ha de tenerse en cuenta, a la hora de interpretar el grado de identidad que se exige legalmente, es que, como señaló la RDGRN de 4 de agosto de 2014, criterio que sigue siendo aplicable tras la Ley 13/2015,

– la identidad ha de referirse a la **ubicación y delimitación geográfica perimetral de la finca**

– la identidad **ha de existir al tiempo** que se utiliza la certificación catastral descriptiva y gráfica para la incorporación de la información gráfica al folio de la finca registral

Puede ocurrir, que la delimitación geográfica catastral de un mismo inmueble y con una misma referencia catastral, haya variado en el tiempo, de modo que al solicitarse la incorporación de la representación gráfica catastral se haya perdido la identidad descriptiva inicial entre el título y la situación catastral, a causa de una alteración catastral sobrevenida.

b) Por el contrario, para establecer la identidad, no es necesaria la correspondencia en lo relativo a

– los elementos físicos —tales como las edificaciones—, ubicados en el interior de ella

– la identidad del titular catastral

– la identidad de los titulares catastrales colindantes con los colindantes mencionados en la descripción literaria de la finca registral

15.1.2.3.2. La representación gráfica alternativa

Puede ocurrir que la certificación catastral descriptiva y gráfica de un inmueble, esto es, su representación gráfica, no refleje la realidad inmobiliaria. La falta de correspondencia de la descripción catastral de una finca con la realidad puede deberse:

a) a la existencia previa de discrepancias con la realidad en la descripción catastral

b) por haberse realizado en el instrumento público una modificación de la finca, tales como una segregación, una división, una agregación o una agrupación.

Ante estos supuestos caben dos posibilidades:

– La rectificación de la representación gráfica catastral utilizando el procedimiento notarial de subsanación de discrepancias previsto por el artículo 18,2 LCI. De este modo, al momento del otorgamiento del instrumento público la certificación catastral descriptiva y gráfica coincidirá con la descripción del inmueble contenida en el instrumento público. Esta posibilidad se convierte en necesidad en los casos en que sólo es posible incorporar la certificación catastral descriptiva y gráfica como representación gráfica del inmueble. Son los casos de inmatriculación de fincas contemplados en los artículos 203 LH y 205 LH

– La utilización, en los demás casos, de una **representación gráfica alternativa** en lugar de la certificación catastral descriptiva y gráfica

La representación gráfica alternativa (RGA) es la representación gráfica de un inmueble, en formato digital, que no coincide de la representación gráfica contenida en la certificación catastral descriptiva y gráfica de un inmueble. Es un plano georreferenciado, que identifica la porción de territorio que ocupa un inmueble y que contiene las coordenadas geográficas de cada uno de sus vértices.

15.1.2.3.2.1. Requisitos de la representación gráfica alternativa

Por lo general, habrá de ser realizada por un técnico competente y debe reunir los siguientes requisitos:

a) Consentimiento del titular del inmueble

La identificación gráfica de un bien inmueble, en la medida en que determina de manera permanente la forma, extensión y situación del mismo, es un acto de riguroso dominio que requiere el consentimiento del titular del inmueble

El contenido del consentimiento es, por un lado, positivo, esto es, identificando la representación gráfica alternativa como la realidad física inmobiliaria y, del otro, negativo manifestando, además, que la descripción catastral, que se contiene en la certificación catastral descriptiva y gráfica, no se corresponde con la realidad física de su finca.

b) Identificación del técnico competente

El técnico que suscriba la representación gráfica deberá declarar, bajo su responsabilidad, que el trabajo se ha ejecutado cumpliendo las especificaciones técnicas contenidas en la presente resolución, siguiendo la metodología especificada, no estar incurso en causa alguna que le impida o limite el ejercicio legítimo de su profesión o de incompatibilidad legal para su realización, así como el cumplimiento de los siguientes requisitos técnicos

c) Sistema de georreferenciación

La descripción de las parcelas deberá estar georreferenciada en todos sus elementos. Se utilizará como sistema geodésico de representación el de la cartografía catastral, que es el sistema de referencia ETRS89 (European Terrestral Reference System 1989) y en el caso de Canarias el sistema REGCAN95, empleando en ambos casos la Proyección Universal Transversa de Mercator (UTM), de acuerdo con lo dispuesto en el Real Decreto 1071/2007, de 27 de julio, por el que se regula el sistema geodésico de referencia oficial en España.

d) Topología

La representación gráfica de las parcelas deberá tener una topología de tipo recinto en la cual no existan auto intersecciones, pudiendo tener recintos inscritos en la finca (huecos, construcciones u otros). Los distintos objetos cartográficos adyacentes no pueden superponerse entre sí ni dejar huecos. En el caso de fincas discontinuas se efectuará una representación gráfica de cada una de las porciones que la compongan

e) Representación sobre la cartografía catastral

Los planos topográficos de las parcelas resultantes deberán estar representados sobre la cartografía catastral, a fin de permitir la comprobación de la correspondencia entre las parcelas objeto de las actuaciones y la descripción que figura en el Catastro Inmobiliario.

La representación gráfica comprenderá, por tanto, todas las parcelas catastrales que deban ser objeto de alteración o modificación, total o parcialmente, incluyendo no sólo las parcelas que correspondan con la finca objeto de la inscripción, sino también las parcelas catastrales o bienes de dominio público colindantes cuando resulten afectados, debiendo precisarse las partes afectadas y no afectadas.

La alteración cartográfica de las fincas afectadas habrá de respetar la delimitación del resto de las colindantes que resulte de la cartografía catastral, de modo que la delimitación del conjunto de las parcelas resultantes de la alteración o modificación coincida con la delimitación del conjunto de las parcelas extraídas de la cartografía catastral,

15.1.2.3.2.2. La validación técnica de la representación gráfica alternativa

Hay que tener presente que el proceso de incorporación de la información gráfica no es sino la carga de nuevos datos (datos gráficos y datos jurídicos) en las bases de datos de los sistemas de información territorial: el Catastro y el Registro de la Propiedad.

Uno de los requisitos que ha de reunir la nueva información para su carga en la base de datos es el de su coherencia tanto formal —utilización del mismo lenguaje— como material, esto es, los nuevos datos no pueden ser contradictorios con la información previa ya almacenada.

El procedimiento de incorporación de la información gráfica tiene naturaleza mixta ya que maneja al mismo tiempo datos físicos y datos jurídicas sobre los bienes inmuebles. Esta circunstancia trae consigo la estructuración temporal del procedimiento ya que, habida cuenta de que el territorio es una entidad física y material, las operaciones de representación gráfica del mismo, han de realizarse con carácter previo a su tramitación jurídica.

De ahí la necesidad, cuando se utiliza una representación gráfica alternativa porque la certificación catastral descriptiva y gráfica no coincide con la realidad física, de disponer de una herramienta de control previo que permita al jurista —antes de iniciar la tramitación jurídica del procedimiento de incorporación de la información gráfica— tener la seguridad de que la representación gráfica alternativa que se va a utilizar cumple todos los requisitos técnicos para su carga en la base de datos gráfica catastral, si el procedimiento jurídico de incorporación de la información gráfica termina exitosamente.

Con esta finalidad la Sede Electrónica del Catastro ha implementado un servicio de validación de bases gráficas georreferenciadas alternativas, que permite saber si una representación gráfica alternativa ya elaborada, distinta de la catastral, cumple los requisitos técnicos anteriormente mencionados, y en particular la compatibilidad con la representación de las parcelas que figuran en la cartografía catastral. El resultado es el Informe de Validación Gráfica. (IVG)

El informe de validación gráfica es un documento electrónico firmado por la Dirección general del Catastro mediante Código Seguro de Verificación (CSV) que evita el intercambio físico de archivos informáticos, permite visualizar la nueva representación y habilita la captura automatizada de su contenido impidiendo posibles errores de transcripción. Es decir, mediante la inserción en el instrumento público del Código Seguro de Verificación de la representación gráfica alternativa validada previamente por el Catastro se evita la necesidad de enviar de forma física los archivos GML para la rectificación o actualización catastral que corresponda.

El documento electrónico es un PDF que incluye:

- Información relativa al solicitante de informe, y en caso de que este sea un técnico competente, datos profesionales de este, así como especificaciones del trabajo profesional.

- Sentido del informe, esto es, si el informe es positivo o negativo.

- Representación de la nueva parcelación propuesta.

- Representación de la parcelación catastral sobre la que se asienta la parcelación propuesta.

- Representación de la superposición de la parcelación propuesta con la catastral.

- Listado de parcelas catastrales afectadas indicando si son afectadas totalmente (si la nueva parcelación la recubre totalmente) o parcialmente (la nueva parcelación no las recubre totalmente, generándose por tanto un informe negativo).

- En caso de informes de carácter positivo, el listado del parcelario aportado, indicando las parcelas colindantes (catastrales o del parcelario aportado)

- Además, el documento incluye un archivo adjunto un formato XML con la información presente en el documento para su tratamiento automatizado.

El Informe de Validación Gráfica tiene naturaleza exclusivamente técnica y en ningún caso valida que las operaciones jurídicas que dan lugar a la nueva configuración de las parcelas se ajusten a la legalidad vigente o dispongan de las autorizaciones necesarias de la administración o autoridad correspondiente.

La validación técnica puede ser positiva o negativa. Si el informe de validación fuera **positivo** contendrá la representación gráfica catastral que resultaría de la alteración catastral de las parcelas, un listado de coordenadas de sus vértices, y la superficie obtenida. Asimismo, se incluirán en el mismo los datos del informe suscrito por técnico competente, cuando hubiera intervenido.

Cuando el resultado de la validación fuera **negativo**, el informe, además de los errores o defectos advertidos, expresará, en su caso, las parcelas catastrales afectadas no incluidas en la representación gráfica remitida. Un informe de validación negativo sirve para informar del resultado de la superposición de la representación gráfica georreferenciada de una finca, y comprobar las parcelas afectadas total o parcialmente en la cartografía catastral. Una validación negativa no significa que la representación gráfica de un inmueble no coincide con la realidad física inmobiliaria (de hecho, puede coincidir), sino que sus datos (el archivo GML) no es coherente con los datos previamente existentes en la cartografía catastral. Es decir, es un problema de coherencia de la información gráfica, no de la fidelidad de la representación gráfica respecto de la realidad física inmobiliaria.

Aunque el informe negativo no paraliza, en la mayor parte de los casos, el tráfico jurídico avisa que, si no se inician los procedimientos de rectificación o actualización correspondiente, por imprecisiones o por ausencia de alteraciones no declaradas en el Catastro, no será posible la coordinación Catastro-Registro de la Propiedad respecto de ese inmueble.

En dichos procedimientos, catastrales, notariales o registrales, se deberá dar audiencia a los titulares catastrales afectados por la reordenación del territorio, precisándose en dicho procedimiento el correspondiente informe positivo de la nueva representación gráfica que deberá verificar que el conjunto de todas las parcelas catastrales resultantes respeta la delimitación que conste en la cartografía catastral.

15.1.2.3.2.3. Los desplazamientos de la cartografía

Cuando tratamos la cuestión de la situación espacial de un inmueble hay que tener presente que dicha situación puede entenderse, de dos maneras: su situación absoluta (georreferenciación) y su situación relativa respecto de los inmuebles colindantes (las relaciones topológicas). Y para gestionar, de forma eficiente, la información territorial no podemos prescindir de ninguna de las dos. Tan importante es la situación absoluta de un inmueble —las coordenadas que, de forma permanente, determinan su forma y situación—, como su situación relativa, es decir, las relaciones topológicas de un inmueble respecto de los que tiene a su alrededor.

Cuando se produce una disociación entre ambos tipos de datos es cuando nos encontramos ante lo que podríamos denominar *desplazamientos de la cartografía*.

Cuando existe diferencia entre ambos tipos de información (georreferenciación y relaciones topológicas) y entre ambos y la realidad nos encontraremos seguramente ante una discrepancia entre la cartografía (que contiene tanto la situación absoluta de un inmueble como sus relaciones de colindancia) y la realidad y, en consecuencia, habrá de acudirse a los procedimientos legalmente previstos para remediar esta situación.

Pero si ambos tipos de información no coinciden entre sí pero cada una de ellas coincide por su parte con la realidad, estamos ante un desplazamiento o giro de la cartografía y la solución ha de ser distinta de la prevista para la subsanación de las discrepancias.

Cuando estamos tratando de arreglar un problema de exceso de cabida una parcela determinada (la superficie con la que figura inscrita en el Registro de la Propiedad es inferior se necesita, para rectificar la inscripción y coordinar gráficamente el inmueble, determinar las coordenadas UTM de sus vértices y, además, notificar a los titulares de las parcelas colindantes de acuerdo con lo previsto en los artículos 9 y 199 LH. Si usamos las coordenadas UTM los titulares colindantes afectados no serían los reales. Y si, por el contrario, utilizamos la cartografía catastral notificaremos a los titulares colindantes reales pero las coordenadas UTM de los vértices de la parcela no serán las reales.

Lo que realmente sucede es que estamos identificando el mismo inmueble en dos sistemas diferentes de referencia —la cartografía y la ortofotografía— en cada uno de los cuales cada coordenada es distinta para cada vértice, pero el objeto es el mismo. Esta es la primera lección que nos va a dar la geografía si pretendemos ignorarla y mantener un concepto de inmueble como un ente aislado en el espacio, que constituye el objeto de un derecho y que puede ser manejado de forma independiente respecto de los demás inmuebles que integran el territorio.

Hay que tener claro que se trata de identificar geoespacialmente un inmueble y esto se consigue mediante la determinación de las coordenadas UTM de sus vértices. Las coordenadas tienen un valor instrumental —permiten la identificación de un objeto espacial— pero no son datos absolutos. Ni significa tampoco que la inscripción de un inmueble haya de basarse únicamente en las coordenadas. Es decir, en el Registro de la Propiedad no se inscriben las coordenadas de un inmueble sino un inmueble se inscribe mediante sus coordenadas. Por esta causa, parece que la solución será la de mantener las coordenadas de la cartografía catastral si bien el técnico, en su certificación, o al obtener el Informe Gráfico, deberá informar al Catastro de la magnitud del desplazamiento de la cartografía para que el Catastro ajuste al mismo tiempo toda la cartografía desplazada. De esta forma constarán las coordenadas reales de cada parcela situada dentro de la zona desplazada sin alterar las relaciones topológicas entre las mismas

En este sentido la RDGRN de 24 de octubre de 2016 señaló que no se puede calificar por el Registrador un posible desplazamiento patológico del Catastro, porque no puede revisar de oficio dicha cartografía, ya que la Resolución Conjunta DGRN-DGC del Catastro de 26 octubre de 2015 dispone que *cuando se inscriba la representación gráfica alternativa derivada de un informe técnico que ponga de manifiesto el desplazamiento o giro catastral, éste se remitirá al Catastro por el registrador junto con los datos de la inscripción correspondiente, a fin de incorporar los metadatos de la modificación catastral que se efectúe.*

15.1.3. El procedimiento de incorporación de la información gráfica

Como ya se ha señalado anteriormente, el objetivo formal de la reforma operada por la Ley 13/2015 LRHC es el de la coordinación de la información gráfica entre el Catastro y el Registro de la Propiedad. Pero la coordinación requiere, como punto de partida, que inmueble catastral y finca registral coincidan siempre con la realidad inmobiliaria, una realidad que, como hemos visto, es, a la vez, física y jurídica.

Para que el Catastro y el Registro de la Propiedad se ajusten a la realidad, puede resultar necesario modificar tanto el título de adquisición como la descripción gráfica catastral. Pero una vez determinada la realidad, tanto el título de adquisición como la descripción gráfica catastral tienen que ser coherentes con aquella y por tanto consistentes entre sí. Una vez establecida la coherencia es cuando da inicio el procedimiento de coordinación de la información gráfica con el Registro de la Propiedad.

Por ello una de las características definitorias de los procedimientos de coordinación que establece la Ley 13/2015 LRHC es la de su carácter de norma material más que formal, en forma parecida a las acciones civiles que, como ha señalado reiteradamente el Tribunal Supremo, no se califican por la denominación que les den las partes sino por las pretensiones que éstas formulan. No se trata realmente de procedimientos independientes sino del cumplimiento de determinados requisitos en función del supuesto de hecho que se produzca en cada caso. En este sentido el segundo párrafo del artículo 198

LH establece que *los procedimientos contenidos en este Título podrán acumularse cuando su finalidad sea compatible y recaiga en el mismo funcionario la competencia para su tramitación, debiendo integrarse coetáneamente, si es posible, o sucesivamente en otro caso, la totalidad de los trámites exigidos para cada uno de ellos.*

15.1.3.1. Estructuración sistemática de los procedimientos

Esta cuestión ha sido examinada, entre otras, por la RDGRN 3 de octubre de 2016, que estructura los procedimientos de incorporación de la información gráfica al Registro de la Propiedad con arreglo a las siguientes pautas.

El procedimiento para rectificar la superficie, la RDGRN de 17 de noviembre de 2015 (reiterada en otras posteriores como las de 22 de abril, 23 de mayo y 30 de junio de 2016), señaló que a partir del 1 de noviembre de 2015, fecha de la plena entrada en vigor de la reforma de la Ley Hipotecaria operada por la Ley 13/2015, cabe enunciar los medios hábiles para obtener la inscripción registral de rectificaciones descriptivas y sistematizarlos en tres grandes grupos:

A) Los que sólo persiguen y sólo permiten inscribir una rectificación de la superficie contenida en la descripción literaria, pero sin simultánea inscripción de la representación gráfica de la finca, como ocurre con los supuestos regulados en el artículo 201.3, letra a) y letra b), de la Ley Hipotecaria, que están limitados, cuantitativamente, a rectificaciones de superficie que no excedan del 10% o del 5%, respectivamente, de la cabida inscrita, y que no están dotados de ninguna tramitación previa con posible intervención de colindantes y terceros, sino solo de notificación registral tras la inscripción *a los titulares registrales de las fincas colindantes.*

B) El supuesto que persigue y permite inscribir rectificaciones superficiales no superiores al 10% de la cabida inscrita, pero con simultánea inscripción de la representación geográfica de la finca. Este concreto supuesto está regulado, con carácter general, en el artículo 9, letra b), de la Ley Hipotecaria, cuando tras aludir al límite máximo del 10%, prevé que *una vez inscrita la representación gráfica georreferenciada de la finca, su cabida será la resultante de dicha representación, rectificándose, si fuera preciso, la que previamente constare en la descripción literaria.* Este concreto supuesto tampoco está dotado de ninguna tramitación previa con posible intervención de colindantes y terceros, si bien, como señala el artículo citado, *el Registrador notificará el hecho de haberse practicado tal rectificación a los titulares de derechos inscritos, salvo que del título presentado o de los trámites del artículo 199 ya constare su notificación.* En el caso de rectificaciones superficiales no superiores al 10% y basadas en certificación catastral descriptiva y gráfica puede acogerse tanto a la regulación y efectos del artículo 201.3, letra a), como a la del artículo 9, letra b).

C) Y, finalmente, los que persiguen y potencialmente permiten inscribir rectificaciones descriptivas de cualquier naturaleza (tanto de superficie como linderos, incluso linderos fijos), de cualquier magnitud (tanto diferencias inferiores como superiores al 10% de la superficie previamente inscrita) y además obtener la inscripción de la representación geográfica de la finca y la lista de coordenadas de sus vértices —pues no en vano, como señala el artículo 199, es la delimitación georreferenciada de la finca la que determina y acredita su superficie y linderos, y no a la inversa—. Así ocurre con el procedimiento regulado en el artículo 199 y con el regulado en el artículo 201.1, que a su vez remite al artículo 203, de la Ley Hipotecaria. Ambos procedimientos, especialmente cualificados, sí que incluyen entre sus trámites una serie de garantías de tutela efectiva de los intereses de terceros afectados y todo ello con carácter previo a la eventual práctica de la inscripción registral que en su caso proceda, tales como las preceptivas notificaciones a colindantes y demás interesados, publicaciones de edictos en el «Boletín Oficial del Estado», publicación de alertas geográficas registrales, y la concesión de plazo para que los interesados puedan comparecer y alegar en defensa de sus intereses ante el funcionario público —Registrador o Notario, según el caso— competente para su tramitación. Y es precisamente por virtud de su mayor complejidad de tramitación y mayores garantías para colindantes y terceros en general por lo que su ámbito de aplicación y efectos es justificadamente mucho más amplio que el de los otros supuestos concretos admitidos por la ley y enunciados en los dos primeros grupos antes aludidos.

15.1.3.2. La identificación física del inmueble

Para la coordinación de la información territorial que administra el Catastro y el Registro de la Propiedad es requisito previo e indispensable la identificación física y jurídica, de los bienes inmuebles. Su identificación hace posible avanzar en el proceso de coordinación de ambas instituciones, aunque la Ley 13/2015 LRHC lo exprese en orden inverso. No es la coordinación indispensable para la identificación de los inmuebles, como señala su Preámbulo, sino más bien la identificación de los inmuebles es indispensable para la coordinación del Catastro y el Registro de la Propiedad. Como ya se ha visto anteriormente, la identificación física de un inmueble requiere necesariamente la utilización de un sistema de representación gráfica —certificación catastral descriptiva y gráfica o representación gráfica alternativa— que haga posible establecer su identidad.

Con la finalidad de facilitar el proceso, el artículo 9 LH establece una presunción de correspondencia *cuando la representación gráfica aportada, siempre sobre la cartografía catastral, y la descripción literaria de la finca se refieran básicamente a la misma porción del territorio y las diferencias de cabida, si las hubiera, no excedan del diez por ciento de la cabida inscrita y no impidan la perfecta identificación de la finca inscrita ni su correcta diferenciación respecto de los colindantes.* Hay que tener presente que la presunción establecida por el artículo 9 LH tiene por objeto la identificación gráfica de la finca registral y no su descripción, que son conceptos diferentes, y que en todo caso la descripción registral debe ajustarse a la descripción gráfica catastral. De ahí que en el caso de que existiere correspondencia, con variación de la superficie dentro de los límites establecidos, la cabida de la finca registral será la resultante de dicha representación, rectificándose, si fuera preciso, la que previamente constare en la descripción literaria.

15.1.3.2.1. Identificación y delimitación

Pero hay que definir qué se entiende por identificación de una finca y distinguirlo conceptualmente de la delimitación de una finca. Identificar es reconocer que una cosa es la misma que se supone, es decir, fijar su identidad. Y, por su lado, identidad significa que una cosa es igual o muy parecida con otra que se compara. Esta es una cuestión cuyo planteamiento es necesario en el procedimiento de incorporación de la información gráfica ya que la coordinación de la información presupone la identificación de los objetos a los que se refiere.

Este ha de ser también tenida en cuenta por los técnicos a la hora de identificar las fincas mediante la delimitación de su perímetro. Hay que distinguir, entre medir para identificar e identificar para medir. La identificación requiere, cuando el titular no puede reconocer la finca a través de la certificación catastral descriptiva y gráfica, el pronunciamiento o juicio profesional del técnico acerca de que, no obstante, las diferencias entre la medición y las que figuran en la representación gráfica catastral —la certificación catastral descriptiva y gráfica— se trata de la misma finca. Aunque la información gráfica que vaya a incorporarse sea la contenida en dicha certificación catastral de acuerdo con lo previsto por el artículo 9 LH.

La identificación del inmueble para la incorporación de la información gráfica trata de determinar que la representación gráfica se refiere al mismo inmueble y en este sentido identificación no coincide necesariamente con deslinde. Cabe la posibilidad de incorporar la representación gráfica de un inmueble para su identificación sin que ello impida que en el futuro su titular pueda ejercitar las acciones —imprescriptibles, según el artículo 1965 del Código civil— de deslinde con una o varias fincas colindantes, ya que se trata de supuestos de hecho diferentes.

15.1.3.2.2. *Identificación como acto de riguroso dominio*

Pero al final es el titular el que ha de identificar el inmueble, ya que la identificación requiere su consentimiento auténtico e informado a su descripción en el instrumento público. En este sentido, la identificación física de una finca se puede considerar como un acto de riguroso dominio y por consiguiente requerirá la observancia y cumplimiento de las normas, especialmente de capacidad y legitimación, previstas para esta clase de actos. La incorporación de la información gráfica tiene un cierto grado de irreversibilidad en la medida en que, una vez fijadas la forma y situación de un inmueble, utilizando el sistema de coordenadas UTM, estos datos quedan permanentemente determinados tanto en el Catastro como en el Registro de la Propiedad, atribuyendo a su titular el derecho exclusivo y excluyente de esa parte del territorio, favorecido por la inversión de la carga de la prueba que conlleva la extensión a estos datos del principio de legitimación registral (artículo 10 LH). Esta circunstancia da lugar a que el procedimiento de incorporación de la información gráfica produzca unos efectos de notable transcendencia jurídica, que justifican su naturaleza de acto de riguroso dominio.

15.1.3.2.3. *Identificación y superficie*

Asimismo, hay que hacer una precisión acerca de la superficie de un inmueble como elemento identificador del mismo. La superficie o cabida de un inmueble es una circunstancia que depende de la forma del propio inmueble, pero la superficie por sí sola no permite delimitar el perímetro o la forma de un inmueble.

Se puede afirmar que una superficie determinada puede revestir un número infinito de formas, pero no se puede afirmar lo contrario puesto que cada forma o perímetro tendrá siempre una superficie determinada por dicha forma o perímetro

Sin embargo, el dato de la superficie será el que habrá que utilizar con más frecuencia para determinar el nivel de correspondencia entre el inmueble como objeto físico y la correspondiente finca registral habida cuenta que en muchos casos este dato va a constituir la única característica física comparable entre ambos, y por ende el único punto de conexión.

En este sentido la Ley 13/2015 LRHC de hecho va a utilizar el dato de la superficie como el eslabón que permite asociar la representación gráfica de un inmueble a su título (o títulos) de adquisición. El dato de la superficie, aunque no permita determinar la forma de un inmueble, constituye un indicador que hace posible calibrar la coherencia entre la realidad física y la realidad jurídica que componen los bienes inmuebles.

15.1.3.2.4. *La calificación registral de la identidad del inmueble*

El artículo 199,3 LH prescribe que la certificación gráfica aportada, junto con el acto o negocio cuya inscripción se solicite, o como operación específica, será objeto de calificación registral conforme a lo dispuesto en el artículo 9.

Sobre esta cuestión, la DGRN se ha pronunciado, en varias Resoluciones, que establecen las líneas generales sobre la calificación registral de la identidad del inmueble.

1. La RDGRN de 10 de octubre de 2016 señala que es doctrina de este Centro Directivo que cuando la calificación del registrador sea desfavorable es exigible, según los principios básicos de todo procedimiento y conforme a la normativa vigente, que al consignarse los defectos que, a su juicio, se oponen a la inscripción pretendida, aquélla exprese también **una motivación suficiente** de los mismos, con el desarrollo necesario para que el interesado pueda conocer con claridad los defectos aducidos y con suficiencia los fundamentos jurídicos en los que se basa dicha calificación (cfr. artículo 19 bis de la Ley Hipotecaria y Resoluciones de 2 de octubre de 1998, 22 de marzo de 2001, 14 de abril de 2010, 26 de enero de 2011, 20 de julio de 2012, entre otras muchas). Es indudable que, de este modo, serán efectivas las garantías del interesado recurrente, quien al conocer en el momento inicial los argumentos en que el registrador funda jurídicamente su negativa a la inscripción solicitada podrá alegar los fundamentos de Derecho en los que apoye su tesis impugnatoria, a la vista ya de los hechos y razonamientos aducidos por el registrador que pudieran ser relevantes para la Resolución del recurso.

   También ha mantenido esta Dirección General (vid. la RDGRN de 25 de octubre de 2007, cuya doctrina confirman las más recientes de 28 de febrero y de 20 de julio de 2012) que **no basta con la mera cita rutinaria de un precepto legal** (o de Resoluciones de la DGRN), sino que es preciso justificar la razón por la que el precepto de que se trate es de aplicación y la interpretación que del mismo ha de efectuarse (y lo mismo debe entenderse respecto de las citadas Resoluciones), ya que sólo de ese modo se podrá combatir la calificación dictada para el supuesto de que no se considere adecuada la misma.

   No obstante, conviene tener en cuenta que es igualmente doctrina la DGRN (Resoluciones de 21, 22 y 23 de febrero, 12, 14, 15, 16 y 28 de marzo, 1 de abril y 13 de octubre de 2005, 8 de mayo y 3 de diciembre de 2010 y 28 de febrero, 22 de mayo y 20 de julio de 2012) que la argumentación será suficiente para la tramitación del expediente si expresa suficientemente la razón que justifica dicha negativa de modo que el interesado haya podido alegar cuanto le ha convenido para su defensa, como lo acredita en este caso el mismo contenido del escrito de interposición.

2. La RDGRN de 3 de octubre de 2016 establece siempre que se formule un juicio de identidad de la finca por parte del registrador, no puede ser arbitrario ni discrecional, sino que ha de estar motivado y fundado en criterios objetivos y razonados (Resoluciones 8 de octubre de 2005, 2 de febrero de 2010, 13 de julio de 2011, 2 de diciembre de 2013, 3 de julio de 2014, 19 de febrero de 2015 y 21 de abril de 2016, entre otras). Así la DGRN ha insistido en que no es posible una denegación de la inscripción del exceso de cabida de manera abstracta o genérica, sino que la misma debe basarse en circunstancias, fácticas o jurídicas, que evidencien que verdaderamente no se interesa rectificar un dato erróneo existente en los libros del Registro, sino que se pretenden operaciones tales como la obtención de una inmatriculación —y posterior incorporación— de fincas colindantes, o la realización de operaciones de agrupación o agregación (o de segregación o división en casos de defectos de cabida) sin llevar a cabo la instrumentalización notarial correspondiente, amén de evitar el debido pago de impuestos. En fin, una serie de operaciones, que debiendo ser formalizadas de manera independiente, se pretenden enmascarar bajo la figura de la rectificación de cabida o linderos de la finca.

3. La RDGRN de 4 de abril de 2017 abunda en esta cuestión señalando que la concreta cuestión planteada en este expediente ya fue resuelta en la Resolución de 22 de abril de 2016 (reiterada en las de 8 de junio y 3 de octubre de 2016) en la que se afirmó que a efectos de los procedimientos previstos en los artículos 199 y 201.1 de la Ley Hipotecaria, no puede rechazarse la utilización de una representación gráfica catastral por el motivo de exceder un 10% de la cabida inscrita. Como señala el artículo 199 LH, la certificación gráfica aportada, junto con el acto o negocio cuya inscripción se solicite, o como operación específica, debe ser objeto de calificación registral conforme a lo dispuesto en el artículo 9, lo que supone acudir a la correspondiente aplicación informática auxiliar prevista en dicho precepto, o las ya existentes anteriormente (cfr. punto cuarto de la Resolución-Circular DGRN de 3 de noviembre de 2015). Las dudas que en tales casos puede albergar el registrador han de referirse a que la representación gráfica de la finca coincida en todo o parte con otra base gráfica inscrita o con el dominio público, a la posible invasión de fincas colindantes inmatriculadas o a que se encubriese un negocio traslativo u operaciones de modificación de entidad hipotecaria, sin que exista limitación de utilización de estos procedimientos por razón de la diferencia respecto a la cabida inscrita tal y como ha quedado expuesto.

15.1.3.3. Los supuestos obligatorios y los supuestos potestativos de incorporación de la información gráfica

15.1.3.3.1. *Supuestos obligatorios de incorporación de la información gráfica*

Hay que tener en cuenta además que la coordinación de la información gráfica no es una cuestión que se limite a un único momento temporal determinado, ya que no sólo se trata de adecuar la información registral a la realidad sino de mantenerla permanentemente actualizada. Fue precisamente la falta de previsión de esta circunstancia la que abocó al fracaso el intento de coordinación iniciado en la reforma hipotecaria de 1997-98 que, si bien apoyaba la inmatriculación en la cartografía catastral, esta información quedaba inmediatamente *congelada* no obstante los cambios que la finca registral pudiera experimentar con posterioridad.

Para evitar que esta disfunción se vuelva a reproducir, el sistema de coordinación de la Ley 13/2015 LRHC establece unos puntos de peaje donde es necesario aportar con carácter obligatorio la representación gráfica catastral, coincidente con la realidad. Estos casos son la inmatriculación de una finca y las modificaciones subsiguientes de una finca registral que produzcan la apertura de un nuevo folio real.

En este sentido el artículo 9 LH establece que *siempre que se inmatricule una finca, o se realicen operaciones de parcelación, reparcelación, concentración parcelaria, segregación, división, agrupación o agregación, expropiación forzosa o deslinde que determinen una reordenación de los terrenos, la representación gráfica georreferenciada de la finca que complete su descripción literaria, expresándose, si constaren debidamente acreditadas, las coordenadas georreferenciadas de sus vértices*

La solución que sigue la Ley 13/2015 LRHC intenta evitar, como hemos visto, la situación que se producía hasta ahora debido a que, aunque la inmatriculación había de apoyarse en la certificación catastral descriptiva y gráfica, las posteriores modificaciones de la finca registral, que no requerían coincidencia con el Catastro, volvían a desconectar el contenido del Registro de la Propiedad de la realidad física representada en la base gráfica catastral. Con el sistema adoptado por la Ley 13/2015 LRHC, cuando se produzca algún supuesto de creación de finca registral que no suponga inmatriculación, será necesario en muchas ocasiones, por razones de mera coherencia lógica de la información, la previa identificación física y la georreferenciación de la finca de origen y no sólo las resultantes de la modificación hipotecaria.

Dentro de los supuestos obligatorios establecidos por el artículo 9 LH para la incorporación de la información gráfica al folio real de la finca registral, hay que hacer una distinción entre los supuestos de inmatriculación de fincas (artículos 201 y 205 LH) y los demás supuestos, consistentes en la modificación de fincas registrales ya inscritas.

15.1.3.3.1.1. Inmatriculación de fincas

En este caso, la representación gráfica de la finca registral y por tanto su descripción en el título inmatriculador habrá de ser totalmente coincidente —en los términos de coincidencia establecidos por la DGRN ya expuestos— con la resultante de la certificación catastral descriptiva y gráfica, sin que quepa la posibilidad de utilizar el sistema de representación gráfica alternativa.

Así lo confirma el artículo 203 LH en el apartado a) de su regla Segunda que establece la necesidad de aportar la certificación catastral descriptiva y gráfica de la parcela o parcelas catastrales que se correspondan con la descripción literaria y la delimitación gráfica de la finca cuya inmatriculación se solicita.

En el mismo sentido se pronuncia el artículo 205 LH —el otro sistema inmatriculador de naturaleza notarial previsto por la Ley 13/2015 LRHC— que prescribe la necesidad de correspondencia entre la descripción de la finca contenida en el título inmatriculador y la certificación catastral descriptiva y gráfica que necesariamente debe ser aportada al efecto.

Es decir, en ambos casos y con carácter previo, la descripción de la finca ha de corresponderse con la representación gráfica de la misma contenida en la certificación catastral descriptiva y gráfica. En caso de que la descripción catastral del inmueble no coincida con la descripción de la finca contenida en el título que se pretende inmatricular, será necesaria su modificación previa utilizando el procedimiento notarial de subsanación de discrepancias regulado por el artículo 18,2 LCI.

15.1.3.3.1.1.1. El procedimiento notarial de subsanación de discrepancias

La finalidad de la reforma operada por la Ley 13/2015 LRHC tiene por objeto incorporar la información gráfica al Registro de la Propiedad basada en la cartografía catastral. Algunos supuestos, como la inmatriculación de fincas (artículos 203 LH —expediente de dominio— y 205 LH —inmatriculación por doble título—) exigen como punto de partida la aportación de la correspondiente certificación catastral descriptiva y gráfica en términos totalmente coincidentes con la finca que se pretende inmatricular.

Para coordinar esta necesidad inicial con la de que la descripción gráfica catastral coincida con la realidad, como premisa ineludible para la coordinación del Registro de la Propiedad en muchas ocasiones será necesario acudir, como paso previo en este sentido, a la utilización del procedimiento notarial de subsanación de discrepancias, para que exista consistencia entre la representación gráfica catastral del inmueble y la realidad inmobiliaria cuando se inicie el proceso de coordinación con el Registro de la Propiedad. Es decir, que la descripción del inmueble en el título coincida con la que figura en la certificación catastral.

Hay que alejar de aquí el lugar común de que el procedimiento notarial de subsanación de discrepancias es un mero trámite previo, de carácter administrativo, dirigido a rectificar el Catastro. El procedimiento notarial de subsanación de discrepancias es un verdadero procedimiento de naturaleza jurídica dirigido a identificar físicamente el inmueble objeto de una transacción inmobiliaria. Su ubicación en el Texto Refundido de la Ley del Catastro Inmobiliario, incluido por la reforma operada por la Ley 40/2010, y no en la Ley Hipotecaria no desdice su naturaleza jurídica, sino que pone de manifiesto la perentoria necesidad de dotar a nuestro sistema inmobiliario de la certidumbre que proporciona la identificación física de los bienes inmuebles a través de una cartografía oficial. No hay que olvidar que el procedimiento notarial de subsanación de discrepancias no busca únicamente la actualización de la información catastral sino la actualización de dicha información utilizando como vehículo el instrumento público notarial y, a través de él, el consentimiento auténtico e informado de los otorgantes y afectados.

Este procedimiento, viene regulado por el artículo 18,2 del Texto Refundido de la Ley del Catastro Inmobiliario (LCI) que ha sido modificado por la Ley 13/2015 LRHC aumentando su eficacia y utilidad práctica. En su redacción anterior el citado artículo 18,2, para llevar a cabo cualquier rectificación de la base gráfica catastral, requería el consentimiento expreso de los colindantes catastrales, que en su condición de colindantes pudieran resultar afectados por la rectificación, circunstancia que restringía su viabilidad práctica cuando los colindantes no prestaban dicho consentimiento expreso porque su identidad era desconocida, su domicilio no era el que figuraba en el Catastro o, sencillamente, porque no querían contestar.

El artículo 18, 2 LCI estructura el procedimiento notarial de subsanación de discrepancias con arreglo a los siguientes trámites:

2. Con ocasión de la autorización de un hecho, acto o negocio en un documento público podrán subsanarse las discrepancias relativas a la configuración o superficie de la parcela, de conformidad con el siguiente procedimiento:

a) El notario ante el que se formalicen los correspondientes hechos, actos o negocios jurídicos solicitará de los otorgantes que le manifiesten si la descripción que contiene la certificación catastral a que se refiere el artículo 3.2 se corresponde con la realidad física del inmueble en el momento del otorgamiento del documento público.

b) Si los otorgantes le manifestaran la identidad entre la realidad física y la certificación catastral, el notario describirá el inmueble en el documento público de acuerdo con dicha certificación y hará constar en el mismo la manifestación de conformidad de los otorgantes.

Cuando exista un título previo que deba ser rectificado, los nuevos datos se consignarán con los que ya aparecieran en aquél. En los documentos posteriores sólo será preciso consignar la descripción actualizada.

c) Si los otorgantes le manifestaran la existencia de una discrepancia entre la realidad física y la certificación catastral, el notario solicitará su acreditación por cualquier medio de prueba admitido en derecho. Cuando el notario entienda suficientemente acreditada la existencia de la discrepancia lo notificará a los titulares que resulten de lo dispuesto en el apartado 4 del artículo 9 que, en su condición de colindantes, pudieran resultar afectados por la rectificación, para que en el plazo de veinte días puedan alegar lo que a su derecho convenga. De no manifestarse oposición a la misma, el notario incorporará la nueva descripción del bien inmueble en el mismo documento público o en otro posterior autorizado al efecto, en la forma establecida en la letra b) anterior.

El notario informará a la Dirección General del Catastro sobre la rectificación realizada, por medios telemáticos, en el plazo máximo de cinco días desde la formalización del documento público. Una vez validada técnicamente por la citada Dirección General la rectificación declarada, se incorporará la correspondiente alteración en el Catastro. En los supuestos en que se aporte el plano, representado sobre la cartografía catastral, la alteración se realizará en el plazo de cinco días desde su conocimiento por el Catastro, de modo que el notario pueda incorporar en el documento público la certificación catastral descriptiva y gráfica de los inmuebles afectados que refleje su nueva descripción.

d) En los supuestos en que alguno de los interesados manifieste su oposición para la subsanación de la discrepancia o cuando ésta no resultara debidamente acreditada, el notario dejará constancia de ella en el documento público y, por medios telemáticos, informará de su existencia a la Dirección General del Catastro para que, en su caso, ésta incoe el procedimiento oportuno.

La Ley 13/2015 LRHC ha modificado este sistema cambiando el sentido del silencio al establecer que el Notario, cuando entienda suficientemente acreditada la existencia de la discrepancia lo notificará a los titulares catastrales colindantes que pudiesen resultar afectados por la rectificación para que en el plazo de veinte días puedan alegar lo que a su derecho convenga. En caso de no manifestar oposición a la notificación el Notario incorporará la nueva descripción del bien inmueble al documento público.

Sin embargo, donde se puede apreciar la necesidad, y la utilidad, de coordinar e integrar desde el inicio la tramitación del procedimiento notarial de subsanación de discrepancias y los procedimientos registrales de incorporación o actualización de la información gráfica es en materia de notificaciones y especialmente en las notificaciones a los colindantes, mecanismo del que está intensamente trufado el procedimiento de coordinación que regula la Ley 13/2015 LRHC. Y en el proceso de notificaciones y publicidad, es donde el procedimiento notarial de subsanación de discrepancias puede desempeñar un papel destacado.

15.1.3.3.1.2. Modificación de fincas registrales inscritas

El otro supuesto de incorporación de la información gráfica al folio real de una finca registral es el de modificación de fincas registrales ya inscritas en el Registro de la Propiedad. Así lo recoge el artículo 9 b) LH al catalogar dentro de este supuesto *las operaciones de parcelación, reparcelación, concentración parcelaria, segregación, división, agrupación o agregación, expropiación forzosa o deslinde.*

En estos supuestos, a diferencia del caso de la inmatriculación, cabe tanto la posibilidad de utilizar la certificación catastral descriptiva y gráfica cuando ésta coincida con la descripción de la finca contenida en el título como el sistema, cuando la descripción no sea coincidente, de representación gráfica alternativa.

En los casos de modificación de fincas registrales por segregación, agrupación, agregación o división, la DGRN ha interpretado el artículo 9 LH con arreglo a las siguientes pautas.

La RDGRN de 21 de marzo de 2018 señala que el artículo 9 LH en su redacción otorgada por la Ley 13/2015 LRHC, cuando configura la incorporación de la representación gráfica georreferenciada de las fincas con carácter preceptivo, tal precepto debe ser interpretado en el sentido de incluir en su ámbito de aplicación cualquier supuesto de modificación de entidad hipotecaria que conlleve el nacimiento de una nueva finca registral, afectando tanto a la finca de resultado como al posible resto resultante de tal modificación. Interpretarlo en sentido contrario conllevaría un régimen jurídico distinto en cuanto a la identificación gráfica de las mismas para la segregación frente a la división, siendo ambas operaciones registrales con idénticos requisitos tanto civiles como administrativos.

La primera cuestión que cabe plantear es la relativa al **ámbito temporal de aplicación** de la nueva norma.

Es doctrina reiterada de la DGRN que la agrupación, agregación, división o segregación (vid. Resoluciones de 23 de julio de 2012 y 2 de abril de 2014), son actos jurídicos de carácter estrictamente registral y, por tanto, y precisamente por tal carácter, su inscripción queda sujeta a los requisitos y autorizaciones vigentes en el momento de presentar la escritura en el Registro, aunque el otorgamiento de aquella se haya producido bajo un régimen normativo anterior. Además, los documentos públicos que, conteniendo actos de agrupación, agregación, división o segregación, se hubieran otorgado antes de la entrada en vigor de la 13/2015, no pueden acogerse, pues no están contempladas en ella, a la excepción prevista en la disposición transitoria única de la Ley 13/2015, la cual se refiere únicamente a que los procedimientos regulados en el Título VI de la Ley Hipotecaria y entre los que no cabe entenderse incluido el mero otorgamiento de documentos público de agrupación, agregación, división o segregación de terrenos que se encuentren iniciados a la fecha de entrada en vigor de la presente Ley, que continuarán tramitándose hasta su resolución definitiva conforme a la normativa anterior.

Por tanto, todo documento, cualquiera que sea la fecha de su otorgamiento, en el que se formalice una división o agrupación de finca, incluyendo las subespecies registrales de la segregación y la agregación, y que se presente a inscripción a partir del 1 de noviembre de 2015, habrá de cumplir con la exigencia legal de aportación preceptiva, para su calificación e inscripción, de la representación georreferenciada con coordenadas de los vértices de las fincas a las que afecte.

15.1.3.3.1.2.1. Segregaciones y divisiones

En el caso de las segregaciones y divisiones, podrá únicamente aportarse, para su constancia en el folio real, la representación gráfica correspondiente a la porción que es objeto de inscripción en cada momento (ya sea la segregada o el resto, según los casos), sin que pueda exigirse representación gráfica de otras porciones que no son objeto del título en cuestión ni causan asiento de inscripción (artículo 9 LH). Y ello por aplicación de la previsión del propio artículo 47 LH y del artículo 50 RH cuando señalan que se hará constar la descripción de la porción restante (entendiendo incluida en ésta la representación gráfica de la finca) cuando esto *fuere posible*. Esta imposibilidad deberá valorarse en cada caso de modo objetivo, y, así, también podría entenderse que concurre cuando la constancia registral de la representación gráfica de una porción restante no pueda efectuarse por haberse calificado negativamente, siempre que ello no afecte a la calificación positiva e inscripción de la representación de la porción segregada.

Además, no constituye defecto el que la finca matriz no tenga la misma superficie en el Registro, pues el único obstáculo que, respecto de la superficie, puede existir en una segregación, sería que no existiera en el Registro superficie suficiente para segregar o que no estuviera identificada dicha matriz, lo que no sucede en este caso.

Por estas razones, cuando se aporte la certificación catastral descriptiva y gráfica en la que consta la representación gráfica catastral de la finca segregada, es posible inscribir la segregación, junto con la preceptiva representación gráfica de la porción segregada, ya que, es posible inscribir parcialmente el documento solamente en cuanto a tal porción de la que se aporta una representación gráfica incorporable al folio registral.

Y ello sin perjuicio de que la representación gráfica del resto de la finca sea exigible cuando se pretenda practicar en el futuro alguna inscripción sobre el mismo (RDGRN de 13 de marzo de 2018).

15.1.3.3.1.2.2. **Agrupaciones y agregaciones**

Cabe la agrupación cuando se aporta una representación gráfica catastral coincidente con la descripción de las fincas que resulta del Registro (RDGRN de 8 de enero de 2018).

No es preciso aportar una representación gráfica georreferenciada específica y alternativa a la catastral cuando la finca resultante de la agrupación coincide con dos parcelas catastrales perfectamente identificadas y cuyo perímetro georreferenciado coincide con exactitud respecto de la finca agrupada y procede incorporar la representación catastral de ambas parcelas catastrales en el folio real, haciéndolo constar así en el mismo. (RDGRN de 7 de septiembre de 2017)

Sería inscribible, si resultare del título, que la agregación es la porción restante tras una segregación ya efectuada con tal finalidad de cesión para viales, aunque estuviera pendiente de formalizar. Debe recordarse que en tal caso podría acceder al Registro la operación afectante solamente la porción restante que resultase tras la modificación hipotecaria que se hubiera efectuado. Como han señalado las RDGRN de 7 de julio y 2 y 21 de septiembre de 2016, debe tenerse en cuenta el supuesto especial que para la constancia registral de la representación gráfica suponen los casos previstos en el artículo 47 RH, en el que se permite que accedan en diferente momento temporal segregaciones de múltiples porciones, que se han podido formalizar en diversos títulos, así como cuando se pretenda la inscripción de negocios realizados sobre el resto de una finca, existiendo pendiente de acceder al Registro otras operaciones de segregación. (RDGRN de 14 de noviembre de 2016).

15.1.3.3.1.2.3. Operaciones sucesivas de modificación de finca registral

También cabe la posibilidad de prescindir de la representación gráfica para la inscripción de una modificación hipotecaria en los casos en que la finca resultante de la misma carezca de existencia actual por haberse producido otra modificación posterior en la que se aporte la representación gráfica que en definitiva tiene la finca y ambas operaciones accedan simultáneamente al Registro. Así lo impone la interpretación conjunta de los artículos 9 b), 198 y 199 de la Ley Hipotecaria y la concordancia entre el Registro de la Propiedad y la realidad física y jurídica extrarregistral. (RDGRN de 8 de junio de 2016).

15.1.3.3.2. *Supuestos potestativos de incorporación de la información gráfica*

El apartado 2 del artículo 9 LH que señala que la representación gráfica podrá incorporarse al folio real, con carácter potestativo, al tiempo de formalizarse cualquier acto inscribible, o como operación registral específica. En ambos casos se aplicarán los requisitos establecidos en el artículo 199 LH.

15.1.3.3.3. El procedimiento del artículo 199 LH

Aunque el procedimiento regulado por el artículo 199 LH está concebido como una serie de actuaciones sucesivas desarrolladas en sede registral, esto no quiere decir que pueda ser iniciado de oficio por el registrador, dado el carácter rogado de la inscripción en nuestro sistema jurídico que no parece haber sido variado por la Ley 13/2015 LRHC.

15.1.3.3.3.1. Iniciación del procedimiento

En relación con el inicio de este procedimiento, la Resolución-Circular de este Centro Directivo de 3 de noviembre de 2015 sobre interpretación y aplicación de algunos extremos regulados en la reforma de la Ley Hipotecaria operada por la Ley 13/2015 en su apartado segundo letra a señala que para que el registrador inicie el procedimiento del artículo 199 deberá constar la petición en tal sentido del presentante o interesado. Se entenderá solicitado el inicio del procedimiento cuando en el título presentado se rectifique la descripción literaria de la finca para adaptarla a la resultante de la representación geográfica georreferenciada que se incorpore (RDGRN de 3 de octubre de 2016).

El procedimiento del nuevo artículo 199 LH se estructura sobre dos pilares para su aplicación: de un lado, la determinación de la correspondencia entre la representación gráfica aportada y la descripción literal de la finca registral, esto es, la identificación gráfica de la finca registral, y, del otro, las notificaciones a los titulares de las fincas registrales colindantes afectadas.

15.1.3.3.3.2. Determinación de la correspondencia de la representación gráfica con la finca registral

Con la finalidad de facilitar el proceso, el artículo 9 LH establece una presunción de correspondencia *cuando la representación gráfica aportada, siempre sobre la cartografía catastral, y la descripción literaria de la finca se refieran básicamente a la misma porción del territorio y las diferencias de cabida, si las hubiera, no excedan del diez por ciento de la cabida inscrita y no impidan la perfecta identificación de la finca inscrita ni su correcta diferenciación respecto de los colindantes.* Hay que tener presente que la presunción establecida por el artículo 9 LH tiene por objeto la identificación gráfica de la finca registral y no su descripción, que son conceptos diferentes, y que en todo caso la descripción registral debe ajustarse a la descripción gráfica catastral. De ahí que en el caso de que existiere correspondencia, con variación de la superficie dentro de los límites establecidos, la cabida de la finca registral será la resultante de dicha representación, rectificándose, si fuera preciso, la que previamente constare en la descripción literaria.

El artículo 199 LH parte de la base de que la descripción gráfica catastral, acreditada mediante la correspondiente certificación catastral descriptiva y gráfica, o, en su caso, con la representación gráfica alternativa, parece que se limita a *completar* la descripción literaria de la finca registral, cuando parece que la situación, si acaso, sea la inversa. No se trata de completar una descripción literaria sino de integrar una descripción registral con información gráfica georreferenciada.

Por estas razones hay que insistir en que la incorporación de la información gráfica al contenido de los asientos registrales no supone la mera ilustración gráfica de una descripción literaria, sino que se trata de un acto de riguroso dominio y de significativa trascendencia, tanto para el titular actual del inmueble y de los derechos constituidos sobre el mismo como para los sucesivos y futuros adquirentes, en otras palabras, para el tráfico jurídico inmobiliario. De otro modo llegaríamos a la paradójica conclusión de que es más sencillo inmatricular que actualizar gráficamente una finca registral ya que en el primer caso no se encontraría con el posible y probable obstáculo de una previa descripción literaria.

De ahí la importancia de la intervención de los técnicos, como profesionales independientes, en el proceso de coordinación de la información territorial. En caso de duda, los datos gráficos no pueden llegar sólo basados en las manifestaciones de las partes, por mucho que consten en un documento público, ni su ubicación geográfica puede ser establecida unilateralmente por los propios registradores, sino que requiere de su contraste con la realidad efectuado por técnicos sobre el terreno y bajo su responsabilidad profesional, observando al mismo tiempo las garantías —el principio del consentimiento— establecidas por el ordenamiento jurídico.

15.1.3.3.3.3. La notificación a los titulares colindantes

La segunda fase del procedimiento que regula el artículo 199 LH para la incorporación de la información gráfica registral al Registro de la Propiedad pasa por su notificación a los titulares de las fincas registrales colindantes.

Este requisito ha de valorarse en su justa medida y sobre la base, a su vez, del cumplimiento de otras dos condiciones. Por un lado, que las fincas colindantes estén tanto identificadas gráficamente como georreferenciadas y, del otro, que la incorporación afecte a alguna de dichas fincas colindantes.

El primer requisito es la necesaria identificación de las fincas registrales colindantes. Si éstas ya están coordinadas gráficamente no habrá problema para la identificación de los titulares de las fincas registrales colindantes y las notificaciones personales parece que habrán de efectuarse en el domicilio que conste en el Registro de la Propiedad.

En el caso de que las fincas registrales supuestamente colindantes no se hallasen coordinadas, la materia se torna más complicada puesto que la colindancia es una relación de naturaleza topológica que depende de la situación relativa de adyacencia de dos o más parcelas que, por definición, han de estar georreferenciadas.

Además, a mayor abundamiento, si las fincas colindantes no están coordinadas, la información sobre su situación geográfica, que permite establecer la relación de colindancia, no queda cubierta por los efectos que la legitimación registral (artículo 10,5 LH) atribuye a las fincas registrales coordinadas. Y desconociendo la identidad de las fincas registrales colindantes difícil será notificar algo a sus titulares.

El segundo requisito, establecido por el artículo 199,1 LH para las notificaciones en el procedimiento de incorporación, requiere que la descripción afecte a las fincas registrales colindantes. Como la finalidad del procedimiento del artículo 199 LH es el de la incorporación a una finca registral de su perímetro georreferenciado, como dice el propio artículo 199 LH, se entenderá que la nueva finca afecta a las colindantes si, las invade o su perímetro se superpone al de alguna colindante o se invade el dominio público. Su valoración dependerá también de si las fincas registrales colindantes están coordinadas gráficamente y de que la nueva información las afecte materialmente, superponiéndose total o parcialmente a las mismas.

Aunque el artículo 199 LH parece prever esta situación cuando establece que el Registrador denegará la inscripción de la identificación gráfica de la finca, si la misma coincidiera en todo o parte con otra base gráfica inscrita, no deja de llamar la atención la asimetría de este procedimiento en relación con los procedimientos de deslinde de fincas inscritas (artículo 200 LH) o de rectificación del asiento (artículo 201 LH) introducidos también por la Ley 13/2015 LRHC.

15.1.3.3.3.4. Procedimiento de notificación

La Resolución-Circular de la DGRN de 3 de noviembre de 2015 establece que las notificaciones se realizarán por lo dispuesto en el artículo 322 LH.

A su vez el artículo 322 LH señala que las notificaciones se efectuarán de conformidad con lo previsto en los artículos 58 y 59 de la Ley 30/1992, de 26 de noviembre, de Régimen Jurídico de las Administraciones Públicas y del Procedimiento Administrativo Común (hoy, artículos 41 a 44 de la Ley 39/2015, de 1 de octubre, del Procedimiento Administrativo Común de las Administraciones Públicas)

Cuando la notificación se practique en el domicilio del interesado, de no hallarse presente éste en el momento de entregarse la notificación, podrá hacerse cargo de la misma cualquier persona mayor de catorce años que se encuentre en el domicilio y haga constar su identidad. Si nadie se hiciera cargo de la notificación, se hará constar esta circunstancia en el expediente, junto con el día y la hora en que se intentó la notificación, intento que se repetirá por una sola vez y en una hora distinta dentro de los tres días siguientes. En caso de que el primer intento de notificación se haya realizado antes de las quince horas, el segundo intento deberá realizarse después de las quince horas y viceversa, dejando en todo caso al menos un margen de diferencia de tres horas entre ambos intentos de notificación. Si el segundo intento también resultara infructuoso, se procederá en la forma prevista en el artículo 44. (artículo 42 LPA)

Cuando los interesados en un procedimiento sean desconocidos, se ignore el lugar de la notificación o bien, intentada ésta, no se hubiese podido practicar, la notificación se hará por medio de un anuncio publicado en el «Boletín Oficial del Estado». (artículo 44 LPA)

Asimismo, previamente y con carácter facultativo, las Administraciones podrán publicar un anuncio en el boletín oficial de la Comunidad Autónoma o de la Provincia, en el tablón de edictos del Ayuntamiento del último domicilio del interesado o del Consulado o Sección Consular de la Embajada correspondiente.

En el mismo sentido, el artículo 199,1 LH establece que el Registrador sólo incorporará al folio real la representación gráfica catastral tras ser notificada a los titulares registrales del dominio de la finca si no hubieran iniciado éstos el procedimiento, así como a los de las fincas registrales colindantes afectadas. La notificación se hará de forma personal. En el caso de que alguno de los interesados fuera desconocido, se ignore el lugar de la notificación o, tras dos intentos, no fuera efectiva la notificación, se hará mediante edicto insertado en el «Boletín Oficial del Estado», sin perjuicio de utilizar, en todo caso, el sistema de alertas previsto en la regla séptima del artículo 203

15.1.3.3.3.5. Alegaciones y finalización del procedimiento

Los convocados o notificados podrán comparecer en el plazo de los veinte días siguientes ante el Registrador para alegar lo que a su derecho convenga.

Cuando las fincas colindantes estén divididas en régimen de propiedad horizontal, la notificación se realizará al representante de la comunidad de propietarios. No será precisa la notificación a los titulares registrales de las fincas colindantes cuando se trate de pisos, locales u otros elementos situados en fincas divididas en régimen de propiedad horizontal.

En caso de calificación positiva, la certificación catastral descriptiva y gráfica se incorporará al folio real y se hará constar expresamente que la finca ha quedado coordinada gráficamente con el Catastro, circunstancia que se notificará telemáticamente al mismo y se reflejará en la publicidad formal que de la misma se expida.

El Registrador denegará la inscripción de la identificación gráfica de la finca, si la misma coincidiera en todo o parte con otra base gráfica inscrita o con el dominio público, circunstancia que será comunicada a la Administración titular del inmueble afectado. En los demás casos, y la vista de las alegaciones efectuadas, el Registrador decidirá motivadamente según su prudente criterio, sin que la mera oposición de quien no haya acreditado ser titular registral de la finca o de cualquiera de las registrales colindantes determine necesariamente la denegación de la inscripción. La calificación negativa podrá ser recurrida conforme a las normas generales.

Si la incorporación de la certificación catastral descriptiva y gráfica fuera denegada por la posible invasión de fincas colindantes inmatriculadas, el promotor podrá instar el deslinde conforme al artículo siguiente, salvo que los colindantes registrales afectados hayan prestado su consentimiento a la rectificación solicitada, bien en documento público, bien por comparecencia en el propio expediente y ratificación ante el Registrador, que dejará constancia documental de tal circunstancia, siempre que con ello no se encubran actos o negocios jurídicos no formalizados e inscritos debidamente.

15.1.3.3.4. *El procedimiento del artículo 201 LH*

Junto al procedimiento regulado por el artículo 199 LH, el otorgamiento cauce legal establecido por la Ley 13/2015 LRHC para la incorporación de la información gráfica, mediante la cartografía catastral, tiene su residencia legal en al artículo 201 LH.

La Ley 13/2015 LRHC configura este procedimiento como una variante del *ius commune* en esta materia, constituido por el expediente de dominio regulado por el artículo 203 LH, del que se trata en otra parte de esta obra, y al que, para la tramitación del procedimiento, se remite expresamente el artículo 201,1 LH. Aunque con la nueva regulación introducida por la Ley 13/2015 LRHC habría de entenderse superado el problema registral de los llamados excesos de cabida, una puerta falsa del Registro de la Propiedad ocasionada por su debilidad geográfica, esta recurrente cuestión sigue latiendo detrás de la nueva redacción del 201 LH que advierte contra la utilización del procedimiento para dar acceso al Registro *a la celebración de negocios traslativos o en general a cualquier modificación, no registrada, de la situación jurídica de la finca inscrita.* En este sentido el artículo 201 LH prescribe que *si el Registrador, a la vista de las circunstancias concurrentes en el expediente y del contenido del historial de las fincas en el Registro, albergare dudas fundadas sobre la posibilidad de que el expediente de rectificación de descripción registral encubriese un negocio traslativo u operaciones de modificación de entidad hipotecaria, procederá a suspender la inscripción solicitada motivando las razones en que funde tales dudas.*

Lo cierto es, sin embargo, que la finalidad genérica del artículo 201 LH es la de, aprovechando la incorporación de la información gráfica —siempre basada en la cartografía catastral— lograr la actualización de la descripción literaria de las fincas registrales en lo relativo a su descripción, superficie y linderos, esto es, su concordancia con la realidad física extrarregistral (la porción de territorio ocupada por cada finca registral).

Por esta causa quedan excluidos del ámbito de aplicación del procedimiento regulado por el artículo 201 LH tanto la rectificación descriptiva de edificaciones, fincas o elementos integrantes de cualquier edificio en régimen de división horizontal o fincas resultantes de expediente administrativo de reorganización de la propiedad, expropiación o deslinde. En tales casos, será necesaria la rectificación del título original o la previa tramitación del procedimiento administrativo correspondiente.

Desde un punto de vista sistemático, dentro del artículo 201 LH pueden distinguirse dos supuestos.

1. El primero de ellos se refiere a aquellos casos en que la actualización de la descripción de la finca registral no implique ninguna variación de superficie o linderos.

En este supuesto, podrá realizarse la rectificación de la descripción de cualquier finca, sin necesidad de tramitación de expediente, cuando se trate de alteración de su calificación o clasificación, destino, características físicas distintas de la superficie o los linderos, o los datos que permitan su adecuada localización o identificación, tales como el nombre por el que fuere conocida la finca o el número o denominación de la calle, lugar o sitio en que se encuentre, siempre que, en todos los casos, la modificación se acredite de modo suficiente, en la forma que se determine reglamentariamente

2. El segundo grupo esta integrado por los supuestos en que la actualización de la información relativa a la descripción de la finca registral conlleva una variación de su superficie o linderos.

En este caso la Ley 13/2015 LRHC estructura un procedimiento de carácter general, basado en el expediente de dominio regulado por el artículo 203 LH, pero aligerado en cuanto a su tramitación y una excepción, cuando las diferencias de superficie no excedan de unas magnitudes determinadas.

El inicio del procedimiento se fundamenta sobre dos reglas básicas:

a) A diferencia del expediente de dominio del artículo 203 LH, que solo puede ser iniciado por el titular dominical, en este caso podrá promoverlo el titular registral de la totalidad o de una cuota indivisa en el dominio, o de cualquier derecho real.

b) También a diferencia del expediente de dominio del artículo 203 LH, para iniciar el procedimiento regulado por el artículo 201 LH podrá utilizarse no sólo la certificación catastral descriptiva y gráfica sino también mediante la utilización de una representación gráfica alternativa, tal como señala su apartado b): además, en caso de que el promotor manifieste que la representación gráfica catastral no coincide con la rectificación solicitada, deberá aportar representación gráfica georreferenciada de la misma. En este caso, el Notario procederá conforme a lo dispuesto en el párrafo segundo de la letra c) del apartado 2 del artículo 18 del texto refundido de la Ley del Catastro Inmobiliario.

El Notario informará a la Dirección General del Catastro sobre la rectificación realizada, por medios telemáticos, en el plazo máximo de cinco días desde la formalización del documento público. Una vez validada técnicamente por la citada Dirección General la rectificación declarada, se incorporará la correspondiente alteración en el Catastro. En los supuestos en que se aporte el plano, representado sobre la cartografía catastral, la alteración se realizará en el plazo de cinco días desde su conocimiento por el Catastro, de modo que el notario pueda incorporar en el documento público la certificación catastral descriptiva y gráfica de los inmuebles afectados que refleje su nueva descripción. (Artículo 18, c) 2 LCI).

El procedimiento se inicia aportando al Notario competente (mismas reglas de competencia que las del artículo 203 LH), la siguiente documentación:

a) descripción registral de la finca y su descripción actualizada, asegurando el promotor del expediente, bajo su responsabilidad, que las diferencias entre ambas obedecen exclusivamente a errores descriptivos del Registro y no a la celebración de negocios traslativos o en general a cualquier modificación, no registrada, de la situación jurídica de la finca inscrita

b) asimismo deberá el interesado expresar los datos de que disponga sobre la identidad y domicilio de los titulares del dominio y demás derechos reales sobre la propia finca y sobre las colindantes tanto registrales como catastrales, aportando, en todo caso, la certificación catastral descriptiva y gráfica de la finca o fincas objeto del expediente

El expediente se tramitará de forma similar el expediente de dominio regulado en el artículo 203 LH, con las siguientes excepciones:

1. No será necesaria la identificación de los derechos constituidos sobre la finca, expresando las cargas a que pueda hallarse afecta o las acciones con transcendencia real ejercitadas en relación con la misma, indicando los nombres de los titulares o actores, sus domicilios y cualesquiera otras circunstancias que ayuden a su correcta identificación, quienes serán requeridos para que, si les conviene, soliciten la inscripción o anotación omitida, presentando a tal fin los títulos necesarios en el Registro

2. En las notificaciones no será necesario hacer constar los términos en que, sin merma de sus derechos, podrán inscribirse o anotarse los documentos públicos de que los mismos resulten ni apercibir sobre los perjuicios que, de la omisión de la inscripción o anotación, puedan derivarse.

3. No será tampoco de aplicación lo dispuesto en el último párrafo de la regla Sexta del artículo 203 LH que establece que la prioridad de las cargas o gravámenes, reconocidos o constituidos por el propietario o por la autoridad judicial o administrativa competente, cuyos títulos hayan sido aportados al expediente o se hayan presentado en el Registro antes de que la inmatriculación se practique y sean calificados favorablemente por el Registrador, se decidirá atendiendo a las normas sobre preferencia establecidas por la legislación civil y en la normativa específica que resultase aplicable en atención a la naturaleza del crédito y de la carga o gravamen y, en su defecto, a la fecha de los mismos títulos. Si fuesen incompatibles y no se manifestare por los interesados la preferencia, se tomará anotación preventiva de cada uno, hasta que por los Tribunales se decida a cuál de ellos ha de darse preferencia.

El artículo 201,3 LH establece dos excepciones en las que no será necesario tramitar el procedimiento, siempre que el Registrador, en resolución motivada, no albergue dudas sobre la realidad de la modificación solicitada, fundadas en la previa comprobación, con exactitud, de la cabida inscrita, en la reiteración de rectificaciones sobre la misma o en el hecho de proceder la finca de actos de modificación de entidades hipotecarias, como la segregación, la división o la agregación, en los que se haya determinado con exactitud su superficie. Estas excepciones son las siguientes:

a) Cuando las diferencias de cabida no excedan del diez por ciento de la inscrita y se acredite mediante certificación catastral descriptiva y gráfica, siempre que de los datos descriptivos respectivos se desprenda la plena coincidencia entre la parcela objeto del certificado y la finca inscrita.

b) En los supuestos de rectificación de la superficie, cuando la diferencia alegada no exceda del cinco por ciento de la cabida que conste inscrita.

15.1.4. *Los efectos de la incorporación*

Alcanzada la coordinación gráfica con el Catastro e inscrita la representación gráfica de la finca en el Registro, se presumirá, con arreglo a lo dispuesto en el artículo 38, que la finca objeto de los derechos inscritos tiene la ubicación y delimitación geográfica expresada en la representación gráfica catastral que ha quedado incorporada al folio real.

Esta presunción igualmente regirá cuando se hubiera incorporado al folio real una representación gráfica alternativa, en los supuestos en que dicha representación haya sido validada previamente por una autoridad pública, y hayan transcurrido seis meses desde la comunicación de la inscripción correspondiente al Catastro, sin que éste haya comunicado al Registro que existan impedimentos a su validación técnica. (artículo 10,5 LH).

15.2. EL SERVICIO DE TRAMITACIÓN INMOBILIARIA (STI)

El Servicio de Tramitación Inmobiliaria (STI) es un sistema que hasta principios de 2018 estaba en funcionamiento solo para los notarios del Colegio Notarial de Valencia, en el que fue implantado en modo piloto en el año 2016, aunque se podía utilizar respecto de fincas de toda España, excepto del País Vasco y Navarra. Actualmente y desde esas fechas, funciona en todos los Colegios Notariales españoles menos en los del País Vasco y Navarra y con la misma excepción en cuanto a fincas en las citadas Comunidades Autónomas.

Su obligatoriedad se deriva de la Ley 13/2015, de reforma de la Ley Hipotecaria y la Ley del Catastro Inmobiliario. En su propia web (www.catastro.meh.es), la Dirección General del Catastro explica de este modo las obligaciones de los notarios en cuanto a la comunicación de las Alteraciones de Titularidad (AT) y Modificaciones Físicas (MF) que se contienen en las escrituras que autorizamos:

«En cumplimiento del artículo 36.3 del texto refundido de la Ley del Catastro Inmobiliario, los notarios y registradores de la propiedad deben remitir telemáticamente a las Gerencias del Catastro la información relativa a los documentos por ellos autorizados o inscritos de los que se deriven alteraciones catastrales de cualquier orden, en los que se hará constar si se ha cumplido o no la obligación de aportar la referencia catastral por los requirentes u otorgantes. El suministro de dicha información se realizará dentro de los veinte primeros días de cada mes, con respecto a los documentos otorgados o inscritos en el mes inmediato anterior. Cuando dicho suministro se refiera a las comunicaciones conforme a lo dispuesto en el artículo 14 del texto refundido de la Ley del Catastro Inmobiliario, la remisión de la información deberá producirse dentro de los cinco días siguientes a la autorización del documento público que origine la alteración.

La forma de dar cumplimiento a dicha obligación viene establecida en las siguientes resoluciones:

– Resolución conjunta de 26 de octubre de 2015, de la Dirección General de los Registros y del Notariado y de la Dirección General del Catastro, por la que se regulan los requisitos técnicos para el intercambio de información entre el Catastro y los Registros de la Propiedad.

– Resolución de 26 de octubre de 2015, de la Dirección General del Catastro, por la que se regulan los requisitos técnicos para dar cumplimiento a las obligaciones de suministro

de información por los notarios establecidas en el texto refundido de la Ley del Catastro Inmobiliario».

El STI es el conducto que nos permite a los notarios efectuar las AT, que son de comunicación obligatoria, las MF que, por el momento, no lo son (aunque se está trabajando en su implantación que se encuentra en modo piloto en notarías de toda España) y las notificaciones a los titulares catastrales afectados, por el momento voluntarias para los notarios, exceptuando a los del País Vasco y Navarra que no están integrados en el STI. El embrionario asunto de las notificaciones, que podrían efectuarse al modo notarial clásico, pero también mediante notificaciones o comparecencias electrónicas, ha sido tratado de manera breve por el notario de Salamanca, Carlos Higuera Serrano, en su trabajo titulado *«Procedimientos de incorporación al Catastro de alteraciones de características de inmuebles»* que ha sido publicado en el blog notaríabierta (www.notariabierta.es):

> *«La notificación que nos puede afectar a los notarios es la resolución adoptada por el Catastro sobre la inscripción catastral de una determinada alteración de titularidad catastral, dictada como consecuencia de un procedimiento de incorporación de titularidad catastral de un bien inmueble, procedimiento iniciado por la comunicación de información remitida por un notario con ocasión del otorgamiento de una escritura pública con el contenido que marca la ley. Es decir, se trata de efectuar la notificación de un acto administrativo —enclavado en un procedimiento administrativo— que aún no es firme en vía administrativa, precisamente porque falta su notificación y transcurso del plazo que, a falta de reclamación o recurso del acto notificado, producirá la firmeza (art. 29 y 30,3 de LPACAP)».*

Una vez que una escritura con trascendencia catastral ha sido otorgada, se produce un flujo de información por el que el expediente generado para esa escritura se exporta (o envía) desde el programa de gestión informática de la notaría correspondiente hasta SIGNO (Sistema Integrado de Gestión Notarial), en el que la mejor opción (entre varias a emplear) consiste en efectuar la llamada validación y cotejo (una suerte de comprobación de posibles errores e incidencias) del Índice Único Informatizado (IUI) que es el vehículo por el que los notarios aportamos a las distintas Administraciones Públicas afectadas los diferentes datos de su interés en cada documento que autorizamos. Una vez validado y cotejado el IUI, ya es posible el uso del STI con mayor seguridad de que no se hayan producido errores, los cuales en esta fase del procedimiento solo podrían ser imputables a la actuación notarial por lo que conviene extremar las precauciones en el uso del sistema.

Con el STI se obtiene una comunicación de Catastro en la que se indica si se ha provocado el cambio de titularidad, es decir, la llamada Comunicación Directa (CD) o no, en cuyo caso hablamos de una Comunicación Indirecta (CI) o de un Suministro de Información (SI). El documento que se obtiene del STI puede ser incorporado a la escritura o no incorporarse, pero el cliente debe llevarse la notificación que Catastro proporciona cuando se hace el trámite *«en su copia»* (formando parte de la copia por haber sido incorporado a la matriz) o *«con su copia»* (simplemente acompañando a la copia, pero sin unirlo a la matriz ni reproducirse, por tanto, como parte de ella).

El SI y la CI no constituyen un fracaso, pues son el primer paso que se da, con la participación del notario, en el proceso de regularización de la propiedad afectada por una simple AT o por una MF.

La CD suple la obligación del cliente de presentar ante la oficina catastral el modelo 901 correspondiente al cambio de titularidad y provoca que la AT se haga al momento, es decir, su consecuencia es que, si a continuación accedemos a la Sede Electrónica del Catastro (SEC) y sacamos una Certificación Catastral Descriptiva, Gráfica y de Linderos, ya la obtendremos a nombre del nuevo titular catastral. Esa certificación, que también se puede obtener a través del STI, puede ser incorporada a la escritura o no incorporarse, pero el cliente también debe llevársela *«en su copia»* (formando parte de la copia por haber sido incorporada a la matriz) o *«con su copia»* (simplemente acompañando a la copia, pero sin unirla a la matriz ni reproducirse, por tanto, como parte de ella).

Por su parte, el SI no suple la obligación del cliente de presentar ante la oficina catastral el modelo 901 correspondiente al cambio de titularidad catastral, es decir, que en caso de SI el cambio de titularidad no se hace al momento y obliga a que el interesado tenga que acudir a Catastro a efectuar la oportuna declaración o a que, utilizando el CSV (Código Seguro de Verificación) proporcionado con el SI y a través de la SEC, efectúe el suministro que Catastro necesita. Catastro remitirá después una carta al interesado informándole de su obligación y de las opciones para el SI.

Por último, en caso de CI, el cambio de titularidad catastral no es inmediato, quedando pendiente de alguna comprobación en sede catastral que dará lugar normalmente a la AT en un corto periodo de tiempo y en base a la información proporcionada por el notario a través del STI.

Toda firma en la notaría de escrituras que afecten al Catastro sigue, aún con el uso de la herramienta STI y no solo en los casos de SI, dando lugar a las correspondientes cartas de notificación. Estas notificaciones se envían tanto cuando el Catastro se modifica instantáneamente como cuando el Catastro no se modifica en el momento y, únicamente, no existirán en el caso de que el notario actúe como Agente Notificador Administrativo de Catastro (ANAC). Cuando el Catastro pone en marcha su procedimiento de notificación, la labor del notario, que no actúe como ANAC, ya habrá terminado.

Queda claro entonces, que una cosa es la notificación del inicio del procedimiento y el cierre del mismo que Catastro notifica al notario con respecto a la CD, la CI o el SI y otra es la comunicación administrativa al titular catastral que suple la comunicación posterior de Catastro si el notario actúa como ANAC. Esta comunicación es la que es, por el momento, voluntaria para el notario.

Visto de otro modo, independientemente de las comunicaciones que se reciben por el notario y que este puede adjuntar a la escritura («*en la*», «*con la*» copia), el Catastro notifica como Administración Pública cualquier modificación sobre la que quepa recurso de reposición. Si el notario decide que quiere actuar ANAC, su notificación tendrá las mismas características que la notificación administrativa de Catastro tiene actualmente respecto a plazos y recursos.

En cuanto a las MF, requieren siempre que se aporte un Informe de Validación Gráfica de resultado positivo, que habrá de incorporarse a la comunicación de la MF a través del STI. Podríamos decir que el puzle de fincas resultantes de una MF, o la única que resulte de ella, debe coincidir exactamente con el puzle de la finca o fincas de origen, pues en caso contrario lo que correspondería (como paso previo a la MF) es recurrir a la subsanación catastral o notarial de la discrepancia, que, de momento, no es posible efectuar a través del STI.

Distinta de esa subsanación es la opción que, en algunos casos, tiene el notario de Comunicar y al tiempo Subsanar las bases catastrales en casos como los de falta de tracto en la titularidad o en otros de menor trascendencia, que han de ser efectivamente subsanados cuando exista una completa seguridad de su certidumbre y esta sea resultante de la propia escritura o de los datos aportados para su elaboración. Comunicar y Subsanar, si el STI te ofrece la opción, es por tanto una función que exige prudencia en su utilización por parte del notario.

Siendo el STI de uso obligatorio para el notario, parece que no habría que solicitar autorización de uso a los otorgantes, aunque si el notario actúa como ANAC sí que parecería necesaria la autorización y que se incluyan a continuación del cuerpo de la escritura las oportunas diligencias plasmando el resultado de nuestras actuaciones. Una forma sencilla de explicar al usuario en su escritura como se va a proceder por el notario, que además resulta económica y muy dinámica para la notaría, representando una opción de entrega del resultado del uso del STI «*con la copia*» (y no «*en la copia*»), podría ser la siguiente:

«*REFERENCIA CATASTRAL: ***, como se acredita con certificación catastral descriptiva y gráfica, que incorporo a esta matriz, obtenida de la Sede Electrónica de Catastro a través de los medios telemáticos legalmente previstos.*

En cuanto a la obligación de declarar la alteración catastral, establecida en el artículo 13 de Ley del Catastro, hago saber a los comparecientes, que habiéndose aportado la Referencia Catastral y siendo uno de los supuestos de comunicación notarial previstos en el artículo 14 de la mencionada Ley, no están obligados a realizar la correspondiente declaración de alteración catastral.

Si el resultado de la comunicación por mí efectuada es positivo en su totalidad, la parte adquirente me autoriza para adjuntarle a la copia autorizada de la presente, nueva certificación descriptiva y gráfica obtenida, a mi elección, a través de Signo o de la Sede Electrónica del Catastro, lo que haré acompañándosela a la copia autorizada de la escritura junto con la comunicación de inicio del procedimiento. Si no fuera total, la acompañaré con las notificaciones recibidas de Catastro.

Para el caso de que la comunicación no consiga automáticamente la alteración catastral, pero haya iniciado la comunicación de datos, se acompañará a dicha copia autorizada la comunicación generada desde la Sede Electrónica de Catastro donde se indicará que es posible que el interesado deba acudir a las oficinas catastrales para verificar el cambio.

Los comparecientes, me requieren a mí, el notario, para que remita a la Dirección General del Catastro, copia simple electrónica de la presente escritura por los medios telemáticos habilitados a tal fin».

¿Será posible en algún momento utilizar el STI para una AT (o MF) que, por cualquier motivo, esté pendiente de constatar en el Catastro? Es decir, ¿podría realizarse la AT o la MF presentando a través del STI una escritura que no se presentó a Catastro por los interesados? ¿Se podría utilizar el STI para rectificar una titularidad catastral errónea? ¿Y para rectificar los datos de la propia finca, es decir, para modificar su superficie, sus linderos o para declarar obras existentes en su interior o modificar datos relativos a su ubicación como la calle, el número o el paraje? La respuesta es que todavía no: el STI solo sirve para segregaciones, agrupaciones, agregaciones y divisiones, aunque probablemente en algún momento será posible hacerlo para el resto de operaciones a través de la función *Subsanación de Discrepancias* y en el propio entorno de SIGNO-STI.

El STI exige una comunicación entre departamentos de la notaría (preparación de la escritura, índice, facturación, copias...) que supone un esfuerzo considerable a todos los que trabajamos en ella. Si queremos hacer un buen uso de la herramienta, uso del que somos responsables, hay que extremar las precauciones a la hora de realizar las AT (y, en su caso, las MF y las notificaciones), con el fin de evitar cambiar titularidades erróneamente. Conviene siempre una supervisión concienzuda del proceso. El STI, una vez que se hace el clic en *«Comunicar a Catastro»,* ya no tiene marcha atrás, aunque sería conveniente que la tuviera pues los errores existen y deberían poder arreglarse desde la propia notaría. El STI es una de las herramientas más importantes que existen actualmente en las notarías y que, aunque se encuentra en plena fase de asimilación y desarrollo, nos convierte en una especie de *extensión del Catastro* que puede dejar resueltos muchos problemas a los ciudadanos. Adaptados en nuestra mecánica y expertizados, será cuando podamos afrontar todo tipo de casos y hacer útil y rentable el STI que es una herramienta que otorga, más valor añadido a la función notarial.

Por el camino habrá que ir aprendiendo a resolver la variedad de situaciones, la casi infinita casuística que el Catastro nos pone sobre nuestras mesas de despacho cuando lo conjugamos con la realidad física, la fundamental labor de los técnicos, las escrituras y el Registro de la Propiedad, dando como resultado una nueva escritura que encauzamos por la vía del STI. Estamos hablando de casos que se presentan en el día a día como los errores de tracto, los de titularidad, las diferencias de cabida de las fincas, las MF pendientes de alta catastral, las transmisiones sucesivas en el mismo título o en varios de orden correlativo o con escaso intervalo entre ellos, el procedimiento de comunicación y subsanación del Catastro por el notario, la consolidación del usufructo con la nuda propiedad, los errores en el domicilio de las fincas, los errores en la clase de inmueble, los derivados del domicilio o DNI/NIF de los titulares catastrales o del domicilio de los no residentes, los derivados de la gananciabilidad de las fincas o, por concluir la enumeración, de las fincas en situación de investigación. Y es que pueden darse muchas situaciones diferentes cuando se ponen en relación las fincas con que trabajamos con sus datos catastrales y así aparecérsenos fincas sin datos catastrales, fincas registrales que constituyen la totalidad de una catastrada y parte de otra, fincas registrales que constituyen varias catastrales o varias catastrales que constituyen una finca registral, fincas registrales que constituyen parte de una catastral, fincas urbanas cuyo suelo rústico constituye parte de una catastral y la totalidad de otra, invasiones del dominio público, perjuicio a colindantes y un inagotable catálogo de situaciones diversas.

El STI no puede suponer que pongamos en duda aquello sobre lo que antes de su existencia no dudábamos. Los criterios en nuestros programas de gestión informática, en la exportación y cotejo del IUI y, antes de todo, en la preparación de las escrituras han de ser los mismos que hasta ahora y deben mejorarse, no relajarse. Será la evolución en el uso de la herramienta la que nos haga cambiar la forma de trabajar porque a menos dudas, habrá menos errores y mayor grado de satisfacción de los ciudadanos.

15.3. EL EXPEDIENTE DE DOMINIO

La reforma legislativa introducida por las leyes 15/2015 de Jurisdicción Voluntaria (LJV) y 13/2015 de Reforma de la Ley Hipotecaria y de la Ley del Catastro Inmobiliario (LRHC) han traído como consecuencia una profunda modificación de algunos de los procedimientos que tradicionalmente venía regulando la legislación hipotecaria.

Una de las líneas maestras de esta reforma legislativa es la desjudicialización de muchos procedimientos ya que, si bien la máxima garantía de los derechos de la ciudadanía viene dada por la intervención de un Juez, la desjudicialización de determinados supuestos de jurisdicción voluntaria sin contenido jurisdiccional, en los que predominan los elementos de naturaleza administrativa, no pone en riesgo el cumplimiento de las garantías esenciales de tutela de los derechos e intereses afectados.

De esta forma las modificaciones que se introducen en los procedimientos regulados en los artículos 198 a 210 de la Ley Hipotecaria tienen como objeto la desjudicialización de los mismos eliminando la intervención de los órganos judiciales sin merma alguna de los derechos de los ciudadanos a la tutela judicial efectiva, que siempre cabrá por la vía del recurso.

Una de las materias que, de forma más señalada, va a resultar afectada por la reforma es la relativa a la inmatriculación de fincas en el Registro de la Propiedad que, hasta entonces, se articulaba básicamente sobre dos sistemas, el expediente inmatriculador de dominio, de competencia exclusivamente judicial, regulado por el artículo 201 de la Ley Hipotecaria (LH) y la inmatriculación mediante el sistema del doble título público de adquisición, que regulaba el artículo 205 LH y de naturaleza notarial.

Sin duda, el exponencial aumento de la carga de trabajo de los Tribunales de Justicia, experimentado en los últimos años, con el subsiguiente aumento de los costes de tiempo y agilidad habían inclinado la práctica jurídica a favor el sistema de doble título, concebido inicialmente con carácter marginal y provisional, en detrimento del expediente de dominio, a pesar de las mayores garantías de seguridad jurídica que ofrecía este último, pero con una mayor complejidad en su tramitación.

Fiel al espíritu de la reforma, la Ley 13/2015 LRHC modifica la regulación legal de este procedimiento que pasa a ser de exclusiva competencia notarial. En este sentido, la 13/2015 LRHC, establece que la inmatriculación de las fincas se llevará a cabo mediante el expediente de dominio que se regula de forma minuciosa sin intervención judicial. Este expediente sustituye al judicial regulado por el anterior artículo 201 de la Ley Hipotecaria y se caracteriza por su especial preocupación por la defensa de los derechos de todos los posibles afectados.

Sin embargo, aunque a simple vista pudiera entenderse que el cambio introducido por la Ley 13/2015 consiste en una modificación puramente subjetiva y competencial que sustituye al Juez por el Notario en la tramitación del expediente, lo cierto es que se trata de una modificación cualitativa ya que la naturaleza de la actuación judicial y la actuación notarial se fundamentan en unas premisas legales completamente distintas.

15.3.1. Caracteres del expediente de dominio

Pero quizás la mejor manera de esbozar una aproximación al estudio del nuevo expediente notarial de dominio pase por el estudio de algunas cuestiones previas.

15.3.1.1. Acto de jurisdicción voluntaria

La primera de ellas es la de naturaleza de acto de jurisdicción voluntaria y su análisis comparativo con expediente judicial que regulaba la Ley Hipotecaria antes de la reforma operada por la Ley 13/2015 LRHC

Una de las notas distintivas que definía el expediente judicial de dominio para la inmatriculación de fincas era el de su naturaleza de acto de jurisdicción voluntaria, entendida ésta como la dirigida a la formación, creación o constitución de nuevas relaciones jurídicas, su desenvolvimiento o desarrollo, modificación o extinción, aunque sin la previa declaración de derechos y sin producción de cosa juzgada material. Cabía la oposición hecha valer en el mismo expediente, que en ningún caso supone el sobreseimiento de éste. La oposición admitida sólo autorizaba al opositor a promover y practicar las pruebas que estime pertinentes, las cuales serían valoradas por el Juez para dictar el auto, la justificación o no del dominio, pero sin tener nunca la virtualidad de suspender la tramitación del procedimiento.

Pero esta posibilidad de oposición por cualquier interesado, sin que por ello se sobresea el expediente, no aparta a este procedimiento de su naturaleza de acto de jurisdicción voluntaria, sino que lo cataloga como de naturaleza jurídica especial dentro de la jurisdicción voluntaria, que permitía al Juez resolver, dentro de la tramitación del expediente, sobre la oposición formulada al mismo y sin que esta oposición por sí sola bastase para enervar el procedimiento, constituye una de las diferencias fundamentales de la nueva regulación del expediente de dominio por la atribución de la competencia al Notario, que podrá estimar o no el carácter fundado de la oposición, pero en ningún caso entrar en la cuestión de su prueba.

15.3.1.2. Titulación no supletoria

La segunda cuestión que examinar pasa por la revisión de su naturaleza de procedimiento de titulación supletoria.

La finalidad del expediente notarial de dominio es la de justificar, mediante un determinado título, la adquisición de un derecho susceptible de inscripción en el Registro de la Propiedad. Pero no hay que confundir justificar un título con suplir un título. Puede ocurrir que el documento (el título formal de adquisición a que se refiere el artículo 3 LH) que justifique la adquisición reúna todos los requisitos necesarios para su inscripción excepto el de la inscripción previa del derecho del transmitente porque la finca no está inmatriculada (artículo 20 LH). En este contexto, la finalidad del expediente notarial de dominio no es la de suplir el título de adquisición sino la de justificar la adquisición producida por el mismo (título material de adquisición a que se refiere el artículo 2 LH) mediante la adopción de las medidas de garantía previstas para evitar situaciones de indefensión.

15.3.1.3. Distinción de la inmatriculación por doble título

La tercera cuestión se refiere a la delimitación conceptual de este procedimiento respecto del otro sistema de inmatriculación más frecuentemente usado, basado en el doble título de adquisición, figuras no deslindadas en muchas ocasiones con la precisión que sería de desear.

La inmatriculación de fincas mediante el doble título público de adquisición, introducido por la reforma hipotecaria de 1944-46, basa su virtualidad inmatriculatoria en la existencia de un doble título publico adquisitivo que permite dotar de garantías la inmatriculación de una finca en el Registro de la Propiedad, a diferencia del expediente de dominio que fundamenta la inmatriculación en un solo título de adquisición, esté o no justificado.

A diferencia de lo que ocurre en el supuesto de la inmatriculación por doble título adquisitivo ahora regulado por el nuevo artículo 205 de la Ley Hipotecaria, el expediente notarial de dominio no requiere la acreditación del título previo del adquirente que inmatricula, ya que el fundamento y estructura del expediente notarial de dominio obedece una razón y finalidad distinta: la verificación de la realidad del título inmatriculador objeto del expediente. Por esta causa, para su tramitación, sólo es necesario un único título transmisivo, que habrá de ser aportado, debidamente liquidado, por el promotor para la iniciación del expediente de dominio,

15.3.2. *Estructura y tramitación del expediente notarial de dominio*

Estructuralmente, el expediente de dominio regulado por el artículo 203 LH se articula sobre cuatro fases claramente diferenciadas.

La primera fase se corresponde con la acreditación inicial del título de adquisición en la que, a su vez, se pueden distinguir dos partes, la acreditación jurídica del título de adquisición del derecho y la identificación material del inmueble que constituye el objeto de ese derecho mediante la constatación de que la representación gráfica catastral del bien inmueble que se pretende inmatricular se ajusta a la realidad física inmobiliaria.

La segunda fase consiste en la verificación previa de la información registral con el fin de asegurarse, en primer lugar, de que ni la finca ni el derecho están ya inmatriculados o inscritos, total o parcialmente, en el Registro de la Propiedad y en segundo término, para obtener información sobre la existencia, identidad y domicilio de los titulares registrales de derechos que pudieran resultar afectados por la pretensión inmatricula-dora dándole al mismo tiempo publicidad registral mediante la anotación preventiva.

La tercera fase tiene por objeto la publicidad del procedimiento de inmatriculación mediante la práctica de las notificaciones personales y la publicación de edictos, que permita a los posibles afectados, evitando su indefensión, efectuar las alegaciones opor-tunas y en su caso, oponerse fundadamente a la inmatriculación pretendida. Esta fase va a tener especial relevancia para determinar la viabilidad del procedimiento ya que se trata de transmitir información gráfica en las notificaciones, cuestión que en muchas ocasiones se convierte en una tarea muy complicada cuando se utilizan para ello medios de comunicación basados en técnicas alfanuméricas y literarias o ambas.

El procedimiento concluye con una cuarta y última fase dirigida a la finalización y cierre del procedimiento notarial, una vez practicadas las notificaciones y edictos y constatada la ausencia, en los plazos previstos, de alegaciones o de oposición fundada y la subsiguiente inmatriculación de la finca en el Registro de la Propiedad.

15.3.2.1. Competencia territorial

La regla primera del artículo 203 LH establece las gregal sobre la competencia terri-torial para iniciar el expediente notarial de dominio.

1. El expediente deberá tramitarse ante Notario hábil para actuar en el distrito no-tarial donde radique la finca o en cualquiera de los distritos notariales colindan-tes a dicho distrito.

2. Si la finca estuviera radicada en el territorio correspondiente a dos o más distritos notariales diferentes, podrá tramitarse el expediente ante un Notario de cual-quiera de estos distritos o de sus respectivos colindantes.

3. Podrá instruirse un solo expediente para varias fincas siempre que las mismas estén situadas en el territorio de un mismo Registro, aunque alguna de ellas esté situada parcialmente en un distrito hipotecario colindante, siempre que la ma-yor parte de su superficie radique en dicho Registro

15.3.2.2. Inicio del expediente notarial de dominio

La regla segunda del artículo 203 LH establece que *se iniciará el procedimiento me-diante solicitud por escrito del titular dominical de la finca, en la cual, junto a la des-cripción literaria de la finca, realizada en los términos prevenidos reglamentariamente, deberán hacerse constar los datos personales del promotor y su domicilio para la práctica de notificaciones, acompañándose además los siguientes documentos:*

a) Título de propiedad de la finca que se pretende inmatricular, que atribuya el domi- nio sobre la misma al promotor del expediente, junto con certificación catastral descriptiva y gráfica de la parcela o parcelas catastrales, que se correspondan con la descripción literaria y la delimitación gráfica de la finca cuya inmatriculación se solicita, con expresión de los titulares catastrales de dichas parcelas y sus colindantes, así como sus respectivos domicilios.

b) Relación de los datos registrales, catastrales o de cualquier otro origen de los que dis- ponga el promotor y sirvan para localizar las fincas registrales y parcelas catastrales colin- dantes. En particular, el nombre y domicilio de sus propietarios actuales, si fueran distintos de los recogidos en las certificaciones catastrales descriptivas y gráficas, así como los titulares de cargas o gravámenes sobre las mismas.

c) Identificación de los derechos constituidos sobre la finca, expresando las cargas a que pueda hallarse afecta o las acciones con transcendencia real ejercitadas en relación con la misma, indicando los nombres de los titulares o actores, sus domicilios y cualesquiera otras circunstancias que ayuden a su correcta identificación, quienes serán requeridos para que, si les conviene, soliciten la inscripción o anotación omitida, presentando a tal fin los títulos necesarios en el Registro.

d) Deberá identificarse también a los poseedores de la finca que se pretende inmatricu- lar y al arrendatario de ella, si se trata de vivienda

15.3.2.2.1. Aportación del título documental

Una de las más significativas diferencias contenidas en la nueva regulación del expe- diente de dominio es la necesidad de aportar, documentalmente, el título de propiedad de la finca que se pretende inmatricular, exigencia que ha sido criticado por algunos autores.

Para iniciar el examen de este nuevo requisito impuesto por el nuevo artículo 203 LH y sus posibles consecuencias prácticas hay que detenerse en el estudio de una cues- tión previa cual es la distinción entre la adquisición de un derecho y la prueba de dicha adquisición, conforme lo regula nuestro ordenamiento jurídico.

Habida cuenta que en nuestro Derecho rige el principio general de la libertad de forma en los negocios jurídicos de tal forma que no sólo está admitida la plena validez y eficacia de los documentos privados, sino que cabe la posibilidad de la celebración verbal, por contraposición a la escrita o documental, de tales negocios. Por esta causa se distingue entre el título material, es decir, el negocio jurídico en virtud del cual se transmite o adquiere un derecho y el título formal, que constituye el soporte documen- tal de dicha transmisión o adquisición, título formal que, a su vez, puede ser público o privado.

Esta distinción está recogida en la Ley Hipotecaria cuyo artículo 2 recoge el título material y el artículo siguiente se refiere al título formal, reservando exclusivamente a los documentos públicos la condición de inscribibles. De esta forma, mediante los documentos públicos como títulos inscribibles, el Registro de la Propiedad implementa un filtro de calidad de la información que va a acceder a su base de datos, por la intensidad de los efectos jurídicos que producen estos títulos formales —los títulos públicos—, no solo respecto de su contenido sino también frente a terceros.

De ahí que haya que plantearse si el título documental a que se refiere el nuevo artículo 203 LH ha de cumplir el requisito formal del artículo 3 LH, esto es, la titulación pública, o si, por el contrario, cabe también la posibilidad de iniciar el expediente notarial de dominio con un documento privado.

En principio parece que esta solución sea admisible ya que el artículo 203 LH no hace ninguna distinción. Parece que, en aras de la claridad, habrá que distinguir en este punto dos supuestos básicos atendiendo si el documento que se aporta es un título público o si, por el contrario, se pretende la inmatriculación sobre la base de un documento privado.

El primer supuesto es el que, en principio, plantea menos complicaciones si se tiene presente la naturaleza propia del procedimiento inmatriculador instrumentado por el artículo 203 LH y se diferencia conceptualmente del sistema inmatriculador basado en el doble título adquisitivo que regula el artículo 205 LH.

La utilidad de acudir al expediente notarial de dominio se pondrá de manifiesto cuando el titular de la finca solo disponga de un título, en este caso un documento público de adquisición, ya que a través del expediente notarial de dominio y sin necesidad de acreditar ninguna otra transmisión podrá inmatricular su finca en el Registro de la Propiedad.

La utilización de esta vía legal, que no era posible antes de la reforma operada por la Ley 13/2015 LRHC, evitará, o al menos podrá reducir, lo que en gran medida constituyó una preocupación recurrente de la Dirección General de los Registros y del Notariado (DGRN), patente en muchas de sus Resoluciones (Por todas, RDGRN de 9 de diciembre de 2015 y relativa a la denominada *creación artificial* de documentación pública para inmatricular una finca al amparo del artículo 205 LH, única posibilidad notarial de inmatriculación existente antes de la reforma de 2015.

En todo caso, el título público ha de ser transmisivo de la propiedad y reunir todos los requisitos necesarios para su inscribibilidad en el Registro de la Propiedad, con la excepción de que la finca no se halla inmatriculada a favor del transmitente. En este sentido serán títulos aptos para iniciar el expediente notarial de dominio la escritura de aportación de un inmueble a la sociedad de gananciales en la que se exprese la causa

(RDGRN de 5 de mayo de 2016 y 1 de julio de 2016) o la disolución de comunidad (RDGRN de 1 de julio de 2016).

Aunque en el título ha de constar el título adquisitivo previo del transmitente, según establece el artículo 174 RN, no es preciso justificar esta previa adquisición, ya que, como se ha visto, este sistema de inmatriculación de fincas no se fundamenta en la doble titulación al que se refiere el artículo 205 LH. No será necesario, por la misma razón, el plazo mínimo de un año entre ambas transmisiones, ya que no se trata del supuesto contemplado en el artículo 205 LH.

Toca examinar ahora el otro supuesto, esto es, cuando se carece de título público de adquisición para iniciar el expediente notarial de dominio.

El procedimiento previsto por la Ley 13/2015 LRHC para ambos casos, título público o documento privado es exactamente el mismo sin que se establezca ningún requisito adicional de garantía para el supuesto de que el título de adquisición que se aporte sea un documento privado.

Se produciría así una situación de asimetría, la inscripción directa de un documento privado, contra lo establecido por el artículo 3 LH, que no ha sido derogado por la Ley 13/2015 LRHC, circunstancia que no parece atender los fines —dotar de mayor seguridad a las transacciones inmobiliarias— que busca la reforma de 2015.

Hay que tener en cuenta, además, que el expediente notarial de dominio no es, en sí mismo considerado, un título público de adquisición sino un procedimiento que tiene por objeto la inmatriculación de fincas en el Registro de la Propiedad y, en consecuencia, el expediente notarial de dominio no puede ser considerado como titulación supletoria, sobre todo en el caso de que se inicie mediante la aportación de un documento privado. Además, la intervención notarial en esta materia que se lleva a cabo mediante un documento notarial que no es un acta de notoriedad como ocurría antes de la reforma de 2015. Cuando el expediente notarial de dominio se inicia aportando un título público de adquisición, no parece necesario que el Notario, habida cuenta de los efectos jurídicos de los instrumentos públicos, deba declarar notoriedad alguna.

Una posible solución para esta cuestión pasaría por distinguir, como hace la RDGRN de 11 de noviembre de 2015, entre el título público de adquisición y la acreditación, mediante instrumento público, del título de adquisición y si es posible acreditar esa adquisición mediante acta de notoriedad tramitada de conformidad con el artículo 209 RN, en la que el Notario acredite el hecho de la adquisición, tras las pruebas —el documento privado sería una de ellas— y diligencias pertinentes.

En este caso el acta de notoriedad sería un título supletorio y como tal quedaría sujeto a las consecuencias fiscales derivadas de la liquidación del impuesto aplicable o de su prescripción en el caso de que, por la fecha de la adquisición, resultare aplicable esta circunstancia (artículo 7,2, c) ITPyAJD)

A la vista de lo dispuesto en el segundo apartado del artículo 198 LH sobre acumulación de procedimientos en el mismo expediente, el acta de notoriedad regulada por el artículo 209 RN podría integrarse, con la subsiguiente economía procesal, en el expediente notarial de dominio que regula el artículo 203 LH.

15.3.2.2.2. Aportación de la representación gráfica

La representación gráfica del inmueble que se quiere inmatricular ha de apoyarse sobre su coincidencia con la cartografía catastral consolidada, esto es, mediante certificación catastral descriptiva y gráfica y sin que quepa en principio la utilización de la representación gráfica alternativa. Aunque el artículo 203 LH habla de certificación catastral descriptiva y gráfica de la parcela que se correspondan con la descripción literaria y la descripción gráfica de la finca, no hay que olvidar que la Ley 13/2015 busca la incorporación de la realidad inmobiliaria a la información territorial. Por consiguiente, no sólo han de coincidir la representación gráfica catastral con la descripción literaria y la delimitación gráfica, sino que ambas han de coincidir con la realidad.

Este requerimiento legal hará necesario, en el caso de que la representación gráfica catastral no coincida con la realidad inmobiliaria, se haya de acudir con carácter previo al procedimiento notarial de subsanación de discrepancias (artículo 18,2 LCI) con el fin de adecuar dicha descripción a la realidad física inmobiliaria.

Este es otro punto en que se pueden plantear problemas de duplicación de trámites. Hemos visto que caben dos posibilidades cuando la descripción literaria en el título aportado no coincide con la certificación catastral descriptiva y gráfica, preceptiva en el caso del artículo 203 LH.

La primera es llevar a cabo el procedimiento notarial de subsanación de discrepancias y, una vez concluido éste, tramitar a continuación el expediente notarial de dominio.

Habría, en primer lugar, que tramitar del procedimiento notarial de subsanación de discrepancias para modificar el Catastro y obtener una certificación catastral descriptiva y gráfica que coincida con la descripción real del inmueble objeto del título de adquisición mediante el cual se pretende inmatricular aquél. Para ello es necesario, de acuerdo con el artículo 18,2 LCI, la notificación a los titulares catastrales afectados Una vez corregido el Catastro y obtenida la certificación catastral descriptiva y gráfica coincidente con el inmueble que se ha de inmatricular, habrá de notificarse de nuevo a los titulares colindantes (entre los que se encontrarían los titulares afectados que no se han opuesto a la modificación y que ya han sido notificados) aunque no resulten afectados, según previene la regla Quinta del artículo 203 LH.

Quizás por ello y para evitar la duplicación de trámites —de acuerdo con lo establecido en el artículo 198 LH— con sus consiguientes costes añadidos, resultaría más conveniente practicar inicialmente la notificación a todos los titulares catastrales colindantes, resulten afectados o no por la modificación pretendida. De esta forma, una vez modificado el Catastro, al iniciarse la fase de notificaciones del expediente notarial de dominio, bastara confirmar, con una certificación catastral descriptiva y gráfica actualizada, que las titularidades de los inmuebles catastrales colindantes no han sufrido cambios, evitando volver a notificar lo mismo a los mismos.

15.3.2.3. Solicitud de certificación registral de dominio y cargas y de anotación preventiva

A continuación, el Notario levantará acta a la que incorporará la documentación presentada, remitiendo copia de la misma al Registrador de la Propiedad competente solicitando la expedición de certificación acreditativa de que la finca no consta inscrita en el Registro y que, en su caso, practique anotación preventiva de la pretensión de inmatriculación.

Durante la vigencia del asiento de presentación no podrá iniciarse otro procedimiento de inmatriculación que afecte de forma total o parcial a la finca objeto del mismo (artículo 203 LH, Regla Octava).

15.3.2.3.1. Expedición de la certificación registral de dominio y cargas

La expedición de la certificación registral de dominio y cargas tiene carácter preceptivo para el Registrador, que no puede fundar la negativa a su expedición en la existencia de dudas sobre la existencia o previa inscripción de la finca que se pretende inmatricular. (RDGRN de 21 de noviembre de 2017)

Se plantea, por la RDGRN de 8 de marzo de 2018, si se encuentran justificadas las dudas de identidad de la finca señaladas por el Registrador referidas solo al número de policía de la finca; si puede éste manifestar tales dudas de identidad al tiempo de solicitarse la expedición de certificación registral, suspendiendo su expedición y, en consecuencia, paralizando la tramitación de dicho expediente por esta causa; y si es preciso que la nueva descripción de la finca que se pretende inscribir sea coincidente con la que consta en el Catastro.

Como ya señaló la RDGRN de 27 de junio de 2016, la expresión de dudas de identidad al comienzo del procedimiento no impide continuar con la tramitación de mismo, pudiendo el Notario realizar actuaciones y pruebas que permitan disipar tales dudas, especialmente si se tratase de fincas cuya representación gráfica no estuviera inscrita.

El Registrador, tras consultar su archivo, tanto literario como de representación gráfica en soporte papel o informático, expedirá en el plazo de quince días certificación acreditativa de la falta de inscripción de la finca, siempre que haya verificado que concurren las siguientes circunstancias:

a) La correspondencia entre la descripción contenida en el título de propiedad aportado y la certificación catastral.

b) La falta de previa inmatriculación de la finca a favor de persona alguna.

c) La ausencia de dudas fundadas sobre la coincidencia total o parcial de la finca cuya inmatriculación se solicita con otra u otras que hubiesen sido previamente inmatriculadas

El Registrador al tiempo de expedir la certificación debe manifestar las dudas de identidad que pudieran impedir la inscripción una vez terminado el procedimiento, ya que de este modo se evitan a los interesados dilaciones y trámites innecesarios (RDGRN de 8 de junio de 2016).

La RDGRN de 27 de junio de 2016, establece que la expresión de dudas de identidad al comienzo del procedimiento, no impide continuar con la tramitación de mismo, pudiendo el Notario realizar actuaciones y pruebas que permitan disipar tales dudas (especialmente si se tratase de fincas cuya representación gráfica no estuviera inscrita), muy en particular la intervención de los posibles afectados, al igual que prevé el precepto en el párrafo siguiente en cuanto al dominio público, todo lo cual deberá ser calificado ulteriormente por el registrador

15.3.2.3.2. *Anotación preventiva de la pretensión de la inmatriculación*

La conveniencia de practicar esta anotación no determina que tenga un carácter obligatorio, pues ello no encajaría con el principio de voluntariedad de la inscripción que rige en el sistema registral español. Este carácter voluntario, además, era el que tenía este tipo de anotación preventiva de los expedientes de dominio antes de la reforma operada por la Ley 13/2015, de 24 de junio, según el artículo 274 del Reglamento Hipotecario. **El carácter potestativo**, aunque no de forma expresa, también puede inferirse de las expresiones utilizadas en el artículo 203 de la Ley Hipotecaria. (RDGRN de 21 de noviembre de 2017)

El Registrador practicará la anotación solicitada y remitirá al Notario, para unir al expediente, la certificación registral, acreditativa de la falta de inscripción de la finca y de coincidencia de ésta con otra u otras previamente inmatriculadas.

Durante la vigencia de la anotación preventiva, no podrá iniciarse otro procedimiento de inmatriculación que afecte de forma total o parcial a la finca objeto del mismo (artículo 203 LH, Regla Octava).

La anotación, que solo se extenderá si del escrito inicial y sus documentos complementarios resultan todas las circunstancias exigidas, tendrá una vigencia de noventa días, pudiendo ser prorrogada a instancia del Notario o del promotor del expediente, hasta un máximo de ciento ochenta días de su fecha, si a juicio del Registrador existe causa que lo justifique.

15.3.2.3.3. *Denegación de la anotación preventiva*

En caso contrario, procederá el Registrador a extender nota de denegación de la anotación solicitada, motivando suficientemente las causas de dicha negativa, a la que deberá acompañar, en su caso, certificación literal de la finca o fincas coincidentes, comunicándolo inmediatamente al Notario, con el fin de que proceda al archivo de las actuaciones.

Del mismo modo, si el Registrador tuviera dudas fundadas sobre la coincidencia total o parcial de la finca cuya inmatriculación se pretende con otra u otras de dominio público que no estén inmatriculadas pero que aparezcan recogidas en la información territorial asociada, facilitada por las Administraciones Públicas, notificará tal circunstancia a la entidad u órgano competente, acompañando certificación catastral descriptiva y gráfica de la finca que se pretende inmatricular, con el fin de que, por dicha entidad, se remita el informe correspondiente dentro del plazo de un mes a contar desde el día siguiente a la recepción de la notificación.

Si la Administración manifestase su oposición a la inmatriculación, o no remitiendo su informe dentro de plazo, el Registrador conservase dudas sobre la existencia de una posible invasión del dominio público, denegará la anotación solicitada, notificando su calificación al Notario para que proceda al archivo de las actuaciones, motivando suficientemente las causas de dicha negativa, junto con certificación o traslado de los datos procedentes de la información territorial utilizada y, en su caso, certificación literal de la finca o fincas que estime coincidentes.

Frente a la denegación de la anotación preventiva por parte del Registrador podrán los interesados interponer los recursos previstos en esta Ley para la calificación negativa; quedando siempre a salvo la facultad de los interesados para acudir al procedimiento correspondiente, en defensa de su derecho al inmueble, aplicándose a la anotación preventiva las normas sobre prórroga y mantenimiento de la vigencia del asiento de presentación prevenidas para el caso de interposición de recurso frente a la calificación del Registrador (artículo 203 LH, Regla Octava).

15.3.2.4. Notificaciones por el notario

Recibida la comunicación del Registro acreditativa de la extensión de la anotación, acompañada de la correspondiente certificación, el Notario notificará la pretensión de inmatriculación en la forma prevenida reglamentariamente, a todos aquellos que, de la relación de titulares contenida en el escrito acompañado a la solicitud, resulten interesados para que puedan comparecer en el expediente y hacer valer sus derechos.

Aplicando la doctrina de la RDGRN de 5 de marzo de 2012, la notificación a los colindantes constituye **un trámite esencial** en este tipo de procedimientos ya que la participación de los titulares de los predios colindantes a la finca cuya cabida se rectifica reviste especial importancia por cuanto son los más interesados en velar que el exceso de superficie de la finca concernida no se haga a costa, o en perjuicio, de los fundos limítrofes. Por eso constituye un requisito capital que se les brinde de un modo efectivo esa posibilidad de intervenir en el expediente. En caso contrario se podría producir un supuesto de indefensión

15.3.2.4.1. Destinatarios de las notificaciones

Las notificaciones se harán a:

a) los propietarios de las fincas catastrales colindantes

b) los propietarios de las fincas registrales colindantes

c) los titulares de derechos reales constituidos sobre ellas

d) titulares de cargas, derechos o acciones que puedan gravar la finca que se pretende inmatricular,

e) aquel de quien procedan los bienes o sus causahabientes, si fuesen conocidos,

f) titular catastral

g) poseedor de hecho de la finca,

h) Ayuntamiento en que esté situada la finca

i) Administración titular del dominio público que pudiera verse afectado

Añade la DGRN que es perfectamente factible una divergencia en los titulares colindantes respecto de los recogidos en la certificación catastral, por las razones señaladas, es evidente que los reconocidos como tales en el propio título inmatriculador deben ser necesariamente citados (RDGRN de 4 de febrero de 2016)

15.3.2.4.2. Publicación de edictos

El Notario insertará un edicto comunicando la tramitación del acta para la inmatriculación en el «Boletín Oficial del Estado», que lo publicará gratuitamente.

Potestativamente el Notario, atendidas las circunstancias del caso, podrá ordenar la publicación del edicto en el tablón de anuncios del Ayuntamiento, también de forma gratuita

15.3.2.4.3. Contenido de la notificación

En la notificación se hará constar:

a) El nombre y apellidos, domicilio, estado, profesión, número de documento o código de identidad del promotor y cualesquiera otros datos que puedan facilitar su identificación.

b) Los bienes descritos tal como resultan de la certificación catastral de la parcela.

c) La especie de derecho, carga o acción en que, según el promotor, pueda estar interesada la persona notificada.

d) Los términos en que, sin merma de sus derechos, podrán inscribirse o anotarse los documentos públicos de que los mismos resulten

e) Apercibimiento sobre los perjuicios que, de la omisión de la inscripción o anotación, puedan derivarse

15.3.2.4.4. Forma de la notificación

La regla Quinta del artículo 203 LH establece que el Notario notificará la pretensión de inmatriculación *en la forma prevenida reglamentariamente*. Este tenor literal ha dado lugar a que un sector doctrinal entienda que las notificaciones han de hacerse de acuerdo con lo previsto por el Reglamento Notarial.

Sin embargo, la Resolución-Circular de la DGRN de 3 de noviembre de 2015 que establece que las notificaciones —aunque se refiere a los Registradores, que debe ser de aplicación también a los Notarios habida cuenta de que se trata del mismo procedimiento— se realizarán por los dispuesto en el artículo 322 LH.

A su vez el artículo 322 LH establece que se efectuará de conformidad con lo previsto en los artículos 58 y 59 de la Ley 30/1992, de 26 de noviembre, de Régimen Jurídico de las Administraciones Públicas y del Procedimiento Administrativo Común (hoy, artículos 41 a 44 de la Ley 39/2015, de 1 de octubre, del Procedimiento Administrativo Común de las Administraciones Públicas).

Cuando la notificación se practique en el domicilio del interesado, de no hallarse presente éste en el momento de entregarse la notificación, podrá hacerse cargo de la misma cualquier persona mayor de catorce años que se encuentre en el domicilio y haga constar su identidad. Si nadie se hiciera cargo de la notificación, se hará constar esta circunstancia en el expediente, junto con el día y la hora en que se intentó la notificación, intento que se repetirá por una sola vez y en una hora distinta dentro de los tres días siguientes. En caso de que el primer intento de notificación se haya realizado antes de las quince horas, el segundo intento deberá realizarse después de las quince horas y viceversa, dejando en todo caso al menos un margen de diferencia de tres horas entre ambos intentos de notificación. Si el segundo intento también resultara infructuoso, se procederá en la forma prevista en el artículo 44. (artículo 42 LPA).

Cuando los interesados en un procedimiento sean desconocidos, se ignore el lugar de la notificación o bien, intentada ésta, no se hubiese podido practicar, la notificación se hará por medio de un anuncio publicado en el «Boletín Oficial del Estado». (artículo 44 LPA).

Asimismo, previamente y con carácter facultativo, las Administraciones podrán publicar un anuncio en el boletín oficial de la Comunidad Autónoma o de la Provincia, en el tablón de edictos del Ayuntamiento del último domicilio del interesado o del Consulado o Sección Consular de la Embajada correspondiente.

15.3.2.5. Audiencia para pruebas y alegaciones

La regla Sexta del artículo 2013 LH regula el trámite de audiencias y alegaciones estableciendo que cualquier interesado podrá hacer alegaciones ante el Notario y aportar pruebas escritas de su derecho durante el plazo de un mes.

No es razonable entender que la mera oposición que no esté debidamente fundamentada, aportando una prueba escrita del derecho de quien formula tal oposición, pueda hacer derivar el procedimiento a la jurisdicción contenciosa (RDGRN de 13 de julio de 2017).

Corresponde al notario valorar en cada caso si la oposición se encuentra debidamente fundamentada, conforme a lo expuesto, a efectos de poder continuar el procedimiento o concluir el mismo (RDGRN de 13 de julio de 2017).

En el caso de este expediente se ha formulado oposición por un titular de finca colindante que expresa como causa de su oposición la existencia a su favor de un derecho real de servidumbre sobre la finca que se pretende inmatricular. Dicha oposición se formula por dos veces, mediante una primera comparecencia ante el notario y en una segunda en la que, además, se aporta un escrito manifestando la oposición por la causa antes expresada. Si bien la causa alegada, referida a la existencia de una carga real sobre la finca, podría justificar la conclusión del expediente, lo cierto es que en ningún momento se ha aportado en el expediente prueba alguna de la existencia de dicha carga. Por tanto, debe atenderse a la interpretación de la regla sexta del artículo 203 que se ha señalado anteriormente, debiendo exigirse una prueba escrita que fundamente el derecho alegado para que la oposición pueda causar la conclusión del expediente. Por ello, ha sido correcta la actuación del notario al no tomar en consideración la oposición formulada. (RDGRN de 13 de julio de 2017)

15.3.2.6. Finalización del expediente

El expediente notarial de dominio puede finalizar de dos formas, atendiendo a la circunstancia de que se produzca oposición de los interesados

15.3.2.6.1. Finalización del expediente por oposición de los interesados

Si se formulase oposición por cualquiera de los interesados, con expresión de la causa en que se funde, el Notario dará por concluso el expediente y archivará las actuaciones, dando cuenta inmediata al Registrador. En ese caso, el promotor podrá entablar demanda en juicio declarativo contra todos los que se hubieran opuesto, ante el Juez de primera instancia correspondiente al lugar en que radique la finca (artículo 203 LH, Regla Sexta).

15.3.2.6.2. Finalización del expediente sin oposición de los interesados

En otro caso, levantará el Notario acta accediendo a la pretensión del solicitante, en la que se recogerán las incidencias del expediente, los documentos aportados, así como la falta de oposición por parte de ninguno de los posibles interesados, y remitirá copia al Registrador para que practique, si procede, la inmatriculación solicitada (artículo 203 LH, Regla Sexta).

15.3.2.7. Inscripción del expediente notarial de dominio

1. En caso de calificación positiva por el Registrador, éste procederá a extender la inscripción del derecho de dominio, cuyos efectos se retrotraerán a la fecha del asiento de presentación inicial del acta remitida por el Notario a que se refiere el párrafo anterior. Si se hubiere tomado anotación preventiva de haberse incoado el procedimiento, se convertirá en inscripción definitiva (artículo 203 LH, Regla Sexta).

2. Frente a la denegación de la inmatriculación por parte del Registrador podrán los interesados interponer los recursos previstos en esta Ley para la calificación negativa; quedando siempre a salvo la facultad de los interesados para acudir al procedimiento correspondiente, en defensa de su derecho al inmueble (artículo 203 LH, Regla Octava).

3. La prioridad de las cargas o gravámenes, reconocidos o constituidos por el propietario o por la autoridad judicial o administrativa competente, cuyos títulos hayan sido aportados al expediente o se hayan presentado en el Registro antes de que la inmatriculación se practique y sean calificados favorablemente por el Registrador, se decidirá atendiendo a las normas sobre preferencia establecidas por la legislación civil y en la normativa específica que resultase aplicable en atención a la naturaleza del crédito y de la carga o gravamen y, en su defecto, a la fecha de los mismos títulos. Si fuesen incompatibles y no se manifestare por los interesados la preferencia, se tomará anotación preventiva de cada uno, hasta que por los Tribunales se decida a cuál de ellos ha de darse preferencia.

4. El Registrador ordenará la publicación de un edicto que refleje los datos de la finca o fincas que resulten del expediente, así como su titularidad y cargas. El edicto, notificando a todos los interesados y a las personas ignoradas a quienes pueda perjudicar el expediente, habrá de publicarse de forma gratuita en el «Boletín Oficial del Estado». La publicación efectiva del edicto se hará constar por nota al margen de la inscripción del dominio de la finca inmatriculada (artículo 203 LH, Regla Séptima).

También se utilizará, a efectos meramente informativos, un servicio en línea, relacionado con la aplicación de representación gráfica a que se refiere el artículo 9, para crear alertas específicas sobre fincas que fueran afectadas por procedimientos de inmatriculación, deslinde o rectificación de cabida o linderos (artículo 203 LH, Regla Séptima).

4. procedimiento para de inscripción de derecho real impuesto sobre fincas ajenas no inscritas (artículo 203.2 LH)

El titular de un derecho real impuesto sobre fincas ajenas no inscritas podrá solicitar la inscripción de aquél con sujeción a las reglas siguientes:

Primera. Presentará su título en el Registro de la Propiedad en cuyo distrito hipotecario se ubiquen la finca o fincas afectadas, solicitando que se tome anotación preventiva por falta de previa inscripción.

Segunda. Practicada la anotación, el Registrador requerirá al dueño para que, en el término de veinte días a contar desde el requerimiento, inscriba su propiedad, bajo apercibimiento de que, si no lo verificara o impugnara tal pretensión dentro de dicho término, podrá el anotante del derecho real solicitar la inscripción como establece la regla tercera.

Si se ignorase el lugar para el requerimiento o tras dos intentos no fuera efectivo, se hará éste mediante un edicto inserto en el «Boletín Oficial del Estado», contándose los veinte días desde esta inserción.

Tercera. Transcurrido el plazo de veinte días, el anotante podrá pedir la inscripción del dominio. Si no tuviera los documentos necesarios, acudirá al Registrador para que, con citación del dueño, solicite del Notario, Juzgado o dependencia administrativa donde radiquen los archivos en que se encuentren, que expidan copia o testimonio de ellos y se le entreguen al anotante a dicho objeto. En defecto de documentos o cuando, siendo estos defectuosos, no opte por subsanarlos, podrá el interesado justificar el dominio del dueño en la forma que prescribe esta Ley.

Cuarta. El Registrador inscribirá el dominio cuando se le pida, según las reglas anteriores, dejando archivado, en su caso, el documento en que conste el requerimiento, del cual dará las certificaciones que los interesados soliciten, y convertirá en inscripción definitiva la anotación del derecho real. Si la anotación hubiera caducado se inscribirá el derecho real, previa nueva presentación del título.

Quinta. El Registrador dará por concluido el procedimiento siempre que con anterioridad a la práctica de dichos asientos se le acredite la interposición de demanda impugnando la pretensión del anotante, sin perjuicio de las medidas cautelares que puedan ser acordadas por el Juez o Tribunal.

15.4. EL DESLINDE. ARTÍCULO 200 LEY HIPOTECARIA

15.4.1. *El deslinde. Artículo 200 Ley Hipotecaria*

Deslindar, según el diccionario de Real Academia de la Lengua es «Señalar y distinguir los términos de un lugar, provincia o heredad». El deslinde supone la delimitación de la superficie de una finca, la fijación de sus linderos, por tanto, parece que sólo aquellas fincas que tengan superficie o linderos pueden ser objeto de deslinde, pero no todas estas pueden ser deslindadas (los pisos en propiedad horizontal también tienen superficie y linderos), sino sólo aquellas cuya superficie se delimite en el suelo mediante una línea perimetral. El Código Civil (artículos 384 a 387, ambos incluidos), como luego analizaremos no da un concepto de deslinde. Y el artículo 1965 del Código Civil indica «No prescribe entre coherederos, codueños o propietarios de fincas colindantes la acción para pedir la partición de la herencia, la división de la cosa común o el deslinde de las propiedades contiguas».

La regulación del deslinde viene contenida, aparte, de los artículos señalados del Código Civil, por:

a. Ley de Jurisdicción voluntaria 15/2015 de 2 de julio, en los artículos 104,105, 106 y 107 que regula el deslinde de fincas no inscritas.

b. Respecto al deslinde de fincas inscritas en el Registro de la Propiedad se aplicará el artículo 200 de la Ley Hipotecaria y los artículos 12 y 30.1 del Reglamento Hipotecario en cuanto a su acceso al Registro de la Propiedad. Si además del deslinde, se pretende la rectificación de descripción o linderos, el procedimiento sería el del artículo 201 de la Ley Hipotecaria «expediente para rectificarla descripción, superficie o linderos de cualquier finca registral».

c. En cuanto al deslinde de fincas cuya titularidad corresponda a las Administraciones Públicas, su deslinde se llevará a cabo de acuerdo con su legislación específica. Cabe destacar, la Ley 33/2003 de 3 de noviembre, del Patrimonio de las Administraciones Públicas, en sus artículos 50 a 54, y el Reglamento General de la Ley aprobado por Real Decreto 1373/2009 de 28 de agosto, que regula el deslinde en sus artículos 61 a 67.

Y también, la Ley de Costas 22/1998 de 28 de julio, artículos 11 a 16, con las modificaciones introducidas por la Ley 2/2013 de 29 de Mayo, y su Reglamento aprobado por Real Decreto 876/2014 de 10 de octubre, que regula la cuestión en su Capítulo III, artículos 17 a 36.

Junto a esta normativa exista la Ley de Montes, Ley de Aguas...

Junto a ello varias resoluciones de la Dirección General de los Registros y del Notariado que tratan el tema del Deslinde del Dominio Público Marítimo Terrestre, así DGRS de 14 de septiembre de 2016, 27 de junio de 2017 o 18 de abril de 2017.

Centrándonos en el procedimiento Notarial de deslinde, el problema inicial (además de fijar cuándo es competencia Notarial), es el de determinar si es un procedimiento de jurisdicción voluntaria notarial o, simplemente, de rectificación registral (ambos procedimientos tienen el mismo objeto, aunque de distinto ámbito decisorios). Es importante delimitar que tipo de procedimiento es, puesto que desde el punto de vista registral es un simple procedimiento del artículo 198 de la ley hipotecaria: «la concordancia entre el Registro de la Propiedad y la realidad física y jurídica extrarregistral se podrá llevar a cabo mediante alguno de los siguientes procedimientos:.2º el deslinde de la finca registral...». Parece evidente que es un procedimiento de jurisdicción voluntaria notarial (no cabe la tramitación por el Registrador como ocurre en otros expedientes como el del artículo 199 de la Ley Hipotecaria y el Registrador solo interviene en lo referente a la inscripción), y así resulta del concepto de deslinde que luego analizaremos, sin perjuicio de que afecte a fincas inscritas, en contraposición al deslinde de fincas no inscritas cuya competencia recae en el Letrado de la Administración de Justicia.

También plantea el problema de diferenciar el procedimiento de deslinde del artículo 200 de la Ley Hipotecaria del procedimiento del artículo 201 del mismo cuerpo legal «expediente para rectificar la descripción, superficie o linderos de cualquier finca registral».

El expediente Notarial de deslinde de fincas inscritas se regula en el artículo 200 de la Ley Hipotecaria que literalmente indica:

15.4.1.1. El artículo 200 de la ley hipotecaria

«El expediente de deslinde de fincas inscritas deberá tramitarse ante Notario hábil para actuar en el distrito notarial en donde radiquen las fincas o en cualquiera de los distritos notariales colindantes a dicho distrito. Si las fincas cuyo deslinde se pretende estuvieran ubicadas en territorio perteneciente a distintos distritos notariales, el expediente podrá tramitarse ante Notario hábil para actuar en el distrito notarial de cualquiera de ellas o en cualquiera de sus distritos colindantes.

Se iniciará el expediente a instancia del titular registral del dominio, o de ser varios de cualquiera de ellos, o de cualquier derecho real mediante escrito en el que se harán constar las circunstancias tanto de la finca que se pretende deslindar, como las colindantes afectadas, así como los datos identificativos de los titulares de una y otras, incluidos los catastrales y su domicilio cuando fuese conocido por el promotor. Si el deslinde solicitado no se refiere a la totalidad del perímetro de la finca, se determinará la parte a que haya de contraerse.

El promotor del deslinde deberá aportar, en todo caso, la certificación catastral descriptiva y gráfica de la finca objeto del expediente y de las colindantes afectadas, así como los documentos o justificantes que sirvan de fundamento a su pretensión. Además, en caso de que el promotor manifieste que la representación gráfica catastral no coincide con el deslinde solicitado, deberá aportar representación gráfica georreferenciada del mismo.

El Notario comunicará el inicio del expediente a todos los interesados, quienes, en el plazo de quince días, podrán hacer las alegaciones y presentar las pruebas que estimen procedentes. El Notario dará traslado a dichos interesados de toda la documentación aportada y convocará a los mismos, en el plazo de otros treinta días, a una comparecencia, para buscar la avenencia entre ellos. También notificará el inicio del expediente al Registro de la Propiedad en el que se encuentren inscritas las fincas, al objeto de que se expida certificación de titularidad y cargas de las mismas y de sus colindantes afectadas, cuyos titulares habrán de ser notificados del expediente por el Notario, haciendo constar el Registrador por nota al margen de las fincas la expedición de dicha certificación, con indicación del Notario que tramite el expediente y su finalidad. La referida nota marginal se cancelará por caducidad trascurridos dos años desde su fecha.

De lograrse el acuerdo, se hará constar el mismo en escritura pública, procediendo el Notario en la forma establecida en el párrafo segundo de la letra c) del apartado 2 del artículo 18 del texto refundido de la Ley del Catastro Inmobiliario. Lo mismo se hará si el acuerdo fuese parcial, respecto de alguno o algunos de los linderos. No habiendo acuerdo entre los interesados, el Notario dará por concluso el expediente.

Si el Registrador, a la vista de las circunstancias concurrentes en el expediente y del contenido del historial de las fincas en el Registro, albergare dudas fundadas sobre la posibilidad de que el acuerdo de deslinde alcanzado encubriese un negocio traslativo u operaciones de modificación de entidad hipotecaria, procederá a suspender la inscripción solicitada motivando las razones en que funde tales dudas.

Lo dispuesto en este artículo no resultará de aplicación a los inmuebles cuya titularidad corresponda a las Administraciones Públicas. En este caso, el deslinde se practicará conforme a su legislación específica».

Desde un punto de vista sustantivo el deslinde viene definido en los artículos 384 a 387 del Código Civil y según el artículo 384 «Todo propietario tiene derecho a deslindar su propiedad con citación de los dueños de los predios colindantes. La misma facultad corresponderá a los que tengan derechos reales». Pero ni el artículo 384 Código Civil ni la Ley de Jurisdicción voluntaria nos da un concepto de lo que deba entenderse por deslinde. En principio cabe entender que el deslinde como una forma de fijar, de manera indubitada, fija, los linderos de una finca mediante una línea perimetral divisoria que determine la superficie de una finca respecto a sus colindantes, pero sin que ello afecte a la superficie de la finca deslindada ni a la superficie de las fincas colindantes, pues en otro caso estaríamos en supuestos de rectificación de superficie, excesos de cabida o negocios traslativos o de modificación de entidades hipotecarias (Artículo 200 L.H. «Si el Registrador...albergare dudas fundadas sobre la posibilidad de que el acuerdo de deslinde encubriese un negocio traslativo u operación de modificación de entidades hipotecarias, procederá a suspender la inscripción solicitada...»). Se podría cuestionar la aplicación al artículo 200 de la Ley Hipotecaria de las modificaciones de superficie del artículo 201 del mismo cuerpo legal que no excedan del 10% o del 5%, pues parece que técnicamente no se consideran rectificación de superficie.

En este sentido se pronuncia la DGRN de fechas 20 de abril de 2005 y 16 de enero de 2007, donde se indica que el deslinde tiene por su propia naturaleza la finalidad de lograr la individualización de una finca mediante la fijación de su perímetro, trazando una línea perimetral divisoria, sin que tal fijación pueda consistir en una mera determinación de las fincas colindantes ni de su superficie, sino la determinación de la porción de la finca que linda con cada colindante. De igual forma, el TS, en STC de 3 de abril de 1999 indica que el deslinde presupone claridad en la fijación de una línea de separación incierta o confusión de linderos, no existiendo, en consecuencia, cuando los linderos estén perfectamente identificados, sin perjuicio de otro tipo de acciones (rectificativas de superficie, de excesos de cabida, de reivindicatoria...) que resolverán cuestiones sobre la extensión o titularidad del derecho de propiedad, pero no sobre una cuestión de hecho como es la delimitación de un lindero, sin perjuicio de que esta delimitación conlleve, a posteriori, otro tipo de acción, si existiese contradicción, como la acción reivindicatoria o declarativa del dominio. La citada resolución de la DGRN de 16 de enero de 2007 indica que el deslinde no tiene el carácter de un derecho, ni real ni personal, sino puramente una facultad que integra un derecho real, consistente en fijar los linderos de una determinada finca. Es en consecuencia, una cuestión de hecho, fijación de los límites del derecho de propiedad. Como indica Berocovitz: «la finalidad es clara: precisar los límites de la finca para que quede perfectamente delimitado el ámbito objetivo sobre el que puede ejercer las facultades derivadas de su derecho real».

15.4.1.2. Presupuestos del derecho de deslinde

1. Es necesario, ex artículo 384 CC, que los predios a deslindar sean colindantes

2. Partiendo del mismo precepto, artículo 384 CC, se desprende que los interesados sean o propietarios o titulares de derechos reales sobre las fincas a deslindar («la misma facultad corresponderá a los que tengan derechos reales»), en igual sentido el artículo 200 LH «Se iniciará el expediente a instancia del titular registral del dominio...o de cualquier derecho real». En caso de ser varios los titulares de la finca a deslindar, según el artículo 200 de la Ley Hipotecaria «a cualquiera de ellos», dado que la fijación de límites (sin controversia de derechos) debe ser considerada como un acto de administración, pero siendo necesario el acuerdo «de la mayoría de los partícipes», artículo 398 del CC, aunque la Ley Hipotecaria habla a instancia de cualquiera de ellos, es decir, parece que no es necesaria la mayoría.

3. Que exista incertidumbre sobre la línea de separación de las propiedades a deslindar, porque no existe fijación física de los lindes sobre las fincas, es este sentido STS de 16 de noviembre de 2005 «La acción de deslinde constituye un medio para eliminar la confusión de linderos...por ello es imprescindible para la práctica del deslinde que esta confusión se haya producido».

15.4.2. Procedimientos de deslinde

15.4.2.1. Existiendo mutuo acuerdo entre propietarios/titulares de derechos reales de fincas a deslindar

15.4.2.1.1. Deslinde de fincas no inscritas

Regulado en los artículos 104 a 107 de la Ley de Jurisdicción voluntaria, puesto que tratándose de fincas inscritas el artículo 104 remite a lo dispuesto en la legislación hipotecaria. En consecuencia el procedimiento de los artículos 104 a 107 de la LJV procederá cuando la finca objeto de deslinde no esté inscrita aún cuando si lo estén las fincas colindantes, de las que deberá aportarse certificación registral. El problema se plante en el deslinde de finca inscrita con finca no inscrita o a la inversa. Según García García «El expediente registral de finca inscrita (jurisdicción voluntaria) se aplica cuando la finca del promotor que inicia el procedimiento está inscrita o si son varios cuando al menos uno de los promotores tiene la finca inscrita, mientras que el expediente de fincas no inscritas de la Ley de Jurisdicción voluntaria se aplica cuando la finca del promotor que inicia el expediente no esté inscrita o cuando siendo varios de los promotores, ninguna de las fincas propiedad de las mismas esté inscrita»; pero parece más seguro aplicarlo cuando todas las fincas a deslindar figuren inscritas en el Registro de la propiedad, a al menos cuando la finalidad del expediente de deslinde es la constancia del mismo, respecto a las fincas afectadas, en el Registro de la Propiedad. En otro caso, a mi juicio, en principio, queda fuera del ámbito del artículo 200 de la Ley Hipotecaria, puesto que el artículo 106 de la Ley de Jurisdicción voluntaria, exige respecto a las fincas colindantes que aparezcan inscritas certificación registral, en consecuencia, en el supuesto de deslinde de finca inscrita con no inscrita, parece que es competencia del letrado de la administración de justicia y no notarial, ya que de ser competencia notarial el deslinde no afectaría, registralmente a la finca no inscrita (no cabría el deslinde registral de esa finca no inscrita). Ello no impide, que se tramite notarialmente, con la limitación indicada, de fijar los lindes, pero no constatarlos en el Registro de la Propiedad respecto a las fincas no inscritas. La competencia del deslinde de fincas no inscritas corresponde al Letrado de la Administración de Justicia. Cabe también plantearse qué ocurre cuando una finca está formada por varias parcelas que forman una unidad y unas están inscritas y otras no. Sin unas fincas están inscritas y otras no sin formar una unidad, tiene sentido deslindarlas separadamente, pero si forman una unidad no se puede deslindar el conjunto perimetral, pues no sería un deslinde de finca inscrita (que es únicamente una parte) ni un deslinde de finca no inscrita (que sería el resto). Unas tendrían sus propios lindes que tendrían acceso al Registro de la Propiedad, y las otras también tendrían sus lindes sin acceso al Registro de la Propiedad, sin perjuicio de que sean todas ellas colindantes y pertenezcan a un único titular. Englobar en este supuesto un mismo deslinde parece que encubriría una «modificación de entidad hipotecaria», con lo que entraríamos en un procedimiento de modificación de superficie, descripción o linderos o directamente en una modificación de entidad hipotecaria.

– Tampoco es aplicable cuando el deslinde afecte a fincas cuya titularidad afecte a administraciones públicas, en cuyo caso el deslinde se practicará conforme a su legislación específica (ley de costas, aguas, bienes de entidades locales...), según lo dispuesto en el artículo 200 de la LH «Lo dispuesto en este artículo no resultará de aplicación a los inmuebles cuya titularidad corresponda a las Administraciones Públicas. Es este caso el deslinde se practicará conforme a su legislación específica».

15.4.2.1.2. Deslinde de fincas inscritas por acuerdo o convenio entre los interesados (vía contractual), pero sin intervención notarial.

Supuesto admitido tanto por la DGRN como por el TS, que han admitido tres formas de resolución del deslinde: La contractual, la contenciosa y la de jurisdicción voluntaria. Respecto a la contractual se regirá por los pactos del convenio, con especial precaución respecto al título inscribible (resolución 28 de septiembre de 2017 que exige escritura pública). Respecto al deslinde contractual es analizado por la Resolución de 4 de mayo de 2016, que regula la situación antes y después de la reforma de la Ley Hipotecaria en los siguientes términos: «Ni antes ni después de la reforma de la Ley Hipotecaria operada por la Ley 13/2015 de 24 de junio, de Reforma de la Ley Hipotecaria aprobada por Decreto de 8 de febrero de 1946 y del texto refundido de la Ley del Catastro Inmobiliario, y la de la Ley de Enjuiciamiento Civil (Ley 15/2015, de 2 de julio, de Jurisdicción Voluntaria) se regula el deslinde voluntario realizado de común acuerdo por los colindantes en cuanto a sus lindes exclusivas. Pero esta posibilidad era perfectamente factible, tanto porque es una facultad que el artículo 384 del Código Civil concede al propietario de una finca, cuanto porque el principio de libertad civil (artículo 1255 del Código Civil) permite todo lo que no está prohibido y no perjudica a tercero y porque para la rectificación de los lindes de las fincas inscritas no existía regulación en la Ley Hipotecaria, a diferencia de lo ahora ocurre con los artículos 200 y 201...En la nueva legislación hipotecaria...será más difícil esa actuación por la exigencia de aportación de datos catastrales y georreferenciación de las fincas...así como por la necesidad de acudir al citado expediente, antes carente de regulación, para la rectificación de la descripción, superficie o linderos de cualquier finca registral, sin quepa, a partir de la entrada en vigor en la Ley 13/2015, de 24 de junio, el documento público que no se ajuste a los nuevos artículos 200 y 201 de la Ley Hipotecaria...Conclusión de lo expuesto es que hasta la entrada en vigor de la reiterada reforma hipotecaria cabía el deslinde realizado por los interesados en cuanto a los lindes que les afectan respecto a las fincas inscritas (posibilidad que subsiste, vía artículo 384 del Código Civil, en cuanto a las fincas no inscritas) y sin necesidad de aportar certificación catastral descriptiva y gráfica acreditativa de la concreta situación gráfica de la finca...En cuanto a las dudas fundadas...deben estar justificadas, es decir, fundamentadas en criterios objetivos y razonables...Por ello debería especificarse cuál es el fundamento de las indicadas dudas sin que sea suficiente la mención de una hipotética posibilidad de fraude...». De esta resolución parece desprenderse que si los interesados convienen contractualmente en escritura pública el deslinde, con aportación de las certificaciones catastrales descriptivas y gráficas de la finca objeto de deslinde y de las colindantes y, en su caso, la representación gráfica georreferenciada, así como los documentos que justifiquen el deslinde, es decir, todo lo prescrito en el artículo 200 de la Ley Hipotecaria, y todos los interesados intervienen (Resolución de 4 de mayo de 2016 «De la documentación aportada parece desprenderse que las modificación afecta a los límites inter partes de las fincas delimitadas, por lo que, como señalan las Sentencias del Tribunal Supremo de 3 de noviembre de 1989, 16 de octubre de 1990 y 27 de enero de 1995 no es precisa la intervención de los colindantes con cuyas fincas no existe confusión de linderos, pues sería absurdo obligar a traer a la litis a personas a quienes esta acción de deslinde no va a afectar pues la acción de deslinde sólo interesa a los propietarios que estén en linde incierta y discutida y no a los demás que tengan perfectamente reconocidos sus límites») parece que no hay inconveniente en que en un solo acto y formalizado en escritura pública se acuerde el deslinde.

15.4.2.2. Deslinde en caso de desacuerdo de propietarios/titulares de derechos reales de las fincas a deslindar

Es el supuesto de la acción de deslinde por vía contenciosa, consecuentemente no procede nunca jurisdicción voluntaria.

15.4.3. Regulación del código civil

Como hemos dicho el deslinde viene regulado en los artículos 384 a 387 del Código civil. El artículo 385 del Código Civil indica «el deslinde se hará de conformidad con los títulos de cada propietario, y, a falta de títulos suficientes, por lo que resultare de la posesión en que estuvieren los colindantes». Sin embargo no parece aplicable al procedimiento de jurisdicción voluntaria sino a procedimientos de acciones declarativas del dominio, los dispuesto en los artículos siguientes, puesto que el artículo 386 del CC «el deslinde se hará distribuyendo el terreno objeto de contienda por partes iguales»; artículo 387 del mismo código «el aumento o falta se distribuirá proporcionalmente», lo que implica supuestos de necesariamente negocios traslativos del dominio o modificación de fincas registrales (contrario al artículo 200 de la Ley hipotecaria) y expedientes de otro tipo, «Si el Registrador...albergare dudas fundadas sobre la posibilidad de que el acuerdo de deslinde alcanzado encubriese un negocio traslativo u operaciones de modificación de entidad hipotecaria, procederá a suspender la inscripción solicitada motivando las razones en que funde tales dudas. Y ello porque la acción de deslinde no discute la titularidad de una finca o parte de ellos sino simplemente fijar unos linderos ciertos. Además, partimos de procedimiento de acuerdo de los interesados, que estos artículos no presuponen, considerando, además, que en el procedimiento de deslinde regulado en el artículo 200 de la Ley Hipotecaria no cabe rectificación de superficie, entraríamos en el expediente del artículo 201 de la Ley Hipotecaria.

Por último, cabe diferenciar la acción de deslinde de la de amojonamiento, puesto que en ésta última no existe incertidumbre sobre los linderos, sino que trata simplemente de explicitar esos lindes mediante hitos o mojones.

15.4.4. *Aplicación del procedimiento notarial de deslinde*

De lo expuesto se desprende que solo cabe la aplicación del artículo 200 de la Ley Hipotecaria y la actuación notarial cuando:

1. El deslinde sea una cuestión de hecho, es decir una facultad integrante del dominio o cualquier otro derecho real (Rs 16 de enero de 2007) pero que no encubra una acción declarativa o reivindicatoria de dominio, o negocios traslativos del dominio ni operaciones de modificación de entidad hipotecaria.

2. Todas las fincas a deslindar figuren inscritas en el Registro de la Propiedad, tanto la finca objeto de deslinde como las colindantes, independientemente de su naturaleza, rústica o urbana. Sin perjuicio de que como se ha dicho (promotor del expediente, fincas inscritas y no inscritas, unidad de finca), quepa el procedimiento de jurisdicción voluntaria, que deslindará las fincas, pero evidentemente no fijará los lindes de las no inscritas en el Registro de la Propiedad, sino únicamente los de las fincas inscritas. En cualquier caso, el artículo 200 de la Ley Hipotecaria exige «las circunstancias de las finca que se pretende deslindar, como las colindantes afectadas» y «aportar, en todo caso, la certificación catastral descriptiva y gráfica de la finca objeto del expediente y de las colindantes afectadas»

3. No exista desacuerdo entre los propietarios/titulares de derechos reales de las fincas objeto de deslinde (cabe el deslinde parcial).

4. No afecte a fincas de titularidad pública, pues se regulará por su legislación específica. Se excluye, en consecuencia, el deslinde cuando las fincas de titularidad pública sean colindantes con la privativa cuyo deslinde se pretende

5. No exista acuerdo no notarial, en cuyo caso se regirá por el mismo, con las precauciones del título inscribible, y con lo expuesto en la resolución DGRN de 4 de mayo de 2016, sobre la nueva regulación del deslinde.

15.4.4.1. Tramitación del expediente

15.4.4.1.1. Competencia notarial

Artículo 200 de la LH «El expediente de deslinde de fincas inscritas deberá tramitarse ante Notario hábil para actuar en el distrito notarial en donde radiquen las fincas o en cualquiera de los distritos notariales colindantes a dicho distrito. Si las fincas cuyo deslinde se pretende estuvieren ubicadas en territorio perteneciente a distintos distritos notariales, el expediente podrá tramitarse ante Notario hábil para actuar en el distrito notarial de cualquiera de ellas o en cualquiera de sus distritos colindantes».

En cuanto a la forma documental, dado que el objeto del expediente es la verificación o constatación de un hecho, parece que lo que procede es un acta, que entiendo que se hará constar el día en que se inicia pero que se incorporará al protocolo el día de su cierre, sobre todo a efectos de índices, aunque hay discrepancia sobre este aspecto, incluso, en mi opinión cabría una doble acta, de iniciación y de cierre.

15.4.4.1.2. Iniciación, legitimación y solicitud

Regulado en el párrafo segundo del artículo 200 LH: «Se iniciará el expediente a instancia del titular registral del dominio, o de ser varios de cualquiera de ellos, o de cualquier derecho real mediante escrito en el que se harán constar las circunstancias tanto de la finca que se pretende deslindar, como las colindantes afectadas, así como los datos identificativos de los titulares de una y otras, incluidos los catastrales y su domicilio cuando fuese conocido por el promotor. Se el deslinde solicitado no se refiere a la totalidad del perímetro de la finca, se determinará la parte a que haya de contraerse».

Consecuentemente el expediente puede iniciarse por: Titular del dominio, cotitulares del dominio (ya hemos tratado el tema de condominio que se aplicaría el artículo 398 CC, mayoría de los partícipes «o de ser varios de cualquiera de ellos» contrario a la mayoría de los cotitulares) o titulares de cualquier derecho real. Pero tratándose de deslinde de fincas inscritas el titular del dominio, participación o derecho real ha de ser el titular registral. Pero en última instancia en la escritura es necesario la intervención de todos los interesados (en otro caso no es jurisdicción voluntaria, y así el artículo 200 de la Ley Hipotecaria se refiere a la comunicación del expediente a todos los interesados, al acuerdo en escritura pública, y a «no habiendo acuerdo entre los interesados, el Notario dará por concluso el expediente»

El expediente se iniciará por escrito con la pretensión de deslinde (Iniciación del acta, a mi juicio, y según lo antes expuesto), que contendrá:

a. Las circunstancias de su propia finca que es la que se pretende deslindar, como las colindantes afectadas, con la descripción de las fincas como figure inscrita en el Registro de la Propiedad, junto con certificación catastral de la finca.

b. Los datos de identificación de los titulares de la finca a deslindar (supuestos de copropiedad) y de los colindantes afectados, incluidos los catastrales y su domicilio cuando fuese conocido por el promotor. Los domicilios serán los que resulten de las certificaciones registrales y catastrales, sin perjuicio de fijar domicilio actualizados si son conocidos por el promotor, a efectos de las posteriores notificaciones notariales.

c. Si el deslinde es parcial, la parte de finca a la que haya de contraerse.

Junto a ello, *el promotor debe aportar*, párrafo tercero del artículo 200 LH «El promotor del deslinde deberá aportar, en todo caso, la certificación catastral descriptiva y gráfica de la finca objeto del expediente y de las colindantes afectadas, así como los documentos o justificantes que sirvan a su pretensión. Además, en caso de que el promotor manifieste que la representación gráfica catastral no coincide con el deslinde solicitado, deberá aportar certificación gráfica georreferenciada del mismo», lo cual coincide con el artículo 9 de LH «siempre que ... se realicen operaciones de... deslinde que determinen una reordenación de terrenos, la representación gráfica georreferenciada de la finca que complete su descripción literaria, expresándose si constaren debidamente acreditadas, las coordenadas georreferenciadas de su vértices...».

En caso de que el deslinde solicitado coincida con la representación gráfica del catastro, habría que relacionar el artículo 200 de la LH, con el 199 del mismo cuerpo y con los artículos 9 y 10 de la LH, es decir, supuestos de incorporación de la representación gráfica catastral al registro de la propiedad, pero en el supuesto de que los lindes de la descripción literaria registral sea diferente al perímetro de la finca catastral, será necesario acudir al expediente de deslinde, y así resulta del propio artículo 199 LH «Si la incorporación de la certificación catastral descriptiva y gráfica fuera denegada por la posible invasión de fincas colindantes inmatriculadas, el promotor podrá instar el deslinde conforme al artículo siguiente, salvo que los colindantes registrales afectados hayan prestado su consentimiento a la rectificación solicitada, bien en documento público, bien por comparecencia en el propio expediente y ratificación ante el Registrador», y ello porque a través del deslinde se pueden alterar el perímetro de las fincas registrales, lo que no parece que sea posible por el procedimiento de incorporación de la representación gráfica catastral.

En caso de representación grafica alternativa, es imprescindible el procedimiento de deslinde, puesto que con este se consigue no solo la modificación del registro de la propiedad, sino también la descripción gráfica catastral.

Por último, el artículo 200 LH, exige, aún en el supuesto de que el deslinde se base en la representación gráfica alternativa a la catastral, el promotor deberá aportar en todo caso certificación catastral descriptiva y gráfica.

Junto a la documentación indicada, el promotor debe aportar «los documentos o justificantes que sirvan a su pretensión», no se fijan limites a los documentos a aportar, parece que será necesario la aportación de su título de propiedad o de titularidad de un derecho real, por lo dispuesto en el artículo 385 del CC «El deslinde se hará de conformidad con los títulos de cada propietario», pero junto a ellos caben, certificaciones o notas registrales, planos topográficos, informes técnicos o cualquier otro que se considere necesario o conveniente para la práctica del deslinde y la justificación del derecho del promotor.

15.4.4.1.3. Notificaciones

Artículo 384 CC «Todo propietario tiene derecho a deslindar su propiedad, con citación de los dueños de los predios colindantes. La misma facultad corresponderá a los que tengan derechos reales». Según SSTS, entre otras, de 14 de mayo de 2010, no hay que citar a todos los dueños de fincas colindantes sino sólo a aquellos sobre los que exista confusión de linderos. Esta doctrina se recoge en el artículo 200 LH «circunstancias de fincas colindantes afectadas», que deben constar en el escrito de iniciación del expediente.

Las notificaciones vienen recogidas en el párrafo cuarto del artículo 200 LH: «El Notario comunicará el inicio del expediente a todos los interesados, quiénes en el plazo de quince días, podrán hacer alegaciones y presentar las pruebas que estimen conveniente. El Notario dará traslado a dichos interesados de toda la documentación aportada y convocará a los mismos, en el plazo de otros treinta días, a una comparecencia, para buscar la avenencia entre ellos. También notificará el inicio del expediente al Registro de la Propiedad en el que se encuentren inscritas las fincas, al objeto de que se expida certificación de titularidad y cargas de las mismas y de sus colindantes afectadas, cuyos titulares habrán de ser notificados del expediente por el Notario, haciendo constar el Registrador por nota al margen de las fincas la expedición de dicha certificación, con indicación de Notario que tramita el expediente y su finalidad. La referida nota marginal se cancelará por caducidad trascurridos dos años desde su fecha».

Partiendo de esta norma podemos indicar:

1. Parece que lo primero es notificar el inicio del expediente al Registro de la Propiedad a efectos de solicitar certificación de cargas del Registro de la Propiedad en que se encuentren las fincas inscritas, al objeto de determinar su titularidad y cargas y la titularidad y cargas de las fincas colindantes afectadas. El registrador hará constar por nota marginal la expedición de la certificación.

2. El objeto de la notificación es la comunicación a los interesados de la iniciación del expediente de deslinde. El Notario competente es el que tramita el expediente de deslinde. Respecto a los interesados serán:

    a. Los que según la certificación registral sean titulares del dominio o cargas sobre las fincas objeto del deslinde, es decir, respecto a la finca del promotor, a los cotitulares si los hubiese y a los titulares de derechos reales sobre las misma (puesto que los titulares de derechos reales están legitimados para iniciar el expediente de deslinde).

    b. A los titulares dominicales o titulares de derechos reales sobre las fincas afectadas por el deslinde, ya hemos visto qué en caso de deslinde parcial, solo a los que se vean afectados por el deslinde.

    c. A los titulares catastrales de la finca a deslindar como de las fincas colindantes.

    d. A los qué según el promotor, en el escrito de inicio del expediente, identifique como titulares de las fincas colindantes (pueden no ser los registrales ni catastrales) afectadas por el deslinde.

    e. Podría plantearse la notificación a cualquier otro interesado mediante edictos en el Boletín Oficial del Estado, tablón de anuncios de ayuntamiento e incluso periódicos.

En el supuesto de que en la certificación del Registro o en el Catastro exista un domicilio distinto al indicado por el promotor, parece que lo razonable es notificar en ambos domicilios. En caso de que el Notario no pueda llegar a conocer el domicilio de alguno de los interesados, bien porque no resulte de las certificaciones, bien por que el promotor sólo esta obligado a proporcionarlo cuando le sea conocido, parece aplicable lo dispuesto en la disposición adicional segundo de la Ley 13/2015, y el artículo 40 de la Ley 39/2015 de 1 de octubre, del procedimiento Administrativo Común de las Administraciones Públicas, es decir, edictos en el Boletín oficial del Estado, sin perjuicio de la posibilidad de publicar edictos en el tablón de anuncios del ayuntamiento o en diarios.

En lo que respecta a la forma de notificación estaremos a los dispuesto en la Legislación notarial, por tanto, cédula de notificación con traslado del escrito inicial y de la documentación aportada por el promotor, así como el plazo de alegaciones, quince días hábiles (DGRN resolución de 8 de octubre de 2015), desde la recepción del documento, para hacer alegaciones y presentar las pruebas que estimen procedentes. El artículo 200 LH habla de comunicación «el Notario comunicará» por lo que parece suficiente la notificación por correo certificado con acuse de recibo. Pero esta forma de notificación parece contraria al artículo 199 de la Ley Hipotecaria, que en su párrafo segundo indica «la notificación se hará de forma personal. En el caso de que alguno de los interesados fuere desconocido, se ignore el lugar de notificación o, tras dos intentos, no fuera efectiva la notificación, se hará mediante edicto insertado en el Boletín Oficial del Estado, sin perjuicio de utilizar, en todo caso, el sistema de alertas previsto en la regla séptima del artículo 203».

Una vez que el Notario dispone de la documentación aportada por los interesados y las alegaciones efectuadas por los mismos (donde se realiza la fase probatoria y siempre que no haya oposición, pues si la hay no se va a logra la avenencia), y vencido el plazo de presentación de documentos y alegaciones de la primera notificación (es decir dentro de los treinta días siguientes al plazo de quince días de la notificación previa), el Notario debe hacer una segunda comunicación (dará traslado de toda la documentación aportada) y los convocará, dentro del citado plazo de treinta días, para «buscar la avenencia entre ellos». La notificación será a todos los interesados, que parece lógico sean los mismos interesados que en la primera notificación. El Notario es el que fijará el lugar, día y hora de la reunión, a su como su finalidad que será buscar la posible avenencia. En cuanto al lugar, parece que será la oficina del Notario que tramita el expediente, pero no se aprecia inconveniente en fijar otro lugar, por ejemplo, por el número de personas que tienen derecho a la comparecencia.

15.4.4.2. Finalización del procedimiento

15.4.4.2.1. De forma negativa

Se producirá a falta de acuerdo de los interesados, por acuerdo de los interesados de forma unánime, o por falta de comparecencia de cualquiera de los citados. En estos casos el Notaria dará por cerrado el expediente de deslinde (por diligencia en el acta inicial o por diligencia y protocolización si no se ha protocolizado el requerimiento inicial). En estos casos el promotor podrá iniciar el deslinde contencioso en vía judicial. Artículo 200 LH «No habiendo acuerdo entre los interesados el Notario dará por concluso el expediente».

15.4.4.2.2. Con avenencia entre los interesados

El acuerdo debe ser de los interesados, siendo el papel del Notario el de un simple mediador para lograr ese acuerdo. El acuerdo podrá ser total para todos los interesados o parcial, para alguno de los colindantes, en cuyo caso parece posible el deslinde respecto a las fincas de los colindantes respecto a los que hay acuerdo. La forma documental, en cuanto implica declaración de voluntad, será la escritura pública y así lo recoge el artículo 200 de la LH. Según la forma documental que se haya escogido (un acta o dos actas) implicará diligencia de cierre o protocolización de la primera, y escritura pública de deslinde, en el que se expresarán los trámites esenciales del deslinde, el acuerdo alcanzado y la nueva descripción de la finca.

Alcanzado el acuerdo, el artículo 200 LH «De lograrse el acuerdo, se hará constar el mismo en escritura pública, procediendo el Notario en la forma establecida en el párrafo segundo de la letra c) del apartado 2 del artículo 18 del texto refundido de la Ley del Catastro Inmobiliario. Lo mismo se hará si el acuerdo fuese parcial respecto de alguno o algunos de los linderos»; y la mencionada letra c) del apartado 2 del Artículo 18 indica: «El notario informará a la Dirección General del Catastro sobre la rectificación realizada, por medios telemáticos, en el plazo máximo de cinco días desde la formalización del documento público. Una vez validada técnicamente por la citada Dirección General la rectificación declarada, se incorporará la correspondiente alteración en el Catastro. En los supuestos en que se aporte el plano, representado sobre la cartografía catastral, la alteración se realizará en el plazo de cinco días desde su conocimiento por el Catastro, de modo que el notario pueda incorporar en el documento público la certificación catastral descriptiva y gráfica de los inmuebles afectados que refleje su nueva descripción» Todo ello, además, regulado por las Resoluciones de la Dirección General de Catastro, que regulan los requisitos técnicos que debe reunir la información notarial para su incorporación al catastro.

Esta remisión solo será necesaria cuando el acuerdo de deslinde rectifique la certificación catastral descriptiva y gráfica, pues en otro caso «no habrá rectificación realizada».

Informado catastro y según García García «El Registrador no podrá inscribir la escritura pública en la que se acuerde por los interesados el deslinde, sin que el Notario haya incorporado la alteración catastral que le remita el catastro, pues se prevé en este caso como un requisito previo para la inscripción, a diferencia...» lo que plantea el problema de la falta o retraso de la validación de la alteración catastral remitida por el Notario.

15.4.5. *Inscripción registral del deslinde*

Artículo 200 LH: «Si el Registrador, a la vista de las circunstancias concurrentes en el expediente y del contenido del historial de las fincas en el Registro, albergare dudas fundadas sobre la posibilidad de que el acuerdo de deslinde alcanzado encubriese un negocio traslativo u operaciones de modificación de entidad hipotecaria, procederá a suspender la inscripción solicitada motivando las razones en que funde tales dudas». De este párrafo se desprende que al Registro debe presentarse no sólo la escritura de deslinde, que contendrá los trámites esenciales del procedimiento, acuerdo de interesados y nueva descripción de fincas, sino el expediente íntegro del deslinde.

Por último tener en cuenta que el Registrador de la Propiedad realizará las comunicaciones precisas para que el deslinde sea visible desde el visor web y permita el sistema de alertas, puesto que el deslinde se incluye en el apartado sexto de la resolución-circular de 3 de noviembre de 2015, en el sistema de alertas y visor web.

15.5. INMATRICULACIÓN DE FINCAS POR DOBLE TÍTULO DE ADQUISICIÓN

15.5.1. Inmatriculación de fincas por doble título de adquisición

Tras la reforma operada por la Ley 13/2015 de 24 de junio, de reforma de la Ley Hipotecaria y del Catastro, y dejando al margen los procedimientos específicos de inmatriculación a favor de las Administraciones Públicas del artículo 206 LH o los especiales del artículo 204 LH, podemos distinguir dos grandes medios de inmatriculación de fincas en el Registro de la Propiedad: el expediente de dominio, regulado en el artículo 203 LH y que se trata en el epígrafe 15.3 y la inmatriculación de fincas por doble título de adquisición que se regula en el artículo 205 LH.

Este precepto, reformado en 2015, señala en su actual redacción:

«Artículo 205. Serán inscribibles, sin necesidad de la previa inscripción y siempre que no estuvieren inscritos los mismos derechos a favor de otra persona, los títulos públicos traslativos otorgados por personas que acrediten haber adquirido la propiedad de la finca al menos un año antes de dicho otorgamiento también mediante título público, siempre que exista identidad en la descripción de la finca contenida en ambos títulos a juicio del Registrador y, en todo caso, en la descripción contenida en el título inmatriculador y la certificación catastral descriptiva y gráfica que necesariamente debe ser aportada al efecto.

El Registrador deberá verificar la falta de previa inscripción de la finca a favor de persona alguna y no habrá de tener dudas fundadas sobre la coincidencia total o parcial de la finca cuya inmatriculación se pretende con otra u otras que hubiesen sido previamente inmatriculadas.

Si el Registrador tuviera dudas fundadas sobre la coincidencia total o parcial de la finca cuya inmatriculación se pretende con otra u otras de dominio público que no estén inmatriculadas pero que aparezcan recogidas en la información territorial asociada facilitada por las Administraciones Públicas, notificará tal circunstancia a la entidad u órgano competente, acompañando la certificación catastral descriptiva y gráfica de la finca que se pretende inmatricular con el fin de que, por dicha entidad, se remita el informe correspondiente, dentro del plazo de un mes a contar desde el día siguiente a la recepción de la notificación.

Si la Administración manifestase su oposición a la inmatriculación o, no remitiendo su informe dentro de plazo, el Registrador conservase dudas sobre la existencia de una posible invasión del dominio público, denegará la inmatriculación pretendida.

En caso de calificación positiva por el Registrador, éste procederá a extender la inscripción del derecho de dominio, notificará la inmatriculación realizada, en la forma prevenida reglamentariamente, al poseedor de hecho, a los titulares de cargas, derechos o acciones que puedan gravar la finca y fueran conocidos, a los propietarios de las fincas registrales y catastrales colindantes en los domicilios que consten en el Registro y, caso de ser distintos, en cualesquiera otros que resulten de los documentos aportados, así como al Ayuntamiento en que esté situada la finca. Asimismo, ordenará la publicación del edicto y utilizará el servicio en línea para creación de alertas específicas a que refiere la regla séptima del apartado 1 del artículo 203».

Este artículo, aparentemente sencillo, señala como medio para lograr la inmatriculación, la presentación en el Registro de la Propiedad de dos títulos públicos, entre los que haya mediado el plazo de un año, exigiendo identidad entre la descripción de la finca que consta en ambos títulos y entre la descripción que consta en el título inmatriculador y la certificación catastral descriptiva y gráfica. Sin embargo, este artículo plantea una gran cantidad de cuestiones que vamos a ir analizando al hilo del mismo.

15.5.2. Requisitos

Los **requisitos** que se exigen para la inmatriculación son los siguientes:

1. Que el derecho no esté inscrito a favor de ninguna otra persona.

La inmatriculación consiste en el ingreso de una finca en el Registro de la Propiedad, por lo que el Registrador debe asegurarse de que la finca no se encuentre inscrita a favor de ninguna persona, incluido el otorgante, a fin de evitar supuestos de doble inmatriculación.

El artículo 205 LH recoge una serie de actuaciones que el Registrador debe realizar tras la inscripción (notificaciones, edicto y alerta), a que nos referiremos posteriormente. En la inmatriculación por doble título estas actuaciones se realizan una vez practicada la inscripción de la finca, a diferencia del expediente de dominio del artículo 203 LH en que éstas tienen carácter previo, lo que obliga, por tanto, a los posibles afectados a tener que recurrir a la vía judicial en caso de oposición.

De ahí que, tal y como ha manifestado la DGRN el Registrador debe extremar el celo en las inmatriculaciones para evitar la doble inmatriculación y especialmente en el procedimiento previsto en el artículo 205 LH, el cual tiene menores garantías, al no exigir la previa intervención de los titulares de las fincas colindantes u otros interesados.

2. Que existan dos títulos públicos: el título público previo y el título inmatriculador «traslativo».

A diferencia de la redacción anterior, el artículo 205 LH exige que los dos títulos necesarios para la inmatriculación tengan carácter «público». Este requisito, que ya venía siendo exigido por la DGRN, ha quedado patente en la Resolución de 29 de septiembre de 2017, que señala que «en cuanto a la forma documental (que es lo que se plantea en este recurso), para acreditar la previa adquisición ya no basta cualquier medio de acreditación fehaciente, categoría amplia dentro de la cual el Reglamento Hipotecario, en alguna de sus sucesivas reformas, ha considerado comprendidos incluso a simples documentos privados que reunieran los requisitos del artículo 1227 del Código Civil. La redacción del artículo 205 no deja lugar a interpretaciones pues dispone claramente que la acreditación de la previa adquisición del transmitente debe realizarse también mediante título público».

Respecto del título inmatriculador, es decir, el segundo en el tiempo, el precepto a diferencia de su redacción anterior habla de título inmatriculador «traslativo». Sin embargo, la DGRN ha declarado que «la diferencia esencial entre ambas redacciones legales —actual y anterior— no se encuentra tanto en la necesidad de que el título público inmatriculador sea "traslativo", pues tal exigencia, aunque no viniera expresamente formulada en la anterior dicción legal sí que resultaba implícita en ella, como reiteradamente ha venido considerando la doctrina jurídica, la jurisprudencia y la propia doctrina consolidada de este Centro Directivo». Por tanto, se admiten como título inmatriculador la aportación a gananciales, siempre que del título resulte la causa de éste (RDGRN de 5 de mayo de 2016), y la disolución de comunidad (RDGRN de 1 de julio de 2016).

Por último, se plantea si tras la reforma operada por la ley 13/2015 se puede complementar el título público inmatriculador por acta de notoriedad.

Algunos autores entendieron que, tras la reforma, las actas de notoriedad complementarias habían quedado eliminadas, puesto que el artículo 205 LH no se refiere a ellas y tampoco se regulan en ningún otro precepto de la Ley Hipotecaria. Además, señalan que de la redacción del artículo 205 LH se desprende que el título previo ha de ser un «título público de adquisición», no siendo admisible, por tanto, un acta de notoriedad complementaria.

Sin embargo, la DGRN parece admitir las actas, pero siempre que el Notario emita juicio sobre la acreditación de la previa adquisición y su fecha. Así, la DGRN, en su resolución de 19 de noviembre de 2015, señaló que «Por ello, ya no será admisible la simple declaración de la notoriedad del hecho de que una determinada persona es tenida por dueña de una determinada finca, como venía admitiendo el artículo 298 del Reglamento Hipotecario, sino que, conforme a las exigencias expresadas en el nuevo artículo 205 de la Ley Hipotecaria, y a la regulación del artículo 209 del Reglamento

Notarial, será necesario que, tras el requerimiento expreso en tal sentido y la práctica de las pruebas y diligencias pertinentes, el **notario emita formalmente, si procede, su juicio sobre la acreditación de la previa adquisición y su fecha**, siempre y cuando, como señala el mismo precepto reglamentario, tales extremos le "resultasen evidentes por aplicación directa de los preceptos legales atinentes al caso"», habiendo mantenido este criterio en resoluciones posteriores.

3. Que entre ambos títulos haya transcurrido el plazo de un año.

La finalidad de este requisito es evitar, o al menos dificultar, la creación de títulos cuya única finalidad sea lograr la inmatriculación de la finca.

Respecto del cómputo del plazo, la DGRN ha precisado que «dicho lapso temporal mínimo de un año ha de computarse, no necesariamente entre las fechas de los respectivos otorgamientos documentales, esto es, el de título público previo y el del título público traslativo posterior, sino entre la fecha de la previa adquisición documentada en título público, y la fecha del otorgamiento del título traslativo posterior» (RDGRN de 19 de noviembre de 2015, RDGRN 1 de julio de 2016, entre otras).

Así, en las herencias el plazo cuenta desde el fallecimiento del causante y no desde la fecha en que se otorgue la escritura de partición, posición que ya había sido adoptada antes de la reforma por la Dirección General y por el Tribunal Supremo (STS de 12 de febrero de 2007).

Se ha planteado cómo debe computarse el plazo en caso de elevación a público de un documento privado, es decir, ¿debe contarse el plazo desde que el documento privado adquiere fehaciencia o desde que se produce la elevación a público? Esta cuestión ha sido resuelta por la DGRN en su resolución de 16 de noviembre de 2017, que señaló que «debe atenderse al momento del otorgamiento del título público, y no a la fecha en que el documento privado adquiere fehaciencia por virtud de su liquidación tributaria, pues esa adquisición de fecha fehaciente no lo convierte en título público, sino que sigue siendo un documento privado»; lo cual, parece contradictorio con la finalidad de la norma que, como hemos dicho, trata de evitar la creación artificiosa de títulos para inmatricular.

De igual modo, en nuestra opinión, se desvirtúa esa finalidad con la doctrina de la DGRN de que el plazo del año debe aplicarse literalmente, sin excepción, incluso en los casos en que el título inmatriculador sea una herencia y no exista duda de que no se están creando artificiosamente los títulos, tal y como ha señalado la DGRN en la resolución de 1 de junio de 2017.

4. Que exista identidad en la descripción de la finca contenida en ambos títulos a juicio del Registrador.

A pesar de que el artículo 205 LH utiliza el término «identidad», no debemos entender el término en sentido literal, si no que el Registrador debe tener certeza de que se trata de la misma finca. Esta postura se mantiene por la DGRN que señala que «Es evidente que no puede existir —y así, exigirse— identidad plena y absoluta entre ambas descripciones, puesto que en ese caso no necesitaría juicio alguno por parte del registrador en su calificación, siendo por ello preciso una identificación razonable entre ambos modelos descriptivos, tanto en lo relativo a superficie, como en su ubicación, identificación y demás elementos definitorios de la finca (Resolución de 16 de enero de 2018, entre otras).

5. Que exista identidad, en todo caso, en la descripción contenida en el título inmatriculador y la certificación catastral descriptiva y gráfica que necesariamente se debe aportar.

El artículo 205 LH exige una doble identidad en la descripción de la finca: entre los dos títulos públicos y entre el título inmatriculador y la certificación catastral descriptiva y gráfica.

Ya hemos visto que, en el caso del primero de ellos —identidad entre los dos títulos públicos— basta con que, a juicio del Registrador no existan dudas de que se trata de la misma finca. Sin embargo, en este segundo requisito, la identidad debe exigirse con carácter literal, es decir, que la descripción de la finca que consta en el título y la que se desprende de la certificación catastral descriptiva y gráfica deben ser idénticas en lo relativo a su naturaleza, situación, superficie y linderos. La DGRN en su resolución de 23 de junio de 2016 establece que «Es doctrina reiterada de este Centro Directivo que la legislación aplicable (tanto con anterioridad o posterioridad a la reforma operada por la Ley de 24 de junio de 2015, de modificación de la legislación hipotecaria y del Catastro) impone que en todo caso, y con independencia del medio inmatriculador utilizado, resulta imprescindible para cuando acceda por primera vez una finca al Registro la aportación de una certificación catastral descriptiva y gráfica en términos totalmente coincidentes con la descripción que se ha incorporada al título inmatriculador».

Este requisito implica:

– Que necesariamente debe aportarse certificación literal descriptiva y gráfica, la cual deberá protocolizarse en la escritura.

El artículo 9. b) de la Ley Hipotecaria exige que, en los casos de inmatriculación, se incorpore al folio real de la finca la representación gráfica georreferenciada de la misma que complete su descripción literaria, expresándose, si constaren debidamente acreditadas, las coordenadas georreferenciadas de sus vértices.

En el caso de inmatriculación, esta representación gráfica sólo puede obtenerse de la certificación catastral descriptiva y gráfica, sin que sea posible presentar una representación gráfica georreferenciada alternativa.

Únicamente, por excepción, la DGRN en su resolución de 22 de septiembre de 2017 ha señalado que en los supuestos en los que exista una inconsistencia de la base gráfica catastral que impida la obtención de la completa representación gráfica georreferenciada catastral, no puede impedirse la inmatriculación de la finca por una cuestión técnica que resulta ajena al propio interesado y a la institución registral, por lo que, con carácter excepcional, podrá admitirse que el interesado aporte una representación gráfica alternativa que complete la representación gráfica catastral incompleta.

– Que si la descripción real de la finca no coincide con la que consta en Catastro debe solicitarse la rectificación catastral con carácter previo. En otro caso, se inmatriculará la finca conforme a la descripción catastral, sin perjuicio de que posteriormente pueda solicitarse la rectificación registral.

– En todo caso, la identidad se refiere a la ubicación, la fijación de linderos y perímetro de la parcela registral y catastral, descartando así construcciones o edificaciones existentes sobre la misma. Así, la RDGRN de 23 de junio de 2016, citando resoluciones anteriores señala que «Por su parte, en cuanto a los elementos físicamente ubicados en el interior de la finca, tales como plantaciones o edificaciones, su indicación y descripción más o menos pormenorizada en el título y en la inscripción es sin duda muy relevante, y a muy diversos efectos, como los económicos, fiscales, urbanísticos, medioambientales, etc. (pues inciden directamente en el valor de la finca y en sus posibilidades de disfrute y explotación conforme a la legalidad aplicable), pero, habiendo sido ya precisada la ubicación y delimitación geográfica de la finca que los contiene, tales detalles descriptivos no son imprescindibles, para la concreta finalidad esencial del Registro de la Propiedad de identificar y delimitar una finca con respecto a sus colindantes, y evitar incertidumbres y riesgos de doble inmatriculación, o para la concreta finalidad esencial de la deseable coordinación entre Registro de la Propiedad y Catastro para conseguir que ambas instituciones se refieran a un mismo inmueble, esto es, en el caso que nos ocupa, a una misma porción de la superficie terrestre».

El requisito de identidad exige coincidencia de los linderos, si bien, cuando estos se han expresado nominativamente en el título, la DGRN no exige para la inmatriculación que los linderos nominales del título coincidan con los de la certificación catastral. Esta doctrina, expresada en la RDGRN de 5 de agosto de 2014, se ha mantenido tras la reforma de la Ley 13/2015.

– Por último, la identidad no se extiende al titular catastral, es decir, no es necesario que el titular catastral sea el adquirente o el transmitente del título público.

Este requisito se exigía en el artículo 298 RH, el cual, según reiterada doctrina de la DGRN debe entenderse inaplicable a esta cuestión. La identidad que exige el artículo 205 LH entre el título y la certificación catastral se refiere exclusivamente a la descripción de la finca y no a la titularidad catastral, admitiéndose por la Dirección General la inmatriculación de fincas catastradas a nombre de personas distintas de los comparecientes en la escritura, e incluso de fincas que en Catastro figuran en investigación (RDGR de 7 de abril de 2017, RDGRN de 29 de septiembre de 2017...).

6. Que el Registrador no tenga dudas fundadas sobre la coincidencia total o parcial de la finca cuya inmatriculación se pretende con otra u otras de dominio público que no estén inmatriculadas pero que aparezcan recogidas en la información territorial asociada facilitada por las Administraciones Públicas.

En caso de duda fundada, el Registrador notificará tal circunstancia a la entidad u órgano competente, acompañando la certificación catastral descriptiva y gráfica de la finca que se pretende inmatricular con el fin de que, por dicha entidad, se remita el informe correspondiente, dentro del plazo de un mes a contar desde el día siguiente a la recepción de la notificación.

Si la Administración manifestase su oposición a la inmatriculación o, no remitiendo su informe dentro de plazo, el Registrador conservase dudas sobre la existencia de una posible invasión del dominio público, denegará la inmatriculación pretendida, siempre de forma motivada.

Una vez estudiados los requisitos necesarios para la inmatriculación de fincas por doble título de adquisición, pasamos a estudiar los **efectos** de la misma:

15.5.3. Efectos

1. El efecto principal es, sin duda, que esta inmatriculación implica que **en el folio real de la finca se incorpora su representación gráfica**, que es la que resulta de la certificación catastral descriptiva y gráfica, por lo que **se logra automáticamente la coordinación con Catastro.**

El artículo 10.2 LH señala que el Registrador incorporará al folio real la representación gráfica catastral aportada, haciendo constar expresamente en el asiento que en la fecha correspondiente la finca ha quedado coordinada gráficamente con el Catastro. Asimismo, el Registrador trasladará al Catastro el código registral de las fincas que hayan sido coordinadas.

2. Una vez practicada la inscripción, **el Registrador deberá notificar la inmatriculación realizada, a determinadas personas.**

El artículo 205 LH señala que dicha notificación debe realizarse, en la forma prevenida reglamentariamente, al poseedor de hecho, a los titulares de cargas, derechos o acciones que puedan gravar la finca y fueran conocidos, a los propietarios de las fincas registrales y catastrales colindantes en los domicilios que consten en el Registro y, caso de ser distintos, en cualesquiera otros que resulten de los documentos aportados, así como al Ayuntamiento en que esté situada la finca.

El Registrador, únicamente puede conocer la existencia y los datos de dichas personas por la información que resulte del título, de modo que, en caso de que no consten en el mismo, dichas notificaciones no procederán.

En todo caso y como ya dijimos, el efecto de la notificación es simplemente poner en conocimiento de dichas personas la inscripción ya realizada, frente a la cual no podrán oponerse, de modo que sólo podrán acudir a la vía judicial en caso de que vean perjudicados sus derechos.

3. El Registrador deberá publicar un edicto.

El precepto no señala los requisitos, lugar o plazo de dicha publicación. Sin embargo, entendemos que, por aplicación del artículo 203.7 LH el edicto debe publicarse en el BOE, de forma gratuita, con todos los datos de la finca o fincas que resulten del expediente, titularidad y cargas, debiendo el Registrador hacer constar dicha publicación por nota marginal en la inscripción de la finca.

4. El Registrador utilizará el servicio en línea para creación de alertas específicas a que refiere la regla séptima del apartado 1 del artículo 203, el cual todavía no se encuentra operativo.

5. Por último, la inmatriculación por doble título de adquisición supone una **suspensión de la fe pública registral durante el plazo de dos años.**

Este efecto, que no se establece para la inmatriculación a través del expediente de dominio refleja la desconfianza del legislador en la inmatriculación por doble título.

Así, el artículo 207 LH señala que «*Si la inmatriculación de la finca se hubiera practicado con arreglo a lo establecido en los números 1.º, 2.º, 3.º y 4.º del artículo 204, el artículo 205 y el artículo 206, los efectos protectores dispensados por el artículo 34 de esta Ley no se producirán hasta transcurridos dos años desde su fecha. Esta limitación se hará constar expresamente en el acta de inscripción, y en toda forma de publicidad registral durante la vigencia de dicha limitación*».

La nueva redacción del artículo 207 LH no ha logrado zanjar la tradicional polémica acerca de a qué tercero se refiere este precepto. Así, mientras que algunos autores consideran que es un apoyo a la tesis monista, dado que expresamente se refiere a los efectos del artículo 34 de la LH; otros consideran que precisamente por sólo referirse a este precepto, se está defendiendo la tesis dualista del artículo 32 LH.

16. ACTUACIÓN NOTARIAL Y SOCIEDAD DE LA INFORMACIÓN

16.1. CONSIDERACIONES PREVIAS

16.1.1. Concepto de Firma Electrónica

El cambio operado en la función notarial en los últimos 17 años se ha debido, en gran medida, a la existencia y desarrollo de la Firma Electrónica Reconocida Notarial.

Sin embargo su regulación no se encuentra en una única norma, sino en tres: La Ley 24/2001 de 27 de diciembre, de Medidas Fiscales, Administrativas y Orden Social, y en concreto en sus artículos 106 al 115, la Ley 59/2003 de 19 de diciembre, que regula en nuestro país la firma electrónica, y en el desarrollo de esas dos normas que contiene el Reglamento Notarial con la nueva redacción introducida por el Real Decreto 45/2007 de 19 de enero.

Pero antes de empezar conviene recordar el concepto de firma electrónica. En su momento fue definida como un programa informático que viene vinculado a una persona —física o jurídica— y que, aplicado sobre un mensaje que debe ser objeto de transmisión le asocia un mensaje cifrado con una clave privada y que sólo puede ser desencriptado con una clave que se encuentra en posesión del destinatario del mensaje, a la que denominamos como clave pública. Al desencriptar el mensaje cifrado que acompaña al texto, como quiera que sólo puede serlo con esa clave pública, es evidente que el mensaje ha sido remitido por el titular de la clave privada, que viene asociado a esa identidad que corresponde al titular que ostenta la clave privada.

De esta nebulosa definición podemos, sin embargo, extraer una serie de presupuestos que nos serán necesarios para los siguientes puntos de la exposición:

- Las dos claves, tanto la pública como la privada, deben ser entregadas a su titular por quien pueda identificarlo. Y la Ley de firma electrónica en su art. 13, número 5 en orden a los requisitos para poder entregar este tipo de certificados establece que «Los prestadores de servicios de certificación podrán realizar las actuaciones de comprobación previstas en este artículo por si o por medio de otras personas físicas o jurídicas, públicas o privadas, siendo responsable, en todo caso, el prestador de servicios de certificación».

- La tenencia de la clave no encripta el mensaje. El mensaje en Internet, siempre viaje en abierto. Si queremos que el mensaje viaje encriptado deberemos o colocarlo en una red privada, o encriptar, a su vez, el propio texto del mensaje. Lo que la clave privada encripta es el hash, el resumen algorítmico del mensaje. Y es este resumen encriptado el que se desencripta con la clave pública.

– Como se puede concluir de lo hasta ahora expresado el éxito y la fiabilidad del sistema depende de dos factores concurrentes: El nivel técnico del sistema y el rigor jurídico que aplique la autoridad de registro en la identificación de quien quiera remitir los mensajes.

16.1.2. Firma Electrónica Simple, Avanzada y Reconocida

16.1.2.1. Firma electrónica simple y avanzada

Aunque la Ley distingue entre firma electrónica y firma electrónica avanzada, en la práctica creemos que se trata de dos conceptos asimilados. En definitiva, ambos tipos de firma electrónica se pueden definir mejor desde un punto de vista negativo: Se refieren a dispositivos de creación de mensajes que los vinculan a un sujeto determinado, pero que por no reunir los requisitos de las firmas electrónicas reconocidas, los mensajes que se emiten con los mismos **no tienen** la consideración de ir firmados electrónicamente con un valor asimilable al de la firma manuscrita.

¿Y para qué sirven?, se preguntará el lector. La respuesta la encontramos en los números 9 y 10 del propio artículo 2: «9.- No se negarán efectos jurídicos a una firma electrónica que no reúna los requisitos de firma electrónica reconocida en relación a los datos a los que esté asociada por el mero hecho de presentarse en forma electrónica.

10.- A los efectos de lo dispuesto en este artículo, cuando una firma electrónica se utilice conforme a las condiciones acordadas por las partes para relacionarse entre sí, se tendrá en cuenta lo estipulado entre ellas».

Dicho de otro modo: Una comunicación realizada con firma electrónica avanzada no tiene el valor de firma manuscrita; pero sí puede servir como un principio de prueba procesal que justifique la existencia de un acuerdo entre partes o cualquier otra pretensión, dentro de los abiertos márgenes que permiten los artículos 268 y 382 a 384 concordantes de la vigente Ley de Enjuiciamiento civil.

Y por otra parte, el número 10 consagra el principio de autocomposición también en materia de comunicaciones informáticas: Aunque el documento remitido no reúna los requisitos que la Ley exige para atribuir la condición de firma manuscrita, si las partes así lo convienen el documento tendrá el valor que entre ellas se hubiere acordado. Los primeros contratos que se celebraban por Internet, los denominados contratos Edi, obedecían a este principio. El legislador no ha podido por menos que recogerlo.

16.1.2.2. Firma Electrónica Reconocida

Obedeciendo a dictados de Europa el legislador español traspuso las directivas de la materia reforzando las exigencias del ámbito europeo.

Para que un mensaje remitido con firma electrónica reconocida sea susceptible de producir *per se* los efectos de una firma manuscrita se requieren una serie de elementos intrínsecos del propio certificado de firma; pero además deben darse una serie de requisitos extrínsecos:

Los intrínsecos siguiendo lo dispuesto en el art. 11 de la Ley de Firma Electrónica serían: La mención de que se expiden como reconocidos; el código identificativo, la identificación del prestador de servicios de certificación, la firma electrónica del prestador; la identificación del firmante; los datos de verificación de firma; el comienzo y el fin del periodo de validez del certificado; sus límites de uso y los límites del valor de las transacciones, así como la mención del documento público si el titular del certificado va a actuar en representación de un tercero.

Entre los extrínsecos, además de tener que utilizar sistemas fiables de generación y conservación, vienen obligados a conservar la documentación relativa los certificados reconocidos durante 15 años y a suscribir un seguro de responsabilidad civil de, por lo menos, tres millones de euros.

No vamos a entrar en el detalle de todos estos requisitos, pues excede con mucho al objetivo de esta obra. Pero sí indicar la futilidad de los requisitos extrínsecos en orden a la necesaria robustez jurídica del sistema. Así cabe plantearse ¿qué ocurriría si la Entidad de Certificación deja de pagar la cuota anual de su seguro, no supera la auditoría sobre sus sistemas informáticos, o pierde la documentación antes de los 15 años por un siniestro?, ¿Perderían el carácter de firma electrónica reconocida todos los mensajes que se remitieran con esos certificados? ¿Nacería alguna especie de responsabilidad sobrevenida para la Entidad de Certificación que hubiere emitido esa firma electrónica y que viera cómo todos los mensajes que se suscribieran con ellas no alcanzarían el status de firma manuscrita, y por tanto no serían documentos privados.? Afortunadamente todavía no se ha dado este supuesto en la realidad; pero hacer depender la vigencia y validez de un certificado de que se conserve un papel en un almacén durante 15 años constituye, en si, una contradicción del sistema que en algún momento el legislador debería corregir.

16.1.3. *Autenticidad del Mensaje, evidencia en el envío y en la re-cepción*

16.1.3.1. Autenticidad del Mensaje

Como hemos visto, la Ley atribuye a los documentos suscritos con firma electrónica reconocida el mismo valor que corresponde a los suscritos con firma manuscrita. Se basa para ello en los tres principios de **autenticidad/imputabilidad** (la clave para su suscripción está en posesión de una persona debidamente identificada, y por tanto lo remitido por ella le es imputable), **integridad** (el mensaje no ha sido alterado dado que el hash es desencriptado con una clave pública que se corresponde con la clave que lo ha encriptado) y **no repudio** (reunidos los dos requisitos anteriores el receptor del mensaje no puede negar su autenticidad).

Pero la comunicación por Internet encuentra dos problemas difícilmente resolubles: La confidencialidad y la verificación de la recepción.

La confidencialidad implica la garantía de que los mensajes no puedan ser interceptados y leídos. Y como ya hemos visto eso no se consigue con la firma electrónica. Generalmente la confidencialidad no es un valor que deba adornar las comunicaciones de Internet. Pero en determinados casos —comunicaciones fiscales, médicas, farmacéuticas, etc.— la materia sensible que se comunica requiere no sólo que el mensaje sea auténtico, sino que no pueda ser conocido por personas distintas del destinatario. Y, desde luego, la comunicación del contenido de las escrituras deberá sujetarse a este principio. Más adelante examinaremos cómo se ha conseguido este requisito en nuestra plataforma informática.

16.1.3.2. Evidencia en el envío y la recepción

Más complicación implica el segundo de los principios: La verificación en la recepción.

Cuando hablamos de la contratación por Internet no nos encontramos propiamente en una contratación entre ausentes, sino más bien en una contratación entre no presentes. No hay una parte que está donde tiene que estar y la otra no. Cada una de las partes está donde tiene que estar, sólo que no están en el mismo sitio. El problema estriba entonces que podemos añadir elementos de seguridad y autenticidad que vinculen el mensaje con su autor (firma electrónica); pero resulta mucho más compleja la prueba de que un mensaje debidamente enviado ha sido recibido y conocido por el destinatario.

El art. 1.262-2° del Código civil intentó aproximarse a la solución al señalar que «Hallándose en lugares distintos el que hizo la oferta y el que la aceptó, hay consentimiento desde que el oferente conoce la aceptación o desde que, habiéndosela remitido el aceptante, no pueda ignorarla sin faltar a la buena fe». Como puede fácilmente concluirse diferir al principio de buena fe la efectividad del tráfico de Internet no es compatible con la dinámica que la Sociedad de la Información impone.

El artículo 25 de la Ley 34/2002 de 11 de julio de Servicios de la sociedad de la información y de comercio electrónico dio un paso más al establecer que «Las partes podrán pactar que un tercero archive las declaraciones de voluntad que integran los contratos electrónicos y que consigne la fecha y la hora en que dichas comunicaciones han tenido lugar.». La Ley, como vemos, introdujo a los denominados «terceros de confianza» en las comunicaciones electrónicas.

Se ha especulado mucho sobre la naturaleza de esta nueva figura jurídica. Desde la legislación peruana que habla de «fedatarios electrónicos» hasta los distintos tratamientos que ha recibido en nuestra normativa. Por resumir, en nuestro Derecho los terceros de confianza asumen un papel muy parecido a una función arbitral cualificada, por cuanto son ellos los que preconfiguran la prueba de la recepción y el reenvío de los mensajes, y por otro conservan el contenido de los propios mensajes, o lo más habitual, conservan el hash del mensaje firmado con la propia firma electrónica de la Entidad de Certificación que actúa como tercero de confianza. De esa forma el tercero no sólo puede atestiguar en un plano privado los momentos de recepción y entrega de mensajes, sino además, en su caso, garantizar que el mensaje que pretende aportarse como prueba es el efectivamente remitido. Las partes, además, pueden permitir que el tercero tenga conocimiento de los mensajes, permitiendo que se conserve su copia en servidor del tercero de confianza, o, como suele ser habitual, que tales mensajes permanezcan encriptados para el tercero de confianza, al permitir que se conserve únicamente una copia del hash firmado digitalmente, pero que el mensaje «en abierto» sobre el que el tercero coloca el sello de tiempo, no puede ser conocido por ese tercero de confianza, que no puede acceder a su contenido. En ese caso lo que se conserva por el tercero es el hash que se ha aplicado sobre el mensaje. En caso de duda o necesidad de justificación de la existencia de un mensaje remitido desde A a B habrá un tercero que podrá certificar que el mensaje entró en el servidor en un momento determinado, que salió en otro, y que la copia del hash que se ha aplicado sobre ese mensaje y que se ha encriptado con la firma electrónica del prestador de los servicios se corresponde con el que acompaña al mensaje, y por tanto se corresponde con el efectivamente remitido.

La técnica ha añadido más recientemente un sistema que es el habitualmente utilizado en la comunicación con las Administraciones Públicas y grandes empresas. Los contratos —sean de adhesión o no— o las simples notificaciones no se remiten directamente al destinatario, sino se les remite el aviso de que la notificación se encuentra a su disposición en la página web del propio remitente. El acceso debe hacerse con certificado de firma, certificado de identidad o simplemente con login y passworth. El acceso por el destinatario provoca el sello de tiempo en la retirada del mensaje y la creación de la evidencia de que la comunicación ha sido entregada y recibida.

En desarrollo de este sistema de comunicación se suscribió el 6 de octubre de 2009 un acuerdo marco entre la Federación Española de Municipios y Provincias y el Consejo General del Notariado. Como una de las bases para el desarrollo del Convenio, y con carácter general para todos los Ayuntamientos, se fija en el artículo Segundo que el procedimiento para que las Corporaciones Municipales puedan proceder a la retirada de los datos referentes al Impuesto sobre la Plus-Valía Municipal, como popularmente se conoce, será el de identificación mediante firma electrónica reconocida, y acceso al casillero donde se encuentran disponibles tales datos.

16.2. FIRMA ELECTRÓNICA RECONOCIDA NOTARIAL

A pesar de la enorme innovación que supuso la Ley 24/2001 al regular la firma electrónica avanzada notarial, ni los elementos definitorios que debía reunir la firma, ni los requisitos para su génesis, ni aun siquiera la terminología se encuentran contenidos en esa Ley.

Hasta el artículo 3, número 6 de la Ley 59/2003 de Firma Electrónica no existió en nuestro Derecho una regulación clara de cuándo nos podíamos encontrar con una firma electrónica que sirviera para comunicar documentos públicos.

El art. 6 de la Ley señala que «El documento electrónico será soporte de:

a) Documentos públicos, por estar firmados electrónicamente por funcionarios que tengan legalmente atribuida la facultad de dar fe pública, judicial, notarial o administrativa, siempre que actúen en el ámbito de sus competencias con los requisitos exigidos por la ley en cada caso»

Y esos requisitos sí que vinieron explicitados en el art. 109 de la Ley 24/2001 pero en la redacción que introdujo la Ley 24/2005 y que podemos concretar en:

a) Estar amparada por un certificado reconocido emitido por un prestador de servicios de certificación, de conformidad con lo dispuesto en la Ley 59/2003, de 19 de diciembre de Firma Electrónica.

b) Vincular unos datos de verificación de firma a la identidad del titular, su condición de Notario en servicio activo y la plaza de destino.

c) Expresar que el uso de la firma electrónica se encuentra limitado exclusivamente a la suscripción de documentos públicos u oficiales propios del oficio del signatario;

d) Corresponderse con un dispositivo seguro de creación de firma ajustado a lo dispuesto en el artículo anterior y generado conforme al mismo.

Sobre este artículo algunas puntualizaciones:

- La modificación de la Ley de 2005 incorpora el término de Firma Electrónica Reconocida a la que necesariamente debe ser utilizada por los notarios. Pero todavía el artículo, por un olvido del legislador, predica el término de avanzada para la firma de los Notarios.

- Destacar que por primera vez en nuestro Derecho la firma electrónica debe contener el atributo corporativo. Posteriormente algunas corporaciones han incorporado a los certificados distintos atributos. Pero esta fue la primera norma que exigía para la propia generación del certificado la consignación de la condición de notario y su plaza de destino.

- Y destacar igualmente que, aunque no se recoge explícitamente, la práctica notarial exige para la concesión de la firma electrónica reconocida notarial (en adelante la feren), el respecto a la escala jerárquica: El Presidente de la Junta de Decanos recibe la firma del Presidente saliente. Aquel a su vez la entrega a los decanos y estos a sus respectivos colegiados.

- Frente a los primeros momentos, la Junta de Decanos admitió que un mismo notario pueda disponer de dos o más firmas cuando, en cumplimiento de la propia norma del 109, ostentara distintas competencias (archivero, decano, secretario de Juntas Directivas, etc).

16.2.1. Firma Electrónica en la remisión de copias auténticas

Desde el art. 106 de la Ley 24/2001 y en las sucesivas normas de desarrollo a las que hemos referencia la firma electrónica reconocida notarial se ajusta a una serie de principios y criterios de uso. Con ánimo de concretar podemos señalar como líneas fundamentales de la firma electrónica para la remisión de copias auténticas por parte de los Notarios, las siguientes:

a) La atribución de la firma electrónica lo es con el exclusivo fin de dar cumplimiento a las funciones públicas (art. 106 Ley 24/2201)

b) De forma complementaria los Notarios estamos obligados a disponer de una red privada notarial, entre nosotros e interconectada con la red de los Registradores, que permita garantizar la confidencialidad de las comunicaciones (Art. 107 Ley 24)

c) La elección del sistema de firma electrónica se rige, según el art. 108, párrafo 2º por el principio de libre acceso a la actividad de prestación de los servicios de certificación. De hecho tras un primer momento en que el sistema venía suministrado por la Fábrica Nacional de la Moneda y Timbre, el Notariado adoptó, desde 2006 el sistema proporcionado por RSA que fue el incorporado por la Agencia Notarial de Certificación.

d) El certificado de firma debe contener, además de los datos de su identidad, la condición de Notario en activo, plaza que se sirve y período de vigencia del certificado.

e) La remisión de comunicaciones con valor de documento público y en tanto en cuanto tiene que verificarse con la utilización de la plataforma que integra la Red Privada Notarial, conllevará, en todos los casos, el consiguiente sellado de tiempo, así en la remisión como en la recepción.

f) La entrega del certificado debe realizarse por la correspondiente Autoridad Corporativa (habitualmente el Decano del respectivo Colegio Notarial art. 109-3)

g) El uso del certificado para la remisión de copias con valor de auténticas corresponde exclusivamente al Notario titular del mismo; pudiendo constituir, según el art. 348 k) el incumplimiento de los deberes de custodia y uso, así como la negligencia en denunciar la pérdida, extravío o deterioro una falta muy grave.

h) El cese en una plaza de notario provoca la revocación automática del certificado. Igualmente la pérdida o sustracción debe ser comunicada inmediatamente a los respectivos Colegios a la entidad de certificación para que procedan a la revocación. En caso interrupción temporal de las funciones se puede suspender el correspondiente certificado. (art. 109 Ley 24).

i) El uso de la firma electrónica reconocida viene limitado, como ya se ha dicho, a la remisión de copias con valor de documento público utilizando la plataforma segura de comunicación, y remitiéndolas, en todo caso a aquellos funcionarios que por participar del carácter fidente puedan convertir el archivo electrónico suscrito con una firma electrónica reconocida en un documento público o administrativo. (Art. 110 Ley 24 y 107 LN). En definitiva, el documento que nace público debe morir público. Y sólo quien tiene carácter fidente por su condición de funcionario público (Notario, Registrador, Letrado de la Administración de Justicia, o funcionario con esa competencia), puede dar fe de que el documento traslado a papel, es traslado del documento electrónico que viene suscrito por un certificado reconocido que corresponde a un Notario.

j) Si bien el art. 110.3 de la Ley 24 preveía que la firma electrónica avanzada también podrá ser empleada por Notarios y Registradores para el envío de documentos e informaciones a los particulares con el valor, efectos y requisitos que reglamentariamente se determinen la posibilidad de este tipo de comunicaciones todavía no ha sido desarrollada reglamentariamente.

k) La Instrucción de la DGRN de 18 de marzo de 2003, estableció un periodo de validez de las copias electrónicas, desde su generación hasta su remisión, de treinta días. Se alegó, en aquel momento, motivos de seguridad. Y se entiende ello sin perjuicio de que, recibida la copia por el Notario o Autoridad destinataria no caduque para ellos la posibilidad de conversión a papel aunque sea con posterioridad a los 30 de su expedición o remisión.

l) También la misma instrucción impuso la obligatoriedad de lo que, por otra parte, es la práctica habitual en el uso de la firma electrónica: La utilización de protocolo OCSP (Online Certificate Status Protocol), o lo que es lo mismo, la posibilidad de comprobar que un mensaje recibido con firma electrónica se puede verificar que no ha sido alterado, ni que el certificado se encuentra revocado. Verificación que el propio sistema realiza automáticamente.

m) La copia debe recoger, en todo caso, la identidad del destinatario y la finalidad para la que se expide. Lo que no impide que puedan emplearse fórmulas abiertas como «para su inscripción, su liquidación, o a efectos administrativos o catastrales . Etc.»

n) Con arreglo al art. 112 Ley 24, y en lo referente a las presentaciones en los Registros, el Notario debe transcribir en la matriz el contenido de la comunicación recibida desde el Registro.

o) Por otro lado, el art. 113 Ley 24 reconoce expresamente que podamos testimoniar en soporte papel las comunicaciones y notificaciones electrónicas recibidas conforme a la legislación notarial. Se permite además, conservarlas en soporte informático, estando pendientes a trasladarlas a un soporte tecnológicamente adecuado que garantice, en cada momento su conservación y lectura. En ese sentido el Reglamento Notarial, por su parte, en su art. 264 nos obliga a la llevanza del libro Indicador donde entre otras cosas debe anotarse: «a) La fecha de traslado a papel de las copias electrónicas indicando la identidad del notario que expide la copia autorizada electrónica conforme a los párrafos cuarto y quinto del art. 17 bis de la LN». El Libro Indicador es objeto de estudio en otro lugar de esta obra por lo que no vamos a extendernos más.

p) Por su parte, la Primera Circular del Consejo General del Notariado de 25 de Enero de 2003 sobre la utilización práctica de la Firma Electrónica Reconocida Notarial, extendió el uso de la feren a:

– Actas de Notificación y Requerimiento a través de otro Notario.

– Solicitudes de copias autorizadas de escrituras o actas

– Adhesiones, Ratificaciones y revocaciones.

– Comunicaciones oficiales dirigidas a otro Notario.

–   Tomas de posesión, excedencias y ceses.

–   Ausencias, licencias y sustituciones.

–   Comunicaciones referidas a los protocolos, su conservación o traslado.

–   Indices y Partes Notariales.

p) Por último, una vez que el notario destinatario de una copia electrónica auténtica la haya convertido en papel, estará obligado a comunicar (Art. 224 RN) al
Notario remitente, los folios en los que haya incorporado el traslado, debiendo
el remitente transcribir los mismos en la matriz cuya copia ha sido objeto de remisión. Debiendo extender el notario destinatario de la copia el testimonio de la
misma, con la constancia, igualmente, de los folios en lo que se haya incorporado
la transposición.

16.2.2. Firma Electrónica en la Remisión de Copias Simples

Si bien en un primer momento los certificados que incorporaban nuestra firma electrónica reconocida contenían un único certificado como tal, la renovación producida
en el año 2009, y la propia evolución tecnológica obligó a la Agencia Notarial de Certificación a que nuestras tarjetas tuvieran que incorporar necesariamente tres tipos de
certificados: El propio certificado de firma electrónica, el denominado certificado de
encriptación, cuya finalidad sería encriptar propiamente los mensajes, pero que muy
rara vez resulta usado en nuestra práctica, pues no se le ha dado ninguna aplicación, y el
denominado certificado de identidad.

De la lectura de los textos normativos de los años 1999 al 2006 resulta fácil concluir
que el legislador, en aquél momento, se encontraba principalmente preocupado por la
intercomunicación entre notarios y registradores, y en menor medida por la comunicación con las Administraciones Públicas.

Por el contrario, los temas de matriz electrónica, envío de copias auténticas a los
particulares, copias simples electrónicas o protocolo electrónico vienen simplemente
apuntados y se establece siempre una remisión a una futura regulación.

Las copias simples electrónicas han sido contempladas con disfavor por parte del
legislador. Examinemos cuáles han sido los distintos hitos.

El art. 110 de la Ley 24/2001 permitió que con el uso de la firma electrónica reconocida se pudieran remitir copias simples a personas interesadas cuando constara su
identidad e interés legítimo. Lo mismo se recoge luego en el art. 17 de la LN si bien se
añade aquí que esa constancia debe ser fehaciente. Pensemos que es la misma norma; y
sin embargo existe una distinta redacción entre una Ley (La 24) y la redacción que esta
misma ley da luego al art. 17 de la LN.

Por último, el art. 224 del RN en la redacción de 2007 aborda el tema de las copias simples electrónicas y añade un nuevo requisito: «En lo relativo a las copias simples electrónicas, éstas podrán remitirse a cualquier interesado cuando su identidad e interés legítimo le consten fehacientemente al notario, **utilizando para su envío un procedimiento tecnológico adecuado que garantice su confidencialidad hasta el destinatario.**

Por tanto estamos hablando de tres requisitos: El primero sería el uso por parte del notario de la feren para la remisión de la copia; el segundo sería la constancia fehaciente de la identidad digital del destinatario y su interés legítimo; y el tercero sería la utilización de un canal de comunicación encriptado que garantizara la confidencialidad desde la remisión de la notaría hasta el correo o el servidor que tuviera que recibirla.

Así las cosas cabe preguntarse ¿Es posible a los notarios remitir la copia simple a los clientes no Administraciones Públicas ni Registros con los que no se dispone de un canal encriptado de comunicación? La respuesta entendemos que debe ser afirmativa; pero veamos cómo.

El requisito de la fehaciencia exige que conste en la propia escritura, o en un documento aparte, pero que el notario pueda legitimar, la autorización del interviniente para la remisión de la copia a él o a la persona que él designe en dicho documento. Con esto quedaría cubierta la apreciación del interés legítimo y la fehaciencia que exige la Ley del Notariado.

Más complejo es el tema del canal seguro de comunicación. No es pensable que el Notariado pueda tener establecido una canal vpn o un sistema de encriptación simétrica (SSL) que permitiera comunicar punto a punto con cada destinatario. La posibilidad entonces hay que reubicarla por la vía de la renuncia de derechos. Evidentemente la confidencialidad es algo que viene establecido a favor del cliente. Y por tanto renunciable por éste. Pero entendámoslo bien, **por todos los clientes.** Por cuanto el beneficio de la confidencialidad viene referido al íntegro contenido de la escritura, la renuncia a la misma debe venir consentida por todos los otorgantes. Y ahí sí entendemos que debería venir recogido en la propia escritura. Porque para la parte que renuncia a dicho beneficio sin beneficiarse de la remisión de la copia simple, resulta irrelevante la operativa de comunicación, pero la posibilidad de que sus datos personales resulten conocidos por terceros de forma indeseada debe ser evitada por el notario. Sólo en el caso de que conste el consentimiento de todos los intervinientes podrá remitir el notario copia simple sin emplear un canal seguro; de la misma forma que para subir una escritura a una web resultaría igualmente necesario el consentimiento de todas las partes.

Para concluir este apartado sólo nos queda objetar que entendemos que exigir para comunicar copias simples el empleo de la firma electrónica reconocida supone —si se nos permite la expresión— matar moscas a cañonazos.

Aunque el texto de la Ley 24, como hemos visto, efectivamente la exige, la Primera Circular del Consejo General del Notariado de 25 de enero de 2003 sobre la utilización práctica de la Fean excluye, cuando distingue entre las distintas clases de copias, excluye de la obligatoriedad del uso de la Fean (en aquel momento, hoy la feren) a las copias simples electrónicas **sin garantía**. Esta categoría que hoy no recoge nuestro Reglamento venía contenida en el antiguo artículo 250 referido a las copias simples como mera transcripción de los documentos del protocolo. El término garantía obviamente no se refiere a una posible incongruencia entre el contenido de la copia y el de la matriz que la refrenda, sino al no amparo de la fe pública notarial a cuantos efectos, y especialmente los ejecutivos, sí amparan por el contrario las copias suscritas con firma electrónica reconocida notarial, como ya hemos visto.

Es por ello que entendemos que si el notario no está remitiendo un documento público como tal, tampoco debe utilizar para esa remisión el instrumento que le permite emitir documentos públicos, y que es su firma electrónica. Por el contrario, el certificado de identidad, al que antes hemos hecho referencia, permite evitar la confusión sobre el eventual valor de lo remitido. Entendemos, por tanto que la norma de la Ley 24, dictada en los albores de esta regulación normativa, y antes de que dispusiéramos de los tres tipos de certificados a que ya hemos hecho referencia, ha venido superada por la práctica, y por el propio contenido de la Primera Circular antes mencionada.

16.2.3. La legitimación Notarial Electrónica

Previamente debemos distinguir entre la legitimación de los archivos electrónicos y la legitimación notarial electrónica.

De la primera posibilidad se ocupa esta obra más ampliamente en otro lugar. Recordemos que el art. 113 de la Ley 24 permite expresamente testimoniar en soporte papel, bajo la fe notarial, las comunicaciones electrónicas recibidas o efectuadas conforme a la legislación notarial. Constándole al notario la vigencia y autenticidad del documento remitido por el otro notario con su firma electrónica, podrá extender testimonio, como si de una copia auténtica se tratara, bien incorporando la diligencia de correspondencia con el testimonio, bien incorporando el mismo a su propia matriz si fuera necesario. Esta es la posibilidad que vino contemplada en la ya aludida Primera Circular del CGN de 25 de enero de 2003 donde se recoge la posibilidad de «Los Notarios podrán remitirse entre ellos por medios electrónicos, documentos notariales que tengan la consideración de "documentos públicos" es decir copias autorizadas así como testimonios notariales en los supuestos legal y reglamentariamente previstos». Tales testimonios, como ya hemos examinado vendrán incorporados en soporte papel al libro indicador anualmente (Art. 264 RN) procediéndose, como señala el final de dicho artículo, transcurrido un año desde el cierre anual de cada una de las secciones, a su incorporación a un archivo informático y la destrucción del soporte papel correspondiente.

Pero en este apartado nos queremos ocupar de un aspecto más complejo, como lo es la legitimación notarial de las firmas electrónicas, no de los archivos.

Y debemos contemplar 3 posibilidades:

a) Legitimación notarial de documentos firmados electrónicamente y remitidos desde la notaría por los particulares a terceros.

b) Legitimación notarial de firmas electrónicas en documentos recibidos en las notarías, y firmados con firmas electrónicas reconocidas no notariales, ni registrales ni de Autoridades administrativas.

c) Legitimación notarial de firmas manuscritas que consten en la web por ser de nosotros conocidas su pertenencia.

A) El primer supuesto viene expresamente contemplado en el art. 261 del RN. Y exige, para permitir esa posibilidad:

a. Que el notario identifique al signatario y compruebe la vigencia del certificado reconocido en que se vaya a basar la firma de ese documento. Lo normal será para ello que el particular suscriba un documento electrónico que remita al propio notario y que por protocolo OCSP se pueda comprobar la vigencia del certificado y que no está revocado.

b. Que se presencie la firma por el signatario del archivo que sea objeto de remisión.

c. Y que se extienda diligencia en formato electrónico y anexa al documento que vaya a ser objeto de remisión; y que el notario suscribirá con su propia firma electrónica, y que remitirá junto con el mensaje que se envíe firmado digitalmente tanto con la firma del cliente como con la del propio Notario.

Señalaremos que la doctrina contenida en este artículo es la recogida ya en la Instrucción de 13 de Junio de 2003 complementaria de la Instrucción de 30 de diciembre de 1999 sobre presentación de las cuentas anuales en los registros mercantiles mediante procedimientos telemáticos.

B) El segundo supuesto: La posibilidad de extender diligencia de legitimación de firmas en documentos firmados digitalmente **y que son recibidos en las notarías**, constituye una de las demandas más habituales en nuestros despachos y que debemos abordar con evidente cautela.

Para empezar, con arreglo al art. 259 RN el testimonio de legitimación no podrá fundamentarse en haber sido puesta la firma en presencia del notario, ni en el reconocimiento personal hecho por el firmante, dado que por hipótesis no estará delante del mismo, ni en el cotejo con otra firma original legitimada, o en el cotejo con otra firma que conste en el protocolo: y por supuesto no podrán ser legitimadas cuando el documento al que correspondan contengan declaraciones de voluntad.

Según esto cabe preguntarse: ¿podremos extender diligencia de legitimación de firmas en documentos recibidos en las notarías, en formato digital o en formato papel cuando en el mismo conste la huella digital que se corresponda con el certificado de firma reconocida con el que haya sido remitido el documento? La respuesta es afirmativa. Pero veamos cómo.

En primer lugar es muy posible que el documento en el que consta la huella digital generada por la aplicación del certificado, y que se nos dice que es el que debe ser objeto de legitimación, se corresponda con firmas de autoridades judiciales o administrativas. En ese caso lo único que debemos hacer para poder extender la diligencia de legitimación, es pedir que se nos remita a nuestro correo corporativo nuevamente dicho documento. Y comprobar que el hash que se ha generado se corresponde con el mismo con el que viene suscrito el documento. La aplicación de los principios de firma electrónica que hemos venido examinando a lo largo de todo este trabajo nos faculta, sin duda alguna, para poder extender en tal caso la diligencia de legitimación.

En segundo lugar, ¿qué ocurriría si la firma que se pretende legitimar no le corresponde a un autoridad pública sino a un particular? Si atendemos al propio artículo 259 debemos fijarnos en que el legislador asimila la firma puesta en presencia al reconocimiento del titular de la firma. Por tanto, la misma solución que antes, sólo que el fundamento no deriva de la calidad personal del remitente sino de la presencia, identificación y apreciación del interés legítimo de la persona que tenemos delante y que nos atestigua que ese certificado le pertenece y que con él ha suscrito el documento cuya legitimación se insta. Bastará la mera comprobación por una nueva remisión que verifique la coincidencia de las dos firmas electrónicas para poder extender la legitimación.

Y por último, ¿qué ocurre si no tenemos al particular compareciente, sino que se nos pide que legitimemos la huella que aparece al pie de un documento en papel y que el cliente nos dice que ha sido firmado por un tercero con su firma electrónica, con la que se corresponde la huella digital?

En este caso no nos encontramos en el supuesto de testimonio por legitimación de firmas, pero sí podremos acudir al testimonio por exhibición del art. 262 RN. Si el notario recibe el mismo mensaje suscrito con el mismo certificado de firma podrá extender la diligencia acreditativa de que el documento ha sido suscrito con la firma electrónica de otorgada por .. y con certificado vigente y no revocado. No podrá dar fe de que la firma electrónica se corresponde con la de su presunto titular ni aun cuando haya sido generado el certificado por el mismo u otro notario, dado que el usuario no tendría la condición de autoridad pública y no estaría en el ejercicio de su cargo. Es decir, el notario puede comprobar que el documento remitido se encuentra suscrito con una firma electrónica reconocida, podrá comprobar la cadena de autoridad y llegar hasta la que haya entregado la firma al titular, o al que de éste traiga causa, podrá comprobar que el certificado no se encuentra revocado; y aun puede dar por buena la consideración de que el documento se encuentra firmado por el titular. Pero no puede extender la fe pública a la presunción de que esa firma ha sido puesta por el titular del certificado, porque no concurre ninguno de los supuestos del art. 259 del Reglamento Notarial.

Pero el testimonio por exhibición sí podría extenderse, realizadas todas esas verificaciones. Y podrá extender el testimonio en el sentido de que el documento electrónico que ha recibido por medios telemáticos, aparece firmado digitalmente por el titular de la firma, que con arreglo al certificado corresponde a don fulano de tal, que el certificado no se encuentra revocado y que dicho documento se corresponde con el que resulta aportado por el particular dado que la huella digital consignado al pie del mismo se corresponde con la que consta en el documento, por lo que puede hacer constar la coincidencia.

C) Por último, se planteó en el año 2010 la posibilidad de que, legitimada la firma presencialmente por un notario, dicha legitimación pudiera ser «colgada» en una web notarial, y contra ella poder legitimar esa misma firma por otros notarios en otros documentos y en un momento posterior. El argumento que se adujo por el Colegio Notarial de Valencia es que esa legitimación podía sustentarse en el cotejo —si bien no presencial, sí telemático— con otra firma legitimada. Desgraciadamente la DGRN en su resolución de 7 de junio del año 2011 excluyó la posibilidad de que prosperaran en el futuro este tipo de legitimaciones. Al menos de momento.

16.2.4. La Matriz Electrónica

Desde el primer momento de la publicación de la Ley 24/2001 y la modificación que ésta introdujo en el art. 17 de la Ley del Notariado, el legislador quiso dejar abierta la puerta a la matriz electrónica. Así el número 1 del artículo señala que «Los instrumentos públicos a que se refiere el artículo 17 de esta Ley, no perderán dicho carácter por el sólo hecho de estar redactados en soporte electrónico con la firma electrónica avanzada del Notario y, en su caso, de los otorgantes o intervinientes, obtenida la de aquél de conformidad con la Ley Reguladora del Uso de Firma Electrónica por parte de Notarios y demás normas complementarias».

Pero también es cierto que la Disposición Transitoria Undécima de la Ley vino a señalar que «Hasta que los avances tecnológicos hagan posible que la matriz u original del documento notarial se autorice o intervenga y se conserve en soporte electrónico, la regulación del documento público electrónico contenida en este artículo se entenderá aplicable exclusivamente a las copias de escrituras y actas así como, en su caso, a la reproducción de las pólizas intervenidas».

Ese desarrollo reglamentario todavía no se ha producido, ni parece que vaya a tener lugar a medio plazo.

Pero aunque estemos hablando de un futuro más o menos inmediato, vistos los distintos intentos habidos en los cuatro últimos años sí parece conveniente precisar en qué punto de esta cuestión nos encontramos.

Para empezar, cuando hablamos de matriz electrónica en ningún momento —salvo en el supuesto que examinaremos al final de este capítulo— se está hablando de una matriz en el que su suscripción se realice exclusivamente con la firma electrónica del interviniente sin estar en presencia del Notario.

Esta posibilidad, que a fecha de hoy sólo ha sido planteada por los Notariados austríaco y letón, no es considerada en ningún otro notariado de nuestro entorno continental.

Pero cuando hablamos de matriz electrónica para el sistema español resulta pacífico que estamos hablando de un soporte de la matriz puramente electrónico, sin que exista una conversión al papel, ni previa ni posterior. Y por tanto de un protocolo también enteramente electrónico, con conversión por escáner y pdf de los documentos que deban figurar unidos.

La única discrepancia es sobre si la firma de los particulares debe tratarse de una firma manuscrita sobre soporte electrónico, o de la concurrencia de varias firmas electrónicas, o certificados de identidad, que autoricen el documento electrónico en si.

Si bien es cierto que parecería que la firma manuscrita sobre soporte electrónico (la típica Tablet sobre la que se firma en una entidad financiera o unos grandes almacenes) parecería mucho más sencilla que firmas electrónicas «estáticas» propiamente dichas; y que para recoger esas firmas electrónicas existen ya softwares muy complejos que permiten grabar incluso con caracteres biométricos, lo cierto es que tanto la ausencia de desarrollo normativo, pero sobre todo la incertidumbre y lo efímero de todo lo informático que obligaría periódicamente a estar cambiando los soportes de conservación, con riesgo de pérdida, alteración o incluso sustracción han hecho que no se haya entrado en un proyecto serio, por el momento, de desarrollar ese sistema para recibir el consentimiento de los otorgantes, y su autorización, ni aun de forma paralela a nuestro clásico papel timbrado.

16.2.5. La Apostilla Electrónica

La Orden Ministerial del Ministerio de Justicia 1207/2011 de 14 de mayo creó el Registro Electrónico de Apostillas, posteriormente desarrollado por el Real Decreto 1497/2011 de 24 de octubre en su artículo 8.

Este Registro se crea por la reproducción del folio que contiene la Apostilla en una base de datos. Cuando el documento —el folio de la Apostilla— se sube, el sistema genera un csv (código seguro de verificación) que se añade a la propia Apostilla y que circula, por tanto junto con el documento en papel en el país que es destino de la misma. Luego, en el país de destino, se puede verificar, vía consulta de web, que el documento apostillado que se tiene delante se corresponde con la fotografía de la Apostilla que está colgada en la web del Ministerio de Justicia. Con ello se ha querido reforzar la autenticidad de las Apostillas españolas siguiendo en este punto la vía abierta por países como Perú y Colombia.

En un primer momento se quiso dar publicidad a todo el documento que era objeto de la Apostilla. En tanto que esto podía suponer una lesión a la confidencialidad de los documentos notariales esta idea resultó rechada. Al final se optó por dar publicidad únicamente al folio que contiene la Apostilla y que se encuentra adjunto como documento unido con el resto de la escritura que debe hacerse valer en el extranjero.

Pues bien, es necesario distinguir el Registro Electrónico de Apostillas de la Apostilla Electrónica. El primero no es más que una herramienta de comprobación. El segundo, por el contrario constituiría el desarrollo de una herramienta que permitiría la libre circulación de los documentos notariales, administrativos y judiciales entre todos los países que forman parte del Convenio XII de la Conferencia de la Haya de Derecho Internacional Privado de 5 de octubre de 1961.

El art. 7 del Real Decreto, reconoce en España que la Apostilla pueda emitirse tanto en soporte papel como electrónico. En este último caso, como el formato papel, la apostilla debería incorporar un archivo electrónico que en su impresión reprodujera el cuadrado de 9 centímetros de lado, y con las menciones que exige el Anexo.

El sistema, al menos en lo notarial, no se encuentra en funcionamiento. En primer lugar por ausencia de desarrollo normativo, en el ámbito notarial, que cualifique la firma electrónica, para casos distintos de los Decanos de los Colegios Notariales y que contenga en el atributo la facultad de apostillar.

También porque no se ha definido ese archivo informático, que debería acompañar a la escritura o poder con firma electrónica y que debería añadirse y reexpedirse desde los Colegios Notariales, después de «subir» al Registro Electrónico de Apostillas la impresión de la Apostilla que pueda resultar publicitada al igual que las apostillas en papel.

Pero sobre todo porque no existe todavía una coordinación informática con ningún otro Notariado que permita un intercambio de mensajería entre ambas instituciones. Porque por nuestra parte deberíamos tener un directorio de los posibles notarios de otros países parte del Convenio que pudieran actuar como destinatarios de nuestros documentos apostillados. Pero principalmente porque debería arbitrarse un sistema que permitiera la descarga de los documentos firmados electrónicamente con el protocolo de seguridad OCSP que hemos explicado en otra parte de este capítulo, y con un sistema, bien que el más sencillo de los existentes en el mercado, que permitiera garantizar la confidencialidad en la comunicación. Y todo ello exigiría previamente una descarga de nuestro certificado raíz en los servidores del Notariado que tuviera que actuar como destinatario. Y viceversa.

16.3. RED NOTARIAL (RENO)

Cumpliendo con la Ley 24/2001 la Red Privada Notarial ofrece un sistema telemático privado y seguro para la realización de gestiones y acceso a las aplicaciones desde la oficina de la Notaría. Su implementación, a lo largo del otoño del año 2006, supuso colocar una red vpn que dotó de seguridad a las comunicaciones notariales, tanto las que tenían lugar entre notarios, las que suponían la presentación de escrituras en los Registros Públicos y sus acuses de recibo y comunicaciones de inscripción, cuanto las de comunicación con las Administraciones públicas y todo tipo de Corporaciones. La Red constituye el soporte que ha permitido el desarrollo de las aplicaciones del Sistema Integrado de Gestión Notarial del que luego nos ocuparemos. En la actualidad, con más de 30.000 puestos a lo largo de todo el país constituye una de las más amplias redes de comunicación encriptada y monitorizada de todo el país, con una capilaridad que alcanza a todos los puntos en los que existen notarías.

En este momento se están sustituyendo los servidores (Platones), por nuevos modelos más acordes con las actuales necesidades.

16.4. SISTEMA INTEGRADO DE GESTIÓN NOTARIAL (SIGNO)

Cuando hablamos de Signo nos referimos a una plataforma dentro de nuestra Red Privada Notarial que aglutina las diferentes aplicaciones que han convertido al notariado español en el tecnológicamente más adelantado de nuestro entorno.

Pero antes de comenzar con una explicación somera de las distintas aplicaciones y servicios parece conveniente explicar los criterios que han presidido el desarrollo de esta plataforma:

1º. Obligatoriedad: Todos los notarios estamos obligados a disponer de todas las aplicaciones y a usarlas en la medida en que, como es habitual, se trata de aplicaciones que nos ponen en relación con terceras partes y que, por tanto, no puede rechazarse su uso.

2º. Seguridad: Tanto por el entorno seguro que supone su entorno dentro de RENO, cuanto por el carácter reservado de los datos exige trazabilidad sobre las personas y las oficinas que las utilizan. Esa seguridad, en función de la trascendencia —documento público, comunicación con la Administración, comunicación interna o solicitud de datos— exigirá el uso mediante la feren, el certificado de identidad, certificado de oficial de Notaría, o login y passworth.

3º. Sello de Tiempo: Absolutamente todas las comunicaciones, así de entrada cuanto de salida, llevan sello de tiempo colocado por la Entidad de Certificación (Ancert), que permite verificar la emisión y recepción del trámite.

4º. Responsabilidad: Consecuentemente con el punto 2º, la esfera de responsabilidad variará en función de la trascendencia del acto de que se trate; pero en cualquier caso la plataforma —salvo alguna aplicación excepcional— sólo podrá ser utilizada por las personas que se encuentran dentro del sistema y que responden o como funcionarios públicos o dentro de la esfera laboral.

5º. Universalidad: Todas las oficinas notariales disponen del mismo sistema y pueden realizar los mismos trámites.

Comenzando con un breve examen de las aplicaciones destacaremos:

a) El Índice Único: Sin duda alguna la principal de ellas, de la que nos hemos ocupado con detalle en otro lugar de esta obra.

b) Envío de copias entre notarios. Una de las principales aplicaciones. Permite que por canal seguro se puedan remitir entre los notarios escrituras públicas. Esta aplicación ha convertido el territorio nacional en una única oficina notarial, permitiendo que los 3.000 puntos de las notarías se constituyan en oficinas para la recepción de los consentimientos de forma casi simultánea en un único negocio jurídicos.

c) Presentación de escrituras en los Registros Públicos: La coordinación con los libros diarios Registros Públicos ha permitido la presentación de los títulos momentos después de autorizar las escrituras, con lo que ha mejorado la seguridad de nuestro sistema.

d) Liquidación de Tributos: En este momento pueden liquidarse de forma telemática los Impuestos de Transmisiones Patrimoniales, Operaciones Societarias y Actos Jurídicos Documentados en la totalidad de las Administraciones Públicas territoriales, estando pendientes de desarrollo la liquidación de los impuestos sobre sucesiones y donaciones.

e) Liquidación del Impuesto Municipal sobre el Incremento del Valor de los Terrenos de Naturaleza Urbana.

En más de 200 Ayuntamientos por la vía de la autoliquidación. Y en los restantes con remisión de copia telemática para evitar el cierre del Registro.

f) Consulta y Pago de Deudas del Impuesto sobre Bienes Inmuebles.

La aplicación permite consultar en los Ayuntamientos que se encuentran coordi-nados, en este momento más de 300, el estado de deudas del Impuesto sobre Bienes Inmuebles. De forma que el comprador tiene conocimiento fehaciente de las deudas que pueden pesar sobre el inmueble que va a adquirir antes de consumar la adquisición. Y en su caso puede retener el importe. Por otra parte, cuando la integración con los Ayuntamientos lo permite puede, a través de esta aplicación, satisfacerse los impuestos pendientes, con el consiguiente ahorro de trámites.

g) Solicitud del Número de Identificación para las Sociedades.

Una de las primeras aplicaciones en desarrollo con la Agencia Tributaria consistió en la posibilidad de obtener el Número de Identificación Fiscal Provisional para las socie-dades recién constituidas. La operatividad que supuso para las empresas al disponer del CIF a los 15 minutos de su constitución, y por tanto, poder emitir facturas, supuso una de las aplicaciones con mejor imagen en la rapidez para la constitución de las empresas.

h) Servicio e-notario.

En un intento de mejorar la operatividad con las Entidades Financieras, al tiempo que se abarataban costes para los particulares, el sistema e-notario permite desde el año 2003, descargar las pólizas de crédito en cualquier notaría de España. Firmada la póliza en presencia del notario, sin necesidad de ratificación por parte de las entidades banca-rias, la mera notificación de la firma permite al particular disponer del dinero prestado en cualquier oficina de la Entidad bancaria.

i) Solicitud de Certificación de Seguros de Vida.

La Ley 20/2005 de 14 de noviembre crea el Registro de Contratos de Seguros de cobertura de fallecimiento. Por su parte el Real Decreto 398/2007 de 23 de marzo lo desarrolla.

Estas dos importantes normas pusieron en marcha la obligatoriedad para los no-tarios, cada vez que autorizábamos una manifestación de herencia de solicitar a los particulares, o en caso de no aportarlo, solicitarlo nosotros obligatoriamente, una cer-tificación del Registro de Seguros de Vida, con cobertura de fallecimiento que se en-cuentra administrado por la Agencia Tributaria. Con ello se consigue que al fallecer una persona, si la familia o sus herederos ignoraban que su causahabiente disponía de un seguro de vida, éste necesariamente tenga que aflorar a través de esa certificación, consiguiéndose evitar, de esa forma, que la indemnización del seguro se pierda por no resultar reclamada.

j) Solicitud de certificaciones del Registro de Actos de Ultima Voluntad. Desa-rrollado por la Instrucción de 22 de enero de 2008, permite desde las notarías obtener este tipo de certificaciones ahorrando el desplazamiento de los particulares y recibiéndolas por vía telemática.

k) Cumplimiento de los trámites colegiales, y restantes obligaciones corporativas. Como se ha explicado anteriormente (apartado p) del uso de la firma electrónica en la remisión de las copias auténticas), la mayor parte de las obligaciones corporativas notariales deben en este momento cumplimentarse con firma electrónica y mediante la utilización de la plataforma Signo.

l) Sistema de Valoración Inmobiliaria. El Índice permite conocer los precios declarados de los inmuebles que resultan objeto de transmisión con un decalaje de aproximadamente quince días. Esto permite que con la precisión que otorga un distrito postal, y haciendo constar los metros y el tipo de inmuebles que es objeto de transmisión (vivienda nueva, de segunda mano, chalet unifamiliar, con garaje o trastero vinculado, local comercial, garaje, etc) se pueda consultar el precio medio de los inmuebles que hayan sido objeto de transmisión en los últimos años. Se trata de la primera aplicación en España en la que el dato que se proporciona no es el precio de venta —puramente orientativo— sino el de compra — el efectivamente pagado.

m) Sistema de Traducción de Escrituras. Aunque no se encuentra propiamente en la plataforma de Signo, la página del Consejo contiene un enlace que permite conectar con un sistema administrado por traductores jurados y que permite traducir en 24 horas escrituras a doble columna, en inglés, francés, alemán, italiano y rumano.

n) Servicios BOE. Servicios BOE. La aplicación permite comunicar con el organismo de publicación del Boletín Oficial del Estado para aquellos trámites complementarios de las escrituras que deban necesariamente ser publicados. En este punto, la publicación de la Ley de Jurisdicción Voluntaria, el establecimiento de las subastas electrónicas y las modificaciones establecidas en la Ley de Reforma de la Ley Hipotecaria han multiplicado los supuestos en los que los Notarios debemos recurrir al uso de las páginas de publicidad del Boletín Oficial del Estado. La búsqueda de los parientes colaterales, el trámite de subastas extrajudiciales, la publicidad de los expedientes de dominio, o distintos trámites contenidos en la Ley de Jurisdicción Voluntaria han convertido la necesidad de securizar la comunicación con el BOE en algo habitual en nuestra función.

o) OCP/Requerimientos de Autoridades. La colaboración en la lucha antiblanqueo obliga al colectivo notarial no sólo a la remisión del Índice con la minuciosidad que anteriormente se ha explicado; sino también a remitir copia simple cuando así resulta solicitado por el Órgano de Control y Prevención del Blanqueo de Capitales, incardinado en el Consejo General del Notariado. Uno de los servicios para la recepción en forma auténtica de los requerimientos y la remisión de las copias se encuentra igualmente incardinado dentro de la plataforma SIGNO.

p) **Solicitud de denominaciones sociales.** Dentro de la necesidad de agilizar los trámites para la constitución de las sociedades, una de las primeras aplicaciones consistió en la posibilidad de obtener las denominaciones sociales desde las propias notarías para lo cual el Registro Mercantil se mostró siempre especialmente colaborador.

q) **Proceso de Jura o Promesa.** La necesidad de regularizar la situación de casi trescientos mil expedientes de nacionalidad, que por insuficiencia de medios se encontraban atascados en la DGRN motivó la resolución de encomienda de gestión. El Notariado, de forma gratuita, asumió el trámite del expediente, por vía telemática, y la posibilidad de recibir la jura o promesa, entre los meses de junio y diciembre de 2015. Más de 175.000 residentes extranjeros en nuestro territorio pudieron jurar o prometer la constitución.

r) **Nacionalización de Sefardíes.** La ley 12/2015 de 24 de junio, con la Instrucción de 29 de septiembre de 2015, y la Resolución del Director General de los Registros y del Notariado de 22 de mayo de 2017 han dado en permitir que las personas que acreditaran su condición de sefardíes pudieran obtener la nacionalidad española sin necesidad de un período de residencia. Y ello conllevó que se tuviera que diseñar una plataforma que permitió coordinar al Ministerio de Exteriores, la Dirección General de los Registros y del Notariado, el Instituto Cervantes, el Departamento consular y al Notariado. El proceso todavía sigue. Nuestra intervención se encuentra igualmente integrada en SIGNO.

s) **Informe de las Deudas con la Comunidad de Propietarios.** El 11 de mayo de 2015 el Consejo General del Notariado suscribió un convenio de colaboración con el Colegio Oficial de Administradores de Fincas, gracias al cual se pudo desarrollar una plataforma de colaboración entre los Administradores de Fincas y las Notarías. De esta forma, cuando se vende un piso, local o garaje que se encuentra en división horizontal, la certificación que debe acompañar el vendedor y que informa al comprador de que el objeto de la venta se encuentra al corriente en el pago de los gastos de comunidad, y que no existen derramas pendientes sobre el mismo se puede solicitar directamente a través de esa plataforma. El Colegio de Administradores comunica por vía telemática al Administrador de la solicitud de la notaría que va a formalizar la compraventa. Este dispone del plazo de dos días para remitir a través de la plataforma a la notaría la certificación correspondiente. De esta forma se gana en rapidez en el suministro de la información, pero también en seguridad, dado que la firma electrónica que el Administrador utiliza viene securizada por el propio Colegio, quien para entregarla habrá procedido previamente a su identificación.

t) **Consulta de la Base de Datos de Titular Real.** Como se estudia en otros lugares de esta obra, la Ley 10/2010 de 28 de abril de Prevención del Blanqueo de Capitales y de Financiación del Terrorismo, y su Reglamento de desarrollo, Real Decreto 304/2014 de 5 mayo introdujeron en nuestro práctica notarial la obligatoriedad de la identificación de los titulares reales de aquellas personas jurídicas que otorgaran escrituras en nuestra práctica diaria. No vamos a abundar en los requisitos y supuestos, sino simplemente en cómo está configurado el servicio informático en SIGNO.

Si bien el epígrafe de esta aplicación habla de consulta, el sistema permite no sólo la consulta sino también la notificación de las titularidades reales de las que el Notario tenga conocimiento.

La Consulta permite tener conocimiento, para todos aquellos casos en que el Notario está obligado a verificar la titularidad real de cualquier persona jurídica que interviene, por cualquier concepto, en alguna de nuestras escrituras, de a quién corresponde la titularidad real, bien sea por control, bien por administración.

Cumplido el trámite de consulta y verificada el alta de la persona jurídica en la base de datos, el Notario ha cumplido con su deber de diligencia como sujeto obligado, siempre y cuando de la documentación que se la haya exhibido o de la operación que esté documentando no resulte una titularidad real distinta, en cuyo caso debe, a su vez, comunicarlo.

La comunicación permite, a través de la aplicación comunicar las titularidades reales en las que han intervenido personas jurídicas, salvo que se encuentren excepcionadas. Debe tratarse de operaciones por cuantía superior a 18.000 euros, si bien determinados conceptos que se estudian pormenorizadamente en otros capítulos de esta obra deben comunicarse necesariamente.

Salvo que se trate de los denominados supuestos excepcionados (Corporaciones de Derecho Público o Entidades que dispongan de código SICA, entidades financieras) cuando no se disponga de la titularidad real por control (que exista un sujeto que disponga de más del 25% del capital social) la titularidad real corresponderá a la persona que esté ejerciendo de forma efectiva la administración y el control de gestión de la persona jurídica.

u) Inscripción en los Registros de Cooperativas.

En Cataluña y en Andalucía resulta posible, igualmente, practicar por vía telemática, y con el uso de la firma electrónica reconocida notarial, la inscripción de la constitución de las cooperativas, así como su modificación y extinción.

v) Servicio de Tramitación Inmobiliaria. Este epígrafe engloba tanto la consulta cuanto la comunicación en los cambios de titularidad de las fincas catastrales que resulten intervenidas por los notarios. El servicio está permitiendo que dentro de los dos días siguientes a la autorización de las escrituras pueda obtenerse la inscripción catastral a nombre de los adquirentes. Se requiere no obstante coincidencia entre la titularidad del Catastro y la de la persona que está disponiendo del derecho. Sin embargo, en muchos casos, el Notario puede salvar bajo su responsabilidad la incoherencia en el tracto, cuando de los antecedentes jurídicos sobre la finca se pueda entender acreditada la suficiencia del título y su correspondencia con la finca que efectivamente resulta objeto de transmisión.

Se encuentra en piloto, la posibilidad de elevar al Catastro la validación gráfica de las fincas cuando el negocio contenido en las escrituras no es un simple cambio de dominio de las fincas catastrales sino una modificación física de la finca, (agregación, agrupación, segregación, división, obra nueva o subsanación de discrepancia). Su desarrollo permitirá, de esa forma, una actualización casi coetánea con el negocio jurídico que el notario documenta con la descripción gráfica que publicite el Catastro.

Por otra parte la aplicación permite la consulta de la Oficina Virtual del Catastro e incorporar en todas las escrituras la certificación catastral, descriptiva y gráfica de las fincas objeto de los negocios jurídicos.

w) Notificación de Apoderamientos. Fruto de un convenio suscrito entre el Consejo General del Notariado y el Ministerio de Administraciones Públicas es esta plataforma que permite interconectar con una plataforma única de las Administraciones Públicas los apoderamientos con los que los particulares puedan querer entrar en relación con alguna de las Administraciones Públicas. El servicio descansa en tres premisas:

– La Administración es única, y por tanto, remitido un apoderamiento con la feren, esa copia auténtica debería servir para entrar en interrelación con todas las Administraciones.

– Bastanteado un apoderamiento por la Administración, el dictamen de la suficiencia de ese apoderamiento debería servir para simplificar los procedimientos administrativos que el particular quiera entablar con cualquier Administración a través de sus representantes o apoderados.

– Todo ello requiere siempre el consentimiento expreso del apoderado recogido en el propio apoderamiento.

Es de esperar el crecimiento de las Administraciones públicas que se sumen a esta aplicación de consulta y la práctica de los particulares que insten de los notarios la remisión de los poderes que otorguen.

x) Remisión y consulta de copias autorizadas. Se trata de una plataforma de uso exclusivo notarial que permite subir, y contrastar con FEREN la existencia de escrituras (tanto apoderamientos como cualquier tipo de escrituras), en que la habitual y necesaria consulta aconseja que puedan ser conocidas y utilizadas por el resto del colectivo notarial. Se abarata de esta forma el servicio, dado que no es necesario aportar y desplazar una copia auténtica para cada una de las autorizaciones, sino que puede comprobarse su contenido a través de esta plataforma.

y) Informe de Actividad del fallecido. La ubicación de la competencia en materia de aceptación de la herencia a beneficio de inventario en sede notarial hacía necesario disponer de una herramienta que permitiera conocer los negocios jurídicos que el causante podía haber otorgado durante su vida, y muy especialmente los compromisos y fianzas que hubiera contraído y de los que quizá, los posibles herederos no tuvieran noticia. Esta aplicación permite tomar conocimiento, a requerimiento de quien acredite tener interés legítimo para ello, de todos los documentos suscritos por un causante a lo largo de su existencia desde el año 2004, fecha de nacimiento del Índice Único Informatizado. Su uso está permitiendo tomar decisiones mucho mejor informadas a la hora de decidir la aceptación pura y simple, la aceptación a beneficio de inventario, o simplemente la repudiación de la herencia.

z) Informe de Actividad del Prestamista. La RDGRN de 31 de mayo de 2016 al analizar la posibilidad de admitir la existencia de préstamos entre particulares y la aplicabilidad de la Ley 2/2009 de 31 de marzo, resaltó la necesidad de excluir la autorización de este tipo de documentos cuando nos encontráramos entre Entidades o personas que habitualmente se dedicaran a este tipo de negocios y que no tuvieran constituidas ni el seguro ni los restantes requisitos que la Ley exigía.

Ante la dificultad que presentaba —en aquella resolución y en la práctica diaria— la posibilidad de comprobar la existencia de dicha habitualidad, el CGN se vio en la necesidad de desarrollar el servicio que ahora examinamos y que permite comprobar, antes de autorizar la constitución de un préstamo, con o sin garantía hipotecaria, que el prestamista no se ha venido dedicando como práctica habitual a semejante tipo de negocios jurídicos. Al igual que en el supuesto anterior dicha comprobación sólo puede remontarse hasta el año 2004, pero parece un periodo lo bastante amplio para excluir o no dicha habitualidad.

17. ACTUACIONES NOTARIALES EN MATERIA DE PROTECCIÓN DE LA DISCAPACIDAD

17.1. CONSIDERACIONES PREVIAS

La discapacidad personal es una cuestión marginal y prácticamente ignorada por el llamado Derecho Civil o, más comúnmente dicho hoy día, el Derecho Privado. Todo lo contrario de lo que pasa en el ámbito de los llamados Derechos Civiles o constitucionales, en donde las personas con discapacidad, todas ellas, cualquiera que sea su etiología o clase de disfunción, disponen a su favor de una norma de rango tan importante como la Convención internacional sobre los derechos de las personas con discapacidad, dada en Nueva York el 17 de diciembre de 2006, firmada por España de modo casi inmediato y en vigor en nuestro país desde 3 de mayo de 2008. Una norma que no define la discapacidad, sino que prefiere decir que las personas con discapacidad incluyen a aquellas que tengan deficiencias físicas, mentales, intelectuales o sensoriales a largo plazo que, al interactuar con diversas barreras, puedan impedir su participación plena y efectiva en la sociedad, en igualdad de condiciones con las demás.

Para seguidamente concederles, a todas ellas y de toda clase y condición, derechos como los de: vivir en forma independiente y participar plenamente en todos los aspectos de la vida; derecho a la vida; de igual personalidad jurídica, igual capacidad de obrar, en todos los aspectos de la vida; el de controlar sus propios asuntos económicos y tener acceso en igualdad de condiciones a préstamos bancarios, hipotecas y otras modalidades de crédito financiero, derecho a la libertad y seguridad; el de integridad física, libertad de desplazamiento y nacionalidad; derecho a vivir de forma independiente y a ser incluido en la comunidad, pudiendo elegir su lugar de residencia y dónde y con quién vivir, en igualdad de condiciones con las demás, de modo que no se vean obligadas a vivir con arreglo a un sistema de vida específico; el de movilidad personal con la mayor independencia posible; el de libertad de expresión y de opinión; el de igualdad de condiciones en todas las cuestiones relacionadas con el matrimonio, la familia, la paternidad y las relaciones personales; a la educación inclusiva, a la salud, la habilitación y rehabilitación; al trabajo y el empleo; derecho a tener un nivel de vida adecuado y a la protección social; derecho a la tenencia y ejercicio de todos los derechos políticos, pudiendo votar y ser elegidas; a la participación en la vida cultural, las actividades recreativas, el esparcimiento y el deporte.

Con la coletilla, absolutamente fundamental para todos esos derechos, de que deben poder disponer y es compromiso de los Estados firmantes asegurar que las personas con discapacidad dispondrán de ellos en las mismas condiciones que los demás, esto es, como lo hacen los demás, no con más ventajas, pero desde luego no con menos, ni de modo distinto o con alguna limitación específica.

Podría pensarse que todos estos derechos, precisamente por ser del tipo de los llamados Derechos Humanos, están al margen del Derecho Civil, que abordan y se dedican a otro tipo de problemas. Pero vemos que esto no es así si pensamos: que son las sentencias civiles de incapacitación —especialmente las de primera instancia— las que, de modo generalizado y con el permiso de las leyes internas españolas, privan rutinariamente a las personas con discapacidad intelectual de su derecho de sufragio activo y pasivo; que las normas de la patria potestad y la tutela dificultan o directamente impiden a la persona adulta con discapacidad ejercer de modo pleno su derecho a vivir dónde, cómo y con quien quiera, de modo independiente si lo desea, y el de elegir su propio trabajo, sin verse obligada a llevar un modo de vida específico; del mismo modo que esas mismas normas dificultarían sin razón su derecho a contraer matrimonio y formar su propia familia, y le provocarían la imposibilidad práctica de ejercer su propia patria potestad, respecto de los hijos que tuviera. Pero donde el problema se hace completamente irreconciliable es respecto al derecho concedido por la Convención, tan importante y básico como todos los demás, de controlar su propia vida económica, desde su propia capacidad de obrar, cuando la respuesta del Derecho Civil es justamente la contraria, la de incapacitarla y prohibirle actuar por sí misma.

Porque es lo cierto que, a pesar de la Convención, por todos acatada, en todas las instancias jurídicas y judiciales, la realidad cotidiana en tal sede del Derecho Civil sigue siendo la ya dicha: la casi total ausencia de soluciones o incluso de planteamientos positivos respecto de las actuaciones —pero las propias y no las delegadas o sustituidas— de las personas con discapacidad, ejerciendo sus derechos y decidiendo su modo de vida, como protagonistas de la misma.

Y, donde más clara y firmemente podemos encontrar la negativa a cumplir en sus propios términos tales mandatos de la Convención, en esta materia de capacidad contractual y otras conexas, es en la jurisprudencia de nuestras más altas instancias. Así, es el Tribunal Supremo el que ha dicho y repetido que la incapacitación judicial de la persona con discapacidad y por motivo de su discapacidad —con su correlato de privarla de su derecho a ejercer su capacidad y sustituir su voluntad por la de un tercero, padre o tutor— es una acción conforme con la Convención. Su tesis es que no hay discriminación o que sí la hay, pero en cualquier caso no es relevante —y no le afecta por tanto la prohibición de la Convención— cuando la realiza un juez y, sobre todo, cuando éste lo hace por una buena causa (en beneficio y protección de la persona incapacitada, se dirá); un autocomplaciente argumento no muy distinto al que hubiera aducido —y así lo hacía— un maestro de escuela que, en tiempos pasados, aplicara castigos físicos a sus alumnos (que, con orgullo, diría hacerlo para «enderezarlos», para «convertirlos en hombres de provecho»). La discriminación social, sin duda, es un concepto huidizo, que sólo se percibe bien, se entiende y se reconoce en perspectiva, respecto de épocas pasadas, y sólo en los demás, nunca en uno mismo.

Convención: Por «discriminación por motivos de discapacidad» *se entenderá cualquier distinción, exclusión o restricción por motivos de discapacidad que tenga el propósito o el efecto de obstaculizar o dejar sin efecto el reconocimiento, goce o ejercicio, en igualdad de condiciones, de todos los derechos humanos y libertades fundamentales en los ámbitos político, económico, social, cultural, civil o de otro tipo* [No importa pues el propósito cuando se produce el efecto]

Con todo, desde la perspectiva de la capacidad económica y contractual, de la que aquí tratamos, aún más radical es la postura de la Dirección General de los Registros y del Notariado. Si el Tribunal Supremo se ha limitado a decir que la tutela es compatible con la Convención, la Dirección General ha dictaminado que es inaceptable la actuación conjunta de la propia persona con discapacidad junto con la de otra que le presta apoyo (en uso, precisamente, de la técnica operativa patrocinada por la Convención), ya que, en su opinión, es de orden público la actuación sustitutoria, por representación legal, sin participación de la persona con discapacidad y, sobre todo, bajo supervisión judicial. La misma Dirección General, por cierto, que es responsable de la institución del Registro Civil y de la aplicación de su nueva ley reguladora, en cuyo artículo 58 autoriza y reclama la provisión por parte de entidades completamente privadas, y no designadas por autoridad alguna, de apoyos humanos para la «*emisión, interpretación y recepción del consentimiento del o los contrayentes*», aunque bien podrá ser que alegue que ésta no es sino una forma innecesariamente extensa de nombrar al «intérprete de signos», al que ya se refiere el Reglamento Notarial; en esa línea de razonamiento tan querida también para el Tribunal Supremo de que nuestro derecho patrio ya contenía, desde casi siempre, todo cuanto nos trae la Convención, que será novedosa para otros países, pero no, en el nuestro.

Entre esas dos atalayas máximas, la de más alto nivel, constitucional o de los Derechos Humanos, y la del Privado o Civil, es en el Derecho Público donde encontramos la inmensa mayor parte de la regulación de la discapacidad, y de las soluciones a las personas que la tienen. Así, en España como en el resto de países de nuestro entorno, está reconocido y regulado el acceso, incluso preferente, de las personas con discapacidad: a la educación, el empleo, la salud, a los espacios y servicios públicos, a subvenciones y prestaciones personales, a un asistente personal, etc. Y se hace además con las pautas propias de cada tiempo, recogiendo los constantes cambios sociales, siempre en progreso, generalmente liderados por las organizaciones privadas representativas de la discapacidad. También toda esa legislación, en algunos aspectos, deberá acomodarse aún a los mandatos de la Convención, pero generalmente lo hará sin esfuerzo y sin controversia; lastrada, eso sí, y ralentizada por las restricciones presupuestarias de los Estados, pero sin reticencias intelectuales, más bien todo lo contrario. Porque es lamentablemente cierto que es sólo en el Derecho Privado donde podemos encontrar una oposición de tipo intelectual o conceptual; quizá porque es una oposición proveniente de juristas profesionales, habilidosos en la argumentación y cuyo trabajo consideran muy ajeno a esta particular realidad social.

En todo caso, merecen mención aquí, por ser de sentido contrario a esa tónica general, algunas modificaciones recientes del Código Civil, en materia de guarda de hecho, según regulación introducida por la ley 26/2015, de 28 de julio:

Artículo 172 bis. *La entrega voluntaria de la guarda se hará por escrito dejando constancia de que los progenitores o tutores han sido informados de las responsabilidades que siguen manteniendo respecto del menor, así como de la forma en que dicha guarda va a ejercerse por la Entidad Pública garantizándose, en particular a los menores con discapacidad, la continuidad de los apoyos especializados que vinieran recibiendo o la adopción de otros más adecuados a sus necesidades.*

Artículo 173. 1. *El acogimiento familiar produce la plena participación del menor en la vida de familia e impone a quien lo recibe las obligaciones de velar por él, tenerlo en su compañía, alimentarlo, educarlo y procurarle una formación integral en un entorno afectivo. En el caso de menor con discapacidad, deberá continuar con los apoyos especializados que viniera recibiendo o adoptar otros más adecuados a sus necesidades.*

Por el contrario, y aunque tienen mucha mayor relación con la discapacidad, dejo a un lado otras novedades del Código Civil que se refieren a la incapacitación y a las medidas alternativas de la llamada autotutela, porque, en definitiva, y por mucho que supusieran un avance sobre la situación anterior, en el momento en que se dictaron, son normas que regulan una actuación del Estado que no debería tener cabida en nuestra legislación, cuando se hace a las personas con discapacidad y por razón de su discapacidad; sin que, por supuesto, suponga cambio alguno el hecho de que el legislador haya maquillado la denominación de ese proceso, que ahora llama, no de incapacitación, sino de modificación de la capacidad de obrar.

17.2. LEGISLACIÓN NOTARIAL APLICABLE A LA DISCAPACIDAD

Por lo que a la concreta actuación notarial se refiere, el asunto de la discapacidad puede ser abordado desde perspectivas muy diferentes. Me referiré aquí a cuatro:

- A la discapacidad que puede tener el propio notario;
- A la relativa a los ajustes procedimentales que provoca la presencia de sujetos otorgantes que tienen discapacidad, en los documentos que autoriza el notario;

- Con mayor detenimiento, me referiré a la valoración o calificación de la capacidad de los otorgantes con discapacidad, la que el notario les exigirá para que puedan prestar por sí consentimientos válidos; y, por último,

- Al tratamiento que el notario puede dar a las frecuentes consultas que les hacen los familiares de las personas con discapacidad —generalmente, de tipo intelectual—, para la planificación de la vida patrimonial o económica de éstas o para poder concederles un beneficio o ventaja patrimonial. Esto es, negocios jurídicos realizados en atención a la situación de discapacidad de un tercero.

Ingreso en la carrera de notario

Reglamento Notarial. Artículo 5. El ingreso en el Notariado tendrá lugar mediante oposición para obtener el Título de Notario. La convocatoria de la oposición se publicará en el «Boletín Oficial del Estado» y deberá expresar: g) El número de plazas que se reservan para personas que tengan la condición legal de personas con discapacidad con arreglo a lo dispuesto en la Ley 53/2003, de 10 de diciembre, sobre Empleo Público de Discapacitados y según el Real Decreto 1557/1995, de 21 de septiembre, sobre Acceso de Minusválidos a las oposiciones al título de notario.

Lo que no regula el Reglamento de los notarios es la situación, que puede ser muy variada en sus manifestaciones, de la discapacidad sobrevenida en los notarios durante el ejercicio de su función; esto es, los ajustes de accesibilidad a los que el notario tendría derecho, o los apoyos que podría o no recabar y las modificaciones que podría o no introducir en el desempeño de su función. Situaciones que tampoco es frecuente que se contemple y regule en otros ámbitos de la función pública, y se echa de menos.

Especialidades del otorgamiento de personas con algún particular tipo de discapacidad

Artículo 193 RN: *Si alguno de los otorgantes fuese completamente sordo o sordomudo, deberá leerla [la escritura] por sí; si no pudiere o supiere hacerlo será precisa la intervención de un intérprete designado al efecto por el otorgante conocedor del lenguaje de signos, cuya identidad deberá consignar el notario y que suscribirá, asimismo, el documento; si fuese ciego, será suficiente que preste su conformidad a la lectura hecha por el notario.*

Naturalmente, ha desaparecido del texto legal la inadecuada norma reglamentaria según la cual eran «*incapaces o inhábiles para intervenir como testigos en la escritura: los ciegos, los sordos y los mudos*». Y no hay normas especiales para los otorgantes con discapacidad intelectual.

El juicio notarial de capacidad de la persona con discapacidad

Reglamento Notarial: Artículo 156. La comparecencia de toda escritura indicará:

8.º La afirmación de que los otorgantes, a juicio del notario, tienen la capacidad legal o civil necesaria para otorgar el acto o contrato a que la escritura se refiera, en la forma establecida en este Reglamento.

Una norma básica, pero sujeta, como corresponde a su jerarquía normativa y a su rango conceptual, a la mucho más importante que establece el artículo 322 del Código Civil, según la cual «*el mayor de edad es capaz para todos los actos de la vida civil, salvo las excepciones establecidas en casos especiales por este Código* (excepciones entre las que sin duda no se encuentra la discapacidad de la persona)». Así como al obligado respeto a la cautela legal contenida en el artículo 199 del mismo Código, según el cual «*nadie puede ser declarado incapaz sino por sentencia judicial en virtud de las causas establecidas en la Ley*».

No es éste el lugar adecuado para discutir en toda su extensión qué es y cómo debería realizarse el juicio de capacidad del notario, así como tampoco lo que no es o no debería ser tal juicio; ni, en general, por qué normas se rige y bajo qué criterios debe emitirse y, en particular, con qué grado de discrecionalidad por parte del notario. Limitándome a los aspectos de este fundamental juicio del notario que están relacionados con la discapacidad, cabe establecer los siguientes puntos:

– El notario no debe aceptar de nadie y tampoco de la persona con discapacidad una voluntad que no llegue a ser expresada o se formule de un modo incomprensible, que se manifieste de forma inconexa, errática o contradictoria, que se limite a alguna parte, quizá marginal o anecdótica, y no esté referida al núcleo esencial del acto o contrato; ni la que siga a una actitud ensimismada o desentendida de la lectura y las explicaciones del notario, perdida en soliloquios o conversaciones ajenas al asunto (a las que tanto se prestan los hoy día tan populares teléfonos móviles); o la que el propio otorgante sujeta a reservas o condiciones imposibles, irrelevantes y que, en todo caso, no forman parte del documento; o la que afirma y consiente, pero para, inmediatamente, renegar de sí misma.

Cuando así sea, de un modo coyuntural o de modo estable, que eso no importa, el comportamiento de una persona con discapacidad, y se insista por quienes la acompañan en la oportunidad del negocio, las ventajas que tiene para dicha persona o los quizá graves inconvenientes que su omisión le acarrearía, el notario no debe transitar a una esfera que no le es propia, «haciéndose cargo» de la situación y soslayando la que él considera una ausencia de consentimiento y así la califica para sí; sino que debe aconsejar a quienes así le intiman que recaben la oportuna autorización judicial.

– El notario debe intervenir para impedir una voluntad emitida bajo coacción o intimidación, y muy especialmente aquélla por que la que se «presione» a la persona que tiene discapacidad y que probablemente también tiene una dependencia personal hacia esas personas que le insisten para que consienta; «advirtiéndole» de que, con su negativa, está poniendo en riesgo su seguridad personal, económica o de vida y cuidados básicos («no podrás seguir viviendo con nosotros, si no firmas», «dejaremos de ocuparnos de ti» «te quedarás solo o sola», etc.), bastando con que así pueda parecerle a la persona con discapacidad, en su particular apreciación subjetiva, si ésta es perceptible para el notario. Si así le pareciera que está ocurriendo y en atención a las demás circunstancias del caso, el notario debe valorar además la necesidad de poner los hechos en conocimiento del Ministerio Fiscal.

– Como debe evitar el notario que la persona con discapacidad, como cualquier otro otorgante, adopte decisiones basadas en errores palmarios y evidentes, ya sea sobre el objeto del acto o negocio o sobre las consecuencias jurídicas asociadas al mismo, cuando por sus manifestaciones resulte claro que está en la creencia de que esos actos tienen o tendrán efectos muy diferentes o contrarios a los que las leyes o las propias convenciones de las partes les asignan. Con los ajustes necesarios para que la terminología no sea un problema, por supuesto, pero el notario debe comprobar que la persona con discapacidad conoce y distingue los conceptos básicos de adquisición y disposición o enajenación, de onerosidad y gratuidad, entiende las consecuencias de establecer prestaciones, compromisos o condiciones que aún deba cumplir para poder conservar o retener bienes y derechos, y otras cuestiones de este tenor, distintas, según el tipo de negocio que se está pretendiendo realizar.

Cumplido lo anterior:

– Del mismo modo que el juez no puede incapacitar a la persona porque tenga discapacidad, el notario, ni aun limitando su juicio al otorgamiento de que se trate, puede fundar su negativa a recibir el consentimiento en que la persona tiene discapacidad, ni en una característica física o intelectual suya; pues ello no puede ser la consecuencia obligada de una enfermedad médicamente diagnosticada o del grado de discapacidad o dependencia, mayor o menor, que cifra un certificado administrativo.

– El notario no puede contentarse con la evidencia que resulta de un aspecto físico o de una forma de expresión característicos, ni tiene que temer que la persona sin esos rasgos más fácilmente reconocibles le «engañe» sobre su verdadera condición, disimulando su discapacidad, porque la persona con discapacidad adulta que intenta otorgar un acto o negocio jurídico no hace sino ejercer un derecho básico que le reconoce la Convención: el de ejercer por sí misma su capacidad de obrar, en iguales condiciones a las demás personas; con su derecho —que no es un deber— a recabar y recibir para ello los apoyos que necesite.

– Además, si otorgante fuese un menor con discapacidad, el notario debe someterlo a las cautelas propias de su edad, pero no a otras.

Por todo lo cual:

– El notario debe ofrecer su propio apoyo y más aún permitir a la persona con discapacidad que utilice los apoyos personales que ella misma se haya podido procurar, incluido el acceso, por ejemplo, a las redes sociales en las que confíe.

- Cumplidas las exigencias de todo consentimiento válido, según lo antes dicho, el notario no debe intentar discernir qué parte de la voluntad emitida corresponde a la persona que presta apoyo (del mismo modo —por poner un ejemplo de un área ajena— en que el juez instructor no puede separar la parte de la declaración del detenido que es idea suya de la que responde al consejo, recomendación o sugerencia de su abogado).

- Lo que no impide, sino todo lo contrario, que el notario deba evitar que se produzcan situaciones de influencia indebida, especialmente cuando medie un conflicto de intereses, pudiendo incluso exigir la sustitución de la persona que presta apoyo o la presencia y participación junto a ella de otras más.

Volviendo al significado último del juicio de capacidad, debe rechazarse por parte del notario la tentación de conseguir una especie de justicia material, permitiendo, de modo disimulado, que la persona con discapacidad otorgue aquellos actos que cree que le van a ser beneficiosos o aquéllos que, al menos, serán inocuos para ella, y denegarle, por el contrario, los que estime potencialmente peligrosos o perjudiciales. Además de que no es ésa su función como representante del Estado en el otorgamiento del documento público, es que, en definitiva, ése es el papel que debe desempeñar la persona de apoyo, la que ha elegido la que tiene discapacidad, porque es de su confianza; sin perjuicio de la posibilidad de que esa persona haya recabado precisamente el apoyo del propio notario (siempre que éste entienda que puede dárselo sin merma de su imparcialidad respecto de las demás partes en el contrato, cuando las haya).

Sin olvidar además que el Derecho ya ofrece respuesta a las consecuencias o resultados negativos del negocio, con las reglas especiales del artículo 1702 del Código Civil, según el cual, *«las personas capaces no podrán, sin embargo, alegar la incapacidad de aquellos con quienes contrataron; ni los que causaron la intimidación o violencia, o emplearon el dolo o produjeron el error, podrán fundar su acción en estos vicios del contrato»*, y del artículo 1704 del mismo cuerpo legal, conforme al cual, *«cuando la nulidad proceda de la incapacidad de uno de los contratantes, no está obligado el incapaz a restituir sino en cuanto se enriqueció con la cosa o precio que recibiera»*.

Y todo ello a la espera de que el Estado se decida a cumplir con otras de las exigencias de la Convención y construya las adecuadas *«salvaguardas adecuadas y eficaces»*. Para lo que puede tomar buena nota de otras legislaciones que ya vienen cumpliendo esa misma finalidad en otros ámbitos, como es la tuitiva de los consumidores, y extendiendo a la materia contractual entre particulares —no sólo con comerciantes o profesionales— medidas desequilibradas a favor de la persona con discapacidad, tales como la opción de libre desistimiento en cierto plazo, la limitación de responsabilidad patrimonial, cuando el negocio incluya garantías exigidas por la parte transmitente, la rescisión por lesión, etc.

Como conclusión de todo lo expuesto, y sin olvidar las posiciones doctrinales y jurisprudenciales opuestas que sin duda prevalecen hoy día en España, el notario no puede dejar de tener en cuenta, en esta materia:

- Que hay una norma que forma parte y es de rango prominente dentro de nuestro Derecho Positivo, la Convención sobre los derechos de las personas con discapacidad, que reconoce a todas ellas, cualquiera que sea el tipo o importancia de su discapacidad, su plena capacidad de obrar y su derecho a ejercerla por sí misma, en igualdad de condiciones que las demás personas.

- Que existe al menos una norma de rango legal y dirigida directamente a su intervención profesional y como autoridad, el artículo 58 de la Ley del Registro Civil, que dice que «*la celebración del matrimonio requerirá la previa tramitación o instrucción de un acta o expediente*», y que «*el Notario oirá a ambos contrayentes reservadamente y por separado para cerciorarse de su capacidad y de la inexistencia de cualquier impedimento*» y que «*asimismo, podrá solicitar los informes y practicar las diligencias pertinentes, sean o no propuestas por los requirentes, para acreditar la capacidad de los contrayentes o cualesquiera otros extremos necesarios para apreciar la validez de su consentimiento y la veracidad del matrimonio*», pero añadiendo —y seguramente es la única norma hasta el momento de todo nuestro Derecho Positivo que cumple fielmente con el mandato de la Convención, pero ahí está— que «*el Notario que tramite el acta o expediente, cuando sea necesario, podrá recabar de las Administraciones o entidades de iniciativa social de promoción y protección de los derechos de las personas con discapacidad, la provisión de apoyos humanos, técnicos y materiales que faciliten la emisión, interpretación y recepción del consentimiento del o los contrayentes*», de modo que «*solo en el caso excepcional de que alguno de los contrayentes presentare una condición de salud que, de modo evidente, categórico y sustancial, pueda impedirle prestar el consentimiento matrimonial pese a las medidas de apoyo, se recabará dictamen médico sobre su aptitud para prestar el consentimiento*»

- Que, aunque no pueda decirse que tan particular norma pueda extenderse por analogía y convertirse en la ley general aplicable a todo otorgamiento, dado que tampoco existe una prescripción en sentido contrario, el notario, bajo su responsabilidad y en uso de sus competencias, puede establecer y seguir pautas del tipo de las antes expresadas, para el otorgamiento de las personas con discapacidad.

Consultas al notario, relacionadas con la discapacidad

La mayor parte de las consultas que el notario recibe en su despacho, relacionadas con la discapacidad, se refiere a la planificación del futuro económico de éstas. Y casi todas las respuestas legales las encontrará el notario en la Ley 41/2003, de 18 de noviembre, de protección patrimonial de las personas con discapacidad y de modificación del

Código Civil, de la Ley de Enjuiciamiento Civil y de la Normativa Tributaria con esta finalidad, que realiza un recorrido por prácticamente todas las materias del Código Civil que tienen relación con las necesidades patrimoniales de las personas con discapacidad, y que lo hace además de un modo sustancialmente adecuado. Una ley que, aunque no llega a reconocer plenamente la capacidad de obrar de estas personas, no podemos olvidar que nació antes de la firma de la Convención y casi cinco años antes de la entrada en vigor de ésta en España (lo que no impide la crítica, no a la ley, pero sí al legislador, por no haberla adaptado a la Convención, en los muchos años transcurridos desde tal vigencia), y a la que debe reconocérsele que, incluso en esa materia tan novedosa, introduce por primera y única vez en el Derecho Privado el concepto de «capacidad de obrar suficiente», un precedente que, por sí sólo, incluso sin la Convención, podría haber habilitado un cauce también a su vez suficiente, si la jurisprudencia hubiera querido.

La mayoría de las novedades de esa ley especial se refieren al derecho sucesorio o tienen cabida dentro de él; y es que la principal preocupación que se escucha en los despachos notariales, de boca de los padres de personas con discapacidad, es la de cómo pueden ordenar su herencia, para favorecerlas y subvenir a sus necesidades, para cuando ellos ya hayan desaparecido de sus vidas. Pero la principal y la más conocida institución que nace con esa ley es el llamado patrimonio protegido.

Examinaremos las principales de estas figuras en los siguientes epígrafes.

17.3. TESTAMENTO PARA CASOS DE DISCAPACIDAD

En materia sucesoria y especialmente en la ordenación voluntaria de la misma, mediante disposiciones de última voluntad o con efectos mortis causa, algunas de las novedades del Código Civil son las siguientes:

Código Civil

Artículo 782. Las sustituciones fideicomisarias podrán gravar la legítima estricta en beneficio de un hijo o descendiente judicialmente incapacitado, en los términos establecidos en el artículo 808.

Artículo 808. Cuando alguno de los hijos o descendientes haya sido judicialmente incapacitado, el testador podrá establecer una sustitución fideicomisaria sobre el tercio de legítima estricta, siendo fiduciarios los hijos o descendientes judicialmente incapacitados y fideicomisarios los coherederos forzosos.

Artículo 822. La donación o legado de un derecho de habitación sobre la vivienda habitual que su titular haga a favor de un legitimario persona con discapacidad, no se computará para el cálculo de las legítimas si en el momento del fallecimiento ambos estuvieren conviviendo en ella.

Este derecho de habitación se atribuirá por ministerio de la ley en las mismas condiciones al legitimario discapacitado que lo necesite y que estuviera conviviendo con el fallecido, a menos que el testador hubiera dispuesto otra cosa o lo hubiera excluido expresamente, pero su titular no podrá impedir que continúen conviviendo los demás legitimarios mientras lo necesiten.

Artículo 1041. No estarán sujetos a colación los gastos de alimentos, educación, curación de enfermedades, aunque sean extraordinarias, aprendizaje, equipo ordinario, ni los regalos de costumbre.

Tampoco estarán sujetos a colación los gastos realizados por los padres y ascendientes para cubrir las necesidades especiales de sus hijos o descendientes con discapacidad

Como cuestión previa y general, es importante que el notario recuerde al testador:

– La conveniencia de usar el testamento para expresar su propia visión —la del testador— sobre los objetivos y estándares de vida de la persona con discapacidad, diciendo claramente, y en sus propias palabras, cómo quiere que sea esa vida y qué es lo que no quiere que pase (lo que, en ocasiones, es más importante aún). Las propias preguntas y preocupaciones que los padres trasladan al notario cuando plantean su consulta pueden tener encaje adecuado en el texto del testamento.

– En particular y con mayor alcance jurídico, el notario puede informarle al testador —como también el donante, cuando la herencia se anticipa en vida— de que —de modo semejante al que la ley prevé para los patrimonios protegidos— puede establecer un auténtico estatuto de los bienes dejados o donados a la persona con discapacidad, fijando reglas de administración y utilización que serán de aplicación preferente y prioritaria.

– La utilidad que tienen en estas situaciones las figuras del albacea y del contador-partidor, que allanarán no pocas dificultades en el momento de la partición de la herencia.

– Que el testamento es también lugar adecuado para introducir instituciones contractuales, ordenando al albacea que constituya un patrimonio protegido a favor del descendiente con discapacidad o un contrato de alimentos, a favor del mismo y a cargo de sus hermanos con discapacidad, por ejemplo.

Por lo demás —y al igual que veremos que ocurre en el caso de los patrimonios protegidos, porque el problema es mucho más general—, no existe una única respuesta a las preocupaciones de los padres, porque no estamos principalmente ante una cuestión técnica, sino de orden personal y familiar. El instrumento jurídico sucesorio más adecuado será el que mejor se ajuste al modo de vida que ya tiene y que se desea que mantenga, o se pretende que llegue a tener la persona con discapacidad (y siempre, claro, dentro de las posibilidades económicas de la familia). Así:

Si lo que se desea o se considera más adecuado para la persona con discapacidad es dotarla de una masa patrimonial que cubra y garantice sus necesidades, el testador, además de las ya tradicionales de la mejora sucesoria (dicho sea en sentido amplio, o sea, disponiendo a su favor también del tercio de libre disposición), puede utilizar las normas sobre sustitución, imputación y colación arriba trascritas.

Por el contrario, si lo que desea es generar a su favor un flujo constante de rentas, pero liberando los negocios familiares e incluso los bienes inmuebles, porque prefiera dejarlos en manos de los hijos sin discapacidad, que considera más emprendedores y capacitados para sacar el mejor aprovechamiento económico de los mismos, sin trabas judiciales que considere perturbadoras, el notario puede aconsejar al testador que acuda a una partición orientada en tal sentido —con la útil colaboración ya citada de un contador-partidor—, incluida la posibilidad del pago en metálico de la legítima del hijo con discapacidad; o que atribuya, mejor que el pleno dominio, el usufructo sobre la vivienda que haya de ser la habitual de ese hijo; que satisfaga su legítima con un contrato de alimentos, etc.

Otra opción tan relevante en esta materia o quizá más que las anteriores, aunque quizá demasiado compleja y particular, es la que introduce en el llamado Derecho Común una figura semejante a la fiducia familiar, mucho más practicada y conocida en los llamados derechos civiles forales. Aunque reformada como las demás por la ley 41/2003 y que responde por lo tanto a los mismos objetivos, es remarcable que no menciona a las personas con discapacidad ya que, aunque la fiducia que introduce se pensó desde un principio como dirigida al caso de familias con hijos con discapacidad, ha terminado por generalizarse a todos los hijos.

En cualquier caso, la delegación de la facultad de mejorar requiere de una premisa previa que, precisamente por no estar en la tradición del Derecho Civil Común, no siempre se da en el testador: que acepte delegar en un tercero su potestad de asignar y distribuir su propia herencia. Pero si realmente es así, el nuevo artículo 831 del Código Civil permite atribuir al cónyuge un enorme potencial, con el que adecuar la herencia del premuerto a las cambiantes circunstancias familiares y de evolución vital del descendiente común con discapacidad. Sin podernos detener aquí en el examen de una norma tan compleja, sus aspectos esenciales son:

Artículo 831. 1.... *podrán conferirse facultades al cónyuge en testamento para que, fallecido el testador, pueda realizar a favor de los hijos o descendientes comunes mejoras incluso con cargo al tercio de libre disposición y, en general, adjudicaciones o atribuciones de bienes concretos por cualquier título o concepto sucesorio o particiones, incluidas las que tengan por objeto bienes de la sociedad conyugal disuelta que esté sin liquidar.*

Estas mejoras, adjudicaciones o atribuciones podrán realizarse por el cónyuge en uno o varios actos, simultáneos o sucesivos. Si no se le hubiere conferido la facultad de hacerlo en su propio testamento o no se le hubiere señalado plazo, tendrá el de dos años contados desde la apertura de la sucesión o, en su caso, desde la emancipación del último de los hijos comunes.

2. Corresponderá al cónyuge sobreviviente la administración de los bienes sobre los que pendan las facultades a que se refiere el párrafo anterior.

3. El cónyuge, al ejercitar las facultades encomendadas, deberá respetar las legítimas estrictas de los descendientes comunes y las mejoras y demás disposiciones del causante en favor de ésos.

5. Las facultades conferidas al cónyuge cesarán desde que hubiere pasado a ulterior matrimonio o a relación de hecho análoga o tenido algún hijo no común, salvo que el testador hubiera dispuesto otra cosa.

17.4. PATRIMONIO PROTEGIDO

Lo regula la ya citada Ley 41/2003, de 18 de noviembre, de protección patrimonial de las personas con discapacidad, de la que destacaremos los siguientes preceptos:

Artículo 1. Objeto y régimen jurídico.

1. El objeto de esta ley es favorecer la aportación a título gratuito de bienes y derechos al patrimonio de las personas con discapacidad y establecer mecanismos adecuados para garantizar la afección de tales bienes y derechos, así como de los frutos, productos y rendimientos de éstos, a la satisfacción de las necesidades vitales de sus titulares.

Artículo 2. Beneficiarios.

1. El patrimonio protegido de las personas con discapacidad tendrá como beneficiario, exclusivamente, a la persona en cuyo interés se constituya, que será su titular.

Artículo 4. Aportaciones al patrimonio protegido.

2. Cualquier persona con interés legítimo, con el consentimiento de la persona con discapacidad, o de sus padres o tutores o curadores si no tuviera capacidad de obrar suficiente, podrá aportar bienes o derechos al patrimonio protegido. Estas aportaciones deberán realizarse siempre a título gratuito y no podrán someterse a término.

3. Al hacer la aportación de un bien o derecho al patrimonio protegido, los aportantes podrán establecer el destino que deba darse a tales bienes o derechos o, en su caso, a su equivalente, una vez extinguido el patrimonio protegido conforme al artículo 6, siempre que hubieran quedado bienes y derechos suficientes y sin más limitaciones que las establecidas en el Código Civil o en las normas de derecho civil, foral o especial, que, en su caso, fueran aplicables.

Artículo 3. Constitución.

3. El patrimonio protegido se constituirá en documento público, o por resolución judicial

Artículo 5. Administración.

1. Cuando el constituyente del patrimonio protegido sea el propio beneficiario del mismo, su administración, cualquiera que sea la procedencia de los bienes y derechos que lo integren, se sujetará a las reglas establecidas en el documento público de constitución.

2. En los demás casos, las reglas de administración, establecidas en el documento público de constitución, deberán prever la obligatoriedad de autorización judicial en los mismos supuestos que el tutor la requiere respecto de los bienes del tutelado, conforme a los artículos 271 y 272 del Código Civil o, en su caso, conforme a lo dispuesto en las normas de Derecho civil, foral o especial, que fueran aplicables.

No obstante lo dispuesto en el párrafo anterior la autorización no es necesaria cuando el beneficiario tenga capacidad de obrar suficiente.

En todo caso, y en consonancia con la finalidad propia de los patrimonios protegidos de satisfacción de las necesidades vitales de sus titulares, con los mismos bienes y derechos en él integrados, así como con sus frutos, productos y rendimientos, no se considerarán actos de disposición el gasto de dinero y el consumo de bienes fungibles integrados en el patrimonio protegido, cuando se hagan para atender las necesidades vitales de la persona beneficiaria.

Artículo 7. Supervisión.

1. La supervisión de la administración del patrimonio protegido corresponde al Ministerio Fiscal, quien instará del juez lo que proceda en beneficio de la persona con discapacidad, incluso la sustitución del administrador, el cambio de las reglas de administración, el establecimiento de medidas especiales de fiscalización, la adopción de cautelas, la extinción del patrimonio protegido o cualquier otra medida de análoga naturaleza.

El patrimonio protegido es el conjunto de bienes y derechos destinado a satisfacer las necesidades de vida de una persona con discapacidad, esté o no judicialmente incapacitada, que se constituye y se nutre con aportaciones hechas necesariamente a título gratuito, pudiendo el aportante señalar de antemano el destino de los bienes, para cuando el patrimonio se extinga.

No tiene personalidad jurídica propia, pero puede establecerse para él un régimen específico de administración (un concepto que la ley especial utiliza en un sentido muy amplio, incluyendo también lo que llama «gestión», esto es, la disposición de los bienes, sujetando esta última a cautelas específicas, en ciertos casos), pero, siempre, con la oportunidad de establecer un régimen en parte privado que, por ejemplo, permita y favorezca la «integración patrimonial» de la persona con discapacidad intelectual pero con capacidad suficiente —en la particular terminología de la ley, que recordemos que es anterior a la Convención—, de modo que ese titular pueda aprender a controlar sus propios asuntos económicos, con la seguridad y la salvaguardia que le proporcionen los apoyos personales y las cautelas previstos en tal régimen específico de gestión del patrimonio protegido. En cualquier caso, tenga o no un régimen particular, la administración del patrimonio protegido queda sujeta a la supervisión del Ministerio Fiscal.

La consulta más común que el notario recibe sobre los patrimonios protegidos, de parte de los familiares de personas con discapacidad, es la relativa a la conveniencia de constituirlo. Y la respuesta a esta pregunta —como antes vimos en materia de testamentos— depende en realidad del escenario de vida que esos familiares prevean, busquen y quieran promover para el futuro beneficiario. Un abanico inagotable de matices y situaciones personales, pero que podemos categorizar genéricamente en dos tipos:

La situación de quienes buscan dotar a la persona con discapacidad de una masa de bienes de respaldo que les permita satisfacer sus mayores gastos previsibles, por enfermedad o por necesidades residenciales y de cuidados ajenos, en un indeterminado futuro, el que surgirá cuando esos mismos familiares, generalmente los padres, ya no vivan y no puedan atenderlos ellos mismos. O, desde otro punto de vista, la creencia de que le conviene a esa persona ser titular de un patrimonio propio, que le permita dejar a su muerte una herencia lo suficientemente atractiva como para motivar a sus familiares a prestarles, en vida, la atención y los cuidados que necesiten. Estrategias ambas que presuponen en quien formula la consulta una cierta capacidad patrimonial o al menos de ahorro disponible.

El segundo tipo general sería el de quienes pretenden fomentar la autonomía de la persona con discapacidad, generando a su favor un flujo, pequeño pero constante, de dinero o de rentas, que les permita sustituir o complementar sus siempre escasos ingresos laborales, cuando los tenga, al mismo tiempo que promover e incitar esa integración patrimonial antes mencionada. Siendo muy importante, en este otro caso, que los padres constituyentes del patrimonio protegido hagan constar en la escritura de constitución los fines que ellos desean que tenga, para que las actuaciones de los administradores se ajusten a ellos. Sin duda, esta segunda estrategia también requiere una mínima capacidad económica en la familia, pero no mayor de la que probablemente ya tenía comprometida hasta ese momento en la promoción de la autonomía personal.

Además del propósito personal, en ambos tipos, la conveniencia del patrimonio protegido sólo puede determinarse de modo comparativo, poniéndolo en competencia con otras opciones disponibles, ordenadas más o menos a los mismos objetivos.

Lo cierto es que todas las características mencionadas del patrimonio protegido son susceptibles de ser logradas también por medio de las disposiciones gratuitas ordinarias, sea por donación o por herencia. Además, la previsión de enfermedades y necesidades económicas de futuro están tradicionalmente cubiertas por mecanismos tales como los planes de pensiones, los seguros de vida y de enfermedad y otras alternativas de ahorro.

Por lo demás, los incentivos fiscales asociados a la constitución y ampliación de los patrimonios protegidos son sin duda el principal motor de su existencia, por lo que también se hace necesario comparar los que sean aplicables, en cada caso, puesto que también todas las demás figuras alternativas citadas, donaciones, herencias, planes de previsión, etc., gozan de beneficios fiscales parecidos, cuando su destinatario es una persona con discapacidad. Y, puesto que se trata de una desgravación, dependiendo todo ello además de la capacidad tributaria de los padres.

No existe pues una única respuesta, válida para todos y ni siquiera para la mayoría. Incluso si nos atenemos únicamente al dato económico de las bonificaciones fiscales —que no deberían ser determinante por sí solo, en un asunto de esta envergadura personal y social—, debe tenerse en cuenta que —además de la conveniencia de consultar con sus asesores habituales— la mejor manera de optimizar tales bonificaciones es realizando pequeñas aportaciones periódicas, dentro de los límites anuales admitidos por la ley fiscal; lo que parece más fácil hacer con dinero que con bienes, sobre todo, si se trata de bienes inmuebles.

Y, si lo que se busca es la promoción de la autonomía personal (que según la Ley 39/2006, de 14 de diciembre, de Promoción de la Autonomía Personal y Atención a las personas en situación de dependencia debería ser siempre el primer y principal objetivo para con las personas con discapacidad), no cabe duda de que también son preferibles esas aportaciones periódicas, monetarias y, eventualmente, complementarias de otros ingresos; máxime si se tiene en cuenta que la reforma de la Ley 41/2003 que, en el año 2009, promovieron las organizaciones representativas de la discapacidad, ésta dice ahora que «*en consonancia con la finalidad propia de los patrimonios protegidos de satisfacción de las necesidades vitales de sus titulares, con los mismos bienes y derechos en él integrados, así como con sus frutos, productos y rendimientos, no se considerarán actos de disposición el gasto de dinero y el consumo de bienes fungibles integrados en el patrimonio protegido, cuando se hagan para atender las necesidades vitales de la persona beneficiaria*». Reforma con la que se intentó salir al paso de la restrictiva interpretación de Hacienda que, para evitar la pérdida sobrevenida de las bonificaciones, exigía, durante cuatro años, limitar el gasto o el consumo a los frutos y las rentas, sin incluir los bienes aportados.

El contrato de alimentos entre parientes:

Código Civil:

Artículo 1791. Por el contrato de alimentos una de las partes se obliga a proporcionar vivienda, manutención y asistencia de todo tipo a una persona durante su vida, a cambio de la transmisión de un capital en cualquier clase de bienes y derechos.

Artículo 1793. La extensión y calidad de la prestación de alimentos serán las que resulten del contrato y, a falta de pacto en contrario, no dependerá de las vicisitudes del caudal y necesidades del obligado ni de las del caudal de quien los recibe.

Artículo 1797. Cuando los bienes o derechos que se transmitan a cambio de los alimentos sean registrables, podrá garantizarse frente a terceros el derecho del alimentista con el pacto inscrito en el que se dé a la falta de pago el carácter de condición resolutoria explícita, además de mediante el derecho de hipoteca regulado en el artículo 157 de la Ley Hipotecaria.

Una alternativa interesante con los mismos objetivos dichos para el patrimonio protegido es la de establecer a favor de la persona con discapacidad un contrato de alimentos entre parientes.

Al igual que el patrimonio protegido, puede constituirse tanto por actos inter vivos como mortis causa, pero parece más adecuado en este caso hacerlo por vía testamentaria, puesto que generalmente se tratará de involucrar en la vida de la persona con discapacidad, no tanto a sus padres, que generalmente ya lo están y sin pedir contrapartida económica, sino a sus hermanos y otros parientes cercanos.

Así —sin perjuicio de poder celebrar el contrato también en vida, mediante la técnica de una estipulación en favor de tercero— los padres pueden ordenar en su testamento a sus herederos —o a sus albaceas— que formalicen un contrato de alimentos a favor de su hermano con discapacidad, recibiendo ellos los bienes o derechos que el testador le deja a éste, y comprometiéndose a cambio a mantenerle en el mismo estilo de vida que tenía cuando vivían sus padres; respetando y promoviendo, por ejemplo, todos los derechos de la Convención o aquéllos en los que los padres quieran poner mayor énfasis, y rodeando el cumplimiento de estos compromisos —que también pueden ser negativos, como el de no internarlos en una institución especializada, salvo que sea por motivos médicos— de las garantías —incluso reales y registrables— que el Código Civil prevé para este contrato de alimentos.

18. ACTUACIÓN NOTARIAL EN MATERIA DE MEDIACIÓN

18.1. RÉGIMEN LEGAL DE LA MEDIACIÓN

El régimen de la *legislación estatal* de la mediación está constituido por:

A) Ley 5/2012 de 6 de julio de mediación en asuntos civiles y mercantiles.

Dicha Ley consta de 27 artículos, 4 disposiciones adicionales, 1 disposición derogatoria y 10 disposiciones finales. El articulado de esta Ley se estructura en cinco títulos.

En el título I, bajo la rúbrica «Disposiciones generales» se regula el ámbito material y espacial de la norma, su aplicación a los conflictos transfronterizos, los efectos de la mediación sobre los plazos de prescripción y caducidad, y las instituciones de mediación.

El título II enumera los principios informadores de la mediación, a saber: el principio de voluntariedad y libre disposición, el de imparcialidad, el de neutralidad y el de confidencialidad. A estos principios se añaden las reglas o directrices que han de guiar la actuación de las partes en la mediación, como son la buena fe y el respeto mutuo, así como su deber de colaboración y apoyo al mediador.

El título III contiene el estatuto mínimo del mediador, con la determinación de los requisitos que deben cumplir y los principios de su actuación. Para garantizar su imparcialidad se explicitan las circunstancias que el mediador ha de comunicar a las partes, siguiéndose en esto el modelo del Código de conducta europeo para mediadores.

El título IV regula el procedimiento de mediación. Es un procedimiento sencillo y flexible, que permite que sean los sujetos implicados en la mediación los que determinen libremente sus fases fundamentales. La norma se limita a establecer aquellos requisitos imprescindibles para dar validez al acuerdo que las partes puedan alcanzar, siempre bajo la premisa de que alcanzar un acuerdo no es algo obligatorio, pues, a veces, como enseña la experiencia aplicativa de esta institución, no es extraño que la mediación persiga simplemente mejorar relaciones, sin intención de alcanzar un acuerdo de contenido concreto.

Finalmente, el título V establece el procedimiento de ejecución de los acuerdos, ajustándose a las previsiones que ya existen en el Derecho español y sin establecer diferencias con el régimen de ejecución de los acuerdos de mediación transfronterizos, cuyo cumplimiento haya de producirse en otro Estado; para ello se requerirá su elevación a escritura pública como condición necesaria para su consideración como título ejecutivo.

B) Real Decreto 980/2013 de 13 de diciembre por el que se desarrollan determinados aspectos de la Ley 5/2012 de 6 de julio.

El Reglamento se divide en 5 capítulos y totaliza 38 artículos, 3 disposiciones adicionales, 2 transitorias y 3 finales.

En el capítulo I, bajo la rúbrica de «Disposiciones generales», se regula el objeto y el ámbito de aplicación.

En el capítulo II se regula la formación de los mediadores.

El capítulo III crea el Registro de Mediadores e Instituciones de Mediación.

El capítulo IV regula el seguro de responsabilidad civil o garantía equivalente de los mediadores en instituciones de mediación.

Finalmente, el capítulo V desarrolla el procedimiento simplificado de mediación por medios electrónicos.

De acuerdo con la Exposición de Motivos de la Ley, una de las funciones esenciales del Estado de Derecho es la garantía de la tutela judicial de los derechos de los ciudadanos. Esta función implica el reto de la implantación de una justicia de calidad capaz de resolver los diversos conflictos que surgen en una sociedad moderna y, a la vez, compleja.

En este contexto, desde la década de los años setenta del pasado siglo, se ha venido recurriendo a nuevos sistemas alternativos de resolución de conflictos, o ADR (Alternative Dispute Resolution) entre los que destaca la mediación, que ha ido cobrando una importancia creciente como instrumento complementario de la Administración de Justicia.

Entre las ventajas de la mediación es de destacar su capacidad para dar soluciones prácticas, efectivas y rentables a determinados conflictos entre partes y ello la configura como una alternativa al proceso judicial o a la vía arbitral. La mediación está construida en torno a la intervención de un profesional neutral que facilita la resolución del conflicto por las propias partes, de una forma equitativa, permitiendo el mantenimiento de las relaciones subyacentes y conservando el control sobre el final del conflicto.

Las exclusiones previstas en la Ley no lo son para limitar la mediación en los ámbitos a que se refiere, sino para reservar su regulación a las normas sectoriales correspondientes. Por tanto, la Ley se circunscribe estrictamente al ámbito de competencias del Estado en materia de legislación mercantil, procesal y civil, que permiten articular un marco para el ejercicio de la mediación, sin perjuicio de las disposiciones que dicten las Comunidades Autónomas en el ejercicio de sus competencias.

Con el fin de facilitar el recurso a la mediación, la Ley articula un procedimiento de fácil tramitación, poco costoso y de corta duración en el tiempo.

La *legislación autonómica* está regulada por las disposiciones que a continuación vamos a enumerar, referidas a cada una de las Comunidades Autónomas:

Andalucía

– Ley 1/2009, de 27 de febrero, reguladora de la mediación familiar.

– Decreto 37/2012, de 21 de febrero, por que se aprueba el reglamento de Desarrollo de la Ley 1/2009.

– Orden de 16 de mayo/2013 sobre modelos de solicitud en el Registro de Mediación Familiar.

Aragón

– Ley 9/2011, de 24 de marzo, de mediación familiar.

Asturias

– Ley 3/2007, de 23 de marzo, de mediación familiar.

Canarias

– Ley 15/2003, de 8 de abril, de la mediación familiar.

– Ley 3/2005 de 23 de junio, para la modificación de la Ley 15/2003, de 8 de abril.

Cantabria

– Ley 1/2011, de 28 de marzo, de Mediación.

Castilla La Mancha

– Ley 4/2005, de 24 de mayo, del Servicio Social Especializado de Mediación Familiar.

Castilla y León

– Ley 1/2006, de 6 de abril, de mediación familiar.

– Decreto 61/2011, de 13 de octubre, por el que se aprueba el Reglamento de desarrollo de la Ley 1/2006, de 6 de abril.

Cataluña

– Ley 15/2009, de 22 de julio, de mediación en el ámbito del derecho privado.

- Decreto 135/2012, de 23 de octubre, por el que se aprueba el Reglamento de la Ley 15/2009, de 22 de julio.

Comunidad Valenciana

- Ley 7/2001, de 26 de noviembre, reguladora de la mediación familiar.
- Ley 5/2011, de 1 de abril, de relaciones familiares de los hijos e hijas cuyos progenitores no conviven.
- Proyecto de Ley de mediación, publicado en el Boletín Oficial de las Cortes Valencianas, número 267, de 20 de abril de 2018, que consta de 46 artículos, 2 disposiciones adicionales, 1 derogatoria única y 2 finales y está estructurado:
- Título preliminar referente a las disposiciones generales.
- Título I. De las actuaciones y de la organización administrativa en el ámbito de la mediación.
- Título II. De las partes en conflicto intervinientes en la mediación.
- Título III. De las personas mediadoras.
- Título IV. Del procedimiento y costes de la mediación.
- Título V. Régimen sancionador.

Galicia

- Ley 4/2001, de 31 de mayo, reguladora de la mediación familiar.
- Decreto 159/2003, de 31 de enero, por el que se regula la figura del mediador familiar, el Registro de Mediadores Familiares de Galicia y el reconocimiento de mediación gratuita.

Islas Baleares

- Ley 14/2010, de 9 de diciembre, de mediación familiar.

Madrid

- Ley 1/2007, de 21 de febrero, de mediación familiar.

País Vasco

- Ley 1/2008, de 8 de febrero, de mediación familiar.
- Decreto 84/2009, de 21 de abril, del Consejo Asesor de la Mediación Familiar.
- Decreto 246/2012, de 21 de noviembre, del Registro de Personas Mediadoras y de la preparación en mediación familiar requerida para la inscripción.

18.1.1. Concepto y principios de la mediación

Concepto

El Artículo 1 de la Ley 5/2012 la define de la siguiente manera: «*Se entiende por mediación aquel medio de solución de controversias, cualquiera que sea su denominación, en que dos o más partes intentan voluntariamente alcanzar por sí mismas un acuerdo con la intervención de un mediador*».

Mejías Gómez, 2009, página 9, la define como aquel sistema de resolución de conflictos por el cual son las propias partes las que consiguen poner fin al litigio mediante un acuerdo adoptado tras un proceso de negociación, en el seno del cual, el mediador intentará aproximar a las partes o incluso sugerir alternativas de acuerdo, pero, en ningún caso la solución del conflicto es decidida ni mucho menos impuesta a las partes por el mediador. Y señala como fundamentos de la misma los siguientes:

1. La solución o gestión del conflicto se basa en la idea de «todos ganan, nadie pierde». Se rompe la lógica «ganador-perdedor». En un proceso de mediación no hay vencedores ni vencidos. No hay «derrota» ni «victoria».

2. La solución del conflicto lo deciden las propias partes, y no es, en ningún caso, impuesta por un tercero.

3. El mediador aproxima a las partes, las acerca, favorece que encuentren un lugar común satisfactorio y aceptado como justo por ambas y en las que ambas se encuentran reconocidas.

4. Corresponde al mediador hablar con las partes y trabajar con ellas con la finalidad de descubrir cuáles son sus «intereses», diferenciándolo de sus «posiciones». Se trata de aproximar a las partes hacia un interés común, querido por ambas y no a una posición común.

5. El procedimiento que se utiliza se basa en no ocultar información a la parte contraria y no intentar engañarla.

6. El resultado final es un acuerdo conseguido por «consenso perfecto», es decir, nadie ha conseguido obtener todas sus pretensiones, ni tampoco pierde por completo. Ambas partes se sienten reconocidas en el acuerdo, lo que se fundamenta en el «justo equilibrio» de sacrificios.

7. El proceso de mediación se fundamenta en la idea de ser un sistema pacífico de solución de conflictos. Se evita la «vía adversarial», basada en el enfrentamiento y en la lucha, para pasar a una «vía no adversarial», que se basa en el consenso, en el pacto, en el acuerdo, en definitiva, en la negociación.

8. El mediador o mediadores deben ser imparciales, independientes y neutrales, deben tener conocimientos específicos acerca de las técnicas de la mediación y también

deben poseer formación especializada en relación a la materia sobre la que versa el conflicto.

9. El procedimiento de la mediación posibilita que las partes en conflicto sean las protagonistas de la solución del mismo, esto es, permite que los contendientes «sean sus propios jueces».

Principios de la mediación

Mejías Gómez, 2009, páginas 31 y siguientes, señala como principios básicos del proceso de mediación los siguientes:

1. *Principio de autocomposición*

   Supone que las partes en conflictos son sus propios jueces. Ellas son las que deciden, las que tienen la capacidad de resolver y señalan por dónde ha de discurrir el conflicto y qué pasos debe dar. Ellas son las que pondrán fin al litigio, con la ayuda de un tercero, pero no será este tercero el que decida, sino que el poder decisorio para resolver el problema lo tienen las partes.

2. *Principio de negociación*

   La mediación se fundamenta en un verdadero proceso de negociación que se desarrolla entre los protagonistas del conflicto y cuyo resultado final es la solución o, al menos, la gestión del mismo. La negociación que tiene lugar en el seno del proceso de negociación es una «negociación estructurada», es decir, un procedimiento muy tecnificado, con diversas fases muy claramente diferenciadas, cada una de las cuales cumple una función específica y que permite «desgranar» completamente las «entrañas del problema», verlo en toda su magnitud, sin ocultar cara alguna del mismo. Ello permite abordar de la mejor manera posible el análisis de la cuestión, conocer las pretensiones de las partes, diferenciar sus posiciones y sus intereses. Y sobre la base de todo ello plantear, de forma constructiva, una solución al conflicto que afecte a las partes. No obstante, no vale cualquier posición, debe ser una solución justa, pacífica, equilibrada, que ambas partes la reconozcan como adecuada y conveniente.

   En definitiva, negociar es no imponer, sino escuchar, entender, comprender, hablar, razonar, sincerarse, construir, proponer, admitir lo diferente.

3. *Principio de intervención*

   La mediación consiste en un proceso de negociación, pero en un proceso de negociación asistida o intervenida por un tercero, el mediador, que intentará aproximar las posiciones de las partes y facilitar la consecución del acuerdo; dirigir el proceso por el camino correcto, pero en ningún caso imponer solución alguna.

El mediador debe tener una doble cualidad: ser un experto en mediación (conocer bien sus técnicas y poseer las habilidades sociales que se necesitan para mediar) y ser un especialista en la materia mediable.

4. *Principio de sinceridad*

En el proceso de mediación es absolutamente imprescindible que las partes sean sinceras, que actúen de buena fe. Es un proceso sincero, honesto, claro, transparente y limpio.

5. *Principio de equivalencia*

Supone que ambas partes realizan un sacrificio equivalente, parecido, compensado, proporcionado, similar, semejante.

6. *Principio de voluntariedad*

Por regla general, a la mediación se acude por las partes de forma voluntaria, bien por propia iniciativa, bien por derivación judicial. Excepcionalmente, en determinado tipo de procesos (los de familia) se admite la derivación obligatoria a mediación, lo que no significa que las partes estén obligadas a llegar a un acuerdo, a lo que se les obliga es a negociar. En ningún caso puede obligarse a nadie a llegar a un acuerdo con otra persona, puesto que la esencia de la mediación es el cumplimiento voluntario de aquello que se acuerda también voluntariamente.

7. *Principio de satisfacción*

El acuerdo equilibrado y justo que se consigue mediante la mediación conlleva como inmediata consecuencia que las partes se contenten con el mismo, que estén conformes con su contenido. El mediador no les indica el acuerdo, pero sí el camino a recorrer para alcanzarlo. Una vez ello se produce, si el acuerdo está bien logrado y el proceso de mediación ha sido bien conducido, las partes estarán plenamente satisfechas con el mismo.

8. *Principio de ejecución voluntaria*

La lógica y la experiencia indican que lo que se acuerda voluntariamente también se cumple de la misma manera. Esto es muy beneficioso para las partes pues les evita disgustos, problemas, complicaciones, gastos y otras molestias que siempre conllevan la ejecución forzosa aunque se gane el pleito. Sería absurdo y contrario a los propios actos que las partes acudieran voluntariamente a la mediación, consiguieran voluntariamente un acuerdo, y no lo cumplieran también de forma voluntaria.

9. *Principio de la responsabilidad*

La responsabilidad en la resolución del conflicto es de los contendientes. No delegan en nadie para solucionar sus problemas, sino que los resuelven ellos mismos. Nadie como los propios interesados conocen la profundidad del problema que les afecta y nadie está en mejor disposición que ellos para ponerle fin.

10. *Principio de comunicación no verbal*

Es todo aquello que una persona es capaz de comunicar a otra sin necesidad de utilizar la palabra. El mediador debe cuidar especialmente su propio lenguaje no verbal, que incluye la expresión de su rostro, su simpatía, su proximidad a las partes, su forma de recibirlas y saludarlas, su intervención en las sesiones, el dar los turnos de palabra y controlar las intervenciones; en definitiva, conducir el proceso de mediación.

11. *Principio de los intereses*

El interés es lo que cada una de las partes quiere, es el fondo de sus pretensiones. El descubrimiento de cuál sea el interés de cada parte es esencial para el éxito del proceso de mediación. La mediación se plantea como un camino mediante el cual las partes cediendo equitativamente en sus pretensiones iniciales, se van aproximando hasta concluir en un interés común, mutuamente aceptado por ambas y que reconocen como justo y razonable, mostrándose dispuestas, en consecuencia, a cumplirlo voluntariamente.

12. *Principio de las posiciones*

La posición es lo que cada parte dice que quiere, pero no lo que realmente quiere. Es lo que se deja ver a la otra parte, la parte del interés que se deja visualizar, la que se exterioriza y explicita. No obstante, lo que se mueve en la negociación son los intereses, no las posiciones.

13. *Principio del no vencimiento*

El fundamento de todo el proceso de mediación es el siguiente: «nadie pierde y todos ganan», «no hay vencedores ni vencidos». En la mediación todos ganan, nadie resulta vencido ni es el perdedor de ninguna batalla.

18.1.2. Distinción de figuras afines

Con anterioridad hemos dado el concepto de mediación, pero hay una serie de figuras que tienen cierta similitud con la mediación y que enumeramos a continuación.

Negociación: Es un sistema de resolución de los conflictos que se basa en el acuerdo conseguido directamente por las partes en conflicto, ya sea por sí mismos o mediante el asesoramiento de otros profesionales. Los asesores no son mediadores; se limitan a asesorar cada uno a su parte, mientras que el mediador no asesora normalmente, sino que procura el acercamiento de las partes mediante el uso de las técnicas de la mediación y utilizando el procedimiento de la mediación.

Arbitraje: En el arbitraje es un tercero el que resuelve el conflicto. No son las propias partes las que solucionan el mismo, sino que es el o los árbitros los que dictan el laudo que pone punto y final a la «litis». El único parecido o semejanza que encontramos entre arbitraje y mediación es que el arbitraje es un sistema alternativo de resolución de los conflictos, al igual que la mediación extrajudicial.

Transacción: La mediación es un medio, la transacción un fin. La transacción puede conseguirse por simple negociación, por conciliación o por mediación. La transacción es un resultado, la mediación es un procedimiento.

Conciliación: La principal diferencia con la mediación es el papel del tercero que ayuda a la solución del conflicto. Así, mientras que el mediador trabaja con las partes, el conciliador únicamente las sitúa en la negociación y procura un acercamiento, pero son las propias partes las que trabajan solas para conseguir el acuerdo. El papel del mediador es mucho más activo que el del conciliador, que se mantiene en una posición mucho más pasiva.

La Ley 15/2015, de 2 de julio, de Jurisdicción Voluntaria, ha regulado la conciliación ante Notario, introduciendo los Artículos 81 a 83 de la Ley del Notariado, cuyos artículos dicen:

Artículo 81.

1. Podrá realizarse ante Notario la conciliación de los distintos intereses de los otorgantes con la finalidad de alcanzar un acuerdo extrajudicial.

2. La conciliación podrá realizarse sobre cualquier controversia contractual, mercantil, sucesoria o familiar, siempre que no recaiga sobre materia indisponible.

Las cuestiones previstas en la Ley Concursal no podrán conciliarse siguiendo este trámite.

Son indisponibles:

a) Las cuestiones en las que se encuentren interesados los menores y las personas con capacidad modificada judicialmente para la libre administración de sus bienes.

b) Las cuestiones en las que estén interesados el Estado, las Comunidades Autónomas, y las demás Administraciones Públicas, Corporaciones o Instituciones de igual naturaleza.

c) Los juicios sobre responsabilidad civil contra Jueces y Magistrados.

d) En general, los acuerdos que se pretendan sobre materias no susceptibles de transacción ni compromiso.

Artículo 82.

1. La escritura pública que formalice la avenencia entre los interesados o, en su caso, que se intentó sin efecto la avenencia se someterá a los requisitos de autorización establecidos en la legislación notarial.

2. Si hubiere conformidad entre los interesados en todo o en parte del objeto de la conciliación, se hará constar detalladamente en la escritura pública todo cuanto acuerde y que el acto terminó con avenencia, así como los términos de la misma. Si no pudiere conseguirse acuerdo alguno, se hará constar que el acto terminó sin avenencia.

3. La modificación del contenido pactado habrá de constar, asimismo, en escritura pública notarial siempre que no se hubiere iniciado la ejecución judicial.

Artículo 83.

1. La escritura pública notarial que formalice la conciliación gozará en general de la eficacia de un instrumento público y, en especial, estará dotada de eficacia ejecutiva en los términos del número 9º del apartado 2 del artículo 517 de la Ley de Enjuiciamiento Civil. La ejecución se verificará conforme a lo previsto para los títulos ejecutivos extrajudiciales.

2. Cualquiera de las partes podrá solicitar del Notario copia autorizada dotada de carácter ejecutivo en tanto no conste en la matriz nota relativa a la modificación de su contenido o su ejecución.

Como dice Rodríguez Prieto, 2015, página 1.117, existe un claro contraste entre la casi inexistente regulación de la conciliación notarial y la mucho más abundante relativa a la mediación. Y vemos que en esta última, aún dentro de esa regulación más amplia, se da mucha libertad al mediador para aplicar procesos y técnicas diferentes, según la escuela a la que se adscriba. Una clara diferencia, es la *cualidad del tercero neutral* que va a dirigir el proceso. La conciliación, ya se haga vía judicial, vía notarial o registral, se lleva a cabo ante un funcionario público encargado de la jurisdicción voluntaria, es decir, ante una *figura de autoridad,* que actúa en su carácter de tal. En la mediación, sin embargo, ese tercero no es una figura de autoridad sino un profesional entrenado en habilidades especiales para asistir y mejorar la negociación de las partes.

18.1.3. Modalidades de mediación

Las diferentes modalidades o clases de mediación según Mejías Gómez, 2009, página 17 y siguientes son:

1. Co-mediación o mediación de equipo

   Es aquella mediación que se realiza por varios mediadores, o por un equipo de mediadores. Normalmente se realizan por profesionales de diversos campos.

2. Mediación con negociadores interpuestos

   Es aquella que se emplea cuando el conflicto es especialmente intenso, por lo que las partes no negocian directamente, sino con la ayuda de representantes, que son los que están en contacto directo con el mediador (conflictos colectivos laborales).

3. Mediación asesorada

Es aquella en la que el mediador, al objeto de favorecer la aproximación de las posiciones de las partes, realiza asesoramiento técnico, de forma imparcial, para permitir a las partes comprender exactamente las cuestiones técnicas que emergen del conflicto.

4. Mediación familiar

Es aquella cuyo objeto litigioso lo constituye alguna cuestión de tipo familiar. Desde los problemas que se derivan de un proceso de separación o divorcio hasta los que pueden plantearse en el ámbito de la empresa familiar, incluyendo también los que se derivan del reparto de los bienes hereditarios.

El uso de la mediación familiar en los conflictos de pareja permite desactivar y evitar situaciones que luego, por no atajarse a tiempo, se convierten en situaciones de violencia de género.

5. Mediación en el ámbito docente

Es la que su objeto lo constituyen los problemas que se plantean en el ámbito escolar, académico, universitario, es decir, docente en general. Desde los que surgen entre los alumnos entre sí, hasta los que pueden plantearse entre los profesores entre sí, o entre éstos y los alumnos, o entre los profesores y los padres de los alumnos, o los que puedan surgir entre los alumnos.

6. Mediación comunitaria o vecinal

Es aquella cuyo objeto lo constituyen las cuestiones que se derivan de vivir en Comunidad de Propietarios. La mediación comunitaria permite que la comunidad se autogestione en cuanto a la solución de los conflictos que ella misma genera como consecuencia inevitable de la convivencia.

7. Mediación internacional

Es aquella propia del ámbito internacional, al objeto de solucionar conflictos entre Estados o grupos de Estados.

8. Mediación intercultural

Es la que se desarrolla en el ámbito de las relaciones interculturales, entre personas de culturas diferentes, de religiones distintas. Es especialmente útil y eficaz para evitar que el fenómeno migratorio pueda ser el germen de actitudes xenófobicas.

9. Mediación extrajudicial

Es la que se desarrolla fuera del ámbito judicial, como vía alternativa de la resolución de los conflictos. Es aquella mediación que se efectúa sin que exista procedimiento judicial alguno.

10. Mediación intrajudicial

Es la que se desarrolla dentro del ámbito judicial y se lleva a cabo dentro del proceso, normalmente mediante la derivación que realiza el Juez, con o sin suspensión del proceso judicial, dependiente del tipo de proceso de que se trate. En este caso no nos encontramos con un procedimiento alternativo a la vía judicial, sino con un procedimiento complementario a éste con el que puede acoplarse y colaborar al objeto de prestar una óptima tutela judicial efectiva, tal y como ordena el artículo 24 de nuestra constitución.

11. Mediación en los Juzgados de Paz

Es la que se puede llevar a cabo en el seno de los Juzgados de Paz.

12. Mediación policial

Es la que realiza por los cuerpos y fuerzas de seguridad del Estado. Se trata de una clase de mediación que debe ser llevada a cabo por miembros de las fuerzas de seguridad que tengan formación específica en materia de mediación, que conozcan bien sus técnicas, sus aplicaciones, que manejen bien las habilidades mediadoras. Será necesaria una preparación específica, puesto que la mediación es una técnica compleja, que maneja unas estrategias que deben ser objeto de estudio y aprendizaje y se centrarán básicamente en el ámbito vecinal o comunitario y en materia penal, aunque no en todo tipo de delitos, sino principalmente en las faltas de amenazas, coacciones, insultos o vejaciones.

13. Mediación comercial o mercantil

Es la que se utiliza por las empresas u otras personas jurídicas que operan en el ámbito mercantil.

14. Mediación laboral

Es la que se produce en el ámbito del mercado de trabajo, al objeto de solucionar o gestionar los conflictos que surgen en el ámbito referido.

15. Mediación deportiva

Es la que se utiliza para solucionar conflictos que se producen en el campo del deporte, especialmente en el campo de deporte profesional o de élite.

16. Mediación en el ámbito administrativo

Es aquella en la que una de las partes en conflicto es una Administración Pública, ya sea territorial (estatal, autonómica o local) o no territorial (corporativa o institucional).

17. Mediación penal

Es aquella que se desarrolla en el ámbito del proceso penal como forma, principalmente, de reparación del daño a la víctima y como mecanismo de rehabilitación social del delincuente.

18. Mediación penitenciaria

Es la que se desarrolla en el marco de la relación penitenciaria, una vez el condenado se encuentra cumpliendo condena. Se pretende la rehabilitación del preso, por aplicación del artículo 25 de nuestra Constitución, y asimismo la reparación del daño por éste ocasionada a la víctima, al amparo del artículo 24 de la norma constitucional.

19. Mediación civil

Es la que se desarrolla en el ámbito de la jurisdicción civil; en particular, se utiliza en el campo de los arrendamientos, pero resulta particularmente útil en las reclamaciones por vicios de la construcción contra promotores, constructores, arquitectos, aparejadores y demás intervinientes en el proceso constructivo. Igualmente se usa con frecuencia en el ámbito de las reclamaciones económicas contra compañías aseguradoras por accidentes de tráfico. También se emplea en reclamaciones en materia sanitaria, por mala praxis médica.

20. Mediación jurídica

Es aquella que se realiza por juristas y que versa sobre un conflicto de contenido eminentemente jurídico, lo que hace imprescindible que el mediador sea un técnico en el mundo del Derecho.

21. Mediación en equidad

Es aquella en la que se desarrolla como principal elemento del proceso de la mediación la equidad. Esto no significa que no haya que atenerse a lo dispuesto por las leyes, que deben respetarse siempre, sino que es la equidad el elemento central sobre el que pivotará todo el proceso de la mediación.

22. Mediación concursal

Es la que regula la Ley Concursal y se analiza en el epígrafe 18-3 del presente tema.

La enumeración de las clases de las modalidades de mediación no es exhaustiva, sino enumerativa, puesto que caben tantos tipos de mediación como materias susceptibles de ser mediadas.

18.2. ELEVACIÓN A PÚBLICO DEL ACUERDO DE MEDIACIÓN

La elevación a público del acuerdo de mediación viene regulado en el artículo 25 de la Ley 5/2012.

Artículo 25. Formalización del título ejecutivo

1. Las partes podrán elevar a escritura pública el acuerdo alcanzado tras un procedimiento de mediación.

El acuerdo de mediación se presentará por las partes ante un Notario acompañado de copia de las actas de la sesión constitutiva y final del procedimiento, sin que sea necesaria la presencia del mediador.

2. Para llevar a cabo la elevación a escritura pública del acuerdo de mediación, el Notario verificará el cumplimiento de los requisitos exigidos en esta Ley y que su contenido no es contrario a Derecho.

3. Cuando el acuerdo de mediación haya de ejecutarse en otro Estado, además de la elevación a escritura pública, será necesario el cumplimiento de los requisitos que, en su caso, puedan exigir los convenios internacionales en que España sea parte y las normas de la Unión Europea.

4. Cuando el acuerdo se hubiera alcanzado en una mediación desarrollada después de iniciar un proceso judicial, las partes podrán solicitar del tribunal su homologación de acuerdo con lo dispuesto en la Ley de Enjuiciamiento Civil.

Como expresa Castillejo Manzanares, 2013, página 261-262, el procedimiento de mediación podrá tener lugar fuera del proceso judicial con efectos en él, o bien una vez instado éste. De tal forma que cabe diferenciar la mediación extrajudicial de la intrajudicial.

El procedimiento de mediación extrajudicial puede ser iniciado por ambas partes o a instancia de una de ellas. Así bien, de común acuerdo las partes podrán instarlo en cuyo caso la solicitud debe incluir la designación del mediador o la institución de mediación en la que llevarán a cabo la mediación, así como el acuerdo sobre el lugar en el que se desarrollarán las sesiones y la lengua o lenguas de las actuaciones.

Pero es posible también que, siempre y cuando hubiere un pacto de sometimiento a mediación existente entre ellas, una solicitase dicho procedimiento a fin de que se cumpliera aquel. El compromiso de sometimiento a mediación y a la iniciación de ésta impide a los tribunales conocer de las controversias sometidas a mediación, durante el tiempo en que se desarrolle ésta, siempre que la parte a quien interese lo invoque mediante declinatoria. Dicha declinatoria no impedirá la iniciación o prosecución de las actuaciones de mediación.

Así bien, el procedimiento de mediación puede concluir en acuerdo o finalizar sin alcanzar el mismo, bien sea porque todas o algunas de las partes ejerzan su derecho a dar por terminadas las actuaciones, comunicándoselo al mediador, bien porque haya transcurrido el plazo máximo acordado por las partes para la duración del procedimiento. También cuando el mediador aprecie de manera justificada que la posiciones de las partes son irreconciliables o concurra otra causa que determine su conclusión.

De los acuerdos tomados en su caso, habrá de levantarse un acta que deberá ser firmada por las partes y por el mediador o mediadores, entregándose un ejemplar original a cada una de ellas.

Las partes podrán elevar a escritura pública el acuerdo alcanzado tras un procedimiento de mediación, con lo que se consigue que el acuerdo que pone fin a la mediación pueda tener la consideración de título ejecutivo.

El legislador, para impulsar el uso de la mediación, quiere hacerla atractiva; y para ello, se da opción a las partes de incrementar la eficacia del acuerdo logrado, que podrá tener la consideración de título público si las partes lo desean mediante la elevación a escritura pública.

Formalización del título ejecutivo

   a) Su justificación.

     – El laudo de derecho es emitido por un profesional jurídico conocedor del Derecho. En la mediación no es exigible la intervención de tal profesional, por lo que en muchos casos, será conveniente que las partes acudan al proceso de mediación asistidos por abogado, y el mediador, debe procurar la asistencia jurídica suficiente para evitar que existan desequilibrios y asegurar la calidad del acuerdo mediado.

     – La elevación a público es una forma sencilla, rápida y económica de obtener un título ejecutivo para las obligaciones acordadas en la mediación.

     – No es una protocolización del acuerdo mediante acta, sino que es una escritura de reconocimiento de carácter confesorio, no traslativa, declarativa o constitutiva, en la que se recogen declaraciones de voluntad de las partes que hacen nacer el negocio; porque como sabemos el acta no recoge y da forma al negocio, sino que consta hechos que no son actos ni contratos. El acta tiene por objeto evitar su extravío y atribuirle autenticidad a la fecha.

   b) Su conveniencia.

     – Es aconsejable siempre elevar a público el acuerdo de mediación salvo que, por su escasa transcendencia o por su inmediato cumplimiento, no sea necesario, especialmente cuando las obligaciones son a largo plazo o de tracto sucesivo, prorrogado en el tiempo, y hay que proceder a hacerlo cuanto antes, al calor de la satisfacción por el acuerdo logrado y de forma inmediata, porque:

– atribuye fuerza ejecutiva (artículo 517-2 LEC);

– garantiza la conservación al formar parte del protocolo notarial;

– refuerza el acuerdo al implicar una renovación ante Notario del consentimiento para el mismo;

– reduce el riesgo de su nulidad por las causas que invalidan los contratos: vicios de consentimiento, objeto y causa;

– reduce el coste económico en la formalización, ya que es un documento sin cuantía, según dispone la disposición adicional tercera de la Ley cuando dice que «*para el cálculo de los honorarios notariales de la escritura pública de formalización de los acuerdos de mediación se aplicarán los aranceles correspondientes a los documentos sin cuantía, previstos en el número 1 del anexo I del Real Decreto 1426/1989 de 17 de noviembre por el que se aprueba el arancel de los Notarios*».

c) ¿Quién eleva a escritura pública y qué debe aportar?

– Las partes, comparecen ante Notario con copia de las actas de la sesión constitutiva y de la sesión final del procedimiento debiendo tener capacidad y facultades representativas para la elevación a público del acuerdo.

– Pueden ser dos o más partes, es decir, puede haber pluralidad de partes (caso de divorcio con descendientes afectados o casos de cónyuges o hijos mayores de edad acreedores de alimentos; y abuelos o parientes por problemas de comunicación o estancia con el menor).

– No es necesaria la presencia del mediador, pero puede ser aconsejable su presencia como testigo privilegiado.

– Si una de las partes se niega a elevar a público el acuerdo alcanzado cabe:

a') Acudir a la vía judicial según previene el artículo 1279 del Código Civil cuando dice «*si la Ley exigiere el otorgamiento de escritura u otra forma especial para hacer efectivas las obligaciones propias de un contrato, los contratantes podrán compelerse recíprocamente a llenar aquella forma desde que hubiese intervenido el consentimiento y demás requisitos necesarios para su validez*».

b') Protocolizar unilateralmente solo a efectos de fecha fehaciente.

Para evitar dicha negativa es conveniente introducir en el acuerdo una cláusula de compromiso de elevación a público del mismo.

d) ¿Cabe la posibilidad de modificar el acuerdo de modificación en la escritura?

Se pueden introducir modificaciones no sustanciales para adecuar el acuerdo a la legalidad; porque las partes son los titulares del acuerdo mediado y por unanimidad pueden cambiarlo para mejorarlo, para hacerlo más eficaz o para completar cláusulas o previsiones.

e) Control de legalidad notarial del acuerdo de mediación

El asesoramiento por parte de Notario en la escritura viene regulado en el artículo 147 del Reglamento notarial que en su párrafo primero dice: «*el Notario redactará el instrumento público conforme a la voluntad común de los otorgantes, la cual deberá indagar, interpretar y adecuar al ordenamiento jurídico e informará a aquellos del valor y alcance de su redacción, de conformidad con el artículo 17 bis de la Ley del Notariado*».

Por su parte, el artículo 17 bis, párrafo segundo, letra a) de la Ley del Notariado dispone: «*con independencia del soporte electrónico, informático o digital en que se contenga el documento público notarial, el Notario deberá dar fe de la identidad de los otorgantes, de que a su juicio tienen capacidad y legitimación, de que el consentimiento ha sido libremente prestado y de que el otorgamiento se adecua a la legalidad y a la voluntad debidamente informada de los otorgantes o intervinientes*».

De acuerdo con dichos artículos, el Notario deberá dar fe de:

- Identidad de los otorgantes
- Juicio de capacidad, que debe ser la misma que para alcanzar el acuerdo mediado y las obligaciones asumidas.

  Castillejo Manzanares, 2013, página 266, dice que el contenido de juicio de capacidad ha de incluir: la capacidad natural; la capacidad jurídica y de obrar; la ausencia de prohibiciones objetivas o subjetivas; la necesidad de consentimientos de otras personas físicas; y la necesidad de autorizaciones o habilitaciones judiciales o administrativas.

  La capacidad exigida a las partes dependerá del tipo de negocio jurídico en que se concrete ese acuerdo. Habitualmente consistirá en una transacción, acompañada o no de otros elementos adicionales o accesorios. Hay que considerar que en nuestro Ordenamiento la transacción es considerada como un acto dispositivo, tal vez por poder implicar renuncias u otro tipo de actos dispositivos potenciales. Así viene reconocido en los artículos 1810, 1811 y 1812 del Código Civil.

  Los menores emancipados, por analogía, necesitarán el consentimiento de sus padres o, a falta de ambos, el del tutor cuando el acuerdo implique actos dispositivos sobre bienes inmuebles o establecimientos mercantiles, pues el artículo 323 del Código Civil lo exige para enajenarlos.

– Legitimación o representación, que debe constar en documento público de acuerdo con el artículo 1280 párrafo quinto del Código Civil.

La consideración de acto dispositivo de riguroso dominio exige que la representación por terceros se lleve a cabo según el artículo 1713 de Código Civil por mandato expreso. Será, por tanto, preciso un poder específico que cubra este tipo de negocio jurídico. En los poderes para pleitos habrá que comprobar si existe tal facultad. Pero como esa transacción se desenvuelve en un ámbito extrajudicial es dudoso que un poder para pleitos que la incorpore siga siendo tal. Puede haberse convertido en un poder no sólo para pleitos.

– Calificación del documento por parte del Notario, para comprobar la suficiencia del poder de representación, que el consentimiento ha sido libremente prestado y carece de vicios que anulen dicho consentimiento, y que el otorgamiento se adecua a la legalidad y a la voluntad debidamente informada de los otorgantes.

f) *Contenido del acuerdo*

El contenido del acuerdo debe reunir los siguientes requisitos:

– Tratarse de materia disponible por las partes; por tanto, no puede estar sustraída a la autonomía de la voluntad (artículo 2.1 de la Ley de Mediación).

– No puede ser antijurídico; por lo que el contenido del acuerdo no puede contravenir normas imperativas o prohibitivas y no puede ser contrario al orden público. Así en materia de conflictos familiares los acuerdos sobre poligamia, poliandria, quiebra del principio de igualdad por razón de sexo, renuncia al ejercicio de la patria potestad o alteración de su contenido esencial, impedirán la elevación a escritura pública de los acuerdos que contengan dicho contenido.

– Que no se trate de un supuesto de mediación excluido por la Ley, en los casos previstos en el artículo 2.2 de la Ley de Mediación, a saber: penal, con las administraciones públicas, laboral o en materia de consumo.

– Que el acuerdo no sea contrario a norma imperativa ni al orden público.

g) *Actuación del Notario en la elevación a público del acuerdo de mediación*

El Notario debe comprobar que de las actas aportadas y de las manifestaciones de las partes resulte que en la consecución del acuerdo se han respetado los principios rectores de la mediación y que el acuerdo ha sido adoptado con información suficiente y libertad, es decir, sin vicio de consentimiento de ninguna de las partes.

El Notario debe verificar que se celebró y documentó la sesión constitutiva y la sesión final y que se formalizó el acuerdo de mediación. Ello nos lleva a plantearnos las siguientes cuestiones:

¿Qué ocurre si no existe acta de sesión final, pero sí existe acuerdo? Creemos que la existencia de la sesión final reflejada en el Acta correspondiente y la voluntad de las partes al acuerdo allí alcanzado es requisito sustantivo, formal e indispensable en el control notarial de legalidad del proceso acogido a la Ley.

¿Qué ocurre si no existe acta final pero sí acuerdo posterior que se eleva a escritura pública? Creemos que en este caso no se aplicaría el 517-2º de la LEC cuando dice que serán títulos ejecutivos «*los laudos o resoluciones arbitrales y los acuerdos de mediación, debiendo estos últimos haber sido elevados a escritura pública de acuerdo con la Ley de Mediación en asuntos civiles y mercantiles*», sino que se aplicaría el artículo 517-4º cuando dice que serán títulos ejecutivos «*las escrituras públicas, con tal de que sea primera copia; o si es segunda que esté dada en virtud de mandamiento judicial y con citación de la persona a quien deba perjudicar, o de su causante, o que se expida con la conformidad de todas las partes*».

¿Qué ocurre si se niega a firmar el acta final y suscribe el acuerdo en total conformidad con los consensos alcanzados en la sesión final y expresada en el acta? Creemos que si se eleva a público está amparado por la Ley de Mediación: artículo 22-3º.

En síntesis: El Acta de la sesión constitutiva debe ir firmada por todas las partes, pero si falta una se puede considerar ratificada por la prosecución en las sesiones intermedias y en la final. El Acta de la sesión final debe ir firmada por el mediador y, al menos, por alguna de las partes. Y el acuerdo final debe ir firmado por todas las partes, aunque no necesariamente por el mediador.

A nuestro juicio no constituyen defectos para autorizar la escritura pública los siguientes:

- La inexistencia o falta de acreditación de solicitud formal para el inicio de la Mediación.

- La inexistencia o falta de acreditación de la sesión informativa prevista en el artículo 17 de la Ley de Mediación.

- La omisión o consignación defectuosa de los requisitos formales del Acta de la sesión constitutiva prevista en el artículo 19, ya que se trata de requisitos establecidos en garantía de los Mediados, libremente renunciable. Lo que no parece preterible es la copia del Acta inicial, pues contiene la concreción de los elementos personales, objetivos y territoriales de la Mediación.

- La omisión de toda referencia a las sesiones intermedias.

– La referencia al coste de la Mediación o al pago de honorarios.

– El incumplimiento del plazo inicialmente acordado para la duración del proceso de mediación.

– La duración del lapso entre la sesión final y el acuerdo de mediación.

El Notario debe explicar a las partes las reservas y advertencias legales, indicándoles las consecuencias derivadas del otorgamiento notarial, de todo tipo: civiles, fiscales (es decir, de las obligaciones que las partes contraen).

Cabe que en la escritura de elevación a público de los acuerdos de mediación, exista un contenido atípico, como puede ser la liquidación del régimen económico-matrimonial, la adjudicación de inmuebles y asunción de deudas hipotecarias, la extinción sobre vivienda unifamiliar

h) *Carácter de título ejecutivo de la escritura pública*

La elevación a escritura pública del acuerdo de mediación, le atribuye fuerza ejecutiva siempre que tenga contenido obligacional.

De acuerdo con la LEC, se asimila el acuerdo de mediación elevado a escritura pública al Laudo Arbitral y a la Sentencia Judicial y así viene recogido en los siguientes preceptos:

– Artículo 517: equipara los tres supuestos.

– Artículo 518: fija la caducidad de las acciones a los cinco años.

– Artículo 548: regula el plazo de espera de la ejecución.

– Artículo 566: se refiere a la oposición a la ejecución.

– Artículo 580: dispensa del requerimiento de pago a los títulos ejecutivos que consistan en resoluciones judiciales, arbitrales y acuerdos de mediación.

Finalmente, tenemos que señalar que el Notario tiene amplia libertad y flexibilidad para cumplir el mandato de verificación de los requisitos legales, pero lo que no puede es dejar de hacer ese cumplimiento.

18.3. DESIGNACIÓN NOTARIAL DE MEDIADOR CONCURSAL

Esta materia constituye el «Acuerdo Extrajudicial de Pagos» que es un procedimiento introducido por la Ley 14/2013, de 27 de septiembre, de apoyo a los emprendedores y su internacionalización, que reforma la Ley Concursal 22/2003, de 9 de julio, creando su título X, artículos 231 a 242 bis. El objetivo de este AEP es proporcionar un cauce de solución de las situaciones de insolvencia al margen del concurso, tanto para las personas naturales, sean o no empresarios (hasta cinco millones de pasivo), como para las personas jurídicas, en casos no complejos y con activos suficientes.

La materia que afecta a la designación notarial de mediador concursal viene regulada en los tres artículos siguientes de la Ley Concursal:

– *Artículo 232. Solicitud de acuerdo extrajudicial de pagos.*

«1. El deudor que pretenda alcanzar con sus acreedores un acuerdo extrajudicial de pagos solicitará el nombramiento de un mediador concursal.

Si el deudor fuere persona jurídica, será competente para decidir sobre la solicitud el órgano de administración o el liquidador.

2. La solicitud se hará mediante formulario normalizado suscrito por el deudor e incluirá un inventario con el efectivo y los activos líquidos de que dispone, los bienes y derechos de que sea titular y los ingresos regulares previstos. Se acompañará también de una lista de acreedores, especificando su identidad, domicilio y dirección electrónica, con expresión de la cuantía y vencimiento de los respectivos créditos, en la que se incluirán una relación de los contratos vigentes y una relación de gastos mensuales previstos. Lo dispuesto en el artículo 164.2.2º será de aplicación, en caso de concurso consecutivo, a la solicitud de acuerdo extrajudicial de pagos.

El contenido de los formularios normalizados de solicitud, de inventario y de lista de acreedores, se determinará mediante orden del Ministerio de Justicia.

Esta lista de acreedores también comprenderá a los titulares de préstamos o créditos con garantía real o de derecho público sin perjuicio de que puedan no verse afectados por el acuerdo. Para la valoración de los préstamos o créditos con garantía real se estará a los dispuesto en el artículo 94.5.

Si el deudor fuere persona casada, salvo que se encuentre en régimen de separación de bienes, indicará la identidad del cónyuge, con expresión del régimen económico del matrimonio, y si estuviera legalmente obligado a la llevanza de contabilidad, acompañara asimismo las cuentas anuales correspondientes a los tres últimos ejercicios.

Cuando los cónyuges sean propietarios de la vivienda familiar y pueda verse afectada por el acuerdo extrajudicial de pagos, la solicitud de acuerdo extrajudicial debe realizarse necesariamente por ambos cónyuges, o por uno con el consentimiento del otro.

3. En caso de que los deudores sean empresarios o entidades inscribibles, se solicitará la designación del mediador al Registrador Mercantil correspondiente al domicilio del deudor mediante instancia que podrá ser cursada telemáticamente, el cual procederá a la apertura de la hoja correspondiente, en caso de no figurar inscrito. En los demás casos, se solicitará la designación al notario del domicilio del deudor.

En caso de personas jurídicas o de persona natural empresario, la solicitud también podrá dirigirse a las Cámaras Oficiales de Comercio, Industria, Servicios y Navegación cuan-

do hayan asumido funciones de mediación de conformidad con su normativa específica y a la Cámara Oficial de Comercio, Industria, Servicios y Navegación de España.

El receptor de la solicitud comprobará el cumplimiento de los requisitos previstos en el artículo 231, los datos y la documentación aportados por el deudor. Si estimara que la solicitud o la documentación adjunta adolecen de algún defecto o que esta es insuficiente para acreditar el cumplimiento de los requisitos legales para iniciar un acuerdo extrajudicial de pagos, señalará al solicitante un único plazo de subsanación, que no podrá exceder de cinco días. La solicitud se inadmitirá cuando el deudor no justifique el cumplimiento de los requisitos legalmente exigidos para solicitar la iniciación del acuerdo extrajudicial, pudiendo presentarse una nueva solicitud cuando concurriesen o pudiera acreditarse la concurrencia de dichos requisitos.»

– Artículo 233. Nombramiento de mediador concursal.

«1. El nombramiento de mediador concursal habrá de recaer en la persona natural o jurídica a la que de forma secuencial corresponda de entre las que figuren en la lista oficial que se publicará en el portal correspondiente del «Boletín Oficial del Estado», la cual será suministrada por el Registro de Mediadores e Instituciones de Mediación del Ministerio de Justicia. El mediador concursal deberá reunir la condición de mediador de acuerdo con la Ley 5/2012, de 6 de julio, de mediación en asuntos civiles y mercantiles, y, para actuar como administrador concursal, las condiciones previstas en el artículo 27.

Reglamentariamente se determinarán las reglas para el cálculo de la retribución del mediador concursal, que deberá fijarse en su acta de nombramiento. En todo caso, la retribución a percibir dependerá del tipo de deudor, de su pasivo y activo y del éxito alcanzado en la mediación. En todo lo no previsto en esta Ley en cuanto al mediador concursal, se estará a lo dispuesto en materia de nombramiento de expertos independientes.

2. Al aceptar el nombramiento, el mediador concursal deberá facilitar al registrador mercantil o notario, si hubiera sido nombrado por éstos, una dirección electrónica que cumpla con las condiciones establecidas en el artículo 29.6 de esta Ley, en la que los acreedores podrán realizar cualquier comunicación o notificación.

3. El registrador o el notario procederá al nombramiento de mediador concursal. Cuando la solicitud se haya dirigido a una Cámara Oficial de Comercio, Industria, Servicios y Navegación o a la Cámara Oficial de Comercio, Industria, Servicios y Navegación de España, la propia Cámara asumirá las funciones de mediación conforme a lo dispuesto en la Ley 4/2014, de 1 de abril, Básica de las Cámaras Oficiales de Comercio, Industria, Servicios y Navegación y designará una comisión encargada de mediación en cuyo seno deberá figurar, al menos, un mediador concursal. Una vez que el mediador concursal acepte el cargo, el registrador mercantil, el Notario o la Cámara Oficial de Comercio, Industria, Servicios y Navegación dará cuenta del hecho por certificación o copia remitidas a los registros públicos de bienes competentes para su constancia por anotación preventiva en la correspondiente hoja registral, así como al Registro Civil y a los demás registros públicos que corresponda, comunicará de oficio la apertura de negociaciones al juez competente para la declaración de concurso y ordenará su publicación en el Registro Público Concursal.

4. Asimismo, dirigirá una comunicación por medios electrónicos a la Agencia Estatal de la Administración Tributaria y a la Tesorería General de la Seguridad Social a través de los medios que éstas habiliten en sus respectivas sedes electrónicas, conste o no su condición de acreedoras, en la que se deberá hacer constar la identificación del deudor con su nombre y Número de Identificación Fiscal y la del mediador con su nombre, Número de Identificación Fiscal y dirección electrónica, así como la fecha de aceptación del cargo por éste. Igualmente se remitirá comunicación a la representación de los trabajadores, si la hubiere, haciéndoles saber de su derecho a personarse en el procedimiento.

5. En caso de entidades aseguradoras, el mediador designado deberá ser el Consorcio de Compensación de Seguros. »

Artículo 242 bis. Especialidades del acuerdo extrajudicial de pagos de personas naturales no empresarios.

« *1. El acuerdo extrajudicial de pagos de personas naturales no empresarios se regirá por lo dispuesto en este título con las siguientes especialidades:*

1.º La solicitud deberá presentarse ante el Notario del domicilio del deudor.

2.º El Notario, una vez constatada la suficiencia de la documentación aportada y la procedencia de la negociación del acuerdo extrajudicial de pagos, deberá, de oficio, comunicar la apertura de las negociaciones al Juzgado competente para la declaración del concurso.

3.º El Notario impulsará las negociaciones entre el deudor y sus acreedores pudiendo designar, si lo estima conveniente o lo solicita el deudor, un mediador concursal. El nombramiento del mediador concursal deberá realizarse en los cinco días siguientes a la recepción por el Notario de la solicitud del deudor, debiendo el mediador aceptar el cargo en un plazo de cinco días.

4.º Las actuaciones notariales o registrales descritas en el artículo 233 no devengarán retribución arancelaria alguna.

5.º El plazo para la comprobación de la existencia y cuantía de los créditos y realizar la convocatoria de la reunión entre deudor y acreedores será de quince días desde la notificación al Notario de la solicitud o de diez días desde la aceptación del cargo por el mediador si se hubiese designado mediador. La reunión deberá celebrarse en un plazo de 30 días desde su convocatoria.

6.º La propuesta de acuerdo se remitirá con una antelación mínima de quince días naturales a la fecha prevista para la celebración de la reunión, pudiendo los acreedores remitir propuestas alternativas o de modificación dentro de los diez días naturales posteriores a la recepción de aquel.

7.º La propuesta de acuerdo únicamente podrá contener las medidas previstas en las letras a), b) y c) del artículo 236.1.

8.º El plazo de suspensión de las ejecuciones previsto en el artículo 235 será de dos meses desde la comunicación de la apertura de las negociaciones al Juzgado salvo que, con anterioridad, se adoptase o rechazase el acuerdo extrajudicial de pagos o tuviese lugar la declaración de concurso.

9.º Si al término del plazo de dos meses el Notario o, en su caso, el mediador, considera que no es posible alcanzar un acuerdo, instará el concurso del deudor en los diez días siguientes, remitiendo al Juez un informe razonado con sus conclusiones.

10.º El concurso consecutivo se abrirá directamente en la fase de liquidación.

2. Reglamentariamente se determinará régimen de responsabilidad de los Notarios que intervengan en los acuerdos extrajudiciales de pago de las personas naturales no empresarios. Su retribución será la prevista para los mediadores concursales».

En este procedimiento de Acuerdo Extrajudicial de Pagos el Notario cobra un protagonismo especial, pues tratándose de un profesional no empresario, persona física, se le encarga en exclusiva la tramitación de esta figura que es una institución preconcursal más que una verdadera mediación. La propia Ley no utiliza este concepto pero sí que designa como «mediador concursal» a la persona designada por el Notario (o Registrador Mercantil), para impulsar las negociaciones entre el deudor no empresario y sus acreedores.

Para ser designado tal mediador concursal debe cumplir no sólo los requisitos generales exigidos por la Ley de Mediación, a saber: pleno ejercicio de sus derechos civiles, ausencia de incompatibilidad con el ejercicio de su profesión, título universitario o de formación profesional superior, formación específica, y seguro de responsabilidad civil, sino que también debe reunir algunos de los requisitos que se exigen en el artículo 27-1º de la Ley Consursal, a saber: ser abogado en ejercicio con cinco años de ejercicio profesional que haya acreditado formación especializada en Derecho Concursal; ser economista, titulado mercantil o auditor de cuentas con cinco años de experiencia profesional con especialización demostrable en el ámbito concursal.

En consecuencia, a tal «mediador» se le exigen los requisitos de la LM y LC y además figurará en una lista oficial del Ministerio de Justicia, publicada en el BOE.

Para el estudio de la designación notarial del mediador concursal que preven los artículos 232, 233 y 242 bis de la Ley Concursal, anteriormente transcritos, vamos a seguir la siguiente sistemática:

1. Nombramiento

La Ley ha considerado adecuado reservar el nombramiento al Registrador Mercantil del domicilio del deudor, cuando se trata de empresarios o entidades inscribibles y residualmente al Notario del domicilio del deudor, en los demás casos.

Debe advertirse de que la amplitud de la expresión «empresarios o entidades inscribibles» dejará muy limitada la designación por el Notario, pues en el Registro se inscribe el empresario social con carácter obligatorio, pero también se inscribe el individual potestativamente. Como lo que dispone la Ley es que el empresario o entidad sean inscribibles y no que estén inscritas, al Notario sólo le corresponderá el nombramiento del profesional persona física.

2. Requisitos

Para poder optar por el procedimiento del Acuerdo Extrajudicial de Pagos, se precisa:

- Ser empresario o profesional individual, ser insolvente o prever que no podrá cumplir regularmente sus obligaciones.
- Y su pasivo no superará los 5 millones de euros (aportando un balance).

Al empresario social se le exige ser insolvente; si se declarara en concurso éste no sería de especial complejidad; dispondrá de líquido suficiente para satisfacer los gastos del acuerdo (algo que, sin embargo, no se pide al individual) y su patrimonio e ingresos previsibles deben permitirle cumplir con éxito el acuerdo de pago.

Se regulan en la Ley ciertas restricciones para la solicitud del acuerdo (art. 231.3 LC); destaquemos, la restricción que supone estar negociando o haber alcanzado antes un acuerdo de refinanciación.

3. Forma

La solicitud se hará mediante instancia suscrita por el deudor, en la que el deudor hará constar:

- El efectivo y los activos líquidos de que dispone,
- Los bienes y derechos de que sea titular,
- Los ingresos regulares previstos,
- Una lista de acreedores con expresión de la cuantía y vencimiento de los respectivos créditos,
- Una relación de los contratos vigentes,
- Y una relación de gastos mensuales previstos.

Esta lista de acreedores también comprenderá a los titulares de préstamos o créditos con garantía real o de derecho público sin perjuicio de que puedan no verse afectados por el acuerdo.

El nombramiento, realizado por el Notario, se lleva a cabo a través de un acta notarial, cuyo requerimiento será la solicitud de nombramiento de mediador y al que se añadirán mediante diligencia la designación de mediador y la comunicación al mismo de su nombramiento y la aceptación; aunque, siendo puristas y con el artículo 17 de la LN en la mano, la aceptación del mediador constituye una declaración de voluntad, que debiera documentarse en escritura.

Los plazos para el nombramiento serán los mismos que los previstos para la designación del Registrador y con el mismo régimen de incompatibilidades del mediador y su recusación. Si hay oposición al nombramiento, parece ser que el que puede resolver es el Notario y que su decisión puede ser recurrible ante la DGRN, todo ello resultará algo más que excepcional, pero es lo que parece desprenderse de la Ley Concursal y de su remisión al RRM.

En tales casos, si el mediador se excusa, el Notario deberá recoger la excusa en la escritura, comunicará la excusa a los interesados (en este momento del proceso, al deudor) y dejará constancia de ello en la escritura, procediendo a un nuevo nombramiento (entiendo que en la misma escritura); y si hay recusación del mediador, de la recusación se dejará constancia en la escritura, que también recogerá la comunicación fehaciente de la misma al mediador; si han pasado cinco días desde la notificación sin que haya habido oposición, nombrará el Notario a otro en el mismo documento y, si se opone el mediador a la recusación en ese plazo, lo que también se recogerá en la escritura, resuelve en el acta el Notario dentro de los dos días siguientes, se comunica la decisión a los interesados, dejando constancia de ello y de la escritura parece que se dará copia a los interesados a los efectos de que puedan recurrir a la DGRN. Si la DGRN acepta la recusación, comunicada esta decisión al Notario, éste reabrirá el expediente con la recepción de la decisión de la DGRN y nombrará a uno nuevo; si no se acepta la recusación, el Notario reabre el expediente con esta decisión y comienza la actuación del mediador nombrado. En cuanto a quiénes son los interesados que pueden recusar y hasta qué momento, parece que tanto el deudor como los acreedores notificados, y siempre que no hayan recibido ya el plan de pagos y de viabilidad redactado por el mediador (aplicando por analogía lo que dispone el RRM, que fija como límite temporal para recusar al experto la elaboración de su informe).

En cuanto a la remuneración del mediador, parece que al Notario también competerá fijar en la escritura la retribución del mediador concursal.

Y la escritura tendrá otro capítulo más, que será el de depósito y comprobación de los requisitos de forma de la documentación aportada por el deudor con su solicitud (aunque más que un capítulo aparte, es un requisito imprescindible de la solicitud). No parece que sea necesaria su protocolización, pues son sólo los documentos de trabajo que han de servir de base para la elaboración de los planes de pagos y viabilidad en que realmente consiste la labor del mediador. En la diligencia de aceptación del mediador se dejará constancia de que éste ha recibido la documentación aportada por el deudor y depositada en la Notaría.

4. Publicidad y Comunicaciones

Una vez nombrado el mediador concursal, quiere la Ley que se dé publicidad a su nombramiento; por ello, una vez el mediador concursal acepte el cargo, el Notario dará cuenta del hecho por certificación o copia remitidas a los registros públicos de bienes competentes para su constancia por anotación preventiva en la correspondiente hoja registral (o sea, el Registro de Bienes Muebles y, sobre todo, el de la Propiedad), así como al Registro Civil y a los demás registros públicos que corresponda y ordenará su publicación en el «Registro Público Concursal».

De hecho, la Ley de Emprendedores añade una sección tercera a este Registro, que dejará constancia de la apertura de las negociaciones para alcanzar el acuerdo y su finalización.

El Registrador mercantil o Notario al que se hubiera solicitado la designación del mediador concursal también deberá comunicar de oficio la apertura de las negociaciones al juzgado que sería competente para la declaración de concurso.

Asimismo, dirigirá una comunicación por medios electrónicos a la Agencia Estatal de la Administración Tributaria y a la Tesorería General de la Seguridad Social a través de los medios que éstas habiliten en sus respectivas sedes electrónicas, conste o no su condición de acreedoras (para ponerlas sobre aviso de que puede llegarse a una declaración de concurso posterior).

5. Esquema del documento

A modo de conclusión sobre la actuación notarial hasta este momento, la escritura (o el acta) podría tener estas partes:

1) Solicitud de nombramiento y recepción de documentos por el deudor para su depósito.

2) Designación del mediador y fijación de su retribución.

3) Comunicación al mediador de su designación.

4) Aceptación por el mediador de su designación y entrega de los documentos depositados al mediador.

5) En su caso, excusa o recusación del mediador, comunicación al mediador y, si hay recusación, decisión del Notario y recepción de la decisión de la DGRN si se recurre. Si se acepta la recusación, se nombra a otro en el mismo documento; si no, continúa el proceso.

6) Comunicación a los Registros de Bienes Muebles, de la Propiedad, Civil y Concursal.

7) Comunicación al juzgado competente, la Agencia Tributaria y la Seguridad Social.

8) Convocatoria a los acreedores realizada por el mediador.

9) Si lo pide el mediador, remisión a los acreedores de los planes de pagos y viabilidad y recogida de propuestas alternativas, si las hay.

10) Si lo pide el mediador, presenciar la reunión de los acreedores y recoger en acta su resultado.

11) Recogida en la escritura del acuerdo adoptado (si se hubiera optado por el acta hasta este momento, la elevación a público requeriría una escritura aparte).

Esta escritura tampoco se considera un documento de cuantía a efectos de honorarios notariales.

6. Plazo

Una de las cosas que pretende claramente la Ley es que el proceso sea lo más breve posible.

Tan breve que, en el plazo máximo de 10 días desde la aceptación del cargo, el mediador debe convocar a los acreedores; la reunión de acreedores se celebrará en un plazo máximo de 2 meses desde dicha aceptación; con una antelación mínima de 20 días a la fecha prevista para la celebración el mediador elaborará los planes de pagos y viabilidad; los acreedores sólo tienen 10 días para comunicar propuestas alternativas o su intención de no continuar la negociación.

7. Funciones

Nos referimos ahora a las funciones del mediador que, como veremos, exceden notoriamente de las que corresponden a cualquier mediador y que pueden sintetizarse así:

1) Convocatoria a los acreedores.

2) Elaboración de un plan de pagos y de viabilidad.

3) Remisión de los planes citados a los acreedores.

4) Recepción de propuestas alternativas de los acreedores realizadas dentro de los diez días naturales posteriores al envío de la propuesta por los mediadores.

5) Remisión del plan de pagos y de viabilidad aceptado por el deudor.

6) Formalización del acuerdo, si es aceptado.

7) Solicitud del concurso, si no es aceptado; si en el plazo citado de diez días los acreedores que representen la mayoría del pasivo que deba verse afectado por el acuerdo comunica su intención de no continuar con las negociaciones; o si es insuficiente la masa activa en los términos del artículo 176 de la Ley Concursal. Esta solicitud de concurso por el mediador es una importante excepción legal a la regla general hasta ahora que permitía sólo instar el concurso al deudor o a los acreedores.

Dos de estas funciones del mediador exigen la participación del Notario en su desenvolvimiento: la remisión de la convocatoria a los acreedores, que se hará por conducto notarial (243 LC), y la formalización del acuerdo, que se hará mediante escritura (238 LC).

Ahora bien, en lo que a la notificación notarial se refiere, el mediador podrá sustituirla por la comunicación a la dirección electrónica que le haya facilitado el acreedor, en su caso.

8. Efectos de la iniciación del expediente

a) Sobre el deudor (artículo 235)

Una vez solicitada la apertura del expediente, el deudor podrá continuar con su actividad laboral, empresarial o profesional, aunque desde la presentación de la solicitud el deudor se abstendrá de solicitar la concesión de préstamos o créditos, devolverá a la entidad las tarjetas de crédito de que sea titular y se abstendrá de utilizar medio electrónico de pago alguno. Y no podrá ser declarado en concurso.

b) Sobre los acreedores (artículo 235)

Desde la publicación de la apertura del expediente y por parte de los acreedores que pudieran verse afectados por el posible acuerdo extrajudicial de pagos, no podrá iniciarse ni continuarse ejecución alguna sobre el patrimonio del deudor mientras se negocia el acuerdo extrajudicial y hasta un plazo máximo de tres meses.

Este plazo de tres meses es demasiado breve. Además, se exceptúan los acreedores de créditos con garantía real, en cuyo caso, el inicio o continuación de la ejecución dependerá de la decisión del acreedor y, si esto decide, no podrá participar en el acuerdo extrajudicial.

Llevada la regla de la suspensión o del no inicio de ejecuciones al ámbito registral, una vez practicada la correspondiente anotación de la apertura del procedimiento en los registros públicos de bienes, no podrán anotarse respecto de los bienes del deudor instante embargos o secuestros posteriores a la presentación de la solicitud del nombramiento de mediador concursal, salvo los que pudieran corresponder en el curso de procedimientos seguidos por los acreedores de derecho público y los acreedores titulares de créditos con garantía real que no participen en el acuerdo extrajudicial.

Desde la publicación de la apertura del expediente, los acreedores que puedan verse afectados por el acuerdo deberán abstenerse de realizar acto alguno dirigido a mejorar la situación en que se encuentren respecto del deudor común.

Si bien no pueden seguirse temporalmente ejecuciones sobre el patrimonio del deudor, sí sobre el patrimonio de los fiadores. Efectivamente, el acreedor que disponga de garantía personal para la satisfacción del crédito podrá ejercitarla siempre que el crédito contra el deudor hubiera vencido. En la ejecución de la garantía, los garantes no podrán invocar la solicitud del deudor en perjuicio del ejecutante.

9. Contenido del Convenio

El contenido de estos acuerdos es muy amplio. Eso sí, en el plan que elabora el mediador las quitas no podrán superar el 25% del importe de los créditos y la espera, los tres años, ampliado a cinco años tras el RDL 1/2015.

El plan recogerá necesariamente la previsión de pago de los créditos de Derecho Público.

Puede plantearse si estos acuerdos podrán incluir otros pactos que no son estrictamente de pago pero sí encajaban en la refinanciación, como la sustitución de garantías, la conversión de los créditos en participaciones de la empresa. Es probable que no.

A diferencia del acuerdo de refinanciación, el extrajudicial sí puede incluir cesiones en pago y se entiende que también cesiones para pago de deudas, dado que el objetivo fundamental del pacto es el de atender cuanto antes los pagos pendientes.

También a diferencia del acuerdo de refinanciación, el de pagos se eleva a público pero no es objeto de homologación judicial, pues lo que se pretende ahora es su completa independencia del procedimiento judicial, aunque se conserve ese mínimo control que supone la comunicación de su apertura al que sería juez del concurso.

Ni que decir tiene que, como ocurre con el de refinanciación, el cumplimiento del mismo (y aquí vuelve a ser muy importante la actuación notarial) va a exigir del Notario una importante labor posterior pues, aun elevado a público el acuerdo por el mediador, debe ser cumplido el requisito de la escritura otorgada por las partes cuando se exige legalmente para la validez de un pacto en concreto (piénsese en la novación de un crédito hipotecario o en la dación en pago). Ni que decir tiene, claro, que estas escrituras o pólizas se someten a las reglas generales y se minutarán según proceda con arreglo a las normas generales.

10. Efectos del acuerdo respecto de los acreedores

Aprobado el acuerdo por mayoría del 60% del pasivo y si incluye cesiones en pago, del 75%, desencadena para los acreedores un efecto fundamental: quedan vinculados por el mismo, por lo que sus créditos quedan aplazados o remitidos conforme a lo acordado y, en caso de cesión de bienes en pago de dichos créditos, estos se extinguen en todo o en parte según lo acordado.

Recuérdese que la mayoría se forma teniendo en cuenta los acreedores a los que afecta el acuerdo (es decir: los comunes, los de garantía real en la parte no cubierta con la garantía y los de garantía real que voluntariamente se acojan al procedimiento).

Sí conservarán acciones contra terceros (obligados solidarios y fiadores).

Importante el efecto del acuerdo que dispone el art. 240: ningún acreedor afectado por el acuerdo podrá iniciar o continuar acciones contra el deudor por deudas anteriores a la publicación del expediente. Como consecuencia de ello, podrá el deudor solicitar la cancelación de los embargos del juez que los haya ordenado.

11. El Cumplimiento del Acuerdo

El cumplimiento del convenio determina una nueva actuación notarial: el otorgamiento de acta por el mediador en la que éste manifieste que ha sido cumplido el convenio y que reseñará las publicaciones del mismo en el BOE y en el Registro Público Concursal. A mi juicio, este acta del artículo 241.2 de la LC debe ser un acta de manifestaciones independiente, dado que se otorga a los efectos de dar publicidad al hecho del cumplimiento y no al resto de la escritura o acta de nombramiento, que ya habrá sido objeto de publicidad, en su caso, en un momento anterior o que recoge circunstancias que no son objeto de ella.

12. El Incumplimiento del Acuerdo

El mediador instará el concurso, considerándose al deudor incumplidor en estado de insolvencia. Tanto si se incumple el convenio, como si es imposible alcanzarlo o se anula, tendrá lugar el llamado por la Ley «concurso consecutivo». En este concurso consecutivo, se abre necesariamente la fase de liquidación con ciertas especialidades, entre las que se encuentra el hecho de que el mediador concursal será nombrado por el juez administrador concursal salvo justa causa.

Una *Instrucción de la Dirección General de los Registros y del Notariado, de 5 de febrero de 2018*, sobre designación de mediador concursal y comunicación de datos al portal concursal para un acuerdo extrajudicial de pagos, viene a clarificar la materia anteriormente expuesta en este epígrafe buscando la instauración de una práctica regular sobre la información que han de recibir los mediadores concursales para aceptar el cargo sin causas de recusación y sobre las características básicas de la situación de insolvencia de que se trate. También especifica la citada instrucción los datos iniciales —no documentos— que han de remitir Notarios y Registradores Mercantiles al Registro Público Concursal, a efectos de su publicación en el Portal Concursal.

Una vez nombrado el mediador concursal, no está suficientemente regulada la posterior comunicación del Registrador o Notario con el posible mediador concursal, lo que ha provocado dudas e ineficiencias en la práctica, que la Instrucción trata de disipar.

Así pues, la citada Instrucción determina **la información que mediadores concursales han de recibir** para que puedan saber si concurre alguna **causa de recusación** que les impida la aceptación del cargo y para que conozcan las **características básicas de la situación de insolvencia** de que se trate, una vez aceptado el cargo (que ya conocen el Registrador o Notario).

Esta Instrucción también especifica los **datos iniciales a remitir por parte de Notarios y Registradores Mercantiles al Registro Público Concursal,** a efectos de su publicación en el Portal Concursal.

En consecuencia, **el procedimiento de designación de los mediadores concursales y comunicación con ellos,** siguiendo un criterio cronológico, extraído de dicha Instrucción es el siguiente:

1. Una vez presentada la solicitud por medio de formulario, de acuerdo con el artículo 232.3 de la Ley Concursal, el Registrador Mercantil o el Notario antes de comunicar el nombramiento al mediador concursal llevará a cabo el **control del cumplimiento por el solicitante** de los requisitos exigidos por el artículo 231 de la misma Ley, así como de la existencia de defectos en la solicitud o documentación adjunta y la suficiencia de la información aportada por el deudor.

2. Los Registradores Mercantiles y los Notarios **accederán al Portal del BOE** mediante certificado reconocido de firma electrónica, requiriendo el suministro de los datos del **mediador concursal que de forma secuencial corresponda,** de entre los que tengan el domicilio en la **provincia** designada por el solicitante. Si no hubiera en la provincia, se acudirá subsidiariamente: a provincias limítrofes, a toda la comunidad autónoma y a todo el Estado. Nota: no se expresa cómo se determinará la preferencia entre provincias limítrofes, pero tampoco en el art. 19 RD 980/2013. Ver art. 233 Ley Concursal.

3. Los registradores mercantiles y notarios efectuarán la pertinente **comunicación al mediador concursal,** a efectos de que **acepte o no el encargo,** proporcionando la información prevista en esta instrucción, con el fin de comprobar si concurre alguna causa de recusación que les impida la aceptación del cargo, así como la información relativa a las características básicas de la situación de insolvencia.

4. Si el mediador designado **no aceptase el encargo**, volverá el Registrador Mercantil o Notario a realizar una nueva petición expresando esta circunstancia, es decir, **comunicando la no aceptación del encargo**, pues la Instrucción dice expresamente que será el Registrador o Notario el que lo comunique al Portal del BOE. El mediador designado que no aceptase el cargo se situará al final de la secuencia, sin que pueda volver a ser designado hasta que finalice ésta.

5. Una vez **aceptado el encargo** por parte del mediador concursal, se le hará entrega del **expediente completo** del acuerdo extrajudicial de pagos, donde deberán figurar todos los datos que refiere la Orden JUS/2831/2015, de 17 de diciembre y art. 232 de la Ley Concursal.

Todas las comunicaciones se realizarán al **correo electrónico** institucional del Notario o Registrador y al que haya comunicado el mediador concursal al aceptar el cargo.

Si las comunicaciones no fueran remitidas con **firma electrónica**, deberán ser confirmadas por **correo certificado**, sin perjuicio de su producción de efectos desde la recepción del correo electrónico.

El **mediador concursal**, una vez le sean comunicados los datos del deudor, queda obligado a la **confidencialidad** de los mismos y a utilizar y **tratar sólo los datos** en cumplimiento de sus funciones dentro del procedimiento para alcanzar un acuerdo extrajudicial de pagos.

La comunicación de datos del deudor se ha de realizar al Registro Público Concursal, cuyo Registro se encomienda al Colegio de Registradores (artículo 3 Real Decreto 892/2013, de 15 de noviembre), quien ha de velar por el cumplimiento de la normativa sobre protección de datos.

La Instrucción transcribe el artículo 13.1 de este Real Decreto 892/2013, que recoge el **contenido de la remisión que ha de hacer el Notario o el Registrador.**

Finalmente, aclara la Instrucción que la información que se haya de remitir por el Notario o Registrador Mercantil se ajustará al **formato que se proporcione por el Registro Público Concursal**, sin que en ningún caso sea admisible la remisión literal de actas notariales, inscripciones, expedientes concursales de la clase que sean, ni otros de igual o similar naturaleza, ni siquiera como documentos adjuntos a la remisión de los datos indicados en la Instrucción. No obstante, si fueran remitidos a efectos estadísticos y de comprobación, en ningún caso serán objeto de publicación en el Portal Concursal.

18.4. EL NOTARIO COMO MEDIADOR CONCURSAL

Al margen del papel que asigna la Ley Concursal al Notario en el Acuerdo Extrajudicial de Pagos cabe preguntarse si el Notario puede ser mediador concursal.

Teniendo en cuenta que si el Acuerdo Extrajudicial de Pagos no sigue adelante, en principio es el propio mediador concursal el que actuará como administrador concursal, hacía pensar a la mayor parte de la doctrina que el Notario no podía actuar como mediador concursal.

Sin embargo, la propia Ley en su artículo 242 bis 3.º dice que *«el Notario impulsará las negociaciones entre el deudor y sus acreedores, pudiendo designar, si lo estima conveniente o lo solicita el deudor, un mediador concursal. El nombramiento de mediador concursal deberá realizarse en los cinco días siguientes a la recepción por el Notario de la solicitud del deudor, debiendo el mediador aceptar el cargo en un plazo de cinco días»*.

A la vista del citado artículo la doctrina mayoritaria y los colegios profesionales interpretan que el propio Notario pueda realizar la función de mediador concursal.

18.5. EL MEDIADOR NOTARIO

Como mediador el Notario no presenta ninguna característica especial, ya que actuará como cualquier mediador, pero el ser un especialista en Derecho privado lo convierte en recomendable mediador en determinados asuntos sucesorios, familiares, civiles y mercantiles en general.

Como dice José Carmelo Llopis Benlloch el 24 de julio de 2014 en su blog, hay profesionales que se dedican exclusivamente a la mediación a tiempo completo, sin que ejerzan otra profesión complementaria, pero también hay mediadores que dividen o comparten su tiempo entre la mediación y otra profesión, en cuyo caso es independiente esa otra profesión de la mediación. Esto significa que cuando un mediador Notario está desarrollando su función, lo hace como mediador, no como Notario. A pesar de esto, lo que es innegable es que la profesión que uno desempeña todos los días conforma la persona y siempre deja un poso de conocimiento, actitud y predisposición que es muy difícil de eliminar cuando se ejerce la mediación.

En este sentido, el Notario es un mediador nato, aunque la mediación que a diario se hace en el despacho notarial es distinta de la mediación como sistema de resolución de conflictos, cuya técnica y desarrollo es propia y distinta de la técnica notarial.

No obstante, pese a la inexactitud de esa afirmación, lo cierto es que el hecho de ser Notarios, de ejercer una profesión jurídica y de estar en constante contacto con personas, familias y sociedades con conflictos hace que el notariado como colectivo tenga una base natural muy positiva para la resolución extrajudicial de conflictos, en particular para el ejercicio de la mediación. De hecho, el notariado está configurado como el eje central de la actividad extrajudicial pública, siendo la seguridad jurídica preventiva una forma de evitar el conflicto actual o futuro.

Dicho de otro modo: **ser Notarios no les convierte automáticamente en mediadores, pero les pone en una situación óptima para ser buenos mediadores.**

Podemos destacar cinco cualidades que hacen que el Notariado pueda llevar a cabo con éxito la mediación, a saber:

1. **El Notario es el tercero imparcial por definición.** Si la imparcialidad es la inexistencia de compromiso o vinculación con una de las partes, los Notarios por concepto y por Ley son imparciales. Dentro de sus funciones se encuentra la del **asesoramiento imparcial a todos los implicados en un negocio jurídico,** por lo que están acostumbrados a la equidistancia, a no decantarse por ninguna de las partes que acudan a su despacho.

2. **El Notariado es una institución en la que confía la sociedad.** Este es otro rasgo esencial: la confianza que en el Notario tienen los clientes hace que se perciba al Notariado como un tercero que **ayuda a eliminar problemas jurídicos integrando a todas las partes implicadas.** Del mismo modo que son las partes las que firman la escritura, que conforma el Notario, en la mediación son los mediados los que llegan a un acuerdo asistidos por el mediador.

3. **El Notario practica diariamente la escucha activa.** Los Notarios son confesores de sus clientes, que les dan mucha información personal, familiar y patrimonial. En ocasiones, como datos para redactar escrituras; en otras, para justificar sus actuaciones y, en otras, sólo para desahogarse. Por ello, el Notario está en constante contacto con los problemas subyacentes que cierto tipo de documentación, especialmente la hereditaria y societaria, puede generar.

4. **El Notario es neutral.** La neutralidad, aunque similar a la imparcialidad, significa **dejar en manos de las partes el acuerdo, promoviendo que las partes busquen soluciones.** En este sentido es en el que quizás los Notarios deben de tener una mayor prudencia, ya que en numerosas ocasiones en sus despachos los clientes les demandan una solución, y en la mediación, aunque se tenga claro desde el principio cuál es la solución jurídica más adecuada, no se puede inducir a los mediados.

5. **El Notario como mediador integra a otros profesionales.** Al menos la Fundación Solutio Litis del Colegio Notarial de Valencia en sus Estatutos y en el convenio firmado con el Consejo General de Poder Judicial exige que cada mediado concurra asistido de su abogado de confianza a la sesión informativa y al desarrollo posterior de la mediación, para garantizar un debido asesoramiento por parte de éstos a los clientes.

18.5.1. Fundaciones notariales de mediación

a) **Fundación Notarial para la mediación y el arbitraje Solutio Litis - Fundación de la Comunidad Valenciana.**

La «**Fundación Notarial para la mediación y el arbitraje Solutio Litis - Fundación de la Comunidad Valenciana**» tiene como uno de sus fines fundacionales la promoción y el fomento de la mediación y arbitraje institucionales y de cualesquiera otras vías alternativas que faciliten la solución convencional de las controversias.

La mediación que se promueve es tanto la mediación extrajudicial como la judicial, lo cual queda plasmado en un convenio de colaboración de la Fundación Solutio Litis con el Consejo General de Poder Judicial, para impulsar la mediación intrajudicial civil y mercantil en la Comunidad Valenciana, ámbito de actuación de la Fundación.

Esta Fundación se constituyó en marzo de 2013 por el Colegio Notarial de Valencia y sus fines fundacionales son los que hemos citado anteriormente.

En cumplimiento de estos fines se han creado sendas Cortes de Mediación y Arbitraje en el seno de la Fundación con el objetivo fundamental de ofrecer cauces a los ciudadanos para gestionar sus controversias evitando la generación o agravamiento de los conflictos y, en último término, facilitar una resolución extrajudicial de los mismos en caso de no llegarse a una solución convencional.

La Corte de Mediación no es ningún tribunal, ni arbitral ni de ningún otro tipo, ni realiza directamente la mediación (de ello, se encargan los mediadores) y tampoco ejerce función de asesoramiento alguno.

La Corte, por tanto, facilita la mediación, a través de las siguientes funciones:

- La admisión o no de las disputas sometidas a la misma;
- La designación del mediador asignado a cada disputa. En dicha designación, se atenderá a la voluntad de las partes, que sólo se puede rechazar por motivo justificado, y a falta de elección de las partes, el mediador será designado por turno;
- La impulsión de la mediación, fijando fechas de sesiones, lugar, citación, control de celebración, asistencia de las partes y de los mediadores a la misma;
- La custodia de aquella documentación que no vulnere el deber de confidencialidad;
- La redacción de toda aquella documentación necesaria para la uniformidad documental de las fases de la mediación;
- La elaboración de un plan de formación anual y continuada de los Mediadores y su evaluación;
- La llevanza del régimen disciplinario de los Mediadores;

– La elaboración de propuestas al Patronato de reforma del Reglamento de la Corte y del Código Deontológico.

Del Reglamento y del Código Deontológico que rigen la actuación de los Notarios mediadores cabe destacar los tres siguientes aspectos:

– **Profesionalidad**: es responsabilidad del mediador que la Fundación deberá comprobar y asegurar, el tener un nivel de competencia técnica y profesional suficiente en el desarrollo de su función. Esta responsabilidad incluye la actualización y perfección permanente de sus conocimientos y habilidades profesionales, y el compromiso de promover la mediación como disciplina científica.

El Notariado no pretende excluir a ningún profesional en sus mediaciones y, por ello, **toda mediación de Notario debe ser con asistencia Letrada** y sólo se admite la renuncia a la asistencia Letrada, cuando todas las partes de la disputa renuncien a ello por escrito.

– **Imparcialidad**: ésta es una característica general del Notario, pero en materia de mediación se refuerza y para evitar sospechas de parcialidad se recalca que el mediador no puede tener intereses propios, directos o indirectos, en las materias sometidas a mediación, ni compromisos previos de cualquier especie con alguna de las partes.

Será causa de incompatibilidad del mediador la existencia de cualquier relación financiera, contractual, profesional, empresarial o personal de éste con una o más partes que afectare a su neutralidad, así como cualquier interés directo o indirecto en el resultado de la materia. Esta incompatibilidad podrá ser dispensada, siempre y cuando ambas partes la conozcan y acepten explícitamente la actuación del mediador.

Además, según el Código Deontológico, está expresamente vedado a los mediadores prestar servicios profesionales directa o indirectamente a las partes durante la mediación. Tampoco podrán hacerlo en el futuro, una vez finalizada la mediación, hasta que hubiera transcurrido un plazo de al menos doce meses o aquellos que se deriven del propio proceso de mediación.

– **Confidencialidad:** toda la información utilizada por las partes durante el proceso de mediación, así como el proceso mismo, son absolutamente confidenciales. Esta obligación del mediador y de todas las personas que participen en la mediación como abogados, peritos u observadores, no se altera por la intervención de la Fundación Solutio Litis, ya que la documentación que ésta guarda y conserva es la relativa al procedimiento, como lo son los partes librados por los mediadores, acreditativos del día, lugar, hora de inicio y fin de la sesión, la asistencia de las partes y de otras personas, el abandono de alguna de ellas, el acuerdo sobre la celebración de nueva sesión o no, el acuerdo final de mediación (que no es confidencial, salvo que las partes determinen lo contrario), y aquella otra documentación, meramente formal, que por la Corte se decida a efectos estadísticos.

b) Fundación SIGNUM

La Fundación SIGNUM creada en 2011 por el Colegio Notarial de Madrid tiene como objetivo difundir y promover la resolución rápida y eficiente de diversos conflictos poniendo al alcance de la sociedad española un servicio que permita el acceso a estas nuevas formas dinámicas de resolución de conflictos más asequibles, eficaces, confidenciales y con todas las garantías jurídicas.

Los conflictos son, sin duda, una parte esencial de las relaciones y cómo resolverlos es una decisión que afecta tanto a las personas como a las entidades. La Fundación Notarial SIGNUM ofrece para ello alternativas que permiten asegurar soluciones eficaces basadas en la confidencialidad, la rapidez, la imparcialidad, la economicidad, el conocimiento y la seguridad.

La Fundación SIGNUM es especialista en resolución de conflictos en los ámbitos civil y mercantil, atendiendo también otras materias controvertidas a través de su centro de mediación y la Corte de Arbitraje.

La Fundación mantiene convenios de colaboración con el Consejo del Poder Judicial y otros Colegios profesionales, así como con entidades privadas de diversa índole. Tiene firmados también varios acuerdos de derivación intrajudicial con diversos Juzgados y participa en la Oficina de Intermediación Hipotecaria del Ayuntamiento de Madrid. Es además miembro de IDM, Instituciones para la Difusión de la Mediación.

c) La Fundació Mediació Notarial

La *Fundació Mediació Notarial,* que nace amparada por el Colegio de Notarios de Cataluña, tiene por objeto la promoción de los sistemas extrajudiciales de resolución de conflictos mediante la organización de un Centro de Mediación que se encarga de la selección y designación de las personas que tengan que llevar a cabo la mediación y todos los trámites de la gestión del procedimiento de mediación.

Fue constituida el 3 de noviembre de 2016 de acuerdo con lo que dispone el Código Civil de Cataluña y tiene consideración de institución de mediación, de conformidad con lo que establece la Ley 5/2012 de 6 de julio de Mediación de asuntos civiles y mercantiles.

La finalidad de la Fundación se basa en el impulso y promoción de la Mediación y otros sistemas extrajudiciales de resolución de conflictos mediante programas formativos, investigación, publicación y otras actividades de difusión; llevando a cabo mediaciones en el ámbito civil y mercantil, ya sea de particulares o de empresas.

El procedimiento de mediación de acuerdo con el Reglamento de mediación de la *Fundació Mediació Notarial* se rige por los principios siguientes:

–   Voluntariedad

–   Libre disposición

–   Igualdad de las partes

–   Imparcialidad

–   Neutralidad

–   Confidencialidad

El Centro de Mediación de la *Fundació de Mediació Notarial* dispone de un registro de mediadores y pueden solicitar la incorporación a este registro los mediadores que acrediten lo siguiente:

–   tener la titulación y la formación que exige la normativa de mediación en asuntos civiles y mercantiles;

–   estar acreditados por el *Center For Effective Dispute Resolution* (CEDR) o por otro centro de formación del máximo nivel de calidad a nivel internacional, que determine el Patronato;

–   estar inscritos en el Registro de Mediadores y de Instituciones de Mediación del Ministerio de Justicia;

–   tener suscrito un seguro que cubra la responsabilidad derivada de su actuación;

Las solicitudes de mediación pueden llegar al centro por diferentes caminos: a instancia de las partes conjuntamente o por una de ellas, por derivación judicial, por derivación notarial procedente de cláusulas contractuales, por previsiones estatutarias o por el acuerdo de iniciar una mediación concertada en un acto de conciliación notarial.

Cabe señalar que la mediación es gratuita para aquellas personas que reúnan las condiciones de beneficiarios del derecho de asistencia jurídica gratuita conforme a los criterios establecidos en la normativa reguladora de ésta.

d) Fundación Notarial Andaluza

La Fundación Notarial Andaluza para la mediación y arbitraje fue constituida por el Ilustre Colegio Notarial de Andalucía, en Sevilla, el 18 de septiembre de 2012 y tiene como fines la promoción del arbitraje y la resolución de conflictos mediante la organización de un centro de mediación, así como de una Corte de Arbitraje que asume, tanto la designación de las personas que deben desempeñar el cargo, como, especialmente, la administración del proceso que debe seguirse hasta la eficaz resolución del conflicto, siendo el ámbito de la mediación el más amplio posible, incluida la familiar, y paralelamente, respecto de cualquier materia controvertida susceptible de arbitraje; y tiene además como fin la promoción y el fomento de la mediación y arbitraje institucionales y de cualesquiera otras vías alternativas que faciliten la solución convencional de las controversias.

Las actividades señaladas atenderán al interés general consistente en la evitación de conflictos o, en su defecto, a una pronta y justa resolución extrajudicial de los mismos.

Bibliografía

ADAN DOMÉNECH, F.: «La venta extrajudicial de la hipoteca mobiliaria», *Cuadernos de Derecho y Comercio* nº 64, diciembre 2015.

ALBADALEJO, M. y otros: *Comentarios al Código Civil y Compilaciones Forales*, Dirigidos por Manuel Albaladejo, Tomo IX, vol. 1º.

ALBORCH DOMÍNGUEZ, S. y RUEDA PÉREZ, M. A.: *Derecho Notarial* (Coord. J. Borrell), Colegio Notarial Valencia. Tirant lo Blanch, 2011.

ALCALÁ DÍAZ, Mª A.: *La Protección del Deudor Hipotecario. Ley 1/2013, de 14 de mayo, de medidas para reforzar la protección a los deudores hipotecarios, reestructuración de la deuda y alquiler social*. Aranzadi, Pamplona, 2013.

ALFARO ÁGUILA-REAL, J.: *Las condiciones generales de la contratación*, Civitas, 1991.

ALFARO ÁGUILA-REAL, J: «Artículo 1». En *Comentarios a la Ley de Condiciones Generales de la Contratación* (Dir. Aurelio Menéndez Menéndez y Luis Díez-Picazo y Ponce de León), Civitas, Madrid, 2002.

ANTUÑA PLAZA, C. J.: «El nuevo art. 129 de la Ley Hipotecaria. Impresiones y anotaciones apresuradas»,

http://www.notariosyregistradores.com/CONSUMO/ARTICULOS/2013-EL%20 NUEVO%20ART%C3%8DCULO%20129%20DE%20LA%20LEY%20HIPOTECARIA,%20 Antu%C3%B1a,%20C.pdf, 2013

ARIAS GINER, A.: «*Derecho Notarial*», Ed. Tirant lo Blanch. 2011.

ÁVILA NAVARRO, P.: *Derecho Notarial*, Bosch, 1999.

ÁVILA NAVARRO, P: *Estudios de Derecho Notarial*, Montecorvo, 1982.

AZPITARTE SÁNCHEZ, R.: *Estudios de Derecho Notarial*, Editorial Reus, Madrid 1926.

BÁDENAS CARPIO, J. M: «Artículo 2. Ámbito subjetivo». En *Comentarios a la Ley de Condiciones Generales de la Contratación* (Coord. Rodrigo Bercovitz Rodríguez-Cano), Aranzadi, El Cano (Navarra), 1999.

BARRIO GARCÍA, G. A. «Las Cofradías de Pescadores en el Derecho Español», *Anuario da Facultade de Dereito da Universidade da* Coruña, 1998.

BERCOVITZ RODRÍGUEZ-CANO, A: «Ámbito de aplicación y derechos de los consumidores en la Ley General para la Defensa de los Consumidores y Usuarios» en *Estudios sobre Consumo*, 3. 1984.

BERCOVITZ RODRÍGUEZ-CANO, R: «Artículo 1. Ámbito objetivo». En *Comentarios a la Ley de Condiciones Generales de la Contratación* (Coord. Rodrigo Bercovitz Rodríguez-Cano), Aranzadi, El Cano (Navarra), 1999.

BOLAS ALFONSO, J.: «Firma Electrónica, comercio y fe pública notarial» en *Notariado y Contratación Electrónica*. Ed. Colegios Notariales de España.

BOLAS ALFONSO, J.: «La función notarial como factor de seguridad jurídica preventiva del consumidor», RJN octubre-diciembre 1997

BOTÍA VAL, A.: «Beneficio de Inventario y Jurisdicción Voluntaria. Examen crítico»

www.notariosyregistradores.com publicado el 14 de noviembre de 2016.

BRANCÓS NÚÑEZ, E.: «Análisis económico de la función notarial». Revista «La Notaría», 1999

BRANCÓS NÚÑEZ, E.: «Inscripción Registral de documentos extranjeros» en monografías *La Notaría del Colegio Notarial de Cataluña*. Marcial Pons, Madrid, Barcelona, 2009.

CALVO CARAVACA A. L. y CARRASCOSA GONZÁLEZ, J.: «*Derecho Internacional Privado*», Volumen I, Comares, Granada, 2008.

CALVO, R. y CALVO, D.: *La ejecución hipotecaria: problemática registral y procesal*, Bosch, Hospitalet de Llobregat (Barcelona), 2016.

CÁMARA MINGO, L. M.: «Préstamos bancarios: certificación de la deuda líquida a efectos de su reclamación ejecutiva. LA LEY 1987, Tomo IV.

CANTOS VIÑALS, F.: «Tema 32: Ordenación de instrumentos públicos: el protocolo», *Derecho Notarial* (Coord. J. Borrell), Tirant lo Blanch, Valencia 2011.

CARNELUTTI, F.: «Figura jurídica del notario». AAMN 1954.

CARRASCO PERERA, A. y CORDERO LOBATO, E.: «La doctrina casacional sobre la transparencia de las cláusulas suelo conculca la garantía constitucional de la tutela judicial efectiva», Revista CESCO nº 7/2013, pág. 131, http://cesco.revista.uclm.es/index.php/cesco

CARRASCO PERERA, A., CORDERO LOBATO, E. y MARÍN LÓPEZ, M. J.: *Tratado de los Derechos de Garantía*, Aranzadi Editorial, Cizur Menor (Navarra), 2002.

CARRASCO PERERA, A.: «Sobre el control de abusividad de la cláusula de ejecución notarial de la hipoteca», CESCO, http://blog.uclm.es/cesco/files/2016/09/Sobre-el-control-de-abusividad-de-la-clausula-de-ejecucion-notarial-de-la-hipoteca.pdf, 15 de septiembre de 2016.

CARRASCO PERERA, A: *Derecho de Contratos*, Aranzadi, Cizur Menor, 2010.

CARRIÓN GARCÍA DE PARADA, P.: «El divorcio ante Notario». El Notario del siglo XXI, nº 42, marzo-abril 2012.

CARRIÓN GARCÍA DE PARADA, P.: «Nuevos Reglamentos europeos sobre regímenes matrimoniales y sobre efectos patrimoniales de las uniones registradas, en los que inciden elementos transfronterizos. El Notario del siglo XXI, 78, marzo-abril 2018.

CASADO ROMÁN, J.: «Los procedimientos de ejecución hipotecaria tras el Real Decreto Ley 8/2011», http://pdfs.wke.es/8/1/7/7/pd0000068177.pdf

CEPEDA MORRAS, J.: «La administración corporativa, Régimen Jurídico y Tipología,» Derecho Público y administrativo de la Comunidad de Madrid, 2008.

CONSEJO DE ESTADO: *Dictamen para el Anteproyecto de Ley de Colegios Profesionales*. Referencia 1434/2013, https://www.boe.es/buscar/doc.php?id=CE-D-2013-1434.

CHICO ORTIZ, J. Mª: *Temas de Derecho Notarial y Calificación registral del instrumento público*, Ed. Montecorvo, 1972.

DE LA CÁMARA ALVAREZ, M.: «Valor jurídico y aplicaciones de las actas notariales de notoriedad en el Derecho Español», Ponencia del II Congreso Internacional del Notariado latino. Junta de Decanos, Madrid, 1975.

DACAL VIDAL, T. Mª: «Retribución Notarial: Sistemas. El Arancel Notarial. Idea General del mismo y estudio especial de sus disposiciones generales. Obligación de expedir minuta. Recursos» en *Derecho Notarial*, Tirant lo Blanch, Valencia, 2011.

DELGADO DE MIGUEL, J. F. y otros: *Instituciones de Derecho Privado*, TOMO V Sucesiones.

DÍAZ ALABART, S.: «Pacta sunt servanda e intervención judicial en el equilibrio de los contratos: Reflexión sobre la incidencia de la Ley de Condiciones Generales de los Contratos» en *Condiciones Generales de la Contratación y Cláusulas* Abusivas —Dir. U. Nieto Carol—, Lex Nova, Valladolid, 2000.

DÍAZ MORENO, A.: «La constitucionalidad del penúltimo párrafo del art. 1435 de la Ley de Enjuiciamiento Civil». LA LEY, 14 de julio de 1992.

DÍEZ-PICAZO Y PONCE DE LEÓN, L.: «Las condiciones generales de la contratación y cláusulas abusivas» en *Las condiciones generales de la contratación y cláusulas abusivas*, Civitas, 1996.

DÍEZ-PICAZO Y PONCE DE LEÓN, L: «Artículo 2». En *Comentarios a la Ley de Condiciones Generales de la Contratación* (Dir. Aurelio Menéndez Menéndez y Luis Díez-Picazo y Ponce de León), Civitas, Madrid, 2002.

DÍEZ-PICAZO Y PONCE DE LEÓN, L.: *Fundamentos del Derecho Civil Patrimonial*, Tecnos, 1979.

DURAN BRUJAS, M.: «Notas sobre la modificación del art. 1435 LEC por la Ley 34/1984, de 6 de agosto». *VII Seminario de Fe Pública Mercantil*, 1984.

DURANY PICH, S: «Artículos 5 y 7». En *Comentarios a la Ley de Condiciones Generales de la Contratación* (Dir. Aurelio Menéndez Menéndez y Luis Díez-Picazo y Ponce de León), Civitas, Madrid, 2002.

FERNÁNDEZ DE SENESPLEDA, I., IZQUIERDO BLANCO, P., SERRA RODRÍGUEZ, A. y SOLER SOLÉ, G.: *Cláusulas abusivas en la contratación Bancaria*, Bosch, Hospitalet de Llobregat, 2014.

FERNÁNDEZ GOLFÍN APARICIO, A.: *Temas de Derecho Notarial*, 2017

FERNÁNDEZ MALDONADO, Mª A.: «A vueltas con la expresión manuscrita», 28 de diciembre de 2014, http://www.notariosyregistradores.com/OPINION/2014-expresion-manuscrita.htm

FERNÁNDEZ-GOLFÍN, A. y FERNÁNDEZ-TRESGUERRES, A.: *Código Notarial*, Aranzadi, Pamplona 2009.

FERNÁNDEZ-MARTOS Y BERMÚDEZ-CAÑETE, E. y FERNÁNDEZ-MARTOS ABASCAL, R.: *Manual práctico sobre la capacidad y representación de todas las personas jurídicas*, Dykinson, Madrid, 2000.

FUGARDO ESTIVILL, J. Mª: «Legalización y apostillado de documentos públicos» en monografías *La Notaría del Colegio Notarial de Cataluña*. Marcial Pons, Madrid, Barcelona, 2009.

FUGARDO ESTIVILL, J. Mª: «La póliza intervenida y sus requisitos formales» en *Jornadas de estudio sobre el nuevo Reglamento Notarial*, Civitas, Madrid, 2008.

GALLEGO, E.: «Artículo 215. Inscripción del nombramiento» en *Comentario de la Ley de Sociedades de Capital* (Dirs. A. Rojo y E. Beltrán), Civitas, Madrid, 2011.

GARCÍA GARCÍA, J. M.: *Código de Legislación Inmobiliaria, Hipotecaria y del Registro Mercantil*, Tomo I, 6ª edición, Civitas, Madrid, 2009.

GARCÍA MÁS, F. J.: «Apuntes al procedimiento Ejecutivo Extrajudicial», *Revista Crítica de Derecho Inmobiliario*, año LXIX, número 616.

GARCÍA PARRA, S. E.: «Cap. III. De los actos de notificación y traslado de documentos extrajudiciales» en *Comentario a la Ley 29/2015 de Cooperación Jurídica Internacional en materia civil*, Bosch, Hospitalet de Llobregat, 2017.

GARCÍA PARRA, S. E.: «Tema 22. Actas notariales: concepto y especialidades formales. Actas de protocolización. Idea de las protestas notariales de avería» en *Derecho Notarial*, Tirant lo Blanch, Valencia, 2011.

GARRIGUES, J.: *Contratos Bancarios*, Madrid, 1975.

GIMÉNEZ-ARNAU, E.: *Derecho Notarial*, Ediciones Universidad de Navarra. Pamplona, 1976.

GIMENO SENDRA, V.: Mesa Redonda sobre la constitucionalidad del procedimiento extrajudicial (AA. VV.), en BCRE, núm. 38 (junio).

GOMÁ LANZÓN, F.: «El procedimiento extrajudicial notarial de venta de bien hipotecado: informe de situación» en *La Protección de Consumidores y Usuarios en la Contratación Bancaria*, Cuadernos de Derecho y Comercio, extraordinario 2014.

GOMÁ LANZÓN, I. «Notarios, matrimonios y jurisdicción voluntaria: ¿fe pública matrimonial? El Notario del siglo XXI, 42, marzo-abril 2012.

GOMÁ LANZÓN, I.: «Comentario al art. 250 del Reglamento Notarial» en *Nueva legislación Notarial comentada*. Tomo I, Colegio Notarial de Madrid, 2007 (I).

GOMÁ LANZÓN, I.: «Del instrumento público» en *Nueva Legislación Notarial comentada*, Tomo I, Colegio Notarial de Madrid, Madrid, 2007.

GOMÁ LANZÓN, I.: Comentario al art. 264 RN. *Nueva legislación Notarial comentada*. Tomo I. Colegio Notarial de Madrid, 2007 (II).

GOMÁ LANZÓN, I.: «Robo, hurto, extravío o destrucción de título valor» en *Jurisdicción voluntaria notarial,* (coord. por Concepción Pilar Barrio del Olmo). Thomson Reuters Aranzadi, Madrid 2015.

GOMÁ SALCEDO, J. E.: *Derecho Notarial* (segunda edición ampliada y puesta al día con la colaboración de Fernando e Ignacio Goma Lanzón). Editorial Bosch, 2011.

GÓMEZ LOZANO, Mª del M.: «La protección del Consumidor en la comercialización de préstamos hipotecarios», *La protección del deudor hipotecario. Aproximación a la Ley de Medidas para reforzar la protección a los deudores hipoteacrios, reestructuración de deuda y alquiler social* (Dir. A. Núñez Iglesias), editorial Comares, Granada, 2014.

GÓMEZ-FERRER SAPIÑA, R.: *Venta extrajudicial ante notario del inmueble hipotecado*, Tirant lo Blanch, Valencia, 2009.

GONZÁLEZ PACANOWSKA, I: «Artículo 5. Requisitos de incorporación». En *Comentarios a la Ley de Condiciones Generales de la Contratación* (Coord. Rodrigo Bercovitz Rodríguez-Cano), Aranzadi, El Cano (Navarra), 1999.

GONZÁLEZ PALOMINO, J.: «Negocio jurídico y documento (Arte de llevar la contraria)». Conferencia leída en el Ilustre Colegio Notarial de Valencia el día 3 de junio de 1950. Sucesor de Vives Mora - Artes Gráficas, Valencia, 1951.

GONZÁLEZ-MENESES GARCÍA VALDECASAS, M.: «El expediente de subasta notarial» en *Jurisdicción Voluntaria Notarial*, Thomson Reuters Aranzadi, Cizur Menor (Navarra), 2015.

GRIMALDOS GARCÍA, M. I.: «Capítulo XII. Órgano de administración (I). Consideraciones Generales» en *Derecho de Sociedades de Capital. Estudio de la Ley de sociedades de capital y de la legislación complementaria*» (Dir. J. M. Embid Irujo), Marcial Pons, Madrid, 2016.

GUTIÉRREZ FUENTES, L. A.: «La Administración corporativa», Universidad de La Rioja, servicio de publicaciones, curso 2015-2016.

HUERTA TRÓLEZ, A: «El nuevo Libro Indicador. ¿Para qué sirve?», en *El Notario del Siglo XXI*, mayo-junio, 2007, http://www.elnotario.es/index.php/hemeroteca/revista-13/2450-el-nuevo-libro-indicador-para-que-sirve-0-986863522778138.

JIMÉNEZ CLAR, A. y LEYDA ERN, C.: *Temas de Derecho Notarial*, Tirant lo Blanch, Valencia, 2008.

JIMÉNEZ CLAR, A.: «Tema 19: Parte dispositiva. Estipulaciones y disposiciones. Reservas y advertencias legales. Lectura del instrumento. Excepción de documento no leído» en *Derecho Notarial*, Tirant lo Blanch, Valencia 2011.

JIMÉNEZ GALLEGO, C.: *Función notarial y jurisdicción voluntaria*. Tirant lo Blanch, Valencia 2017.

LANZAS GALVACHE, J.: «El procedimiento extrajudicial de ejecución hipotecaria» en *Homenaje a José María Chico Ortiz*, Marcial Pons y Colegio de Registradores de la Propiedad y Mercantiles de España, Madrid.

LIÉBANA ORTIZ, J. R. y PÉREZ ESCALONA, S.: *Comentarios a la Ley de Jurisdicción Voluntaria. Ley 15/2015, de 2 de julio.* Thomson Reuters Aranzadi, Madrid 2015.

LÓPEZ CANO, J.: *Formularios notariales: Ley de jurisdicción voluntaria, subastas notariales y concordancia entre el catastro y el registro*, La Ley, Las Rozas (Madrid), 2015.

LÓPEZ LIZ, J.: *El procedimiento extrajudicial-notarial de ejecución hipotecaria.* Editorial BOSCH, Barcelona, 1993.

LLAGARIA VIDAL, E.: *Temas para Oposiciones a Notarías*

MADRIDEJOS FERNÁNDEZ, Lorenzo: «Artículo 23.1, 2 y 3» en *Comentarios a la Ley de Condiciones Generales de la Contratación* (Coord. Rodrigo Bercovitz). Aranzadi, 1999.

MAGARIÑOS BLANCO, V.: «El procedimiento extrajudicial de realización de hipoteca. Su visibilidad» en Revista Crítica de Derecho Inmobiliario, 1997.

MAGARIÑOS BLANCO, V.: «La seguridad Jurídica y el Estado de Derecho en España. Real Academia Sevillana de Legislación y Jurisprudencia, Sevilla, 1992.

MALO CONCEPCIÓN, J. V.: «Tema 29. La Póliza. Concepto y clases. Requisitos y efectos» en *Derecho Notarial*, Tirant lo Blanch, Valencia, 2011.

MARÍN LÓPEZ, M. J.: «El «nuevo» concepto de Consumidor y Empresario tras la Ley 3/2014, de reforma del TRLGDCU», Revista CESCO de Consumo 9/2014.

MARIÑO PARDO, F.: «Algunos casos, sentencias y resoluciones sobre la tutela. Adquisición, enajenación y otros actos del tutor sujetos a autorización o aprobación judicial. «Blog de Derecho Privado «Iuris Prudente», publicado el 30 de marzo de 2016.

MARIÑO PARDO, F.: «El administrador de bienes de un menor o incapacitado nombrado en acto a título gratuito. Contenido de las facultades. Posibilidad de dispensa de autorización judicial. El caso del legitimario. La Resolución DGRN de 12 de julio de 2013.» Blog de Derecho Privado «Iuris Prudente», publicado el 12 de junio de 2014.

MARIÑO PARDO, F. M.: «Acta de declaración de herederos abintestato a favor de ascendientes y descendientes, cónyuge, pareja o parientes colaterales» en Jurisdicción Voluntaria Notarial, Thomson Reuters-Aranzadi, Cizur Menor, 2015.

MARTÍNEZ ORTEGA J. C. y RODRÍGUEZ DOMÍNGUEZ R.: *Aplicación práctica de la nueva Ley de Jurisdicción voluntaria en la oficina notarial.* Wolters Kluwer Bosch, Barcelona 2017.

MARTÍNEZ PARDO, V. J.: «La liquidez de los créditos (art. 1435, párrafo 4º, LEC)». LA LEY, 1989, Tomo III.

MARTÍNEZ PÉREZ, D.: «Valor internacional del documento público» en *Derecho Notarial*, Tirant lo Blanch, Valencia, 2011.

MARTÍNEZ SANCHIZ, J. A.: «Sobre el título inscrito», RJN enero 2000.

MARTÍNEZ SANCHIZ, J. A.: Comentarios al Artículo 144 del Reglamento Notarial. Nueva Legislación notarial comentada. Colegio Notarial de Madrid, 2007.

MARTÍNEZ-GIL. I.: *Nueva legislación Notarial comentada*, Tomo I, Colegio Notarial de Madrid, 2007.

MEJÍAS GÓMEZ, J.: «La reforma del Libro-Registro de Operaciones, el Protocolo y el Libro Indicador. Algunos aspectos en relación con las operaciones intervenidas por los Notarios» en *Jornadas de estudio sobre el nuevo Reglamento Notarial*, Civitas, Madrid, 2008.

MIRA ROS, C.: «Ejecución hipotecaria», *Revista El Notario del siglo XXI*, Colegio Notarial de Madrid, núm. 20, julio-agosto 2008, http://www.elnotario.es/index.php/hemeroteca/revista-20?id=1932:ejecucion-hipotecaria-0-7741411298272582

MIRA ROS, C.: «La exclusividad jurisdiccional a debate», *Revista El Notario del siglo XXI*, Colegio Notarial de Madrid, núm. 68, julio-agosto 2016, http://www.elnotario.es/index.php/practica-juridica/1705-la-exclusividad-jurisdiccional-a-debate-0-058404400999103115.

MONTERO AROCA, J.: *Ejecución de la hipoteca inmobiliaria*, Tirant lo Blanch, Valencia, 2012.

MONTERO-RÍOS GIL, J.: «Tema 17: Determinación de los títulos de adquisición. Determinación de cargas y gravámenes. Valoración crítica del sistema vigente. Determinación del valor», *Derecho Notarial*, Tirant lo Blanch. 2011.

MORILLO FERNÁNDEZ, F. J. y SOLÍS VILLA, C.: «Comentario a los arts. 198 a 220 RN» en *Nueva Legislación Notarial comentada* Tomo I, Colegio Notarial de Madrid, Madrid, 2007, pp. 555-646.

MÓXICA ROMÁN, J: *Las pólizas bancarias. Ejecución, oposición y prelación*, Aranzadi, 1993.

MUNDI SANCHO, Mª D.: «Tema 11 «, *Derecho Notarial* (Coord. Joaquín Borrell), Tirant lo Blanch, 2011.

NIETO CAROL, U.: «Acreditación de la realidad, validez y vigencia del nombramiento del administrador solidario de la entidad cedente, al no constar la inscripción en el Registro Mercantil de dicho cargo (Comentario de la Resolución de la Dirección General de los Registros y del Notariado de 29 septiembre 2016), *Archivo Commenda de jurisprudencia societaria (2015-2016),* Editorial Comares, Granada, 2017.

NIETO CAROL, U.: «El confirming sin cuantía no es título ejecutivo». *El Notario del Siglo XXI* nº 70, noviembre-diciembre 2016.

NIETO CAROL, U.: «El documento fehaciente de liquidación». *Revista Jurídica del Notariado*, nº 100-101 (octubre-diciembre 2016).

NIETO CAROL, U.: «La ejecución hipotecaria. El proceso judicial sumario y la ejecución extrajudicial», *Tratado de Garantías en la contratación mercantil*, Tomo III (Coord. U. Nieto Carol), Civitas, Madrid, 1996.

NIETO CAROL, U.: «Plazo para los otorgamientos sucesivos en las pólizas intervenidas por notario». *El Notario del Siglo XXI* nº 77, enero-febrero 2018.

NIETO CAROL, U.: «Tema 33: Archivo de protocolos. El Libro-registro.: valor jurídico. Requisitos. Las certificaciones del libro-registro: valor jurídico. El libro indicador» en *Derecho Notarial*, Tirant lo Blanch, Valencia, 2011.

NIETO CAROL, U.: «Tipos societarios específicamente europeos». *Revista Jurídica del Notariado*, nº 79, julio-septiembre 2011.

NIETO CAROL, U.: «Venta extrajudicial notarial de bienes inmuebles hipotecados», *Tratado de Garantías*, Editorial La Ley, (en prensa).

NIETO CAROL, U.: *Derecho de Sociedades*, Edit. Aranzadi, Cizur Menor (Navarra), 5ª edición, 2018.

NIETO CAROL, U.: *El Mercado Hipotecario español. Marco jurídico*. Documentos de trabajo nº 2. CU-NEF, Madrid, 2009.

NIETO CAROL, U.: *Transparencia y protección de la clientela bancaria*. Edit. Aranzadi, Cizur Menor (Navarra), 2016.

NIETO CAROL, U: «La liquidez en los contratos bancarios. El art. 1435,4 LEC», *Rev. Jurídica LA LEY*, 16 de marzo de 1993.

NIETO SÁNCHEZ, J. «Valor jurídico del instrumento público», en *Derecho Notarial* (Dir. J. BO-RRELL GARCÍA), Tirant lo Blanch, Valencia, 2011

NÚÑEZ LAGOS, R: «Estudios sobre el valor jurídico del documento notarial». Conferencia pronunciada el 5 de mayo de 1943, Anales de la Academia Matritense del Notariado. Instituto Editorial Reus, Madrid, 1945.

ORTELLS PÉREZ, F.: «Tema 23. Actas de depósito. Depósitos sin acta. Actas de presencia: actas para la publicidad. Actas de remisión de documentos; de exhibición de cosas y de documentos. Actas de referencia» en *Derecho Notarial*, Tirant lo Blanch, Valencia, 2011.

ORTIZ NAVACERRADA, S.: *Título ejecutivo y liquidez de las pólizas de crédito a efectos del despacho de ejecución*. Edit. COMARES, 1992.

ORTIZ NAVACERRADA, S: «Efectos procesales de las pólizas intervenidas por Corredor de Comercio», en *Contratos Bancarios*, Civitas, Madrid, 1992.

PAGADOR LÓPEZ, J.: «Incorporación de las condiciones generales al contrato. Aplicación jurisprudencial y práctica». Cuadernos de Derecho y Comercio n1 19, abril 1996.

PAGADOR LÓPEZ, J.: «La Ley 7/1998, de 13 de abril, sobre Condiciones Generales de la Contratación» en *Derecho de los Negocios*, octubre de 1998.

PAGADOR LÓPEZ, J.: «Requisitos de incorporación de las condiciones generales y consecuencias negociales» en *Condiciones Generales de la Contratación y Cláusulas Abusivas (Dir. U. Nieto Carol)*. Lex Nova, Valladolid, 2000.

PAZ-ARES, C: *El Sistema notarial. Una aproximación económica*. Colegios Notariales de España, 1995.

PERAL RIBELLES, F.: www.notariosyregistradores.com, 2012.

PERELLÓ AGUSTINA, M. J.: «Tema 25. Actas de notoriedad: su naturaleza jurídica. Supuestos de aplicación. Tramitación. Valor probatorio» en *Derecho Notarial*, Tirant lo Blanch, Valencia, 2011.

PÉREZ DE MADRID CARRERAS, V: Introducción al Derecho notarial. Granada, 2006.

PERTIÑEZ VÍLCHEZ, F: «Comentario al art. 80 TRLCU» en *Comentarios a las Normas de Protección de los Consumidores* (Dir. S. Cámara Lapuente), Colex, Madrid, 2011.

PIPAÓN PULIDO, J. G.: *Derechos de los Consumidores y Usuarios*, Lex Nova, Valladolid, 2009.

RECALDE CASTELLS, A. en *Comentarios a la ley 15/2015 de la jurisdicción voluntaria,* coord. por Antonio Fernández de Buján, Consejo General del Notariado y Thomson Reuters Civitas, 2016.

RIVAS ANDRÉS, R.: «Una visión de la circulación internacional de documentos notariales desde el Derecho Documental. La RDGRN de 22 de febrero de 2012. Revista Jurídica del Notariado», ISSN 1132-0044, nº 81, 2012.

RIVAS MARTÍNEZ, J. J.: *Derecho de Sucesiones Común y Foral*, Dykinson, 1997.

RIVERO SÁNCHEZ-COVISA, F. J.: «La Intervención del Notario en el matrimonio conforme a la nueva Ley de Jurisdicción Voluntaria». *El Notario del siglo XXI*, nº 78, marzo-abril 2018.

RIVERO SÁNCHEZ-COVISA, F. J.: *Jurisdiccion Voluntaria Notarial*, Colegio Notarial de Madrid. Thomson Reuters ARANZADI.

RIVERO SÁNCHEZ-COVISA, F. J.: *Jurisdicción Voluntaria Notarial*, Colegio Notarial de Madrid. Thomson Reuters ARANZADI.

ROCA SASTRE, R. M. y ROCA SASTRE MUNCUNILL, L. *Derecho Hipotecario*. Edit. BOSCH, Barcelona, 1979. Tomo IV, vol. 2.

ROCA SASTRE, R. M. y ROCA SASTRE MUNCUNILL, L. *Derecho Hipotecario*. Edit. BOSCH, Barcelona, 1988. Tomo IX.

RODRÍGUEZ ADRADOS, A.: «Cuestiones de técnica notarial en materia de actas» en *Escritos jurídicos IV*, Consejo General del Notariado, Madrid, 1996.

RODRÍGUEZ ADRADOS, A.: «El ejercicio extrajudicial del *ius dristrahendi* por el acreedor hipotecario», en *Revista Jurídica Notariado*, julio-septiembre 1997.

RODRÍGUEZ ADRADOS, A.: «El instrumento público: requisitos de forma y fondo». Escritos jurídicos, Consejo General del Notariado, tomo 3, 1996.

RODRÍGUEZ ADRADOS, A.: «La nueva póliza intervenida», *Revista Jurídica del Notariado,* enero-marzo 2008.

RODRÍGUEZ ADRADOS, A.: «Las actas notariales en materia electoral» en Escritos jurídicos IV, Consejo General del Notariado, Madrid, 1996.

RODRÍGUEZ ADRADOS, A.: «Las nuevas tendencias en orden a la ejecución extrajudicial de préstamos personales y de préstamos hipotecarios» en *La seguridad jurídica y el tráfico mercantil* (Dir. J. Bolás Alfonso), Civitas, Madrid, 1992.

RODRÍGUEZ ADRADOS, A.: «La función notarial y los principios y valores constitucionales», *Escritos Jurídicos*, Tomo II, Consejo General del Notariado, Madrid, 1996.

RODRÍGUEZ ADRADOS, A: «La forma notarial de la declaración de voluntad». *Revista Jurídica del Notariado*, número 30, abril-junio 1999.

RODRÍGUEZ GARCÍA ROBÉS, J. L.: «Jurisdicción voluntaria: Doce expedientes y Actas especiales». notariosyregistradores.com. Publicado el 04/01/2016.

RODRÍGUEZ GARCÍA ROBÉS, J. L.: «Jurisdicción voluntaria: Doce expedientes y Actas especiales», www.notariosyregistradores.com, 04/01/2016.

ROSALES, F.: «El poder preventivo como solución a los procesos de incapacidad», blog notariofranciscorosales.com, publicado el 13 de enero de 2014.

RUEDA ESTEBAN, L: ·Comentarios a la Sección 2ª del Capítulo IV del Título IV del Reglamento Notarial». *Nueva Legislación Notarial Comentada*. Tomo I, pp. 778-795. Colegio Notarial de Madrid, Madrid, 2007.

SALA I ANDRÉS, A.» Comentario a los artículos 546 y ss.», en *Comentarios al Código de Comercio,* dirigidos por Alberto Sala Reixachs, Atelier 2012.

SÁNCHEZ-CALERO GUILARTE, J.: «El art. 1435 LEC y el principio constitucional de la igualdad». R.D.B.B. nº 43, 1991.

SÁNCHEZ-CALERO, J. y VILLANUEVA GARCÍA-POMAREDA, B.: «El acta notarial de la Junta en la Sociedad Anónima» en *Cuadernos de Derecho y Comercio* nº 55, CGN, Madrid, 2011.

SAPENA DAVÓ, J.: «Tema 7. Requisitos formados: la redacción del instrumento público», *Derecho Notarial* (Coord. J. Borrell), Colegio Notarial Valencia. Tirant lo Blanch, 2011.

SERRA RODRÍGUEZ, A.: «Cláusulas abusivas en los contratos de crédito al consumo», Boletín del Ministerio de Justicia, núm. 2153, abril 2013.

SERRANO ALONSO, E.: *Conceptos Fundamentales del Derecho Hipotecario*, Editorial Forum, Oviedo, 1993.

TAMAYO CLARES, M: *Temas de Legislación Notarial*. Ilustre Colegio Notarial de Granada (Publicaciones de la Academia Granadina del Notariado), Granada, 1994.

TAPIA HERMIDA, A. J.: «La armonización comunitaria de los contratos de crédito celebrados con consumidores para bienes inmuebles de uso residencial: la Directiva 2014/17/UE», *RDBB* núm. 136, octubre-diciembre 2014.

TENA ARREGUI, R.: «El valor añadido del documento notarial y el valor económico de la seguridad jurídica. Cuál es el papel del notariado para favorecer el acceso al título de propiedad, Ponencia española en las Jornadas notariales iberoamericanas, Punta del Este 2006.

TENA ARREGUI, R.: *Valor del documento notarial*, 2003.

TORIBIOS FUENTES, F. y CALVACHE MARTÍNEZ, J. G.: «Art. 129» *en Comentarios a la Ley Hipotecaria* (Dir. A. DOMÍNGUEZ LUELMO), 2ª ed., Thomson Reuters Aranzadi, Cizur Menor (Navarra), 2016.

TORRES ESCÁMEZ, S.: «La función notarial, función preventiva de litigios: el consejo y la mediación notariales como instrumento». *Anuario de Justicia Alternativa* número 3/2002 (marzo de 2002).

TORRES RUIZ, S.: «Nombramiento de perito en la contrata de seguros» en *Jurisdicción voluntaria notarial,* coord. por Concepción Pilar Barrio del Olmo. Thomson Reuters Aranzadi, Madrid 2015.

URÍA, R y MENENDEZ, A.: *Curso de Derecho Mercantil*. Civitas, Madrid, 1999.

VARA GONZALEZ, J. M. y PÉREZ HEREZA, J.: «Separación y divorcio ante notario» en *Jurisdicción Voluntaria Notarial*, Colegio Notarial de Madrid. Thomson Reuters ARANZADI.

VÁZQUEZ LÓPEZ, J. C.: «Acta notarial previa y escritura de matrimonio: modelos y apuntes», www. notariosyregistradores.com. Publicado el 15 de mayo de 2017.

VEGAS TORRES, J: «Capítulo Quinto. La Ejecución Dineraria» en *Derecho Procesal Civil. Ejecución forzosa. Procesos especiales,* (A. de la Oliva Santos, I. Díez-Picazo Giménez y J. Vegas Torres), Editorial Universitaria Ramón Areces, tercera edición, Madrid, 2005.

VV.AA.: *Nueva Legislación notarial comentada*. Colegio Notarial de Madrid, 2007.

YUSTE, J.: «Las actas de presencia» en *Jornadas de estudio sobre el nuevo Reglamento Notarial*. Alicante 26-28 de abril 2007. Thomson-Civitas, Pamplona, 2008.

ZAMORA IPAS, A.: «Acta de notoriedad para la constancia del régimen económico matrimonial legal» en *Jurisdicción Voluntaria Notarial*, Colegio Notarial de Madrid. Thomson Reuters ARANZADI, 2015

ZUNICA RAMAJO, M. P.: «Tema 24. Actas de requerimiento y notificación: la cédula de notificación. Derecho del requerido a contestar» en *Derecho Notarial*, Tirant lo Blanch, Valencia, 2011.

Índice de voces

VOZ	ÍNDICE
Forma	4.25.7.
La liquidez de las deudas	4.25.1.
Pacto liquidatorio como cláusula abusiva	4.25.4.
Supuestos	4.25.5.
Ejecución de bienes hipotecados o pignorados	4.25.5.2.
Ejecución dineraria	4.25.5.1.
Venta extrajudicial notarial bien inmueble hipotecado	4.25.5.3.
Venta extrajudicial notarial bien mueble hipotecado o pignorado sin desplazamiento	4.25.5.4.
Documento públicos extranjeros (protocolización)	4.24.4.3
Documentos notariales mortis causa. Ineficacia	4.5.8.
Por cuestiones formales	4.5.8.1
Nulidad testamentaria. Código Civil	4.5.8.1.1.
Derecho Aragón	4.5.8.1.5.
Derecho Catalán	4.5.8.1.2.
Derecho Gallego	4.5.8.1.6.
Derecho Islas Baleares	4.5.8.1.3.
Derecho Navarro	4.5.8.1.4.
Por cuestiones sustantivas	4.5.8.2.
Documentos privados (protocolización)	4.24.4.3
Documentos públicos extranjeros. Legalización	4.8.5.2.3.1.
Domicilio (actas en)	4.24.2
Dominio público hidráulico	4.15.2.2.2.2.
Elecciones (actas)	4.24.6
Elevación a público de documentos privados	4.5.2.
Enajenación de efectos mercantiles alterados o averiados	14.6.
Destino del precio obtenido	14.6.4.
Notario competente	14.6.2.
Regulación	14.6.1.
Tasación y venta	14.6.3.
Entes de promoción deportiva	4.8.5.3.6
Envío	véase acta de remisión
Escritura pública de celebración de matrimonio	5.2.
Competencia	5.2.1.

VOZ	ÍNDICE
Ficha de Información Personalizada (FIPER)	10.3.3.
Firma acciones (acta de identidad de)	4.24.6
Firma Electrónica Reconocida Notarial (FEREN)	16.2.
Formación de inventario	6.9.
Función Notarial	3.
Carácter rogado	3.1.
Control de legalidad	3.3.
Deber de prestación	3.2.
Fundaciones culturales	4.8.5.3.7.2
Fundaciones de beneficencia particular	4.8.5.3.7.1
Fundaciones extranjeras	4.8.5.3.7
Fundaciones laborales	4.8.5.3.7.3
Fundaciones Notariales de Mediación	18.5.1.
Fundaciones religiosas	4.8.5.3.7.4
Fundaciones. Constitución	4.8.5.3.7
Normativa	4.8.5.3.7
Representación	4.8.5.3.7
Hecho notorio	4.24.12
Herederos ab intestato	véase acta de
Índice Único Informatizado Notarial	4.29.2.
Estructura	4.29.2.3.
Evolución normativa	4.29.2.2.
Principios de su desarrollo	4.29.2.1.
Utilidades	4.29.2.4.
Índices Notariales	4.29.
Situación anterior al IUI	4.29.1.
Ineficacia del documento notarial	4.5.5.
Información gráfica. La georreferenciación	15.1.1.2.
El procedimiento del artículo 199 LH	15.1.3.3.3
Formato de la representación gráfica	15.1.2.1
Incorporación	15.1.
La certificación catastral descriptiva y gráfica	15.1.1.3.1.
La representación gráfica alternativa	15.1.1.3.2.
La validación técnica de la representación gráfica alternativa	15.1.1.3.2.2.

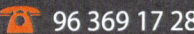
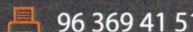

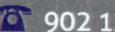